les usuels
du **Robert**

Collection dirigée par
Henri MITTERAND et Alain REY

Collection « les usuels du Robert » (volumes reliés) :
— *Dictionnaire des difficultés du français,*
  par Jean-Paul COLIN.
  prix Vaugelas.
— *Dictionnaire étymologique du français,*
  par Jacqueline PICOCHE.
— *Dictionnaire des synonymes,*
  par Henri BERTAUD DU CHAZAUD.
  ouvrage couronné par l'Académie française.
— *Dictionnaire des idées par les mots...*
  (dictionnaire analogique),
  par Daniel DELAS et Danièle DELAS-DEMON.
— *Dictionnaire des mots contemporains,*
  par Pierre GILBERT.
— *Dictionnaire des anglicismes*
  (les mots anglais et américains en français),
  par Josette REY-DEBOVE et Gilberte GAGNON.
— *Dictionnaire des structures du vocabulaire savant*
  (éléments et modèles de formation),
  par Henri COTTEZ.
— *Dictionnaire des expressions et locutions,*
  par Alain REY et Sophie CHANTREAU.
— *Dictionnaire de proverbes et dictons,*
  par Florence MONTREYNAUD, Agnès PIERRON et François SUZZONI.
— *Dictionnaire de citations françaises,*
  par Pierre OSTER.
— *Dictionnaire de citations du monde entier,*
  par Florence MONTREYNAUD et Jeanne MATIGNON.

Dictionnaires édités par LE ROBERT
107, avenue Parmentier - 75011 PARIS (France)

DICTIONNAIRE DE CITATIONS FRANÇAISES

par Pierre OSTER

avec le concours de

Élisabeth Hollier
Christian Galantaris
Jean-Luc Benoziglio
Denis Roche
Jean-Robert Masson
Jacques Bens
Jeanne Matignon

les usuels
du Robert
PARIS

Nouvelle édition (1984)

ISBN 2-85036-010-4   ISSN 0226-8697

SOMMAIRE

AVANT-PROPOS

Premier ouvrage du genre à offrir un panorama aussi vaste de tout ce qui s'est écrit en français et qui, à un titre ou à un autre, mérite d'être redit, ou seulement remis en valeur, le « Dictionnaire de Citations françaises » comble un *manque*.

Il fallait relire — ou lire — avec un regard neuf, plusieurs centaines d'écrivains. C'est ce que nous avons fait.

16 460 citations

Nous avons donc réuni une équipe d'une quinzaine de spécialistes, qui, pendant trois ans, s'est avant tout préoccupée de faire apparaître une idée moderne de la lecture, comme si notre littérature avait été écrite en une semaine, et que l'encre sur aucun manuscrit jamais n'eût séché.

C'est dire que nous avons tendu :

● à élargir sans cesse la notion même de citation, trop souvent confondue avec le proverbe, l'apophtegme, la sentence ou l'aphorisme ;

● à souligner, chez les grands écrivains, outre les extraits classiques habituellement retenus, les phrases clefs qui peuvent aussi bien se trouver dans des écrits moins connus ;

● à favoriser des auteurs considérés comme mineurs, mais dont certains textes, replacés dans une optique contemporaine, retrouvent un autre impact ;

● à réhabiliter ceux que nous serions tentés d'appeler les « provinciaux de l'intelligence » :

des réformateurs, des fous littéraires, des uto-
pistes et des auteurs en marge.
● à tirer, sans attendre, de certaines œuvres
en cours d'élaboration, des fragments propres
à nous éclairer sur les nouvelles directions de
la recherche intellectuelle.

Un triple emploi

L'étendue des investigations que nous avons
conduites suggère et permet un triple emploi
de l'ouvrage.
Le lecteur, ainsi, peut retrouver à partir de
l'*Index* la citation que sa mémoire ne lui resti-
tue que de façon imprécise, mais dont il connaît
le sens et, donc, le *terme* principal. Pour les
auteurs de tout premier plan, il sera guidé par
la mention de certains *noms* qui, de toujours,
restent liés à des thèmes précis ou à des for-
mulations célèbres.
Exemple :

> ÉTERNITÉ / Corneille 1830 / 2256 / Pascal
> 3122 3123 3124 / 3264 3327 / Bossuet 3334
> 3348 3376 3386 3421 / 3532 3543 4478
> 7789 / Constant 8118 / 8434 8539 / Lamar-
> tine 8955 / 10402 / Musset 11049 / 11231 /
> Zola 12118 / Mallarmé 12218 12257, etc.

D'autre part, lorsque le fragment est en quelque
sorte *figé* (« *L'amour est à réinventer* »),
l'expression « à réinventer » figure dans notre
classement par mots, à la fin de la rubrique
« *Amour* ». La citation apparaît d'elle-même,
au numéro correspondant, avec la référence
(les auteurs étant présentés dans l'ordre chrono-
logique).
Exemple :

> AMOUR   *(qui meurt)* 8251; *(qui se tait)*

11021; *(Rage d')* 14677; *(à réinventer)* 12709; *(renoncer à l')* 15751; *(révélation de l')* 15278 15279; *(Roman d')* 13543; *(satisfait)* 5458; *(splendide)* 12661; *(Temps de l')* 15838; *(ton de l')* 5877; *(vénal)* 11740, *etc.*

Il est clair, toutefois, que l'on est en droit d'espérer bien davantage de notre travail. L'étudiant, par exemple, y recourra avec profit pour faire le tour d'un écrivain qu'il aura déjà lu en partie, dont il souhaite cependant recenser dans un temps très court les choix essentiels. Et cela surtout dans le champ très large de la littérature d'idées, de la philosophie, de la politique, de la morale ou de la religion.
Enfin, nous fournissons, période par période, tout un matériel souvent peu accessible, dispersé dans des milliers de volumes, que l'on ne parviendrait à se procurer qu'en de rares bibliothèques.
Notre vœu serait que le lecteur attentif considère ce Dictionnaire de citations comme un précieux instrument de travail et l'occasion d'innombrables découvertes. Qu'il y recoure également, si d'aventure il est pressé, comme à un guide pratique et familier.

L'ÉDITEUR.

Dictionnaire
de
citations françaises

MOYEN
ÂGE

LA CHANSON DE GUILLAUME
fin xie siècle ou milieu xii^e

Pour être grand, il faut avoir été petit. 1

SUGER
v. 1081-1151

Si veut le roi, si veut la loi. 2
Histoire de Louis le Gros.

LA CHANSON DE ROLAND
entre 1100 et 1125

Charles le roi, notre grand Empereur, 3
Sept ans tout pleins est resté en Espagne.
vv. 1-2.

Laissons les fous, tenons-nous-en aux sages. 4
Ibid., v. 229.

« Jamais, dit Ganelon, tant que vivra Roland. » 5
Ibid., v. 557.

« Qu'en douce France s'en retourne le roi. 6
Son arrière-garde laissera derrière soi.
En sera son neveu, le comte Roland, je crois,
Et Olivier, le preux et le courtois.
Morts sont les comtes, s'il en est qui m'en croient. »
Ibid., vv. 573-577.

Les douze pairs sont restés en Espagne. 7
Ibid., v. 825.

Pour son seigneur, on doit souffrir détresse, 8
Et endurer le grand chaud, le grand froid,
Perdre pour lui et le cuir et le poil.
Ibid., vv. 1010-1012.

Ami Roland, sonnez de votre cor. 9
L'entendra Charles et l'armée reviendra.
Ibid., vv. 1051-2.

« En douce France j'en perdrais mon renom. » 10
Ibid., v. 1054.

Roland est preux et Olivier est sage. 11
Ibid., v. 1093.

12   « Pour notre roi nous devons bien mourir. »
                                              Ibid., v. 1128.

13   Olivier dit : « Honni soit le plus lent. »
                                              Ibid., v. 1938.

14   Eh! Durandal, tu es belle, claire et blanche [...]
            Avec toi j'ai conquis et Anjou et Bretagne
            [...]
            Et Lombardie et toute la Romagne [...]
            Pour cette épée j'ai douleur et tourment.
                                              Ibid., vv. 2316 sqq.

15   Que Charles dise, avec toute sa gent :
            « Le noble comte est mort en conquérant. »
                                              Ibid., vv. 2362-3.

16   L'âme du comte emportent en Paradis.
            Roland est mort, Dieu a son âme aux cieux.
                                              Ibid., vv. 2396-7.

17   L'homme a beaucoup appris qui a beaucoup souffert.
                                              Ibid., v. 2524.

18   Il commence à tirer sa barbe blanche,
            S'arrache des deux mains les cheveux de la tête.
            Cent mille Français se pâment contre terre.
                                              Ibid., vv. 2930-32.

19   Il réussit, celui que Dieu protège.
                                              Ibid., v. 3657.

20   Tel qui trahit se perd, et les autres avec lui.
                                              Ibid., v. 3962.

21   « Dieu! dit le roi, que de peines en ma vie! »
            Des yeux il pleure, tire sa barbe blanche.
            Ici finit la geste que Turold raconta.
                                              Ibid., vv. 4000-2.

CHANSON DE TOILE
av. 1130

22   Souffle le vent et tremblent les ramées :
            Qui s'entr'aiment dorment en paix !

CHRÉTIEN DE TROYES
v. 1135 v. 1189

23   Ennemis sont repos et gloire.
                                Cligès ou La fausse morte.

Qui a le cœur, il ait le corps!   24
                              Ibid.

Mout est qui aime obéissant[1].   25
          Lancelot ou le Chevalier à la charrette.

Toujours draps de soie tisserons[2],   26
Jamais n'en seront mieux vêtues.
Toujours serons pauvres et nues,
Et toujours faim et soif aurons;
Jamais tant gagner ne saurons
Que mieux en ayons à manger,
Du pain avons, à grand danger[3]...
                    Yvain ou le Chevalier au lion.

Honni soit de Sainte Marie   27
Qui empire quand se marie!
                              Ibid.

C'était au temps qu'arbres fleurissent,   28
Bocages feuillus, prés verdissent,
Et les oiseaux en leur latin
Doucement chantent au matin,
La joie enflamme l'univers.
          Perceval ou Le Conte du Graal, vv. 1-4.

PRISE D'ORANGE
v. 1150

C'était en mai, au nouveau temps d'été;   29
Fleurissent et verdissent les prés.
                              vv. 39-40.

Homme qui aime est plein de desverie[4].   30
                              Ibid., v. 360.

Par trop est fol vieil homme qu'[5] aime meschine[6];   31
Tôt est cocu et tourné à folie.
                              Ibid., vv. 628-29.

CONON DE BÉTHUNE
1150?-1219

Ahi! Amour, que dure départie[7]   32
Me conviendra faire de la meilleure
Qui onques[8] fut et aimée et servie.
Dieu me ramène à elle par sa douceur!
                    Le Pèlerin d'outre-mer.

1. qui aime est très obéissant.
2. Ce sont des ouvrières qui parlent.
3. peine.
4. déraison.
5. qui.
6. jeune femme.
7. séparation.
8. jamais.

33   Qui ne veut pas ici avoir vie ennuyeuse,
      Qu'il s'en aille pour Dieu mourir content, joyeux,
      Car cette mort est douce et savoureuse
      Dont on conquiert le règne [1] précieux.

                                              Ibid.

34   Vilain oiseau celui qui salit son nid.

                                            Chansons.

RICHARD CŒUR DE LION
1157-1199

35   Mout ai d'amis [2], mais pauvres sont leurs dons;
      Honte en auront si, faute de rançon,
      Deux hivers je reste en prison.

                              Rotrouenge du captif.

36   Le mort ni le prisonnier n'a plus ni ami ni parent.

                                              Ibid.

THOMAS
ROMAN DE TRISTAN
v. 1170

37   « Je ne peux plus tenir ma vie;
      Pour vous meurs, Iseut, belle amie.
      N'avez pitié de ma langueur,
      Mais, de ma mort aurez douleur.
      Ce m'est, amie, grand réconfort
      Que [3] pitié aurez de ma mort. »
      «. Amie Iseut! », trois fois a dit.
      A la quarte, il rend l'esprit.

                      Fragment Douce, vv. 1763-1770.

38   « Ami Tristan, quand mort vous vois,
      En raison, vivre ne puis ni dois.
      Mort êtes pour la mienne amour,
      Et je meurs, ami, de tendrour [4]. »

                            Ibid., vv. 1811-1814.

39   Elle l'embrasse, elle s'étend,
      Lui baise la bouche et la face,
      Étroitement, elle l'embrasse,
      Corps à corps, bouche à bouche s'étend;
      Son esprit alors elle rend.

                   Fragment Sneyd 2, vv. 812-813.

1. royaume.
2. J'ai beaucoup d'amis.
3. de savoir que.
4. compassion.

Thomas fine [1] ici son écrit; 40
A tous amants salut y dit.
Ibid., vv. 820-821.

ROMAN DE RENART
v. 1174 et 1179

Secourez donc mon impuissance; 41
Je hais l'heure de ma naissance.
Mort, prends-moi donc; hâte-toi, Mort,
Puisque Renart me jette un sort!
Branche I (vers 1179) vv. 303-306.

Il n'est si sage qui ne fasse des sottises. 42
Branche II (vers 1174) v. 319.

Mauvaise garde permet au loup de se repaître. 43
Ibid., v. 890.

Le corbeau crie à perdre haleine, 44
Sans se douter, pendant qu'il peine,
Que son pied dextre se desserre,
Que le fromage tombe à terre,
Droit devant les pieds de Renart.
Ibid., vv. 940-945.

GAUTIER DE COINCY
1177 ou 78-1236

Tant va la cruche à l'eau qu'à la fin elle se brise. 45
Les Miracles de Notre-Dame.

LE DIT DES PERDRIX
Fabliau XIIe siècle

Avec la femme, le mensonge devient bientôt vérité et la 46
vérité mensonge.

1. finit.

HÉLINAND DE FROIDMONT
fin xiie siècle

47
Mort fait à chacun sa droiture,
Mort fait à tous droite mesure,
Mort pèse tout à juste poids,
Mort venge chacun de l'injure,
Mort met orgueil à pourriture,
Mort fait faillir la guerre aux rois,
Mort fait garder décrets et lois.

Vers de la Mort.

GUIOT DE PROVINS
fin xiie siècle

48
Toujours crie la pire roue du char.

Bible.

LE CHATELAIN DE COUCY
† 1203

49
Ne me veut pas Dieu pour néant donner
Tous les déduits[1] que j'ai eus en ma vie,
Mais il me les fait chèrement payer.

Chansons, Adieu à sa dame.

LA FOLIE TRISTAN
(manuscrit d'Oxford) fin du xiie siècle

50
Ils lui crient, comme on crie au loup :
« Voyez le fol! hou! hou! hou! hou!

vv. 220-1.

51
Qui bien aime, tard il oublie!

Ibid., v. 664.

1. toutes les joies.

MARIE DE FRANCE
fin du XIIe siècle

Marie ai nom, si [1] suis de France.   52
> *Fables, Épilogue, v. 4.*

A qui Dieu a donné science   53
Et de parler bonne éloquence
Ne s'en doit taire ni cacher,
Mais se doit volontiers montrer.
> *Lais, Prologue, vv. 1-4.*

Quand il y a en un pays   54
Ou homme ou femme de grand prix,
Ceux qui de son bien ont envie
Souvent en disent vilenie.
> *Ibid., Guigemar, vv. 7-10.*

Qui cache son infirmité   55
A peine à recouvrer santé.
> *Ibid., vv. 481-2.*

Femme de naturel léger   56
Se doit longtemps faire prier,
Pour éviter que croie l'ami
Qu'elle a coutume du déduit [2],
Mais la dame aux bonnes pensées,
Profondément sage et sensée,
Trouve-t-elle homme à sa manière,
Elle ne sera pas trop fière,
Mais l'aimera, en aura joie;
Avant que nul le sache ou l'oie [3],
Ils auront joui de leur bonheur...
> *Ibid., vv. 515-525.*

Telle est la mesure d'aimer   57
Que nul n'y doit raison garder.
> *Ibid., Equitan, vv. 19-20.*

Amour n'est preux s'il n'est égal [4].   58
> *Ibid., v. 137.*

Qui sur autrui médit et ment   59
Ne sait pas ce qu'à l'œil lui pend.
> *Ibid., Le Frêne, vv. 87-88.*

[...] Ensemble ils [5] peuvent bien durer.   60
Mais, si l'on veut les séparer,
Coudrier meurt rapidement,

1. de plus.
2. plaisir d'amour.
3. entende.
4. Il s'agit d'égalité entre les amants.
5. Le chèvrefeuille et le coudrier qui le supporte.

Et chèvrefeuille également.
« Belle amie, ainsi est de nous :
Ni vous sans moi, ni moi sans vous ».

Ibid., Le Chèvrefeuille, vv. 73-78.

LE JEU D'ADAM

fin du XIIe siècle.

61   Tu[1] es faiblette et tendre chose,
          Tu es plus fraîche que la rose,
          Tu es plus blanche que cristal,
          Que neige sur glace en un val.

                                    vv.   225-8.

62   Le[1] fruit que Dieu vous a donné
          N'a en soi guère de bonté;
          Celui qu'il vous a défendu
          A en soi très grande vertu :
          En lui est la grâce de vie,
          De puissance, de seigneurie,
          De tout savoir, du bien, du mal.

                                    vv. 242-248.

JEAN BODEL

† v. 1210

63   Ainsi va le monde aujourd'hui
          Que le fils engeigne[2] le père.

                              Le vilain de Farbu.

64   Grand était, bizarre d'allure,
          Et mal fait et de laide hure.
          Sa femme n'avait de lui cure :
          Sot était, laid pelage avait.
          C'est le chapelain qu'elle aimait.

                              Du vilain de Bailleul.

65   Tel cuide[3] avancer qui recule.
                    De Brunain, la vache au prêtre.

LA FILLE DE LA SIRÈNE ET DU ROSSIGNOL

anonyme, début XIIIe siècle

66   Le rossignol est mon père
              Qui chante sur la ramée,
              Au plus haut bocage,

1. Le diable à Ève.
2. trompe.
3. croit.

Et la sirène est ma mère
Qui chante en la mer salée
Au plus haut virage.

AUCASSIN ET NICOLETTE
première moitié du XIIIe siècle

Elle avait la taille si mince qu'en vos deux mains vous l'auriez   67
pu enclore. [...]   *Ibid., XII.*

Femme ne peut tant aimer l'homme que l'homme aime la   68
femme; car l'amour de la femme est dans son œil, au bout
de sa mamelle, au bout de son orteil; mais l'amour de
l'homme est planté au plus profond de son cœur, d'où il
ne peut sortir.   *Ibid., XIV.*

THIBAUT DE CHAMPAGNE
1201-1253

Seigneurs, sachez : qui or[1] ne s'en ira   69
En cette terre où Dieu fut mort et vif,
Et qui la croix d'Outre-mer ne prendra
Grand-peine aura à gagner Paradis.
                                   Chansons.

Or s'en iront les vaillants bacheliers[2]   70
Qui aiment Dieu et l'honneur de ce monde,
Qui sagement veulent à Dieu aller,
Et les morveux, les cendreux resteront.
                                        Ibid.

COLIN MUSET
XIIIe siècle

Sire comte, j'ai viellé   71
Devant vous en votre hosté[3];
Mais ne m'avez rien donné
Ni mes gages acquitté :
C'est vilenie.
                              Chanson.

1. maintenant.
2. jeunes nobles.
3. demeure.

LA CHATELAINE DE VERGI
anonyme XIIIe siècle

72
D'autant que l'amour est plus grand,
Sont plus marris les fins [1] amants,
Lorsque l'un d'eux de l'autre croit
Qu'il a dit ce que celer doit.

GUILLAUME DE LORRIS
v. 1205 † après 1240

73
Voici le Roman de la Rose
Où l'art d'Amour est tout enclose.
La matière en est bonne et neuve.
Roman de la Rose, vv. 37-39.

74
Mout a dur cœur qui en mai n'aime,
Quand il ot [2] chanter sous la raime [3]
Aux oiseaux les doux chants piteux [4].
Ibid., vv. 81-3.

75
Le temps qui s'en va nuit et jour
Sans repos prendre et sans séjour,
[...]
Le temps, qui ne peut séjourner,
Mais va toujours sans retourner,
[...]
Le temps, devant qui rien ne dure,
Ni fer ni chose tant soit dure...
Ibid. vv. 361-2, 371-2, 375-6.

76
Sa gorge était tout aussi blanche
Que la neige dessus la branche
Quand il a fraîchement neigé.
Ibid., vv. 343-5.

77
C'est Vilenie qui fait vilains.
Ibid., v. 2081.

78
Et si tu ois un médisant
Qui aille femme décriant,
Blâme-le et dis qu'il se taise.
Fais, si tu peux, chose qui plaise
Aux dames et aux demoiselles.
Ibid., vv. 2108-2112.

79
Amour n'a cure d'homme morne.
Ibid., v. 2166.

1. parfaits.
2. entend.
3. ramure.
4. attendrissants.

Qui d'Amour veut faire son maître,   80
Courtois et sans orgueil doit être.
> *Ibid., vv. 2217-8.*

Parfois[1] il te sera avis   81
Que tu tiendras celle au clair vis[2],
Entre tes bras, et toute nue,
Comme si elle fût devenue
En tout, t'amie et ta compagne.
Lors feras châteaux en Espagne.
> *Ibid., vv. 2425-2430.*

RUTEBEUF
v. 1285

L'espérance du lendemain,   82
   Ce sont mes fêtes.
> *Le mariage Rutebeuf.*

Telle femme ai prise   83
Que nul fors moi n'aime ni prise. [...]
Je n'ai pas peur qu'elle me triche.
> *Ibid.*

Les maux ne savent seuls venir.   84
> *La Complainte Rutebeuf.*

Que sont mes amis devenus   85
Que j'avais de si près tenus
   Et tant aimés!
> *Ibid., vv. 109-111.*

L'amour est morte :   86
Ce sont amis que vent emporte,
Et il ventait devant ma porte :
   Les emporta.
> *Ibid., vv. 120-123.*

Dites-moi par quelle accointance   87
Irez au royaume de Dieu?
> *La Complainte d'Outre-mer.*

JEAN, SIRE DE JOINVILLE
v. 1224-1317

Ce saint homme [Saint Louis] aima Dieu de tout son cœur   88
et suivit son exemple; [...] tout comme Dieu mourut pour
l'amour qu'il portait à son peuple, ainsi mit-il son corps en
aventure plusieurs fois [...].
*Livre des saintes paroles et des bons faits de notre saint roi
          Louis (éd. N. de Wailly) § 20.*

1. en songe.
2. visage.

89   En paroles, il était modéré : jamais, un seul jour de ma vie,
       je ne l'entendis médire de personne, ni jurer par le diable,
       dont le nom est courant dans le royaume, ce qui, à mon avis,
       ne plaît pas à Dieu.   § 22.

90   « Sénéchal, fit-il, qu'est-ce que Dieu ? » — « Sire, répondis-je,
       c'est si bonne chose que meilleure ne peut être. » — « Vrai-
       ment, fit-il, c'est bien répondu, car cette réponse que vous
       avez faite est écrite en ce livre que je tiens dans la main. »
       « Maintenant, fit-il, je vous demande ce que vous aimeriez
       le mieux, être lépreux ou avoir fait un péché mortel. » Et
       moi, qui jamais ne lui mentis, je lui répondis que j'aimerais
       mieux en avoir fait trente [...].   § 26-28.

91   [Saint Louis] : « [...] Nous ne sommes pas certains, quand
       nous sommes en état de péché mortel, d'avoir telle repen-
       tance que Dieu nous pardonne. »   Ibid.

92   [Saint Louis, à Vincennes] : « Y a-t-il quelqu'un ici qui ait
       procès ? » Ceux qui avaient procès se levaient. « Taisez-vous
       tous, ordonnait le roi ; on réglera le cas de chacun à son
       tour. »   § 59.

ADAM DE LA HALLE ou ADAM LE BOSSU
v. 1240-v. 1285

93   On voit bien encore aux tessons ce que fut le pot.
                                      Le Jeu de la Feuillée.

94   Celui qui travaille pour acquérir souffre plus de peine que
       celui qui dépense n'en a de plaisir.   *Chansons.*

95   Robin m'aime, Robin m'a,
                  Robin m'a demandée, si [1] m'aura.
                     Robin m'acheta cotele [2]
                    D'écarlate bonne et belle...

                    Robin m'aime, Robin m'a ;
                  Robin m'a demandée, si m'aura.
                          Le Jeu de Robin et de Marion.

ISOPET DE LYON
XIIIe siècle

96   Il perd l'honneur honteusement
                   Qui le veut avoir faussement.
                          Du corbeau et du goupil.

1. aussi.
2. robe.

ISOPET I
xiiie siècle

Les fols qui cherchent vaine gloire   97
Sont coutumiers de honte boire.
>   *De Renart et du corbeau.*

HUON LE ROI
xiiie siècle

Pour rappeler et retracer   98
Les biens qu'on peut de femme traire [1],
Et sa douceur et sa franchise,
En écrit cette œuvre j'ai mise.
>   *Le Vair palefroi.*

JEAN DE MEUNG
v. 1240-v. 1305

Promesse sans don ne vaut guère.   99
>   *Roman de la Rose, v. 4067.*

Amour, c'est une paix haineuse [2],   100
Amour, c'est la haine amoureuse,
C'est loyauté la déloyale,
C'est la déloyauté loyale,
C'est une peur tout assurée,
Espérance désespérée,
[...]
C'est faim saoule en abondance,
C'est convoiteuse suffisance,
C'est la soif qui toujours est ivre,
Ivresse qui de soif s'enivre...
>   *Ibid., vv. 4263-8; 4277-4280.*

Amour, si juste est mon idée [3],   101
C'est maladie de la pensée.
>   *Ibid., vv. 4347-8.*

Bonne amour doit de fin cœur naître [4].   102
>   *Ibid., v. 4567.*

1. retirer.
2. C'est Raison qui parle.
3. C'est Raison qui parle.
4. C'est Raison qui parle.

103   Nul n'est chétif [1], si ne croit l'être,
    Qu'il soit roi, chevalier, ribaud [2];
    — Maints ribauds ont le cœur si beau,
    Portant sacs de charbon en Grève [3],
    Que la peine en rien ne les grève.

Ibid., vv. 5016-5020.

104   L'avoir n'est bon qu'à dépenser.

Ibid., v. 5137.

105   Les [4] princes ne méritent pas
    Qu'un astre annonce leur trépas
    Plutôt que la mort d'un autre homme :
    Leur corps ne vaut pas une pomme
    De plus qu'un corps de charretier,
    Qu'un corps de clerc ou d'écuyer.
    Je les fais pareillement nus,
    Forts ou faibles, gros ou menus,
    Tous égaux sans exception
    Par l'humaine condition.

Ibid., vv. 18571-18580.

106   Noblesse, c'est cœur bien placé,
    Car gentillesse [5] de lignée
    N'est que gentillesse de rien
    Si un bon cœur ne s'y adjoint.

Ibid., vv. 18599-18602.

JEAN FROISSART
1333 ou 1337-ap. 1400

107   Tel pleure au main [6] qui rit le soir.

Poésies.

108   Mon cœur s'ébat en odorant la rose
    Et s'éjouit en regardant ma dame.
    Trop mieux me vaut l'une que l'autre chose.
    Mon cœur s'ébat en odorant la rose.

Ibid.

109   Un moment après, le plus riche homme de la ville, qu'on nommait sire Eustache de Saint-Pierre, se dressa et, devant tous, il parla ainsi : « Seigneurs, ce serait grand pitié et grand malheur de laisser périr un si nombreux peuple [...] Et je me remettrai volontiers vêtu seulement de ma chemise, nu-tête, nu-pieds, la hart au col, à la merci du noble roi d'Angleterre. »   *Chroniques, livre I, ch. 66.*

---

1. pauvre.
2. portefaix.
3. en place de Grève.
4. C'est Nature qui parle.
5. noblesse.
6. matin.

[...] Puis ils prirent les clés de la ville de Calais et du château;   110
chacun des six en tenait une poignée.   *Ibid.*

EUSTACHE DESCHAMPS
v. 1346-v. 1406

[...] Souverain homme de guerre,   111
Vainqueur de gens et conquéreur de terre,
Le plus vaillant qui onques [1] fut en vie,
Chacun pour vous doit noir vêtir et querre [2].
Pleurez, pleurez, fleur de chevalerie!
                    Ballade sur la mort de Du Guesclin.

Rien ne se peut comparer à Paris.   112
                    Ballade de Paris.

Prince, on conseille bien souvent,   113
Mais on peut dire, comme le rat,
Du conseil qui sa fin ne prend :
« Qui pendra la sonnette au chat? »
                    Ballade du chat et des souris.

Suis-je, suis-je, suis-je belle?   114
Il me semble, à mon avis,
Que j'ai beau front et doux vis [3],
Et la bouche vermeillette.
Dites-moi si je suis belle [...].
                    Virelai.

CHRISTINE DE PISAN
v. 1364-peu ap. 1430

Je ne sais comment je dure,   115
Car mon dolent cœur fond d'ire,
Et plaindre n'ose, ni dire
Ma douloureuse aventure,

Ma dolente vie obscure.
Rien, fors la mort, ne désire;
Je ne sais comment je dure.

Et me faut, par couverture [4],
Chanter que [5] mon cœur soupire
Et faire semblant de rire;
Mais Dieu sait ce que j'endure.
Je ne sais comment je dure.
                    Œuvres poétiques, rondeau VII.

1. jamais.
2. chercher.
3. visage.
4. par comédie.
5. ce que.

116   Seulette suis et seulette veux être,
             Seulette m'a mon doux ami laissée,
             Seulette suis, sans compagnon ni maître,
             Seulette suis, dolente et courroucée,
             Seulette suis, en langueur mésaisée,
             Seulette suis, plus que nulle égarée,
             Seulette suis, sans ami demeurée.
                                 Ibid., ballade XI.

ALAIN CHARTIER
v. 1385-v. 1433

117   Désormais est temps de me taire,
             Car de dire je suis lassé :
             Je veux laisser aux autres faire
             Leur temps, car le mien est passé.
                          La belle Dame sans merci.

118   Ne convoitez chose dessous la lune,
             Ni de Paris jusques à Pampelune,
             [...]
             Car vous n'aviez rien quand vous êtes nés.
                                        Ballade.

119   « Le labeur de mes mains nourrit les lâches et les oiseux [1]
        qui me persécutent de faim et de glaive, Je soutiens leur vie
        à la sueur et travail de mon corps, et ils guerroient la mienne
        par leur outrage; ils vivent de moi, et je meurs par eux. [...]
        Je meurs et transis par défaut et nécessité des biens que j'ai
        gagnés. Labeur a perdu son espérance. »
                Quadrilogue invectif, Lamentation de Peuple.

120   Nous achetons autrui et autrui nous, par flatterie et corrup-
        tion.   *Le Curial.*

CHARLES D'ORLÉANS
1391-1465

121   Quand je suis couché en mon lit,
             Je ne puis en paix reposer;
             Car toute la nuit mon cœur lit
             Au roman de Plaisant Penser.

             [...] Amour, je ne puis gouverner
             Mon cœur; car tant vous veut servir
             Qu'il ne sait jour ni nuit cesser :
             Ainsi, je laisse le dormir.
                                 Ballades, II.

1. paresseux.

Je suis celui au cœur vêtu de noir.   122
Ibid., VIII.

Mon cœur est devenu ermite   123
En l'ermitage de Pensée.
Ibid., XIV.

En la forêt d'Ennuyeuse Tristesse,   124
Un jour m'advint, qu'à part moi cheminais,
De rencontrer l'amoureuse Déesse
Qui m'appela, demandant où j'allais.
Ibid., XXI.

C'est grand pitié qu'il faille que je sois   125
L'homme égaré qui ne sait où il va.
Ibid.

En regardant vers le pays de France,   126
Un jour m'advint, à Douvres, sur la mer,
Qu'il me souvint de la douce plaisance
Que je soulais[1] au dit pays trouver.
Ibid., XXVI.

Priez pour paix, le vrai trésor de joie !   127
Ibid., XXVII.

Je meurs de soif auprès de la fontaine,   128
Tremblant de froid au feu des amoureux [...].
Ibid., XXXIV.

Par Dieu, mon plaisant bien joyeux,   129
Mon cœur est si plein de liesse,
Quand je vois la douce jeunesse
De votre gent corps gracieux !
Chansons, I.

Les fourriers d'Été sont venus   130
Pour appareiller son logis,
Et ont fait tendre ses tapis
De fleurs et verdures tissus.
Rondeaux.

Le temps a laissé son manteau   131
De vent, de froidure et de pluie,
Et s'est vêtu de broderie,
De soleil riant, clair et beau.
Ibid., VI.

Ah ! Dieu ! qu'il m'ennuie[2] !   132
Hélas ! qu'est ceci ?
Resterai-je ainsi
En mélancolie ?
Ibid., XVIII.

Le monde est ennuyé de moi,   133
Et moi pareillement de lui.
Ibid., XIX.

1. avais coutume de.
2. Verbe impersonnel.

134   Hiver, vous n'êtes qu'un vilain.
                                        Ibid., XXXII.

135   Écolier de Mélancolie,
             Des verges de Souci battu,
             Je suis à l'étude tenu
             Dans les derniers jours de ma vie.
                                        Ibid., XLIII.

JACQUES CŒUR
1395-1456

136   A vaillant cœur rien d'impossible.
                                  Devise de Jacques Cœur.

MICHAULT LE CARON dit TAILLEVENT
première moitié du xve siècle

137   Le temps, les ans, les gens, la vie,
             S'en vont, et ne sait-on comment.
                              Le Passe-temps Michault.

JEAN DE BUEIL
1405-1478

138   Qui ne cueille des vertes, il ne mangera des mûres.
                                        Le Jouvencel.

GEORGES CHASTELLAIN
1405 env.- 1475

139   Rois meurent et nations s'évanouissent; mais, seule, vertu
        suit l'homme en sa bière et lui baille gloire éternelle.
                                        Chronique.

ARNOUL GRÉBAN
1420-1471

Puisque désespérer me faut   140
Et priver de toute espérance,
Et que le don d'espoir me faut,
Je n'ai plus besoin d'assurance :
Abrège-moi, Désespérance[1].
Mystère de la Passion, quatrième journée.

LOUIS XI
1423-1483

Qui s'y frotte s'y pique.   141
Devise de Louis XI.

JEAN MICHEL D'ANGERS
v. 1430 ou 35-1501

Notre-Dame : Mourez donc comme les barons!   142
Jésus : Je mourrai entre deux larrons.
    Notre-Dame : Que ce soit sous terre, et sans voix!
    Jésus : Ce sera haut pendu en croix.
      Mystère de la Passion, Deuxième journée.

Notre-Dame : A mes maternelles demandes   143
          Ne donnez que réponses dures!
Jésus : Accomplir faut les Écritures.
                Ibid.

MARTIAL D'AUVERGNE
1430-1508

Où Charité? est en pèlerinage;   144
Hé, que fait Dieu? il est bien aise aux cieux;
Hé quoi! dort-il? l'on n'en fait pis ni mieux.
      Les Vigiles de Charles VII.

Qui mange l'oie du roi, cent ans après il en doit rendre la   145
plume.   *Ibid.*

---

1. C'est Judas qui parle.

146   Las! en la mort tout est compris :
       Reine, dame grande et petite,
       Les plus grands sont les premiers pris.
       Contre la mort, aucune fuite.
                    La grand Danse macabre des femmes.

J. DE LA VÉPRIE
?

147   Péché de chair est trop commun.
                                    Proverbes communs.

148   Il est avis à vieille vache qu'elle ne fut jamais génisse.
                                                    Ibid.

149   Qui fol envoie, fol attend.
                                                    Ibid.

150   Les bons coqs sont toujours maigres.
                                                    Ibid.

FRANÇOIS VILLON
1431-ap. 1463

151   Tant chauffe-t-on le fer qu'il rougit...
       [...]
       Tant crie-t-on Noël qu'il vient.
                            Ballade des proverbes.

152   Je connais tout, fors que moi-même.
                        Ballade des menus propos.

153   L'an quatre cent cinquante-six,
       Je, François Villon, écolier [1],
       [...]
       Me vint un vouloir de briser
       La très amoureuse prison
       Qui soulait mon cœur débriser [2].
                                    Le Lais, I-II.

154   Je ne suis homme sans défaut.
                                    Ibid., VIII.

155   Premièrement, au nom du Père,
       Du Fils et du Saint-Esprit,
       Et de sa glorieuse Mère,
       Par qui grâce [3] rien ne périt,
       Je laisse, de par Dieu, mon bruit [4]
       A Maître Guillaume Villon [5].
                                    Ibid., IX.

1. étudiant.
2. habituellement me brisait le cœur.
3. par la grâce de qui.
4. renom.
5. Père adoptif du poète.

Je meurs de soif auprès de la fontaine.   156
[...]
Rien ne m'est sûr que la chose incertaine.
Ballade du concours de Blois, vv. 1-9.

Bourde[1], verté[2], aujourd'hui m'est tout un   157
Ibid., v. 28.

Allez, lettres, faites un saut;   158
Combien que[3] n'ayez pied ni langue,
Remontrez en votre harangue
Que faute d'argent si m'assault[4].
Requête à Monseigneur de Bourbon, vv. 36-39.

En l'an trentième de mon âge,   159
Que toutes mes hontes j'eus bues,
Ni du tout[5] fol ni du tout[5] sage,
Nonobstant maintes peines eues...
Testament, I.

Je suis pécheur, je le sais bien;   160
Pourtant ne veut pas Dieu ma mort,
Mais convertisse[6] et vive en bien
Et[7] tout autre que péché mord.
Ibid., XIV.

Nécessité fait gens méprendre[8]   161
Et faim saillir le loup du bois.
Ibid., XXI.

Je plains le temps de ma jeunesse,   162
(Auquel j'ai plus qu'autre galé[9]
Jusqu'à l'entrée de vieillesse)
Qui son partement[10] m'a celé [...].
Allé s'en est et je demeure,
Pauvre de sens et de savoir,
Triste, failli[11], plus noir que meure[12]...
Ibid., XXII-XXIII.

Hé! Dieu, si j'eusse étudié   163
Au temps de ma jeunesse folle,
Et à bonnes mœurs dédié[13],
J'eusse maison et couche molle.
Mais quoi? Je fuyais[14] l'école,
Comme fait le mauvais enfant.
En écrivant cette parole,
A peu que le cœur ne me fend.
Ibid., XXVI.

1. erreur.
2. vérité.
3. bien que.
4. m'assaille à ce point.
5. Ni tout à fait.
6. que je me convertisse.
7. avec.
8. pécher.
9. fait la noce.
10. départ.
11. déchu.
12. mûre.
13. sacrifié.
14. exactement « FUYOIE » (3 syll.).

164   Où sont les gracieux galants
     Que je suivais au temps jadis,
     Si bien chantants, si bien parlants,
     Si plaisants en faits et en dits?
     Les aucuns sont morts et roidis,
     D'eux n'est-il plus rien maintenant :
     Repos aient en paradis,
     Et Dieu sauve le remenant [1]!
             Ibid., *XXIX.*

165   Pauvre je suis de ma jeunesse,
     De pauvre et de petite extrace;
     Mon père n'eut onc grand richesse
     Ni son aïeul, nommé Horace.
             Ibid., *XXXV.*

166   Mon père est mort, Dieu en ait l'âme!
     Quant est [2] du corps, il gît sous lame.
     J'entends que ma mère mourra,
     Et le sait bien, la pauvre femme,
     Et le fils pas ne demourra [3].
             Ibid., *XXXVIII.*

167   Et meure Pâris ou Hélène,
     Quiconque meurt, meurt à douleur.
             Ibid., *XL.*

168   La mort le fait frémir, pâlir,
     Le nez courber, les veines tendre,
     Le col enfler, la chair mollir;
     Jointes [4] et nerfs croître et étendre.
     Corps féminin, qui tant es tendre,
     Poli, souef [5], si précieux,
     Te faudra-t-il ces maux attendre?
     Oui, ou tout vif aller aux cieux.
             Ibid., *XLI.*

169   Dites-moi où, n'[6]en quel pays
     Est Flora, la belle Romaine,
     Archipiade ni Thaïs,
     Qui fut sa cousine germaine;
     Écho, parlant quand bruit on mène
     Dessus rivière ou sur étang,
     Qui beauté eut trop plus qu'humaine.
     Mais où sont les neiges d'antan?
         Ballade des dames du temps jadis.

170   Où est la très sage Héloïs
     Pour qui châtré fut, et puis moine,
     Pierre Abélard à Saint-Denis?
     Pour son amour eut cette essoine [7].
             Ibid.

1. le reste.
2. Pour ce qui est...
3. demeurera.
4. les articulations.
5. doux.
6. et.
7. épreuve.

...Et Jeanne, la bonne Lorraine,   171
Qu'Anglais brûlèrent à Rouen?
Où sont-ils[1], où, Vierge souvraine?
Mais où sont les neiges d'antan?

> *Ibid.*

Autant en emporte le vent.   172

> *Ballade en vieux langage français.*

Pour un plaisir, mille douleurs.   173

> *Ibid., LXIV.*

Folles amours font les gens bêtes :   174
Salmon[2] en idolâtria[3],
Samson en perdit ses lunettes.
Bien heureux est qui rien n'y a.

> *Double ballade.*

Ma vielle ai mis sous le banc;   175
Amants je ne suivrai jamais :
Si jadis je fus de leur rang,
Je déclare que n'en suis mais[4].

> *Le Testament, LXX.*

Qui meurt a le droit de tout dire.   176

> *Ibid., LXXI.*

Premier, je donne ma pauvre âme   177
A la benoîte Trinité,
Et la commande[5] à Notre-Dame,
Chambre de la divinité...

> *Ibid., LXXXV.*

Item, mon corps j'ordonne et laisse   178
A notre grand mère la terre;
Les vers n'y trouveront grand graisse,
Trop lui a fait faim dure guerre...

> *Ibid., LXXXVI.*

Dame du ciel, régente terrienne,   179
Empérière[6] des infernaux palus[7],
Recevez-moi[8], votre humble chrétienne,
Que comprise sois entre vos élus.

> *Le Testament, Ballade pour prier Notre-Dame.*

A votre Fils dites que je suis sienne[9];   180
De lui soient mes péchés abolus[10]
Pardonnez-moi comme à l'Égyptienne,
Ou comme il fit au clerc Théophilus.

> *Ibid.*

1. elles.
2. Salomon.
3. devint idolâtre.
4. plus.
5. recommande.
6. impératrice.
7. marais.
8. C'est la mère du poète qui parle.
9. C'est la mère du poète qui parle.
10. abolis.

181   Femme je suis[1], pauvrette et ancienne,
             Qui rien ne sais; onques lettre ne lus.
             Au moutier vois, dont suis paroissienne,
             Paradis peint où sont harpes et luths,
             Et un enfer où damnés sont boullus.
                                              Ibid.

182   Mort, j'appelle de ta rigueur,
             Qui m'as ma maîtresse ravie,
             Et n'es pas encore assouvie
             Si tu ne me tiens en langueur.
                                    Le Testament, Lai.

183   Deux étions et n'avions qu'un cœur;
             S'il est mort, force est que dévie[2],
             Voire, ou que je vive sans vie,
             Comme les images[3], par cœur,
                   Mort!
                                              Ibid.

184   Vin perd mainte bonne maison.
                                Le Testament, XCVIII.

185   ...Lors je connus que, pour deuil apaiser,
             Il n'est trésor que de vivre à son aise.
     Le Testament, Ballade des contredits de Franc Gontier.

186   Prince, aux dames parisiennes,
             De beau parler donnez le prix;
             Quoi qu'on die[4] d'Italiennes,
             Il n'est bon bec que de Paris.
                Le Testament, Ballade des femmes de Paris.

187   Si j'aime et sers la belle de bon hait[5],
             M'en devez-vous tenir pour vil ni sot?
                Le Testament, Ballade de la grosse Margot.

188   Sous elle geins, plus qu'un ais me fais plat,
             De paillarder tout elle me détruit,
             En ce bordeau[6] où tenons notre état.

             Vente, grêle, gèle, j'ai mon pain cuit.
             Ie suis paillard, la paillarde me suit.
             Lequel vaut mieux? chacun bien s'entresuit.
             L'un l'autre vaut; c'est à mau rat mau chat.
             Ordure aimons, ordure nous poursuit;
             Nous défuyons honneur, il nous défuit...
                                              Ibid.

189   A menue gent, menue monnaie.
                                 Le Testament, CLIII.

190   Beaux enfants, vous perdez la plus
             Belle rose de vos chapeaux.
                Le Testament, Belle leçon aux enfants perdus.

    1. C'est la mère du poète qui parle.
    2. je quitte la vie.
    3. statues.
    4. dise.
    5. de bon cœur.
    6. bordel.

Jamais mal acquis ne profite.   191

Ibid., CLVIII.

Tout aux tavernes et aux filles.   192

Ballade de bonne doctrine.

Quand je considère ces têtes,   193
Entassées en ces charniers,
Tous furent maîtres des requêtes,
Au moins de la Chambre aux Deniers.

Le Testament, CLXII.

Ci-gît et dort en ce solier[1],   194
Qu'Amour occit de son rayon,
Un pauvre petit écolier[2]
Qui fut nommé François Villon.

Épitaphe.

Ici se clôt le testament   195
Et finit du pauvre Villon.
Venez à son enterrement,
Quand vous orrez le carillon,
Vêtus rouge com vermillon,
Car en amour mourut martyr;
Ce jura-t-il sur son couillon
Quand de ce monde vout partir.

Ballade finale.

Frères humains qui après nous vivez,   196
N'ayez les cœurs contre nous endurcis,
Car, si pitié de nous pauvres avez,
Dieu en aura plus tôt de vous merci.
Vous nous voyez ci attachés cinq, six :
Quant à la chair, que trop avons nourrie.
Elle est pieça[3] dévorée et pourrie,
Et nous, les os, devenons cendre et poudre.
De notre mal personne ne s'en rie;
Mais priez Dieu que tous nous veuille absoudre.

Ballade des pendus.

La pluie nous a débués[4] et lavés,   197
Et le soleil desséchés et noircis;
Pies, corbeaux, nous ont les yeux cavés[5],
Et arraché la barbe et les sourcils.
Jamais nul temps nous ne sommes assis;
Puis çà, puis là, comme le vent varie,
A son plaisir sans cesser nous charrie,
Plus becquetés d'oiseaux que dés à coudre.
Ne soyez donc de notre confrérie...

Ibid.

1. grenier.
2. étudiant.
3. depuis longtemps.
4. lessivés.
5. creusés.

JEAN MOLINET
1435-1507

198   Oyez-vous point la voix des pauvres gens,
Des indigents péris sans allégeance,
Des laboureurs qui ont perdu leurs champs,
Des innocents, orphelins impuissants,
Qui mal contents crient à Dieu vengeance!
La Ressource du petit peuple.

199   Prenez pitié du sang humain,
Vrai Dieu, souverain roi des rois.
[...]
Votre petit peuple est perdu;
J'ai le cœur triste et éperdu.
Ibid.

200   Contre la mort nul ne se peut défendre.
Ibid.

201   Quand raison dort, justice est mal gardée.   *Ibid.*

202   Qui bientôt meurt, on dit qu'il languit moins.
Sentences.

MARÉCHAL JEAN-JACQUES TRIVULCE
1441-1518

203   Trois choses sont absolument nécessaires : premièrement
de l'argent, secondement de l'argent, troisièmement de
l'argent.
*A Louis XII, qui lui demandait ce qu'il fallait pour faire la
guerre avec succès.*

PHILIPPE DE COMMYNES
1447-1511

204   Entre tous ceux que j'ai jamais connus, le plus avisé pour se
tirer d'un mauvais pas en temps d'adversité, c'était le roi
Louis XI, notre maître, et aussi le plus humble en paroles et
en habits, et l'être qui se donnait le plus de peine pour gagner
un homme qui pouvait le servir ou qui pouvait lui nuire.
Mémoires, livre I.

LES QUINZE JOIES DE MARIAGE
Satire anonyme v. 1450

Telle fait étrange réponse le jour qui ne la ferait pas la nuit.   205
La Quinte Joye.

Il n'est si étrange mensonge que la femme ne croie, s'il est   206
à sa louange.   *La Sixte Joye.*

FARCE DE MAÎTRE PATHELIN
v. 1464

Otez ces gens novis!... Marmara,   207
Caramari, caramara.
vv. 613-614.

Sus, revenons à ces moutons.   208
v. 1291.

— Viens ici...   209
    — Bée...
            — Ah! quel tracas!
Quel « Bée » est-ce là? Suis-je chèvre?
vv. 1301-1302.

JEAN D'AUTON
1466-1527

Fortune perverse [...] toujours décheville l'axe de sa roue   210
contre l'heur des plus vertueux.
Chroniques, Première partie, I, prologue.

Le vice d'ambition ne doit posséder le loyer de vertus;   211
ni l'appétit insatiable, de gloire mondaine affamé, engorger
tous les fruits de laborieux mérite : veuillent donc les plus
grands, sans apetisser leur prix, souffrir les moindres vertueux avoir part congrue au relief d'honneur.
Deuxième partie, I, prologue.

Et au surplus, pour garder ma franchise,   212
Toujours me tiens avecque les plus forts.
Sixième partie, XL, Venise.

ROGER DE COLLERYE
v. 1470-v. 1540

213   Nul, quel qu'il soit, n'a le ciel hérité,
             Si par vertu il ne l'a mérité.
                                     Complainte de l'infortuné.

LEMAIRE DE BELGES
1473-1525

214   Sous ce tombeau, qui est un dur conclave[1],
             Gît l'amant vert[2] et le très noble esclave,
             Dont le haut cœur, de vraie amour pure ivre,
             Ne put souffrir perdre sa dame et vivre.
             De peu assez.
                         Première épître de l'amant vert, fin.

PIERRE GRINGORE
v. 1475-v. 1538

215   « Folle entreprise » enfin son maître affolle.
       Les Folles Entreprises, L'Entreprise des fols orgueilleux.

216   En noblesse a des gens gentils[3],
             Vilains gentils[4] et des gentils[5] vilains[6].
                          Ibid., Des gens nobles et des vilains.

217   Tous malfaiteurs se mettent en servage;
             Force leur est de recevoir châtoi[7],
             Quand s'efforcent dépriser[8] par outrage
             Un Dieu, un Roi, une Foi, une Loi.
                                          Ibid., Chant royal.

218   Royaumes gouvernés par prêtres
             A peine peuvent fructifier.
                                          Ibid., L'Acteur.

1. réduit, lieu clos.
2. Il s'agit du perroquet de Marguerite d'Autriche; il était mort
en l'absence de sa maîtresse, mangé par un chien; le poète feint
d'attribuer sa mort au désespoir.
3. nobles.
4. nobles de caractère.
5. nobles de race.
6. méchants.
7. châtiment.
8. mépriser.

Femmes ont la propriété   219
Que je veux ici révéler,
C'est parler, pleurer et filer.
Ibid., Des Bigots et des Bigotes.

Princes, seigneurs, conseillers, avocats,   220
Comme pauvres, saisis[1]; c'est ma manière :
Hommes sont faits d'une même matière.
La Coqueluche.

Pense à mon cas, trompant maint homme et femme :   221
Tout suis à Dieu, fors que le corps et l'âme.
Ibid., Moralité, Hypocrisie.

J'aime bien mieux Faire que Dire.   222
— Dire sans faire, il n'est rien pire.
La Farce, Doublette et Mausecret.

Mieux vaut être seul que mal accompagné.   223
Notables Enseignements, Adages et Proverbes.

Froides mains, chaudes amours.   *Ibid.*   224

Il n'est pas marchand qui toujours gagne.   *Ibid.*   225

De fou juge, brève sentence.   *Ibid.*   226

Qui ne sait rien, de rien ne doute.   *Ibid.*   227

Il n'y a point de laides amours, ni de belles prisons.   228
                    Ibid.

Entre promettre et donner, doit-on sa fille marier.   229
                    Ibid.

Le plus sage se tait.   *Ibid.*   230

Le plus riche n'emporte que son linceul.   *Ibid.*   231

Dame qui mout se mire, peu file.   *Ibid.*   232

Le mort n'a point d'ami, le malade n'en a qu'à demi.   233
                    Ibid.

Il n'est danger que de vilain.   *Ibid.*   234

1. je saisis : c'est la coqueluche qui parle.

LE CHEVALIER BAYARD
1470-1524

235   Ce que le gantelet saisit, le forgeret l'engloutit.

LE LOYAL SERVITEUR
(sans doute Jacques de Maicles, pseudonyme d'un
contemporain de Bayard)

236   Des biens mondains, il n'y pensa en sa vie : et bien l'a
montré, car à sa mort il n'était guère plus riche que quand
il fut né.
*La très joyeuse, plaisante et récréative Histoire du bon cheva-
lier sans peur et sans reproche, le gentil seigneur de Bayard,
chap. 66.*

237   Il ne fut jamais homme suivant les armes qui mieux en connût
l'hypocrisie : et souvent disait que c'était la chose en ce
monde où les gens sont les plus abusés; car tel fait le hardi
breneux en une chambre qui, aux champs, devant les ennemis, est doux comme une pucelle.   *Ibid.*

PIERRE GROGNET
?-1540

238   Dedans Paris avec toute science,
                Toutes vertus avecque sapience,
                Finalement, c'est paradis terrestre,
                Ne reste plus que paradis céleste.
                       Blason de la noble ville et cité de Paris.

CHANCELIER FRANÇOIS OLIVIER
1487-1560

239   Plus haut monte le singe, plus il montre son cul.
                       Cité par Montaigne, Essais, II, 17.

CLAUDE BOUTON
v. 1488-1556

Nous disons que nous sommes sages   240
Et que les femmes sont fragiles;
Mais Dieu, qui connaît nos courages,
Nous voit de vertus fort débiles,
Et en tous vices bien habiles,
Et nous peuvent femmes reprendre
Mieux que ne saurions leur apprendre.
Miroir des Dames.

CHARLES DE BOURDIGNÉ
?-1555

Il n'est que d'avoir d'esprit bonne ouverture.   241
La Légende de Pierre Faifeu.

MELLIN DE SAINT-GELAIS
1491-1558

Car quand j'aurais cent mille fois baisé,   242
Mon cœur encor ne serait apaisé.
Amour est dieu, et nous, fumée et ombre,
Ne lui saurions satisfaire par nombre.
Douze baisers gagnés au jeu.

Mais quoi? Il est fol qui espère   243
Voir chose entièrement prospère,
Et qui pense avant le trépas
Être heureux, ou ne l'être pas.
Pour une belette.

...Mon cœur en moi plus ne demeure,   244
Et sont prisonniers mes esprits...
Pour une dame ayant son mari prisonnier des ennemis.

Toute femme est importune et nuisante,   245
Et seulement en deux temps est plaisante :
Le premier est de ses noces la nuit,
Et le second quand on l'ensevelit.
Quatrains, VI.

Mieux vaut faire, et se repentir,   246
Que se repentir, et rien faire.
Ibid., LXXVIII.

247   Il n'est oiseau qui sût voler
       Si haut comme un cœur peut aller.
             Ibid., LXXXIV.

248   Ainsi vous doit-il souvenir
       Que le temps finit la beauté...
             Sizains, XXVIII.

249   Telle beauté fait l'amour être belle,
       Et tel amour aimable la beauté.
             Dizains, VII.

250   Malheureux est qui malheureux cuide [1] être,
       Et seul heureux qui tel se veut connaître.
             Chanson.

251   Le remède est à qui les cornes porte
       De les planter ailleurs de même sorte.
             Ibid.

ANTOINE HEROËT
1492-1568

252   Toute femme sage
      De son amour prend conseil et présage.
             La parfaite amie.
253   Dames, je vous promets
      Qu'il n'adviendra, et il n'advint jamais
      Que vrai amour n'ait été réciproque.
             Ibid.

254   M'amie [2] à soi, non aux autres ressemble.
             Divers.

MARGUERITE DE NAVARRE
1492-1549

255   O Dieu qui les vôtres aimez,
      J'adresse à vous seul ma complainte;
      Vous qui les amis estimez,
      Voyez l'amour que j'ai sans feinte...
  *Pensées de la Reine de Navarre, étant en sa litière, durant
            la maladie du Roi.*

256   Je n'ai plus ni père, ni mère,
       Ni sœur, ni frère
      Sinon Dieu seul auquel j'espère.
            Cantiques spirituels.

1. croit.
2. mon amie.

Plus j'ai d'amour plus j'ai de fâcherie.   257
Dizains.

Depuis qu'Ève fit pécher Adam, toutes les femmes ont pris   258
possession de tourmenter, tuer et damner les hommes.
Heptaméron, 1re nouvelle.

Si notre amour est fondée sur la beauté, bonne grâce, amour   259
et faveur d'une femme, et que notre fin soit plaisir, honneur
ou profit, l'amour ne peut longtemps durer; car, si la chose
sur quoi nous la fondons vient à manquer, notre amour
s'envole hors de nous.   *8e nouvelle.*

Quand tout le monde me dirait femme de bien, et je saurais   260
seule le contraire, la louange augmenterait ma honte [...];
et aussi, quand il me blâmerait et je sentisse mon innocence,
son blâme tournerait à contentement; car nul n'est content
que de soi-même.   *10e nouvelle.*

Les hommes recouvrent leur diable du plus bel ange qu'ils   261
peuvent trouver.   *12e nouvelle.*

Seulement les sots sont punis, et non les vicieux.   262
13e nouvelle.

Ne pensez pas que ceux qui poursuivent les dames prennent   263
tant de peine pour l'amour d'elles; car c'est seulement pour
l'amour d'eux et de leur plaisir.   *14e nouvelle.*

Les choses où l'on a volonté, plus elles sont défendues et   264
plus elles sont désirées.   *15e nouvelle.*

Il n'y a si petite demoiselle qui ne veuille être priée.   265
18e nouvelle.

Jamais homme n'aimera parfaitement Dieu qu'il n'ait   266
parfaitement aimé quelque créature en ce monde.
19e nouvelle.

J'appelle parfaits amants ceux qui cherchent, en ce qu'ils   267
aiment quelque perfection, soit beauté, bonté ou bonne
grâce; toujours tendant à la vertu, et qui ont le cœur si haut
et si honnête, qu'ils ne veulent, pour mourir, mettre leur fin
aux choses basses que l'honneur et la conscience réprouvent.
Ibid.

Un malheureux cherche l'autre.   *21e nouvelle.*   268

Il n'est point de diable plus insupportable qu'une dame   269
bien aimée et qui ne veut point aimer.   *24e nouvelle.*

Le scandale est souvent pire que le péché.   *25e nouvelle.*   270

Votre plaisir gît à déshonorer les femmes, et votre honneur   271
à tuer les hommes en guerre; qui sont deux points formellement contraires à la loi de Dieu.   *26e nouvelle.*

272   Le pire diable chasse le moindre.   *Ibid.*

273   Elle pensait que l'occasion faisait le péché, et ne savait pas
        que le péché forge l'occasion.   *30ᵉ nouvelle.*

274   On donne son opinion selon sa condition.   *33ᵉ nouvelle.*

275   N'avez-vous pas ouï dire que Dieu aide aux fols, aux amou-
        reux et aux ivrognes?   *38ᵉ nouvelle.*

276   Mariage est un état de si longue durée qu'il ne doit être
        commencé légèrement, ni sans l'opinion de nos meilleurs
        amis et parents.   *40ᵉ nouvelle.*

277   Quant à la mort, que vous dites cruelle, il me semble que,
        puisqu'elle est nécessaire, la plus brève est la meilleure, car
        on sait bien que ce passage ne fait pas de doute; mais je tiens
        heureux ceux qui ne demeurent point longuement aux
        faubourgs.   *Ibid.*

278   Qui ne peut voir ce qu'il aime n'a nul plus grand bien que
        d'y penser incessamment.   *Ibid.*

279   Les sages philosophes tiennent que le moindre homme de
        tous vaut mieux que la plus grande et vertueuse femme qui
        soit.   *Ibid.*

280   L'amour n'est pas un feu que l'on tient dans la main.
                                                 47ᵉ nouvelle.

281   L'habit est si loin de faire le moine, que bien souvent, par
        orgueil, il le défait.   *48ᵉ nouvelle.*

282   Croyez que c'est grand plaisir aux pauvres femmes crain-
        tives et secrètes de pécher avec ceux qui les peuvent
        absoudre, car il y en a qui ont plus de honte de confesser
        une chose que de la faire.   *60ᵉ nouvelle.*

283   A force de jurer, on engendre quelque doute à la vérité.
                                                 61ᵉ nouvelle.

284   Il n'est rien qui plus abatte le cœur d'un homme que de
        hanter ou trop aimer les femmes.   *70ᵉ nouvelle.*

FRANÇOIS Iᵉʳ
1494-1547

285   Malgré moi vis, et en vivant je meurs;
                 De jour en jour s'augmentent mes douleurs.
                                                    Rondeau.

Plus j'ai de bien, plus ma douleur augmente;   286
Plus j'ai d'honneur et moins je me contente.
Ibid.

Cœur résolu d'autre chose n'a cure que de l'honneur.   287
Le corps vaincu, le cœur reste vainqueur...
Vers composés en Espagne pendant sa captivité.

Souvent femme varie [1].   288

En la grand mer, où tout vent tourne et vire,   289
Je suis, pour vrai, la doulente navire
De foi chargée et de regrets armée...
Rondeau.

Madame, pour vous faire savoir comment se porte le reste   290
de mon infortune, de toutes choses ne m'est demeuré que
l'honneur et la vie sauve [2].
Lettre à sa mère après la bataille de Pavie, 25 février 1525.

Pour mon honneur et celui de ma nation, je choisirai plutôt   291
honnête prison que honteuse fuite.
*Lettre aux grands du Royaume et aux Compagnies souve-
raines (1525).*

FRANÇOIS RABELAIS
v. 1494-1553

Mieux est de ris que de larmes écrire,   292
Pour ce que rire est le propre de l'homme.
*Vie inestimable du grand Gargantua, père de Pantagruel, Aux
Lecteurs.*

L'habit ne fait point le moine, et tel est vêtu d'habit mona-   293
cal, qui au dedans n'est rien moins que moine.
Prologue de l'auteur.

Vous convient être sages, pour fleurer, sentir et estimer ces   294
beaux livres de haute graisse, légers [3] au pourchas [4] et hardis
à la rencontre; puis, par curieuse leçon [5] et méditation fréquente, rompre l'os et sucer la substantifique moelle.
Ibid.

L'odeur du vin, ô combien plus est friande, riante, priante,   295
plus céleste et délicieuse que d'huile!   *Ibid.*

---

1. Rapporté par Brantôme, dans la *Vie des Dames galantes.*
2. Phrase réduite par les historiens à la formule connue : « Tout
est perdu fors l'honneur. »
3. « légers », sur le même plan que « sages », se rapporte à « vous »
4. à la poursuite.
5. par attentive lecture.

296   Vous, en telle ou meilleure pensée, réconfortez votre mal-
        heur, et buvez frais, si faire se peut.   *Chap. 1.*

297   Je bois éternellement. Ce m'est éternité de beuverie, et beu-
        verie d'éternité.   *Chap. 5*

298   Je bois comme un templier.   *Ibid.*

299   Petite pluie abat grand vent. Longues buvettes rompent le
        tonnerre.   *Ibid.*

300   Le grand Dieu fit les planètes et nous faisons les plats nets.
                                                              Ibid.

301   L'appétit vient en mangeant, disait Hangest du Mans[1];
        la soif s'en va en buvant.   *Ibid.*

302   — Remède contre la soif?
        — Il est contraire à celui qui est contre morsure de chien :
        courez toujours après le chien, jamais ne vous mordra;
        buvez toujours avant la soif, et jamais ne vous adviendra.
                                                              Ibid.

303   Un homme de bon sens croit toujours ce qu'on lui dit et
        qu'il trouve par écrit.   *Chap. 6.*

304   A Dieu, rien n'est impossible, et, s'il voulait, les femmes
        auraient dorénavant [...] leurs enfants par l'oreille. *Ibid.*

305   Le peuple de Paris est tant sot, tant badaud et tant inepte
        de nature qu'un bateleur, un porteur de rogatons[2], un
        mulet avec ses cymbales[3], un vielleux au milieu d'un car-
        refour, assemblera plus de gens que ne fera un prêcheur
        évangélique.   *Chap. 17.*

306   Ne clochez pas devant les boiteux.   *Chap. 20.*

307   Misère [est] compagne de Procès.   *Ibid.*

308   Lever matin n'est point bonheur;
                        Boire matin est le meilleur.
                                                              Chap. 21.

309   Nature n'endure mutations soudaines sans grande violence.
                                                              Chap. 23.

310   Était pour lors un moine cloîtré, nommé Frère Jean des
        Entommeures, jeune, galant, frisque[4], de hait[5], bien à
        dextre[6], hardi, aventureux, délibéré, haut, maigre, bien
        fendu de gueule, bien avantagé en nez, beau dépêcheur
        d'heures, beau débrideur de messes, beau décrotteur de

---

1. Évêque du Mans († 1538), auteur d'un livre précisément
intitulé *De causis*.
2. reliques.
3. clochettes.
4. joyeux.
5. de bonne humeur.
6. adroit.

vigiles, pour tout dire sommairement, vrai moine si onques en fut depuis que le monde moinant moina de moinerie; au reste clerc[1] jusques aux dents en matière de bréviaire.
Chap. 27.

Adieu, paniers, vendanges sont faites! *Ibid.* 311

Je n'entreprendrai guerre que je n'aie essayé tous les arts 312
et moyens de paix. *Ibid.*

Comme débiles sont les armes au dehors si le conseil[2] n'est 313
en la maison, aussi vaine est l'étude et le conseil inutile qui
en temps opportun par vertus n'est exécuté et à son effet[3]
réduit. *Chap. 29.*

Ma délibération[4] n'est pas de provoquer, mais d'apaiser; 314
d'assaillir, mais de défendre; de conquérir, mais de garder
mes féaux sujets et terres héréditaires. *Ibid.*

L'exploit sera fait à moindre effusion de sang que sera 315
possible, et, si possible est [...], nous sauverons toutes les
âmes et les enverrons joyeux à leur domicile. *Ibid.*

Ont toutes choses leur fin et période, et, quand elles sont 316
venues à leur point superlatif, elles sont en bas ruinées, car
elles ne peuvent longtemps en tel état demeurer.
Chap. 31.

Rien n'est ni saint ni sacré à ceux qui se sont émancipés de 317
Dieu et Raison pour suivre leurs affections perverses.
Ibid.

Oignez vilain, il vous poindra; poignez vilain, il vous oin- 318
dra. *Chap. 32.*

De la panse vient la danse, et où faim règne, force exule[5]. 319
Ibid.

Thésauriser est fait de vilain. *Chap. 33.* 320

Les cas de hasard jamais ne faut poursuivre jusques à leur 321
période[6] et [...] il convient à tous chevaliers révérentement
traiter leur bonne fortune sans la molester ni gêner.
Chap. 34.

L'occasion a tous ses cheveux au front : quand elle est outre 322
passée, vous ne la pouvez plus révoquer[7]; elle est chauve
par le derrière de la tête, et jamais plus ne retourne.
Chap. 37.

1. savant.
2. la délibération.
3. sa réalisation.
4. mon dessein.
5. s'en va.
6. à leur plus haut point.
7. rappeler.

323   — Pourquoi est-ce que les cuisses d'une demoiselle sont
toujours fraîches?
— C'est, dit le moine, pour trois causes par lesquelles un
lieu naturellement est rafraîchi : *primo*, parce que l'eau
décourt tout du long; *secondo*, parce que c'est un lieu ombra-
geux, obscur et ténébreux, auquel jamais le soleil ne luit;
et tiercement, parce qu'il est continuellement éventé des
vents du trou de bise [...].   *Chap. 39.*

324   Je n'étudie point, pour ma part. En notre abbaye, nous
n'étudions jamais, de peur des oreillons.   *Ibid.*

325   — Comment, dit Ponocratès, vous jurez, Frère Jean?
— Ce n'est, dit le moine, que pour orner mon langage.
Ce sont couleurs de rhétorique cicéronienne.   *Ibid.*

326   Voire, dit le moine, une messe, des matines, des vêpres bien
sonnées sont à demi dites.   *Chap. 40.*

327   Jamais je ne m'assujettis aux heures : les heures sont faites
pour l'homme, et non l'homme pour les heures.
                                  Chap. 41.

328   Selon vraie discipline militaire, jamais ne faut mettre son
ennemi en lieu de désespoir, parce que telle nécessité lui
multiplie sa force et accroît le courage qui déjà était abattu
et failli, et qu'il n'y a meilleur remède de salut à gens étonnés
et recrus que de n'espérer salut aucun.   *Chap. 43.*

329   Tant en tua et mit par terre que son braquemart[1] rompit
en deux pièces. Adonc pensa en soi-même que c'était assez
massacré et tué, et que le reste devait échapper pour en porter
les nouvelles.   *Chap. 44.*

330   Travaillez, chacun en sa vocation.   *Chap. 45.*

331   C'est, dit Gargantua, ce que dit Platon, [...] que lors les
républiques seraient heureuses quand les rois philosophi-
raient ou que les philosophes régneraient.   *Chap. 45.*

332   Guerre faite sans bonne provision d'argent n'a qu'un
soupirail de vigueur. Les nerfs des batailles sont les pécunes.
                                  Chap. 46.

333   Bien malheureux est le prince qui est de tels gens servi,
qui tant facilement sont corrompus.   *Chap. 47.*

334   Bren, bren! dit Picrochole; vous semblez les anguilles de
Melun : vous criez avant qu'on vous écorche.   *Ibid.*

335   Telle est la nature et complexion des Français qu'ils ne
valent qu'à la première pointe. Alors ils sont pires que diables,
mais, s'ils séjournent, ils sont moins que femmes.
                                  Chap 48.

1. épée.

Le temps, qui toutes choses ronge et diminue, augmente 336
et accroît les bienfaits, parce qu'un bon tour libéralement
fait à l'homme de raison croît continuellement par noble
pensée et remembrance. *Chap. 50.*

Comment pourrais-je gouverner autrui, qui moi-même 337
gouverner ne saurais? *Chap. 52.*

La plus vraie perte du temps qu'il sut était de compter les 338
heures — quel bien en vient-il? — et la plus grande rêverie
du monde était de se gouverner au nom d'une cloche, et non
au dicté de bon sens et entendement. *Ibid.*

> Ci [1] n'entrez pas, hypocrites, bigots, 339
> Vieux matagots [2], marmiteux, boursouflés,
> Torcous [3], badauds, plus que n'étaient les Goths,
> Ni Ostrogoths, précurseurs des magots,
> Haires, cagots, cafards empantouflés...
>   [...]
> Ci entrez, vous, qui le saint Évangile
> En sens agile annoncez, quoi qu'on gronde :
> Céans aurez un refuge et bastille
> Contre l'hostile erreur, qui tant postille [4]
> Par son faux style empoisonner le monde;
> Entrez, qu'on fonde ici la foi profonde,
> Puis qu'on confonde, et par voix et par rolle [5],
> Les ennemis de la sainte parole.
>   *Chap. 54.*

Toute leur vie était employée non par lois, statuts ou règles, 340
mais selon leur vouloir et franc arbitre [...] Ainsi l'avait
établi Gargantua. En leur règle n'était que cette clause :
FAIS CE QUE VOUDRAS,
parce que gens libres, bien nés, bien instruits, conversant
en compagnies honnêtes, ont par nature un instinct et
aiguillon, qui toujours les pousse à faits vertueux et retire
de vice, lequel ils nommaient honneur. *Chap. 57.*

Gargantua, en son âge de quatre cent quatre-vingt-quarante 341
et quatre ans, engendra son fils Pantagruel, de sa femme,
nommée Badebec, fille du roi des Amaurotes en Utopie,
laquelle mourut du mal d'enfant : car il était si merveilleusement grand et si lourd qu'il ne put venir à la lumière sans
ainsi suffoquer sa mère. *Pantagruel, chap. 1.*

[Pantagruel] se cuida mettre à étudier en médecine, mais 342
il considéra que l'état était fâcheux par trop et mélancolique, et que les médecins sentaient les clystères comme
vieux diables. *Chap. 5.*

1. Ceci est une inscription gravée à l'entrée de l'abbaye de
Thélème, que Gargantua a fait bâtir.
2. singes.
3. hypocrites.
4. s'évertue à (cf. *postuler*).
5. écrit.

343   Quand [mon âme[1]] laissera cette habitation humaine, je ne
      me réputerai totalement mourir, mais passer d'un lieu en
      autre, attendu que, en toi et par toi, je demeure en mon
      image visible en ce monde.   *Chap. 8.*

344   Je t'admoneste que tu emploies ta jeunesse à bien pro-
      fiter et en études et en vertus [...] Somme, que je voie un
      abîme de science [...].   *Ibid.*

345   Parce que, selon le sage Salomon, sapience n'entre point en
      âme malivole[2], et science sans conscience n'est que ruine
      de l'âme, il te convient servir, aimer et craindre Dieu et en
      lui mettre toutes tes pensées et tout ton espoir, et par foi
      formée de charité, être à lui adjoint, en sorte que jamais n'en
      sois désemparé[3] par péché.   *Ibid.*

346   Je suis né et été nourri jeune au jardin de France, c'est
      Touraine.   *Chap. 9.*

347   Sais-tu bien ce que dit Agésilas, quand on lui demanda
      pourquoi la grande cité de Lacédémone n'était ceinte de
      murailles? Car, montrant les habitants et citoyens de la ville,
      tant bien experts en discipline militaire et tant forts et bien
      armés : « Voici, dit-il, les murailles de la cité », signifiant
      qu'il n'est muraille que d'os, et que les villes et cités ne
      sauraient avoir muraille plus sûre et plus forte que la vertu
      des citoyens et habitants.   *Chap. 15.*

348   Panurge était de stature moyenne, ni trop grand, ni trop
      petit [...] et sujet de nature à une maladie qu'on appelait
      en ce temps-là : « Faute d'argent, c'est douleur non
      pareille » (toutefois il avait soixante et trois manières d'en
      trouver toujours à son besoin, dont la plus honorable et
      la plus commune était par façon de larcin furtivement
      fait...   *Chap. 17.*

349   Il disait qu'il n'y avait qu'une antistrophe entre femme
      folle à la messe et femme molle à la fesse.   *Ibid.*

350   O qui pourra maintenant raconter comment se porta Pan-
      tagruel contre les trois cents géants! O ma muse, ma Cal-
      liope, ma Thalie, inspire-moi à cette heure, restaure-moi
      mes esprits, car voici le pont aux ânes de logique, voici le
      trébuchet, voici la difficulté de pouvoir exprimer l'horrible
      bataille qui fut faite.
      A la mienne volonté[4] que j'eusse maintenant un bocal du
      meilleur vin que burent oncques ceux qui liront cette his-
      toire tant véridique.   *Chap. 28.*

351   [...] Je vis[5] Épictète vêtu galamment à la française, sous
      une belle ramée, avec force damoiselles, se rigolant, buvant,
      dansant, faisant en tous cas grande chère, et auprès de lui

---

1. Lettre de Gargantua à son fils, Pantagruel.
2. qui veut le mal.
3. séparé.
4. plût à Dieu...
5. C'est Epistémon, compagnon de Pantagruel, qui parle; il
revient de l'enfer.

force écus au soleil. Au-dessus de la treille étaient pour
sa devise ces vers écrits :

Sauter, danser, faire les tours,
Et boire vin blanc et vermeil,
Et ne rien faire tous les jours
Que compter écus au soleil.

Chap. 30.

Si vous me dites : « Maître, il semblerait que ne fussiez   352
grandement sage de nous écrire ces balivernes et plaisantes
moquettes[1] », je vous réponds que vous ne l'êtes guère
plus de vous amuser à les lire.   *Chap. 34.*

Si désirez être bons Pantagruélistes (c'est-à-dire vivre en paix,   353
joie, santé, faisant toujours grande chère), ne vous fiez jamais
en gens qui regardent par un pertuis[2].   *Ibid.*

Jamais vieux singe ne fit belle moue.   *Tiers Livre, Prologue.*   354

Riche? répondit Panurge. Aviez-vous là fermé[3] votre pensée?   355
Aviez-vous en soin pris de me faire riche en ce monde?
Pensez à vivre joyeux, de par le bon Dieu et les bons hommes!
Autre soin, autre souci ne soit reçu au sacrosaint domicile
de votre céleste cerveau.   *Ibid., chap. 2.*

Je ne bâtis que pierres vives, ce sont hommes.   356
Ibid., chap. 6.

Chacun abonde en son sens.   *Ibid., chap. 7.*   357

La tête perdue, ne périt que la personne; les couilles perdues.   358
périrait toute humaine nature.   *Ibid., chap. 8.*

J'aime bien les cocus [dit Panurge], et me semblent gens de   359
bien, et les hante volontiers, mais pour mourir, je ne le voudrais être. C'est un point qui trop me point.   *Ibid., chap. 9.*

Nature a fait le jour pour soi exercer, pour travailler, et   360
vaquer chacun en sa négociation; et [...] elle nous fournit de
chandelle, c'est la claire et joyeuse lumière du soleil.
Ibid., chap. 15.

Chose bien commune et vulgaire entre les humains est le   361
malheur d'autrui entendre, prévoir, connaître et prédire.
Mais ô que chose rare est son malheur propre prédire,
connaître, prévoir et entendre!   *Ibid.*

Signes [...], en amour, sont incomparablement plus attractifs,   362
efficaces et valables que paroles.   *Chap. 19.*

1. moqueries.
2. par le trou d'un capuchon de moine.
3. arrêté.

363   Les langages sont par institutions arbitraires et convenances des peuples; les voix[1], comme disent les dialecticiens, ne signifient naturellement, mais à plaisir.   *Ibid.*

364   Il n'est [...] cocu qui veut. Si tu es cocu, *ergo* ta femme sera belle, *ergo* tu seras bien traité d'elle; *ergo* tu auras des amis beaucoup; *ergo* tu seras sauvé.   *Chap. 28.*

365   En l'entreprise de mariage chacun doit être arbitre de ses propres pensées, et de soi-même conseil prendre.
                                                         Chap. 29.

366   Qui ôterait oisiveté du monde, bientôt périraient les arts de Cupidon.   *Chap. 31.*

367   Tout homme marié est en danger d'être cocu. Cocuage est naturellement des apanages du mariage.   *Chap. 32.*

368   Je[2] considère que le temps mûrit toutes choses; par temps toutes choses viennent en évidence; le temps est père de vérité [...]. C'est pourquoi [...] je sursois, délaie et diffère le jugement, afin que le procès, bien ventilé, grabelé[3] et débattu, vienne par succession de temps à sa maturité, et le sort par après advenant soit plus doucettement porté des parties condamnées...   *Chap. 40.*

369   On dit, en proverbe commun, heureux être le médecin qui est appelé sur la déclination de la maladie.   *Chap. 41.*

370   Je [...] jure Styx et Achéron [...] ne porter braguette à mes chausses que sur mon entreprise je n'aie eu le mot de la Dive Bouteille[4].   *Chap. 47.*

371   Pantagruélisme [...] est certaine gaieté d'esprit confite en mépris des choses fortuites.
                            Quart Livre, Prologue de l'auteur.

372   A la bonne et sincère amour est crainte perpétuellement annexée.   *Chap. 3.*

373   Panurge sans autre chose dire, jette en pleine mer son mouton criant et bêlant. Tous les autres moutons, criant et bêlant en pareille intonation, commencèrent soi jeter et sauter en mer après à la file. La foule était à qui premier y sauterait après leur compagnon. Possible n'était les en garder, comme vous savez être du mouton le naturel, toujours suivre le premier, quelque part qu'il aille.   *Chap. 8.*

374   Ha! pour manoir déifique et seigneurial, il n'est que le plancher des vaches.   *Chap. 18.*

---

1. mots.
2. C'est le juge Bridoye qui parle.
3. soumis à un examen attentif.
4. oracle.

Fut [...] ouïe une voix de quelqu'un qui hautement appelait 375
« Thamoun ». [...] Dont advint que Thamous répondit :
« Je suis ici, que me demandes-tu ? Que veux-tu que je fasse ? »
Lors fut icelle voix plus hautement ouïe, lui disant et com-
mandant [...] publier que Pan, le grand Dieu, était mort [...].
Chap. 28.

En cette vie mortelle, rien n'est béat de toutes parts. 376
Chap. 44.

Tout vient à point, qui peut attendre. *Chap. 48.* 377

France la Très chrétienne est unique nourrice de la cour 378
Romaine. *Chap. 53.*

Donner paroles [est] acte des amoureux. *Chap. 56.* 379

La sentence [...] est vraie, qui dit messer Gaster être de tous 380
arts le maître. *Chap. 57.*

Savoir est d'une région en laquelle n'est ouï des coqs le chant 381
Car, voulant dénoter quelque lieu à l'écart et peu fréquenté,
ainsi disons-nous qu'en icelui n'a oncques été ouï coq chantant. *Chap. 62.*

Le mal temps passe et retourne le bon, 382
Pendant qu'on trinque autour de gras jambon.
Chap. 65.

« Je sens, dit Pantagruel, en mon âme rétraction urgente, 383
comme si fût une âme de loin ouïe, laquelle me dit que ne [...]
devons descendre. Toutes les fois qu'en mon esprit j'ai tel
mouvement senti, je me suis trouvé en heur, refusant et
laissant le parti dont il me retirait; au contraire, en heur
pareil me suis trouvé, suivant le parti auquel il me poussait;
et jamais ne m'en repentis.
— C'est, dit Epistémon, comme le Démon de Socrate [...]. »
Chap. 66.

En quoi connaissez-vous la folie antique? En quoi connaissez- 384
vous la sagesse présente? Qui le fit fat [1]? Qui t'a fait sage?
Cinquième Livre, Prologue.

Je prouverai à la barbe de je ne sais quels centonifiques [2] 385
botteleurs de matières cent et cent fois gabelées [3], rapetas-
seurs de vieilles ferrailles latines, revendeurs de vieux mots
latins tous moisis et incertains; que notre langue vulgaire
n'est pas si vile, si inepte, si indigente et à mépriser qu'ils
l'estiment. *Ibid.*

Ignorance est mère de tous les maux. *Chap. 7.* 386

1. fou.
2. faiseurs de centons.
3. passées au crible.

387   Amis, vous noterez que par le monde y a beaucoup plus de
       couillons que d'hommes, et de ce vous souvienne.
                                                        Chap. 8.

388   De valet, je me passerai bien. Je ne suis jamais si bien traité
       que quand je suis sans valet.   *Chap. 17.*

389   « — Venons de France, convoiteux de faire révérence à la
       dame Quinte Essence et visiter ce très célèbre royaume
       d'Entéléchie [1].
       — [...] Aristote, prime homme et parangon de toute philo-
       sophie, fut parrain de notre dame Reine; très bien et pro-
       prement, il la nomme Entéléchie. Entéléchie est son vrai
       nom : s'aille chier, qui autrement la nomme! [...] »
                                                        Chap. 18.

390   En carême sont toutes maladies semées : c'est la vraie pépi-
       nière [...] de tous maux. Encore vous ne considérez pas que,
       si carême fait les corps pourrir, aussi fait-il les âmes enrager.
                                                        Ibid.

391   Arrivâmes en l'île désirée, en laquelle était l'oracle de la
       Bouteille. Descendant Panurge en terre, fit sur un pied la
       gambade en l'air gaillardement, et dit à Pantagruel : « Au-
       jourd'hui avons-nous ce que cherchons avec fatigues et
       labeurs tant divers. »   *Chap. 33.*

392   Boutons [2], boutons, passons outre. J'ai du courage tant et
       plus. Vrai est que le cœur me tremble; mais c'est pour la
       froideur [...] de ce caveau [3]. Ce n'est de peur, non, ni de fièvre.
       Boutons, boutons, passons, poussons, pissons : je m'appelle
       Guillaume sans Peur.   *Chap. 35.*

393   Toutes choses se meuvent à leur fin.   *Chap. 36.*

394   Là fit Bacbue, la noble pontife, Panurge [...] chanter une
       Épilémie [4] comme s'ensuit :
                   O Bouteille,
                   Pleine toute
                   De mystères,
                   D'une oreille
                   Je t'écoute :
                   Ne diffère,
                   Et le mot profère
                   Auquel pend [5] mon cœur.
                   En la tant divine liqueur,
                   Bacchus, qui fut d'Inde vainqueur,
                   Tient toute vérité enclose...
                                                        Chap. 44.

395   Lors fut ouï ce mot : « Trinch » [6].   *Ibid.*

---

1. grec ἐντελέχεια.
2. allons!
3. là est la Dive Bouteille.
4. Chant de vendanges.
5. est suspendu.
6. Bois (en allemand).

En vin est vérité cachée. La Dive Bouteille vous y envoie,   396
soyez vous-mêmes interprètes de votre entreprise.

Chap. 45.

CLÉMENT MAROT
1495-1544

Quand les petites vilotières [1]   397
Trouvent quelque hardi amant
Qui veuille mettre un diamant
Devant leurs yeux riants et verts,
Coac! elles tombent à l'envers.
[...]
C'est la grand'vertu de la pierre
Qui éblouit ainsi les yeux.

Dialogue de deux amoureux, le premier.

Or si poursuivrai-je pourtant   398
La chasse que j'ai entreprise :
Car tant plus on tarde à la prise,
Tant plus doux en est le repos.

Ibid., le second.

Tort bien mené rend bon droit inutile.   399

L'Enfer.

[...] Qui aime plus cent sous que cent amis,   400
Et dont pour vrai le moindre et le plus neuf
Trouverait bien à tondre sur un œuf.

Ibid.

Cœur sans amour toujours loyer demande.   401

Le Balladin.

Ne point du tout ou trop aimer est vice [...]   402
Fuir ne faut que les extrémités.

Douleur et volupté.

Petit feu ne peut jeter grand lustre.   403
*Épîtres, II, Le Dépourvu, à Mme la Duchesse d'Alençon et
de Berry, sœur unique du Roi.*

Car le long temps ni l'absence lointaine   404
Vaincre ne peut l'amour vraie et certaine.
Ibid., V, A la Demoiselle négligente de venir voir ses amis.

En m'ébattant je fais rondeaux en rimes,   405
Et en rimant bien souvent je m'enrime;
Bref, c'est pitié d'entre nous rimailleurs,
Car vous trouvez assez de rime ailleurs,
Et quand vous plaît mieux que moi rimassez,
Des biens avez et de la rime assez.

Ibid., VII, Au Roi.

1. coureuses.

406   Bref, nul ne peut (soit par feu, sang ou mine)
             Gagner profit en guerre féminine.
      Ibid., IX, Pour le capitaine Raisin au dit seigneur de la Rocque.

407   [...] Telles bourgeoisettes
             Qui vont cherchant des noises pour noisettes.
                              Ibid., XIII, Aux Dames de Paris.

408   Un homme ne peut bien écrire,
             S'il n'est quelque peu bon lisart[1].
                    Ibid., XXIV, du coq à l'âne, A Lyon Jamet.

409   Il y a plus de voleurs que de gibets.
                              Ibid. (cité par Cl. Marot).

410   Roi des Français, plein de toutes bontés,
             Quinze jours a, je les ai bien comptés,
             Et dès demain seront justement seize,
             Que je fus fait confrère au diocèse
             De Saint Marri, en l'église Saint Pris.
                    Ibid., XXVII, au Roi, pour le délivrer de prison.

411   J'avais un jour un valet de Gascogne,
             Gourmand, ivrogne, et assuré menteur,
             Pipeur, larron, jureur, blasphémateur,
             Sentant la hart[2] de cent pas à la ronde,
             Au demeurant, le meilleur fils du monde,
             Prisé, loué, fort estimé des filles
             Par les bordeaulx[3], et beau joueur de quilles.
                         Ibid., XXIX, au Roi, pour avoir été dérobé.

412   Par prêchements le peuple on peut séduire;
             Par marchander, tromper on le peut bien;
             Par plaiderie on peut manger son bien...
        Ibid., XXV, au Roi, pour succéder en l'État de son père.

413   Après la course il faut tirer la barre;
             Après bémol faut chanter en bécarre.
                              Ibid., XLI.

414   Savoir le mal est souvent profitable,
             Mais en user est toujours évitable.
                    Ibid., XLII, au Roi, du temps de son exil à Ferrare.

415   Car temps perdu et jeunesse passée
             Être ne peut par deux fois amassée.
                              Élégie V.

416   Le plus grand bien qui soit en amitié,
             Après le don d'amoureux pitié,
             Est s'entr'écrire, ou se dire de bouche,
             Soit bien, soit deuil, tout ce qui au cœur touche.
                              Élégie VI.

---

1. lézard, jeu de mots avec liseur, lisant.
2. potence.
3. maisons de prostitution.

Crainte est obscure, Amour est nette et blanche ;   417
Crainte est servile, Amour est toute franche ;
Amour fait vivre, et Crainte fait mourir.
                                    Élégie VIII.

Car les amants abandonner on peut,   418
Et les maris, c'est force qu'ils demeurent
(Bons ou mauvais) jusques à ce qu'ils meurent.
                                    Élégie XX.

Ne blâmez point doncques notre jeunesse,   419
Car noble cœur ne cherche que soulas [1].
                    Ballade, I, des enfants sans souci.

        Mais quelque chose que l'on die,   420
        Il n'est que d'être bien couché.
Ibid., V, à Mme d'Alençon, pour être couché en son État.

Par ainsi semble impossible d'avoir   421
Santé au corps et paradis à l'âme.
                Chants divers, VII, Chant royal chrétien.

Ainsi je suis du feu la flamme éprise,   422
Qui plus fort croît quand éteindre on l'essaie,
Et connais bien qu'en amoureuse emprise
Débander l'arc ne guérit point la plaie.
                            Ibid., VIII, Chant royal.

        Volontiers en ce mois ici   423
        La terre mue et renouvelle.
        Maints amoureux en font ainsi,
        Sujets à faire amour nouvelle...
        [...]
        Ma façon d'aimer n'est pas telle,
        Mes amours durent en tout temps.
                Ibid., XII, Chant de Mai et de Vertu.

        La mort est fin et principe de vie.   424
Rondeaux, XXI, Chant royal, La mort du juste et du pécheur.

        « Adieu le temps qui si bon a été   425
        Par seule amour. »
    Ibid., LII, à la jeune Dame mélancolique et solitaire.

D'être content sans vouloir davantage,   426
C'est un trésor qu'on ne peut estimer ;
Avoir beaucoup et toujours plus aimer,
Ou ne saurait trouver pire héritage.
                                    Ibid., LXX.

Si pour moi avez du souci,   427
Pour vous n'en ai pas moins aussi,
Amour le vous doit faire entendre,
Mais s'il vous grève d'être ainsi,
Apaisez votre cœur transi :
Tout vient à point qui peut attendre.
                                    Chansons, IV.

1. divertissement.

428   Vertu n'a pas en amour grand'prouesse.
                                                    Ibid., XIX.

429   Amour au cœur me point
             Quand bien aimé je suis;
             Mais aimer je ne puis
             Quand on ne m'aime point.
                                                    Ibid., XXI.

430   Le grand Erasme ici repose;
             Quiconque n'en sait autre chose,
             Aussi peu qu'une taupe il voit,
             Aussi peu qu'une pierre il oit[1].
                              Cimetière, XXXI, épitaphe d'Erasme.

431   Voulez-vous bien celui occire
             Qui craint vous être déplaisant?
             Ha! bouche que tant je désire,
             Dites Nenny en me baisant.
                        Epigrammes, C, à la bouche de Diane.

432   Si je suis fol, Amour m'affole,
             Et voudrais, tant j'ai d'amitié,
             Qu'autant que moi elle fût folle,
             Pour être plus fol la moitié.
                        Ibid., CXXXIX, de Anne qu'il aime fort.

433   Plus ne suis ce que j'ai été,
             Et ne le saurais jamais être;
             Mon beau printemps et mon été
             Ont fait le saut par la fenêtre.
             Amour, tu as été mon maître :
             Je t'ai servi sur tous les dieux.
             O si je pouvais deux fois naître,
             Comme je te servirais mieux!
                              Ibid., CCXIII, de soi-même.

434   Tu as tout seul le fruit de ta fortune;
             Tu as tout seul ton boire et ton repas;
             Tu as tout seul toutes choses fors une,
             C'est que tout seul ta femme tu n'as pas.
                              Ibid., CCXXXIII, de Jan Jan.

435   Peu de Villons en bon savoir :
             Trop de Villons pour décevoir.
        *Ibid., CCLXIX, sur François Villon, l'un de nos meilleurs
                        poètes français sous Louis XI.*

436   Pour avoir le déduit d'amour,
             Vaut mieux peu dire et beaucoup faire.
        *Ibid., CCLXXXIII, d'une qui contentait ses servants de
                                                    paroles.*

1. entend.

MAURICE SCÈVE
1501-v. 1560

En sa beauté gît ma mort et ma vie.   437
Délie, VI.

Mais moi, je n'ai d'écrire autre souci,   438
Fors que de toi, et si [1] ne sais que dire,
Sinon crier merci [2], merci, merci!
Ibid., XVIII.

Car loi d'Amour est de l'un captiver,   439
L'autre donner [3] d'heureuse liberté.
Ibid., XL.

La mort, seul bien des tristes affligés.   440
Ibid., XLV.

Tant fut la flamme en nous deux réciproque,   441
Que mon feu luit, quand le sien clair m'appert [4].
Mourant le sien, le mien tôt se suffoque.
Et ainsi, elle, en se perdant, me perd.
Ibid., XLIX.

Qu'est-il besoin de plus outre m'occire,   442
Vu qu'assez meurt, qui trop vainement aime?
Ibid., LX.

Mon espérance est à non espérer.   443
Ibid., LXX.

L'ardent désir du haut bien désiré   444
Qui aspirait à cette fin heureuse,
A de l'ardeur si grand feu attiré,
Que le corps vif est jà [5] poussière ombreuse.
Ibid., LXXXII.

O ans, ô mois, semaines, jours et heures,   445
O intervalle, ô minute, ô moment,
Qui consumez les durtés [6] voire seures [7],
Sans que l'on puisse apercevoir comment,
Ne sentez-vous que ce mien tourment
Vous use en moi, et vos forces déçoit?
Ibid., CXIV.

En toi je vis, où que tu sois absente;   446
En moi je meurs, où que je sois présent.

1. non plus.
2. grâce.
3. gratifier.
4. m'est évident.
5. déjà.
6. duretés.
7. même sûres.

Tant loin sois-tu, toujours tu es présente;
Pour près que sois [1], encore suis-je absent.
                              Ibid., CXLIV.

447   Tout le repos, ô nuit, que tu me dois,
        Avec le temps mon penser le dévore...
                              Ibid., GCXXXII.

448   Je vais cherchant les lieux plus [2] solitaires,
        De désespoir et d'horreur habités,
        Pour de mes maux les rendre secrétaires...
                              Ibid., CCLXII.

449   Toute douceur d'Amour est détrempée.
        De fiel amer et de mortel venin.
                              Ibid., CCLXXIII.

450   Tu es le Corps, Dame, et je suis ton ombre.
                              Ibid., CCCLXXVI.

451   Vie plus morte et pire que la Mort,
        Dont le désir très doucement me mord.
                        Saussaie, Églogue de la vie solitaire.

452   [...] N' [3] est point à l'homme chose honnête
        Quand des liens d'amour si fort se lie
        Qu'à chef de temps [4] le malheureux s'oublie.
                                              Ibid.

453   Qui vit seul, il lui est difficile
        Qu'avec le temps en désespoir ne meure.
                                              Ibid.

454   Il te convient chasser oisiveté,
        Qui nous engendre amour, et pauvreté.
                                              Ibid.

455   Souffrir non souffrir.
                                              Ibid.

456   Dieu, qui trine en un fus, triple es, et trois seras,
        Et, comme tes Elus, nous éterniseras,
        De ton divin Esprit enflamme mon courage,
        Pour décrire ton homme, et louer ton ouvrage,
        Ouvrage vrayement chef-d'œuvre de ta main,
        A ton image fait, et divin, et humain.
                              Microcosme, livre I.

457   Ensemble s'entr'aimant, ignorants, ne savaient [5]
        Par qui, à qui, pourquoi, et comment ils vivaient.
                                              Ibid.

---

1. que je sois.
2. les plus.
3. ce n'est...
4. à la fin.
5. Adam et Ève.

Contre l'adversité se prouve l'homme fort.   458
Ibid.

Crois, héritier d'Adam [1], possède l'univers,   459
Sous le ciel envieux, qui t'a vu de travers.
Malgré ta cruauté, ta puissante mesnie [2]
Peuplée se verra croître en gent infinie.
Ibid.

[...] Le bien se dit bien quand l'intention bonne   460
Naissant par bon vouloir en bonne œuvre foisonne.
Ibid.

La nuit obscure ôtait aux choses leur couleur.   461
Ibid., livre 2.

Grèce la vertueuse, et fertile à merveille,   462
Dont le monde n'avait ni n'aura sa pareille.
Ibid.

Musique, accent des cieux, plaisante symphonie   463
Par contraires aspects formant son harmonie...
Ibid.

Mais qui ne se plairait au fruit de sa semence?   464
Ibid., Livre 3.

BLAISE DE MONLUC
1502-1577

Il faut être cruel bien souvent pour venir à bout de son   465
ennemi. Dieu doit bien être miséricordieux en notre endroit,
qui faisons tant de maux.   *Commentaires, Livre 3.*

La nécessité de la guerre nous force en dépit de nous-mêmes 466
à faire mille maux et faire non plus d'état de la vie des
hommes que d'un poulet.   *Ibid., Livre 7.*

Charbonnier est maître chez lui.   *Ibid.* 467

Qui n'a pas d'argent en bourse, qu'il ait du miel en bouche. 468
Ibid.

1. Caïn.
2. descendance.

HUGUES SALEL
1504-1533

469   Communément l'homme changer désire
Et longue joie est souvent ennuyeuse...
Épigramme.

470   L'on juge aussi jeunesse vigoureuse
Quand on est vieux : toute chose a son temps.
Ibid.

MICHEL DE L'HOSPITAL
v. 1505-1573

471   Les rois ont été élus[1] premièrement pour faire la justice,
et n'est acte tant royal faire la guerre que faire justice;
car les tyrans et les mauvais font la guerre autant que les
bons, et bien souvent le mauvais la fait mieux que le bon.
Harangue prononcée à l'ouverture des États généraux de 1560.

472   Entre tous les plus grands princes qui jamais ont été au
monde [...], nous avons en singulière recommandation
ceux qui, après avoir, par la grâce de Dieu, pacifié les peuples à eux soumis, ont eu le soin de réformer les mœurs
de leurs sujets...
Traité de la Réformation de la justice, Première partie.

473   ...Ceux-là sont bien de plus grand mérite, doctrine et expérience, qui savent prévenir les maladies, que ceux qui les
guérissent par leur art...
Ibid.

474   Gouvernez votre peuple comme un berger fait son troupeau,
ou comme un père de famille fait ses enfants; pourvoyez-
lui de magistrats craignant Dieu, non violents, non timides,
ennemis d'avarice [...]; vous aurez un empire ferme et assuré,
et encore un repos de conscience qui ne vaut pas moins
que la conquête d'un autre royaume...
Ibid.

475   Que si le berger, au lieu de pourvoir aux nécessités de son
troupeau, le tondre doucement et en saison convenable
[...], il l'écorche et lui ôte la peau, ce n'est plus un berger,
c'est un tigre, c'est un loup ravissant.
Ibid.

476   Tous les grands de ce monde doivent savoir et retenir que
la justice et le bon prince sont relatifs et inséparables [...]
Ibid.

477   Les lois des hommes ne peuvent changer ni muer les lois
de nature, telle loi ne peut faire sage avant le temps celui
qui ne le peut être, pour n'avoir l'expérience des choses.
Au parlement de Rouen, août 1563.

1. choisis.

LA BORDERIE
1507-?

Il y en a tant qui font les sucrées,   478
Qui contrefont les vestales sacrées,
Tant qu'à parler à peine ouvrent la bouche;
Et si quelqu'un du petit doigt les touche,
Vous jugerez, à voir leur mine étrange,
Qu'on a touché quelque précieux ange.
Mais au dehors femmes si difficiles,
Par le dedans je les crois plus faciles.

L'Amie de Cour.

JEAN DORAT
1508-1588

Si j'ai servi cinq Rois fidèlement,   479
Si quarante ans, lisant publiquement,
D'hommes lettrés j'ai rempli toute France,
Si l'étranger nous quitte [1] l'excellence
Des grecs, latins, et vulgaires écrits,
Vous, l'espoir seul de tous les bons esprits,
Ne permettrez être dit : par famine
Dorat est mort, régente Catherine.

Huitain à la Reine, mère du Roi, Catherine de Médicis.

Qu'est-il besoin de tant la Paix crier   480
Par les cantons des villes et villettes?
Qu'est-il besoin d'huissiers ni de trompettes
Pour la paix faite en France publier?

Sonnet.

JEAN LEBON
XVIe siècle

Le beau parler n'écorche pas la langue.   *Adages français.*   481

A laver la tête d'un âne, l'on y perd sa lessive.   *Ibid.*   482

En vin saveur, en drap couleur, en fille pudeur.   *Ibid.*   483

La meilleure finesse, c'est simplesse.   *Ibid.*   484

Où l'hôtesse est belle, le vin est bon.   *Ibid.*   485

1. concède.

JEAN CALVIN
1509-1564

486   Quelle chose convient mieux à la foi, que de nous reconnaître nus de toute vertu pour être vêtus de Dieu? vides de tout bien, pour être remplis de lui?
Institution de la religion chrétienne, Préface au Roi de France.

487   Contemplez d'autre part nos adversaires. [...] Leur ventre leur est pour dieu, la cuisine pour religion.   *Ibid.*

488   Celui d'eux qui se soucie le plus de son ventre est le meilleur zélateur de leur foi.   *Ibid.*

489   Nous doit aussi souvenir que Satan a ses miracles.   *Ibid.*

490   Qu'est-ce que le monde honore aujourd'hui en ces Évêques cornus, sinon qu'il répute pour plus excellents ceux qui président aux plus grandes villes?   *Ibid.*

491   La connaissance de nous-mêmes non seulement aiguillonne chacun à connaître Dieu, mais aussi doit être mené par icelle comme par la main à le trouver.   *Ibid., I, 1, 1.*

492   J'appelle Piété, une révérence et amour de Dieu conjointes ensemble, à laquelle nous sommes attirés, connaissant les biens qu'il nous fait.   *Ibid., I, 2, 1.*

493   Comme dit Cicéron, homme païen, il ne se trouve nation si barbare, ni peuple tant brutal et sauvage, qui n'ait cette persuasion enracinée qu'il y a quelque Dieu.   *Ibid., I, 3, 1.*

494   Ceux-là qui en délaissant l'Écriture, imaginent je ne sais quelle voie pour parvenir à Dieu, ne sont point tant abusés d'erreur, qu'ils sont agités de pure rage.   *Ibid., I, 9, 1.*

495   Je n'estime pas qu'il soit licite de représenter Dieu sous forme visible, parce qu'il a défendu de le faire : et aussi parce que sa gloire est d'autant défigurée et sa vérité falsifiée.
    Ibid., I, 11, 12.

496   Les événements particuliers sont témoignages en général de la providence singulière de Dieu.   *Ibid., I, 16, 7.*

497   Celui a très bien profité en la connaissance de soi-même, lequel par l'intelligence de sa calamité, pauvreté, nudité et ignominie, est abattu et étonné.   *Ibid., II, 2, 10.*

498   Nous savons que la grâce de Dieu n'est point donnée à tous hommes : et que quand elle est donnée à aucun, ce n'est point selon les mérites, ni des œuvres, ni de la volonté, mais selon la bonté gratuite de Dieu : quand elle est déniée, que cela se fait par le juste jugement de Dieu.
    Ibid., II, 3, 14.

Dieu n'a point mesuré ses commandements selon les forces   499
humaines : mais après avoir commandé ce qui était juste,
il donne gratuitement à ses élus la faculté de le pouvoir
accomplir.   *Ibid., II, 5, 4.*

La conscience étant convaincue par expérience de sa fai-   500
blesse, ne peut qu'elle ne tombe en désespoir de ses forces.
                                             Ibid., II, 8, 3.

En somme, dès que la moindre goutte de foi qui se puisse   501
imaginer, est mise en notre âme, incontinent nous commençons à contempler la face de Dieu bénigne et propice envers
nous.   *Ibid., III, 2, 19.*

Le but de notre régénération est, qu'on aperçoive en notre   502
vie une mélodie et accord entre la justice de Dieu et notre
obéissance.   *Ibid., III, 6, 1.*

Ce que méritent nos œuvres, l'Écriture le démontre, disant   503
qu'elles ne peuvent soutenir le regard de Dieu, en tant
qu'elles sont pleines d'ordure et immondicité.
                                             Ibid., III, 15, 2.

NICOLAS DE CHOLIÈRES
1509-1592

En fait de procès, qui compte ses pas perd son compte.   504
                                      Les Neuf Matinées, II.

Vertu a bien plus de grâce, reluisante en belle face.   505
                                                Ibid., V.

Quand la neige est sur le mont, on ne peut attendre que le   506
froid aux vallées.   *Les Après-dînées, VII.*

Trop piquer le cheval le fait rétif.   *Ibid., IX.*   507

ÉTIENNE DOLET
1509-1546

[...] ne faut par après que lâcher la bride à la plume, ou   508
autrement ne se mêler d'écrire. Car si tu composes à l'opinion
d'autrui, tu te trouveras froid comme glace, et mieux vaudrait
te reposer.
        A Lyon Jamet, le 1er jour de l'an de grâce 1542.

Mon naturel est d'apprendre toujours;   509
Mais si ce vient que je passe aucuns jours
Sans rien apprendre en quelque lieu ou place,
Incontinent il faut que je déplace.
Le Second Enfer, Au très chrétien et très puissant Roi François.

510   Il n'est nul mal qui le remède excède
               Sinon la mort.
                                                    Ibid.

511   Soit tôt ou tard ce corps deviendra cendre,
               Car à nature il faut son tribut rendre,
               Et de cela nul ne se peut défendre :
               Il faut mourir.
       Cantique d'E. Dolet prisonnier à la Conciergerie de Paris,
                    sur sa désolation et sur sa consolation.

512   Mort est Dolet, et par feu consumé;
               Oh! quel malheur! oh! que la perte est grande!
               Mais quoi! en France on a accoutumé
               Toujours donner à tel saint telle offrande.
                                                    Épitaphe.

GILLES CORROZET
1510-1568

513   Ce n'est pas tout que commencer,
               Il faut voir si la fin est bonne :
               Car lors n'est pas temps d'y penser,
               L'œuvre par la fin se couronne.
                         Fables, Du Renard et du Bouc.

514   Qui ne pourvoit en temps et heure
               En grand'nécessité demeure.
                 Ibid., Des fourmis et de la cigale ou grillon.

BERNARD PALISSY
v. 1510-1589 ou 90

515   Les armuriers changent souvent les façons des hallebardes,
       épées et autres harnois : mais l'ignorance de l'agriculture
       est si grande qu'elle demeure toujours à une mode accoutu-
       mée.
       Recette véritable par laquelle tous les hommes de la France
       peuvent apprendre à augmenter et multiplier leurs trésors.

516   Je m'émerveille d'un tas de fols laboureurs : soudain qu'ils
       ont un peu de bien [...], ils auront après honte de faire leurs
       enfants de leur état de labourage...   *Ibid.*

517   Toutes ces choses m'ont rendu si amateur de l'agriculture
       qu'il me semble qu'il n'y a trésor au monde si précieux...
                                                           Ibid.

BONAVENTURE DES PÉRIERS
v. 1510-v. 1544

Tant de joyaux, tant de nouveautés belles,   518
Tant de présents, tant de beautés nouvelles,
Bref, tant de biens que nous voyons fleurir;
Un même jour les fait naître et mourir!
Des Roses.

[...] Vous donc, jeunes fillettes,   519
Cueillez bientôt les roses vermeillettes
A la rosée, ains[1] que le temps les vienne
A dessécher; et, tandis, vous souvienne
Que cette vie, à la mort exposée,
Se passe ainsi que roses ou rosée.
Ibid.

Les aveugles et violeurs[2]   520
Pour ôter aux gens leurs douleurs
Chantent toujours belles chansons;
Et toutefois par chants et sons
Ils ne peuvent chasser les leurs.
Rondeau à Mathieu de Quatre.

Rien ne sert de se tourmenter d'une chose quand elle est   521
faite, sinon de l'empirer.
Nouvelles Récréations et Joyeux Devis, 5.

Il vaut mieux l'avoir été en herbe, et ne l'être point en gerbe.   522
Ibid., 6.

Les belles plumes font les beaux oiseaux.   *Ibid., 9.*   523

De grand menaceur, peu de fait.   *Ibid., 10.*   524

Il n'est si bel acquêt que le don.   *Ibid., 51.*   525

Il vaut mieux tomber dans les mains d'un médecin heureux   526
que d'un médecin savant.   *Ibid., 59.*

Il souvient toujours à Robin de ses flûtes.   *Ibid., 84.*   527

Les hommes en meurent et les femmes en vivent.   *Ibid., 86.*   528

1. avant.
2. joueurs de viole.

THOMAS SÉBILLET
v. 1512-v. 1589

529 Je veux [...] aviser le futur poète qu'il soit rare et avisé en la
     novation des mots [...]; qu'aussi il le fasse tant modestement
     et avec tel jugement que l'âpreté du mot nouveau n'égratigne
     et ne ride les oreilles rondes.
                        Art poétique français, Livre I, chap. 2.

530 L'antiquité, [...] de ses rudesses et âpretés nous ayant fait
     entrée aux polisseurs, doit être vénérée de nous comme notre
     mère et maîtresse.   *Livre 2, chap. 12.*

GUILLAUME BOUCHET
1513-1594

531   Quant à moi, je ressemble à ceux qui en dormant
          Songent un cas étrange, et pleins d'étonnement,
          Ils débattent en eux, même durant leur songe;
          S'il est vrai ce qui s'offre, ou bien si c'est mensonge,
          Avoir vu les Français, jadis si bien unis,
          Eux-mêmes désunis, d'eux-mêmes ennemis...
                              Sur les guerres civiles.

532 L'épouse est en puissance de l'époux, et le mari en possession
     de la femme.   *Les Sérées, I, 3.*

533 Il y a mille inventions pour faire parler les femmes, mais
     pas une seule pour les faire taire.   *Ibid., I, 12*

534 En vieille maison, il y a toujours quelque gouttière.
                                          Ibid., III.

535 Où la chèvre est attachée, il faut qu'elle broute.
                                          Ibid., III.

536 La vraie noblesse s'acquiert en vivant, et non pas en naissant.
                                          Ibid., III.

537 En matière d'aumône, il faut fermer la bouche et ouvrir le
     cœur.   *Ibid., III.*

CHARLES FONTAINE
1514-v. 1570

538   Petit bien croît par amour et concorde.
          Grand bien périt par haine et par discorde.
                              La Contr'amye de court.

JACQUES PELLETIER DU MANS
1517-1582

Science, de cil[1] qui l'ignore,   539
Est toujours condamnée.
Œuvres poétiques, *A ceux qui blâment les mathématiques.*

ÉTIENNE FORCADEL
1518-?

[Je] soutiens que d'avoir hanté   540
Les gens, sondant leur volonté,
Ne sert pas moins que se connaître.
Veux-tu bien vivre en sûreté?
Connais l'autrui, te voilà maître.
                                            Épigrammes.

THÉODORE DE BÈZE
1519-1605
(sous le nom de Thrasibule Phénice.)

Je crois bien qu'êtes un grand maître,   541
Mais si me donniez à repaître,
Je vous dirais plus grand d'un tiers.
                          Comédie du Pape malade.

Pour mourir je ne ferais pas   542
Pour la Sorbonne encore un pas.
                                            Ibid.

Tel menace qui a grand peur.   543
                                            Ibid.

A bon escient je vous accorde   544
Qu'on ne peut bander l'arc sans corde.
                                            Ibid.

ANNE DES MARQUETS
1520?-1588

Las! nous n'emportons rien que les biens ou méfaits   545
Dont la vie ou la mort pour jamais nous demeure.
Tous ces biens donc qu'alors nous voudrions avoir faits;

1. celui.

Pour n'être point surpris, faisons-les dès cette heure,
Et ne nous promettons jamais de lendemain,
Car tel vit aujourd'hui qui sera mort demain.
Sonnets spirituels.

PERNETTE DU GUILLET
1520?-1545

546   Pour contenter celui qui me tourmente,
            Chercher ne veux remède à mon tourment :
            Car, en mon mal voyant qu'il se contente,
            Contente suis de son contentement.
                                        Rimes.

547   Quand pour quelque autre amour nouvelle
            Jamais ne vous serai cruelle,
            Sans aucune plainte former,
            Ne me devez-vous bien aimer?
                                        Ibid.

548   Qui dira qu'à plusieurs je tends
            Pour en avoir mon passe-temps,
            Prenant mon plaisir çà et là :
            Je ne sais rien moins que cela...
                                        Ibid.

549   Mais qui dira que d'amour sainte,
            Chastement au cœur suis atteinte,
            Qui mon honneur onc ne foula;
            Je ne sais rien mieux que cela.
                                        Ibid.

NOËL DU FAIL
1520-1591

550   Dans les belles paroles, le cœur ne parle point.
                                Propos rustiques, VI.

551   Laissez faire aux bœufs de devant.   *Ibid., IX.*

552   On n'est pas gentilhomme pour avoir un père qui a vendu
      un pré.   *Ibid., XI.*

553   Baillez à un vilain une serviette, il en fera des étrivières.
                                            Ibid., XII.

554   A quelque chose sert malheur.   *Ibid., XIII.*

555   Les battus paient l'amende.
                            Les Baliverneries d'Eutrapel, I.

Jamais bon cheval ne devient rosse. *Ibid.* 556

Ne soit point à autrui qui peut être à lui-même. 557
Contes et Discours d'Eutrapel, 27.

Quand la bourse se rétrécit, la conscience s'élargit. 558
Ibid., 31.

Marchandise offerte est à demi vendue. *Ibid.* 559

Dieu donne du bien aux hommes, et non des hommes aux 560
biens. *Ibid.*

A trompeur, trompeur et demi. *Ibid.* 561

La maison est à l'envers lorsque la poule chante aussi haut 562
que le coq. *Ibid., 32.*

Si la vache n'est pas tirée ordinairement, elle se tarit. *Ibid.* 563

PONTUS DE TYARD
1521-1605

Amour, qui fait un Hiver 564
Sur mon Printemps arriver,
De fleurs blanches me couronne,
Quand j'espérais pour honneur
D'un autre Dieu couronneur
Une plus riche couronne.
Livre de vers lyriques, Ode 4, De ses affections.

En vain l'Homme journalier 565
D'un souhait sa vie allonge :
Le premier jour est dernier,
L'Homme n'est qu'ombre d'un songe.
*Epicède, ou regret à la mort de Monsieur l'écuyer de Saint-
Sarrin, son cousin.*

Que me sert cette fumée 566
Que nous appelons honneur,
S'une [1] douleur animée
Me vient étrangler le cœur?
Ode, Au rossignol et à l'arondelle, D'un ennui secret.

Ton absence, Sommeil, languissamment allonge 567
Et me fait plus sentir la peine que j'endure.
Viens, Sommeil, l'assoupir et la rendre moins dure,
Viens abuser mon mal de quelque doux mensonge.
Sonnets d'amour, 6.

1. si une.

XVIᵉ
SIÈCLE

JOACHIM DU BELLAY
1522-1560

568   [Nos ancêtres] nous ont laissé notre langue si pauvre et nue
      qu'elle a besoin des ornements, et (s'il faut ainsi parler)
      des plumes d'autrui.
      La Défense et illustration de la langue française, livre I,
      chap. 3.

569   Mais que dirai-je d'aucuns, vraiment plus dignes d'être
      appelés traditeurs[1] que traducteurs? vu qu'ils trahissent
      ceux qu'ils entreprennent d'exposer, les frustrant de leur
      gloire, et par même moyen séduisent les lecteurs ignorants,
      leur montrant le blanc pour le noir.   *Ibid., chap. 6.*

570   Ce n'est point chose vicieuse, mais grandement louable,
      emprunter d'une langue étrangère les sentences et les mots,
      et les approprier à la sienne.   *Ibid., chap. 8.*

571   Je ne vois pourtant qu'on doive estimer une langue plus
      excellente que l'autre, seulement pour être plus difficile,
      si on ne voulait dire que Lycophron fut plus excellent qu'Ho-
      mère, pour être plus obscur.   *Ibid., chap. 11.*

572   [...] C'est chose accordée entre les plus savants, le naturel
      faire plus sans la doctrine, que la doctrine sans le naturel.
                                                  Livre II, chap. 3.

573   Qui veut voler par les mains et bouches des hommes, doit
      longuement demeurer en sa chambre : et qui désire vivre en
      la mémoire de la postérité, doit, comme mort en soi-même,
      suer et trembler maintefois, et, autant que nos poètes cour-
      tisans boivent, mangent et dorment à leur aise, endurer de
      faim, de soif et de longues vigiles. Ce sont les ailes dont les
      écrits des hommes volent au ciel.   *Ibid.*

574   Déjà la nuit en son parc amassait
           Un grand troupeau d'étoiles vagabondes,
           Et pour entrer aux cavernes profondes,
           Fuyant le jour, ses noirs chevaux chassait [...].
                                                  L'Olive.

575   Si notre vie est moins qu'une journée
           En l'éternel, si l'an qui fait le tour
           Chasse nos jours sans espoir de retour,
           Si périssable est toute chose née [...]
                                                        Ibid.

576   Le doux sommeil plutôt habite
                La maisonnette humble et petite
                Du berger ou du laboureur,
                Que le palais d'un empereur.
                     Recueil de poésie, Contre les avaricieux.

1. traîtres.

Et me souvient en mourant   577
Des douces rives de Loire
Qui les chansons de ma gloire
Allait jadis murmurant.
           Ibid., La Complainte du désespéré.

Pourquoi ont la terre, et l'onde,   578
Mais pourquoi a tout le monde
Conspiré pour me fâcher?
                              Ibid.

Chacune chose décline   579
Au lieu de son origine;
Et l'an qui est coutumier
De faire mourir et naître,
Ce qui fut rien avant qu'être
Réduit à son rien premier [...]
                              Ibid.

S'il n'est duc ou s'il n'est prince   580
D'une ou d'une autre province,
Si est-il Roi de son cœur;
Et de son cœur être maître,
C'est plus grand'chose que d'être
De tout le monde vainqueur.
Discours sur la louange de la vertu et sur les diverses erreurs
                                        des hommes.

Il me plaît de chanter ta gloire   581
D'un vers, lequel se fasse croire
Par sa seule simplicité...
                Ode au Prince de Melphe.

Une froideur secrètement brûlante   582
Brûle mon corps, mon esprit, ma raison...
              Sonnet de l'honnête amour.

La Muse seule, au milieu des alarmes,   583
Est assurée et ne pâlit de peur :
La Muse seule au milieu du labeur
Flatte la peine et dessèche les larmes.
    Les Regrets, à M. d'Avanson, conseiller du Roi.

Las! où est maintenant ce mépris de fortune? 584
Où est ce cœur vainqueur de toute adversité,
Cet honnête désir de l'immortalité,
Et cette honnête flamme au peuple non commune?

Où sont ces doux plaisirs qu'au soir, sous la nuit brune,
Les Muses me donnaient, alors qu'en liberté
Dessus le vert tapis d'un rivage écarté
Je les menais danser aux rayons de la lune?
                              Ibid.

France, mère des arts, des armes et des lois, 585
Tu m'as nourri longtemps du lait de ta mamelle.
[...]
France, France, réponds à ma triste querelle.
Mais nul, sinon Echo, ne répond à ma voix.
                              Ibid.

586   Je ne chante, Magny, je pleure mes ennuis,
        Ou, pour le dire mieux, en pleurant je les chante,
        Si bien qu'en les chantant, souvent je les enchante...
                                                        Ibid.

587   Heureux, qui comme Ulysse, a fait un beau voyage,
        Ou comme celui-là qui conquit la toison,
        Et puis est retourné, plein d'usage et raison,
        Vivre entre ses parents le reste de son âge!
                                                        Ibid.

588   Quand reverrai-je, hélas de mon petit village
        Fumer la cheminée?
        [...]
        Plus que le marbre dur me plaît l'ardoise fine,
        [...]
        Et plus que l'air marin la douceur angevine.
                                                        Ibid.

589   Et ne vaut-il pas mieux quelque orage endurer,
        Que d'avoir toujours peur de la mer importune?
        Par la bonne fortune on se trouve abusé,
        Par la fortune adverse on devient plus rusé :
        L'une éteint la vertu, l'autre la fait paraître.
                                                        Ibid.

590   Celui vit seulement lequel vit aujourd'hui.
                                                        Ibid.

591   Je n'écris point d'amour, n'étant point amoureux,
        Je n'écris de beauté, n'ayant belle maîtresse,
        Je n'écris de douceur, n'éprouvant que rudesse,
        Je n'écris de plaisir, me trouvant douloureux.
                                                        Ibid.

592   Ici la liberté fait l'humble audacieux,
            Ici l'oisiveté rend le bon vicieux,
            Ici le vil faquin discourt des faits du monde.
                                                        Ibid.

593   Heureux qui peut sans mal vivre l'âge d'un homme!
                                                        Ibid.

594   Les princes et les rois viennent grands de nature,
            Aussi de leur grandeur n'ont-ils tant de souci...
                                                        Ibid.

595   Rome seule pouvait à Rome ressembler,
            Rome seule pouvait Rome faire trembler.
                                            Antiquités de Rome.

596   Comme on passe en été le torrent sans danger,
            Qui soulait [1] en hiver être roi de la plaine,
            Et ravir par les champs d'une fuite hautaine
            L'espoir du laboureur et l'espoir du berger [...]
                                                        Ibid.

        1. avait l'habitude.

A vous, troupe légère,   597
Qui d'aile passagère
Par le monde volez,
Et d'un sifflant murmure
L'ombrageuse verdure
Doucement ébranlez [...]
Jeux rustiques, D'un vanneur de blé, aux vents.

Mal volontiers chante la bouche   598
De l'amour qui au cœur ne touche.
A Olivier de Magny, sur les perfections de sa dame.

LOUISE LABÉ
1524-1566

Quelque rigueur qui loge en votre cœur,   599
Amour s'en peut un jour rendre vainqueur.
Élégies, I.

Ainsi amour de toi t'a étrangée   600
Qu'on te dirait en une autre changée.
Ibid.

Telle j'ai vue, qui avait en jeunesse   601
Blâmé amour, après en sa vieillesse,
Brûler d'ardeur et plaindre tendrement
L'âpre rigueur de son tardif tourment [...]
Ibid.

Crier me faut mon mal toute la nuit.   602
Sonnets, IV.

On voit mourir toute chose animée,   603
Lorsque du corps l'âme subtile part;
Je suis le corps, toi, la meilleure part :
Où donc es-tu, ô âme bien-aimée?
Ibid., VI.

Luth, compagnon de ma calamité,   604
De mes soupirs témoin irréprochable,
De mes ennuis contrôleur véritable,
Tu as souvent avec moi lamenté.
Ibid., XI.

Oh! si j'étais en ce beau sein ravie   605
De celui-là pour lequel vais mourant;
Si avec lui vivre le demeurant
De mes courts jours ne m'empêchait envie...
[...]
Lorsque souëf[1] plus il me baiserait,
Et mon esprit sur ses lèvres fuirait,
Bien je mourrais, plus que vivante, heureuse.
Ibid., XII.

1. doucement.

606   Quand mes yeux je sentirai tarir
             Ma voix cassée, et ma main impuissante,

             Et mon esprit en ce mortel séjour
             Ne pouvant plus montrer signe d'amante,
             Prierai la mort noircir mon plus clair jour.
                                        Ibid., XIV.

607   Baise m'[1] encor, rebaise-moi et baise;
             Donne-m'en un de tes plus savoureux;
             Donne-m'en un de tes plus amoureux,
             Je t'en rendrai quatre plus chauds que braise [...]
                                        Ibid., XVII.

608   Ne reprenez, dames, si j'ai aimé,
             Si j'ai senti mille torches ardentes,
             Mille travaux, mille douleurs mordantes,
             Si, en pleurant, j'ai mon temps consumé.
                                        Ibid., XXIII.

PIERRE DE RONSARD
1524-1585

609   Noir, je veux l'œil et brun le teint,
             Bien que l'œil vert le Français tant adore.
   Premières poésies, Ode à Jacques Pelletier, des beautés qu'il
                                        voudrait en s'amie.

610   L'imitation des nôtres m'est tant odieuse (d'autant que la
         langue est encore en son enfance) que pour cette raison je
         me suis éloigné d'eux, prenant style à part, sens à part,
         œuvre à part, ne désirant avoir rien de commun avec une
         si monstrueuse erreur.
                   Quatre premiers livres des Odes, au lecteur.

611   Je suis de cette opinion que nulle Poésie se doit louer pour
         accomplie, si elle ne ressemble la nature, laquelle ne fut
         estimée belle des anciens, que pour être inconstante, et
         variable en ses perfections.   *Ibid.*

612   Mignonne, allons voir si la rose
             Qui ce matin avait déclose
             Sa robe de pourpre au soleil,
             A point perdu cette vêprée
             Les plis de sa robe pourprée,
             Et son teint au vôtre pareil.
                   Odes, livre I, ode 17, à Cassandre.

613   Cueillez, cueillez votre jeunesse :
             Comme à cette fleur, la vieillesse
             Fera ternir votre beauté.
                                        Ibid.

1. moi.

La lune est coutumière   614
De naître tous les mois,
Mais, quand notre lumière
Est éteinte une fois,
Longtemps sans s'éveiller
Nous faudra sommeiller.
            Ibid., livre II, ode 5, à Cassandre.

O Fontaine Bellerie,   615
Belle fontaine chérie
De nos Nymphes [...]
Tu es la Nymphe éternelle
De ma terre paternelle :
[...]
Vois ton poète qui t'orne
D'un petit chevreau de lait,
A qui l'une et l'autre corne
Sortent du front nouvelet.
        Ibid., livre II, ode 9, à la fontaine Bellerie.

L'honneur sans plus du vert laurier m'agrée,   616
Par lui je hais le vulgaire odieux;
Voilà pourquoi Euterpe, la sacrée,
M'a, de mortel, fait compagnon des dieux.
            Ibid., livre III, ode 1, à Charles de Pisseleu.

Quand je suis vingt ou trente mois   617
Sans retourner en Vendômois,
Plein de pensées vagabondes,
Plein d'un remords et d'un souci,
Aux rochers je me plains ainsi,
Aux bois, aux antres, et aux ondes :

« Rochers, bien que soyez âgés
De trois mille ans, vous ne changez
Jamais ni d'état ni de forme;
Mais toujours ma jeunesse fuit,
Et la vieillesse qui me suit [1]
De jeune en vieillard me transforme.
                Ibid., livre IV, ode 10.

A grand tort Virgile nomme   618
Frère de la mort, le Somme,
Qui charme tous nos ennuis
Et la paresse des nuits.
                Ibid., livre IV, ode 12.

Donc, cependant que l'âge nous convie   619
De nous ébattre, égayons notre vie :
Ne vois-tu le temps qui s'enfuit,
Et la vieillesse qui nous suit?
                Ibid., livre IV, ode 15.

Si la plume d'un poète   620
Ne favorisait leur nom,
Leur vertu serait muette,
Et sans langue leur renom.
                Ibid., livre IV, ode 17.

1. poursuit.

621   Plus dur que fer j'ai fini mon ouvrage.
                              Ibid., livre IV, ode 18.

622   Bel aubépin verdissant,
                            Fleurissant
                 Le long de ce beau rivage,
                 Tu es vêtu jusqu'au bas
                            Des longs bras
                 D'une lambrunche [1] sauvage.
                          Ibid., livre IV, ode 22.

623   La poésie est un feu consumant
             Par grand ardeur l'esprit de son amant...
                              Bocage, 2.

624   Ce sont les seuls interprètes
                 Des vrais dieux que les poètes.
                                      Ibid.

625   A l'homme qui est né
                 Peu de temps est donné
                 Pour se rire et s'ébattre [...]
                 Un bon jour en vaut quatre.
                              Ibid., 5.

626   Le fils toujours rapporte
             Le naturel des parents avec lui :
             Quel peuple donc pourrait naître aujourd'hui
                 De race si peu forte?
             Ibid., 11, Contre la jeunesse française corrompue.

627   O paix heureuse,
                 Tu es la garde vigoureuse
                 Des peuples et de leurs cités :
                 Des royaumes les clés tu portes,
                 Tu ouvres des villes les portes,
                 Sérénant leurs adversités.
                              Ode de la Paix, au roi.

628   Par trait de temps [2] les flatteurs meurent,
             Mais les beaux vers toujours demeurent.
                                      Ibid.

629   Jamais l'homme, tant qu'il meure,
                            Ne demeure
                 Fortuné parfaitement,
                 Toujours avec la liesse,
                            La tristesse
                 Se mêle secrètement.
             Les Bacchanales, ou le folâtrissime voyage d'Arcueil près Paris.

630   Du ciel à peine elle était descendue,
                 Quand je la vis, quand mon âme éperdue
                 En devint folle : et l'un si poignant trait,

───────────

1. vigne sauvage.
2. à la longue.

Le fier destin l'engrava dans mon âme,
Que [1] vif ni mort, jamais d'une autre dame
Empreint au cœur je n'aurai le portrait.
Amours de Cassandre, II.

J'espère et crains, je me tais et supplie,   631
Or je suis glace et ores un feu chaud,
J'admire tout et de rien ne me chaut,
Je me délace et puis je me relie.
Ibid., XII.

Un Prométhée en passions je suis.   632
Ibid.

Avant le temps tes tempes fleuriront,   633
De peu de jours ta fin sera bornée,
Avant ton soir se clora ta journée,
Trahis d'espoir, tes pensers périront.
Ibid., XIX.

Plus tôt sans forme ira confus le monde   634
Que je sois serf d'une maîtresse blonde,
Ou que j'adore une femme aux yeux verts...
Ibid., XXVI.

Doux fut le trait qu'Amour hors de sa trousse,   635
Pour me tuer me tira doucement,
Quand je fus pris au doux commencement
D'une douceur si doucettement douce.
Ibid., XXXVIII.

Puisse advenir qu'un poète amoureux,   636
Ayant horreur de mon sort malheureux,
Dans un cyprès note cette épigramme :
« Ci-dessous gît un amant vendômois,
Que la douleur tua dedans ce bois,
Pour aimer trop les beaux yeux de sa dame. »
Ibid., LII.

Votre œil me fait un été dans mon âme.   637
Ibid., XCIV.

Combien de fois doucement irrité,   638
Suis-je ore [2] mort, ore [2] ressuscité,
Parmi l'odeur de mille et mille roses?
Ibid., CI.

Je parangonne [3] à ta jeune beauté,   639
Qui toujours dure en son printemps nouvelle,
Ce mois d'Avril, qui ses fleurs renouvelle,
En sa plus gaie et verte nouveauté.
Ibid., CIII.

[...] Et d'un tel miel mon absinthe est si pleine   640
Qu'autant me plaît le plaisir que la peine,
La peine autant comme fait le plaisir.
Ibid., CXXVI.

1. si bien que.
2. tantôt.
3. compare.

641   Je veux brûler pour m'envoler aux cieux
             Tout l'imparfait de cette écorce humaine.
                                        Ibid., CXXXIX.

642   Belle fin fait qui meurt en bien aimant.
                                        Ibid., CXLIII.

643   Rends-moi mon cœur, rends-moi mon cœur, pillarde.
                                        Ibid., CLXIV.

644   Je veux tracer la peine que j'endure :
             En cent papiers plus durs que diamant,
             A cette fin que la race future
             Juge du mal que je souffre en aimant.
                                        Ibid., CLXVII.

645   Une vigne prendra naissance
             De l'estomac et de la panse
             Du bon Rabelais, qui buvait
             Toujours, cependant qu'il vivait
                                  Épitaphe de Fr. Rabelais.

646   Vous qui sans foi errez à l'aventure,
             Vous qui tenez la secte d'Épicure,
             Amendez-vous, pour Dieu, ne croyez pas
             Que l'âme meure avecque le trépas.
                          Prosopopée de Louis de Ronsard, son père.

647   Meurs, galant, c'est assez bu.
                                  Odelette à lui-même.

648   Celui qui n'aime est malheureux,
             Et malheureux est l'amoureux.
                                  Mélanges, Odelette.

649   Nous ne devons espérer
             De toujours vifs demeurer,
             Nous, le songe d'une vie :
             Qui (bons dieux) aurait envie
             De vouloir toujours durer?
                          Ibid., Ode à Christofle de Choiseul.

650   Quand je veux en amours prendre mes passe-temps,
        M'amie en se moquant laid et vieillard me nomme.
        Quoi, dit-elle, rêveur, tu as plus de cent ans,
        Et tu veux contrefaire encore le jeune homme!
                                        Ibid., Ode.

651   Je veux lire en trois jours l'*Iliade* d'Homère,
        Et pour ce, Corydon, ferme bien l'huis sur moi;
        Si rien me vient troubler, je t'assure ma foi,
        Tu sentiras combien pesante est ma colère.
        [...]
        Mais si quelqu'un venait de la part de Cassandre,
        Ouvre-lui tôt la porte, et ne le fais attendre.
                                  Continuation des « Amours ».

Marie, levez-vous, vous êtes paresseuse,   652
Ja la gaie alouette au ciel a fredonné
Et ja le rossignol doucement jargonné
Dessus l'épine assis, sa complainte amoureuse.
                    Amours de Marie, I, 2, Chanson.

Marie, qui voudrait votre nom retourner,   653
Il trouverait *aimer :* aimez-moi donc, Marie.
                    Ibid., I, 9.

Le temps s'en va, le temps s'en va, ma dame;   654
Las! le temps, non, mais nous nous en allons,
Et tôt serons étendus sous la lame;
Et des amours desquelles nous parlons,
Quand serons morts, n'en sera plus nouvelle.
Pour c'aimez-moi cependant qu'êtes belle.
                    Ibid., pièce retranchée en 1578.

L'an se rajeunissait en sa verte jouvence   655
Quand je m'épris de vous, ma Sinope cruelle :
Seize ans était la fleur de votre âge nouvelle,
Et votre teint sentait encore son enfance.
                                        Ibid.

Pour avoir trop aimé votre bande inégale   656
Muses qui défiez (ce dites-vous) les temps,
J'ai les yeux tout battus, la face toute pâle,
Le chef grison et chauve, et si [1] n'ai que trente ans.
                                        Ibid.

Comme on voit sur la branche, au mois de mai, la rose,   657
En sa belle jeunesse, en sa première fleur,
Rendre le ciel jaloux de sa vive couleur,
Quand l'aube, de ses pleurs, au point du jour l'arrose;
[...]
Ainsi, en ta première et jeune nouveauté,
Quand la terre et le ciel honoraient ta beauté,
La Parque t'a tuée, et cendre tu reposes.

Pour obsèques [2] reçois mes larmes et mes pleurs,
Ce vase plein de lait, ce panier plein de fleurs,
Afin que, vif et mort, ton corps ne soit que roses.
                    Amours de Marie, II, 4.

[...] La vertu précieuse   658
De l'homme, quand il vit, est toujours odieuse;
Mais après le trépas chacun le pense un dieu.
                    IIe Livre des Amours.

Si les hommes pensaient à part eux quelquefois   659
Qu'il nous faut tous mourir, et que même les rois
Ne peuvent éviter de la Mort la puissance,
Ils prendraient en leurs cœurs un peu de patience.
                    Hymnes, I, Hymne de la Mort.

1. pourtant.
2. offrandes funéraires.

660   Que ta puissance, ô Mort, est grande et admirable :
       Rien au monde par toi ne se dit perdurable...
                                                    Ibid.

661   Je n'avais pas douze ans qu'au profond des vallées,
       Dans les hautes forêts des hommes reculées,
       Dans les antres secrets, de frayeur tout couverts,
       Sans avoir soin de rien je composais des vers.
                        Poèmes, I, Discours à P. L'Escot.

662   Sire, ce n'est pas tout que d'être Roi de France,
       Il faut que la vertu honore votre enfance :
       Un Roi sans la vertu porte le sceptre en vain,
       Qui ne lui sert sinon d'un fardeau dans la main.
  Discours, Institution pour l'adolescence du roi très chrétien,
                        Charles neuvième du nom.

663   Punissez-vous vous-même, afin que la justice
       De Dieu, qui est plus grand, vos fautes ne punisse.
                                                    Ibid.

664   Celui qui se connaît est seul maître de soi.   *Ibid.*

665   Morte est l'autorité, chacun vit à sa guise.
                        Ibid., Discours des misères de ce temps.

666   De tant de nouveautés je ne suis curieux,
       Il me plaît d'imiter le train de mes aïeux.
                        Ibid., Remontrance au peuple de France.

667   Je vis que des Français le langage trop bas
       A terre se traînait sans ordre ni compas;
       Adoncques pour hausser ma langue maternelle,
       Indompté du labeur, je travaillai pour elle.
       Je fis des mots nouveaux, je rappelai les vieux,
       Si bien que son renom je poussai jusqu'aux cieux.
       Ibid., Réponse aux injures et calomnies de je ne sais quels
                   prédicantereaux et ministreaux de Genève.

668   Je n'avais pas quinze ans que les monts et les bois
       Et les eaux me plaisaient plus que la Cour des Rois...
              Les quatre saisons de l'an, Hymne de l'automne.

669   Mais courage, Ronsard! les plus doctes poètes,
       Les sibylles, devins, augures et prophètes,
       Hués, sifflés, moqués des peuples ont été,
       Et toutefois, Ronsard, ils disaient vérité.
                                                    Ibid.

670   Quand vous serez bien vieille, au soir à la chandelle,
       Assise auprès du feu, dévidant et filant,
       Direz, chantant mes vers, en vous émerveillant,
       Ronsard me célébrait du temps que j'étais belle.
                        Sonnets pour Hélène, II, 43.

671   Vivez, si m'en croyez, n'attendez à demain.
       Cueillez dès aujourd'hui les roses de la vie.
                                                    Ibid.

« Il ne faut s'ébahir, disaient ces bons vieillards   672
Dessus le mur troyen, voyant passer Hélène,
Si pour telle beauté nous souffrons tant de peine :
Notre mal ne vaut pas un seul de ses regards. [...] »
Ibid., II, 67.

Car l'Amour et la Mort n'est qu'une même chose.   673
Ibid., II, dernier sonnet.

Amour, je prends congé de ta menteuse école.   674
Amours diverses.

Celui est presque dieu qui connaît toutes choses.   675
Poésies pour Hélène, Élégie.

Écoute, bûcheron, arrête un peu le bras!   676
Ce ne sont pas des bois que tu jettes à bas;
Ne vois-tu pas le sang, lequel dégoutte à force
Des nymphes qui vivaient dessous la dure écorce?
Élégies, XXIV, Contre les Bûcherons de la forêt de Gastine.

Forêt, haute maison des oiseaux bocagers [...]   677
Ibid.

La matière demeure et la forme se perd.   678
Ibid.

Le vrai trésor de l'homme est la verte jeunesse,   679
Le reste de nos ans ne sont que des hivers.
Derniers vers, Stances.

La jeunesse s'enfuit sans jamais revenir.   680
Ibid.

Je n'ai plus que les os, un squelette je semble,   681
Décharné, dénervé, démusclé, dépulpé,
Que le trait de la mort sans pardon a frappé;
Je n'ose voir mes bras, de peur que je ne tremble.
Derniers vers, Sonnet.

Adieu, chers compagnons! adieu, mes chers amis!   682
Je m'en vais le premier vous préparer la place.
Ibid.

J'appelle en vain le jour, et la mort je supplie.   683
Derniers vers, autre sonnet.

Amelette [1] Ronsardelette,   684
Mignonnelette, doucelette,
Très chère hôtesse de mon corps,
Tu descends là-bas faiblelette,
Pâle, maigrelette, seulette,
Dans le froid royaume des morts [...].
Derniers vers, à son âme.

---

1. Épitaphe imitée de celle que l'empereur Hadrien avait composée pour lui-même *(Animula vagula).*

685   C'est fait, j'ai dévidé le cours de mes destins,
           J'ai vécu, j'ai rendu mon nom assez insigne...
                                                        Ibid.

JACQUES TAHUREAU
v. 1527-1555

686   Tout ce que l'homme fait, tout ce que l'homme pense
                           En ce bas monde ici,
           N'est rien qu'un vent léger, qu'une vaine espérance
                           Pleine d'un vain souci.
                                                     Stances.

RÉMI BELLEAU
1528-1577

687   Est-il peintre que la Nature?
              Petites inventions et autres poésies, Le Papillon.

688   On ne tire rien
              Des grands, qu'on ne l'achète au double.
                                              Ibid., Le Mulet.

689   A cela je le sais, vous me direz, Maîtresse,
           Que la flamme d'amour n'est pas souvent l'hôtesse
           De l'hiver bruineux qui rend le poil grison.
           Je sais bien toutefois que les flammes plus fortes
           Croupissent bien souvent dessous les cendres mortes,
           Et que le feu s'allume en tout bois de saison.
                                      Sonnets, à sa maîtresse.

690   Vous me connaissez bien, Madame,
                  Et puis je ne suis qu'une femme,
                  Vaisseau percé de tous côtés.
                                La Reconnue, comédie, I, 2.

691   Qui veut gagner, il faut dépendre [1].
                                              Ibid., IV, 2.

692   [...] Selon mon avis,
              Qui vous a pris baisers, s'il n'a pris davantage,
              Était digne de perdre encor ce qu'il a pris.
                       La Bergerie, Sur les baisers de R. Belleau.

693   Il faut goûter le bien avant que s'en gorger.
           Il faut rougir le fer avant de le forger.
       *Amours et Nouveaux Échanges des pierres précieuses, Amours
                               d'Hyacinthe et de Chrysolithe.*

1. dépenser.

[...] Qui ne reconnaît que l'ouvrage   694
Qu'ici-bas Nature ménage
N'est beau que pour être divers,
Celui n'a pas la connaissance
Que tout cela qui prend croissance
Est esclave du changement...
Ibid., Le Corail.

La pourriture est mon père,   695
Les vers ma sœur et ma mère,
Et le tombeau ma maison.
Vers religieux.

LAURENT JOUBERT
1529-1582

On ne vieillit pas à table.   696
Erreurs populaires et Propos vulgaires.

OLIVIER DE MAGNY
v. 1529-v. 1561

S'il est ainsi qu'on aime encor là-bas,   697
Et qu'un amour saintement commencé
Ne puisse en rien, en rien être offensé,
Du noir tombeau, du temps ni du trépas...
Les gaîtés, à s'amie.

Que dit-on à la cour, que fait-on à Paris?   698
Quels seigneurs y voit-on, et quelles damoiselles?
Les Soupirs.

ÉTIENNE PASQUIER
1529-1615

Quant est de moi, pour aimer en tous lieux,   699
J'ai dans l'amour retrouvé ma franchise [1].
Le Monophile.

Mieux vaut la chasse en l'amour que la prise.   700
Jeux poétiques.

Je fais l'amour au bon vin et au boire.   701
Ibid.

Tout autre mal trouve sa médecine,   702
Mais l'âge vieux qui peu à peu nous mine,
Du médecin ignore le support.

1. liberté.

> Que le vieillard feuillette Paracelse,
> Et Hippocrate, et Galien, et Celse,
> Malgré leur art il est près de sa mort.
>
> *Ibid.*

703   Il n'y a pas moins de reproche à taire une vérité qu'à falsifier
un mensonge.   *Recherche de la France, I, 1.*

704   Il faut que tous braves menteurs soient gens de bonne
mémoire, pour se garder de méprendre.   *Ibid., I, 3.*

705   La plupart des mauvais exemples prennent leur source et
origine de commencements honnêtes et spécieux[1].
                                              Ibid., III, 14.

706   Nul ne sait combien douce est la vengeance que celui qui
a reçu l'injure.   *Ibid., VI, 5.*

707   Le malheur de notre siècle aujourd'hui est tel que, pour
acquérir réputation, il faut machiavéliser.   *Ibid.*

708   Je ne puis me persuader qu'il faille avancer notre religion
par les armes.   *Ibid., VI, 26.*

709   C'est le propre d'un poète de se louer.   *Ibid., VII, 6.*

710   Les langues n'anoblissent pas nos plumes, mais au contraire
les belles plumes donnent la vie aux langues vulgaires, et
les beaux esprits à leurs plumes.   *Ibid., VII, 8.*

711   Chacun se fait accroire que la langue vulgaire de son temps
est la plus parfaite, et chacun est en ceci trompé.
                                              Ibid., VIII, 3.

712   Le premier scandale provient de celui qui fait le mal, et non
de celui qui le raconte.   *Lettres, III, 8.*

713   Tout homme qui a de riches conceptions est pareillement
riche en paroles [...]. Bref, si ces paroles nous manquent,
cela ne provient de la disette de notre langue, mais de nos
esprits.   *Ibid., XXII, 2.*

714   Je ne m'asservis aux livres, mais les livres à moi.
                                              Ibid., XXII, 9.

GUY DU FAUR DE PIBRAC
1529-1584

715   Tout l'Univers n'est qu'une Cité ronde,
           Chacun a droit de s'en dire Bourgeois,
           Le Scythe et More autant que le Grégeois,
           Le plus petit que le plus grand du monde.
                                              Quatrains.

1. séduisants.

Ce que tu vois de l'homme n'est pas l'homme,   716
C'est la prison où il est enterré...

Ibid.

Plus on est docte, et plus on se défie   717
D'être savant : et l'homme vertueux,
Jamais n'est vu être présomptueux.
Voilà des fruits de ma Philosophie.

Ibid.

Il est permis souhaiter un bon prince;   718
Mais tel qu'il est, il le convient porter :
Car il vaut mieux un tyran supporter,
Que de troubler la paix de sa province.

Ibid.

JEAN BODIN
1530-1596

Venons aux prix des terres qui ne peuvent ni croître ni   719
diminuer, ni être altérées de leur bonté naturelle, pourvu
qu'on ne les moque point, comme l'on dit, mais qu'on les
cultive comme on a fait depuis que Ceres dame de Sicile en
montra l'usage. Car il n'est pas vraisemblable que la terre
pour vieillir perde sa vigueur, comme plusieurs pensent.
La réponse de Maître Jean Bodin au paradoxe de Monsieur de
Malestroit, touchant l'enchérissement de toutes choses, et
le moyen d'y remédier.

La principale cause qui enchérit toutes choses en quelque   720
lieu que ce soit est l'abondance de ce qui donne estimation
et prix aux choses.   *Ibid.*

Ainsi advient-il à toutes républiques de naître et croître   721
peu à peu, et puis florir en richesses et puissance, en après
s'envieillir et aller en décadence, jusques à ce qu'elles soient
du tout ruinées.   *Ibid.*

Quand ainsi serait que nous en aurions à revendre, encore   722
devrions-nous toujours trafiquer, vendre, acheter, échanger,
prêter, voire plutôt donner une partie de nos biens aux étrangers, et même à nos voisins, quand ce ne serait que pour
communiquer et entretenir une bonne amitié entre eux et
nous.   *Ibid.*

La monnaie est une loi à bien parler : aussi les Grégeois   723
appellent la monnaie et la loi d'un même nom, comme nous
disons loi et aloi. Et tout ainsi que la loi est une chose
sainte, et qui ne doit être violée : aussi la monnaie est une
chose sainte qui ne doit être altérée, depuis qu'on lui a
donné son vrai titre et juste valeur.   *Ibid.*

Si donc le sujet veut envahir et voler l'État à son roi [...]   724
ou en l'État populaire ou aristocratique, de compagnon se
faire seigneur, il mérite la mort.   *De la République, II, 5.*

ÉTIENNE DE LA BOÉTIE
1530-1563

725   C'est un extrême malheur d'être assujetti à un maître, dont on ne peut être jamais assuré qu'il soit bon, puisqu'il est toujours en sa puissance d'être mauvais quand il voudra : et d'avoir plusieurs maîtres, c'est autant que d'avoir autant de fois à être extrêmement malheureux.

De la servitude volontaire.

726   La faiblesse d'entre nous hommes est telle : il faut souvent que nous obéissions à la force; il est besoin de temporiser : on ne peut pas toujours être le plus fort.   *Ibid.*

727   [La liberté] est toutefois un bien si grand et si plaisant, que, elle perdue, tous les maux viennent à la file...   *Ibid.*

728   Pauvres gens et misérables, peuples insensés [...], vous vous laissez emporter devant vous le plus beau et le plus clair de votre revenu [...]. Celui qui nous maîtrise tant, n'a que deux yeux, n'a que deux mains, n'a qu'un corps [...]; si non qu'il à plus que vous tous, c'est l'avantage que vous lui faites pour vous détruire.   *Ibid.*

729   Que vous pourrait-il faire, si vous n'étiez receleurs du larron qui vous pille, complices du meurtrier, qui vous tue et traîtres de vous-mêmes?   *Ibid.*

730   Soyez résolus de ne servir plus, et vous serez libres.

Ibid.

731   ...La première raison de la servitude, c'est la coutume.

Ibid.

732   L'amitié, c'est un nom sacré, c'est une chose sainte; elle ne se met jamais qu'entre gens de bien, ne se prend que par une mutuelle estime; elle s'entretient, non tant par un bienfait que par la bonne vie. [...] Entre les méchants quand ils s'assemblent, c'est un complot, non pas compagnie.

Ibid.

733   De voir le fond on ne peut présumer
De notre esprit, ni le fond de la mer...
*Vers français, sur la traduction des plaintes de Bradamant
au chant XXXIIe de Loys Arioste.*

734   Mais puisqu'il faut souffrir je me tiens fier d'avoir
Une si grand' raison d'une si grande peine.
Sonnets, VIII.

735   C'est pour vrai, je vivrai, je mourrai en t'aimant.
[...]
J'en jure par la force et pouvoir de tes yeux.
Ibid., X.

736   ...Car le feu qui me brûle est celui qui m'éclaire.
Ibid., XV.

Encor moindre je suis au compte de mes ans, 737
Et déjà je suis vieux au compte de mes peines.
Ibid., XVI.

Chacun sent son tourment, et sait ce qu'il endure; 738

Chacun parla d'amour ainsi qu'il l'entendit.
Je dis ce que mon cœur, ce que mon mal me dit.
Que celui aime peu, qui aime à la mesure!
*Vingt-neuf sonnets, recueillis au 28ᵉ chap. des « Essais »
de Montaigne, XI.*

Tu prends plaisir à ma douleur extrême; 739

Tu me défends de sentir mon tourment;
Et si veux bien que je meure en t'aimant,
Si je ne sens, comment veux-tu que j'aime?
Ibid., XV.

N'ayez plus, mes amis, n'ayez plus cette envie 740
Que je cesse d'aimer; laissez-moi, obstiné,
Vivre et mourir ainsi, puisqu'il est ordonné :
Mon amour, c'est le fil auquel se tient ma vie.
Ibid., XXI.

Ce sont tes yeux tranchants qui me font le courage : 741
Je vois sauter dedans la gaie liberté...
Ibid., XXIII.

Mon mal est clair : maintenant je vois bien, 742
J'ai épousé la douleur que je porte.
Ibid., XXIV.

ROBERT ESTIENNE
v. 1530-1570

Quel crime avait commis votre jeunesse tendre, 743
Pour vous voir en naissant au meurtre condamnés?
Ce qui vous fait mourir, vous dut plutôt défendre
Et votre seul forfait, hélas! c'est d'être nés.
Hymne des innocents.

GABRIEL MEURIER
v. 1530-?

Jamais tripière n'aima harengère. 744
Trésor des Sentences.

Qui se marie par amour a de bonnes nuits et de mauvais 745
jours. *Ibid.*

Les paroles sont femelles, et les faits mâles. *Ibid.* 746

747   Bien danse à qui la fortune chante.   *Ibid.*

748   Courroux de frères, courroux de diables d'enfer.   *Ibid.*

749   Quand l'orgueil chemine devant, honte et dommage suivent
       de près.   *Ibid.*

750   Jeunesse oiseuse, vieillesse disetteuse.   *Ibid.*

751   Courroux est vain sans forte main.   *Ibid.*

752   Bons nageurs sont à la fin noyés.   *Ibid.*

753   Qui paye sa dette fait grande acqueste.   *Ibid.*

754   Nouvelle cheminée est bientôt enfumée.   *Ibid.*

755   Pire est le rompu que le décousu.   *Ibid.*

756   A la trogne connaît-on l'ivrogne.
                            Sentences notables, Adages et Proverbes.

757   Ce n'est pas tout évangile, ce que l'on dit par la ville.
                                                              Ibid.

758   Dépends un pendard, il te pendra.   *Ibid.*

CLAUDE DE PONTOUX
1530-1579

759   Veiller la nuit et tout le jour courir,
           Bref, pour tout bien rien que mal n'encourir,
           Sont les plaisirs que l'amour nous octroie.
                                                          Sonnets.

760   Avec le temps les grands fleuves tarissent,
           Avec le temps s'amollit le dur fer,
           Avec le temps les batailles finissent,
           Avec le temps se cave [1] le rocher,
           Mais ta rigueur et ta fière inconstance,
           Incessamment fait au temps résistance.
                                                          Stance.

1. creuse.

HENRI ESTIENNE
1531-1598

Quelle pitié sera-ce si nous voulons bannir autant de mots 761
que nous trouvons être en usage entre le populaire; et
principalement quand il n'y en a point d'autres, ou pour
le moins de si propres?
Traité de la conformité du langage français avec le grec,
chap. 1.

Seriez-vous bien si présomptueux que de vouloir apprendre 762
à parler aux courtisans? Ne savez-vous pas que la cour
est le lieu où on parle le meilleur langage?
Apologie pour Hérodote, I, 17.

Il n'est miracles que de vieux saints. 763
Ibid., XXXVIII, 10.

De grand maître, hardi valet. *Ibid., XL, 4.* 764

Les gourmands font leur fosse avec leurs dents. 765
De la Précellence du langage français, 173.

Courtoisie qui ne vient que d'un côté ne peut longuement 766
durer. *Ibid., 183.*

Qui tout me donne, tout me nie. *Ibid., 195.* 767

Au chaudron des douleurs, chacun porte son écuelle. 768
Les Prémices, I.

A brebis tondue Dieu mesure le vent. *Ibid.* 769

Si jeunesse savait, si vieillesse pouvait. *Ibid., IV.* 770

Nul chevalier sans prouesse. *Ibid.* 771

FRANÇOIS DE LA NOUE
1531-1591

Entre les fureurs des Français, nulle ne s'est trouvée si épou- 772
vantable que les massacres. C'étaient, disaient les uns, les
derniers remèdes pour remettre la France en union. Et
cependant rien qui soit advenu ne l'a tant désunie : ce qui
nous doit apprendre de n'y retourner plus, parce que les
voies violentes détruisent, au lieu de restaurer.
Discours politiques et militaires, IVe discours (1587).

JEAN-ANTOINE DE BAÏF
1532-1589

773
>   Vraiment c'est chose belle
> Aider au doux désir d'un amoureux fidèle.
>> *Diverses Amours, II, Dizain.*

774
>   Hé! ta fortune est trop dure?
>   Mais ce qu'on ne peut changer
>   Est léger
>   Si constamment on l'endure.
>> *Passe-temps, à soi-même.*

775
> Ce Dieu, c'est notre Dieu, qui nous préservera,
> Qui, tant que nous vivons, partout nous guidera.
>   Dessous sa garde sûre.
>> *Ibid., Psaume « Magnus Dominus et laudabilis ».*

776
>   Amour, aimables fillettes,
>   Ne se trouve point au marché
>   Pour qui le voudrait acheter :
>   — Aimer il faut pour être aimé.
>> *Chansonnettes mesurées.*

777   Il n'y a point de plus sage abbé que celui qui a été moine.
>> *Mimes, Enseignements et Proverbes.*

778   L'oiseau l'on connaît au chanter.   *Ibid.*

779   Qui ne pétrit, bon pain ne mange.   *Ibid.*

780   Il n'est vilain qui ne fasse vilenie.   *Ibid.*

781   La bonne volonté trouve le moyen et l'opportunité.
>> *Ibid.*

782
>   Bonheur gît en médiocrité,
>   Ne veut ni maître ni valet.
>> *Ibid.*

783   Morte la fille, mort le gendre.   *Ibid.*

784   Du bâton que l'on tient on est souvent battu.   *Ibid.*

785   Où la valeur, la courtoisie.   *Ibid.*

786   Bonne la maille qui sauve le denier.   *Ibid.*

787   Les grands bœufs ne font pas les grands labours.   *Ibid.*

Avec le renard, on renarde.   *Ibid.*   788

Entre deux vertes une mûre.   *Ibid.*   789

Le battu paye l'amende.   *Ibid.*   790

Le sourd avec le sourd plaide.   *Ibid.*   791

Au sortir des procès, l'on est sage.   *Ibid.*   792

Il ne faut pas jeter le manche après la cognée.   *Ibid.*   793

Absent le chat, les souris dansent.   *Ibid.*   794

Le singe tire les marrons du feu avec la patte du chat.   795
                                        Ibid.

Qui ne peut galoper, qu'il trotte.   *Ibid.*   796

Le surplus rompt le couvercle.   *Ibid.*   797

Il n'est fagot qui ne trouve son lien.   *Ibid.*   798

Contre femme point ne débattre.   *Ibid.*   799

Bonne honte sort de danger.   *Ibid.*   800

Tel m'écoute qui ne m'entend.   *Ibid.*   801

L'âne qui à noces est convié, le bois ou l'eau doit y porter.   802
                                        Ibid.

Aux chevaux maigres vont les mouches.   *Ibid.*   803

Le vin est tiré, il faut le boire.   *Ibid.*   804

Chacun en sa beauté se mire.   *Ibid.*   805

ÉTIENNE JODELLE
1532-1573

Les rois sont sujets à l'émoi   806
Pour le gouvernement des terres,
Les nobles sont sujets aux guerres.
[...]
Mais la gorge des gens d'Église
N'est point à autre joug soumise
Sinon qu'à mignarder eux-mêmes...
                    Eugène, comédie, I, 1.

807   Tu sais que l'on ne sait où gît la volupté...
                              Œuvres poétiques, à sa Muse.

808   Jamais l'opinion ne sera mon collier.
                                                    Ibid.

809   Quelque lieu, quelque amour, quelque loi qui t'absente,
        [...]
        Tu m'as, tu me seras sans fin pourtant présente.
                                              Ibid., VII.

810   J'aime le vert laurier, dont l'hiver ni la glace
        N'effacent la verdeur, en tout victorieuse,
        Montrant l'éternité à jamais bien heureuse,
        Que le temps, ni la mort ne change ni efface.
                                              Ibid., XIV.

811   Si je n'eusse à clair vu ta grâce et ton mérite,
        Mon mal serait léger, et ma peine petite.
                                              Ibid., XVI.

812   La propre vie est moins qu'une autre vie aimée.
                                              Ibid., XX.

813   Au silence est mon bien.
                                              Ibid., XXIII.

814   De mes ennuis, chagrins, regrets, fureurs, douleurs,
        [...]
        Je ne me plains, pourvu qu'un Oui, qu'un Nenni.
        Me fasse heureuse vie ou mort heureuse prendre [...]
                                              Ibid., XXVI.

815   ...Si Amour aucun nous vient des cieux,
        C'est lorsque deux moitiés, par mariage unies,
        Quittent pour l'amour vrai, dont se paissent leurs vies,
        Tout amour fantastique et tout amour sans yeux.
                                              Ibid., XXIV.

816 Qui se sert de la lampe, au moins de l'huile y met.
                                        Sonnet à Charles IX.

MICHEL DE MONTAIGNE
1533-1592

817 C'est ici un livre de bonne foi, lecteur. Il t'avertit dès l'entrée
     que je ne me suis proposé aucune fin, que domestique et privée.
     Je n'y ai eu aucune considération de ton service ni de ma
     gloire.   *Essais, Au lecteur.*

818 Certes, c'est un sujet merveilleusement vain, divers et
     ondoyant, que l'homme. Il est malaisé d'y fonder jugement
     constant et uniforme.   *Ibid., I, 1.*

Nous devons la sujétion et l'obéissance également à tous 819
Rois, car elle regarde leur office; mais l'estimation, non
plus que l'affection, nous ne la devons qu'à leur vertu.
Ibid., I, 3.

Fais ton fait et te connais. *Ibid., I, 3.* 820

Nous ne pouvons être tenus au-delà de nos forces et de nos 821
moyens. *Ibid.; I, 7.*

En vérité, le mentir est un maudit vice. Nous ne sommes 822
hommes et ne nous tenons les uns aux autres que par la
parole. Si nous en connaissions l'horreur et le poids, nous
le poursuivrions à feu plus justement que d'autres crimes.
Ibid., I, 9.

Les hommes, dit une sentence grecque ancienne, sont tour- 823
mentés par les opinions qu'ils ont des choses, non par les
choses mêmes. *Ibid., I, 14.*

Ce qui nous fait souffrir avec tant d'impatience la douleur, 824
c'est de n'être pas accoutumés de prendre notre principal
contentement en l'âme. *Ibid., I, 14.*

La douleur se rendra de bien meilleure composition à qui 825
lui tiendra tête. Il se faut opposer et bander contre.
Ibid., I, 14.

La confiance en la bonté d'autrui est un non léger témoi- 826
gnage de la bonté propre : partant la favorise Dieu volontiers. *Ibid., I, 14.*

Chacun est bien ou mal selon qu'il s'en trouve [...]. Et en 827
cela seul la croyance se donne essence et vérité.
Ibid., I, 14.

Les choses ne sont pas si douloureuses ni difficiles d'elles- 828
mêmes; mais notre faiblesse et lâcheté les fait telles.
Ibid., I, 14.

Nul n'est mal longtemps qu'à sa faute. *Ibid., I, 14.* 829

Les hommes, quelque beau visage que fortune leur fasse, 830
ne se peuvent appeler heureux, jusqu'à ce qu'on leur ait vu
passer le dernier jour de leur vie, pour l'incertitude et variété
des choses humaines. *Ibid., I, 19.*

Le but de notre carrière, c'est la mort, c'est l'objet nécessaire 831
de notre visée : si elle nous effraie, comment est-il possible
d'aller un pas en avant sans fièvre? Le remède du vulgaire,
c'est de n'y penser pas. *Ibid., I, 20.*

Il est incertain où la mort nous attende, attendons-la par- 832
tout. La préméditation de la mort est préméditation de la
liberté. Qui a appris à mourir, il a désappris à servir.
Ibid., I, 20.

833   Si j'étais faiseur de livres, je ferais un registre commenté des morts diverses. Qui apprendrait les hommes à mourir, leur apprendrait à vivre.   *Ibid., I, 20.*

834   Notre religion n'a point eu de plus assuré fondement humain que le mépris de la vie.   *Ibid., I, 20.*

835   Comme notre naissance nous apporta la naissance de toutes choses, aussi fera la mort de toutes choses, notre mort.
                    Ibid., I, 20.

836   C'est la condition de notre création, c'est une partie de vous que la mort : vous vous fuyez vous-mêmes. Cet être qui est le vôtre, que vous jouissez, a également part à la mort et à la vie. Le premier jour de votre naissance vous achemine à mourir comme à vivre.   *Ibid., I, 20.*

837   La vie n'est de soi ni bien ni mal : c'est la place du bien et du mal selon que vous la leur faites.   *Ibid., I, 20.*

838   La mort est moins à craindre que rien, s'il y avait quelque chose de moins. Elle ne vous concerne ni mort ni vif : vif, parce que vous êtes; mort, parce que vous n'êtes plus.
                    Ibid., I, 20.

839   Où que votre vie finisse, elle y est toute. L'utilité du vivre n'est pas en l'espace, elle est en l'usage : tel a vécu longtemps qui a peu vécu...   *Ibid., I, 20.*

840   Nul médecin ne prend plaisir à la santé de ses amis mêmes, dit l'ancien comique grec, ni soldat à la paix de sa ville; ainsi du reste.   *Ibid., I, 22.*

841   Ceux qui donnent le branle à un État sont volontiers les premiers absorbés en sa ruine.   *Ibid., I, 23.*

842   De vrai, le soin et la dépense de nos pères ne visent qu'à nous meubler la tête de science; du jugement et de la vertu, peu de nouvelles.   *Ibid., I, 25.*

843   Nous ne sommes savants que de la science présente.
                    Ibid., I, 25.

844   Nos pédants vont pillotant la science dans les lèvres, et ne la logent qu'au bout de leurs lèvres, pour la dégorger seulement et mettre au vent.   *Ibid., I, 25.*

845   Quand bien nous pourrions être savants du savoir d'autrui, au moins sages ne pouvons-nous être que de notre propre sagesse.   *Ibid., I, 25.*

846   Je vois, mieux que tout autre, que ce ne sont ici que rêveries d'homme qui n'a goûté des sciences que la croûte première, en son enfance, et n'en a retenu qu'un général et informe visage : un peu de chaque chose et rien du tout, à la française.   *Ibid., I, 26.*

Je n'ai point l'autorité d'être cru ni le désir, me sentant trop 847
mal instruit pour instruire autrui.   *Ibid., I, 26.*

Je voudrais qu'on fût soigneux de lui choisir un conduc- 848
teur [1] qui eût plutôt la tête bien faite que bien pleine et qu'on
y requît tous les deux, mais plutôt les mœurs et l'entendement que la science.   *Ibid., I, 26.*

Qu'il lui fasse tout passer par l'étamine et ne loge rien en sa 849
tête par simple autorité et à crédit.   *Ibid., I, 26.*

Savoir par cœur n'est pas savoir : c'est tenir ce qu'on a donné 850
en garde à sa mémoire.   *Ibid., I, 26.*

Il se tire une merveilleuse clarté pour le jugement humain 851
de la fréquentation du monde. Nous sommes tous contraints
et amoncelés en nous, et nous avons la vue raccourcie à la
longueur de notre nez. On demandait à Socrate d'où il était.
Il ne répondit pas « d'Athènes », mais « du monde ».
                                                       Ibid., I, 26.

La plus constante marque de la sagesse, c'est une constante 852
réjouissance.   *Ibid., I, 26.*

On nous apprend à vivre quand la vie est passée.   853
                                                       Ibid., I, 26.

Il n'est rien de si gentil que les petits enfants en France; 854
mais ordinairement ils trompent l'espérance qu'on en a
conçue, et, hommes faits, on n'y voit aucune excellence.
J'ai ouï dire à gens d'entendement que ces collèges où on
les envoie, de quoi ils ont foison, les abrutissent ainsi.
                                                       Ibid., I, 26.

Le parler que j'aime, c'est un parler simple et naïf, tel sur le 855
papier qu'à la bouche, un parler succulent et nerveux, court
et serré, non tant délicat et peigné comme véhément et brusque.   *Ibid., I, 26.*

L'éloquence fait injure aux choses, qui nous détourne à soi. 856
Comme aux accoutrements c'est pusillanimité de se vouloir marquer par quelque façon singulière et inusitée; de
même, au langage, la recherche des phrases nouvelles et de
mots peu connus vient d'une ambition puérile et pédantes-
que. Puissé-je ne me servir que de ceux qui servent aux Halles
à Paris!   *Ibid., I, 26.*

C'est une hardiesse dangereuse et de conséquence, outre 857
l'absurde témérité qu'elle traîne de soi-même, de mépriser
ce que nous ne concevons pas.   *Ibid., I, 27.*

1. précepteur.

858   Quant aux mariages, outre ce que c'est un marché qui n'a
        que l'entrée libre [...].   *Ibid., I, 28.*

859   Si on me presse de dire pourquoi je l'aimais, je sens que cela
        ne se peut exprimer qu'en répondant : « Parce que c'était
        lui, parce que c'était moi. »   *Ibid., I, 28.*

860   C'est une religieuse liaison et dévote que le mariage; voilà
        pourquoi le plaisir qu'on en tire, ce doit être un plaisir
        retenu, sérieux et mêlé à quelque sévérité...   *Ibid., I, 30.*

861   On disait à Socrate que quelqu'un ne s'était aucunement
        amendé en son voyage. « Je crois bien, dit-il, il s'était emporté
        avec soi. »   *Ibid., I, 39.*

862   Certes, l'homme d'entendement n'a rien perdu, s'il a soi-
        même.   *Ibid., I, 39.*

863   Il est bien plus aisé et plus plaisant de suivre que de guider,
        et [...] c'est un grand repos d'esprit de n'avoir à tenir qu'une
        voie tracée et à répondre que de soi.   *Ibid., I, 42.*

864   L'honneur que nous recevons de ceux qui nous craignent,
        ce n'est pas honneur.   *Ibid., I, 42.*

865   En toutes choses, sauf simplement aux mauvaises, la muta-
        tion est à craindre.   *Ibid., I, 43.*

866   Il fait dangereux assaillir un homme à qui vous avez ôté
        tout autre moyen d'échapper que par les armes : car c'est
        une violente maîtresse d'école que la nécessité.
                                                     Ibid., I, 47.

867   Ce n'est pas victoire, si elle ne met fin à la guerre.
                                                     Ibid., I, 47.

868   L'irrésolution me semble le plus commun et apparent vice
        de notre nature.   *Ibid., II, 1.*

869   Nous ne pensons ce que nous voulons qu'à l'instant que
        nous le voulons, et changeons comme cet animal qui prend
        la couleur du lieu où on le couche.   *Ibid., II, 1.*

870   Je n'ai rien à dire de moi entièrement, simplement et soli-
        dement, sans confusion et sans mélange, ni en un mot.
        Distinguo est le plus universel membre de ma logique.
                                                     Ibid., II, 1.

871   L'étrangeté de notre condition porte[1] que nous soyons
        souvent par le vice même poussés à bien faire, si le bien faire
        ne se jugeait par la seule intention. Par quoi un fait coura-
        geux ne doit pas conclure un homme vaillant.
                                                     Ibid., II, 1.

1. comporte.

Se trouve autant de différence de nous à nous-mêmes que
de nous à autrui   *Ibid., II, 1.*   872

Le monde n'est que variété et dissemblance.   *Ibid., II, 1.*   873

La superstition porte quelque image de la pusillanimité.   874
                                              Ibid., II, 1.

La plus volontaire mort, c'est la plus belle.   *Ibid., II, 3.*   875

Pour s'apprivoiser à la mort, je trouve qu'il n'y a que de s'en   876
avoisiner.   *Ibid., II, 6.*

Mon métier et mon art, c'est vivre.   *Ibid., II, 6.*   877

Je peins principalement mes cogitations, sujet informe.   878
                                              Ibid., II, 6.

Ce sont mes gestes que j'écris, c'est moi, c'est mon essence.   879
                                              Ibid., II, 6.

Nulle particulière qualité n'enorgueillira celui qui mettra   880
en même temps en compte tant d'imparfaites et faibles
qualités autres qui sont en lui, et, au bout, la nihilité de
l'humaine condition.   *Ibid., II, 6.*

C'est injustice de voir qu'un père vieil, cassé et demi-mort,   881
jouisse seul, à un coin du foyer, des biens qui suffiraient
à l'avancement et entretien de plusieurs enfants. *Ibid., II, 8.*

J'accuse toute violence en l'éducation d'une âme tendre,   882
qu'on dresse pour l'honneur et la liberté. Il y a je ne sais
quoi de servile en la rigueur et en la contrainte et tiens
que ce qui ne se peut faire par la raison, et par prudence
et adresse, ne se fait jamais par la force.
                                              Ibid., II, 8.

Voulons-nous être aimés de nos enfants? leur voulons-nous   883
ôter l'occasion de souhaiter notre mort [...]? Accommodons
leur vie raisonnablement de ce qui est en notre puissance.
                                              Ibid., II, 8.

Cette faute de ne se savoir reconnaître de bonne heure, et ne   884
sentir l'impuissance et extrême altération que l'âge apporte
naturellement et au corps et à l'âme, qui, à mon opinion,
est égale (si l'âme n'en a plus de la moitié), a perdu la réputation de la plupart des grands hommes du monde.
                                              Ibid., II, 8.

Quand je pourrais me faire craindre, j'aimerais encore mieux   885
me faire aimer.   *Ibid., II, 8.*

Il n'est aucune si douce consolation en la perte de nos amis   886
que celle que nous apporte la science de n'avoir rien oublié
à leur dire, et d'avoir eu avec eux une parfaite et entière
communication.   *Ibid., II, 8.*

887   Il est peu d'hommes adonnés à la poésie qui ne se grati-
      fiassent plus d'être pères de l'*Enéide* que du plus beau garçon
      de Rome.   *Ibid.*, *II*, *8*.

888   C'est ici purement l'essai de mes facultés naturelles, et
      nullement des acquises.   *Ibid.*, *II*, *10*.

889   Qui sera en cherche de science, qu'il la pêche où elle se loge :
      il n'est rien de quoi je fasse moins profession.
                                                    Ibid., *II*, *10*.

890   Ce que je dérobe d'autrui, ce n'est pas pour le faire mien;
      je ne prétends ici nulle part que celle de raisonner et de juger :
      le demeurant n'est point de mon rôle.   *Ibid.*, *II*, *10*.

891   Il échappe souvent des fautes à nos yeux, mais la maladie
      du jugement consiste à ne les pouvoir apercevoir lorsqu'un
      autre nous les découvre.   *Ibid.*, *II*, *10*.

892   Je n'ai point d'autre sergent de bande à ranger mes pièces
      que la fortune.   *Ibid.*, *II*, *10*.

893   Je ne cherche aux livres qu'à m'y donner au plaisir par un
      honnête amusement; ou si j'étudie, je n'y cherche que la
      science qui traite de la connaissance de moi-même, et qui
      m'instruise à bien mourir et à bien vivre.   *Ibid.*, *II*, *10*.

894   J'ai un esprit primesautier. Ce que je ne vois de la première
      charge, je le vois moins en m'y obstinant.   *Ibid.*, *II*, *10*.

895   Je dis librement mon avis de toutes choses [...]. Ce que j'en
      opine, c'est aussi pour déclarer la mesure de ma vue, non
      la mesure des choses.   *Ibid.*, *II*, *10*.

896   Nous ne devenons pas autres pour mourir. J'interprète
      toujours la mort par la vie.   *Ibid.*, *II*, *11*.

897   Quand on juge d'une action particulière; il faut considérer
      plusieurs circonstances et l'homme tout entier qui l'a pro-
      duite, avant de la baptiser.   *Ibid.*, *II*, *11*.

898   Les morts, je ne les plains guère, et les envierais plutôt;
      mais je plains bien fort les mourants.   *Ibid.*, *II*, *11*.

899   Il [...] faut [...] accompagner notre foi de toute la raison qui
      est en nous, mais toujours avec cette réservation de n'estimer
      pas que ce soit de nous qu'elle dépende, ni que nos efforts
      et arguments puissent atteindre à une si surnaturelle et
      divine science.   *Ibid.*, *II*, *12*.

900   C'est merveille combien peu il faut à nature pour se contenter,
      combien peu elle nous a laissé à désirer.   *Ibid.*, *II*, *2*.

901   J'ai vu en mon temps cent artisans, cent laboureurs, plus
      sages et plus heureux que des recteurs de l'université.
                                                    Ibid., *II*, *12*.

Tant qu'il pensera avoir quelque moyen et quelque force 902
de soi, jamais l'homme ne reconnaîtra ce qu'il doit à son
maître. *Ibid., II, 12.*

Il nous faut abêtir pour nous assagir, et nous éblouir pour 903
nous guider. *Ibid., II, 12.*

C'est aux Chrétiens une occasion de croire, que de rencontrer 904
une chose incroyable. *Ibid., II, 12.*

Rien ne semble vrai, qui ne puisse sembler faux. 905
Ibid., II, 12.

Le beaucoup savoir apporte l'occasion de plus douter. 906
Ibid., II, 12.

Les terres fertiles font les esprits infertiles. 907
Ibid., II, 12.

Notre parler a ses faiblesses et ses défauts, comme tout le 908
reste. La plupart des occasions des troubles du monde sont
grammairiennes. *Ibid., II, 12.*

Je vois les philosophes Pyrrhoniens qui ne peuvent exprimer 909
leur générale conception en aucune manière de parler;
car il leur faudrait un nouveau langage. Le nôtre est tout
formé de propositions affirmatives, qui leur sont du tout
ennemies [...].
   Cette fantaisie est plus sûrement conçue par interrogation :
« Que sais-je? » comme je la porte à la devise d'une balance.
Ibid., II, 12.

Or n'y peut-il y avoir des principes aux hommes, si la divinité 910
ne les leur a révélés. *Ibid., II, 12.*

Toutes choses produites par notre propre discours et suffi- 911
sance, autant vraies que fausses, sont sujettes à incertitude
et débat. *Ibid., II, 12.*

Notre esprit est un outil vagabond, dangereux et téméraire. 912
Ibid., II, 12.

La plus subtile folie se fait de la plus subtile sagesse. 913
Ibid., II, 12.

Quoi qu'on nous prêche, quoi que nous apprenions, il 914
faudrait toujours se souvenir que c'est l'homme qui donne et
l'homme qui reçoit; c'est une mortelle main qui nous le
présente; c'est une mortelle main qui l'accepte.
Ibid., II, 12.

A peine se peut-il rencontrer une seule heure en la vie où 915
notre jugement se trouve en sa due assiette.
Ibid., II, 12.

916   J'appelle toujours raison cette apparence de discours que
      chacun forge en soi; cette raison, [...] c'est un instrument
      de plomb et de cire, allongeable, ployable et accommodable
      à tous biais et à toutes mesures.   *Ibid., II, 12.*

917   Maintes fois [...], ayant pris pour exercice et pour ébat à
      maintenir une contraire opinion à la mienne, mon esprit [...]
      m'y attache si bien que je ne trouve plus la raison de mon
      premier avis, et m'en départis. Où je penche, comment que
      ce soit, et m'emporte de mon poids.   *Ibid., II, 12.*

918   Les deux voies naturelles pour entrer au cabinet des Dieux
      et y prévoir le cours des destinées sont la fureur et le sommeil.
                                                  Ibid., II, 12.

919   Quelque apparence qu'il y ait en la nouveauté, je ne change
      pas aisément, de peur que j'ai de perdre au change.
                                                  Ibid., II, 12.

920   Puisque je ne suis pas capable de choisir, je prends le choix
      d'autrui.   *Ibid., II, 12.*

921   Il n'est rien sujet à plus continuelle agitation que les lois.
                                                  Ibid., II, 12.

922   Quelle vérité que ces montagnes bornent, qui est mensonge
      au monde qui se tient au-delà?   *Ibid., II, 12.*

923   Voilà comment la raison fournit d'apparence à divers effets.
      C'est un pot à deux anses, qu'on peut saisir à gauche et à
      dextre.   *Ibid., II, 12.*

924   Les lois prennent leur autorité de la possession et de l'usage;
      il est dangereux de les ramener à leur naissance; elles gros-
      sissent et s'ennoblissent en roulant comme nos rivières...
                                                  Ibid., II, 12.

925   Il n'est pronostiqueur [...] à qui on ne fasse dire tout ce qu'on
      voudra, comme aux Sibylles.   *Ibid., II, 12.*

926   Il est impossible de faire concevoir à un homme naturelle-
      ment aveugle qu'il ne voit pas.   *Ibid., II, 12.*

927   Qu'on loge un philosophe dans une cage de menus fils de fer
      clairsemés, qui soit suspendue au haut des tours de Notre-
      Dame de Paris, il verra par raison évidente qu'il est impossible
      qu'il en tombe, et cependant ne se saurait garder (s'il n'a
      accoutumé le métier des recouvreurs) que la vue de cette
      hauteur extrême ne l'épouvante et ne le transisse.
                                                  Ibid., II, 12.

928   Nous veillons dormant, et veillant dormons.
                                                  Ibid., II, 12.

929   La neige nous apparaît blanche, mais [...] d'établir si de
      son essence elle est telle et à la vérité, nous ne nous en saurions
      répondre; et, ce commencement ébranlé, toute la science
      du monde s'en va nécessairement à vau-l'eau.
                                                  Ibid., II, 12.

Rien ne vient à nous que falsifié et altéré par nos sens.   930
Ibid., II, 12.

Pour juger des apparences que nous recevons des sujets,   931
il nous faudrait un instrument judicatoire; pour vérifier
cet instrument, il nous y faut de la démonstration; pour
vérifier la démonstration, un instrument; nous voilà au
rouet.   *Ibid., II, 12.*

Nous n'avons aucune communication à l'être, parce que   932
toute humaine nature est toujours au milieu entre le naître
et le mourir.   *Ibid., II, 12.*

Il n'y a rien qui demeure ni qui soit toujours un.   933
Ibid., II, 12.

« O la vile chose [...], et abjecte que l'homme, s'il ne s'élève   934
au-dessus de l'humanité! » [...] Voilà un bon mot [...], mais
[...] absurde. Car de faire la poignée plus grande que le
poing, la brassée plus grande que le bras, et d'espérer
enjamber plus que de l'étendue de nos jambes, cela est
impossible et monstrueux.   *Ibid., II, 12.*

Peu de gens meurent résolus que ce soit leur heure dernière,   935
et n'est endroit où la piperie de l'espérance nous amuse
plus.   *Ibid., II, 13.*

Nul ne se peut dire être résolu à la mort qui craint à la mar-   936
chander, qui ne peut la soutenir les yeux ouverts.
Ibid., II, 13.

Le désir et la jouissance nous mettent pareillement en peine.   937
La rigueur des maîtresses est ennuyeuse[1], mais l'aisance et
la facilité l'est, à dire vérité, encore plus.   *Ibid., II, 15.*

La satiété engendre le dégoût.   *Ibid., II, 15.*   938

La vertu est chose bien vaine et frivole, si elle tire sa recom- 939
mandation de la gloire.   *Ibid., II, 16.*

Les moins éclatantes occasions sont les plus dangereuses.   940
Ibid., II, 16.

Je suis assez prodigue de bonnetades[2], notamment en été,   941
et n'en reçois jamais sans revanche, de quelque qualité
d'homme que ce soit, s'il n'est à mes gages.
Ibid., II, 17.

On peut faire le sot partout ailleurs mais non en la Poésie.   942
Ibid., II, 17.

Les petits hommes, dit Aristote, sont bien jolis, mais non   943
pas beaux; et se connaît en la grandeur la grande âme,
comme la beauté en un corps grand et haut.
Ibid., II, 17.

1. sens fort.
2. coups de chapeau.

944   J'aime à ne savoir pas le compte de ce que j'ai, pour sentir
moins exactement ma perte.   *Ibid., II, 17.*

945   Ne pouvant régler les événements, je me règle moi-même.
Ibid., II, 17.

946   Le délibérer, voire aux choses légères, m'importune. [...]
Peu de passions m'ont troublé le sommeil; mais, des déli-
bérations, la moindre me trouble.   *Ibid., II, 17.*

947   Aux événements, je me porte virilement; en la conduite,
puérilement.   *Ibid., II, 17.*

948   Le jeu ne vaut pas la chandelle... Et il y a moins de mal
souvent à perdre sa vigne qu'à la plaider.   *Ibid., II, 17.*

949   Il ne faut pas toujours dire tout, car ce serait sottise; mais,
ce qu'on dit, il faut qu'il soit tel qu'on le pense, autrement
c'est méchanceté.   *Ibid., II, 17.*

950   C'est le réceptacle et l'étui de la science que la mémoire :
l'ayant si défaillante, je n'ai pas fort à me plaindre, si je ne
sais guère.   *Ibid., II, 17.*

951   Qui a jamais cuidé [1] avoir faute de sens?   *Ibid., II, 17.*

952   Je ne connais rien digne de grande admiration.
Ibid., II, 17.

953   Je me fais plus d'injure en mentant que je n'en fais à celui
à qui je mens.   *Ibid., II, 17.*

954   Le premier trait de la corruption des mœurs, c'est le bannissement de la vérité. [...] Notre vérité de maintenant, ce n'est
pas ce qui est, mais ce qui se persuade à autrui.
Ibid., II, 18.

955   Il n'y a point de bête au monde tant à craindre à l'homme
que l'homme.   *Ibid., II, 19.*

956   Il y a quelque ombre de friandise et délicatesse qui nous rit
et qui nous flatte au giron même de la mélancolie.
Ibid., II, 20.

957   Une guerre étrangère est un mal bien plus doux que la
civile.   *Ibid., II, 23.*

958   J'ai ouï réciter [2] plusieurs exemples de gens devenus malades.
ayant entrepris de s'en feindre.   *Ibid., II, 25,*

959   Ne cherchons pas hors de nous notre mal, il est chez nous,
il est planté en nos entrailles.   *Ibid., II, 25.*

1. cŕu.
2. rapporter.

Nous avons une très douce médecine que la philosophie; 960
car des autres, on n'en sent le plaisir qu'après la guérison,
celle-ci plaît et guérit ensemble. *Ibid., II, 25.*

La couardise est mère de cruauté. *Ibid., II, 27.* 961

On peut continuer à tout temps l'étude, non pas l'écolage : 962
la sotte chose qu'un vieillard abécédaire! *Ibid., II, 28.*

Ce que nous voyons advenir advient; mais il pouvait autre- 963
ment advenir. *Ibid., II, 29.*

Notre fantaisie[1] fait de soi et de nous ce qu'il lui plaît. 964
Ibid., II, 29.

Ce que nous appelons monstres ne le sont pas à Dieu, qui 965
voit en l'immensité de son ouvrage l'infinité des formes
qu'il y a comprises. *Ibid., II, 30.*

Il n'est passion qui ébranle tant la sincérité des jugements 966
comme la colère. *Ibid., II, 31.*

J'aimerais mieux produire mes passions que de les couver 967
à mes dépens : elles s'alanguissent en s'éventant et en
s'exprimant; il vaut mieux que leur pointe agisse au dehors
que de la plier contre nous. *Ibid., II, 31.*

La criaillerie téméraire et ordinaire passe en usage et fait 968
que chacun la méprise. *Ibid., II, 31.*

Il ne faut pas juger ce qui est possible et ce qui ne l'est pas 969
selon ce qui est croyable et incroyable à notre sens.
Ibid., II, 32.

Où l'amour et l'ambition seraient en égale balance et vien- 970
draient à se choquer de forces pareilles, je ne fais aucun
doute que celle-ci ne gagnât le prix de la maîtrise.
Ibid., II, 33.

(Le mariage) est un marché plein de tant d'épineuses circons- 971
tances qu'il est malaisé que la volonté d'une femme s'y
maintienne entière longtemps. Les hommes, quoiqu'ils y
soient avec un peu meilleure condition, y ont prou[2] affaire.
Ibid., II, 35.

Les médecins ne se contentent point d'avoir la maladie en 972
gouvernement, ils rendent la santé malade, pour garder
qu'on ne puisse en aucune saison échapper à leur autorité.
Ibid., II, 37.

Faites ordonner une purgation à votre cervelle, elle sera 973
mieux ordonnée qu'à votre estomac. *Ibid., II, 37.*

1. imagination.
2. beaucoup.

974   Je ne hais point les fantaisies [1] contraires aux miennes.
Ibid., II, 37.

975   Personne n'est exempt de dire des fadaises. Le malheur est
de les dire curieusement [2].   *Ibid., III, 1.*

976   Je parle au papier comme je parle au premier que je rencontre.
Ibid., III, 1.

977   Il n'y a rien d'inutile en nature; non pas l'inutilité même.
Ibid., III, 1.

978   Notre être est cimenté de qualités maladives; l'ambition,
la jalousie, l'envie, la vengeance, la superstition, le désespoir, logent en nous [...] Desquelles qualités, qui ôterait la
semence en l'homme, détruirait les fondamentales conditions
de notre vie.   *Ibid., III, 1.*

979   Le bien public requiert qu'on trahisse et qu'on mente et
qu'on massacre.   *Ibid., III, 1.*

980   A la vérité, et ne crains pas de l'avouer, je porterais facilement au besoin une chandelle à saint Michel, l'autre à son
serpent, suivant le dessein de la vieille [3]. Je suivrai le bon parti
jusqu'au feu, mais exclusivement si je puis.   *Ibid., III, 1.*

981   Ils attisent la guerre non parce qu'elle est juste, mais parce
que c'est guerre.   *Ibid., III, 1.*

982   Ce qui a été fié à mon silence, je le cèle religieusement, mais
je prends à celer le moins que je puis.   *Ibid., III, 1.*

983   Qui est infidèle à soi-même, l'est excusablement à son maître.
Ibid., III, 1.

984   C'est assez de tremper mes plumes en encre, sans les tremper
en sang.   *Ibid., III, 1.*

985   On argumente mal l'honnêteté et la beauté d'une chose par
son utilité.   *Ibid., III, 1.*

986   Les autres forment l'homme; je le récite [4].   *Ibid., III, 2.*

987   Le monde n'est qu'une branloire [5] perenne [6].
Ibid., III, 2.

988   Je ne peins pas l'être. Je peins le passage : non un passage
d'âge en autre, ou, comme dit le peuple, de sept en sept ans,
mais de jour en jour, de minute en minute.   *Ibid., III, 2.*

1. idées.
2. avec componction.
3. Allusion à une légende populaire.
4. raconte.
5. machine en mouvement.
6. perpétuelle.

Je propose une vie basse et sans lustre, c'est tout un. On
attache aussi bien toute la philosophie morale à une vie
populaire et privée qu'à une vie de plus riche étoffe; chaque
homme porte la forme entière de l'humaine condition.
Ibid., III, 2.

989

Nous allons conformément et tout d'un train, mon livre et
moi. *Ibid., III, 2.*

990

Ma conscience se contente de soi, non comme de la conscience
d'un ange ou d'un cheval, mais comme de la conscience
d'un homme. *Ibid., III, 2.*

991

Le vice laisse, comme un ulcère en la chair, une repentance
en l'âme, qui toujours s'égratigne et s'ensanglante d'elle-
même. *Ibid., III, 2.*

992

J'ai mes lois et ma cour pour juger de moi, et m'y adresse
plus qu'ailleurs. *Ibid., III, 2.*

993

Peu d'hommes ont été admirés par leurs domestiques; nul
n'a été prophète non seulement en sa maison, mais en son
pays, dit l'expérience des histoires. *Ibid., III, 2.*

994

Les vies retirées soutiennent [...], quoi qu'on dise, des
devoirs autant ou plus âpres et tendus que ne font les autres
vies. *Ibid., III, 2.*

995

Je conçois aisément Socrate en la place d'Alexandre; Alexandre en celle de Socrate, je ne puis. *Ibid., III, 2.*

996

Si je ne suis chez moi, j'en suis toujours bien près. Mes
débauches ne m'emportent pas loin. *Ibid., III, 2.*

997

La force de tout conseil [1] gît au temps. *Ibid., III, 2.*

998

Je me sers rarement des airs d'autrui. *Ibid., III, 2.*

999

Je prise peu mes opinions, mais je prise aussi peu celles des
autres. *Ibid., III, 2.*

1000

Je hais cet accidentel repentir que l'âge apporte.
Ibid., III, 2.

1001

Misérable sorte de remède, devoir à la maladie sa santé!
[...] La santé m'avertit [...] plus utilement que la maladie.
Ibid., III, 2.

1002

Si j'avais à revivre, je revivrais comme j'ai vécu; ni je ne
plains le passé, ni je ne crains l'avenir. *Ibid., III, 2.*

1003

La vieillesse nous attache plus de rides en l'esprit qu'au
visage. *Ibid., III, 2.*

1004

[Il] ne se voit point d'âmes, ou fort rares, qui en vieillissant
ne sentent à l'aigre et au moisi. *Ibid., III, 2.*

1005

1. décision.

1006 Les plus belles âmes sont celles qui ont plus de variété et de souplesse. *Ibid., III, 3.*

1007 La plupart des esprits ont besoin de matière étrangère pour se dégourdir et exercer; le mien en a besoin pour se rasseoir[1] plutôt et séjourner[2], [...] car son plus laborieux et principal étude, c'est s'étudier à soi. *Ibid., III, 3.*

1008 Le méditer est un puissant étude et plein, à qui sait se tâter et employer vigoureusement : j'aime mieux forger mon âme que la meubler. *Ibid., III, 3.*

1009 Les moins tendues et plus naturelles allures de notre âme sont les plus belles. *Ibid., III, 3.*

1010 Les autres s'étudient à élancer et guinder leur esprit; moi, à le coucher. *Ibid., III, 3.*

1011 Il faut se démettre[3] au train de ceux avec qui vous êtes, et parfois affecter l'ignorance. *Ibid., III, 3.*

1012 Ma forme essentielle est propre à la communication et à la production[4]; je suis tout au-dehors et en évidence, né à la société et à l'amitié. *Ibid., III, 3.*

1013 Une âme bien née et exercée à la pratique des hommes se rend pleinement agréable d'elle-même. L'art n'est autre chose que le contrôle et le registre des productions de telles âmes. *Ibid., III, 3.*

1014 C'est le vrai avantage des dames que le corps. *Ibid., III, 3.*

1015 Je ne voyage sans livres ni en paix ni en guerre [...] C'est la meilleure munition que j'aie trouvé à cet humain voyage. *Ibid., III, 3.*

1016 Nous pensons toujours ailleurs; l'espérance d'une meilleure vie nous arrête et appuie, ou l'espérance de la valeur de nos enfants, ou la gloire future de notre nom, ou la fuite des maux de cette vie, ou la vengeance qui menace ceux qui nous causent la mort. *Ibid., III, 4.*

1017 L'amour me soulagea et retira du mal qui m'était causé par l'amitié. *Ibid., III, 4.*

1018 Toujours, la variation soulage, dissout et dissipe. *Ibid., III, 4.*

1019 Peu de chose nous divertit et détourne, car peu de chose nous tient. *Ibid., III, 4.*

1. s'arrêter.
2. se détendre.
3. s'abaisser.
4. à se communiquer et à se produire.

C'est priser sa vie justement ce qu'elle est, de l'abandonner   1020
pour un songe.   *Ibid., III, 4.*

Que l'enfance regarde devant elle, la vieillesse derrière :   1021
était-ce pas ce que signifiait le double visage de Janus?
Lês ans m'entraînent s'ils veulent, mais à reculons!
                                                  Ibid., III, 5.

Ma philosophie est en action, en usage naturel et présent,   1022
peu en fantaisie.   *Ibid., III, 5.*

J'aime une sagesse gaie et civile, et fuis l'âpreté des mœurs   1023
et l'austérité, ayant pour suspecte toute mine rébarbative.
                                                  Ibid., III, 5.

Je me suis ordonné d'oser dire tout ce que j'ose faire.   1024
                                                  Ibid., III, 5.

Ils envoient leur conscience au bordel et tiennent leur   1025
contenance en règle.   *Ibid., III, 5.*

Qu'a fait l'action génitale aux hommes, si naturelle, si   1026
nécessaire et si juste, pour n'en oser parler sans vergogne?
                                                  Ibid., III, 5.

Je ne vois pas de mariages qui faillent plus tôt et se troublent 1027
que ceux qui s'acheminent par la beauté et désirs amoureux.
                                                  Ibid., III, 5.

Un bon mariage, s'il en est, refuse la compagnie et conditions   1028
de l'amour. Il tâche à représenter celles de l'amitié.
                                                  Ibid., III, 5.

Il [...] advient (du mariage) ce qui se voit aux cages : les   1029
oiseaux qui en sont hors désespèrent d'y entrer; et d'un
pareil soin en sortir, ceux qui sont au-dedans.
                                                  Ibid., III, 5.

De mon dessein, j'eusse fui d'épouser la sagesse même, si   1030
elle m'eût voulu.   *Ibid., III, 5.*

Le mariage a pour sa part l'utilité, la justice, l'honneur et la 1031
constance : un plaisir plat, mais plus universel.
                                                  Ibid., III, 5.

Les femmes n'ont pas tort du tout quand elles refusent les   1032
règles de vie qui sont introduites au monde, d'autant que ce
sont les hommes qui les ont faites sans elles.   *Ibid., III, 5.*

Je trouve plus aisé de porter une cuirasse toute sa vie qu'un   1033
pucelage.   *Ibid., III, 5.*

Il n'est temps de regimber quand on s'est laissé entraver.   1034
                                                  Ibid., III, 5.

Je sais cent honnêtes hommes cocus, honnêtement et peu   1035
indécemment... La fréquence de cet accident en doit désormais avoir modéré l'aigreur; le voilà tantôt passé en coutume.
                                                  Ibid., III, 5.

1036   Ceux qui veulent combattre l'usage par la grammaire se
        moquent.   *Ibid.*, III, 5.

1037   L'amour est une agitation éveillée, vive et gaie... Elle n'est
        nuisible qu'aux fols.   *Ibid.*, III, 5.

1038   La philosophie ne lutte point contre les voluptés naturelles,
        pourvu que la mesure y soit jointe, et en prêche la modé-
        ration, non la fuite.   *Ibid.*, III, 5.

1039   Il est bien plus aisé d'accuser un sexe que d'excuser l'autre.
        C'est ce qu'on dit : le fourgon [1] se moque de la pelle.
                                                    Ibid., III, 5.

1040   Le plus âpre et difficile métier du monde, à mon gré, c'est
        faire dignement le Roi.   *Ibid.*, III, 7.

1041   C'est un usage de notre justice d'en condamner aucuns [2]
        pour l'avertissement des autres .[...] On ne corrige pas celui
        qu'on pend, on corrige les autres par lui. *Ibid.*, III, 8.

1042   Je festoie et caresse la vérité en quelque main que je la
        trouve, et m'y rends allègrement, et lui tends mes armes
        vaincues, de loin que je la vois approcher. *Ibid.*, III, 8.

1043   C'est un plaisir fade et nuisible d'avoir affaire à gens qui
        nous admirent et fassent place.   *Ibid.*, III, 8.

1044   Il est impossible de traiter de bonne foi avec un sot.
                                                    Ibid., III, 8.

1045   Nous sommes nés à quêter la vérité; il appartient de la
        posséder à une plus grande puissance.   *Ibid.*, III, 8.

1046   Tout homme peut dire véritablement; mais dire ordonné-
        ment, prudemment et suffisamment, peu d'hommes le peu-
        vent.   *Ibid.*, III, 8.

1047   Je hais toute sorte de tyrannie, et la parlière et l'effective.
                                                    Ibid., III, 8.

1048   Il devrait y avoir quelque coercition des lois contre les écri-
        vains ineptes et inutiles, comme il y en a contre les vagabonds
        et fainéants.   *Ibid.*, III, 9.

1049   Le bonheur m'est un singulier aiguillon à la modération et
        modestie.   *Ibid.*, III, 9.

1050   J'ajoute, mais ne corrige pas. Premièrement, parce que celui
        qui a hypothéqué au monde son ouvrage, je trouve apparence
        qu'il n'y ait plus de droit... Secondement que, pour mon
        regard, je crains de perdre au change.   *Ibid.*, III, 9.

1. tisonnier.
2. quelques-uns.

Je réponds ordinairement, à ceux qui me demandent raison 1051
de mes voyages que je sais bien ce que je fuis, mais non pas
ce que je cherche. *Ibid., III, 9.*

J' [...] aime tendrement (Paris) jusqu'à ses verrues et à ses 1052
taches; je ne suis Français que par cette grande cité, grande
en peuples, grande en félicité de son assiette[1]; [...] la gloire
de la France et l'un des plus nobles ornements du monde.
Ibid., III, 9.

[...] J'estime tous les hommes mes compatriotes et embrasse 1053
un Polonais comme un Français, postposant[2] cette liaison
nationale à l'universelle et commune. *Ibid., III, 9.*

La plus utile et honorable science et occupation à une femme, 1054
c'est la science du ménage. *Ibid., III, 9.*

La diversité des façons d'une nation à l'autre ne me touche 1055
que par le plaisir de la variété. Chaque usage a sa raison.
Ibid., III, 9.

Tout ce qui branle ne tombe pas. *Ibid., III, 9.* 1056

Une saison sert aux vignes et nuit aux prés. *Ibid., III, 9.* 1057

Je pérégrine très saoul de nos façons, non pour chercher 1058
des Gascons en Sicile (j'en ai assez laissé au logis); je cherche
des Grecs plutôt, et des Persans. *Ibid., III, 9.*

J'aime l'allure poétique, à sauts et à gambades. 1059
Ibid., III, 9.

Mon opinion est qu'il se faut prêter à autrui et ne se donner 1060
qu'à soi-même. *Ibid., III, 10.*

Il vaut quasi mieux jamais que si tard devenir honnête 1061
homme... Moutarde après dîner.[3] *Ibid., III, 10.*

La plupart de nos vacations[3] sont farcesques. [...] Il faut 1062
jouer dûment notre rôle, mais comme rôle d'un personnage
emprunté. *Ibid., III, 10.*

Je ne sais pas m'engager si profondément et si entier. Quand 1063
ma volonté me donne à un parti, ce n'est pas d'une si violente
obligation que mon entendement s'en infecte.
Ibid., III, 10.

L'accoutumance est une seconde nature. *Ibid., III, 10.* 1064

La vérité et le mensonge ont leurs visages conformes, le 1065
port, le goût et les allures pareilles; nous les regardons de
même œil. *Ibid., III, 11.*

1. sa situation.
2. subordonnant.
3. occupations.

1066   Il s'engendre beaucoup d'abus au monde [...] de ce qu'on
       nous apprend à craindre de faire profession de notre igno-
       rance.   *Ibid., III, 11.*

1067   Je ne serais pas si hardi à parler s'il m'appartenait d'en
       être cru.   *Ibid., III, 11.*

1068   Nous sommes chacun plus riche que nous ne pensons;
       mais on nous dresse à l'emprunt et à la quête; on nous forme
       à nous servir plus de l'autrui que du nôtre.   *Ibid., III, 12.*

1069   Au gibelin, j'étais guelphe; au guelphe, gibelin.
                                               Ibid., III, 12.

1070   La vraie liberté, c'est pouvoir toute chose sur soi.
                                               Ibid., III, 12.

1071   Nous troublons la vie par le soin de la mort, et la mort par
       le soin de la vie.   *Ibid., III, 12.*

1072   C'est[1] bien le bout, non pourtant le but de la vie.
                                               Ibid., III, 12.

1073   O que c'est un doux et mol chevet, et sain, que l'ignorance
       et l'incuriosité, à reposer une tête bien faite!   *Ibid., III, 13.*

1074   Quand je danse, je danse; quand je dors, je dors; voire et
       quand je me promène solitairement en un beau verger,
       si mes pensées se sont entretenues des occurrences étrangères
       quelque partie du temps, quelque autre partie je les ramène
       à la promenade, au verger, à la douceur de cette solitude et à
       moi.   *Ibid., III, 13.*

1075   La plus forte, généreuse et superbe de toutes les vertus est la
       vaillance.   *Ibid., III, 13.*

1076   Il n'est rien si beau et légitime que de faire bien l'homme et
       dûment, ni science si ardue que de bien et naturellement
       savoir vivre cette vie; et de nos maladies la plus sauvage,
       c'est mépriser notre être.   *Ibid., III, 13.*

1077   J'ai un dictionnaire tout à part moi : je passe le temps, quand
       il est mauvais et incommode; quand il est bon, je ne le veux
       pas passer, je le retâte, je m'y tiens. Il faut courir le mauvais
       et se rasseoir au bon.   *Ibid., III, 13.*

1078   Pour moi donc, j'aime la vie et la cultive telle qu'il a plu à
       Dieu nous l'octroyer.   *Ibid., III, 13.*

1079   Nature est un doux guide, mais non pas plus doux que
       prudent et juste.   *Ibid., III, 13.*

1080   C'est une absolue perfection, et comme divine, de savoir
       loyalement jouir de son être.   *Ibid., III, 13.*

1. la mort.

Les plus belles vies sont à mon gré celles qui se rangent au   1081
modèle commun, sans merveille.   *Ibid., III, 13.*

JEAN PASSERAT
1534-1602

En ce monde n'a du plaisir   1082
    Qui ne s'en donne.
        Ode du premier jour de mai.

A Dieu, amis, et ma douce patrie,   1083
Assez content je sors de cette vie,
Puisqu'en partant ce confort je reçois,
Que j'ai vécu, et suis mort bon François.
        Prière.

Amis, de mauvais vers ne chargez point ma tombe.   1084
        Épitaphe de lui-même.

Qui a de l'honneur envie   1085
Ne doit pourtant en mourir :
Où il y va de la vie
Il n'est que de bien courir.
        La journée de Senlis.

Bref, tous souhaits vous puissent advenir,   1086
Fors seulement d'en France revenir,
Qui n'a besoin, ô étourneaux étranges,
De votre main à faire ses vendanges!
        Contre les Allemands.

NICOLAS RAPIN
v. 1535-1608

Vivez donc aux champs, gentilshommes,   1087
Vivez sains et joyeux cent ans,
Francs du malheur des autres hommes,
Et des factions où nous sommes
En un si misérable temps.
        Les plaisirs du gentilhomme champêtre.

ANTOINE LOISEL
1536-1617

Les mariages se font au ciel et se consomment sur la terre.   1088
        Institutes coutumières, 104.

1089   Qui épouse la femme épouse les dettes.   *Ibid., 110.*

1090   Le mari fait perdre le deuil à sa femme, mais non la femme au
       mari.   *Ibid., 131.*

1091   Tant que la tige a souche, elle ne se fourche.   *Ibid., 323.*

1092   On prend les bœufs par les cornes et les hommes par les
       paroles.   *Ibid., 357.*

1093   Il y a plus de fous acheteurs que de fous vendeurs.
                                                      Ibid., 403.

1094   Un seigneur de paille vainc et mange un vassal d'acier.
                                                      Ibid., 653.

1095   Donner et retenir ne vaut.   *Ibid., 659.*

1096   Ami au prêter, ennemi au rendre.   *Ibid., 672.*

1097   Qui doit, il a le tort.   *Ibid., 674.*

1098   Le bon payeur est de bourse d'autrui seigneur. *Ibid., 676.*

1099   Ce qui est différé n'est pas perdu.   *Ibid., 679.*

1100   Or vaut ce qu'or vaut.   *Ibid., 680.*

1101   Une fois n'est pas coutume.   *Ibid., 780.*

1102   La volonté est réputée pour le fait.   *Ibid., 791.*

1103   Tous mauvais cas sont niables.   *Ibid., 803.*

1104   Une voix n'empêche partage.   *Ibid., 875.*

SCÉVOLE DE SAINTE-MARTHE
1536-1623

1105   Que sert de prolonger une ingrate vieillesse,
            Pour regarder sans fruit la lumière du jour?
            Heureux qui sans languir en si longue vieillesse,
            Retourne de bonne heure au céleste séjour!
                                              Épigrammes.

VAUQUELIN DE LA FRESNAYE
1536-1606

Seigneur, je n'ai cessé, dès la fleur de mon âge,   1106
D'amasser sur mon chef péchés dessus péchés;
Des dons que tu m'avais dedans l'âme cachés,
Plaisant, je m'en servais à mon désavantage.
Sonnets.

[...] Mais tout par art se fait, tout par art se construit,   1107
Par art guide les naux [1] le nautonier instruit,
Et sur tous le Poète en son doux exercice
Mêle avec la nature un plaisant artifice.
L'Art poétique français.

JACQUES GRÉVIN
1538-1570

Un an est jà passé, et l'autre recommence,   1108
Que je suis poursuivant la plus belle de France.
L'Olympe, Sonnet.

J'ai trop servi de fable au populaire   1109
En vous aimant, trop ingrate maîtresse;
Suffise vous d'avoir eu ma jeunesse.
Ibid., Villanesque.

Qu'est-ce que cette vie? un public échafaud [2]   1110
Où celui qui sait mieux jouer son personnage,
Selon ses passions échangeant le visage
Est toujours bien venu et rien ne lui défaut [3].
La Gélodacrye, livre 1.

Nous ne voulons jamais notre fait accuser,   1111
Nous savons assez bien de l'autrui deviser.
Ibid.

Je me ris de ce monde et n'y trouve que rire...   1112
Ibid., livre 2.

PIERRE DE BRANTÔME
1540-1614

Un grand prince que je sais disait qu'il voudrait ressembler   1113
au lion, qui, pour vieillir, ne blanchit jamais; au singe, qui,

1. nefs.
2. estrade publique.
3. manque.

tant plus il le fait, tant plus il veut le faire; au chien, tant plus il vieillit, son cas se grossit; et au cerf qui, tant plus il est vieux, tant mieux il le fait, et les biches vont plutôt à lui qu'aux jeunes.   *Dames galantes, Premier discours.*

1114   Aussi dit-on que la libéralité en toutes choses est plus à estimer que l'avarice et la chicheté, fors aux femmes, lesquelles, tant plus sont libérales de leur cas, tant moins sont estimées, et les avares et chiches tant plus.   *Ibid.*

1115   Si tous les cocus et leurs femmes qui les font se tenaient par la main et qu'il s'en pût faire une ronde, je crois qu'elle serait assez battante pour entourer et circuir la moitié de la terre.   *Ibid.*

1116   Or est-il que toute belle femme s'étant une fois essayée au jeu d'amour ne le désapprend jamais.
                              Ibid., Quatrième discours.

1117   Souvent femme varie, bien fol est qui s'y fie [1].   *Ibid.*

1118   Aux grandes portes battent les grands vents.   *Ibid.*

1119   Cybèle, Junon, Vénus, Thétis, Cérès et autres déesses du ciel ont toutes méprisé ce nom de vierge, sauf Pallas, qui prit du cerveau de Jupiter sa naissance, faisant voir par là que la virginité n'est qu'une opinion conçue en la cervelle.
                              Ibid., Septième discours.

AMADIS JAMYN
1540-1593

1120   Pour du vent les mortels font la guerre souvent,
          Ne rapportant du jeu que la Mort qui les dompte;

          Car tout ce monde bas n'est qu'un flux et reflux,
          Et n'apprennent jamais à toute fin de conte,
          Sinon que cette vie est un songe et rien plus.
          Sonnets à diverses personnes, pour un jeu de balle forcée.

1121   Amour sans compagnon incontinent se passe.
                              Amours d'Oriane.

1122   Sotte rigueur! Tant plus elle s'efforce
             Forcer Amour, plus Amour se renforce :
             Plus nous sépare et tant plus nous conjoint.
                                              Ibid.

1123   Le vrai ciment de durable alliance
             Est sans mentir la douce jouissance.
                                              Ibid.

1. Mots tracés par François Ier sur une vitre du château de Chambord.

Notre souverain bien, notre félicité,   1124
C'est l'heur d'une amitié qui ne soit ordinaire.
Il n'est point d'élément plus qu'elle nécessaire,
Le soleil n'est si doux aux moissons de l'Été.
Amours d'Artémis, De l'Amitié.

Si c'est aimer avoir toujours en l'âme   1125
Le souvenir d'une seule Déesse :
Si c'est aimer se pâlir de tristesse,
Mourir absent des beautés de sa Dame.
[...]
Loin d'un seul bien s'estimer malheureux,
Ayant sans plus l'âme en ce bien ravie :
Si c'est aimer, que je suis amoureux!
Sonnets.

Nul, quiconque soit-il, ne vit en liberté.   1126
Nul au monde n'est libre, et quelque servitude
Presse tous les humains de chaîne douce ou rude,
Selon qu'est le sujet de leur captivité.
Ibid.

L'été sera l'hiver et le printemps l'automne,   1127
L'air deviendra pesant, le plomb sera léger :
On verra les poissons dedans l'air voyager
Et de muets qu'ils sont avoir la voix fort bonne.
L'eau deviendra le feu, le feu deviendra l'eau
Plutôt que je sois pris d'un autre amour nouveau.
Stances de l'Impossible.

Mais, hélas! c'est assez de pouvoir à cette heure   1128
Mourir, car aujourd'hui la mort est la meilleure.
Mélanges, livre V, 1 Sur les Misères de la France.

LA SATIRE MÉNIPPÉE

NICOLAS RAPIN
1540-1608

PIERRE PITHOU
1539-1596

Messieurs, vous serez tous témoins que, depuis que j'ai   1129
pris les armes pour la sainte Ligue, j'ai toujours eu ma
conservation en telle recommandation que j'ai préféré de
très bon cœur mon intérêt particulier à la cause de Dieu,
qui saura bien se garder sans moi, et se venger de tous ses
ennemis.
Harangue de Monsieur le Lieutenant (le duc de Mayenne,
chef de la Ligue) (Rapin).

Mourons, mourons, plutôt que d'en venir là! C'est une   1130
belle sépulture que la ruine d'un si grand Royaume que
celui-ci, sous lequel il nous faut ensevelir, si nous ne pouvons
grimper dessus.   *Ibid.*

1131   Enfin, nous voulons un Roi pour avoir la paix; mais nous
       ne voulons pas faire comme les grenouilles, qui, s'ennuyant
       de leur Roi paisible, élurent la cigogne qui les dévora
       toutes. Nous demandons un Roi et chef naturel, non arti-
       ficiel; un Roi déjà fait, et non à faire.
                    Harangue de Monsieur d'Aubray pour le Tiers État
                                                      (P. Pithou).

1132   L'eau trouble fait le gain du pêcheur.   *Ibid.*

JEAN DE LA TAILLE
v. 1540-1607

1133   C'est trop pleuré, c'est trop suivi tristesse,
              Je veux en joie ébattre ma jeunesse,
              Laquelle encor comme un printemps verdoie :
              Faut-il toujours qu'à l'étude on me voie?
                    C'est trop pleuré.
                                                      Elégie.

PIERRE CHARRON
1541-1603

1134   Le peuple — nous entendons ici le vulgaire, la tourbe et lie
       populaire, sous quelque couvert que ce soit, de basse, servile
       et mécanique condition —, est une bête étrange à plusieurs
       têtes, et qui ne se peut bien décrire en peu de mots [...]
                                                      De la Sagesse.

1135   Celui qui ne sait pas se taire sait rarement bien parler.
                                                      Ibid.

1136   C'est faible caution que celle d'un visage.   *Ibid.*

1137   Les plus courtes erreurs sont toujours les meilleures.
                                                      Ibid.

MARIE STUART
1542-1587

1138   Adieu, plaisant pays de France,
                    O ma patrie
                    La plus chérie,
              Qui as nourri ma jeune enfance;
              Adieu, France, adieu mes beaux jours.
                                          Adieux à la France.

De ma part, quand on en viendrait là que de vouloir attaquer   1139
ouvertement ma religion, je suis toute prête, avec la grâce
de mon Dieu, de baisser le cou sous la hache pour y répandre
mon sang devant toute la chrétienté...

Lettre à Élisabeth, 8 avril 1585.

GUILLAUME DU BARTAS
1544-1590

Tout art s'apprend par art : la seule poésie   1140
Est un pur don céleste, et nul ne peut goûter
Le miel que nous faisons du Pinde dégoutter,
S'il n'a du sacré feu la poitrine[1] saisie.

L'Uranie ou Muse céleste.

O grand Dieu, donne-moi que j'étale en mes vers   1141
Les plus rares beautés de ce grand univers;
Donne-moi qu'en son front ta puissance je lise,
Et qu'enseignant autrui, moi-même je m'instruise.

La Semaine, le Premier jour.

Tout le reste est peu sain quand la tête est malsaine.   *Ibid.*   1142

O mille et mille fois terre heureuse et féconde!   1143
O perle de l'Europe! O paradis du monde!
France, je te salue, ô mère des guerriers [...]

Ibid., le Deuxième jour.

Je te salue, ô terre, ô terre porte-grains,   1144
Porte-or, porte-santé, porte-habits, porte-humains,
Porte-fruits, porte-tours [...]

Ibid., le Troisième jour.

ROBERT GARNIER
1544-1590

Qui meurt pour le pays vit éternellement.   1145

Porcie, acte II.

Ce que je prise plus en si belle alliance,   1146
C'est qu'il ne faudra point débourser de finance :
Il ne demande rien.

Bradamante, vv. 177-179.

La grâce, la beauté, la vertu, le lignage,   1147
Ne sont non plus prisés qu'une pomme sauvage.
On ne veut que l'argent : un mariage est saint,
Est sortable, est bien fait quand l'argent on étreint.

Ibid., vv. 185-188.

1. le cœur.

1148   L'on ne peut gouverner les enfants d'aujourd'hui.
                              Ibid., v. 260.

1149   L'occasion est chauve, et qui ne la retient,
          Tout soudain elle échappe et jamais ne revient.
                              Ibid., vv. 499-500.

1150   Les combats de l'amour ne sont guère sanglants;
          Ils se font en champ clos entre des linceuls blancs.
                              Ibid., vv. 627-8.

1151   Hé! Dieu, qu'un enfant peut nos esprits martyrer!
                              Ibid., v. 708.

1152   La douceur et l'amour,
          La richesse et l'honneur font à Paris séjour.
                              Ibid., vv. 1551-2.

1153   Dieu préfère toujours la clémence à justice.
                              Les Juives, v. 1028.

1154   Où le remède faut [1], rien ne sert de se plaindre.
                              Ibid., v. 1303.

1155   Le Dieu que nous servons est le seul Dieu du monde,
          Qui de rien a bâti le ciel, la terre et l'onde.
                              Ibid., vv. 1391-2.

PHILIPPE DESPORTES
1546-1606

1156   Icare est chu ici, le jeune audacieux,
          Qui pour voler au ciel, eut assez de courage :
          Ici tomba son corps dégarni de plumage,
          Laissant tous braves cœurs de sa chute envieux.
          [...]
          Il mourut poursuivant une haute aventure;
          Le ciel fut son désir, la mer sa sépulture :
          Est-il plus beau dessein, ou plus riche tombeau?
                              Amours d'Hippolyte, I.

1157   [...] J'ai ce réconfort en mon cruel martyre
          Que j'écris toute nuit ce que je n'ose dire,
          Et, quand l'encre me faut, je me sers de mes pleurs.
                              Ibid., II.

1158   Le péché fait par force est toujours pardonné.
                              Ibid., Stances.

1159   L'honneur suit les hasards, et l'homme audacieux
          Par son malheur s'honore et se rend glorieux.
                              Ibid., Elégie.

1160   Qui meurt pour le public meurt honorablement.
                              Ibid., Fantaisie.

    1. manque.

O malheureux, faut-il donc que j'espère   1161
Que vous m'aimiez, quand vous ne m'aimez pas.
Ibid., Chanson.

Aux extrêmes périls, peu sert la connaissance.   1162
Ibid., Elégie.

Si je n'espère rien, rien ne me fera craindre.   1163
Ibid., XLIII.

Qui aime en plus d'un lieu ne saurait bien aimer. 1164
Ibid., Stances.

Le désir divisé ne se peut dire amour.   1165
Ibid.

Car il faut bien aimer pour être bien aimée,   1166
Et de deux cœurs unis naît la perfection.
Ibid.

Le mal qui me rend misérable,   1167
Et qui me conduit au trépas,
Est si grand qu'il est incroyable;
Aussi vous ne le croyez pas.
Ibid., Chanson.

O bienheureux qui peut passer sa vie   1168
Entre les siens franc de haine et d'envie,
Parmi les champs, les forêts et les bois,
Loin du tumulte et du bruit populaire,
Œuvres diverses, chanson.

Je fais l'amour mais c'est de telle sorte   1169
Que seulement du plaisir j'en rapporte,
N'engageant point ma chère liberté.
Ibid.

PIERRE DE L'ESTOILE
1546-1611

Mais quoi. Les rois sont rois, et Dieu est Dieu, par lequel   1170
ils règnent [...], pauvres pots de terre en la main du grand
maître et sous sa verge, de laquelle il les rompt et brise,
comme le potier ses vaisseaux, toutes et quantes fois que bon
lui semble.
Journal d'un bourgeois de Paris sous Henri IV, 14 mai 1610.

PIERRE DE BRACH
1547-?

Misérables Français, hé! que voulez-vous faire?   1171
Hé! pourquoi voulez-vous, enivrés de courroux,
Enfélonant vos cœurs, vous occire entre vous
Et, de vos propres mains, vous-mêmes vous défaire?
Sonnet.

ÉTIENNE TABOUROT
1549-1590

1172   Il n'est rien si puissant que l'Amour et la Mort,
La Mort détruit les corps, l'Amour détruit les âmes,
Mais encore l'Amour me semble le plus fort :
Car la Vie et la Mort reposent sous ses flammes.

Stances.

CHARLES IX
1550-1574

1173   L'art de faire des vers, dût-on s'en indigner,
Doit être à plus haut prix que celui de régner.
Tous deux également nous portons des couronnes;
Mais roi, je la reçus; poète, tu la donnes.

A Ronsard.

1174   Je puis donner la mort, toi l'immortalité.

Ibid.

1175   Toucher, aimer, c'est ma devise.

Chanson à Marie Touchet.

GILLES DURANT
1550-1615

1176   C'est un beau métier de feindre,
C'est un plaisir de se plaindre
Et ne point sentir de mal.

Odes, A Claude Biret.

PIERRE LE LOYER
1550-1634

1177   Sois bien vêtu, et surtout prends-toi garde
D'être bien net, bien propre et bien gentil :
Plus qu'un esprit admirable et subtil,
Ce qui se voit, une femme regarde.

Premier Bocage de l'Art d'aimer, stances.

JEAN LE HOUX
v. 1551-v. 1616

Qui aime bien le vin est de bonne nature.   1178
Les morts ne boivent plus dedans la sépulture.
Vaux de Vire.

CLAUDE DE TRELLON
?-1625

La cour est un théâtre où l'on voit à la fin   1179
Le pauvre venir riche et le riche coquin.
Le Portrait de la Cour.

GUY DE TOURS
1551 ou 1562-1611

Je ne suis point celui qui s'émerveille   1180
De voir les sots mieux que les avisés
Être de vous, (Dames) favorisés,
Car chaque chose estime sa pareille.
Épigramme.

AGRIPPA D'AUBIGNÉ
1552-1630

Nous sommes ennuyés de livres qui enseignent, donnez-   1181
nous-en pour émouvoir, en un siècle où tout zèle chrétien
est péri, où la différence du vrai et du mensonge est comme
abolie [...]   *Les Tragiques, Aux lecteurs.*

De celui qui aura porté   1182
La rigoureuse vérité,
Le salaire est la mort certaine.
C'est un loyer bien à propos :
Le repos est fin de la peine,
Et la mort est le vrai repos.
Ibid., Préface : l'auteur à son livre, vv. 73-78.

Il y a de la peine oisive,   1183
Et du loisir qui est labeur.
Ibid., vv. 311-312.

1184   Car qui veut garder la justice,
              Il faut haïr distinctement
              Non la personne, mais le vice [...]
                                        Ibid., vv. 379-384.

1185   Sors, mon œuvre, d'entre mes bras;
              [...]
              Je ne te donne qu'à l'Église [...]
                                        Ibid., vv. 402 et 411.

1186   Je n'écris plus les feux d'un amour inconnu,
       Mais, par l'affliction plus sage devenu,
       J'entreprends bien plus haut, car j'apprends à ma plume
       Un autre feu, auquel la France se consume.
                                        Livre premier, Misères, vv. 55-58.

1187   Je veux peindre la France une mère affligée,
              Qui est entre ses bras de deux enfants chargée [...]
                                        Ibid., vv. 97-98.

1188   Les temples du païen, du Turc, de l'idolâtre,
              Haussent au ciel l'orgueil du marbre et de l'albâtre;
              Et Dieu seul, au désert pauvrement hébergé,
              A bâti tout le monde et n'y est pas logé.
                                        Ibid., vv. 1305-1308.

1189   Ce siècle, autre en ses mœurs, demande un autre style.
                                        Livre second, les Princes, v. 77.

1190   Nos anciens, amateurs de la franche justice,
              Avaient de fâcheux noms nommé l'horrible vice :
              Ils appelaient brigand ce qu'on dit entre nous
              Homme qui s'accommode, et ce nom est plus doux
              [...]
              Ils nommaient trahison ce qui est un bon tour,
              Ils appelaient putain une femme d'amour.
                                        Ibid., vv. 241-244, 247-8.

1191   Nos pères étaient francs; nous, qui sommes si braves,
              Nous lairrons [1] des enfants qui seront nés esclaves.
                                        Ibid., vv. 625-626.

1192   Disons, comme l'on dit à Néron, l'androgame;
              « Que ton père jamais n'eût connu d'autre femme! »
                                        Ibid., vv. 827-828.

1193   Mais le vice n'a point pour mère la science,
              Et la vertu n'est pas fille de l'ignorance.
                                        Ibid., vv. 1087-8.

1194   Je reviens à ce siècle où nos mignons vieillis,
              A leur dernier métier voués et accueillis,
              Pipent les jeunes gens, les gagnent, les courtisent;
              Eux, autrefois produits, à la fin les produisent,
              Faisant, plus avisés, moins glorieux que toi,
              Par le cul d'un coquin, chemin au cœur d'un Roi.
                                        Ibid., vv. 1313-1318.

       1. laisserons.

Cherche la faim, la soif, les glaces et le chaud,　　1195
La sueur et les coups; aime-les, car il faut
Ou que tes jeunes ans soient l'heur de ta vieillesse,
Ou que tes cheveux blancs maudissent ta jeunesse.
Ibid., vv. 1465-1468.

Le sang de l'homme est peu, son mépris[1] est beaucoup　　1196
Livre quatrième, des Feux, v. 879.

Vous qui sans passion jugez les passions　　1197
Dont l'esprit tout de feu éprend[2] nos motions[3],
Liant le doigt de Dieu aux principes éthiques,
Les témoignages saints ne sont pas politiques
Assez à votre gré; vous ne connaissez point
Combien peut l'Esprit Saint quand les esprits il point.
Ibid., vv. 1127-1132.

Le printemps de l'Église et l'été sont passés.　　1198
Ibid., v. 1227.

Une rose d'automne est plus qu'une autre exquise.　　1199
Ibid., v. 1233.

Et toi, Sens insensé, tu appris à la Seine　　1200
Premier[4] à s'engraisser de la substance humaine.
Livre cinquième, les Fers, vv. 585-6.

Les enfants de ce siècle ont Satan pour nourrice,　　1201
On berce en leurs berceaux les enfants et le vice,
Nos mères ont du vice avec nous accouché,
Et en nous concevant ont conçu le péché.
Livre sixième, Vengeances, vv. 49-52.

Comme un nageur venant du profond de son plonge[5],　　1202
Tous sortent de la mort comme l'on sort d'un songe.
Livre septième, Jugement, vv. 675-6.

Criez après l'enfer : de l'enfer il ne sort　　1203
Que l'éternelle soif de l'impossible mort.
Ibid., vv. 1021-2.

[...] Tous nos parfaits amours réduits en un amour　　1204
Comme nos plus beaux jours réduits en un beau jour.
Ibid., vv. 1102-1106.

Dans le sein d'Abraham fleuriront nos désirs,　　1205
Désirs, parfaits amours, hauts désirs sans absence,
Car les fruits et les fleurs n'y font qu'une naissance.
Ibid., vv. 1206-1208.

Tout meurt, l'âme s'enfuit, et, reprenant son lieu,　　1206
Extatique, se pâme au giron de son Dieu.
Ibid., vv. 1217-18.

1. le mépris du sang.
2. enflamme.
3. élans.
4. pour la première fois.
5. de sa plongée.

JANUS GRUTER
1560-1627

1207   Qui a bu boira.   *Florilegium (1610)*.

1208   En l'absence du seigneur se connaît le serviteur.

Ibid.

JEAN BERTAUT
1552-1611

1209   Se plaindre de sentir des ennuis et des peines,
        C'est se plaindre d'être homme et non arbre ou rocher.

        Un cœur qui, magnanime, à soi-même commande,
        Souvent fait que son mal en bien se convertit,
        Une douleur n'étant ni petite ni grande,
        Qu'autant que le courage est ou grand ou petit.

Cantique.

1210   Ma faute, et non ma peine, est ce qui me tourmente :
        J'en soupire la cause, et non pas les effets :
        En battant ma poitrine, à part moi je lamente
        Non les maux que j'endure, ains[1] les maux que j'ai faits.

Cantique en forme de confession.

1211   Cette ville[2] sans pair, cet abrégé de France.

Ibid.

1212   [...] Et, s'il ne vit du corps, il vit de cette part
            Qui, parmi l'univers, l'a fait être un Ronsard.

Sur le trépas de Monsieur de Ronsard.

1213   Je n'avais pas seize ans quand la première flamme
            Dont ta Muse m'éprit s'alluma dans mon âme.

Ibid.

1214   Ainsi le veut la loi prescrite à la nature :
            Toujours le plus beau temps est celui qui moins dure;
            Mais les fleurs de vertu règnent plus d'un printemps,
            Et ceux qui vivent bien vivent assez longtemps.

Épitaphe de Madame Lugol.

1215   [...] C'est presque un défaut diversement égal
                Que de ne croire rien, et que de croire mal.

Timandre, poème contenant une tragique aventure.

1216   Mieux vaut un mal douteux qu'un tourment assuré.

Ibid.

1. mais.
2. Paris.

J'ôte à bon droit la vie à qui m'ôte l'honneur. 1217

Ibid.

Devant que de te voir, j'aimai le changement, 1218
Courant les mers d'Amour de rivage en rivage,
Désireux de me perdre, et cherchant seulement
Un roc qui me semblât digne de mon naufrage.

Stances.

J'aime qu'à mes desseins la fortune s'oppose : 1219
Car la peine de vaincre en accroît le plaisir.
Pouvoir facilement obtenir quelque chose
M'est assez de sujet d'en perdre le désir.

Stances.

Il faut juger et puis aimer; 1220
Et nous faisons tout au contraire :
Amour n'en est point à blâmer,
Ains [1] notre penser téméraire.

Défense de l'Amour.

La femme est comme une ville : 1221
Quand la prise en est si facile,
Elle est difficile à garder.

Chanson.

Le mal n'est guère grand qui se peut bien dépeindre, 1222
Et je sais mieux souffrir que je ne sais me plaindre.

Élégie.

Je ne me plaindrais point si vous daigniez me plaindre, 1223
Car, malgré les malheurs qu'en l'absence on doit craindre,
Heureux est le destin du serviteur absent
De qui l'on sent l'absence autant qu'il la ressent.

Ceux que je [2] fais brûler, je les fais luire aussi. 1124

Élégie.

En vain est bien un bien qu'on ne peut acquérir. 1225
Lorsque l'espoir est mort, le désir doit mourir.

Élégie.

Il faut, il faut oser : les chances amoureuses 1226
Ne sont pas en tout temps ni partout malheureuses.

Ibid.

ODET DE TURNÈBE
1552-1581

On ne saurait, trop apprendre, principalement des vieilles 1227
gens, qui, pour avoir longtemps vécu, sont plus fines et

1. mais.
2. c'est Amour qui parle.

ont plus d'expérience que les jeunes barbes; même, j'ai
ouï prêcher cet avent dernier que le diable est fin pour ce
qu'il est vieil.   *Les Contents, I, 7.*

1228   Sus, réjouissez-vous. Ne savez-vous pas bien que cent livres
de mélancolie n'acquittent jamais pour un sol de dettes?
                                          Ibid., II, 2.

1229   L'on dit bien vrai que l'amour est aveugle, c'est-à-dire que
ceux qui aiment ne savent ordinairement ce qu'ils font,
et se mettent souvent en des dangers dont ils se passeraient
bien.   *Ibid., III, 6.*

HENRI IV
1553-1610

1230   Charmante Gabrielle,
                       Percé de mille dards,
                       Quand la gloire m'appelle
                       Sous les drapeaux de Mars,

                       Cruelle départie,
                       Malheureux jour,
                       Que ne suis-je sans vie
                       Ou sans amour!
                                              Chanson.

1231   Tenez pour « constant » (puisque ainsi parle le siècle) que
mon amour ne peut recevoir d'altération par quoi que ce
soit, fors d'un rival.
            Lettres à Gabrielle d'Estrées, 9 février 1593.

1232   Je n'ai artère ni muscle qui, à chaque moment, ne me représente l'heur de vous voir et ne me fasse sentir du déplaisir
de votre absence.   *Ibid., 10 février 1593.*

1233   Mon amour me rend aussi jaloux de mon devoir que de
votre bonne grâce, qui est mon unique trésor. Croyez, mon
bel ange, que j'en estime autant la possession que l'honneur
d'une douzaine de batailles. Soyez glorieuse de m'avoir
vaincu, moi qui ne le fus jamais tout à fait que de vous.
                                   Ibid., 17 février 1593.

1234   Certes, pour femme, il n'en est point de pareille à vous.
Pour homme, nul ne m'égale à savoir bien aimer.
                                   Ibid., 22 octobre 1597.

1235   Je couperai la racine à toutes factions et à toutes les prédi-
cations séditieuses, faisant accourir tous ceux qui les suscitent.
J'ai sauté sur des murailles de ville, je sauterai bien sur des
barricades.
       Paroles tenues à Messieurs de la cour de Parlement,
                                   le 7 février 1599.

1236   J'ai autrefois fait le soldat; on en a parlé, et n'en ai pas fait
semblant. Je suis Roi maintenant et parle en Roi. Je veux

être obéi. A la vérité les gens de justice sont mon bras droit, mais si la gangrène se met au bras droit, il faut que le gauche le coupe. *Ibid.*

...Vous faites tout ce que je veux; c'est le vrai moyen de me gouverner : aussi ne veux-je jamais être gouverné que de vous. 1237
Lettre à Marie de Médicis, sa femme, 27 janvier 1601.

J'ai vu [...] ce que mandez de cette dame jaune et maigre; ce n'est plus marchandise pour ma boutique, car je ne me fournis que de blanc et gras. 1238
Lettre à la Reine, 19 octobre 1605.

JEAN DE BOYSSIÈRE
1555-1584?

Mon chose veut choser votre chose; mais chose 1239
Gardez que je ne puis enchoser votre chose;
Or, si chose, à la fin, ne vous laisse enchoser,
Je le choserai tant qu'il s'en ira choser.
Épigramme.

FRANÇOIS DE MALHERBE
1555-1628

Mon Dieu, mon Créateur, 1240
Que ta magnificence étonne tout le monde,
Et que le Ciel est bas au prix de ta hauteur!
Paraphrase sur le Psaume VIII.

Il n'est faiblesse égale à nos infirmités : 1241
Nos plus sages discours ne sont que vanités.
Ibid.

Dieu qui de ceux qu'il aime est la garde éternelle... 1242
Psaume CXXVIII.

N'espérons plus, mon âme, aux promesses du monde, 1243
Sa lumière est un verre, et sa faveur une onde...
Imitation du Psaume Lauda anima mea Dominum.

En vain pour satisfaire à nos lâches envies, 1244
Nous passons près des Rois tout le temps de nos vies,
A souffrir des mépris et ployer les genoux,
Ce qu'ils peuvent n'est rien; ils sont comme nous sommes
Véritablement hommes,
Et meurent comme nous.
Ibid.

XVIIᵉ SIÈCLE

1245   Et dans ces grands tombeaux où leurs âmes hautaines
             Font encore les vaines,
             Ils sont mangés de vers.
                                                        Ibid.

1246   Et tombent avec eux d'une chute commune
                 Tous ceux que leur fortune
                 Faisait leurs serviteurs.
                                                        Ibid.

1247   Nous sommes sous un Roi si vaillant et si sage...
                     Prière pour le Roi allant en Limousin.

1248   Et le peuple qui tremble aux frayeurs de la guerre,
        Si ce n'est pour danser, n'aura plus de tambours.
                                                        Ibid.

1249   La moisson de nos champs lassera les faucilles,
             Et les fruits passeront la promesse des fleurs.
                                                        Ibid.

1250   Par les Muses seulement
                 L'homme est exempt de la Parque :
                 Et ce qui porte leur marque
                 Demeure éternellement.
           Ode au feu Roi, Sur l'heureux succès du voyage de Sedan.

1251   Tous vous savent louer, mais non également :
             Les ouvrages communs vivent quelques années :
             Ce que Malherbe écrit dure éternellement.
                                                    Au Roi.

1252   Mais l'Art d'en faire les Couronnes
                 N'est pas su de toutes personnes.
                 Et trois ou quatre seulement,
                 Au nombre desquels on me range,
                 Peuvent donner une louange
                 Qui demeure éternellement.
               Ode à la Reine, Sur les heureux succès de sa régence.

1253   Certes c'est à l'Espagne à produire des Reines,
        Comme c'est à la France à produire des Rois.
                         Sur le mariage du Roi et de la Reine.

1254   Tout le plaisir des jours est en leurs matinées :
        La nuit est déjà proche à qui passe midi.
                                                        Ibid.

1255   Je n'ai que trop gémi :
             Si parmi tant d'ennuis j'aime encore ma vie,
                 Je suis mon ennemi.
                         Pour Monseigneur le Comte de Soissons.

1256   La douleur de vous dire Adieu.
                                                    Stances.

1257   Je ne trouve la paix qu'à me faire la guerre :
        Et si l'Enfer est fable au centre de la terre,
                 Il est vrai dans mon sein.
        Il plaint la captivité de sa Maîtresse. Pour Alcandre, Stances.

L'an n'aura plus d'hiver, le jour n'aura plus d'ombre,   1258
   Et les perles sans nombre
Germeront dans la Seine au milieu des graviers.
Récit d'un berger au ballet de Madame, Princesse d'Espagne.

Mais elle était du monde où les plus belles choses   1259
   Ont le pire destin :
Et Rose elle a vécu ce que vivent les Roses,
   L'espace d'un matin.
Consolation à Monsieur du Perier, Gentilhomme d'Aix-en-
Provence, sur la mort de sa fille.

La mort a des rigueurs à nulle autre pareilles :   1260
   On a beau la prier,
La cruelle qu'elle est, se bouche les oreilles,
   Et nous laisse crier.

Le pauvre en sa cabane, où le chaume le couvre,
   Est sujet à ses Lois :
Et la garde qui veille aux barrières du Louvre
   N'en défend point nos Rois.
                    Ibid.

Prends ta foudre, LOUIS, et va comme un Lion   1261
Donner le dernier coup à la dernière tête
   De la Rébellion.
   Pour le Roi allant châtier la rébellion des Rochelois.

Je suis vaincu du temps : je cède à ses outrages.   1262
                    Ibid.

Beauté, mon beau souci, de qui l'âme incertaine   1263
A comme l'Océan son flux et son reflux :
Pensez de vous résoudre à soulager ma peine,
Ou je me vais résoudre à ne la souffrir plus.
Dessein de quitter une Dame qui ne le contentait que de
promesse.

MARC DE PAPILLON DE LASPHRISE
1555-1599

La vie sans plaisir est une mort hideuse...   1264
       Amours de Théophile, XI.

Renoncer la Nature, ha! quelle indignité!   1265
           Ibid., LII.

Hé mé mé bine-moi, bine-moi, ma pouponne,   1266
Cependant que Papa s'en est allé aux champs,
Il ne le soza pas, il a mené ses gens,
Bine mé donc, Maman, puisqu'il n'y a passonne.
[...]
Car l'Amour se fait mieux en langage enfançon.
          Ibid., LXIII.

JACQUES DAVY DU PERRON
1556-1618

1267
Je veux bâtir un temple à l'Inconstance;
Tous amoureux y viendront adorer,
Et de leurs vœux jour et nuit l'honorer,
Ayant le cœur touché de repentance.
Le temple de l'Inconstance.

TOUVANT
(Charles de Pyard, sieur de)
?-1614?

1268
D'un pied léger frappons la terre;
Armons notre dextre d'un verre;
De pampres couvrons-nous le front.
Et, puisque la figure ronde
Est la plus parfaite du monde,
Commençons tous de boire en rond.
Ode bachique.

BÉROALDE DE VERVILLE
1556-ap. 1623

1269 Boire du vin, c'est être bon catholique... Ne boire que de l'eau, et avoir le vin en haine, est pure hérésie noyable, approchant de l'athéisme.
Le Moyen de parvenir, œuvre contenant la raison de tout ce qui a été, est et sera... Dessein.

1270 Quiconque ne croira pas qu'il y ait des diables, qu'il aille au Palais et à la cour. *Ibid., Remontrance.*

1271 — Mais de quoi sont composées les affaires du monde? — Du bien d'autrui... *Ibid., Généalogie.*

1272 Dieu fit la fille, et l'homme l'a faite femme.
Ibid., Parlement.

1273 *Fillettes* nous disons, celles qui sont capables de rendre compte par déduction; ainsi sont-elles propres au déduit.
Ibid., Annotation.

JEAN DE SPONDE
1557-1595

En vain mille beautés à mes yeux se présentent,   1274
Mes yeux leur sont ouverts et mon courage clos,
Une seule beauté s'enflamme dans mes os
Et mes os de ce feu seulement se contentent.
Les Amours, Sonnets, IV.

Je suis cet Actéon de ces chiens déchiré!   1275
Ibid., V.

Il faut tenir bon œil et bon pied sur ce point,   1276
A gagner un beau bien on gagne une louange,
Mais on en gagne mille à ne le perdre point.
Ibid., VIII.

Au prix de moi, l'amour aime imparfaitement.   1277
Ibid., IX.

Non, je ne cache point une flamme si belle,   1278
Je veux, je veux avoir tout le monde à témoin,
Et ceux qui sont plus près, et ceux qui sont plus loin,
Dites, est-il au monde un amant plus fidèle?
Ibid., XXI.

Si l'amour n'est point feint, il aura le courage   1279
De ne changer non plus que fait la vérité.
Ibid., XXIII.

L'Esprit qui n'est que feu de ses désirs m'enflamme,   1280
Et la chair qui n'est qu'Eau pleut des Eaux sur ma flamme,
Mais ces eaux-là pourtant n'éteignent point ce feu.
Stances de la Mort.

Mais si faut-il mourir, et la vie orgueilleuse,   1281
Qui brave de la mort, sentira ses fureurs,
Les Soleils hâleront ces journalières fleurs...
Autres sonnets sur le même sujet, II.

Vivez, hommes, vivez, mais si faut-il mourir.   1282
Ibid.

Le Mont est foudroyé plus souvent que la plaine.   1283
Ibid., IV.

Et quel bien de la Mort! où la vermine ronge,   1284
Tous ces nerfs, tous ces os, où l'Ame se départ
De cette orde charogne, et se tient à l'écart,
Et laisse un souvenir de nous comme d'un songe?
Ibid., XI.

Tout s'enfle contre moi, tout m'assaut, tout me tente,   1285
Et le Monde, et la chair, et l'Ange révolté,
Dont l'onde, dont l'effort, dont le charme inventé,
Et m'abîme, Seigneur, et m'ébranle, et m'enchante.
Ibid., XII.

CHARLES SIGOGNE
1560-1611

1286   Je ne suis que le secrétaire
              Des vers que je ne puis plus taire...
                                        Dédain.

1287   Effroyable mégère, hermaphrodite brune,
        Qui as l'œil d'une truie et le teint d'une prune,
        La main d'une grenouille et la peau d'un pendu,
        Le ventre et les tétins comme une bourse vide,
        L'éclat d'un âne mort, l'embonpoint d'une bride,
        Va-t'en dans les enfers, Paris t'est défendu!
              Stances satiriques contre l'olivâtre Perrette.

SULLY
1560-1641

1288   [...] disant souvent au Roi que le labourage et pâturage
        étaient les deux mamelles dont la France était alimentée,
        et les vraies mines et trésors du Pérou.
        Sages et royales Économies d'État, 1re partie, chap. XV.

1289   Adieu, soin de l'État, amour de ma patrie,
              Laissez-moi en repos finir aux champs ma vie.
                                Ibid., 3e partie, chap. VI.

PIERRE MATHIEU
1563-1621

1290   Naître grand ou petit, pauvre ou riche, qu'importe,
        Si la Parque nous rend tous égaux à la fin?
        Les grandeurs et les biens sont emprunts du Destin;
        Comme l'on entre au monde, il faut que l'on en sorte.
                      Quatrains de la vie et de la mort.

1291   Nous naissons pour mourir et mourons pour revivre,
        Pour revivre immortels cette foi nous avons :
        La mort plus que la vie aimer donc nous devons,
        Puisque la même mort de la mort nous délivre.
                                        Ibid.

1292   A qui craint cette mort, la vie est déjà morte,
        Au milieu de la vie il lui semble être mort;
        Sa mort il porte au sein, elle au tombeau le porte,
        Car craindre de mourir est pire que la mort.
                                        Ibid.

La vie est une table, où, pour jouer ensemble,   1293
On voit quatre joueurs : le Temps tient le haut bout,
Et dit : passe; l'Amour fait de son reste, et tremble;
L'Homme fait bonne mine; et la Mort tire tout.
                                                    Ibid.

Le monde est une mer; la galère est la vie;   1294
Le temps est le rocher; l'espérance, le port;
La fortune, le vent; les orages, l'envie;
Et l'homme le forçat qui n'a port que la mort.
                                                    Ibid.

SAINT FRANÇOIS DE SALES
1567-1622

Si la charité est un lait, la dévotion en est la crème.   1295
     Introduction à la vie dévote, Première partie, chap. II.

Les maladies du cœur, aussi bien que celles du corps, vien-   1296
nent à cheval et en poste, mais elles s'en revont à pied et
au petit pas.   *Ibid., Chap. V.*

Tout ainsi que la glace d'un miroir ne saurait arrêter notre 1297
vue si elle n'était enduite d'étain ou de plomb par derrière,
aussi la Divinité ne pourrait être contemplée par nous en
ce bas monde, si elle ne se fût jointe à la sacrée humanité
du Sauveur...   *Seconde partie, chap. I.*

Comme les oiseaux, où qu'ils volent, rencontrent toujours   1298
l'air, ainsi, où que nous allions, où que nous soyons, nous
trouvons Dieu présent.   *Ibid., Chap. I.*

C'est chose indécente, bien que non pas grand péché, de   1299
solliciter le paiement du devoir nuptial le jour que l'on s'est
communié, mais ce n'est pas chose malséante, [c'est chose]
plutôt méritoire de le payer.   *Ibid., Chap. XX.*

Entre les exercices des vertus, nous devons préférer celui   1300
qui est plus conforme à notre devoir, et non pas celui qui est
le plus conforme à notre goût.
                          Ibid., Troisième partie, chap. I.

Laissons volontiers les suréminences aux âmes surélevées :   1301
nous ne méritons pas un si haut rang au service de Dieu.
                                          Ibid., Chap. II.

Le vrai patient et serviteur de Dieu supporte également les   1302
tribulations conjointes à l'ignominie et celles qui sont
honorables.   *Ibid., chap. III.*

Il y en a qui se rendent fiers et morguants pour être sur un 1303
bon cheval, pour avoir un panache en leur chapeau, pour
être habillés somptueusement; mais qui ne voit cette folie?
car s'il y a de la gloire pour cela, elle est pour le cheval, pour
l'oiseau et pour le tailleur...   *Ibid., chap. IV.*

1304   Penser savoir ce qu'on ne sait pas, c'est une sottise expresse;
        vouloir faire le savant de ce qu'on connaît bien que l'on ne
        sait pas, c'est une vanité insupportable : pour moi, je ne
        voudrais pas même faire le savant de ce que je saurais,
        comme au contraire je n'en voudrais non plus faire l'ignorant.
        Ibid., chap. V.

1305   Je ne voudrais ni faire du fol ni faire du sage : car si l'humi-
        lité m'empêche de faire le sage, la simplicité et rondeur
        m'empêcheront aussi de faire le fol.   *Ibid., chap. V.*

1306   Les vierges ont besoin d'une chasteté extrêmement simple
        et douillette, pour bannir de leur cœur toutes sortes de
        curieuses pensées et mépriser d'un mépris absolu toutes sortes
        de plaisirs immondes, qui, à la vérité, ne méritent pas d'être
        désirés par les hommes, puisque les ânes et les pourceaux en
        sont plus capables qu'eux.   *Ibid., chap. XII.*

1307   Les scrupules sont fils de l'orgueil le plus fin.
        Maximes, Sentences et Pensées.

1308   La vérité qui n'est pas charitable procède d'une charité
        qui n'est pas véritable.   *Ibid.*

1309   Enfants des hommes, jusques à quand serez-vous si pesants
        de cœur? pourquoi chérissez-vous la vanité?
        Lettre à un ami, le 27 mai 1610 à la nouvelle de l'assassinat
        de Henri IV.

1310   Convertissant son cœur à Dieu, il convertit celui de tous les
        bons catholiques à soi.   *Ibid.*

NICOLAS VAUQUELIN DES YVETEAUX
1567-1649

1311   Un matin est l'âge des roses
                Et les lis meurent en naissant.
                    Sur la mort de deux jeunes garçons.

1312   Être estimé du prince, et le voir rarement,
        Beaucoup d'honneur sans peine et peu d'enfants sans femme,
        Font attendre à Paris la mort fort doucement.
                                    Sonnet.

MARC DE MAILLET
1568-1628

1313   Mes vers, à mon secours devez-vous pas courir?
            [...]
            C'est bien votre devoir d'empêcher de mourir
            Celui-là qui vous fait éternellement vivre.
                        Épigramme à mes vers.

HONORÉ D'URFÉ
1568-1625

Le prix d'Amour, c'est seulement Amour,   1314
[...]
Il faut aimer si l'on veut être aimé.
La Sylvanire ou la Morte-vive, fable bocagère, acte I, sc. 1.

O misérable état   1315
Que celui de la femme,
De qui la volonté
N'est jamais de saison,
Et de qui la raison
Est sans autorité!
Ibid., acte II, sc. 2.

Nous devons cela au lieu de notre naissance et de notre   1316
demeure, de le rendre le plus honoré et renommé qu'il nous
est possible.   *L'Astrée, tome 1.*

Si vous aimez partout, pour peu que la chose le mérite, elle   1317
ne croit pas, quand vous venez à elle, que ce soit pour ne
savoir où aller ailleurs, et cela l'oblige à vous aimer.
Ibid.

Ne savez-vous que l'amitié n'a point d'autre moisson que   1318
l'amitié, et que tout ce qu'elle sème, c'est seulement pour
en recueillir ce fruit?   *Ibid.*

Savez-vous bien que c'est qu'aimer? C'est mourir en soi   1319
pour revivre en autrui, c'est ne se point aimer que d'autant
que l'on est agréable à la chose aimée, et bref c'est une volonté
de se transformer, s'il se peut, entièrement en elle.
Ibid.

Car aimer et haïr, c'est maintenant le même,   1320
Puisque pour bien aimer il faut être jaloux.
Que si l'on aime ainsi, je ne veux plus qu'on m'aime.
Sonnet de Philis, contre la jalousie.

Je change, il est certain; mais c'est grande prudence   1321
De savoir bien changer.

Pour être sage aussi, qu'elle en fasse de même :
Égale en soit la loi;
Que s'il faut, par destin, que la pauvrette m'aime,
Qu'elle m'aime sans moi!
Stances d'Hylas, de son humeur inconstante.

Il faut donc que vous sachiez que toute beauté procède de   1322
cette souveraine bonté, que nous appelons Dieu, et que
c'est un rayon qui s'élance de lui sur toutes les choses créées.
Ibid., tome II.

1323   Comme la clarté du soleil paraît plus belle en l'air qu'en l'eau,
et en l'eau qu'en la terre, de même celle de Dieu est bien plus
belle en l'entendement angélique qu'en l'âme raisonnable,
et en l'âme qu'en la matière.   *Ibid.*

1324   *Première table.*

Qui veut être parfait amant,
Il faut qu'il aime infiniment;
L'extrême amour seule en est digne;
Aussi la médiocrité
De trahison est plutôt signe,
Que non pas de fidélité.
                Ibid., Les douze tables des lois d'amour.

1325   *Aymer*, que nos vieux et très sages Pères disaient *Amer*,
qu'est-ce autre chose qu'abréger le mot d'*Animer*, c'est-à-
dire faire la propre action de l'Ame?   *Ibid.*

1326   L'amour de nous-mêmes est tellement naturel en nous, que
rien ne nous peut obliger davantage, en quelque âge que nous
soyons, que la bonne estime que l'on fait de nous.
                                                    Ibid.

1327   Il faut, à la vérité, que le père soit obéi, mais il faut aussi
qu'il commande comme il doit, et surtout, toujours avec
la raison; car l'enfant est plus obligé d'obéir à la raison
qu'à quelque personne qui lui puisse commander.
                                            Ibid., tome IV.

1328   Et pourquoi, dit-elle, êtes-vous menteur? — Parce, répliqua-
t-il, que trop de personnes sauraient nos affaires, si nous
disions toujours la vérité.   *Ibid.*

JEAN-BAPTISTE CHASSIGNET
1570?-1635?

1329   Ce qui semble périr se change seulement.
L'Été est-il passé? l'an suivant le ramène.
Voit-on noircir la nuit? la lumière prochaine
Redore incontinent l'azur du firmament.
                            Le mépris de la vie, VI.

1330   Le temps passé n'est plus, l'autre encore n'est pas,
Et le présent languit entre vie et trépas;
Bref, la mort et la vie en tout temps est semblable.
                                        Ibid., XLIV.

1331   J'ai voulu voyager, à la fin le voyage
M'a fait en ma maison mal content retirer.
En mon étude seul j'ai voulu demeurer,
Enfin la solitude a causé mon dommage.
                                    Ibid., CCCLXXXI.

JEAN OGIER DE GOMBAULD
1570-1666

Une effroyable horreur couvrait la terre et l'onde, 1332
Et déjà les démons menaient par l'Univers
Les funestes oiseaux, les fantômes divers,
Et des songes légers la troupe vagabonde [...].
Sonnets de Phillis.

Il mange tout, ce gros glouton, 1333
Il boit tout ce qu'il a de rente;
Son pourpoint n'a plus qu'un bouton,
Mais son nez en a plus de trente.
Épigrammes.

L'Auteur de l'univers, le Monarque céleste, 1334
S'était rendu visible en ma seule beauté;
Ce vieux titre d'honneur qu'autrefois j'ai porté,
Et que je porte encore, est tout ce qui me reste.
Sonnets chrétiens.

Caliste partit de ces lieux, 1335
Et l'absence de ses beaux yeux,
Avait rendu mon âme triste.
O regrets! ô vœux superflus!
Deux ans après, revint Caliste,
Mais sa beauté ne revint plus.
Épigrammes, Retour de Caliste.

Ce que je prête, je le donne; 1336
Et qui pis est, j'en fais des ennemis.
Ibid., Ingratitude.

Tu veux te défaire d'un homme, 1337
Et jusqu'ici tes vœux ont été superflus;
Hasarde une petite somme;
Prête-lui trois louis, tu ne le verras plus.
Ibid., Le moyen de se défaire de quelqu'un.

Une extrême sottise est une qualité 1338
Qui me fait trouver laide une extrême beauté.
Beauté sotte.

MATHURIN RÉGNIER
1573-1613

[...] Et, quand on se sent ferme et d'une aile assez forte, 1339
Laisser aller la plume où la verve l'emporte...
Satire I, Discours au Roi.

Aussi, lorsque l'on voit un homme par la rue 1340
Dont le rabat est sale et la chausse rompue...
[...]

Sans demander son nom, on le peut reconnaître;
Car si ce n'est un Poète, au moins il le veut être.
Satire II, A M. le comte de Caramain.

1341   Cependant sans souliers, ceinture, ni cordon,
L'œil farouche et troublé, l'esprit à l'abandon,
Vous viennent accoster comme personnes ivres,
Et disent pour bonjour : « Monsieur, je fais des livres,
On les vend au Palais, et les doctes du temps,
A les lire amusés, n'ont autre passe-temps. »
Ibid.

1342   ... Que Ronsard, du Bellay, vivants ont eu de bien,
Et que c'est honte au roi de ne leur donner rien.
Ibid.

1343   Un autre, ambitieux, pour les vers qu'il compose
Quelque bon bénéfice en l'esprit se propose,
Et, dessus un cheval comme un singe attaché,
Méditant un sonnet, médite un évêché.
Ibid.

1344   Il faut rire de tout : aussi bien ne peut-on
Changer chose en Virgile ou bien l'autre en Platon.
Ibid.

1345   Le monde est un brelan où tout est confondu :
Tel pense avoir gagné qui souvent a perdu.
Satire III, A M. le marquis de Cœuvres.

1346   L'honneur estropié, languissant et perclus,
N'est plus rien qu'une idole en qui l'on ne croit plus.
Ibid.

1347   N'en déplaise aux docteurs, Cordeliers, Jacobins,
Pardieu, les plus grands clercs ne sont pas les plus fins.
Ibid.

1348   Chaque âge a ses humeurs, son goût et ses plaisirs,
Et comme notre poil blanchissent nos désirs.
Satire V, A M. Bertault, évêque de Sées.

1349   ... Car s'ils font quelque chose,
C'est proser de la rime et rimer de la prose...
Satire IX.

1350   Pour moi, les huguenots pourraient faire miracles,
Ressusciter les morts, rendre de vrais oracles,
Que je ne pourrais pas croire à leur vérité.
En toute opinion je fuis la nouveauté.
Ibid.

1351   Mais, Rapin, à leur goût, si les vieux sont profanes,
Si Virgile, le Tasse et Ronsard sont des ânes,
Sans perdre en ces discours le temps que nous perdons,
Allons comme eux aux champs, et mangeons des chardons.
Ibid.

Surtout, vive l'Amour! et bran pour les sergents!   1352
                                      Satire XI.

Vous êtes, je vois bien, grand abatteur de quilles...   1353
                                      Ibid.

Qui gai fait une erreur, la boit à repentance.   1354
                                      Ibid.

... Corsaires à corsaires,   1355
L'un l'autre s'attaquant, ne font pas leurs affaires.
                          Satire XII, A M. Fréminet.

L'honneur est un vieux saint que l'on ne chôme plus.   1356
                                      Satire XIII.

Chacun est artisan de sa bonne fortune.   1357
                                      Ibid.

Le péché que l'on cache est demi pardonné.   1358
                                      Ibid.

Estimez vos amants selon le revenu.   1359
                                      Ibid.

Riche vilain vaut mieux que pauvre gentilhomme.   1360
                                      Ibid.

En amour l'innocence est un savant mystère,   1361
Pourvu que ce ne soit une innocence austère...
                                      Ibid.

Selon son rôle on doit jouer son personnage.   1362
                                      Ibid.

Les fous sont aux échecs les plus proches des rois.   1363
                                      Satire XIV.

Oui, j'écris rarement, et me plais de le faire...   1364
                                      Satire XV.

Laissons ce qu'en rêvant ces vieux fous ont écrit;   1365
Tant de philosophie embarrasse l'esprit.
                                      Ibid.

... Un chacun a son vice.   1366
Le mien est d'être libre et ne rien admirer.
                                      Ibid.

J'aime une amour facile et de peu de défense.   1367
Si je vois qu'on me rit, c'est là que je m'avance.
                          Satire XVI, A M. de Forquevaus.

Car c'est honte de vivre et de n'être amoureux.   1368
                                      Ibid.

Mes vers brûlants d'amour ne résonnent que plaintes...   1369
                                      Satire XVII.

1370   J'ai vécu sans nul pensement
            Me laissant aller doucement
            A la bonne loi naturelle,
            Et si m'étonne fort pourquoi
            La mort daigna songer à moi,
            Qui n'ai daigné penser à elle.
                                        Épitaphe.

1371   Le violet tant estimé
            Entre vos couleurs singulières,
            Vous ne l'avez jamais aimé
            Que pour les deux lettres premières.
                                        Quatrain.

NICOLAS-PIERRE BERTHELOT
1580?-1615?

1372   Depuis que Madelon m'a vu
            Porter lunettes et calotte,
            Elle a secrètement pourvu
            A trouver un autre Pilote.

            Je ne l'en trouve pas trop sotte,
            Car il faut, pour vrai, confesser
            Que le navire branle et flotte
            Quand le mât ne peut plus dresser.
                                        Épigramme.

1373   Voilà l'indigne fruit de tes fâcheux ombrages;
       Tes injustes soupçons embrasent nos courages.
       Et nous font estimer d'invisibles appas.

       Veux-tu qu'on soit pour eux ou de glace ou de flamme?
       On les adorera si tu caches ta femme,
       Mais si tu la fais voir on n'y pensera pas.
                            Sonnet, la jalousie mal fondée.

JACQUES DU LORENS
1580-1655

1374   Gardez-vous bien de lui les jours qu'il communie.
                                        Satire I.

1375   Cornard et marié, c'est une même chose.
                                        Satire II.

1376   L'Église a divers chants en diverses saisons.
                                        Satire XI.

1377   Chacun a sa façon d'interpréter les choses,
       Les sots en leur chemin ne trouvent que des roses.
                                        Satire XVI.

SAINT VINCENT DE PAUL
1581-1660

Pour l'amour de Dieu, Monsieur, travaillons à nous dépêtrer de cette chétive sensualité, qui nous rend captifs de ses volontés.   *Lettres, à Antoine Portail, 1632.*   1378

Serais-je réduit à ce malheur qu'il me fallût faire ou dire quelque chose [...] contre la sainte simplicité! Oh! Dieu m'en garde [...]! C'est la vertu que j'aime le plus et à laquelle je fais plus d'attention dans mes actions, si me semble.   *Ibid., à François du Coudray, 1634.*   1379

L'on ne croit point un homme pour être bien savant, mais parce que nous l'estimons bon et l'aimons. Le diable est très savant et nous ne croyons pourtant rien de ce qu'il dit, parce que nous ne l'aimons pas.   *Ibid., à Antoine Portail, 1635.*   1380

O Monsieur, que c'est être bon chrétien et bon missionnaire que cela, que de passer ainsi sur le ventre de ses inclinations!   *Ibid., à Bertrand Codoing, 1638.*   1381

[...] Dieu ôte à la fin l'appréhension de la mort à ceux qui l'ont eue pendant leur vie et qui ont exercé la charité envers les pauvres.   *Ibid., à un prêtre de la Mission, 1639.*   1382

Il faut tenir pour maxime indubitable que les difficultés que nous avons avec notre prochain viennent plutôt de nos humeurs mal mortifiées que d'autre chose.   *Ibid., A Nicolas Durot, 1639.*   1383

Je doute qu'il soit expédient de donner des écrits à étudier à vos séminaristes. [...] Il y a tant d'auteurs à présent et qui ont des tables des matières si bien faites que l'on n'a qu'à avoir un bon casuiste pour y recourir au besoin.   *Ibid., à Bernard Codoing, 1641.*   1384

Je ne crois non plus aux moyens humains pour les choses divines qu'au diable.   *Ibid., à Bernard Codoing, 1643.*   1385

ABBÉ DE SAINT-CYRAN
1581-1643

Il n'y a pas de plus grande marque d'amour que l'obéissance qu'on rend à la personne qu'on aime : c'est ainsi que Jésus-Christ a aimé son Père.   *Lettres, à sa nièce.*   1386

Les chats et les enfants se ressemblent, ils ne quittent presque jamais les mauvaises coutumes qu'ils ont prises en leur jeunesse.   *Ibid.*   1387

1388   Dieu nous a aimés sans être attaché à nous. Il faut de même
       aimer ceux que nous aimons sans être attachés à eux.   *Ibid.*

1389   Tout ce qui se fait dans le cours du temps est fait dans l'esprit
       de Dieu avant qu'il se fasse ici devant nos yeux.
       Ibid., à la Mère Angélique, sur la mort de sa petite nièce.

1390   Les places des anges ne sauraient se remplir que lentement,
       à cause de la rareté de ceux qui étant dans un âge avancé
       meurent avec la grâce de Dieu.   *Ibid.*

1391   Je ne vois pas qu'on puisse passer pour pauvre devant Dieu,
       si on ne l'est avec uniformité, et si la maison ne tient autant
       de ce vœu que les habits, et les habits que la nourriture...
       Ibid., à la Mère de Chantal, 25 octobre 1641.

1392   Que peut faire un pauvre captif comme moi, sinon de verser
       des larmes devant Dieu pour lui témoigner qu'on prend
       part aux maux de sa chère Épouse, qui est l'Église, dont
       saint Bernard dit que les plaies intérieures et cachées sont
       plus dangereuses, et que c'est au milieu de la paix qu'elle
       sent les douleurs les plus amères?   *Ibid.*

1393   Il [le cardinal de Bérulle] est mort debout, *stans*, comme les
       âmes qui commandent à la terre par l'esprit du Ciel. Il a
       paru en cela que son amour était plus fort que la mort.
       Ibid., à un père de l'Oratoire, 5 octobre 1629.

1394   [...] le cœur, qui est la source de la mémoire [...].
       Ibid., à un ami, en 1643.

1395   [...] Les choses visibles me sont comme invisibles, et les
       invisibles comme visibles; et les unes et les autres me servent
       en cette manière comme de défense contre la tentation de
       tous les biens et de tous les maux de ce monde.   *Ibid.*

FRANÇOIS MAYNARD
1582-1646

1396   Il vaut mieux, au siècle où nous sommes,
              Faire des bottes que des vers.
                                                 Épigrammes.

1397   Si ton esprit veut cacher
              Les belles choses qu'il pense,
              Dis-moi qui peut t'empêcher
              De te servir du silence?
                                                       Ibid.

1398   Mon âme, il faut partir. Ma vigueur est passée,
              Mon dernier jour est dessus l'horizon.
              Tu crains ta liberté. Quoi? n'es-tu pas lassée
              D'avoir souffert soixante ans de prison?
                                                      Sonnets.

Que j'aime ces forêts! Que j'y vis doucement!   1399
Qu'en un siècle troublé j'y dors en assurance!
Qu'au déclin de mes ans j'y rêve heureusement,
Et que j'y fais des vers qui plairont à la France!
                                        Ibid.

Cloris, que dans mon cœur j'ai si longtemps servie   1400
Et que ma passion montre à tout l'Univers,
Ne veux-tu pas changer le destin de ma vie
Et donner de beaux jours à mes derniers hivers?
                            Stances, La belle vieille.

Ce n'est pas d'aujourd'hui que je suis ta conquête,   1401
Huit lustres ont suivi le jour que tu me pris;
Et j'ai fidèlement aimé ta belle tête
Sous des cheveux châtains et sous des cheveux gris.
                                        Ibid.

L'âme pleine d'amour et de mélancolie,   1402
Et couché sur des fleurs, et sous des orangers,
J'ai montré ma blessure aux deux mers d'Italie,
Et fait dire ton nom aux échos étrangers.
                                        Ibid.

Regarde sans frayeur la fin de toutes choses.   1403
Consulte le miroir avec des yeux contents.
On ne voit point tomber ni tes lys ni tes roses,
Et l'hiver de ta vie est ton second printemps.
                                        Ibid.

ARMAND DU PLESSIS
CARDINAL DUC DE RICHELIEU
1585-1642

Nul ne voit jamais si clair aux affaires d'autrui que celui à qui   1404
elles touchent le plus.   *Maximes d'État, 3.*

Chacun conçoit les affaires selon la portée de son esprit.   1405
                                        Ibid., 95.

Il faut écouter beaucoup et parler peu pour bien agir au   1406
gouvernement d'un État.   *Ibid., 105.*

Savoir dissimuler est le savoir des rois.   1407
                        Mirame, tragédie, acte I, scène 1.

Plus un prince est hardi, plus on le voit heureux.   1408
                                Ibid., acte II, scène 1.

La mort n'a qu'un instant, et la vie en a mille,   1409
[...]
Vivre pour ce qu'on aime, est bien plus que mourir.
                                Ibid., acte IV, scène 1.

1410   Le dessein fait le crime, et non pas le hasard.

Ibid.

1411   S'il est vrai qu'en quelque crime que puisse tomber un Souverain, il pèche plus par le mauvais exemple que par la nature de sa faute, il n'est pas moins indubitable que quelques Lois qu'il puisse faire, s'il pratique ce qu'il prescrit, son exemple n'est pas moins utile à l'observation de ses volontés que toutes les peines de ses ordonnances, pour graves qu'elles puissent être.

Testament politique, chap. 1.

1412   L'autorité contraint à l'obéissance, mais la raison y persuade.   *Ibid., chap. 2.*

1413   En un mot, ainsi que vouloir fortement et faire ce qu'on veut est une même chose en un Prince autorisé en son État, ainsi vouloir faiblement et ne vouloir pas en sont si différents qu'ils aboutissent à une même fin.   *Ibid.*

1414   Poursuivre lentement l'exécution d'un dessein, et le divulguer, est de même que parler d'une chose pour ne la pas faire.

Ibid.

1415   Si la diversité de nos intérêts et notre inconstance naturelle nous portent souvent dans des préjugés effroyables, notre légèreté même ne nous permet pas de demeurer fermes et stables en ce qui est de notre propre bien, et nous en tire si promptement que nos ennemis ne pouvant prendre de justes mesures sur des variétés si fréquentes, n'ont pas le loisir de profiter de nos fautes.   *Ibid., chap. 3.*

1416   Ainsi les Ministres d'État doivent-ils souvent se remettre devant les yeux et représenter à leur Maître qu'il est plus important de considérer l'avenir que le présent, et qu'il est des maux comme des ennemis d'un État, au-devant desquels il vaut mieux s'avancer, que de se réserver à les chasser après leur arrivée.   *Ibid., chap. 4.*

1417   Cependant c'est une chose ordinaire aux esprits communs de se contenter de pousser le temps avec l'épaule [...].   *Ibid.*

1418   Il faut dormir comme le Lion, sans fermer les yeux qu'on doit avoir continuellement ouverts pour prévoir les moindres inconvénients qui peuvent arriver; se souvenir qu'ainsi que la phtisie ne rend pas le pouls ému bien qu'elle soit mortelle, ainsi arrive-t-il souvent dans les États que les maux qui sont imperceptibles de leur origine et dont on a moins de sentiment, sont les plus dangereux...   *Ibid.*

1419   Il ne faut pas se servir des gens de bas lieu : ils sont trop austères et trop difficiles.   *Ibid.*

1420   Je fais marcher la peine devant la récompense, parce que s'il se fallait priver de l'une des deux, il vaudrait mieux se dispenser de la dernière que de la première.

Ibid., chap. 5.

Il est des États comme des corps humains, la bonne couleur 1421
qui paraît au visage de l'homme fait juger au médecin qu'il
n'y a rien de gâté au dedans. *Ibid.*

Diverses nations ont divers mouvements, les unes concluent 1422
promptement ce qu'elles veulent faire, et les autres y marchent
à pas de plomb. Les Républiques sont de ce dernier genre,
elles vont lentement, et d'ordinaire on n'obtient pas d'elles
au premier coup ce qu'on demande, mais il faut se contenter
de peu, pour parvenir à davantage. *Ibid., chap. 6.*

On se méfie toujours de celui qu'on voit agir avec finesse 1423
et qui donne mauvaise impression de la franchise et fidélité
avec laquelle il doit agir : cela n'avance pas ses affaires.
Ibid.

En matière d'État, il faut tirer profit de toutes choses, et 1424
ce qui peut être utile ne doit jamais être méprisé. *Ibid.*

Je soutiens que puisque la perte de l'honneur est plus que 1425
celle de perdre la vie, un grand prince doit plutôt hasarder
sa personne, et même l'intérêt de son État, que de manquer
à sa parole, qu'il ne peut violer sans perdre sa réputation
et par conséquent la plus grande force des Souverains. *Ibid.*

J'ose dire [...] que si tous ceux qui sont dans les emplois 1426
publics en étaient dignes, les États seraient non seulement
exempts de beaucoup d'accidents qui troublent souvent
leur repos, mais jouiraient d'une félicité indicible.
Ibid., chap. 7.

Les grands embrasements naissent de petites étincelles. 1427
Ibid., chap. 8.

Qui a la force a souvent la raison, en matière d'État; et 1428
celui qui est faible peut difficilement s'exempter d'avoir
tort au jugement de la plus grande partie du monde.
Ibid., chap. 9, section 4.

Comme il arrive beaucoup d'inconvénients au soldat qui ne 1429
porte pas toujours son épée, le Royaume qui n'est pas
toujours sur ses gardes [...] a beaucoup à craindre. *Ibid.*

Les intérêts publics obligent ceux qui ont la conduite des 1430
États à les gouverner en sorte qu'ils puissent non seulement
les garantir de tout le mal qui se peut éviter, mais encore
de l'appréhension qu'ils en pourraient avoir.
Ibid.

Il n'y a pas de nation au monde si peu propre à la guerre 1431
que la nôtre; la légèreté et l'impatience qu'elle a dans les
moindres travaux sont deux principes qui ne se vérifient
que trop [...]. De là vient qu'ils ne sont pas propres aux
conquêtes qui requièrent du temps, ni à conserver celles
qu'ils pourraient avoir faites en un instant. *Ibid.*

PIERRE PATRIX
1583-1671

1432
Quelque joie ici-bas qu'on ait abandonnée,
Qu'un chrétien dignement en est récompensé,
Qui peut dire à son Dieu, j'ai fini la journée,
Sans t'avoir offensé!
Stances, Son adieu à Philis.

1433
Passant, va ton chemin, et t'assure aujourd'hui
Que c'est prier pour toi que de prier pour lui.
Son épitaphe.

JEAN DE SCHELANDRE
1584-1635

1434
Chacun fait ce qu'il peut, en vers comme à la danse;
Mais, le bal étant long, il faut tant travailler
Que les meilleurs danseurs y sortent de cadence.
Sonnet, aux poètes de ce temps.

1435
En soldat j'en parle et j'en use.
Le bon ressort, non le poli,
Fait le bon rouet d'arquebuse.
Sonnet.

ÉTIENNE DURAND
1586-1618

1436
Faire semblant de fuir ce que plus je poursuis,
Me mentir à moi-même, et me paître de songe :
Mêler la jalousie avec la passion,
Si cela n'est aimer avec perfection,
Tout ce qu'on dit d'Amour n'est que fable et mensonge.
Méditations, XX.

1437
Même Amour me dit à toute heure
Avec un langage moqueur,
Qu'en vain je change de demeure
Ne pouvant pas changer de cœur.
Chanson.

1438
Quoi donc, faut-il aimer? — Faut espérer aussi
Car les refus de femme ont l'effet des oracles
Qui, jurés bien souvent, n'arrivent pas ainsi.
Ibid., XLI, Dialogue.

1439
Tous les maux de l'enfer ne sont rien qu'une absence.
Stances de l'absence.

L'honneur est au secret, l'honneur est au silence,   1440
Et qui sait bien celer ne commet point d'offense.
Discours.

L'ABBÉ MARIN MERSENNE
1588-1648

L'âme raisonnable ne peut être en repos ni parfaitement   1441
contente jusques à ce qu'elle contemple et qu'elle possède
une vérité infinie : assurez-vous qu'il n'y a que la privation
de cette vérité qui soit cause de l'inquiétude que nous ressentons dans nos esprits.
Impiété des déistes et des libertins découverte et réfutée,
chap. 4.

[...] Notre esprit, [...] étant en quelque façon infini, trouve   1442
par toutes sortes de ressentiments et d'expériences que ce
monde-ci n'est pas sa propre demeure, qu'il n'est pas assez
grand pour le contenir, et qu'il n'y a point ici-bas de vérité
assez excellente pour le contenter.   *Ibid.*

Jamais je ne me suis plu à l'humeur de ceux qui veulent   1443
chercher, ou feindre, et s'imaginer des raisons, ou des démonstrations où il n'y en a point; il vaut bien mieux confesser
notre ignorance que d'abuser le monde. [...]
Ibid., chap. 9.

ARNAULD D'ANDILLY
1589-1674

Ceux à qui Dieu fait la grâce de mépriser tout ce qui les   1444
regarde en particulier pour ne considérer que lui seul et ne
penser qu'à s'acquitter de leurs devoirs, ne sont pas propres
à des favoris.   *Mémoires.*

[...] Nulle autre fortune ne peut rendre un homme véritable-   1445
ment heureux selon le monde, que celle des souverains, par
le moyen qu'elle leur donne de faire des biens infinis, au
lieu que même les plus élevés de toutes les autres conditions
sont renfermés dans une dépendance qui rend tous leurs
bons désirs inutiles [...]   *Ibid.*

Les Jésuites ne savent point quitter prise lorsqu'ils ont une   1446
fois conspiré la ruine de ceux qui ont commis un aussi grand
crime qu'est dans leur esprit celui d'oser choquer leur Société.
Ibid.

[...] Ce monde est si méprisable que ne méritant pas d'être   1447
considéré comme quelque chose de réel, il ne peut passer
que pour une figure, c'est-à-dire pour une chimère et pour
un néant.   *Ibid.*

1448   Souvent par un seul mot tu perds un innocent...
Stances, De la médisance.

1449   Enchanteurs des esprits, qui par de fausses peines
       Allumez un vrai feu dans le fond de nos veines [...]
Ibid., Contre les romans.

HONORAT DE RACAN
1589-1670

1450   Honneur, cruel tyran des belles passions,
       Qui traverses l'espoir de nos affections,
       De combien de malheurs est la terre féconde
       Depuis que ton erreur empoisonne le monde!
Les Bergeries, acte I, sc. 3.

1451   Bien qu'Amour soit enfant, c'est un enfant discret,
       Qui n'oserait parler s'il ne parle en secret.
Ibid.

1452   Mais, comme à tous les biens que le Ciel nous envoie
       Toujours quelque douleur se mêle à notre joie...
Ibid., acte IV, sc. 1.

1453   Je cherche le remède, et ne veux pas guérir;
       Je me déplais de vivre, et ne saurais mourir.
Ibid., acte IV, sc. 2.

1454   Le salut des vaincus est de n'en plus attendre.
Ibid.

1455   Quoi qu'on ait dit de moi par haine ou par envie,
       Toujours mes actions répondront de ma vie.
Ibid., acte IV, sc. 3.

1456   Amour m'oblige-t-il d'aimer tout ce qui m'aime?
Ibid.

1457   Celui qui tait le mal semble en être complice.
Ibid., acte IV, sc. 4.

1458   Heureux qui vit en paix du lait de ses brebis [...]
       Qui demeure chez lui comme en son élément,
       Sans connaître Paris que de nom seulement...
Ibid., acte V, sc. 1.

1459   Nos crimes trop fréquents ont lassé le tonnerre;
       [...]
       Le destin absolu règne à sa fantaisie;
       [...]
       Les dieux, dans leur Olympe enivrés d'ambroisie,
       Se déchargent sur lui du soin de l'univers.
Odes, pour Monseigneur le Duc de Bellégarde.

Après le chaud véhément   1460
Revient l'extrême froidure,
Et rien au monde ne dure
Qu'un éternel changement.
                    Ibid., La venue du Printemps.

Je sais, Maynard, que les merveilles   1461
Qui naissent de tes longues veilles
Vivront autant que l'univers;
Mais que te sert-il que ta gloire
Se lise au temple de Mémoire
Quand tu seras mangé des vers?
Ode bachique, à M. Maynard, président d'Aurillac.

L'on a beau faire des prières,   1462
Les ans non plus que les rivières
Jamais ne rebroussent leur cours.
                              Ibid.

Quand l'amour me rend tout de feu,   1463
Le respect me rend tout de glace.
                              Ode.

Notre goût suit nos ans. La vieillesse désire   1464
        Un bon vin savoureux,
Au lieu que la jeunesse incessamment soupire
        Les plaisirs amoureux.
            Stances, Contre un vieillard jaloux.

Thirsis, il faut penser à faire la retraite :   1465
La course de nos jours est plus qu'a demi faite.
L'âge insensiblement nous conduit à la mort.
Nous avons assez vu sur la mer de ce monde
Errer au gré des flots notre nef vagabonde;
Il est temps de jouir des délices du port.
                              Stances.

Le bien de la fortune est un bien périssable;   1466
Quand on bâtit sur elle on bâtit sur le sable.
Plus on est élevé, plus on court de dangers;
Les grands pins sont en butte aux coups de la tempête,
Et la rage des vents brise plutôt le faîte
Des maisons de nos rois que des toits des bergers.
                              Ibid.

Les destins sont jaloux de nos prospérités,   1467
Et laissent plus durer les chardons que les roses.
            Sonnet, à Mgr le Duc de Guise.

Pour moi, comme une humble brebis,   1468
Je vais où mon pasteur me range,
Et n'ai jamais aimé le change
Que des femmes et des habits.
                    Épigrammes.

Ma conscience est à la mode   1469
Moitié figue, moitié raisin.
[...]
Si j'ai fait tort à mon voisin,
J'ai fait plaisir à ma voisine.
                              Ibid.

THÉOPHILE DE VIAU
1590-1626

1470
Les Zéphyrs se donnent aux flots,
Les flots se donnent à la lune,
Les navires aux matelots,
Les matelots à la fortune.
Ode, A. M. le marquis de Boquiguant.

1471
Ce ruisseau remonte à sa source;
Un bœuf gravit sur un clocher;
Le sang coule de ce rocher;
Un aspic s'accouple d'une ourse;
[...]
Le soleil est devenu noir;
Je vois la Lune qui va choir...
Ode, Un corbeau devant moi croasse.

1472 Incertain et dépravé, je ne me retiens pas assez du plaisir
comme chrétien, je m'y laisse aller comme homme, mais je
ne m'y laisse pas tromper comme bête.   *Au lecteur.*

1473 Nos vers d'aujourd'hui, qui ne se chantent point sur la lyre,
ne se doivent point nommer lyriques, non plus que les autres
héroïques, puisque nous ne sommes plus au temps des
Héros, et toutes ces singeries ne sont ni du plaisir, ni du profit
d'un bon entendement.
Fragments d'une Histoire comique, chap. 1.

1474
Ceux qui jurent d'avoir l'âme encore assez forte
Pour vivre dans les yeux d'une maîtresse morte
N'ont pas pris le loisir de voir tous les efforts
Que fait la mort hideuse à consumer les corps.
Élégie (Cloris lorsque je songe...).

1475
L'art, ennemi de la franchise,
Ne veut point être reconnu;
Mais l'Amour, qui ne va que nu,
Ne souffre point qu'on se déguise.
Ode (Perfide, je me sens heureux...).

1476
Qu'on soit bien dans ce règne où Pluton tient sa cour,
C'est un conte; il n'est rien de si beau que le jour.
Le moindre chien vivant vaut mieux que cent cohortes
De tigres, de lions, ou de panthères mortes.
Pyrame et Thisbé, acte III, scène 1.

1477
Mais je me sens jaloux de tout ce qui te touche,
De l'air qui si souvent entre et sort par ta bouche;
[...]
Ton ombre suit ton corps de trop près, ce me semble,
Car nous deux seulement devons aller ensemble.
Ibid., acte IV, scène 1.

Que donc ton bras sur moi davantage demeure,   1478
O mort! et, s'il se peut, que plus que lui je meure;
Que je sente à la fois poison, flammes et fers.
Sus! qui me vient ouvrir la porte des enfers?
Ha! voici le poignard qui du sang de son maître
S'est souillé lâchement : il en rougit le traître!
                              Ibid., acte V, scène 2.

        Quelle couleur peut plaire mieux   1479
        Que celle qui contraint les Cieux
        De faire l'amour à la terre?
                              Ibid., Ode VII.

Si je voulais verser quelque goutte d'encre sur vos actions,   1480
je noircirais toute votre vie.   *Lettre à Balzac.*

MÈRE ANGÉLIQUE
(Jacqueline Arnauld)
1591-1661

[François de Sales] ne pardonnait rien aux âmes qui voulaient   1481
être conduites dans la vérité, et qui considérera bien les règles
qu'il a données à ses religieuses verra bien qu'il les veut
autant mortes à elles-mêmes et crucifiées avec Jésus-Christ
qu'aucun autre.
Relation de ce qui est arrivé de plus considérable dans Port-
Royal.

ABBÉ FRANÇOIS DE BOIS-ROBERT
1592-1662

        Considérez, esprit parfait,   1482
        Que sur le sujet des demandes
        Je suis épuisé tout à fait.
        Je n'y ferai plus rien qui vaille,
        Permettez donc que je travaille
        Bientôt sur un remerciement.
                    Ode à Mgr le duc de Richelieu.

Depuis six ans dessus l'F on travaille,   1483
Et le destin m'aurait bien obligé
S'il m'avait dit : « Tu vivras jusqu'au G. »
                              Sur l'académie.

Toute raison est vaine où nécessité presse.   1484
            La belle plaideuse, acte IV, scène 2.

MÈRE AGNÈS
(Jeanne Arnauld)
1593-1671

1485 Notre Dieu est au ciel qui fait tout ce qu'il veut par le moyen
de ceux-là mêmes qui ne font pas sa volonté.
Lettre à M. Arnauld, 20 avril 1644.

1486 Il se fait tous les jours en nous quelque déchet de la grâce
qu'il faut réparer en regardant toujours Dieu, pour rapporter
tout à lui, comme les rameaux à leur tronc sans lequel ils
n'ont point de vie.
Lettre à Mademoiselle Pascal, 22 janvier 1650.

1487 [...] Je ne doute point qu'il n'y ait de la joie dans le Ciel lorsque de saints prêtres souffrent pour la vérité de Jésus-Christ,
et que l'étendard de la croix, qui fait toutes les victoires de
l'Église quand on le déploie avec liberté, est confié en de si
bonnes   mains.   *Lettre à M. Arnauld, mai 1666.*

1488 Il est donc nécessaire que la nature cède à la foi; ou nous
nous exposerions nous-mêmes à perdre la foi qui, étant si
faible en nous qu'elle ne peut pas vaincre nos mouvements
et nos propres sentiments, ne pourrait probablement résister
à la violence du dehors si nous étions obligés de souffrir
quelque chose pour lui rendre le témoignage que nous lui
devons.   *Ibid.*

JEAN-LOUIS GUEZ DE BALZAC
1594-1654

1489 Nous sommes ici[1] en un petit rond tout couronné de montagnes, où il reste encore quelques grains de cet or dont les
premiers siècles ont été faits.
Lettres, à M. de la Motte-Aigron, 4 septembre 1622.

1490 Notre peuple ne se conserve dans son innocence, ni par
la crainte des lois, ni par l'étude de la sagesse; pour bien
faire, il suit simplement la bonté de sa nature et tire plus
d'avantage de l'ignorance du vice que nous n'en avons de la
connaissance de la vertu.   *Ibid.*

1491 [...] Un honnête homme propose toujours ses opinions de
la même sorte que ses doutes et n'élève jamais le ton de sa
voix pour prendre avantage sur ceux qui ne parlent pas si
haut...   *Ibid., à M. Ceffeteau, 15 août 1618.*

1492 Clorinde, le soleil est encore beau quand il se couche;
l'arrière-saison est agréable, mais nous n'avons de bonnes
années que les premières, et quelque soin que vous ayez

1. Le domaine de Balzac.

de vous-même, vous ne sauriez conserver votre beauté et acquérir de l'expérience. *Ibid., à Clorinde, 3 mai 1620.*

Il me fâcherait fort d'entrer en un pays où les chapeaux n'ont point été faits pour couvrir la tête, et où tout le monde devient bossu à force de faire des révérences.
Ibid., à M. de Boisrobert, fin novembre 1623. 1493

Puisque nous durons si peu, il n'est pas raisonnable que nos passions soient immortelles [...].
Ibid., au Révérend Père Garasse, 1625. 1494

Autrefois la magnanimité et l'humilité pouvaient être deux choses contraires; mais depuis que les principes de la morale ont été changés par les maximes de l'Évangile, et que les vices des païens sont devenus des vertus chrétiennes, il y a des lâchetés qu'un homme de courage doit faire, et ce n'est plus à ceux qui ont triomphé des innocents que la véritable gloire appartient, mais c'est aux martyrs qu'ils ont faits et aux personnes qu'ils ont opprimées. *Ibid.* 1495

Je sais que la perfection ne se trouve pas du premier coup. On peut achever en un jour quantité de statues de plâtre et de boue; mais elles ne sont aussi que pour un jour; et pour servir d'ornement à l'entrée d'un gouverneur en une ville, et non pas au règne de plusieurs rois. Ceux qui travaillent en bronze et en marbre, vieillissent sur leurs ouvrages, et il est certain qu'il faut méditer longtemps ce qui doit durer toujours [...] *Ibid., à Racan, 20 novembre 1625.* 1496

C'est beaucoup, Madame, d'avoir acquis les plus honnêtes connaissances qui se peuvent acquérir : mais c'est encore davantage de s'en cacher comme d'un larcin. [...]
La pédanterie n'est pas supportable en un maître ès arts : comment le sera-t-elle en une femme?
Ibid., à Madame des Loges, 20 septembre 1628. 1497

Il y a des beautés parfaites qui sont effacées par d'autres beautés qui ont plus d'agrément et moins de perfection; et parce que l'acquis n'est pas si noble que le naturel, ni le travail des hommes si estimable que les dons du ciel, on vous pourrait encore dire que savoir l'art de plaire ne vaut pas tant que savoir plaire sans art.
Ibid., à M. de Scudéry, 27 août 1637. 1498

Et n'est-il pas vrai que dans les États, il y a des pièces si caduques et si ébranlées, que si on les touche, on les renverse? Il y a des corps qui ne peuvent plus souffrir les remèdes, et qui ne sont plus capables de guérison. Il faut les laisser en l'état où l'on les trouve de peur de les briser en les remuant [...]. *Ibid., à M. Chapelain, le 30 janvier 1638.* 1499

Et en effet, si vous ne le savez pas, je vous apprends qu'il y a autant de différence de rossignol à rossignol, que de poète à poète. Il y en a de la première et de la dernière classe.
Ibid., à M. Chapelain, 12 mai 1638. 1500

1501   Votre *Cinna* guérit les malades : il fait que les paralytiques battent des mains; il rend la parole à un muet, ce serait trop peu de dire à un enrhumé.
Ibid., à M. Corneille, 17 janvier 1643.

1502   L'homme est un plaisant animal, de se croire le souverain de tous les autres, lui qui est obligé d'avoir recours aux plus vils, et aux plus méprisés de tous, pour s'empêcher de mourir.
Ibid., à M. Conrart, 17 juin 1652.

1503   La flatterie donne de la majesté à des souverains qui auraient bien de la peine à trouver leur État dans la carte.
Le Prince, chap. V.

1504   Il y a toujours eu dans les cours des idoles et des idolâtres. Il y a eu de la lâcheté partout où il y a eu de la tyrannie. L'autorité, quoique injuste et odieuse, a été de tout temps adorée. Mais aussi il est à remarquer que ç'a été par des personnes qui en avaient peur ou besoin [...].   *Ibid.*

1505   N'y a-t-il pas autant de différence entre un esprit qui se charge des inventions étrangères et un qui invente de soi-même qu'entre un vase qu'on a rempli d'eau et une fontaine qui la donne?   *Ibid.*

1506   L'Église est trop bonne pour nous obliger à lire tout ce que les docteurs écriront.
Socrate chrétien, Discours cinquième.

1507   Ces montagnes d'écritures accablent les têtes et n'édifient point les esprits. Les monosyllabes des sages valent bien mieux que tant de chapitres et de paragraphes, que tant de distinctions, tant de divisions et de subdivisions.   *Ibid.*

1508   Bon Dieu, qu'Aristote et que sa dialectique ont gâté de têtes! qu'il y a dans le monde de fous sérieux, de fous qui se fondent en raison; de fous qui sont déguisés en sages!
Ibid.

1509   Il y a eu des hommes dont la vie a été pleine de miracles quoiqu'ils ne fussent pas saints et qu'ils n'eussent point dessein de l'être : le ciel bénissait toutes leurs fautes; le ciel couronnait toutes leurs folies.
Ibid., Discours huitième.

1510   Un peu d'esprit et beaucoup d'autorité, c'est ce qui a presque toujours gouverné le monde, quelquefois avec succès et quelquefois non, selon l'humeur du siècle, plus ou moins porté à endurer, selon la disposition des esprits plus farouches ou plus apprivoisés.   *Ibid.*

1511   Dieu est le poète et les hommes ne sont que les acteurs; ces grandes pièces qui se jouent sur la terre ont été composées dans le ciel et c'est souvent un faquin qui en doit être l'Atrée ou l'Agamemnon.   *Ibid.*

1512   L'éclat ne présuppose pas toujours la solidité, et les paroles qui brillent le plus sont souvent celles qui pèsent le moins.

Il y a une faiseuse de bouquets, je ne l'ose nommer Éloquence, qui est toute peinte et toute dorée, qui semble toujours sortir d'une boîte.
Dissertations critiques, II, Discours cinquième, à M. Costar.

NICOLAS POUSSIN
1594-1665

[...] Moi qui fais profession des choses muettes.   1513
Lettre à M. de Noyers, 20 février 1636.

Il est bien vrai que la fortune, en ce qu'elle va faisant, ne   1514
sait jamais ce qu'elle fait, faisant les princes d'un cœur
petit et ravalé et les gentilhommes d'une âme royale.
Lettre à Chantelou, 7 novembre 1641.

Les belles filles que vous avez vues à Nîmes, ne vous auront,   1515
je m'assure, pas moins délecté l'esprit par la vue, que les
belles colonnes de la Maison Carrée, vu que celles ici ne
sont que de vieilles copies de celles-là.
Lettre à Chantelou, 20 mars 1642.

Le bien juger est très difficile, si l'on n'a en cet art grande   1516
théorie et pratiques jointes ensemble. Nos appétits n'en
doivent pas juger seulement, mais la raison.
Lettre à Chantelou, 24 novembre 1647.

[La peinture] : C'est une imitation faite avec lignes et cou-   1517
leurs en quelque superficie de tout ce qui se voit dessous le
soleil, sa fin est la délectation.
Lettre à M. de Chambray, 1ᵉʳ mars 1665.

Ce qui vaut la peine d'être fait vaut la peine d'être bien fait.   1518
Devise de Nicolas Poussin.

MARC-ANTOINE GIRARD DE SAINT-AMANT
1594-1661

Car je connais un peu nos petits rimailleurs :   1519
Ils s'aheurtent toujours aux endroits les meilleurs;
La raison n'est jamais de leur intelligence;
La richesse d'autrui choque leur indigence;
Élégie, à Mgr le Duc de Rets.

O que j'aime la solitude!   1520
Que ces lieux sacrés à la nuit,
Éloignés du monde et du bruit,
Plaisent à mon inquiétude!
Mon Dieu! que mes yeux sont contents
De voir ces bois, qui se trouvèrent
A la nativité du temps,
Et que tous les siècles révèrent,

Être encore aussi beaux et verts,
Qu'aux premiers jours de l'univers!

La Solitude.

1521   Mes doigts, suivant l'humeur de mon triste génie,
Font languir les accents et plaindre l'harmonie;
Mille tons délicats, lamentables et clairs,
S'en vont à longs soupirs se perdre dans les airs;
[...]
Il semble qu'à leur mort, d'une voix de douleur,
Ils chantent en pleurant ma vie et mon malheur.

Les Visions.

1522   Mais, dans mon inconstance extrême,
Qui va comme un flux et reflux,
Je n'ai pas si tôt dit que j'aime,
Que je sens que je n'aime plus.

Inconstance.

1523   Assis sur un fagot, une pipe à la main,
Tristement accoudé contre une cheminée,
Les yeux fixés vers terre, et l'âme mutinée,
Je songe aux cruautés de mon sort inhumain.

Sonnet.

1524   Non, je ne trouve point beaucoup de différence
De prendre du tabac à vivre d'espérance,
Car l'un n'est que fumée, et l'autre n'est que vent.

Ibid.

1525   Accablé de paresse et de mélancolie,
Je rêve dans un lit où je suis fagoté,
Comme un lièvre sans os qui dort dans un pâté
Ou comme un Don Quichotte en sa morne folie.

Le paresseux.

1526   Qu'extravagant est le destin,
Dans sa fatalité secrète,
De ne pouvoir plaire à Catin
Sans faire dépit à Perrette!
Nos ris sont des autres les pleurs,
Nos épines leur sont des fleurs.

Caprice.

1527   Le soir et le matin la Nuit baise le Jour;
Tout aime, tout s'embrase, et je crois que le monde
Ne renaît au printemps que pour mourir d'amour.

Le printemps des environs de Paris.

1528   Car, comme il faut aimer tant que l'on est aimable,
Quand on n'est plus aimable il ne faut plus aimer.

Épigramme à Philis.

1529   Quand le malheur poursuit un homme
Il se noierait dans un crachat.

Épigrammes, XXIX, de Martin noyé.

J'ai fait de moi-même un tel don   1530
A ma noble et rare dondon
Qu'un prêt me rendrait infidèle :
Bref, je vis si fort sous sa loi
Qu'il faut que je m'emprunte d'elle
Quand je me veux prêter à moi.
                    Ibid., XXXIV, à un emprunteur.

Je t'aime trop pour t'épouser.   1531
                    Galanterie champêtre.

JEAN CHAPELAIN
1595-1674

Dans le centre caché d'une clarté profonde,   1532
Dieu repose en lui-même [...]
                    La Pucelle, poème héroïque.

Que si j'avais à pencher de quelque côté, ce serait moins   1533
de celui du style ferme que de celui du doux, à cause que
les lecteurs de romans ne sont ni philosophes ni gens d'État,
mais sont gens de cœur ou femmes délicates.
Lettre à M. de Scudéry, gouverneur de N.-D. de la Garde,
                    8 novembre 1660.

JEAN DESMARETS DE SAINT-SORLIN
1595-1676

S'il faut que ma valeur manque un jour de matière,   1534
Je vais faire du Monde un vaste cimetière...
                    Les Visionnaires, acte I, scène 1.

Je cède le comique à ces esprits abjects,   1535
Ces Muses sans vigueur qui s'efforcent de plaire
Au grossier appétit d'une âme populaire;
                    Ibid., acte II, scène 4.

Mais un esprit hardi, savant et vigoureux,   1536
D'un tragique accident est toujours amoureux;
                                    Ibid.

La diversité plaît, c'est ce qui nous surprend.   1537
                                    Ibid.

Je suis près du trépas   1538
Pour un philtre amoureux que j'ai pris par l'oreille.
                    Ibid., acte III, scène 1.

VAUGELAS
1585-1650

1539   Ce ne sont pas ici des lois que je fais pour notre langue de
       mon autorité privée; je serais bien téméraire, pour ne pas
       dire insensé; car à quel titre et de quel front prétendre un
       pouvoir qui n'appartient qu'à l'usage, que chacun reconnaît
       pour le maître et le souverain des langues vivantes?
                          Remarques sur la langue française, préface.

1540   Mon dessein n'est pas de réformer notre langue, ni d'abolir
       des mots, ni d'en faire, mais seulement de montrer le bon
       usage de ceux qui sont faits, et, s'il est douteux ou inconnu,
       de l'éclaircir et de le faire connaître.   *Ibid.*

1541   Il y a sans doute deux sortes d'usages, un bon et un mauvais.
       Le mauvais se forme du plus grand nombre de personnes,
       qui presque en toutes choses n'est pas le meilleur, et le bon
       au contraire est composé non pas de la pluralité, mais de
       l'élite des voix, et c'est véritablement celui que l'on nomme le
       maître des langues, celui qu'il faut suivre pour bien parler,
       et pour bien écrire en toutes sortes de styles.   *Ibid.*

RENÉ DESCARTES
1596-1650

1542   Le bon sens est la chose du monde la mieux partagée : car
       chacun pense en être si bien pourvu, que ceux même qui sont
       les plus difficiles à contenter en toute autre chose n'ont point
       coutume d'en désirer plus qu'ils en ont.
                          Discours de la Méthode, 1re partie.

1543   [...] Ce n'est pas assez d'avoir l'esprit bon, mais le principal
       est de l'appliquer bien.   *Ibid.*

1544   Les plus grandes âmes sont capables des plus grands vices
       aussi bien que des plus grandes vertus.   *Ibid.*

1545   [...] La lecture de tous les bons livres est comme une conver-
       sation avec les plus honnêtes gens des siècles passés, qui en
       ont été les auteurs, et même une conversation étudiée en
       laquelle ils ne nous découvrent que les meilleures de leurs
       pensées.   *Ibid.*

1546   ... C'est quasi le même de converser avec ceux des autres
       siècles, que de voyager.   *Ibid.*

1547   Considérant combien il peut y avoir de diverses opinions
       touchant une même matière, qui soient soutenues par des
       gens doctes, sans qu'il y en puisse avoir jamais plus d'une
       seule qui soit vraie, je réputais presque pour faux tout ce
       qui n'était que vraisemblable.   *Ibid.*

Je demeurais tout le jour enfermé seul dans un poêle, où 1548
j'avais tout loisir de m'entretenir de mes pensées.
Ibid., 2e partie.

La pluralité des voix n'est pas une preuve qui vaille rien pour 1549
les vérités un peu malaisées à découvrir... *Ibid.*

Le premier [précepte] était de ne recevoir jamais aucune 1550
chose pour vraie que je ne la connusse évidemment être
telle... *Ibid.*

Le second, de diviser chacune des difficultés que j'examine- 1551
rais en autant de parcelles qu'il se pourrait et qu'il serait
requis pour les mieux résoudre. *Ibid.*

Le troisième, de conduire par ordre mes pensées, en com- 1552
mençant par les objets les plus simples et les plus aisés à
connaître, pour monter peu à peu, comme par degrés, jusques
à la connaissance des plus composés. *Ibid.*

Et le dernier, de faire partout des dénombrements si entiers, 1553
et des revues si générales, que je fusse assuré de ne rien
omettre. *Ibid.*

...Je me formai une morale par provision, qui ne consistait 1554
qu'en trois ou quatre maximes... *Ibid., 3e partie.*

Imitant en ceci les voyageurs qui, se trouvant égarés en 1555
quelque forêt, ne doivent pas errer en tournoyant [...],
mais marcher le plus droit qu'ils peuvent vers un même
côté... *Ibid.*

Ma troisième maxime était de tâcher toujours plutôt à me 1556
vaincre que la fortune, et à changer mes désirs que l'ordre
du monde. *Ibid.*

Il suffit de bien juger pour bien faire, et de juger le mieux 1557
qu'on puisse pour faire aussi tout son mieux... *Ibid.*

Je me résolus de feindre que toutes les choses qui m'étaient 1558
jamais entrées en l'esprit n'étaient non plus vraies que les
illusions de mes songes. *Ibid., 4e partie.*

Et remarquant que cette vérité : *Je pense donc je suis*, était 1559
si ferme et si assurée que toutes les plus extravagantes sup-
positions des sceptiques n'étaient pas capables de l'ébranler,
je jugeai que je pouvais la recevoir sans scrupule pour le premier principe de la philosophie que je cherchais. *Ibid.*

[...] Cela même que j'ai tantôt pris pour une règle, à savoir 1560
que les choses que nous concevons très clairement et très
distinctement sont toutes les vraies, n'est assuré qu'à cause
que Dieu est ou existe, et qu'il est un être parfait, et que tout
ce qui est en nous vient de lui. *Ibid.*

[...] Il n'y a pas moins de répugnance que la fausseté ou 1561
l'imperfection procède de Dieu en tant que telle, qu'il y en a
que la vérité ou la perfection procède du néant. *Ibid.*

1562   La raison ne nous dicte point que ce que nous voyons ou imaginons ainsi soit véritable, mais elle nous dicte bien que toutes nos idées ou notions doivent avoir quelque fondement de vérité; car il ne serait pas possible que Dieu, qui est tout parfait et tout véritable, les eût mises en nous sans cela.   *Ibid.*

1563   Et souvent les choses qui m'ont semblé vraies lorsque j'ai commencé à les concevoir, m'ont paru fausses lorsque je les ai voulu mettre sur le papier.   *Ibid., 6ᵉ partie.*

1564   C'est proprement ne valoir rien que de n'être utile à personne.   *Ibid.*

1565   C'est véritablement donner des batailles, que de tâcher à vaincre toutes les difficultés et les erreurs qui nous empêchent de parvenir à la connaissance de la vérité. [...]   *Ibid.*

1566   Soit que je veille ou que je dorme, deux et trois joints ensemble formeront toujours le nombre de cinq, et le carré n'aura jamais plus de quatre côtés.
                                Méditations, Première méditation.

1567   Toutefois il y a longtemps que j'ai dans mon esprit une certaine opinion, qu'il y a un Dieu qui peut tout. [...]   *Ibid.*

1568   Je supposerai donc qu'il y a, non point un vrai Dieu, qui est la souveraine source de vérité, mais un certain mauvais génie, non moins rusé et trompeur que puissant, qui a employé toute son industrie à me tromper.   *Ibid.*

1569   Et tout de même qu'un esclave qui jouissait dans le sommeil d'une liberté imaginaire, lorsqu'il commence à soupçonner que sa liberté n'est qu'un songe, craint d'être réveillé...
                                                                     Ibid.

1570   Enfin il faut conclure, et tenir pour constant que cette proposition : *Je suis, j'existe*, est nécessairement vraie, toutes les fois que je la prononce, ou que je la conçois en mon esprit.   *Ibid., Méditation seconde.*

1571   Mais qu'est-ce donc que je suis? Une chose qui pense. Qu'est-ce qu'une chose qui pense?   *Ibid.*

1572   Prenons pour exemple ce morceau de cire qui vient d'être tiré de la ruche : il n'a pas encore perdu la douceur du miel qu'il contenait [...]. Mais voici que, cependant que je parle, on l'approche du feu : ce qui y restait de saveur s'exhale, l'odeur s'évanouit, sa couleur se change, sa figure se perd [...]. La même cire demeure-t-elle après ce changement?
                                                                     Ibid.

1573   ...D'où je voudrais presque conclure, que l'on connaît la cire par la vision des yeux, et non par la seule inspection de l'esprit, si par hasard je ne regardais d'une fenêtre des hommes qui passent dans la rue, à la vue desquels je ne manque pas de dire que je vois des hommes, tout de même que je dis que je vois de la cire; et cependant que vois-je

de cette fenêtre, sinon des chapeaux et des manteaux, qui
peuvent couvrir des spectres ou des hommes feints qui
ne se remuent que par ressorts? Mais je juge que ce sont
de vrais hommes...   *Ibid.*

Si je juge que la cire est, ou existe, de ce que je la vois, certes   1574
il suit bien plus évidemment que je suis, ou que j'existe moi-
même, de ce que je la vois.   *Ibid.*

Je fermerai maintenant les yeux, je boucherai mes oreilles,   1575
je détournerai tous mes sens, j'effacerai même de ma pensée
toutes les images des choses corporelles, ou du moins,
parce qu'à peine cela se peut-il faire, je les réputerai comme
vaines et comme fausses...   *Ibid., Méditation troisième.*

[...] Je dois examiner s'il y a un Dieu, sitôt que l'occasion   1576
s'en présentera; et si je trouve qu'il y en ait un, je dois aussi
examiner s'il peut être trompeur : car sans la connaissance
de ces deux vérités, je ne vois pas que je puisse jamais être
certain d'aucune chose.   *Ibid.*

De plus, [l'idée] par laquelle je conçois un Dieu souverain,   1577
éternel, infini, immuable, tout connaissant, tout-puissant,
et Créateur universel de toutes les choses qui sont hors de
lui; celle-là, dis-je, a certainement en soi plus de réalité
objective, que celles par qui les substances finies me sont
représentées.   *Ibid.*

[...] Il faut nécessairement conclure [...] que Dieu existe; car,   1578
encore que l'idée de la substance soit en moi, de cela même que
je suis une substance, je n'aurais pas néanmoins l'idée d'une
substance infinie, moi qui suis un être fini, si elle n'avait été
mise en moi par quelque substance qui fût véritablement
infinie.   *Ibid.*

[...] J'ai en quelque façon premièrement en moi la notion   1579
de l'infini, que du fini, c'est-à-dire de Dieu, que de moi-
même.   *Ibid.*

[...] Puisque je suis une chose qui pense, et qui ai en moi   1580
quelque idée de Dieu [...] il faut nécessairement avouer qu'elle
doit pareillement être une chose qui pense, et posséder en
soi l'idée de toutes les perfections que j'attribue à la nature
divine.   *Ibid.*

[...] De cela seul que j'existe, et que l'idée d'un être souve-   1581
rainement parfait (c'est-à-dire de Dieu) est en moi, l'existence de Dieu est très évidemment démontrée.   *Ibid.*

Je suis comme un milieu entre Dieu et le néant.   1582
                       Ibid., Méditation quatrième.

[...] Il est du propre de l'entendement fini, de ne pas com-   1583
prendre une infinité de choses, et du propre d'un entendement créé d'être fini...   *Ibid.*

1584   [...] L'existence de Dieu doit passer en mon esprit au moins
       pour aussi certaine, que j'ai estimé jusques ici toutes les
       vérités des mathématiques, qui ne regardent que les nombres
       et les figures...   *Ibid., Méditation cinquième.*

1585   [...] L'existence ne peut non plus être séparée de l'essence
       de Dieu, que de l'essence d'un triangle rectiligne la grandeur
       de ses trois angles égaux à deux droits, ou bien de l'idée d'une
       montagne l'idée d'une vallée.   *Ibid.*

1586   Ainsi je reconnais très clairement que la certitude et la vérité
       de toute science dépend de la seule connaissance du vrai
       Dieu.   *Ibid.*

1587   L'amour est incomparablement meilleure que la haine; elle
       ne saurait être trop grande [...]; joignant à nous de vrais
       biens, elle nous perfectionne d'autant.
                                   Les Passions de l'âme, art. 139.

1588   La haine [...] ne saurait être si petite qu'elle ne nuise.
                                                        Art. 140.

1589   On méprise un homme qui est jaloux de sa femme, parce
       que c'est un témoignage qu'il ne l'aime pas de la bonne
       sorte, et qu'il a mauvaise opinion de soi ou d'elle.
                                                        Art. 169.

1590   Au reste, l'âme peut avoir ses plaisirs à part; mais pour ceux
       qui lui sont communs avec le corps, ils dépendent entière-
       ment des passions : en sorte que les hommes qu'elles peu-
       vent le plus émouvoir sont capables de goûter le plus de
       douceur en cette vie.   *Art. 212.*

1591   [...] C'est faire tort aux vérités qui dépendent de la foi, et
       qui ne peuvent être prouvées par démonstration naturelle,
       que de les vouloir affirmer par des raisons humaines, et
       probables seulement.   *Lettre à Mersenne, 27 mai 1630.*

1592   Je suis devenu si philosophe, que je méprise la plupart des
       choses qui sont ordinairement estimées, et en estime quelques
       autres dont on n'a point accoutumé de faire cas.
                                   Lettre à Balzac, 15 avril 1631.

1593   [...] En cette grande ville [1] où je suis, n'y ayant aucun homme,
       excepté moi, qui n'exerce la marchandise, chacun y est
       tellement attentif à son profit, que j'y pourrais demeurer
       toute ma vie sans être jamais vu de personne. Je vais me
       promener tous les jours parmi la confusion d'un grand
       peuple avec autant de liberté et de repos que vous ne sauriez
       faire dans vos vallées; et je n'y considère pas autrement les
       hommes que j'y vois, que je ferais les arbres qui se rencontrent
       en vos forêts...   *Lettre à Balzac, 15 mai 1631.*

1. Amsterdam.

PIERRE DE MARBEUF
v. 1596-v. 1645

Que l'homme donc s'assure, ayant en sa pensée
    Chaque fois qu'il s'endort,
Que pour revivre encor il fit la nuit passée
    Un essai de la mort.
        Le tableau de la beauté de la mort.

                                1594

N'attendons pas au lit que l'âge nous assomme
    Par sanglots étouffants;
Ce n'est pas en ce lieu que doit mourir un homme
    Où naissent les enfants.
                    Ibid.

1595

Si vifs nous sommes terre et morts nous sommes poudre,
    C'est peu que le trépas.
                    Ibid.

1596

Ainsi je veux faire trophée
D'aller aux Enfers comme Orphée;
Mais si ce sot veut séjourner
Afin que sa femme revienne,
J'y descends afin que la mienne
N'en puisse jamais retourner.
        Le Misogyne.

1597

CLAUDE MALLEVILLE
v. 1597-1647

O qu'Amour est un Dieu digne d'être suivi!
[...]
Son cœur à nos plaisirs est si fort attaché
Qu'il excuse le mal lorsque l'on recommence
Et pour la pénitence ordonne le péché.
        Sonnet.

1598

Sacré flambeau du jour, n'en soyez point jaloux!
Vous parûtes alors aussi peu devant elle
Que les feux de la nuit avaient fait devant nous.
        La Belle Matineuse.

1599

Nous sommes tous sujets à des lois inhumaines.
En sa condition chacun trouve des peines;
Comme les plus petits les grands portent leur faix.
        Stances, de la vanité du monde.

1600

Le vent sur cette mer excite mille orages :
Le nombre des vaisseaux est celui des naufrages.
        Ibid.

1601

VINCENT VOITURE
1597-1648

1602   Et je suis en langueur, sans repos et sans elle,
        Et sans moi-même aussi, lorsque je suis sans vous.

Stances.

1603   Le baiser que je pris, je suis prêt de le rendre,
        Et me rendez aussi ce que vous m'avez pris.

Ibid.

1604   Dans l'ardent brasier qui m'outrage
            Vous ne sauriez plus me garder,
            Si vous ne me donnez pour gage
            Ce que je n'ose demander.

Ballade.

1605   Que d'une force sans seconde
            La mort sait ses traits élancer,
            Et qu'un peu de plomb peut casser
            La plus belle tête du monde,
            Qui l'a bonne y doit regarder.

Épître à Monseigneur le Prince, Sur son retour d'Allemagne.

1606   C'est injustement que la vie
            Fait le plus petit de vos soins :
            Dès qu'elle vous sera ravie,
            Vous en vaudrez de moitié moins.

Ibid.

1607   [...] Nous avons plus de deux généraux d'armée qui ne font
        pas tant de bruit avec trente mille hommes que vous en faites
        dans votre solitude.   *Lettre à M. de Balzac, octobre 1625.*

1608   C'est de tout temps que le peuple a cette coutume, de haïr
        en autrui les mêmes qualités qu'il y admire. Tout ce qui est
        hors de sa règle l'offense, et il souffrirait plus volontiers
        un vice commun qu'une vertu extraordinaire.   *Ibid.*

1609   Comme c'est dans les plus petits vases que l'on enferme les
        essences les plus exquises, il semble que la nature se plaise à
        mettre dans les plus petits corps les âmes les plus précieuses.
        Lettre à Godeau, « le nain de Julie », 1633.

1610   Je m'en vais dans un vaisseau qui ne porte que moi et huit
        cents caisses de sucre. De sorte que si je viens à bon port,
        j'arriverai confit ; et si, d'aventure, je fais naufrage avec cela,
        ce me sera au moins quelque consolation, de ce que je mour-
        rai en eau douce.
        Lettre à Mlle Paulet, Lisbonne, octobre 1633.

1611   [...] Ceux qui, en haine de celui qui gouverne, haïssent leur
        propre pays, et qui, pour perdre un homme seul, voudraient
        que la France se perdît.
        *Lettre à M***, 24 novembre 1636 (apologie du Cardinal de
        Richelieu).*

Toutes les grandes choses coûtent beaucoup, les grands
efforts abattent, et les puissant remèdes affaiblissent.
Ibid.

1612

[Richelieu] connaît que les plus nobles conquêtes sont celles
des cœurs et des affections. Il voit qu'il n'y a pas tant de
sujets de louange à étendre de cent lieues les bornes d'un
royaume qu'à diminuer un sou de taille, et qu'il y a moins
de grandeur et de véritable gloire à défaire cent mille hommes
qu'à en mettre vingt millions à leur aise et en sûreté. *Ibid.*

1613

[Richelieu] connaîtra combien il est plus doux d'entendre
ses louanges dans la bouche du peuple que dans celle des
poètes. *Ibid.*

1614

Je ne sais pour quel intérêt ils tâchent d'ôter à *car* ce qui lui
appartient pour le donner à *pour ce que*, ni pourquoi ils
veulent dire avec trois mots ce qu'ils peuvent dire avec
trois lettres. *Lettre à Mlle de Rambouillet, 1636.*

1615

[L'on] ne doit point chasser un mot qui a été dans la bouche
de Charlemagne et de saint Louis. *Ibid.*

1616

A n'en point mentir, j'aime un peu plus la vérité quand c'est
moi qui la trouve que quand c'est un autre qui me la montre.
Lettre à M. Costar.

1617

GUILLAUME COLLETET
1598-1659

Il faut avec raison se servir de son bien,
Et suivant les plaisirs où l'âge nous convie
Goûter autant qu'on peut les douceurs de la vie.
Trébuchement de l'ivrogne.

1618

Je préfère à vos eaux un trait de malvoisie,
Je mets pour me chauffer tous vos lauriers au feu,
Et me torche le cul de votre poésie.
Adieu aux muses.

1619

JACQUES VALLÉE
1599-1673

Grand Dieu, tes jugements sont remplis d'équité,
Toujours tu prends plaisir à nous être propice :
Mais j'ai fait tant de mal que jamais ta bonté
Ne peut me pardonner qu'en choquant ta justice.
Sonnet.

1620

MARIN LE ROY, SIEUR DE GOMBERVILLE
1600-1674

1621   Si Dieu ne rend ton corps esclave de ton âme,
Ton âme est pour jamais esclave de ton corps.
Sur la solitude.

1622   Si César doit sa gloire aux malheurs de la guerre,
Auguste doit la sienne au bonheur de la paix.
A Louis XIV, sur la guerre de Flandre.

1623   Pâris qui fut un lâche et ne fit que l'amour
Est mort aussi jeune qu'Achille.
Imitation d'Horace.

1624   Pense donc à la mort; ton âge t'y convie;
Et si tu veux bâtir, va bâtir un tombeau.
A un vieux Financier.

1625   Les grands chargent leurs sépultures
De cent éloges superflus :
Passant, en peu de mots voici mon aventure :
Ma naissance fut très obscure,
Et ma mort l'est encore plus.
Épitaphe d'un homme de lettres.

GABRIEL NAUDÉ
1600-1653

1626 « Il n'appartient qu'à ceux qui n'ont jamais été cités de nē citer personne. »

DENIS SANGUIN DE SAINT-PAVIN
v. 1600-1670

1627   En vérité je lui pardonne[1];
S'il n'eût mal parlé de personne,
On n'eût jamais parlé de lui.
Sonnet.

1628   Je te rends ton livre, Mélite;
Quoique fort long, je l'ai tout lu;
Si tu veux que nous soyons quitte,
Rends-moi le temps que j'ai perdu.
Épigramme.

1. Boileau.

CHARLES SOREL
v. 1600-1674

Ils [1] occupent incessamment leur imagination à leur fournir de quoi contenter le désir qu'ils ont d'écrire, lequel précède la considération de leur capacité; et moi je n'écris que pour mettre en ordre les conceptions que j'ai eues longtemps auparavant.
Histoire comique de Francion, Avertissement d'importance aux lecteurs.

1629

Quand l'on trouverait de petits cailloux parmi du pur froment, l'on serait bien sot de croire qu'ils seraient sortis des épis, d'où provient le blé. *Ibid.*

1630

Il faut un bon Atlas pour ne point succomber à un faix si pesant que celui de satisfaire aux amoureuses émotions d'une femme. *Ibid., Premier livre.*

1631

Je reconnus par effet qu'il ne faut point faire état de la braverie et de la qualité, lorsqu'on veut jouir des plaisirs de l'amour avecque quelqu'un : car celui-ci avec ses habits de bure me rendait aussi satisfaite que son maître avec ses habits de satin. *Ibid., Second livre.*

1632

JEAN D'HESNAULT
?-1682

Mais quand on est privé, par un sort déplorable,
Et du bien de la vie et du bien de la mort,
Qu'il est beau de se mettre au-dessus de ce sort,
Et de voir d'un œil sec le ciel inexorable !
Sonnets.

1633

LA GIRAUDIÈRE
1re moitié du XVIIe siècle

La vertu prend l'habit et le nom d'une dame,
Le vice de l'habit d'un homme est revêtu;
Dieu le voulut ainsi, connaissant que la femme
Épouserait le vice et l'homme la vertu.
Du vice et de la vertu.

1634

1. Les écrivains.

1635
      A quoi ce riche monument
      Et cette épitaphe qui ment?
      Quelle passion vous convie
      A nous louer cet homme à tort?
      On n'a point su qu'il fut en vie;
      Pourquoi saurait-on qu'il est mort?

D'un tombeau.

ANNE D'AUTRICHE
1601-1666

1636
      Mon prix n'est pas dans ma couronne.

Devise d'A. d'A.

TRISTAN L'HERMITE
1601-1655

1637
      [...] O misérable sort?
      Tous ces attachements sont-ils considérables,
      Pour aimer tant la vie, et craindre tant la mort?

Les Amours, Misère de l'homme du monde.

1638
      O Dieux! qu'il m'est sensible en touchant sa louange
      De n'avoir en mes maux que le seul réconfort
      De servir un tyran qu'on prendrait pour un ange.

Ibid., L'amant secret.

1639
      Nous rencontrons l'amour qui met nos cœurs en feu,
      Puis nous trouvons la mort qui met nos corps en cendres.

Ibid., Consolation à Idalie sur la mort d'un parent.

1640
      La moindre contrainte m'afflige,
      Et je ne m'aime seulement
      Que pour ce que je me néglige.

Ibid., Le Cruel.

1641
      Auprès de cette grotte sombre
      Où l'on respire un air si doux,
      L'onde lutte avec les cailloux,
      Et la lumière avecque l'ombre.

Odes, le Promenoir des deux amants.

1642
      L'ombre de cette fleur vermeille,
      Et celle de ces joncs pendants,
      Paraissent être là dedans
      Les songes de l'eau qui sommeille.

Ibid.

1643
      Climène, ce baiser m'enivre;
      Cet autre me rend tout transi :
      Si je ne meurs de celui-ci,
      Je ne suis pas digne de vivre.

Ibid.

Mais j'estime ce bruit autant qu'une fumée,   1644
Car si durant la vie on a si peu de bien,
Que sert après la mort beaucoup de renommée?
La lyre, Daphnis, fais-moi raison...

Nous voyons des mortels les tristes destinées   1645
Et savons que le soir des plus belles journées,
Est près de leur matin.
Poésies héroïques, A M. le Comte de Saint-Aignan.

Ce baiser est un sceau par qui ma vie est close :   1646
Et comme on peut trouver un serpent sous des fleurs,
J'ai rencontré ma mort sur un bouton de rose.
Ibid., l'extase d'un baiser.

Faisant le chien couchant auprès d'un grand seigneur,   1647
Je me vis toujours pauvre et tâchai de paraître,
Je vécus dans la peine attendant le bonheur,
Et mourus sur un coffre en attendant mon maître.
Ibid., Prosopopée d'un courtisan.

GEORGES DE SCUDÉRY
1601-1667

Remarquez le beau feu qui brille dans vos yeux   1648
Pour juger de l'ardeur de celui qui me brûle.
Sonnet, l'incrédule.

Quand je dis que je meurs, vous ne me pouvez croire,   1649
Et quand je serai mort, vous me croirez en vain.
Ibid.

Beaux soleils éclipsés dont la lumière éteinte   1650
Brille d'un feu si pur, tout faible comme il est;
Yeux dont nous ressentons l'inévitable atteinte
Et dont le sombre éclat nous afflige et nous plaît;
Sonnet, la Belle aveugle.

Sois pour ton serf ou plus douce ou moins belle,   1651
Et ne rends point ta rigueur perennelle,
Car le mien cœur n'en est jà que trop las
Long temps y a.
Rondeau en vieux français.

Toute votre puissance est une vanité;   1652
Les débiles roseaux ont plus de fermeté
Que le faste orgueilleux de toute votre pompe...
Contre la grandeur mondaine.

Tu méprises les plus braves,   1653
Tu n'aimes que des esclaves
De qui tu dores les fers.
Ode contre la fortune.

PIERRE LALANE
?-v. 1661

1654
Nous n'avons su que trop souvent
Tout ce que peut un beau visage;
Mais par un tel apprentissage
Notre cœur devenu savant,
En est aussi devenu sage.

à Ménage.

ABRAHAM BOSSE
1602-1676

1655   Celui qui peut rendre raison de son travail d'un bout à
l'autre, doit être réputé bien plus entendu sans comparaison
qu'un qui ne le peut.
Le peintre converti aux précises et universelles règles de son
art, les entretiens de table.

1656   Diverses personnes ont dit et écrit qu'il fallait qu'un excellent
peintre eût connaissance de tous les autres arts, puisque le
sien doit représenter universellement tout ce qui se peut
rencontrer de visible à l'œil humain.
Sentiment sur la distinction des diverses manières de peinture,
dessin et gravure, et des originaux d'avec leurs copies.

LE PÈRE PIERRE LE MOYNE
1602-1672

1657
Le secret pour vous bien porter,
[...]
C'est de bien purger votre cœur
De toute teinture d'aigreur.
A Madame la Marquise de Leuville.

JACQUES DE CAILLY
1604-1673

1658
Ne mangera-t-il point la terre où le voici?
Il en a mangé beaucoup d'autres.
Épigrammes, Épitaphe d'un prodigue.

1659
Par testament, dame Denise
Quoiqu'elle possédât un ample revenu,
Ordonna que son corps fût inhumé tout nu
Pour épargner une chemise.
Ibid., Lésine nouvelle.

Rien ne te semble bon, rien ne saurait te plaire;   1660
Veux-tu de ce chagrin te guérir désormais?
Fais des vers; tu pourras ainsi te satisfaire;
Jamais homme n'en fit qu'il ait trouvés mauvais.
Ibid., Moyen de se contenter.

Dis-je quelque chose assez belle,   1661
L'antiquité toute en cervelle
Me dit : « Je l'ai dite avant toi. »
C'est une plaisante donzelle.
Que ne venait-elle après moi?
J'aurais dit la chose avant elle.
*Ibid., Sur ce qu'on a dit à l'auteur que sa pensée était tirée
d'un autre.*

ABBÉ CHARLES COTIN
1604-1682

J'appelle Horace Horace, et Boileau traducteur.   1662
La Satire des Satires.

Tout poète ici-bas rit de son camarade,   1663
Boileau rit de Scarron, Scarron de Benserade :
Ibid.

Ces gens-là n'auraient rien à dire   1664
Si les autres n'avaient rien dit.
Pédants, épigramme.

ANTOINE GODEAU
1605-1672

[...] Leur gloire tombe par terre;   1665
Et comme elle a l'éclat du verre,
Elle en a la fragilité.
Ode, à Louis XIII.

PHILIPPE HABERT
1605-1637

Il n'est rien ici bas qui ne soit périssable :   1666
Les plus fermes rochers sont fondés sur le sable :
Les trônes et les Rois sont rongés par les vers...
Le Temple de la Mort.

PIERRE DU RYER
1605-1658

1667   Il me vit, il m'aima; je le vis, je l'aimai.
                                                Cléomédon.

1668   La crainte et les remords sont indignes des Rois.
                                                      Saül.

1669   [...] Qui règne en tyran doit périr en coupable.
                                                       Ibid.

1670   Pour obtenir un bien si grand, si précieux,
            J'ai fait la guerre aux rois, je l'eusse faite aux dieux.
                                                   Alcionée.

PIERRE CORNEILLE
1606-1684

1671   Je sais bien que l'impression d'une pièce en affaiblit la
        réputation : la publier, c'est l'avilir; et même il s'y rencontre
        un particulier désavantage pour moi, vu que ma façon
        d'écrire étant simple et familière, la lecture fera prendre mes
        naïvetés pour des bassesses.   *Mélite, Au lecteur.*

1672   Cette pièce fut mon coup d'essai, et elle n'a garde d'être
        dans les règles, puisque je ne savais pas alors qu'il y en eût.
        Je n'avais pour guide qu'un peu de sens commun [...].
                                                Ibid., Examen.

1673   Pauvre amant, je te plains qui ne sais pas encore
            Que bien qu'une beauté mérite qu'on l'adore,
            Pour en perdre le goût, on n'a qu'à l'épouser.
                                          Ibid., Acte I, Scène 1.

1674   Et l'hymen de soi-même est un si lourd fardeau,
            Qu'il faut l'appréhender à l'égal du tombeau.
                                                       Ibid.

1675   La comédie n'est qu'un portrait de nos actions et de nos
        discours, et la perfection des portraits consiste en la ressem-
        blance.   *La Veuve, Au lecteur.*

1676   Aussitôt qu'une dame a charmé nos esprits,
            [...]
            Il faut s'en faire aimer avant qu'on se déclare :
                                          Ibid., acte I, scène 1.

1677   Mes soupirs et les siens font un secret langage
            Par où son cœur au mien à tous moments s'engage...
                                                       Ibid.

La raison et l'amour sont ennemis jurés;   1678
Et lorsque ce dernier dans un esprit commande,
Il ne peut endurer que l'autre le gourmande :
Plus la raison l'attaque, et plus il se roidit;
Plus elle l'intimide et plus il s'enhardit.
Ibid., acte II, scène 3.

     Qu'il fait bon avoir enduré!   1679
Que le plaisir se goûte au sortir des supplices!
Ibid., acte III, scène 8.

Un je ne sais quel charme auprès d'elle m'attache;   1680
[...]
J'en ai l'esprit rempli, j'en ai l'âme obsédée.
La Suivante, acte I, scène 3.

J'avais peur d'en trop dire; et cruelle à moi-même,   1681
Parce que j'aime trop, j'ai banni ce que j'aime.
Ibid., acte II, scène 6.

     Qu'en l'attente de ce qu'on aime   1682
     Une heure est fâcheuse à passer.
Ibid., acte 4, scène 1.

J'aime des serviteurs qui pour une maîtresse   1683
Souffrent ce qui leur nuit, aiment ce qui les blesse.
La place Royale, acte II, scène 6.

Forcez l'aveuglement dont vous êtes séduite,   1684
Pour voir en quel état le sort vous a réduite.
Votre pays vous hait, votre époux est sans foi :
Dans un si grand revers que vous reste-t-il?

MÉDÉE
                     Moi,
Moi, dis-je, et c'est assez.
Médée, acte I, scène 5.

Un vieillard amoureux mérite qu'on en rie :   1685
Mais le trône soutient la majesté des rois
Au-dessus des mépris, comme au-dessus des lois.
Ibid., acte II, scène 3.

Souvent je ne sais quoi qu'on ne peut exprimer   1686
Nous surprend, nous emporte, et nous force d'aimer;
Et souvent, sans raison, les objets de nos flammes
Frappent nos yeux ensemble et saisissent nos âmes.
Ibid., acte II, scène 5.

     Et, si ce n'est assez de tous les éléments,   1687
     Les enfers vont sortir à ses commandements.
Ibid., acte III, scène 1.

Le seul bruit de mon nom renverse les murailles,   1688
Défait les escadrons, et gagne les batailles.
L'Illusion, acte II, scène 2.

Je vais t'assassiner d'un seul de mes regards...   1689
Ibid.

1690   Quand je veux, j'épouvante; et quand je veux, je charme;
Et selon qu'il me plaît, je remplis tour à tour
Les hommes de terreur, et les femmes d'amour.

Ibid.

1691   Nous donnons bien souvent de divers noms aux choses :
Des épines pour moi, vous les nommez des roses;

Ibid., acte II, scène 3.

1692   L'amour et l'hyménée ont diverse méthode;
L'un court au plus aimable, et l'autre au plus commode.

Ibid., acte III, scène 5.

1693   Que vous auriez d'esprit, si vous saviez vous taire,
Ou remettre du moins en quelque autre saison
A montrer tant d'amour avec tant de raison!

Ibid.

1694   Ses rides sur son front ont gravé ses exploits.

Le Cid, acte I, scène 1.

1695   Je travaille à le perdre, et le perds à regret.

Ibid., acte I, scène 2.

1696   Ma plus douce espérance est de perdre l'espoir.

Ibid.

1697   Pour grands que soient les rois, ils sont ce que nous sommes :
Ils peuvent se tromper comme les autres hommes.

Ibid., acte I, scène 3.

1698   Achève, et prends ma vie après un tel affront,
Le premier dont ma race ait vu rougir son front.

Ibid.

1699   O rage! ô désespoir! ô vieillesse ennemie!
N'ai-je donc tant vécu que pour cette infamie?

Ibid., acte I, scène 4.

1700   Rodrigue, as-tu du cœur?

Ibid., acte I, scène 5.

1701   Ce n'est que dans le sang qu'on lave un tel outrage;
Meurs, ou tue.

Ibid., acte I, scène 5.

1702   Mais qui peut vivre infâme est indigne du jour;
[...]
Plus l'offenseur est cher, et plus grande est l'offense.
[...]
Venge-moi, venge-toi;
Montre-toi digne fils d'un père tel que moi.
[...]
Va, cours, vole, et nous venge.

Ibid.

1703   Je dois tout à mon père avant qu'à ma maîtresse :
Que je meure au combat, ou meure de tristesse,
Je rendrai mon sang pur comme je l'ai reçu.

Ibid., acte I, scène 6.

Qui ne craint point la mort ne craint point les menaces. 1704
J'ai le cœur au-dessus des plus fières disgrâces;
Et l'on peut me réduire à vivre sans bonheur,
Mais non pas me résoudre à vivre sans honneur.

Ibid., acte I, scène 6.

A moi, comte, deux mots. 1705

Ibid., acte II, scène 2.

Je suis jeune, il est vrai; mais aux âmes bien nées 1706
La valeur n'attend point le nombre des années.
[...]
Mes pareils à deux fois ne se font point connaître,
Et pour leurs coups d'essai veulent des coups de maître.

Ibid., acte II, scène 2.

A qui venge son père il n'est rien d'impossible. 1707
Ton bras est invaincu, mais non pas invincible.

Ibid., acte II, scène 2.

A vaincre sans péril, on triomphe sans gloire. 1708

Ibid.

Qui m'ose ôter l'honneur craint de m'ôter la vie? 1709

Ibid.

LE COMTE 1710
Es-tu si las de vivre?

RODRIGUE
As-tu peur de mourir?

Ibid.

Vous parlez en soldat, je dois agir en roi; 1711

Ibid., acte II, scène 6.

Qu'on est digne d'envie 1712
Lorsqu'en perdant la force on perd aussi la vie,
Et qu'un long âge apprête aux hommes généreux,
Au bout de leur carrière, un destin malheureux!

Ibid., acte II, scène 8.

Car enfin n'attends pas de mon affection 1713
Un lâche repentir d'une bonne action.
L'irréparable effet d'une chaleur trop prompte
Déshonorait mon père, et me couvrait de honte.
[...]
J'avais part à l'affront, j'en ai cherché l'auteur :
Je l'ai vu, j'ai vengé mon honneur et mon père;
Je le ferais encor, si j'avais à le faire.

Ibid., acte III, scène 4.

Tu t'es, en m'offensant, montré digne de moi; 1714
Je me dois, par ta mort, montrer digne de toi.

Ibid., acte III, scène 4.

RODRIGUE 1715
Ton malheureux amant aura bien moins de peine
A mourir par ta main qu'à vivre avec ta haine.

CHIMÈNE

Va, je ne te hais point.

RODRIGUE

Tu le dois.

CHIMÈNE

Je ne puis.

Ibid.

1716   CHIMÈNE

Rodrigue, qui l'eût cru?

RODRIGUE

Chimène, qui l'eût dit?

CHIMÈNE

Que notre heur fût si proche, et sitôt se perdît?

Ibid.

1717   Jamais nous ne goûtons de parfaite allégresse :
            Nos plus heureux succès sont mêlés de tristesse;
            Toujours quelques soucis en ces événements
            Troublent la pureté de nos contentements.

Ibid., acte III, scène 5.

1718   L'amour n'est qu'un plaisir, l'honneur est un devoir.

Ibid., acte III, scène 6.

1719   L'infamie est pareille, et suit également
            Le guerrier sans courage, et le perfide amant.

Ibid.

1720   Cette obscure clarté qui tombe des étoiles
        [...]
        Les Mores et la mer montent jusques au port.
        [...]
        O combien d'actions, combien d'exploits célèbres
        Sont demeurés sans gloire au milieu des ténèbres.

Ibid., acte IV, scène 3.

1721   Et le combat cessa faute de combattants.

Ibid.

1722   On est toujours trop prêt quand on a du courage.

Ibid., acte IV, scène 5.

1723   Mon esprit généreux ne hait pas tant la vie,
            Qu'il en veuille sortir par une perfidie.
            Maintenant qu'il s'agit de mon seul intérêt,
            Vous demandez ma mort, j'en accepte l'arrêt.

Ibid., acte V, scène 1.

1724   Pour venger son honneur il perdit son amour,
        Pour venger sa maîtresse il a quitté le jour,
        Préférant (quelque espoir qu'eût son âme asservie)
        Son honneur à Chimène, et Chimène à sa vie.

Ibid.

Albe, où j'ai commencé de respirer le jour,   1725
Albe, mon cher pays, et mon premier amour,
Lorsqu'entre nous et toi je vois la guerre ouverte,
Je crains notre victoire autant que notre perte.
Rome, si tu te plains que c'est là te trahir,
Fais-toi des ennemis que je puisse haïr.
                                   Horace, acte I, scène 1.

Je prendrai part aux maux sans en prendre à la gloire;   1726
Et je garde, au milieu de tant d'âpres rigueurs,
Mes larmes aux vaincus, et ma haine aux vainqueurs.
                                   Ibid.

Donnez-moi des conseils qui soient plus légitimes,   1727
Et plaignez mes malheurs sans m'ordonner des crimes.
Quoiqu'à peine à mes maux je puisse résister,
J'aime mieux les souffrir que de les mériter.
                                   Ibid., acte I, scène 2.

La gloire de ce choix m'enfle d'un juste orgueil;   1728
Mon esprit en conçoit une mâle assurance;
J'ose espérer beaucoup de mon peu de vaillance;
[...]
Qui veut mourir, ou vaincre, est vaincu rarement;
                                   Ibid., acte II, scène 1.

Mourir pour le pays est un si digne sort,   1729
Qu'on briguerait en foule une si belle mort.
Mais vouloir au public immoler ce qu'on aime,
S'attacher au combat contre un autre soi-même,
[...]
Une telle vertu n'appartenait qu'à nous.
                                   Ibid., acte II, scène 3.

A quelque prix qu'on mette une telle fumée,   1730
L'obscurité vaut mieux que tant de renommée.
                                   Ibid.

J'ai le cœur aussi bon, mais enfin je suis homme :   1731
[...]
Et si Rome demande une vertu plus haute,
Je rends grâces aux dieux de n'être pas Romain,
Pour conserver encor quelque chose d'humain.
                                   Ibid.

Rome a choisi mon bras, je n'examine rien.   1732
[...]
Albe vous a nommé, je ne vous connais plus.
                                   Ibid.

Avant que d'être à vous je suis à mon pays.   1733
                                   Ibid., acte II, scène 5.

Faites votre devoir, et laissez faire aux dieux.   1734
                                   Ibid., acte II, scène 8.

Sur leurs hauts sentiments réglons plutôt les nôtres;   1735
Soyons femme de l'un ensemble et sœur des autres :

Regardons leur honneur comme un souverain bien;
Imitons leur constance, et ne craignons plus rien.
                              Ibid., acte III, scène 1.

1736   Je le vois bien, ma sœur, vous n'aimâtes jamais :
        Vous ne connaissez point ni l'amour ni ses traits :
        On peut lui résister quand il commence à naître,
        Mais non pas le bannir quand il s'est rendu maître.
        [...]
        Il entre avec douceur, mais il règne par force;
        Et quand l'âme une fois a goûté son amorce,
        Vouloir ne plus aimer, c'est ce qu'elle ne peut,
        Puisqu'elle ne peut plus vouloir que ce qu'il veut :
        Ses chaînes sont pour nous aussi fortes que belles.
                              Ibid., acte III, scène 4.

1737   JULIE
        Que vouliez-vous qu'il fît contre trois?

                     LE VIEIL HORACE
                                        Qu'il mourût,
        Ou qu'un beau désespoir alors le secourût.
                              Ibid., acte III, scène 6.

1738   Rome, l'unique objet de mon ressentiment!
        Rome, à qui vient ton bras d'immoler mon amant!
        Rome, qui t'a vu naître, et que ton cœur adore!
        Rome enfin, que je hais parce qu'elle t'honore!
        [...]
        Voir le dernier Romain à son dernier soupir,
        Moi seule en être cause, et mourir de plaisir!
                              Ibid., acte IV, scène 5.

1739   Embrasse ma vertu pour vaincre ta faiblesse,
        Participe à ma gloire au lieu de la souiller,
        Tâche à t'en revêtir, non à m'en dépouiller.
                              Ibid., acte IV, scène 7.

1740   Quelle injustice aux dieux d'abandonner aux femmes
        Un empire si grand sur les plus belles âmes,
        Et de se plaire à voir de si faibles vainqueurs
        Régner si puissamment sur les plus nobles cœurs!
                                                    Ibid.

1741   C'est aux rois, c'est aux grands, c'est aux esprits bien faits
        A voir la vertu pleine en ses moindres effets;
        C'est d'eux seuls qu'on reçoit la véritable gloire;
        Eux seuls des vrais héros assurent la mémoire.
                              Ibid., acte V, scène 3.

1742   Ta vertu met ta gloire au-dessus de ton crime.
                                                    Ibid.

1743   Te perdre en me vengeant, ce n'est pas me venger.
        Un cœur est trop cruel quand il trouve des charmes
        Aux douceurs que corrompt l'amertume des larmes...
                              Cinna, acte I, scène 1.

Les bienfaits ne font pas toujours ce que tu penses;   1744
D'une main odieuse ils tiennent lieu d'offenses :
Plus nous en prodiguons à qui nous peut haïr,
Plus d'armes nous donnons à qui nous veut trahir.
Ibid, acte I, scène 2.

Mon esprit en désordre à soi-même s'oppose :   1745
Je veux et ne veux pas, je m'emporte et je n'ose;
[...]
Plus le péril est grand, plus doux en est le fruit;
La vertu nous y jette, et la gloire le suit.
Ibid.

S'il est pour me trahir des esprits assez bas,   1746
Ma vertu pour le moins ne me trahira pas :
Ibid., acte I, scène 4.

L'ambition déplaît quand elle est assouvie,   1747
D'une contraire ardeur son ardeur est suivie...
Ibid., acte II, scène 1.

Mais quand le peuple est maître, on n'agit qu'en tumulte :   1748
La voix de la raison jamais ne se consulte;
Les honneurs sont vendus aux plus ambitieux,
L'autorité livrée aux plus séditieux.
[...]
Le pire des États, c'est l'État populaire.
Ibid.

Qu'une âme généreuse a de peine à faillir!   1749
Ibid., acte III, scène 3.

Mais l'empire inhumain qu'exercent vos beautés   1750
Force jusqu'aux esprits et jusqu'aux volontés.
Ibid., acte III, scène 4.

Si tel est le destin des grandeurs souveraines   1751
Que leurs plus grands bienfaits n'attirent que des haines,
[...]
Pour elles rien n'est sûr; qui peut tout doit tout craindre.
Rentre en toi-même, Octave, et cesse de te plaindre.
Quoi! tu veux qu'on t'épargne, et n'as rien épargné!
Ibid., acte IV, scène 2.

La vie est peu de chose, et le peu qui t'en reste   1752
Ne vaut pas l'acheter par un prix si funeste.
Ibid.

Prends un siège, Cinna, prends, et sur toute chose   1753
Observe exactement la loi que je t'impose...
Ibid., acte V, scène 1.

Le reste ne vaut pas l'honneur d'être nommé;   1754
·Un tas d'hommes perdus de dettes et de crimes,
Que pressent de mes lois les ordres légitimes,
Et qui, désespérant de les plus éviter [...]
Ibid.

1755   Le sort vous est propice autant qu'il m'est contraire;
           Je sais ce que j'ai fait, et ce qu'il vous faut faire.
                                                        Ibid.

1756   Je suis maître de moi comme de l'univers;
           Je le suis, je veux l'être. O siècles, ô mémoire!
           Conservez à jamais ma dernière victoire!
                                        Ibid., acte V, scène 3.

1757   Tu trahis mes bienfaits, je les veux redoubler;
           Je t'en avais comblé, je t'en veux accabler :
                                                        Ibid.

1758   Mais vous ne savez pas ce que c'est qu'une femme;
           Vous ignorez quels droits elle a sur toute l'âme
           Quand, après un long temps qu'elle a su nous charmer,
           Les flambeaux de l'hymen viennent de s'allumer.
                                        Polyeucte, acte I, scène 1.

1759   Dieu ne veut point d'un cœur où le monde domine.
                                                        Ibid.

1760   Tu vois, ma Stratonice, en quel siècle nous sommes,
       Voilà notre pouvoir sur les esprits des hommes...
       [...]
       Tant qu'ils ne sont qu'amants nous sommes souveraines,
       Et jusqu'à la conquête ils nous traitent de reines;
       Mais après l'hyménée ils sont rois à leur tour.
                                        Ibid., acte I, scène 3.

1761   Je ne veux que la voir, soupirer, et mourir.
                                        Ibid., acte II, scène 1.

1762   Ma raison, il est vrai, dompte mes sentiments;
       [...]
       Un je ne sais quel charme encor vers vous m'emporte.
                                        Ibid., acte II, scène 2.

1763   SÉVÈRE

           O devoir qui me perd et qui me désespère!
           Adieu, trop vertueux objet, et trop charmant.

                              PAULINE

           Adieu, trop malheureux et trop parfait amant.
                                                        Ibid.

1764   La vertu la plus ferme évite les hasards;
           Qui s'expose au péril veut bien trouver sa perte;
                                        Ibid., acte II, scène 4.

1765   Apprends que mon devoir ne dépend point du sien :
           Qu'il y manque, s'il veut; je dois faire le mien.
                                        Ibid., acte III, scène 2.

1766   Une telle insolence avoir osé paraître!
           En public! à ma vue! Il en mourra, le traître.
                                        Ibid., acte III, scène 3.

Qui chérit son erreur ne la veut pas connaître.   1767
Ibid.

On ne distingue point quand l'offense est publique;   1768
Et lorsqu'on dissimule un crime domestique,
Par quelle autorité peut-on, par quelle loi,
Châtier en autrui ce qu'on souffre chez soi?
Ibid., acte III, scène 5.

Source délicieuse, en misères féconde,   1769
Que voulez-vous de moi, flatteuses voluptés?
Honteux attachements de la chair et du monde,
Que ne me quittez-vous quand je vous ai quittés?
Allez, honneurs, plaisirs, qui me livrez la guerre :
     Toute votre félicité,
     Sujette à l'instabilité,
     En moins de rien tombe par terre;
     Et comme elle a l'éclat du verre,
     Elle en a la fragilité.
Ibid., acte IV, scène 2.

J'ai de l'ambition, mais plus noble et plus belle :   1770
Cette grandeur périt, j'en veux une immortelle,
Ibid., acte IV, scène 3.

Je vous aime,   1771
Beaucoup moins que mon Dieu, mais bien plus que moi-
même.
Ibid.

Périssant glorieux, je périrai content.   1772
Ibid., acte IV, scène 6.

[...] Mais, de quoi que pour vous notre amour m'entre-   1773
tienne,
Je ne vous connais plus, si vous n'êtes chrétienne.
Ibid., acte V, scène 3.

Je le ferais encor, si j'avais à le faire!   1774
Ibid.

Ces âmes que le ciel ne forma que de boue...   1775
La mort de Pompée, acte I, scène 3.

Ma mort était ma gloire, et le destin m'en prive [...]   1776
Ibid., acte III, scène 4.

Un cœur né pour servir sait mal comme on commande...   1777
Ibid., acte IV, scène 2.

Les faibles déplaisirs s'amusent à parler,   1778
Et quiconque se plaint cherche à se consoler.
Ibid., acte V, scène 1.

La source de ma haine est trop inépuisable;   1779
A l'égal de mes jours je la ferai durer;
Je veux vivre avec elle, avec elle expirer.
Ibid., acte V, scène 4.

1780   Aussi que vous cherchiez de ces sages coquettes
        Où peuvent tous venants débiter leurs fleurettes,
        Mais qui ne font l'amour que de babil et d'yeux,
        Vous êtes d'encolure à vouloir un peu mieux.
        Loin de passer son temps, chacun le perd chez elles;
        Et le jeu, comme on dit, n'en vaut pas les chandelles.
                        Le Menteur, acte I, scène 1.

1781   Tel donne à pleines mains qui n'oblige personne :
        La façon de donner vaut mieux que ce qu'on donne.
                        Ibid.

1782   Monsieur, quand une femme a le don de se taire,
        Elle a des qualités au-dessus du vulgaire :
                        Ibid., acte I, scène 4.

1783   J'appelle rêveries
        Ce qu'en d'autres qu'un maître on nomme menteries.
                        Ibid., acte I, scène 6.

1784   O le beau compliment à charmer une dame,
        De lui dire d'abord : « J'apporte à vos beautés
        « Un cœur nouveau venu des universités!
                        Ibid.

1785   J'aime à braver ainsi les conteurs de nouvelles;
        Et sitôt que j'en vois quelqu'un s'imaginer
        Que ce qu'il veut m'apprendre a de quoi m'étonner,
        Je le sers aussitôt d'un conte imaginaire
        Qui l'étonne lui-même, et le force à se taire.
                        Ibid.

1786   Le dedans paraît mal en ces miroirs flatteurs;
        Les visages souvent sont de doux imposteurs.
        Que de défauts d'esprit se couvrent de leurs grâces!
        Et que de beaux semblants cachent des âmes basses!
                        Ibid., acte II, scène 2.

1787   Un menteur est toujours prodigue de serments.
                        Ibid., acte III, scène 5.

1788   Les gens que vous tuez se portent assez bien.
                        Ibid., acte IV, scène 2.

1789   Il faut bonne mémoire après qu'on a menti.
                        Ibid., acte IV, scène 5.

1790   L'amour est un grand maître, il instruit tout d'un coup.
                        La suite du Menteur, acte II, scène 3.

1791   Il est des nœuds secrets, il est des sympathies,
        Dont par le doux rapport les âmes assorties
        S'attachent l'une à l'autre, et se laissent piquer
        Par ces je ne sais quoi qu'on ne peut expliquer.
                        Rodogune, acte I, scène 5.

1792   Qui ne sent point son mal est d'autant plus malade;
                        Ibid., acte III, scène 6.

Il est doux de périr après ses ennemis;   1793
Et, de quelque rigueur que le destin me traite,
Je perds moins à mourir qu'à vivre leur sujette.
Ibid., acte V, scène 1.

Je me défendrai mal : l'innocence étonnée   1794
Ne peut s'imaginer qu'elle soit soupçonnée;
Ibid., acte V, scène 4.

Un bienfait perd sa grâce à le trop publier :   1795
Qui veut qu'on s'en souvienne, il le doit oublier.
Théodore, acte I, scène 2.

La mort n'a que douceur pour une âme chrétienne.   1796
Ibid., acte II, scène 4.

On retire souvent le bras pour mieux frapper.   1797
Ibid., acte IV, scène 1.

Les esprits généreux jugent tout par eux-mêmes.   1798
Ibid.

Je ne craindrai point d'avancer que le sujet d'une belle tra-   1799
gédie doit n'être pas vraisemblable.
Héraclius, Au lecteur.

Je sais ce que tu vaux, et ce que je te dois.   1800
Ibid., acte I, scène 4.

Devine, si tu peux, et choisis, si tu l'oses.   1801
Ibid., acte IV, scène 4.

La générosité suit la belle naissance :   1802
La pitié l'accompagne et la reconnaissance.
Ibid., acte V, scène 2.

Se pare qui voudra des noms de ses aïeux,   1803
Moi, je ne veux porter que moi-même en tous lieux;
Je ne veux rien devoir à ceux qui m'ont fait naître,
[...]
Seigneur, pour mes parents, je nomme mes exploits;
Ma valeur est ma race, et mon bras est mon père.
Don Sanche d'Aragon, acte I, scène 3.

Jamais plus digne main ne fit plus digne ouvrage.   1804
Ibid., acte V, scène 5.

[...] La fermeté des grands cœurs, qui n'excite que de l'ad-   1805
miration dans l'âme du spectateur, est quelquefois aussi
agréable que la compassion que notre art nous commande
de mendier pour leurs misères.   *Nicomède, Au lecteur.*

On n'aime point à voir ceux à qui l'on doit tant.   1806
Ibid., acte II, scène 1.

Ah! ne me brouillez point avec la République...   1807
Ibid., acte II, scène 3.

1808   Un véritable roi n'est ni mari ni père...
                              Ibid., acte IV, scène 3.

1809   Qui ne craint point la mort craint peu quoi qu'il ordonne.
                              Pertharite, acte II, scène 5.

1810   On a peine à haïr ce qu'on a bien aimé,
            Et le feu mal éteint est bientôt rallumé.
                              Sertorius, acte I, scène 3.

1811   Que c'est un sort cruel d'aimer par politique!
            Et que ses intérêts sont d'étranges malheurs,
            S'ils font donner la main quand le cœur est ailleurs!
                              Ibid.

1812   Le temps est un grand maître, il règle bien des choses.
                              Ibid., acte II, scène 4.

1813   Rome n'est plus dans Rome, elle est toute où je suis.
                              Ibid., acte III, scène 1.

1814   Ah! pour être Romain, je n'en suis pas moins homme!
                              Ibid., acte IV, scène 1.

1815   La liberté n'est rien quand tout le monde est libre...
                              Ibid., acte IV, scène 2.

1816   Il est doux de revoir les murs de la patrie.
                              Ibid., acte III, scène 1.

1817   Qui se vainc une fois peut se vaincre toujours...
                              Tite et Bérénice, acte II, scène 2.

1818   Un monarque a souvent des lois à s'imposer;
            Et qui veut pouvoir tout ne doit pas tout oser.
                              Ibid., acte IV, scène 5.

1819   Nous mourons à toute heure; et dans le plus doux sort
        Chaque instant de la vie est un pas vers la mort.
                              Ibid., acte V, scène 1.

1820   Quoi! vous ne pouvez pas ce que peut une femme!
                              Ibid., acte V, scène 2.

1821   Quelque pouvoir sur moi que notre amour obtienne,
        J'ai soin de votre gloire; ayez-en de la mienne...
                    [...] comme je suis reine,
        Je sais des souverains la raison souveraine.
                              Ibid., acte V, scène 4.

1822   Jamais un tendre amour n'expose ce qu'il aime.
                              Ibid., acte V, scène 5.

1823   BÉRÉNICE
        Votre cœur est à moi, j'y règne; c'est assez.

                            TITE
        Malgré les vœux publics refuser d'être heureuse,
        C'est plus craindre qu'aimer.

BÉRÉNICE
La crainte est amoureuse.
Ibid., acte V, scène 5.

C'est à force d'amour que je m'arrache au vôtre; 1824
Et je serais à vous, si j'aimais comme une autre.
Ibid., acte V, scène 5.

Les silences de cour ont de la politique. 1825
Sitôt que nous parlons, qui consent applaudit,
Et c'est en se taisant que l'on nous contredit.
Pulchérie, acte V, scène 4.

L'amour, dès qu'il le veut, se fait un privilège; 1826
Et quand de se forcer ses désirs sont lassés,
Lui-même à n'en rien taire il s'enhardit assez.
Suréna, acte I, scène 1.

Finissons-le, madame : en ce malheur extrême, 1827
Plus je hais, plus je souffre, et souffre autant que j'aime.
Ibid., acte I, scène 2.

Amour, sur ma vertu prends un peu moins d'empire! 1828
Ibid.

Je veux qu'un noir chagrin à pas lents me consume, 1829
Qu'il me fasse à longs traits goûter son amertume;
Je veux, sans que la mort ose me secourir,
Toujours aimer, toujours souffrir, toujours mourir.
Ibid., acte I, scène 3.

Que tout meure avec moi, madame; que m'importe 1830
Qui foule après ma mort la terre qui me porte?
[...]
Quand nous avons perdu le jour qui nous éclaire,
Cette sorte de vie est bien imaginaire,
Et le moindre moment d'un bonheur souhaité
Vaut mieux qu'une si froide et vaine éternité.
Ibid.

Le véritable amour, dès que le cœur soupire, 1831
Instruit en un moment de tout ce qu'on doit dire.
Ibid., acte II, scène 2.

Il est si naturel d'estimer ce qu'on aime 1832
Qu'on voudrait que partout on l'estimât de même;
Ibid.

Un service au-dessus de toute récompense 1833
A force d'obliger tient presque lieu d'offense :
Ibid., acte III, scène 1.

L'amante d'un héros aime à lui ressembler, 1834
Et voit ainsi que lui ses périls sans trembler.
Ibid., acte IV, scène 2.

1835   L'amour dans sa prudence est toujours indiscret;
        A force de se taire il trahit son secret :
        Le soin de le cacher découvre ce qu'il cache,
        Et son silence dit tout ce qu'il craint qu'on sache.
                                    Ibid., acte IV, scène 4.

1836   La grâce est aux grands cœurs honteuse à recevoir;
                                                    Ibid.

1837   La tendresse n'est point de l'amour d'un héros,
        Il est honteux pour lui d'écouter des sanglots;
        [...]
        Un peu de dureté sied bien aux grands âmes.
                                    Ibid., acte V, scène 3.

1838   Je satisfais ensemble et peuple et courtisans,
        Et mes vers en tous lieux sont mes seuls partisans;
        Par leur seule beauté ma plume est estimée :
        Je ne dois qu'à moi seul toute ma renommée.
                                    Poésies; Excuse à Ariste.

1839   Par là je m'appris à rimer;
        Par là je fis sans autre chose
        Un sot en vers d'un sot en prose.
                                    Mélanges poétiques.

1840   Commande, et j'entreprends; ordonne, et j'exécute!
                                    Remerciement au Roi.

1841   Marquise, si mon visage
        A quelques traits un peu vieux,
        Souvenez-vous qu'à mon âge
        Vous ne vaudrez guère mieux.

        Le temps aux plus belles choses
        Se plaît à faire un affront,
        Et saura faner vos roses
        Comme il a ridé mon front.
                                    Stances à Marquise Du Parc, actrice.

1842   Et la parfaite joie arrive avec le soir
        Chez qui sait avec fruit employer la journée.
                    Traduction paraphrasée de l'Imitation de Jésus-Christ.

1843   Et je voudrais souvent n'avoir pu rien entendre,
        Ou n'avoir vu personne, ou n'avoir point parlé.
                                                    Ibid.

1844   La vie est un torrent d'éternelles disgrâces.
                                                    Ibid.

1845   L'âpre démangeaison d'entendre des nouvelles.
                                                    Ibid.

1846   Le savoir t'est donné pour guide à moins faillir;
        Il te donne lui-même un plus grand compte à rendre,
        Et plus lieu de trembler que de t'enorgueillir.
              *Instructions chrétiennes tirées de l'Imitation de Jésus-Christ
                                                    livre I, 2.*

CHEVALIER DE MÉRÉ, ANTOINE GOMBAUD
1607-1684

Car ce n'est pas assez d'avoir de si beaux dehors pour être   1847
agréable, le plus important consiste à donner l'ordre dans sa
tête et dans son cœur. Aussi n'est-on jamais galant homme
sans avoir un bon cœur, et bien de l'esprit.
Les Conversations, I.

César avait toujours la gloire devant les yeux, qui lui faisait   1848
prendre le parti le plus héroïque.   *Ibid., 6.*

Ah! quand une Beauté s'attache trop aux soins   1849
Qu'en elle l'amour-propre inspire,
Elle en plaît plus, mais on l'en aime moins.
Poésies, à une Dame trop curieuse de sa parure.

Un Amant qui ne peut dépenser qu'en soupirs   1850
N'est plus payé qu'en espérance.
Ibid., Madrigal.

Si quelqu'un me demandait en quoi consiste l'honnêteté,   1851
je dirais que ce n'est autre chose que d'exceller en tout ce
qui regarde les agréments et les bienséances de la vie :
aussi de-là, ce me semble, dépend le plus parfait et le plus
aimable commerce du monde.
Œuvres posthumes, Discours I, de la vraie honnêteté.

Je ne vois point de plus grand secret dans le langage, que de   1852
trouver des manières pour adoucir les choses fâcheuses.
Ibid., Discours IV, de la délicatesse dans les choses.

On ne loue que bien sèchement ce qu'on n'aime pas, quelque   1853
bonne opinion qu'on en puisse avoir; et puis le mérite qui
nous est cher nous paraît tout d'un autre prix que celui
que nous haïssons.
Lettre à Mme la Duchesse de Lesdiguières.

MADELEINE DE SCUDÉRY
1607-1701

Il n'y a point de conversation plus ennuyeuse que celle d'un   1854
amant qui n'a rien à désirer, ni rien à se plaindre.
Choix de pensées, De l'Amour.

L'amour ne s'amuse pas à délibérer sur les choses qui le   1855
doivent satisfaire.   *Ibid.*

L'amour est une passion qui ne se soumet à rien, et à qui,   1856
au contraire, toutes choses se soumettent.   *Ibid.*

1857   Ceux qui vieillissent sans rien aimer, et à qui l'expérience du
        monde ne manque point, ont toujours quelque chose de
        sauvage et de rude dans l'esprit, qui n'est pas du tout aimable.
                                                                Ibid.

1858   L'amour héroïque est une passion que le peuple ne comprend
        point du tout.   *Ibid.*

1859   L'amour fait les plus grandes douceurs et les plus sensibles
        infortunes de la vie.   *Ibid.*

1860   Il n'appartient qu'à un homme parfaitement amoureux
        d'avoir pitié d'un amant.   *Ibid.*

1861   On ne fait guère de paix en amour, sans que la tendresse en
        redouble.   *Ibid.*

1862   C'est un grand malheur de se faire aimer, avant qu'on ait
        assez de raison pour se faire craindre.   *Ibid.*

1863   L'amour est un capricieux qui s'apaise quelquefois de peu
        de chose, et qui, dans le même temps qu'il désire tout, se
        contente presque de rien.   *Ibid.*

1864   [...] Une belle bouche ou de beaux yeux font bien de plus
        grandes conquêtes que les plus belles idées qu'on puisse
        avoir : cela vient de ce que tout le monde a des yeux, et
        de ce que tout le monde n'a pas de l'esprit; car, comme il
        faut connaître pour aimer, les stupides ne sauraient aimer
        ce qu'ils ne connaissent pas, et ils n'aiment que ce qu'ils
        connaissent.   *Ibid.*

1865   [...] Comme il n'est pas aisé de cacher le feu, il n'est pas
        facile de cacher l'amour.   *Ibid.*

1866   Il n'y a rien de plus ridicule que ces galanteries de famille,
        qui se font à la vue de tout le monde, par le conseil et le
        consentement de tous les parents.   *Ibid.*

1867   Pour que la galanterie produise de jolies choses, il faut que
        celui qui la fait, aime seulement pour aimer, sans songer
        d'abord s'il épousera ou s'il n'épousera pas.   *Ibid.*

1868   L'amitié peut être muette, et le doit être presque toujours.
        L'amour au contraire doit être éloquent [...] et l'on ne peut
        jamais trop dire qu'on aime.   *Ibid., De l'Amitié.*

1869   [...] Si l'amitié a du feu aussi bien que l'amour, on peut dire
        qu'elle a de la lumière sans chaleur, au lieu que l'autre brûle
        et éclaire tout ensemble.   *Ibid.*

1870   Il faut bien souvent, pour servir ses amis, ne croire pas
        toujours ce qu'ils disent, et ne faire pas toujours ce qu'ils
        veulent.   *Ibid.*

1871   On peut passer en peu de temps de l'amour à la haine; on
        peut même quelquefois aller de l'amour à l'indifférence,

et on peut encore passer de l'amitié à l'amour; mais de l'amour à l'amitié, c'est ce qu'il n'est pas aisé de comprendre.
Ibid.

Il est moins fâcheux de voir posséder la personne qu'on aime par un mari, que de la voir seulement aimée par un rival. 1872
Ibid., De la Jalousie.

Quand on est mari et jaloux, la jalousie ne cesse point avec la passion qui l'a fait naître. *Ibid.* 1873

Un homme d'un naturel jaloux, ne peut jamais cesser de l'être. *Ibid.* 1874

Un jaloux trouve toujours plus qu'il ne cherche. *Ibid.* 1875

[...] Pour ne parler que de l'amitié, je soutiens que toute sage qu'elle est, elle ne saurait être tendre si elle n'est un peu jalouse. *Ibid.* 1876

L'inconstance naît dans le cœur des amants, et non pas dans les yeux de leurs maîtresses. *Ibid., De l'Inconstance.* 1877

L'inconstance en amour est une marque de faiblesse et de peu de jugement. Il ne faut pas donner son cœur sans y avoir pensé longtemps; mais quand on l'a donné, l'on ne doit jamais le reprendre. *Ibid.* 1878

Je veux qu'on aime par générosité, lorsqu'on ne peut plus aimer par inclination [...] et qu'il est même beau de le faire. *Ibid.* 1879

Ce n'est point sur le rapport d'une belle qu'il faut juger d'une autre belle, parce qu'elles ont presque toutes la faiblesse de croire qu'elles se donnent la gloire qu'elles ôtent aux autres. *Ibid., De la Beauté.* 1880

Parmi les femmes, la beauté fait excuser beaucoup de défauts; mais parmi les hommes, elle redouble les mauvaises qualités. *Ibid.* 1881

Les courtisans les plus fidèles ne suivent les favoris que jusqu'au bord du cercueil. *Ibid., De la Cour.* 1882

D'ordinaire ceux qui sont naturellement ambitieux aiment plus sur l'opinion d'autrui que sur la leur propre. *Ibid., De l'Ambition.* 1883

Rien n'oblige tant un magnifique que de s'en laisser obliger. *Ibid., De la Libéralité et bienfaisance.* 1884

La défiance est la mère de la sûreté. *Pensées diverses.* 1885

Pour l'ordinaire, la fortune précipite ceux qui s'abandonnent tout à fait à sa conduite. *Ibid.* 1886

On offense plus en refusant une prière, qu'en désobéissant à un commandement. *Ibid.* 1887

1888   Il ne faut pas plus de force à supporter le malheur qu'à bien
       user de la bonne fortune.
                     Lettres, à la marquise de Montausier, août 1645.

1889   Les plus violentes douleurs, quand elles sont de peu de durée,
       se peuvent souffrir sans murmures, et les plus petites, quand
       elles sont continues, ne se peuvent endurer sans se plaindre.
                     Ibid., à Mlle Paulet, 10 décembre 1645.

1890   Ils se saluèrent comme des gens qui craindraient de s'enrhu-
       mer [...]
                     Ibid., à M. Godeau, évêque de Vence, 22 février 1650.

1891   Quand on fait ce qu'on peut, on fait ce qu'on doit.
                     Ibid., à M. Huet, septembre 1661.

1892   Quand l'aveugle destin aurait fait une loi
                    Pour me faire vivre sans cesse,
                    J'y renoncerais par tendresse,
                 Si mes amis n'étaient immortels comme moi.
                 *Réponse de Mlle de Scudéry aux vers d'un de ses amis qui la
                                   flattait d'immortalité.*

                        JEAN DE ROTROU
                            1609-1650

1893   Et je conçois du bruit que font mes dents
                 Un présage assuré de mauvais accidents.
                                 Les Sosies, acte I, scène 3.

1894   L'Amour engendre en nous cette délicatesse
       Que ce que nous aimons, s'il ne nous rit, nous blesse.
                             Laure persécutée, acte I, scène 2.

1895   Et que l'or est un charme à la vertu fatal!
                                 Ibid., acte II, scène 7.

1896   L'injustice est muette, et la justice crie.
                                 La Sœur, acte V, scène 3.

1897   Qui pèche y répugnant en est plus criminel.
                                                 Ibid.

1898   Le plus grand des larcins est celui de la gloire.
                             Saint Genest, acte I, scène 2.

1899   [...] Et l'art, imitant la nature,
                 Bâtit d'une même figure
                 Notre bière et notre berceau.
                                 Ibid., acte V, scène 1.

1900   A qui le désir manque aucun bien ne défaut.
                                 Ibid., acte V, scène 2.

1901   Se plaindre de mourir, c'est se plaindre d'être homme.
                                 Ibid., acte V, scène 3.

L'amour est un doux mal commun à tous les rois.   1902
    Don Bernard de Cabrère, acte I, scène 5.

C'est un malheur d'un trône où l'on est élevé,   1903
Qu'être toujours en butte et toujours observé;
Qu'il ne soit mur si fort dans les palais des princes
Que ne puissent percer les yeux de leurs provinces.
    Ibid.

L'offense négligée à la fin devient nôtre;   1904
Qui souffre une licence en autorise une autre.
    Ibid., acte III, scène 5.

Tout dépend du hasard, et la vie est un jeu.   1905
    Ibid., acte III, scène 7.

Se posséder soi-même est le plus grand des biens.   1906
Aux rois non plus qu'à nous tout n'est pas légitime.
    Ibid., acte IV, scène 1.

Mais les difficultés sont le champ des vertus.   1907
    Venceslas, acte II, scène 2.

L'ami qui souffre seul fait une injure à l'autre.   1908
    Ibid., acte III, scène 2.

La justice est souvent le masque du courroux.   1909
    Ibid., acte V, scène 6.

Le Ciel est inutile à qui ne s'aide pas;   1910
Quand vous pouvez agir épargnez le tonnerre,
Avant l'aide du ciel servez-vous de la terre.
    Cosroès, acte I, scène 3.

Quand on peut prévenir c'est faiblesse d'attendre.   1911
    Ibid.

La brigue d'une ville et de toute une cour,   1912
N'est pas l'effort d'un homme et l'ouvrage d'un jour.
    Ibid., acte III, scène 2.

        Les injures, Madame,   1913
Sont dans le désespoir les armes d'une femme,
    Ibid., acte III, scène 3.

Je vivais pour régner, il faut régner pour vivre.   1914
    Ibid., acte III, scène 4.

Tel peut-être nous rit qui nous trahit dans l'âme.   1915
    Ibid., acte III, scène 5.

CHARLES BEYS

1610-1659

Pour perdre une moisson il ne faut qu'une nuit.   1916
    Un laboureur déplore sa ruine, élégie.

GAUTIER DE COSTES DE LA CALPRENÈDE
v. 1610-1663

1917   J'ai peut-être passé pour incapable des choses ordinaires,
parce que j'étais capable de quelque chose d'extraordinaire
à ceux de ma profession.
Le Comte Dessex, Épître, à Mᵐᵉ la Princesse de Guimené.

1918   Je sens le coup mortel qui me perce le cœur
Et je n'en puis haïr ni le coup ni l'auteur.
Ibid., acte I, scène 4.

1919   Amour en fut vainqueur, amour fut obéi,
Amour gagna ce cœur, et ce cœur fut trahi.
Ibid., acte III, scène 3.

CHARLES DE SAINTE-MAURE DE MONTAUSIER
1610-1690

1920   La douleur me rend le teint blême
Quand on me traite rudement;
Mon inquiétude est extrême
Quand on me traite doucement...
Sonnets, Désirs incertains.

1921   Tantôt ami, tantôt amant,
Je ne me connais pas moi-même,
Et je ne sais pas seulement
Si je souhaite que l'on m'aime.
Ibid.

1922   Pour être bien aimé, soyez bien amoureux,
Méprisez le mépris, et surmontez la haine,
Enfin, soyez constant et vous serez heureux.
Ibid.

1923   Oyez donc ce discours que ma pâleur exprime [...]
La Guirlande de Julie, le Narcisse.

1924   Je souffre une telle douleur
De vous offrir la moindre Fleur,
Qu'on verra dans votre COURONNE
Que je deviens ce que je donne.
Ibid., le Souci

1925   Pour vous montrer l'état de mon cœur consumé,
Je ne pouvais choisir qu'un objet enflammé.
Ibid., la Flambe.

François de Beauvilliers,
DUC DE SAINT-AIGNAN
1610-1687

D'amants loyaux si la mode est perdue,   1926
Moi j'aime encor comme on aimait jadis.
                    Réponse à Mme Deshoulières.

Cœurs de barbons peuvent être coquets,   1927
Le diable eut tort quand il se fit ermite.
                                        Ibid.

PAUL SCARRON
1610-1660

On dit qu'une femme n'a pas   1928
Au cul ce qu'elle a dans la tête;
Si le proverbe est malhonnête,
Au premier avertissement,
On peut le rayer aisément.
            Le Virgile travesti, Livre deuxième.

[...] Mentale fornication   1929
   Ou fornication mentale;
En tous sens la chose est égale.
                Ibid., Livre septième.

Noé, qui sur les flots fit flotter sa maison,   1930
Quand tout le genre humain but plus que de raison
        Don Japhet d'Arménie, acte I, scène 2.

Les absents sont assassinés à coups de langue.   1931
        Le Roman comique, première partie, chap. III.

Elle n'était pas laide, quoique si maigre et si sèche, qu'elle   1932
n'avait jamais mouché de chandelle avec ses doigts que le
feu n'y prît.   *Ibid., chap. IV.*

A force d'obéir à la guerre, il s'était rendu capable de bien   1933
commander dans sa maison.
                Ibid., Deuxième partie, chap. VI.

Que béni soit le jus d'octobre,   1934
Ce jus qui rougit tant de nez :
Malheur sur les morigénés,
Malheur, malheur, sur la gent sobre...
        Au grand Flotte, chanson à boire.

1935   Il n'est point de ciment que le temps ne dissoude.

Si vos marbres si durs ont senti son pouvoir,
Dois-je trouver mauvais qu'un méchant pourpoint noir
Qui m'a duré deux ans soit troué par le coude?

Sonnet.

1936   Celui qui ci maintenant dort
        Fit plus de pitié que d'envie,
        Et souffrit mille fois la mort
        Avant que de perdre la vie.

        Passant, ne fais ici de bruit!
        Garde que ton pas ne l'éveille,
        Car voici la première nuit.
        Que le pauvre Scarron sommeille!

Épitaphe, par lui-même.

MATHIEU DE MONTREUIL
1611-1691

1937   Cloris à vingt ans était belle,
        Et veut encor passer pour telle,
        Bien qu'elle en ait quarante-neuf;
Elle prétend toujours qu'ainsi chacun l'appelle.
Il faut la contenter, la pauvre demoiselle;
Le Pont-Neuf, dans mille ans, s'appellera Pont-Neuf.

Épigramme.

1938   Accuse qui voudra mon cœur de barbarie,
        De pouvoir sans pitié voir tant de malheureux,
        L'Amour ne reconnaît ni parents ni patrie :
        Je ne suis point cruel, mais je suis amoureux.

Stances, durant la guerre civile.

ISAAC DE BENSERADE
1613-1691

1939   [...] Et qui pis est les Amours s'en allaient;
        (Vous savez bien, quoique sur eux on glose,
        Combien sans eux le monde est peu de chose).
Poème sur l'accomplissement du Mariage de Leurs Majestés.

1940   Noce, à vous dire ici ce que j'en crois,
        Aux uns est joie, aux autres peine et croix.

Ibid.

1941   Amants agneaux deviennent maris loups.

Ibid.

Croyez qu'on aime bien dès que l'on hait ainsi.   1942
Élégie, à Iris

Laissez-donc le cœur vide où je ne puis entrer :   1943
N'ayez égard à rien, ou ne plaignez qu'un homme,
Qui pour votre beauté languit et se consomme;
Qui vous rend en secret cent respects légitimes,
Et qui cache ses feux comme on cache les crimes.
Ibid.

De tout ce qu'on dit en aimant,   1944
Beaux yeux, source vive et féconde;
Beau refrain, doux commencement
Des plus belles chansons du monde.
Vingt sonnets sur la Beauté et sur la Laideur, IIIe sonnet, sur
la Beauté.

Nez bâti d'une étrange sorte;   1945
Je dis à celle qui vous porte,
Mon cœur n'est pas pour votre nez.
Ibid., VIe sonnet, sur la laideur.

Bras menus, fragiles roseaux,   1946
Vous ressemblez aux bras des Parques,
Ou pour mieux dire à leurs fuseaux.
Ibid., XIVe sonnet, sur la laideur.

Plus on se tient couvert, plus on est recherché,   1947
Il semble que le voile embellisse les filles :
Et c'est la contrainte des grilles
Qui fait le ragoût du péché.
Stances.

Je mourrai de trop de désir   1948
Si je la trouve inexorable :
Je mourrai de trop de plaisir
Si je la trouve favorable.
[...]
Je suis assuré de périr
Par le mal ou par le remède.
Épigramme.

Souffrez que je m'emporte, et que je vous confesse   1949
Que je suis très marri
Qu'il faille que je souffre, et de votre sagesse,
Et de votre mari.
Stances, à Iris.

Le Médecin ordonne en dépit du malade,   1950
Vous guérissez la France en dépit qu'elle en ait.
Sur le retour de M. le Cardinal Mazarin après sa retraite à
Cologne.

Ci-gît un bon mari dont l'exemple est à suivre,   1951
Patient au-delà du temps qu'il a vécu,
Qui pour avoir cessé de vivre,
Ne cessa pas d'être cocu.
Épitaphe d'un bon mari.

1952   Vous êtes nos moitiés, avec nous assorties
Vous formez un beau tout;
Séparez-vous de nous, vous n'êtes que parties,
Vous n'êtes rien du tout.
[...]
Vous êtes les zéros, et nous sommes les nombres
Qui vous faisons valoir.
Stances, sur l'amour d'Uranie avec Philis.

1953   Jamais honteux n'eut belle amie.
Ballet des proverbes.

1954   Ce qui vient du tambour s'en retourne à la flûte.
Ibid.

CHARLES-LOUIS FAUCON DE RY, SEIGNEUR DE CHARLEVAL
v. 1613-1693

1955   Nous ne sommes pas de ces sots
Que les jeûnes rendent étiques;
Nos estomacs sont huguenots,
Mais nos cœurs sont bons catholiques.
Épître en stances à M. Sarasin pour l'inviter à dîner.

1956   Il ne trouve plus à manger;
Mais il trouve toujours à mordre.
Épigrammes.

1957   Otez-leur le fard et le vice,
Vous leur ôtez l'âme et le corps.
Ibid., contre les coquettes.

1958   Olympe, je n'ai point de paix,
Absent de vos beautés parfaites;
Et je ne sais ce que je fais
Quand je ne sais ce que vous faites.
Chanson.

URBAIN CHEVREAU
1613-1701

1959   Hé quoi donc? pour tenir quelque rang dans l'Histoire,
Irai-je porter mon museau
Où l'on casse et tête et mâchoire?
Seigneur, j'aime beaucoup la gloire;
Mais j'aime encore plus ma peau.
Épître.

La mort vient assez tôt sans qu'on l'aille chercher.   1960
Ibid.

Le Sage écoute tout, s'explique en peu de mots;   1961
[...]
Du peu qu'il a son âme est satisfaite,
Et tout ce qu'il n'a pas, il le compte pour rien.
Le Sage du Monde.

FRANÇOIS DE LA ROCHEFOUCAULD
1613-1680

Tout arrive en France.   1962
Maximes, Réflexions morales.

Nos vertus ne sont, le plus souvent, que des vices déguisés.   1963
Ibid., exergue.

[...] Ce n'est pas toujours par valeur et par chasteté que les   1964
hommes sont vaillants, et que les femmes sont chastes.
Ibid., 1.

L'amour-propre est le plus grand de tous les flatteurs.   1965
Ibid., 2.

La durée de nos passions ne dépend pas plus de nous que la   1966
durée de notre vie.   *Ibid., 5.*

Les passions sont les seuls orateurs qui persuadent toujours.   1967
Ibid., 8.

Nous avons tous assez de force pour supporter les maux   1968
d'autrui.   *Ibid., 19.*

La constance des sages n'est que l'art de renfermer leur   1969
agitation dans le cœur.   *Ibid., 20.*

Il faut de plus grandes vertus pour soutenir la bonne for-   1970
tune que la mauvaise.   *Ibid., 25.*

Le soleil ni la mort ne se peuvent regarder fixement.   1971
Ibid., 26.

Le mal que nous faisons ne nous attire pas tant de persécu-   1972
tion et de haine que nos bonnes qualités.   *Ibid., 29.*

Si nous n'avions point de défauts, nous ne prendrions pas   1973
tant de plaisir à en remarquer dans les autres.   *Ibid., 31.*

Si nous n'avions point d'orgueil, nous ne nous plaindrions   1974
pas de celui des autres.   *Ibid., 34.*

1975   Nous promettons selon nos espérances, et nous tenons selon nos craintes.   *Ibid., 38.*

1976   L'intérêt parle toutes sortes de langues, et joue toutes sortes de personnages, même celui de désintéressé.   *Ibid., 39.*

1977   Ceux qui s'appliquent trop aux petites choses deviennent ordinairement incapables des grandes.   *Ibid., 41.*

1978   On n'est jamais si heureux ni si malheureux qu'on s'imagine.   *Ibid., 49.*

1979   La haine pour les favoris n'est autre chose que l'amour de la faveur.   *Ibid., 55.*

1980   La sincérité est une ouverture de cœur. On la trouve en fort peu de gens; et celle que l'on voit d'ordinaire n'est qu'une fine dissimulation pour attirer la confiance des autres.   *Ibid., 62.*

1981   La vérité ne fait pas tant de bien dans le monde que ses apparences y font de mal.   *Ibid., 64.*

1982   La bonne grâce est au corps ce que le bon sens est à l'esprit.   *Ibid., 67.*

1983   Il n'y a point de déguisement qui puisse longtemps cacher l'amour où il est, ni le feindre où il n'est pas.   *Ibid., 70.*

1984   Il n'y a guère de gens qui ne soient honteux de s'être aimés quand ils ne s'aiment plus.   *Ibid., 71.*

1985   Si on juge de l'amour par la plupart de ses effets, il ressemble plus à la haine qu'à l'amitié.   *Ibid., 72.*

1986   On peut trouver des femmes qui n'ont jamais eu de galanterie; mais il est rare d'en trouver qui n'en aient jamais eu qu'une.   *Ibid., 73.*

1987   Il est du véritable amour comme de l'apparition des esprits : tout le monde en parle, mais peu de gens en ont vu.   *Ibid., 76.*

1988   L'amour de la justice n'est en la plupart des hommes que la crainte de souffrir l'injustice.   *Ibid., 78.*

1989   Le silence est le parti le plus sûr de celui qui se défie de soi-même.   *Ibid., 79.*

1990   Il est plus honteux de se défier de ses amis que d'en être trompé.   *Ibid., 84.*

1991   Notre défiance justifie la tromperie d'autrui.   *Ibid., 86.*

1992   Tout le monde se plaint de sa mémoire, et personne ne se plaint de son jugement.   *Ibid., 89.*

Les grands noms abaissent, au lieu d'élever, ceux qui ne les savent pas soutenir. *Ibid., 94.* 1993

Chacun dit du bien de son cœur, et personne n'en ose dire de son esprit. *Ibid., 98.* 1994

L'esprit est toujours la dupe du cœur. *Ibid., 102.* 1995

C'est une espèce de coquetterie de faire remarquer qu'on n'en fait jamais. *Ibid., 107.* 1996

L'esprit ne saurait jouer longtemps le personnage du cœur. *Ibid., 108.* 1997

On ne donne rien si libéralement que ses conseils. *Ibid., 110.* 1998

Il y a de bons mariages, mais il n'y en a point de délicieux. *Ibid., 113.* 1999

L'on fait plus souvent des trahisons par faiblesse que par un dessein formé de trahir. *Ibid., 120.* 2000

Si nous résistons à nos passions, c'est plus par leur faiblesse que par notre force. *Ibid., 122.* 2001

Il suffit quelquefois d'être grossier pour n'être pas trompé par un habile homme. *Ibid., 129.* 2002

La faiblesse est le seul défaut que l'on ne saurait corriger. *Ibid., 130.* 2003

On est quelquefois aussi différent de soi-même que des autres. *Ibid., 135.* 2004

On parle peu quand la vanité ne fait pas parler. *Ibid., 137.* 2005

On aime mieux dire du mal de soi-même que de n'en point parler. *Ibid., 138.* 2006

Un homme d'esprit serait souvent bien embarrassé sans la compagnie des sots. *Ibid., 140.* 2007

On ne loue d'ordinaire que pour être loué. *Ibid., 146.* 2008

Peu de gens sont assez sages pour préférer le blâme qui leur est utile à la louange qui les trahit. *Ibid., 147.* 2009

Il y a des reproches qui louent, et des louanges qui médisent. *Ibid., 148.* 2010

Le refus des louanges est un désir d'être loué deux fois. *Ibid., 149.* 2011

La flatterie est une fausse monnaie qui n'a de cours que par notre vanité. *Ibid., 158.* 2012

2013   Ce n'est pas assez d'avoir de grandes qualités; il en faut
avoir l'économie.   *Ibid., 159.*

2014   Le monde récompense plus souvent les apparences du mérite
que le mérite même.   *Ibid., 166.*

2015   Les vertus se perdent dans l'intérêt, comme les fleuves se
perdent dans la mer.   *Ibid., 171.*

2016   Les vices entrent dans la composition des vertus comme les
poisons entrent dans la composition des remèdes. La
prudence les assemble et les tempère, et elle s'en sert utile-
lement contre les maux de la vie.   *Ibid., 182.*

2017   Il y a des héros en mal comme en bien.   *Ibid., 185.*

2018   Il n'appartient qu'aux grands hommes d'avoir de grands
défauts.   *Ibid., 190.*

2019   Ce qui nous empêche souvent de nous abandonner à un
seul vice est que nous en avons plusieurs.   *Ibid., 195.*

2020   Il y a des gens de qui l'on peut ne jamais croire du mal
sans l'avoir vu; mais il n'y en a point en qui il nous doive
surprendre en le voyant.   *Ibid., 197.*

2021   La vertu n'irait pas si loin si la vanité ne lui tenait compagnie.
Ibid., 200.

2022   Le vrai honnête homme est celui qui ne se pique de rien.
Ibid., 203.

2023   Qui vit sans folie n'est pas si sage qu'il croit.   *Ibid., 209.*

2024   Il y a des gens qui ressemblent aux vaudevilles, qu'on ne
chante qu'un certain temps.   *Ibid., 211.*

2025   L'amour de la gloire, la crainte de la honte, le dessein de
faire fortune, le désir de rendre notre vie commode et
agréable, et l'envie d'abaisser les autres, sont souvent les
causes de cette valeur si célèbre parmi les hommes.
Ibid., 213.

2026   La parfaite valeur est de faire sans témoins ce qu'on serait
capable de faire devant tout le monde.   *Ibid., 216.*

2027   L'hypocrisie est un hommage que le vice rend à la vertu.
Ibid., 218.

2028   Tous ceux qui s'acquittent des devoirs de la reconnaissance
ne peuvent pas pour cela se flatter d'être reconnaissants.
Ibid., 224.

2029   Le trop grand empressement qu'on a de s'acquitter d'une
obligation est une espèce d'ingratitude.   *Ibid., 226.*

2030   L'orgueil ne veut pas devoir, et l'amour-propre ne veut pas
payer.   *Ibid., 228.*

C'est une grande folie de vouloir être sage tout seul.   2031
Ibid., 231.

Nous nous consolons aisément des disgrâces de nos amis   2032
lorsqu'elles servent à signaler notre tendresse pour eux.
Ibid., 235.

Il n'est pas si dangereux de faire du mal à la plupart des   2033
hommes que de leur faire trop de bien.   *Ibid., 238.*

C'est une grande habileté que de savoir cacher son habileté.   2034
Ibid., 245.

La magnanimité méprise tout pour avoir tout.   *Ibid., 248.*   2035

La gravité est un mystère du corps inventé pour cacher les   2036
défauts de l'esprit.   *Ibid., 257.*

Le bon goût vient plus du jugement que de l'esprit.   2037
Ibid., 258.

Ce qu'on nomme libéralité n'est le plus souvent que la   2038
vanité de donner, que nous aimons mieux que ce que nous
donnons.   *Ibid., 263.*

La petitesse de l'esprit fait l'opiniâtreté; et nous ne croyons   2039
pas aisément ce qui est au-delà de ce que nous voyons.
Ibid., 265.

Il n'y a guère d'homme assez habile pour connaître tout le   2040
mal qu'il fait.   *Ibid., 269.*

La jeunesse est une ivresse continuelle : c'est la fièvre de la   2041
raison.   *Ibid., 271.*

L'absence diminue les médiocres passions, et augmente   2042
les grandes, comme le vent éteint les bougies et allume le
feu.   *Ibid., 276.*

Il y a des méchants qui seraient moins dangereux s'ils   2043
n'avaient aucune bonté.   *Ibid., 284.*

Il est impossible d'aimer une seconde fois ce qu'on a véri-   2044
tablement cessé d'aimer.   *Ibid., 286.*

La simplicité affectée est une imposture délicate.   2045
Ibid., 289.

Nous aimons toujours ceux qui nous admirent; et nous   2046
n'aimons pas toujours ceux que nous admirons.
Ibid., 294.

La reconnaissance de la plupart des hommes n'est qu'une   2047
secrète envie de recevoir de plus grands bienfaits.
Ibid., 298.

Quelque bien qu'on nous dise de nous, on ne nous apprend   2048
rien de nouveau.   *Ibid., 303.*

2049   On ne trouve guère d'ingrats tant qu'on est en état de faire du bien.   *Ibid., 306.*

2050   Il arrive quelquefois des accidents dans la vie, d'où il faut être un peu fou pour se bien tirer.   *Ibid., 310.*

2051   S'il y a des hommes dont le ridicule n'ait jamais paru, c'est qu'on ne l'a pas bien cherché.   *Ibid., 311.*

2052   Ce qui fait que les amants et les maîtresses ne s'ennuient point d'être ensemble, c'est qu'ils parlent toujours d'eux-mêmes.   *Ibid., 312.*

2053   Les personnes faibles ne peuvent être sincères.
                                                          Ibid., 316.

2054   Ce n'est pas un grand malheur d'obliger des ingrats, mais c'en est un insupportable d'être obligé à un malhonnête homme.   *Ibid., 317.*

2055   On trouve des moyens pour guérir de la folie, mais on n'en trouve point pour redresser un esprit de travers.
                                                          Ibid., 318.

2056   Louer les princes des vertus qu'ils n'ont pas, c'est leur dire impunément des injures.   *Ibid., 320.*

2057   Notre sagesse n'est pas moins à la merci de la fortune que nos biens.   *Ibid., 323.*

2058   Il y a dans la jalousie plus d'amour-propre que d'amour.
                                                          Ibid., 324.

2059   Nous n'avouons de petits défauts que pour persuader que nous n'en avons pas de grands.   *Ibid., 327.*

2060   L'envie est plus irréconciliable que la haine.   *Ibid., 328.*

2061   Les femmes n'ont point de sévérité complète sans aversion.
                                                          Ibid., 333.

2062   Lorsque notre haine est trop vive, elle nous met au-dessous de ceux que nous haïssons.   *Ibid., 338.*

2063   L'esprit de la plupart des femmes sert plus à fortifier leur folie que leur raison.   *Ibid., 340.*

2064   Les occasions nous font connaître aux autres, et encore plus à nous-mêmes.   *Ibid., 345.*

2065   Nous ne trouvons guère de gens de bon sens, que ceux qui sont de notre avis.   *Ibid., 347.*

2066   Le plus grand miracle de l'amour, c'est de guérir de la coquetterie.   *Ibid., 349.*

2067   On a bien de la peine à rompre, quand on ne s'aime plus.
                                                          Ibid., 351.

Un honnête homme peut être amoureux comme un fou, mais non pas comme un sot. *Ibid.*, *353.* 2068

Nous ne louons d'ordinaire de bon cœur que ceux qui nous admirent. *Ibid.*, *356.* 2069

La jalousie naît toujours avec l'amour, mais elle ne meurt pas toujours avec lui. *Ibid.*, *361.* 2070

La plupart des femmes ne pleurent pas tant la mort de leurs amants pour les avoir aimés, que pour paraître plus dignes d'être aimées. *Ibid.*, *362.* 2071

On sait assez qu'il ne faut guère parler de sa femme; mais on ne sait pas assez qu'on devrait encore moins parler de soi. *Ibid.*, *364.* 2072

Il y a peu d'honnêtes femmes qui ne soient lasses de leur métier. *Ibid.*, *367.* 2073

La plupart des honnêtes femmes sont des trésors cachés. qui ne sont en sûreté que parce qu'on ne les cherche pas. *Ibid.*, *368.* 2074

On donne des conseils mais on n'inspire point de conduite, *Ibid.*, *378.* 2075

Un sot n'a pas assez d'étoffe pour être bon. *Ibid.*, *387.* 2076

Ce qui nous rend la vanité des autres insupportable, c'est qu'elle blesse la nôtre. *Ibid.*, *389.* 2077

On peut être plus fin qu'un autre, mais non pas plus fin que tous les autres. *Ibid.*, *394.* 2078

On garde longtemps son premier amant, quand on n'en prend point de second. *Ibid.*, *396.* 2079

Il y a du mérite sans élévation, mais il n'y a point d'élévation sans quelque mérite. *Ibid.*, *400.* 2080

Nous aurions souvent honte de nos plus belles actions si le monde voyait tous les motifs qui les produisent. *Ibid.*, *409.* 2081

L'esprit nous sert quelquefois à faire hardiment des sottises. *Ibid.*, *415.* 2082

En amour celui qui est guéri le premier est toujours le mieux guéri. *Ibid.*, *417.* 2083

Peu de gens savent être vieux. *Ibid.*, *423.* 2084

Les femmes qui aiment pardonnent plus aisément les grandes indiscrétions que les petites infidélités. *Ibid.*, *429.* 2085

2086   Rien n'empêche tant d'être naturel que l'envie de le paraître.
Ibid., 431.

2087   La plus véritable marque d'être né avec de grandes qualités,
c'est d'être né sans envie.   *Ibid., 433.*

2088   Nous ne désirerions guère de choses avec ardeur, si nous
connaissions parfaitement ce que nous désirons.   *Ibid., 439.*

2089   Ce qui fait que la plupart des femmes sont peu touchées
de l'amitié, c'est qu'elle est fade quand on a senti de l'amour.
Ibid., 440.

2090   Nous essayons de nous faire honneur des défauts que nous
ne voulons pas corriger.   *Ibid., 442.*

2091   Il n'y a point de sots si incommodes que ceux qui ont de
l'esprit.   *Ibid., 451.*

2092   On est quelquefois un sot avec de l'esprit, mais on ne l'est
jamais avec du jugement.   *Ibid., 456.*

2093   De toutes les passions violentes, celle qui sied le moins mal
aux femmes, c'est l'amour.   *Ibid., 466.*

2094   Il y a de méchantes qualités qui font de grands talents.
Ibid., 468.

2095   Dans les premières passions les femmes aiment l'amant,
et dans les autres elles aiment l'amour.   *Ibid., 471.*

2096   Quelque rare que soit le véritable amour, il l'est encore
moins que la véritable amitié.   *Ibid., 473.*

2097   La timidité est un défaut dont il est dangereux de reprendre
les personnes qu'on en veut corriger.   *Ibid., 480.*

2098   Quand on a le cœur encore agité par les restes d'une passion,
on est plus près d'en prendre une nouvelle que quand on
est entièrement guéri.   *Ibid., 484.*

2099   Nous avons plus de paresse dans l'esprit que dans le corps.
Ibid., 487.

2100   Les querelles ne dureraient pas longtemps, si le tort n'était
que d'un côté.   *Ibid., 496.*

2101   On ne compte d'ordinaire la première galanterie des femmes
que lorsqu'elles en ont une seconde.   *Ibid., 499.*

2102   Il y a des gens si remplis d'eux-mêmes que, lorsqu'ils sont
amoureux, ils trouvent moyen d'être occupés de leur passion sans l'être de la personne qu'ils aiment.   *Ibid., 500.*

2103   Nous craignons toutes choses comme mortels, et nous désirons
toutes choses comme si nous étions immortels.
Maximes posthumes.

L'extrême ennui sert à nous désennuyer.   *Ibid.*   2104

Un véritable ami est le plus grand de tous les biens et celui   2105
de tous qu'on songe le moins à acquérir.   *Ibid.*

Il est plus nécessaire d'étudier les hommes que les livres.   2106
Ibid.

L'enfer des femmes, c'est la vieillesse.   *Ibid.*   2107

Tout le monde trouve à redire en autrui ce qu'on trouve à   2108
redire en lui.   *Réflexions supprimées par l'auteur.*

Quand on ne trouve pas son repos en soi-même, il est inu-   2109
tile de le chercher ailleurs.   *Ibid.*

Quand nous sommes las d'aimer, nous sommes bien aises   2110
que l'on devienne infidèle, pour nous dégager de notre
fidélité.   *Ibid.*

Dans l'adversité de nos meilleurs amis, nous trouvons tou-   2111
jours quelque chose qui ne nous déplaît pas.   *Ibid.*

C'est une preuve de peu d'amitié de ne s'apercevoir pas du   2112
refroidissement de celle de nos amis.   *Ibid.*

La férocité naturelle fait moins de cruels que l'amour-   2113
propre.   *Ibid.*

Pour pouvoir être toujours bon, il faut que les autres croient   2114
qu'ils ne peuvent jamais nous être impunément méchants.
Ibid.

La confiance de plaire est souvent un moyen de déplaire   2115
infailliblement.   *Ibid.*

On aime à deviner les autres mais l'on n'aime pas être   2116
deviné.   *Ibid.*

N'aimer guère en amour est un moyen assuré pour être   2117
aimé.   *Ibid.*

On craint toujours de voir ce qu'on aime, quand on vient de   2118
faire des coquetteries ailleurs.   *Ibid.*

On doit se consoler de ses fautes quand on a la force de les   2119
avouer.   *Ibid.*

GILLES MÉNAGE
1613-1692

Mais il est des Amants qui toujours de leurs Dames   2120
Aiment à mal parler
Et qui, comme tisons, noircissent de leurs flammes
Ce qu'ils n'ont su brûler.
Indifférence.

2121   Celui que le dépit porte à la médisance
                   Est toujours tourmenté.
              Dans le mal amoureux la seule indifférence
                   Témoigne la santé.
                                                           Ibid.

2122   Rien n'est si doux que la diversité;
              Le changement de fers tient lieu de liberté.
                                        *Madrigal, à M*ᴵˡᵉ *de la Vergne.*

2123   Et puis la maxime est constante
              Qu'en bien plaidant le bien s'augmente.
                                        A M. Gauvain, épître badine.

CARDINAL DE RETZ
1613-1679

2124   Il n'y a rien qui soit si sujet à l'illusion que la piété. Toutes
       sortes d'erreurs se glissent et se cachent sous son voile;
       elle consacre toutes sortes d'imaginations; et la meilleure
       intention ne suffit pas pour y faire éviter les travers.
                                        Mémoires, Première partie.

2125   J'étais dans les premiers feux du plaisir, qui, dans la jeunesse,
       se prennent aisément pour les premiers feux de l'amour...
                                                           Ibid.

2126   Monsieur le Comte avait toute la hardiesse du cœur que
       l'on appelle communément vaillance [...] et il n'avait pas
       [...] la hardiesse de l'esprit, qui est ce que l'on nomme
       résolution. La première est ordinaire et même vulgaire;
       la seconde est même plus rare que l'on ne se le peut imaginer :
       elle est toutefois encore plus nécessaire que l'autre pour
       les grandes actions; et y a-t-il une action plus grande au
       monde que la conduite d'un parti?   *Ibid.*

2127   [...] Je suis persuadé qu'il faut plus de grandes qualités pour
       former un bon chef de parti que pour faire un bon empereur
       de l'univers; et que dans le rang des qualités qui le composent,
       la résolution marche de pair avec le jugement : je dis avec
       le jugement héroïque, dont le principal usage est de distin-
       guer l'extraordinaire de l'impossible.   *Ibid.*

2128   Comme toutes les circonstances extraordinaires sont d'un
       merveilleux poids dans les révolutions populaires [...] et
       comme rien n'anime et n'appuie plus un mouvement que
       le ridicule de ceux contre lesquels on le fait [...].   *Ibid.*

2129   Les riches n'y[1] viennent que par force; les mendiants y
       nuisent plus qu'ils n'y servent, parce que la crainte du
       pillage les fait appréhender. Ceux qui y peuvent le plus sont
       les gens qui sont assez pressés dans leurs affaires pour désirer

-----

1. Les « émotions populaires ».

du changement dans les publiques, et dont la pauvreté ne passe toutefois pas jusques à la mendicité publique.   *Ibid.*

Tel est le sort de l'irrésolution : elle n'a jamais plus d'incertitude que dans la conclusion.   *Ibid.*   2130

Je ne faisais pas le dévot, parce que je ne me pouvais assurer que je pusse durer à le contrefaire; mais j'estimais beaucoup les dévots, et à leur égard, c'est un des plus grands points de la piété.   *Ibid.*   2131

Qui peut donc écrire la vérité, que ceux qui l'ont sentie? Et le président de Thou a eu raison de dire qu'il n'y a de véritables histoires que celles qui ont été écrites par les hommes qui ont été assez sincères pour parler véritablement d'eux-mêmes.   *Ibid.*   2132

Le grand secret de ceux qui entrent dans les emplois est de saisir d'abord l'imagination des hommes par une action que quelque circonstance leur rende particulière.   *Ibid., Seconde partie.*   2133

Je pris, après six jours de réflexion, le parti de faire le mal par dessein, ce qui est sans comparaison le plus criminel devant Dieu, mais ce qui est sans doute le plus sage devant le monde [...]   *Ibid.*   2134

[...] Descendre jusques aux petits est le plus sûr moyen pour s'égaler aux grands.   *Ibid.*   2135

Il y a des temps où la disgrâce est une manière de feu qui purifie toutes les mauvaises qualités et qui illumine toutes les bonnes; il y a des temps où il ne sied pas bien à un honnête homme d'être disgracié.   *Ibid.*   2136

La Reine était adorée beaucoup plus par ses disgrâces que par son mérite. L'on ne l'avait vue que persécutée, et la souffrance, aux personnes de ce rang, tient lieu d'une grande vertu.   *Ibid.*   2137

Ce qui attire assez souvent je ne sais quoi d'odieux sur les actions des ministres, même les plus nécessaires, est que pour les faire ils sont presque toujours obligés de surmonter des obstacles dont la victoire ne manque jamais de porter avec elle de l'envie et de la haine.   *Ibid.*   2138

Enfin il [Mazarin] fit si bien qu'il se trouva sur la tête de tout le monde, dans le temps que tout le monde croyait l'avoir encore à ses côtés.   *Ibid.*   2139

J'éprouvai que toutes les puissances ne peuvent rien contre la réputation d'un homme qui la conserve dans son corps.   *Ibid.*   2140

L'on est plus souvent dupe par la défiance que par la confiance.   *Ibid.*   2141

2142   Les rois qui ont été sages et qui ont connu leurs véritables
       intérêts ont rendu les parlements dépositaires de leurs ordon-
       nances, particulièrement pour se décharger d'une partie de
       l'envie et de la haine que l'exécution des plus saintes et
       même des plus nécessaires produit quelquefois.   *Ibid.*

2143   Les ministres, qui sont presque toujours assez aveuglés par
       leur fortune, pour ne se pas contenter de ce que ces ordon-
       nances permettent, ne s'appliquent qu'à les renverser.
                                                                Ibid.

2144   Il n'y a que Dieu qui puisse subsister par lui seul. Les
       monarchies les plus établies et les monarques les plus auto-
       risés ne se soutiennent que par l'assemblage des armes et
       des lois; et cet assemblage est si nécessaire que les unes ne
       se peuvent maintenir sans les autres.   *Ibid.*

2145   Le cardinal de Richelieu distinguait plus judicieusement
       qu'homme du monde entre le mal et le pis, entre le bien et
       le mieux, ce qui est une grande qualité pour un ministre.
                                                                Ibid.

2146   Le cardinal Mazarin ne fut ni doux ni cruel, parce qu'il ne
       se ressouvenait ni des bienfaits ni des injures. Il s'aimait
       trop, ce qui est le naturel des âmes lâches; il se craignait
       trop peu, ce qui est le caractère de ceux qui n'ont pas de
       soin de leur réputation.   *Ibid.*

2147   [...] Le mépris, qui est la maladie la plus dangereuse d'un
       État, et dont la contagion se répand le plus aisément et le
       plus promptement du chef dans les membres [...].   *Ibid.*

2148   Le dernier point de l'illusion, en matière d'État, est une
       espèce de léthargie, qui n'arrive jamais qu'après de grands
       symptômes. Le renversement des anciennes lois, l'anéantis-
       sement de ce milieu qu'elles ont posé entre les peuples et les
       rois, l'établissement de l'autorité purement et absolument
       despotique, sont ceux qui ont jeté originairement la France
       dans les convulsions dans lesquelles nos pères l'ont vue.
                                                                Ibid.

2149   Ce qui cause l'assoupissement dans les États qui souffrent
       est la durée du mal, qui saisit l'imagination des hommes,
       et qui leur fait croire qu'il ne finira jamais.   *Ibid.*

2150   [Mazarin] est inexcusable de n'avoir pas prévu et de n'avoir
       pas prévenu les conjonctures dans lesquelles l'on ne peut
       plus faire que des fautes.   *Ibid.*

2151   Il est vrai de dire qu'auprès des princes il est aussi dangereux
       et presque aussi criminel de pouvoir le bien que de vouloir
       le mal.   *Ibid.*

2152   [...] L'aveugle témérité et la peur outrée produisent les
       mêmes effets lorsque le péril n'est pas connu.   *Ibid.*

Il n'y a rien de si dangereux que la flatterie dans les conjonc- 2153
tures où celui que l'on flatte peut avoir peur. L'envie qu'il
a de ne la pas prendre fait qu'il croit à tout ce qui l'empêche
d'y remédier.   *Ibid.*

[...] Il est bien plus naturel à la peur de consulter que de 2154
décider.   *Ibid.*

[...] L'heure du souper approchait. Cette circonstance vous 2155
paraîtra ridicule, mais elle est fondée; et j'ai observé qu'à
Paris, dans les émotions populaires, les plus échauffés ne
veulent pas ce qu'ils appellent se désheurer.   *Ibid.*

[...] Les vices d'un archevêque peuvent être, dans une 2156
infinité de rencontres, les vertus d'un chef de parti.   *Ibid.*

Les plus grands dangers ont leurs charmes pour peu que l'on 2157
aperçoive de gloire dans la perspective des mauvais succès;
les médiocres n'ont que des horreurs quand la perte de la
réputation est attachée à la mauvaise fortune.   *Ibid.*

Les extrêmes sont toujours fâcheux; mais ils sont sages 2158
quand ils sont nécessaires. Ce qu'ils ont de consolatif est
qu'ils ne sont jamais médiocres et qu'ils sont décisifs quand
ils sont bons.   *Ibid.*

Les gens qui sont naturellement faibles à la cour ne peuvent 2159
jamais s'empêcher de croire tout ce qu'elle prend la peine
de leur vouloir faire croire [...]; quand ils ne sont pas dupes,
ce n'est que la faute du ministre.   *Ibid.*

Il n'y a rien dans le monde qui n'ait son moment décisif, 2160
et le chef-d'œuvre de la bonne conduite est de connaître
et de prendre ce moment.   *Ibid.*

Monsieur le Prince [...] ne conçut pas d'assez bonne heure 2161
cette maxime si nécessaire aux princes, de ne considérer
les petits incidents que comme des victimes que l'on doit
toujours sacrifier aux grandes affaires.   *Ibid.*

Il y a des espèces de frayeurs qui ne se dissipent que par 2162
des frayeurs d'un plus haut degré.   *Ibid.*

Il n'y a rien où il faille plus de précautions qu'en tout ce 2163
qui regarde les peuples, parce qu'il n'y a rien de plus déréglé; il n'y a rien où il les faille plus cacher, parce qu'il n'y
a rien de plus défiant.   *Ibid.*

Les gens faibles ne plient jamais quand ils le doivent. 2164
                                                 Ibid.

L'esprit dans les grandes affaires n'est rien sans le cœur. 2165
                                                 Ibid.

Mademoiselle de Chevreuse traitait bientôt [ceux qu'elle 2166
aimait] comme ses jupes : elle les mettait dans son lit quand
elles lui plaisaient; elle les brûlait, par pure aversion, deux
jours après.   *Ibid.*

2167   Les exemples du passé touchent sans comparaison plus les
       hommes que ceux de leur siècle.   *Ibid.*

2168   Rien ne marque tant le jugement solide d'un homme, que
       de savoir choisir entre les grands inconvénients.   *Ibid.*

2169   Les peuples sont las quelque temps devant que de s'aper-
       cevoir qu'ils le sont.   *Ibid.*

2170   L'une des plus grandes incommodités des guerres civiles
       est qu'il faut encore plus d'application à ce que l'on ne doit
       pas dire à ses amis qu'à ce que l'on doit faire contre ses
       ennemis.   *Ibid.*

2171   Le plus grand malheur des guerres civiles est que l'on y
       est responsable même du mal que l'on ne fait pas.   *Ibid.*

2172   Il n'y a point de qualité qui dépare tant celles d'un grand
       homme, que de n'être pas juste à prendre le moment décisif
       de sa réputation.   *Ibid.*

2173   Il est, à mon sens, d'un plus grand homme de savoir avouer
       sa faute que de savoir ne la pas faire.   *Ibid.*

2174   L'un des plus grands défauts des hommes est qu'ils cherchent
       presque toujours, dans les malheurs qui leur arrivent par
       leurs fautes, des excuses devant que d'y chercher des remèdes ;
       ce qui fait qu'ils y trouvent très souvent trop tard les remèdes,
       qu'ils n'y cherchent pas d'assez bonne heure.   *Ibid.*

2175   La source la plus commune des imprudences est la vue que
       l'on a de la possibilité des ressources.   *Ibid.*

2176   [...] La guerre civile est une de ces maladies compliquées
       dans lesquelles le remède que vous destinez pour la guérison
       d'un symptôme en aigrit quelquefois trois ou quatre autres.
                                                           Ibid.

2177   [...] Une présence d'esprit presque surnaturelle, qui est
       encore quelque chose de plus grand que la fermeté, quoi-
       qu'elle en soit, au moins en partie, l'effet.   *Ibid.*

2178   [...] Toute compagnie est peuple, et tout, par conséquent, y
       dépend des instants.   *Ibid.*

2179   [...] Tous les gens irrésolus prennent toujours avec facilité et
       même avec joie toutes les ouvertures qui les mènent à deux
       chemins, et qui par conséquent ne les pressent pas d'opter.
                                                           Ibid.

2180   [...] Il y a de certains défauts qui marquent plus une bonne
       âme que de certaines vertus.   *Ibid.*

2181   [...] L'extravagance de ces sortes de temps, où tous les sots
       deviennent fous, et où il n'est pas permis aux plus sensés de
       parler et d'agir toujours en sages [...].   *Ibid.*

[...] Il n'y a point de petits pas dans les grandes affaires.   2182
Ibid.

Il ne se faut point jouer avec ceux qui ont en main l'autorité   2183
royale. Quelques défauts qu'ils aient, ils ne sont jamais
assez faibles pour ne pas mériter ou que l'on les ménage,
ou que l'on les perde.   *Ibid.*

[...] Il n'y a rien de si dangereux que de souffrir que nos   2184
ennemis fassent devant les peuples ce qui nous doit déplaire,
parce que les peuples ne manquent jamais de s'imaginer
qu'ils le peuvent, puisque l'on le souffre.   *Ibid.*

[...] Tout ce qui est nécessaire n'est jamais hasardeux.   *Ibid.*   2185

[...] Les familles médiocres, qui sont toujours les plus redou-   2186
tables dans les révolutions.   *Ibid.*

Il est aussi nécessaire de choisir les mots dans les grandes   2187
affaires, qu'il est superflu de les affecter dans les petites.
Ibid.

L'ombre d'un cabinet, dont l'on ne peut pas empêcher les   2188
faiblesses, n'est jamais bonne à un homme dont la principale
force consiste dans la réputation publique.   *Ibid.*

La vérité jette, lorsqu'elle est à un certain carat, une manière   2189
d'éclat auquel l'on ne peut résister...   *Ibid.*

L'on se raccommode bien plus aisément quand l'on est dis-   2190
posé à ne se point plaindre, que quand on l'est à se plaindre,
quoique l'on n'en ait pas de sujet.   *Ibid.*

[...] Ces sortes d'esprits persuadent peu, mais ils insinuent   2191
bien; et le talent d'insinuer est plus d'usage que celui de
persuader, parce que l'on peut insinuer à tout le monde et
que l'on ne persuade presque jamais personne.   *Ibid.*

Il n'y a rien de si fâcheux que d'être le ministre d'un prince   2192
dont on n'est pas le favori [...]   *Ibid.*

Il n'y a rien de si louable que la générosité, mais il n'y a   2193
rien qui se doive moins outrer.   *Ibid.*

[...] Quand les hommes ont balancé longtemps à entreprendre   2194
quelque chose, par la crainte de n'y pas réussir, l'impression
qui leur reste de cette crainte fait, pour l'ordinaire, qu'ils
vont trop vite dans la conduite de leurs entreprises.   *Ibid.*

[...] Elle savait se fier. C'est une qualité très rare, et qui mar-   2195
que autant un esprit élevé au-dessus du commun.   *Ibid.*

Ce qui est même méprisable n'est pas toujours à mépriser.   2196
Ibid.

[...] La plupart des hommes ne font les grands maux que par   2197
les scrupules qu'ils ont pour les moindres.   *Ibid.*

2198   Faites réflexion, je vous supplie, sur l'inutilité des recherches
        qui se font tous les jours, par les gens d'études, des siècles
        qui sont plus éloignés.   *Ibid.*

2199   [...] Quand l'on se trouve obligé à faire un discours que l'on
        prévoit ne devoir pas agréer, l'on ne lui peut trop donner
        trop d'apparences de sincérité, parce que c'est l'unique voie
        pour l'adoucir.   *Ibid.*

2200   L'on ne doit jamais jouer avec la faveur : l'on ne la peut
        trop embrasser quand elle est véritable; l'on ne s'en peut
        trop éloigner quand elle est fausse.   *Ibid.*

2201   [...] La vanité ridicule de ces auteurs impertinents qui, étant
        nés dans la basse cour et n'ayant jamais passé l'antichambre,
        se piquent de ne rien ignorer de tout ce qui s'est passé dans
        le cabinet.   *Ibid.*

2202   Voilà où échouent toutes les âmes timides. La peur, qui
        grossit toujours les objets, donne du corps à toutes leurs
        imaginations : elles prennent pour forme tout ce qu'elles se
        figurent dans la pensée de leurs ennemis, et elles tombent
        presque toujours dans des inconvénients très effectifs, par
        la frayeur qu'elles prennent de ceux qui ne sont qu'ima-
        ginaires.   *Ibid.*

2203   [...] Il est impossible que la cour conçoive ce que c'est que
        le public. La flatterie, qui en est la peste, l'infecte toujours
        au point qu'elle lui cause un délire incurable sur cet article.
                                                                   Ibid.

2204   Tout ce qui est vide, dans les temps de faction et d'intrigue,
        passe pour mystérieux à tous les gens qui ne sont pas accou-
        tumés aux grandes affaires.   *Ibid.*

2205   Les effets de la faiblesse sont inconcevables, et je maintiens
        qu'ils sont plus prodigieux que ceux des passions les plus
        violentes.   *Ibid.*

2206   [...] Les petits esprits ne tiennent jamais pour naturel rien
        de ce que l'art peut produire...   *Ibid.*

2207   Il y a des matières sur lesquelles il est constant que le
        monde veut être trompé.   *Ibid.*

2208   [...] Tout homme que la fortune seule a fait homme public
        devient presque toujours, avec un peu de temps, un parti-
        culier ridicule.   *Ibid.*

2209   L'on ne connaît pas ce que c'est que le parti, quand l'on
        s'imagine que le chef en est le maître : son véritable service
        y est presque toujours combattu par les intérêts, même assez
        souvent imaginaires, des subalternes.   *Ibid.*

2210   La subdivision est ce qui perd presque tous les partis : elle
        y est presque toujours l'effet de cette sorte de finesse qui,
        par son caractère particulier, est opposée à la prudence. C'est
        ce que les Italiens appellent comoedia in comoedia.   *Ibid.*

[...] Ce qui paraît un prodige aux siècles à venir ne se sent pas 2211
dans les temps...   *Ibid.*

Une des sources de l'abus que les hommes font presque 2212
toujours de leur dignité est qu'ils s'en éblouissent d'abord
qu'ils en sont revêtus, et l'éblouissement est cause qu'ils
tombent dans les premières fautes, qui sont les plus dangereuses par une infinité de raisons.   *Ibid.*

[...] Diminuer l'envie : ce qui est le plus grand de tous les 2213
secrets.   *Ibid.*

Il n'y a que manière en la plupart des choses du monde. 2214
                                                          Ibid.

Je maintiens qu'il est autant de la politique que de l'honnêteté 2215
de ceux qui sont les plus puissants de soulager la honte des
moins considérables, et de leur tendre la main, quand ils
n'osent eux-mêmes la présenter.   *Ibid.*

Il est de la prudence d'un chef de parti de souffrir tout ce 2216
qu'il doit dissimuler, mais il ne doit pas dissimuler ce qui
accoutume les corps ou les particuliers à la résistance. *Ibid.*

Il n'y a que l'expérience qui puisse apprendre aux hommes 2217
à ne pas préférer ce qui les pique dans le présent, à ce qui les
doit toucher bien plus essentiellement dans l'avenir.   *Ibid.*

[Les grands] aident à aveugler le reste des hommes, et ils 2218
s'aveuglent eux-mêmes après, encore plus dangereusement
que le reste des hommes.   *Ibid.*

[...] Il y a des gens qui préfèrent au succès la satisfaction 2219
qu'ils trouvent dans eux-mêmes.   *Ibid.*

[...] Ceux qui sont à la tête des grandes affaires ne trouvent 2220
pas moins d'embarras dans leur parti, que dans celui de leurs
ennemis.   *Ibid.*

[Les inimitiés] qui ne sont pas bien fondées sont les plus 2221
opiniâtres.   *Ibid.*

Les bonnes intentions se doivent moins outrer que quoi que 2222
ce soit.   *Ibid.*

Tout ce qui est fort extraordinaire ne paraît possible, à ceux 2223
qui ne sont pas capables que de l'ordinaire, qu'après qu'il
est arrivé.   *Ibid.*

[...] L'aversion que la plupart des hommes ont à se dessaisir 2224
fait qu'ils ne le font jamais assez tôt, même dans les rencontres
où ils sont les plus résolus de le faire.
                            Ibid., Troisième Partie.

Les grands noms sont toujours de grandes raisons aux 2225
petits génies.   *Ibid.*

2226   [...] Les plus petites choses sont souvent de meilleures marques
       que les grandes.   *Ibid.*

ISAAC LE MAÎTRE DE SACI
1613-1684

2227   [...] Il faut tâcher de nous préparer par la solitude la plus
       exacte et la plus sainte que nous pourrons, à cette dernière
       solitude où nous nous trouverons lorsque nous irons seuls
       devant Dieu pour lui rendre compte de toutes les actions
       de notre vie.
                Lettres chrétiennes et spirituelles, le 16 octobre 1661.

2228   [...] La patience seule enferme tous les biens, et quoiqu'il
       s'y mêle des imperfections on ne laisse pas d'y gagner beau-
       coup.   *Ibid., le 2 mars 1664.*

2229   L'humilité et la douceur sont inséparables. La première
       est comme l'âme, et ainsi elle est plus cachée. La seconde
       est comme le corps, et elle se voit parce qu'elle regarde
       principalement la manière dont nous nous conduisons envers
       les hommes, mais surtout envers ceux qui nous sont soumis.
                                                  Ibid., le 8 mars.

CHARLES DE SAINT-ÉVREMOND
1613-1703

2230   La vie est trop courte, à mon avis, pour lire toutes sortes
       de livres, et charger sa mémoire d'une infinité de choses,
       aux dépens de son jugement.
                          Portrait de Saint-Evremond par lui-même.

2231   Qui ne sait que la destruction de Carthage fut celle de la
       république romaine? Tant que Rome eut l'opposition de sa
       rivale, ce ne fut que vertu, obéissance; sitôt qu'elle n'eut
       plus d'ennemis au dehors, elle s'en fit au dedans [...].
                 Lettre au Marquis de Créqui sur la paix des Pyrénées.

2232   Non, non, monsieur; des titres, des seigneuries ne satisfont
       pas un ministre si solide. Ce qui s'appelle une véritable
       conquête, pour lui, c'est l'acquisition réelle de nouveaux
       deniers [...]   *Ibid.*

2233   Les jansénistes, voulant faire des saints de tous les hommes,
       n'en trouvent pas dix, dans un royaume, pour faire des
       chrétiens tels qu'ils les veulent.
                Conversation de M. d'Aubigny avec M. de Saint-Evremond.

2234   C'est un grand secret de savoir nous exprimer avec justesse,
       en ce qui regarde les pensées, et beaucoup plus en ce qui

touche le sentiment; car l'âme a bien plus de peine à se défaire de ce qu'elle sent, que l'esprit à se dégager de ce qu'il pense.
Sur les caractères des tragédies.

Véritablement la passion doit être remplie, mais jamais outrée; et si les spectateurs étaient réduits à choisir entre deux vices, ils souffriraient le défaut plus aisément que l'excès. *Ibid.* 2235

Revenus de ces mouvements aux lumières de l'esprit, nous jugeons peu favorablement de la tendresse et des larmes. *Ibid.* 2236

Je trouve plus ridicule encore qu'on fasse l'éloquent, à se plaindre de ses malheurs. Celui qui prend la peine d'en discourir, m'épargne celle de l'en consoler. *Ibid.* 2237

Quand j'ai parlé de la passion, ç'a été proprement de l'amour que j'ai entendu parler : les autres passions servent à former le caractère, au lieu de le ruiner. *Ibid.* 2238

Les esprits s'aigrissent à résister; et au lieu de se défaire de leur première douleur, ils en forment eux-mêmes une seconde. Sans la résistance, ils n'auraient que le mal qu'on leur fait : par elle, ils ont encore celui qu'ils se font. *Ibid.* 2239

[...] Je n'ai presque jamais senti, en moi-même, ce combat intérieur de la passion et de la raison. La passion ne s'opposait point à ce que j'avais résolu de faire par devoir; et la raison consentait volontiers à ce que j'avais envie de faire par un sentiment de plaisir. *Ibid.* 2240

A mesure que j'ai moins de temps à pratiquer les choses, j'ai moins de curiosité pour les apprendre.
Ibid., De la lecture et du choix des livres. 2241

La poésie demande un génie particulier, qui ne s'accommode pas trop avec le bon sens. Tantôt, c'est le langage des dieux : tantôt c'est le langage des fous, rarement celui d'un honnête homme. *Ibid., De la poésie.* 2242

Il faut être sot, disent les Espagnols, pour ne pas faire deux vers : il faut être fou pour en faire quatre. *Ibid.* 2243

En Espagne, on ne vit que pour aimer. Ce qu'on appelle AIMER, en France, n'est proprement que parler d'amour et mêler aux sentiments de l'ambition la vanité des galanteries.
Sur nos comédies. 2244

Il en est de la vie comme de nos autres biens; tout se dissipe quand on pense en avoir un grand fonds : l'économie ne devient exacte que pour ménager le peu qui nous reste.
A M. le maréchal de Créqui. 2245

Il n'est pas toujours besoin de la jouissance des plaisirs. Si on fait un bon usage de la privation des douleurs, on rend sa condition assez heureuse. *Ibid.* 2246

2247   [...] La constance n'est qu'une plus longue attention à nos
maux. Elle paraît la plus belle vertu du monde, à ceux qui
n'ont rien à souffrir.   *Ibid.*

2248   Je suis plus touché de la passion d'un de leurs amants, que
je ne serais sensible à la mienne, si j'étais capable d'en avoir
encore; l'imagination de ses amours me fait trouver des
mouvements pour lui, que je ne trouverais pas pour moi-
même.
        Ibid., De quelques livres espagnols, italiens et français.

2249   De tous les livres que j'ai lus, *Don Quichotte* est celui que
j'aimerais mieux avoir fait : il n'y en a point, à mon avis,
qui puisse contribuer davantage à nous former un bon goût,
sur toutes choses. J'admire comme, dans la bouche du plus
grand fou de la terre, Cervantès a trouvé le moyen de se faire
connaître l'homme le plus entendu, et le plus grand connais-
seur qu'on se puisse imaginer.   *Ibid.*

2250   [Corneille] serait au-dessus de tous les tragiques de l'antiquité, s'il n'avait été fort au-dessous de lui en quelques-unes
de ses pièces : il est si admirable dans les belles, qu'il ne se
laisse pas souffrir ailleurs médiocre.   *Ibid.*

2251   Le premier mérite, auprès des dames, c'est d'aimer; le
second, est d'entrer dans la confidence de leurs inclinations;
le troisième, de faire valoir ingénieusement tout ce qu'elles
ont d'aimable. [...]   Dans leur conversation, songez bien
à ne les tenir jamais indifférentes : leur âme est ennemie
de cette langueur.   *Ibid., De la conversation.*

2252   Il y a beaucoup moins d'ingrats qu'on ne croit, car il y a
bien moins de généreux qu'on ne pense.
                                    Ibid., Sur les ingrats.

2253   L'amour de la liberté a ses ingrats, comme l'amour-propre
a les siens.   *Ibid.*

2254   [...] Les républicains sont ingrats : il leur semble qu'on ôte
à la liberté ce qu'on donne à la gratitude.   *Ibid.*

2255   L'indulgence qu'on a pour les femmes qui font l'amour,
est moins une grâce à leur péché qu'une justice à leur faiblesse.   *Ibid.*

2256   J'ai voulu lire tout qui s'est écrit de l'*Immortalité de l'âme* :
et, après l'avoir lu avec attention, la preuve la plus sensible
que j'aie trouvée de l'éternité de mon esprit, c'est le désir
que j'ai de toujours être.   *Ibid., Sur la religion.*

2257   L'aveuglement du corps attire la compassion. Que peut avoir
celui de l'esprit, pour exciter de la haine?   *Ibid.*

2258   Nous aspirons ambitieusement à tout comprendre, et nous
ne le pouvons pas. Nous pouvons religieusement tout observer, et nous ne le voulons point.   *Ibid.*

Le moyen de nous réunir n'est pas de disputer toujours sur 2259
la doctrine. Comme les raisonnements sont infinis, les
controverses dureront autant que le genre humain qui les fait :
mais si, laissant toutes les disputes qui entretiennent l'aigreur,
nous remontons, sans passion, à cet esprit particulier qui
nous distingue, il ne sera pas impossible d'en former un
général, qui nous réunisse. *Ibid.*

L'homme peut se soumettre à la volonté d'autrui, tout libre 2260
qu'il est : il peut s'avouer inférieur, en courage et en vertu;
mais il a honte de se confesser assujetti au sens d'un autre.
Sa répugnance la plus naturelle est de reconnaître, en qui
que ce soit, une supériorité de raison. *Ibid.*

Notre premier avantage, c'est d'être nés raisonnables; notre 2261
première jalousie, c'est de voir que d'autres veuillent l'être
plus que nous. *Ibid.*

> Avoir toujours les mêmes sentiments; 2262
> Toujours sentir les mêmes mouvements;
> Vivre toujours sans dessein, sans envie,
> C'est être morte au milieu de la vie...
> *Élégie à Mlle de Lenclos.*

> Il faut brûler d'une flamme légère, 2263
> [...]
> Etre inconstante aussi longtemps qu'on peut,
> Car un temps vient où ne l'est pas qui veut.
> *Ibid.*

On dit[1] un jour à la reine de Suède, que les précieuses étaient 2264
les jansénistes de l'amour; et la définition ne lui déplut pas.
L'amour est encore un Dieu pour les précieuses. Il n'excite
pas de passion en leurs âmes; il y forme une espèce de religion.
Le Cercle, à M. P***

Si vous voulez savoir en quoi les *Précieuses* font consister 2265
leur plus grand mérite, je vous dirai que c'est à aimer tendrement leurs amants sans jouissance, et à jouir solidement
de leurs maris avec aversion. *Ibid.*

> Ce n'est pas votre fermeté, 2266
> Qui fera ma persévérance;
> Ayez toujours de la beauté,
> J'aurai toujours de la constance.
> *Stances, à Madame.*

Il ne fallait autrefois qu'être méchant, il faut être de plus 2267
malhonnête homme, pour se damner en France présentement.
Lettres, Sur la vieillesse à Mlle de Lenclos, 1696.

Il sied bien à un homme qui n'est pas jeune, d'oublier qu'il 2268
l'a été. *Ibid.*

1. Ninon de Lenclos.

2269   A quatre-vingt-huit ans, je mange des huîtres tous les matins;
je dîne bien; je ne soupe pas mal : on fait des héros pour
un moindre mérite que le mien.
Ibid., Le corps et l'esprit, à Mlle de Lenclos, 1698.

2270   Un grand cœur veut tout entreprendre
                Un grand esprit veut tout comprendre,
         Les droits de l'estomac sont de bien digérer [...]
                                                          Ibid.

2271   On ne lit presque rien qui vaille la peine d'être retenu;
on ne dit presque rien qui mérite d'être écouté.   *Ibid.*

2272   [...] A une douleur oubliée, il n'est pas difficile de faire
succéder le sentiment de la joie.
Ibid., à M. le Comte d'Olonne, 1674.

2273   Les vrais honnêtes gens [...] connaissent le bien par la seule
justesse de leur goût, et s'y portent de leur propre mouvement...   *Ibid.*

2274   Montaigne vous fera mieux connaître l'homme qu'aucun
autre, mais c'est l'homme avec toutes ses faiblesses : connaissance utile dans la bonne fortune pour la modération, triste
et affligeante dans la mauvaise.   *Ibid.*

2275   On peut être sobre sans être délicat; mais on ne peut jamais
être délicat sans être sobre.   *Ibid.*

2276   Celles qui conservent de la passion pour les gens qu'elles ne
voient plus, en font naître bien peu en ceux qui les voient :
la continuation de leur amour pour les absents est moins
un honneur à leur constance, qu'une honte à leur beauté.
                                                          Ibid.

2277   Les courtes absences animent les passions, au lieu que les
longues les font mourir.   *Ibid.*

2278   Il y en a que leur malheur a rendus dévots par un certain
attendrissement, par une pitié secrète qu'on a pour soi,
assez propre à disposer les hommes à une vie plus religieuse.
Jamais disgrâce ne m'a donné cette espèce d'attendrissement :
la nature ne m'a pas fait assez sensible à mes propres maux.
                                                          Ibid.

2279   La plupart des dames se perdent avantageusement sous leur
parure. Il y en a qu'on trouve fort bien avec leurs perles,
qu'on trouverait fort mal avec leur cou.
Ibid., à Mme la Duchesse de Mazarin, 1678.

2280   Le métier de conteur est une puérilité dans les jeunes gens,
et une faiblesse dans les vieillards. Quand l'esprit n'a pas
encore acquis sa force, ou qu'il commence à la perdre, il
aime à dire ce qui ne coûte rien à penser.   *Ibid.*

2281   [...] Quand nous voulons dégager notre âme de tout commerce
avec nos sens, sommes-nous assurés qu'un entendement

abstrait ne se perde pas en des pensées vagues, et ne se forme
plus d'extravagances, qu'il ne découvrira de vérités?
Ibid., à Monsieur Justel, 1681.

Il n'y a rien de plus juste que d'adorer ce qu'on croit un   2282
Dieu; il n'y a rien de moins criminel que de n'adorer pas
ce qu'on croit simplement un *Signe;* et je ne sais comment
cette diversité de créance a pu causer des supplices si barbares
dans une religion toute fondée sur l'amour.   *Ibid.*

Ce que je trouve de plus fâcheux à mon âge, c'est que l'espé-   2283
rance est perdue : l'espérance qui est la plus douce des
passions, et celle qui contribue davantage à nous faire vivre
agréablement.   *Ibid., à Mlle de Lenclos, 1696.*

LOUIS PETIT
1614-1693

Combien de faux tourments, combien de faux soupirs,   2284
    Combien aussi de faux désirs,
    Paraissent vrais dans leurs ouvrages!
    Et combien souvent y voit-on
    Briller de divines images,
De qui l'original est laid comme un démon.
Stances satiriques contre les mensonges et les extravagances
des poètes.

CLAUDE LANCELOT
1615-1695

[...] La charité chrétienne [disait-il [1]] veut qu'on soit prêt de   2285
donner ou de perdre tout ce que l'on prête.

JEAN-FRANÇOIS SARASIN
v. 1615-1654

Cher Charleval, alors en vérité   2286
Je crois qu'il fut une femme fidèle;
Mais comme quoi ne l'aurait-elle été?
Elle n'avait qu'un seul homme avec elle.
        A M. de Charleval.

1. Monsieur de Saint-Cyran.

2287
Écus font tout au jeu de l'Arétin,
Et qui les a peut, et soir et matin,
A tous venants dire en français ou grec :
Un autre y est, passez votre chemin!
De l'argent qui fait tout en amours.

2288
Cinq ou six soupirs, cinq ou six fleurettes,
Cinq ou six : Hélas, je meurs d'amour,
Cinq ou six fois chaque jour
Hanter cinq ou six coquettes,
Dépenser cinq ou six mille écus :
On fait cinq ou six maris cocus.
Chanson.

2289
Si le vermeil pourtant est nécessaire
Pour embellir votre teint blanchissant,
Dites toujours : J'aime, c'est chose claire
Que le direz toujours en rougissant.
A Mme la Présidente de Motteville, au sortir d'une maladie.

LOUIS LE LABOUREUR
v. 1615-1679

2290
Allant souvent du blanc au noir,
On nous accuse d'inconstance;
Mais que vous devez bien avoir
D'autres Caméléons en France!
Sonnets, les Caméléons à Sapho.

JEAN HAMON
1617-1687

2291   Une bonne confession vaut mieux qu'une mauvaise excuse.
Lettre à un ami.

2292   [...] Je ne m'étonne plus que tant de lectures servent si peu;
tout ce qu'on apprend et tout ce qu'on lit sert de peu s'il n'y a
autre chose, comme une femme seule, dit ce Père, est incapable d'avoir des enfants. Nos bonnes œuvres sont nos
enfants qui naissent de la volonté éclairée par la lumière de
Dieu.   *Ibid.*

2293   [...] L'on dit qu'on ne peut pas louer un enfant qui n'a jamais
rien fait qui mérite d'être loué, je crois au contraire qu'on y
peut tout louer parce qu'on n'y peut rien blâmer. Tout
est à louer dans un enfant où il n'y a rien de lui, et où tout
est de Dieu.   *Lettre sur la mort d'une petite-nièce.*

2294   Comme les gens du monde ne sont point bien satisfaits avec
toute leur magnificence si on ne les admire, les pauvres évan-

géliques de même ne doivent point être satisfaits avec toute
leur pauvreté si on ne les méprise. Les uns et les autres ne se
contentent point seulement d'être vêtus pour satisfaire à la
nécessité, pour des raisons bien différentes.
Lettre à une personne qui le pressait de recevoir de belles étoffes.

Si des plantes inutiles croissent jusque sur le bois et la pierre,   2295
notre assurance ne peut être que sur la miséricorde de Dieu
et en notre vigilance; car saint Ambroise marque expressément qu'il ne sauve point ceux qui ne font que dormir.
                            A un médecin de ses amis.

Je trouvai les arbres des forêts plus sages que les hommes   2296
que Philon appelle des arbres du Ciel, parce qu'ils ont leurs
racines en haut; car au lieu de porter leurs branches du côté
du vrai soleil, qui est la vie même qui les fait suivre, ils les
portent du côté de la mort, afin de périr plutôt.   *Ibid.*

Je ne crains donc pas de dire que comme cet arbre ne pousse   2297
ces signes de vie au dehors que parce qu'il meurt, de même
il y en a plusieurs qui ne parlent de Dieu que parce qu'ils le
perdent.   *Ibid.*

Il n'y a rien de si terrible que de mourir en songeant, et   2298
de n'ouvrir les yeux que lorsque le jour de l'éternité est
venu, où il n'y a plus de jour.
Relation de plusieurs circonstances de la vie de M. Hamon.

Quand on est bien avec Dieu, on ne croit pas aisément être   2299
mal avec personne. [...] de quelque manière que l'on me
traite, je demeurerai en paix, quand même l'on me ferait
quelque injustice. La charité qui ne couvre jamais nos péchés
qu'elle ne couvre ceux de nos frères, la ferait disparaître
de devant mes yeux et me la rendrait insensible.   *Ibid.*

Il n'y a rien qui nous éloigne tant du péril qu'un bon sépulcre.   2300
Je ne craindrais pas néanmoins de dire qu'il y aura toujours
moins de péril où il y a plus d'amour. La charité que Jésus-
Christ nous donne par sa nouvelle vie est plus qu'un sépulcre.
Il ne sert que pour le posséder. Si on pouvait le mieux posséder
au milieu d'une tempête, il faudrait s'y jeter sans hésiter.
                            Ibid.

Il n'y a rien de si badin que l'autorité dans une personne qui   2301
n'en a point.   *Ibid.*

GEORGES DE BRÉBEUF
1618-1661

Il conçoit le néant des objets qui l'abusent,   2302
Et ne peut se résoudre à se désabuser.
                    Entretiens solitaires, chap. 3.

2303   Dirai-je plus encor? Votre grandeur puissante
        Eût pu moins s'abaisser en descendant plus bas,
        Produire au lieu de l'homme, ou le marbre, ou la plante,
        Ces objets contre vous ne se révoltent pas.
                                        Ibid., chap. 6.

2304   Séjournez dans mon cœur et ne m'y souffrez plus.
                                        Ibid., chap. 15.

2305   Elle a vingt ans le jour et cinquante ans la nuit.
        *La Gageure ou Cent cinquante épîtres et madrigaux contre des
                                        femmes fardées.*

2306   De crainte que je ne meure,
                Ayez soin de votre santé.
                                        Stances.

ROGER, COMTE DE BUSSY-RABUTIN
1618-1693

2307   Aimez, mais d'un amour couvert
                Qui ne soit jamais sans mystère;
                Ce n'est pas l'amour qui vous perd,
                C'est la manière de le faire.
        Maximes d'Amour pour les femmes, dans le Recueil de Sercy.

2308   Quand on n'aime pas trop, on n'aime pas assez.
                                        Ibid.

2309   Car je soutiens devant toute la terre
                Que l'on ne se fait point valoir
                En amour, non plus qu'à la guerre,
                Quand on ne fait que son devoir.
                                        Ibid.

2310   Tu ne vantes les gens que des siècles passés :
        Pardonne mon aveu sincère et légitime;
            Je ne t'estime pas assez,
        Pour vouloir par ma mort mériter ton estime.
                                        Épigramme.

2311   Un honnête homme fait tout ce qu'il peut pour s'avancer
        et se met au-dessus des mauvais succès quand il n'a pas
        réussi.   *Lettres, à Mme de Sévigné, 23 mai 1667.*

2312   Je crois que si on ne m'avait fait qu'un peu de tort j'aurais
        toujours eu cela sur le cœur; mais on l'a poussé si loin qu'on
        m'a tout à fait détaché.
                        Ibid., à Mme de Fiesque, 25 juin 1667.

2313   Les malheureux sont sur le pied gauche.
                        Ibid., à Mme de Montmorency, 14 avril 1668.

La mort des souverains est un sermon. Quand je vois mourir   2314
une reine, je me console de n'être pas immortel.
Ibid., à Mme de Montmorency, 4 avril 1669.

Pour moi, j'ai éprouvé qu'on est tellement rebuté de l'infi-   2315
délité, de l'inconstance et de l'ingratitude, que l'on préfère
les tièdes plaisirs de la bonne amitié à tout le reste.
Ibid., à Mme Bossuet, 13 avril 1671.

[...] Pour parler franchement, j'aime mieux avoir été moins   2316
heureux que d'être mort jeune.
Ibid., à Mme de Sévigné, 26 juin 1672.

Il est donc vrai que l'espérance est le seul bien de ceux qui   2317
n'en ont plus.   *Ibid., à Corbinelli, 8 mai 1671.*

Les malheureux qu'on accable ont si grand'peur qu'on ne   2318
les méprise, qu'ils en sont moins modestes.
Ibid., au P. Rapin, octobre 1677.

Comme vous savez, Dieu est d'ordinaire pour les gros esca-   2319
drons contre les petits.
Ibid., au Comte de Limoges, 18 octobre 1677.

[...] Il n'est pas possible de rire quand on n'a point   2320
d'argent.   *Ibid., à Mme de Scudéry, 18 septembre 1679.*

Il faut bien de la force pour dire en mourant les mêmes   2321
choses qu'on dirait en bonne santé.
Ibid., à Mme de Sévigné, 6 janvier 1681.

Il n'y a point de haut et de bas qu'on ne doive attendre de   2322
sujets qui coupent la tête à leur roi et qui laissent ensuite
régner ses enfants.   *Ibid., à Mme de Sévigné, 23 mars 1689.*

Ce mariage étant achevé, les amants qui avaient voulu être   2323
mariés se retirèrent, et il en vint d'autres qui ne voulaient
qu'aimer.
Histoire amoureuse des Gaules, Histoire d'Ardélise.

Ce n'était pas que M. d'Olonne n'aimât sa femme; mais les   2324
maris s'apprivoisent, et jamais les amants; et la jalousie de
ceux-ci est mille fois plus pénétrante que celle des autres.
Ibid.

Un prétendant d'ordinaire ne regarde que devant lui;   2325
mais un amant bien traité regarde à droite et à gauche...
Ibid.

On lui dit qu'il était en âge de faire parler de lui; que les   2326
femmes donnaient de l'estime aussi bien que les armes...
Ibid.

Il y a d'autres coquettes qui ménagent plusieurs amants   2327
afin de sauver le véritable dans la multitude et de faire dire
qu'elles n'ont point d'affaire, puisqu'elles traitent également
tous ceux qui les voient...   *Ibid.*

2328   Quoi qu'on veuille dire contre les femmes, il y a souvent
       plus d'imprudence que de malice en leur conduite; la plu-
       part ne pensent pas, quand on leur parle d'amour, qu'elles
       doivent jamais aimer.   *Ibid.*

CYRANO DE BERGERAC
1619-1655

2329   Il est si pointu, que l'esprit même ne saurait s'y asseoir.
       Lettres diverses, VIII, Description d'un cyprès.

2330   On en doit pas croire toutes choses d'un homme, parce
       qu'un homme peut dire toutes choses.
       Ibid., XIII, Contre les sorciers.

2331   N'embrassons donc point une opinion, à cause que beau-
       coup la tiennent, ou parce que c'est la pensée d'un Grand
       Philosophe; mais seulement à cause que nous voyons plus
       d'apparence qu'il soit ainsi, que d'être autrement.   *Ibid.*

2332   Un Philosophe doit juger le vulgaire, et non pas juger comme
       le vulgaire.   *Ibid.*

2333   Le gouvernement populaire est le pire fléau dont Dieu afflige
       un État quand il le veut châtier.
       Ibid., Contre les frondeurs.

2334   Non, non, je ne dégaine point; c'est craindre son ennemi,
       de vouloir, par le moyen de la mort, ou l'éloigner de soi,
       ou s'éloigner de lui.
       Lettres satiriques, I, Contre un poltron.

2335   Si les Philistins autrefois n'eussent laissé leurs vies sous le
       bras de Samson, nous ne saurions pas aujourd'hui que la
       terre eut porté des Philistins. Ils doivent leur vie à leur mort,
       et s'ils eussent vécu dix ans plus tard, ils fussent morts
       trente siècles plus tôt.   *Ibid., IV, Contre un ingrat,*

2336   Il faut, en effet, qu'il soit plus ignorant qu'une plante même.
       de ne savoir pas mourir, chose que tout ce qui a vie sait faire
       sans précepteur.
       Ibid., VII, Consolation à un ami sur l'éternité de son beau-père.

2337   Si ses pensées se forment au moule de sa tête, il doit avoir
       la tête fort plate.   *Ibid., XI, Contre Scarron.*

2338   [...] On peut être pendu sans corde.
                          Poésies, le Ministre d'État flambé.

2339   Paris est fourni de pourceaux,
            Et crève de bêtes à cornes.
                                                           Ibid.

Vous pouvez promener votre charrue ailleurs que sur le   2340
champ virginal [...] de ma fille.
> *Le Pédant joué, acte II, scène 3.*

Que diable aller faire aussi dans la galère [1] d'un Turc? D'un   2341
Turc!   *Ibid., acte III, scène 4.*

O galère, galère, tu mets bien ma bourse aux galères!   2342
> *Ibid.*

CORBINELI   2343

Notre *Domine* ne songe pas que ces Turcs me dévoreront?

PAQUIER

Vous êtes à l'abri de ce côté-là, car les Mahométans ne mangent point de porc.   *Ibid., acte III, scène 5.*

Mais, parmi tant d'écueils, hâtons-nous lentement.   2344
> *La Mort d'Agrippine, acte I, scène 2.*

Pour le tuer encor, je lui rendrais la vie;   2345
Et je voudrais qu'il pût, sans tout à fait périr,
Et sans cesse renaître, et sans cesse mourir.
> *Ibid., acte I, scène 3.*

Oui, la Couronne enferme et cache beaucoup plus   2346
De pointes sous le front qu'il n'en paraît dessus!
> *Ibid., acte II, scène 1.*

Qu'il fût né d'un grand Roi, moi d'un simple Pasteur,   2347
Son sang auprès du mien est-il d'autre couleur?
> *Ibid., acte II, scène 4.*

Et puis, mourir n'est rien, c'est achever de naître!   2348
> *Ibid.*

J'ai six mois pour le moins à me moquer des Dieux,   2349
Ensuite je ferai ma paix avec les Cieux.
> *Ibid.*

Mais le discours sied mal à qui cherche du sang.   2350
> *Ibid., acte III, scène 1.*

Pour paraître innocente, il faut être coupable :   2351
D'une prompte réplique on est bien plus capable.
> *Ibid., acte IV, scène 2.*

Périsse l'Univers, pourvu que je me venge!   2352
> *Ibid., acte IV, scène 3.*

Peut-on être innocent, lorsqu'on aime un coupable?   2353
> *Ibid., acte V, scène 5.*

---

1. Cf. les Fourberies de Scapin, acte II, scène 7.

2354   Une heure après la mort, notre âme évanouie
         Sera ce qu'elle était une heure avant la vie.
                                   Ibid., acte V, scène 6.

2355   Premièrement, il est du sens commun de croire que le soleil
         a pris la place au centre de l'univers, puisque tous les corps
         qui sont dans la nature ont besoin de ce feu radical; [...]
         de même que la sage nature a placé les parties génitales
         dans l'homme, les pépins dans le centre des pommes, les
         noyaux au milieu de leur fruit.   *Voyage dans la lune.*

2356   Il serait aussi ridicule de croire que ce grand corps lumineux
         tournât autour d'un point dont il n'a que faire que de s'ima-
         giner, qund nous voyons une alouette rôtie, qu'on a, pour
         la cuire, tourné la cheminée alentour.   *Ibid.*

2357   Ajoutez à cela l'orgueil insupportable des humains, qui se
         persuadent que la nature n'a été faite que pour eux, comme
         s'il était vraisemblable que le soleil [...] n'eût été allumé
         que pour mûrir ses nèfles, et pommer ses choux.   *Ibid.*

2358   Non, non, si ce Dieu visible [1] éclaire l'homme, c'est par acci-
         dent, comme le flambeau du roi éclaire par accident au croche-
         teur qui passe par la rue.   *Ibid.*

2359   Il y a du vulgaire, ici comme là, qui ne peut souffrir la pensée
         des choses où il n'est point accoutumé.   *Ibid.*

2360   [...] A pénétrer sérieusement la matière, vous connaîtrez
         qu'elle n'est qu'une, qui, comme excellente comédienne, joue
         ici-bas toutes sortes de personnages, sous toutes sortes
         d'habits.   *Ibid.*

2361   [...] En conscience, dites-moi, quand un homme jeune et
         chaud est en force d'imaginer, de juger et d'exécuter, n'est-il
         pas plus capable de gouverner une famille qu'un infirme
         sexagénaire, pauvre hébété, dont la neige de soixante hivers
         a glacé l'imagination? [...]   *Ibid.*

2362   [...] Ce qu'on appelle *prudence* en un vieillard n'est autre
         chose qu'une appréhension panique, une peur enragée de
         rien entreprendre, qui l'obsède.   *Ibid.*

2363   La gueuserie est un grand livre qui nous enseigne les mœurs
         des peuples à meilleur marché que tous ces grands voyages
         de Colomb et de Magellan.
                   Histoire comique des États et Empires du Soleil.

2364   Rêvant depuis aux causes de la construction de ce grand
         univers, je me suis imaginé qu'au débrouillement du chaos,
         après que Dieu eut créé la matière, les corps semblables
         se joignirent, par ce principe d'amour inconnu, avec lequel
         nous expérimentons que toute chose cherche son pareil.
                                                        Ibid.

1. Le soleil.

Vous saurez qu'en quelque monde que ce soit, nature a   2365
imprimé aux oiseaux une secrète envie de voler jusqu'ici,
et peut-être que cette émotion de notre volonté est ce qui
nous a fait croître des ailes.   *Ibid., Histoire des oiseaux.*

L'homme, qui soutient qu'on ne raisonne que par le rapport   2366
des sens, et qui cependant a les sens les plus faibles, les plus
tardifs et les plus faux d'entre toutes les créatures...
                                                    Ibid.

[Les hommes] sont si enclins à la servitude, que, de peur de   2367
manquer à servir, ils se vendent les uns aux autres leur liberté.
C'est ainsi que les jeunes sont esclaves des vieux, les pauvres
des riches, les paysans des gentilshommes, les princes des
monarques, et les monarques mêmes des lois qu'ils ont
établies. Mais, avec tout cela, ces pauvres serfs ont si peur
de manquer de maîtres, que [...] ils se forgent des dieux de
toutes parts [...] et je crois même qu'ils se chatouillent des
fausses espérances de l'immortalité, moins par l'horreur
dont le non-être les effraie, que par la crainte qu'ils ont de
n'avoir pas qui leur commande après la mort.
*Ibid., Plaidoyer fait au Parlement des oiseaux contre un
                    animal accusé d'être homme.*

ANDRÉ FÉLIBIEN
1619-1695

Le génie se sert donc de la mémoire comme d'un .vase où   2368
il met en réserve les Idées qui se présentent; [...] il en tire
ce qu'il y a mis, et n'en peut tirer autre chose.
              L'idée du peintre parfait, chap. II.

ANTOINE FURETIÈRE
1619-1688

Il voulait qu'on jugeât de l'excellence de son sermon par   2369
les chaises, qui y étaient louées deux sous marqués.
                    Le Roman bourgeois, livre premier.

A cette solennité se trouva un homme amphibie, qui était   2370
le matin avocat et le soir courtisan.   *Ibid.*

Son oreille était excellente, car elle entendait le son d'un   2371
quart-d'écu de cinq cents pas.   *Ibid.*

[...] Il arrive, comme on dit, beaucoup de choses entre la   2372
bouche et le verre.   *Ibid.*

C'est un malheur assez ordinaire aux héros, quand ils   2373
pensent tenir leur maîtresse, de n'embrasser qu'une nue,
comme de malheureux Ixions, qui gobent du vent, tandis
qu'un de leurs confidents la leur enlève sur la moustache.
                                                    Ibid.

2374 Il aurait fallu que son cœur eût été ferré à glace pour se bien
tenir dans un chemin si glissant.
Ibid., Histoire de Lucrèce la bourgeoise.

2375 La corruption du siècle ayant introduit de marier un sac
d'argent avec un autre sac d'argent, en mariant une fille
avec un garçon [...] il fut fait un tarif pour l'évaluation des
hommes et pour l'assortiment des partis [...]   *Ibid.*

2376 [...] Une charge est le chausse-pied du mariage.   *Ibid.*

2377 Elle n'était vêtue que des bonnes fortunes du jeu ou de la
sottise de ses amants.   *Ibid.*

2378 [...] S'imaginant qu'autant de crottes qu'il avait sur son
habit étaient autant de taches à son honneur, il était merveilleusement humilié, et il ressemblait au paon, qui, après avoir
regardé ses pieds, baisse incontinent la queue.   *Ibid.*

2379 On juge du mérite des hommes à proportion de la hauteur
de la dentelle qui est à leur linge, et on les élève par degrés
depuis le pontignac jusqu'au point de Gênes.   *Ibid.*

2380 C'était un homme que l'avarice dominait entièrement,
qualité qu'il avait trouvée dans la succession de son père.
Ibid., livre premier.

2381 Son esprit était une pierre ponce, qu'il était tout à fait
impossible de polir.   *Ibid.*

2382 Il avait tous ses charmes enfermés sous la clé de son coffre.
Ibid.

2383 Comme les deux sexes sont nés l'un pour l'autre, ils ont
une grande inclination à s'approcher, et il en est comme
d'un ressort qu'on a mis en un état violent, qui se rejoint
avec un plus grand effort, quand il a été lâché.   *Ibid.*

2384 L'amour n'est pas opiniâtre dans une tête bourgeoise comme
il l'est dans un cœur héroïque; l'attachement et la rupture
se font communément et avec grande facilité; l'intérêt et le
dessein de se marier est ce qui règle leur passion. Il n'appartient qu'à ces gens fainéants et fabuleux d'avoir une fidélité
à l'épreuve des rigueurs, des absences et des années.
Ibid.

2385 Sitôt qu'on a hanté un peu le grand monde, on y voit un
certain air qui dégoûte fort de celui des gens qui vivent dans
l'obscurité.   *Ibid.*

2386 C'est un dangereux exemple que celui d'une fille qui par
sa beauté aura fait fortune; il fera vieillir cent autres qui s'y
attendront, si tant est qu'il ne leur arrive encore pis, et
que leur honneur ne fasse pas cependant naufrage.
Ibid.

Voyez ce qu'il reste en mourant,   2387
A cet illustre conquérant,
Pour le fruit de tant de batailles :
On lui fit en son jour fatal,
De moins pompeuses funérailles,
Qu'il n'en fit faire à son cheval.
Épigramme, Sur la mort d'Alexandre le Grand.

FRANÇOIS DE MAUCROIX
1619-1709

[...] Le nocher de la Parque   2388
Dans une même barque
Passe indifféremment le vice et la vertu.
Ode à M. Conrart.

Surtout, quand il faudra mettre la main aux armes,   2389
Ne sois pas des premiers à courir aux alarmes,
Car tu n'ignores pas qu'on dit communément
Que les hommes d'esprit se hâtent lentement.
Épître à Damon.

Un baiser est souvent le prix de peu d'adresse,   2390
Les dames rarement en savent bien user :
Telle donne parfois qui ne peut refuser;
Telle se rend aussi, même avant qu'on la presse.
Sonnet, sur un baiser.

A ne vous rien dissimuler,   2391
Nous sommes d'humeur bien contraire :
Vous le faites sans en parler
Et moi j'en parle sans le faire.
Épigramme.

Prendre femme est étrange chose :   2392
Il y faut penser mûrement,
Sages gens en qui je me fie,
M'ont dit que c'est fait prudemment
Que d'y songer toute sa vie.
A un ami qui voulut engager l'auteur à se marier.

GÉDÉON TALLEMANT DES RÉAUX
1619-1690

Quand M. du Perron, alors évêque d'Évreux, en instruisant   2393
le Roi voulut lui parler du Purgatoire : « Ne touchez point
cela », dit-il, « c'est le pain des moines ».
Henri quatrième.

Il disait qu'il n'avait jamais baisé de religieuses, parce qu'il   2394
les avait toujours fait déshabiller auparavant.
Le Maréchal de Roquelaure.

2395   Du Luat fut mis en prison. Quand on le voulut interroger
       et qu'on lui dit : « Promettez-vous de dire la vérité ? — Je m'en
       garderai bien », dit-il; « je ne suis en peine que pour l'avoir
       dite ».   *M. de Sully.*

2396   Des Barreaux entendant un grand tonnerre un vendredi,
       pendant qu'il mangeait une omelette au lard, se leva de table
       et jeta l'omelette par la fenêtre, disant : « Voilà bien du
       bruit là-haut pour une omelette. »   *Des Barreaux.*

2397   On dit qu'il fut trois ans à l'Ode pour le premier président
       de Verdun, sur la mort de sa femme, et que le Président était
       remarié avant que Malherbe lui eût donné ces vers.
                                                          Malherbe.

2398   Il ne s'épargnait pas lui-même en l'art où il excellait, et
       disait souvent à Racan : « Voyez-vous, mon cher monsieur,
       si nos vers vivent après nous, toute la gloire que nous pouvons
       en espérer, c'est qu'on dira que nous avons été deux excel-
       lents arrangeurs de syllabes, et que nous avons été tous deux
       bien fous de passer toute notre vie à un exercice si peu utile
       et au public et à nous, au lieu de l'employer à nous donner
       du bon temps, et à penser à l'établissement de notre fortune. »
                                                          Ibid.

2399   Au combat contre les Rochellois, le feu se prit à son vaisseau.
       Feu M. de la Rochefoucauld lui vint dire : « Ah ! Monsieur,
       tout est perdu. — Tourne, tourne », dit-il au pilote, « autant
       vaut rôti que bouilli ».   *M. de Guise, fils du balafré.*

2400   Ayant recherché une dame fort longtemps, et enfin étant couché
       avec elle, le matin de bonne heure il avait de l'inquiétude,
       et ne faisait que se tourner de côté et d'autre ; elle lui demanda
       ce qu'il avait : « C'est, dit-il, que je voudrais déjà être levé
       pour l'aller dire. »   *Ibid.*

FRANÇOIS CHARPENTIER
1620-1702

2401   Le rang où je suis parvenu,
                       N'est pas d'un fort grand revenu;
                       Un Doyen de l'Académie
                       Fait peu craindre son tribunal :
                       Pour être estimé dans la vie,
                       Il faut pouvoir faire du mal.

NINON DE LENCLOS
1620-1705

2402   Ma nièce, disait Éléonore à Philomène, quand vous serez
       à Paris, ne faites point amitié ni conversation avec toute

sorte d'hommes : il y a bien du choix à faire parmi eux;
mais surtout évitez les philosophes.
[...] J'entends certains pédants déguisés, pédants de robe
courte, des philosophes de chambre qui ont le teint un peu
plus frais que les autres, parce qu'ils se nourrissent à l'ombre
et qu'ils ne s'exposent jamais à la poussière et au soleil;
des philosophes de ruelles qui dogmatisent dans des fauteuils;
des philosophes galants qui raisonnent sans cesse sur l'amour,
et qui n'ont rien de raisonnable pour se faire aimer. Vous
ne sauriez croire combien ces gens-là sont incommodes.
La Coquette Vengée.

MICHEL DE PURE
1620-1680

La Coquette est une espèce amphibie, tantôt fille et tantôt   2403
femme, qui a pour objet d'attaquer la Dupe ou le Galant,
et faire enrager l'Amant et le Mari.
La Précieuse ou le Mystère des ruelles.

Il y a les Beautés de *Consolation* et celles d'*Espoir*. Les unes   2404
pour l'ordinaire sont des femmes qui, repassant agréablement
sur les ruines que les temps ou les passe-temps ont faites sur
leur visage, citent aussitôt les siècles passés et les vieilles
vogues.   *Ibid.*

Comme il coûte bien moins à la mémoire de pousser ce dont   2405
elle a retenu l'espèce qu'au jugement d'en former une qui
soit digne d'être débitée, il y a épargne d'esprit à dire les
choses que les auteurs ont laissées, et c'est une dispense
bien douce d'être obligé de méditer pour trouver ce que ceux
qui nous ont devancés ont déduit dans leurs livres.
Ibid.

[...] Y a-t-il une tyrannie au monde plus cruelle, plus sévère,   2406
plus insupportable que celle de ces fers qui durent jusqu'au
tombeau? Ces fers, dis-je, bizarres et injustes qui sont plus
sévères aux innocents qu'aux coupables, qui forment leur
rigueur de nos bontés et serrent d'autant plus que moins
nous nous en relâchons.   *Contre le mariage.*

JEAN DE LA FONTAINE
1621-1695

Je n'appelle pas gaieté ce qui excite le rire; mais un certain   2407
charme, un air agréable qu'on peut donner à toutes sortes
de sujets, même les plus sérieux.   *Fables, Préface.*

Je me sers d'animaux pour instruire les hommes.   2408
Ibid., à Monseigneur le Dauphin.

2409   La Fourmi n'est pas prêteuse :
              C'est là son moindre défaut.

              Vous chantiez? j'en suis fort aise :
              Eh bien! dansez maintenant.
                        Ibid., Livre I, 1, La cigale et la fourmi.

2410   Sans mentir, si votre ramage
              Se rapporte à votre plumage,
              Vous êtes le phénix des hôtes de ces bois.

              Apprenez que tout flatteur
              Vit aux dépens de celui qui l'écoute :
              Cette leçon vaut bien un fromage, sans doute.
                        Ibid., Livre I, 2, Le corbeau et le renard.

2411   La grenouille qui se veut faire aussi grosse que le bœuf.
                        Ibid., Livre I, 3, titre.

2412   Tout bourgeois veut bâtir comme les grands seigneurs,
              Tout petit prince a des ambassadeurs,
              Tout marquis veut avoir des pages.
                                            Ibid.

2413   Mais parmi les plus fous
              Notre espèce excella; car tout ce que nous sommes,
              Lynx envers nos pareils, et taupes envers nous,
              Nous nous pardonnons tout, et rien aux autres hommes :
              On se voit d'un autre œil qu'on ne voit son prochain.
                        Ibid., Livre I, 7, La besace.

2414   Nous n'écoutons d'instincts que ceux qui sont les nôtres,
              Et ne croyons le mal que quand il est venu.
                        Ibid., Livre I, 8, L'hirondelle et les petits oiseaux.

2415   Le régal fut fort honnête :
              Rien ne manquait au festin :
              Mais quelqu'un troubla la fête...
                        Ibid., Livre I, 9, Le rat de ville et le rat des champs.

2416   Fi du plaisir
              Que la crainte peut corrompre!
                                            Ibid.

2417   La raison du plus fort est toujours la meilleure.
                        Ibid., Livre I, 10, Le loup et l'agneau.

2418   Si ce n'est toi, c'est donc ton frère.
                                            Ibid.

2419   Il accusait toujours les miroirs d'être faux.
                        Ibid., Livre I, 11, L'homme et son image.

2420   Tandis que coups de poing trottaient,
              Et que nos champions songeaient à se défendre,
              Arrive un troisième larron
              Qui saisit maître Aliboron.
                        Ibid., Livre I, 13, Les voleurs et l'âne.

On ne peut trop louer trois sortes de personnes :   2421
   Les Dieux, sa maîtresse, et son roi.
Malherbe le disait; j'y souscris, quant à moi...
   Ibid., Livre I, 14, Simonide préservé par les Dieux.

Un pauvre bûcheron, tout couvert de ramée,   2422
Sous le faix du fagot aussi bien que des ans
Gémissant et courbé, marchait à pas pesants
[...]
Il met bas son fagot, il songe à son malheur.
    Ibid., Livre I, 16, La mort et le bûcheron.

   Plutôt souffrir que mourir,   2423
   C'est la devise des hommes.
                   Ibid.

Deux Veuves sur son cœur eurent le plus de part :   2424
  L'une encor verte, et l'autre un peu bien mûre,
    Mais qui réparait par son art
    Ce qu'avait détruit la nature.
Ibid., Livre I, 17, L'homme entre deux âges et ses deux
                       maîtresses.

Honteux comme un renard qu'une poule aurait pris,   2425
Serrant la queue, et portant bas l'oreille.
    Ibid., Livre I, 18, Le renard et la cigogne.

  Trompeurs, c'est pour vous que j'écris :   2426
  Attendez-vous à la pareille.
                   Ibid.

  Hé! mon ami, tire-moi de danger,   2427
  Tu feras après ta harangue.
    Ibid., Livre I, 19, L'enfant et le maître d'école.

  A l'œuvre on connaît l'artisan.   2428
  Ibid., Livre I, 21, Les frelons et les mouches à miel.

On fait tant, à la fin, que l'huître est pour le juge,   2429
  Les écailles pour les plaideurs.
                   Ibid.

  Le Chêne un jour dit au Roseau :   2430
« Vous avez bien sujet d'accuser la nature;
Un roitelet pour vous est un pesant fardeau... »
    Ibid., Livre I, 22, Le chêne et le roseau.

Tout vous est aquilon, tout me semble zéphyr.   2431
                   Ibid.

  Je plie, et ne romps pas.   2432
                   Ibid.

Celui de qui la tête au ciel était voisine,   2433
Et dont les pieds touchaient à l'empire des morts.
                   Ibid.

Le mensonge et les vers de tout temps sont amis.   2434
  Ibid., Livre II, 1, Contre ceux qui ont le goût difficile.

2435   Les délicats sont malheureux :
            Rien ne saurait les satisfaire.
                                        Ibid.

2436   Ne faut-il que délibérer,
            La cour en conseillers foisonne;
            Est-il besoin d'exécuter,
            L'on ne rencontre plus personne.
                Ibid., Livre II, 2, Conseil tenu par les rats.

2437   Hélas! on voit que de tout temps
            Les petits ont pâti des sottises des grands.
        Ibid., Livre II, 4, Les deux taureaux et une grenouille.

2438   Je suis oiseau; voyez mes ailes.
        Ibid., Livre II, 5, La chauve-souris et les deux belettes.

2439   Je suis souris : vivent les rats!
                                        Ibid.

2440   Le sage dit, selon les gens :
            « Vive le Roi! vive la ligue! »
                                        Ibid.

2441   Ce qu'on donne aux méchants, toujours on le regrette.
                Ibid., Livre II, 7, La lice et sa compagne.

2442   Laissez-leur prendre un pied chez vous,
            Ils en auront bientôt pris quatre.
                                        Ibid.

2443   « Va-t'en, chétif insecte, excrément de la terre! »
            C'est en ces mots que le Lion
            Parlait un jour au Moucheron.
                Ibid., Livre II, 9, Le lion et le moucheron.

2444   [...] Entre nos ennemis
        Les plus à craindre sont souvent les plus petits [...]
                                        Ibid.

2445   [...] Aux grands périls tel a pu se soustraire,
            Qui périt pour la moindre affaire.
                                        Ibid.

2446   Il faut, autant qu'on peut, obliger tout le monde :
        On a souvent besoin d'un plus petit que soi.
                Ibid., Livre II, 11, Le lion et le rat.

2447   Le roi des animaux, en cette occasion,
            Montra ce qu'il était, et lui donna la vie.
                                        Ibid.

2448   Patience et longueur de temps
            Font plus que force ni que rage.
                                        Ibid.

2449   Car que faire en un gîte, à moins que l'on ne songe?
            Ibid., Livre I, 14, Le lièvre et les grenouilles.

Cet animal est triste, et la crainte le ronge.   2450
   Les gens de naturel peureux
   Sont, disait-il, bien malheureux.
Ils ne sauraient manger morceau qui leur profite;
Jamais un plaisir pur [...].
Ibid.

Corrigez-vous, dira quelque sage cervelle.   2451
   Et la peur se corrige-t-elle?
Ibid.

Il n'est, je le vois bien, si poltron sur la terre   2452
Qui ne puisse trouver un plus poltron que soi.
Ibid.

C'est double plaisir de tromper le trompeur.   2453
Ibid., Livre II, 15, Le coq et le renard.

Tous les mangeurs de gens ne sont pas grands seigneurs;   2454
Où la Guêpe a passé le Moucheron demeure.
Ibid., Livre II, 16, Le corbeau voulant imiter l'aigle.

   Jamais vous n'en serez les maîtres.   2455
   Qu'on lui ferme la porte au nez,
   Il reviendra par les fenêtres.
Ibid., Livre II, 18, La chatte métamorphosée en femme.

Tout au monde est mêlé d'amertume et de charmes :   2456
La guerre a ses douceurs, l'hymen a ses alarmes.
Ibid., Livre III, 1, Le meunier, son fils et l'âne.

Le plus âne des trois n'est pas celui qu'on pense.   2457
Ibid.

      Est bien fou du cerveau   2458
Qui prétend contenter tout le monde et son père.
Ibid.

« Mais que dorénavant on me blâme, on me loue,   2459
Qu'on dise quelque chose ou qu'on ne dise rien,
J'en veux faire à ma tête. » Il le fit, et fit bien.
Ibid.

Il aurait volontiers écrit sur son chapeau :   2460
« C'est moi qui suis Guillot, berger de ce troupeau. »
Ibid., livre III, 3, Le loup devenu berger.

Toujours par quelque endroit fourbes se laissent prendre.   2461
   Quiconque est loup agisse en loup :
   C'est le plus certain de beaucoup.
Ibid.

[...] Celui qu'elles croyaient être un géant nouveau.   2462
   Or c'était un Soliveau...
Ibid., livre III, 4, Les grenouilles qui demandent un roi.

2463   Capitaine Renard allait de compagnie
            Avec son ami Bouc des plus haut encornés :
            Celui-ci ne voyait pas plus loin que son nez;
            L'autre était passé maître en fait de tromperie.
                    Ibid., livre III, 5, Le renard et le bouc.

2464   Le Renard sort du puits, laisse son compagnon,
                    Et vous lui fait un beau sermon
                    Pour l'exhorter à patience.
            « Si le ciel t'eût, dit-il, donné par excellence
            Autant de jugement que de barbe au menton... »
                                        Ibid.

2465   En toute chose il faut considérer la fin.
                                        Ibid.

2466   Des malheurs qui sont sortis
                    De la boîte de Pandore,
            Celui qu'à meilleur droit tout l'univers abhorre,
                    C'est la fourbe, à mon avis.
                    Ibid., livre III, 6, L'Aigle, la laie et la chatte.

2467   Chacun a son défaut, où toujours il revient :
                    Honte ni peur n'y remédie.
                    Ibid., livre III, 7, L'ivrogne et sa femme.

2468   Un suppôt de Bacchus
            Altérait sa santé, son esprit, et sa bourse :
            Telles gens n'ont pas fait la moitié de leur course
                    Qu'ils sont au bout de leurs écus.
                                        Ibid.

2469   Mais comme il n'y pouvait atteindre :
            « Ils sont trop verts, dit-il, et bons pour des goujats. »
                    Ibid., livre III, 11, Le renard et les raisins.

2470   Il faut faire aux méchants guerre continuelle.
                    La paix est fort bonne de soi;
                    J'en conviens; mais de quoi sert-elle
                    Avec des ennemis sans foi?
                    Ibid., livre III, 13, Les loups et les brebis.

2471   Je ne suis pas de ceux qui disent : « Ce n'est rien,
                    C'est une femme qui se noie. »
            Je dis que c'est beaucoup; et ce sexe vaut bien
            Que nous le regrettions, puisqu'il fait notre joie.
                    Ibid., livre III, 16, La femme noyée.

2472   Il était expérimenté,
                    Et savait que la méfiance
                    Est mère de la sûreté.
                    Ibid., livre III, 18, Le chat et un vieux rat.

2473   Amour est un étrange maître.
                    Heureux qui peut ne le connaître
                    Que par récit, lui ni ses coups!
                    Ibid., livre IV, 1, Le lion amoureux.

Si la vérité vous offense,   2474
La fable au moins se peut souffrir.

Ibid.

Amour, Amour, quand tu nous tiens   2475
On peut bien dire : « Adieu prudence. »

Ibid.

Ne forçons point notre talent,   2476
Nous ne ferions rien avec grâce :
Jamais un lourdaud, quoi qu'il fasse,
Ne saurait passer pour galant.
Ibid., livre IV, 5, L'âne et le petit chien.

Une tête empanachée   2477
N'est pas petit embarras.
Ibid., livre IV, 6, Le combat des rats et des belettes.

Les petits, en toute affaire,   2478
Esquivent fort aisément :
Les grands ne le peuvent faire.

Ibid.

Le geai paré des plumes du paon.   2479
Ibid., livre IV, 9, titre.

De loin, c'est quelque chose; et de près, ce n'est rien.   2480
Ibid., livre IV, 10, Le chameau et les bâtons flottants.

Hélas! que sert la bonne chère   2481
Quand on n'a pas la liberté?
Ibid., livre IV, 13, Le cheval s'étant voulu venger du cerf.

Quel que soit le plaisir que cause la vengeance,   2482
C'est l'acheter trop cher que l'acheter d'un bien
Sans qui les autres ne sont rien.

Ibid.

« Belle tête, dit-il; mais de cervelle point. »   2483
Combien de grands seigneurs sont bustes en ce point!
Ibid., livre IV, 14, Le renard et le buste.

« Montrez-moi patte blanche, ou je n'ouvrirai point. »   2484
Ibid., livre IV, 15, Le loup, la chèvre et le chevreau.

Deux sûretés valent mieux qu'une.   2485

Ibid.

Chacun se dit ami; mais fol qui s'y repose :   2486
Rien n'est plus commun que ce nom,
Rien n'est plus rare que la chose.
Ibid., livre IV, 17, Parole de Socrate.

Toute puissance est faible, à moins que d'être unie.   2487
Ibid., livre IV, 18, Le vieillard et ses enfants.

Le sang les avait joints; l'intérêt les sépare...   2488

Ibid.

2489   Ne possédait pas l'or, mais l'or le possédait.
             Ibid., livre IV, 20, L'avare qui a perdu son trésor.

2490   Puisque vous ne touchiez jamais à cet argent :
             Mettez une pierre à la place,
             Elle vous vaudra tout autant.
                                                        Ibid.

2491   Il n'est, pour voir, que l'œil du maître.
             Quant à moi, j'y mettrais encor l'œil de l'amant.
                        Ibid., livre IV, 21, L'œil du maître.

2492   Ne t'attends qu'à toi seul : c'est un commun proverbe.
        *Ibid., livre IV, 22, L'alouette et ses petits avec le maître d'un
                                                        champ.*

2493   Il n'est meilleur ami ni parent que soi-même.
                                                        Ibid.

2494   Un auteur gâte tout quand il veut trop bien faire.
                        Ibid., livre V, 1, Le bûcheron et Mercure.

2495   La sotte vanité jointe avecque l'envie,
             Deux pivots sur qui roule aujourd'hui notre vie...
                                                        Ibid.

2496   Petit poisson deviendra grand,
                 Pourvu que Dieu lui prête vie...
                 Ibid., livre V, 3, Le petit poisson et le pêcheur.

2497   Un Tiens vaut, ce dit-on, mieux que deux Tu l'auras.
                                                        Ibid.

2498   Arrière ceux dont la bouche
                 Souffle le chaud et le froid !
                 Ibid., livre V, 7, Le satyre et le passant.

2499   Travaillez, prenez de la peine :
                 C'est le fonds qui manque le moins.
                 Ibid., livre V, 9, Le laboureur et ses enfants.

2500   [...] Le père fut sage
                 De leur montrer, avant sa mort,
                 Que le travail est un trésor.
                                                        Ibid.

2501   Une Montagne en mal d'enfant
                 Jetait une clameur si haute,
                 Que chacun, au bruit accourant,
                 Crut qu'elle accoucherait sans faute
                 D'une cité plus grosse que Paris :
                 Elle accoucha d'une Souris.
                 Ibid., livre V, 10, La montagne qui accouche.

2502   L'avarice perd tout en voulant tout gagner.
                 Ibid., livre V, 13, La poule aux œufs d'or.

2503   D'un magistrat ignorant
                 C'est la robe qu'on salue.
                 Ibid., livre V, 14, L'âne portant des reliques.

[...] Esprits du dernier ordre   2504
· Qui, n'étant bons à rien, cherchez sur tout à mordre.
Ibid., livre V, 16, Le serpent et la lime.

Croyez-vous que vos dents impriment leurs outrages   2505
Sur tant de beaux ouvrages?
Ils sont pour vous d'airain, d'acier, de diamant.
Ibid.

Il ne se faut jamais moquer des misérables :   2506
Car qui peut s'assurer d'être toujours heureux?
Ibid., livre V, 17, Le lièvre et la perdrix.

[...] Il ne faut jamais   2507
Vendre la peau de l'ours qu'on ne l'ait mis par terre.
Ibid., livre V, 20, L'ours et les deux compagnons.

Une morale nue apporte de l'ennui :   2508
Le conte fait passer le précepte avec lui.
En ces sortes de feinte il faut instruire et plaire,
Et conter pour conter me semble peu d'affaire.
Ibid., livre VI, 1, Le pâtre et le lion.

La vraie épreuve de courage   2509
N'est que dans le danger que l'on touche du doigt :
Tel le cherchait, dit-il, qui, changeant de langage,
S'enfuit aussitôt qu'il le voit.
Ibid., livre VI, 2, Le lion et le chasseur.

Plus fait douceur que violence.   2510
Ibid., livre VI, 3, Phébus et Borée.

Garde-toi, tant que tu vivras,   2511
De juger des gens sur la mine.
Ibid., livre VI, 5, Le cochet, le chat et le souriceau.

Quand le malheur ne serait bon   2512
Qu'à mettre un sot à la raison,
Toujours serait-ce à juste cause
Qu'on le dit bon à quelque chose.
Ibid., livre VI, 7, Le mulet se vantant de sa généalogie.

Nous faisons cas du beau, nous méprisons l'utile...   2513
Ibid., livre VI, 9, Le cerf se voyant dans l'eau.

Rien ne sert de courir; il faut partir à point.   2514
Ibid., livre VI, 10, Le lièvre et la tortue.

Il est bon d'être charitable :   2515
Mais envers qui? c'est là le point.
Quant aux ingrats, il n'en est point
Qui ne meure enfin misérable.
Ibid., livre VI, 13, Le villageois et le serpent.

En ce monde il se faut l'un l'autre secourir.   2516
Si ton voisin vient à mourir,
C'est sur toi que le fardeau tombe.
Ibid., livre VI, 16, Le cheval et l'âne.

2517
> Chacun se trompe ici-bas :
> On voit courir après l'ombre
> Tant de fous, qu'on n'en sait pas
> La plupart du temps le nombre.
>
> *Ibid., livre VI, 17, Le chien qui lâche sa proie pour l'ombre.*

2518
> Aide-toi, le Ciel t'aidera.
>
> *Ibid., livre VI, 18, Le chartier embourbé.*

2519
> La perte d'un époux ne va point sans soupirs;
> On fait beaucoup de bruit; et puis on se console :
> Sur les ailes du Temps la tristesse s'envole,
> Le Temps ramène les plaisirs.
>
> *Ibid., livre VI, 21, La jeune veuve.*

2520
> Bornons ici cette carrière :
> Les longs ouvrages me font peur.
> Loin d'épuiser une matière ;
> On n'en doit prendre que la fleur.
>
> *Ibid., livre VI, Épilogue.*

2521
> Ils ne mouraient pas tous, mais tous étaient frappés.
>
> *Ibid., livre VII, Les animaux malades de la peste.*

2522
> Les tourterelles se fuyaient :
> Plus d'amour, partant plus de joie.
>
> *Ibid.*

2523
> La faim, l'occasion, l'herbe tendre, et, je pense,
> Quelque diable aussi me poussant...
>
> *Ibid.*

2524
> A ces mots on cria haro sur le Baudet.
>
> *Ibid.*

2525
> Sa peccadille fut jugée un cas pendable.
> Manger l'herbe d'autrui! quel crime abominable!
>
> *Ibid.*

2526
> Selon que vous serez puissant ou misérable,
> Les jugements de cour vous rendront blanc ou noir.
>
> *Ibid.*

2527
> Que le bon soit toujours camarade du beau,
> Dès demain je chercherai femme...
>
> *Ibid., livre VII, 2, Le mal marié.*

2528
> J'ai vu beaucoup d'hymens; aucuns d'eux ne me tentent :
> Cependant des humains presque les quatre parts
> S'exposent hardiment au plus grand des hasards;
> Les quatre parts aussi des humains se repentent.
>
> *Ibid.*

2529
> Il devint gros et gras : Dieu prodigue ses biens
> A ceux qui font vœu d'être siens.
>
> *Ibid., livre VII, 3, Le rat qui s'est retiré du monde.*

Un jour, sur ses longs pieds, allait, je ne sais où,   2530
Le Héron au long bec emmanché d'un long cou.
 Il côtoyait une rivière.
L'onde était transparente ainsi qu'aux plus beaux jours...
    Ibid., livre VII, 4, Le héron.

  Ne soyons pas si difficiles :   2531
 Les plus accommodants, ce sont les plus habiles;
 On hasarde de perdre en voulant trop gagner.
       Ibid.

  Les ruines d'une maison   2532
 Se peuvent réparer : que n'est cet avantage
  Pour les ruines du visage?
    Ibid., livre VII, 5, La fille.

Ne soyez à la cour, si vous voulez y plaire,   2533
Ni fade adulateur, ni parleur trop sincère,
Et tâchez quelquefois de répondre en Normand.
    Ibid., livre VII, 7, La cour du lion.

 Tenez toujours divisés les méchants :   2534
 La sûreté du reste de la terre
 Dépend de là. Semez entre eux la guerre,
 Ou vous n'aurez avec eux nulle paix.
   Ibid., livre VII, 8, Les vautours et les pigeons.

Légère et court vêtue, elle allait à grands pas,   2535
Ayant mis ce jour-là, pour être plus agile,
 Cotillon simple et souliers plats.
  Ibid., livre VII, 10, La laitière et le pot au lait.

 Adieu veau, vache, cochon, couvée.   2536
      Ibid.

 Quel esprit ne bat la campagne?   2537
 Qui ne fait châteaux en Espagne?
      Ibid.

Chacun songe en veillant; il n'est rien de plus doux :   2538
Une flatteuse erreur emporte alors nos âmes;
 Tout le bien du monde est à nous,
 Tous les honneurs, toutes les femmes.
      Ibid.

Quelque accident fait-il que je rentre en moi-même,   2539
Je suis gros Jean comme devant.
      Ibid.

  Un mort s'en allait tristement   2540
  S'emparer de son dernier gîte;
  Un Curé s'en allait gaiement
  Enterrer ce mort au plus vite.
    Ibid., livre VII, 11, Le curé et le mort.

 Le repos, le repos, trésor si précieux   2541
 Qu'on en faisait jadis le partage des Dieux?
Ibid., livre VII, 12, L'homme qui court après la fortune,
   et l'homme qui l'attend dans son lit.

2542   Heureux qui vit chez soi,
               De régler ses désirs faisant tout son emploi!
                                                          Ibid.

2543   Deux coqs vivaient en paix : une poule survint,
                        Et voilà la guerre allumée.
                    Amour, tu perdis Troie...
                              Ibid., livre VII, 13, Les deux coqs.

2544   Le bien, nous le faisons; le mal, c'est la Fortune;
               On a toujours raison, le Destin toujours tort.
           *Ibid., livre VII, 14, L'ingratitude et l'injustice des hommes
                                              envers la fortune.*

2545   C'est souvent du hasard que naît l'opinion,
               Et c'est l'opinion qui fait toujours la vogue.
                         Ibid., livre VII, 15, Les devineresses.

2546   L'enseigne fait la chalandise.
                                                          Ibid.

2547   Et quand ce serait un royaume,
               Je voudrais bien savoir, dit-elle, quelle loi
                    En a pour toujours fait l'octroi
           A Jean, fils ou neveu de Pierre ou de Guillaume,
                    Plutôt qu'à Paul, plutôt qu'à moi.
           Ibid., livre VII, 16, Le chat, la belette et le petit lapin.

2548   C'était un Chat vivant comme un dévot ermite,
                        Un Chat faisant la chattemite,
               Un saint homme de Chat, bien fourré, gros et gras...
                                                          Ibid.

2549   Approchez, je suis sourd, les ans en sont la cause.
                                                          Ibid.

2550   Quand l'eau courbe un bâton, ma raison le redresse :
                        La raison décide en maîtresse.
                         Ibid., livre VII, 18, Un animal dans la lune.

2551   La Mort ne surprend point le sage;
                    Il est toujours prêt à partir,
                    S'étant su lui-même avertir
           Du temps où l'on se doit résoudre à ce passage.
                         Ibid., livre VIII, 1, La mort et le mourant.

2552   Je voudrais qu'à cet âge
               On sortît de la vie ainsi que d'un banquet,
               Remerciant son hôte, et qu'on fît son paquet.
                                                          Ibid.

2553   Tu murmures, vieillard! Vois ces jeunes mourir,
                    Vois-les marcher, vois-les courir
               A des morts, il est vrai, glorieuses et belles,
               Mais sûres cependant, et quelquefois cruelles.
                                                          Ibid.

Le plus semblable aux morts meurt le plus à regret. 2554
Ibid.

Et le Financier se plaignait 2555
Que les soins de la Providence
N'eussent pas au marché fait vendre le dormir,
Comme le manger et le boire.
Ibid., livre VIII, 2, Le savetier et le financier.

Alléguer l'impossible aux rois, c'est un abus... 2556
Ibid., livre VIII, 3, Le lion, le loup et le renard.

Messieurs les courtisans, cessez de vous détruire; 2557
Faites, si vous pouvez, votre cour sans vous nuire.
[...]
Vous êtes dans une carrière
Où l'on ne se pardonne rien.
Ibid.

Si *Peau d'âne* m'était conté, 2558
J'y prendrais un plaisir extrême.
Le monde est vieux, dit-on : je le crois; cependant
Il le faut amuser encor comme un enfant.
Ibid., livre VIII, 4, Le pouvoir des fables.

Rien ne pèse tant qu'un secret : 2559
Le porter loin est difficile aux dames;
Et je sais même sur ce fait
Bon nombre d'hommes qui sont femmes.
Ibid., livre VIII, 6, Les femmes et le secret.

Chose étrange : on apprend la tempérance aux chiens, 2560
Et l'on ne peut l'apprendre aux hommes!
*Ibid., livre VIII, 7, Le chien qui porte à son cou le dîner de
son maître.*

Dieu ne créa que pour les sots 2561
Les méchants diseurs de bons mots.
Ibid., livre VIII, 8, Le rieur et les poissons.

Tel est pris qui croyait prendre. 2562
Ibid., livre VIII, 9, Le rat et l'huître.

La raison d'ordinaire 2563
N'habite pas longtemps chez les gens séquestrés.
Ibid., livre VIII, 10, L'ours et l'amateur des jardins.

Il est bon de parler, et meilleur de se taire... 2564
Ibid.

Rien n'est si dangereux qu'un ignorant ami; 2565
Mieux vaudrait un sage ennemi.
Ibid.

Qu'un ami véritable est une douce chose! 2566
Il cherche vos besoins au fond de votre cœur;
Il vous épargne la pudeur
De les lui découvrir vous-même [...]
Ibid., livre VIII, 11, Les deux amis.

2567   Quand le mal est certain,
          La plainte ni la peur ne changent le destin;
       Et le moins prévoyant est toujours le plus sage.
     Ibid., livre VIII, 12, Le cochon, la chèvre et le mouton.

2568   Peuple caméléon, peuple singe du maître...
               Ibid., livre VIII, 14, Les obsèques de la lionne.

2569   Amusez les rois par des songes,
          Flattez-les, payez-les d'agréables mensonges :
       Quelque indignation dont leur cœur soit rempli,
       Ils goberont l'appât; vous serez leur ami.
                                                    Ibid.

2570   Se croire un personnage est fort commun en France...
               Ibid., livre VIII, 15, Le rat et l'éléphant.

2571   C'est proprement le mal françois :
          La sotte vanité nous est particulière.
       Les Espagnols sont vains, mais d'une autre manière.
               Leur orgueil me semble, en un mot,
          Beaucoup plus fou, mais pas si sot.
                                                    Ibid.

2572   On rencontre sa destinée
          Souvent par des chemins qu'on prend pour l'éviter.
                    Ibid., livre VIII, 16, L'horoscope.

2573   Propos, conseil, enseignement,
               Rien ne change un tempérament.
                                                    Ibid.

2574   Il se faut entr'aider; c'est la loi de nature.
                    Ibid., livre VIII, 17, L'âne et le chien.

2575   Laissez dire les sots : le savoir a son prix.
               Ibid., livre VIII, 19, L'avantage de la science.

2576   Une traîtresse voix bien souvent vous appelle;
          Ne vous pressez donc nullement :
       Ce n'était pas un sot, non, non, et croyez-m'en,
          Que le chien de Jean de Nivelle.
               Ibid., livre VIII, 21, Le faucon et le chapon.

2577   S'assure-t-on sur l'alliance
               Qu'a faite la nécessité?
                    Ibid., livre VIII, 22, Le chat et le rat.

2578   Les gens sans bruit sont dangereux :
          Il n'en est pas ainsi des autres.
               Ibid., livre VIII, 23, Le torrent et la rivière.

2579   On ne suit pas toujours ses aïeux ni son père :
       Le peu de soin, le temps, tout fait qu'on dégénère :
       Faute de cultiver la nature et ses dons,
       Oh! combien de Césars deviendront Laridons!
                    Ibid., livre VIII, 24, L'éducation.

Les vertus devraient être sœurs,
Ainsi que les vices sont frères.
Ibid., livre VIII, 25, Les deux chiens et l'âne mort.

2580

L'homme est ainsi bâti : quand un sujet l'enflamme,
L'impossibilité disparaît à son âme.
Ibid.

2581

« Si j'apprenais l'hébreu, les sciences, l'histoire! »
Tout cela, c'est la mer à boire;
Mais rien à l'homme ne suffit.
Pour fournir aux projets que forme un seul esprit,
Il faudrait quatre corps [...]
Ibid.

2582

Que j'ai toujours haï les pensers du vulgaire!
Qu'il me semble profane, injuste, et téméraire,
Mettant de faux milieux entre la chose et lui,
Et mesurant par soi ce qu'il voit en autrui!
Ibid., livre VIII, 26, Démocrite et les Abdéritains.

2583

Aucun n'est prophète chez soi.
Ibid.

2584

Il connaît l'univers, et ne se connaît pas.
Ibid.

2585

Le sage est ménager du temps et des paroles.
Ibid.

2586

[...] Le peuple est juge récusable.
En quel sens est donc véritable
Ce que j'ai lu dans certain lieu,
Que sa voix est la voix de Dieu?
Ibid.

2587

Le doux charme de maint songe
Par leur bel art inventé
Sous les habits du mensonge
Nous offre la vérité.
Ibid., livre IX, 1, Le dépositaire infidèle.

2588

Mais enfin je l'ai vu, vu de mes yeux, vous dis-je,
Et ne vois rien qui vous oblige
D'en douter un moment après ce que je dis.
Ibid.

2589

Quand l'absurde est outré, l'on lui fait trop d'honneur
De vouloir par raison combattre son erreur :
Enchérir est plus court, sans s'échauffer la bile.
Ibid.

2590

Deux Pigeons s'aimaient d'amour tendre...
Ibid., livre IX, 2, Les deux Pigeons.

2591

L'absence est le plus grand des maux.
Ibid.

2592

Quiconque ne voit guère
N'a guère à dire aussi.
Ibid.

2593

2594 Mais un fripon d'enfant (cet âge est sans pitié) [...]
Ibid.

2595 Amants, heureux amants, voulez-vous voyager?
Que ce soit aux rives prochaines.
Soyez-vous l'un à l'autre un monde toujours beau,
Toujours divers, toujours nouveau;
Tenez-vous lieu de tout, comptez pour rien le reste.
Ibid.

2596 Ne sentirai-je plus de charme qui m'arrête?
Ai-je passé le temps d'aimer?
Ibid.

2597 Je hais les pièces d'éloquence
Hors de leur place, et qui n'ont point de fin;
Et ne sais bête au monde pire
Que l'Écolier, si ce n'est le Pédant.
Ibid., livre IX, 5, L'écolier, le pédant, et le maître d'un jardin.

2598 Un bloc de marbre était si beau
Qu'un Statuaire en fit l'emplette.
« Qu'en fera, dit-il, mon ciseau?
Sera-t-il dieu, table ou cuvette? »
Ibid., livre IX, 6, Le statuaire et la statue de Jupiter.

2599 L'homme est de glace aux vérités;
Il est de feu pour les mensonges.
Ibid.

2600 Mettez ce qu'il en coûte à plaider aujourd'hui;
Comptez ce qu'il en reste à beaucoup de familles,
Vous verrez que Perrin tire l'argent à lui,
Et ne laisse aux plaideurs que le sac et les quilles.
Ibid., livre IX, 9, L'huître et les plaideurs.

2601 Ce Loup ne savait pas encor bien son métier.
Ibid., livre IX, 10, Le loup et le chien maigre.

2602 Tout en tout est divers : ôtez-vous de l'esprit
Qu'aucun être ait été composé sur le vôtre.
Ibid., livre IX, 12, Le cierge.

2603 La dispute est d'un grand secours :
Sans elle on dormirait toujours.
Ibid., livre IX, 14, Le chat et le renard.

2604 « En sais-tu tant que moi? J'ai cent ruses au sac.
— Non, dit l'autre : je n'ai qu'un tour dans mon bissac;
Mais je soutiens qu'il en vaut mille. »
Ibid.

2605 Le trop d'expédients peut gâter une affaire :
On perd du temps au choix, on tente, on veut tout faire.
N'en ayons qu'un, mais qu'il soit bon.
Ibid.

« [...] Tire-moi ces marrons. Si Dieu m'avait fait naître   2606
   Propre à tirer marrons du feu,
   Certes, marrons verraient beau jeu. »
Aussitôt fait que dit : Raton, avec sa patte,
   D'une manière délicate,
Écarte un peu la cendre, et retire les doigts; [...]
      Ibid., livre IX, 17, Le singe et le chat.

   Ventre affamé n'a point d'oreilles.   2607
      Ibid., livre IX, 18, Le milan et le rossignol.

   Haranguez de méchants soldats :   2608
   Ils promettront de faire rage;
Mais, au moindre danger, adieu tout leur courage;
Votre exemple et vos cris ne les retiendront pas.
      Ibid., livre IX, 19, Le berger et son troupeau

   La bagatelle, la science,   2609
  Les chimères, le rien, tout est bon; je soutiens
   Qu'il faut de tout aux entretiens :
   C'est un parterre où Flore épand ses biens;
Sur différentes fleurs l'abeille s'y repose,
   Et fait du miel de toute chose.
Ibid., livre IX, Discours à Mme de la Sablière.

Descartes, ce mortel dont on eût fait un dieu   2610
   Chez les païens, et qui tient le milieu
Entre l'homme et l'esprit...
              Ibid.

   S'il fallait condamner   2611
  Tous les ingrats qui sont au monde,
  A qui pourrait-on pardonner?
      Ibid., livre X, 1, L'homme et la couleuvre.

   Le symbole des ingrats   2612
  Ce n'est point le Serpent, c'est l'Homme.
              Ibid.

Volontiers on fait cas d'une terre étrangère;   2613
Volontiers gens boiteux haïssent le logis.
   Ibid., livre X, 2, La tortue et les deux canards.

Qu'importe qui vous mange? Homme ou loup, toute panse   2614
   Me paraît une à cet égard;
   Un jour plus tôt, un jour plus tard,
   Ce n'est pas grande différence.
      Ibid., livre X, 3, Les poissons et le cormoran.

Le bien n'est bien qu'en tant que l'on s'en peut défaire;   2615
Sans cela, c'est un mal.
      Ibid., livre X, 4, L'enfouisseur et son compère.

   La peine d'acquérir, le soin de conserver,   2616
   Otent le prix à l'or, qu'on croit si nécessaire.
              Ibid.

Jupin pour chaque état mit deux tables au monde :   2617
L'adroit, le vigilant, et le fort sont assis
   A la première; et les petits
   Mangent leur reste à la seconde.
      Ibid., livre X, 6, L'araignée et l'hirondelle.

2618   Chien hargneux a toujours l'oreille déchirée.
Le moins qu'on peut laisser de prise aux dents d'autrui,
C'est le mieux.
                Ibid., livre X, 8, Le chien à qui on a coupé les oreilles.

2619   Deux démons à leur gré partagent notre vie,
        Et de son patrimoine ont chassé la raison;
        [...]
        J'appelle l'un Amour, et l'autre Ambition.
                Ibid., livre X, 9, Le berger et le roi.

2620   Il avait du bon sens; le reste vient ensuite.
                                                Ibid.

2621   L'absence est aussi bien un remède à la haine
        Qu'un appareil contre l'amour.
        Ibid., livre X, 11, Les deux perroquets, le Roi, et son fils.

2622   Aucun chemin de fleurs ne conduit à la gloire.
                Ibid., Livre X, 13, Les deux aventuriers et le talisman.

2623   Fortune aveugle suit aveugle hardiesse.
                                                Ibid.

2624   La coquette et l'auteur sont de ce caractère :
Malheur à l'écrivain nouveau!
Le moins de gens qu'on peut à l'entour du gâteau...
                Ibid., Livre X, 14, Les lapins.

2625   Mais les ouvrages les plus courts
        Sont toujours les meilleurs. En cela, j'ai pour guide
        Tous les maîtres de l'art, et tiens qu'il faut laisser
        Dans les plus beaux sujets quelque chose à penser...
                                                Ibid.

2626   Il semblait qu'il n'agît que par réminiscence,
        Et qu'il eût autrefois fait le métier d'amant,
        Tant il le fit parfaitement!
        *Ibid., Livre XI, 2, Les Dieux voulant instruire un fils de
                                                Jupiter.*

2627   L'Amour avait raison : de quoi ne vient à bout
        L'esprit joint au désir de plaire?
                                                Ibid.

2628   Le maître ne trouva de recours qu'à crier
Contre ses gens, son chien : c'est l'ordinaire usage.
                Ibid., Livre XI, 3, Le fermier, le chien et le renard.

2629   T'attendre aux yeux d'autrui quand tu dors, c'est erreur.
Couche-toi le dernier, et vois fermer ta porte.
        Que si quelque affaire t'importe,
        Ne la fais point par procureur.
                                                Ibid.

2630   Loin du monde et du bruit, goûter l'ombre et le frais...
        Ibid., Livre XI, 4, Le songe d'un habitant du Mogol.

2631   Quand le moment viendra d'aller trouver les morts,
J'aurai vécu sans soins, et mourrai sans remords.
                                                Ibid.

Ici-bas maint talent n'est que pure grimace, 2632
Cabale, et certain art de se faire valoir,
Mieux su des ignorants que des gens de savoir.
Ibid., Livre XI, 5, Le lion, le singe, et les deux ânes.

Et chacun croit fort aisément 2633
Ce qu'il craint et ce qu'il désire.
Ibid., Livre XI, 6, Le loup et le renard.

Il ne faut point juger des gens sur l'apparence. 2634
Ibid., Livre XI, 7, Le paysan du Danube.

Toute sa personne velue 2635
Représentait un ours, mais un ours mal léché...
Ibid.

Veuillent les Immortels, conducteurs de ma langue, 2636
Que je ne dise rien qui doive être repris!
Ibid.

N'a-t-on point de présent à faire, 2637
Point de pourpre à donner; c'est en vain qu'on espère
Quelque refuge aux lois...

Ibid.

Un octogénaire plantait. 2638
Passe encor de bâtir; mais planter à cet âge!
Ibid., livre XI, 8, Le vieillard et les trois jeunes hommes.

Quittez le long espoir et les vastes pensées. 2639
Ibid.

Est-il aucun moment 2640
Qui vous puisse assurer d'un second seulement?
Ibid.

Car tout parle dans l'univers; 2641
Il n'est rien qui n'ait son langage :
Ibid., livre XI, Épilogue.

Je m'en tais : aussi bien les Ris et les Amours 2642
Ne sont pas soupçonnés d'aimer les longs discours.
Ibid., livre XII, 1, Les compagnons d'Ulysse.

Qui t'a dit qu'une forme est plus belle qu'une autre? 2643
Est-ce à la tienne à juger de la nôtre?
Ibid.

Ne vous êtes-vous pas l'un à l'autre des loups? 2644
Tout bien considéré, je te soutiens en somme
Que, scélérat pour scélérat,
Il vaut mieux être un loup qu'un homme.
Ibid.

La jeunesse se flatte, et croit tout obtenir; 2645
La vieillesse est impitoyable.
Ibid., livre XII, 5, Le vieux chat et la jeune souris.

2646
>Il en coûte à qui vous réclame,
>Médecins du corps et de l'âme!
>O temps! ô mœurs! j'ai beau crier,
>Tout le monde se fait payer.
>>*Ibid., livre XII, 6, Le cerf malade.*

2647
>Pour sauver son crédit, il faut cacher sa perte.
>>*Ibid., livre XII, 7, La chauve-souris, le buisson, et le canard.*

2648
>On ne voit sous les cieux
>Nul animal, nul être, aucune créature,
>Qui n'ait son opposé : c'est la loi de nature.
>>*Ibid., livre XII, 8, La querelle des chiens et des chats, et celle des chats et des souris.*

2649
>Hé! qui peut dire
>Que pour le métier de mouton
>Jamais aucun loup ne soupire?
>>*Ibid., livre XII, 9, Le loup et le renard.*

2650
>D'abord il s'y prit mal, puis un peu mieux, puis bien;
>Puis enfin il n'y manqua rien.
>>*Ibid.*

2651
>Que sert-il qu'on se contrefasse?
>Prétendre ainsi changer est une illusion :
>L'on reprend sa première trace
>A la première occasion.
>>*Ibid.*

2652
>Les sages quelquefois, ainsi que l'Écrevisse,
>Marchent à reculons, tournent le dos au port.
>C'est l'art des matelots : c'est aussi l'artifice
>De ceux qui, pour couvrir quelque puissant effort,
>Envisagent un point directement contraire,
>Et font vers ce lieu-là courir leur adversaire.
>>*Ibid., livre XII, 10, L'écrevisse et sa fille.*

2653
>Puis-je autrement marcher que ne fait ma famille?
>Veut-on que j'aille droit quand on y va tortu?
>>*Ibid.*

2654
>L'univers leur sait gré du mal qu'ils ne font pas.
>>*Ibid., livre XII, 12, Le milan, le roi, et le chasseur.*

2655
>Le Roi n'éclata point : les cris sont indécents
>A la majesté souveraine.
>>*Ibid.*

2656
>Qu'un pape rie, en bonne foi
>Je ne l'ose assurer; mais je tiendrais un roi
>Bien malheureux, s'il n'osait rire :
>C'est le plaisir des Dieux...
>>*Ibid.*

2657
>L'on a vu de tout temps
>Plus de sots fauconniers que de rois indulgents.
>>*Ibid.*

Nous ne trouvons que trop de mangeurs ici-bas : 2658
Ceux-ci sont courtisans, ceux-là sont magistrats.
Ibid., livre XII, 13, Le renard, les mouches, et le hérisson.

Tout est mystère dans l'Amour. 2659
Ibid., livre XII, 14, L'Amour et la folie.

Le résultat enfin de la suprême cour 2660
Fut de condamner la Folie
A servir de guide à l'Amour.
Ibid.

Voilà le train du monde et de ses sectateurs : 2661
On s'y sert du bienfait contre les bienfaiteurs.
Ibid., livre XII, 16, La forêt et le bûcheron.

De tout inconnu le sage se méfie. 2662
Ibid., livre XII, 17, Le renard, le loup, et le cheval.

Le trop d'attention qu'on a pour le danger 2663
Fait le plus souvent qu'on y tombe.
Ibid., livre XII, 18, Le renard et les poulets d'Inde.

N'attendez rien de bon du peuple imitateur. 2664
Qu'il soit singe ou qu'il fasse un livre ,
La pire espèce, c'est l'auteur.
Ibid., livre XII, 19, Le singe.

Celui-ci retranche de l'âme 2665
Désirs et passions, le bon et le mauvais,
Jusqu'aux plus innocents souhaits.
Contre de telles gens, quant à moi, je réclame.
Ils ôtent à nos cœurs le principal ressort;
Ils font cesser de vivre avant que l'on soit mort.
Ibid., livre XII, 20, Le philosophe scythe.

Qu'importe à ceux du firmament 2666
Qu'on soit mouche ou bien éléphant?
Ibid., livre XII, 21, L'éléphant et le singe de Jupiter.

Tous chemins vont à Rome. 2667
*Ibid., livre XII, 29, Le juge arbitre, l'hospitalier, et le soli-
taire.*

Qui mieux que vous sait vos besoins? 2668
Apprendre à se connaître est le premier des soins...
Ibid.

O vous dont le public emporte tous les soins, 2669
Magistrats, princes et ministres,
Vous que doivent troubler mille accidents sinistres,
Que le malheur abat, que le bonheur corrompt,
Vous ne vous voyez point, vous ne voyez personne.
Ibid.

Ni l'or ni la grandeur ne nous rendent heureux; 2670
Ces deux divinités n'accordent à nos vœux
Que des biens peu certains, qu'un plaisir peu tranquille :
Des soucis dévorants c'est l'éternel asile;
Contes et Poèmes, Philémon et Baucis.

2671   Il lit au front de ceux qu'un vain luxe environne
         Que la Fortune vend ce qu'on croit qu'elle donne.
                                                        Ibid.

2672   La défense est un charme : on dit qu'elle assaisonne
         Les plaisirs, et surtout ceux que l'amour nous donne...
                                        Ibid., Les filles de Minée.

2673   O triste jalousie! ô passion amère!
         Fille d'un fol amour, que l'erreur a pour mère!
         Ce qu'on voit par tes yeux cause assez d'embarras
         Sans voir encor par eux ce que l'on ne voit pas!
                                                        Ibid.

2674   Sur le point de jouir tout s'enfuit de nos mains :
         Les dieux se font un jeu de l'espoir des humains.
                                                        Ibid.

2675   Les morts sont donc heureux? Ce n'est pas mon avis :
         Je veux des passions; et si l'état le pire
                 Est le néant, je ne sais point
         De néant plus complet qu'un cœur froid à ce point.
                                                        Ibid.

2676   Il n'appartient qu'aux ouvrages vraiment solides, et d'une
         souveraine beauté, d'être bien reçus de tous les esprits, et
         dans tous les siècles, sans avoir d'autre passeport que le seul
         mérite dont ils sont pleins.
                                Contes et nouvelles en vers, Préface.

2677   [...] Une douce mélancolie, où les romans les plus chastes
         et les plus modestes sont très capables de nous plonger,
         et qui est une grande préparation pour l'amour.   *Ibid.*

2678   Il ne faut à la cour ni trop voir, ni trop dire...
                                            Ibid., Joconde.

2679   Je fus forcé par mon destin,
                     De reconnaître Cocuage
                     Pour un des dieux du mariage,
                     Et comme tel de lui sacrifier.
                                                        Ibid.

2680   Car en amour, comme à la table,
                 Si l'on en croit la Faculté,
             Diversité de mets peut nuire à la santé.
                                                        Ibid.

2681   Ainsi que bons bourgeois achevons notre vie,
         Chacun près de sa femme, et demeurons-en là.
         Peut-être que l'absence, ou bien la jalousie,
         Nous ont rendu leurs cœurs, que l'Hymen nous ôta.
                                                        Ibid.

2682   L'argent fait tout...
                             Ibid., Richard Minutolo.

Or soyez sûr qu'en amours,   2683
Entre l'homme d'épée et l'homme de science,
Les Dames au premier inclineront toujours;
Et toujours le plumet aura la préférence.
Ibid., Les Amours de Mars et de Vénus.

Quand les cœurs ont goûté les délices d'Amour,   2684
Ils iraient plutôt jusqu'à Rome,
Que de s'en passer un seul jour.
Ibid.

Car, comme l'on sait, le secret de plaire ne consiste pas   2685
toujours en l'ajustement, ni même en la régularité : il faut
du piquant et de l'agréable, si l'on veut toucher.
Deuxième partie des Contes et Nouvelles, Préface.

Mieux vaut, tout prisé,   2686
Cornes gagner que perdre ses oreilles.
Ibid., Le faiseur d'oreilles et le raccommodeur de moules.

Gens trop heureux font toujours quelque faute...   2687
Ibid., Le berceau.

Maître ne sais meilleur pour enseigner   2688
Que Cupidon; l'âme la moins subtile
Sous sa férule apprend plus en un jour
Qu'un maître ès arts en dix ans aux écoles.
Ibid., Le muletier.

Au jeu d'amour le muletier fait rage :   2689
Chacun son fait; nul n'a tout en partage.
Ibid.

Bien est-il vrai qu'auprès d'une beauté   2690
Paroles ont des vertus nonpareilles;
Paroles font en amour des merveilles :
Tout cœur se laisse à ce charme amollir.
Ibid., L'oraison de Saint Julien.

[...] Tout plaisir tranquille   2691
N'est d'ordinaire un plaisir de marquis :
Plus il est su, plus il leur semble exquis.
Ibid.

L'Amour est nu, mais il n'est pas crotté.   2692
Ibid.

Le temps est cher en amour comme en guerre.   2693
Ibid.

Tout domestique en trompant un mari,   2694
Pense gagner indulgence plénière.
Ibid., La gageure des trois commères.

Et l'on disait communément de lui   2695
Que ses enfants ne manqueraient de pères.
Ibid., Le calendrier des vieillards.

2696   Vous savez bien, Monsieur, qu'entre la tête
                Et le talon d'autres affaires sont.
                                                    Ibid.

2697   De leur boutique il sort chez les François
                Plus de cocus que du cheval de Troie
                Il ne sortit de héros autrefois.
                                Ibid., A femme avare galant escroc.

2698   Il est bon de garder sa fleur;
                Mais, pour l'avoir perdue, il ne se faut pas pendre.
                                Ibid., La fiancée du roi de Garbe.

2699   Pauvres gens, dites-moi, qu'est-ce que Cocuage?
                Quel tort vous fait-il? quel dommage?
            Qu'est-ce enfin que ce mal dont tant de gens de bien
                Se moquent avec juste cause?
                Quand on l'ignore, ce n'est rien,
                Quand on le sait, c'est peu de chose.
                        Ibid., Troisième partie, La coupe enchantée.

2700   Apprenez qu'à Paris ce n'est pas comme à Rome;
            Le cocu qui s'afflige y passe pour un sot
            Et le cocu qui rit, pour un fort honnête homme :
            Quand on prend comme il faut cet accident fatal,
                Cocuage n'est point un mal.
                                                    Ibid.

2701   Volontiers où Soupçon séjourne
                Cocuage séjourne aussi.
                                                    Ibid.

2702   Beau, jeune, et frais : ce sont trésors
                Que ne méprise aucune dame,
                Tant soit son esprit précieux.
                Pour une qu'Amour prend par l'âme,
                Il en prend mille par les yeux.
                                            Ibid., Nicaise.

2703   La clef du coffre-fort et des cœurs c'est la même :
                Que si ce n'est celle des cœurs,
                C'est du moins celle des faveurs :
        Ibid., Le petit chien qui secoue de l'argent et des pierreries.

2704   Longue ambassade et long voyage
                Aboutissent à cocuage.
                                                    Ibid.

2705   Il me faut du nouveau, n'en fût-il point au monde.
                                        Climène, comédie.

2706   L'amour à ce qu'on dit empêche de dormir :
                S'il a quelque plaisir il ne l'a pas sans peine.
                                                    Ibid.

2707   Je ne vois rien qui plaise
                En matière d'Amour comme les gens outrés.
                                                    Ibid.

Je sais qu'il est des amants à foison; 2708
Tout en fourmille; on n'en saurait que faire;
Mais cent méchants n'en valent pas un bon;
Et ce bon-là ne se rencontre guère.
Ibid.

Comment peuvent les gens 2709
Entendre sans dormir une oraison funèbre?
Il n'est panégyriste au monde si célèbre
Qui ne soit un Morphée à tous ses auditeurs.
Ibid.

Il est un jeu divertissant sur tous, 2710
Jeu dont l'ardeur souvent se renouvelle;
Ce qui m'en plaît, c'est que tant de cervelle
N'y fait besoin, et ne sert de deux clous.
Nouveaux contes, Comment l'esprit vient aux filles.

Je le répète, et dis, vaille que vaille, 2711
Le monde n'est que franche moutonnaille.
Ibid., L'abbesse.

Mais le meilleur de la bête, à mon sens, 2712
N'est ce qu'on voit; femmes ont maintes choses
Que je préfère, et qui sont lettres closes;
Ibid., Les troqueurs.

En l'amoureuse loi 2713
Pain qu'on dérobe et qu'on mange en cachette,
Vaut mieux que pain qu'on cuit, ou qu'on achète...
Ibid.

Il était mari; c'est son mal; 2714
Et les gens de ce caractère
Ne sauraient en aucune affaire
Commettre de péché qui ne soit capital.
Ibid., Le Roi Candaule et le maître en droit.

Pauvres gens qui n'ont pas l'esprit 2715
De garder du loup leur ouaille!
Un berger en a cent; des hommes ne sauront
Garder la seule qu'ils auront!
Ibid.

Même beauté, tant soit exquise, 2716
Rassasie et soûle à la fin.
Il me faut d'un et d'autre pain;
Diversité, c'est ma devise.
Ibid., Pâté d'anguille.

Mots dorés en amours font tout. 2717
Ibid.

C'est ce surplus, ce reste de machine, 2718
Bout de lacet aux hommes excédant.
Ibid., Les lunettes.

2719   Dont je conclus qu'en amours faut
            Battre le fer quand il est chaud,
            Sans chercher ni détour ni ruse.
                        Ibid., Janot et Catin.

2720   Qui pense finement et s'exprime avec grâce,
                Fait tout passer, car tout passe :
                        Ibid., Le tableau.

2721   Les si, les cas, les contrats sont la porte
            Par où la noise entra dans l'univers :
            N'espérons pas que jamais elle en sorte.
                        Recueil de 1682, Belphégor.

2722   Je ne connais d'autre premier mobile
            Dans l'univers que l'argent et que l'or.
                                        Ibid.

2723   Otez d'entre les hommes
            La simple foi, le meilleur est ôté.
                                        Ibid.

2724   Le cœur fait tout, le reste est inutile.
                                        Ibid.

2725   .   Chez les amis, tout s'excuse, tout passe;
            Chez les amants, tout plaît, tout est parfait;
            Chez les époux, tout ennuie et toute lasse.
            Le devoir nuit : chacun est ainsi fait.
                                        Ibid.

2726   J'appelle un bon, voire un parfait hymen,
            Quand les conjoints se souffrent leurs sottises.
                                        Ibid.

2727   Mainte veuve pourtant fait la déchevelée,
        Qui n'abandonne pas le soin du demeurant,
        Et du bien qu'elle aura fait le compte en pleurant.
                    Contes et Poèmes, La Matrone d'Ephèse.

2728   La douleur est toujours moins forte que la plainte...
                                        Ibid.

2729   [...] Tout y fit : une belle, alors qu'elle est en larmes,
                En est plus belle de moitié,
            Voilà donc notre veuve écoutant la louange,
            Poison qui de l'amour est le premier degré;
                                        Ibid.

2730   O volages femelles!
        La femme est toujours femme. Il en est qui sont belles,
            Il en est qui ne le sont pas...
                                        Ibid.

2731   Mieux vaut goujat debout qu'empereur enterré.
                                        Ibid.

Lorsque sur cette mer on vogue à pleines voiles,   2732
Qu'on croit avoir pour soi les vents et les étoiles,
Il est bien malaisé de régler ses désirs;
Le plus sage s'endort sur la foi des Zéphyrs.
Élégie pour M. Foucquet.

Il est assez puni par son sort rigoureux;   2733
Et c'est être innocent que d'être malheureux.
Ibid.

Térence est dans mes mains; je m'instruis dans Horace;   2734
Homère et son rival sont mes dieux du Parnasse.
A Mgr l'évêque de Soissons.

Ne pas louer son siècle est parler à des sourds.   2735
Ibid.

FRANÇOISE BERTAUT DE MOTTEVILLE
v. 1621-1689

On flatte les rois jusqu'à l'extrémité; mais aussi, quand le   2736
masque est levé, on ne les épargne pas.
Mémoires, Seconde journée des barricades.

[...] Les rois ne voient jamais leurs maux qu'au travers de   2737
mille nuages. La vérité, que les poètes et les peintres représentent nue, est toujours devant eux habillée de mille façons;
et jamais mondaine n'a si souvent changé de mode que celle-
là en change quand elle va dans les palais des rois.   *Ibid.*

MOLIÈRE
1622-1673

Quand nous faisons besoin, nous autres misérables,   2738
Nous sommes les chéris et les incomparables;
Et dans un autre temps, dès le moindre courroux,
Nous sommes les coquins, qu'il faut rouer de coups.
L'Étourdi, acte I, scène 2.

LÉLIE   2739
Ah! trêve, je vous prie, à votre rhétorique.

MASCARILLE
Mais vous, trêve plutôt à votre politique.
Ibid.

Mon cœur, qu'avec raison votre discours étonne,   2740
N'entend pas que mes yeux fassent mal à personne;
Et si dans quelque chose ils vous ont outragé,
Je puis vous assurer que c'est sans mon congé.
Ibid., acte I, scène 3.

2741   Les dettes aujourd'hui, quelque soin qu'on emploie,
         Sont comme les enfants que l'on conçoit en joie,
         Et dont avecque peine on fait l'accouchement.
                                    Ibid., acte I, scène 5.

2742   Que ne ferait-on pas pour devenir heureux?
         Si l'amour est au crime une assez belle excuse,
         Il en peut bien servir à la petite ruse...
                                    Ibid., acte II, scène 1.

2743   ANSELME
         N'avoir pas seulement le temps d'être malade!

                             MASCARILLE
         Non, jamais homme n'eut si hâte de mourir.
                                    Ibid., acte II, scène 2.

2744   Qui tôt ensevelit bien souvent assassine,
         Et tel est cru défunt, qui n'en a que la mine.
                                                    Ibid.

2745   Lélie [...]
         D'un bel enterrement veut régaler son père,
         Et consoler un peu ce défunt de son sort
         Par le plaisir de voir faire honneur à sa mort.
                                                    Ibid.

2746   ANSELME
         Las! en si peu de temps! il vivait ce matin!

                             MASCARILLE
         En peu de temps parfois on fait bien du chemin.
                                    Ibid., acte II, scène 3.

2747   Mais quoi? cher Lélie, enfin il était homme :
         On n'a point pour la mort de dispense de Rome.
                                                    Ibid.

2748   Vous tuez donc des gens qui se portent fort bien?
                                    Ibid., acte II, scène 5.

2749   Pour vous dire en beaux vers, ou bien en docte prose,
         Que vous serez toujours, quoi que l'on se propose,
         Tout ce que vous avez été durant vos jours,
         C'est-à-dire un esprit chaussé tout à rebours,
         Une raison malade et toujours en débauche,
         Un envers du bon sens, un jugement à gauche...
                                    Ibid., acte II, scène 11.

2750   Et vous épouserez le bien public en elle...
                                    Ibid., acte III, scène 2.

2751   Et sur ce que j'adore oser porter le blâme,
         C'est me faire une plaie au plus tendre de l'âme.
                                    Ibid., acte III, scène 4.

Je ne suis point au rang de ces esprits mal nés   2752
Qui cachent les talents que Dieu leur a donnés.
Ibid., acte III, scène 5.

Foin! que n'ai-je avec moi pris mon porte-respect?   2753
Ibid., acte III, scène 6.

Les plus courtes erreurs sont toujours les meilleures.   2754
Ibid., acte IV, scène 3.

Et qu'un fourbe est contraint de prendre de figures!   2755
Ibid., acte V, scène 1.

Allons donc, et que les Cieux prospères   2756
Nous donnent des enfants dont nous soyons les pères.
Ibid., acte V, scène 11.

Souvent d'un faux espoir un amant est nourri :   2757
Le mieux reçu toujours n'est pas le plus chéri;
Et tout ce que d'ardeur font paraître les femmes
Parfois n'est qu'un beau voile à couvrir d'autres flammes.
Le Dépit amoureux, acte I, scène 1.

Sur des soupçons en l'air je m'irais alarmer!   2758
Laissons venir la fête avant que la chômer.
Ibid.

L'opinion que j'ai de moi-même est trop bonne   2759
Pour croire auprès de moi que quelque autre te plût.
Ibid., acte I, scène 2.

Au mérite souvent de qui l'éclat vous blesse   2760
Vos chagrins font ouvrir les yeux d'une maîtresse;
Et j'en sais tel qui doit son destin le plus doux
Aux soins trop inquiets de son rival jaloux...
Ibid.

Un cœur ne pèse rien alors que l'on l'affronte;   2761
Il court à sa vengeance, et saisit promptement
Tout ce qu'il croit servir à son ressentiment.
Ibid., acte II, scène 4.

Doncques, si de parler le pouvoir m'est ôté,   2762
Pour moi, j'aime autant perdre aussi l'humanité.
Ibid., acte II, scène 6.

On sait que la chair est fragile quelquefois,   2763
Et qu'une fille enfin n'est ni caillou ni bois.
Vous n'avez pas été sans doute la première,
Et vous ne serez pas, que je crois, la dernière.
Ibid., acte III, scène 9.

Je ne saurais mourir quand je suis regardé...   2764
Ibid., acte III, scène 11.

La mort est un remède à trouver quand on veut,   2765
Et l'on s'en doit servir le plus tard que l'on peut.
Ibid., acte IV, scène 1.

2766   Qui souffre ses mépris les veut bien recevoir.
             Si nous avions l'esprit de nous faire valoir,
             Les femmes n'auraient pas la parole si haute.
                                    Ibid., acte IV, scène 2.

2767   La femme est toujours femme, et jamais ne sera
             Que femme, tant qu'entier le monde durera;
             [...]
             La tête d'une femme est comme la girouette
             Au haut d'une maison, qui tourne au premier vent.
             [...]
             Ainsi, quand une femme a sa tête fantasque,
             On voit une tempête en forme de bourrasque...
                                                    Ibid.

2768   Quand je viens à songer, moi qui me suis si cher,
       Qu'il ne faut que deux doigts d'un misérable fer
       Dans le corps, pour vous mettre un humain dans la bière,
       Je suis scandalisé d'une étrange manière.
       [...]
       Enfin, si l'autre monde a des charmes pour vous,
       Pour moi, je trouve l'air de celui-ci fort doux [...]
                                    Ibid., acte V, scène 1.

2769   On ne meurt qu'une fois, et c'est pour si longtemps!
                                    Ibid., acte V, scène 3.

2770   Un mari, passe encor : tel qu'il est, on le prend;
             On n'y va pas chercher tant de cérémonie.
             Mais il faut qu'un galant soit fait à faire envie.
                                    Ibid., acte V, scène 8.

2771   Tu crois te marier pour toi tout seul, compère?
                                                    Ibid.

2772   Mon Dieu! ma chère, que ton père a la forme enfoncée dans
       la matière!   *Les Précieuses Ridicules, scène 5.*

2773   Vite, voiturez-nous ici les commodités de la conversation.
                                    Ibid., scène 9.

2774   Mais de grâce, Monsieur, ne soyez pas inexorable à ce
       fauteuil qui vous tend les bras il y a un quart d'heure;
       contentez un peu l'envie qu'il a de vous embrasser.
                                                    Ibid.

2775   Pour moi, je tiens que hors de Paris, il n'y a point de salut
       pour les honnêtes gens.   *Ibid.*

2776   Votre œil en tapinois me dérobe mon cœur.
             Au voleur, au voleur, au voleur, au voleur!
                                                    Ibid.

2777   Les gens de qualité savent tout sans avoir jamais rien appris.
                                                    Ibid.

2778   [...] Quand j'ai promis à quelque poète, je crie toujours :
       « Voilà qui est beau! » devant que les chandelles soient
       allumées.   *Ibid.*

Que l'or donne aux plus laids certain charme pour plaire,   2779
Et que sans lui le reste est une triste affaire.
[...]
Plus que l'on ne le croit ce nom d'époux engage
Et l'amour est souvent un fruit du mariage.
                                    Sganarelle, scène 1.

Il dit que la femelle est ainsi que le lierre,   2780
Qui croît beau tant qu'à l'arbre il se tient bien serré,
Et ne profite point s'il en est séparé.
                                    Ibid., scène 2.

Aller en l'autre monde est très-grande sottise,   2781
Tant que dans celui-ci l'on peut être de mise.
                                    Ibid., scène 4.

Ah! que j'ai de dépit que la loi n'autorise   2782
A changer de mari comme on fait de chemise!
                                    Ibid., scène 5.

Et, pour fermer chez vous l'entrée à la douleur,   2783
De vingt verres de vin entourez votre cœur.
                                    Ibid., scène 7.

Ah! truande, as-tu bien le courage   2784
De m'avoir fait cocu dans la fleur de mon âge?
                                    Ibid., scène 9.

Oui, son mari, vous dis-je, et mari très-marri.   2785
                                    Ibid.

Quand j'aurai fait le brave, et qu'un fer, pour ma peine,   2786
M'aura d'un vilain coup transpercé la bedaine,
Que par la ville ira le bruit de mon trépas,
Dites-moi, mon honneur, en serez-vous plus gras?
                                    Ibid., scène 17.

Peste soit qui premier trouva l'invention   2787
De s'affliger l'esprit de cette vision,
Et d'attacher l'honneur de l'homme le plus sage
Aux choses que peut faire une femme volage!
Puisqu'on tient à bon droit tout crime personnel,
Que fait là notre honneur pour être criminel?
                                    Ibid.

Voir cajoler sa femme et n'en témoigner rien   2788
Se pratique aujourd'hui par force gens de bien.
                                    Ibid.

Guerre, guerre mortelle à ce larron d'honneur   2789
Qui sans miséricorde a souillé notre honneur!
                                    Ibid., scène 21.

[...] La plus forte apparence   2790
Peut jeter dans l'esprit une fausse créance.
                                    Ibid., scène 24.

2791   Sans employer la langue, il est des interprètes
    Qui parlent clairement des atteintes secrètes :
    Un soupir, un regard, une simple rougeur,
    Un silence est assez pour expliquer un cœur;
    Tout parle dans l'amour...
                Dom Garcie de Navarre, acte I, scène 1.

2792   [Ces faveurs] se font sans y penser,
    Semblables à ces eaux si pures et si belles,
    Qui coulent sans effort des sources naturelles.
                                Ibid.

2793   La faveur d'un écrit laisse aux mains d'un amant
    Des témoins trop constants de notre attachement.
                                Ibid.

2794   Souvent on entend mal ce qu'on croit bien entendre,
    Et par trop de chaleur, Prince, on se peut méprendre...
                        Ibid., acte 1, scène 3.

2795   Au moindre mot qu'il dit, un cœur veut qu'on l'entende,
    Et n'aime pas ces feux dont l'importunité
    Demande qu'on s'explique avec tant de clarté.
                                Ibid.

2796   Et quand, charmante Élise, a-t-on vu, s'il vous plaît,
    Qu'on cherche auprès des grands que son propre intérêt...
    [...]
    Et les plus prompts moyens de gagner leur faveur,
    C'est de flatter toujours le faible de leur cœur,
    D'applaudir en aveugle à ce qu'ils veulent faire,
    Et n'appuyer jamais ce qui peut leur déplaire :
    C'est là le vrai secret d'être bien auprès d'eux.
                      Ibid., acte II, scène 1.

2797   Et dans l'esprit des grands, qu'on tâche de surprendre,
    Un rayon de lumière à la fin peut descendre,
    Qui sur tous ces flatteurs venge équitablement
    Ce qu'a fait à leur gloire un long aveuglement.
                                Ibid.

2798   L'innocence à rougir n'est point accoutumée.
                      Ibid., acte II, scène 5.

2799   Car enfin peut-il être une âme bien atteinte
    Dont l'espoir le plus doux ne soit mêlé de crainte?
                      Ibid., acte II, scène 6.

2800   Un cœur ne peut jamais outrager quand il aime;
    Et ce que fait l'amour, il l'excuse lui-même.
                                Ibid.

2801   Moi, je tiens que toujours un peu de défiance
    En ces occasions n'a rien qui nous offense,
    Et qu'il est dangereux qu'un cœur qu'on a charmé
    Soit trop persuadé, Madame, d'être aimé...
                      Ibid., acte III, scène 1.

Un amant suit sans doute une utile méthode,   2802
S'il fait qu'à notre humeur la sienne s'accommode;
    [...]
Et nous n'aimons rien tant que ce qui nous ressemble.
                        Ibid., acte IV, scène 6.

            Je ne suis plus à moi; je suis tout à la rage. [...]   2803
                        Ibid., acte IV, scène 8.

Ce vous serait sans doute un indigne transport   2804
De vouloir dans vos maux lutter contre le sort;
Et lorsque c'est en vain qu'on s'oppose à sa rage,
La soumission prompte est grandeur de courage.
                        Ibid., acte V, scène 3.

Peut-on être jamais satisfait en soi-même,   2805
Lorsque par la contrainte on obtient ce qu'on aime?
                        Ibid., acte V, scène 5.

Il est vrai qu'à la mode il faut m'assujettir,   2806
Et ce n'est pas pour moi que je me dois vêtir!
                        L'École des maris, acte I, scène 1.

Et toujours notre honneur veut se garder lui-même.   2807
C'est nous inspirer presque un désir de pécher,
Que montrer tant de soins de nous en empêcher.
                        Ibid., acte I, scène 2.

Et les soins défiants, les verrous et les grilles   2808
Ne font pas la vertu des femmes ni des filles.
                                            Ibid.

            [...] Je tiens sans cesse   2809
Qu'il nous faut en riant instruire la jeunesse,
[...]
Et l'école du monde, en l'air dont il faut vivre
Instruit mieux, à mon gré, que ne fait aucun livre.
                                            Ibid.

        [...] Mais pour les nouveautés   2810
On peut avoir parfois des curiosités.
                        Ibid., acte 1, scène 3.

        Et la vertu chez elle est fort humanisée.   2811
                        Ibid., acte III, scène 5.

Mon frère, doucement il faut boire la chose :   2812
D'une telle action vos procédés sont cause;
Et je vois votre sort malheureux à ce point,
Que, vous sachant dupé, l'on ne vous plaindra point.
                        Ibid., acte III, scène 9.

Hé! mon Dieu! nos Français, si souvent redressés,   2813
Ne prendront-ils jamais un air de gens sensés...
                        Les Fâcheux, acte I, scène 1.

2814   [...] Mais on en voit paraître,
      De ces gens qui de rien veulent fort vous connaître,
      Dont il faut au salut les baisers essuyer,
      Et qui sont familiers jusqu'à vous tutoyer.
                                                    Ibid.

2815   Le Ciel veut qu'ici-bas chacun ait ses Fâcheux,
      Et les hommes seraient sans cela trop heureux.
                                                    Ibid.

2816   L'heure d'un rendez-vous d'ordinaire s'étend,
      Et n'est pas resserrée aux bornes d'un instant.
                                                    Ibid.

2817   Ciel! faut-il que le rang, dont on veut tout couvrir,
      De cent sots tous les jours nous oblige à souffrir,
      Et nous fasse abaisser jusques aux complaisances
      D'applaudir bien souvent à leurs impertinences?
                                        Ibid., acte I, scène 3.

2818   Et notre roi n'est pas un monarque en peinture :
                                        Ibid., acte I, scène 6.

2819 C'est dans le jeu qu'on voit les plus grands coups du sort.
                                        Ibid., acte II, scène 2.

2820   L'amour aime surtout les secrètes faveurs;
      Dans l'obstacle qu'on force il trouve des douceurs :
      Et le moindre entretien de la beauté qu'on aime,
      Lorsqu'il est défendu, devient grâce suprême.
                                        Ibid., acte III, scène 1.

2821   Non pas de ces savants dont le nom n'est qu'en *us* :
      Il n'est rien si commun qu'un nom à la latine;
      Ceux qu'on habille en grec ont bien meilleure mine;
                                        Ibid., acte III, scène 2.

2822   Oui; mais qui rit d'autrui
      Doit craindre qu'en revanche on rie aussi de lui.
                                L'École des femmes, acte I, scène 1.

2823   Moi, j'irais me charger d'une spirituelle
      Qui ne parlerait rien que cercle et que ruelle,
      Qui de prose et de vers ferait de doux écrits,
      Et que visiteraient marquis et beaux esprits,
      Tandis que, sous le nom du mari de Madame,
      Je serais comme un saint que pas un ne réclame?
                                                    Ibid.

2824   Je prétends que la mienne, en clartés peu sublime,
      Même ne sache pas ce que c'est qu'une rime...
      [...]
      En un mot, qu'elle soit d'une ignorance extrême;
      Et c'est assez pour elle, à vous en bien parler,
      De savoir prier Dieu, m'aimer, coudre et filer.
                                                    Ibid.

Mais comment voulez-vous, après tout, qu'une bête   2825
Puisse jamais savoir ce que c'est qu'être honnête ?
                                        Ibid.

Dans un petit couvent, loin de toute pratique,   2826
Je la fis élever selon ma politique,
C'est-à-dire ordonnant quels soins on emploîrait
Pour la rendre idiote autant qu'il se pourrait.
                                        Ibid.

Vous savez mieux que moi, quels que soient nos efforts,   2827
Que l'argent est la clef de tous les grands ressorts,
Et que ce doux métal qui frappe tant de têtes,
En amour, comme en guerre, avance les conquêtes.
                              Ibid., acte I, scène 4.

La femme est en effet le potage de l'homme ;   2828
Et quand un homme voit d'autres hommes parfois
Qui veulent dans sa soupe aller tremper leurs doigts,
Il en montre aussitôt une colère extrême.
                              Ibid., acte II, scène 3.

                     AGNÈS   2829
Le petit chat est mort.

                    ARNOLPHE
              C'est dommage ; mais quoi ?
Nous sommes tous mortels, et chacun est pour soi.
                              Ibid., acte II, scène 5.

Le mariage, Agnès, n'est pas un badinage :   2830
A d'austères devoirs le rang de femme engage...
[...]
Votre sexe n'est là que pour la dépendance :
Du côté de la barbe est la toute-puissance.
Bien qu'on soit deux moitiés de la société,
Ces deux moitiés pourtant n'ont point d'égalité :
L'une est moitié suprême et l'autre subalterne ;
                              Ibid., acte III, scène 2.

Il le faut avouer, l'amour est un grand maître :   2831
Ce qu'on ne fut jamais il nous enseigne à l'être ;
                              Ibid., acte III, scène 4.

Et goûtât-on cent fois un bonheur tout parfait,   2832
On n'en est pas content, si quelqu'un ne le sait.
                              Ibid., acte IV, scène 6.

Être avare, brutal, fourbe, méchant et lâche,   2833
N'est rien, à votre avis, auprès de cette tache ;
Et, de quelque façon qu'on puisse avoir vécu,
On est homme d'honneur quand on n'est point cocu.
[...]
Que des coups du hasard aucun n'étant garant,
Cet accident de soi doit être indifférent,
Et qu'enfin tout le mal, quoi que le monde glose,
N'est que dans la façon de recevoir la chose...
                              Ibid., acte IV, scène 8.

2834   Ces dragons de vertu, ces honnêtes diablesses...
             [...]
             Qui, pour un petit tort qu'elles ne nous font pas,
             Prennent droit de traiter les gens de haut en bas,
             Et veulent, sur le pied de nous être fidèles,
             Que nous soyons tenus à tout endurer d'elles?
                        [...] Apprenez qu'en effet
             Le cocuage n'est que ce que l'on le fait,
             Qu'on peut le souhaiter pour de certaines causes,
             Et qu'il a ses plaisirs comme les autres choses.
                                                            Ibid.

2835   Leur esprit est méchant, et leur âme fragile;
             Il n'est rien de plus faible et de plus imbécile,
             Rien de plus infidèle : et malgré tout cela,
             Dans le monde on fait tout pour ces animaux-là.
                                          Ibid., acte V, scène 4.

2836   Est-ce que vous voulez qu'un père ait la mollesse
             De ne savoir pas faire obéir la jeunesse?
                                          Ibid., acte V, scène 7.

2837   Si n'être point cocu vous semble un si grand bien,
             Ne vous point marier en est le vrai moyen.
                                          Ibid., acte V, scène 9.

2838   [...] Quelqu'un même des laquais cria tout haut qu'elles
             étaient plus chastes des oreilles que de tout le reste du corps.
                        La Critique de l'École des femmes, scène 3.

2839   [...] Il y en a plusieurs qui sont capables de juger d'une pièce
             selon les règles, et que les autres en jugent par la bonne façon
             d'en juger, qui est de se laisser prendre aux choses, et de
             n'avoir ni prévention aveugle, ni complaisance affectée,
             ni délicatesse ridicule.   *Ibid., scène 5.*

2840   Eh! mon Dieu! il y en a beaucoup que le trop d'esprit gâte,
             qui voient mal les choses à force de lumière, et même qui
             seraient bien fâchés d'être de l'avis des autres, pour avoir
             la gloire de décider.   *Ibid.*

2841   Toute approbation qui marche avant la sienne est un attentat
             sur ses lumières, dont il se venge hautement en prenant
             le contraire parti.   *Ibid.*

2842   [...] Lorsque vous peignez les hommes, il faut peindre d'après
             nature. On veut que ces portraits ressemblent; et vous n'avez
             rien fait, si vous n'y faites reconnaître les gens de votre
             siècle [...] c'est une étrange entreprise que celle de faire rire
             les honnêtes gens.   *Ibid., scène 6.*

2843   C'est une étrange chose de vous autres, Messieurs les
             poètes, que vous condamniez toujours les pièces où tout le
             monde court, et ne disiez jamais du bien que de celles où
             personne ne va.   *Ibid.*

Je voudrais bien savoir si la grande règle de toutes les règles   2844
n'est pas de plaire, et si une pièce de théâtre qui a attrapé
son but n'a pas suivi un bon chemin.   *Ibid.*

Ah! Monsieur Lysidas, vous nous assommez avec vos   2845
grands mots. Ne paraissez point si savant, de grâce. Huma-
nisez votre discours, et parlez pour être entendu.   *Ibid.*

Et quant au transport amoureux du cinquième acte, qu'on   2846
accuse d'être trop outré et trop comique, je voudrais bien
savoir si ce n'est pas faire la satire des amants, et si les
honnêtes gens même et les plus sérieux, en de pareilles occasions, ne font pas des choses...?   *Ibid.*

On n'y respecte rien, chacun y parle haut,   2847
Et c'est tout justement la cour du roi Pétaut.
                    Tartuffe, acte I, scène 1.

Vous êtes un sot un trois lettres, mon fils.   2848
                                        Ibid.

Contre la médisance il n'est point de rempart.   2849
                                        Ibid.

Ceux de qui la conduite offre le plus à rire   2850
Sont toujours sur autrui les premiers à médire.
                                        Ibid.

Mais l'âge dans son âme a mis ce zèle ardent,   2851
Et l'on sait qu'elle est prude à son corps défendant.
[...]
Et la sévérité de ces femmes de bien
Censure toute chose, et ne pardonne à rien.
                                        Ibid.

ORGON   2852

Et Tartuffe?

DORINE

Tartuffe? il se porte à merveille.
Gros et gras, le teint frais, et la bouche vermeille.

ORGON

Le pauvre homme!
                    Ibid., acte I, scène 4.

Qui suit bien ses leçons goûte une paix profonde,   2853
Et comme du fumier regarde tout le monde.
                    Ibid., acte I, scène 5.

Jusque-là qu'il se vint l'autre jour accuser   2854
D'avoir pris une puce en faisant sa prière,
Et de l'avoir tuée avec trop de colère.
                                        Ibid.

2855   Il est de faux dévots ainsi que de faux braves;
        [...]
        Les hommes la plupart sont étrangement faits!
        Dans la juste nature on ne les voit jamais;
        La raison a pour eux des bornes trop petites;
        En chaque caractère ils passent ses limites;
        Et la plus noble chose, ils la gâtent souvent
        Pour la vouloir outrer et pousser trop avant.
                                                    Ibid.

2856   Quoi? se peut-il, Monsieur, qu'avec l'air d'homme sage
        Et cette large barbe au milieu du visage,
        Vous soyez assez fou pour vouloir?...
                                        Ibid., acte II, scène 2.

2857   Il est bien difficile enfin d'être fidèle
        A de certains maris faits d'un certain modèle.
                                                    Ibid.

2858   Je le soupçonne encor d'être un peu libertin :
        Je ne remarque point qu'il hante les églises.
                                                    Ibid.

2859   Ah! vous êtes dévot, et vous vous emportez?
                                                    Ibid.

2860   Mais l'amour dans un cœur veut de la fermeté.
                                        Ibid., acte II, scène 3.

2861   Et cette lâcheté jamais ne se pardonne,
        De montrer de l'amour pour qui nous abandonne.
                                        Ibid., acte II, scène 4.

2862   Et le chemin est long du projet à la chose.
                                        Ibid., acte III, scène 1.

2863   Laurent, serrez ma haire avec ma discipline...
                                        Ibid., acte III, scène 2.

2864   Couvrez ce sein que je ne saurais voir :
        Par de pareils objets les âmes sont blessées,
        Et cela fait venir de coupables pensées.
                                                    Ibid.

2865   Ah! pour être dévot, je n'en suis pas moins homme...
                                        Ibid., acte III, scène 3.

2866   Ah! mon frère, une femme
        Aisément d'un mari peut bien surprendre l'âme.
                                        Ibid., acte III, scène 7.

2867   Vous nous payez ici d'excuses colorées,
        Et toutes vos raisons, Monsieur, sont trop tirées...
                                        Ibid., acte IV, scène 1.

2868   Est-ce qu'au simple aveu d'un amoureux transport
        Il faut que notre honneur se gendarme si fort?
        Et ne peut-on répondre à tout ce qui le touche
        Que le feu dans les yeux et l'injure à la bouche?
                                        Ibid., acte IV, scène 3.

Non; on est aisément dupé par ce qu'on aime.
Et l'amour-propre engage à se tromper soi-même.
Ibid. 2869

Le Ciel défend, de vrai, certains contentements.
Mais on trouve avec lui des accommodements;
Selon divers besoins, il est une science
D'étendre les liens de notre conscience
Et de rectifier le mal de l'action
Avec la pureté de notre intention.
Ibid., acte IV, scène 5. 2870

Le scandale du monde est ce qui fait l'offense,
Et ce n'est pas pécher que pécher en silence.
Ibid. 2871

C'est à vous d'en sortir, vous qui parlez en maître.
La maison m'appartient, je le ferai connaître [...]
Ibid., acte IV, scène 7. 2872

La vertu dans le monde est toujours poursuivie;
Les envieux mourront, mais non jamais l'envie.
Ibid., acte V, scène 3. 2873

ORGON 2874

Je l'ai vu, dis-je, vu, de mes propres yeux vu,
Ce qu'on appelle vu : faut-il vous le rebattre
Aux oreilles cent fois, et crier comme quatre?

MADAME PERNELLE

Mon Dieu, le plus souvent l'apparence déçoit
Il ne faut pas toujours juger sur ce qu'on voit.
Ibid.

Juste retour, Monsieur, des choses d'ici-bas :
Vous ne vouliez pas croire, et l'on ne vous croit pas.
Ibid. 2875

Ce Monsieur Loyal porte un air bien déloyal!
Ibid., acte V, scène 4. 2876

Je trouve que vous me conseillez fort bien pour vous. Vous
êtes orfèvre, Monsieur Josse, et votre conseil sent son homme
qui a envie de se défaire de sa marchandise.
L'Amour médecin, acte I, scène 1. 2877

Que voulez-vous donc faire, Monsieur, de quatre médecins? N'est-ce pas assez d'un pour tuer une personne?
Ibid., acte II, scène 1. 2878

Elle est morte de quatre médecins et de deux apothicaires.
Ibid. 2879

M. TOMÈS 2880

Comment se porte son cocher?

LISETTE

Fort bien : il est mort.
Ibid., acte II, scène 2.

2881   Je ne sais si cela se peut; mais je sais bien que cela est.
                                                            Ibid.

2882   L'un va en tortue, et l'autre court la poste.
                                            Ibid., acte II, scène 5.

2883   Il vaut mieux mourir selon les règles, que de réchapper
        contre les règles.   *Ibid.*

2884   SGANARELLE
        Voilà un médecin qui a la barbe bien jeune.

                            LISETTE
        La science ne se mesure pas à la barbe, et ce n'est pas par
        le menton qu'il est habile.
                                            Ibid., acte III, scène 5.

2885   Moi, votre ami? Rayez cela de vos papiers.
                                    Le Misanthrope, acte I, scène 1.

2886   De protestations, d'offres et de serments,
                Vous chargez la fureur de vos embrassements;
                Et quand je vous demande après quel est cet homme,
                A peine pouvez-vous dire comme il se nomme;
                [...]
                Morbleu! c'est une chose indigne, lâche, infâme,
                De s'abaisser ainsi jusqu'à trahir son âme.
                                                            Ibid.

2887   Sur quelque préférence une estime se fonde,
                Et c'est n'estimer rien qu'estimer tout le monde
                [...]
                Je veux qu'on me distingue; et pour le trancher net,
                L'ami du genre humain n'est point du tout mon fait.
                                                            Ibid.

2888   J'entre en une humeur noire, et un chagrin profond,
        Quand je vois vivre entre eux les hommes comme ils font;
        Je ne trouve partout que lâche flatterie,
        Qu'injustice, intérêt, trahison, fourberie...
                                                            Ibid.

2889   [...] Ces haines vigoureuses
                Que doit donner le vice aux âmes vertueuses.
                                                            Ibid.

2890   La parfaite raison fuit toute extrémité,
                Et veut que l'on soit sage avec sobriété.
                [...]
                Et c'est une folie à nulle autre seconde
                De vouloir se mêler de corriger le monde.
                [...]
                Mon flegme est philosophe autant que votre bile.
                                                            Ibid.

J'ai beau voir ses défauts, et j'ai beau l'en blâmer,   2891
En dépit qu'on en ait, elle se fait aimer;
Sa grâce est la plus forte...
                                        Ibid.

Il est vrai : ma raison me le dit chaque jour :   2892
Mais la raison n'est pas ce qui règle l'amour.
                                        Ibid.

C'est à vous, s'il vous plaît, que ce discours s'adresse.   2893
                            Ibid., acte I, scène 2.

Mais l'amitié demande un peu plus de mystère,   2894
Et c'est assurément en profaner le nom
Que de vouloir le mettre à toute occasion.
                                        Ibid.

        Le temps ne fait rien à l'affaire.   2895
                                        Ibid.

Ah! qu'en termes galants ces choses-là sont mises!   2896
                                        Ibid.

        Belle Philis, on désespère,   2897
        Alors qu'on espère toujours...
                            Ibid., sonnet d'Oronte.

Je disais, en voyant des vers de sa façon,   2898
Qu'il faut qu'un galant homme ait toujours grand empire
Sur les démangeaisons qui nous prennent d'écrire;
Qu'il doit tenir la bride aux grands empressements
Qu'on a de faire éclat de tels amusements;
Et que, par la chaleur de montrer ses ouvrages,
On s'expose à jouer de mauvais personnages.
                                        Ibid.

Si l'on peut pardonner l'essor d'un mauvais livre,   2899
Ce n'est qu'aux malheureux qui composent pour vivre.
                                        Ibid.

        Ce style figuré, dont on fait vanité,   2900
        Sort du bon caractère et de la vérité :
        Ce n'est que jeu de mots, qu'affectation pure,
        Et ce n'est point ainsi que parle la nature.
                                        Ibid.

            Si le Roi m'avait donné   2901
            Paris, sa grand'ville,
            Et qu'il me fallût quitter
            L'amour de ma mie,
            Je dirais au roi Henri :
            « Reprenez votre Paris :
            J'aime mieux ma mie, au gué!
            J'aime mieux ma mie. »
                    Ibid., Chanson dite par Alceste.

Dans tous les entretiens on les voit s'introduire;   2902
Ils ne sauraient servir, mais ils peuvent vous nuire;
Et jamais, quelque appui qu'on puisse avoir d'ailleurs,
On ne doit se brouiller avec ces grands brailleurs.
                            Ibid., acte II, scène 2.

2903   Ce début n'est pas mal; et contre le prochain
          La conversation prend un assez bon train.
                                    Ibid., acte II, scène 4.

2904   C'est de la tête aux pieds un homme tout mystère,
          Qui vous jette en passant un coup d'œil égaré,
          Et, sans aucune affaire, est toujours affairé.
          [...]
          Sans cesse, il a, tout bas, pour rompre l'entretien
          Un secret à vous dire, et ce secret n'est rien;
          De la moindre vétille il fait une merveille,
          Et jusques au bonjour, il dit tout à l'oreille.
                                                      Ibid.

2905   Jamais on ne le voit sortir du grand seigneur;
          Dans le brillant commerce il se mêle sans cesse,
          Et ne cite jamais que duc, prince ou princesse :
          La qualité l'entête...
                                                      Ibid.

2906   Et l'on demande l'heure, et l'on bâille vingt fois,
          Qu'elle grouille aussi peu qu'une pièce de bois.
                                                      Ibid.

2907   Il est guindé sans cesse; et dans tous ses propos,
          On voit qu'il se travaille à dire de bons mots.
          [...]
          Et les deux bras croisés, du haut de son esprit
          Il regarde en pitié tout ce que chacun dit.
                                                      Ibid.

2908   Et l'on voit les amants vanter toujours leur choix;
          Jamais leur passion n'y voit rien de blâmable,
          Et dans l'objet aimé tout leur devient aimable :
          Ils comptent les défauts pour des perfections
          Et savent y donner de favorables noms.
          [...]
          C'est ainsi qu'un amant dont l'ardeur est extrême
          Aime jusqu'aux défauts des personnes qu'il aime.
                                                      Ibid.

2909   Je suis assez adroit; j'ai bon air, bonne mine,
          Les dents belles surtout, et la taille fort fine.
          Je me vois dans l'estime autant qu'on y puisse être,
          Fort aimé du beau sexe, et bien auprès du maître.
          Je crois qu'avec cela, mon cher Marquis, je croi
          Qu'on peut, par tout pays, être content de soi.
                                    Ibid., acte III, scène 1.

2910   L'âge amènera tout, et ce n'est pas le temps,
          Madame, comme on sait, d'être prude à vingt ans...
                                    Ibid., acte III, scène 4.

2911   Et vous faites sonner terriblement votre âge.
                                                      Ibid.

2912   Qu'on n'acquiert point les cœurs sans de grandes avances
          Qu'aucun pour nos beaux yeux n'est notre soupirant,
          Et qu'il faut acheter tous les soins qu'on nous rend.
                                                      Ibid.

On peut être honnête homme et faire mal des vers. 2913
Ibid., acte IV, scène 1.

J'ai pour moi la justice, et je perds mon procès! 2914
Ibid., acte V, scène 1.

Tous ces défauts humains nous donnent dans la vie 2915
Des moyens d'exercer notre philosophie [...]
Ibid.

La solitude effraye une âme de vingt ans... 2916
Ibid., acte V, scène 4.

[...] Et chercher sur la terre un endroit écarté 2917
Où d'être homme d'honneur on ait la liberté.
Ibid.

[...] Il n'est rien d'égal au tabac : c'est la passion des honnêtes 2918
gens, et qui vit sans tabac n'est pas digne de vivre.
Dom Juan, acte I, scène 1.

Mais un grand seigneur méchant homme est une terrible 2919
chose. *Ibid.*

Les inclinations naissantes, après tout, ont des charmes 2920
inexplicables, et tout le plaisir de l'amour est dans le changement. *Ibid., acte I, scène 2.*

[...] Je me sens un cœur à aimer toute la terre. 2921
Ibid.

Si le Ciel n'a rien que tu puisses appréhender, appréhende 2922
du moins la colère d'une femme offensée.
Ibid., acte I, scène 3.

[...] C'est l'épouseur du genre humain... 2923
Ibid., acte II, scène 4.

Allons vite, c'est trop d'honneur que je vous fais, et bien 2924
heureux est le valet qui peut avoir la gloire de mourir pour
son maître. *Ibid., acte II, scène 5.*

Par quelle raison n'aurais-tu pas les mêmes privilèges qu'ont 2925
tous les autres médecins? Ils n'ont pas plus de part que toi
aux guérisons des malades. [...] Tu peux profiter comme eux
du bonheur du malade, et voir attribuer à tes remèdes tout
ce qui peut venir des faveurs du hasard et des forces de la
nature. *Ibid., acte III, scène 1.*

Comment? il y avait six jours entiers qu'il ne pouvait mourir, 2926
et cela le fit mourir tout d'un coup. Voulez-vous rien de plus
efficace? *Ibid.*

Cet habit me donne de l'esprit. 2927
Ibid.

Je crois que deux et deux sont quatre, Sganarelle, et que 2928
quatre et quatre sont huit. *Ibid.*

2929   [...] Comme l'honneur est infiniment plus précieux que la vie,
c'est ne devoir rien proprement que d'être redevable de la vie
à qui nous a ôté l'honneur.   *Ibid., acte III, scène 4.*

2930   Allons, mon frère : un moment de douceur ne fait aucune
injure à la sévérité de notre devoir.   *Ibid.*

2931   Et qu'avez-vous fait dans le monde pour être gentilhomme?
[...] La naissance n'est rien où la vertu n'est pas [...] Je ferais
plus d'état du fils d'un crocheteur qui serait honnête homme,
que du fils d'un monarque qui vivrait comme vous.
        Ibid., acte IV, scène 4.

2932   Ah! mon fils, que la tendresse d'un père est aisément rappelée,
et que les offenses d'un fils s'évanouissent vite au moindre
mot de repentir!   *Ibid., acte V, scène 1.*

2933   Tous les vices à la mode passent pour vertus [...] Combien
crois-tu que j'en connaisse qui, par ce stratagème, ont rhabillé
adroitement les désordres de leur jeunesse, qui se sont fait
un bouclier du manteau de la religion, et, sous cet habit
respecté, ont la permission d'être les plus méchants hommes
du monde? [...] Enfin c'est là le vrai moyen de faire impunément tout ce que je voudrai. Je m'érigerai en censeur des
actions d'autrui, jugerai mal de tout le monde et n'aurai
bonne opinion que de moi [...] C'est ainsi qu'il faut profiter
des faiblesses des hommes.   *Ibid., acte V, scène 2.*

2934   O la grande fatigue que d'avoir une femme!
        Le Médecin malgré lui, acte I, scène 1.

2935   Et je veux qu'il me batte, moi.
[...]
Il me plaît d'être battue.
        Ibid., acte I, scène 2.

2936   C'est une chose admirable, que tous les grands hommes ont
toujours du caprice, quelque petit grain de folie mêlé à leur
science.   *Ibid., acte I, scène 4.*

2937   [...] Il y a fagots et fagots...
        Ibid., acte I, scène 5.

2938   GÉRONTE
Hippocrate dit cela?

                          SGANARELLE
Oui.

                          GÉRONTE
Dans quel chapitre, s'il vous plaît?

                          SGANARELLE
Dans son chapitre des chapeaux.
        Ibid., acte II, scène 2.

[...] Il ne faut pas qu'elle meure sans l'ordonnance du
médecin.   *Ibid., acte II, scène 4.* 2939

[...] Je vous apprends que votre fille est muette [...], cela vient
de ce qu'elle a perdu la parole.   *Ibid.* 2940

GÉRONTE   2941
Il me semble que vous les placez autrement qu'ils ne sont;
que le cœur est du côté gauche, et le foie du côté droit.

SGANARELLE
Oui, cela était autrefois ainsi; mais nous avons changé
tout cela.   *Ibid.*

C'est toujours la faute de celui qui meurt. Enfin le bon 2942
de cette profession est qu'il y a parmi les morts une honnêteté,
une discrétion la plus grande du monde; et jamais on n'en
voit se plaindre du médecin qui l'a tué.
                              Ibid., acte III, scène 2.

Le ciel s'est habillé ce soir en Scaramouche...   2943
                              Le Sicilien, scène 1.

Le bécarre me charme : hors du bécarre, point de salut en 2944
harmonie.   *Ibid., scène 2.*

[...] Le courroux du point d'honneur me prend...   2945
                              Ibid., scène 5.

Si c'est votre façon d'aimer, je vous prie de me haïr.   2946
                              Ibid., scène 6.

Je regarde ce que je perds   2947
Et ne vois point ce qui me reste.
                              Psyché.

Qui va là? Heu? Ma peur, à chaque pas, s'accroît.   2948
Messieurs, ami de tout le monde.
                              Amphitryon, acte I, scène 1.

Peste! où prend mon esprit toutes ces gentillesses?   2949
                              Ibid.

Quinze ans de mariage épuisent les paroles   2950
Et depuis un long temps nous nous sommes tout dit.
                              Ibid., acte I, scène 4.

J'aime mieux un vice commode   2951
Qu'une fatigante vertu.
                              Ibid.

Tous les discours sont des sottises,   2952
Partant d'un homme sans éclat;
Ce serait paroles exquises
Si c'était un grand qui parlât.
                              Ibid., acte II, scène 1.

2953
Et l'absence de ce qu'on aime,
Quelque peu qu'elle dure, a toujours trop duré.
Ibid., acte II, scène 2.

2954
La faiblesse humaine est d'avoir
Des curiosités d'apprendre
Ce qu'on ne voudrait pas savoir.
Ibid., acte II, scène 3.

2955
Et rien, comme tu le sais bien,
Veut dire rien, ou peu de chose.
Ibid.

2956
Qui ne saurait haïr peut-il vouloir qu'on meure?
Ibid., acte II, scène 6.

2957
Lorsque l'on pend quelqu'un, on lui dit pourquoi c'est.
Ibid., acte III, scène 4.

2958
Le véritable Amphitryon
Est l'Amphitryon où l'on dîne.
Ibid., acte III, scène 5.

2959
Un partage avec Jupiter
N'a rien du tout qui déshonore.
Ibid., acte III, scène 10.

2960
Le seigneur Jupiter sait dorer la pilule.
Ibid.

2961
LA FLÈCHE

Je parle... je parle à mon bonnet.

HARPAGON

Et moi, je pourrais bien parler à ta barrette.
L'Avare, acte I, scène 3.

2962 Qui se sent morveux, qu'il se mouche.
Ibid.

2963 Sans dot.
Ibid., acte I, scène 5.

2964 [...] *Sans dot.* Le moyen de résister à une raison comme celle-là? *Ibid.*

2965 [...] *Donner* est un mot pour qui il a tant d'aversion, qu'il ne dit jamais : *Je vous donne*, mais : *Je vous prête le bon jour.* *Ibid., acte II, scène 4.*

2966 [...] Je crois, si je me l'étais mis en tête, que je marierais le Grand Turc avec la République de Venise...
Ibid., acte II, scène 5.

2967 Que diable, toujours de l'argent! Il semble qu'ils n'aient autre chose à dire : « De l'argent, de l'argent, de l'argent. » Ah! ils n'ont que ce mot à la bouche : « De l'argent. » Toujours parler d'argent. *Ibid., acte III, scène 1.*

[...] Quand il y a à manger pour huit, il y en a bien pour dix.   2968
Ibid.

Qu'*il faut manger pour vivre, et non pas vivre pour manger.*   2969
Ibid.

[...] Vous leur faites observer des jeûnes si austères, que ce   2970
ne sont plus rien que des idées ou des fantômes, des façons
de chevaux.   *Ibid.*

[...] Une personne comme vous est-elle faite pour un Limo-   2971
sin? S'il a envie de se marier, que ne prend-il une Limosine
et ne laisse-t-il en repos les chrétiens?
Monsieur de Pourceaugnac, acte I, scène 1.

Il fait fort bien : un malade ne doit point vouloir guérir   2972
que la Faculté n'y consente.   *Ibid., acte I, scène 5.*

L'APOTHICAIRE   2973
[...] J'aimerais mieux mourir de ses remèdes que de guérir
de ceux d'un autre; car, quoi qui puisse arriver, on est assuré
que les choses sont toujours dans l'ordre; et quand on meurt
sous sa conduite, vos héritiers n'ont rien à vous reprocher.

ÉRASTE
C'est une grande consolation pour un défunt.   *Ibid.*

[...] Il est impossible qu'il ne soit pas fou, et mélancolique   2974
hypocondriaque; et quand il ne le serait pas, il faudrait
qu'il le devînt, pour la beauté des choses que vous avez dites,
et la justesse du raisonnement que vous avez fait.
Ibid., acte I, scène 8.

[...] Ils commencent ici par faire pendre un homme, et puis   2975
ils lui font son procès   *Ibid., acte III, scène 2.*

Il est, dans les affaires   2976
Des amoureux mystères,
Certains petits moments
Qui changent les plus fières
Et font d'heureux amants.
Les Amants magnifiques, acte III, scène 2, intermède.

Mais il est des états [...] où il n'est pas honnête de vouloir   2977
tout ce qu'on peut faire; il y a des chagrins à se mettre au-
dessus de toutes choses.   *Ibid., acte IV, scène 4.*

[...] Son argent redresse les jugements de son esprit; il a du   2978
discernement dans sa bourse...
Le Bourgeois gentilhomme, acte I, scène 1.

Êtes-vous fou de l'aller quereller, lui qui entend la tierce et   2979
la quarte, et qui sait tuer un homme par raison démons-
trative?   *Ibid.*

Par ma foi! il y a plus de quarante ans que je dis de la prose   2980
sans que j'en susse rien.   *Ibid., acte II, scène 4.*

2981   Belle Marquise, vos yeux beaux me font mourir d'amour.
                                                    Ibid.

2982   Voilà ce que c'est de se mettre en personne de qualité.
       Allez-vous-en demeurer toujours habillé en bourgeois, on
       ne vous dira point : « Mon gentilhomme. »
                                          Ibid., acte II, scène 5.

2983   « Monseigneur » mérite quelque chose, et ce n'est pas une
       petite parole que « Monseigneur » .   *Ibid.*

2984   Il me semble que j'ai dîné quand je le vois.
                                          Ibid., acte III, scène 3.

2985   Il le gratte par où il se démange.
                                          Ibid., acte III, scène 4.

2986   Il est bon, Madame, de ne pas laisser un amant seul maître
       du terrain, de peur que, faute de rivaux, son amour ne
       s'endorme sur trop de confiance.
                                   La Comtesse d'Escarbagnas, scène 2.

2987   Il faut qu'il ait tué bien des gens, pour s'être fait si riche.
                                   Le Malade imaginaire, acte I, scène 5.

2988   Vivent les collèges, d'où l'on sort si habile homme...
                                          Ibid., acte II, scène 5.

2989   Les anciens, Monsieur, sont les anciens, et nous sommes les
       gens de maintenant.   *Ibid., acte II, scène 6.*

2990   Ah! il n'y a plus d'enfants.
                                          Ibid., acte II, scène 8.

2991   [...] Presque tous les hommes meurent de leurs remèdes,
       et non pas de leurs maladies.   *Ibid., acte III, scène 3.*

2992   Que vous jouez au monde un petit personnage,
             De vous claquemurer aux choses du ménage,
             Et de n'entrevoir point de plaisirs plus touchants
             Qu'un idole d'époux et des marmots d'enfants!
                                   Les Femmes savantes, acte I, scène 1.

2993   Loin d'être aux lois d'un homme en esclave asservie.
             Mariez-vous, ma sœur, à la philosophie.
                                                    Ibid.

2994   Le Ciel, dont nous voyons que l'ordre est tout-puissant,
             Pour différents emplois nous fabrique en naissant...
                                                    Ibid.

2995   Quand sur une personne on prétend se régler,
             C'est par les beaux côtés qu'il lui faut ressembler.
                                                    Ibid.

2996   Je consens qu'une femme ait des clartés de tout;
             Mais je ne lui veux point la passion choquante
             De se rendre savante afin d'être savante;

Et j'aime que souvent, aux questions qu'on fait
Elle sache ignorer les choses qu'elle sait...
Ibid., acte I, scène 3.

Un amant fait sa cour où s'attache son cœur,　　2997
Il veut de tout le monde y gagner la faveur;
Et, pour n'avoir personne à sa flamme contraire
Jusqu'au chien du logis il s'efforce de plaire.
Ibid.

Qui veut noyer son chien l'accuse de la rage.　　2998
Ibid., acte II, scène 5.

La grammaire, qui sait régenter jusqu'aux rois,　　2999
Et les fait la main haute obéir à ses lois...
Ibid., acte II, scène 6.

Quand on se fait entendre, on parle toujours bien.　　3000
Ibid.

Je vis de bonne soupe, et non de beau langage.　　3001
Vaugelas n'apprend point à bien faire un potage;
Et Malherbe et Balzac, si savants en beaux mots,
En cuisine peut-être auraient été des sots.
Ibid., acte II, scène 7.

Guenille si l'on veut, ma guenille m'est chère.　　3002
Ibid.

Le moindre solécisme en parlant vous irrite;　　3003
Mais vous en faites, vous, d'étranges en conduite.
Ibid.

Il n'est pas bien honnête, et pour beaucoup de causes,　　3004
Qu'une femme étudie et sache tant de choses.
Ibid.

Nos pères sur ce point étaient gens bien sensés,　　3005
Qui disaient qu'une femme en sait toujours assez
Quand la capacité de son esprit se hausse
A connaître un pourpoint d'avec un haut de chausse.
Ibid.

Raisonner est l'emploi de toute ma maison,　　3006
Et le raisonnement en bannit la raison :
Ibid.

On cherche ce qu'il dit après qu'il a parlé,　　3007
Et je lui crois, pour moi, le timbre un peu fêlé.
Ibid.

Nul n'aura de l'esprit hors nous et nos amis.　　3008
Ibid., acte III, scène 2.

Quoi? Monsieur sait du grec? Ah! permettez, de grâce,　　3009
Que pour l'amour du grec, Monsieur, on vous embrasse.
Ibid., acte III, scène 3.

3010   Je soutiens qu'on ne peut en faire de meilleur;
        Et ma grande raison, c'est que j'en suis l'auteur.
                                                    Ibid.

3011   Nous l'avons en dormant, Madame, échappé belle.
                                    Ibid., acte IV, scène 3.

3012   [...] Je vous suis garant
        Qu'un sot savant est sot plus qu'un sot ignorant.
                                                    Ibid.

3013   Il semble à trois gredins, dans leur petit cerveau,
        Que, pour être imprimés, et reliés en veau,
        Les voilà dans l'État d'importantes personnes...
                                                    Ibid.

3014   [...] Gens qui de leur savoir paraissent toujours ivres,
        Riches, pour tout mérite, en babil importun,
        Inhabiles à tout, vides de sens commun,
        Et pleins d'un ridicule et d'une impertinence
        A décrier partout l'esprit et la science.
                                                    Ibid.

3015   Que diable allait-il faire dans cette galère?
                        Les Fourberies de Scapin, acte II, scène 7.

3016   [Je] ne suis point personne à reculer, lorsqu'on m'attaque
        d'amitié.   *Ibid., acte III, scène 1.*

3017   Il ne prétend à vous qu'en tout bien et en tout honneur.
                                                    Ibid.

BLAISE PASCAL
1623-1662

3018   Qu'une vie est heureuse quand elle commence par l'amour
        et qu'elle finit par l'ambition! Si j'avais à en choisir une,
        je prendrais celle-là.   *Discours sur les passions de l'amour.*

3019   Dans une grande âme tout est grand.
                                                    Ibid.

3020   Il y a deux sortes d'esprits, l'un géométrique, et l'autre que
        l'on peut appeler de finesse.
        Le premier a des vues lentes, dures et inflexibles; mais le
        dernier a une souplesse de pensée qui l'applique en même
        temps aux diverses parties aimables de ce qu'il aime. Des
        yeux il va jusqu'au cœur, et par le mouvement du dehors
        il connaît ce qui se passe au dedans.   *Ibid.*

3021   L'homme est né pour le plaisir : il le sent, il n'en faut point
        d'autre preuve. Il suit donc sa raison en se donnant au
        plaisir.   *Ibid.*

A mesure que l'on a plus d'esprit, l'on trouve plus de beautés   3022
originales; mais il ne faut pas être amoureux, car quand l'on
aime l'on n'en trouve qu'une.   *Ibid.*

Tant plus le chemin est long dans l'amour, tant plus un esprit   3023
délicat sent de plaisir.   *Ibid.*

L'égarement à aimer en divers endroits est aussi monstrueux   3024
que l'injustice dans l'esprit.   *Ibid.*

Dans l'amour on n'ose hasarder parce que l'on craint de tout   3025
perdre; il faut pourtant avancer, mais qui peut dire jusqu'où?
L'on tremble toujours jusqu'à ce que l'on ait trouvé ce point.
                                                   Ibid.

Père juste, le monde ne t'a point connu, mais je t'ai connu.   3026
Joie, Joie, Joie, pleurs de joie.   *Mémorial.*

Il n'est pas nécessaire, parce que vous êtes duc, que je vous   3027
estime; mais il est nécessaire que je vous salue.
          Discours sur la condition des grands, Second discours.

J'ai mal usé de ma santé, et vous m'en avez justement puni :   3028
ne souffrez pas que j'use mal de votre punition.
                    Prière pour le bon usage des maladies.

De sorte qu'après tant d'épreuves de leur faiblesse, ils ont   3029
jugé plus à propos et plus facile de censurer que de repartir,
parce qu'il leur est bien plus aisé de trouver des moines que
des raisons.   *Les Provinciales, Troisième lettre.*

Béni soyez-vous, mon Père, qui justifiez ainsi les gens!   3030
Les autres apprennent à guérir les âmes par des austérités
pénibles : mais vous montrez que celles qu'on aurait cru le
plus désespérément malades se portent bien. O la bonne voie
pour être heureux en ce monde et en l'autre!
                              Ibid., Quatrième lettre.

Je croyais bien qu'on fût damné pour n'avoir pas de bonnes   3031
pensées; mais qu'on le soit pour ne pas croire que tout le
monde en a, vraiment je ne le pensais pas.   *Ibid.*

En vérité, mon Père, lui dis-je, il y a bien à profiter auprès   3032
de vos docteurs. Quoi! de deux personnes qui font les mêmes
choses, celui qui ne sait pas leur doctrine pèche, celui qui
la sait ne pèche pas?   *Ibid., Sixième lettre.*

J'entends bien, lui dis-je; mais si, d'une part, vous êtes les   3033
juges des confesseurs, n'êtes-vous pas, de l'autre, les confesseurs des juges?   *Ibid.*

Et je ne sais même si on n'aurait pas moins de dépit de se   3034
voir tuer brutalement par des gens emportés, que de se sentir
poignarder consciencieusement par des gens dévots.
                               Ibid., Septième lettre.

Quoi! mes Pères, les imaginations de vos auteurs passeront   3035
pour les vérités de la foi, et on ne pourra se moquer des

passages d'Escobar, et des décisions si fantasques et si peu
chrétiennes de vos autres auteurs, sans qu'on soit accusé
de rire de la religion?   *Ibid., Onzième lettre.*

3036   En vérité, mes Pères, il y a bien de la différence entre rire
        de la religion et rire de ceux qui la profanent par leurs
        opinions extravagantes. Ce serait une impiété de manquer
        de respect pour les vérités que l'esprit de Dieu a révélées :
        mais ce serait une autre impiété de manquer de mépris pour
        les faussetés que l'esprit de l'homme leur oppose.   *Ibid.*

3037   Étrange zèle qui s'irrite contre ceux qui accusent des fautes
        publiques, et non pas contre ceux qui les commettent!
        Quelle nouvelle charité qui s'offense de voir confondre des
        erreurs manifestes, et qui ne s'offense point de voir renverser
        la morale par ces erreurs!   *Ibid.*

3038   Tous les efforts de la violence ne peuvent affaiblir la vérité,
        et ne servent qu'à la relever davantage. Toutes les lumières
        de la vérité ne peuvent rien pour arrêter la violence, et ne
        font que l'irriter encore plus.   *Ibid., Douzième lettre.*

3039   [...] La violence n'a qu'un cours borné par l'ordre de Dieu,
        qui en conduit les effets à la gloire de la vérité qu'elle attaque,
        au lieu que la vérité subsiste éternellement, et triomphe
        enfin de ses ennemis; parce qu'elle est éternelle et puissante
        comme Dieu même.   *Ibid.*

3040   Si vous disiez qu'on peut tuer un médisant selon les hommes,
        mais non pas selon Dieu, cela serait moins insupportable;
        mais quand vous prétendez que ce qui est trop criminel
        pour être souffert par les hommes, soit innocent et juste aux
        yeux de Dieu qui est la justice même, que faites-vous autre
        chose, sinon montrer à tout le monde que, par cet horrible
        renversement si contraire à l'esprit des saints, vous êtes
        hardis contre Dieu, et timides envers les hommes?
                                        Ibid., Treizième lettre.

3041   A ceux qui voudront tuer on présentera Lessius; à ceux
        qui ne voudront pas tuer on produira Vasquez, afin que
        personne ne sorte mal content, et sans avoir pour soi un
        auteur grave. Lessius parlera en païen de l'homicide, et
        peut-être en chrétien de l'aumône; Vasquez parlera en païen
        de l'aumône, et en chrétien de l'homicide.   *Ibid.*

3042   [...] L'homicide est le seul crime qui détruit tout ensemble
        l'État, l'Église, la nature et la piété.
                                        Ibid., Quatorzième lettre.

3043   Qu'on ne s'étonne donc plus de voir les Jésuites calomnia-
        teurs : ils le sont en sûreté de conscience, et rien ne les en
        peut empêcher; puisque par le crédit qu'ils ont dans le monde,
        ils peuvent calomnier sans craindre la justice des hommes [...]
                                        Ibid., Quinzième lettre.

3044   Toutes vos fables pouvaient peut-être vous servir avant qu'on
        sût vos principes; mais à présent que tout est découvert,

quand vous penserez dire à l'oreille *qu'un homme d'honneur,
qui désire cacher son nom, vous a appris de terribles choses
de ces gens-là*, on vous fera souvenir incontinent du *mentiris
impudentissime* du bon Père Capucin. *Ibid.*

Mes Révérends Pères, mes lettres n'avaient pas accoutumé   3045
de se suivre de si près, ni d'être si étendues. Le peu de temps
que j'ai eu a été cause de l'un et de l'autre. Je n'ai fait celle-ci
plus longue que parce que je n'ai pas eu le loisir de la faire
plus courte. *Ibid., Seizième lettre.*

Différence entre l'esprit de géométrie et l'esprit de finesse. —   3046
En l'un, les principes sont palpables, mais éloignés de l'usage
commun ; de sorte qu'on a peine à tourner la tête de ce côté-là,
manque d'habitude [...] *Pensées, I, 1.*

Mais dans l'esprit de finesse, les principes sont dans l'usage   3047
commun et devant les yeux de tout le monde. On n'a que
faire de tourner la tête, ni de se faire violence ; il n'est question
que d'avoir bonne vue, mais il faut l'avoir bonne. *Ibid.*

Tous les géomètres seraient donc fins s'ils avaient la vue   3048
bonne, car ils ne raisonnent pas faux sur les principes qu'ils
connaissent ; et les esprits fins seraient géomètres, s'ils pouvaient plier leur vue vers les principes inaccoutumés de
géométrie. *Ibid.*

Mais les esprits faux ne sont jamais ni fins ni géomètres.   3049
Ibid.

Géométrie, finesse. — La vraie éloquence se moque de l'élo-   3050
quence, la vraie morale se moque de la morale ; c'est-à-dire
que la morale du jugement se moque de la morale de l'esprit
— qui est sans règles. *Ibid., I, 4.*

Se moquer de la philosophie, c'est vraiment philosopher.   3051
Ibid.

Comme on se gâte l'esprit, on se gâte aussi le sentiment.   3052
Ibid., I, 6.

A mesure qu'on a plus d'esprit, on trouve qu'il y a plus   3053
d'hommes originaux. Les gens du commun ne trouvent
pas de différence entre les hommes. *Ibid., I, 7.*

On se persuade mieux, pour l'ordinaire, par les raisons qu'on   3054
a soi-même trouvées, que par celles qui sont venues dans
l'esprit des autres. *Ibid., I, 10.*

Éloquence qui persuade par douceur, non par empire, en   3055
tyran, non en roi. *Ibid., I, 15.*

Ce n'est pas assez qu'une chose soit belle, il faut qu'elle   3056
soit propre au sujet, qu'il n'y ait rien de trop ni rien de
manque. *Ibid., I, 16.*

Les rivières sont des chemins qui marchent, et qui portent   3057
où l'on veut aller. *Ibid., I, 17.*

3058   La maladie principale de l'homme est la curiosité inquiète
des choses qu'il ne peut savoir; et il ne lui est pas si mauvais
d'être dans l'erreur, que dans cette curiosité inutile.

Ibid., I, 18.

3059   La dernière chose qu'on trouve en faisant un ouvrage est
de savoir celle qu'il faut mettre la première.   *Ibid., I, 19.*

3060   Les mots diversement rangés font un divers sens et les sens
diversement rangés font différents effets.   *Ibid., I, 23.*

3061   L'éloquence est une peinture de la pensée; et ainsi, ceux qui,
après avoir peint, ajoutent encore, font un tableau au lieu
d'un portrait.   *Ibid., I, 26.*

3062   Ceux qui font les antithèses en forçant les mots sont comme
ceux qui font de fausses fenêtres pour la symétrie : leur règle
n'est pas de parler juste, mais de faire des figures justes.

Ibid., I, 27.

3063   Quand on voit le style naturel, on est tout étonné et ravi,
car on s'attendait de voir un auteur, et on trouve un homme.
Au lieu que ceux qui ont le goût bon, et qui en voyant un
livre croient trouver un homme, sont tout surpris de trouver
un auteur.   *Ibid., I, 29.*

3064   — On ne passe point dans le monde pour se connaître en
vers, si l'on n'a mis l'enseigne de poète, de mathématicien,
etc. Mais les gens universels ne veulent point d'enseigne,
et ne mettent guère de différence entre le métier de poète
et celui de brodeur.   *Ibid., I, 34.*

3065   L'homme est plein de besoins : il n'aime que ceux qui peuvent les remplir tous. « C'est un bon mathématicien », dira-
t-on. — Mais je n'ai que faire de mathématiciens; il me
prendrait pour une proposition. — « C'est un bon guerrier. »
— Il me prendrait pour une place assiégée.   *Ibid., I, 36.*

3066   Car il est bien plus beau de savoir quelque chose de tout que
de savoir tout d'une chose; cette universalité est la plus belle.

Ibid., I, 37.

3067   Voulez-vous qu'on croie du bien de vous? n'en dites pas.

Ibid., I, 44.

3068   Diseur de bons mots, mauvais caractère.   *Ibid., I, 46.*

3069   Quand dans un discours se trouvent des mots répétés, et
qu'essayant de les corriger, on les trouve si propres qu'on
gâterait le discours, il les faut laisser, c'en est la marque.

Ibid., I, 48.

3070   Il y a des lieux où il faut appeler Paris, Paris, et d'autres où
il la faut appeler capitale du royaume.   *Ibid., I, 49.*

3071   Ce que Montaigne a de bon ne peut être acquis que difficilement. Ce qu'il a de mauvais, j'entends hors les mœurs,

peut être corrigé en un moment, si on l'eût averti qu'il
faisait trop d'histoires, et qu'il parlait trop de soi.
Ibid., II, 65.

On n'apprend pas aux hommes à être honnêtes hommes, et 3072
on leur apprend tout le reste; et ils ne se piquent jamais tant
de savoir rien du reste, comme d'être honnêtes hommes. Ils
ne se piquent de savoir que la seule chose qu'ils n'apprennent
point.   *Ibid., II, 68.*

Que l'homme contemple donc la nature entière dans sa haute 3073
et pleine majesté [...] Qu'il regarde cette éclatante lumière,
mise comme une lampe éternelle pour éclairer l'univers;
que la terre lui paraisse comme un point au prix du vaste
tour que cet astre décrit et qu'il s'étonne de ce que ce vaste
tour lui-même n'est qu'une pointe très délicate à l'égard
de celui que les astres qui roulent dans le firmament embrassent.   *Ibid., II, 72.*

Tout ce monde visible n'est qu'un trait imperceptible dans 3074
l'ample sein de la nature. Nulle idée n'en approche. Nous
avons beau enfler nos conceptions, au delà des espaces
imaginables, nous n'enfantons que des atomes, au prix de
la réalité des choses.   *Ibid., II, 72.*

C'est une sphère infinie dont le centre est partout, la circonfé- 3075
rence nulle part.   *Ibid., II, 72.*

Que l'homme, étant revenu à soi, considère ce qu'il est au 3076
prix de ce qui est; qu'il se regarde comme égaré dans ce
canton détourné de la nature; et que, de ce petit cachot
où il se trouve logé, j'entends l'univers, il apprenne à estimer la terre, les royaumes, les villes et soi-même son juste
prix. Qu'est-ce qu'un homme dans l'infini?   *Ibid., II, 72.*

[...] Qu'est-ce que l'homme dans la nature. Un néant à 3077
l'égard de l'infini, un tout à l'égard du néant, un milieu entre
rien et tout. Infiniment éloigné de comprendre les extrêmes,
la fin des choses et leur principe sont pour lui invinciblement
cachés dans un secret impénétrable, également incapable de
voir le néant d'où il est tiré, et l'infini où il est englouti.
                                                    Ibid., II, 72.

Toutes choses sont sorties du néant et portées jusqu'à l'in- 3078
fini. Qui suivra ces étonnantes démarches? L'auteur de ces
merveilles les comprend. Tout autre ne le peut faire.
                                                    Ibid., II, 72.

Quand on est instruit, on comprend que la nature ayant gra- 3079
vé son image et celle de son auteur dans toutes choses, elles
tiennent presque toutes de sa double infinité.
                                                    Ibid., II, 72.

Connaissons donc notre portée: nous sommes quelque 3080
chose, et ne sommes pas tout; ce que nous avons d'être
nous dérobe la connaissance des premiers principes, qui
naissent du néant; et le peu que nous avons d'être nous
cache la vue de l'infini.   *Ibid., II, 72.*

3081   [...] Trop de vérité nous étonne (j'en sais qui ne peuvent comprendre que qui de zéro ôte quatre reste zéro).
Ibid., II, 72.

3082   Trop de jeunesse et trop de vieillesse empêchent l'esprit, trop et trop peu d'instruction; enfin les choses extrêmes sont pour nous comme si elles n'étaient point, et nous ne sommes point à leur égard : elles nous échappent, ou nous à elles.
Ibid., II, 72.

3083   [...] Nous brûlons de désir de trouver une assiette ferme, et une dernière base constante pour y édifier une tour qui s'élève à l'infini; mais tout notre fondement craque, et la terre s'ouvre jusqu'aux abîmes.
Ibid., II, 72.

3084   Si l'homme s'étudiait le premier, il verrait combien il est incapable de passer outre. Comment se pourrait-il qu'une partie connût le tout?
Ibid., II, 72.

3085   L'homme est à lui-même le plus prodigieux objet de la nature; car il ne peut concevoir ce que c'est que corps, et encore moins ce que c'est qu'esprit, et moins qu'aucune chose comme un corps peut être uni avec un esprit.
Ibid., II, 72.

3086   Je ne puis pardonner à Descartes; il aurait bien voulu, dans toute sa philosophie, pouvoir se passer de Dieu; mais il n'a pu s'empêcher de lui faire donner une chiquenaude, pour mettre le monde en mouvement; après cela, il n'a plus que faire de Dieu.
Ibid., II, 77.

3087   D'où vient qu'un boiteux ne nous irrite pas, et un esprit boiteux nous irrite? A cause qu'un boiteux reconnaît que nous allons droit, et qu'un esprit boiteux dit que c'est nous qui boitons...
Ibid., II, 80.

3088   L'esprit croit naturellement, et la volonté aime naturellement; de sorte que, faute de vrais objets, il faut qu'ils s'attachent aux faux.
Ibid, II, 81.

3089   *Imagination.* — C'est cette partie décevante dans l'homme, cette maîtresse d'erreur et de fausseté, et d'autant plus fourbe qu'elle ne l'est pas toujours; car elle serait règle infaillible de vérité, si elle l'était infaillible du mensonge. Mais, étant le plus souvent fausse, elle ne donne aucune marque de sa qualité, marquant du même caractère le vrai et le faux.
Ibid., II, 82.

3090   Le plus grand philosophe du monde, sur une planche plus large qu'il ne faut, s'il y a au-dessous un précipice, quoique sa raison le convainque de sa sûreté, son imagination prévaudra. Plusieurs n'en sauraient soutenir la pensée sans pâlir et suer.
Ibid., II, 82.

3091   L'affection ou la haine change la justice de face. Et combien un avocat bien payé par avance trouve-t-il plus juste la cause qu'il plaide!
Ibid., II, 82.

Si les médecins avaient le vrai art de guérir, ils n'auraient
que faire de bonnets carrés.   *Ibid., II, 82.*   3092

Il faudrait avoir une raison bien épurée pour regarder comme
un autre homme le Grand Seigneur environné, dans son
superbe sérail, de quarante mille janissaires.   3093
                                            Ibid., II, 82.

La justice et la vérité sont deux pointes si subtiles, que nos
instruments sont trop mousses pour y toucher exactement.   3094
S'ils y arrivent, ils en écachent la pointe, et appuient tout
autour, plus sur le faux que sur le vrai.   *Ibid., II, 82.*

Les enfants qui s'effrayent du visage qu'ils ont barbouillé,
ce sont des enfants; mais le moyen que ce qui est si faible,   3095
étant enfant, soit bien fort étant plus âgé!   *Ibid., II, 88.*

Il n'y a rien qu'on ne rende naturel; il n'y a naturel qu'on ne
fasse perdre.   *Ibid., II, 94.*   3096

La chose la plus importante à toute la vie est le choix du
métier : le hasard en dispose.   *Ibid., II, 97.*   3097

Personne ne parle de nous en notre présence comme il en
parle en notre absence. L'union qui est entre les hommes   3098
n'est fondée que sur cette mutuelle tromperie; et peu d'ami-
tiés subsisteraient, si chacun savait ce que son ami dit de
lui lorsqu'il n'y est pas, quoiqu'il en parle alors sincèrement
et sans passion.   *Ibid., II, 100.*

Il y a des vices qui ne tiennent à nous que par d'autres, et
qui, en ôtant le tronc, s'emportent comme des branches.   3099
                                            Ibid., II, 102.

L'exemple de la chasteté d'Alexandre n'a pas tant fait de
continents que celui de son ivrognerie a fait d'intempérants.   3100
                                            Ibid., II, 103.

Le temps et mon humeur ont peu de liaison; j'ai mes brouil-
lards et mon beau temps au dedans de moi; le bien, et le   3101
mal de mes affaires même, y fait peu.
                                            Ibid., II, 107.

Quelle vanité que la peinture, qui attire l'admiration par la
ressemblance des choses dont on n'admire point les origi-   3102
naux.   *Ibid., II, 134*

Peu de chose nous console parce que peu de chose nous
afflige.   *Ibid., II, 136.*   3103

J'ai découvert que tout le malheur des hommes vient d'une
seule chose, qui est de ne savoir pas demeurer en repos,   3104
dans une chambre.   *Ibid., II, 139.*

Le roi est environné de gens qui ne pensent qu'à divertir
le roi, et l'empêcher de penser à lui. Car il est malheureux,   3105
tout roi qu'il est, s'il y pense.   *Ibid., II, 139.*

3106   Ce lièvre ne nous garantirait pas de la vue de la mort et des misères, mais la chasse — qui nous en détourne — nous en garantit.   *Ibid., II, 139.*

3107   Ainsi s'écoule toute la vie. On cherche le repos en combattant quelques obstacles; et si on les a surmontés, le repos devient insupportable.   *Ibid., II, 139.*

3108   Qu'on en fasse l'épreuve : qu'on laisse un roi tout seul, sans aucune satisfaction des sens, sans aucun soin dans l'esprit, sans compagnie, penser à lui tout à loisir; et l'on verra qu'un roi sans divertissement est un homme plein de misères.   *Ibid., II, 142.*

3109   Que le cœur de l'homme est creux et plein d'ordure!
                                                   Ibid., II, 143.

3110   L'homme est visiblement fait pour penser; c'est toute sa dignité et tout son métier; et tout son devoir est de penser comme il faut.   *Ibid., II, 146.*

3111   La vanité est si ancrée dans le cœur de l'homme, qu'un soldat, un goujat, un cuisinier, un crocheteur se vante et veut avoir ses admirateurs; et les philosophes mêmes en veulent; et ceux qui écrivent contre veulent avoir la gloire d'avoir bien écrit; et ceux qui les lisent veulent avoir la gloire de les avoir lus; et moi qui écris ceci, ai peut-être cette envie; et peut-être que ceux qui le liront... *Ibid., II, 150.*

3112   L'éternuement absorbe toutes les fonctions de l'âme, aussi bien que la besogne; mais on n'en tire pas les mêmes conséquences contre la grandeur de l'homme, parce que c'est contre son gré.   *Ibid., II, 160.*

3113   Qui voudra connaître à plein la vanité de l'homme n'a qu'à considérer les causes et les effets de l'amour.   *Ibid., II, 162.*

3114   Le nez de Cléopâtre : s'il eût été plus court, toute la face de la terre aurait changé.   *Ibid., II, 162.*

3115   Nous ne pensons presque point au présent; et, si nous y pensons, ce n'est que pour en prendre la lumière pour disposer de l'avenir.   *Ibid., II, 172.*

3116   Cromwell allait ravager toute la chrétienté; la famille royale était perdue, et la sienne à jamais puissante, sans un petit grain de sable qui se mit dans son uretère.   *Ibid., II, 176.*

3117   Plaindre les athées qui cherchent, car ne sont-ils pas assez malheureux? Invectiver contre ceux qui en font vanité.
                                                   Ibid., III, 190.

3118   L'immortalité de l'âme est une chose qui nous importe si fort, qui nous touche si profondément, qu'il faut avoir perdu tout sentiment pour être dans l'indifférence de savoir ce qui en est.   *Ibid., III, 194.*

3119   Il ne faut pas avoir l'âme fort élevée pour comprendre qu'il n'y a point ici de satisfaction véritable et solide, que tous nos plaisirs ne sont que vanité, que nos maux sont infinis, et qu'enfin la mort, qui nous menace à chaque instant, doit infailliblement nous mettre, dans peu d'années, dans l'horrible nécessité d'être éternellement ou anéantis ou malheureux.   *Ibid., III, 194.*

Je ne sais qui m'a mis au monde, ni ce que c'est que le monde, ni que moi-même ; je suis dans une ignorance terrible de toutes choses ; je ne sais ce que c'est que mon corps, que mes sens, que mon âme et cette partie même de moi qui pense ce que je dis, qui fait réflexion sur tout et sur elle-même, et ne se connaît non plus que le reste.   *Ibid., III, 194.*   3120

Je ne vois que des infinités de toutes parts, qui m'enferment comme un atome et comme une ombre qui ne dure qu'un instant sans retour. Tout ce que je connais est que je dois bientôt mourir ; mais ce que j'ignore le plus est cette mort même que je ne saurais éviter.   *Ibid., III, 194.*   3121

Rien n'est si important à l'homme que son état ; rien ne lui est si redoutable que l'éternité. Et ainsi, qu'il se trouve des hommes indifférents à la perte de leur être et au péril d'une éternité de misères, cela n'est point naturel.
Ibid., III, 194.   3122

Il est indubitable que le temps de cette vie n'est qu'un instant, que l'état de la mort est éternel, de quelque nature qu'il puisse être, et qu'ainsi toutes nos actions et nos pensées doivent prendre des routes si différentes selon l'état de cette éternité.   *Ibid., III, 195.*   3123

Cependant cette éternité subsiste, et la mort, qui la doit ouvrir et qui les menace à toute heure, les doit mettre infailliblement dans peu de temps dans l'horrible nécessité d'être éternellement ou anéantis ou malheureux, sans qu'ils sachent laquelle de ces éternités leur est à jamais préparée.
Ibid., III, 195.   3124

Le silence éternel de ces espaces infinis m'effraie.   3125
Ibid., III, 206.

Combien de royaumes nous ignorent !   *Ibid., III, 207.*   3126

Le dernier acte est sanglant, quelque belle que soit la comédie en tout le reste : on jette enfin de la terre sur la tête, et en voilà pour jamais.   *Ibid., III, 210.*   3127

Entre nous, et l'enfer ou le ciel, il n'y a que la vie entre deux, qui est la chose du monde la plus fragile.   *Ibid., III, 213.*   3128

Les athées doivent dire des choses parfaitement claires ; or, il n'est point parfaitement clair que l'âme soit matérielle.
Ibid., III, 221.   3129

Athéisme marque de force d'esprit, mais jusqu'à un certain degré seulement.   *Ibid., III, 225.*   3130

3131 L'unité jointe à l'infini ne l'augmente de rien, non plus qu'un pied à une mesure infinie. Le fini s'anéantit en présence de l'infini, et devient un pur néant. Ainsi notre esprit devant Dieu; ainsi notre justice devant la justice divine.

Ibid., III, 233.

3132 Il se joue un jeu, à l'extrémité de cette distance infinie, où il arrivera croix ou pile. Que gagerez-vous? Par raison, vous ne pouvez faire ni l'un ni l'autre; par raison, vous ne pouvez défendre nul des deux. Ne blâmez donc pas de fausseté ceux qui ont pris un choix; car vous n'en savez rien. — « Non; mais je les blâmerai d'avoir fait, non ce choix, mais un choix; car, encore que celui qui prend croix et l'autre soient en pareille faute, ils sont tous deux en faute : le juste est de ne point parier. » — Oui; mais il faut parier. Cela n'est pas volontaire : vous êtes embarqué.

Ibid., III, 233.

3133 Pesons le gain et la perte, en prenant croix que Dieu est. Estimons ces deux cas : si vous gagnez, vous gagnez tout; si vous perdez, vous ne perdez rien. Gagez donc qu'il est, sans hésiter.

Ibid., III, 233.

3134 Vous voulez aller à la foi, et vous n'en savez pas le chemin [...]. Suivez la manière par où ils ont commencé : c'est en faisant tout comme s'ils croyaient, en prenant de l'eau bénite, en faisant dire des messes, etc. Naturellement même cela vous fait croire et vous abêtira...

Ibid., III, 233.

3135 « J'aurais bientôt quitté les plaisirs, disent-ils, si j'avais la foi ». — Et moi, je vous dis : « Vous auriez bientôt la foi, si vous aviez quitté les plaisirs ».

Ibid., III, 240.

3136 Deux excès : exclure la raison, n'admettre que la raison.

Ibid., IV, 253.

3137 La foi dit bien ce que les sens ne disent pas, mais non pas le contraire de ce qu'ils voient. Elle est au-dessus, et non pas contre.

Ibid., IV, 265.

3138 La dernière démarche de la raison est de reconnaître qu'il y a une infinité de choses qui la surpassent; elle n'est que faible, si elle ne va jusqu'à connaître cela.

Ibid., IV, 267.

3139 Le cœur a ses raisons, que la raison ne connaît point; on le sait en mille choses.

Ibid., IV, 277.

3140 C'est le cœur qui sent Dieu et non la raison. Voilà ce que c'est que la foi : Dieu sensible au cœur, non à la raison.

Ibid., IV, 278.

3141 « Pourquoi me tuez-vous? — Eh quoi! ne demeurez-vous pas de l'autre côté de l'eau? Mon ami, si vous demeuriez de ce côté, je serais un assassin et cela serait injuste de vous tuer de la sorte; mais puisque vous demeurez de l'autre côté, je suis un brave, et cela est juste. »

Ibid., V, 293.

Trois degrés d'élévation du pôle renversent toute la juris- 3142
prudence; un méridien décide de la vérité; en peu d'années
de possession, les lois fondamentales changent; le droit a
ses époques, l'entrée de Saturne au Lion nous marque l'origine d'un tel crime. Plaisante justice qu'une rivière borne!
Vérité au deçà des Pyrénées, erreur au delà.

Ibid., V, 294.

Mien, tien. — « Ce chien est à moi, disaient ces pauvres 3143
enfants; c'est là ma place au soleil. » Voilà le commencement
et l'image de l'usurpation de toute la terre.

Ibid., V, 295.

La justice sans la force est impuissante : la force sans la 3144
justice est tyrannique. La justice sans force est contredite,
parce qu'il y a toujours des méchants; la force sans la justice
est accusée. Il faut donc mettre ensemble la justice et la
force; et pour cela faire que ce qui est juste soit fort, ou que ce
qui est fort soit juste. *Ibid., V, 298.*

Cela est admirable : on ne veut pas que j'honore un homme 3145
vêtu de brocatelle et suivi de sept ou huit laquais! Eh quoi!
il me fera donner les étrivières si je ne le salue. Cet habit,
c'est une force. *Ibid., V, 315.*

Les choses du monde les plus déraisonnables deviennent les 3146
plus raisonnables à cause du dérèglement des hommes.
Qu'y a-t-il de moins raisonnable que de choisir, pour gouverner un État, le premier fils d'une reine? L'on ne choisit
pas pour gouverner un bateau celui des voyageurs qui est
de meilleure maison. *Ibid., V, 320.*

On ne s'imagine Platon et Aristote qu'avec de grandes robes 3147
de pédants. C'étaient des gens honnêtes et, comme les autres,
riant avec leurs amis; et, quand ils se sont divertis à faire
leurs *Lois* et leur *Politique*, ils l'ont fait en se jouant.

Ibid., V, 331.

Il faut avoir une pensée de derrière, et juger de tout par là, 3148
en parlant cependant comme le peuple.

Ibid., V, 336.

Le bec du perroquet qu'il essuie, quoiqu'il soit net. 3149
Ibid., VI, 343.

La raison nous commande bien plus impérieusement qu'un 3150
maître; car en désobéissant à l'un on est malheureux, et en
désobéissant à l'autre on est un sot. *Ibid., IV, 345.*

Pensée fait la grandeur de l'homme. *Ibid., VI, 346.* 3151

L'homme n'est qu'un roseau, le plus faible de la nature; 3152
mais c'est un roseau pensant. Il ne faut pas que l'univers
entier s'arme pour l'écraser : une vapeur, une goutte d'eau
suffit pour le tuer.
[...]
Toute notre dignité consiste donc en la pensée. C'est de là
qu'il faut nous relever et non de l'espace et de la durée,

que nous ne saurions remplir. Travaillons donc à bien penser : voilà le principe de la morale.   *Ibid., VI, 347.*

3153 Ce que peut la vertu d'un homme ne se doit pas mesurer par ses efforts, mais par son ordinaire.

Ibid., VI, -352.

3154 L'éloquence continue ennuie.   *Ibid., VI, 355.*

3155 L'homme n'est ni ange ni bête, et le malheur veut que qui veut faire l'ange fait la bête.   *Ibid., VI, 358.*

3156 Pensée échappée, je la voudrais écrire ; j'écris, au lieu, qu'elle m'est échappée.   *Ibid., VI, 370.*

3157 Toutes les bonnes maximes sont dans le monde ; on ne manque qu'à les appliquer.   *Ibid., VI, 380.*

3158 Contradiction est une mauvaise marque de vérité : plusieurs choses certaines sont contredites ; plusieurs fausses passent sans contradiction. Ni la contradiction n'est marque de fausseté, ni l'incontradiction n'est marque de vérité.

Ibid., VI, 384.

3159 Mais que dira-t-on qui soit bon ? La chasteté ? je dis que non, car le monde finirait. Le mariage ? non : la continence vaut mieux. De ne point tuer ? Non, car les désordres seraient horribles, et les méchants tueraient tous les bons. De tuer ? Non, car cela détruit la nature.   *Ibid., VI, 385.*

3160 La grandeur de l'homme est grande en ce qu'il se connaît misérable. Un arbre ne se connaît pas misérable.

Ibid., VI, 397.

3161 Grandeur de l'homme dans sa concupiscence même, d'en avoir su tirer un règlement admirable, et d'en avoir fait un tableau de la charité.   *Ibid., VI, 402.*

3162 L'orgueil contrepèse et emporte toutes les misères. Voilà un étrange monstre, et un égarement bien visible. Le voilà tombé de sa place, il la cherche avec inquiétude. C'est ce que tous les hommes font. Voyons qui l'aura trouvée.

Ibid., VI, 406.

3163 Les hommes sont si nécessairement fous, que ce serait être fou, par un autre tour de folie, de n'être pas fou.

Ibid., VI, 414.

3164 En un mot, l'homme connaît qu'il est misérable : il est donc misérable, puisqu'il l'est ; mais il est bien grand, puisqu'il le connaît.   *Ibid., VI, 416.*

3165 S'il se vante, je l'abaisse ; s'il s'abaisse, je le vante ; et le contredis toujours, jusqu'à ce qu'il comprenne qu'il est un monstre incompréhensible.   *Ibid., VI, 420.*

3166 Je blâme également, et ceux qui prennent parti de louer l'homme, et ceux qui le prennent de le blâmer, et ceux qui

le prennent de se divertir; et je ne puis approuver que ceux
qui cherchent en gémissant.   *Ibid., VI, 421.*

Quelle chimère est-ce donc que l'homme? Quelle nouveauté,   3167
quel monstre, quel chaos, quel sujet de contradiction, quel
prodige! Juge de toutes choses, imbécile ver de terre;
dépositaire du vrai, cloaque d'incertitude et d'erreur; gloire
et rebut de l'univers.   *Ibid., VII, 434.*

Connaissez donc, superbe, quel paradoxe vous êtes à vous-   3168
même. Humiliez-vous, raison impuissante; taisez-vous,
nature imbécile; apprenez que l'homme passe infiniment
l'homme, et entendez de votre maître votre condition véritable que vous ignorez. Écoutez Dieu.   *Ibid., VII, 434.*

Si l'homme n'est fait pour Dieu, pourquoi n'est-il heureux   3169
qu'en Dieu? Si l'homme est fait pour Dieu, pourquoi est-il
si contraire à Dieu?   *Ibid., VII, 438.*

Le *moi* est haïssable : vous, Miton, le couvrez, vous ne l'ôtez   3170
pas pour cela; vous êtes donc toujours haïssable.
                                                 Ibid., VII, 455.

Nous sommes pleins de choses qui nous jettent au dehors.   3171
                                                 Ibid., VII, 464.

Il faut n'aimer que Dieu et ne haïr que soi.   *Ibid., VII, 476.*   3172

Il est faux que nous soyons dignes que les autres nous   3173
aiment, il est injuste que nous le voulions.   *Ibid., VII, 477.*

Le corps aime la main; et la main, si elle avait une volonté,   3174
devrait s'aimer de la même sorte que l'âme l'aime. Tout
amour qui va au-delà est injuste.   *Ibid., VII, 483.*

La plus cruelle guerre que Dieu puisse faire aux hommes   3175
en cette vie est de les laisser sans cette guerre qu'il est venu
apporter.   *Ibid., VII, 498.*

L'homme n'est pas digne de Dieu, mais il n'est pas incapa-   3176
ble d'en être rendu digne.   *Ibid., VII, 510.*

La connaissance de Dieu sans celle de sa misère fait l'or-   3177
gueil. La connaissance de sa misère sans celle de Dieu fait
le désespoir. La connaissance de Jésus-Christ fait le milieu,
parce que nous y trouvons et Dieu et notre misère.
                                                 Ibid., VII, 527.

Il n'y a que deux sortes d'hommes : les uns justes, qui se   3178
croient pécheurs : les autres pécheurs, qui se croient justes.
                                                 Ibid., VII, 534.

Il est non seulement impossible, mais inutile de connaître   3179
Dieu sans Jésus-Christ.   *Ibid., VII, 549.*

Jésus sera en agonie jusqu'à la fin du monde : il ne faut   3180
pas dormir pendant ce temps-là.   *Ibid., VII, 553.*

3181　« Console-toi, tu ne me chercherais pas, si tu ne m'avais trouvé. »　　　*Ibid., VII, 553.*

3182　« Je pensais à toi dans mon agonie, j'ai versé telles gouttes de sang pour toi. »　　　*Ibid., VII, 553.*

3183　Sans Jésus-Christ le monde ne subsisterait pas; car il faudrait, ou qu'il fût détruit, ou qu'il fût comme un enfer.　　　*Ibid., VIII, 556.*

3184　Les hommes sont tout ensemble indignes de Dieu, et capables de Dieu : indignes par leur corruption, capables par leur première nature.　　　*Ibid., VIII, 557.*

3185　Tout tourne en bien pour les élus, jusqu'aux obscurités de l'Écriture; car ils les honorent, à cause des clartés divines.　　　*Ibid., VIII, 575.*

3186　La nature a des perfections pour montrer qu'elle est l'image de Dieu, et des défauts pour montrer qu'elle n'en est que l'image.　　　*Ibid., VIII, 580.*

3187　On se fait une idole de la vérité même; car la vérité hors de la charité n'est pas Dieu.　　　*Ibid., VIII, 582·*

3188　Notre religion est sage et folle. Sage, parce qu'elle est la plus savante, et la plus fondée en miracles, prophéties, etc. Folle, parce que ce n'est point tout cela qui fait qu'on en est.　　　*Ibid., VIII, 588.*

3189　Je ne crois que les histoires dont les témoins se feraient égorger.　　　*Ibid., IX, 593.*

3190　Tout homme peut faire ce qu'a fait Mahomet; car il n'a point fait de miracles, il n'a point été prédit; nul ne peut faire ce qu'a fait Jésus-Christ.　　　*Ibid., IX, 600.*

3191　La plus grande des preuves de Jésus-Christ sont les prophéties. C'est aussi à quoi Dieu a le plus pourvu; car l'événement qui les a remplies est un miracle subsistant depuis la naissance de l'Église jusques à la fin.　　　*Ibid., XI, 706.*

3192　Les prophètes ont prédit, et n'ont pas été prédits. Les saints ensuite prédits, non prédisants. Jésus-Christ prédit et prédisant.　　　*Ibid., XII, 739.*

3193　Que sert à l'homme de gagner tout le monde, s'il perd son âme? Qui veut garder son âme, la perdra.　　　*Ibid., XII, 782.*

3194　La distance infinie des corps aux esprits figure la distance infiniment plus infinie des esprits à la charité, car elle est surnaturelle.　　　*Ibid., XII, 793.*

3195　Tous les corps, le firmament, les étoiles, la terre et ses royaumes, ne valent pas le moindre des esprits; car il connaît tout cela, et soi; et les corps, rien.
Tous les corps ensemble, et tous les esprits ensemble, et

toutes leurs productions, ne valent pas le moindre mouvement de charité. Cela est d'un ordre infiniment plus élevé.
Ibid., XII, 793.

Jésus-Christ a dit les choses grandes si simplement qu'il   3196
semble qu'il ne les a pas pensées, et si nettement néanmoins,
qu'on voit bien ce qu'il en pensait. Cette clarté jointe à
cette naïveté est admirable.   *Ibid.*, XII, 797.

Toujours ou les hommes ont parlé du vrai Dieu, ou le vrai   3197
Dieu a parlé aux hommes.   *Ibid.*, XIII, 807.

C'est une chose si visible, qu'il faut aimer un seul Dieu,   3198
qu'il ne faut pas de miracles pour le prouver.
Ibid., XIII, 837.

Ce n'est point ici le pays de la vérité, elle erre inconnue   3199
parmi les hommes. Dieu l'a couverte d'un voile, qui la laisse
méconnaître à ceux qui n'entendent pas sa voix.
Ibid., XIII, 843.

Si le refroidissement de la charité laisse l'Église presque   3200
sans vrais adorateurs, les miracles en exciteront. C'est un
des derniers effets de la grâce.
S'il se faisait un miracle aux Jésuites!   *Ibid.*, XIII, 851.

L'histoire de l'Église doit être proprement appelée l'histoire   3201
de la vérité.   *Ibid.*, XIV, 858.

Dieu n'a pas voulu absoudre sans Église. Comme elle a part   3202
à l'offense, il veut qu'elle ait part au pardon.
Ibid., XIV, 870.

La multitude qui ne se réduit pas à l'unité est confusion;   3203
l'unité qui ne dépend pas de la multitude est tyrannie.
Ibid., XIV, 871.

Le silence est la plus grande persécution : jamais les saints   3204
ne se sont tus.   *Ibid.*, XIV, 920.

Je suis seul contre trente mille? Gardez, vous la cour, vous   3205
l'imposture; moi la vérité : c'est toute ma force; si je la
perds, je suis perdu. Je ne manquerai pas d'accusations
et de persécutions. Mais j'ai la vérité, et nous verrons qui
l'emportera.   *Ibid.*, XIV, 921.

MÈRE ANGÉLIQUE DE SAINT-JEAN
1624-1684

[...] J'étais si fort remplie de l'admiration de la conduite de   3206
Dieu sur nous, de nous avoir rendues dignes de souffrir
un tel opprobre et un si extraordinaire traitement pour

sa vérité, que je ne pus faire autre chose tout du long du chemin que de lui chanter dans mon cœur des cantiques et des hymnes [...].   *Relation de captivité.*

3207   [...] Il ne faut point rabaisser ses yeux qu'on a élevés vers les montagnes, parce que c'est de là que vient ce secours continuel dont on a tellement besoin pour ne se pas abattre [...].   *Ibid.*

3208   [...] Il y a peu de personnes en qui on ne voie des endroits faibles par où la tentation a pu entrer.   *Ibid.*

3209   [...] Souvent la multiplication des démonstrations et des paroles dissipe quelque chose de la joie qu'elles forment dans le cœur et trouble l'action de grâce que l'on doit rendre à Dieu avant toutes choses, afin de lui consacrer les prémices d'une si heureuse moisson qu'on n'a recueillie qu'après tant de larmes.   *Ibid.*

3210   Je me sondais moi-même pour voir si je n'avais point de peur; mais il me semblait que c'était une folie de craindre quelque chose quand on n'a pas sujet de craindre la mort...   *Ibid.*

3211   Et de là j'admirais le bonheur qui accompagne partout la paix de la conscience, puisque avec ce flambeau que les vents ne sauraient éteindre on ressemble à ces Vierges sages qui ne craignent point l'obscurité de la nuit [...]   *Ibid.*

3212   [...] La charité fait peu de discernement des mérites de ce qu'elle aime pourvu qu'elle le voie dans l'ordre de Dieu qui l'a engagée à l'aimer pour lui.   *Ibid.*

PAUL PELLISSON-FONTANIER
1624-1693

3213   Je vous trouve partout, éternelle sagesse,
Toujours devant mes yeux et jamais dans mon cœur.
Arbres, fleurs et ruisseaux, dévote solitude,
Vous m'en dites assez pour des siècles d'étude.
                    Stances.

3214   Plus je sais bien tromper, et plus je suis fidèle.
Plus je suis infidèle et plus on me chérit.
                    Énigme : le miroir.

3215   Qu'une flamme mal éteinte
Est facile à rallumer,
Et qu'avec peu de contrainte
On recommence d'aimer!
                    La fauvette au roitelet.

ANTOINE DE RAMBOUILLET, SIEUR DE LA SABLIÈRE
1624-1679

Et je connais bien que l'absence   3216
Est un prétexte à l'inconstance,
Plutôt qu'un remède à l'amour.
Madrigal.

Puisqu'elle aimait, dit-on, peut-être elle aimera;   3217
Heureux qui fit couler ses larmes!
Plus heureux qui les essuyera!
Madrigal.

JEAN REGNAULT DE SEGRAIS
1624-1701

Si quelquefois sur Estime on s'avance,   3218
C'est quand on peut faire estimer ses dons [...]
Le grand chemin et le plus court de tous,
C'est par Bijoux.
Sur la carte de Tendre dans le Recueil de Sercy.

On pleure, on s'ennuie,   3219
On souffre en aimant;
Mais quelle autre vie
Passe plus gaiement?
Chanson.

Hélas! de vains désirs si longtemps enflammé,   3220
Faut-il toujours aimer où l'on n'est point aimé!
Églogues, Climène.

Quiconque sait aimer, peut devenir aimable.   3221
Ibid.

THOMAS CORNEILLE
1625-1709

Tel serait adoré qu'on s'efforce à haïr.   3222
A cause que l'aimer ce serait obéir.
Les Engagements du hasard, acte II, scène 1.

Et je regarde un cœur comme un bien emprunté,   3223
Quand j'en dois la conquête à l'infidélité.
Ibid., acte IV, scène 4.

Que sert à mauvais jeu de montrer beau visage?   3224
L'Amour à la mode, acte I, scène 3.

3225   Si l'une me trahit, l'autre me tient parole,
              Et j'ai, dans mon malheur, toujours qui m'en console.
              C'est là l'utilité d'aimer en divers lieux.
                                        Ibid., acte I, scène 3.

3226   Les querelles d'amour sont querelles aimables :
              [...]
              C'est par là qu'en nos cœurs l'amour se fortifie,
              Il semble qu'il renaît quand il se justifie.
                                                          Ibid.

3227   Servant par habitude on perd tout soin de plaire.
                                                          Ibid.

3228   Et, pour ne risquer rien en pratiquant les femmes,
              Les adorer en gros toutes confusément,
              Et les mésestimer toutes séparément.
              Voilà la bonne règle.
                                        Ibid., acte IV, scène 1.

3229   Et souvent, c'est l'effet des caprices du sort,
                  Qu'au milieu des écueils on rencontre le port.
                              Le geôlier de soi-même, acte I, scène 4.

3230   Que dirais-je? Ma foi, c'est un triste avantage
              Que d'être bien armé, si l'on n'a du courage.
                                        Ibid., acte I, scène 5.

3231   Si je suis devant vous, vous êtes devant moi.
                                        Ibid., acte II, scène 5.

3232   Je ne me trompe point, je me tâte, retâte,
              Et sous d'autres habits je sens la même pâte.
              Oui, tous mes tâtements sont ici superflus.
              Je suis encore moi-même, ou jamais ne le fus.
                                        Ibid., acte II, scène 6.

3233   Quand on meurt pour le prince, on est mis dans l'histoire.
                                                          Ibid.

3234   Ma foi, s'il m'en souvient, il ne m'en souvient guère.
                                                          Ibid.

3235   J'y rêvais, Dieu me sauve, en me curant les dents :
              J'aurais bien pour cela quelque officier en charge,
              Mais il faudrait ouvrir la bouche un peu trop large.
                                        Ibid., acte IV, scène 4.

3236   Ah! ma foi, je prétends
              Qu'en commun désormais nous nous curions les dents.
              Si près du sacré joug, c'est bien la moindre chose.
                                                          Ibid.

3237   Un prince tel que vous, sans trahir sa grandeur,
              Ne peut traiter l'amour que par ambassadeur.
                                                          Ibid.

[...] Aussi bien le silence   3238
Fut toujours des amants la plus vive éloquence;
C'est par là qu'un beau feu se fait mieux remarquer,
Et l'on a peu d'amour quand on peut l'expliquer.

Ibid.

Vous, n'ayant point de fiel, et moi n'en ayant guère,   3239
Les princes, nos enfants, seront fort débonnaires;
Et si de père en fils ils suivaient nos leçons,
Nos arrière-neveux seraient de vrais moutons.

Ibid.

Quand on a tout à craindre, on ne doit craindre rien.   3240

Ibid., acte III, scène 7.

Qui sauve un criminel se charge de son crime.   3241

Timocrate, acte I, scène 3.

La naissance est l'appui des courages mal nés.   3242

Ibid., acte IV, scène 3.

Qui résiste le plus, aime à céder contrainte.   3243

Gamma, acte I, scène 4.

Je crains ce que je veux, et veux ce que je crains.   3244

Ibid., acte III, scène 2.

Mais quand du plus beau feu l'on s'est montré capable,   3245
Qui trahit un moment reste toujours coupable...

Persée et Démétrius, acte III, scène 6.

Mon bonheur fait mon mal, ce qui me plaît me tue...   3246

Antiochus, acte II, scène 3.

Car enfin, folle est qui s'y fie.   3247
Quand les amants sont maris,
Adieu la galanterie.

L'inconnu, acte V, scène 6.

Ce diseur de beaux mots sait dorer la pilule.   3248

Dom César d'Avalos, acte I, scène 1.

Quoi qu'en dise Aristote, et sa docte cabale,   3249
Le tabac est divin, il n'est rien qui l'égale.
Et par les fainéants, pour fuir l'oisiveté,
Jamais amusement ne fut mieux inventé.

Le Festin de Pierre, acte I, scène 1.

Ne saurait-on que dire, on prend la tabatière;   3250
[...]
Et qui vit sans tabac, n'est pas digne de vivre [1].

Ibid.

Mais, quand on a vaincu, la passion expire,   3251
Ne souhaitant plus rien, on n'a plus rien à dire.

Ibid., acte I, scène 2.

---

1. Cf. le *Dom Juan* de Molière.

3252   Le crime fait la honte, et non pas l'échafaud.
                    Le comte d'Essex, acte IV, scène 3.

NICOLAS FONTAINE
1625-1709

3253   On vit alors ce que dit saint Jérôme de ceux qui servent
        Dieu, et de ceux qui servent le monde : ils se croient fous,
        et se rendent la réciproque.
                    Mémoires pour servir à l'histoire de Port-Royal.

3254   [...] Les hommes ont leurs pensées et Dieu a les siennes.
        Vous vous reposez en lui et vous ne craignez rien du reste.
        La meilleure partie de vos pierres vivantes est déjà au ciel
        qui veille sur vous jour et nuit. Votre cause n'est plus votre
        cause. C'est celle de Dieu même.   *Ibid.*

3255   On vit alors que la corruption qui est si ordinaire aux gens
        de guerre ne vient point des armes en elles-mêmes mais de
        la malignité de ceux qui les portent, et que c'est leur cœur
        et non leur profession qu'ils doivent accuser de leurs désor-
        dres : c'est leur corruption propre qui fait leurs crimes et
        non leur engagement.   *Ibid.*

3256   Y a-t-il aucune sagesse ni aucune prudence humaine qui
        puisse tenir contre les desseins de Dieu, et résister à ses
        ordres éternels, pour empêcher qu'ils ne s'exécutent?
                                            Ibid.

3257   J'admire la faiblesse humaine. Quelque préparation qu'elle
        ait aux maux, elle est toujours bien aise qu'ils s'éloignent.
                                            Ibid.

3258   J'ai admiré cent fois de quelle manière [Dieu] adoucit les
        choses, et combien de ménagements il garde envers les siens,
        pour empêcher que les maux ne les abattent en fondant sur
        eux tout d'un coup. Il les y dispose par degrés, et il les leur
        fait envisager quelque temps avant que de les y jeter, afin
        que s'y familiarisant insensiblement, ils n'en aient plus tant
        d'horreur.   *Ibid.*

PIERRE NICOLE
1625-1695

3259   Car pour ne rien dire que de clair, il n'y a rien que nous
        concevions plus distinctement que notre pensée même,
        ni de proposition qui nous puisse être plus claire que celle-
        là : *Je pense, Donc je suis.*
        La logique ou l'Art de penser[1] — *Première partie, chap. 1.*

1. *Logique de Port-Royal*, ouvrage écrit en collaboration avec
Antoine Arnauld.

Qu'un homme ait une idée fausse ou véritable, claire ou   3260
obscure de la pesanteur, des qualités sensibles et des actions
des sens, il n'en est ni plus heureux, ni plus malheureux;
s'il en est un peu plus ou moins savant, il n'en est ni plus
homme de bien, ni plus méchant.   *Ibid., chap. 2.*

[L'homme] s'est formé une infinité d'idées fausses et obs-   3261
cures, en se représentant tous les objets de son amour,
comme étant capables de le rendre heureux, et ceux qui l'en
privent, comme le rendant misérable.   *Ibid.*

La plupart des erreurs des hommes viennent bien plus de   3262
ce qu'ils raisonnent sur de faux principes, que non pas de
ce qu'ils raisonnent mal suivant leurs principes.
                      Ibid., Troisième partie, chap. 1.

Feu M. Pascal, qui savait autant de véritable Rhétorique,   3263
que personne en ait jamais su [...] avait accoutumé de dire
[...] que la piété chrétienne anéantit le *moi* humain, et que
la civilité humaine le cache ou le supprime.
                                    Ibid., chap. 3.

Qu'y a-t-il de plus incompréhensible que l'Éternité; et qu'y   3264
a-t-il en même temps de plus certain? En sorte que ceux
qui par un aveuglement horrible, ont détruit dans leur
esprit la connaissance de Dieu, sont obligés de l'attribuer
au plus vil et au plus misérable de tous les Êtres, qui est
la matière.   *Ibid., Quatrième partie, chap. 1.*

[...] Il est avantageux de faire sentir quelquefois à son esprit 3265
sa propre faiblesse...   *Ibid.*

C'est encore un effet de la faiblesse des hommes [...] que la   3266
vérité les trompe aussi bien que l'erreur.
        Essais de morale (petits traités), De la faiblesse de l'homme.

On peut désirer par amour-propre d'être délivré de l'amour   3267
propre, comme l'on peut souhaiter l'humilité par orgueil.
              Ibid., Des diverses manières dont on tente Dieu.

C'est une espèce d'empire que de faire recevoir ses opinions   3268
aux autres. Et ainsi l'opposition que nous y trouvons nous
blesse à proportion que nous aimons plus cette sorte de
domination.
        Ibid., Des moyens de conserver la paix avec les hommes.

Ce n'est pas l'injustice en soi qui nous blesse, c'est d'en être 3269
l'objet. Qu'on lui en donne un autre [...], et nous nous conten-
terons de désapprouver tranquillement...   *Ibid.*

La recherche de l'amour des hommes est injuste, puisqu'elle   3270
est fondée sur ce que nous nous jugeons nous-mêmes aimables, et qu'il est faux que nous le soyons.   *Ibid.*

3271 Un faiseur de romans et un poète de théâtre est un empoisonneur public, non des corps mais des âmes des fidèles, qui se
doit regarder comme coupable d'une infinité d'homicides
spirituels.
Lettre écrite en réponse aux visionnaires de Desmarets de
Saint-Sorlin.

JACQUELINE PASCAL
1625-1661

3272 Mon très cher frère,
J'ai autant de joie de vous trouver gai dans la solitude que
j'avais de douleur quand je voyais que vous l'étiez dans le
monde. *Lettre à Blaise Pascal, 19 janvier 1655.*

3273 Je loue l'impatience que vous avez eue d'abandonner tout ce
qui a encore quelque apparence de grandeur; mais je
m'étonne que Dieu vous ai fait cette grâce, car il me semble
que vous aviez mérité, en bien des manières, d'être encore
quelque temps importuné de la senteur du bourbier que vous
aviez embrassé avec tant d'empressement. *Ibid.*

3274 [...] Passer de l'appauvrissement à la pauvreté, comme on va
de l'humiliation à l'humilité. *Ibid.*

3275 J'ai éprouvé la première que la santé dépend plus de Jésus-
Christ que d'Hippocrate, et que le régime de l'âme guérit
le corps, si ce n'est que Dieu veut nous éprouver et nous
fortifier par nos infirmités. *Ibid.*

3276 Il n'est pas dit : si quelqu'un veut venir après moi, qu'il
fasse des ouvrages bien pénibles et qui demandent de grandes
forces; mais qu'il renonce à soi-même; un malade le peut
peut-être mieux faire qu'un homme bien sain. *Ibid.*

FRANÇOIS PAYOT, SIEUR DE LINIÈRES
1626-1704

3277 Des Barreaux, ce vieux débauché,
Affecte une réserve austère;
Il ne s'est pourtant retranché
Que de ce qu'il ne peut plus faire.
Épigramme.

CHAPELLE et BACHAUMONT
1626-1686   1624-1702

Dans cette vilaine Narbonne   3278
Toujours il pleut, toujours il tonne.
[...]
Et tant d'eau cette nuit il chut,
Que la campagne submergée
Tint deux jours la ville assiégée.
Voyage en Provence.

CLAUDE CHAPELLE
1626-1686

Oui, Moreau, ma façon de vivre   3279
Est de voir peu d'honnêtes gens
Et prier Dieu qu'il me délivre
Surtout de messieurs mes parents.
Sonnet à Monsieur Moreau, contre ses parents.

Ci-gît qu'on aima comme quatre,   3280
Qui n'eut ni force ni vertu,
Et qui fut soldat sans se battre,
Et poète sans être battu.   *Son épitaphe.*

MARIE DE RABUTIN-CHANTAL, MARQUISE DE SÉVIGNÉ
1626-1696

Il n'y a rien de plus vrai que l'amitié se réchauffe quand on   3281
est dans les mêmes intérêts.
Lettres, à M. de Pomponne, 11 octobre 1661.

On ne perd jamais que d'une voix, et cette voix fait le tout.   3282
*Ibid., à M. de Pomponne sur le procès de Foucquet,
9 décembre 1664.*

Vous savez qu'il n'est plus question que de guerre. Toute la   3283
cour est à l'armée, et toute l'armée est à la cour.
Ibid., au comte de Bussy-Rabutin, 20 mai 1667.

C'est une chose douloureuse à un homme de courage, d'être   3284
chez soi quand il y a tant de bruit en Flandre.   *Ibid.*

N'allez pas sur cela vous mettre à m'aimer *éperdument*,   3285
comme vous m'en menacez : que voudriez-vous que je fisse
de votre *éperdument*, sur le point d'être grand'mère?
Ibid., au comte de Bussy-Rabutin, 4 juin 1669.

3286   [...] Je suis quasi grand'mère, c'est un état où l'on n'est guère
l'objet de la médisance : quand on a été jusque-là sans se
décrier, on se peut vanter d'avoir achevé sa carrière.
Ibid., au comte de Bussy-Rabutin, 6 juillet 1670.

3287   Voilà mon ancienne thèse, qui me fera lapider un jour : c'est
que le public n'est ni fou ni injuste...
Ibid., au comte de Grignan, 6 août 1670.

3288   [...] Ne cessez point d'être aimable, puisque vous êtes aimé.
Ibid., au comte de Grignan, 15 août 1670.

3289   Rien n'est plus capable d'ôter tous les bons sentiments, que
de marquer de la défiance; il suffit souvent d'être soupçonné
comme ennemi, pour le devenir : la dépense en est toute
faite, on n'a plus rien à ménager. [...] Comme on ne connaît
d'abord les hommes que par les paroles, il faut les croire
jusqu'à ce que les actions les détruisent.
Ibid., au comte de Grignan, 28 novembre 1670.

3290   Je m'en vais vous mander la chose la plus étonnante, la plus
surprenante, la plus merveilleuse, la plus miraculeuse, la
plus triomphante, la plus étourdissante, la plus inouïe,
la plus singulière, la plus extraordinaire, la plus incroyable,
la plus imprévue, la plus grande, la plus petite, la plus rare,
la plus commune, la plus éclatante, la plus secrète jusqu'aujourd'hui, la plus brillante, la plus digne d'envie...
Ibid., à Coulanges, 15 décembre 1670.

3291   Je sens qu'il m'ennuie de ne vous plus avoir : cette séparation me fait une douleur au cœur et à l'âme, que je sens
comme un mal du corps.
Ibid., à Mme de Grignan, 18 février 1671.

3292   C'est une sorte de vie étrange que celle des provinces :   on
fait des affaires de tout [...]
Ibid., à Mme de Grignan, 11 mars 1671.

3293   C'est une chose étrange qu'une imagination vive, qui représente toutes choses comme si elles étaient encore : sur cela
on songe au présent, et quand on a le cœur comme je l'ai,
on se meurt.
Ibid., à Mme de Grignan, jeudi saint 26 mars 1671.

3294   C'est une belle chose qu'une vieille lettre; il y a longtemps
que je les trouve encore pires que les vieilles gens : tout ce
qui est dedans est une vraie radoterie.
Ibid., à Mme de Grignan, 6 mai 1671.

3295   L'amour est quelquefois bien inutile de s'amuser à de si
sottes gens; je voudrais qu'il ne fût que pour les gens choisis,
aussi bien que tous ses effets qui me paraissent trop communs
et trop répandus.
Ibid., à Mme de Grignan, 28 juin 1671.

3296   [...] L'ingratitude attire les reproches, comme la reconnaissance attire de nouveaux bienfaits.   *Ibid.*

3297   Il ne faut louer personne avant sa mort, c'est bien dit;
nous en avons tous les jours des exemples; mais, après tout,
mon ami le public fait toujours bien : il loue quand on fait

bien; et comme il a bon nez, il n'est pas longtemps la dupe, et blâme quand on fait mal. Quand on va du mal au bien, il ne répond pas de l'avenir; il parle de ce qu'il voit.
Ibid., à Mme de Grignan, 19 juillet 1671.

La divine Plessis [...] me contrefait, de sorte qu'elle me fait   3298
toujours le même plaisir que si je me voyais dans un miroir qui me fît ridicule, et que je parlasse à un écho qui me répondît des sottises. J'admire où je prends celles que je vous écris.
Ibid., à Mme de Grignan, 19 juillet 1671.

Savez-vous ce que c'est que faner? Il faut que je vous l'expli-   3299
que : faner est la plus jolie chose du monde, c'est retourner du foin en batifolant dans une prairie; dès qu'on en sait tant, on sait faner.   *Ibid., à Coulanges, 22 juillet 1671.*

Mes paroles sont assez bonnes; je les range comme ceux qui   3300
disent bien; mais la tendresse de mes sentiments me tue. [...] Je n'ai point trouvé que le proverbe fût vrai pour moi, *d'avoir la robe selon le froid :* je n'ai point de robe pour ce froid-là.
Ibid., à M. et à Mme de Grignan, 9 août 1671.

La mémoire est dans le cœur; car, quand elle ne nous vient   3301
point de cet endroit, nous n'en avons pas plus que des lièvres.
Ibid., à Mme de Grignan, 9 septembre 1671.

Je suis méchante aujourd'hui, ma bonne; je suis comme   3302
quand vous me disiez : « Vous êtes méchante ». Je suis triste, je n'ai point de vos nouvelles. La grande amitié n'est jamais tranquille. MAXIME.
Ibid., à Mme de Grignan, 16 septembre 1671.

[...] Cette crainte de la mort... c'est un beau sujet à faire des   3303
réflexions... Il est certain qu'en ce temps-là nous aurons de la foi de reste : elle fera tous nos désespoirs et tous nos troubles; et ce temps que nous prodiguons, et que nous voulons qui coule présentement, nous manquera, et nous donnerions toutes choses pour avoir un ou deux jours que nous perdons avec tant d'insensibilité : voilà de quoi je m'entretiens quelquefois dans ce mail que vous connaissez; la morale chrétienne est excellente à tous les maux; mais je la veux chrétienne : elle est trop creuse et trop inutile autrement.
Ibid., à Mme de Grignan, 20 septembre 1671.

Je poursuis cette Morale de Nicole que je trouve délicieuse;   3304
elle ne m'a encore donné aucune leçon contre la pluie, mais j'en attends car j'y trouve tout... Enfin je trouve ce livre admirable. Personne n'a écrit sur ce ton que ces Messieurs, car je mets Pascal de moitié à tout ce qui est de beau. On aime tant à entendre parler de soi et de ses sentiments, que, quoique ce soit en mal, nous en sommes charmés.
Ibid., à Mme de Grignan, mercredi 23 septembre 1671.

Parlons un peu de M. Nicole... Je crois, comme vous, qu'il   3305
faut un peu de grâce, et que la philosophie seule ne suffit pas. Il nous met à un si haut point la paix et l'union avec le prochain, et nous conseille de l'acquérir aux dépens de tant de choses, qu'il n'y a pas moyen après cela d'être indifférente

sur ce qu'il pense de nous. Devinez ce que je fais : je recommence ce traité; je voudrais bien en faire un bouillon et l'avaler.

Ibid., à Mme et à M. de Grignan, 4 novembre 1671.

3306   Un malheur continuel pique et offense; on est honteux d'être houspillé par la fortune; cet avantage que les autres ont sur vous blesse et déplaît, quoique ce ne soit point dans des occasions d'importance. Nicole dit si bien cela. Enfin, ma bonne, j'en hais la fortune...

Ibid., à Mme de Grignan, mercredi au soir, 9 mars 1672.

3307   [...] Je ne me pique pas de fermeté, ni de philosophie; mon cœur me mène et me conduit. On disait l'autre jour, je ne sais si je vous l'ai mandé, que la vraie mesure du mérite du cœur, c'était la capacité d'aimer. Je me trouvai d'une grande élévation par cette règle; elle me donnerait trop de vanité, si je n'avais mille autres sujets de me remettre à ma place.

Ibid., à Mme de Grignan, 9 mars 1672.

3308   Vous me demandez, ma chère enfant, si j'aime toujours bien la vie. Je vous avoue que j'y trouve des chagrins cuisants; mais je suis encore plus dégoûtée de la mort : je me trouve si malheureuse d'avoir à finir tout ceci par elle, que si je pouvais retourner en arrière, je ne demanderais pas mieux. Je me trouve dans un engagement qui m'embarrasse : je suis embarquée dans la vie sans mon consentement; il faut que j'en sorte, cela m'assomme; et comment en sortirai-je?

Ibid., à Mme de Grignan, 16 mars 1672.

3309   Rien n'est si fou que de mettre son salut dans l'incertitude; mais rien n'est si naturel, et la sotte vie que je mène est la chose du monde la plus aisée à comprendre. Je m'abîme dans ces pensées et je trouve la mort si terrible, que je hais plus la vie parce qu'elle m'y mène, que par les épines qui s'y rencontrent. Vous me direz que je veux vivre éternellement. Point du tout; mais si on m'avait demandé mon avis, j'aurais bien aimé à mourir entre les bras de ma nourrice : cela m'aurait ôté bien des ennuis et m'aurait donné le ciel bien sûrement et bien aisément.

Ibid., à Mme de Grignan, 16 mars 1672.

3310   [...] Ces tirades de Corneille qui font frissonner. Ma fille, gardons-nous bien de lui comparer Racine, sentons-en la différence... Racine fait des comédies pour la Champmeslé : ce n'est pas pour les siècles à venir. Si jamais il n'est plus jeune, et qu'il cesse d'être amoureux, ce ne sera plus la même chose. Vive donc notre vieil ami Corneille!   *Ibid.*

3311   Mme de la Fayette est toujours languissante; M. de la Rochefoucauld toujours éclopé; nous faisons quelquefois des conversations d'une tristesse qu'il semble qu'il n'y ait plus qu'à nous enterrer.

Ibid., à Mme de Grignan, 30 mai 1672.

3312   Guilleragues disait hier que Pellisson abusait de la permission qu'ont les hommes d'être laids.

Ibid., à Mme de Grignan, 5 janvier 1674.

Ce Port-Royal est une Thébaïde; c'est le paradis; c'est un   3313
désert où toute la dévotion du christianisme s'est rangée;
c'est une Sainteté répandue dans tout ce pays à une lieue
à la ronde [...] Je vous avoue que j'ai été ravie de voir cette
divine solitude ... c'est un vallon affreux, tout propre à faire
son salut.
> *Ibid., à Mme de Grignan, vendredi 26 janvier 1674.*

[...] Je prie votre imagination de n'aller ni à droite ni à gau-   3314
che.   *Ibid., à Mme de Grignan, lundi 5 février 1674.*

Je trouvai que la joie faisait parler parisien...   3315
> *Ibid., à Mme de Grignan, mercredi 24 juillet 1675.*

Mais vous n'avez pas vu la mort de M. de Turenne, ni ce   3316
coup de canon tiré au hasard, qui le prend seul entre dix ou
douze. Pour moi, qui vois en tout la Providence, je vois ce
canon chargé de toute éternité.
> *Ibid., au comte de Bussy-Rabutin, le 6 août 1675.*

Sottes gens, sotte besogne : il faut en revenir là.   3317
> *Ibid., à Mme de Grignan, mercredi 21 août 1675.*

Je vous donne avec plaisir le dessus de tous les paniers,   3318
c'est-à-dire, la fleur de mon esprit, de ma tête, de mes yeux,
de ma plume, de mon écritoire.
> *Ibid., à Mme de Grignan, dimanche 1er décembre 1675.*

Enfin c'en est fait, la Brinvilliers est en l'air : son pauvre   3319
petit corps a été jeté, après l'exécution, dans un fort grand
feu, et les cendres au vent; de sorte que nous la respirerons,
et par la communication des petits esprits, il nous prendra
quelque humeur empoisonnante, dont nous serons tous
étonnés.
> *Ibid., à Mme de Grignan, vendredi 17 juillet 1676.*

Je crois que je ferai un traité sur l'amitié; je trouve qu'il y a   3320
tant de choses qui en dépendent, tant de conduites et tant de
choses à éviter pour empêcher que ceux que nous aimons
n'en sentent le contre-coup; je trouve qu'il y a tant de
rencontres où nous les faisons souffrir, et où nous pourrions
adoucir leurs peines, si nous avions autant de vues et de
pensées qu'on en doit avoir pour ce qui tient au cœur :
enfin je ferais voir dans ce livre qu'il y a cent manières de
témoigner son amitié sans la dire, ou de dire par ses actions
qu'on n'a point d'amitié, lorsque la bouche traîtreusement
vous en assure. Je ne parle pour personne; mais ce qui est
écrit est écrit.   *Ibid., à Mme de Grignan, 2 novembre 1679.*

Il n'y a qu'à être en Espagne pour n'avoir plus envie d'y   3321
bâtir des châteaux.
> *Ibid., à Mme de Grignan, réflexion de Mme de Villars,*
> *mercredi 8 novembre 1679.*

[...] Vingt personnes d'extraordinaire à table font mal à   3322
l'imagination.
Ibid., à Mme et à M. de Grignan, dernier jour de mai 1680.

3323   Je trouve (saint Augustin) bien janséniste, et saint Paul aussi;
les jésuites ont un fantôme qu'ils appellent Jansénius, à qui
ils disent mille injures; ils ne font pas semblant de voir où
cela remonte... Et là-dessus ils font un bruit étrange, et
réveillent les disciples cachés de ces deux grands saints.
Ibid., à Mme de Grignan, 9 juin 1680.

3324   [...] La première chose qui saisit mon imagination la mène si
loin, que cela compose souvent une loge des Petites-Maisons;
et quand je reviens à moi, comme d'un sommeil, j'en suis
plus étonnée que les autres.
Ibid., à Mme de Grignan, mercredi 17 juillet 1680.

3325   La Providence veut donc l'ordre; si l'ordre n'est autre chose
que la volonté de Dieu, quasi tout se fait contre sa volonté.
Ibid., à Mme de Grignan, mercredi 31 juillet 1680.

3326   La bise de Grignan... me fait mal à votre poitrine...
Ibid., à Mme de Grignan, 29 décembre 1688.

3327   Il me semble que j'ai été traînée, malgré moi, à ce point final
où il faut souffrir la vieillesse; je la vois, m'y voilà, et je
voudrais bien au moins ménager de ne pas aller plus loin,
de ne point avancer dans ce chemin des infirmités, des douleurs, des pertes de mémoire, des défigurements qui sont
près de m'outrager, et j'entends une voix qui dit : « Il faut
marcher malgré vous, ou bien, si vous ne voulez pas, il faut
mourir », qui est une extrémité où la nature répugne. Voilà
pourtant le sort de tout ce qui avance un peu trop.
Ibid., à Mme de Grignan, 30 novembre 1689.

3328   On ne saurait s'y méprendre, il n'y a que l'éternité qui soit
un bien que le temps amène et ne puisse ôter; tous les autres
sont ôtés dans le moment qu'ils sont donnés.
Ibid., à Mme de Grignan, 19 juillet 1690.

3329   Le temps vole et m'emporte malgré moi; j'ai beau vouloir le
retenir, c'est lui qui m'entraîne; et cette pensée me fait
grand peur : vous devinez à peu près pourquoi.
Ibid., au comte de Bussy-Rabutin, 12 juillet 1691.

3330   Voilà donc M. de Louvois mort, ce grand ministre, cet
homme si considérable, qui tenait une si grande place, dont
le *moi*, comme dit M. Nicole, était si étendu, qui était le
centre de tant de choses!
Ibid., à Coulanges, 26 juillet 1691.

3331   L'on veut qu'une religion subsistant par un miracle continuel et dans son établissement et sa durée, ne soit qu'une
imagination des hommes! Les hommes ne pensent point
ainsi.   *Ibid.*

3332   Il faut que vous conveniez qu'on n'est point portatif, quand
on est attaché inséparablement à deux ou trois personnes :
on ne saurait faire des courses légères; c'est toujours un
établissement et une résidence qu'il faut faire. On a un *moi*
trop étendu, en comparaison d'un homme qui ne tient à
rien, qui est comme un oiseau, qui ne tient qu'une place
nécessaire, et dont l'esprit doit être aussi libre que le corps.
Ibid., à du Plessis, 15 septembre 1691.

[...] C'est le vent du midi, c'est la bise, c'est le diable... nos
plumes ne sont plus conduites par nos doigts, qui sont transis ; nous ne respirons que de la neige ; nos montagnes sont
charmantes dans leur excès d'horreur ; je souhaite tous les
jours un peintre pour bien représenter l'étendue de toutes
ces épouvantables beautés. 3333

Ibid., à Coulanges, 3 février 1695.

JACQUES-BÉNIGNE BOSSUET
1627-1704

[...] Car cette présence immuable de l'éternité, toujours
fixe, toujours permanente, enfermant en l'infinité de son
étendue toutes les différences des temps, il s'ensuit mani-
festement que le temps peut être en quelque sorte dans
l'éternité. *Oraisons funèbres, Madame de Monterby.* 3334

[...] Le dessein de Dieu dans l'établissement de son Église
est de faire éclater par toute la terre le mystère de son unité. 3335

Ibid., R. P. François Bourgoing.

« La chair changera de nature, le corps prendra un autre
nom ; même celui de cadavre, dit Tertullien, ne lui demeurera
pas longtemps ; il deviendra un je ne sais quoi, qui n'a point
de nom dans aucune langue » : tant il est vrai que tout
meurt en nos corps, jusqu'à ces termes funèbres, par lesquels on exprimait nos malheureux restes. *Ibid.* 3336

Sortez, grand homme, de ce tombeau, aussi bien y êtes-
vous descendu trop tôt pour nous. *Ibid., Nicolas Cornet.* 3337

[...] Il a pris à quelques docteurs une malheureuse et inhumaine complaisance, une pitié meurtrière, qui leur a fait
porter des coussins sous les coudes des pêcheurs, chercher
des couvertures à leurs passions. *Ibid.* 3338

Celui qui règne dans les cieux, et de qui relèvent tous les
empires, à qui seul appartient la gloire, la majesté et l'indépendance, est aussi le seul qui se glorifie de faire la loi aux
rois, et de leur donner, quand il lui plaît, de grandes et de
terribles leçons. 3339

*Ibid., Henriette-Marie de France, Reine de la Grande-
Bretagne.*

Quand une fois on a trouvé le moyen de prendre la multitude par l'appât de la liberté, elle suit en aveugle, pourvu
qu'elle en entende seulement le nom. *Ibid.* 3340

Les mauvais succès sont les seuls maîtres qui peuvent nous
reprendre utilement, et nous arracher cet aveu d'avoir
failli, qui coûte tant à notre orgueil. *Ibid.* 3341

Tout est vain en nous, excepté le sincère aveu que nous
faisons devant Dieu de nos vanités, et le jugement arrêté
qui nous fait mépriser tout ce que nous sommes. 3342

Ibid., Henriette-Anne d'Angleterre, Duchesse d'Orléans.

3343   De quelque superbe distinction que se flattent les hommes,
ils ont tous une même origine; et cette origine est petite.
[...] Ils vont tous ensemble se confondre dans un abîme où
l'on ne reconnaît plus ni princes, ni rois, ni toutes ces autres
qualités superbes qui distinguent les hommes; de même que
ces fleuves tant vantés demeurent sans nom et sans gloire,
mêlés dans l'Océan avec les rivières les plus inconnues.
Ibid.

3344   Il est temps de faire voir que tout ce qui est mortel, quoi qu'on
ajoute par le dehors pour le faire paraître grand, est par
son fond incapable d'élévation.   *Ibid.*

3345   Tout ce qui se mesure finit, et tout ce qui est né pour finir
n'est pas tout à fait sorti du néant, où il est sitôt replongé.
Ibid.

3346   Nous devrions être assez convaincus de notre néant : mais
s'il faut des coups de surprise à nos cœurs enchantés de
l'amour du monde, celui-ci est assez grand et assez terrible.
O nuit désastreuse! ô nuit effroyable! où retentit tout à coup,
comme un éclat de tonnerre, cette étonnante nouvelle :
Madame se meurt! Madame est morte!   *Ibid.*

3347   [...] Outre le rapport que nous avons du côté du corps avec
la nature changeante et mortelle, nous avons d'un autre
côté un rapport intime et une secrète affinité avec Dieu.
Ibid.

3348   Sortez du temps et du changement; aspirez à l'éternité; la
vanité ne vous tiendra plus asservis.   *Ibid.*

3349   Voilà, dit le grand saint Ambroise, la merveille de la mort
dans les chrétiens : elle ne finit pas leur vie; elle ne finit que
leurs péchés.   *Ibid.*

3350   Que je méprise ces philosophes, qui, mesurant les conseils
de Dieu à leurs pensées, ne le font auteur que d'un certain
ordre général d'où le reste se développe comme il peut!
Ibid., Marie-Thérèse d'Autriche, Reine de France.

3351   Nos vrais ennemis sont en nous-mêmes, et Louis combat
ceux-là plus que tous les autres.   *Ibid.*

3352   [...] La mortification est un essai, un apprentissage, un
commencement de la mort.   *Ibid.*

3353   Dieu a fait un ouvrage au milieu de nous, qui, détaché de
toute autre cause, et ne tenant qu'à lui seul, remplit tous les
temps et tous les lieux [...] : c'est Jésus-Christ et son Église.
Ibid., Anne de Gonzague de Clèves, Princesse Palatine.

3354   La piété est le tout de l'homme.
Oraison funèbre de Louis de Bourbon, Prince de Condé.

3355   Restait cette redoutable infanterie de l'armée d'Espagne,
dont les gros bataillons serrés, semblables à autant de tours,
mais à des tours qui sauraient réparer leurs brèches [...]
Ibid.

[...] Trois fois il fut repoussé par le valeureux comte de 3356
Fontaines, qu'on voyait porté dans sa chaise, et, malgré
ses infirmités, montrer qu'une âme guerrière est maîtresse
du corps qu'elle anime.   *Ibid.*

Écoutez, c'est la maxime qui fait les grands hommes : que, 3357
dans les grandes actions, il faut uniquement songer à bien
faire, et laisser venir la gloire après la vertu.   *Ibid.*

[...] Heureux si, averti par ces cheveux blancs du compte 3358
que je dois rendre de mon administration, je réserve au
troupeau que je dois nourrir de la parole de vie les restes
d'une voix qui tombe, et d'une ardeur qui s'éteint.   *Ibid.*

L'orgueil... a cela de propre qu'il prend son accroissement 3359
de lui-même, si petits que puissent être ses commencements,
parce qu'il enchérit toujours sur ses premières complaisances
par de flatteuses réflexions.
                      Panégyriques, Saint François d'Assise.

Que si le Créateur trouve une joie si parfaite à mourir pour 3360
sa créature, quel contentement doit éprouver la créature
de mourir pour son Créateur!   *Ibid.*

[...] Lui, qui ne savait que la croix, ne prêchait aussi que la 3361
croix.   *Ibid., Saint Bernard.*

[...] S'il nous fallait retrancher de nos jours tous ceux que 3362
nous avons mal passés, même selon les maximes du monde,
pourrions-nous bien trouver en toute la vie de quoi faire
trois ou quatre mois?   *Ibid.*

Cœur humain, abîme infini, qui dans les profondes retraites, 3363
caches tant de pensées différentes, qui s'échappent souvent
à tes propres yeux...   *Ibid., Saint Victor.*

O piété à la mode, que je me moque de tes vanteries et des 3364
discours étudiés que tu débites à ton aise pendant que le
monde te rit!   *Ibid.*

Dieu a tant d'amour pour les hommes, et sa nature est si 3365
libérale, qu'on peut dire qu'il semble qu'il se fasse quelque
violence, quand il retient pour un temps ses bienfaits,
et qu'il les empêche de couler sur nous avec une entière
profusion.   *Ibid., Sainte Thérèse.*

Les biens que [Dieu] promet sont plus assurés que tous 3366
ceux que le monde donne.   *Ibid.*

Aimons-nous; que la charité fraternelle remplisse nos 3367
cœurs [...]; elle commencera en nous cette unité divine qui
doit faire notre éternel bonheur. *Ibid., Saint Jean, apôtre.*

Les mystères de Jésus-Christ sont une chute continuelle; 3368
et tant qu'il a vu devant soi quelque nouvelle bassesse, il
n'a jamais cessé de descendre.
                      Ibid., Saint Thomas de Cantorbéry.

3369   J'entre dans la vie avec la loi d'en sortir, je viens faire mon
       personnage, je viens me montrer comme les autres ; après, il
       faudra disparaître.   *Sermons, Sur la brièveté de la vie.*

3370   [...] Les mœurs sont plus dissemblables que les visages ;
       chacun veut être fol à sa fantaisie.
                                    Ibid., Sur la loi de Dieu.

3371   Plutôt on verra le froid et le chaud cesser de se faire la guerre,
       que les philosophes convenir entre eux de la vérité de leurs
       dogmes.   *Ibid.*

3372   Si donc c'est [aux pauvres] qu'appartient le ciel, qui est le
       royaume de Dieu dans l'éternité, c'est à eux aussi qu'appar-
       tient l'Église, qui est le royaume de Dieu dans le temps.
                       Ibid., Sur l'éminente dignité des pauvres dans l'Eglise.

3373   Parais donc ici, ô honneur du monde, vain fantôme des
       ambitieux et chimère des esprits superbes ; je t'appelle à un
       tribunal où ta condamnation est bien assurée.
                                    Ibid., Sur l'honneur du monde.

3374   Regardez les choses humaines dans leur propre suite, tout
       y est confus et mêlé ; mais regardez-les par rapport au juge-
       ment dernier et universel : vous y verrez reluire un ordre
       admirable.   *Ibid., Sur la Providence.*

3375   [...] La possession des richesses a des filets invisibles où le
       cœur se prend insensiblement.   *Ibid.*

3376   Dieu veut que nous vivions au milieu du temps dans l'attente
       perpétuelle de l'éternité.   *Ibid.*

3377   O mort, nous te rendons grâce des lumières que tu répands
       sur notre ignorance : toi seule nous convaincs de notre
       bassesse, toi seule nous fais connaître notre dignité.
                                                Sur la mort.

3378   Tout nous appelle à la mort : la nature, presque envieuse du
       bien qu'elle nous fait, nous déclare souvent et nous fait
       signifier qu'elle ne peut pas nous laisser longtemps ce peu
       de matière qu'elle nous prête [...] : elle en a besoin pour
       d'autres formes, elle la redemande pour d'autres ouvrages.
                                                       Ibid.

3379   A ne regarder qu'à l'extérieur, je parle, et vous écoutez ;
       mais au dedans, dans le fond du cœur, et vous et moi écou-
       tons la vérité qui nous parle et qui nous enseigne.
                               Pour la fête de tous les saints.

3380   [...] Notre raison incertaine ne sait à quoi s'attacher, ni à
       quoi se prendre parmi ces ombres. Si elle se contente de
       suivre ses sens, elle n'aperçoit que l'écorce ; si elle s'engage
       plus avant, sa subtilité la confond.   *Ibid.*

3381   [...] Étrangère que rien n'attache, que rien ne contente, qui
       regarde tout en passant sans vouloir jamais s'arrêter :
       heureuse néanmoins dans cet état, tant à cause des consola-

tions qu'elle reçoit durant le voyage, qu'à cause du glorieux et immuable repos qui sera la fin de la course. Voilà l'image de l'Église pendant qu'elle voyage sur la terre.

Sur l'unité de l'Église.

On ferait un monstre du corps humain, si on attachait immédiatement tous les membres à la tête : c'est par les évêques et les archevêques qu'on doit venir au Saint-Siège... 3382

Ibid.

L'Angleterre, ah! la perfide Angleterre, que le rempart de ses mers rendait inaccessible aux Romains, la foi du Sauveur y est abordée. *Pour la circoncision de Notre-Seigneur.* 3383

Tout ira bien, Monsieur, car Dieu s'en mêle; et par des coups imprévus, il veut renverser en vous tous les restes de l'esprit du monde. 3384

Lettres spirituelles, Lettre I, au maréchal de Bellefonds.

Que [Dieu] aime la simplicité d'un cœur qui se fie en lui, et qui a horreur de soi-même! car il faut aller jusqu'à l'horreur, quand on se connaît. *Ibid., Lettre VII, au même.* 3385

Une étincelle d'amour de Dieu est capable de soutenir un cœur durant toute l'éternité. 3386

Ibid., Lettre XII, au même.

Tout passe : les dons de Dieu passent comme le reste, lui seul ne passe pas... *Lettre XXXVIII, à la sœur Cornuau.* 3387

Qu'y a-t-il de moins qu'un ô; mais qu'y a-t-il de plus grand que ce simple cri du cœur? Toute l'éloquence du monde est dans cet ô; et je ne sais plus qu'en dire, tant je m'y perds. 3388

Lettre LXIX, à la même.

Une épouse de Jésus-Christ ne lui apporte pour dot que son néant. *Lettre I, à Madame de Luynes.* 3389

Il n'y a point de plus juste sujet de pleurer, que de sentir qu'on a engagé à la créature un cœur que Dieu veut avoir. 3390

Lettre à Louis XIV.

Le plus grand dérèglement de l'esprit, c'est de croire les choses parce qu'on veut qu'elles soient, et non parce qu'on a vu qu'elles sont en effet. 3391

De la Connaissance de Dieu et de soi-même, chap. 1.

La raison qui suit les sens n'est pas une véritable raison, mais une raison corrompue, qui au fond n'est non plus raison qu'un homme mort est un homme. *Ibid.* 3392

Quiconque connaîtra l'homme verra que c'est un ouvrage de grand dessein, qui ne pouvait être conçu ni exécuté que par une sagesse profonde. *Ibid., chap. 4.* 3393

Il y a tant d'art dans la nature, que l'art même ne consiste qu'à la bien entendre et à l'imiter. *Ibid.* 3394

3395   Qu'il y ait un seul moment où rien ne soit, éternellement rien ne sera. Ainsi, le néant sera à jamais toute vérité, et rien ne sera vrai que le néant : chose absurde et contradictoire.
Ibid.

3396   Les vérités éternelles que tout entendement aperçoit toujours les mêmes, par lesquelles tout entendement est réglé, sont quelque chose de Dieu, ou plutôt sont Dieu même.   *Ibid.*

3397   Malheur à la connaissance stérile, qui ne se tourne point à aimer, et se trahit elle-même!   *Ibid.*

3398   Le soleil jette d'un seul coup, sans se retenir, tout ce qu'il a de rayons : mais Dieu, qui agit par intelligence et avec une souveraine liberté, applique sa vertu où il lui plaît, et autant qu'il lui plaît.
Discours sur l'Histoire universelle, 2ᵉ Part., 1ᵉʳ chap.

3399   Dieu n'est pas un tout qui se partage.   *Ibid.*

3400   [...] Ce fils de Dieu prend le nom de Verbe, afin que nous entendions qu'il naît dans le sein du Père, non comme naissent les corps, mais comme naît dans notre âme cette parole intérieure que nous y sentons quand nous y contemplons la vérité.   *Ibid., 2ᵉ Part., 29ᵉ chap.*

3401   Le royaume du Fils de Dieu est notre héritage : il n'y a rien au-dessus de nous, pourvu seulement que nous ne nous ravilissions pas nous-mêmes.   *Ibid.*

3402   Cette Église toujours attaquée, et jamais vaincue, est un miracle perpétuel, et un témoignage éclatant de l'immutabilité des conseils de Dieu.   *Ibid., 2ᵉ Part., 37ᵉ chap.*

3403   Les révolutions des empires sont réglées par la Providence, et servent à humilier les princes.   *Ibid., 3ᵉ Part., 1ᵉʳ chap.*

3404   Ce qui est hasard à l'égard de nos conseils incertains est un dessein concerté dans un conseil plus haut, c'est-à-dire dans ce conseil éternel qui renferme toutes les causes et tous les effets dans un même ordre.
Ibid., 3ᵉ Part., 8ᵉ chap.

3405   Ne parlons plus de *hasard* ni de *fortune*, ou parlons-en seulement comme d'un nom dont nous couvrons notre ignorance.   *Ibid.*

3406   La première chose que je reprends [dans votre *Dissertation sur la comédie*], c'est que vous ayez pu dire et répéter que la comédie, telle qu'elle est aujourd'hui, n'a rien de contraire aux bonnes mœurs, et qu'elle est même si épurée à l'heure qu'il est, sur le théâtre français, qu'il n'y a rien que l'oreille la plus chaste ne pût entendre. Il faudra donc que nous passions pour honnêtes les impiétés et les infamies dont sont pleines les comédies de Molière...
Maximes et réflexions sur la Comédie, Lettre au P. Caffaro, théatin.

[...] Si vous dites que la seule représentation des passions agréables, dans les tragédies d'un Corneille ou d'un Racine, n'est pas pernicieuse à la pudeur, vous démentez ce dernier, qui a renoncé publiquement aux tendresses de sa Bérénice.

Ibid.

3407

La représentation des passions agréables porte naturellement au péché, puisqu'elle flatte et nourrit de dessein prémédité la concupiscence qui en est le principe. *Ibid.*

3408

S'il faut pour nous émouvoir des spectacles, du sang répandu, de l'amour, que peut-on voir de plus beau ni de plus touchant que la mort sanglante de Jésus-Christ et de ses martyrs?

Maximes, XXXV.

3409

De toute éternité Dieu est : Dieu est parfait : Dieu est heureux : Dieu est un.
Élévations à Dieu sur tous les mystères, Première semaine, première élévation.

3410

Dieu est celui en qui le non-être n'a pas de lieu...
Ibid., Troisième élévation.

3411

Il ne coûte rien à Dieu de multiplier les choses les plus excellentes, et ce qu'il a de plus beau, c'est pour ainsi dire ce qu'il prodigue le plus.
Ibid., Quatrième semaine, première élévation.

3412

L'excellence de la beauté appartient à l'homme, et c'est comme un admirable rejaillissement de l'image de Dieu sur sa face. *Ibid., Dixième élévation.*

3413

Homme, voilà donc ta vie : éternellement tourmenter la terre, ou plutôt te tourmenter toi-même en la cultivant; jusqu'à ce qu'elle te reçoive toi-même, et que tu ailles pourrir dans son sein. *Ibid., Sixième semaine, douzième élévation.*

3414

La sagesse humaine apprend beaucoup, si elle apprend à se taire. *Ibid., Vingtième semaine, onzième élévation.*

3415

Si les Protestants savaient à fond comment s'est formée leur religion [...], cette Réforme dont ils se vantent, ne les contenterait guère; et pour dire franchement ce que je pense, elle ne leur inspirerait que du mépris.
Histoire des variations des Églises protestantes, Préface.

3416

Le propre de l'hérétique, c'est-à-dire de celui qui a une opinion particulière, est de s'attacher à ses propres pensées.
Ibid.

3417

Quoi qu'on fasse, il faut revenir à l'autorité, qui n'est jamais assurée, non plus que légitime, quand elle ne vient pas de plus haut; et qu'elle s'est établie par elle-même.
Ibid., Livre V.

3418

Calvin mourut au commencement des troubles. C'est une faiblesse de vouloir trouver quelque chose d'extraordinaire dans la mort de telles gens : Dieu ne donne pas toujours de ces exemples. *Ibid., Livre X.*

3419

3420   Il n'y a jamais rien à ajouter à la Religion, parce que c'est
       un ouvrage divin qui a d'abord la perfection.
       *Avertissements aux protestants sur les lettres du ministre
       Jurieu contre l'histoire des variations, Premier avertissement.*

3421   Ils nous ont fait un christianisme tout nouveau [...] où pour
       la grande consolation des libertins l'âme meurt avec le corps,
       et l'éternité des peines n'est qu'un songe plein de cruauté.
       Ibid.

3422   [...] Les hérésies n'ont jamais été que des opinions particu-
       lières, puisqu'elles ont commencé par cinq ou six hommes.
       Ibid.

3423   Il y a dans notre chair une secrète disposition à ce soulève-
       ment universel contre l'esprit...
       Traité de la concupiscence, chap. 6.

3424   Les contraires se connaissent l'un par l'autre : l'injustice
       de l'amour-propre se connaît par la justice de la charité.
       Ibid., chap. 12.

3425   Celui qui compte Dieu pour rien, ajoute à son néant naturel
       celui de son injustice et de son égarement.   *Ibid., chap. 13.*

3426   Mon Dieu, n'entends-je pas encore le sifflement du serpent,
       quand j'hésite si je suivrai votre volonté, ou mes appétits ?
       Ibid., chap. 26.

3427   Où il n'y a point de maître, tout le monde est maître ; où
       tout le monde est maître, tout le monde est esclave.
       *Politique tirée des propres paroles de l'Écriture sainte, livre I,
       art. 3.*

3428   C'est la plus grande de toutes les faiblesses que de craindre
       trop de paraître faible.   *Ibid., livre IV, art. 2.*

3429   Les vraies études sont celles qui apprennent les choses utiles
       à la vie humaine.   *Ibid., livre V, art. 1.*

3430   Le temps découvre les secrets ; le temps fait naître les occa-
       sions ; le temps confirme les bons conseils.   *Ibid., art. 2.*

3431   Il n'y a point de hasard dans le gouvernement des choses
       humaines ; et la fortune n'est qu'un mot, qui n'a aucun sens.
       Ibid., livre VII, art. 6.

3432   L'homme prévenu ne vous écoute pas ; il est sourd : la place
       est remplie, et la vérité n'en trouve plus.
       Ibid., livre VIII, art. 5.

3433   Je vois [...] qu'on se trompe, quand on cherche dans la matière
       un certain bien qui détermine Dieu à l'arranger, ou à la
       mouvoir en un sens plutôt qu'en un autre. Car le bien de
       Dieu, c'est lui-même ; et tout le bien qui est hors de lui,
       vient de lui seul...   *Traité du libre arbitre, chap. 2.*

[...] Le premier libre, c'est Dieu [...] Tous les êtres libres 3434
qu'il fait, pouvant n'être pas, sont capables de faillir, parce
qu'étant sortis du néant, ils peuvent aussi s'éloigner de la
perfection de leur être. *Ibid.*

[...] Les créatures libres étant sans aucun doute la plus noble 3435
portion de l'univers, elles sont par conséquent les plus dignes
que Dieu les gouverne. *Ibid., chap. 3.*

Quand [Dieu] nous aurait caché le moyen dont il se sert 3436
pour conduire notre liberté, s'ensuivrait-il qu'on dût pour
cela ou nier qu'il la conduise, ou dire qu'il la détruit en la
conduisant? [...] Faut-il s'étonner que ce premier Être
se réserve, et dans sa nature et dans sa conduite, des secrets
qu'il ne veuille pas nous communiquer? *Ibid., chap. 4.*

On ne peut se rendre maître des choses en les possédant 3437
toutes; il faut s'en rendre le maître en les méprisant toutes.
Pensées.

Au grand courage rien n'est grand : de là il dédaigne tout 3438
ce qu'il a. *Ibid.*

Il faut mener les hommes passionnés comme des enfants et 3439
des malades, par des espérances vaines. *Ibid.*

Nous nous plaignons de notre ignorance, mais c'est elle qui 3440 .
fait presque tout le bien du monde : ne prévoir pas, fait que
nous nous engageons. *Ibid.*

MADEMOISELLE DE MONTPENSIER
1627-1693

[...] Si le feu de l'esprit de la princesse et celui de ses yeux se 3441
fussent rencontrés avec celui du soleil, ils eussent fait un tel
incendie que le genre humain en eût souffert.
*Histoire de la princesse de Paphlagonie, portrait de la comtesse
de Maure.*

[...] Ceux qui ne sont pas nés d'une condition à l'avoir élevée, 3442
peuvent malaisément exprimer les sentiments de ceux qui
l'ont haute, et cela fait le même effet sur le théâtre du monde
que sur celui des comédiens quand de mauvaises troupes de
campagne récitent les vers de Corneille.
Ibid., portrait de M. le prince de Condé.

Il y a des temps et des conjectures qui détruisent le mérite 3443
des choses et qui empêchent que l'on ne puisse juger si c'est
l'inclination des gens qui agit ou les causes secondes qui les
font agir. *Ibid.*

Il a été libertin et a pu n'être pas fort régulier dans ses mœurs 3444
comme tous les jeunes gens; mais assurément il en est fort
revenu, et les principes de la religion sont fortement établis

dans son âme, et beaucoup plus que ceux de la dévotion, mais l'un attire l'autre et toutes choses viennent en leur temps.   *Ibid.*

3445   [...] Je suis de ces gens qui sont persuadés qu'il faut vivre avec les vivants, et qu'il ne se faut distinguer en rien par affectation et par choix; et que si l'on l'est du reste du monde, il faut que ce soit par l'approbation qu'il donne à notre conduite, que notre vertu nous attire cela, et non pas mille façons inutiles, qui ne sont jamais dans les personnes qui en ont une véritable.   *Portrait des Précieuses.*

GUILLERAGUES
1628-1685

3446   Je vous défie de m'oublier entièrement; je me flatte de vous avoir mis en état de n'avoir sans moi que des plaisirs imparfaits, et je suis plus heureuse que vous, puisque je suis plus occupée.
Lettres de la Religieuse Portugaise, Deuxième lettre.

3447   Faites tout ce qu'il vous plaira, mon amour ne dépend plus de la manière dont vous me traiterez.   *Ibid.*

3448   On est beaucoup plus heureux, [...] on sent quelque chose de bien plus touchant, quand on aime violemment, que lorsqu'on est aimé.   *Ibid., Troisième lettre.*

3449   Je vis, infidèle que je suis, et je fais autant de choses pour conserver ma vie que pour la perdre. Ah! J'en meurs de honte : mon désespoir n'est donc que dans mes lettres?
Ibid.

3450   J'aime bien mieux être malheureuse en vous aimant, que de ne vous avoir jamais vu.   *Ibid.*

3451   Qu'au moins la violence de ma passion vous donne du dégoût et de l'éloignement pour toutes choses.   *Ibid.*

3452   Cependant je vous remercie dans le fond de mon cœur du désespoir que vous me causez, et je déteste la tranquillité où j'ai vécu avant que je vous connusse.   *Ibid.*

3453   Qu'on a de peine à se résoudre à soupçonner longtemps la bonne foi de ceux qu'on aime!   *Ibid., Quatrième lettre.*

3454   Vous m'avez consommée par vos assiduités, vous m'avez enflammée par vos transports, vous m'avez charmée par vos complaisances, vous m'avez assurée par vos serments, mon inclination violente m'a séduite [...]   *Ibid.*

3455   Je suis si jalouse de ma passion, qu'il me semble que toutes mes actions et que tous mes devoirs vous regardent [...]. Que ferais-je, hélas, sans tant de haine et sans tant d'amour qui remplissent mon cœur?   *Ibid.*

J'ai éprouvé que vous m'étiez moins cher que ma passion   3456
et j'ai eu d'étranges peines à la combattre, après que vos
procédés injurieux m'ont rendu votre personne odieuse.
Ibid., Cinquième lettre.

N'éprouvé-je pas qu'un cœur attendri n'oublie jamais ce   3457
qui l'a fait apercevoir des transports qu'il ne connaissait
pas et dont il était capable; [...] que tous les plaisirs qu'il
cherche, sans aucune envie de les rencontrer, ne servent qu'à
lui faire bien connaître que rien ne lui est si cher que le souvenir de ses douleurs.   *Ibid.*

Il faut de l'artifice pour se faire aimer; il faut chercher avec   3458
quelque adresse les moyens d'enflammer, et l'amour tout
seul ne donne point de l'amour.   *Ibid.*

CHARLES PERRAULT
1628-1703

A main droite, tout en entrant,   3459
Dans une écurie à un rang
On voit se vautrer les Centaures,
Demi-chrétiens, demi-pécores...
*L'Énéide burlesque (en collaboration avec ses frères Nicolas
et Claude).*

Il [Énée] voit Idée le cocher   3460
Qui tenant l'ombre d'une brosse
Nettoyait l'ombre d'un carrosse...
                                               Ibid.

L'hydre montre deux mille dents;   3461
A quarante pour chaque tête,
Jugez combien en a la bête.
                                               Ibid.

Je vois les Anciens sans ployer les genoux,   3462
Ils sont grands, il est vrai, mais hommes comme nous;
Et l'on peut comparer sans craindre d'être injuste
Le Siècle de Louis au beau Siècle d'Auguste.

Platon qui fut divin du temps de nos aïeux,
Commence à devenir quelquefois ennuyeux.
                           Le Siècle de Louis le Grand.

C'était l'Aurore au teint riant   3463
Qui déverrouillait l'Orient...
Les Murs de Troie ou l'Origine du burlesque.

Or je suis convaincu que dans le mariage   3464
On ne peut jamais vivre heureux,
Quand on y commande tous deux...
                 Contes de ma mère l'Oye, Griselidis.

On n'est heureux qu'autant qu'on a souffert...   3465
                                               Ibid.

3466   Est-ce une raison décisive
              D'ôter un bon mets d'un repas,
              Parce qu'il s'y trouve un Convive
              Qui par malheur ne l'aime pas?
              Ibid., A Monsieur *** en lui envoyant Griselidis.

3467   Pour moi, j'ose poser en fait
              Qu'en de certains moments l'esprit le plus parfait
              Peut aimer sans rougir jusqu'aux Marionnettes;
                 Et qu'il est des temps et des lieux
                    Où le grave et le sérieux
              Ne valent pas d'agréables sornettes.
              Ibid., Peau d'Ane, A Madame la Marquise de L***.

3468   Or le Ciel qui parfois se lasse
              De rendre les hommes contents,
              Qui toujours à ses biens mêle quelque disgrâce,
              Ainsi que la pluie au beau temps [...].
                         Ibid., Peau d'âne

3469   A l'ouïr sangloter et les nuits et les jours,
         On jugea que son deuil ne lui durerait guère,
              Et qu'il pleurait ses défuntes Amours
         Comme un homme pressé qui veut sortir d'affaire.
                                             Ibid.

3470   L'amour violent pourvu qu'on le contente,
              Compte pour rien l'argent et l'or...
                                             Ibid.

3471   Sur ce point la femme est si drue
              Et son œil va si promptement
              Qu'on ne peut la voir un moment
              Qu'elle ne sache qu'on l'a vue.
                                             Ibid.

3472   Que contre un fol amour et ses fougueux transports
         La raison la plus forte est une faible digue,
              Et qu'il n'est point de si riches trésors
              Dont un Amant ne soit prodigue...
                                             Ibid.

3473   Le Conte de Peau d'Ane est difficile à croire,
         Mais tant que dans le Monde on aura des Enfants,
              Des Mères et des Mères-grands,
              On en gardera la mémoire.
                                             Ibid.

3474   [...] Quand on est couronnée,
              On a toujours le nez bien fait...
                              Les Souhaits ridicules.

3475   [...] Rien ne marque tant la vaste étendue d'un esprit, que
         de pouvoir s'élever en même temps aux plus grandes choses,
         et s'abaisser aux plus petites.
              Histoires ou contes du temps passé, A Mademoiselle.

3476   Peu d'éloquence, beaucoup d'amour.
                    Ibid., La Belle au bois dormant.

La Fable semble encor vouloir nous faire entendre,   3477
Que souvent de l'Hymen les agréables nœuds,
Pour être différés, n'en sont pas moins heureux,
  Et qu'on ne perd rien pour attendre;
  Mais le sexe avec tant d'ardeur,
  Aspire à la foi conjugale,
  Que je n'ai pas la force ni le cœur,
  De lui prêcher cette morale.
         Ibid., moralité.

  Tire la chevillette, la bobinette cherra.   3478
     Ibid., Le Petit Chaperon rouge.

  [...] Ce n'est pas chose étrange,   3479
  S'il en est tant que le loup mange.
  Je dis le loup, car tous les loups
  Ne sont pas de la même sorte;
  Il en est d'une humeur accorte,
  Sans bruit, sans fiel et sans courroux
  Qui privés, complaisants et doux,
  Suivent les jeunes Demoiselles [...]
        Ibid., moralité.

« Anne, ma sœur Anne, ne vois-tu rien venir? » Et la sœur   3480
Anne lui répondait : « Je ne vois rien que le Soleil qui
poudroie, et l'herbe qui verdoie. »   *Ibid., La Barbe bleue.*

Si le fils d'un Meunier, avec tant de vitesse,   3481
  Gagne le cœur d'une Princesse,
Et s'en fait regarder avec des yeux mourants,
  C'est que l'habit, la mine et la jeunesse,
  Pour inspirer de la tendresse,
N'en sont pas des moyens toujours indifférents.
  Ibid., Le Maître Chat ou Le Chat botté, moralité.

  Les Diamants et les Pistoles,   3482
  Peuvent beaucoup sur les Esprits;
  Cependant les douces paroles
Ont encor plus de force, et sont d'un plus grand prix.
      Ibid., Les Fées, moralité.

  C'est sans doute un grand avantage,   3483
  D'avoir de l'esprit, du courage,
  De la naissance, du bon sens,
  Et d'autres semblables talents,
  Qu'on reçoit du Ciel en partage;
  Mais vous aurez beau les avoir,
Pour votre avancement ce seront choses vaines,
  Si vous n'avez, pour les faire valoir,
  Ou des parrains ou des marraines.
      Ibid., Cendrillon, moralité.

  Tout est beau dans ce que l'on aime,   3484
  Tout ce qu'on aime a de l'esprit.
    Ibid., Riquet à la houppe, moralité.

[...] Il était de l'humeur de beaucoup d'autres gens, qui   3485
aiment fort les femmes qui disent bien, mais qui trouvent très
importunes celles qui ont toujours bien dit.
      Ibid., Le petit Poucet.

3486   Il fleurait à droite et à gauche, disant qu'il sentait la chair
        fraîche.   *Ibid.*

3487   Si le Désir s'attachant à la Beauté a donné l'être à l'Amour,
        on ne peut pas douter que le même Désir et la Bonté s'étant
        mis ensemble n'aient donné naissance à l'Amitié [...]
        *Dialogue de l'amour et de l'amitié, Lettre à Monsieur l'abbé
        D'Aubignac en lui envoyant le dialogue de l'amour et de
        l'amitié.*

3488   On sait d'ailleurs que le Désir n'est pas d'humeur à se conten-
        ter d'une femme...   *Ibid.*

3489   D'ailleurs je suis si peu jaloux de mon nom que je prends
        volontiers le premier qu'on me donne.   *Ibid., l'Amour.*

3490   Je n'entre guère dans un cœur qu'il ne s'en aperçoive;
        la joie qui me précède, l'émotion qui m'accompagne et le
        petit chagrin qui me suit font assez connaître qui je suis.
                                                       Ibid., l'Amour.

3491   J'ai le visage long, et la mine naïve,
                    Je suis sans finesse et sans art;
                Mon teint est fort uni, sa couleur assez vive
                    Et je ne mets jamais de fard.
                                                      Ibid., l'Amitié.

3492   On m'accuse souvent d'aimer trop à paraître
                    Où l'on voit la prospérité,
                Cependant il est vrai qu'on ne peut me connaître
                    Qu'au milieu de l'adversité.
                                                      Ibid., l'Amitié.

3493   Quelques-uns se sont imaginé que j'avais besoin du secours
        de la sympathie pour m'insinuer dans les cœurs, et que je
        m'efforcerais en vain de m'en rendre le maître si auparavant
        elle ne les disposait à me recevoir. C'est une vieille erreur
        que l'expérience détruit tous les jours.   *Ibid., l'Amour.*

3494   [...] De quelque humeur que soient les femmes, je ne me
        rencontre guère avec elles, ou si je m'y rencontre quelque-
        fois, je n'y demeure pas longtemps : ma sincérité leur déplaît
        [...]   *Ibid., l'Amitié.*

3495   Il est constant que comme les femmes aiment presque tou-
        jours les dernières, elles ne cessent aussi presque jamais
        d'aimer que lorsqu'on ne les aime plus [...]
                                                       Ibid., l'Amour.

3496   [...] Il n'est point de gens au monde qui voient si clair que
        les amants : on sait qu'ils remarquent cent petites choses
        dont les autres personnes ne s'aperçoivent pas, et qu'en
        un moment ils découvrent dans les yeux l'un de l'autre tout
        ce qui se passe dans le fond de leur cœur.
                                                       Ibid., l'Amour.

3497   C'est le vrai droit du jeu de tromper le trompeur.
        Fables, Le chien, le coq et le renard (traduit de Faerne).

ANTOINE BAUDEAU DE SOMAIZE
v. 1630-?

Affection. — Vous me témoignez une grande affection : 3498
Vous m'encendrez et m'encapucinez le cœur.
Le Dictionnaire des Précieuses, ou la Clef de la langue des
ruelles.

Aimer. — J'aime beaucoup les gens d'esprit : *J'ai un furieux* 3499
tendre pour les gens d'esprit.   *Ibid.*

Ame. — Vous avez l'âme matérielle : *Vous avez la forme* 3500
enfoncée dans la matière.   *Ibid.*

Asseoir (s'). — Seyez-vous, s'il vous plaît : *Contentez, s'il* 3501
vous plaît, l'envie que ce siège a de vous embrasser.   *Ibid.*

Boutique. — La boutique d'un libraire : *le cimetière des* 3502
vivants et des morts.   *Ibid.*

Compliment. — Le compliment : *le paquet sérieux.* 3503
                                                               Ibid.

La chaise percée : *la soucoupe inférieure.*   *Ibid.* 3504

Chien. — La terrible chose de voir un chien qui pisse! *La* 3505
terrible chose de voir un chien nu!   *Ibid.*

Cul. — Le cul : *le rusé inférieur.*   *Ibid.* 3506

Écho. — L'écho : *l'invisible solitaire,* ou *le consolateur des* 3507
amants, ou *l'entretien de ceux qui n'en ont point.*   *Ibid.*

Femme. — Cette femme est jeune : *cette femme a des absences* 3508
de raison.   *Ibid.*

Habiller. — Vous êtes tout à fait bien habillée : *vous êtes* 3509
tout à fait bien sous les armes.   *Ibid.*

Hermaphrodite. — On soupçonne cette femme-là d'être 3510
hermaphrodite : *on soupçonne cette femme-là d'être doublée.*
                                                               Ibid.

Miroir : *le conseiller des grâces* ou *le peintre de la dernière* 3511
fidélité, le singe de la nature, le caméléon.   *Ibid.*

Marier. — Se marier : *donner dans l'amour permis.* 3512
                                                               Ibid.

Peigne. — Apportez-moi un peigne, que je démêle mes 3513
cheveux : *apportez-moi une dédale, que je délabyrinthe mes*
cheveux.   *Ibid.*

Les pieds : *les chers souffrants.*   *Ibid.* 3514

3515   Les sièges : *les commodités de la conversation.*   *Ibid.*

3516   Donner plus à l'imagination à l'égard des plaisirs qu'à la
        vérité, et cela par ce principe de morale que l'imagination
        ne peut pécher réellement.
        Le Grand Dictionnaire des Précieuses, historique, poétique,
        géographique, cosmographique, chronologique et armoirique,
        Maxime IV.

3517   [...] C'est une de leurs maximes de dire qu'il faut nécessai-
        rement qu'une précieuse parle autrement que le peuple,
        afin que ses pensées ne soient entendues que de ceux qui ont
        des clartés au-dessus du vulgaire ; et c'est à ce dessein qu'elles
        font tous leurs efforts pour détruire le vieux langage [...]
        Ibid., Maxime VIII.

3518   Stratonice [Mᵐᵉ Scarron] est une jeune précieuse des plus
        agréables et des plus spirituelles. Elle est veuve sans avoir
        été femme ; l'on saura assez le sens de cette énigme quand
        on saura que Straton [Scarron] était son mari.
        Portrait de Mᵐᵉ Scarron.

GILLES BOILEAU
1631-1669

3519   Appelle-moi, si tu veux Astarot,
            Traître, perfide, Iscariot ;
            Paul, je n'en ferai plus que rire,
            Et ne t'en dirai jamais rien :
            Si tu poursuis toujours d'écrire,
            Tu m'en vengeras assez bien.
                            Épigramme, à un méchant écrivain.

3520   Que le respect est incommode
            Avecque son air précieux !
            Mon Dieu, que ce respect est vieux !
            Sera-t-il toujours à la mode ?
                            *Billet à Madame de ***.*

3521   Je n'ai repos ni jour ni nuit,
            Je souffre une douleur extrême ;
            Je ne sais pas si c'est que j'aime,
            Mais cela ressemble à l'amour.
                            Stances.

PHILIPPE-EMMANUEL DE COULANGES
1631-1716

[...] Tous nos premiers parents   3522
   Ont mené la charrue.
Mais, las de cultiver enfin
   La terre labourée,
L'un a dételé le matin,
   L'autre l'après-dînée.
              Sur la noblesse.

MADAME DE SCUDÉRY
1631-1712

Ces passions violentes, qui tyrannisent le cœur et font oublier   3523
le devoir, sont pardonnables aux personnes qui n'ont pas le
cœur usé de mille coquetteries; mais entre nous, de la part
des femmes de la cour, il n'y en a pas une en état d'avoir une
grande passion. Il faut de la vertu pour être capable de ces
attachements-là.
      Lettre à Bussy-Rabutin, 8 décembre 1672.

HORTENSE DES JARDINS
1631-1683

Je meurs entre les bras de mon fidèle amant,   3524
Et c'est dans cette mort que je trouve la vie.
          Sonnet, Jouissance.

LOUIS BOURDALOUE
1632-1704

Souvenez-vous de ces deux maximes, qui sont d'une éternelle   3525
vérité, et sur lesquelles doit rouler toute votre conduite :
l'une, que le chemin du ciel est étroit, et l'autre, qu'un
chemin étroit ne peut jamais avoir de proportion avec une
conscience large.   *Sermons, Sur la fausse conscience.*

Dieu a établi les pauvres dans le monde pour recueillir ses   3526
droits en sa place.   *Ibid., Sur l'aumône.*

Parcourez les maisons et les familles distinguées par les   3527
richesses et par l'abondance des biens; je dis celles qui se
piquent le plus d'être honorablement établies [...]; si vous

remontez jusqu'à la source d'où cette opulence est venue,
à peine en trouverez-vous où l'on ne découvre, dans l'origine
et dans le principe, des choses qui font trembler.

Ibid., Sur les richesses.

3528   [...] Les ténèbres d'une aveugle concupiscence sont des
ténèbres renfermées et pour ainsi dire concentrées dans
l'homme, et aussi intimes à l'homme que l'homme l'est à
lui-même.   *Ibid., Sur l'impureté.*

3529   [...] Le désordre de l'impureté dans l'homme a des excès
où la sensualité même des bêtes ne se porte pas.   *Ibid.*

3530   [...] Le monde est plein de réprouvés, puisqu'il est plein de
voluptueux et d'impudiques.   *Ibid.*

3531   C'est le propre de Dieu de renfermer dans l'unité de son être
la multiplicité de tous les êtres; et c'est le propre de la charité
divine de réduire à l'amitié d'un seul précepte tous les
préceptes [...] qui sont compris dans la loi de Dieu.

Ibid., Sur l'amour de Dieu.

3532   [...] Ce jour présent est le seul point de l'éternité auquel
vous ayez droit.   *Ibid., Sur le retardement de la pénitence.*

3533   Crains, malheureux, et défie-toi de ton espérance même.

Ibid.

3534   Nous voulons nous convertir quand nous serons rebutés du
monde, ou plutôt quand le monde sera rebuté de nous.

Ibid.

3535   Aimons la vérité qui nous reprend, et défions-nous de celle
qui nous flatte.

Ibid., Sur l'amour et la crainte de la vérité.

3536   Défendons-nous plutôt ce qui nous est permis, que de nous
mettre en danger de nous permettre ce qui nous est défendu.

Ibid., Sur la sévérité chrétienne.

3537   Il est de la foi que nous ne serons jamais damnés que pour
n'avoir pas voulu notre salut, et que pour ne l'avoir pas
voulu de la manière dont nous pouvions le vouloir.

Pensées sur divers sujets de morale et de religion, Du salut.

3538   Où en sommes-nous, et où est cette foi des premiers siècles,
cette foi qui a converti tout le monde? Alors des athées deve-
naient chrétiens : maintenant des chrétiens deviennent
athées.   *Ibid., De la foi.*

3539   Nous aimons tant l'humilité dans les autres : quand tra-
vaillerons-nous à la former dans nous-mêmes?

Ibid., De l'humilité et de l'orgueil.

3540   Une heure de prospérité fait oublier une amitié de vingt
années.

Ibid., De la charité chrétienne et des amitiés humaines.

Hérode et Pilate devinrent amis, mais aux dépens de Jésus-   3541
Christ.   *Ibid.*

C'est une grande chose que d'être fidèle dans les petites   3542
choses, c'est enfin par les petites choses que les grandes se
maintiennent.   *Retraites spirituelles.*

Il n'est rien de plus précieux que le temps, puisque c'est le   3543
prix de l'éternité.   *Ibid.*

ISAAC DUMONT DE BOSTAQUET
1632-1709

Ce fut, dis-je, dans ce lieu que notre grand prince et toute   3544
l'armée abordèrent [...] Le soleil, qui était sur son couchant,
brillait avec tant d'éclat que l'on eût dit qu'il avait peine à
perdre de vue notre héros.   *Mémoires, IV.*

ESPRIT FLÉCHIER
1632-1710

Telle était son habileté, que, lorsqu'il vainquait, on ne pouvait   3545
en attribuer l'honneur qu'à sa prudence; et lorsqu'il était
vaincu, on ne pouvait en imputer la faute qu'à la fortune.
                        Oraison funèbre de M. de Turenne.

Messieurs, qu'est-ce qu'une armée? c'est un corps animé   3546
d'une infinité de passions différentes, qu'un homme habile
fait mouvoir pour la défense de la patrie [...]; un assemblage
confus de libertins qu'il faut assujettir à l'obéissance; de
lâches qu'il faut mener au combat.   *Ibid.*

On décrit sans art un mort qu'on pleure sans feinte.   3547
                                                         Ibid.

[...] Les uns se font un art de séduire, et les autres une gloire   3548
d'être séduits.
                Oraison funèbre de Marie-Thérèse d'Autriche.

On se flatte de vaines espérances de guérison, ou l'on est   3549
flatté de vaines espérances de salut, et l'on est mort avant
qu'on ait aperçu qu'on pouvait mourir.   *Ibid.*

ÉTIENNE PAVILLON
1632-1705

Gardez avec grand soin ce qu'on ne peut vous rendre.   3550
                                       Souhaits pour Iris.

3551   La gloire et les honneurs n'étaient pas ma faiblesse;
                 Et je me piquais de noblesse
                 Seulement pour ne pas payer
            La taille et les impôts que paie un roturier.
                              Le gentilhomme de l'arrière-ban.

3552   Rivaux infortunés, ne soyez point jaloux;
            Puisque vous m'empêchez d'être seul avec elle,
            Je suis plus à plaindre que vous.
                              Madrigal.

3553   Et bien souvent l'adversité
            [...]
            N'enlève au malheureux qu'elle a persécuté
            Que ce qui fournissait de matière à l'envie,
            Et met le reste en sûreté.
                 A Mme de Pelissari, sur la perte d'un grand procès.

3554   Vous ne valez pas mieux qu'un autre;
                 Croyez-moi, ne criez pas tant :
                 Son inconstance, en vous quittant,
                 Ne fait que prévenir la vôtre.
                              *A M. *** sur un changement.*

3555   Lorsque l'on n'a pas de quoi rendre,
            Il n'est pas permis d'emprunter.
                              Sur les Hôpitaux insolvables.

3556   Ne vous y laissez pas surprendre;
                 Un ami si sage et si tendre,
            Est bien plus dangereux qu'un amant déclaré.
                              Conseils à Iris.

3557   La mode est un tyran dont rien ne nous délivre :
            A son bizarre goût il faut s'accommoder;
            Et sous ses folles lois étant forcé de vivre,
            Le Sage n'est jamais le premier à les suivre,
            Ni le dernier à les garder.
                              Ibid.

3558   Ce qui fait la plus longue vie
            N'est qu'un petit nombre de jours.
                              Sur la mort.

3559   Et parmi les pauvres mortels,
            Quelquefois ceux que l'on encense
            Ne sont que de grands criminels,
            A qui notre seule ignorance
            Au lieu de châtiments décerne des autels.
                              Ibid.

FRANÇOIS RÉGNIER-DESMARAIS
1632-1713

La vérité, l'indépendance,   3560
N'ayant qu'un simple et léger frein,
Sont au devant, et vont bon train,
Loin du chemin de l'opulence.
L'attelage pour la route de la vie.

J'ai vu des têtes couronnées,   3561
Par leurs propres sujets à la mort condamnées,
Tomber sous l'acier du bourreau.
Qu'ai-je donc à voir de nouveau?
Les « j'ai vu ».

J'ai vu quels trésors ont les rois   3562
Dans le cœur d'un peuple fidèle :
Et de quelle ressource au trône qui chancelle
Est un seul homme quelquefois.
Ibid.

J'ai vu qu'en cherchant à connaître,   3563
Nous n'apprenons qu'à discourir.
[...]
Le seul intérêt tout mouvoir,
Et la profondeur du savoir
Différer peu de l'ignorance.
Ibid.

SÉBASTIEN LE PRESTRE DE VAUBAN
1633-1707

Près de la dixième partie du peuple est réduite à la mendicité,   3564
et mendie effectivement; des neuf autres parties, il y en a
cinq qui ne sont pas en état de faire l'aumône [...]
La Dîme royale, Préface.

MADAME DE LA FAYETTE
1634-1693

S'il ne fut pas maître de son cœur, il le fut de ses actions.   3565
Le changement de son âme n'en apporta point dans sa con-
duite et personne ne soupçonna son amour.
La Princesse de Montpensier.

L'amour fit en lui ce qu'il fait en tous les autres; il lui donna   3566
l'envie de parler [...]   *Ibid.*

3567   [...] Voulant, par plusieurs raisons, tenir sa passion cachée,
       il se résolut de la lui déclarer d'abord, afin de s'épargner
       tous ces commencements qui font toujours naître le bruit et
       l'éclat.   *Ibid.*

3568   Quoiqu'ils ne se fussent point parlé depuis longtemps, ils
       se trouvèrent accoutumés l'un à l'autre et leurs cœurs se
       remirent aisément dans un chemin qui ne leur était pas
       inconnu.   *Ibid.*

3569   Je m'en rendrais indigne si je m'opiniâtrais davantage à la
       conquête d'un cœur qu'un autre possède.   *Ibid.*

3570   L'on est bien faible quand on est amoureux.   *Ibid.*

3571   Mme de Noirmoutier était une personne qui prenait autant de
       soin de faire éclater ses galanteries que les autres en prennent
       de les cacher.   *Ibid.*

3572   [...] Et son esprit et sa personne avaient quelque chose de si
       admirable qu'il semblait que le ciel l'eût formé d'une manière
       différente du reste des hommes.   *Zaïde, première partie.*

3573   [...] Cette sorte d'inclination que nous avons pour les per-
       sonnes dont nous croyons les dispositions pareilles aux nôtres.
                                                                   Ibid.

3574   Si vous n'avez à vous plaindre que des autres, répliqua
       l'inconnu, et que vous n'ayez rien à vous reprocher, il y en a
       de plus malheureux que vous, et vous l'êtes moins que vous
       ne pensez.   *Ibid.*

3575   Vous ne connaissez point l'amour, si cette seule pensée
       ne vous empêche d'être malheureux; et vous vous aimez
       vous-même plus que votre maîtresse, si vous aimez mieux
       avoir sujet de vous plaindre d'elle que de vous.   *Ibid.*

3576   [...] Mais la fortune lui fit voir qu'elle trouve jusque dans les
       déserts ceux qu'elle a résolu de persécuter.   *Ibid.*

3577   La curiosité peut-elle se trouver dans un homme aussi mal-
       heureux que moi?   *Ibid.*

3578   Il ne put s'empêcher de sourire en le regardant et de lui dire
       qu'il était bien aise de juger, par son habit, que son affliction
       commençait à diminuer.   *Ibid.*

3579   On ne peut exprimer le trouble qu'apporta la jalousie dans
       un cœur où l'amour ne s'était pas encore déclaré.   *Ibid.*

3580   [...] La jalousie seule m'a fait sentir que j'étais amoureux.
                                                                   Ibid.

3581   La fortune m'empêche bien de me former des malheurs au-
       dessus de ceux qu'elle me cause; elle va au delà de ce que je
       pourrais imaginer; elle en invente pour moi qui sont inconnus
       aux autres hommes.   *Ibid.*

[...] Ceux qui connaissent leurs maîtresses avant que de les aimer sont tellement accoutumés à leur beauté et à leur esprit qu'ils n'y sont plus sensibles quand ils sont aimés.
Ibid., Histoire de Consalve. 3582

[...] Encore que je croie qu'on ne puisse être touché sans être surpris, je ne crois pas qu'on ne puisse être surpris sans être touché. *Ibid.* 3583

L'amitié et la reconnaissance se trouvèrent faibles contre l'ambition. *Ibid.* 3584

[..] Comme il est dangereux de cacher quelque chose à nos amis, il l'est aussi beaucoup de ne leur cacher jamais rien.
Ibid. 3585

[...] La gloire ne donne pas le même éclat que la faveur. *Ibid.* 3586

[...] Elle ne tenait plus à son amant que par l'amour, et ce n'était pas assez pour un cœur comme le sien. *Ibid.* 3587

Il vous a plu, madame, et c'est assez pour vous plaire encore.
Ibid. 3588

C'est trop de malheurs à la fois, et ils sont d'une nature qu'il serait plus honteux d'y résister que d'en être accablé.
Ibid. 3589

[...] On ne connaît point les femmes, elles ne se connaissent pas elles-mêmes, et ce sont les occasions qui décident des sentiments de leur cœur. *Ibid.* 3590

[...] Il n'y a de passions que celles qui nous frappent d'abord et qui nous surprennent; les autres ne sont que des liaisons où nous portons volontairement notre cœur. Les véritables inclinations nous l'arrachent malgré nous. *Ibid.* 3591

On est jaloux sans sujet [répliqua Alphonse] quand on est bien amoureux. *Ibid.* 3592

C'est pour avoir trop souffert que je ne puis plus souffrir.
Ibid. 3593

[...] Qui n'a point senti le plaisir de donner une violente passion à une personne qui n'en a jamais eu, même de médiocre, peut dire qu'il ignore les véritables plaisirs de l'amour. *Ibid., Première partie.* 3594

Les jalousies des amants ne sont que fâcheuses, mais celles des maris sont fâcheuses et offensantes.
Ibid., Histoire d'Alphonse et de Bélasire. 3595

Il est vrai aussi que l'amour est si dangereux à voir qu'il ne laisse pas d'enflammer, lors même qu'il ne s'adresse pas à nous.
Ibid., Seconde partie, Histoire de Zaïde et de Féline. 3596

3597   Je sais bien néanmoins que l'on est pas aimé pour aimer, mais
       enfin c'est une espérance...   *Ibid.*

3598   Elle n'a jamais eu de passion, elle va avoir pour vous un
       attachement sincère et véritable qu'aucun homme qui a déjà
       aimé ne peut mériter.
                           Ibid., Histoire d'Alamir, prince de Tharse.

3599   La plupart des mères s'imaginent qu'il suffit de ne parler
       jamais de galanterie devant les jeunes personnes pour les en
       éloigner.   *La Princesse de Clèves, tome 1.*

3600   [...] L'amour était toujours mêlé aux affaires et les affaires
       à l'amour.   *Ibid.*

3601   [...] Il n'y a point de femme que le soin de sa parure n'empêche
       de songer à son amant...   *Ibid.*

3602   [...] On souffre encore davantage de voir sa maîtresse dans
       une assemblée; [...], plus elle est admirée du public, plus on
       se trouve malheureux de n'en être point aimé.   *Ibid.*

3603   Ne craignez point de prendre des partis trop rudes et trop
       difficiles, quelque affreux qu'ils vous paraissent d'abord :
       ils seront plus doux dans les suites que les malheurs d'une
       galanterie.   *Ibid.*

3604   [...] La sincérité me touche d'une telle sorte que je crois que si
       ma maîtresse, et même ma femme, m'avouait que quelqu'un
       lui plût, j'en serais affligé sans en être aigri. Je quitterais le
       personnage d'amant ou de mari, pour la conseiller et pour
       la plaindre.   *Ibid., tome 2.*

3605   [...] J'ai la même affliction de sa mort que si elle m'était
       fidèle et je sens son infidélité comme si elle n'était point
       morte.   *Ibid.*

3606   Il y a des personnes à qui on n'ose donner d'autres marques
       de la passion qu'on a pour elles que par les choses qui ne les
       regardent point; et, n'osant leur faire paraître qu'on les
       aime, on voudrait du moins qu'elles vissent que l'on ne veut
       être aimé de personne.   *Ibid.*

3607   Les paroles les plus obscures d'un homme qui plaît donnent
       plus d'agitation que des déclarations ouvertes d'un homme
       qui ne plaît pas.   *Ibid.*

3608   [...] On persuade aisément une vérité agréable...
                                                       Ibid., tome 3.

3609   [...] La disposition naturelle que l'on a de conter tout ce
       que l'on sait à ce que l'on aime [...]   *Ibid.*

3610   — La jalousie [...] et la curiosité d'en savoir peut-être davan-
       tage que l'on ne lui en a dit, peuvent faire faire bien des
       imprudences à un mari.   *Ibid.*

D'une personne comme vous, madame, tout est des faveurs   3611
hors l'indifférence.   *Ibid., tome 4.*

Vous aviez donc oublié que je vous aimais éperdument   3612
et que j'étais votre mari? L'un des deux peut porter aux
extrémités : que ne peuvent point les deux ensemble?
                                              Ibid.

Je ne me trouve plus digne de vous; vous ne me paraissez   3613
plus digne de moi. Je vous adore, je vous hais, je vous offense,
je vous demande pardon, je vous admire ; j'ai honte de vous
admirer.   *Ibid.*

On fait des reproches à un amant; mais en fait-on à un   3614
mari, quand on n'a [qu']à lui reprocher de n'avoir plus
d'amour?   *Ibid.*

La jalousie et les soupçons bien fondés préparent d'ordinaire   3615
les maris à leurs malheurs; ils ont même toujours quelques
doutes, mais ils n'ont pas cette certitude que donne l'aveu,
qui est au-dessus de nos lumières.   *Ibid.*

[...] Elle sentit bien que la honte est la plus violente de toutes   3616
les passions.   *Ibid.*

JULES DE MASCARON
1634-1703

Peuples que le Rhin sépare de nous, unissez-vous; sortez   3617
de vos forêts et de vos neiges, pour venir inonder les doux
climats de la France; cercles de l'Empire, unissez toutes vos
forces; vous serez vaincus...
                    Oraison funèbre de M. de Turenne.

Les actions par où l'on juge ordinairement de nous ne sont   3618
pas toujours des marques certaines des habitudes de notre
âme : c'est quelquefois la nécessité qui nous y contraint,
ou l'occasion qui nous y convie.   *Ibid.*

Tel croit qu'il n'est pas honnête d'être intéressé pour soi-   3619
même, qui se persuade qu'il est permis de l'être pour ce que
l'on aime; et il ne voit pas que son amour-propre le suit
partout...   *Ibid.*

Nous aimons tous la vérité; mais nous ne l'aimons pas tous   3620
si uniquement, que nous n'aimions encore quelque chose avec
elle...   *Ibid.*

MADAME DE MAINTENON
1635-1719

3621   On n'est malheureux que par sa faute.
Lettres, au Comte d'Aubigné, 1676.

3622   Nous avons le nécessaire et le commode; tout le reste n'est
que cupidité. Tous ces désirs de grandeur partent du vide
d'un cœur inquiet.   *Ibid.*

3623   On m'a porté sur votre compte des plaintes qui ne vous font
pas honneur : vous maltraitez les huguenots, vous en cherchez
les moyens, vous en faites naître les occasions; cela n'est pas
d'un homme de qualité. [...]
Henri IV a professé la même religion, et plusieurs grands
princes. Ne les inquiétez donc point : il faut attirer les
hommes par la douceur et la charité.
Ibid., 1er octobre 1676.

3624   Il faut se servir des gens selon leurs talents, et compter qu'il
n'y en a point de parfaits.
Ibid., à M. d'Aubigné, 25 septembre 1679.

3625   Comment surmonterez-vous les croix que Dieu vous enverra
dans le cours de votre vie, si un accent normand ou picard vous
arrête, et si vous vous dégoutez d'un homme parce qu'il
n'est pas si sublime que Racine?
Ibid., A Mme de Glapion, 9 novembre 1702.

3626   Vous qui tenez entre vos mains le cœur des rois, ouvrez
celui du roi, afin que j'y puisse faire entrer le bien que vous
désirez; donnez-moi de le réjouir, de le consoler, de l'encourager, et de l'attrister aussi quand il le faut pour votre
gloire...   *Prière.*

3627   N'espérez pas un parfait bonheur : il n'y en a point sur la
terre, et, s'il y en avait, il ne serait pas à la cour.
Conseils à la duchesse de Bourgogne.

3628   La grandeur a ses peines, et souvent plus cruelles que celles
des particuliers. Dans la vie privée on se fait aux chagrins;
à la cour on ne s'y habitue pas.   *Ibid.*

3629   N'exigez pas autant d'amitié que vous en aurez : les hommes
sont pour l'ordinaire moins tendres que les femmes.   *Ibid.*

3630   Aimez vos enfants [...] Songez que de leur éducation dépend
le bonheur d'un peuple qui mérite d'être aimé de ses princes.
Ibid.

3631   En protégeant quelqu'un qui vous est connu, songez au tort
que vous faites à un homme de mérite que vous ne connaissez
pas.   *Ibid.*

Dieu ne vous a fait naître dans ce haut rang que pour vous   3632
donner le plaisir de faire du bien. Le pouvoir de rendre
service et de faire des heureux est le vrai dédommagement
des fatigues, des désagréments, de la servitude de votre
état.   *Ibid.*

Soyez en garde contre le goût que vous avez pour l'esprit.   3633
Trop d'esprit humilie ceux qui en ont peu; l'esprit vous fera
haïr du plus grand nombre, et peut-être mésestimer des
personnages sages.   *Ibid.*

ROGER DE PILES
1635-1709

La véritable Peinture doit appeler son spectateur par la force   3634
et par la grande vérité de son imitation; [...] le spectateur
surpris doit aller à elle, comme pour entrer en conversation
avec les figures qu'elle représente.
Cours de Peinture par principes.

L'Homme, tout menteur qu'il est, ne hait rien tant que le   3635
mensonge, et le moyen le plus puissant pour attirer sa
confiance, c'est la sincérité.   *Ibid.*

PHILIPPE QUINAULT
1635-1688

S'il est beau de se vaincre, il est doux d'être heureux.   3636
Astrate.

L'éclat de deux beaux yeux adoucit bien un crime :   3637
Aux regards des amants tout paraît légitime.
Ibid., acte III, scène 5.

Je ne me connais plus et ne suis plus qu'amant;   3638
Tout mon devoir s'oublie aux yeux de ce que j'aime.
Ibid.

C'est avec peu de bien un terrible devoir   3639
De se sentir pressé d'être cinq fois beau-père.
[...]
O ciel! peut-on jamais avoir
Opéra plus difficile à faire?
Opéra difficile, épigramme.

Tout est doux, et rien ne coûte   3640
Pour un cœur qu'on veut toucher.
[...]
L'eau qui tombe goutte à goutte
Perce le plus dur rocher.
Athis, acte IV, scène 5.

3641   Et, si l'on s'en rapporte à tous les vrais amants,
C'est un plaisir si doux de voir ce que l'on aime
Qu'il doit faire oublier les plus cruels tourments.
Réponses à Cinq questions d'amour proposées par Mme de
Brégy, Réponse à la 1re question.

NICOLAS BOILEAU
1636-1711

3642   Un bon mot n'est bon mot qu'en ce qu'il dit une chose
que chacun pensait, et qu'il la dit d'une manière vive, fine
et nouvelle.   *Préface, VI, édition de 1701.*

3643   Pour chanter un Auguste, il faut être un Virgile...
Discours au roi.

3644   Moi donc, qui connais peu Phébus et ses douceurs,
Qui suis nouveau sevré sur le mont des neuf sœurs...
Ibid.

3645   Et, gardant pour moi-même une juste rigueur,
Je confie au papier les secrets de mon cœur.
Ibid.

3646   Je ne puis rien nommer, si ce n'est par son nom,
J'appelle un chat un chat, et Rolet un fripon.
Satire I.

3647   On doit tout espérer d'un monarque si juste;
Mais sans un Mécénas à quoi sert un Auguste?
Ibid.

3648   Rare et fameux esprit, dont la fertile veine
Ignore en écrivant le travail et la peine;
Pour qui tient Apollon tous ses trésors ouverts,
Et qui sais à quel coin se marquent les bons vers :
Dans les combats d'esprit savant maître d'escrime,
Enseigne-moi, Molière, où tu trouves la rime.
Satire II, A M. de Molière.

3649   La raison dit Virgile, et la rime Quinault.
Ibid.

3650   Maudit soit le premier dont la verve insensée
Dans les bornes d'un vers renferma sa pensée,
Et, donnant à ses mots une étroite prison,
Voulut avec la rime enchaîner la raison!
Ibid.

3651   Molière, enseigne-moi l'art de ne rimer plus.
Ibid.

3652   Et ce visage enfin plus pâle qu'un rentier
A l'aspect d'un arrêt qui retranche un quartier.
Satire III.

Jamais empoisonneur ne sut mieux son métier. 3653
Ibid.

Aimez-vous la muscade? on en a mis partout. 3654
Ibid.

Un valet le portait, marchant à pas comptés, 3655
Comme un recteur suivi des quatre facultés.
Ibid.

Les héros chez Quinault parlent bien autrement, 3656
Et jusqu'à *Je vous hais*, tout s'y dit tendrement.
Ibid.

Tous les hommes sont fous, et, malgré tous leurs soins, 3657
Ne diffèrent entre eux que du plus ou du moins.
Satire IV, à M. l'abbé Le Vayer.

Le plus sage est celui qui ne pense point l'être. 3658
Ibid.

Sans mentir, l'avarice est une étrange rage. 3659
Ibid.

On ne m'éblouit point d'une apparence vaine : 3660
La vertu, d'un cœur noble est la marque certaine.
Satire V, à M. le Marquis de Dangeau.

Sers un si noble maître; et fais voir qu'aujourd'hui 3661
Ton prince a des sujets qui sont dignes de lui.
Ibid.

Qui frappe l'air, bon Dieu! de ces lugubres cris? 3662
Est-ce donc pour veiller qu'on se couche à Paris?
Satire VI.

Le mal qu'on dit d'autrui ne produit que du mal. 3663
Satire VII.

C'est par là que je vaux, si je vaux quelque chose. 3664
Ibid.

De Paris au Pérou, du Japon jusqu'à Rome, 3665
Le plus sot animal, à mon avis, c'est l'homme.
Satire VIII, A M. Morel.

Jamais la biche en rut n'a, pour fait d'impuissance, 3666
Traîné du fond des bois un cerf à l'audience.
Ibid.

Prends-moi le bon parti : laisse là tous les livres. 3667
Ibid.

Jamais surintendant ne trouva de cruelles. 3668
L'or même à la laideur donne un teint de beauté
Mais tout devient affreux avec la pauvreté.
Ibid.

3669   Qui ne vole au sommet tombe au plus bas degré.
                          Satire IX, Le libraire au lecteur.

3670   Quel démon vous irrite et vous porte à médire?
            Un livre vous déplaît : qui vous force à le lire?
                                                      Ibid.

3671   Écrive qui voudra : chacun à ce métier
            Peut perdre impunément de l'encre et du papier.
                                                      Ibid.

3672   Mais vous, qui raffinez sur les écrits des autres,
            De quel œil pensez-vous qu'on regarde les vôtres?
            Tous les jours à la cour un sot de qualité
            Peut juger de travers avec impunité;
            A Malherbe, à Racan, préférer Théophile,
            Et le clinquant du Tasse à tout l'or de Virgile.
            Un clerc, pour quinze sous, sans craindre le holà,
            Peut aller au parterre attaquer Attila [...]
                                                      Ibid.

3673   Il se tue à rimer : que n'écrit-il en prose?
                                                      Ibid.

3674   Ma muse, en l'attaquant, charitable et discrète,
            Sait de l'homme d'honneur distinguer le poète.
                                                      Ibid.

3675   J'irai creuser la terre, et, comme ce barbier,
            Faire dire aux roseaux par un nouvel organe :
            « Midas, le roi Midas a des oreilles d'âne. »
                                                      Ibid.

3676   En vain contre le Cid un ministre se ligue :
            Tout Paris pour Chimène a les yeux de Rodrigue.
                                                      Ibid.

3677   Qui méprise Cotin n'estime point son roi,
            Et n'a, selon Cotin, ni Dieu, ni foi, ni loi.
                                                      Ibid.

3678   L'honneur de le louer m'est un trop digne prix.
                                                      Ibid.

3679   L'homme, en ses passions toujours errant sans guide,
            A besoin qu'on lui mette et le mors et la bride.
                                      Satire X, au lecteur.

3680   L'honneur est comme une île escarpée et sans bords :
            On n'y peut plus rentrer dès qu'on en est dehors.
                                                      Ibid.

3681   Montrer que l'avarice
            Peut faire dans les biens trouver la pauvreté,
            Et nous réduire à pis que la mendicité.
                                                      Ibid.

C'est une précieuse,   3682
Reste de ces esprits jadis si renommés
Que d'un coup de son art Molière a diffamés.
Ibid.

Car, grâce au droit reçu chez les Parisiens,   3683
Gens de douce nature, et maris bons chrétiens,
Dans ses prétentions une femme est sans borne.
Ibid.

Et jamais, quoi qu'il fasse, un mortel ici-bas   3684
Ne peut aux yeux du monde être ce qu'il n'est pas.
Satire XI, à M. de Valincour.

C'est d'un roi que l'on tient cette maxime auguste,   3685
Que jamais on n'est grand qu'autant que l'on est juste.
Ibid.

Tout protestant fut pape, une bible à la main.   3686
Satire XII, Sur l'équivoque.

J'imite de Conrart le silence prudent :   3687
Je laisse aux plus hardis l'honneur de la carrière,
Et regarde le champ, assis sur la barrière.
Épître I, au roi.

Un Auguste aisément peut faire des Virgiles.   3688
Ibid.

Des sottises d'autrui nous vivons au palais :   3689
Messieurs, l'huître était bonne. Adieu. Vivez en paix.
Épître II, à M. l'Abbé des Roches.

Hâtons-nous; le temps fuit, et nous traîne avec soi,   3690
Le moment où je parle est déjà loin de moi.
Épître III, à M. Arnauld.

Et partout sur le Whal, ainsi que sur le Lech,   3691
Le vers est en déroute, et le poète à sec.
Épître IV, au roi.

Louis, les animant du feu de son courage,   3692
Se plaint de sa grandeur qui l'attache au rivage.
Ibid.

Le chagrin monte en croupe et galope avec lui.   3693
Épître V, à M. de Guilleragues.

Qui vit content de rien possède toute chose.   3694
Ibid.

L'argent, l'argent, dit-on, sans lui tout est stérile :   3695
La vertu sans l'argent n'est qu'un meuble inutile.
Ibid.

La libre vérité fut toute mon étude.   3696
Ibid.

3697   Attendre que septembre ait ramené l'automne,
              Et que Cérès contente ait fait place à Pomone.
                                        Épître VI, à M. de Lamoignon.

3698   Que tu sais bien, Racine, à l'aide d'un acteur,
              Émouvoir, étonner, ravir un spectateur!
              Jamais Iphigénie, en Aulide immolée,
              N'a coûté tant de pleurs à la Grèce assemblée,
              Que dans l'heureux spectacle à nos yeux étalé
              En a fait sous son nom verser la Champmêlé.
                                        Épître VII, à M. Racine.

3699   Avant qu'un peu de terre, obtenu par prière,
              Pour jamais sous la tombe eût enfermé Molière,
              Mille de ces beaux traits, aujourd'hui si vantés,
              Furent des sots esprits à nos yeux rebutés.
                                        Ibid.

3700   Au Cid persécuté Cinna doit sa naissance.
                                        Ibid.

3701   Grand roi, cesse de vaincre, ou je cesse d'écrire.
                                        Épître VIII, au roi.

3702   Tout éloge imposteur blesse une âme sincère.
                                        Épître IX, à M. le Marquis de Seignelay.

3703   Un cœur noble est content de ce qu'il trouve en lui
              Et ne s'applaudit point des qualités d'autrui.
                                        Ibid.

3704   Rien n'est beau que le vrai : le vrai seul est aimable.
                                        Ibid.

3705   Ma pensée au grand jour partout s'offre et s'expose;
              Et mon vers, bien ou mal, dit toujours quelque chose.
                                        Ibid.

3706   Chacun pris dans son air est agréable en soi :
              Ce n'est que l'air d'autrui qui peut déplaire en moi.
                                        Ibid.

3707   L'ignorance vaut mieux qu'un savoir affecté.
              Rien n'est beau, je reviens, que par la vérité :
              C'est par elle qu'on plaît, et qu'on peut longtemps plaire.
              L'esprit lasse aisément, si le cœur n'est sincère.
                                        Ibid.

3708   Le vice, toujours sombre, aime l'obscurité.
                                        Ibid.

3709 Il est de l'essence d'un bon livre d'avoir des censeurs; et la
      plus grande disgrâce qui puisse arriver à un écrit qu'on met
      au jour, ce n'est pas que beaucoup de gens en disent du mal,
      c'est que personne n'en dise rien.   *Épître X, Préface.*

3710   Ami de la vertu plutôt que vertueux.
                                        Épître X, à mes vers.

On voit sous les lauriers, haleter les Orphées. 3711
Épitre XI, à mon jardinier.

Le pénible fardeau de n'avoir rien à faire. 3712
Ibid.

C'est en vain qu'au Parnasse un téméraire auteur 3713
Pense de l'art des vers atteindre la hauteur :
S'il ne sent point du ciel l'influence secrète,
Si son astre en naissant ne l'a formé poète,
Dans son génie étroit il est toujours captif :
Pour lui Phébus est sourd, et Pégase est rétif.
L'Art poétique, chant I.

Mais souvent un esprit qui se flatte et qui s'aime 3714
Méconnaît son génie, et s'ignore soi-même.
Ibid.

Quelque sujet qu'on traite, ou plaisant, ou sublime, 3715
Que toujours le bon sens s'accorde avec la rime...
Ibid.

La rime est une esclave, et ne doit qu'obéir. 3716
Ibid.

Aimez donc la raison : que toujours vos écrits 3717
Empruntent d'elle seule et leur lustre et leur prix.
Ibid.

Fuyez de ces auteurs l'abondance stérile, 3718
Et ne vous chargez point d'un détail inutile.
Ibid.

Qui ne sait se borner ne sut jamais écrire. 3719
Souvent la peur d'un mal nous conduit dans un pire.
Un vers était trop faible, et vous le rendez dur;
J'évite d'être long, et je deviens obscur.
Ibid.

Un style trop égal et toujours uniforme 3720
En vain brille à nos yeux, il faut qu'il nous endorme.
Ibid.

Heureux qui, dans ses vers, sait d'une voix légère 3721
Passer du grave au doux, du plaisant au sévère !
Ibid.

Imitons de Marot l'élégant badinage, 3722
Et laissons le burlesque aux plaisants du pont Neuf.
Ibid.

Prenez mieux votre ton. Soyez simple avec art, 3723
Sublime sans orgueil, agréable sans fard.
Ibid.

Que toujours dans vos vers le sens coupant les mots, 3724
Suspende l'hémistiche, en marque le repos.
Ibid.

3725   Le vers le mieux rempli, la plus noble pensée
         Ne peut plaire à l'esprit quand l'oreille est blessée.
                                                           Ibid.

3726   Villon sut le premier dans ces siècles grossiers,
         Débrouiller l'art confus de nos vieux romanciers.
                                                           Ibid.

3727   Ronsard, qui le suivit par une autre méthode,
         Réglant tout, brouilla tout, fit un art à sa mode,
         Et toutefois longtemps eut un heureux destin.
         Mais sa muse, en français parlant grec et latin,
         Vit dans l'âge suivant, par un retour grotesque,
         Tomber de ses grands mots le faste pédantesque.
                                                           Ibid.

3728   Enfin Malherbe vint, et, le premier en France,
         Fit sentir dans les vers une juste cadence.
                                                           Ibid.

3729   Avant donc que d'écrire apprenez à penser.
                                                           Ibid.

3730   Ce que l'on conçoit bien s'énonce clairement,
         Et les mots pour le dire arrivent aisément.
                                                           Ibid.

3731   Sans la langue, en un mot, l'auteur le plus divin
         Est toujours, quoi qu'il fasse, un méchant écrivain.
                                                           Ibid.

3732   Hâtez-vous lentement; et, sans perdre courage,
         Vingt fois sur le métier remettez votre ouvrage :
         Polissez-le sans cesse et le repolissez;
         Ajoutez quelquefois, et souvent effacez.
                                                           Ibid.

3733   Faites-vous des amis prompts à vous censurer.
                                                           Ibid.

3734   Aimez qu'on vous conseille et non pas qu'on vous loue.
                                                           Ibid.

3735   Ainsi qu'en sots auteurs,
         Notre siècle est fertile en sots admirateurs.
                                                           Ibid.

3736   Un sot trouve toujours un plus sot qui l'admire.
                                                           Ibid.

3737   C'est peu d'être poète, il faut être amoureux.
                                              Ibid., chant II.

3738   Chez elle [l'ode] un beau désordre est un effet de l'art.
                                                           Ibid.

3739   Un sonnet sans défauts vaut seul un long poème.
                                                           Ibid.

Le latin, dans les mots, brave l'honnêteté :
Mais le lecteur français veut être respecté.

3740

Ibid.

Je veux dans la satire un esprit de candeur.

3741

Ibid.

Le Français, né malin, forma le vaudeville.

3742

Ibld.

Il n'est point de serpent ni de monstre odieux,
Qui, par l'art imité, ne puisse plaire aux yeux...

3743

Ibid., Chant III.

Qu'en un lieu, qu'en un jour, un seul fait accompli
Tienne jusqu'à la fin le théâtre rempli.

3744

Ibid.

Le vrai peut quelquefois n'être pas vraisemblable.

3745

Ibid.

L'esprit n'est point ému de ce qu'il ne croit pas.

3746

Ibid.

Chez nos dévots aïeux le théâtre abhorré
Fut longtemps dans la France un plaisir ignoré.

3747

Ibid.

Pour me tirer des pleurs, il faut que vous pleuriez.

3748

Ibid.

C'est un droit[1] qu'à la porte on achète en entrant.

3749

Ibid.

La poésie est morte...

3750

Ibid.

On s'ennuie aux exploits d'un conquérant vulgaire.

3751

Ibid.

La montagne en travail enfante une souris.

3752

Ibid.

On dirait que pour plaire, instruit par la nature,
Homère ait à Vénus dérobé sa ceinture.

3753

Ibid.

Chaque âge a ses plaisirs, son esprit et ses mœurs.

3754

Ibid.

Dans ce sac ridicule où Scapin s'enveloppe,
Je ne reconnais plus l'auteur du Misanthrope.

3755

Ibid.

1. Celui de manifester, en sifflant, sa désapprobation.

3756   Le comique, ennemi des soupirs et des pleurs,
        N'admet point en ses vers de tragiques douleurs...
                                                    Ibid.

3757   Dans Florence jadis vivait un médecin,
        Savant hâbleur, dit-on, et célèbre assassin.
                                        Ibid., Chant IV.

3758   Soyez plutôt maçon, si c'est votre talent.
                                                    Ibid.

3759   Mais dans l'art dangereux de rimer et d'écrire,
        Il n'est point de degrés du médiocre au pire.
                                                    Ibid.

3760   Un fat quelquefois ouvre un avis important.
                                                    Ibid.

3761   Tel excelle à rimer qui juge sottement.
                                                    Ibid.

3762   Un lecteur sage fuit un vain amusement,
        Et veut mettre à profit son divertissement.
                                                    Ibid.

3763   Le vers se sent toujours des bassesses du cœur.
                                                    Ibid.

3764   Travaillez, pour la gloire, et qu'un sordide gain
        Ne soit jamais l'objet d'un illustre écrivain.
                                                    Ibid.

3765   Tant de fiel entre-t-il dans l'âme des dévots?
                                        Le Lutrin, chant I.

3766   Son menton sur son sein descend à double étage;
                                                    Ibid.

3767   Reprenez vos esprits, et souvenez-vous bien
        Qu'un dîner réchauffé ne valut jamais rien.
                                                    Ibid.

3768   Pour soutenir tes droits, que le ciel autorise,
        Abîme tout plutôt : c'est l'esprit de l'Église.
                                                    Ibid.

3769   Quatre bœufs attelés, d'un pas tranquille et lent,
        Promenaient dans Paris le monarque indolent.
        Ce doux siècle n'est plus. Le ciel impitoyable
        A placé sur leur trône un prince infatigable.
                                        Ibid., Chant II.

3770   Les cloches dans les airs, de leurs voix argentines,
        Appelaient à grand bruit les chantres à matines.
                                        Ibid., Chant IV.

Tout esprit orgueilleux qui s'aime
Par mes leçons se voit guéri;
Et dans mon livre si chéri
Apprend à se haïr soi-même.

*Vers pour mettre sous le portrait de M. de la Bruyère, au-
devant de son livre des Caractères du temps (1687).*

3771

J'ai vu l'Agésilas
Hélas!

*Épigrammes, VI, sur la première représentation de l'Agésilas
de M. de Corneille, que j'avais vue (1666).*

3772

Après l'Agésilas,
Hélas!
Mais après l'Attila,
Holà!

Ibid., VII, sur la première représentation de l'Attila (1667).

3773

Je l'assistai dans l'indigence :
Il ne me rendit jamais rien;
Mais, quoiqu'il me dût tout son bien,
Sans peine il souffrait ma présence.
Oh! la rare reconnaissance!

Ibid., XV, le débiteur reconnaissant (1681).

3774

Du célèbre Boileau tu vois ici l'image.
Quoi! c'est là, diras-tu, ce critique achevé!
D'où vient le noir chagrin qu'on lit sur son visage?
C'est de se voir si mal gravé.

*Ibid., XXXIV, pour mettre au bas d'une méchante gravure
qu'on a faite de moi (1704).*

3775

CATHERINE DESCARTES
1637-1706

Eh! j'aurais donc vécu bien inutilement,
Si je n'avais appris à mourir un moment.
Relation de la mort de M. Descartes.

3776

MADAME DESHOULIÈRES
1637-1694

Ce métal précieux, cette fatale pluie
Qui vainquit Danaé, peut vaincre l'Univers.
Par lui les grands secrets sont souvent découverts
Et l'on ne répand point de larmes qu'il n'essuie.
Poésies, Sonnet en bouts rimés, sur l'or.

3777

3778   Il faut pour en avoir ramper comme un lézard.
Pour les plus grands défauts c'est un excellent fard.
Ibid.

3779   A prix d'argent, l'Auteur comme le sot,
Boit sa chopine et mange son gigot.
Rondeau.

3780   Un peu de jalousie éveille
Un amour h͞e͞u͞reux qui s'endort.
Chanson.

3781   Jeunes maris deviennent tôt vieillards,
Quand leur convient jeûner chaque journée,
Soucis pressants chassent pensers gaillards.
Ballade.

3782   Chaque mortel coiffé de sa chimère,
Croit à part soi que mieux on ne peut faire :
Opinion chez les hommes fait tout.
Ballade. Réponse à M. le duc de Saint-Aignan.

3783   Quand le cœur se tait, Climène,
Tout parle inutilement.
Ode à Climène.

3784   Que l'homme connaît peu la mort qu'il appréhende,
Quand il dit qu'elle le surprend!
Elle naît avec lui [...]
Il commence à mourir longtemps avant qu'il meure :
Il périt en détail imperceptiblement.
Le nom de mort qu'on donne à notre dernière heure
N'en est que l'accomplissement.
Réflexions diverses, I.

3785   Quelque jeune qu'on soit, quand on a su bien vivre,
On a toujours assez vécu.
Ibid., IV.

3786   D'où vient que de la mort tu crains tant le pouvoir;
Lâche, regarde-la sans changer de visage,
Songe que si c'est un outrage,
C'est le dernier à recevoir.
Ibid., VI.

3787   Un rien peut nous détruire; et l'ouvrage d'un Dieu
Dure moins que celui des hommes.
Ibid., XII.

3788   Les plaisirs sont amers d'abord qu'on en abuse.
Ibid., XIV.

3789   [...] Chercher à connaître
N'est souvent qu'apprendre à douter.
Ibid., XVII.

EDME BOURSAULT
1638-1701

Je suis presque certain, sans avoir l'âme vaine,　　　　3790
Loin d'avoir des péchés à faire pardonner,
Qu'à m'acquérir le ciel j'aurais fort peu de peine
Si vous ne vous plaisiez à me faire damner.
　　　　A Climène qui me voulait mener à confesse.

　　　　Quoique Ragot soit petit　　　　　　　3791
　　　　Et du corps et de l'esprit,
　　　　Mon âme est un peu surprise.
　　　　Dieu, qui fait tout ce qu'il veut,
　　　　Nous donne le moins qu'il peut
　　　　De mauvaise marchandise.
　　　　　　　　Contre un petit homme.

Quand, pour s'unir à vous, Alcipe se présente,　　　3792
　　　　Pourquoi tant crier haro?
　　　　Dans le nombre de quarante
　　　　Ne faut-il pas un zéro?
　　　　　　　　Contre La Bruyère.

　　　　L'un monté sur un grand crédit,　　　3793
　　　　Ou sur une haute naissance,
　　　　Paraît d'une grandeur immense,
Qui, sans un tel secours, paraîtrait bien petit.
　　　　　　　　Faux Grands.

　　　　Quand je volais de belle en belle,　　3794
Qui cherchais-je que vous, que je ne trouvais pas?
　　　　Fables, le Rossignol et la Fauvette.

La raison qu'on nous vante, et qu'on trouve si belle,　3795
Loin d'être un bien solide, est le plus grand des maux :
　　　　Le pur instinct des animaux
　　　　Est bien plus raisonnable qu'elle.
　　　　　　　　Un jeune homme.

La joie est le vrai bien; tous les autres sont faux.　3796
　　　　　　　　Ibid.

Mais que sert un long règne, à moins qu'il ne soit beau?　3797
　　　　Ésope à la cour, acte I, scène 3.

J'appelle volupté proprement ce qu'on nomme　　　3798
Ne se reprocher rien et vivre en honnête homme [...]
　　　　　　　　Ibid.

Et père de son peuple est un titre plus grand　　　3799
Que ne le fut jamais celui de conquérant.
　　　　　　　　Ibid.

Je ne puis distinguer, au rang où je me vois,　　　3800
Ceux qui m'aiment pour eux ou qui m'aiment pour moi.
　　　　　　　　Ibid.

3801   [...] La clémence est la vertu des rois.

Ibid.

3802   Et ceux qui de leur temps examinent l'emploi,
Trouvent qu'ils ont vécu sans qu'ils sachent pourquoi.

Portrait de la Cour.

3803   La Fortune en aveugle ouvre ou ferme la main;
Et puissant aujourd'hui, l'on ne l'est pas demain.

Ésope à un favori.

LOUIS XIV
1638-1715

3804   [...] Ceux qui auront plus de talents et plus d'expérience
que moi, n'auront pas régné et régné en France, et je ne
crains pas de vous dire que plus la place est élevée, plus elle
a d'objets qu'on ne peut ni voir ni connaître qu'en l'occupant.

*Mémoires historiques et instructions pour le Dauphin, son
fils, Première partie, livre premier, année 1661.*

3805   J'ai fait enfin quelque réflexion à la condition en cela dure
et rigoureuse des rois, qui doivent, pour ainsi dire, un compte
public de toutes leurs actions à tout l'univers et à tous les
siècles, et ne peuvent néanmoins le rendre à qui que ce soit
dans le temps même, sans découvrir le secret de leur conduite,
et manquer à leurs plus grands intérêts.   *Ibid.*

3806   [...] Il est d'un petit esprit, et qui se trompe ordinairement,
de vouloir ne s'être jamais trompé, et [...] ceux qui ont
assez de mérite pour réussir le plus souvent, trouvent quelque
magnanimité à reconnaître leurs fautes.   *Ibid.*

3807   [...] Il n'est pas au pouvoir des rois, parce qu'ils sont hommes
et qu'ils ont affaire à des hommes, d'atteindre toute la
perfection qu'ils se proposent, trop éloignée de notre faiblesse; mais [...] cette impossibilité est une mauvaise raison
de ne pas faire ce que l'on veut [...].   *Ibid.*

3808   [...] En toutes les entreprises justes et légitimes, le temps,
l'action même, le secours du ciel, ouvrent d'ordinaire mille
voies, et découvrent mille facilités qu'on n'attendait pas.

Ibid.

3809   Rien ne vous serait plus laborieux qu'une grande oisiveté,
si vous aviez le malheur d'y tomber [...]

Ibid., amour du travail.

3810   La fonction des rois consiste principalement à laisser agir
le bon sens, qui agit toujours naturellement sans peine.
Ce qui nous occupe est quelquefois moins difficile que ce
qui nous amuserait seulement.   *Ibid.*

Je résolus sur toutes choses de ne point prendre de premier 3811
ministre; [...] rien n'étant plus indigne que de voir d'un côté
toute la fonction et de l'autre le seul titre de Roi.
Ibid., choix des ministres.

Et pour cet art de connaître les hommes, qui vous sera si 3812
important, [...] je vous dirai, mon fils, qu'il se peut apprendre, mais qu'il ne se peut enseigner. *Ibid.*

Depuis les plus petites choses jusqu'aux plus grandes, vous 3813
ne vous connaîtrez jamais en pas une, si vous n'en faites
votre plaisir et si vous ne l'aimez. *Ibid.*

On vous dira dans quelle défiance j'ai vécu là-dessus avec 3814
mes courtisans, et combien de fois éprouvant leur génie,
je les ai engagés à me louer des choses mêmes que je croyais
avoir mal faites, pour le leur reprocher aussitôt après, et
les accoutumer à ne me point flatter.
Ibid., craindre les flatteurs.

[...] Persuadé que la gloire enfin n'est pas une maîtresse 3815
qu'on puisse négliger, ni que l'on soit jamais digne de ses
premières faveurs, si on n'en souhaite à tout moment de
nouvelles. *Ibid.*

En parlant de nos affaires, nous n'apprenons pas seulement 3816
beaucoup d'autrui, mais aussi de nous-mêmes. L'esprit
achève ses propres pensées, en les mettant au-dehors.
Livre second, section première, prendre conseil.

Car la décision a besoin d'un esprit de maître; et il est sans 3817
comparaison plus facile de faire ce qu'on est, que d'imiter
ce qu'on n'est pas. *Ibid., décider soi-même.*

Cette douceur qu'on se figure dans la vengeance, n'est 3818
presque pas faite pour nous; elle ne flatte que ceux dont le
pouvoir est en doute.
Ibid., motifs de ces résolutions à l'égard de la magistrature.

Il est beau à un prince de montrer qu'il est informé de tout, 3819
et que les services que l'on rend loin de lui ne sont pas
perdus. *Ibid.*

Il y a toujours plus de mal pour le public à contrôler, qu'à 3820
supporter même le mauvais gouvernement des rois dont
Dieu seul est le juge. *Ibid.*

Il n'est pas au pouvoir des peuples de distinguer une fausseté 3821
bien déguisée, quand elle se cache d'ailleurs parmi plusieurs
vérités évidentes. *Ibid., protestants.*

L'artifice se dément toujours, et ne produit pas longtemps 3822
les mêmes effets que la vérité.
Ibid., motifs d'attachement à la religion.

Il est très malaisé de parler beaucoup sans dire quelque 3823
chose de trop. *Ibid., se retenir de trop parler.*

3824   On attaque le cœur d'un prince comme une place.
Ibid., réflexion sur les favorites.

NICOLAS DE MALEBRANCHE
1638-1715

3825   De toutes les sciences humaines, la science de l'homme
est la plus digne de l'homme.
De la Recherche de la vérité, Préface.

3826   Il n'est pas au pouvoir de notre volonté de ne pas souhaiter
d'être heureux.   *Ibid., I, 1.*

3827   On ne doit jamais donner de consentement entier qu'aux
propositions qui paraissaient si évidemment vraies, qu'on
ne puisse le leur refuser sans sentir une peine intérieure et
des reproches secrets de la raison.   *Ibid., I, 2.*

3828   On ne doit jamais aimer absolument un bien, si l'on peut
sans remords ne le point aimer.   *Ibid.*

3829   Nos sens ne sont pas si corrompus qu'on s'imagine, mais
c'est le plus intérieur de notre âme, c'est notre liberté qui
est corrompue.   *I, 5.*

3830   Puisque Dieu est infiniment au-dessus de toutes choses, le
plaisir de ceux qui le posséderont surpassera certainement
tous les plaisirs.   *I, 27.*

3831   Ceux qui se sont appliqués avec plus d'ardeur à la lecture
des livres et à la recherche de la vérité sont ceux-là mêmes
qui nous ont jetés dans un plus grand nombre d'erreurs.
Livre II, 2ᵉ partie, 3.

3832   Il est donc très inutile de savoir ce qu'Aristote a cru de l'immortalité de l'âme, quoiqu'il soit très utile de savoir que
l'âme est immortelle.   *Ibid., 5.*

3833   En matière de philosophie, on doit [...] aimer la nouveauté,
par la même raison qu'il faut toujours aimer la vérité, qu'il
faut la rechercher...   *Ibid.*

3834   Il y a bien des gens que la vanité fait parler grec, et même
quelquefois d'une langue qu'ils n'entendent pas...
Ibid., 6.

3835   Les préjugés occupent une partie de l'esprit et en infectent
tout le reste.   *Ibid., 7.*

3836   Lorsque l'erreur porte les livrées de la vérité, elle est souvent
plus respectée que la vérité même...   *Ibid.*

3837   Les grands savent toujours toutes choses [...]. C'est ne
savoir pas vivre que d'examiner ce qu'ils avancent; c'est
perdre le respect que d'en douter.   *Ibid., II, 3ᵉ partie, 2.*

Pauvre Caton, tu t'imagines que ta vertu t'élève au-dessus
de toutes choses. *Ibid., 4.* 3838

Les hommes reconnaissent pour fous ceux qui s'imaginent
être devenus coqs ou rois, parce que tous les hommes
croient pouvoir devenir comme des dieux. *Ibid.* 3839

Ce qu'il y a de bon dans le Coran ne fait pas que le Coran
soit un bon livre. *Ibid.* 3840

[...] Le vide des créatures ne pouvant remplir la capacité
infinie du cœur de l'homme, ces petits plaisirs, au lieu d'éteindre sa soif, ne font que l'irriter et donner à l'âme une sotte
et vaine espérance de se satisfaire dans la multiplicité des
plaisirs de la terre... *Livre III, Ire partie, 4.* 3841

La vue de l'esprit toute seule ne nous fait jamais résister,
comme nous le devons, aux efforts de la concupiscence; il
faut, outre cette vue, un certain sentiment du cœur. *Ibid.* 3842

Dieu agit toujours selon les voies les plus simples.
Livre III, 2e partie, 4. 3843

Que nous voyons toutes choses en Dieu.
Ibid., 6. 3844

La preuve de l'existence de Dieu la plus belle, la plus rele-
vée, la plus solide et la première, ou celle qui suppose le
moins de choses, c'est l'idée que nous avons de l'infini.
Car il est constant que l'esprit aperçoit l'infini, quoiqu'il
ne le comprenne pas... *Ibid.* 3845

Rien ne peut agir immédiatement dans l'esprit, s'il ne lui
est supérieur : rien ne le peut que Dieu seul. *Ibid.* 3846

Dieu connaît les choses sensibles, mais il ne les sent pas.
Ibid. 3847

Nous serons semblables à Dieu, si nous sommes semblables
à l'Homme-Dieu. *Ibid.* 3848

Dieu est esprit, il pense, il veut; mais ne l'humanisons pas :
il ne pense et ne veut pas comme nous. *Ibid., 7.* 3849

La beauté de l'univers ne consiste pas dans l'incorruptibi-
lité de ses parties, mais dans la variété qui s'y trouve; et ce
grand ouvrage du monde ne serait pas si admirable, sans
cette vicissitude de choses que l'on y remarque. *Ibid., 8.* 3850

Il est contraire au sens commun d'apporter un grand passage
grec pour prouver que l'air est transparent...
Livre IV, 8. 3851

Il faut dire les choses comme elles sont : le plaisir est toujours un bien, et la douleur toujours un mal; mais il n'est
pas toujours avantageux de jouir du plaisir, et il est quelquefois avantageux de souffrir la douleur. *Ibid., 10.* 3852

3853   On ne voit la vérité que lorsqu'on voit les choses comme
        elles sont, et on ne les voit jamais comme elles sont, si on
        ne les voit dans celui [Dieu] qui les renferme d'une manière
        intelligible.   *Ibid., 11.*

3854   Nous sommes unis en quelque manière à tout l'univers,
        et c'est le péché du premier homme qui nous a rendus
        dépendants de tous les êtres auxquels Dieu nous avait seu-
        lement unis.   *Livre V, 2.*

3855   Comme Dieu a fait le chien particulièrement pour l'homme,
        afin que l'homme de son côté se liât avec son chien, il y a
        mis une disposition à faire certaines contorsions et mouve-
        ments de tête, du dos et de la queue, qui, bien qu'ils n'aient
        de soi nul rapport aux pensées de l'âme, fait naître naturel-
        lement dans l'homme celle que son chien l'aime et le flatte.
                                                     Ibid., 3.

3856   [Dieu] ne parle pas, mais sa voix est distincte, il éclaire peu,
        mais sa lumière est pure.   *Ibid., 4.*

3857   L'amour de l'ordre n'est pas seulement la principale des
        vertus morales, c'est l'unique vertu, c'est la vertu mère
        [...] : vertu qui seule rend vertueuses les habitudes ou les
        dispositions des esprits.
                          Traité de morale, Première partie, chap. 2.

3858   L'attention de l'esprit est une prière naturelle, par laquelle
        nous obtenons que la raison nous éclaire.   *Ibid., chap. 5.*

3859   Par l'usage qu'on fait de la *force* de son esprit, on découvre
        la vérité, et par l'usage qu'on fait de la *liberté* de son esprit,
        on s'exempte de l'erreur.   *Ibid., chap. 6, III.*

3860   [...] Le néant n'est point si terrible que cet état désolant
        de vivre sans ce qu'on aime.   *Chap. 7, I.*

3861   [...] C'est la grâce de Jésus-Christ qui doit nous délivrer
        de la concupiscence, ou de ce corps de mort qui nous atta-
        che aux créatures.   *Chap. 11, I.*

3862   On ne peut arrêter le mouvement de l'amour-propre, mais
        on peut le régler sur la loi divine.
                                        Seconde partie, chap. 14.

GUILLAUME AMFRYE,
ABBÉ DE CHAULIEU
1639-1720

3863   J'ai vu de près le Styx, j'ai vu les Euménides...
                              A. M. le marquis de la Fare.

3864   Et j'ai cru que c'était, Ami, te faire tort,
            Si ne t'ayant jamais rien caché de ma vie,
            J'avais pu te cacher mes pensers sur la mort.
                                                    Ibid.

La mort est simplement le terme de la vie,   3865
De peines, ni de biens elle n'est point suivie [...]
Épître à madame la duchesse de Bouillon.

L'Amour a ses Casuistes   3866
D'avis fort différents dans sa Religion;
Il a ses Escobars, il a ses Jansénistes...
Épître à M. le marquis de la Fare en décembre 1703.

J'ai quelquefois sur ma musette   3867
Chanté les Amours, et le vin;
Et si j'étais moins libertin,
Je serais plus mauvais Poète.
Réponse de M. de Chaulieu.

Pour mon arrière saison,   3868
Je ne vois et n'envisage,
Que le malheur d'être sage,
Que l'inutile avantage
De connaître la raison.
Sur la goutte.

A présent l'expérience   3869
M'apprend que la jouissance
De nos biens les plus parfaits
Ne vaut pas l'impatience
Ni l'ardeur de nos souhaits.
Ibid.

Bonne ou mauvaise santé   3870
Fait notre philosophie.
Ibid.

ABBÉ CHARLES-CLAUDE GENEST
1639-1719

Les Dieux versent sur nous, par un mélange égal,   3871
Le mal avec le bien, le bien avec le mal.
Pénélope.

Et dans le cœur de l'homme un orgueil inconnu   3872
L'attache à soutenir ce qu'il a soutenu.
Épître à M. de la Bastide.

MARIE MANCINI
1639-1715

Comme il n'y a point d'action plus exposée à la vue du   3873
public que celles des personnes de grande qualité, il n'y en
a point aussi qui coure plus de danger de la censure et de la
médisance : surtout en France, où ces sortes de libelles, que

la malice produit contre la réputation de notre sexe, avec un cours et un applaudissement qu'ils ne méritent point, passent pour des galanteries de cour.

Apologie ou les véritables mémoires de Mme la Connétable de Colonna, Maria Mancini, chap. 1.

3874　C'est une chose fort ordinaire d'avoir presque toujours des avis intérieurs de joie ou de tristesse des biens et des maux qui sont près de nous arriver. *Ibid., chap. 3.*

3875　L'éducation, après l'être, est le plus riche présent que les pères puissent faire à leurs enfants mais il est de très grande importance qu'elle soit accompagnée de quelque douceur; parce que la trop grande sévérité ne sert bien souvent qu'à les dépouiller de cette affection naturelle, l'amour et la crainte ne s'accordant pas bien ensemble. *Ibid., chap. 4.*

3876　La santé du corps dépendant presque toujours de la satisfaction de l'âme, je puis dire que la fortune faisait en cela tout ce que j'aurais pu souhaiter. *Ibid.*

3877　Je connus [...] que le Roi ne me haïssait pas, ayant déjà assez de pénétration pour entendre cet éloquent langage, qui persuade bien plus sans rien dire que les plus belles paroles du monde. *Ibid., chap. 5.*

3878　Les courtes peines, et qui sont suivies de bonheur, ne détruisent pas le goût des plaisirs, au contraire, elles l'aiguisent. *Ibid.*

JEAN RACINE
1639-1699

3879　La victoire, Créon, n'est pas toujours si belle;
　　　La honte et les remords vont souvent après elle.
La Thébaïde, acte I, scène 5.

3880　On ne partage point la grandeur souveraine;
　　　Et ce n'est pas un bien qu'on quitte et qu'on reprenne.
Ibid.

3881　Plus l'offenseur m'est cher, plus je ressens l'injure.
Ibid.

3882　De ses inimitiés rien n'arrête le cours :
　　　Quand il hait une fois, il veut haïr toujours.
Ibid., acte II, scène 3.

3883　Est-ce au peuple, madame, à se choisir un maître?
　　　Sitôt qu'il hait un roi, doit-on cesser de l'être?
Ibid.

Le peuple aime un esclave et craint d'avoir un maître, 3884
Mais je croirais trahir la majesté des rois,
Si je faisais le peuple arbitre de mes droits.
Ibid.

O dieux! aimer un frère est-ce un plus grand effort 3885
Que de haïr la vie et courir à la mort?
Ibid., acte III, scène 4.

Et toutefois, madame, il faut que je vous die 3886
Qu'un trône est plus pénible à quitter que la vie.
Ibid.

Et qui peut immoler sa haine à sa patrie. 3887
Lui pourrait bien aussi sacrifier sa vie.
Ibid., acte III, scène 6.

Ah! sans doute, qui peut d'un généreux effort 3888
Aimer son ennemi peut bien aimer la mort.
Ibid.

L'on hait avec excès lorsque l'on hait un frère. 3889
[...]
Quelque haine qu'on ait contre un fier ennemi,
Quand il est loin de nous, on la perd à demi.
Ibid.

ATTALE 3890

Vous n'avez plus, seigneur, à craindre que vous-même :
On porte ses remords avec le diadème.

CRÉON

Quand on est sur le trône, on a bien d'autres soins;
Et les remords sont ceux qui nous pèsent le moins.
[...]
Tous les premiers forfaits coûtent quelques efforts...
Ibid.

Je ne veux point, Créon, le haïr à moitié; 3891
Et je crains son courroux moins que son amitié.
Je veux, pour donner cours à mon ardente haine,
Que sa fureur au moins autorise la mienne [...]
Ibid., acte IV, scène 1.

Voulez-vous sans pitié désoler cette terre, 3892
Détruire cet empire afin de le gagner?
Est-ce donc sur des morts que vous voulez régner?
Ibid., acte IV, scène 3.

Quoi! ma grandeur serait l'ouvrage d'une femme! 3893
D'un éclat si honteux je rougirais dans l'âme.
Ibid.

Quand je devrais au ciel rencontrer le tonnerre, 3894
J'y monterais plutôt que de ramper à terre.
Ibid.

3895   Jamais dessus le trône on ne vit plus d'un maître;
         Il n'en peut tenir deux, quelque grand qu'il puisse être!
                                                          Ibid.

3896   Ainsi de leurs flatteurs les rois sont les victimes;
         Vous avancez leur perte, en approuvant leurs crimes;
         De la chute des rois vous êtes les auteurs;
         Mais les rois, en tombant, entraînent leurs flatteurs.
                                          Ibid., acte V, scène 3.

3897   Un bonheur si commun n'a pour moi rien de doux;
         Ce n'est pas un bonheur, s'il ne fait des jaloux.
         [...]
         La terre a moins de rois que le ciel n'a de dieux.
                                          Ibid., acte V, scène 4.

3898   TAXILE
         Le peuple aime les rois qui savent l'épargner.

                              PORUS
         Il estime encor plus ceux qui savent régner.
                              Alexandre le Grand, acte I, scène 2.

3899   Pourvu que ce grand cœur périsse noblement,
         Ce qui suivra sa mort le touche faiblement.
                                          Ibid., acte I, scène 3.

3900   [...] Un peuple sans vigueur et presque inanimé,
         Qui gémissait sous l'or dont il était armé...
                                          Ibid., acte II, scène 2.

3901   Quoi donc! pour ta patrie,
         Ton indigne courage attend que l'on te prie!
                                          Ibid., acte III, scène 2.

3902   Amoureux de la gloire, et partout invincible,
         Il mettait son bonheur à paraître insensible.
                                          Ibid., acte III, scène 6.

3903   Non, seigneur; je vous hais d'autant plus qu'on vous aime,
         D'autant plus qu'il me faut vous admirer moi-même...
                                          Ibid., acte IV, scène 2.

3904   Qu'une âme généreuse est facile à séduire!
                                          Ibid., acte V, scène 2.

3905   Oui, puisque je retrouve un ami si fidèle,
         Ma fortune va prendre une face nouvelle...
                                          Andromaque, acte I, scène 1.

3906   Ami, n'accable point un malheureux qui t'aime...
                                                          Ibid.

3907
         Je me livre en aveugle au destin qui m'entraîne.   *Ibid.*

Vous-même de vos soins craignez la récompense,   3908
Et que dans votre sein ce serpent élevé
Ne vous punisse un jour de l'avoir conservé.
Ibid., acte I, scène 2.

Tout était juste alors : la vieillesse et l'enfance   3909
En vain sur leur faiblesse appuyaient leur défense;
La victoire et la nuit, plus cruelles que nous,
Nous excitaient au meurtre, et confondaient nos coups.
Ibid.

Ah! qu'ils s'aiment, Phœnix! J'y consens : qu'elle parte.   3910
Ibid., acte I, scène 3.

Je passais jusqu'aux lieux où l'on garde mon fils.   3911
[...]
J'allais, seigneur, pleurer un moment avec lui :
Je ne l'ai point encore embrassé d'aujourd'hui!
Ibid., acte I, scène 4.

En combattant pour vous, me sera-t-il permis   3912
De ne vous point compter parmi mes ennemis?
Ibid.

Captive, toujours triste, importune à moi-même,   3913
Pouvez-vous souhaiter qu'Andromaque vous aime?
[...]
Quels charmes ont pour vous des yeux infortunés
Qu'à des pleurs éternels vous avez condamnés?
Ibid.

Vaincu, chargé de fers, de regrets consumé,   3914
Brûlé de plus de feux que je n'en allumai...
Ibid.

[...] Il faut désormais que mon cœur,   3915
S'il n'aime avec transport, haïsse avec fureur.
Ibid.

Quelle honte pour moi, quel triomphe pour lui,   3916
De voir mon infortune égaler son ennui!
Ibid. acte II, scène 1.

Ah! je l'ai trop aimé, pour ne le point haïr!   3917
Ibid.

Mais, de grâce, est-ce à moi que ce discours s'adresse?   3918
Ibid., acte II, scène 2.

HERMIONE   3919

Je vous haïrais trop.

ORESTE

Vous m'en aimeriez plus.
Ibid.

3920   L'amour n'est pas un feu qu'on renferme en une âme;
            Tout nous trahit, la voix, le silence, les yeux;
            Et les feux mal couverts n'en éclatent que mieux.
                                                        Ibid.

3921   C'est trop gémir tout seul. Je suis las qu'on me plaigne.
                                        Ibid., acte III, scène 1.

3922   Mon innocence enfin commence à me peser.
            [...]
            De quelque part sur moi que je tourne les yeux,
            Je ne vois que malheurs qui condamnent les dieux.
                                                        Ibid.

3923   La douleur qui se tait n'en est que plus funeste.
                                        Ibid., acte III, scène 3.

3924   Je meurs si je vous perds; mais je meurs si j'attends.
                                        Ibid., acte III, scène 7.

3925   Songe, songe, Céphise, à cette nuit cruelle
        Qui fut pour tout un peuple une nuit éternelle;
            [...]
        Songe aux cris des vainqueurs, songe aux cris des mourants...
                                        Ibid., acte III, scène 8.

3926   Fais connaître à mon fils les héros de sa race :
            [...]
            Parle-lui tous les jours des vertus de son père;
            Et quelquefois aussi parle-lui de sa mère.
            [...]
            Il est du sang d'Hector, mais il en est le reste...
                                        Ibid., acte IV, scène 1.

3927   Vengeons-nous, j'y consens, mais par d'autres chemins :
        Soyons ses ennemis, et non ses assassins...
                                        Ibid., acte IV, scène 3.

3928   Tant de raisonnements offensent ma colère.
            [...]
            Et, tout ingrat qu'il est, il me sera plus doux
            De mourir avec lui que de vivre avec vous.
                                                        Ibid.

3929   Que je me perde ou non, je songe à me venger.
                [...] ma vengeance est perdue
            S'il ignore en mourant que c'est moi qui le tue.
                                        Ibid., acte IV, scène 4.

3930   [...] Et jusques à ce jour
            J'ai cru que mes serments me tiendraient lieu d'amour.
                                        Ibid., acte IV, scène 5.

3931   Je crains votre silence, et non pas vos injures;
            Et mon cœur, soulevant mille secrets témoins,
            M'en dira d'autant plus que vous m'en direz moins.
                                                        Ibid.

Seigneur, dans cet aveu dépouillé d'artifice,   3932
J'aime à voir que du moins vous vous rendiez justice,
Et que, voulant bien rompre un nœud si solennel,
Vous vous abandonniez au crime en criminel.

Ibid.

Il faut se croire aimé pour se croire infidèle.   3933

Ibid.

Je ne t'ai point aimé, cruel! Qu'ai-je donc fait?   3934
[...]
Je t'aimais inconstant; qu'aurais-je fait fidèle?
[...]
                    Perfide, je le voi :
Tu comptes les moments que tu perds avec moi!

Ibid.

Où suis-je? Qu'ai-je fait? Que dois-je faire encore?   3935
Quel transport me saisit? Quel chagrin me dévore?
[...]
Ah! ne puis-je savoir si j'aime ou si je hais?
[...]
                    Et, pour comble d'ennui,
Mon cœur, mon lâche cœur s'intéresse pour lui!

Ibid., acte V, scène 1.

Le lâche craint la mort, et c'est tout ce qu'il craint.   3936

Ibid., acte V, scène 2.

Pourquoi l'assassiner? Qu'a-t-il fait? A quel titre?   3937
Qui te l'a dit?

Ibid., acte V, scène 3.

Ah! fallait-il en croire une amante insensée?   3938
Ne devais-tu pas lire au fond de ma pensée?
Et ne voyais-tu pas, dans mes emportements,
Que mon cœur démentait ma bouche à tous moments?
[...]
Que ne me laissais-tu le soin de ma vengeance?
[...]
Voilà de ton amour le détestable fruit :
Tu m'apportais, cruel, le malheur qui te suit.

Ibid.

Grâce aux dieux, mon malheur passe mon espérance!   3939

Ibid., acte V, scène 5.

Eh bien! filles d'enfer, vos mains sont-elles prêtes?   3940
Pour qui sont ces serpents qui sifflent sur vos têtes?

Ibid.

Ma foi! sur l'avenir bien fou qui se fiera :   3941
Tel qui rit vendredi, dimanche pleurera.

Les Plaideurs, acte I, scène 1.

On apprend à hurler, dit l'autre, avec les loups.   3942

Ibid.

3943   Mais sans argent l'honneur n'est qu'une maladie
                                                        Ibid.

3944   Qui veut voyager loin ménage sa monture.
                                                        Ibid.

3945   Elle eût du buvetier emporté les serviettes,
            Plutôt que de rentrer au logis les mains nettes.
            Et voilà comme on fait les bonnes maisons.
                                        Ibid., acte I, scène 4.

3946   Si vous parlez toujours, il faut que je me taise.
                                        Ibid., acte I, scène 7.

3947   Je m'acquitte assez bien de mon petit emploi.
                                        Ibid., acte II, scène 4.

3948   Oui, vous êtes sergent, monsieur, et très sergent.
            Touchez là : vos pareils sont gens que je révère;
            Et j'ai toujours été nourri par feu mon père
            Dans la crainte de Dieu, monsieur, et des sergents.
                                                        Ibid.

3949   Voilà votre portier et votre secrétaire;
            Vous en ferez, je crois, d'excellents avocats;
            Ils sont fort ignorants.
                                        Ibid., acte II, scène 14.

3950   Çà, messieurs, point d'intrigue.
            Fermons l'œil aux présents, et l'oreille à la brigue.
                                                        Ibid.

3951   Ce que je sais le mieux, c'est mon commencement [...]
                                        Ibid., acte III, scène 3.

3952   Ils me font dire aussi des mots longs d'une toise,
            De grands mots qui tiendraient d'ici jusqu'à Pontoise; [...]
                                                        Ibid.

3953   Belle conclusion, et digne de l'exorde!
                                                        Ibid.

3954   Il dit fort posément ce dont on n'a que faire,
            Et court le grand galop quand il est à son fait.
                                                        Ibid.

3955   L'INTIMÉ
                    Avant la naissance du monde...

                          DANDIN, *bâillant.*
            Avocat, ah! passons au déluge.
                                                        Ibid.

3956   ISABELLE
            Eh monsieur! peut-on voir souffrir des malheureux!

                              DANDIN
            Bon! Cela fit toujours passer une heure ou deux.
                                        Ibid., acte III, scène 4.

On a la fille; soit : on n'aura pas la bourse.   3957
Ibid.

[...] Je plains fort le malheur d'un homme qui travaille   3958
pour le public. Ceux qui voient le mieux nos défauts sont
ceux qui les dissimulent le plus volontiers : ils nous pardonnent les endroits qui leur ont déplu, en faveur de ceux
qui leur ont donné du plaisir. Il n'y a rien, au contraire,
de plus injuste qu'un ignorant [...] il nous traite de présomptueux qui ne veulent croire personne, et ne songe pas qu'il
tire quelquefois plus de vanité d'une critique fort mauvaise,
que nous n'en tirons d'une assez bonne pièce de théâtre.
Britannicus, Première préface.

Las de se faire aimer, il veut se faire craindre.   3959
Ibid., acte I, scène 1.

Il commence, il est vrai, par où finit Auguste;   3960
Mais crains que, l'avenir détruisant le passé,
Il ne finisse ainsi qu'Auguste a commencé.
Ibid.

Je le craindrais bientôt, s'il ne me craignait plus.   3961
Ibid.

Non, non, le temps n'est plus que Néron, jeune encore,   3962
Me renvoyait les vœux d'une cour qui l'adore;
[...]
Et que derrière un voile, invisible et présente,
J'étais de ce grand corps l'âme toute-puissante.
Ibid.

Je répondrai, madame, avec la liberté   3963
D'un soldat qui sait mal farder la vérité.
Ibid., acte I, scène 2.

Ah! quittez d'un censeur la triste diligence...   3964
Ibid.

La douleur est injuste : et toutes les raisons   3965
Qui ne la flattent point aigrissent ses soupçons.
Ibid.

Une loi sévère   3966
Va séparer deux cœurs qu'assemblait leur misère :
Sans doute on ne veut pas que, mêlant nos douleurs,
Nous nous aidions l'un l'autre à porter nos malheurs.
Ibid., acte I, scène 3.

Que vois-je autour de moi, que des amis vendus?   3967
Ibid., acte I, scène 4.

Belle, sans ornement, dans le simple appareil   3968
D'une beauté qu'on vient d'arracher au sommeil.
Ibid., acte III, scène 2.

J'aimais jusqu'à ses pleurs que je faisais couler.   3969
Ibid.

3970 Seigneur, l'amour toujours n'attend pas la raison.
N'en doutez point, il l'aime. Instruits par tant de charmes,
Ses yeux sont déjà faits à l'usage des larmes [...]

Ibid.

3971 Vivez, régnez pour vous : c'est trop régner pour elle.

Ibid.

3972 Vous vous troublez, madame, et changez de visage.
Lisez-vous dans mes yeux quelque triste présage?

Ibid., acte II, scène 3.

3973 Je vous nommerais, madame, un autre nom,
Si j'en savais quelque autre au-dessus de Néron.

Ibid.

3974 J'ose dire pourtant que je n'ai mérité
Ni cet excès d'honneur, ni cette indignité.

Ibid.

3975 Mais toujours de mon cœur ma bouche est l'interprète.
Absente de la cour, je n'ai pas dû penser,
Seigneur, qu'en l'art de feindre, il fallût m'exercer.

Ibid., acte II, scène 3.

3976 Ces murs mêmes, seigneur, peuvent avoir des yeux...

Ibid., acte II, scène 6.

3977 Je me fais de sa peine une image charmante...

Ibid., acte II, scène 8.

3978 Non, je la crois, Narcisse, ingrate, criminelle,
Digne de mon courroux; mais je sens, malgré moi,
Que je ne le crois pas autant que je le doi.

Ibid., acte III, scène 6.

3979 Ainsi par le destin nos vœux sont traversés...

Ibid., acte III, scène 8.

3980 Selon qu'il vous menace, ou bien qu'il vous caresse,
La cour autour de vous ou s'écarte ou s'empresse.

Ibid., acte IV, scène 1.

3981 J'embrasse mon rival, mais c'est pour l'étouffer.

Ibid., acte IV, scène 3.

3982 Soumis à tous leurs vœux, à mes désirs contraire,
Suis-je leur empereur seulement pour leur plaire?

Ibid.

3983 Vous allumez un feu qui ne pourra s'éteindre.
Craint de tout l'univers, il vous faudra tout craindre,
Toujours punir, toujours trembler dans vos projets,
Et pour vos ennemis compter tous vos sujets.

Ibid.

3984 Il n'est point de secrets que le temps ne révèle...

Ibid., acte IV, scène 4.

Au joug, depuis longtemps, ils se sont façonnés;   3985
Ils adorent la main qui les tient enchaînés.

Ibid.

Mais ceux qui de la cour ont un plus long usage   3986
Sur les yeux de César composent leur visage.
Ibid., acte V, scène 5.

Tes remords te suivront comme autant de furies;   3987
Tu croiras les calmer par d'autres barbaries;
Ta fureur, s'irritant soi-même dans son cours,
D'un sang toujours nouveau marquera tous tes jours.
Ibid., acte V, scène 6.

Ses yeux indifférents ont déjà la constance   3988
D'un tyran dans le crime endurci dès l'enfance.
Ibid., acte V, scène 7.

Ce n'est point une nécessité qu'il y ait du sang et des morts   3989
dans une tragédie; il suffit que l'action en soit grande, que
les acteurs en soient héroïques, que les passions y soient
excitées, et que tout s'y ressente de cette tristesse majes-
tueuse qui fait tout le plaisir de la tragédie.
Bérénice, Préface.

La principale règle est de plaire et de toucher : toutes les   3990
autres ne sont faites que pour parvenir à cette première.
Ibid.

Pourrai-je, sans trembler, lui dire : Je vous aime?   3991
Mais quoi! déjà je tremble; et mon cœur agité
Craint autant ce moment que je l'ai souhaité.
Ibid., acte I, scène 2.

Enfin je me dérobe à la joie importune   3992
De tant d'amis nouveaux que me fait la fortune; [...]
Ibid., acte I, scène 4.

Dans l'Orient désert quel devint mon ennui!   3993
Je demeurai longtemps errant dans Césarée,
Lieux charmants où mon cœur vous avait adorée.
Je vous redemandais à vos tristes États;
Je cherchais en pleurant les traces de vos pas.
[...]
Heureux dans mes malheurs d'en avoir pu sans crime
Conter toute l'histoire aux yeux qui les ont faits,
Je pars plus amoureux que je ne fus jamais.
Ibid.

Je fuis des yeux distraits,   3994
Qui, me voyant toujours, ne me voyaient jamais.
Ibid.

Parle : peut-on le voir sans penser, comme moi,   3995
Qu'en quelque obscurité que le sort l'eût fait naître,
Le monde en le voyant eût reconnu son maître?
Ibid., acte I, scène 5.

3996   Je me suis fait un plaisir nécessaire
          De la voir chaque jour, de l'aimer, de lui plaire.
                              Ibid., acte II, scène 2.

3997   J'aimais, je soupirais, dans une paix profonde :
          Un autre était chargé de l'empire du monde.
          Maître de mon destin, libre dans mes soupirs,
          Je ne rendais qu'à moi compte de mes désirs.
                              Ibid.

3998   Depuis cinq ans entiers chaque jour je la vois,
          Et crois toujours la voir pour la première fois.
                              Ibid.

3999   Depuis quand croyez-vous que ma grandeur me touche?
          Un soupir, un regard, un mot de votre bouche,
          Voilà l'ambition d'un cœur comme le mien :
          Voyez-moi plus souvent, et ne me donnez rien.
                              Ibid., acte II, scène 4.

4000   Eh quoi! vous me jurez une éternelle ardeur,
          Et vous me la jurez avec cette froideur!
                              Ibid.

4001   Si Titus est jaloux, Titus est amoureux.
                              Ibid., acte II, scène 5.

4002   Maître de l'univers, je règle sa fortune;
          Je puis faire les rois, je puis les déposer;
          Cependant de mon cœur je ne puis disposer;
                              Ibid., acte III, scène 1.

4003   · Pour fruit de tant d'amour, j'aurai le triste emploi.
          De recueillir des pleurs qui ne sont pas pour moi.
                              Ibid., acte III, scène 2.

4004   Mais moi, toujours tremblant, moi, vous le savez bien,
          A qui votre repos est plus cher que le mien,
          Pour ne le point troubler, j'aime mieux vous déplaire,
          Et crains votre douleur plus que votre colère.
                              Ibid., acte III, scène 3.

4005   Nous séparer! Qui? Moi? Titus de Bérénice?
                              Ibid.

4006   Tout ce que, dans un cœur sensible et généreux,
          L'amour au désespoir peut rassembler d'affreux...
                              Ibid.

4007   Moments trop rigoureux,
          Que vous paraissez lents à mes rapides vœux!
          Je m'agite, je cours, languissante, abattue;
          La force m'abandonne, et le repos me tue.
                              Ibid., acte IV, scène 1.

4008   Car enfin au combat qui pour toi se prépare
          C'est peu d'être constant, il faut être barbare.
                              Ibid., acte IV, scène 4.

Qu'ai-je fait pour l'honneur? J'ai tout fait pour l'amour. 4009
Ibid.

Pour jamais! Ah! seigneur! songez-vous en vous-même 4010
Combien ce mot cruel est affreux quand on aime?
Ibid., acte IV, scène 5.

Dans un mois, dans un an, comment souffrirons-nous, 4011
Seigneur, que tant de mers me séparent de vous;
Que le jour recommence, et que le jour finisse,
Sans que jamais Titus puisse voir Bérénice,
Sans que, de tout le jour, je puisse voir Titus?
Ibid.

Vous êtes empereur, seigneur, et vous pleurez! 4012
Ibid.

Tous mes moments ne sont qu'un éternel passage 4013
De la crainte à l'espoir, de l'espoir à la rage.
Ibid., acte V, scène 4.

[...] Un indigne empereur sans empire, sans cour, 4014
Vil spectacle aux humains des faiblesses d'amour...
Ibid., acte V, scène 6.

La grandeur des Romains, la pourpre des Césars, 4015
N'ont point, vous le savez, attiré mes regards.
J'aimais, seigneur, j'aimais, je voulais être aimée.
Ibid., acte V, scène 7.

Toi-même tu l'as vu courir dans les combats 4016
Emportant après lui tous les cœurs des soldats,
Et goûter, tout sanglant, le plaisir et la gloire
Que donne aux jeunes cœurs la première victoire.
Bajazet, acte I, scène 1.

[...] Il vit que son salut 4017
Dépendait de lui plaire, et bientôt il lui plut.
Ibid.

Voudrais-tu qu'à mon âge 4018
Je fisse de l'amour un vil apprentissage?
Qu'un cœur qu'ont endurci la fatigue et les ans
Suivît d'un vain plaisir les conseils imprudents?
Ibid.

Un vizir aux sultans fit toujours quelque ombrage... 4019
Ibid.

Je sais combien, crédule en sa dévotion, 4020
Le peuple suit le frein de la religion.
Ibid., acte I, scène 2.

Mon unique espérance est dans mon désespoir. 4021
Ibid., acte I, scène 4.

Mais qu'aisément l'amour croit tout ce qu'il souhaite! 4022
Ibid.

4023   Mes malheurs font encor toute ma renommée.
                                    Ibid., acte II, scène 1.

4024   Ne désespérez point une amante en furie.
                                                        Ibid.

4025   [...] A ma douleur je chercherai des charmes.
                                    Ibid., acte II, scène 5.

4026   J'aime assez mon amant pour renoncer à lui.
                                    Ibid., acte III, scène 1.

4027   Ah, peut-être, après tout, que sans trop se forcer,
              Tout ce qu'il a pu dire, il a pu le penser.
                                    Ibid., acte III, scène 3.

4028   Je vois qu'à l'excuser votre adresse est extrême :
              Vous parlez mieux pour lui qu'il ne parle lui-même.
                                    Ibid., acte III, scène 6.

4029   Les bienfaits dans un cœur balancent-ils l'amour?
                                    Ibid., acte III, scène 7.

4030   Mon malheur n'est-il pas écrit sur son visage?
              Vois-je pas, au travers de son saisissement,
              Un cœur dans ses douleurs content de son amant?
                                    Ibid., acte IV, scène 4.

4031   Ah! je respire enfin; et ma joie est extrême
              Que le traître, une fois, se soit trahi lui-même.
                                    Ibid., acte IV, scène 5.

4032   Des cœurs comme le sien, vous le savez assez,
              Ne se regagnent plus quand ils sont offensés.
                                                        Ibid.

4033   Prends soin d'elle : ma haine a besoin de sa vie.
                                                        Ibid.

4034   Je perdrais ma vengeance en la rendant si prompte.
                                    Ibid., acte IV, scène 6.

4035   Mais moi qui vois plus loin; qui, par un long usage,
              Des maximes du trône ai fait l'apprentissage;
              [...]
              Je sais, sans me flatter, que de sa seule audace
              Un homme tel que moi doit attendre sa grâce.
                                    Ibid., acte IV, scène 7.

4036   Nourri dans le sérail, j'en connais les détours...
                                                        Ibid.

4037   Je ne vous ferai point des reproches frivoles :
              Les moments sont trop chers pour les perdre en paroles.
                                    Ibid., acte V, scène 4.

Sans parents, sans amis, désolée et craintive,　　　　4038
Reine longtemps de nom, mais en effet captive,
Et veuve maintenant sans avoir eu d'époux,
Seigneur, de mes malheurs ce sont là les plus doux.
                    Mithridate, acte I, scène 2.

Plus il est malheureux, plus il est redoutable;　　　　4039
[...]
Amant avec transport, mais jaloux sans retour,
Sa haine va toujours plus loin que son amour.
                    Ibid., acte I, scène 5.

Le désordre partout redoublant les alarmes;　　　　4040
Nous-mêmes contre nous tournant nos propres armes,
Les cris que les rochers renvoyaient plus affreux,
Enfin toute l'horreur d'un combat ténébreux :
Que pouvait la valeur dans ce trouble funeste!
                    Ibid., acte II, scène 3.

Ainsi, prête à subir un joug qui vous opprime,　　　　4041
Vous n'allez à l'autel que comme une victime.
                    Ibid.

Oui, prince : il n'est plus temps de le dissimuler :　　　　4042
Ma douleur pour se taire a trop de violence.
Un rigoureux devoir me condamne au silence;
Mais il faut bien enfin, malgré ses dures lois,
Parler pour la première et la dernière fois.
Vous m'aimez dès longtemps : une égale tendresse
Pour vous, depuis longtemps, m'afflige et m'intéresse.
[...]
Je ne reconnais plus la foi de vos discours,
Qu'au soin que vous prendrez de m'éviter toujours.
                    Ibid., acte II, scène 6.

Cherchez, prince, cherchez, pour vous trahir vous-même,　　　　4043
Tout ce que, pour jouir de leurs contentements,
L'amour fait inventer aux vulgaires amants.
                    Ibid.

Et méritez les pleurs que vous m'allez coûter.　　　　4044
                    Ibid.

La guerre a ses faveurs, ainsi que ses disgrâces :　　　　4045
[...]
Annibal l'a prédit, croyons-en ce grand homme :
Jamais on ne vaincra les Romains que dans Rome.
                    Ibid., acte III, scène 1.

Vous seul, seigneur, vous seul, après quarante années　　　　4046
Pouvez encor lutter contre les destinées.
Implacable ennemi de Rome et du repos,
Comptez-vous vos soldats pour autant de héros?
                    Ibid.

Continuez, seigneur : tout vaincu que vous êtes,　　　　4047
La guerre, les périls sont vos seules retraites.
                    Ibid.

4048   L'amour avidement croit tout ce qui le flatte.
                        Ibid., acte III, scène 4.

4049   Nous nous aimions... Seigneur, vous changez de visage!
                        Ibid., acte III, scène 5.

4050   Allez : le temps est cher, il le faut employer.
                                            Ibid.

4051   Vaine erreur des amants, qui, pleins de leurs désirs,
          Voudraient que tout cédât au soin de leurs plaisirs!
                        Ibid., acte IV, scène 1.

4052   Et même de mon sort je ne pouvais me plaindre,
          Puisque enfin, aux dépens de mes vœux les plus doux,
          Je faisais le bonheur d'un héros tel que vous.
                        Ibid., acte IV, scène 4.

4053   Ah! qu'il eût mieux valu, plus sage et plus heureux,
          Et repoussant les traits d'un amour dangereux,
          Ne pas laisser remplir d'ardeurs empoisonnées
          Un cœur déjà glacé par le froid des années!
                        Ibid., acte IV, scène 5.

4054   La mort au désespoir ouvre plus d'une voie.
                        Ibid., acte V, scène 1.

4055   A la fin je respire; et le ciel me délivre
          Des secours importuns qui me forçaient de vivre.
                        Ibid., acte V, scène 2.

4056   J'expire environné d'ennemis que j'immole;
          Dans leur sang odieux, j'ai pu tremper les mains...
                        Ibid., acte V, scène 5.

4057   C'en est fait, madame, et j'ai vécu.
                                            Ibid.

4058   Mais tout dort, et l'armée, et les vents, et Neptune.
                        Iphigénie, acte I, scène 1.

4059   Heureux qui, satisfait de son humble fortune,
          Libre du joug superbe où je suis attaché,
          Vit dans l'état obscur où les dieux l'ont caché!
                                            Ibid.

4060   Mais, parmi tant d'honneurs, vous êtes homme enfin;
          Tandis que vous vivrez, le sort, qui toujours change,
          Ne vous a point promis un bonheur sans mélange.
                                            Ibid.

4061   Roi sans gloire, j'irais vieillir dans ma famille.
                                            Ibid.

4062   Va, dis-je, sauve-la de ma propre faiblesse.
          [...]
          D'une mère en fureur épargne-moi les cris.
                                            Ibid.

L'honneur parle, il suffit : ce sont là nos oracles.   4063
Les dieux sont de nos jours les maîtres souverains;
Mais, seigneur, notre gloire est dans nos propres mains,
Pourquoi nous tourmenter de leurs ordres suprêmes?
Ne songeons qu'à nous rendre immortels comme eux-mêmes.
Ibid., acte I, scène 2.

      De ce soupir que faut-il que j'augure?   4064
Du sang qui se révolte est-ce quelque murmure?
Croirai-je qu'une nuit a pu vous ébranler?
Est-ce donc votre cœur qui vient de nous parler?
Ibid., acte I, scène 3.

Ah! seigneur! qu'éloigné du malheur qui m'opprime   4065
Votre cœur aisément se montre magnanime!
Ibid.

Triste destin des rois! Esclaves que nous sommes   4066
Et des rigueurs du sort et des discours des hommes,
Nous nous voyons sans cesse assiégés de témoins;
Et les plus malheureux osent pleurer le moins!
Ibid., acte I, scène 5.

Et moi, toujours en butte à de nouveaux dangers,   4067
Remise dès l'enfance en des bras étrangers,
Je reçus et je vois le jour que je respire,
Sans que père ni mère ait daigné me sourire [...]
Ibid., acte II, scène 1.

      Je me flattais sans cesse   4068
Qu'un silence éternel cacherait ma faiblesse;
Mais mon cœur trop pressé m'arrache ce discours,
Il te parle une fois pour se taire toujours.
Ibid.

Je le vis : son aspect n'avait rien de farouche;   4069
Je sentis le reproche expirer dans ma bouche;
Je sentis contre moi mon cœur se déclarer;
J'oubliai ma colère, et ne sus que pleurer [...]
Ibid.

N'osez-vous sans rougir être père un moment?   4070
Ibid., acte II, scène 2.

D'une secrète horreur je me sens frissonner :   4071
Je crains, malgré moi-même, un malheur que j'ignore.
Ibid., acte II, scène 3.

Ce triste abaissement convient à ma fortune :   4072
Heureuse si mes pleurs vous peuvent attendrir!
Une mère à vos pieds peut tomber sans rougir.
[...]
Elle n'a que vous seul : vous êtes en ces lieux
Son père, son époux, son asile, ses dieux.
Ibid., acte III, scène 5.

Cet ennemi barbare, injuste, sanguinaire,   4073
Songez, quoi qu'il ait fait, songez qu'il est mon père.
Ibid., acte III, scène 6.

4074   Hélas! il me semblait qu'une flamme si belle
        M'élevait au-dessus du sort d'une mortelle.
                                                    Ibid.

4075   Par combien de malheurs
        Ne lui voudrais-je point disputer de tels pleurs!
                                    Ibid., acte IV, scène 1.

4076   Quand vous commanderez, vous serez obéi.
        Ma vie est votre bien, vous voulez le reprendre [...]
                                    Ibid., acte IV, scène 4.

4077   Faites rougir ces dieux qui vous ont condamnée...
                                                    Ibid.

4078   Le ciel, le juste ciel, par le meurtre honoré,
        Du sang de l'innocence est-il donc altéré?
                                                    Ibid.

4079   Cette soif de régner, que rien ne peut éteindre,
        L'orgueil de voir vingt rois vous servir et vous craindre,
        Tous les droits de l'empire en vos mains confiés,
        Cruel! c'est à ces dieux que vous sacrifiez...
                                                    Ibid.

4080   Et moi, qui l'amenai triomphante, adorée,
        Je m'en retournerai seule et désespérée!
        Je verrai les chemins encor tout parfumés
        Des fleurs dont sous ses pas on les avait semés!
                                                    Ibid.

4081   Un bienfait reproché tint toujours lieu d'offense...
                                    Ibid., acte IV, scène 6.

4082   Ma pitié semblerait un effet de ma peur.
                                    Ibid., acte IV, scène 7.

4083   Vous allez à l'autel; et moi, j'y cours, madame.
        Si de sang et de morts le ciel est affamé,
        Jamais de plus de sang ses autels n'ont fumé.
                                    Ibid., acte V, scène 2.

4084   Sous quel astre cruel avez-vous mis au jour
        Le malheureux objet d'une si tendre amour!
                                    Ibid., acte V, scène 3.

4085   Entre les deux partis Calchas s'est avancé,
        L'œil farouche, l'air sombre et le poil hérissé,
        Terrible, et plein du dieu qui l'agitait sans doute [...]
                                    Ibid., acte V, scène 6.

4086   [Dans cette pièce] la seule pensée du crime [...] est regardée
        avec autant d'horreur que le crime même; les faiblesses
        de l'amour y passent pour de vraies faiblesses; les passions
        n'y sont présentées aux yeux que pour montrer tout le
        désordre dont elles sont cause; et le vice y est peint partout
        avec des couleurs qui en font connaître et haïr la difformité.
        C'est là proprement le but que tout homme qui travaille
        pour le public doit se proposer...   *Phèdre, Préface.*

Cet heureux temps n'est plus. Tout a changé de face   4087
Depuis que sur ces bords les dieux ont envoyé
La fille de Minos et de Pasiphaé.
Ibid., acte I, scène 1.

Si je la haïssais, je ne la fuirais pas.   4088
Ibid.

[...]   4089
Heureux si j'avais pu ravir à la mémoire
Cette indigne moitié d'une si belle histoire!
Ibid.

Il n'en faut point douter : vous aimez, vous brûlez.   4090
Vous périssez d'un mal que vous dissimulez.
Ibid.

Je ne me soutiens plus; ma force m'abandonne :   4091
Mes yeux sont éblouis du jour que je revoi;
Et mes genoux tremblants se dérobent sous moi.
Ibid., acte I, scène 3.

Tout m'afflige et me nuit, et conspire à me nuire.   4092
Ibid.

Soleil, je te viens voir pour la dernière fois!   4093
Ibid.

Dieux! que ne suis-je assise à l'ombre des forêts!   4094
Quand pourrai-je, au travers d'une noble poussière,
Suivre de l'œil un char fuyant dans la carrière?
Ibid.

Grâces au ciel, mes mains ne sont point criminelles.   4095
Plût aux dieux que mon cœur fût innocent comme elles!
Ibid.

Quand tu sauras mon crime et le sort qui m'accable,   4096
Je n'en mourrai pas moins; j'en mourrai plus coupable.
Ibid.

Ariane, ma sœur, de quel amour blessée   4097
Vous mourûtes aux bords où vous fûtes laissée!
Ibid.

ŒNONE   4098

Hippolyte? Grands dieux!

PHÈDRE

C'est toi qui l'as nommé!
Ibid.

Je le vis, je rougis, je pâlis à sa vue;   4099
Un trouble s'éleva dans mon âme éperdue;
Mes yeux ne voyaient plus, je ne pouvais parler;
Je sentis tout mon corps et transir et brûler [...]
Ibid.

4100   J'offrais tout à ce dieu que je n'osais nommer.
                                                                    Ibid.

4101   Ce n'est plus une ardeur dans mes veines cachée :
              C'est Vénus tout entière à sa proie attachée.
                                                                    Ibid.

4102   Le nom d'amant peut-être offense son courage;
              Mais il en a les yeux, s'il n'en a le langage.
                                                    Ibid., acte II, scène 1.

4103   J'aime, je l'avouerai, cet orgueil généreux
              Qui jamais n'a fléchi sous le joug amoureux.
                                                                    Ibid.

4104   Quelles sauvages mœurs, quelle haine endurcie
              Pourrait, en vous voyant, n'être point adoucie?
                                                    Ibid., acte II, scène 2.

4105   Contre vous, contre moi, vainement je m'éprouve :
              Présente, je vous fuis; absente, je vous trouve;
              Dans le fond des forêts votre image me suit...
                                                                    Ibid.

4106   La lumière du jour, les ombres de la nuit,
              Tout retrace à mes yeux les charmes que j'évite...
                                                                    Ibid.

4107   Maintenant je me cherche, et ne me trouve plus;
              Mon arc, mes javelots, mon char, tout m'importune...
                                                                    Ibid.

4108   Le voici : vers mon cœur tout mon sang se retire.
              J'oublie, en le voyant, ce que je viens lui dire.
                                                    Ibid., acte II, scène 5.

4109   On ne voit point deux fois le rivage des morts...
              [...]
              Et l'avare Achéron ne lâche point sa proie.
                                                                    Ibid.

4110   Oui, prince, je languis, je brûle pour Thésée :
              Je l'aime, non point tel que l'ont vu les enfers,
              Volage adorateur de mille objets divers,
              . . . .
              Mais fidèle, mais fier, et même un peu farouche,
              Charmant, jeune, traînant tous les cœurs après soi,
              Tel qu'on dépeint nos dieux, ou tel que je vous voi.
              Il avait votre port, vos yeux, votre langage;
              Cette noble pudeur colorait son visage [...]
                                                                    Ibid.

4111   Objet infortuné des vengeances célestes,
              Je m'abhorre encor plus que tu ne me détestes.
                                                                    Ibid.

4112   J'ai langui, j'ai séché dans les feux, dans les larmes :
              Il suffit de tes yeux pour t'en persuader,
              Si tes yeux un moment pouvaient me regarder.
                                                                    Ibid.

Nourri dans les forêts, il en a la rudesse. 4113
Ibid., acte III, scène 1.

Enfin, tous tes conseils ne sont plus de saison! 4114
Sers ma fureur, Œnone, et non point ma raison.
Ibid.

Je mourais ce matin digne d'être pleurée; 4115
J'ai suivi tes conseils, je meurs déshonorée.
Ibid., acte III, scène 3.

[...] Je sais mes perfidies, 4116
Œnone, et ne suis point de ces femmes hardies
Qui, goûtant dans le crime une tranquille paix,
Ont su se faire un front qui ne rougit jamais.
Ibid.

Est-ce un malheur si grand que de cesser de vivre? 4117
La mort aux malheureux ne cause point d'effroi :
Je ne crains que le nom que je laisse après moi.
Ibid.

Un père, en punissant, madame, est toujours père... 4118
Ibid.

Assez dans les forêts mon oisive jeunesse 4119
Sur de vils ennemis a montré son adresse :
Ne pourrai-je, en fuyant un indigne repos,
D'un sang plus glorieux teindre mes javelots?
Ibid., acte III, scène 5.

Que vois-je? Quelle horreur dans ces lieux répandue 4120
Fait fuir devant mes yeux ma famille éperdue?
[...]
Je n'ai pour tout accueil que des frémissements;
Tout fuit, tout se refuse à mes embrassements.
Ibid.

Je ne sais où je vais, je ne sais où je suis. 4121
Ibid., acte IV, scène 1.

Ses froids embrassements ont glacé ma tendresse. 4122
Ibid.

Tant de coups imprévus m'accablent à la fois, 4123
Qu'ils m'ôtent la parole et m'étouffent la voix.
Ibid., acte IV, scène 2.

Quelques crimes toujours précèdent les grands crimes; 4124
Quiconque a pu franchir les bornes légitimes
Peut violer enfin les droits les plus sacrés :
Ainsi que la vertu, le crime a ses degrés;
Et jamais on n'a vu la timide innocence
Passer subitement à l'extrême licence.
Ibid.

J'ai poussé la vertu jusques à la rudesse : 4125
On sait de mes chagrins l'inflexible rigueur.
Le jour n'est pas plus pur que le fond de mon cœur.
Ibid.

4126   Toujours les scélérats ont recours au parjure.
                 Ibid.

4127 Chargé du crime affreux dont vous me soupçonnez,
    Quels amis me plaindront, quand vous m'abandonnez?
                 Ibid.

4128 Justes dieux, qui voyez la douleur qui m'accable,
    Ai-je pu mettre au jour un enfant si coupable!
           Ibid., acte IV, scène 3.

4129 Ils suivaient sans remords leur penchant amoureux;
    Tous les jours se levaient clairs et sereins pour eux!
    Et moi, triste rebut de la nature entière,
    Je me cachais au jour, je fuyais la lumière...
           Ibid., acte IV, scène 6.

4130   ŒNONE
    Ils ne se verront plus.

        PHÈDRE
        Ils s'aimeront toujours!
                 Ibid.

4131 Vous aimez. On ne peut vaincre sa destinée...
                 Ibid.

4132 La faiblesse aux humains n'est que trop naturelle :
    Mortelle, subissez le sort d'une mortelle.
                 Ibid.

4133 Et puisse ton supplice à jamais effrayer
    Tous ceux qui, comme toi, par de lâches adresses,
    Des princes malheureux nourrissent les faiblesses,
    Les poussent au penchant où leur cœur est enclin,
    Et leur osent du crime aplanir le chemin!
    Détestables flatteurs, présent le plus funeste
    Que puisse faire aux rois la colère céleste!
                 Ibid.

4134 Arrachez-vous d'un lieu funeste et profané
    Où la vertu respire un air empoisonné.
           Ibid., acte V, scène 1.

4135 L'hymen n'est point toujours entouré de flambeaux.
                 Ibid.

4136 Discernez-vous si mal le crime et l'innocence?
    Faut-il qu'à vos yeux seuls un nuage odieux
    Dérobe sa vertu qui brille à tous les yeux!
           Ibid., acte V, scène 3.

4137 Quelle plaintive voix crie au fond de mon cœur?
    Une pitié secrète et m'afflige et m'étonne.
           Ibid., acte V, scène 4.

Ses superbes coursiers, qu'on voyait autrefois   4138
Pleins d'une ardeur si noble obéir à sa voix,
L'œil morne maintenant, et la tête baissée,
Semblaient se conformer à sa triste pensée.
                        Ibid., acte V, scène 6.

Le flot qui l'apporta recule épouvanté.   4139
                                        Ibid.

Confus, persécuté d'un mortel souvenir,   4140
De l'univers entier, je voudrais me bannir.
Tout semble s'élever contre mon injustice;
L'éclat de mon nom même augmente mon supplice :
Moins connu des mortels, je me cacherais mieux.
Je hais jusques aux soins dont m'honorent les dieux [...]
                        Ibid., acte V, scène 7.

Et la mort, à mes yeux dérobant la clarté,   4141
Rend au jour qu'ils souillaient toute sa pureté.
                                        Ibid.

Et c'est là que, fuyant l'orgueil du diadème,   4142
Lasse de vains honneurs, et me cherchant moi-même,
Aux pieds de l'Éternel je viens m'humilier,
Et goûter le plaisir de me faire oublier.
                        Esther, acte I, scène 1.

O rives du Jourdain! ô champs aimés des cieux!   4143
        Sacrés monts, fertiles vallées.
                        Ibid., acte I, scène 2.

Quoi! lorsque vous voyez périr votre patrie,   4144
Pour quelque chose, Esther, vous comptez votre vie!
                        Ibid., acte I, scène 3.

Au seul son de sa voix la mer fuit, le ciel tremble;   4145
Il voit comme un néant tout l'univers ensemble;
Et les faibles mortels, vains jouets du trépas,
Sont tous devant ses yeux comme s'ils n'étaient pas.
                                        Ibid.

Tout Israël périt. Pleurez, mes tristes yeux...   4146
                        Ibid., acte I, scène 5.

        Ma vie à peine a commencé d'éclore :   4147
            Je tomberai comme une fleur
                Qui n'a vu qu'une aurore.
                                        Ibid.

Mais quel trouble vous-même aujourd'hui vous agite?   4148
Votre âme en m'écoutant paraît tout interdite;
                        Ibid., acte II, scène 1.

Haï, craint, envié, souvent plus misérable   4149
Que tous les malheureux que mon pouvoir accable!
                                        Ibid.

Sur quel roseau fragile a-t-il mis son appui?   4150
                                        Ibid.

4151   Un je ne sais quel trouble empoisonne ma joie.
                                        Ibid., acte II, scène 1.

4152   De soins tumulteux un prince environné
            Vers de nouveaux objets est sans cesse entraîné;
            L'avenir l'inquiète, et le présent le frappe;
            Mais, plus prompt que l'éclair, le passé nous échappe.
                                        Ibid., acte II, scène 3.

4153   Je ne trouve qu'en vous je ne sais quelle grâce
                Qui me charme toujours et jamais ne me lasse.
                                        Ibid., acte II, scène 7.

4154   Du chagrin le plus noir elle écarte les ombres,
            Et fait des jours sereins de mes jours les plus sombres...
                                        Ibid.

4155   Quiconque ne sait pas dévorer un affront,
            Ni de fausses couleurs se déguiser le front,
            Loin de l'aspect des rois qu'il s'écarte, qu'il fuie!
            Il est des contre-temps qu'il faut qu'un sage essuie [...]
                                        Ibid., acte III, scène 1.

4156   Les malheurs sont souvent enchaînés l'un à l'autre...
                                        Ibid.

4157   Oui, vos moindres discours ont des grâces secrètes;
            Une noble pudeur à tout ce que vous faites
            Donne un prix que n'ont point ni la pourpre ni l'or.
                                        Ibid., acte III, scène 4.

4158   Je n'ai fait que passer, il n'était déjà plus.
                                        Ibid., acte III, scène 9.

4159   Oui, je viens dans son temple adorer l'Éternel...
                                        Athalie, acte I, scène 1.

4160   Pensez-vous être saint et juste impunément?
                                        Ibid.

4161   La foi qui n'agit point, est-ce une foi sincère?
                                        Ibid.

4162   Et quel temps fut jamais si fertile en miracles?
                                        Ibid.

4163   Le ciel même peut-il réparer les ruines
            De cet arbre séché jusque dans ses racines!
                                        Ibid.

4164   Même, de mon amour craignant la violence,
            Autant que je le puis j'évite sa présence...
                                        Ibid., acte I, scène 2.

4165   Je le pris tout sanglant. En baignant son visage
            Mes pleurs du sentiment lui rendirent l'usage;
            Et, soit frayeur encore, ou pour me caresser,
            De ses bras innocents je me sentis presser.
                                        Ibid.

[...] Cet esprit d'imprudence et d'erreur,   4166
De la chute des rois funeste avant-coureur!
                                                  Ibid.

Tout l'univers est plein de sa magnificence :   4167
Qu'on adore ce Dieu, qu'on l'invoque à jamais!
Son empire a des temps précédé la naissance...
                                      Ibid., acte I, scène 4.

    L'esclave craint le tyran qui l'outrage;   4168
    Mais des enfants l'amour est le partage.
                                      Ibid., acte I, scène 4.

Un songe (me devrais-je inquiéter d'un songe?)   4169
Entretient dans mon cœur un chagrin qui le ronge :
Je l'évite partout, partout il me poursuit.
C'était pendant l'horreur d'une profonde nuit;
Ma mère Jézabel devant moi s'est montrée,
Comme au jour de sa mort pompeusement parée.
Ses malheurs n'avaient point abattu sa fierté;
Même elle avait encor cet éclat emprunté
Dont elle eut soin de peindre et d'orner son visage,
Pour réparer des ans l'irréparable outrage [...]
                                      Ibid., acte II, scène 5.

Mais je n'ai plus trouvé qu'un horrible mélange   4170
D'os et de chairs meurtris, et traînés dans la fange,
Des lambeaux pleins de sang, et des membres affreux
Que des chiens dévorants se disputaient entre eux.
                                                  Ibid.

Que ne peut la frayeur sur l'esprit des mortels!   4171
                                                  Ibid.

Le ciel est juste et sage, et ne fait rien en vain.   4172
                                                  Ibid.

Est-ce aux rois à garder cette lente justice?   4173
Leur sûreté souvent dépend d'un prompt supplice.
N'allons point les gêner d'un soin embarrassant :
Dès qu'on leur est suspect, on n'est plus innocent.
                                                  Ibid.

    Cet âge est innocent : son ingénuité   4174
    N'altère point encor la simple vérité.
                                      Ibid., acte II, scène 7.

Aux petits des oiseaux il donne leur pâture,   4175
Et sa bonté s'étend sur toute la nature.
                                      Ibid., acte II, scène 7.

Le bonheur des méchants comme un torrent s'écoule.   4176
                                                  Ibid.

Mais nous nous reverrons. Adieu! Je sors contente :   4177
J'ai voulu voir, j'ai vu.
                                                  Ibid.

4178   Elle flotte, elle hésite; en un mot, elle est femme.
         [...]
         Ces mots ont fait monter la rougeur sur son front.
         Jamais mensonge heureux n'eût un effet si prompt.
         « Est-ce à moi de languir dans cette incertitude?
                              Ibid., acte III, scène 3.

4179   J'approchai par degrés de l'oreille des rois,
         Et bientôt en oracle, on érigea ma voix.
         J'étudiai leur cœur, je flattai leurs caprices;
         Je leur semai de fleurs les bords des précipices;
         Près de leurs passions rien ne me fut sacré [...]
                                                  Ibid.

4180   Mais d'où vient que mon cœur frémit d'un saint effroi?
         Est-ce l'esprit divin qui s'empare de moi?
         C'est lui-même! il m'échauffe, il parle : mes yeux s'ouvrent.
         Et les siècles obscurs devant moi se découvrent.
                              Ibid., acte III, scène 7.

4181   Comment en un plomb vil l'or pur s'est-il changé?
                                                  Ibid.

4182   De cette fleur si tendre et sitôt moissonnée...
                              Ibid., acte IV, scène 3.

4183   Bientôt ils vous diront que les plus saintes lois,
         Maîtresses du vil peuple, obéissent aux rois;
         Qu'un roi n'a d'autre frein que sa volonté même;
         Qu'il doit immoler tout à sa grandeur suprême;
         Qu'aux larmes, au travail le peuple est condamné
         Et d'un sceptre de fer veut être gouverné;
         Que, s'il n'est opprimé, tôt ou tard il opprime :
         Ainsi de piège en piège, et d'abîme en abîme,
         Corrompant de vos mœurs l'aimable pureté,
         Ils vous feront enfin haïr la vérité [...]
                                                  Ibid.

4184   [...] N'oubliez jamais
         Que les rois dans le ciel ont un juge sévère,
         L'innocence un vengeur, et l'orphelin un père.
                              Ibid., acte V, scène 8.

4185   Que sert à mon esprit de percer les abîmes
                  Des mystères les plus sublimes,
                  Et de lire dans l'avenir?
               Sans amour, ma science est vaine,
               Comme le songe dont à peine
                  Il reste un léger souvenir.
         Cantiques, Cantique Iᵉʳ, A la louange de la charité.

4186   Qu'est-ce que les romans et les comédies peuvent avoir de
         commun avec le jansénisme? Pourquoi voulez-vous que
         ces ouvrages d'esprit soient une occupation peu honorable
         devant les hommes et horrible devant Dieu? [...] Hé! mon-
         sieur, contentez-vous de donner les rangs dans l'autre monde,
         ne réglez point les récompenses de celui-ci. Vous l'avez
         quitté il y a longtemps.
                 Lettre à l'auteur des Hérésies imaginaires et des Deux
                                        Visionnaires (1666).

Il pourrait se faire qu'en voulant me dire des injures vous en   4187
disiez au meilleur de vos amis.
            Seconde lettre à l'auteur des Hérésies imaginaires.

De me demander, comme vous faites, si je crois la comédie   4188
une chose sainte... je dirai que non; mais je vous dirai en
même temps qu'il y a des choses qui ne sont pas saintes, et
qui pourtant sont innocentes [...] Dieu lui-même a raillé.
Et vous semble-t-il que les lettres Provinciales soient autre
chose que des comédies?
Lettre aux deux apologistes de l'auteur des Hérésies imaginaires.

Pierre Corneille fit voir sur la scène la raison, mais la raison   4189
accompagnée de toute la pompe, de tous les ornements dont
notre langue est capable [...]
*Discours prononcé à l'Académie française, le 2 janvier 1685,
            pour la réception de Thomas Corneille.*

La postérité, qui se plaît, qui s'instruit dans les ouvrages   4190
qu'ils lui ont laissés, ne fait point de difficulté de les égaler
à tout ce qu'il y a de plus considérable parmi les hommes,
et fait marcher de pair l'excellent poète et le grand capitaine.
Le même siècle qui se glorifie aujourd'hui d'avoir produit
Auguste ne se glorifie guère moins d'avoir produit Horace et
Virgile.   *Ibid.*

Croyez-moi, quand vous saurez parler de comédies et de   4191
romans, vous n'en serez guère plus avancé pour le monde,
et ce ne sera point par cet endroit-là que vous serez le plus
estimé.   *Lettre à son fils.*

Je ne saurai trop vous recommander de ne point vous laisser   4192
aller à la tentation de faire des vers français qui ne serviraient
qu'à vous dissiper l'esprit.
            Lettre à Jean-Baptiste Racine, 3 juin 1693.

HORTENSE MANCINI
1640-1699

Les choses, que la passion fait faire, paraissent ridicules à   4193
ceux qui n'en ont jamais senti.   *Mémoires.*

Se plaignant de ce que nous n'entendions pas la messe tous   4194
les jours, [le Cardinal Mazarin] nous reprocha que nous
n'avions ni piété ni honneur. « Au moins, disait-il, si vous
ne l'entendez pas pour Dieu, entendez-la pour le monde. »
                                                      Ibid.

Un jour entre autres, que nous n'avions pas de meilleur passe-   4195
temps, nous jetâmes plus de trois cents louis par les fenêtres
du palais Mazarin, pour avoir le plaisir de faire battre un
peuple de valets qui était dans la cour.   *Ibid.*

A la première nouvelle que nous en eûmes [la mort de   4196
Mazarin], mon frère et ma sœur, pour tout regret, se dirent

l'un à l'autre, « Dieu merci, il est crevé ». A dire vrai, je
n'en fus guère plus affligée; et c'est une chose remarquable,
qu'un homme de ce mérite, après avoir travaillé toute sa
vie pour élever et enrichir sa famille, n'en ait reçu que des
marques d'aversion, même après sa mort. [...] Jamais
personne n'eut les manières si douces en public, et si rudes
dans le domestique.   *Ibid.*

4197   Il est vrai que je ne songeais pas seulement que l'argent pût
jamais me manquer : mais l'expérience m'a appris que c'est la
première chose qui manque; surtout aux gens, qui, pour en
avoir toujours eu de reste, n'en ont jamais connu l'importance, et la nécessité de le ménager.   *Ibid.*

4198   Il n'est rien d'impossible à un dévôt de profession : plutôt
qu'il ait tort, il faut que les plus honnêtes gens de la terre
soient les plus abominables de tous les hommes.   *Ibid.*

BERNARD DE LA MONNOYE
1641-1728

4199   J'ai toujours trop froid ou trop chaud,
                Si je choisis je prends le pire;
                J'ai moins de santé qu'il ne faut,
                D'enfants plus que je n'en désire.
                          État de la vie de l'auteur en 1690.

4200   Ce qu'on est le vouloir bien être,
                Ne chercher, ne craindre la mort :
                Voilà jusques où va peut-être
                Tout le bonheur de notre sort.
                              Le bonheur de la vie.

4201   « Quel malheur, dit-il, est le mien!
            Mon cheval justement, hélas! cesse de vivre,
            Dans le temps qu'il sait l'art de ne manger plus rien. »
                              Le bon ménager, conte.

4202   De méchant médecin, Clitandre
                Est devenu bon spadassin;
                Et soldat il fait dans la Flandre
                Ce qu'en France il fit médecin.
                      Épigrammes, d'un médecin devenu soldat.

4203   Laissons en paix monsieur Ménage;
                C'était un trop bon personnage
                Pour n'être pas de ses amis.
                Souffrez qu'à son tour il repose,
                Lui, de qui les vers et la prose
                Nous ont si souvent endormis.
                              Ibid., sur Ménage.

Savoir instruire et plaire   4204
N'est pas une petite affaire.
Un auteur est assez heureux
Quand il sait faire l'un des deux.
                              Inscriptions pour des livres.

ANTOINE BAUDERON DE SÉNÉCÉ
1643-1737

Menacé d'un écrit fatal à son empire,   4205
L'amour depuis dix ans a le cœur affligé :
Elle paraît enfin, cette froide satire;
Amours, consolez-vous, le beau sexe est vengé.
Épigrammes, sur la « Satire contre les femmes » de Boileau.

De son insigne habileté   4206
Je ne puis que je ne me loue :
Pendant qu'il rase d'un côté,
La barbe croît sur l'autre joue.
                              Ibid., Le garçon barbier.

ABBÉ DE CHOISY
1644-1724

[Je] crois que l'histoire est la meilleure et la plus sûre manière   4207
d'apprendre aux princes de la terre des vérités quelquefois
dures, qu'on n'oserait leur dire autrement.
Mémoires pour servir à l'histoire de Louis XIV, livre 1er.

La seule vertu distingue les hommes dès qu'ils sont morts.   4208
                                                    Ibid.

[Le Roi] dit au marquis d'Huxelles, qui était tout honteux   4209
d'avoir rendu Mayence après plus de cinquante jours de
tranchée ouverte : « Marquis, vous avez défendu la place
en homme de cœur, et vous avez capitulé en homme d'esprit. »
                                                    Ibid.

[Le Roi] avait remarqué que Cavoye et Racine se promenaient   4210
toujours ensemble. Il les voyait un jour passer sur la terrasse :
« Cavoye, dit-il à ceux qui étaient alors auprès de lui, croit
devenir bel esprit, et Racine se croira bientôt un fin courtisan. »   *Ibid.*

Les vrais gascons deviennent plus grands à proportion qu'ils   4211
trouvent des gens plus gascons qu'eux.   *Ibid., livre 8.*

Jamais la France n'a vu une princesse plus aimable qu'Hen-   4212
riette d'Angleterre, que Monsieur épousa : elle avait les yeux
noirs, vifs, et pleins du feu contagieux que les hommes

ne sauraient fixement observer sans en ressentir l'effet;
ses yeux paraissaient eux-mêmes atteints du désir de ceux
qui les regardaient.   *Ibid.*

4213   Le propre de Dieu est d'être aimé, adoré; l'homme, autant
        que sa faiblesse le permet, ambitionne la même chose;
        or, comme c'est la beauté qui fait naître l'amour, et qu'elle
        est ordinairement le partage des femmes, quand il arrive
        que des hommes ont ou croient avoir quelques traits de
        beauté qui peuvent les faire aimer, ils tâchent de les augmenter
        par les ajustements des femmes, qui sont fort avantageux.
        Ils sentent alors le plaisir inexprimable d'être aimé.
            Mémoires de l'abbé de Choisy habillé en femme, chap. 1.

4214   Quoique je l'aimasse beaucoup, je m'aimais encore davan-
        tage, et ne songeais qu'à plaire au genre humain.   *Ibid.*

4215   Une passion chasse l'autre, et celle du jeu est la première
        de toutes : l'amour et l'ambition s'émoussent en vieillissant,
        le jeu reverdit quand tout le reste se passe.   *Ibid., chap. 3.*

4216   Les hommes, quand ils croient être beaux, sont une fois plus
        entêtés de leur beauté que les femmes.   *Ibid., chap. 4.*

4217   La rage du jeu m'a possédé et a troublé ma vie. Heureux
        si j'avais toujours fait la belle, quand même j'eusse été laide!
        Le ridicule est préférable à la pauvreté.   *Ibid.*

CHARLES-AUGUSTE, marquis de LA FARE
1644-1712

4218   Pour avoir secoué le joug de quelque vice,
            Qu'avec peu de raison l'homme s'enorgueillit!
            Il vit frugalement; mais c'est par avarice :
            S'il fuit les voluptés, hélas! c'est qu'il vieillit.
            [...]
            Je sais, sans me flatter d'une vaine apparence,
            Que c'est à mes défauts que je dois mes vertus.
                    Ode sur la Paresse, à l'abbé de Chaulieu.

4219   L'ardeur des vains désirs n'est jamais satisfaite,
            Leur vol rapide et prompt ne se peut arrêter :
            Celui qui dans son sein porte une âme inquiète
            Au milieu des plaisirs ne saurait les goûter.
                                                        Ibid.

4220   Ah! si ce peuple important,
                Qui semble avoir peur de rire,
                Méritait moins la satire,
                Il ne la craindrait pas tant.
                                                        Ibid.

Nous ne savons plus nous connaître,
Nous contenir encore moins.
Heureux, nous faisons par nos soins,
Tout ce qu'il faut pour ne pas l'être.

Ode.

4221

Esclaves de tous nos abus,
Victimes de tous nos caprices,
Nous ne donnons plus qu'à des vices
Les noms des premières vertus.

Ibid.

4222

JEAN DE LA BRUYÈRE
1645-1696

Je rends au public ce qu'il m'a prêté; j'ai emprunté de lui la matière de cet ouvrage : il est juste que, l'ayant achevé avec toute l'attention pour la vérité dont je suis capable, et qu'il mérite de moi, je lui en fasse la restitution.

Les Caractères, Préface.

4223

[...] Comme les hommes ne se dégoûtent point du vice, il ne faut pas aussi se lasser de leur reprocher... *Ibid.*

4224

On ne doit parler, on ne doit écrire que pour l'instruction; et s'il arrive que l'on plaise, il ne faut pas néanmoins s'en repentir, si cela sert à insinuer et à faire recevoir les vérités qui doivent instruire. *Ibid.*

4225

Tout est dit, et l'on vient trop tard depuis plus de sept mille ans qu'il y a des hommes et qui pensent.

Ibid., Des ouvrages de l'esprit, 1.

4226

C'est un métier que de faire un livre, comme de faire une pendule : il faut plus que de l'esprit pour être auteur.

Ibid., 3

4227

Il n'est pas si aisé de se faire un nom par un ouvrage parfait, que d'en faire valoir un médiocre par le nom qu'on s'est déjà acquis. *Ibid., 4.*

4228

Il y a beaucoup plus de vivacité que de goût parmi les hommes; ou pour mieux dire, il y a peu d'hommes dont l'esprit soit accompagné d'un goût sûr et d'une critique judicieuse. *Ibid., 11.*

4229

Amas d'épithètes, mauvaises louanges : ce sont les faits qui louent, et la manière de les raconter. *Ibid., 13.*

4230

[...] Semblable à ces enfants drus et forts d'un bon lait qu'ils ont sucé, qui battent leur nourrice. *Ibid., 15.*

4231

Ne vouloir être ni conseillé ni corrigé sur son ouvrage est un pédantisme. *Ibid., 16.*

4232

4233   Entre toutes les différentes expressions qui peuvent rendre
       une seule de nos pensées, il n'y en a qu'une qui soit la bonne.
       On ne la rencontre pas toujours en parlant ou en écrivant;
       il est vrai néanmoins qu'elle existe, que tout ce qui ne l'est
       point est faible, et ne satisfait point un homme d'esprit qui
       veut se faire entendre.   *Ibid., 17.*

4234   Un esprit médiocre croit écrire divinement; un bon esprit
       croit écrire raisonnablement.   *Ibid., 18.*

4235   Le plaisir de la critique nous ôte celui d'être vivement touchés
       de très belles choses.   *Ibid., 20.*

4236   Quand une lecture vous élève l'esprit, et qu'elle vous inspire
       des sentiments nobles et courageux, ne cherchez pas une autre
       règle pour juger l'ouvrage; il est bon, et fait de main d'ouvrier.
                                                           Ibid., 31.

4237   Un auteur cherche vainement à se faire admirer par son
       ouvrage. Les sots admirent quelquefois, mais ce sont des
       sots. Les personnes d'esprit ont en eux les semences de toutes
       les vérités et de tous les sentiments, rien ne leur est nouveau;
       ils admirent peu, ils approuvent.   *Ibid., 36.*

4238   Il n'a manqué à Molière que d'éviter le jargon et le barba-
       risme, et d'écrire purement : quel feu, quelle naïveté, quelle
       source de la bonne plaisanterie, quelle imitation des mœurs,
       quelles images, et quel fléau du ridicule!   *Ibid., 38.*

4239   [...] C'est ignorer le goût du peuple que de ne pas hasarder
       quelquefois de grandes fadaises.   *Ibid., 46.*

4240   D'où vient que l'on rit si librement au théâtre, et que l'on a
       honte d'y pleurer? Est-il moins dans la nature de s'attendrir
       sur le pitoyable que d'éclater sur le ridicule?   *Ibid., 50.*

4241   Corneille nous assujettit à ses caractères et à ses idées, Racine
       se conforme aux nôtres; celui-là peint les hommes comme
       ils devraient être, celui-ci les peint tels qu'ils sont.
                                                           Ibid., 54.

4242   Il semble que la logique est l'art de convaincre de quelque
       vérité, et l'éloquence un don de l'âme, lequel nous rend
       maîtres du cœur et de l'esprit des autres, qui fait que nous
       leur inspirons ou que nous leur persuadons tout ce qui nous
       plaît.   *Ibid., 55.*

4243   L'éloquence est au sublime ce que le tout est à sa partie.
                                                           Ibid., 55.

4244   Les esprits justes, et qui aiment à faire des images qui soient
       précises, donnent naturellement dans la comparaison et la
       métaphore.   *Ibid., 55.*

4245   L'on n'écrit que pour être entendu; mais il faut du moins en
       écrivant faire entendre de belles choses.   *Ibid., 57.*

Si l'on jette quelque profondeur dans certains écrits, si   4246
l'on affecte une finesse de tour, et quelquefois une trop
grande délicatesse, ce n'est que par la bonne opinion qu'on
a de ses lecteurs.   *Ibid.*, 57.

La gloire ou le mérite de certains hommes est de bien écrire;   4247
et de quelques autres, c'est de n'écrire point.   *Ibid.*, 59.

La critique souvent n'est pas une science; c'est un métier,   4248
où il faut plus de santé que d'esprit, plus de travail que de
capacité, plus d'habitude que de génie.   *Ibid.*, 63.

Un homme né chrétien et Français se trouve contraint dans   4249
la satire; les grands sujets lui sont défendus : il les entame
quelquefois, et se détourne ensuite sur de petites choses,
qu'il relève par la beauté de son génie et de son style.
                                                     Ibid., 65.

Celui qui n'a égard en écrivant qu'au goût de son siècle   4250
songe plus à sa personne qu'à ses écrits : il faut toujours
tendre à la perfection, et alors cette justice qui nous est
quelquefois refusée par nos contemporains, la postérité
sait nous la rendre.   *Ibid.*, 67.

De bien des gens il n'y a que le nom qui vale quelque chose.   4251
Quand vous les voyez de fort près, c'est moins que rien;
de loin ils imposent.   *Ibid., Du mérite personnel, 2.*

Combien d'hommes admirables, et qui avaient de très beaux   4252
génies, sont morts sans qu'on en ait parlé! Combien vivent
encore dont on ne parle point, et dont on ne parlera jamais!
                                                     Ibid., 3.

Personne presque ne s'avise de lui-même du mérite d'un   4253
autre.   *Ibid.*, 5.

Il est moins rare de trouver de l'esprit que des gens qui se   4254
servent du leur, ou qui fassent valoir celui des autres et le
mettent à quelque usage.   *Ibid.*, 7.

Il y a plus d'outils que d'ouvriers, et de ces derniers plus de 4255
mauvais que d'excellents; que pensez-vous de celui qui veut
scier avec un rabot, et qui prend sa scie pour raboter?
                                                     Ibid., 8.

Il n'y a point au monde un si pénible métier que celui de se   4256
faire un grand nom : la vie s'achève que l'on a à peine ébauché
son ouvrage.   *Ibid.*, 9.

Nous devons travailler à nous rendre très dignes de quelque   4257
emploi : le reste ne nous regarde point, c'est l'affaire des
autres.   *Ibid.*, 10.

Il faut en France beaucoup de fermeté et une grande étendue   4258
d'esprit pour se passer des charges et des emplois, et consentir
ainsi à demeurer chez soi, et à ne rien faire.   *Ibid.*, 12.

4259   Si j'osais faire une comparaison entre deux conditions tout
        à fait inégales, je dirais qu'un homme de cœur pense à
        remplir ses devoirs à peu près comme le couvreur songe
        à couvrir : ni l'un ni l'autre ne cherchent à exposer leur vie,
        ni ne sont détournés par le péril; la mort pour eux est un
        inconvénient dans le métier, et jamais un obstacle.
                                                        Ibid., 16.

4260   La modestie est au mérite ce que les ombres sont aux figures
        dans un tableau : elle lui donne de la force et du relief.
                                                        Ibid., 17.

4261   Votre fils est bègue : ne le faites pas monter sur la tribune.
        Votre fille est née pour le monde : ne l'enfermez pas parmi
        les vestales.   *Ibid., 18.*

4262   Il ne faut regarder dans ses amis que la seule vertu qui
        nous attache à eux, sans aucun examen de leur bonne ou
        de leur mauvaise fortune.   *Ibid., 19.*

4263   S'il est ordinaire d'être vivement touché des choses rares,
        pourquoi le sommes-nous si peu de la vertu?   *Ibid., 20.*

4264   S'il est heureux d'avoir de la naissance, il ne l'est pas moins
        d'être tel qu'on ne s'informe plus si vous en avez.
                                                        Ibid., 21.

4265   Un homme libre, et qui n'a point de femme, s'il a quelque
        esprit, peut s'élever au-dessus de sa fortune, se mêler dans
        le monde, et aller de pair avec les plus honnêtes gens. Cela
        est moins facile à celui qui est engagé : il semble que le
        mariage met tout le monde dans son ordre.   *Ibid., 25.*

4266   Il semble que le héros est d'un seul métier, qui est celui de la
        guerre, et que le grand homme est de tous les métiers, ou de
        la robe, ou de l'épée, ou du cabinet, ou de la cour : l'un et
        l'autre mis ensemble ne pèsent pas un homme de bien.
                                                        Ibid., 30.

4267   Un homme d'esprit et d'un caractère simple et droit peut
        tomber dans quelque piège : il ne pense pas que personne
        veuille lui en dresser, et le choisir pour être sa dupe.
                                                        Ibid., 36.

4268   Il n'y a rien de si délié, de si simple et de si imperceptible,
        où il n'entre des manières qui nous décèlent. Un sot ni
        n'entre, ni ne sort, ni ne s'assied, ni ne se lève, ni ne se tait,
        ni n'est sur ses jambes, comme un homme d'esprit.
                                                        Ibid., 37.

4269   Chassez un chien du fauteuil du Roi, il grimpe à la chaire du
        prédicateur.   *Ibid., 38.*

4270   Le motif seul fait le mérite des actions des hommes, et le
        désintéressement y met la perfection.   *Ibid., 41.*

4271   La fausse grandeur est farouche et inaccessible : comme elle
        sent son faible, elle se cache, ou du moins ne se montre pas
        de front, et ne se fait voir qu'autant qu'il faut pour imposer

et ne paraître point ce qu'elle est, je veux dire une vraie
petitesse.   *Ibid., 42.*

Le sage guérit de l'ambition par l'ambition même; il tend à   4272
de si grandes choses, qu'il ne peut se borner à ce qu'on appelle
des trésors, des postes, la fortune et la faveur.   *Ibid., 43.*

Les hommes et les femmes conviennent rarement sur le   4273
mérite d'une femme : leurs intérêts sont trop différents.
                                           Ibid., Des femmes, 1.

J'ai vu souhaiter d'être fille, et une belle fille, depuis treize ans   4274
jusques à vingt-deux, et après cet âge, de devenir un homme.
                                                    Ibid., 3.

Il faut juger des femmes depuis la chaussure jusqu'à la coiffure   4275
exclusivement, à peu près comme on mesure le poisson entre
queue et tête.   *Ibid., 5.*

Un beau visage est le plus beau de tous les spectacles;   4276
et l'harmonie la plus douce est le son de voix de celle que l'on
aime.   *Ibid., 10.*

Une belle femme qui a les qualités d'un honnête homme   4277
est ce qu'il y a au monde d'un commerce plus délicieux :
l'on trouve en elle tout le mérite des deux sexes.   *Ibid., 13.*

Les femmes s'attachent aux hommes par les faveurs qu'elles   4278
leur accordent : les hommes guérissent par ces mêmes
faveurs.   *Ibid., 16.*

Une femme oublie d'un homme qu'elle n'aime plus jusques   4279
aux faveurs qu'il a reçues d'elle.   *Ibid., 17.*

Telle femme évite d'être coquette par un ferme attachement   4280
à un seul, qui passe pour folle par son mauvais choix.
                                                    Ibid., 18.

Il y a peu de galanteries secrètes. Bien des femmes ne sont   4281
pas mieux désignées par le nom de leur maris que par celui
de leurs amants.   *Ibid., 21.*

Une femme inconstante est celle qui n'aime plus; une légère.   4282
celle qui déjà en aime un autre; une volage, celle qui ne sait
si elle aime et ce qu'elle aime; une indifférente, celle qui
n'aime rien.   *Ibid., 24,*

On tire ce bien de la perfidie des femmes, qu'elle guérit   4283
de la jalousie.   *Ibid., 25.*

Il y a des femmes déjà flétries, qui par leur complexion ou   4284
par leur mauvais caractère sont naturellement la ressource
des jeunes gens qui n'ont pas assez de bien. Je ne sais qui
est plus à plaindre...   *Ibid., 28.*

4285 Pour les femmes du monde, un jardinier est un jardinier, et un maçon est un maçon; pour quelques autres plus retirées, un maçon est un homme, un jardinier est un homme. Tout est tentation à qui la craint. *Ibid., 34.*

4286 C'est trop contre un mari d'être coquette et dévote; une femme devrait opter. *Ibid., 41.*

4287 Une femme est aisée à gouverner, pourvu que ce soit un homme qui s'en donne la peine. *Ibid., 45.*

4288 Une femme prude paye de maintien et de parole; une femme sage paye de conduite. *Ibid., 48.*

4289 Il y a telle femme qui aime mieux son argent que ses amis, et ses amants que son argent. *Ibid., 51.*

4290 Les femmes sont extrêmes : elles sont meilleures ou pires que les hommes. *Ibid., 53.*

4291 La plupart des femmes n'ont guère de principes; elles se conduisent par le cœur, et dépendent pour leurs mœurs de ceux qu'elles aiment. *Ibid., 54.*

4292 Les femmes vont plus loin en amour que la plupart des hommes; mais les hommes l'emportent sur elles en amitié. Les hommes sont cause que les femmes ne s'aiment point. *Ibid., 55.*

4293 Un homme est plus fidèle au secret d'autrui qu'au sien propre; une femme au contraire garde mieux son secret que celui d'autrui. *Ibid., 58.*

4294 Combien de filles à qui une grande beauté n'a jamais servi qu'à leur faire espérer une grande fortune! *Ibid., 61.*

4295 Un homme qui serait en peine de connaître s'il change, s'il commence à vieillir, peut consulter les yeux d'une jeune femme qu'il aborde, et le ton dont elle lui parle : il apprendra ce qu'il craint de savoir. Rude école. *Ibid., 64.*

4296 Il arrive quelquefois qu'une femme cache à un homme toute la passion qu'elle sent pour lui, pendant que de son côté il feint pour elle toute celle qu'il ne sent pas. *Ibid., 67.*

4297 Un homme peut tromper une femme par un feint attachement, pourvu qu'il n'en ait pas ailleurs un véritable. *Ibid., 69.*

4298 Un homme éclate contre une femme qui ne l'aime plus, et se console; une femme fait moins de bruit quand elle est quittée, et demeure longtemps inconsolable. *Ibid., 70.*

4299 Un mari n'a guère un rival qui ne soit de sa main, et comme un présent qu'il a autrefois fait à sa femme. *Ibid., 75.*

Il y a telle femme qui anéantit ou qui enterre son mari au point qu'il n'en est fait dans le monde aucune mention : vit-il encore? ne vit-il plus? on en doute. *Ibid., 76.* 4300

Il y a peu de femmes si parfaites, qu'elles empêchent un mari de se repentir du moins une fois le jour d'avoir une femme, ou de trouver heureux celui qui n'en a point. *Ibid., 78.* 4301

Ne pourrait-on point découvrir l'art de se faire aimer de sa femme? *Ibid., 80.* 4302

Une femme insensible est celle qui n'a pas encore vu celui qu'elle doit aimer. *Ibid., 81.* 4303

Il y a un goût dans la pure amitié où ne peuvent atteindre ceux qui sont nés médiocres. *Ibid., Du cœur, 1.* 4304

Le temps, qui fortifie les amitiés, affaiblit l'amour. *Ibid., 4.* 4305

Il est plus ordinaire de voir un amour extrême qu'une parfaite amitié. *Ibid., 6.* 4306

L'amour et l'amitié s'excluent l'un l'autre. *Ibid., 7.* 4307

L'amour commence par l'amour; et l'on ne saurait passer de la plus forte amitié qu'à un amour faible. *Ibid., 9.* 4308

L'on n'aime bien qu'une seule fois : c'est la première; les amours qui suivent sont moins involontaires. *Ibid., 11.* 4309

L'amour qui naît subitement est le plus long à guérir. *Ibid., 12.* 4310

L'amour qui croît peu à peu et par degrés ressemble trop à l'amitié pour être une passion violente. *Ibid., 13.* 4311

Les hommes souvent veulent aimer, et ne sauraient y réussir : ils cherchent leur défaite sans pouvoir la rencontrer, et, si j'ose ainsi parler, ils sont contraints de demeurer libres. *Ibid., 16.* 4312

Quelque délicat que l'on soit en amour, on pardonne plus de fautes que dans l'amitié. *Ibid., 18.* 4313

L'on confie son secret dans l'amitié; mais il échappe dans l'amour. *Ibid., 26.* 4314

L'on n'est pas plus maître de toujours aimer qu'on l'a été de ne pas aimer. *Ibid., 31.* 4315

Les amours meurent par le dégoût, et l'oubli les enterre. *Ibid., 32.* 4316

Le commencement et le déclin de l'amour se font sentir par l'embarras où l'on est de se trouver seuls. *Ibid., 33.* 4317

4318   C'est faiblesse que d'aimer; c'est souvent une autre faiblesse
que de guérir.   *Ibid., 34.*

4319   Si une laide se fait aimer, ce ne peut être qu'éperdument;
car il faut que ce soit ou par une étrange faiblesse de son
amant, ou par de plus secrets et de plus invincibles charmes
que ceux de la beauté.   *Ibid., 36.*

4320   L'on est encore longtemps à se voir par l'habitude, et à se
dire de bouche que l'on s'aime, après que les manières disent
qu'on ne s'aime plus.   *Ibid., 37.*

4321   L'on veut faire tout le bonheur, ou si cela ne se peut ainsi,
tout le malheur de ce qu'on aime.   *Ibid., 39.*

4322   Il y a du plaisir à rencontrer les yeux de celui à qui l'on vient
de donner.   *Ibid., 45.*

4323   La libéralité consiste moins à donner beaucoup qu'à donner
à propos.   *Ibid., 47.*

4324   On convie, on invite, on offre sa maison, sa table, son bien
et ses services : rien ne coûte qu'à tenir parole.
                                                 Ibid., 52.

4325   Il est doux de voir ses amis par goût et par estime; il est
pénible de les cultiver par intérêt; c'est *solliciter.*
                                                 Ibid., 57.

4326   Il faut rire avant que d'être heureux, de peur de mourir
sans avoir ri.   *Ibid., 63.*

4327   Qu'il est difficile d'être content de quelqu'un!   *Ibid., 65.*

4328   Il y a bien autant de paresse que de faiblesse à se laisser gouverner.   *Ibid., 71.*

4329   Un homme sage ni ne se laisse gouverner, ni ne cherche à
gouverner les autres : il veut que la raison gouverne seule,
et toujours.   *Ibid., 71.*

4330   Les hommes rougissent moins de leurs crimes que de leurs
faiblesses et de leur vanité. Tel est ouvertement injuste,
violent, perfide, calomniateur, qui cache son amour ou son
ambition, sans autre vue que de la cacher.   *Ibid., 74.*

4331   Les hommes commencent par l'amour, finissent par l'ambition, et ne se trouvent souvent dans une assiette plus tranquille que lorsqu'ils meurent.   *Ibid., 76.*

4332   Il n'y a guère au monde un plus bel excès que celui de la
reconnaissance.   *Ibid., 80.*

4333   Il faut être bien dénué d'esprit, si l'amour, la malignité,
la nécessité n'en font pas trouver.   *Ibid., 81.*

4334   Un caractère bien fade est celui de n'en avoir aucun.
              Ibid., De la société et de la conversation, 1.

Que dites-vous? Comment? Je n'y suis pas; vous plairait-il   4335
de recommencer? J'y suis encore moins. Je devine enfin :
vous voulez, *Acis*, me dire qu'il fait froid; que ne disiez-vous :
« Il fait froid »? [...] Ayez, si vous pouvez, un langage simple,
et tel que l'ont ceux en qui vous ne trouvez aucun esprit :
peut-être alors croira-t-on que vous en avez. » *Ibid., 7.*

Il y a des gens qui parlent un moment avant que d'avoir   4336
pensé. Il y en a d'autres qui ont une fade attention à ce
qu'ils disent, et avec qui l'on souffre dans la conversation
de tout le travail de leur esprit?   *Ibid., 15.*

L'esprit de la conversation consiste bien moins à en montrer   4337
beaucoup qu'à en faire trouver aux autres : celui qui sort
de votre entretien content de soi et de son esprit, l'est de vous
parfaitement [...]

[...] Le plaisir le plus délicat est de faire celui d'autrui.   4338
                                            Ibid., 16.

C'est une grande misère que de n'avoir pas assez d'esprit   4339
pour bien parler, ni assez de jugement pour se taire. Voilà
le principe de toute impertinence.   *Ibid., 18.*

Parler et offenser, pour de certaines gens, est précisément la   4340
même chose.   *Ibid., 27.*

La moquerie est souvent indigence d'esprit.   *Ibid., 57.*   4341

L'on ne peut aller loin dans l'amitié, si l'on n'est pas disposé   4342
à se pardonner les uns aux autres les petits défauts.
                                            Ibid., 62.

C'est la profonde ignorance qui inspire le ton dogmatique.   4343
                                            Ibid., 76.

Les plus grandes choses n'ont besoin que d'êtres dites   4344
simplement : elles se gâtent par l'emphase. Il faut dire noblement les plus petites : elles ne se soutiennent que par l'expres-
tion, le ton et la manière.   *Ibid., 77.*

Toute révélation d'un secret est la faute de celui qui l'a   4345
confié.   *Ibid., 81.*

Si le financier manque son coup, les courtisans disent de lui :   4346
« C'est un bourgeois, un homme de rien, un malotru »; s'il
réussit, ils lui demandent sa fille.
                        Ibid., Des biens de fortune, 7.

Si certains morts revenaient au monde, et s'ils voyaient   4347
leurs grands noms portés, et leurs terres les mieux titrées
avec leurs châteaux et leurs maisons antiques, possédées
par des gens dont les pères étaient peut-être leurs métayers,
quelle opinion pourraient-ils avoir de notre siècle?
                                            Ibid., 23.

Rien ne fait mieux comprendre le peu de chose que Dieu   4348
croit donner aux hommes, en leur abandonnant les richesses,

l'argent, les grands établissements et les autres biens, que la dispensation qu'il en fait, et le genre d'hommes qui en sont le mieux pourvus.   *Ibid., 24.*

4349   A force de faire de nouveaux contrats, ou de sentir son argent grossir dans ses coffres, on se croit enfin une bonne tête, et presque capable de gouverner.   *Ibid., 37.*

4350   Il faut une sorte d'esprit pour faire fortune, et surtout une grande fortune : ce n'est ni le bon ni le bel esprit, ni le grand ni le sublime, ni le fort ni le délicat; je ne sais précisément lequel c'est, et j'attends que quelqu'un veuille m'en instruire.
                                                          Ibid., 38.

4351   L'on peut s'enrichir, dans quelque art ou dans quelque commerce que ce soit, par l'ostentation d'une certaine probité.   *Ibid., 44.*

4352   Les passions tyrannisent l'homme; et l'ambition suspend en lui les autres passions, et lui donne pour un temps les apparences de toutes les vertus.   *Ibid., 50.*

4353   Il n'y a au monde que deux manières de s'élever, ou par sa propre industrie, ou par l'imbécillité des autres.
                                                          Ibid., 52.

4354   Épouser une veuve, en bon français, signifie faire sa fortune; il n'opère pas toujours ce qu'il signifie.   *Ibid., 61.*

4355   Si vous n'avez rien oublié pour votre fortune, quel travail! Si vous avez négligé la moindre chose, quel repentir!
                                                          Ibid., 82.

4356   Il fera demain ce qu'il fait aujourd'hui et ce qu'il fit hier; et il meurt ainsi après avoir vécu.   *Ibid., De la ville, 12.*

4357   *Théramène* était riche et avait du mérite; il a hérité, il est donc très riche et d'un très grand mérite.   *Ibid., 14.*

4358   La cour est comme un édifice bâti de marbre : je veux dire qu'elle est composée d'hommes fort durs, mais fort polis.
                                                    Ibid., De la Cour, 10.

4359   Les hommes veulent être esclaves quelque part, et puiser là de quoi dominer ailleurs. Il semble qu'on livre en gros aux premiers de la cour l'air de hauteur, de fierté et de commandement, afin qu'ils le distribuent en détail dans les provinces : ils font précisément comme on leur fait, vrais singes de la royauté.   *Ibid., 12.*

4360   Il n'y a rien qui enlaidisse certains courtisans comme la présence du prince : à peine les puis-je reconnaître à leurs visages; leurs traits sont altérés, et leur contenance est avilie. [...] Celui qui est honnête et modeste s'y soutient mieux : il n'a rien à réformer.   *Ibid., 13.*

4361   Il n'y a rien à la cour de si méprisable et de si indigne qu'un homme qui ne peut contribuer en rien à notre fortune : je m'étonne qu'il ose se montrer.   *Ibid., 23.*

C'est beaucoup tirer de notre ami, si, ayant monté à une grande faveur, il est encore un homme de notre connaissance. *Ibid., 25.*   4362

L'on voit des hommes tomber d'une haute fortune par les mêmes défauts qui les y avaient fait monter. *Ibid., 34.*   4363

L'on me dit tant de mal de cet homme, et j'y en vois si peu, que je commence à soupçonner qu'il n'ait un mérite importun qui éteigne celui des autres. *Ibid., 39.*   4364

Il faut des fripons à la cour auprès des grands et des ministres, même les mieux intentionnés; mais l'usage en est délicat, et il faut savoir les mettre en œuvre. *Ibid., 53.*   4365

Honneur, vertu, conscience, qualités toujours respectables, souvent inutiles : que voulez-vous quelquefois que l'on fasse d'un homme de bien? *Ibid.*   4366

Que d'amis, que de parents naissent en une nuit au nouveau ministre! *Ibid., 57.*   4367

L'esclave n'a qu'un maître; l'ambitieux en a autant qu'il y a de gens utiles à sa fortune. *Ibid., 70.*   4368

Que manque-t-il de nos jours à la jeunesse? Elle peut et elle sait; ou du moins quand elle saurait autant qu'elle peut, elle ne serait pas plus décisive. *Ibid., 77.*   4369

Il y a quelques rencontres dans la vie où la vérité et la simplicité sont le meilleur manège du monde. *Ibid., 89.*   4370

La faveur met l'homme au-dessus de ses égaux; et sa chute, au-dessous. *Ibid., 97.*   4371

Il est souvent plus utile de quitter les grands que de s'en plaindre. *Ibid., Des Grands, 9.*   4372

Le peuple n'a guère d'esprit, et les grands n'ont point d'âme : celui-là a un bon fond, et n'a point de dehors; ceux-ci n'ont que des dehors et qu'une simple superficie. Faut-il opter? Je ne balance pas : je veux être peuple. *Ibid., 25.*   4373

Il semble d'abord qu'il entre dans les plaisirs des princes un peu de celui d'incommoder les autres. *Ibid., 29.*   4374

S'il est périlleux de tremper dans une affaire suspecte, il l'est encore davantage de s'y trouver complice d'un grand : il s'en tire, et vous laisse payer doublement, pour lui et pour vous. *Ibid., 38.*   4375

L'on doit se taire sur les puissants : il y a presque toujours de la flatterie à en dire du bien; il y a du péril à en dire du mal pendant qu'ils vivent, et de la lâcheté quand ils sont morts. *Ibid., 56.*   4376

4377 Quand le peuple est en mouvement, on ne comprend pas par où le calme peut y rentrer; et quand il est paisible, on ne voit pas par où le calme peut en sortir.
Ibid., *Du Souverain ou de la République*, 6.

4378 De tout temps les hommes, pour quelque morceau de terre de plus ou du moins, sont convenus entre eux de se dépouiller, se brûler, se tuer, s'égorger les uns les autres; et pour le faire plus ingénieusement et avec plus de sûreté, ils ont inventé de belles règles qu'on appelle l'art militaire... *Ibid.*, *9.*

4379 Le caractère des Français demande du sérieux dans le souverain.
Ibid., *13.*

4380 Rien ne fait plus d'honneur au prince que la modestie de son favori.
Ibid., *17.*

4381 Nommer un roi PÈRE DU PEUPLE est moins faire son éloge que l'appeler par son nom, ou faire sa définition.
Ibid., *27.*

4382 Si c'est trop de se trouver chargé d'une seule famille, si c'est assez d'avoir à répondre de soi seul, quel poids, quel accablement, que celui de tout un royaume! *Ibid.*, *34.*

4383 Ne nous emportons point contre les hommes en voyant leur dureté, leur ingratitude, leur injustice, leur fierté, l'amour d'eux-mêmes, et l'oubli des autres : ils sont ainsi faits, c'est leur nature, c'est ne pouvoir supporter que la pierre tombe ou que le feu s'élève. *Ibid.*, *De l'homme, 1.*

4384 Le commun des hommes va de la colère à l'injure. Quelques-uns en usent autrement : ils offensent, et puis ils se fâchent; la surprise où l'on est toujours de ce procédé ne laisse pas de place au ressentiment. *Ibid.*, *10.*

4385 Si la pauvreté est la mère des crimes, le défaut d'esprit en est le père. *Ibid.*, *13.*

4386 Il y a d'étranges pères, et dont toute la vie ne semble occupée qu'à préparer à leurs enfants des raisons de se consoler de leur mort. *Ibid.*, *17.*

4387 La vie est courte et ennuyeuse : elle se passe toute à désirer.
Ibid., *19.*

4388 L'homme qui dit qu'il n'est pas né heureux pourrait du moins le devenir par le bonheur de ses amis ou de ses proches. L'envie lui ôte cette dernière ressource. *Ibid.*, *22.*

4389 Si la vie est misérable, elle est pénible à supporter; si elle est heureuse, il est horrible de la perdre. L'un revient à l'autre. *Ibid.*, *33.*

4390 La mort n'arrive qu'une fois, et se fait sentir à tous les moments de la vie : il est plus dur de l'appréhender que de la souffrir. *Ibid.*, *36.*

L'on craint la vieillesse, que l'on n'est pas sûr de pouvoir   4391
atteindre.   *Ibid., 40.*

A parler humainement, la mort a un bel endroit, qui est de   4392
mettre fin à la vieillesse.   *Ibid., 45.*

La vie est un sommeil : les vieillards sont ceux dont le   4393
sommeil a été plus long; ils ne commencent à se réveiller
que quand il faut mourir.   *Ibid., 47.*

Il n'y a pour l'homme que trois événements : naître, vivre   4394
et mourir. Il ne se sent pas naître, il souffre à mourir, et il
oublie de vivre.   *Ibid., 48.*

Les enfants sont hautains, dédaigneux, colères, envieux,   4395
curieux, intéressés, paresseux, volages, timides, intempérants, menteurs, dissimulés, [...] ils ne veulent point souffrir
de mal, et aiment à en faire : ils sont déjà des hommes.
                                                  Ibid., 50.

Les enfants n'ont ni passé ni avenir, et, ce qui ne nous arrive   4396
guère, ils jouissent du présent.   *Ibid., 51.*

Aux enfants tout paraît grand, les cours, les jardins, les édi-   4397
fices, les meubles, les hommes, les animaux; aux hommes
les choses du monde paraissent ainsi, et j'ose dire par la
même raison, parce qu'ils sont petits.   *Ibid., 56.*

C'est perdre toute confiance dans l'esprit des enfants, et   4398
leur devenir inutile, que de les punir des fautes qu'ils n'ont
point faites, ou même sévèrement de celles qui sont légères.
Ils savent précisément et mieux que personne ce qu'ils méritent, et ils ne méritent guère que ce qu'ils craignent.
                                                  Ibid., 59.

On ne vit point assez pour profiter de ses fautes. On en commet   4399
pendant tout le cours de sa vie; et tout ce qu'on peut faire
à force de faillir, c'est de mourir corrigé.
Il n'y a rien qui rafraîchisse le sang comme d'avoir su
éviter de faire une sottise.   *Ibid., 60.*

L'esprit de parti abaisse les plus grands hommes jusques   4400
aux petitesses du peuple.   *Ibid., 63.*

Il semble qu'aux âmes bien nées les fêtes, les spectacles,   4401
la symphonie rapprochent et font mieux sentir l'infortune
de nos proches ou de nos amis.   *Ibid., 80.*

Une grande âme est au-dessus de l'injure, de l'injustice, de   4402
la douleur, de la moquerie; et elle serait invulnérable si elle
ne souffrait par la compassion.   *Ibid., 81.*

Il y a une espèce de honte d'être heureux à la vue de cer-   4403
taines misères.   *Ibid., 82.*

Personne ne dit de soi, et surtout sans fondement qu'il est   4404
beau, qu'il est généreux, qu'il est sublime : on a mis ces

qualités à un trop haut prix; on se contente de le penser.
Ibid., 84.

4405   Tout le monde dit d'un fat qu'il est un fat; personne n'ose le lui dire à lui-même : il meurt sans le savoir, et sans que personne se soit vengé.   *Ibid., 90.*

4406   L'esprit s'use comme toutes choses; les sciences sont ses aliments, elles le nourrissent et le consument.   *Ibid., 92.*

4407   Tout notre mal vient de ne pouvoir être seuls : de là le jeu, le luxe, la dissipation, le vin, les femmes, l'ignorance, la médisance, l'envie, l'oubli de soi-même et de Dieu.   *Ibid., 99.*

4408   La plupart des hommes emploient la meilleure partie de leur vie à rendre l'autre misérable.   *Ibid., 102.*

4409   Les haines sont si longues et si opiniâtrées, que le plus grand signe de mort dans un homme malade, c'est la réconciliation.   *Ibid., 108.*

4410   C'est une grande difformité dans la nature qu'un vieillard amoureux.   *Ibid., 111.*

4411   L'on voit certains animaux farouches, des mâles et des femelles, répandus par la campagne, noirs, livides et tout brûlés du soleil, attachés à la terre qu'ils fouillent et qu'ils remuent avec une opiniâtreté invincible; ils ont comme une voix articulée, et quand ils se lèvent sur leurs pieds, ils montrent une face humaine, et en effet ils sont des hommes. Ils se retirent la nuit dans des tanières, où ils vivent de pain noir, d'eau et de racines; ils épargnent aux autres hommes la peine de semer, de labourer et de recueillir pour vivre, et méritent ainsi de ne pas manquer de ce pain qu'ils ont semé.   *Ibid., 128.*

4412   Qui oserait se promettre de contenter les hommes?
Ibid., 145.

4413   L'on se repent rarement de parler peu, très souvent de trop parler : maxime usée et triviale que tout le monde sait, et que tout le monde ne pratique pas.   *Ibid., 149.*

4414   Il y a dans quelques hommes un certaine médiocrité d'esprit qui contribue à les rendre sages.   *Ibid., 153.*

4415   Il n'y a rien de plus bas, et qui convienne mieux au peuple, que de parler en des termes magnifiques de ceux mêmes dont l'on pensait très modestement avant leur élévation.
Ibid., Des jugements, 5.

4416   La faveur des princes n'exclut pas le mérite, et ne le suppose pas aussi.   *Ibid., 6.*

4417   Si nous entendions dire des Orientaux qu'ils boivent ordinairement d'une liqueur qui leur monte à la tête, leur fait perdre la raison et les fait vomir, nous dirions : « Cela est bien barbare. »   *Ibid., 24.*

Le contraire des bruits qui courent des affaires ou des personnes est souvent la vérité.   *Ibid., 38.*   4418

Un sot est celui qui n'a pas même ce qu'il faut d'esprit pour être fat.   *Ibid., 44.*   4419

Après l'esprit de discernement, ce qu'il y a au monde de plus rare, ce sont les diamants et les perles.   *Ibid., 57.*   4420

Nous n'approuvons les autres que par les rapports que nous sentons qu'ils ont avec nous-mêmes ; et il semble qu'estimer quelqu'un, c'est l'égaler à soi.   *Ibid., 71.*   4421

Je ne mets au-dessus d'un grand politique que celui qui néglige de le devenir, et qui se persuade de plus en plus que le monde ne mérite point qu'on s'en occupe.   *Ibid., 75.*   4422

Le flatteur n'a pas assez bonne opinion de soi ni des autres.   *Ibid., 90.*   4423

Ceux qui emploient mal leur temps sont les premiers à se plaindre de sa brièveté.   *Ibid., 101.*   4424

Un philosophe se laisse habiller par son tailleur : il y a autant de faiblesse à fuir la mode qu'à l'affecter.   *Ibid., De la mode, 11.*   4425

Un dévot est celui qui sous un roi athée serait athée.   *Ibid., 21.*   4426

Je ne doute point que la vraie dévotion ne soit la source du repos ; elle fait supporter la vie et rend la mort douce : on n'en tire pas tant de l'hypocrisie.   *Ibid., 30.*   4427

Il s'est trouvé des filles qui avaient de la vertu, de la santé, de la ferveur et une bonne vocation, mais qui n'étaient pas assez riches pour faire dans une riche abbaye vœu de pauvreté.   *Ibid., De quelques usages, 31.*   4428

Le devoir des juges est de rendre la justice ; leur métier, de la différer. Quelques-uns savent leur devoir, et font leur métier.   *Ibid., 43.*   4429

Un coupable puni est un exemple pour la canaille ; un innocent condamné est l'affaire de tous les honnêtes gens.   *Ibid., 52.*   4430

Il n'est pas absolument impossible qu'une personne qui se trouve dans une grande faveur perde un procès.   *Ibid., 55.*   4431

Tant que les hommes pourront mourir, et qu'ils aimeront à vivre, le médecin sera raillé, et bien payé.   *Ibid., 65.*   4432

La témérité des charlatans, et leurs tristes succès, qui en sont les suites, font valoir la médecine et les médecins : si ceux-ci laissent mourir, les autres tuent.   *Ibid., 67.*   4433

4434   Le métier de la parole ressemble en une chose à celui de la
        guerre : il y a plus de risque qu'ailleurs, mais la fortune y
        est plus rapide.   *Ibid., De la chaire, 15.*

4435   J'appelle mondains, terrestres ou grossiers ceux dont l'esprit
        et le cœur sont attachés à une petite portion de ce monde
        qu'ils habitent, qui est la terre; qui n'estiment rien, qui
        n'aiment rien au-delà : gens aussi limités que ce qu'ils
        appellent leurs possessions ou leur domaine, que l'on mesure,
        dont on compte les arpents, et dont on montre les bornes.
                                    Ibid., Des esprits forts, 3.

4436   L'impossibilité où je suis de prouver que Dieu n'est pas
        me découvre son existence.   *Ibid., 13.*

4437   Le faux dévot ou ne croit pas en Dieu, ou se moque de Dieu;
        parlons de lui obligeamment : il ne croit pas en Dieu.
                                                    Ibid., 27.

ANTOINE HAMILTON
1645 ou 1646-1720

4438   La gloire dans les armes n'est tout au plus que la moitié
        du brillant qui distingue les héros. Il faut que l'amour
        mette la dernière main au relief de leur caractère, par les
        travaux, la témérité des entreprises et la gloire des succès.
                    Mémoires de la vie du comte de Gramont, chap. 4.

4439   Rien n'est si commun au beau sexe que de ne vouloir pas
        qu'une autre profite de ce qu'on refuse.   *Ibid.*

4440   En amour on gagne toujours de bonne guerre ce qu'on peut
        obtenir par adresse.   *Ibid.*

4441   Rien ne rehausse tant le prix d'une bonne nouvelle que la
        fausse alarme d'une mauvaise.   *Ibid., chap. 5.*

4442   La raison d'État se donne de beaux privilèges. Ce qui lui
        paraît utile devient permis, et tout ce qui est nécessaire est
        honnête en fait de politique.   *Ibid., chap. 6.*

4443   Les pauvres courtisans du roi son frère n'avaient rien à
        lui disputer sur l'équipage et la magnificence; et ces deux
        articles font souvent autant de chemin en amour que le vrai
        mérite.   *Ibid.*

4444   Il ne faut que de la prévention dans l'esprit des femmes
        pour trouver de l'accès dans leur cœur.   *Ibid.*

4445   Une longue habitude avait tellement attendri ses regards,
        que ses yeux ne s'ouvraient qu'à la chinoise; et, quand elle
        lorgnait, on eût dit qu'elle faisait quelque chose de plus.
                                                    Ibid.

Mme de Muskerry était faite comme la plupart des riches héritières, pour qui l'équitable nature semble avare de ses richesses à mesure qu'elles sont comblées de celles de la fortune. *Ibid., chap. 7.* 4446

Les alarmes sont pour les jaloux ce que les désastres sont pour les malheureux : ils arrivent rarement seuls, et ne cessent jamais de persécuter. *Ibid., chap. 8.* 4447

On n'a pas tant d'esprit quand on demande pardon que quand on offense; et il s'en faut bien que le style des douceurs ne soit aussi touchant dans une lettre que celui des invectives. *Ibid.* 4448

Les revers de la fortune épargnent souvent lorsqu'on les craint le plus; et souvent ils accablent lorsqu'on les mérite et qu'on les prévoit le moins. *Ibid.* 4449

Tout homme qui croit que son honneur dépend de celui de sa femme est un fou qui se tourmente et qui la désespère : mais celui qui, naturellement jaloux, a par-dessus ce malheur celui d'aimer sa femme, et de vouloir qu'elle ne respire que pour lui, est un forcené que les tourments de l'enfer ont accueilli dès ce monde sans que personne en ait pitié. *Ibid., chap. 9.* 4450

Souvent une femme qui ne songerait à mal si on la laissait en repos, s'y voit portée par vengeance, ou réduite par nécessité : c'est l'Évangile. *Ibid.* 4451

Il y a des tempéraments heureux, qui se consolent de tout parce qu'ils ne sentent rien vivement. *Ibid.* 4452

C'est si peu de chose que les plaisirs du mariage au prix de ses inconvénients, que je ne sais comment on peut s'y résoudre. [...] N'allez pas de votre esclave faire votre tyran. *Ibid.* 4453

L'amour ne serait plus l'amour s'il ne se plaisait à reculer les félicités, ou bien à renverser les fortunes de son empire. *Ibid., chap. 10.* 4454

Son visage était des plus mignons; mais c'était toujours le même visage; on eût dit qu'elle le tirait le matin d'un étui pour l'y remettre en se couchant, sans s'en être servi durant la journée. *Ibid.* 4455

Je conviens qu'après certain âge 4456
La mort à peu près s'envisage
Comme un mal qu'on ne peut guérir,
Ou comme la fin d'un voyage
Qu'on n'achève point sans périr...
Lettre à Saint-Evremond, au nom du comte de Gramont
(1704).

FRANÇOIS-JOSEPH,
MARQUIS DE SAINT-AULAIRE
1645-1742

4457   Pour adoucir les maux de la vieillesse,
            Je voudrais seulement, avec facilité,
            Savoir mêler quelque délicatesse
            A beaucoup de simplicité.

Élégie.

GOTTFRIED WILHLEM LEIBNIZ
1646-1716

4458   Comme un moindre mal est une espèce de bien, de même un
       moindre bien est une espèce de mal s'il fait obstacle à un
       bien plus grand; et il y aurait quelque chose à corriger dans
       les actions de Dieu, s'il y avait moyen de mieux faire.
       Essai sur la bonté de Dieu, la liberté de l'homme et l'origine
       du mal, 1re partie, § 8.

PIERRE BAYLE
1647-1706

4459   Voilà la Religion Chrétienne si peu capable de modérer
       l'incontinence, qu'on s'est vu forcé de lui sacrifier une partie
       des femmes, afin de sauver l'autre, et d'éviter un plus grand
       crime, qui n'a pas laissé néanmoins de devenir très commun.
       Pensées diverses sur la Comète, chap. 165.

4460   La joie est le nerf de toutes les affaires humaines, et il est
       certain, quoi qu'on en dise, que l'homme a plus d'amour
       pour la joie, que de haine pour la douleur, et qu'il est plus
       sensible au bien qu'au mal.   *Ibid., chap. 167.*

4461   Il n'est pas plus étrange qu'un Athée vive vertueusement
       qu'il n'est étrange qu'un Chrétien se porte à toutes sortes
       de crimes; si nous voyons tous les jours cette dernière espèce
       de monstre, pourquoi croirions-nous que l'autre soit impos-
       sible?   *Ibid., chap. 174.*

4462   Comme ce serait déplaire à Dieu que de respecter la vérité
       que l'on s'imaginerait être le mensonge, ce serait aussi l'offen-
       ser que de ne pas respecter le mensonge que l'on croirait
       être la vérité.
       Nouvelles Lettres sur l'Histoire du Calvinisme, chap. 9.

4463   L'on accommode l'Histoire à peu près comme les viandes
       dans une cuisine. Chaque nation les apprête à sa manière

de sorte que la même chose est mise en autant de ragoûts différents qu'il y a de pays au monde; et presque toujours, on trouve plus agréables ceux qui sont conformes à sa coutume.   *Nouvelles de la République des Lettres, Mars 1686, 4.*

Si un Historien a comparé l'Empire Romain à un homme, qui   4464
nous empêchera de *personnifier* le Christianisme par une
semblable comparaison? Son enfance et sa première jeunesse
ont été employées à se pousser, malgré les obstacles de la
fortune; il a fait le doux et le modeste, l'humble et le bon
sujet, le charitable et l'officieux, et s'est tiré enfin par ce
moyen de la misère, voire même s'est élevé haut; mais après
avoir ainsi gagné le dessus, il a quitté son hypocrisie et fait
agir sa violence [...]   *Commentaire Philosophique, I, 6.*

La fausseté doit-elle être combattue par d'autres armes que   4465
par celles de la vérité? Combattre des erreurs à coups de
bâton, n'est-ce pas la même absurdité que de se battre contre
des bastions avec des harangues et des syllogismes?
Ibid., II, 5.

La tolérance est la chose du monde la plus propre à ramener   4466
le siècle d'or et à faire un concert et une harmonie de plusieurs voix et instruments de différents tons et notes, aussi
agréable pour le moins que l'uniformité d'une seule voix.
Ibid., II, 6.

On ne peut rien marquer dans les objets qu'un homme croit   4467
véritables et qui le sont effectivement qui ne se trouve dans
les objets que le même homme ou un autre croit véritables
et qui ne le sont point.   *Ibid., II, 10.*

Notre raison n'est propre qu'à brouiller tout et qu'à faire   4468
douter de tout : elle n'a pas plus tôt bâti un ouvrage qu'elle
vous montre les moyens de le ruiner. C'est une véritable
Pénélope qui, pendant la nuit, défait la toile qu'elle avait
fait le jour.
Dictionnaire historique et critique, art. « Bunel », rem. E.

L'on peut comparer la philosophie à des poudres si corrosives   4469
qu'après avoir consumé les chairs baveuses d'une plaie,
elles rongeraient la chair vive, et carieraient les os, et perce-
raient jusqu'aux moelles.   *Ibid., art « Acosta », rem. G.*

La raison ne peut tenir contre le tempérament, elle se laisse   4470
mener en triomphe ou en qualité de captive, ou en qualité
de flatteuse. Elle contredit les passions pendant quelque
temps et puis elle ne dit mot et se chagrine en secret, et enfin
elle leur donne son approbation.
Réponse aux questions d'un Provincial, I, 13.

Si le consentement général des peuples à reconnaître l'exis-   4471
tence divine est un bon moyen de prouver cette existence, le
consentement général des peuples à reconnaître la pluralité
des Dieux sera une bonne preuve de l'existence de plusieurs
divinités.   *Continuation des pensées diverses, chap. 28.*

4472   Mille et mille courtisans ont avoué que le quart des peines
       qu'ils se sont données pour plaire à leur Prince eût suffi
       à leur assurer l'entrée du Paradis.   *Ibid., chap. 138.*

CHARLES RIVIÈRE-DUFRESNY
1648-1724

4473   Les Parisiens sont aussi laborieux que voluptueux. Ils se
       fatigueront vingt-quatre heures pour assaisonner un plaisir
       d'un moment.   *Amusements sérieux et comiques.*

4474   La simplicité attire, la coquetterie amuse, et la pruderie
       retient.   *Ibid.*

4475   Le public est si malin qu'il rend moins volontiers justice
       aux vivants qu'aux morts, et que souvent il n'élève les morts
       que pour rabaisser les vivants.   *Ibid.*

4476   Cette femme s'avance; que son air est modeste! Elle ne lève
       les yeux que pour voir si les autres femmes sont aussi modestes
       qu'elle.   *Ibid.*

MADAME DE LA MOTTE-GUYON
1648-1717

4477   Heureux qui dépouillé de tout
                     Se quitte aussi soi-même!
                     S'il se hait, il en vient à bout,
                     Et c'est alors qu'il aime.
       *Poésies et Cantiques Spirituels, Première partie, cantique
                                     XIII, véritable bonheur.*

L'ABBÉ PIERRE DE VILLIERS
1648-1728

4478   J'étudie au bord des ruisseaux,
                     Dans l'éternel cours de leurs eaux,
                     Le cours abrégé de nos vies...
                     [...]
                     Ainsi d'un cours précipité
                     Tous les hommes, de race en race,
                     S'abîment dans l'Éternité.
                              Stances, Éloge de la Solitude.

BARATON
1650-1720

Un jour le grand Renaud disait dans sa colère :   4479
« Peste soit des cocus, ils me font enrager.
    Fussent-ils tous dans la rivière! »
« Mon mari, dit Catin, tu ne sais point nager,
    Hélas! comment pourrais-tu faire? »
                Le Souhait imprudent, épigramme.

FRANÇOIS DE SALIGNAC
DE LA MOTHE-FÉNELON
1651-1715

[...] Les traités de paix ne couvrent rien, lorsque vous êtes le   4480
plus fort, et que vous réduisez votre voisin à signer le traité
pour éviter de plus grands maux; alors il signe comme un
particulier donne sa bourse à un voleur qui lui tient le pistolet sous la gorge.
Examen de conscience sur les Devoirs de la Royauté, Article III,
                                            § 26.

Les princes ont un pouvoir infini sur ceux qui les approchent;   4481
et ceux qui les approchent ont une faiblesse infinie en les
approchant.   *Ibid., § 33.*

L'ambition naturelle des souverains, les flatteries de leurs   4482
conseillers et la prévention des nations entières ne permettent
pas de croire qu'une nation qui peut subjuguer les autres
s'en abstienne pendant des siècles entiers.
                Supplément à l'examen de conscience.

Empêcher le voisin d'être trop puissant, ce n'est point faire   4483
un mal; c'est se garantir de la servitude et en garantir ses
autres voisins.   *Ibid.*

Il faut que les orateurs ne craignent et n'espèrent rien pour   4484
leur propre intérêt. Si vous admettez des orateurs ambitieux
et mercenaires, s'opposeront-ils à toutes les passions des
hommes?   *Dialogues sur l'éloquence, Premier dialogue.*

Le philosophe ne fait que convaincre, l'orateur, outre qu'il   4485
convainc, persuade.   *Ibid., Second dialogue.*

[...] Sitôt après la chute du genre humain, la poésie et l'ido-   4486
lâtrie, toujours jointes ensemble, firent toute la religion des
anciens...   *Ibid.*

[...] L'art, quelque grand qu'il soit, ne parle point comme la   4487
passion véritable.   *Ibid.*

4488   Il faut connaître précisément la portée des esprits auxquels on parle : cela demande une science fort solide et un grand discernement.   *Ibid., Troisième dialogue.*

4489   Il est constant que la mauvaise éducation des femmes fait plus de mal que celle des hommes, puisque les désordres des hommes viennent souvent et de la mauvaise éducation qu'ils ont reçue de leurs mères, et des passions que d'autres femmes leur ont inspirées dans un âge plus avancé.
       De l'éducation des filles, chap. 1, De l'importance de l'éducation des filles.

4490   On ne doit jamais se servir d'aucune feinte pour les apaiser ou pour leur persuader ce qu'on veut : par là on leur enseigne la finesse, qu'ils n'oublient jamais; il faut les mener par la raison autant qu'on peut.
       Ibid., chap. 3, Quels sont les premiers fondements de l'éducation.

4491   Il faut se contenter de suivre et d'aider la nature.   *Ibid.*

4492   En même temps il faut leur faire apercevoir, non par des louanges vagues, mais par quelque marque effective d'estime, qu'on les approuve bien plus quand ils doutent et qu'ils demandent ce qu'ils ne savent pas que quand ils décident le mieux. C'est le vrai moyen de mettre dans leur esprit, avec beaucoup de politesse, une modestie véritable et un grand mépris pour les contestations qui sont si ordinaires aux jeunes personnes peu éclairées.   *Ibid.*

4493   La curiosité des enfants est un penchant de la nature qui va comme au devant de l'instruction; ne manquez pas d'en profiter.   *Ibid.*

4494   [...] Les enfants sont bien plus pénétrants qu'on ne croit, et dès qu'ils ont aperçu quelque finesse dans ceux qui les gouvernent, ils perdent la simplicité et la confiance qui leur sont naturelles.
       Ibid., chap. 5, Instructions indirectes : il ne faut pas presser les enfants.

4495   Le cerveau des enfants est comme une bougie allumée dans un lieu exposé au vent : sa lumière vacille toujours.   *Ibid.*

4496   Laissez donc jouer un enfant, et mêlez l'instruction avec le jeu.   *Ibid.*

4497   Après tout, il ne faut point s'opiniâtrer à faire goûter aux enfants certaines personnes pieuses dont l'extérieur est dégoûtant.   *Ibid.*

4498   D'ordinaire ceux qui gouvernent les enfants ne leur pardonnent rien, et se pardonnent tout à eux-mêmes.
       Ibid.

La crainte est comme les remèdes violents qu'on emploie 4499
dans les maladies extrêmes; ils purgent, mais ils altèrent le
tempérament, et usent les organes : une âme menée par la
crainte en est toujours plus faible. *Ibid.*

Rendons l'étude agréable, cachons-la sous l'apparence de 4500
la liberté et du plaisir; souffrons que les enfants interrompent
quelquefois l'étude par de petites saillies de divertissement;
ils ont besoin de ces distractions pour délasser leur esprit.
Ibid.

Ainsi il ne faut pas être en peine de leurs plaisirs, ils en 4501
inventent assez eux-mêmes; il suffit de les laisser faire, de
les observer avec un visage gai, et de les modérer dès qu'ils
s'échauffent trop. *Ibid.*

Il y a des naturels semblables aux terres ingrates, sur qui 4502
la culture fait peu. *Ibid.*

La jalousie est plus violente dans les enfants qu'on ne sau- 4503
rait se l'imaginer; on en voit quelquefois qui sèchent et qui
dépérissent d'une langueur secrète, parce que d'autres sont plus
aimés et plus caressés qu'eux. C'est une cruauté trop ordinaire aux mères que de leur faire souffrir ce tourment. *Ibid.*

Engagez-le, si vous le pouvez, à rire librement avec vous de 4504
sa timidité. *Ibid.*

[...] Les enfants apprennent souvent de leurs parents mêmes 4505
à n'aimer rien. *Ibid.*

On courrait risque de décourager les enfants, si on ne les 4506
louait jamais lorsqu'ils font bien. Quoique les louanges
soient à craindre à cause de la vanité, il faut tâcher de s'en
servir pour animer les enfants sans les enivrer. *Ibid.*

Dans tous les âges, l'exemple a un pouvoir étonnant sur 4507
nous; dans l'enfance, il peut tout.
*Ibid., chap. 7, Comment il faut faire entrer dans l'esprit des
enfants les premiers principes de la religion.*

Tel pense être bien instruit, qui ne l'est point et dont l'igno- 4508
rance est si grande, qu'il n'est pas même en état de sentir
ce qui lui manque. *Ibid.*

Le bon esprit consiste à retrancher tout discours inutile, 4509
et à dire beaucoup en peu de mots; au lieu que la plupart
des femmes disent peu en beaucoup de paroles. Elles prennent la facilité de parler et la vivacité d'imagination pour
l'esprit.
Ibid., chap. 9, Remarques sur plusieurs défauts des filles.

Elles estiment la finesse; et comment ne l'estimeraient-elles 4510
pas, puisqu'elles ne connaissent point de meilleure prudence,
et que c'est d'ordinaire la première chose que l'exemple leur
a enseignée? *Ibid.*

4511   Observez encore que la finesse vient toujours d'un cœur
        bas et d'un petit esprit. On n'est fin qu'à cause qu'on se veut
        cacher, n'étant pas tel qu'on devrait être; ou que, voulant des
        choses permises, on prend pour y arriver des moyens indignes,
        faute d'en savoir choisir d'honnêtes.   *Ibid.*

4512   La mauvaise honte est le mal le plus dangereux et le plus
        pressé à guérir; celui-là, si on n'y prend garde, rend tous les
        autres incurables.   *Ibid.*

4513   [...] La beauté trompe encore plus la personne qui la possède
        que ceux qui en sont éblouis; elle trouble, elle enivre l'âme;
        on est plus sottement idolâtre de soi-même que les amants
        les plus passionnés ne le sont de la personne qu'ils aiment.
        Ibid., chap. 10, La vanité de la beauté et des ajustements.

4514   [...] Les véritables grâces suivent la nature et ne la gênent
        jamais.   *Ibid.*

4515   Rien n'est estimable que le bon sens et la vertu : l'un et
        l'autre font regarder le dégoût et l'ennui, non comme une
        délicatesse louable, mais comme une faiblesse d'un esprit
        malade.   *Ibid.*

4516   Prenez garde que l'avarice gagne peu, et qu'elle se déshonore
        beaucoup.
        Ibid., chap. 11, Instruction des femmes sur leurs devoirs.

4517   Souvent c'est faire un grand gain que de savoir perdre à
        propos : [...]   *Ibid.*

4518   Le bon goût rejette la délicatesse excessive; il traite les petites
        choses de petites, et n'en est point blessé.   *Ibid.*

4519   La jeunesse ressent un plaisir incroyable lorsqu'on commence
        à se fier à elle, et à la faire entrer dans quelque affaire sérieuse.
        Ibid., chap 12, Suite des devoirs des femmes.

4520   [...] Les choses les plus simples ne se font pas d'elles-mêmes,
        et elles se font toujours mal par les esprits mal faits.
        Ibid., chap. 13, Des gouvernants.

4521   Les femmes sont d'ordinaire encore plus passionnées pour
        la parure de l'esprit que pour celle du corps.
        Avis à une dame de qualité sur l'éducation de sa fille.

4522   La passion est l'âme de la parole.
        Discours à l'Académie, 31 mars 1693.

4523   Nulle puissance humaine ne peut forcer le retranchement
        impénétrable de la liberté d'un cœur.
        Discours prononcé au sacre de l'Électeur de Cologne.

4524   [...] Il est plus court de menacer que d'instruire; il est plus
        commode à la hauteur et à l'impatience humaines de frap-
        per sur ceux qui résistent, que de les édifier, que de s'humilier,
        que de prier, que de mourir à soi, pour leur apprendre à
        mourir à eux-mêmes.   *Ibid.*

Dieu ne donne aux passions humaines, lors même qu'elles   4525
semblent décider de tout, que ce qu'il leur faut pour être
des instruments de ses desseins : ainsi l'homme s'agite, mais
Dieu le mène.
            Sermon sur la vocation des gentils, 6 janvier 1685.

Calypso ne pouvait se consoler du départ d'Ulysse. Dans sa   4526
douleur, elle se trouvait malheureuse d'être immortelle.
            Les Aventures de Télémaque, Premier livre.

La gloire n'est due qu'à un cœur qui sait souffrir la peine   4527
et fouler aux pieds les plaisirs.   *Ibid.*

Avant que de se jeter dans le péril, il faut le prévoir et le   4528
craindre; mais, quand on y est, il ne reste plus qu'à le mépriser.   *Ibid.*

Quand tu seras le maître des autres hommes, souviens-toi   4529
que tu as été faible, pauvre et souffrant comme eux.
                              Ibid., Second livre.

Quiconque est capable de mentir est indigne d'être compté   4530
au nombre des hommes, et quiconque ne sait pas se taire est
indigne de gouverner.   *Ibid., Troisième livre.*

Le vrai moyen de gagner beaucoup est de ne vouloir jamais   4531
trop gagner et de savoir perdre à propos.   *Ibid.*

Surtout n'entreprenez jamais de gêner le commerce pour le   4532
tourner selon vos vues. Il faut que le prince ne s'en mêle
point, de peur de le gêner, et qu'il en laisse tout le profit à
ses sujets, qui en ont la peine [...] Le commerce est comme
certaines sources : si vous voulez détourner leur cours, vous
les faites tarir.   *Ibid.*

Celui qui craint avec tant d'excès d'être trompé, disions-nous,   4533
mérite de l'être, et l'est presque toujours grossièrement.
                                           Ibid.

Il n'y a point sur la terre de véritables hommes, excepté ceux   4534
qui consultent, qui aiment, qui suivent cette raison éternelle
[...] Elle est comme un grand océan de lumière : nos esprits
sont comme de petits ruisseaux qui en sortent et qui y retournent pour s'y perdre.   *Ibid., Quatrième livre.*

Les hommes veulent tout avoir, et ils se rendent malheureux   4535
par le désir du superflu; s'ils voulaient vivre simplement et
se contenter de satisfaire aux vrais besoins, on verrait partout l'abondance, la joie, la paix et l'union.
                              Ibid., Cinquième livre.

Le plus libre de tous les hommes est celui qui peut être libre   4536
dans l'esclavage même.   *Ibid.*

Le plus malheureux de tous les hommes est un roi qui croit   4537
être heureux en rendant les autres hommes misérables. Il
est doublement malheureux par son aveuglement; ne connaissant pas son malheur, il ne peut s'en guérir; il craint
même de le connaître.   *Ibid.*

4538 Un roi qui ne sait gouverner que dans la paix ou dans la guerre, et qui n'est pas capable de conduire son peuple dans ces deux états, n'est qu'à demi roi. *Ibid.*

4539 [...] Le cruel Amour, pour tourmenter les mortels, fait qu'on n'aime guère la personne dont on est aimé.
Ibid., Sixième livre.

4540 Celui qui n'a point senti sa faiblesse et la violence de ses passions n'est point encore sage; car il ne se connaît point encore et ne sait point se défier de soi. *Ibid.*

4541 [...] On ne peut vaincre l'amour qu'en fuyant. Contre un tel ennemi, le vrai courage consiste à craindre et à fuir, mais à fuir sans délibérer et sans se donner à soi-même le temps de regarder jamais derrière soi. *Ibid.*

4542 La sagesse n'a rien d'austère ni d'affecté : c'est elle qui donne les vrais plaisirs; elle seule les sait assaisonner pour les rendre purs et durables. *Ibid., Septième livre.*

4543 Ces grands conquérants, qu'on nous dépeint avec tant de gloire, ressemblent à ces fleuves débordés qui paraissent majestueux, mais qui ravagent toutes les fertiles campagnes qu'ils devraient seulement arroser. *Ibid.*

4544 [...] Les peuples innombrables et les plus puissantes armées ne sont que comme des fourmis qui se disputent les uns aux autres un brin d'herbe sur ce morceau de boue.
Ibid., Huitième livre.

4545 Quiconque ne sait pas souffrir n'a point un grand cœur.
Ibid.

4546 Tout le genre humain n'est qu'une famille dispersée sur la face de toute la terre. Tous les peuples sont frères et doivent s'aimer comme tels. *Ibid., Neuvième livre.*

4547 La vraie gloire ne se trouve point hors de l'humanité.
Ibid.

4548 Un prince se déshonore encore plus en évitant les dangers dans les combats qu'en n'allant jamais à la guerre. Il ne faut point que le courage de celui qui commande aux autres puisse être douteux. *Ibid., Dixième livre.*

4549 La valeur ne peut être une vertu qu'autant qu'elle est réglée par la prudence : autrement, c'est un mépris insensé de la vie et une ardeur brutale. *Ibid.*

4550 La grandeur est comme certains verres qui grossissent tous les objets : tous les défauts paraissent croître dans ces hautes places, où les moindres choses ont de grandes conséquences et où les plus légères fautes ont de violents contre-coups. *Ibid.*

4551 [...] Les hommes sont fort à plaindre d'avoir à être gouvernés par un roi, qui n'est qu'homme, semblable à eux; car il

faudrait les dieux pour redresser les hommes. Mais les rois
ne sont pas moins à plaindre, n'étant qu'hommes, c'est-à-
dire faibles et imparfaits, d'avoir à gouverner cette multitude innombrable d'hommes corrompus et trompeurs.
Ibid.

Accoutumez-vous donc, ô Télémaque, à n'attendre des   4552
plus grands hommes que ce que l'humanité est capable de
faire.   *Ibid.*

[...] Il faut être toujours prêt à faire la guerre, pour n'être 4553
jamais réduit au malheur de la faire.   *Ibid.*

C'est la mollesse et l'oisiveté qui rendent les peuples inso- 4554
lents et rebelles. Ils auront du pain, à la vérité, et assez largement; mais ils n'auront que du pain, et des fruits de leur
propre terre, gagnés à la sueur de leur visage.   *Ibid.*

Souvenez-vous que les pays où la domination du souverain 4555
est plus absolue sont ceux où les souverains sont moins
puissants.   *Ibid.*

Quand un prince manque d'un Homère, c'est qu'il n'est pas 4556
digne d'en avoir un...   *Dialogue des morts, Homère, 4.*

La patrie d'un cochon se trouve partout où il y a du gland. 4557
                                        Ibid., Grillus, 6.

Ah! ne me parlez plus de l'homme : c'est le plus injuste, 4558
et par conséquent le plus déraisonnable, de tous les animaux.   *Ibid.*

Ne vaut-il pas mieux être bête que méchant fou? *Ibid.*   4559

Mais être philosophe, suivre le beau et le bon en lui-même 4560
par la simple persuasion, et par le vrai et libre amour du beau
et du bon, c'est ce qui ne peut jamais être répandu dans tout
un peuple, c'est ce qui est réservé à certaines âmes choisies
que le ciel a voulu séparer des autres. Le peuple n'est capable
que de certaines vertus d'habitude et d'opinion, sur l'autorité
de ceux qui ont gagné sa confiance.   *Ibid., Socrate, 7.*

Avant que d'être grand homme il faut être honnête homme, 4561
et on doit s'éloigner des crimes indignes des hommes avant
que d'aspirer aux vertus des dieux.   *Ibid., Rémus, 8.*

Quand on apprend à des impies à massacrer un roi, bientôt 4562
ils sauront faire périr l'autre.   *Ibid., Tatius, 9.*

Vous n'aimez que votre gloire et votre commodité. Vous 4563
rapportez tout à vous, comme si vous étiez le Dieu de la
terre, et que tout le reste n'eût été créé que pour vous être
sacrifié. C'est au contraire, vous que Dieu n'a mis au monde
que pour votre peuple.   *Lettre à Louis XIV.*

O multiplicité créée, que tu es pauvre dans ton abondance 4564
apparente! Tout nombre est bientôt épuisé; toute composition a des bornes étroites; tout ce qui est plus d'un est

infiniment moins qu'un. Il n'y a que l'unité; elle seule est tout, et après elle il n'y a plus rien.

Traité de l'existence de Dieu, chap. 5.

4565   L'âme est si infectée de l'amour-propre qu'elle se salit toujours un peu par la vue de sa vertu; elle en prend toujours quelque chose pour elle-même.

Instructions sur divers points de la morale et de la perfection chrétienne.

4566   Pour être sobre en paroles, il faut l'être en pensées. Il ne faut point suivre son empressement naturel pour vouloir persuader autrui. Vous n'irez à la source du mal qu'en faisant taire souvent votre esprit par le silence intérieur.

Lettre au duc de Chevreuse, 30 décembre 1699.

4567   Encore une fois défiez-vous des savants et des grands raisonneurs [...]. Ils languissent autour des questions, et ne parviennent jamais à la science de la vérité. Leur curiosité est une avarice spirituelle qui est insatiable. Ils sont comme les conquérants qui ravagent le monde sans le posséder.

Lettre au duc de Chevreuse.

4568   Plus on aime Dieu, plus on sent que c'est Dieu qui est tout ensemble l'amour et le bien-aimé.

Lettre à Mᵐᵉ de Montberon, 26 décembre 1700.

4569   C'est l'amour qui rend véritablement humble; car il avilit infiniment tout ce qui n'est point le bien-aimé. Il en occupe tellement, qu'il fait qu'on s'oublie.   *Ibid.*

4570   Rien n'est si contraire à la simplicité que le scrupule. Il cache je ne sais quoi de double et de faux.   *Ibid.*

4571   Je crois que les hommes de tous les siècles ont eu à peu près le même fonds d'esprit et les mêmes talents, comme les plantes ont eu le même suc et la même vertu. Mais je crois que les Siciliens, par exemple, sont plus propres à être poètes que les Lapons.   *Lettre à Lamothe, 4 mai 1714.*

4572   Un jour on sentira la commodité d'avoir un dictionnaire qui serve de clef à tant de bons livres. Le prix de cet ouvrage ne peut manquer de croître à mesure qu'il vieillira.

Lettre à l'Académie, I, projet d'achever le dictionnaire.

4573   Les paroles ne sont que des sons dont on fait arbitrairement les signes de nos pensées. Ces sons n'ont en eux-mêmes aucun prix. Ils sont autant au peuple qui les emprunte, qu'à celui qui les a prêtés. Qu'importe qu'un mot soit né dans notre pays, ou qu'il nous vienne d'un pays étranger? La jalousie serait puérile, quand il ne s'agit que de la manière de mouvoir ses lèvres, et de frapper l'air.
D'ailleurs, nous n'avons rien à ménager sur ce faux point d'honneur. Notre langue n'est qu'un mélange de grec, de latin et de tudesque, avec quelques restes confus de gaulois. [...] Prenons de tous côtés tout ce qu'il nous faut pour rendre notre langue plus claire, plus précise, plus courte et plus harmonieuse; toute circonlocution affaiblit le discours.   *Ibid., III, projet d'enrichir la langue.*

Rien n'est plus méprisable qu'un parleur de métier, qui fait   4574
de ses paroles ce qu'un charlatan fait de ses remèdes.
Ibid., IV, projet de rhétorique.

Un ouvrage n'a une véritable unité, que quand on ne peut   4575
en rien ôter sans couper dans le vif.   *Ibid.*

L'ordre est ce qu'il y a de plus rare dans les opérations de   4576
l'esprit.   *Ibid.*

Nos plus grands poètes ont fait beaucoup de vers faibles.   4577
Personne n'en a fait de plus beaux que Malherbe; combien
en a-t-il qui ne sont guère dignes de lui?
Ibid., V, projet de poétique.

Notre versification perd plus, si je ne me trompe, qu'elle ne   4578
gagne par les rimes : elle perd beaucoup de variété, de
facilité et d'harmonie...   *Ibid.*

La rime ne nous donne que l'uniformité des finales, qui   4579
est ennuyeuse, et qu'on évite dans la prose, tant elle est
loin de flatter l'oreille.   *Ibid.*

Le premier de tous les devoirs d'un homme qui n'écrit   4580
que pour être entendu est de soulager son lecteur, en se
faisant d'abord entendre.   *Ibid.*

Afin qu'un ouvrage soit véritablement beau, il faut que   4581
l'auteur s'y oublie, et me permette de l'oublier.   *Ibid.*

Le beau ne perdrait rien de son prix quand il serait commun   4582
à tout le genre humain; il en serait plus estimable. La rareté
est un défaut et une pauvreté de la nature.   *Ibid.*

Tout homme doit toujours parler humainement. Rien   4583
n'est plus ridicule pour un héros dans les plus grandes
actions de sa vie, que de ne joindre pas à la noblesse et à la
force un simplicité qui est très opposée à l'enflure...
Ibid., VI, projet d'un traité sur la tragédie.

[...] Je soutiens contre Molière, qu'un avare qui n'est point   4584
fou, ne va jamais jusqu'à vouloir regarder dans la troisième
main de l'homme qu'il soupçonne de l'avoir volé.
Ibid., VII, projet d'un traité sur la comédie.

Un autre défaut de Molière, que beaucoup de gens d'esprit   4585
lui pardonnent, et que je n'ai garde de lui pardonner, est
qu'il a donné un tour gracieux au vice avec une austérité
ridicule et odieuse à la vertu.   *Ibid.*

Presque tous les hommes sont médiocres et superficiels   4586
pour le mal comme pour le bien.
Ibid., VIII, projet d'un traité sur l'histoire.

DICTIONN
DES
SCIENCE

TOM II
B—C

DICTION.
DES
SCIENCES

TOM·XV
SEN—TCH

DICTION.
DES
SCIENCES

TOM XIII
POM—REGG

DICTIONNAI
DES
SCIENCES

DICTIONN
D ES
SCIENCES

DICTIO
DES
SCIEN

PLANCHES
TOM VI

SUPPLEM
TOM IV
N = Z

PLANCH
TOM VI

JEAN-FRANÇOIS REGNARD
1655-1709

4587   Les voyages ont leurs travaux comme leurs plaisirs; mais
        les fatigues qui se trouvent dans cet exercice, loin de nous
        rebuter, accroissent ordinairement l'envie de voyager [...]
                                        Voyage en Laponie.

4588   Quand l'amour veut parler, la raison doit se taire.
                                    Le Joueur, acte I, scène 2.

4589   J'aime un amour fondé sur un bon coffre-fort.
            [...]
            Cette veuve, je crois, ne serait point cruelle;
            Ce serait une éponge à presser au besoin.
                                    Ibid., acte I, scène 6.

4590   L'or est d'un grand secours pour acheter un cœur :
            Ce métal, en amour, est un grand séducteur.
                                    Ibid., acte II, scène 2.

4591   Qu'il est sincère! On voit qu'il est homme de cour.
                                    Ibid., acte II, scène 4.

4592   C'est un pesant fardeau d'avoir un gros mérite.
                                    Ibid., acte II, scène 8.

4593   Quiconque aime, aimera;
            Et quiconque a joué, toujours joue, et jouera.
                                    Ibid., acte IV, scène 1.

4594   Ah! ma foi! l'on n'a plus tant de délicatesse;
            On aime pour s'aimer tout autant que l'on peut;
            Le mariage suit, et vient après, s'il veut.
                                    Ibid., acte IV, scène 9.

4595   Alons, saute, marquis.
                                    Ibid., acte IV, scène 10.

4596   Qu'un joueur est heureux! sa poche est un trésor;
        Sous ses heureuses mains le cuivre devient or.
                                    Ibid., acte IV, scène 13.

4597   [...]   J'aime mieux, prix pour prix,
            Deux amants comme il faut que cinquante maris.
            Un époux est un vin difficile à revendre,
            On peut en essayer, mais il n'en faut pas prendre.
                                    Le Bal, scène 4.

4598   Des charmes apparents on est souvent la dupe,
            Et rien n'est si trompeur qu'animal porte-jupe.
                                    Ibid., scène 7.

Bon! je sais des maris, qui, pour éviter noise, 4599
N'ont jamais approché leurs femmes d'une toise,
Et qui ne laissent pas d'avoir en leur maison
Un grand nombre d'enfants qui portent tous leur nom.
Ibid., scène 12.

[...] Un héritier qui voit un oncle rendre l'âme; 4600
Un époux, quand il suit le convoi de sa femme;
N'ont pas le demi-quart tant de plaisir que j'ai
En recevant de vous ce bienheureux congé.
Les Folies Amoureuses, acte I, scène 2.

C'est le nerf [l'argent] de la guerre ainsi que des amours. 4601
Ibid., acte I, scène 7.

On aime sans raison, et sans raison on hait. 4602
Ibid., acte II, scène 2.

Et, malgré tous les soins dont l'amour nous occupe, 4603
Le plus fin, tel qu'il soit, en est toujours la dupe.
Ibid., acte II, scène 5.

[...] Il faut, dans la vie, 4604
Assaisonner l'amour d'un peu de jalousie.
Ibid.

Et lorsque l'on perd tout, on peut tout hasarder. 4605
Ibid., acte III, scène 2.

Il a, pour médecin, pris un apothicaire 4606
Pas plus haut que ma jambe, et de taille sommaire :
Il croit qu'étant petit, il lui faut moins d'argent,
Et qu'attendu sa taille, il ne paîra pas tant.
Le Légataire Universel, acte I, scène 1.

Mais il faut tant d'argent pour se faire soigner, 4607
Que, puisqu'il faut mourir, autant vaut l'épargner.
Ibid., acte I, scène 4.

C'est un bon testament, un testament, morbleu, 4608
Bien fait, bien cimenté, qui doit vous tenir lieu
De tendresse, d'amour, de désir, de ménage,
De femme, de contrats, d'enfants, de mariage.
Ibid., acte I, scène 7.

Mais tout le monde croit, à votre air triste et sombre, 4609
Qu'errant près du tombeau, vous n'êtes plus qu'une ombre,
Et que, pour des raisons qui vous font différer,
Vous ne vous êtes pas encor fait enterrer.
Ibid., acte III, scène 4.

C'est dans les grands dangers qu'on voit un grand courage. 4610
Ibid., acte IV, scène 1.

Non, mon neveu; je veux que mon enterrement 4611
Se fasse à peu de frais et fort modestement.
Il fait trop cher mourir...
Ibid., acte IV, scène 6.

4612   Et je vous apprends, moi, que l'on ne s'aime bien,
        Quand on est marié, qu'autant qu'on a du bien.
                            Ibid., acte V, scène 1.

FONTENELLE
1657-1757

4613   Dans les premiers temps, la poésie et la philosophie étaient
        la même chose; toute sagesse était renfermée dans les poèmes.
        Ce n'est pas que par cette alliance la poésie en valût mieux,
        mais la philosophie en valait beaucoup moins.
                    Histoire des oracles, Première dissertation, chap. 6.

4614   Quand les philosophes s'entêtent une fois d'un préjugé,
        ils sont plus incurables que le peuple même, parce qu'ils
        s'entêtent également et du préjugé et des fausses raisons
        qui le soutiennent.   *Chap. 8.*

4615   Le dieu qui agite la Pythie se proportionne à sa capacité,
        et ne lui fait point faire de vers si elle n'est pas assez habile
        pour en pouvoir faire naturellement.
                            Deuxième dissertation, chap. 5.

4616   Apollon voulut bien [...] s'accommoder à la mode. Quand
        la prose commença d'y être, Apollon parla en prose.
                                                        Ibid.

4617   Toute la philosophie n'est fondée que sur deux choses :
        sur ce qu'on a l'esprit curieux et les yeux mauvais...
                    Entretiens sur la pluralité des mondes, Premier soir.

4618   Les mouvements les plus naturels, et les plus ordinaires,
        sont ceux qui se font le moins sentir; cela est vrai jusque
        dans la morale. Le mouvement de l'amour-propre nous est
        si naturel que, le plus souvent, nous ne les sentons pas [...]
                                                        Ibid.

4619   Il devrait y avoir un arrêt du genre humain qui défendît
        qu'on parlât jamais d'éclipse, de peur que l'on ne conserve
        la mémoire des sottises qui ont été faites ou dites sur ce
        chapitre-là.   *Deuxième soir.*

4620   Il faut ne donner que la moitié de son esprit aux choses
        de cette espèce que l'on croit, et en réserver une autre moitié
        libre où le contraire puisse être admis s'il en est besoin.
                                              Troisième soir.

4621   Alexandre voyait la terre comme une belle place bien propre
        à y établir un grand empire; Céladon ne la voyait que comme
        le séjour d'Astrée; un philosophe la voit comme une grosse
        planète qui va par les cieux, toute couverte de fous.   *Ibid.*

4622   Si les roses, qui ne durent qu'un jour, faisaient des histoires,
        et se laissaient des mémoires les unes aux autres, les premières
        auraient fait le portrait de leur jardinier d'une certaine façon

[...]; les autres, qui l'auraient encore laissé à celles qui devaient suivre, n'y auraient rien changé. Sur cela elles diraient : « Nous avons toujours vu le même jardinier; de mémoire de rose on n'a vu que lui [...]; assurément, il ne meurt point comme nous; il ne change seulement pas. »
Cinquième soir.

Les vrais philosophes sont comme les éléphants, qui en marchant ne posent jamais le second pied à terre que le premier ne soit bien affermi. *Sixième soir.* 4623

N'ajoutons pas à tous les maux que la nature et la fortune peuvent nous envoyer, la ridicule et inutile vanité de nous croire invulnérables. *Du bonheur.* 4624

Celui qui veut être heureux, se réduit et se resserre autant qu'il est possible. Il a ces deux caractères, il change peu de place et en tient peu. *Ibid.* 4625

[...] Les idées métaphysiques seront toujours pour la plupart du monde comme la flamme de l'esprit de vin, qui est trop subtile pour brûler du bois. 4626
Éloges des académiciens, Malebranche.

On est surpris et peut-être fâché de se voir conduit par la seule philosophie aux plus rigoureuses obligations du christianisme; on croit communément pouvoir être philosophe à meilleur marché. *Ibid.* 4627

Il pose des définitions exactes, qui le privent de l'agréable liberté d'abuser des termes dans les occasions. *Leibniz.* 4628

Leibniz ne s'était point marié; il y avait pensé à l'âge de cinquante ans; mais la personne qu'il avait en vue voulut avoir le temps de faire ses réflexions. Cela donna à Leibniz le loisir de faire aussi les siennes, et il ne se maria point. *Ibid.* 4629

Le cœur est la source de toutes les erreurs dont nous avons besoin; il ne nous refuse rien dans cette matière-là. 4630
Dialogues des morts anciens, Dialogue II, Callirhée et Pauline.

Le public est fait pour être la dupe de beaucoup de choses; il faut profiter des dispositions où il est. 4631
Dialogues des morts anciens avec des modernes, Dialogue II, Artémise et Raymond Lulle.

Il est vrai qu'on ne peut trouver la pierre philosophale, mais il est bon qu'on la cherche : en la cherchant, on trouve de fort beaux secrets qu'on ne cherchait pas. *Ibid.* 4632

L'espèce d'esprit qui dépend de l'imagination ressemble à la beauté, et ne subsiste qu'avec la jeunesse. 4633
Vie de Corneille.

Ce livre [l'*Imitation de Jésus-Christ*], le plus beau qui soit parti de la main d'un homme, puisque l'Évangile n'en vient pas... *Ibid.* 4634

4635   Tout ce qu'aurait pu faire Archimède dans l'enfance du monde, aurait été d'inventer la charrue.
Digression sur les anciens et les modernes.

4636   Il me semble que mon peu d'autorité, et le peu d'attention qu'on aura pour mes opinions, me mettent en liberté de dire tout ce que je veux.   *Ibid.*

4637   Nous ne sommes parfaits sur rien, non pas même sur le mal.   *Réflexions sur la poétique.*

4638   Le cœur aime naturellement à être remué; ainsi les objets tristes lui conviennent, et même les objets douloureux, pourvu que quelque chose les adoucissent.   *Ibid.*

4639   L'art est un tyran qui se plaît à gêner ses sujets, et qui ne veut pas qu'ils paraissent gênés.   *Ibid.*

4640   La censure que l'on exerce sur les ouvrages d'autrui n'engage point à en faire de meilleurs...
Discours sur la nature de l'églogue.

4641   Pour être heureux, autant qu'on le peut être par les passions, il faut que toutes celles que l'on a s'accommodent les unes avec les autres.   *Ibid.*

4642   Sommes-nous trente-neuf, on est à nos genoux,
        Et sommes-nous quarante, on se moque de nous.
Épigramme sur l'Académie française.

DANCOURT
1661-1725

4643   Il lui a déchiré ses gants pour lui baiser la main.
Les Fonds perdus, acte III, scène 1.

4644   Je ne suis pas assez laide, ce me semble, pour avoir la réputation de n'avoir pu mettre un juge dans les intérêts des personnes que je protège.
Le Chevalier à la mode, acte I, scène 4.

4645   Cela ne s'appelle point fourberie : en termes de cour, à ce que j'ai ouï dire, c'est gentillesse, tout au plus.
Ibid., acte III, scène 3.

4646   Est-ce que tu ne sais pas que pour épouser des filles de bourgeois, ce n'est pas aux pères que des jeunes gens de condition s'adressent à présent? [...] on prend seulement l'aveu de la petite fille; on tâche d'avoir l'agrément de la fille de chambre, et quand on ne peut plus cacher la chose, on en informe la famille.
Les Bourgeoises à la mode, acte I, scène 3.

4647   Eh! allez, allez! en fait de mariage, les honnêtes filles ont toujours plus d'impatience que les autres!
Le Tuteur, scène 6.

CHARLES ROLLIN
1661-1741

Pour remédier au mauvais goût, pour réformer dans le style les expressions et les pensées, il faut purifier la source d'où elles partent. C'est l'esprit qu'il faut guérir. Quand il est sain et vigoureux, l'éloquence l'est aussi; elle est faible quand l'esprit l'est devenu. *Le Traité des études.* 4648

Un style trop étudié et trop recherché est la marque d'un petit génie. *Ibid.* 4649

CATHERINE BERNARD
1662-1712

[...] Défendre d'aimer à une jeune et jolie personne, ce serait défendre à un arbre de porter des feuilles au mois de mai. *Riquet à la houppe.* 4650

Avec de l'or et de l'esprit, qui peut être malheureux mérite de l'être. *Ibid.* 4651

[...] Les amants à la longue deviennent des maris. *Ibid.* 4652

MADEMOISELLE DESHOULIÈRES
1662-1718

Les grands Hommes dans leurs ouvrages,
Ainsi que les héros, ne vieillissent jamais. *Stances irrégulières.* 4653

JEAN-BAPTISTE MASSILLON
1663-1742

...Ainsi parlerait le monde; mais, Sire, Jésus-Christ ne parle pas comme le monde. *Sermons, Pour la fête de tous les saints.* 4654

La source de nos chagrins est d'ordinaire dans nos erreurs; et nous ne sommes malheureux, dit un Père, que parce que nous jugeons mal des biens et des maux véritables. *Ibid.* 4655

Ne sortez pas de vous-même, et vous serez heureux. *Ibid.* 4656

4657   C'est ici où le compte sera terrible. Jésus-Christ vous rede-
mandera le prix de son sang.

Ibid., Sur le jugement universel.

4658   [...] Chacun dans son état, quelque heureuse qu'en paraisse
la destinée, trouve des croix et des amertumes qui en balan-
cent toujours les plaisirs.   *Ibid., Sur les afflictions.*

4659   Ne pouvoir se soumettre à Dieu, ni se consoler de ses peines,
ce n'est pas être tendre et sensible, c'est être farouche et
désespéré.   *Ibid.*

4660   La philosophie ne détruisait les vices que par le vice [...] :
elle cherchait plus la gloire de la sagesse, que la sagesse elle-
même.   *Ibid., Sur la vérité de la religion.*

4661   O Dieu! que vous êtes terrible, lorsque vous livrez le pêcheur
à son aveuglement.   *Ibid., Sur la vérité d'un avenir.*

4662   Si nous ne naissons que pour les plaisirs des sens, pourquoi
ne peuvent-ils nous satisfaire, et laissent-ils toujours un
fonds d'ennui et de tristesse dans notre cœur?   *Ibid.*

4663   L'univers entier est un temple que Dieu remplit de sa gloire
et de sa présence. Quelque part que nous soyons, dit l'Apôtre,
il est toujours près de nous [...]; et il est le Dieu des îles éloignées où l'on ne le connaît pas, comme des royaumes et des
régions qui l'invoquent.

Ibid., Sur le respect dans les temples.

4664   De toutes les circonstances de la vie, le choix d'un état est
celle où la méprise est le plus à craindre...

Ibid., Sur la vocation.

4665   [...] Tout ce que vous employez au-delà des besoins et des
bienséances de votre état [...] est un vol que vous faites aux
pauvres.   *Ibid., Sur le petit nombre des élus.*

4666   La plupart de ces hommes qui se donnent pour incrédules,
vivent pourtant dans des variations perpétuelles sur le point
même de l'incrédulité.   *Ibid., Des doutes sur la religion.*

4667   Les sentiments qu'une mort inopinée réveille dans nos
cœurs, sont des sentiments d'une journée, comme si la mort
elle-même devait être l'affaire d'un jour.

Ibid., Sur la mort.

4668   Mourir, disparaître à tout ce qui nous environne; entrer
dans les abîmes de l'éternité; devenir cadavre, la pâture des
vers, l'horreur des hommes, le dépôt hideux d'un tombeau...

Ibid.

4669   Quiconque flatte ses maîtres, les trahit; la perfidie qui les
trompe est aussi criminelle que celle qui les détrône [...].

Sur les tentations des grands.

La gloire n'est qu'un nom qui se fait cependant acheter de   4670
tout notre repos.   *Oraisons funèbres, M. de Villars.*

Nous disons sans cesse que le monde n'est rien, et nous ne   4671
vivons que pour le monde.
            Ibid., Monseigneur Louis, Dauphin.

Dieu seul est grand, mes Frères, et dans ces moments sur-   4672
tout, où il préside à la mort des rois de la terre [...]
            Ibid., Louis-le-Grand.

Tout ce qui fait la grandeur des rois sur la terre, en fait   4673
aussi le danger.   *Ibid.*

Retournez donc dans le sein de Dieu d'où vous étiez sortie,   4674
âme héroïque et chrétienne!   *Ibid.*

MARIE–JEANNE LHÉRITIER
1664-1734

     Doux et courtois langage   4675
     Vaut mieux que riche héritage.
         Les enchantements de l'éloquence.

[...] Et même l'on peut dire que pour les personnes bien   4676
jeunes, la lecture des romans est en quelque façon meilleure
que celle de l'histoire même, parce que l'histoire, étant
entièrement assujettie à la vérité, présente quelquefois des
images bien choquantes pour les mœurs.   *Ibid.*

Les choses brillantes qui sortaient de sa bouche attiraient   4677
encore plus de monde que celles qui sortent de la bouche de
Mr de ******, toutes belles qu'elles sont. Ce peuple avait
raison : n'était-il pas bien plus agréable de voir sortir des
pierres précieuses d'une belle petite bouche comme celle de
Blanche qu'il ne l'était de voir sortir des éclairs de la grande
bouche de cet orateur tonnant qui était cependant si couru
des Athéniens.   *Ibid.*

LE CURÉ MESLIER
1664?-1735?

Si j'ai embrassé une profession si directement opposée à mes   4678
sentiments, ce n'est point par cupidité; j'ai obéi à mes
parents.   *Testament, Avant-Propos.*

J'ai évité avec soin de vous exhorter à la bigoterie; et je   4679
ne vous ai parlé qu'aussi rarement qu'il m'a été possible de
nos malheureux dogmes. Il fallait bien que je m'acquittasse,
comme Curé, de mon ministère.   *Ibid.*

4680   Je crois pouvoir dire que quand il n'y aurait, par exemple,
que les fables d'Ésope, elles sont certainement beaucoup
plus ingénieuses et plus instructives, que ne le sont toutes
ces grotesques et basses paraboles, qui sont rapportées dans
les Évangiles.   *Ibid.*

4681   Ils disent tous, *gardez-vous des faux Prophètes*, comme les
vendeurs de Mithridate disent, *gardez-vous des Pilules contre-
faites.*   *Ibid.*

4682   Je finirai par supplier Dieu si outragé par cette secte de daigner nous rappeler à la Religion Naturelle, dont le Christianisme est l'ennemi déclaré.   *Ibid., chap. 6.*

HENRI–FRANÇOIS D'AGUESSEAU
1668-1751

4683   Les distractions diminuent à un certain âge; les plaisirs se
retirent, les passions se taisent et semblent respecter la
vieillesse. [...] L'homme commence alors à connaître le
prix d'un temps qui n'est plus, et d'une vie toute prête à lui
échapper. Mais à la vue d'une fin qui s'avance à grands pas,
on dirait souvent qu'il pense plus à durer qu'à vivre, et à
compter ses moments qu'à les peser.   *Mercuriales.*

4684   Est-il donc un autre poids pour apprécier les heures de la
justice, et par quel charme secret changent-elles de nature
selon que le magistrat en est le débiteur, ou qu'il croit en
devenir le créancier?   *Ibid.*

4685   Ce jour, cette heure que le magistrat croit quelquefois pouvoir perdre innocemment, sont peut-être pour le misérable
le jour fatal, et comme la dernière heure de la justice. Nous
croyons avoir toujours assez de temps pour la rendre, mais
il n'y en aura plus pour la recevoir [...].   *Ibid.*

4686   [...] L'esprit le plus pénétrant a besoin du secours du temps
pour s'assurer, par ses secondes pensées, de la justice des
premières, et pour laisser à son jugement le loisir d'acquérir
cette maturité que le temps seul donne aux productions de
notre esprit comme à celles de la nature.   *Ibid.*

ALAIN–RENÉ LESAGE
1668-1747

4687   Parbleu! monsieur, je vous sers comme vous me payez. Il me
semble que l'un n'a pas plus de sujet de se plaindre que
l'autre.   *Crispin rival de son maître, scène 1.*

[...] Il aime le jeu, le vin, les femmes; c'est un homme uni- 4688
versel : nous faisons ensemble toutes sortes de débauches;
cela m'amuse, cela me détourne de mal faire.

Ibid., scène 3.

[...] La justice est une si belle chose, qu'on ne saurait trop 4689
cher l'acheter.   *Ibid., scène 9.*

Damis est un plaisant homme, de vouloir avoir deux femmes, 4690
pendant que tant d'honnêtes gens sont si fâchés d'en avoir
une!   *Ibid., scène 13.*

[...] Elle a le teint si beau, que je pourrais m'y tromper 4691
d'une vingtaine d'années.   *Turcaret, acte I, scène 2.*

M. TURCARET   4692

Tiens, je donne sans compter, moi.

MARINE

Et moi, je reçois de même, monsieur. Oh! nous sommes
tous deux des gens de bonne foi!   *Ibid., acte I, scène 5.*

Les soubrettes sont comme les bigotes; elles font des actions 4693
charitables pour se venger.   *Ibid., acte I, scène 8.*

J'admire le train de la vie humaine! Nous plumons une 4694
coquette; la coquette mange un homme d'affaires; l'homme
d'affaires en pille d'autres : cela fait un ricochet de fourberies le plus plaisant du monde.   *Ibid., acte I, scène 10.*

[...] Un mari et une femme qui s'aiment, des gens extraordi- 4695
naires; enfin c'est une maison triste.

Ibid., acte II, scène 1.

Il ne dit pas quatre paroles dans un repas; mais il mange et 4696
pense beaucoup. Peste! c'est un homme bien agréable...

Ibid., acte II, scène 4.

C'est l'usurier le plus juif : il vend son argent au poids de 4697
l'or.   *Ibid., acte III, scène 4.*

Vouloir faire aux gens un crime de leur prêter sur gages!... 4698
Il vaut mieux prêter sur gages que prêter sur rien.

Ibid., acte III, scène 5.

La plupart des femmes sont plus sensibles à la vanité d'avoir 4699
un équipage qu'au plaisir même de s'en servir.

Ibid., acte III, scène 10.

Il faut que l'air qu'on respire dans une maison fréquentée par 4700
un financier soit contraire à la modestie; car depuis le peu
de temps que j'y suis, il me vient des idées de grandeur que
je n'ai jamais eues.   *Ibid., acte III, scène 11.*

4701   Marquer tant d'empressement, c'est courir après une femme;
        cela est bien bourgeois...   *Ibid, acte IV, scène 2.*

4702   [...] C'est une personne qui sait vivre, une femme revenue
        des préjugés de l'éducation.   *Ibid.*

4703   Il vaut mieux sentir quelque jour des remords pour avoir
        ruiné un homme d'affaires, que le regret d'en avoir manqué
        l'occasion.   *Ibid., acte IV, scène 8.*

4704   MADAME JACOB

        J'ai un mari, à la vérité; mais il ne sert qu'à faire grossir
        ma famille, sans m'aider à l'entretenir.

                            LISETTE

        Il y a bien des maris qui font tout le contraire.
                            Ibid., acte IV, scène 10.

4705   Je fais des mariages, la bonne dame. Il est vrai que ce sont
        des mariages légitimes; ils ne produisent pas tant que les
        autres...   *Ibid.*

4706   Tous les hommes aiment à s'approprier le bien d'autrui.
        C'est un sentiment général. La manière seule de le faire en
        est différente.
                Histoire de Gil Blas de Santillane, livre I, chap. 5.

4707   Je connais les grands : ils comptent pour rien le zèle et
        l'attachement d'un honnête homme; ils ne se soucient que
        des personnes qui leur sont nécessaires.
                            Ibid., livre I, chap. 15.

4708   Si l'amour ruine des hommes qui ont du bien, il en fait
        souvent subsister d'autres qui n'en ont pas.   *Ibid.*

4709   [...] Parle-moi de l'emploi d'un laquais; c'est un bénéfice
        simple qui n'engage à rien. Un maître a-t-il des vices, le
        génie supérieur qui le sert les flatte, et souvent même les fait
        tourner à son profit.   *Ibid., livre I, chap. 17.*

4710   [...] Ce docteur est si expéditif, qu'il ne donne pas le temps
        à ses malades d'appeler des notaires.
                            Ibid., livre II, chap. 2.

4711   Quoique de jour en jour je m'en sentisse plus incommodé,
        le préjugé l'emportait sur l'expérience. J'avais, comme on
        voit, une heureuse disposition à devenir médecin.
                            Ibid., livre II, chap. 3.

4712   « Tu es savant, Gil Blas, avant que d'être médecin; au lieu
        que les autres sont longtemps médecins, et la plupart toute
        leur vie, avant que d'être savants. »   *Ibid.*

4713   Veux-tu briller? tu n'as qu'à te livrer à ta vivacité et risquer
        indifféremment tout ce qui pourra te venir à la bouche.
        Ton étourderie passera pour une noble hardiesse. Quand

tu débiterais cent impertinences, pourvu qu'avec cela il t'échappe seulement un bon mot, on oubliera les sottises, on retiendra le trait, et l'on concevra une haute opinion de ton mérite [...]. C'est ainsi qu'en doit user tout homme qui vise à la réputation d'un esprit distingué.

Ibid., livre III, chap. 4.

Don Vincent était un vieux seigneur fort riche, qui vivait heureux depuis plusieurs années sans procès et sans femme, les médecins lui ayant ôté la sienne, en voulant la défaire d'une toux qu'elle aurait encore pu conserver longtemps, si elle n'eût pas pris leurs remèdes... *Ibid., livre IV, chap. 1.* 4714

[...] Un de ces esprits sérieux qui veulent passer pour de grands génies, à la faveur de leur silence... 4715

Ibid., livre IV, chap. 8.

Malgré tout cela, je lui trouvais l'air d'un homme de qualité, sans doute parce que je savais qu'il en était un. Nous autres personnes du commun, nous regardons les grands seigneurs avec une prévention qui leur prête souvent un air de grandeur que la nature leur a refusé. *Ibid., livre VII, chap. 2.* 4716

Je vous dirai de plus que je suis dans son laboratoire comme un livre de droit dans la bibliothèque d'un financier : il ne pense point à moi. *Le Diable Boiteux, chap. 2.* 4717

On nous réconcilia; nous nous embrassâmes, et depuis ce temps-là nous sommes ennemis mortels. *Ibid., chap. 3.* 4718

J'admire messieurs les hommes : leurs propres défauts leur paraissent des minuties; au lieu qu'ils regardent ceux d'autrui avec un microscope. *Ibid.* 4719

Il en est de même de toutes les coquettes. Les hommes ont beau se ruiner pour elles, ils n'en sont pas plus aimés; au contraire, tout payeur est traité comme un mari. *Ibid.* 4720

[Ils] rencontrèrent une vieille femme qui tenait à la main un des plus gros chapelets qu'ait fabriqués l'hypocrisie. 4721

Ibid., chap. 4.

S'il y a des gouvernantes fidèles, c'est que les galants ne sont pas assez riches ou assez libéraux. *Ibid.* 4722

Une fille prévenue est à moitié séduite. *Ibid.* 4723

Lorsqu'un fils aîné possède tout le bien d'une maison, je ne lui conseille pas de chasser avec son cadet. 4724

Ibid., chap. 7.

Je n'ai garde de me moquer d'un auteur si célèbre et si docte; j'en fais un si grand cas, que je suis persuadée qu'en l'ouvrant seulement je me guérirai de mon insomnie. 4725

Ibid., chap. 8.

4726 Je souhaiterais qu'un médecin se trouvât aux funérailles de son malade, comme un lieutenant criminel assiste en France au supplice d'un coupable qu'il a condamné.
Ibid., chap. 16.

JEAN-ANTOINE DU CERCEAU
1670-1730

4727 Trop bien savez, prudents comme vous êtes,
Que dans ce temps, quoiqu'on cherche avec soin,
Est plus aisé de trouver au besoin
Bons Pâtissiers, que trouver bons Poètes.
A Monseigneur le Duc du Maine.

4728 Quelques couleurs qu'on donne à vos portraits,
Il n'est rien tel que d'être vu de près.
*A Monseigneur le Dauphin, Pour lui demander la permission
de l'aller voir.*

4729 Quel fils ne se croit pas plus sage que son père?
Le Rat et le Raton.

4730 Pour guérir une plaie il faut aller au fond,
Le plus cruel alors est le plus charitable.
Le Chirurgien.

JEAN-BAPTISTE DUBOS
1670-1742

4731 L'ouvrage qui ne touche point et qui n'attache pas ne vaut rien.   *Réflexions critiques sur la Poésie et la Peinture.*

4732 Le sentiment enseigne bien mieux si l'ouvrage touche que toutes les dissertations composées par les critiques.   *Ibid.*

JEAN-BAPTISTE ROUSSEAU
1671-1741

4733 Qu'aux accents de ma voix la terre se réveille.
Rois, soyez attentifs; peuples, ouvrez l'oreille :
Que l'Univers se taise, et m'écoute parler...
Odes, livre I, III, Sur l'aveuglement des hommes du siècle.

Que deviendront alors, répondez, grands du monde, 4734
Que deviendront ces biens où votre espoir se fonde...?
Ibid.

Nous avons beau vanter nos grandeurs passagères, 4735
Il faut mêler sa cendre aux cendres de ses pères;
Et c'est le même Dieu qui nous jugera tous.
Ibid.

Fortune dont la main couronne 4736
Les forfaits les plus inouïs,
Du faux éclat qui t'environne
Serons-nous toujours éblouis?
Ibid., Ode VI, A la Fortune.

Quoi! Rome et l'Italie en cendre 4737
Me feront honorer Sylla?
J'admirerai dans Alexandre
Ce que j'abhorre en Attila?
Ibid.

Vous êtes les maîtres du monde, 4738
Votre gloire nous éblouit;
Mais au moindre revers funeste,
Le masque tombe, l'homme reste,
Et le héros s'évanouit.
Ibid.

L'effort d'une vertu commune 4739
Suffit pour faire un conquérant.
Celui qui dompte la fortune
Mérite seul le nom de grand.
Ibid.

Andromaque en moins d'un lustre 4740
Remplaça deux fois Hector.
Ode VII, A une veuve.

L'Amour est jaloux de ses droits; 4741
[...]
Tout reconnaît sa loi suprême;
Lui seul ne connaît point de lois.
Circé.

Que le soin de charmer 4742
Soit votre unique affaire.
Songez que l'art d'aimer
N'est que celui de plaire.
Cantates, II.

... Tous ces vers qu'on admire 4743
Ont un malheur : c'est qu'on ne peut les lire.
Et franchement, quoique plus censuré,
J'aime encor mieux être lu qu'admiré.
Épîtres, III, A Clément Marot.

4744
Tu dis qu'il faut brûler mon livre :
Hélas! le pauvre enfant ne demandait qu'à vivre;
Les tiens auront un meilleur sort :
Ils mourront de leur belle mort.
Épigrammes, XVIII.

4745
Ci-gît l'Auteur d'un gros livre
Plus embrouillé que savant.
Après sa mort il crut vivre
Et mourut de son vivant.
Ibid., XXII.

ANTOINE HOUDAR DE LAMOTTE
1672-1731

4746
L'orgueil m'enivre en ce moment;
Et je cède à l'instinct superbe
Qui me flatte qu'avec Malherbe
Je dois vivre éternellement.
Ode IX, L'Émulation.

4747
Du monarque du sombre bord
Tout ce qui vit sent la puissance,
Et l'instant de notre naissance
Fut pour nous un arrêt de mort.
Ode XIII, A Delius.

4748
[...] Contemporains de tous les hommes,
Et citoyens de tous les lieux...
Ode XV, A l'Académie française.

4749
Je parle peu, mais je dis bien.
C'est le caractère du sage.
Fables (1719) : La montre et le cadran solaire.

4750
C'est un grand agrément que la diversité :
Nous sommes bien comme nous sommes.
Donnez le même esprit aux hommes,
Vous ôtez tout le sel de la société.
L'ennui naquit un jour de l'uniformité.
Ibid., Les amis trop d'accord.

4751
Bien insensé qui se fiera
A tout ami qu'amène l'abondance!
Il ne vient qu'avec elle : avec elle il fuira.
Ibid., V.

4752
Du sage mal vêtu le grand seigneur rougit;
Et cependant l'un est un homme;
L'autre souvent n'est qu'un habit.
Ibid., Les deux livres.

Vivre loin du seul bien dont mon cœur soit jaloux,
Aux plus mortels ennuis ce sentiment nous livre;
Mais c'est toujours penser à vous,
Et penser à vous me fait vivre.

4753

Madrigal.

Est-ce pour conquérir que le ciel fit les rois?

4754

Inès de Castro (tragédie, 1723).

La prose peut dire plus exactement tout ce que disent les
vers, et les vers ne peuvent pas dire tout ce que dit la prose.

4755

Paradoxes littéraires.

MADAME DE CAYLUS
1673-1729

Les maris de ce temps-là, quelque galants qu'ils fussent,
n'aimaient pas que leurs femmes en vissent d'autres dont la
réputation eût été entamée. *Souvenirs.*

4756

M. de Louvois se contentait de lui [le Roi] dire chaque jour :
« Tant de gens se sont convertis, comme je l'avais dit à
Votre Majesté, à la seule vue de ses troupes. » *Ibid.*

4757

La timidité rend les hommes farouches, quand ils se font
surtout un devoir de ne la pas surmonter. *Ibid.*

4758

PROSPER JOLYOT DE CRÉBILLON
1674-1762

Je respire un amour que ma raison abhorre.

4759

Idoménée, acte II, scène 1.

Nous touchons tout vivants à la rive infernale [...]

4760

Ibid., acte III, scène 7.

Hélas! quand j'ai cru voir la fin de mes malheurs,
Vous avez craint de voir la fin de vos fureurs [...]

4761

Ibid., acte V, scène 5.

Je le reconnaîtrais seulement à ma haine.

4762

Atrée et Thyeste, acte II, scène 5.

Fais couler tout le sang que j'exige de toi.

4763

Ibid., acte III, scène 3.

Je ne te l'ai rendu que pour te le reprendre,
Et ne te le ravis que pour mieux te le rendre.

4764

Ibid., acte V, scène 4.

4765   Ce n'est de ses forfaits se venger qu'à demi,
Que d'accabler de loin un perfide ennemi :
Il faut, pour bien jouir de son sort déplorable,
Le voir dans le moment qu'il devient misérable [...]
Ibid.

4766   Tu souhaites la mort, tu l'implores; et moi,
Je te laisse le jour pour me venger de toi.
Ibid.

4767   Ah! doit-on hériter de ceux qu'on assassine?
Rhadamiste et Zénobie, acte II, scène 2.

4768   Rome n'est plus qu'un spectre, une ombre en Italie,
Dont le corps tout entier est passé dans l'Asie.
Le Triumvirat, acte III, scène 1.

4769   Le succès fut toujours un enfant de l'audace.
Catilina, acte III, scène 4.

4770   La crainte fit les dieux; l'audace a fait les rois.
Xerxès, acte I, scène 1.

4771   C'est à mes ennemis à trembler, non à moi.
Électre, acte III, scène 5.

FRANÇOIS GAYOT DE PITAVAL
1675-1743

4772 J'aimerais autant demander à un vieillard : « Quel jour
mourrez-vous? » que de demander à une jolie femme qui
n'est pas trop jeune : « Quel jour êtes-vous née? »
L'art d'orner son esprit en l'amusant.

LE DUC DE SAINT-SIMON
1675-1755

4773 Fuyons la folie des extrémités qui n'ont d'issue que les
abîmes [...].   *Mémoires, Avant-propos, tome I.*

4774 Ceux qui ont la confiance des généraux, des ministres, encore
plus ceux qui ont celle des princes, ne doivent pas leur laisser
ignorer les mœurs, la conduite, les actions des hommes.
Ibid.

4775 Écrire l'histoire de son pays et de son temps, [...] c'est se
montrer à soi-même pied à pied le néant du monde, de ses
craintes, de ses désirs, de ses espérances, de ses disgrâces,
de ses fortunes, de ses travaux [...]   *Ibid.*

La petite vérole l'avait éborgné [Phélypeaux], mais la fortune 4776
l'avait aveuglé.   *Ibid., chap. 15.*

Il [Fénelon] la [Mme Guyon] vit : leur esprit se plut l'un à 4777
l'autre, leur sublime s'amalgama.   *Ibid., chap. 17.*

Il arrive quelquefois aux plus gens de bien de diviniser 4778
certaines passions, et telle est la faiblesse de l'homme.
                                           Ibid., chap. 35.

Presque en même temps, on perdit le célèbre Racine, si 4779
connu par ses belles pièces de théâtre. Personne n'avait
plus de fonds d'esprit, ni plus agréablement tourné; rien du
poète dans son commerce, et tout de l'honnête homme,
de l'homme modeste, et, sur la fin, de l'homme de bien.
                                           Ibid., chap. 44.

Ainsi périssent en bref, et souvent avec honte, les familles 4780
de ces ministres [Sully] si puissants et si riches, qui semblent,
dans leurs fortunes, les établir pour l'éternité.
                                           Ibid., tome II, chap. 1.

[...] L'autre [frère de Chamillart], méchant autant que sa 4781
sottise le lui pouvait permettre [...].   *Ibid., chap. 4.*

Il [comte de Mélac] n'avait de patrie que l'armée et les fron- 4782
tières [...]   *Ibid., chap. 6.*

Le vieux maréchal de Villeroy, grand routier de cour, disait 4783
plaisamment qu'il fallait tenir le pot de chambre aux ministres tant qu'ils étaient en puissance, et le leur renverser
sur la tête sitôt qu'on s'apercevait que le pied commençait
à leur glisser.   *Ibid., chap. 20.*

[...] Le roi n'aimait et ne comptait que lui, et était à soi- 4784
même sa fin dernière.   *Ibid., chap. 59.*

C'était [le baron de Lanjamet] de ces insectes de cour qu'on 4785
est toujours surpris d'y voir et d'y trouver partout, et dont le
peu de conséquence fait toute la consistance.
                                           Ibid., chap. 62.

Je haïssais les châteaux en Espagne et les raisonnements 4786
qui ne pouvaient aboutir à rien.   *Ibid., tome III, chap. 5.*

Il mourut en ce même temps un homme de meilleure maison, 4787
mais d'un mérite qui se serait borné aux jambons, s'il fût
né d'un père qui en eût vendu.   *Ibid., tome IV, chap. 1.*

Les jésuites, si adroits à reconnaître les faibles des monarques, 4788
et si habiles à saisir tout ce qui peut eux-mêmes les protéger
et les conduire à leurs fins, montrèrent à quel point ils y
étaient maîtres.   *Ibid., chap. 11.*

La plupart des grandes maisons ont des chimères, et ces 4789
chimères leur font plus de mal que de bien. *Ibid., chap. 13.*

4790   Elle avait un confesseur jésuite : elle fit comme Mme la Dau-
phine sa sœur : lorsqu'il fut question des derniers sacrements
et de penser tout de bon à la mort, elle le remercia et prit
un dominicain.   *Ibid., chap. 17.*

4791   Il [le roi d'Espagne] se trouva, en une de ces promenades,
lors du transport du corps de la reine à l'Escurial, et à portée
du convoi ; il le regarda, le suivit des yeux, et continua sa
chasse. Ces princes sont-ils faits comme les autres hommes ?
                                                  Ibid.

4792   Elle était franche héritière, c'est-à-dire riche, laide et maus-
sade.   .   *Ibid.*

4793   Un mercredi des Cendres, elles s'en allèrent au sermon.
Ce sermon, qui fut sur le jeûne et sur la nécessité de faire
pénitence, les effraya.
« Ma sœur, se dirent-elles au retour, mais c'est tout de bon,
il n'y a point de raillerie : il faut faire pénitence, ou nous
sommes perdues. Mais, ma sœur, que ferons-nous ? » Après
y avoir bien pensé : « Ma sœur, dit Mme d'Olonne, voici
ce qu'il faut faire : faisons jeûner nos gens. »   *Ibid.*

4794   Ainsi, la robe ose tout, usurpe tout et domine tout. Les
premiers magistrats prétendent ne plus céder qu'aux ducs et
aux officiers de la couronne ; c'est encore une grande modestie,
dont il leur faut être très obligé.   *Ibid.*

4795   Il [le duc de Berry] n'était pas sans fermeté, et haïssait la
contrainte. C'est ce qui fit craindre qu'il ne fût pas aussi
souple qu'on le désirait du troisième fils de France, qui
ne pouvait entendre dans sa première jeunesse qu'il y eût
aucune différence entre son aîné et lui.   *Ibid., chap. 19.*

4796   Pour peu qu'on examine ce groupe immense qui, du profond
non-être des doubles adultérins les porte à la couronne,
on sera moins frappé de l'imagination des poètes qui ont
fait entasser des montagnes les unes sur les autres, à force
de bras, par les Titans pour escalader les cieux.
                                          Ibid., chap. 23.

4797   Que les rois soient les maîtres de donner, d'augmenter, de
diminuer, d'intervertir les rangs, de prostituer à leur gré les
plus grands honneurs, comme, à la fin, ils se sont approprié
le droit d'envahir les biens de leurs sujets de toutes conditions,
et d'attenter à leur liberté d'un trait de plume à leur volonté,
plus souvent à celle de leurs ministres et de leurs favoris,
c'est le malheur auquel la licence effrénée des sujets a ouvert
la carrière, que le règne de Louis XIV a su courir sans obstacle
jusqu'au dernier bout, devant l'autorité duquel le seul nom
de loi, de droit, de privilège, était devenu un crime.
                                                  Ibid.

4798   Le serpent qui tenta Ève, qui renversa Adam par elle, et
qui perdit le genre humain, est l'original dont le duc de
Noailles est la copie la plus exacte, la plus fidèle, la plus
parfaite, autant qu'un homme peut approcher des qualités
d'un esprit de ce premier ordre, et du chef de tous les anges
précipités du ciel.   *Ibid., chap. 42.*

Nos rois payent le comble du pouvoir qu'ils exercent pendant   4799
leur vie, par l'impuissance entière qui les suit dans le tombeau.
Ibid.

[Dernières paroles de Louis XIV au Dauphin].   4800
« Mon enfant, vous allez être un grand roi. Ne m'imitez pas
dans le goût que j'ai eu pour les bâtiments, ni dans celui
que j'ai eu pour la guerre; tâchez, au contraire, d'avoir la
paix avec vos voisins. Rendez à Dieu ce que vous lui devez;
reconnaissez les obligations que vous lui avez; faites-le
honorer par vos sujets. Suivez toujours les bons conseils;
tâchez de soulager vos peuples, ce que je suis assez malheureux
pour n'avoir pu faire. »   *Ibid., chap. 50.*

Il voulait régner par lui-même; sa jalousie là-dessus alla   4801
sans cesse jusqu'à la faiblesse. Il régna en effet dans le petit;
dans le grand il ne put y atteindre, et jusque dans le petit
il fut souvent gouverné.   *Ibid., chap. 51.*

La souplesse, la bassesse, l'air admirant, dépendant, rampant,   4802
plus que tout l'air de néant sinon par lui, étaient les uniques
voies de lui plaire.   *Ibid.*

[...] L'horreur d'une éducation uniquement dressée pour   4803
étouffer l'esprit et le cœur de ce prince, le poison abominable
de la flatterie la plus insigne, qui le déifia dans le sein même
du christianisme [...]   *Ibid.*

Le Roi craignait l'esprit, les talents, l'élévation des senti-   4804
ments, jusque dans ses généraux et dans ses ministres.
Ibid., chap. 53.

On l'a vu grand, riche, conquérant, arbitre de l'Europe,   4805
redouté, admiré, tant qu'ont duré les ministres et les capitaines qui ont véritablement mérité ce nom. A leur fin, la
machine a roulé quelque temps encore, d'impulsion et sur
leur compte. Mais, tôt après, le tuf s'est montré; les fautes,
les erreurs se sont multipliées; la décadence est arrivée à
grands pas, sans toutefois ouvrir les yeux à ce maître despotique [...]   *Ibid.*

Arouet, fils d'un notaire qui l'a été de mon père et de moi   4806
jusqu'à sa mort, fut exilé et envoyé à Tulle, pour des vers
fort satiriques et forts impudents. Je ne m'amuserais à
marquer une si petite bagatelle, si ce même Arouet, devenu
grand poète et académicien sous le nom de Voltaire, n'était
devenu, à travers force aventures tragiques, une manière de
personnage dans la république des lettres, et même une
manière d'important parmi un certain monde.
Ibid., tome 5, chap. 25.

C'est elle qui, soupant avec M. le duc d'Orléans et ses roués,   4807
lui dit fort plaisamment que les princes et les laquais avaient
été faits de la même pâte, que Dieu avait dans la création
séparée de celle dont il avait tiré tous les autres hommes.
Ibid., chap. 46.

Qui pourrait, et qui en [le système de Law] voudrait raconter   4808
les effets, les transmutations de papiers, les marchés incroya-

bles, les nombreuses fortunes dans leur immensité, et encore
dans leur inconcevable rapidité, la chute prompte de la plupart de ces enrichis par leur luxe et leur démence, la ruine
de tout le reste du royaume, et les plaies profondes qu'il en a
reçues et qui ne guériront jamais, ferait sans doute la plus
curieuse et la plus amusante histoire, mais la plus horrible en
même temps, et la plus monstrueuse qui fut jamais.
Ibid., tome 6, chap. 29.

4809   Qu'aurais-je eu à dire ou à discuter avec un régent qui ne
l'était plus, pas même de soi, bien loin de l'être du royaume,
où je voyais tout en désordre?   *Ibid., tome 7, chap. 14.*

4810   Ces *Mémoires* ne respirent qu'ordre, règle, vérité, principes
certains, et montrant à découvert tout ce qui y est contraire,
qui règne de plus en plus avec le plus ignorant, mais le plus
entier empire, la convulsion doit donc être générale contre
ce miroir de vérité.   *Ibid., chap. 19.*

CÉSAR CHESNEAU, SIEUR DU MARSAIS
1676-1756

4811   [...] Je suis persuadé qu'il se fait plus de Figures un jour
de marché à la Halle, qu'il ne s'en fait en plusieurs jours
d'assemblées académiques.
*Des Tropes ou des différents sens dans lesquels on peut
prendre un même mot dans une même langue, Première
partie.*

4812   Ce sont encore les façons de parler recherchées, les Figures
déplacées, et tirées de loin, qui s'écartent *de la manière
commune et simple de parler;* comme les parures affectées
s'éloignent de la manière de s'habiller, qui est en usage
parmi les honnêtes gens.   *Ibid.*

4813   Il ne faut point s'étonner si les Figures, quand elles sont
employées à propos, donnent de la vivacité, de la force, ou
de la grâce au discours; car outre la propriété d'exprimer
les pensées, comme tous les autres assemblages de mots,
elles ont encore, si j'ose parler ainsi, l'avantage de leur habit,
je veux dire de leur modification particulière, qui sert à
réveiller l'attention, à plaire ou à toucher.   *Ibid.*

4814   Les Sciences et les Arts ne sont que des observations sur la
pratique : l'usage et la pratique ont précédé toutes les sciences
et tous les arts; mais les sciences et les arts ont ensuite perfectionné la pratique.   *Ibid.*

4815   Quand nous sommes vivement frappés de quelque pensée,
nous nous exprimons rarement avec simplicité; l'objet qui
nous occupe se présente à nous, avec les idées accessoires
qui l'accompagnent, nous prononçons les noms de ces
images qui nous frappent, ainsi nous avons naturellement
recours aux tropes, d'où il arrive que nous faisons mieux
sentir aux autres ce que nous sentons nous-mêmes.   *Ibid.*

Les tropes sont d'un grand usage pour déguiser des idées 4816
dures, désagréables, tristes ou contraires à la modestie.
Ibid.

On ne doit écrire que pour se faire entendre; la netteté 4817
et la précision sont la fin et le fondement de l'art de parler
et d'écrire. *Ibid., Troisième partie.*

La vie est si courte, et il y a tant à apprendre à tout âge, 4818
que si l'on a le bonheur de surmonter la paresse et l'indolence naturelle de l'esprit, on ne doit pas le mettre à la torture
sur des riens, ni l'appliquer en pure perte. *Ibid.*

Que les hommes pensent au soleil, ou qu'ils n'y pensent point, 4819
le soleil existe, ainsi le mot de soleil n'est point un terme
abstrait. *Ibid.*

S'il y avait des synonymes parfaits, il y aurait deux langues 4820
dans une même langue. *Ibid.*

FRANÇOIS-JOSEPH,
dit LAGRANGE-CHANCEL
1677-1758

[...] De cette crainte imaginaire 4821
Arouet ressent les effets :
On punit les vers qu'il veut faire,
Plutôt que les vers qu'il a faits.
Les Philippiques.

PHILIPPE NÉRICAULT dit DESTOUCHES
1680-1754

Les absents ont toujours tort. 4822
L'obstacle imprévu, acte I, scène 6.

Sur les défauts d'autrui, l'homme a des yeux perçants. 4823
L'homme singulier, acte I, scène 4.

Pour un amant bien tendre il n'est rien d'impossible. 4824
Ibid., acte III, scène 3.

LISETTE 4825
Mais on dit qu'aux auteurs le critique est utile...

PHILINTE.
La critique est aisée, et l'art est difficile.
Le Glorieux, acte II, scène 5.

Je ne vous dirai pas : Changez de caractère : 4826
Car on n'en change point; je ne le sais que trop.
Chassez le naturel, il revient au galop.
Ibid., acte III, scène 5.

JEAN-BAPTISTE-JOSEPH WILLART DE GRÉCOURT
1683-1743

4827
Femme habile en défaut surprise,
De peur d'être poussée à bout,
Doit plutôt dire une sottise
Que de ne rien dire du tout.

Les Chaussons.

4828
Laissez-moi donc en liberté
Sucer la peau des plus cruelles :
Sans un peu de témérité,
On meurt de faim auprès des belles.

Le Rat et la Puce.

PIERRE-CHARLES ROY
1683-1764

4829
Sous un mince cristal l'hiver conduit leurs pas;
Le précipice est sous la glace;
Telle est de vos plaisirs la légère surface :
Glissez, mortels, n'appuyez pas [1].

MARGUERITE-JEANNE CORDIER DE LAUNAY, BARONNE DE STAAL
1684-1750

4830 Il semble que la Providence prenne soin de construire pour
les princes des corps à l'usage de leurs fantaisies, sans quoi
ils ne pourraient attraper l'âge d'homme.
Lettre à Madame la Marquise du Deffand, 20 juillet 1747.

CHARLES-JEAN-FRANÇOIS HÉNAULT
1685-1770

4831
Le roi n'a rien promis, j'ose tout espérer.
Marius à Cyrthe, acte I, scène 5.

4832
Tout répond dans la nature;
Du fond de sa grotte obscure,
Écho répond à la voix
De la moindre créature...
Lettre à Mme la Duchesse du Maine.

1. D'après le tableau de Lancret, *Le Patinage.*

Si on ôtait à de certaines gens leur ridicule, il ne leur resterait   4833
plus rien.   *Réflexions.*

La vie passe à user une passion et à en reprendre une autre.   4834
                                                                 Ibid.

Quand on dit qu'une fille à marier joue bien du clavecin,   4835
cela veut dire qu'elle n'est point jolie.
    Lettre à Madame la Marquise du Deffand, 12 juillet 1742.

HENRI RICHER
1685-1748

Soyez détrompé sur ce point :   4836
Vous me forcez à vous le dire.
Si je suis seul ici, beau sire,
C'est depuis que vous m'avez joint.
                        Le Philosophe et l'Importun.

Quels étaient mes égarements!   4837
Tous passent la fatale Barque,
Dit-il. Plus ces lieux sont charmants,
Plus on y doit craindre la Parque.
                        Les Délices de l'Arcadie.

FRANÇOIS-AUGUSTIN DE PARADIS
DE MONCRIF
1687-1770

Qu'Amour séduit avec adresse!   4838
Comme il sait déguiser son feu!
Jusqu'au mal qu'on dit de ce Dieu,
Tout est un piège qu'il nous dresse.
                        Conseils à Thémire.

PIERRE DE CHAMBLAIN DE MARIVAUX
1688-1763

Quand une femme est fidèle, on l'admire; mais il y a des   4839
femmes modestes qui n'ont pas la vanité de vouloir être
admirées.   *Arlequin poli par l'amour, scène 1.*

Femme tentée et femme vaincue, c'est tout un.   4840
                                                                Ibid.

4841   J'appelai vainement la raison à mon aide :
         Elle irrite l'amour, loin d'y porter remède.
         Quand sur ma folle ardeur elle m'ouvrit les yeux,
         En rougissant d'aimer, je n'en aimais que mieux.
                                   Annibal, acte I, scène 1.

4842   Se soustraire au bienfait d'une âme vertueuse,
         C'est soi-même souvent l'avoir peu généreuse.
                                   Ibid., acte I, scène 2.

4843   Le faible, s'il était le juge du plus fort,
         Aurait toujours raison, et l'autre toujours tort.
                                   Ibid., acte II, scène 3.

4844   Les rois, dans le haut rang où le ciel les fait naître,
         Ont souvent des vainqueurs et n'ont jamais de maître.
                                   Ibid.

4845   [...] la vertu, quand on l'aime,
         Porte de nos bienfaits le salaire elle-même.
                                   Ibid., acte V, scène 4.

4846   [...] Un amant, c'est comme un homme qui a faim ; pû
         il a faim, et pû il a envie de manger ; pû un homme a de peine
         après une fille, et pû il l'aime.
                                   La Surprise de l'Amour, acte I, scène 1.

4847   Quand quelqu'un me vante une femme aimable, et l'amour
         qu'il a pour elle, je crois voir un frénétique qui me fait
         l'éloge d'une vipère, qui me dit qu'elle est charmante, et
         qu'il a le bonheur d'en être mordu.   *Ibid., acte I, scène 2.*

4848   Il n'y a, mardi ! pas de livre qui ait tant d'esprit qu'une
         femme, quand elle est en corset et en petites pantoufles.
                                   Ibid., acte I, scène 2.

4849   Vive l'amour, mon cher maître, et faites chorus, car il n'y
         a pas deux chemins : il faut passer par là, ou par la fenêtre.
                                   Ibid., acte III, scène 5.

4850   ARLEQUIN

         Colombine, pour nous, allons nous marier sans cérémonie.

                       COLOMBINE

         Avant le mariage, il en faut un peu ; après le mariage, je
         t'en dispense.   *Ibid., acte III, scène 6.*

4851   Si de chaque femme volage
                L'amant allait planter des choux
                Par la ventrebille ! je gage
                Que nous serions condamnés tous
                A travailler au jardinage.
                                   Ibid., Divertissement.

4852   Je connais mon sexe : il n'a rien de prodigieux que sa coquet-
         terie.   *La Double Inconstance, acte I, scène 2.*

[...] Tes yeux veulent être fripons, veulent attendrir, veulent   4853
frapper, font mille singeries; ta tête est légère [...] Oh!
toutes ces petites impertinences-là sont très jolies dans une
fille du monde; il est décidé que ce sont des grâces; le cœur
des hommes s'est tourné comme cela.

Ibid., acte I, scène 3.

[...] Il n'y aura que lui qui rira, et il n'y a point de plaisir   4854
à rire tout seul.   *Ibid., acte I, scène 4.*

TRIVELIN   4855

Maison à la ville, maison à la campagne.

ARLEQUIN

Ah! que cela est beau! il n'y a qu'une chose qui m'embarrasse : qui est-ce qui habitera ma maison de ville, quand
je serai à ma maison de campagne?   *Ibid.*

Oh! mais je n'ai point de carrosse! Eh bien, je ne verserai   4856
point. *(En montrant ses jambes.)* Ne voilà-t-il pas un équipage que ma mère m'a donné? n'est-ce pas de bonnes jambes?
Eh! morbleu, il n'y a pas de raison à vous d'avoir une autre
voiture que la mienne. Alerte, alerte, paresseux; laissez vos
chevaux à tant d'honnêtes laboureurs, qui n'en ont point;
cela nous fera du pain; vous marcherez, et vous n'aurez pas
les gouttes.   *Ibid.*

Quoi! Seigneur, Arlequin et Silvia me résisteraient! Je ne   4857
gouvernerais pas deux cœurs de cette espèce-là! moi qui
l'ai entrepris, moi qui suis opiniâtre, moi qui suis femme!
c'est tout dire.   *Ibid., acte I, scène 8.*

Sur ce pied-là ce n'est pas grand-chose que d'être honoré,   4858
puisque cela ne signifie pas qu'on soit honorable.

Ibid., acte I, scène 10.

Moi, j'ai l'air d'un innocent; vous, vous avez l'air d'un   4859
homme d'esprit; eh bien! à cause de cela, faut-il s'en fier à
notre air?   *Ibid., acte II, scène 7.*

Quel trafic! C'est justement recevoir des coups de bâton   4860
d'un côté, pour avoir le privilège d'en donner d'un autre;
voilà une drôle de vanité! A vous voir si humbles, vous
autres, on ne croirait jamais que vous êtes si glorieux.   *Ibid.*

[...] Quand je respecte les gens, moi, et que je les crains, je   4861
ne les aime pas de si bon courage; je ne saurais faire tant de
choses à la fois.   *Ibid., acte III, scène 4.*

[...] Comme les hommes sont quelquefois méchants, mettez-   4862
vous en état de faire du mal, seulement afin qu'on n'ose pas
vous en faire.   *Ibid.*

[...] Si je rends le bien pour le mal, je serai donc un homme   4863
sans honneur?   *Ibid.*

4864   Je vous rends votre paquet de noblesse; mon honneur n'est
       pas fait pour être noble; il est trop raisonnable pour cela.
       Ibid.

4865   Hélas! que les bonnes gens sont faibles!
       Ibid., acte III, scène 5.

4866   Lorsque je l'ai aimé, c'était un amour qui m'était venu; à cette
       heure je ne l'aime plus, c'est un amour qui s'en est allé;
       il est venu sans mon avis, il s'en retourne de même; je ne
       crois pas être blâmable.   *Ibid., acte III, scène 8.*

4867   Qu'est-ce que vous me diriez? que je vous quitte. Qu'est-ce
       que je vous répondrais? que je le sais bien. Prenez que vous
       l'avez dit, prenez que j'ai répondu, laissez-moi après, et
       voilà qui sera fini.   *Ibid., acte III, scène 10.*

4868   Lui parlez-vous, toutes ses réponses sont des monosyllabes,
       oui, non; car le dégoût est laconique.
       Le Prince Travesti, acte I, scène 2.

4869   Un homme qui se trouve bien assis, qu'a-t-il besoin de se
       mettre debout?   *Ibid., acte I, scène 13.*

4870   Bon! quand on n'a point d'honneur, est-ce qu'il faut avoir
       de la réputation?   *Ibid.*

4871   Il n'y aura donc que moi qui resterai un fripon, faute de
       savoir faire une harangue.   *Ibid., acte II, scène 13.*

4872   Mes créanciers sont de deux espèces : les uns ne savent pas
       que je leur dois; les autres le savent et le sauront longtemps.
       La Fausse Suivante, acte I, scène 1.

4873   Si elle n'est pas laide, elle le deviendra, puisqu'elle sera ma
       femme; cela ne peut pas lui manquer.
       Ibid., acte I, scène 7.

4874   De sexes, je n'en connais que deux : l'un qui se dit raison-
       nable, l'autre qui nous prouve que cela n'est pas vrai.
       Ibid., acte III, scène 2.

4875   D'un sang noble? Queu guiable d'invention d'avoir fait
       comme ça du sang de deux façons, pendant qu'il viant du
       même ruissiau!   *Le Dénouement imprévu, scène 1.*

4876   On ne met rien dans son cœur; on y prend ce qu'on y trouve.
       Ibid., scène 4.

4877   Soit, vous êtes plus vieux que moi; je ne chicane point là-
       dessus; j'aurai votre âge un jour; car nous vieillissons tous
       dans notre famille.   *Ibid., scène 7.*

4878   Vertuchou! Monsieur! vous ne savez pas ce que c'est que
       l'oreille d'une femme. Cette oreille-là, voyez-vous, d'une
       demi-lieue entend ce qu'on dit, et d'un quart de lieue ce
       qu'on va dire.   *Ibid., scène 8.*

[...] On va te faire esclave à ton tour; on te dira aussi que cela   4879
est juste; et nous verrons ce que tu penseras de cette justice-
là; tu m'en diras ton sentiment, je t'attends là. Quand tu
auras souffert, tu seras plus raisonnable; tu sauras mieux
ce qu'il est permis de faire souffrir aux autres.
L'île des esclaves, scène 1.

[...] Nous autres esclaves, nous sommes doués contre nos   4880
maîtres d'une pénétration!... Oh! ce sont de pauvres gens
pour nous.   *Ibid., scène 3.*

Fi! que cela est vilain, de n'avoir eu pour tout mérite que   4881
de l'or, de l'argent et des dignités! C'était bien la peine de
faire tant les glorieux! [...] Il s'agit de vous pardonner, et
pour avoir cette bonté-là, que faut-il être, s'il vous plaît?
Riche? non; noble? non; grand seigneur? point du tout. Vous
étiez tout cela; en valiez-vous mieux? Et que faut-il donc?
Ah! nous y voici. Il faut avoir le cœur bon [...] Entendez-
vous, Messieurs les honnêtes gens du monde?
Ibid., scène 10.

Il faut avoir bien du jugement pour sentir que nous n'en avons   4882
point.   *L'île de la Raison, Prologue, scène 1.*

[...] Tu badines de ta propre vanité : il n'y a peut-être que le   4883
Français au monde capable de cela.   *Ibid.*

Que deviendra l'amour, si c'est le sexe le moins fort que   4884
vous chargez du soin d'en surmonter les fougues? Quoi!
vous mettrez la séduction du côté des hommes, et la nécessité
de la vaincre du côté des femmes! Et si elles y succombent,
qu'avez-vous à leur dire? C'est vous en ce cas qu'il faut
déshonorer, et non pas elles. Quelles étranges lois que les
vôtres en fait d'amour! Allez, mes enfants, ce n'est pas la
raison, c'est le vice qui les a faites; il a bien entendu ses
intérêts. Dans un pays où l'on a réglé que les femmes résisteraient aux hommes, on a voulu que la vertu n'y servît
qu'à ragoûter les passions, et non pas à les soumettre.
Ibid., acte II, scène 3.

Que tu semblais ardent,   4885
Mari, quand tu pris femme!
De l'excès de ta flamme
Tu lui parlais à chaque instant :
Avant l'hymen, tu te croyais géant.
Six mois de mariage
De ce hardi langage
T'ont fait perdre l'usage.
Tu n'es plus, pauvre fanfaron,
Qu'un petit garçon,
Qu'un embryon,
Qu'un myrmidon.
Ibid., Divertissement.

[...] On parlera de vous dans l'histoire, vous serez excellent   4886
à être cité, mais vous ne valez rien à être vu; ayez donc la
bonté de nous édifier de plus loin.
La Seconde Surprise de l'Amour, acte I, scène 11.

4887 [...] La gloire d'une femme, gloire sotte, ridicule, mais reçue,
mais établie, qu'il faut soutenir, et qui nous pare ; les hommes
pensent cela, il faut penser comme les hommes ou ne pas
vivre avec eux.   *Ibid., acte II, scène 6.*

4888   LE CHEVALIER

Vous m'avez pourtant dit de cruelles choses.

                              LA MARQUISE

Eh! à qui en dit-on, si ce n'est aux gens qu'on aime, et qui
semblent n'y pas répondre ?   *Ibid., acte II, scène 9.*

4889 On a un cœur, on s'en sert, cela est naturel.
                                        Ibid., acte III, scène 2.

4890 Parbleu, il faut quelques sentiments dans une femme. Vous
hait-elle ? on combat sa haine ; ne lui déplaisez-vous pas ?
on espère ; mais une femme qui ne répond rien, comment
se conduire avec elle ? par où prendre son cœur ? un cœur
qui ne se remue ni pour ni contre, qui n'est ni ami, ni ennemi,
qui n'est rien, qui est mort, le ressuscite-t-on ?
                                        Ibid., acte III, scène 6.

4891 Hé ! que voulez-vous ? On nous crie dès le berceau : « Vous
n'êtes capables de rien, ne vous mêlez de rien, vous n'êtes
bonnes à rien qu'à être sages. » On l'a dit à nos mères qui
l'ont cru, qui nous le répètent ; on a les oreilles rebattues
de ces mauvais propos ; nous sommes douces, la paresse
s'en mêle, on nous mène comme des moutons.
                                        La Colonie, scène 9.

4892 [...] C'est à régner dans la bagatelle, c'est à n'être nous-
mêmes que la première de toutes les bagatelles ; voilà toutes
les fonctions qu'ils nous laissent ici-bas.   *Ibid.*

4893 [...] Il n'y a point de nation qui ne se plaigne des défauts
de son gouvernement ; d'où viennent-ils, ces défauts ? C'est
que notre esprit manque à la terre dans l'institution de ses
lois, c'est que vous ne faites rien de la moitié de l'esprit
humain que nous avons, et que vous n'employez jamais
que la vôtre, qui est la plus faible.   *Ibid., scène 13.*

4894 [...] Le mariage qui se fait entre les hommes et nous, devrait
aussi se faire entre leurs pensées et les nôtres ; c'était l'intention des dieux, elle n'est pas remplie, et voilà la source de
l'imperfection des lois.   *Ibid.*

4895 Vous êtes mon mari, je suis votre femme ; vous êtes le maître,
et moi la maîtresse ; à l'égard du chef de famille, allons belle-
ment, il y a deux chefs ici, vous êtes l'un, et moi l'autre,
partant quitte à quitte.   *Ibid., scène 14.*

4896 Nous disons que le monde est une ferme, les dieux là-haut
en sont les seigneurs, et vous autres hommes, depuis que la
vie dure, en avez toujours été les fermiers tout seuls, et cela
n'est pas juste, rendez-nous notre part de la ferme ; gouvernez,

gouvernons; obéissez, obéissons; partageons le profit et
la perte; soyons maîtres et valets en commun; faites ceci,
ma femme; faites ceci, mon homme; voilà comme il faut dire,
voilà le moule où il faut jeter les lois, nous le voulons, nous
le prétendons, nous y sommes butées.   *Ibid.*

Un mari porte un masque avec le monde, et une grimace   4897
avec sa femme.
                Le Jeu de l'amour et du hasard, acte I, scène 2.

Dans ce monde, il faut être un peu trop bon pour l'être assez.   4898
                                                        Ibid.

ARLEQUIN   4899

Je viens pour épouser, et ils m'attendent pour être mariés;
cela est convenu; il ne manque plus que la cérémonie,
qui est une bagatelle.

SILVIA

C'est une bagatelle qui vaut bien la peine qu'on y pense.

ARLEQUIN

Oui; mais quand on y a pensé, on n'y pense plus.
                                Ibid., acte I, scène 8.

MARIO   4900

Je ne saurais empêcher qu'il ne t'aime, belle Lisette; mais
je ne veux pas qu'il te le dise.

SILVIA

Il ne me le dit plus; il ne fait que me le répéter.
                                Ibid., acte III, scène 3.

Avant notre reconnaissance, votre dot valait mieux que   4901
vous; à présent, vous valez mieux que votre dot. Allons,
saute, Marquis!   *Ibid., acte III, scène 9.*

J'aurais cru que la gloire de pardonner à ses ennemis valait   4902
bien l'honneur de les haïr toujours [...]
                Le Triomphe de l'Amour, acte III, scène 3.

Je vous avertis que j'aime Lisette, et que je veux l'épouser   4903
tout seul.   *L'École des mères, scène 2.*

Honnête homme ou non, son honneur est de trop, dès qu'il   4904
récompense.   *Ibid.*

C'est une espèce de loi qu'on nous a imposée et qui dans le   4905
fond nous fait honneur; car entre deux personnes qui vivent
ensemble, c'est toujours la plus raisonnable qu'on charge
d'être la plus docile.   *Ibid., scène 5.*

Moi l'épouser! Je t'assure que non; c'est bien assez qu'il   4906
m'épouse.   *Ibid., scène 6.*

4907
> Vous qui sans cesse à vos fillettes
> Tenez de sévères discours, *(bis)*
> Mamans, de l'erreur où vous êtes
> Le dieu d'amour se rit et se rira toujours. *(bis)*
> Vos avis sont prudents, vos maximes sont sages;
> Mais malgré tant de soins, malgré tant de rigueur,
> Vous ne pouvez d'un jeune cœur
> Si bien fermer tous les passages,
> Qu'il n'en reste toujours quelqu'un pour le vainqueur.
>
> *Ibid., Divertissement.*

4908 [...] La fidélité de Paris n'est point sauvage, c'est une fidélité galante, badine, qui entend raillerie, et qui se permet toutes les petites commodités du savoir-vivre...
Le Petit Maître corrigé, acte I, scène 3.

4909 A Paris, ma chère enfant, les cœurs, on ne se les donne pas, on se les prête, on ne fait que des essais. *Ibid.*

4910 [...] Les amourettes en passant sont amusantes; mon maître passera, votre maîtresse de même; je passerai, vous passerez, nous passerons tous. *Ibid.*

4911 Nous marier? Des gens qui s'aiment! Y songez-vous? Que vous a fait l'amour pour le pousser à bout?
Ibid., acte II, scène 6.

4912 Ils se sont vus en se rencontrant; mais ils ne se rencontront pus, ils se treuvent. *La Mère confidente, acte I, scène 7.*

4913 Quand une fille est riche, on ne la donne qu'à un homme qui a d'autres richesses, tout inutiles qu'elles sont; c'est du moins l'usage. *Ibid.*

4914 Son époux, Monsieur! Suffit-il d'en prendre le nom pour l'être? Et de quel poids, s'il vous plaît, serait cette foi mutuelle dont vous parlez? Vous vous croiriez donc mariés, parce que, dans l'étourderie d'un transport amoureux, il vous aurait plu de vous dire : « Nous le sommes? » Les passions seraient bien à leur aise, si leur emportement rendait tout légitime. *Ibid., acte III, scène 11.*

4915 Les domestiques sont haïssables : il n'y a pas jusqu'à leur zèle qui ne vous désoblige. C'est toujours de travers qu'ils vous servent. *Le Legs, scène 7.*

4916 Elle sera ma femme, mais en revanche je serai son mari, c'est ce qui me console. *Ibid., scène 18.*

4917 Se fâche-t-on qu'une fourmi rampe? La médiocrité de l'état fait que les pensées sont médiocres. Lisette n'a point de bien; et c'est avec de petits sentiments qu'on en amasse.
Ibid., scène 21.

4918 Point de bien! votre bonne mine est un Pérou.
Les fausses Confidences, acte I, scène 2.

Si vous lui plaisez, elle en sera si honteuse, elle se débattra 4919
tant, elle deviendra si faible, qu'elle ne pourra se soutenir
qu'en épousant; vous m'en direz des nouvelles. *Ibid.*

Fierté, raison et richesse, il faudra que tout se rende. Quand 4920
l'amour parle, il est le maître... *Ibid.*

[...] Je puis me marier, je n'en ai point envie, mais cette 4921
envie-là vient tout d'un coup, il y a tant de minois qui vous
la donnent. *Ibid., acte I, scène 3.*

Il est vrai que je suis toujours fâchée de voir d'honnêtes 4922
gens sans fortune, tandis qu'une infinité de gens de rien,
et sans mérite, en ont une éclatante. C'est une chose qui me
blesse [...] *Ibid., acte I, scène 7.*

MARTON 4923

C'est le garçon de France le plus désintéressé.

LE COMTE

Tant pis; ces gens-là ne sont bons à rien.
Ibid., acte II, scène 4.

Moi, un dissimulé! moi, garder un secret! Vous avez bien 4924
trouvé votre homme! En fait de discrétion, je mériterais
d'être femme. *Ibid., acte III, scène 2.*

MONSIEUR REMY 4925

Comment donc? m'imposer silence! à moi, procureur!
Savez-vous bien qu'il y a cinquante ans que je parle, Madame
Argante?

MADAME ARGANTE

Il y a donc cinquante ans que vous ne savez ce que vous dites.
Ibid., acte III, scène 5.

[...] Il est permis à un amant de chercher les moyens de plaire, 4926
et on doit lui pardonner, lorsqu'il a réussi.
Ibid., acte III, scène 12.

La connaissance est si vite faite en mariage, c'est un pays 4927
où l'on va si vite... *L'Épreuve, scène 15.*

Maris jaloux, tendres amants, 4928
Dormez sur la foi des serments,
Qu'aucun soupçon ne vous émeuve;
Croyez l'objet de vos amours,
Car on ne gagne pas toujours
A le mettre à l'épreuve.
Ibid., Divertissement, vaudeville.

Cette finesse-là a je ne sais quoi de mystérieux et d'obscur, 4929
où j'aperçois quelque chose... qui n'est pas clair.
Le Préjugé vaincu, scène 2.

4930   Nous autres jolies femmes, car j'ai été de ce nombre, per-
       sonne n'a plus d'esprit que nous, quand nous en avons un
       peu : les hommes ne savent plus alors la valeur de ce que
       nous disons; en nous écoutant parler, ils nous regardent,
       et ce que nous disons profite de ce qu'ils voient.
                                   La Vie de Marianne, Première partie.

4931   [...] Il faut que la terre soit un séjour bien étranger pour
       la vertu, car elle ne fait qu'y souffrir.   *Ibid.*

4932   Faut-il qu'on ne soit sage que quand il n'y a point de mérite
       à l'être! Que veut-on dire en parlant de quelqu'un, quand
       on dit qu'il est en âge de raison? C'est mal parler : cet âge
       de raison est bien plutôt l'âge de la folie. Quand cette raison
       nous est venue, nous l'avons comme un bijou d'une grande
       beauté, que nous regardons souvent, que nous estimons
       beaucoup, mais que nous ne mettons jamais en œuvre.   *Ibid*

4933   Je pense, pour moi, qu'il n'y a que le sentiment qui nous
       puisse donner des nouvelles un peu sûres de nous, et qu'il
       ne faut pas trop se fier à celles que notre esprit veut faire à sa
       guise, car je le crois un grand visionnaire.   *Ibid.*

4934   Comme je ne voyais plus personne qui prît part à moi ni
       à ma vie, je n'y en prenais plus moi-même; et cette manière
       de penser me mettait dans un état qui ressemblait à de la
       tranquillité : mais qu'on est à plaindre avec cette tranquillité-
       là! on est plus digne de pitié que dans le désespoir le plus
       emporté.   *Ibid.*

4935   [...] En général, personne ne marque tant de zèle pour adoucir
       vos peines, que les fourbes qui les ont causées et qui y gagnent.
                                                            Ibid.

4936   [...] Quand une fois l'imagination est en train, malheur à
       l'esprit qu'elle gouverne.   *Ibid.*

4937   Les bienfaits des hommes sont accompagnés d'une mala-
       dresse si humiliante pour les personnes qui les reçoivent!
                                                            Ibid.

4938   [...] Qu'est-ce qu'une charité qui n'a point de pudeur avec le
       misérable, et qui, avant que de le soulager, commence par
       écraser son amour-propre? La belle chose qu'une vertu qui
       fait le désespoir de celui sur qui elle tombe!   *Ibid.*

4939   [...] Il y a des âmes perçantes à qui il n'en faut pas beaucoup
       montrer pour les instruire, et qui, sur le peu qu'elles voient,
       soupçonnent tout d'un coup tout ce qu'elles pourraient
       voir.   *Ibid.*

4940   [...] Les vertus des hommes ne remplissent que bien préci-
       sément leur devoir, elles seraient plus volontiers mesquines
       que prodigues dans ce qu'elles font de bien : il n'y a que les
       vices qui n'ont point de ménage.   *Ibid.*

4941   [...] Tous les jours, en fait d'amour, on fait très délicatement
       des choses fort grossières.   *Ibid.*

Mon Dieu, que les hommes ont de talents pour ne rien 4942
valoir! *Ibid.*

Promettre et tenir mène les gens bien loin. *Ibid.* 4943

Dans le fond, ce n'est plus avoir de l'honneur que de laisser 4944
espérer aux gens qu'on en manquera. *Ibid.*

[...] Chez de certaines gens, un habit neuf, c'est presque 4945
un beau visage. *Ibid.*

[...] Ceux qui sont un peu plus philosophes, [...] ne seront 4946
pas fâchés de voir ce que c'est que l'homme dans un cocher,
et ce que c'est que la femme dans une petite marchande.
Ibid., Seconde partie, avertissement.

Il y a des gens dont la vanité se mêle de tout ce qu'ils font, 4947
même de leurs lectures. *Ibid., Seconde partie.*

Nous avons deux sortes d'esprits, nous autres femmes. 4948
Nous avons d'abord le nôtre, qui est celui que nous recevons
de la nature. [...] Et puis nous en avons encore un autre,
qui est à part du nôtre, et qui peut se trouver dans les femmes
les plus sottes. C'est l'esprit que la vanité de plaire nous
donne, et qu'on appelle, autrement dit, la coquetterie.
Oh! celui-là, pour être instruit, n'attend pas le nombre
des années : il est fin dès qu'il est venu [...] *Ibid.*

Fiez-vous aux personnes jalouses du soin de vous connaître, 4949
vous ne perdrez rien avec elles : la nécessité de bien voir
est attachée à leur misérable passion, et elles vous trouvent
toutes les qualités que vous avez, en vous cherchant tous les
défauts que vous n'avez pas : voilà ce qu'elles essuient.
Ibid.

[...] L'amour ne nous trompe point : dès qu'il se montre, 4950
il nous dit ce qu'il est, et de quoi il sera question; l'âme,
avec lui, sent la présence d'un maître qui la flatte, mais avec
une autorité déclarée qui ne la consulte pas, et qui lui laisse
hardiment les soupçons de son esclavage futur. *Ibid.*

On croit souvent avoir la conscience délicate, non pas à cause 4951
des sacrifices qu'on lui fait, mais à cause de la peine qu'on
prend avec elle pour s'exempter de lui en faire. *Ibid.*

Voilà l'inconvénient qu'il y a d'avoir un joli visage; c'est 4952
qu'il nous donne l'air d'avoir tort quand nous sommes un
peu soupçonnées, et qu'en mille occasions il conclut contre
nous. *Ibid.*

[...] Ne savez-vous pas que notre âme est encore plus superbe 4953
que vertueuse, plus glorieuse qu'honnête, et par conséquent
plus délicate sur les intérêts de sa vanité que sur ceux de son
véritable honneur? *Ibid.*

[...] Qu'importe que notre cœur souffre, pourvu que notre 4954
vanité soit servie? Ne se passe-t-on pas de tout, et de repos,
et de plaisirs, et d'honneur même, et quelquefois de la vie,
pour avoir la paix avec elle? *Ibid.*

4955   Notre orgueil et nous, ce n'est qu'un, au lieu que nous et
       notre vertu, c'est deux.   *Ibid.*

4956   [...] Pour parvenir à être honoré, je saurai bien cesser d'être
       honorable; et en effet, c'est assez là le chemin des honneurs :
       qui les mérite n'y arrive guère.   *Ibid.*

4957   Les femmes d'un certain état s'imaginent en avoir plus de
       dignité, quand elles ont un joli visage; elles regardent cet
       avantage-là comme un rang. La vanité s'aide de tout, et
       remplace ce qui lui manque avec ce qu'elle peut. *Ibid.*

4958   Le peuple, à Paris, n'est pas comme ailleurs : en d'autres
       endroits, vous le verrez quelquefois commencer par être
       méchant, et puis finir par être humain. Se querelle-t-on,
       il excite, il anime; veut-on se battre, il sépare. En d'autres
       pays, il laisse faire, parce qu'il continue d'être méchant.
       Celui de Paris n'est pas de même; il est moins canaille, et
       plus peuple que les autres peuples.   *Ibid.*

4959   [...] Notre vie, pour ainsi dire, nous est moins chère que nous,
       que nos passions. A voir quelquefois ce qui se passe dans
       notre instinct là-dessus, on dirait que, pour être, il n'est
       pas nécessaire de vivre; que ce n'est que par accident que
       nous vivons, mais que c'est naturellement que nous sommes.
                                     Ibid., Troisième partie.

4960   [...] En général, il faut se redresser pour être grand : il n'y
       a qu'à rester comme on est pour être petit...   *Ibid.*

4961   Il est bon en pareille occasion de plaire un peu aux yeux,
       ils vous recommandent au cœur. Êtes-vous malheureux
       et mal vêtu? ou vous échappez aux meilleurs cœurs du
       monde, ou ils ne prennent pour vous qu'un intérêt fort
       tiède [...]   *Ibid.*

4962   Nous autres filles, ou nous autres femmes, nous pleurons
       volontiers dès qu'on nous dit : Vous venez de pleurer.
                                                         Ibid.

4963   A quelque chose nos défauts sont bons. On voudrait bien
       que nous ne les eussions pas, mais on les supporte, et on
       nous trouve plus aimables de nous en corriger quelquefois,
       que nous ne le paraîtrions avec les qualités contraires.
                                     Ibid., Quatrième partie.

4964   [...] Il me semble que mon âme, en mille occasions, en sait
       plus qu'elle n'en peut dire, et qu'elle a un esprit à part, qui
       est bien supérieur à l'esprit que j'ai d'ordinaire. Je crois
       aussi que les hommes sont bien au-dessus de tous les livres
       qu'ils font.   *Ibid.*

4965   Quand on a l'air si bon, on en paraît moins belle; un air
       de franchise et de bonté si dominant est tout à fait contraire
       à la coquetterie [...]   *Ibid.*

4966   Combien un méchant qui vous craint est lui-même à craindre.
                                                         Ibid.

C'est presque toujours le péché qui prêche la vertu dans nos chaires. *Ibid.* 4967

La plupart des femmes qui ont beaucoup d'esprit ont une certaine façon d'en avoir qu'elles n'ont pas naturellement, mais qu'elles se donnent. *Ibid.* 4968

Il est naturel de souhaiter qu'on nous rende justice; la plus grande de toutes les âmes ne serait pas insensible au plaisir d'être connue pour telle. *Ibid.* 4969

C'est que la plupart des hommes, quand on les oblige, voudraient qu'on ne sentît presque pas, et le prix du service qu'on leur rend, et l'étendue de l'obligation qu'ils en ont; ils voudraient qu'on fût bon sans être éclairé; cela conviendrait mieux à leur ingrate délicatesse, et c'est ce qu'ils ne trouvent pas dans quiconque a beaucoup d'esprit. *Ibid., Cinquième partie.* 4970

Une âme qui ne vous demande rien pour les services qu'elle vous a rendus, sinon que vous en preniez droit d'en exiger d'autres, qui ne veut rien que le plaisir de vous voir abuser de la coutume qu'elle a de vous obliger, en vérité, une âme de ce caractère a bien de la dignité. *Ibid.* 4971

[...] Il me semble que la condition de ceux qui restent est toujours plus triste que celle des personnes qui s'en vont. S'en aller, c'est un mouvement qui dissipe, et rien ne distrait les personnes qui demeurent... *Ibid.* 4972

[...] Il y a de certaines gens dont l'esprit n'est en mouvement que par pure disette d'idées; c'est ce qui les rend si affamés d'objets étrangers, d'autant plus qu'il ne leur reste rien, que tout passe en eux, que tout en sort; gens toujours regardants, toujours écoutants, jamais pensants. *Ibid.* 4973

C'est que vous êtes belle, et que dans le monde, avec la beauté que vous avez, et quelque vertueuse qu'on soit, on est toujours exposée soi-même, à force d'exposer les autres... *Ibid., Sixième partie.* 4974

[...] Une tendresse aussi vive que subite (tendresse ordinairement de peu de durée; il en est d'elle comme de ces fruits qui passent vite, à cause qu'ils ont été mûrs de trop bonne heure)... *Ibid., Huitième partie.* 4975

Quand un malheur, qu'on a cru extrême, et qui nous désespère, devient encore plus grand, il semble que notre âme renonce à s'en affliger; l'excès qu'elle y voit la met à la raison, ce n'est plus la peine qu'elle s'en désole; elle lui cède et se tait. *Ibid.* 4976

Qu'un amant nous quitte et nous en préfère une autre, eh bien! soit; mais du moins qu'il ait tort de nous la préférer; que ce soit la faute de son inconstance, et non pas de nos charmes; enfin, que ce soit une injustice qu'il nous fasse; c'est bien la moindre chose... *Ibid.* 4977

4978 C'est que la vengeance est douce à tous les cœurs offensés;
il leur en faut une, il n'y a que cela qui les soulage; les uns
l'aiment cruelle, les autres généreuse.   *Ibid.*

4979 [...] Il n'y a point de condition qui mette à l'abri du malheur,
ou qui ne puisse lui servir de matière! Pour être le jouet des
événements les plus terribles, il n'est seulement question
que d'être au monde.   *Ibid., Neuvième partie.*

4980 [...] Rarement on sert bien ceux qu'on aime trop [...]   *Ibid.*

4981 [...] Les reproches durs ne réussissent point; ce sont des
affronts qui ne corrigent personne, et nos torts disparaissent
dès qu'on nous offense.   *Ibid.*

4982 Nous qui sommes bornées en tout, comment le sommes-
nous si peu quand il s'agit de souffrir?   *Ibid.*

4983 On s'accoutume à tout dans l'abondance, il n'y a guère
de dégoût dont elle ne console.   *Ibid.*

4984 [...] Des amis courageux et zélés, en a-t-on quand on n'a
plus rien, qu'on ne fait plus de figure dans le monde, et que
toute la considération qu'on y peut espérer est pour ainsi
dire à la merci du bon ou du mauvais cœur de gens à qui
l'on a tout donné, et dont la reconnaissance ou l'ingratitude
sont désormais les arbitres de votre sort?
Ibid., Onzième partie.

4985 Notre orgueil nous met si vite au fait de celui des autres,
et en général les finesses de l'orgueil sont toujours si grossières!   *Ibid.*

4986 Les cœurs ardents et sensibles [...] ne cessent bientôt d'aimer
que parce qu'ils se hâtent trop et d'aimer, et de sentir qu'ils
aiment. Ils ne se donnent pas le temps de faire un fonds,
ils dissipent presque tout leur amour à mesure qu'il vient;
et comme il ne leur en vient pas toujours, non plus qu'à
personne, il s'ensuit que bientôt ils ne s'en trouvent plus.
Le Cabinet du Philosophe.

4987 C'est une erreur, au reste, que de penser qu'une obscure
naissance vous avilisse, quand c'est vous-même qui l'avouez,
et que c'est de vous qu'on la sait. La malignité des hommes
vous laisse là; vous la frustrez de ses droits [...]
Le Paysan parvenu, Première partie.

4988 C'est avoir de l'honneur en pure perte que de l'avoir à
l'hôpital; je crois qu'il n'y brille guère.   *Ibid.*

4989 [...] Le cerveau d'une dévote, et d'une dévote cuisinière,
est naturellement sec et brûlé.   *Ibid.*

4990 Faire oraison pour se dire : Je la fais; porter à l'église des
livres de dévotion pour les manier, les ouvrir et les lire;
se retirer dans un coin, s'y tapir pour y jouir superbement
d'une posture de méditatifs, s'exciter à des transports pieux,
afin de croire qu'on a une âme bien distinguée [...]. Revenir

de là tout gonflé de respect pour soi-même, et d'une orgueilleuse pitié pour les âmes ordinaires. S'imaginer ensuite
qu'on a acquis le droit de se délasser de ses saints exercices
par mille petites mollesses qui soutiennent une santé délicate.
Tels sont ceux que j'appelle des dévots.   *Ibid.*

[...] Moi j'ai la tête près du bonnet, jamais les prêtres n'ont   4991
pu me guérir de cela, car je suis Picarde, cela vient du terroir.
                                    Ibid., Deuxième partie.

[...] Nous avons eu une grande mère qui était la fille d'un   4992
gentilhomme : il est vrai, pour n'en point mentir, que c'était
du côté gauche; mais le côté droit n'en est pas loin; on arrive
en ce monde du côté qu'on peut, et c'est toujours de la
noblesse à gauche.   *Ibid.*

Rien ne rend si aimable que de se croire aimé [...]   *Ibid.*   4993

Il faut bien se sentir de ce qu'on est : toute femme a du caquet,   4994
ou s'amuse avec plaisir de celui des autres; l'amour du babil
est un tribut qu'elle paye à son sexe. Il y a pourtant des
femmes silencieuses, mais je crois que ce n'est point par caractère qu'elles le sont; c'est l'expérience ou l'éducation qui
leur ont appris à le devenir.   *Ibid.*

[...] Toutes les dévotes [...] se dédommagent des péchés   4995
qu'elles ne font pas par le plaisir de savoir les péchés des
autres; c'est toujours autant de pris...   *Ibid.*

Quand on aime, on a l'œil à tout, et son âme se partageait   4996
entre le souci de me voir si aimé et la satisfaction de me voir
si aimable.   *Ibid.*

[...] Quand on est une fois en train de se plaindre des gens,   4997
surtout en fait de tendresse, les reproches ont toujours une
certaine durée; et on se plaint encore d'eux, même après leur
avoir pardonné; c'est comme un mouvement qu'on a donné
à quelque chose; il ne cesse pas tout d'un coup, il diminue,
et puis finit.   *Ibid.*

Les âmes excessivement bonnes sont volontiers imprudentes   4998
par excès de bonté même, et d'un autre côté, les âmes pru-
dentes sont assez rarement bonnes.   *Ibid.*

Il y a dans le monde bien des gens de ce caractère-là, qui   4999
aiment mieux leurs amis dans la douleur que dans la joie;
ce n'est que par compliment qu'ils vous félicitent d'un bien,
c'est avec goût qu'ils vous consolent d'un mal.
                                    Ibid., Troisième partie.

On ne doit pas avoir faim quand on est affligé.   *Ibid.*   5000

Elle m'avait recommandé de prier Dieu, et je n'y manquai   5001
pas; je le priai même plus qu'à l'ordinaire, car on aime tant
Dieu, quand on a besoin de lui!   *Ibid.*

5002   En vérité il n'y a de mouvements violents que chez ces
        personnes-là, il n'appartient qu'à elles d'être passionnées;
        peut-être qu'elles croient être assez bien avec Dieu pour
        pouvoir prendre ces licences-là sans conséquence. [...] Il
        est sûr que la colère des dévots est terrible.   *Ibid.*

5003   C'est bien un plaisir que d'être riche; mais ce n'est pas une
        gloire hormis pour les sots.   *Ibid.*

5004   On se sent bien fort et bien à son aise, quand c'est par
        la figure qu'on plaît, car c'est un mérite qu'on n'a point
        de peine à soutenir ni à faire durer; cette figure ne change
        point, elle est toujours là, vos agréments y tiennent; et
        comme c'est à eux qu'on en veut, vous ne craignez point
        que les gens se détrompent sur votre chapitre, et cela vous
        donne de la confiance.   *Ibid.*

5005   En fait d'amour, tout engagé qu'on est déjà, la vanité de
        plaire ailleurs vous rend l'âme si infidèle, et vous donne en
        pareille occasion de si lâches complaisances!   *Ibid.*

5006   Est-ce qu'on peut dire tout ce qu'on sent? Ceux qui le croient
        ne sentent guère, et ne voient apparemment que la moitié
        de ce qu'on peut voir.   *Ibid.*

5007   La retraite, surtout la chrétienne, ne sied bien qu'à ceux
        qui y demeurent, et jamais on n'en rapporta un visage à la
        mode, il en devient toujours ou ridicule ou scandaleux.
                                                                Ibid.

5008   C'est une chose admirable que la nourriture, lorsqu'on a du
        chagrin; il est certain qu'elle met du calme dans l'esprit;
        on ne saurait être bien triste pendant que l'estomac digère
        [...]   *Ibid.*

5009   [...] Les dévots prennent leur haine contre vous pour une
        preuve que vous ne valez rien.   *Ibid.*

5010   Pour aimer comme elle, il faut avoir été trente ans dévote,
        et pendant trente ans avoir eu besoin de courage pour l'être;
        il faut pendant trente ans avoir résisté à la tentation de songer
        à l'amour, et trente ans s'être fait un scrupule d'écouter
        ou même de regarder les hommes qu'on ne haïssait pourtant
        pas.   *Ibid.*

5011   Il n'y a point de plaisir qui ne perde à être connu.
                                        Ibid., Quatrième partie.

5012   L'âme se raffine à mesure qu'elle se gâte.   *Ibid.*

5013   Mon amour-propre a toujours été sociable; je n'ai jamais
        été plus doux ni plus traitable que lorsque j'ai eu lieu de
        m'estimer et d'être vain.   *Ibid.*

5014   On ne s'aperçoit presque pas qu'un homme ne dit mot,
        quand il écoute attentivement, du moins, s'imagine-t-on
        toujours qu'il va parler : et bien écouter c'est presque
        répondre.   *Ibid.*

Je songeais à être honnête et respectueux; c'était tout ce 5015
que cet aimable visage me permettait d'être; on n'est pas
ce qu'on veut avec de certaines mines, il y en a qui vous en
imposent.   *Ibid.*

Tout ce qui n'est que suffisant ne suffit jamais.   *Ibid.* 5016

C'est nous le plus souvent qui nous rendons tendres, pour 5017
orner nos passions; mais c'est la nature qui nous rend amoureux; nous tenons d'elle l'utile que nous enjolivons de
l'honnête [...]   *Ibid., Cinquième partie.*

Jamais on ne prie mieux que quand l'esprit et la chair sont 5018
contents, et prient ensemble.   *Ibid.*

Il y a de certains airs dans une femme qui vous annoncent 5019
ce que vous pourriez devenir avec elle; vous y démêlez, quand
elle vous regarde, s'il n'y a que de la coquetterie dans son
fait, ou si elle aurait envie de lier connaissance.   *Ibid.*

Quand on manque d'éducation, il n'y paraît jamais tant 5020
que lorsqu'on veut en montrer.   *Ibid.*

CHARLES DE SECONDAT,
BARON DE MONTESQUIEU
1689-1755

[...] Si l'on vient à savoir mon nom, dès ce moment je me tais. 5021
Je connais une femme qui marche assez bien, mais qui boite
dès qu'on la regarde.   *Lettres Persanes, Introduction.*

[...] Il est plus facile à un Asiatique de s'instruire des mœurs 5022
des Français dans un an, qu'il ne l'est à un Français de s'instruire des mœurs des Asiatiques dans quatre, parce que les
uns se livrent autant que les autres se communiquent peu.
                                                          Ibid.

C'est un malheur de n'être point aimée; mais c'est un affront 5023
de ne l'être plus.   *Ibid., Lettre III, Zachi à Usbek.*

Dans le nombreux sérail où j'ai vécu, j'ai prévenu l'amour 5024
et l'ai détruit par lui-même...
                 Ibid., Lettre VI, Usbek à son ami Nessir.

Que ne puis-je t'exprimer ce que je sens si bien! et comment 5025
sens-je si bien ce que je ne puis t'exprimer!
                     Ibid., Lettre VII, Fatmé à Usbek.

Il y a certaines vérités qu'il ne suffit pas de persuader, mais 5026
qu'il faut encore faire sentir.
                     Ibid., Lettre XI, Usbek à Mirza.

5027   [...] L'intérêt des particuliers se trouve dans l'intérêt commun ; [...] vouloir s'en séparer, c'est vouloir se perdre ; [...] la justice pour autrui est une charité pour nous.
Ibid., Lettre XII, Usbek à Mirza.

5028   Dans l'état où vous êtes, n'ayant point de chef, il faut que vous soyez vertueux malgré vous : sans cela vous ne sauriez subsister, et vous tomberiez dans le malheur de vos premiers pères. Mais ce joug vous paraît trop dur ; vous aimez mieux être soumis à un prince et obéir à ses lois, moins rigides que vos mœurs.   *Ibid., Lettre XIV, Usbek à Mirza.*

5029   [...] Distingue-moi des méchants, comme on distingue au lever de l'aurore le filet blanc d'avec le filet noir.
Ibid., Lettre XVI, Usbek au Mollak Méhémet-Hali.

5030   Il me semble que les choses ne sont en elles-mêmes ni pures ni impures [...]. La boue ne nous paraît sale que parce qu'elle blesse notre vue ou quelque autre de nos sens ; mais, en elle-même, elle ne l'est pas plus que l'or et les diamants.
Ibid., Lettre XVII, Usbek au même.

5031   Si les corps de ceux qui ne se lavent point ne blessaient ni l'odorat ni la vue, comment aurait-on pu s'imaginer qu'ils fussent impurs ?   *Ibid.*

5032   Depuis un mois que je suis ici, je n'y ai encore vu marcher personne. Il n'y a point de gens au monde qui tirent mieux parti de leur machine que les Français : ils courent ; ils volent. Les voitures lentes d'Asie, le pas réglé de nos chameaux, les feraient tomber en syncope.
Ibid., Lettre XXIV, Rica à Ibben.

5033   Le roi de France est le plus puissant prince de l'Europe. Il n'a point de mines d'or comme le roi d'Espagne, son voisin ; mais il a plus de richesses que lui, parce qu'il les tire de la vanité de ses sujets, plus inépuisable que les mines.   *Ibid.*

5034   Ce roi est un grand magicien : il exerce son empire sur l'esprit même de ses sujets ; il les fait penser comme il veut. S'il n'a qu'un million d'écus dans son trésor, et qu'il en ait besoin de deux, il n'a qu'à leur persuader qu'un écu en vaut deux, et ils le croient.   *Ibid.*

5035   On commence par des révérences : on continue par des embrassades. On dit que la connaissance la plus légère met un homme en droit d'en étouffer un autre. Il semble que le lieu inspire de la tendresse.   *Ibid., Lettre XXVIII, Rica à ****.*

5036   Le Pape est le Chef des Chrétiens. C'est une vieille idole qu'on encense par habitude. [...] Il se dit successeur d'un des premiers Chrétiens, qu'on appelle *saint Pierre*, et c'est certainement une riche succession : car il a des trésors immenses et un grand pays sous sa domination.
Ibid., Lettre XXIX, Rica à Ibben.

5037   La religion chrétienne est chargée d'une infinité de pratiques très difficiles, et, comme on a jugé qu'il est moins aisé de remplir ses devoirs que d'avoir des évêques, qui en dispensent, on a pris ce dernier parti pour l'utilité publique.   *Ibid.*

[...] Il n'y a jamais eu de royaume où il y ait tant de guerres 5038
civiles que dans celui du Christ. *Ibid.*

Ceux qui mettent au jour quelque proposition nouvelle 5039
sont d'abord appelés *hérétiques.* *Ibid.*

« Ah! ah! Monsieur est Persan? c'est une chose bien extra- 5040
ordinaire! Comment peut-on être Persan? »
Ibid., Lettre XXX, Rica à Ibben.

L'esprit humain est la contradiction même : dans une débau- 5041
che licencieuse, on se révolte avec fureur contre les préceptes,
et la Loi, faite pour nous rendre plus justes, ne sert souvent
qu'à nous rendre plus coupables.
Ibid., Lettre XXXIII, Usbek à Rhédi.

C'est se moquer de vouloir adoucir un mal par la considé- 5042
ration que l'on est né misérable. Il vaut bien mieux enlever
l'esprit hors de ses réflexions, et traiter l'homme comme
sensible, au lieu de le traiter comme raisonnable. *Ibid.*

« Après tout, disent-ils, quand nous serions malheureux 5043
en qualité de maris, nous trouverions toujours moyen de
nous dédommager en qualité d'amants. Pour qu'un homme
pût se plaindre avec raison de l'infidélité de sa femme, il
faudrait qu'il n'y eût que trois personnes dans le monde;
ils seront toujours à but quand il y en aura quatre. »
Ibid., Lettre XXXVIII, Rica à Ibben.

Dès qu'un grand est mort, on s'assemble dans une mosquée, 5044
et l'on fait une oraison funèbre, qui est un discours à sa
louange, avec lequel on serait bien embarrassé de décider
au juste du mérite du défunt.
Ibid., Lettre XL, Usbek à Ibben.

Je voudrais bannir les pompes funèbres: il faut pleurer les 5045
hommes à leur naissance, et non pas à leur mort [...]
Ibid.

Nous sommes si aveugles que nous ne savons quand nous 5046
devons nous affliger ou nous réjouir : nous n'avons presque
jamais que de fausses tristesses ou de fausses joies.
Ibid.

Tel, par exemple, que l'on devrait mépriser parce qu'il est 5047
un sot, ne l'est souvent que parce qu'il est homme de robe.
Ibid., Lettre XLIV, Usbek à Rhédi.

Dites-moi qui est celui qui est vis-à-vis de nous, qui est si 5048
mal habillé; qui fait quelquefois des grimaces et a un langage
différent des autres; qui n'a pas d'esprit pour parler, mais qui
parle pour avoir de l'esprit? — C'est, me répondit-il, un
poète, et le grotesque du Genre humain. Ces gens-là disent
qu'ils sont nés ce qu'ils sont. Cela est vrai, et aussi ce qu'ils
seront toute leur vie, c'est-à-dire presque toujours les plus
ridicules de tous les hommes.
Ibid., Lettre XLVIII, Usbek à Rhédi.

5049 [...] Les gens qu'on dit être de si bonne compagnie ne sont
souvent que ceux dont les vices sont plus raffinés et peut-être
en est-il comme des poisons, dont les plus subtils sont aussi
les plus dangereux.   *Ibid.*

5050 Nous avons une maxime en France, me répondit-il : c'est
de n'élever jamais les officiers dont la patience a langui dans
les emplois subalternes. Nous les regardons comme des gens
dont l'esprit s'est rétréci dans les détails, et qui, par l'habitude
des petites choses, sont devenus incapables des plus grandes.
Nous croyons qu'un homme qui n'a pas les qualités d'un
général à trente ans ne les aura jamais [...]   *Ibid.*

5051 Si la modestie est une vertu nécessaire à ceux à qui le Ciel a
donné de grands talents, que peut-on dire de ces insectes
qui osent faire paraître un orgueil qui déshonorerait les
plus grands hommes?   *Ibid., Lettre L. Rica à ***.*

5052 Heureux celui qui a assez de vanité pour ne dire jamais de
bien de lui, qui craint ceux qui l'écoutent, et ne compromet
point son mérite avec l'orgueil des autres!   *Ibid.*

5053 [...] Ne sentirons-nous jamais que le ridicule des autres?
                            Ibid., Lettre LII, Rica à Usbek.

5054 On remarque en France que, dès qu'un homme entre dans
une compagnie, il prend d'abord ce qu'on appelle *l'esprit
du corps.*   *Ibid., Lettre LIV, Rica à Usbek.*

5055 Les Français ne parlent presque jamais de leurs femmes;
c'est qu'ils ont peur d'en parler devant des gens qui les
connaissent mieux qu'eux.
                           Ibid., Lettre LV, Rica à Ibben.

5056 Ici un mari qui aime sa femme est un homme qui n'a pas
assez de mérite pour se faire aimer d'une autre [...]   *Ibid.*

5057 Ce n'est pas qu'il n'y ait des dames vertueuses, et on peut
dire qu'elles sont distinguées : mon conducteur me les faisait
toujours remarquer. Mais elles étaient toutes si laides qu'il
faut être un saint pour ne pas haïr la vertu.   *Ibid.*

5058 Quand ils promettent à une femme qu'ils l'aimeront toujours, ils supposent qu'elle, de son côté, leur promet d'être
toujours aimable, et, si elle manque à sa parole, ils ne se
croient plus engagés à la leur.   *Ibid.*

5059 [...] On dit que les héritiers s'accommodent mieux des médecins que des confesseurs.
                           Ibid., Lettre LVII, Usbek à Rhédi.

5060 [...] Il ne faut pas beaucoup d'esprit pour montrer ce qu'on
sait; mais il en faut infiniment pour enseigner ce qu'on
ignore.   *Ibid., Lettre LVIII, Rica à Rhédi.*

On a dit fort bien que, si les triangles faisaient un dieu,　5061
ils lui donneraient trois côtés.
Mon cher Usbek, quand je vois des hommes qui rampent
sur un atome, c'est-à-dire la Terre, qui n'est qu'un point
de l'Univers, se proposer directement pour modèles de la
Providence, je ne sais comment accorder tant d'extravagance avec tant de petitesse.
Ibid., Lettre LIX, Rica à Usbek.

Tu me demandes s'il y a des Juifs en France ? Sache que,　5062
partout où il y a de l'argent, il y a des Juifs. Tu me demandes
ce qu'ils y font ? Précisément ce qu'ils font en Perse : rien
ne ressemble plus à un Juif d'Asie qu'un Juif européen.
Ibid., Lettre LX, Usbek à Ibben.

[...] En fait de religion, les plus proches sont les plus grandes　5063
ennemies.　*Ibid.*

La fureur de la plupart des Français, c'est d'avoir de l'esprit,　5064
et la fureur de ceux qui veulent avoir de l'esprit, c'est de faire
des livres.
Cependant il n'y a rien de si mal imaginé : la Nature semblait
avoir sagement pourvu à ce que les sottises des hommes
fussent passagères, et les livres les immortalisent.
Ibid., Lettre LXVI, Rica à ***.

En quelque pays que j'aie été, j'y ai vécu comme si j'avais　5065
dû y passer ma vie : j'ai eu le même empressement pour les
gens vertueux, la même compassion ou plutôt la même
tendresse pour les malheureux, la même estime pour ceux
que la prospérité n'a point aveuglés [...] Partout où je
trouverai des hommes, je me choisirai des amis.
Ibid., Lettre LXVII, Ibben à Usbek.

Souvent Dieu manque d'une perfection qui pourrait lui　5066
donner une grande imperfection ; mais il n'est jamais limité
que par lui-même : il est lui-même sa nécessité. Ainsi,
quoique Dieu soit tout-puissant, il ne peut pas violer ses
promesses, ni tromper les hommes. Souvent même l'impuissance n'est pas dans lui, mais dans les choses relatives ;
et c'est la raison pourquoi il ne peut pas changer l'essence
des choses.　*Ibid., Lettre LXIX, Usbek à Rhédi.*

J'ai ouï parler d'une espèce de tribunal qu'on appelle　5067
l'*Académie française*. Il n'y en a point de moins respecté
dans le Monde : car on dit qu'aussitôt qu'il a décidé, le
Peuple casse ses arrêts et lui impose des lois qu'il est obligé
de suivre.　*Ibid., Lettre LXXIII, Rica à ***.*

La religion est moins un sujet de sanctification qu'un sujet　5068
de disputes qui appartient à tout le monde.
Ibid., Lettre LXXV, Usbek à Rhédi.

Un d'eux me disait un jour : « Je crois l'immortalité de　5069
l'âme par semestre ; mes opinions dépendent absolument
de la constitution de mon corps : selon que j'ai plus ou moins
d'esprits animaux, que mon estomac digère bien ou mal,
que l'air que je respire est subtil ou grossier, que les viandes

dont je me nourris sont légères ou solides, je suis spinosiste,
socinien, catholique, impie ou dévot. Quand le médecin est
auprès de mon lit, le confesseur me trouve à mon avantage.
Ibid.

5070 Vérité dans un temps, erreur dans un autre.   *Ibid.*

5071 Les lois sont furieuses en Europe contre ceux qui se tuent
eux-mêmes : on les fait mourir, pour ainsi dire, une seconde
fois; ils sont traînés indignement par les rues; on les note
d'infamie; on confisque leurs biens.
Ibid., Lettre LXXVI, Usbek à son ami Ibben.

5072 Les lunettes font voir démonstrativement que celui qui les
porte est un homme consommé dans les sciences et enseveli
dans de profondes lectures, à un tel point que sa vue en est
affaiblie; et tout nez qui en est orné ou chargé peut passer,
sans contredit, pour le nez d'un savant.
Ibid., Lettre LXXVIII, Rica à Usbek.

5073 Celui qui reste assis dix heures par jour obtient précisément
la moitié plus de considération qu'un autre qui n'en reste
que cinq, parce que c'est sur les chaises que la noblesse
s'acquiert [en Espagne].   *Ibid.*

5074 Ils sont les premiers hommes du monde pour mourir de
langueur sous la fenêtre de leurs maîtresses, et tout Espagnol
qui n'est pas enrhumé ne saurait passer pour galant.   *Ibid.*

5075 Les Espagnols qu'on ne brûle pas paraissent si attachés
à l'Inquisition, qu'il y aurait de la mauvaise humeur de la
leur ôter.   *Ibid.*

5076 Sans doute que les Français, extrêmement décriés chez
leurs voisins, enferment quelques fous dans une maison,
pour persuader que ceux qui sont dehors ne le sont pas.
Ibid.

5077 L'imagination se plie d'elle-même aux mœurs du pays où
l'on est; [...] le désespoir de l'infamie vient désoler un Français condamné à une peine qui n'ôterait pas un quart d'heure
de sommeil à un Turc.
Ibid., Lettre LXXX, Usbek à Rhédi.

5078 Quoique les Français parlent beaucoup, il y a cependant
parmi eux une espèce de dervis taciturnes qu'on appelle
Chartreux. On dit qu'ils se coupent la langue en entrant dans
le couvent, et on souhaiterait fort que tous les autres dervis
se retranchassent de même tout ce que leur profession leur
rend inutile.   *Ibid., Lettre LXXXII, Rica à Ibben.*

5079 On remarque que ceux qui vivent dans des religions tolérées
se rendent ordinairement plus utiles à leur patrie que ceux
qui vivent dans la religion dominante; parce que, éloignés
des honneurs, ne pouvant se distinguer que par leur opulence
et leurs richesses, ils sont portés à acquérir par leur travail
et à embrasser les emplois de la Société les plus pénibles.
Ibid., Lettre LXXXV, Usbek à Mirza.

[...] Une secte nouvelle introduite dans un état [est] le moyen 5080
le plus sûr pour corriger tous les abus de l'ancienne. *Ibid.*

On dit que l'homme est un animal sociable. Sur ce pied- 5081
là, il me paraît qu'un Français est plus homme qu'un autre;
c'est l'homme par excellence, car il semble être fait uniquement pour la société. *Ibid., Lettre LXXXVII, Rica à ***.*

Un grand seigneur est un homme qui voit le roi, qui parle 5082
aux ministres, qui a des ancêtres, des dettes et des pensions.
Ibid., Lettre LXXXVIII, Usbek à Rhédi.

La faveur est la grande divinité des Français. Le ministre 5083
est le grand-prêtre, qui lui offre bien des victimes. Ceux
qui l'entourent ne sont point habillés de blanc; tantôt
sacrificateurs et tantôt sacrifiés, ils se dévouent eux mêmes
à leur idole avec tout le peuple. *Ibid.*

Tout homme est capable de faire du bien à un homme; 5084
mais c'est ressembler aux dieux que de contribuer au
bonheur d'une société entière.
Ibid., Lettre LXXXIX, Usbek à Ibben.

Les parlements ressemblent à ces ruines que l'on foule aux 5085
pieds, mais qui rappellent toujours l'idée de quelque temple
fameux par l'ancienne religion des peuples. [...] Ces grands
corps ont suivi le destin des choses humaines : ils ont cédé
au temps, qui détruit tout, à la corruption des mœurs, qui
a tout affaibli, à l'autorité suprême, qui a tout abattu.
Ibid., Lettre XCII, Usbek à Rhédi.

Ce droit, tel qu'il est aujourd'hui, est une science qui apprend 5086
aux princes jusqu'à quel point ils peuvent violer la justice
sans choquer leurs intérêts. Quel dessein, Rhédi, de vouloir,
pour endurcir leur conscience, mettre l'iniquité en système,
d'en donner des règles, d'en former des principes et d'en
tirer des conséquences!
Ibid., Lettre XCIV, Usbek à Rhédi.

[...] Une alliance faite entre deux nations pour en opprimer 5087
une troisième n'est pas légitime, et on peut la violer sans
crime.
Il n'est pas même de l'honneur et de la dignité du prince
de s'allier avec un tyran.
Ibid., Lettre XCV, Usbek à Rhédi.

La conquête ne donne point un droit par elle-même : lors- 5088
que le peuple subsiste, elle est un gage de la paix et de la
réparation du tort; et, si le peuple est détruit ou dispersé,
elle est le monument d'une tyrannie. *Ibid.*

La Nature, qui a établi les différents degrés de force et de 5089
faiblesse parmi les hommes, a encore souvent égalé la faiblesse à la force par le désespoir. *Ibid.*

Le corps des laquais est plus respectable en France qu'ailleurs; 5090
c'est un séminaire de grands seigneurs : il remplit le vide
des autres états. *Ibid., Lettre XCVIII, Usbek à Ibben.*

5091   Je trouve, Ibben, la Providence admirable dans la manière
       dont elle a distribué les richesses : si elle ne les avait accor-
       dées qu'aux gens de bien, on ne les aurait pas assez dis-
       tinguées de la vertu, et on n'en aurait plus senti tout le
       néant. Mais, quand on examine qui sont les gens qui en
       sont les plus chargés, à force de mépriser les riches, on vient
       enfin à mépriser les richesses.   *Ibid.*

5092   Quelquefois, les coiffures montent insensiblement, et une
       révolution les fait descendre tout à coup [...] Qui pourrait
       le croire? Les architectes ont été souvent obligés de hausser,
       de baisser et d'élargir leurs portes, selon que les parures
       des femmes exigeaient d'eux ce changement, et les règles
       de leur art ont été asservies à ces caprices.
                         Ibid., Lettre XCIX, Rica à Rhédi.

5093   Autrefois, les femmes avaient de la taille et des dents;
       aujourd'hui, il n'en est pas question. Dans cette changeante
       nation, quoi qu'en disent les mauvais plaisants, les filles
       se trouvent autrement faites que leurs mères.   *Ibid.*

5094   Les Français changent de mœurs selon l'âge de leur roi.
       [...] Le Prince imprime le caractère de son esprit à la Cour;
       la Cour, à la ville; la Ville, aux provinces. L'âme du souve-
       rain est un moule qui donne la forme à toutes les autres.
                                                           Ibid.

5095   La puissance ne peut jamais être également partagée entre
       le peuple et le prince; l'équilibre est trop difficile à garder.
       Il faut que le pouvoir diminue d'un côté pendant qu'il
       augmente de l'autre; mais l'avantage est ordinairement
       du côté du prince, qui est à la tête des armées.
                         Ibid., Lettre CII, Usbek à Ibben.

5096   « Malheureux le roi qui n'a qu'une tête! Il semble ne réunir
       sur elle toute sa puissance que pour indiquer au premier
       ambitieux l'endroit où il la trouvera tout entière. »
                        Ibid., Lettre CIII, Usbek à Ibben.

5097   Tu sais que, depuis l'invention de la poudre, il n'y a plus
       de places imprenables; c'est-à-dire, Usbek, qu'il n'y a plus
       d'asile sur la terre contre l'injustice et la violence.
                         Ibid., Lettre CV, Rhédi à Usbek.

5098   Tu as lu les historiens; fais-y bien attention : presque toutes
       les monarchies n'ont été fondées que sur l'ignorance des
       arts et n'ont été détruites que parce qu'on les a trop cultivés.
                                                           Ibid.

5099   Que nous a servi l'invention de la boussole et la découverte
       de tant de peuples, qu'à nous communiquer leurs maladies,
       plutôt que leurs richesses?   *Ibid.*

5100   Paris est peut-être la ville du monde la plus sensuelle et
       où l'on raffine le plus sur les plaisirs; mais c'est peut-être
       celle où l'on mène une vie plus dure. Pour qu'un homme
       vive délicieusement, il faut que cent autres travaillent sans
       relâche.   *Ibid., Lettre CVI, Usbek à Rhédi.*

L'intérêt est le plus grand monarque de la terre. Cette 5101
ardeur pour le travail, cette passion de s'enrichir, passe de
condition en condition, depuis les artisans jusques aux
grands. Personne n'aime à être plus pauvre que celui qu'il
vient de voir immédiatement au-dessous de lui. Vous voyez
à Paris un homme qui a de quoi vivre jusqu'au jour du jugement, qui travaille sans cesse et court risque d'accourcir
ses jours, pour amasser, dit-il, de quoi vivre.   *Ibid.*

On dit que l'on ne peut jamais connaître le caractère des 5102
rois d'Occident jusques à ce qu'ils aient passé par les deux
grandes épreuves de leur maîtresse et de leur confesseur.
                    Ibid., Lettre CVII, Rica à Ibben.

Celui qui est à la Cour, à Paris, dans les provinces, qui voit 5103
agir des ministres, des magistrats, des prélats, s'il ne connaît
les femmes qui les gouvernent, est comme un homme qui
voit bien une machine qui joue, mais qui n'en connaît point
les ressorts.   *Ibid.*

Le grand tort qu'ont les journalistes, c'est qu'ils ne parlent 5104
que des livres nouveaux; comme si la vérité était jamais
nouvelle. Il me semble que, jusqu'à ce qu'un homme ait
lu tous les livres anciens, il n'a aucune raison de leur préférer les nouveaux.   *Ibid., Lettre CVIII, Usbek à ***.*

L'université de Paris est la fille aînée des rois de France 5105
et très aînée : car elle a plus de neuf cents ans, aussi rêve-
t-elle quelquefois.   *Ibid., Lettre CIX, Rica à ***.*

Il semble, mon cher *** , que les têtes des plus grands 5106
hommes s'étrécissent lorsqu'elles sont assemblées, et que, là
où il y a plus de sages, il y ait aussi moins de sagesse. Les
grands corps s'attachent toujours si fort aux minuties, aux
vains usages, que l'essentiel ne va jamais qu'après.   *Ibid.*

Rien ne contribuait plus à l'attachement mutuel que la 5107
faculté du divorce : un mari et une femme étaient portés
à soutenir patiemment les peines domestiques, sachant qu'ils
étaient maîtres de les faire finir, et ils gardaient souvent
ce pouvoir en main toute leur vie sans en user, par cette
seule considération qu'ils étaient libres de le faire.
                    Ibid., Lettre CXVI, Usbek à Rhédi.

J'ose le dire : si, dans une république comme Lacédémone, 5108
où les citoyens étaient sans cesse gênés par des lois singulières et subtiles, et dans laquelle il n'y avait qu'une famille,
qui était la République, il avait été établi que les maris
changeassent de femmes tous les ans, il en serait né un
peuple innombrable.   *Ibid.*

Il n'y a rien de si extravagant que de faire périr un nombre 5109
innombrable d'hommes pour tirer du fond de la terre l'or
et l'argent : ces métaux d'eux-mêmes absolument inutiles,
et qui ne sont des richesses que parce qu'on les a choisis
pour en être les signes.
                    Ibid., Lettre CXVIII, Usbek à Rhédi.

5110   La fécondité d'un peuple dépend quelquefois des plus petites circonstances du Monde; de manière qu'il ne faut souvent qu'un nouveau tour dans son imagination pour le rendre beaucoup plus nombreux qu'il n'était.
Ibid., Lettre CXIX, Usbek à Rhédi.

5111   L'effet ordinaire des colonies est d'affaiblir les pays d'où on les tire, sans peupler ceux où on les envoie.
Ibid., Lettre CXXI, Usbek à Rhédi.

5112   On peut comparer les empires à un arbre dont les branches trop étendues ôtent tout le suc du tronc et ne servent qu'à faire de l'ombrage.   *Ibid.*

5113   Les hommes sont comme les plantes, qui ne croissent jamais heureusement si elles ne sont bien cultivées : chez les peuples misérables, l'Espèce perd et même quelquefois dégénère.
Ibid., Lettre CXXII, Usbek à Rhédi.

5114   [...] S'ils acquièrent quelques-uns de leurs sujets en les achetant, il faut bien, par la même raison, qu'ils en perdent une infinité d'autres en les appauvrissant.
Ibid., Lettre CXXIV, Usbek à Rhédi.

5115   On est bien embarrassé, dans toutes les religions, quand il s'agit de donner une idée des plaisirs qui sont destinés à ceux qui ont bien vécu [...] Il semble que la nature des plaisirs soit d'être d'une courte durée; l'imagination a peine à en représenter d'autres.   *Ibid., Lettre CXXV, Rica à ***.*

5116   Je ne sais comment il arrive qu'il n'y a presque jamais de prince si méchant que son ministre ne le soit encore davantage.   *Ibid., Lettre CXXVII, Rica à Ibben.*

5117   [...] Ils ont donné aux pères une grande autorité sur leurs enfants. Rien ne soulage plus les magistrats; rien ne dégarnit plus les tribunaux; rien, enfin, ne répand plus de tranquillité dans un état, où les mœurs font toujours de meilleurs citoyens que les lois.   *Ibid., Lettre CXXIX, Usbek à Rhédi.*

5118   Un homme d'esprit est ordinairement difficile dans les sociétés; il choisit peu de personnes; il s'ennuie avec tout ce grand nombre de gens qu'il lui plaît appeler mauvaise compagnie. [...] Sûr de plaire quand il voudra, il néglige très souvent de le faire.   *Ibid., Lettre CXLV, Usbek à R***.*

5119   L'homme médiocre, au contraire, cherche à tirer parti de tout : il sent bien qu'il n'a rien à perdre en négligences. L'approbation universelle est plus ordinairement pour l'homme médiocre.   *Ibid.*

5120   Il n'y a point de pays dans l'univers, où une belle ne reçoive des hommages; mais il n'y a que les plus grands hommages qui puissent apaiser l'ambition d'une belle.
Le Temple de Gnide, Chant Troisième.

5121   Comme les hommes ont eu dans tous les temps les mêmes passions, les occasions qui produisent les grands change-

ments sont différentes, mais les causes sont toujours les mêmes.
Considérations sur les causes de la grandeur des Romains et de leur décadence, chapitre 1.

[...] Du courage, c'est-à-dire, de cette vertu qui est le sentiment de ses propres forces.   *Ibid., chap. 2.*   5122

La tyrannie d'un prince ne met pas un État plus près de sa ruine, que l'indifférence pour le bien commun n'y met une république.   *Ibid., chap. 4.*   5123

L'or et l'argent s'épuisent; mais la vertu, la constance, la force et la pauvreté ne s'épuisent jamais.   *Ibid.*   5124

Il n'y a rien de si puissant qu'une république où l'on observe les lois, non pas par crainte, non pas par raison, mais par passion, comme furent Rome et Lacédémone : car pour lors, il se joint à la sagesse d'un bon gouvernement toute la force que pourrait avoir une faction.   *Ibid.*   5125

Les conquêtes sont aisées à faire, parce qu'on les fait avec toutes ses forces; elles sont difficiles à conserver, parce qu'on ne les défend qu'avec une partie de ses forces.   *Ibid.*   5126

Lorsqu'on voit deux grands peuples se faire une guerre longue et opiniâtre, c'est souvent une mauvaise politique de penser qu'on peut demeurer spectateur tranquille; car celui des deux peuples qui est le vainqueur entreprend d'abord de nouvelles guerres; et une nation de soldats va combattre contre des peuples qui ne sont que citoyens.   *Ibid., chap. 5.*   5127

Il y a de certaines bornes que la nature a données aux États, pour mortifier l'ambition des hommes.   *Ibid.*   5128

Il [Louis XIV] avait l'âme trop fière pour descendre plus bas que ses malheurs ne l'avaient mis; et il savait bien que le courage peut raffermir une couronne, et que l'infamie ne le fait jamais.   *Ibid.*   5129

C'est la folie des conquérants de vouloir donner à tous les peuples leurs lois et leurs coutumes : cela n'est bon à rien; car, dans toute sorte de gouvernement, on est capable d'obéir.   *Ibid., chap. 6.*   5130

Ceux qui obéissent à un roi sont moins tourmentés d'envie et de jalousie que ceux qui vivent dans une aristocratie héréditaire.   *Ibid., chap. 8.*   5131

Les républiques où la naissance ne donne aucune part au gouvernement, sont, à cet égard, les plus heureuses; car le peuple peut moins envier une autorité qu'il donne à qui il veut, et qu'il reprend à sa fantaisie.   *Ibid.*   5132

Il y a de mauvais exemples qui sont pires que les crimes; et plus d'États ont péri parce qu'on a violé les mœurs que parce qu'on a violé les lois.   *Ibid.*   5133

5134   En un mot, un gouvernement libre, c'est-à-dire toujours agité,
ne saurait se maintenir, s'il n'est, par ses propres lois,
capable de correction.   *Ibid.*

5135   Ce qui fait que les États libres durent moins que les autres,
c'est que les malheurs et les succès qui leur arrivent, leur
font presque toujours perdre la liberté; au lieu que les succès
et les malheurs d'un État où le peuple est soumis, confirment
également sa servitude.   *Ibid., chap. 9.*

5136   Demander, dans un État libre, des gens hardis dans la guerre,
et timides dans la paix, c'est vouloir des choses impossibles :
et, pour règle générale, toutes les fois qu'on verra tout le
monde tranquille dans un État qui se donne le nom de
république, on peut être assuré que la liberté n'y est pas.
                                                         Ibid.

5137   Ce qu'on appelle union dans un corps politique, est une chose
très équivoque : la vraie est une union d'harmonie, qui fait
que toutes les parties, quelque opposées qu'elles nous
paraissent, concourent au bien général de la société; comme
des dissonances, dans la musique, concourent à l'accord
total.   *Ibid.*

5138   C'est une chose qu'on a vue toujours, que de bonnes lois,
qui ont fait qu'une petite république devient grande, lui
deviennent à charge lorsqu'elle s'est agrandie.   *Ibid.*

5139   Quand on accorde des honneurs, on sait précisément ce que
l'on donne; mais, quand on y joint le pouvoir, on ne peut
dire à quel point il pourra être porté.   *Ibid., chap. 11.*

5140   Des préférences excessives, données à un citoyen dans une
république, ont toujours des effets nécessaires; elles font
naître l'envie du peuple, ou elles augmentent sans mesure
son amour.   *Ibid.*

5141   On parle beaucoup de la fortune de César: mais cet homme
extraordinaire avait tant de grandes qualités, sans pas un
défaut, quoiqu'il eût bien des vices, qu'il eût été bien
difficile que, quelque armée qu'il eût commandée, il n'eût
été vainqueur; et qu'en quelque république qu'il fût né, il ne
l'eût gouvernée.   *Ibid.*

5142   Il n'y a point d'État qui menace si fort les autres d'une
conquête que celui qui est dans les horreurs de la guerre
civile. Tout le monde, noble, bourgeois, artisan, laboureur,
y devient soldat : et, lorsque, par la paix, les forces sont
réunies, cet État a de grands avantages sur les autres qui
n'ont guère que des citoyens.   *Ibid.*

5143   [...] L'homme, toujours plus avide du pouvoir à mesure qu'il
en a davantage, et qui ne désire tout que parce qu'il possède
beaucoup.   *Ibid.*

5144   Je me croirais le plus heureux des mortels, si je pouvais faire
que les hommes pussent se guérir de leurs préjugés. J'appelle

ici préjugés, non pas ce qui fait qu'on ignore de certaines choses, mais ce qui fait qu'on s'ignore soi-même.
De l'esprit des lois, Préface.

Les lois, dans la signification la plus étendue, sont les rap- 5145 ports nécessaires qui dérivent de la nature des choses et, dans ce sens, tous les êtres ont leurs lois; la Divinité a ses lois; le monde matériel a ses lois; les intelligences supérieures à l'homme ont leurs lois; les bêtes ont leurs lois; l'homme a ses lois. *Ibid., Première partie, livre I, chap. 1.*

Sitôt que les hommes sont en société, ils perdent le senti- 5146 ment de leur faiblesse; l'égalité, qui était entre eux, cesse, et l'état de guerre commence. *Ibid., livre I, chap. 3.*

Le droit des gens est naturellement fondé sur ce principe : 5147 que les diverses nations doivent se faire, dans la paix, le plus de bien, et, dans la guerre, le moins de mal qu'il est possible, sans nuire à leurs véritables intérêts. *Ibid.*

La loi, en général, est la raison humaine, en tant qu'elle 5148 gouverne tous les peuples de la terre. *Ibid.*

Le malheur d'une république, c'est lorsqu'il n'y a plus de 5149 brigues; et cela arrive lorsqu'on a corrompu le peuple à prix d'argent : il devient de sang-froid, il s'affectionne à l'argent, mais il ne s'affectionne plus aux affaires : sans souci du gouvernement et de ce qu'on y propose, il attend tranquillement son salaire. *Ibid., livre II, chap. 2.*

Dans toute magistrature, il faut compenser la grandeur 5150 de la puissance par la brièveté de sa durée.
Ibid., livre II, chap. 3.

L'ambition est pernicieuse dans une république. Elle a de 5151 bons effets dans la monarchie; elle donne la vie à ce gouvernement; et on y a cet avantage, qu'elle n'y est pas dangereuse, parce qu'elle y peut être sans cesse réprimée. Vous diriez qu'il en est comme du système de l'univers, où il y a une force qui éloigne sans cesse du centre tous les corps, et une force de pesanteur qui les y ramène.
Ibid., livre III, chap. 7.

Les hommes, nés pour vivre ensemble, sont nés aussi pour 5152 se plaire; et celui qui n'observerait pas les bienséances, choquant tous ceux avec qui il vivrait, se décréditerait au point qu'il deviendrait incapable de faire aucun bien.
Ibid., livre IV, chap. 2.

C'est par orgueil que nous sommes polis : nous nous sen- 5153 tons flattés d'avoir des manières qui prouvent que nous ne sommes pas dans la bassesse, et que nous n'avons pas vécu avec cette sorte de gens que l'on a abandonnés dans tous les âges. *Ibid.*

L'air de la cour consiste à quitter sa grandeur propre, pour 5154 une grandeur empruntée. Celle-ci flatte plus un courtisan que la sienne même. *Ibid.*

5155   L'honneur a donc ses règles suprêmes, et l'éducation est obligée de s'y conformer. Les principales sont, qu'il nous est bien permis de faire cas de notre fortune, mais qu'il nous est souverainement défendu d'en faire aucun de notre vie.
Ibid.

5156   Comme l'éducation dans les monarchies ne travaille qu'à élever le cœur, elle ne cherche qu'à l'abaisser dans les États despotiques. Il faut qu'elle y soit servile. Ce sera un bien, même dans le commandement, de l'avoir eue telle, personne n'y étant tyran sans être en même temps esclave.
L'extrême obéissance suppose de l'ignorance dans celui qui obéit; elle en suppose même dans celui qui commande; il n'a point à délibérer, à douter, ni à raisonner; il n'a qu'à vouloir.   *Ibid., livre IV, chap. 3.*

5157   [...] La vertu politique est un renoncement à soi-même,   qui est toujours une chose très pénible.
On peut définir cette vertu, l'amour des lois et de la patrie. Cet amour, demandant une préférence continuelle de l'inté-rêt public au sien propre, donne toutes les vertus particulières; elles ne sont que cette préférence.
Ibid., livre IV, chap. 5.

5158   [...] Le gouvernement est comme toutes les choses du monde; pour le conserver, il faut l'aimer.   *Ibid.*

5159   On est ordinairement le maître de donner à ses enfants ses connaissances; on l'est encore plus de leur donner ses pas-sions.   *Ibid.*

5160   Pourquoi les moines aiment-ils tant leur ordre? C'est juste-ment par l'endroit qui fait qu'il leur est insupportable. Leur règle les prive de toutes les choses sur lesquelles les passions ordinaires s'appuient : reste donc cette passion pour la règle même qui les afflige. Plus elle est austère, c'est-à-dire, plus elle retranche de leurs penchants, plus elle donne de force à ceux qu'elle leur laisse.
Ibid., livre V, chap. 2.

5161   L'amour de la démocratie est celui de l'égalité.
Ibid., livre V, chap. 3.

5162   Il est bon quelquefois que les lois ne paraissent pas aller si directement au but qu'elles se proposent.
Ibid., livre V, chap. 5.

5163   Rien ne maintient plus les mœurs qu'une extrême subordi-nation des jeunes gens envers les vieillards. Les uns et les autres seront contenus, ceux-là par le respect qu'ils auront pour les vieillards, et ceux-ci par le respect qu'ils auront pour eux-mêmes.   *Ibid., livre V, chap. 7.*

5164   Les privilèges doivent être pour le sénat, et le simple respect pour les sénateurs.   *Ibid., livre V, chap. 8.*

5165   Quand les sauvages de la Louisiane veulent avoir du fruit, ils coupent l'arbre au pied, et cueillent le fruit. Voilà le gouvernement despotique.   *Ibid., livre V, chap. 13.*

C'est une règle générale, que les grandes récompenses dans   5166
une monarchie et dans une république sont un signe de leur
décadence, parce qu'elles prouvent que leurs principes sont
corrompus; que, d'un côté, l'idée de l'honneur n'y a plus
tant de force; que de l'autre, la qualité de citoyen s'est affaiblie.   *Ibid., livre V, chap. 18.*

Dans les gouvernements despotiques, où l'on abuse égale-   5167
ment de l'honneur, des postes et des rangs, on fait indifféremment d'un prince un goujat, et d'un goujat un prince.
                                   Ibid., livre V, chap. 19.

Les hommes extrêmement heureux, et les hommes extrême-   5168
ment malheureux, sont également portés à la dureté; témoin
les moines et les conquérants. Il n'y a que la médiocrité et
le mélange de la bonne et de la mauvaise fortune, qui donnent
de la douceur et de la pitié.   *Ibid., livre VI, chap. 9.*

Le luxe est toujours en proportion avec l'inégalité des for-   5169
tunes. Si, dans un État, les richesses sont également parta-
gées, il n'y aura point de luxe; car il n'est fondé que sur les
commodités qu'on se donne par le travail des autres.
                                   Ibid., livre VII, chap. 1.

Les républiques finissent par le luxe; les monarchies, par la   5170
pauvreté.   *Ibid., livre VII, chap. 4.*

Il y a tant d'imperfections attachées à la perte de la vertu   5171
dans les femmes, toute leur âme en est si fort dégradée,
ce point principal ôté en fait tomber tant d'autres, que l'on
peut regarder, dans un État populaire, l'incontinence publique comme le dernier des malheurs, et la certitude d'un changement dans la constitution.   *Ibid., livre VII, chap. 8.*

Autant que le ciel est éloigné de la terre, autant le véritable   5172
esprit d'égalité l'est-il de l'esprit d'égalité extrême. Le premier ne consiste point à faire en sorte que tout le monde
commande, ou que personne ne soit commandé; mais à
obéir et à commander à ses égaux. Il ne cherche pas à n'avoir
point de maître, mais à n'avoir que ses égaux pour maîtres.
                                   Ibid., livre VIII, chap. 3.

Les fleuves courent se mêler dans la mer : les monarchies   5173
vont se perdre dans le despotisme.
                                   Ibid., livre VIII, chap. 17.

Nos missionnaires nous parlent du vaste empire de la Chine,   5174
comme d'un gouvernement admirable, qui mêle ensemble
dans son principe la crainte, l'honneur et la vertu. [...]
J'ignore ce que c'est que cet honneur dont on parle chez des
peuples à qui on ne fait rien faire qu'à coups de bâton.
                                   Ibid., livre VIII, chap. 21.

Toute grandeur, toute force, toute puissance est relative.   5175
Il faut bien prendre garde qu'en cherchant à augmenter la
grandeur réelle, on ne diminue la grandeur relative.
                          Ibid., Seconde partie, livre IX, chap. 9.

5176   [...] Les petites sociétés ont plus souvent le droit de faire la
       guerre que les grandes, parce qu'elles sont plus souvent dans
       le cas de craindre d'être détruites.
                                            Ibid., livre X, chap. 2.

5177   C'est à un conquérant à réparer une partie des maux qu'il a
       faits. Je définis ainsi le droit de conquête : un droit nécessaire,
       légitime et malheureux, qui laisse toujours à payer une dette
       immense, pour s'acquitter envers la nature humaine.
                                            Ibid., livre X, chap. 4.

5178   Dans un État, c'est-à-dire dans une société où il y a des lois,
       la liberté ne peut consister qu'à pouvoir faire ce que l'on doit
       vouloir, et à n'être point contraint de faire ce que l'on ne doit
       pas vouloir.   *Ibid., livre XI, chap. 3.*

5179   [...] Moi qui crois que l'excès même de la raison n'est pas
       toujours désirable, et que les hommes s'accommodent pres-
       que toujours mieux des milieux que des extrémités...
                                            Ibid., livre XI, chap. 6.

5180   Quand une république est parvenue à détruire ceux qui
       voulaient la renverser, il faut se hâter de mettre fin aux ven-
       geances, aux peines et aux récompenses mêmes [...] Sous
       prétexte de la vengeance de la république, on établirait la
       tyrannie des vengeurs [...] Il faut rentrer le plus tôt que l'on
       peut dans ce train ordinaire du gouvernement, où les lois
       protègent tout et ne s'arment contre personne.
                                            Ibid., livre XII, chap. 18.

5181   L'espionnage serait peut-être tolérable s'il pouvait être
       exercé par d'honnêtes gens; mais l'infamie nécessaire de la
       personne peut faire juger de l'infamie de la chose.
                                            Ibid., livre XII, chap. 23.

5182   Il y a une certaine facilité dans le commandement : il faut
       que le prince encourage, et que ce soient les lois qui menacent.
                                            Ibid., livre XII, chap. 25.

5183   L'effet des richesses d'un pays, c'est de mettre de l'ambition
       dans tous les cœurs. L'effet de la pauvreté est d'y faire naître
       le désespoir. La première s'irrite par le travail; l'autre se
       console par la paresse.   *Ibid., livre XIII, chap. 2.*

5184   On n'appelle plus parmi nous un grand ministre celui qui
       est le sage dispensateur des revenus publics; mais celui qui
       est homme d'industrie, et qui trouve ce qu'on appelle des
       expédients.   *Ibid., livre XIII, chap. 15.*

5185   Le sucre serait trop cher, si l'on ne faisait travailler la plante
       qui le produit par des esclaves.
       Ceux dont il s'agit sont noirs depuis les pieds jusqu'à la
       tête; et ils ont le nez si écrasé qu'il est presque impossible
       de les plaindre.
                            Ibid., Troisième partie, livre XV, chap. 5.

5186   Une preuve que les nègres n'ont pas le sens commun, c'est
       qu'ils font plus de cas d'un collier de verre que de l'or, qui,

chez des nations policées, est d'une si grande conséquence.
Il est impossible que nous supposions que ces gens-là soient
des hommes; parce que, si nous les supposions des hommes,
on commencerait à croire que nous ne sommes pas nous-
mêmes chrétiens.   *Ibid.*

L'humanité que l'on aura pour les esclaves pourra prévenir   5187
dans l'État modéré des dangers que l'on pourrait craindre
de leur trop grand nombre. Les hommes s'accoutument
à tout, et à la servitude même, pourvu que le maître ne soit
pas plus dur que la servitude [...]
                              Ibid., livre XV, chap. 16.

Il en est de la luxure comme de l'avarice : elle augmente sa   5188
soif par l'acquisition des trésors.
                              Ibid., livre XVI, chap. 6.

Il y a de tels climats où le physique a une telle force que la   5189
morale n'y peut presque rien. Laissez un homme avec une
femme; les tentations seront des chutes, l'attaque sûre, la
résistance nulle. Dans ces pays, au lieu de préceptes, il faut
des verrous.   *Ibid., livre XVI, chap. 8.*

Il est heureux de vivre dans ces climats qui permettent qu'on   5190
se communique; où le sexe qui a le plus d'agréments semble
parer la société; et où les femmes, se réservant aux plaisirs
d'un seul, servent encore à l'amusement de tous.
                              Ibid., livre XVI, chap. 11.

Le divorce a ordinairement une grande utilité politique;   5191
et quant à l'utilité civile, il est établi pour le mari et pour la
femme, et n'est pas toujours favorable aux enfants.
                              Ibid., livre XVI, chap. 15.

Ainsi, comme les nations destructives font des maux qui   5192
durent plus qu'elles, il y a des nations industrieuses qui font
des biens qui ne finissent pas même avec elles.
                              Ibid., livre XVIII, chap. 7.

Il y a deux sortes de tyrannie : une réelle, qui consiste dans   5193
la violence du gouvernement; et une d'opinion, qui se fait
sentir lorsque ceux qui gouvernent établissent des choses
qui choquent la manière de penser d'une nation.
                              Ibid., livre XIX, chap. 3.

Examinez toutes les nations, et vous verrez que, dans la   5194
plupart, la gravité, l'orgueil et la paresse marchent du même
pas.   *Ibid., livre XIX, chap. 9.*

L'empire de la mer a toujours donné aux peuples qui l'ont   5195
possédé, une fierté naturelle; parce que, se sentant capables
d'insulter partout, ils croient que leur pouvoir n'a pas plus
de bornes que l'Océan.   *Ibid., livre XIX, chap. 27.*

Dans une nation libre, il est très souvent indifférent que les   5196
particuliers raisonnent bien ou mal : il suffit qu'ils raisonnent : de là sort la liberté qui garantit des effets de ces mêmes
raisonnements.

De même, dans un gouvernement despotique, il est également pernicieux qu'on raisonne bien ou mal; il suffit qu'on
raisonne pour que le principe du gouvernement soit choqué.
Ibid.

5197   Les nations libres sont superbes, les autres peuvent plus
aisément être vaines.   *Ibid.*

5198   Le commerce guérit des préjugés destructeurs; et c'est presque une règle générale, que partout où il y a des mœurs
douces, il y a du commerce; et que partout où il y a du
commerce, il y a des mœurs douces.
Ibid., Quatrième partie, livre XX, chap. 1.

5199   Dans une nation qui est dans la servitude, on travaille plus
à conserver qu'à acquérir. Dans une nation libre, on travaille plus à acquérir qu'à conserver.
Ibid., livre XX, chap. 4.

5200   Il est heureux pour les hommes d'être dans une situation où,
pendant que leurs passions leur inspirent la pensée d'être
méchants, ils ont pourtant intérêt de ne pas l'être.
Ibid., livre XXI, chap. 20.

5201   Les filles, que l'on ne conduit que par le mariage aux plaisirs
et à la liberté, qui ont un esprit qui n'ose penser, un cœur
qui n'ose sentir, des yeux qui n'osent voir, des oreilles qui
n'osent entendre, qui ne se présentent que pour se montrer
stupides, condamnées sans relâche à des bagatelles et à des
préceptes, sont assez portées au mariage : ce sont les garçons
qu'il faut encourager.   *Ibid., livre XXIII, chap. 9*

5202   C'est la facilité de parler, et l'impuissance d'examiner,
qui ont fait dire que plus les sujets étaient pauvres, plus
les familles étaient nombreuses; que plus on était chargé
d'impôts, plus on se mettait en état de les payer : deux
sophismes qui ont toujours perdu, et qui perdront à jamais
les monarchies.   *Ibid., livre XXIII, chap. 11.*

5203   Dans les ports de mer, où les hommes s'exposent à mille dangers, et vont mourir ou vivre dans des climats reculés, il y a
moins d'hommes que de femmes; cependant on y voit plus
d'enfants qu'ailleurs. Cela vient de la facilité de la subsistance. Peut-être même que les parties huileuses du poisson
sont plus propres à fournir cette matière qui sert à la génération. Ce serait une des causes de ce nombre infini de peuple
qui est au Japon et à la Chine où l'on ne vit presque que de
poisson. Si cela était, de certaines règles monastiques,
qui obligent de vivre de poisson, seraient contraires à l'esprit
du législateur même.   *Ibid., livre XXIII, chap. 13.*

5204   Le chevalier Petty a supposé, dans ses calculs, qu'un homme
en Angleterre vaut ce qu'on le vendrait à Alger. Cela ne
peut être bon que pour l'Angleterre : il y a des pays où un
homme ne vaut rien; il y en a où il vaut moins que rien.
Ibid., livre XXIII, chap. 17.

L'ouvrier qui a donné à ses enfants son art pour héritage, leur a laissé un bien qui s'est multiplié à proportion de leur nombre. Il n'en est pas de même de celui qui a dix arpents de fonds pour vivre, et qui les partage à ses enfants.
Ibid., livre XXIII, chap. 29.

5205

Un prince qui aime la religion et qui la craint est un lion qui cède à la main qui le flatte, ou à la voix qui l'apaise : celui qui craint la religion et qui la hait, est comme les bêtes sauvages qui mordent la chaîne qui les empêche de se jeter sur ceux qui passent : celui qui n'a point du tout de religion, est cet animal terrible qui ne sent sa liberté que lorsqu'il déchire et qu'il dévore.
Ibid., Cinquième partie, livre XXIV, chap. 2.

5206

Les lois humaines faites pour parler à l'esprit doivent donner des préceptes et point de conseils : la religion, faite pour parler au cœur, doit donner beaucoup de conseils, et peu de préceptes.
Ibid., livre XXIV, chap. 7.

5207

L'homme pieux et l'athée parlent toujours de religion; l'un parle de ce qu'il aime, et l'autre de ce qu'il craint.
Ibid., livre XXV, chap. 1.

5208

Pour qu'une religion attache, il faut qu'elle ait une morale pure. Les hommes, fripons en détail, sont en gros de très honnêtes gens; ils aiment la morale; et si je ne traitais pas un sujet si grave, je dirais que cela se voit admirablement bien sur les théâtres : on est sûr de plaire au peuple par les sentiments que la morale avoue, et on est sûr de le choquer par ceux qu'elle réprouve.
Ibid., livre XXV, chap. 2.

5209

Notre liaison avec les femmes est fondée sur le bonheur attaché au plaisir des sens, sur le charme d'aimer et d'être aimé, et encore sur le désir de leur plaire, parce que ce sont des juges très éclairés sur une partie des choses qui constituent le mérite personnel. Ce désir général de plaire produit la galanterie, qui n'est point l'amour, mais le délicat, mais le léger, mais le perpétuel mensonge de l'amour.
Ibid., Sixième partie, livre XXVIII, chap. 22.

5210

L'âme goûte tant de délices à dominer les autres âmes; ceux mêmes qui aiment le bien s'aiment si fort eux-mêmes, qu'il n'y a personne qui ne soit assez malheureux pour avoir encore à se défier de ses bonnes intentions : et, en vérité, nos actions tiennent à tant de choses, qu'il est mille fois plus aisé de faire le bien, que de le bien faire.
Ibid., livre XXVIII, chap. 41.

5211

Il faut dans les lois une certaine candeur. Faites pour punir la méchanceté des hommes, elles doivent avoir elles-mêmes la plus grande innocence.
Ibid., livre XXIX, chap. 16.

5212

Autrefois on cherchait des Armées pour les mener combattre dans un pays. A présent on cherche des pays pour y mener combattre des Armées.
Réflexions sur la monarchie universelle en Europe, § 1.

5213

5214   Quelque succès qu'un État Conquérant puisse avoir, il y a
        toujours une certaine réaction qui le fait rentrer dans l'état
        dont il était sorti.   *Ibid.*, § 2.

5215   Les desseins qui ont besoin de beaucoup de temps pour être
        exécutés ne réussissent presque jamais.   *Ibid.*, § 5.

5216   Il règne en Asie un esprit de servitude qui ne l'a jamais
        quittée; et, dans toutes les Histoires de ce pays, il n'est pas
        possible de trouver un seul trait qui marque une âme libre.
                                                               Ibid., § 8.

5217   L'Europe n'est plus qu'une Nation composée de plusieurs, la
        France et l'Angleterre ont besoin de l'opulence de la Pologne
        et de la Moscovie, comme une de leurs Provinces a besoin
        des autres : et l'État qui croit augmenter sa puissance, par
        la ruine de celui qui le touche, s'affaiblit ordinairement avec
        lui.   *Ibid.*, § 18.

5218   Chaque Monarque tient sur pied toutes les Armées qu'il
        pourrait avoir si les Peuples étaient en danger d'être exter-
        minés, et on nomme Paix cet état d'effort de tous contre
        tous.   *Ibid.*, § 24.

5219   [...] Bientôt à force d'avoir des soldats, nous n'aurons plus
        que des soldats, et nous serons comme des Tartares.   *Ibid.*

5220   Les peuples du Nord n'auront pas cette pénétration subite,
        cette vivacité de conception, cette facilité de recevoir et de
        communiquer toutes sortes d'impressions qu'on a dans
        d'autres climats. Mais s'ils n'ont pas l'avantage de la promp-
        titude, ils auront celui du sang-froid; ils auront plus de
        constance dans leurs résolutions, et feront moins de fautes
        lorsqu'ils exécuteront.
        *Essai sur les causes qui peuvent affecter les esprits et les carac-
        tères, Première partie.*

5221   Dans un pays où l'amour est le plus grand intérêt, la jalousie
        est la plus grande passion.   *Ibid.*

5222   L'âme est, dans notre corps, comme une araignée dans sa
        toile. Celle-ci ne peut se remuer sans ébranler quelqu'un
        des fils qui sont étendus au loin, et, de même, on ne peut
        remuer un de ces fils qu'il n'en remue quelque autre, qui lui
        répond.   *Ibid.*

5223   La grande joie est un état aussi éloigné de la santé que la
        grande douleur. Le plaisir d'être est le seul plaisir de celui
        qui est actuellement en santé.   *Ibid.*

5224   Les hommes qui ont peu d'idées doivent se tromper dans
        presque tous leurs jugements. Les idées se tiennent les unes
        aux autres. La faculté principale de l'âme est de comparer,
        et elle ne peut l'exercer dans une pareille indigence.
                                                    Ibid., *Seconde partie.*

5225   C'est sottise d'être frappé plus qu'il ne faut par un objet;
        c'est sottise de ne l'être pas assez.   *Ibid.*

Notre âme est très bornée, et elle ne peut pas répondre à 5226
plusieurs émotions à la fois. Il faut que, quand elle en a plusieurs, les moindres suivent la plus grande et soient déterminées vers elle, comme par un mouvement commun. Ainsi,
dans la fureur de l'amour, toutes les autres idées prennent
la teinture de cet amour, auquel seul l'âme est attentive.
Ibid.

Nos maîtres ne nous communiquent les impressions que 5227
comme ils les ont eux-mêmes, et, si elles ne sont pas en
proportion avec les objets, ils gâtent en nous la faculté de
comparer, qui est la grande faculté de l'âme. *Ibid.*

L'éducation consiste à nous donner des idées, et la bonne 5228
éducation à les mettre en proportion. *Ibid.*

Un homme d'esprit sent ce que les autres ne font que savoir. 5229
Ibid.

Il y en a qui voient le visage des hommes; d'autres, des phy- 5230
sionomies; les autres voient jusqu'à l'âme. On peut dire
qu'un sot ne vit qu'avec les corps; les gens d'esprit vivent
avec les intelligences. *Ibid.*

Le Grec, qui n'a qu'une femme, goûte cette joie qui accom- 5231
pagne toujours les choses modérées. Le Turc, qui en a un
grand nombre, tombe dans une tristesse habituelle et vit
dans l'accablement de ses plaisirs. *Ibid.*

L'ignorance est la mère des traditions. *Ibid.* 5232

Les premiers écrivains de toutes les nations, bons et mauvais, 5233
ont toujours eu une réputation infinie, par la raison qu'ils
ont toujours été, pendant un temps, supérieurs à tous ceux
qui les lisaient. *Ibid.*

Les machines humaines sont invisiblement liées; les res- 5234
sorts qui en font mouvoir une montent les autres.
Ibid.

Les voyages donnent une très grande étendue à l'esprit : 5235
on sort du cercle des préjugés de son pays, et l'on n'est guère
propre à se charger de ceux des étrangers. *Ibid.*

La bonne opinion que l'on prend de son esprit est encore 5236
moins ridicule que celle que l'on conçoit de soi sur sa figure.
Ibid.

Ce n'est pas l'esprit qui fait les opinions, c'est le cœur. 5237
Ibid.

Si vous voyez l'habit d'un homme, vous voyez jusques à 5238
son âme. Si cet habit est gris, comptez que l'homme qui
le porte a bien des entités dans la tête. Ne vous imaginez
pas trouver le même cerveau lorsque l'habit est blanc et
noir. Mais ce sera bien autre chose, si l'habit est tout noir.
Ibid.

5239   Un homme qui enseigne peut devenir aisément opiniâtre,
       parce qu'il fait le métier d'un homme qui n'a jamais tort.
                                                            Ibid.

5240   Les gens de robe peuvent devenir extrêmement vains, parce
       que, n'ayant jamais affaire qu'à des personnes qui ont
       besoin d'eux, ils s'imaginent que leur prudence règle tout.
                                                            Ibid.

5241   Moins on a à réfléchir, plus on parle. Penser, c'est parler
       à soi-même; et, quand on parle à soi, on ne songe guère
       à parler aux autres.   *Ibid.*

5242   Généralement toutes les professions détruisent l'harmonie
       des idées.   *Ibid.*

5243   J'ai ouï bien des fois déplorer l'aveuglement du conseil de
       François Ier rebutant Christophe Colomb qui s'adressa
       d'abord à la France pour la rendre maîtresse de tous les
       trésors des Indes. En vérité on fait quelquefois par sottise
       des choses bien sages, et l'état actuel de l'Espagne doit bien
       nous consoler.
              Considérations sur les richesses de l'Espagne, article 9.

5244   L'étude a été pour moi le souverain remède contre les dégoûts
       de la vie, n'ayant jamais eu de chagrin qu'une heure de lec-
       ture ne m'ait ôté.   *Cahiers, Sur lui-même (Grasset).*

5245   Dans le cours de ma vie, je n'ai trouvé de gens communé-
       ment méprisés que ceux qui vivaient en mauvaise compagnie.
                                                            Ibid.

5246   Si je savais quelque chose utile à ma patrie, et qui fût pré-
       judiciable à l'Europe, ou bien qui fût utile à l'Europe et
       préjudiciable au Genre humain, je la regarderais comme un
       crime.   *Ibid.*

5247   Dieu m'a donné du bien, et je me suis donné du superflu.
                                                            Ibid.

5248   [...] La plus mauvaise copie de l'homme est celle qui se
       trouve dans les livres...   *Sur l'homme.*

5249   [...] Un homme n'est pas malheureux parce qu'il a de l'am-
       bition; mais parce qu'il en est dévoré.   *Ibid.*

5250   Je vous défie de faire jeûner un anachorète sans donner, en
       même temps, un nouveau goût à ses légumes.   *Ibid.*

5251   L'avantage de l'amour sur la débauche, c'est la multipli-
       cation des plaisirs.   *Ibid.*

5252   Il y a autant de vices qui viennent de ce qu'on ne s'estime
       pas assez, que de ce qu'on s'estime trop.   *Ibid.*

5253   La gravité est le bouclier des sots.   *Ibid.*

Il y a ordinairement si peu de différence d'homme à homme qu'il n'y a guère sujet d'avoir de la vanité. *Ibid.* 5254

Nous louons les gens à proportion de l'estime qu'ils ont pour nous. *Ibid.* 5255

Aimer à lire, c'est faire un échange des heures d'ennui que l'on doit avoir en sa vie, contre des heures délicieuses. *Ibid.* 5256

La dévotion trouve pour faire une mauvaise action des raisons qu'un simple honnête homme ne saurait trouver. *Ibid.* 5257

Ordinairement, ceux qui ont un grand esprit l'ont naïf. *Ibid.* 5258

Quand on court après l'esprit, on attrape la sottise. *Ibid.* 5259

Pour faire de grandes choses, il ne faut pas être un si grand génie; il ne faut pas être au-dessus des hommes; il faut être avec eux. *Ibid.* 5260

Tous les maris sont laids. *Ibid.* 5261

Il faut rompre brusquement avec les femmes : rien n'est si insupportable qu'une vieille affaire éreintée. *Ibid.* 5262

Pour écrire bien, il faut sauter les idées intermédiaires, assez pour n'être pas ennuyeux; pas trop, de peur de n'être pas entendu. *Sur les ouvrages de l'esprit.* 5263

On ne saurait croire jusques où a été, dans ce dernier siècle, la décadence de l'admiration. *Ibid.* 5264

Lorsqu'un Prince élève quelque malhonnête homme, il semble qu'il le montre au Peuple pour l'encourager à lui ressembler. *Sur la chose publique.* 5265

Tous les hommes sont des bêtes; les princes sont des bêtes qui ne sont pas attachées. *Ibid.* 5266

Une chose devrait faire trembler tous les ministres dans la plupart des États d'Europe, c'est la facilité qu'il y aurait à les remplacer. *Ibid.* 5267

La liberté, ce bien qui fait jouir des autres biens. *Ibid.* 5268

La chaussure des Romains incommode fut cause des grands chemins de pierre carrée. *Ibid.* 5269

On ne veut pas mourir. Chaque homme est proprement une suite d'idées qu'on ne veut pas interrompre. *Croyances.* 5270

Le souper tue la moitié de Paris; le dîner, l'autre. *Sur les sciences.* 5271

5272   Pourquoi m'occuperais-je encore de quelques écrits frivoles?
        Je cherche l'immortalité, et elle est dans moi-même. Mon
        âme, agrandissez-vous! Précipitez-vous dans l'immensité!
        Rentrez dans le grand Être!...
        Préparations pour ses ouvrages et notes prises après leur
                                                        publication.

5273   Je n'ai point le temps de me mêler de mes ouvrages; je m'en
        suis démis entre les mains du public.   *Ibid.*

5274   Celui-là a un bon ton, de qui on ne peut pas dire qui il est.
                                                            Ibid.

5275   Ce qui n'est point utile à l'essaim, n'est point utile à l'abeille.
                                                            Ibid.

ALEXIS PIRON
1689-1773

5276   Je réussis. J'épouse une femme savante.
                        La Métromanie, acte I, scène 6.

5277   Malheur aux écrivains qui viendront après moi.
                        Ibid., acte III, scène 7.

5278   A tous nos successeurs ne laissons rien à dire.
                        ·Ibid.

5279   Je veux [dans mes écrits] que la vertu plus que l'esprit y brille.
        La mère en prescrira la lecture à sa fille.
                                                            Ibid.

5280   L'ouvrage est peu de chose et le seul nom fait tout.
                        Ibid., acte V, scène 6.

5281   Après bien des maux et du bruit,
                Un baiser finit l'aventure :
                Le feu s'éteint, le dégoût suit;
                Le pré valait-il la fauchure!
                        Les Misères de l'amour.

5282   Voici *celui qui ne fut rien*
                Pas même Académicien,
                Pour avoir fait l'Ode à Priape...
                        La Quenouille unique et merveilleuse.

LOUIS PETIT DE BACHAUMONT
1690-1711

5283   On sait combien les femmes ont besoin d'indulgence aujour-
        d'hui, où les sociétés sont pleines d'arrangements particu-

liers, et où il n'y a pas de mari qui n'ait au moins un coad-
juteur.
Mémoires historiques, littéraires et critiques, 13 avril 1779.

Les femmes de cour, infiniment au-dessus des scrupules   5284
d'une bourgeoise, craignent moins d'annoncer leurs faiblesses...   *Ibid., 31 décembre 1781.*

PIERRE-CLAUDE NIVELLE
DE LA CHAUSSÉE
1692-1754

On ne fait point d'amant sans s'en apercevoir.   5285
                              Mélanide, acte I, scène 4.

Les amants sont entre eux un peuple bien bizarre.   5286
                              Ibid., acte III, scène 4.

Un homme qui disserte est un homme à noyer.   5287
                              L'École des mères, acte I, scène 5.

LOUIS RACINE
1692-1763

La raison dans mes vers conduit l'homme à la foi.   5288
                              La Religion, chant 1.

Oui, c'est un Dieu caché que le Dieu qu'il faut croire.   5289
Mais tout caché qu'il est, pour révéler sa gloire
Quels témoins éclatants devant moi rassemblés !
                                              Ibid.

Quel bras peut vous suspendre, innombrables étoiles ?   5290
Nuit brillante, dis-nous qui t'a donné tes voiles ?
                                              Ibid.

Sur la voûte des cieux notre histoire est écrite.   5291
                              Ibid., chant 5.

[...] Charme qui sans effort brise tout autre charme ;   5292
Vainqueur qui plaît encore au vaincu qu'il désarme.
                              La Grâce, chant 2.

L'Éternel va sortir d'un éternel silence.   5293
Il veut créer le monde. Il l'a voulu toujours.
Rien ne commence en lui : hors de lui tout commence,
        Et le temps, et les jours.
                              Ode, L'Ouvrage des six jours.

5294   [...] Grand Dieu, lorsque ton fils viendra t'offrir un jour
        Cet univers lavé dans son sang adorable...

Ibid.

5295   J'ai péché, mais je pleure : oppose à mes offenses,
        Oppose à leur grandeur, celle de tes bontés.

Les larmes de la Pénitence.

5296   Coupe, brûle ce corps, prends pitié de mon âme ;
        Frappe, fais-moi payer tout ce que je te dois...

Ibid.

LOUIS DE BOISSY
1694-1758

5297   Soyez l'homme du jour, et vous serez charmant.

Les Dehors trompeurs, acte V, scène 10.

CHARLES-FRANÇOIS PANARD
1694-1765

5298   Qu'une ville que l'on veut prendre
        Soit encor longtemps à se rendre
        Lorsqu'on est maître des faubourgs,
        C'est ce que l'on voit tous les jours :
        Mais que, dans l'île de Cythère,
        Un fort soit longtemps défendu
        Quand le moindre poste est rendu,
           C'est ce qu'on ne voit guère.

Ce qu'on voit beaucoup et ce qu'on ne voit guère, vaudeville.

5299   Paris est un séjour charmant [...]
        On y voit des commis
           Mis
        Comme des princes,
        Après être venus
           Nus
        De leurs provinces.

Vaudeville en écho.

5300   Que la treille aux amants offre un riant secours ;
        J'y veux mener souvent la belle que j'estime :
          Son ombre cache nos amours.
          Et son jus charmant les anime.

Chanson à boire.

FRANÇOIS QUESNAY
1694-1774

Que le souverain et la nation ne perdent jamais de vue que 5301
la terre est l'unique source des richesses; et que c'est l'agriculture qui les multiplie.
Maximes générales du gouvernement économique d'un royaume
agricole, maxime III.

[...] Le citadin, qui n'est qu'un mercenaire payé par les 5302
richesses de la campagne. *Ibid., maxime IX, note.*

Pauvres paysans, pauvre royaume. 5303
Ibid., maxime XX, note.

Nul travail ne peut être effectué sans des *avances* préalables. 5304
L'enfant a reçu la nourriture de ses parents avant de la
chercher.
Maximes du Docteur Quesnay ou Résumé de ses principes
d'économie sociale.

Acheter c'est vendre, et vendre c'est acheter. *Ibid.* 5305

François-Marie Arouet, dit
VOLTAIRE
1694-1778

Par tout pays, la religion dominante, quand elle ne persécute 5306
point, engloutit à la longue toutes les autres.
Lettres philosophiques, Quatrième lettre, sur les quakers.

C'est ici le pays des sectes. Un Anglais, comme homme 5307
libre, va au Ciel par le chemin qui lui plaît.
Ibid., Cinquième lettre, sur la religion anglicane.

Le clergé anglican a retenu beaucoup des cérémonies 5308
catholiques, et surtout celle de recevoir les dîmes avec une
attention très scrupuleuse. *Ibid.*

[...] Le peu de commerce qu'on a ici avec les femmes font 5309
que d'ordinaire un évêque est forcé de se contenter de la
sienne. Les prêtres vont quelquefois au cabaret, parce que
l'usage le leur permet, et s'ils s'enivrent, c'est sérieusement
et sans scandale. *Ibid.*

Entrez dans la Bourse de Londres [...] Là, le juif, le mahomé- 5310
tan et le chrétien traitent l'un avec l'autre comme s'ils
étaient de la même religion, et ne donnent le nom d'infidèles
qu'à ceux qui font banqueroute.
Ibid., Sixième lettre, sur les presbytériens.

5311   S'il n'y avait en Angleterre qu'une religion, le despotisme
serait à craindre; s'il y en avait deux, elles se couperaient la
gorge; mais il y en a trente, et elles vivent en paix et heureuses.
Ibid.

5312   [...] Le fruit des guerres civiles à Rome a été l'esclavage,
et celui des troubles d'Angleterre, la liberté. La nation
anglaise est la seule de la terre qui soit parvenue à régler le
pouvoir des rois en leur résistant.
Ibid., Huitième lettre, sur le Parlement.

5313   Le plus grand défaut du gouvernement des Romains en
fit des conquérants; c'est parce qu'ils étaient malheureux
chez eux qu'ils devinrent les maîtres du monde.   *Ibid.*

5314   Les Français pensent que le gouvernement de cette île est
plus orageux que la mer qui l'environne, et cela est vrai.
Ibid.

5315   Il a fallu des siècles pour rendre justice à l'humanité, pour
sentir qu'il est horrible que le grand nombre semât et que le
petit nombre recueillît.
Ibid., Neuvième lettre, sur le gouvernement.

5316   En France est marquis qui veut; et quiconque arrive à
Paris du fond d'une province avec de l'argent à dépenser
et un nom en *Ac* ou en *Ille*, peut dire « un homme comme moi,
un homme de ma qualité ».
Ibid., Dixième lettre, sur le commerce.

5317   Je ne sais pourtant lequel est le plus utile à un État, ou un
seigneur bien poudré qui sait précisément à quelle heure
le Roi se lève, à quelle heure il se couche, et qui se donne des
airs de grandeur en jouant le rôle d'esclave dans l'antichambre
d'un ministre, ou un négociant qui enrichit son pays, donne
de son cabinet des ordres à Surate et au Caire, et contribue
au bonheur du monde.   *Ibid.*

5318   C'est à celui qui domine sur les esprits par la force de la
vérité, non à ceux qui font des esclaves par la violence, c'est
à celui qui connaît l'univers, non à ceux qui le défigurent,
que nous devons nos respects.
Ibid., Douzième lettre, sur le chancelier Bacon.

5319   Les inventions les plus étonnantes et les plus utiles ne sont
pas celles qui font le plus d'honneur à l'esprit humain.
Ibid.

5320   C'est à un instinct mécanique, qui est chez la plupart des
hommes, que nous devons tous les arts, et nullement à la
saine philosophie.   *Ibid.*

5321   Dans la Grèce, berceau des arts et des erreurs, et où l'on
poussa si loin la grandeur et la sottise de l'esprit humain,
on raisonnait comme chez nous sur l'âme.
Ibid., Treizième lettre, sur M. Locke.

Notre Descartes, né pour découvrir les erreurs de l'antiquité, 5322
mais pour y substituer les siennes, et entraîné par cet esprit
systématique qui aveugle les plus grands hommes [...]
Ibid.

Les superstitieux sont dans la société ce que les poltrons sont 5323
dans une armée : ils ont, et donnent des terreurs paniques.
Ibid.

La raison humaine est si peu capable de démontrer par elle- 5324
même l'immortalité de l'âme que la religion a été obligée
de nous la révéler. *Ibid.*

Il me paraît presque démontré que les bêtes ne peuvent être 5325
de simples machines. Voici ma preuve : Dieu leur a fait
précisément les mêmes organes de sentiment que les nôtres;
donc, s'ils ne sentent point, Dieu a fait un ouvrage inutile.
Or Dieu, de votre aveu même, ne fait rien en vain; donc il
n'a point fabriqué tant d'organes de sentiment pour qu'il
n'y eût point de sentiment; donc les bêtes ne sont point de
pures machines. *Ibid.*

[...] Quelle philosophie plus religieuse que celle qui, n'affir- 5326
mant que ce qu'elle conçoit clairement et sachant avouer sa
faiblesse, vous dit qu'il faut recourir à Dieu dès qu'on examine les premiers principes? *Ibid.*

Jamais les philosophes ne feront une secte de religion. Pour- 5327
quoi? C'est qu'ils n'écrivent point pour le peuple, et qu'ils
sont sans enthousiasme. *Ibid.*

Parmi ceux qui lisent, il y en a vingt qui lisent des romans, 5328
contre un qui étudie la philosophie. Le nombre de ceux qui
pensent est excessivement petit, et ceux-là ne s'avisent pas
de troubler le monde. *Ibid.*

[...] Tous les livres des philosophes modernes mis ensemble 5329
ne feront jamais dans le monde autant de bruit seulement
qu'en a fait autrefois la dispute des cordeliers sur la forme
de leur manche et de leur capuchon. *Ibid.*

[...] En philosophie, il faut se défier de ce qu'on croit entendre 5330
trop aisément, aussi bien que des choses qu'on n'entend pas.
Ibid., Quinzième lettre, sur le système de l'attraction.

Shakespeare, qui passait pour le Corneille des Anglais, 5331
fleurissait à peu près dans le temps de Lope de Véga. Il créa
le théâtre. [...] Je vais vous dire une chose hasardée, mais
vraie : c'est que le mérite de cet auteur a perdu le théâtre
anglais. *Ibid., Dix-huitième lettre, sur la tragédie.*

Le temps, qui seul fait la réputation des hommes, rend à la 5332
fin leurs défauts respectables. *Ibid.*

[...] Je maintiendrai toujours, avec les gens de bon goût, 5333
qu'il y a plus à profiter dans douze vers d'Homère et de
Virgile que dans toutes les critiques qu'on a faites de ces
deux grands hommes. *Ibid.*

5334 [...] Malheur aux faiseurs de traductions littérales, qui en traduisant chaque parole énervent le sens! C'est bien là qu'on peut dire que la lettre tue, et que l'esprit vivifie.
Ibid.

5335 Il me paraît qu'en général l'esprit dans lequel M. Pascal écrivit ces *Pensées* était de montrer l'homme dans un jour odieux. Il s'acharne à nous peindre tous méchants et malheureux. Il écrit contre la nature humaine à peu près comme il écrivait contre les jésuites.
Ibid., Vingt-cinquième lettre, sur les pensées de M. Pascal.

5336 J'ose prendre le parti de l'humanité contre ce misanthrope sublime [...].
Ibid.

5337 L'homme n'est point une énigme, comme vous vous le figurez, pour avoir le plaisir de la deviner.
Ibid.

5338 [...] L'intérêt que j'ai à croire une chose n'est pas une preuve de l'existence de cette chose.
Ibid.

5339 Quel est l'homme sage qui sera prêt à se pendre parce qu'il ne sait pas comme on voit Dieu face à face, et que sa raison ne peut débrouiller le mystère de la Trinité? Il faudrait autant se désespérer de n'avoir pas quatre pieds et deux ailes.
Ibid.

5340 Il faut aimer, et très tendrement, les créatures; il faut aimer sa patrie, sa femme, son père, ses enfants; et il faut si bien les aimer que Dieu nous les fait aimer malgré nous. Les principes contraires ne sont propres qu'à faire de barbares raisonneurs.
Ibid.

5341 Il est aussi impossible qu'une société puisse se former et subsister sans amour-propre, qu'il serait impossible de faire des enfants sans concupiscence, de songer à se nourrir sans appétit, etc. C'est l'amour de nous-même qui assiste l'amour des autres; c'est par nos besoins mutuels que nous sommes utiles au genre humain [...]
Ibid.

5342 La dispute sur l'amour de Dieu est une pure dispute de mots, comme la plupart des autres querelles scientifiques qui ont causé des haines si vives et des malheurs si affreux.
Ibid.

5343 Il n'y a que les arts de génie auxquels on se détermine de soi-même. Mais, pour les métiers que tout le monde peut faire, il est très naturel et très raisonnable que la coutume en dispose.
Ibid.

5344 Si les hommes étaient assez malheureux pour ne s'occuper que du présent, on ne sèmerait point, on ne bâtirait point, on ne planterait point, on ne pourvoirait à rien : on manquerait de tout au milieu de cette fausse jouissance.
Ibid.

5345 L'homme est né pour l'action, comme le feu tend en haut et la pierre en bas. N'être point occupé et n'exister pas est la même chose pour l'homme.
Ibid.

A ne raisonner qu'en philosophe, j'ose dire qu'il y a bien de   5346
l'orgueil et de la témérité à prétendre que par notre nature
nous devons être mieux que nous ne sommes.   *Ibid.*

On apprend aux hommes à être honnêtes gens, et, sans cela   5347
peu parviendraient à l'être.   *Ibid,*

On apprend tout aux hommes, la vertu, la religion.   5348
Ibid.

En ouvrages de goût, en musique, en poésie, en peinture,   5349
c'est le goût qui tient lieu de montre; et celui qui n'en juge
que par règles en juge mal.   *Ibid.*

Qui veut détruire les passions, au lieu de les régler, veut faire   5350
l'*ange*.   *Ibid.*

Consolons-nous de ne pas savoir les rapports qui peuvent   5351
être entre une araignée et l'anneau de Saturne, et continuons
à examiner ce qui est à notre portée.   *Ibid.*

C'est ainsi que les grands hommes sont traités au commence-   5352
ment de leur carrière; mais il ne faut pas que tous ceux que
l'on traite de même s'imaginent pour cela être de grands
hommes : la médiocrité insolente éprouve les mêmes obstacles que le génie; et cela prouve seulement qu'il y a plusieurs
manières de blesser l'amour propre des hommes.
Œdipe, Avertissement sur l'Œdipe.

On rougirait bientôt de ses décisions, si l'on voulait réfléchir   5353
sur les raisons par lesquelles on se détermine.
*Ibid., Lettres écrites en 1719 qui contiennent la critique de
l'Œdipe de Sophocle, de celui de Corneille, et de celui de
l'auteur, lettre première.*

On doit des égards aux vivants; on ne doit aux morts que   5354
la vérité.   *Ibid., Note.*

Nous sommes aussi touchés de l'ébauche la plus grossière   5355
dans les premières découvertes d'un art, que des beautés les
plus achevées lorsque la perfection nous en est une fois
connue.   *Ibid., Lettre III, critique de l'Œdipe de Sophocle.*

Corneille ne connaissait guère la médiocrité, et il tombait   5356
dans le bas avec la même facilité qu'il s'élevait au sublime.
Ibid., Lettre IV, critique de l'Œdipe de Corneille.

Donner aux auteurs de nouvelles rimes, ce serait leur donner   5357
de nouvelles pensées.
Ibid., Lettre V, critique du nouvel Œdipe.

Je préférerai toujours les choses aux mots, et la pensée à la   5358
rime.   *Ibid.*

Tant de livres faits sur la peinture par des connaisseurs   5359
n'instruiront pas tant un élève que la seule vue d'une tête
de Raphaël.   *Ibid., préface de l'édition de 1730.*

5360   L'amitié d'un grand homme est un bienfait des dieux.
                            Ibid., acte I, scène 1.

5361   La vertu s'avilit à se justifier.
                            Ibid., acte II, scène 4.

5362   Nos prêtres ne sont point ce qu'un vain peuple pense,
        Notre crédulité fait toute leur science.
                            Ibid., acte IV, scène 1.

5363   Soldats sous Alexandre; et rois après sa mort.
                            Artémire, acte I, scène 1.

5364   Le premier pas, mon fils, que l'on fait dans le monde
        Est celui dont dépend le reste de nos jours :
        Ridicule une fois, on vous le croit toujours.
                            L'Indiscret, scène 1.

5365   [...] A la cour, mon fils, l'art le plus nécessaire
        N'est pas de bien parler, mais de savoir se taire.
                                            Ibid.

5366   Le plus souvent ici l'on parle sans rien dire,
        Et les plus ennuyeux savent s'y mieux conduire.
                                            Ibid.

5367   Surtout de vos secrets, soyez toujours le maître :
        Qui dit celui d'autrui doit passer pour un traître;
        Qui dit le sien, mon fils, passe ici pour un sot.
                                            Ibid.

5368   Et qui pardonne au crime en devient le complice.
                            Brutus, acte V, scène 1.

5369   Les mortels sont égaux : ce n'est point la naissance,
        C'est la seule vertu qui fait leur différence.
        C'est elle qui met l'homme au rang des demi-dieux;
        Et qui sert son pays n'a pas besoin d'aïeux.
                            Eriphile, acte II, scène 1.

5370   Pour qui ne les craint point, il n'est point de prodiges :
        Ils sont l'appât grossier des peuples ignorants,
        L'invention du fourbe et le mépris des grands.
                Ibid., acte II, scène 5 et Sémiramis, acte II, scène 7.

5371   Qui croit toujours le crime, en paraît trop capable.
                            Ibid., acte IV, scène 1.

5372   Tous les genres sont bons, hors le genre ennuyeux.
                            L'Enfant prodigue, préface.

5373   De Polyeucte la belle âme
                Aurait faiblement attendri,
                Et les vers chrétiens qu'il déclame
                Seraient tombés dans le décri,
                N'eût été l'amour de sa femme
                Pour ce païen son favori,
                Qui méritait bien mieux sa flamme
                Que son bon dévot de mari.
                            Zaïre, épître dédicatoire.

On ne peut désirer ce qu'on ne connaît pas. 5374
Ibid., acte I, scène 1.

J'eusse été près du Gange esclave des faux dieux, 5375
Chrétienne dans Paris, musulmane en ces lieux.
Ibid.

Quiconque est soupçonneux invite à le trahir. 5376
Ibid., acte I, scène 5.

Seigneur, il est bien dur, pour un cœur magnanime, 5377
D'attendre des secours de ceux qu'on mésestime :
Leurs refus sont affreux, leurs bienfaits font rougir.
Ibid., acte II, scène 1.

Des dieux que nous servons connais la différence : 5378
Les tiens t'ont commandé le meurtre et la vengeance;
Et le mien, quand ton bras vient de m'assassiner,
M'ordonne de te plaindre et de te pardonner.
Alzire, acte V, scène 7.

La patrie est aux lieux où l'âme est enchaînée. 5379
Le Fanatisme, acte I, scène 2.

Les préjugés, ami, sont les rois du vulgaire. 5380
Ibid., acte II, scène 4.

Le premier qui fut roi, fut un soldat heureux; 5381
Qui sert bien son pays n'a pas besoin d'aïeux.
Mérope, acte I, scène 3.

Quand on a tout perdu, quand on n'a plus d'espoir, 5382
La vie est un opprobre, et la mort un devoir.
Ibid., acte II, scène 7.

C'est assurément ne pas connaître le cœur humain, que de 5383
penser qu'on peut le remuer par des fictions.
Sémiramis, Dissertation sur la tragédie ancienne et moderne.

Quatre beaux vers valent mieux dans une pièce qu'un 5384
régiment de cavalerie. *Ibid.*

Je suis bien loin assurément de justifier en tout la tragédie 5385
d'Hamlet : c'est une pièce grossière et barbare, qui ne serait
pas supportée par la plus vile populace de la France et de
l'Italie. [...] On croirait que cet ouvrage est le fruit de l'imagination d'un sauvage ivre. [...] Il semble que la nature se
soit plu à rassembler dans la tête de Shakespeare ce qu'on
peut imaginer de plus fort et de plus grand, avec ce que la
grossièreté sans esprit peut avoir de plus bas et de plus détestable. *Ibid.*

La véritable tragédie est l'école de la vertu. *Ibid.* 5386

Plus les nœuds sont sacrés, plus les crimes sont grands. 5387
Ibid., acte I, scène 5.

5388   Que de faibles ressorts font d'illustres destins !
                                   Ibid., acte II, scène 8.

5389   La crainte suit le crime, et c'est son châtiment.
                                   Ibid., acte V, scène 1.

5390   Rien n'est plus ordinaire que des aventures qui affligent
       l'âme, et dont certaines circonstances inspirent ensuite une
       gaieté passagère. C'est ainsi malheureusement que le genre
       humain est fait.   *Nanine, Préface.*

5391   L'Amour règne par le délire
                   Sur ce ridicule univers :
                   Tantôt aux esprits de travers
                   Il fait rimer de mauvais vers ;
                   Tantôt il renverse un empire.
                                                Ibid.

5392   Non, il n'est rien que Nanine n'honore.
                                   Ibid., acte III, scène 8.

5393   Hélas ! grands et petits, et sujets, et monarques,
              Distingués un moment par de frivoles marques,
              Égaux par la nature, égaux par le malheur [...]
                       L'Orphelin de la Chine, acte II, scène 3.

5394   On calomniera toujours les gens de lettres comme les gens en
       place.   *Tancrède, Épître dédicatoire à Mᵐᵉ la Marquise de
                                                    Pompadour.*

5395   La vertu s'affermit par un remords heureux.
                                   Ibid., acte II, scène 6.

5396   A tous les cœurs bien nés que la patrie est chère !
                                   Ibid., acte III, scène 1.

5397   Je nomme ici Iphigénie et Athalie, qui me paraissent être,
       de toutes les tragédies qu'on ait jamais faites, celles qui
       approchent le plus de la perfection. Corneille n'a aucune
       pièce parfaite [...]. Il était inégal comme Shakespeare, et
       plein de génie comme lui : mais le génie de Corneille était
       à celui de Shakespeare ce qu'un seigneur est à l'égard d'un
       homme du peuple né avec le même esprit que lui.
                 Observations sur le Jules César de Shakespeare.

5398   Voilà donc les ressorts du destin de l'empire,
              Les grands secrets d'état, que l'ignorance admire !
              Ils étonnent de loin les vulgaires esprits,
              Ils inspirent de près l'horreur et le mépris.
                            Le Triumvirat, acte I, scène 1.

5399   Quoi ! les maîtres du monde en sont l'ignominie !
                                                Ibid.

5400   Les vices de l'esprit peuvent se corriger ;
              Quand le cœur est mauvais, rien ne peut le changer.
                            Charlot, acte I, scène 1.

On ne réussit point sans un peu d'art flatteur : 5401
Et la grossièreté ne gagne point un cœur.
Ibid., acte I, scène 5.

Et voilà justement comme on écrit l'histoire. 5402
Ibid., acte I, scène 7.

On est gai le matin, on est pendu le soir. 5403
Ibid., acte II, scène 7.

Que chacun dans sa loi cherche en paix la lumière; 5404
Mais la loi de l'État est toujours la première.
Je pense en citoyen, j'agis en empereur :
Je hais le fanatique et le persécuteur.
Les Guèbres, acte V, scène 6.

Le monde avec lenteur marche vers la sagesse. 5405
Les Lois de Minos, acte III, scène 5.

Tel brille au second rang qui s'éclipse au premier. 5406
La Henriade, chant I.

Et périsse à jamais l'affreuse politique 5407
Qui prétend sur les cœurs un pouvoir despotique.
Ibid., chant second.

C'est un poids bien pesant qu'un nom trop tôt fameux! 5408
Ibid., chant troisième.

La sombre Jalousie, au teint pâle et livide. 5409
Suit d'un pied chancelant le Soupçon qui la guide.
Ibid., chant neuvième.

Souvent le désespoir a gagné des batailles. 5410
Ibid., chant dixième.

Le maréchal de Tavannes [...] courait à cheval dans Paris, 5411
criant aux soldats : « Du sang, du sang! La saignée est aussi
salutaire dans le mois d'août que dans le mois de mai. »
Essai sur les guerres civiles de France.

Il y a cent poétiques contre un poème. 5412
Essai sur la poésie épique, chapitre 1.

Chaque science, chaque étude, a son jargon inintelligible, 5413
qui semble n'être inventé que pour en défendre les approches. *Ibid.*

La voie par laquelle on a si longtemps enseigné l'art de 5414
penser est assurément bien opposée au don de penser.
Ibid.

Il faut courir dans la carrière, et non pas s'y traîner avec 5415
des béquilles. *Ibid.*

Entends, Dieu que j'implore [...] 5416
Mon incrédulité ne doit pas te déplaire;
[...]

L'insensé te blasphème, et moi, je te révère;
Je ne suis pas chrétien; mais c'est pour t'aimer mieux.

Poèmes, le pour et le contre.

5417   Nous ressemblons assez à l'abbé Pellegrin,
« Le matin catholique, et le soir idolâtre,
Déjeunant de l'autel, et soupant du théâtre. »

Ibid., Apologie de la fable.

5418   Ce monde est un grand bal, où des fous déguisés,
Sous les risibles noms d'Eminence et d'Altesse,
Pensent enfler leur être et hausser leur bassesse.

*Discours en vers sur l'homme, Premier discours, de l'égalité
des conditions.*

5419   Nos cinq sens imparfaits, donnés par la nature,
De nos biens, de nos maux sont la seule mesure.

Ibid.

5420   Tes destins sont d'un homme, et tes vœux sont d'un Dieu.

Ibid., Deuxième discours, de la liberté.

5421   Aime la vérité, mais pardonne à l'erreur.

Ibid.

5422   Quittons les voluptés pour savoir les reprendre.
Le travail est souvent le père du plaisir :
Je plains l'homme accablé du poids de son loisir.
Le bonheur est un bien que nous vend la nature.

Ibid., Quatrième discours, de la modération en tout.

5423   Tout mortel au plaisir a dû son existence;
Par lui le corps agit, le cœur sent, l'esprit pense.

Ibid., Cinquième discours, sur la nature du plaisir.

5424   Le temps est assez long pour quiconque en profite;
Qui travaille et qui pense en étend la limite.

Ibid., Sixième discours, sur la nature de l'homme.

5425   Mais malheur à l'auteur qui veut toujours instruire!
Le secret d'ennuyer est celui de tout dire.

Ibid.

5426   C'est n'être bon à rien de n'être bon qu'à soi.

Ibid., Septième discours, sur la vraie vertu.

5427   La plupart des livres ressemblent à ces conversations générales et gênées dans lesquelles on dit rarement ce qu'on pense.

Poème sur la loi naturelle, Préface.

5428   Qu'on appelle la raison et les remords comme on voudra,
ils existent, et ils sont les fondements de la loi naturelle.

Ibid.

5429   Si Dieu n'est pas dans nous, il n'exista jamais.

Ibid., Exorde.

Écartons ces romans qu'on appelle systèmes ;   5430
Et pour nous élever descendons dans nous-mêmes.
Ibid.

De nos désirs fougeux la tempête fatale.   5431
Laisse au fond de nos cœurs la règle et la morale.
Ibid., Deuxième partie.

Il est des sentiments que l'habitude inspire.   5432
[...]
Tout mûrit par le temps, et s'accroît par l'usage.
Ibid.

Sur ce vaste univers un grand voile est jeté ;   5433
Mais, dans les profondeurs de cette obscurité,
Si la raison nous luit, qu'avons-nous à nous plaindre ?
Nous n'avons qu'un flambeau, gardons-nous de l'éteindre.
Ibid.

Je crois voir des forçats dans un cachot funeste,   5434
Se pouvant secourir, l'un sur l'autre acharnés,
Combattre avec les fers dont ils sont enchaînés.
Ibid., Troisième partie.

Le premier des devoirs, sans doute, est d'être juste ;   5435
Et le premier des biens est la paix de nos cœurs.
Ibid., Quatrième partie.

La paix enfin, la paix, que l'on trouble et qu'on aime,   5436
Est d'un prix aussi grand que la vérité même.
Ibid.

Il y a toujours un sens dans lequel on peut condamner un   5437
écrit et un sens dans lequel on peut l'approuver.
Poème sur le désastre de Lisbonne, Préface.

C'est le propre des censures violentes d'accréditer les opi-   5438
nions qu'elles attaquent.   *Ibid.*

Il est toujours malheureusement nécessaire d'avertir qu'il   5439
faut distinguer les objections que se fait un auteur de ses
réponses aux objections, et ne pas prendre ce qu'il réfute
pour ce qu'il adopte.   *Ibid.*

Quel crime, quelle faute ont commis ces enfants   5440
Sur le sein maternel écrasés et sanglants ?
Lisbonne, qui n'est plus, eut-elle plus de vices
Que Londres, que Paris, plongés dans les délices ?
Ibid.

Je respecte mon Dieu, mais j'aime l'univers.   5441
Ibid.

O rêves des savants ! ô chimères profondes !   5442
Dieu tient en main la chaîne, et n'est point enchaîné ;
Par son choix bienfaisant tout est déterminé :
Il est libre, il est juste, il n'est point implacable.
Pourquoi donc souffrons-nous sous un maître équitable ?
Ibid.

5443 Quand la mort met le comble aux maux que j'ai soufferts,
Le beau soulagement d'être mangé des vers!

Ibid.

5444 Et vous composerez dans ce chaos fatal
Des malheurs de chaque être un bonheur général!

Ibid.

5445 Le trépas est un bien qui finit nos misères.
Mais quand nous sortirons de ce passage affreux,
Qui de nous prétendra mériter d'être heureux?

Ibid.

5446 Il rampe, il souffre, il meurt; tout ce qui naît expire;
De la destruction la nature est l'empire.

Ibid.

5447 J'abandonne Platon, je rejette Épicure.
Bayle en sait plus qu'eux tous; je vais le consulter :
La balance à la main, Bayle enseigne à douter.

Ibid.

5448 Que suis-je, où suis-je, où vais-je, et d'où suis-je tiré?
Atomes tourmentés sur cet amas de boue,
Que la mort engloutit et dont le sort se joue,
[...]
Au sein de l'infini nous élançons notre être,
Sans pouvoir un moment nous voir et nous connaître.

Ibid.

5449 Ce monde, ce théâtre et d'orgueil et d'erreur,
Est plein d'infortunés qui parlent de bonheur.

Ibid.

5450 Nul ne voudrait mourir, nul ne voudrait renaître.

Ibid.

5451 Tous les malheurs de nos pères
Ne nous ont point détrompés;
Nous éprouvons les misères
Dont nos fils seront frappés.

Précis de l'Ecclésiaste.

5452 Plus les mœurs sont dépravées, plus les expressions deviennent mesurées. On croit regagner en paroles ce qu'on a
perdu en vertu. La pudeur s'est enfuie des cœurs, et s'est
réfugiée sur les lèvres. Les hommes sont enfin parvenus à
vivre ensemble sans se dire jamais un seul mot de ce qu'ils
sentent et de ce qu'ils pensent : la nature est partout déguisée, tout est un commerce de tromperie.
Précis du Cantique des Cantiques, Lettre de M. Eratou.

5453 Il avait appris, dans le premier livre de Zoroastre, que
l'amour-propre est un ballon gonflé de vent, dont il sort des
tempêtes quand on lui a fait une piqûre [...]
Zadig ou la destinée, le borgne.

Zadig éprouva que le premier mois du mariage, comme il 5454
est écrit dans le livre du *Zend*, est la lune du miel, et que le
second est la lune de l'absinthe.
                              Ibid., le chien et le cheval.

N'ayant jamais pu réussir dans le monde, il se vengeait 5455
par en médire [...]   *Ibid., l'envieux.*

L'occasion de faire du mal se trouve cent fois par jour, 5456
et celle de faire du bien, une fois dans l'année comme dit
Zoroastre.   *Ibid.*

Tout le monde fut pour lui, non pas parce qu'il était dans 5457
le bon chemin, non pas parce qu'il était raisonnable, non
pas parce qu'il était aimable, mais parce qu'il était premier
vizir.   *Ibid., les disputes et les audiences.*

Une passion naissante et combattue éclate; un amour 5458
satisfait sait se cacher.   *Ibid., la jalousie.*

Si j'eusse été méchant comme tant d'autres, je serais heu- 5459
reux comme eux.   *Ibid.*

Il se figurait alors les hommes tels qu'ils sont en effet, des 5460
insectes se dévorant les uns les autres sur un petit atome
de boue.   *Ibid., la femme battue.*

« Mon fils, ne désespérez pas; il y avait autrefois un grain 5461
de sable qui se lamentait d'être un atome ignoré dans les
déserts; au bout de quelques années il devint diamant,
et il est à présent le plus bel ornement de la couronne du
roi des Indes. »   *Ibid., le brigand.*

[...] L'art de faire subsister ensemble l'intempérance et la 5462
santé est un art aussi chimérique que la pierre philosophale,
l'astrologie judiciaire et la théologie des mages [...]
                                     Ibid., le basilic.

Quand on est aimé d'une belle femme, dit le grand Zoroas- 5463
tre, on se tire toujours d'affaire dans ce monde.   *Ibid.*

On parla des passions. « Ah! qu'elles sont funestes! disait 5464
Zadig. — Ce sont les vents qui enflent les voiles du vaisseau,
repartit l'ermite : elles le submergent quelquefois; mais
sans elles il ne pourrait voguer. La bile rend colère et malade;
mais sans la bile l'homme ne saurait vivre. Tout est dangereux ici-bas, et tout est nécessaire. »   *Ibid., l'ermite.*

On parla de plaisir, et l'ermite prouva que c'est un présent 5465
de la Divinité; « car, dit-il, l'homme ne peut se donner ni
sensation ni idées, il reçoit tout; la peine et le plaisir lui
viennent d'ailleurs comme son être ».   *Ibid.*

Les méchants, répondit Jesrad, sont toujours malheureux : 5466
ils servent à éprouver un petit nombre de justes répandus
sur la terre, et il n'y a point de mal dont il ne naisse un bien [...]
                                                 Ibid.

5467   [...] Il n'y a point de hasard : tout est épreuve, ou punition,
ou récompense, ou prévoyance.   *Ibid.*

5468   [...] Il fut l'ami du roi, et le roi fut alors le seul monarque
de la terre qui eût un ami.   *Ibid., les énigmes.*

5469   Les services rendus restent souvent dans l'antichambre,
et les soupçons entrent dans le cabinet, selon la sentence
de Zoroastre.   *Ibid., les yeux bleus.*

5470   « Inexplicables humains, s'écria-t-il, comment pouvez-vous
réunir tant de bassesse et de grandeur, tant de vertus et de
crimes? »   *Le Monde comme il va.*

5471   [...] Malgré l'opiniâtreté des hommes à louer l'antique aux
dépens du moderne, il faut avouer qu'en tout genre les
premiers essais sont toujours grossiers.   *Ibid.*

5472   Ce mage divisa en plusieurs parties ce qui n'avait pas besoin
d'être divisé; il prouva méthodiquement tout ce qui était
clair; il enseigna tout ce qu'on savait. Il se passionna froidement, et sortit suant et hors d'haleine. Toute l'assemblée
alors se réveilla, et crut avoir assisté à une instruction.
                                                         Ibid.

5473   [...] C'est la fantaisie des hommes qui met le prix à ces choses
frivoles; c'est cette fantaisie qui fait vivre cent ouvriers que
j'emploie; c'est elle qui me donne une belle maison, un char
commode, des chevaux; c'est elle qui excite l'industrie,
qui entretient le goût, la circulation, et l'abondance. Je
vends aux nations voisines les mêmes bagatelles plus chèrement qu'à vous et par là je suis utile à l'empire.   *Ibid.*

5474   [...] Ils louaient deux sortes de personnes, les morts et eux-
mêmes, et jamais leurs contemporains, excepté le maître de
la maison.   *Ibid.*

5475   Chacun d'eux briguait une place de valet et une réputation
de grand homme [...]   *Ibid.*

5476   Dans toutes les professions, ce qu'il y a de plus indigne de
paraître est toujours ce qui se présente avec le plus d'impudence.   *Ibid.*

5477   Rien n'empêche qu'on ne soit un bon juge, un brave guerrier,
un homme d'État habile, quand on a eu un père bon calculateur.   *Ibid.*

5478   [...] Il résolut de ne pas même songer à corriger Persépolis,
et de laisser aller *le monde comme il va* « car, dit-il, *si tout
n'est pas bien, tout est passable* ».   *Ibid.*

5479   [...] Quand on a été trois jours dans le corps d'une baleine,
on n'est pas de si bonne humeur que quand on a été à l'opéra,
à la comédie, et qu'on a soupé en bonne compagnie.
                                                         Ibid.

Memnon conçut un jour le projet insensé d'être parfaitement 5480
sage. Il n'y a guère d'hommes à qui cette folie n'ait quelquefois passé par la tête.   *Memnon ou la sagesse humaine.*

Ils firent ériger une belle statue au Temps, avec cette inscrip- 5481
tion : A CELUI QUI CONSOLE.   *Les deux consolés.*

Il voulut m'apprendre les catégories d'Aristote, et fut sur 5482
le point de me mettre dans la catégorie de ses mignons.
        Histoire des voyages de Scarmentado.

Je me mariai chez moi : je fus cocu, et je vis que c'était l'état 5483
le plus doux de la vie.   *Ibid.*

Il devina, par la force de son esprit, plus de cinquante propo- 5484
sitions d'Euclide. C'est dix-huit de plus que Blaise Pascal,
lequel, après en avoir deviné trente-deux en se jouant, à ce
que dit sa sœur, devint depuis un géomètre assez médiocre,
et un fort mauvais métaphysicien.
        Micromégas, chapitre 1.

[...] Comme le Sirien avait un bon esprit, il comprit bien vite 5485
qu'un être pensant peut fort bien n'être pas ridicule pour
n'avoir que six mille pieds de haut...   *Ibid.*

Il lia une étroite amitié avec le secrétaire de l'Académie de 5486
Saturne, homme de beaucoup d'esprit, qui n'avait à la
vérité rien inventé, mais qui rendait un fort bon compte des
inventions des autres, et qui faisait passablement de petits
vers et de grands calculs [...]   *Ibid.*

J'ai un peu voyagé; j'ai vu des mortels fort au-dessous de 5487
nous; j'en ai vu de fort supérieurs; mais je n'en ai vu aucuns
qui n'aient plus de désirs que de vrais besoins, et plus de
besoins que de satisfaction.   *Ibid., chapitre 2.*

Vous savez trop bien que quand il faut rendre son corps 5488
aux éléments, et ranimer la nature sous une autre forme,
ce qui s'appelle mourir; quand ce moment de métamorphose est venu, avoir vécu une éternité, ou avoir vécu un jour,
c'est précisément la même chose [...]   *Ibid.*

Je ne doute pas que si quelque capitaine des grands grenadiers 5489
lit jamais cet ouvrage, il ne hausse de deux grands pieds au
moins les bonnets de sa troupe; mais je l'avertis qu'il aura
beau faire, et que lui et les siens ne seront jamais que des
infiniments petits.   *Ibid., chapitre 5.*

D'ailleurs, ce n'est pas eux qu'il faut punir, ce sont ces 5490
barbares sédentaires qui du fond de leur cabinet ordonnent,
dans le temps de leur digestion, le massacre d'un million
d'hommes, et qui ensuite en font remercier Dieu solennellement.   *Ibid., chapitre 7.*

Nous disséquons des mouches, dit le philosophe, nous 5491
mesurons des lignes, nous assemblons des nombres; nous
sommes d'accord sur deux ou trois points que nous entendons
et nous disputons sur deux ou trois mille que nous n'entendons pas.   *Ibid.*

5492 « Pourquoi donc, [...] , citez-vous un certain Aristote en
grec? — C'est, répliqua le savant, qu'il faut bien citer ce
qu'on ne comprend point du tout dans la langue qu'on
entend le moins. »   *Ibid.*

5493 « Qu'il y ait des substances immatérielles et intelligentes,
c'est de quoi je ne doute pas; mais qu'il soit impossible à
Dieu de communiquer la pensée à la matière, c'est de quoi
je doute fort. Je révère la puissance éternelle; il ne m'appartient pas de la borner : je n'affirme rien; je me contente de
croire qu'il y a plus de choses possibles qu'on ne pense. »
                                                         Ibid.

5494 Moi, monsieur, du latin! je n'en sais pas un mot, répondit
le bel esprit, et bien m'en a pris; il est clair qu'on parle
beaucoup mieux sa langue quand on ne partage pas son
application entre elle et les langues étrangères [...]
                                          Jeannot et Colin.

5495 Il n'y a certainement d'agréable et d'utile que l'histoire
du jour. Toutes les histoires anciennes, comme le disait
un de nos beaux esprits, ne sont que des fables convenues;
et, pour les modernes, c'est un chaos qu'on ne peut débrouiller.
                                                         Ibid.

5496 On étouffe l'esprit des enfants sous un amas de connaissances
inutiles; mais de toutes les sciences la plus absurde, à mon
avis, et celle qui est la plus capable d'étouffer toute espèce
de génie, c'est la géométrie. Cette science ridicule a pour
objet des surfaces, des lignes, et des points, qui n'existent
pas dans la nature. [..] La géométrie, en vérité, n'est qu'une
mauvaise plaisanterie.   *Ibid.*

5497 Il suffit que monsieur le marquis ait du goût; c'est aux artistes
à travailler pour lui; et c'est en quoi on a très grande raison
de dire que les gens de qualité (j'entends ceux qui sont très
riches) savent tout sans avoir rien appris, parce qu'en effet
ils savent à la longue juger de toutes les choses qu'ils commandent et qu'ils payent.   *Ibid.*

5498 Toutes les grandeurs de ce monde ne valent pas un bon ami.
                                                         Ibid.

5499 Sa physionomie annonçait son âme. Il avait le jugement
assez droit, avec l'esprit le plus simple; c'est, je crois, pour
cette raison qu'on le nommait Candide.
                          Candide ou l'optimisme, chap. 1.

5500 Il est démontré, disait-il, que les choses ne peuvent être
autrement : car tout étant fait pour une fin, tout est nécessairement pour la meilleure fin. Remarquez bien que les nez
ont été faits pour porter des lunettes; aussi avons-nous des
lunettes. Les jambes sont visiblement instituées pour être
chaussées, et nous avons des chausses. Les pierres ont été
formées pour être taillées et pour en faire des châteaux;
aussi monseigneur a un très beau château : le plus grand
baron de la province doit être le mieux logé; et les cochons
étant faits pour être mangés, nous mangeons du porc toute

l'année. Par conséquent, ceux qui ont avancé que tout est bien ont dit une sottise : il fallait dire que tout est au mieux.
Ibid.

Les canons renversèrent d'abord à peu près six mille hommes 5501 de chaque côté; ensuite la mousqueterie ôta du meilleur des mondes environ neuf à dix mille coquins qui en infectaient la surface. *Ibid., chap. 2.*

La femme de l'orateur ayant mis la tête à la fenêtre, et avisant 5502 un homme qui doutait que le pape fût antéchrist, lui répandit sur le chef un plein... O Ciel! à quel excès se porte le zèle de la religion dans les dames! *Ibid.*

Si Colomb n'avait pas attrapé dans une île de l'Amérique 5503 cette maladie qui empoisonne la source de la génération, qui souvent même empêche la génération, et qui est évidemment l'opposé du grand but de la nature, nous n'aurions ni le chocolat ni la cochenille [...] *Ibid., chap. 4.*

On peut assurer que, quand trente mille hommes combattent 5504 en bataille rangée contre des troupes égales en nombre, il y a environ vingt mille vérolés de chaque côté. *Ibid.*

Pangloss les consola, en les assurant que les choses ne pou- 5505 vaient être autrement : « Car, dit-il, tout ceci est ce qu'il y a de mieux; car s'il y a un volcan à Lisbonne, il ne pouvait être ailleurs; car il est impossible que les choses ne soient pas où elles sont; car tout est bien. » *Ibid., chap. 5.*

« Comment avez-vous fait, vous qui êtes né si doux, pour 5506 tuer en deux minutes un juif et un prélat? — Ma belle demoi- selle, répondit Candide, quand on est amoureux, jaloux, et fouetté par l'Inquisition, on ne se connaît plus. » *Ibid., chap. 9.*

Les malheurs particuliers font le bien général; de sorte 5507 que plus il y a de malheurs particuliers et plus tout est bien. *Ibid., chap. 10.*

Je n'ai guère vu de ville qui ne désirât la ruine de la ville 5508 voisine, point de famille qui ne voulût exterminer quelque autre famille. Partout les faibles ont en exécration les puis- sants devant lesquels ils rampent, et les puissants les traitent comme des troupeaux dont on vend la laine et la chair [...] *Ibid., chap. 20.*

Vous savez que ces deux nations sont en guerre pour quel- 5509 ques arpents de neige vers le Canada, et qu'elles dépensent pour cette belle guerre beaucoup plus que tout le Canada ne vaut [...] *Ibid., chap. 23.*

Dans ce pays-ci il est bon de tuer de temps en temps un amiral 5510 pour encourager les autres. *Ibid.*

Tout est bien, tout va bien, tout va le mieux qu'il soit possible. 5511
Ibid.

5512 Le doge a ses chagrins, les gondoliers ont les leurs. Il est vrai qu'à tout prendre le sort d'un gondolier est préférable à celui d'un doge; mais je crois la différence si médiocre que cela ne vaut pas la peine d'être examiné. *Ibid., chap. 24.*

5513 « Les sots admirent tout dans un auteur estimé. Je ne lis que pour moi; je n'aime que ce qui est à mon usage. » *Ibid., chap. 25.*

5514 « Oh! quel homme supérieur! disait encore Candide entre ses dents, quel grand génie que ce Pococuranté! rien ne peut lui plaire. » *Ibid.*

5515 « Mais, dit Candide, n'y a-t-il pas du plaisir à tout critiquer, à sentir des défauts où les autres hommes croient voir des beautés? — C'est-à-dire, reprit Martin, qu'il y a du plaisir à n'avoir pas de plaisir? » *Ibid.*

5516 « Eh bien! mon cher Pangloss, lui dit Candide, quand vous avez été pendu, disséqué, roué de coups, et que vous avez ramé aux galères, avez-vous toujours pensé que tout allait le mieux du monde? — Je suis toujours de mon premier sentiment, répondit Pangloss; car enfin je suis philosophe : il ne me convient pas de me dédire. Leibnitz ne pouvant pas avoir tort, et l'harmonie préétablie étant d'ailleurs la plus belle chose du monde, aussi bien que le plein et la matière subtile. » *Ibid., chap. 28.*

5517 « Travaillons sans raisonner, dit Martin; c'est le seul moyen de rendre la vie supportable. » *Ibid., chap. 30.*

5518 « Tous les événements sont enchaînés dans le meilleur des mondes possibles : car enfin si vous n'aviez pas été chassé d'un beau château à grands coups de pied dans le derrière pour l'amour de mademoiselle Cunégonde, si vous n'aviez pas été mis à l'Inquisition, si vous n'aviez pas couru l'Amérique à pied, si vous n'aviez pas donné un bon coup d'épée au baron, si vous n'aviez pas perdu tous vos moutons du bon pays d'Eldorado, vous ne mangeriez pas ici des cédrats confits et des pistaches. — Cela est bien dit, répondit Candide, mais il faut cultiver notre jardin. » *Ibid.*

5519 Il passa une partie de la nuit à faire des vers en langue huronne pour sa bien-aimée : car il faut savoir qu'il n'y a aucun pays de la terre où l'amour n'ait rendu les amants poètes. *L'Ingénu, chap. 5.*

5520 « Il faut, lui disait-il, des notaires, des prêtres, des témoins, des contrats, des dispenses. » L'Ingénu lui répondit par la réflexion que les sauvages ont toujours faite : « Vous êtes donc de bien malhonnêtes gens, puisqu'il faut entre vous tant de précautions. » *Ibid., chap. 6.*

5521 « Votre Malebranche, lui dit un jour l'Ingénu, me paraît avoir écrit la moitié de son livre avec sa raison, et l'autre avec son imagination et ses préjugés. » *Ibid., chap. 10.*

5522 « Mais, mon père, votre grâce efficace ferait Dieu auteur du péché aussi : car il est certain que tous ceux à qui cette

grâce serait refusée pécheraient; et qui nous livre au mal
n'est-il pas l'auteur du mal? »   *Ibid.*

Ah! s'il nous faut des fables, que ces fables soient du moins   5523
l'emblème de la vérité! J'aime les fables des philosophes,
je ris de celles des enfants, et je hais celles des imposteurs.
                                            Ibid., chap. 11.

Il tomba un jour sur une histoire de l'empereur Justinien.   5524
On y lisait que des apédeutes de Constantinople avaient donné,
en très mauvais grec, un édit contre le plus grand capitaine
du siècle, parce que ce héros avait prononcé ces paroles dans
la chaleur de la conversation : « La vérité luit de sa propre
lumière, et on n'éclaire pas les esprits avec les flammes des
bûchers. » Les apédeutes assurèrent que cette proposition
était hérétique, sentant l'hérésie, et que l'axiome contraire
était catholique, universel, et grec : « On n'éclaire les esprits
qu'avec la flamme des bûchers, et la vérité ne saurait luire
de sa propre lumière. »   *Ibid.*

« Soyez sûre, ma fille, que quand un jésuite vous cite saint   5525
Augustin, il faut que ce saint ait pleinement raison. »
                                            Ibid., chap. 16.

C'est donc ainsi qu'on traite les hommes comme des singes!   5526
On les bat et on les fait danser.   *Ibid., chap. 20.*

Il prit pour sa devise : *malheur est bon à quelque chose.*   5527
Combien d'honnêtes gens dans le monde ont pu dire :
malheur n'est bon à rien!   *Ibid.*

Il parut plusieurs édits de quelques personnes qui, se trou-   5528
vant de loisir, gouvernent l'État au coin de leur feu.
Le préambule de ces édits était que la puissance *législatrice
et exécutrice est née de droit divin copropriétaire de ma terre*,
et que je lui dois au moins la moitié de ce que je mange.
L'énormité de l'estomac de la puissance législatrice et exécutrice me fit faire un grand signe de croix. Que serait-ce
si cette puissance, qui préside à l'*ordre essentiel des sociétés*,
avait ma terre en entier! L'un est encore plus divin que
l'autre.   *L'Homme aux quarante écus.*

Il faut, pour qu'un État soit puissant, ou que le peuple ait   5529
une liberté fondée sur les lois, ou que l'autorité souveraine
soit affermie sans contradiction.
                            Le Siècle de Louis XIV, chap. 1.

Mille circonstances intéressantes pour les contemporains   5530
se perdent aux yeux de la postérité, et disparaissent pour ne
laisser voir que les grands événements qui ont fixé la destinée
des empires. Tout ce qui s'est fait ne mérite pas d'être écrit.
                                                           Ibid.

La différence du gouvernement et du génie paraît rendre les   5531
Français plus propres pour l'attaque, et les Allemands pour
la défense.   *Ibid., chap. 2.*

5532   La politique et les armes semblent malheureusement être
        les deux professions les plus naturelles à l'homme; il faut
        toujours ou négocier ou se battre. Le plus heureux passe
        pour le plus grand, et le public attribue souvent au mérite
        tous les succès de la fortune.   *Ibid.*

5533   La plupart des grands capitaines sont devenus tels par degrés.
                                            Ibid., chap. 3.

5534   Le cardinal de Retz se vante d'avoir seul armé tout Paris
        dans cette journée, qui fut nommée *des barricades*, et qui
        était la seconde de cette espèce. Cet homme singulier est le
        premier évêque en France qui ait fait une guerre civile sans
        avoir la religion pour prétexte.   *Ibid.*

5535   Les Français, au contraire, se précipitaient dans les séditions
        par caprice et en riant : les femmes étaient à la tête des
        factions; l'amour faisait et rompait les cabales.   *Ibid.*

5536   Il faut toujours que ce qui est grand soit attaqué par les
        petits esprits.   *Ibid., chap. 6.*

5537   Le vulgaire suppose quelquefois une étendue d'esprit
        prodigieuse, et un génie presque divin, dans ceux qui ont
        gouverné des empires avec quelque succès. Ce n'est point
        une pénétration supérieure qui fait les hommes d'État, c'est
        leur caractère.   *Ibid.*

5538   Il arrive souvent parmi les hommes d'État ce qu'on voit
        tous les jours parmi les courtisans : celui qui a le plus d'esprit
        échoue, et celui qui a dans le caractère plus de patience, de
        force, de souplesse et de suite, réussit.   *Ibid.*

5539   Enfin, il est très vrai que, pour faire un puissant ministre,
        il ne faut souvent qu'un esprit médiocre, du bon sens et de
        la fortune; mais, pour être un bon ministre, il faut avoir pour
        passion dominante l'amour du bien public. Le grand homme
        d'État est celui dont il reste de grands monuments utiles
        à la patrie.   *Ibid.*

5540   La plus petite intrigue fait dans un temps ce que les plus
        grands ressorts ne peuvent opérer dans un autre. Il y a tou-
        jours deux poids et deux mesures pour tous les droits des
        rois et des peuples.   *Ibid., chap. 10.*

5541   L'histoire des plus grands princes est souvent le récit des
        fautes des hommes.   *Ibid., chap. 11.*

5542   Il est très rare que, sous un gouvernement monarchique,
        où les hommes ne sont occupés que de leur intérêt parti-
        culier, ceux qui ont servi la patrie meurent regrettés du
        public. Cependant Turenne fut pleuré des soldats et des
        peuples.   *Ibid., chap. 12.*

5543   Car tel est le sort des rois et des généraux qu'on les blâme
        toujours de ce qu'ils font et de ce qu'ils ne font pas.
                                            Ibid., chap. 13.

Les titres ne servent de rien pour la postérité : le nom d'un 5544
homme qui a fait de grandes choses impose plus de respect
que toutes les épithètes. *Ibid.*

[...] Le marquis de Louvois, devenu plus inhumain par cet 5545
endurcissement de cœur que produit un long ministère [...]
Ibid., chap. 16.

Paris, cette ville immense pleine d'un peuple oisif qui veut 5546
juger de tout, et qui a tant d'oreilles et tant de langues avec
si peu d'yeux [...], un peuple si mauvais estimateur du mérite,
et dont cependant on ambitionne les louanges. *Ibid.*

Le duc de Vendôme, petit-fils de Henri IV, [était] le seul 5547
général sous lequel le devoir du service, et cet instinct de
fureur purement animal et mécanique qui obéit à la voix
des officiers, ne menassent point les soldats au combat :
ils combattaient pour le duc de Vendôme [...]
Ibid., chap. 18.

[...] Le maréchal de Villars dit un jour au roi devant toute 5548
la cour, lorsqu'il prenait congé pour aller commander
l'armée : « Sire, je vais combattre les ennemis de Votre
Majesté, et je vous laisse au milieu des miens. » *Ibid.*

Un général victorieux n'a point fait de fautes aux yeux du 5549
public, de même que le général battu a toujours tort, quelque
sage conduite qu'il ait eue. *Ibid., chap. 19.*

On sait assez que notre tempérament fait toutes les qualités 5550
de notre âme. *Ibid.*

[...] Le goût, qui n'est que la suite d'un sens droit, et le sen- 5551
timent prompt d'un esprit bien fait [...] *Ibid.*

Il suffit d'ailleurs d'être novateur pour être austère. Les 5552
mêmes esprits qui bouleverseraient un État pour établir
une opinion souvent absurde anathématisent les plaisirs
innocents nécessaires à une grande ville, et des arts qui
contribuent à la splendeur d'une nation. *Ibid.*

La chute de ce ministre [Fouquet], à qui on avait bien moins 5553
de reproches à faire qu'au cardinal Mazarin, fit voir qu'il
n'appartient pas à tout le monde de faire les mêmes fautes.
Ibid.

Je ne sais pourquoi la plupart des princes affectent d'ordi- 5554
naire de tromper par de fausses bontés ceux de leurs sujets
qu'ils veulent perdre. La dissimulation alors est l'opposé
de la grandeur; elle n'est jamais une vertu, et ne peut devenir
un talent estimable que quand elle est absolument nécessaire.
Ibid.

[...] La patrie est où l'on vit heureux... *Ibid.* 5555

Ce qu'on peut expliquer de plusieurs manières ne mérite 5556
d'être expliqué d'aucune. *Ibid.*

5557   Le roi, trompé dans ses choix, dit qu'il avait cherché des
        amis, et qu'il n'avait trouvé que des intrigants. Cette connais-
        sance malheureuse des hommes, qu'on acquiert trop tard,
        lui faisait dire aussi : « Toutes les fois que je donne une place
        vacante, je fais cent mécontents et un ingrat. »
                                                    Ibid., chap. 26.

5558   Nous l'avons vu mourir [le duc de Lauzun] fort âgé et oublié,
        comme il arrive à tous ceux qui n'ont eu que de grands évé-
        nements sans avoir fait de grandes choses.   *Ibid.*

5559   Il n'est permis qu'à un aveugle de douter que les Blancs,
        les Nègres, les Albinos, les Hottentots, les Lapons, les
        Chinois, les Américains, soient des races entièrement diffé-
        rentes.
        Essai sur les mœurs, Introduction, II, Des différentes races
                                                        d'hommes.

5560   Des Nègres et des Négresses, transportés dans les pays
        les plus froids, y produisent toujours des animaux de leur
        espèce [...]   *Ibid.*

5561   L'idée d'un être purement immatériel n'a pu se présenter
        à des esprits qui ne connaissent que la matière. Il a fallu des
        forgerons, des charpentiers, des maçons, des laboureurs,
        avant qu'il se trouvât un homme qui eût assez de loisir pour
        méditer. Tous les arts de la main ont sans doute précédé
        la métaphysique de plusieurs siècles.
                            Ibid., IV, De la connaissance de l'âme.

5562   La connaissance d'un dieu, formateur, rémunérateur et
        vengeur, est le fruit de la raison cultivée.
                        Ibid., V, De la religion des premiers hommes.

5563   Le gros du genre humain a été et sera très longtemps
        insensé et imbécile; et que peut-être les plus insensés de tous
        ont été ceux qui ont voulu trouver un sens à ces fables
        absurdes, et mettre de la raison dans la folie.   *Ibid.*

5564   Entendez-vous par *sauvages* des rustres vivant dans des
        cabanes avec leurs femelles et quelques animaux, exposés
        sans cesse à toute l'intempérie des saisons; ne connaissant
        que la terre qui les nourrit, et le marché où ils vont quelque-
        fois vendre leurs denrées pour y acheter quelques habillements
        grossiers [...]? Il y a de ces sauvages-là dans toute l'Europe.
                                        Ibid., VII, Des sauvages.

5565   Le paysan le plus ignorant sait partout remuer les plus gros
        fardeaux par le secours du levier, sans se douter que la
        puissance faisant équilibre est au poids comme la distance
        du point d'appui à ce poids est à la distance de ce même point
        d'appui à la puissance. S'il avait fallu que cette connaissance
        précédât l'usage des leviers, que de siècles se seraient écoulés
        avant qu'on eût pu déranger une grosse pierre de sa place!
                                                            Ibid.

5566   Dieu nous a donné un principe de raison universelle, comme
        il a donné des plumes aux oiseaux et la fourrure aux ours;

et ce principe est si constant qu'il subsiste malgré toutes les passions qui le combattent, malgré les tyrans qui veulent le noyer dans le sang, malgré les imposteurs qui veulent l'anéantir dans la superstition. *Ibid.*

Des cadavres ont duré autant que des pyramides. 5567
Ibid., XXI, Des monuments des Égyptiens.

Par quel excès de démence, par quelle opiniâtreté absurde, 5568
tant de compilateurs ont-ils voulu prouver, dans tant de volumes énormes, qu'une fête publique établie en mémoire d'un événement était une démonstration de la vérité de cet événement? Quoi! parce qu'on célébrait dans un temple le jeune Bacchus sortant de la cuisse de Jupiter, ce Jupiter avait en effet gardé ce Bacchus dans sa cuisse!
Ibid., XXIV, Des Grecs.

Dieu permit donc que l'esprit de mensonge divulguât les 5569
absurdités de la vie de Bacchus chez cent nations, avant que l'esprit de vérité fît connaître la vie de Moïse à aucun peuple, excepté aux Juifs. *Ibid., XXVIII, De Bacchus.*

Que la nature humaine ait été plongée pendant une longue 5570
suite de siècles dans cet état si approchant de celui des brutes, et inférieur à plusieurs égards, c'est ce qui n'est que trop vrai. La raison en est, comme on l'a dit, qu'il n'est pas dans la nature de l'homme de *désirer ce qu'il ne connaît pas.* Il a fallu partout, non seulement un espace de temps prodigieux, mais des circonstances heureuses, pour que l'homme s'élevât au-dessus de la vie animale.
Ibid., Avant-propos.

Jamais un grand État ne s'est formé que de plusieurs petits; 5571
c'est l'ouvrage de la politique, du courage, et surtout du temps : il n'y a pas une plus grande preuve d'antiquité.
Ibid., chap. 1, De la Chine.

Il semble en effet que la populace ne mérite pas une religion 5572
raisonnable. *Ibid., chap. II, De la religion de la Chine.*

Les hommes, avec des lois sages, ont toujours eu des coutumes 5573
insensées. *Ibid., chap. 3, Des Indes.*

C'était, de temps immémorial, une maxime chez eux et 5574
chez les Chinois que le sage viendrait de l'Occident. L'Europe, au contraire, disait que le sage viendrait de l'Orient : toutes les nations ont toujours eu besoin d'un sage. *Ibid.*

Il faut du temps pour établir des lois arbitraires; mais il 5575
n'en faut point pour apprendre aux hommes rassemblés à croire un Dieu, et à écouter la voix de leur propre cœur.
Ibid., chap. 4, Des Brahmanes.

De quelque côté que nous nous tournions, il faut avouer 5576
que nous n'existons que d'hier. Nous allons plus loin que les autres peuples en plus d'un genre; et c'est peut-être parce que nous sommes venus les derniers.
Ibid., chap. 6, De l'Arabie et de Mahomet.

5577   On voit évidemment que toutes les religions ont emprunté
       tous leurs dogmes et tous leurs rites les unes des autres.
       Ibid., chap. 7, De l'Alcoran, et de la loi musulmane.

5578   Bornons-nous toujours à cette vérité historique : le législateur
       des musulmans, homme puissant et terrible, établit ses
       dogmes par son courage et par ses armes; cependant sa
       religion devint indulgente et tolérante. L'instituteur divin
       du christianisme, vivant dans l'humilité et dans la paix,
       prêcha le pardon des outrages; et sa sainte et douce religion
       est devenue, par nos fureurs, la plus intolérante de toutes,
       et la plus barbare.   *Ibid.*

5579   Il n'y a point de grand conquérant qui ne soit grand politique.
       Un conquérant est un homme dont la tête se sert, avec une
       habileté heureuse, du bras d'autrui.
       Ibid., chap. 60, De l'Orient, et de Gengis-Kan.

5580   S'il fallait donner à de tels hommes un être surnaturel
       pour père, il faudrait supposer que c'est un être malfaisant.
                                                              Ibid.

5581   C'est mal connaître les hommes de croire qu'il y ait des
       sociétés qui se soutiennent par les mauvaises mœurs, et qui
       fassent une loi de l'impudicité : on veut toujours rendre
       sa société respectable à qui veut y entrer.
       *Ibid., chap. 66, Du supplice des Templiers, et de l'extinction
       de cet ordre.*

5582   L'égalité, le partage naturel des hommes, subsiste encore en
       Suisse autant qu'il est possible. Vous n'entendez pas par ce
       mot cette égalité absurde et impossible par laquelle le ser-
       viteur et le maître, le manœuvre et le magistrat, le plaideur
       et le juge, seraient confondus ensemble; mais cette égalité
       par laquelle le citoyen ne dépend que des lois, et qui main-
       tient la liberté des faibles contre l'ambition du plus fort.
       Ibid., chap. 67, De la Suisse.

5583   Il y a bien peu de républiques dans le monde, et encore
       doivent-elles leur liberté à leurs rochers ou à la mer qui les
       défend. Les hommes sont très rarement dignes de se gouverner
       eux-mêmes.   *Ibid.*

5584   Ce pape [Jean XXII] est encore un grand exemple de ce
       que peut le simple mérite dans l'Église : car il faut sans doute
       en avoir beaucoup pour parvenir de la profession de savetier
       au rang dans lequel on se fait baiser les pieds.
       Ibid., chap. 68, De l'Italie.

5585   Ce corps qui s'appelait et qui s'appelle encore le saint empire
       romain n'était en aucune manière ni saint, ni romain, ni
       empire.   *Ibid., chap. 70, De l'empereur Charles IV.*

5586   Il faut donc, encore une fois, avouer qu'en général toute
       cette histoire est un ramas de crimes, de folies, et de malheurs,
       parmi lesquels nous avons eu quelques vertus, quelques
       temps heureux, comme on découvre des habitations répandues
       çà et là dans les déserts sauvages.   *Ibid., Conclusion.*

Trois choses influent sans cesse sur l'esprit des hommes, le 5587
climat, le gouvernement, et la religion : c'est la seule manière
d'expliquer l'énigme de ce monde. *Ibid.*

L'empire de la coutume est bien plus vaste que celui de la 5588
nature ; il s'étend sur les mœurs, sur tous les usages ; il répand
la variété sur la scène de l'univers : la nature y répand l'unité ;
elle établit partout un petit nombre de principes invariables :
ainsi le fonds est partout le même, et la culture produit
des fruits divers... *Ibid.*

Quand une nation connaît les arts, quand elle n'est point 5589
subjuguée et transportée par les étrangers, elle sort aisément
de ses ruines et se rétablit toujours. *Ibid.*

Plus un état exige de circonspection, plus les faiblesses sont 5590
remarquées ; et si les moines ont fait vœu de chasteté, d'humilité et de pauvreté, les gens de lettres semblent avoir fait vœu
de raison. *Les Honnêtetés littéraires, sixième honnêteté.*

Qui méprise Cotin n'estime point son roi, 5591
Et n'a, selon Cotin, ni Dieu, ni foi, ni loi.
Ibid., treizième honnêteté.

Le Jésuite chassé de son collège, le convulsionnaire échappé 5592
de l'hôpital, errant chacun de leur côté, et ne pouvant plus se
mordre, se jettent sur les passants.
Cette manie ne leur est pas particulière : c'est une maladie
des écoles ; c'est la vérole de la théologie.
Ibid., vingt-troisième honnêteté, réflexion morale.

On meurt deux fois, je le vois bien : 5593
Cesser d'aimer et d'être aimable,
C'est une mort insupportable ;
Cesser de vivre, ce n'est rien.
Stances, VI, à Mme du Châtelet.

Qui n'a pas l'esprit de son âge 5594
De son âge a tout le malheur.
Ibid., VIII, à Mme du Châtelet.

Votre estomac débilité 5595
N'est pas digne de votre tête.
Les rois sont hommes comme nous.
L'homme machine est bien fragile.
Grand roi, l'estomac est pour vous
Ce qu'est le talon pour Achille.
Ibid., XIX, au roi de Prusse.

Un oiseau peut se faire entendre 5596
Après la saison des beaux jours ;
Mais sa voix n'a plus rien de tendre,
Il ne chante plus ses amours.
Ibid., XXXIV, à Mme Lullin (1773).

La politesse est à l'esprit 5597
Ce que la grâce est au visage :
De la bonté du cœur elle est la douce image ;
Et c'est la bonté qu'on chérit.
Ibid., XXXVIII, stances ou quatrains.

5598
De l'émulation distinguez bien l'envie :
L'une mène à la gloire, et l'autre au déshonneur;
L'une est l'aliment du génie,
Et l'autre le poison du cœur.

Ibid.

5599
Dans ta jeunesse fais l'amour,
Et ton salut dans ta vieillesse.
Épîtres, VII, à une Dame un peu mondaine et trop dévote.

5600
Le plaisir est l'objet, le devoir et le but
De tous les êtres raisonnables.
Ibid., XIII, à Mme de G.

5601
Si les neuf Muses sont pucelles,
Les trois Grâces ne le sont pas.
Ibid., XXXVI, à Mlle de Lubert qu'on appelait Muse et Grâce.

5602
Quiconque en France avec éclat attire
L'œil du public, est sûr de la satire;
Un bon couplet, chez ce peuple falot,
De tout mérite est l'infaillible lot.
Ibid., XLII, à Mme la Marquise du Châtelet, sur la calomnie.

5603
Dieu veut que l'on travaille et que l'on s'évertue;
Et le sot mari d'Ève, au paradis d'Eden
Reçut un ordre exprès d'arranger son jardin.
C'est la première loi donnée au premier homme,
Avant qu'il eût mangé la moitié de sa pomme.
Ibid., XCIX, à Mme Denis, sur l'agriculture.

5604
Dieu ne doit point pâtir des sottises du prêtre.
Ibid., CXI, à l'auteur du livre des trois imposteurs.

5605
Si Dieu n'existait pas, il faudrait l'inventer.

Ibid.

5606
L'art de la poésie à l'homme est nécessaire.
Qui n'aime point les vers a l'esprit sec et lourd;
Je ne veux point chanter aux oreilles d'un sourd :
Les vers sont en effet la musique de l'âme.
Ibid., CXV, au Roi de la Chine, sur son recueil de vers qu'il a fait imprimer.

5607
Les Français sont malins et sont grands chansonniers.
Ibid.

5608
Quand Auguste buvait, la Pologne était ivre.
Ibid., CXVIII, à l'impératrice de Russie Catherine II.

5609
A mon feu qui s'éteint rends sa clarté première :
C'est du Nord aujourd'hui que nous vient la lumière.
Ibid.

5610
Et du bord de mon lac à tes rives du Tibre,
Je te dis, mais tout bas : Heureux un peuple libre!
Ibid., CXXI, à Horace.

J'ai fait un peu de bien; c'est mon meilleur ouvrage. 5611
Ibid.

[...] Et quand on a le cœur 5612
De femme honnête, on a bientôt le reste.
Contes en vers, Le Cadenas.

A cocuage il faut que je m'adresse; 5613
C'est le seul dieu dans qui j'ai de la foi.
Ibid., Le Cocuage.

J'aime le luxe, et même la mollesse, 5614
Tous les plaisirs, les arts de toute espèce,
[...]
Tout honnête homme a de tels sentiments.
Satires, Le Mondain.

Oh! le bon temps que ce siècle de fer! 5615
Le superflu, chose très nécessaire,
A réuni l'un et l'autre hémisphère. *Ibid.*

Le paradis terrestre est où je suis. *Ibid.* 5616

Sachez surtout que le luxe enrichit 5617
Un grand État, s'il en perd un petit.
Ibid., Défense du Mondain ou l'Apologie du Luxe.

N'allez donc pas, avec simplicité, 5618
Nommer vertu ce qui fut pauvreté. *Ibid.*

Tricher au jeu sans gagner est d'un sot. 5619
Ibid., Éloge de l'hypocrisie

Alors un petit Juif, au long nez, au teint blême[1] 5620
Pauvre, mais satisfait, pensif et retiré,
Esprit subtil et creux, moins lu que célébré,
Caché sous le manteau de Descartes, son maître,
Marchant à pas comptés, s'approcha du grand Être :
« Pardonnez-moi, dit-il en lui parlant tout bas,
Mais je pense, entre nous, que vous n'existez pas. »
Ibid., Les Systèmes.

Arnauld dit que de Dieu la bonté souveraine 5621
Exprès pour nous damner forma la race humaine.
Ibid.

L'univers m'embarrasse, et je ne puis songer 5622
Que cette horloge existe, et n'ait point d'horloger.
Ibid., Les Cabales.

1. Spinoza.

5623
Ne compare point au Messie
Un pauvre diable comme moi :
Je n'ai de lui que sa misère,
Et suis bien éloigné, ma foi,
D'avoir une vierge pour mère.
Poésies mêlées, I, à M. Duché.

5624
Qui que tu sois, voici ton maître;
Il l'est, le fut, ou le doit être.
*Ibid., XLIII, inscription pour une statue de l'Amour dans les
jardins de Maisons.*

5625
L'autre jour, au fond d'un vallon,
Un serpent piqua Jean Fréron.
Que pensez-vous qu'il arriva?
Ce fut le serpent qui creva.
Ibid., CCXLIX, épigramme imitée de l'anthologie.

5626   La politique a sa source dans la perversité plus que dans la
grandeur de l'esprit humain.
Le Sottisier, Traits singuliers du règne de Louis XIV.

5627   Ce qu'on lui [le doge] fait dire du roi et des ministres :
« Le roi nous ôte la liberté par ses bontés et par ses vertus;
mais ses ministres nous la rendent. »   *Ibid.*

5628   Turenne disait : « Quand un général prétend n'avoir jamais
fait de fautes, il me persuade qu'il n'a jamais fait la guerre
longtemps. »   *Ibid.*

5629   Le pape est une idole à qui on lie les mains et dont on baise
les pieds.   *Ibid.*

5630   Je ne crois pas que le succès dans le ministère fasse un
grand homme. Le cardinal de Richelieu a été le maître;
mais est-on un grand homme pour être vindicatif, impérieux,
sanguinaire, et pour avoir gouverné un roi faible? Un grand
génie écrit-il des sottises?
Ibid., Remarques diverses sur l'histoire de France.

5631   [...] Les Français ne sont pas faits pour la liberté : ils en
abuseraient.
Ibid., Faits singuliers de l'histoire de France.

5632   Les rois sont avec leurs ministres comme les cocus avec leurs
femmes : ils ne savent jamais ce qui se passe.   *Ibid.*

5633   Je crois qu'on ne peut guère juger du génie et des vues d'un
ministre que dans le calme des affaires, parce qu'alors,
étant le maître, il est capable de tout le bien qu'il ne fait pas;
mais, dans la tempête, il n'est point responsable du vaisseau
dont on lui arrache le gouvernail: c'est ce qui me fait mépriser
Mazarin sans trop admirer Richelieu.
Ibid., Faits tirés de l'histoire de Turenne.

5634   Quand il plaît au roi de créer des charges, il plaît à Dieu
de créer des fous pour les acheter.   *Ibid., Politique.*

Les jésuites font commerce de diamants aux Indes; ils les 5635
enferment dans les talons de leurs souliers, et écrivent qu'ils
foulent aux pieds les richesses de l'Europe. *Ibid.*

On baisse les yeux, on s'anéantit devant le prodigieux 5636
mérite de ceux qui gouvernent : on approche d'eux, on est
étonné de leur médiocrité. On voit que les affaires de ce
monde sont un jeu que tout le monde joue à peu près également.
ment. *Ibid., Mahométisme.*

Dieu nous a donné le vivre; c'est à nous de nous donner le 5637
bien vivre. *Ibid., Montaigne.*

Les hommes se trompent, les grands hommes avouent qu'ils 5638
se sont trompés. Il ne manque au révérend Père qu'un aveu
pour être un grand homme. *Ibid., Philosophie.*

La religion juive, mère du christianisme, grand'mère du 5639
mahométisme, battue par son fils et par son petit-fils.
Ibid., Pensées détachées.

Pour avoir quelque autorité sur les hommes, il faut être 5640
distingué d'eux. Voilà pourquoi les magistrats et les prêtres
ont des bonnets carrés. *Ibid.*

L'Académie française est comme l'Université : l'une et 5641
l'autre étaient nécessaires dans un temps d'ignorance.
Ibid.

Quand on ne voyage qu'en passant, on prend les abus 5642
pour les lois du pays. *Ibid.*

Les gueux et les voleurs ont un argot; mais quel état n'a pas 5643
le sien? Les théologiens et surtout les mystiques n'ont-ils
pas leur argot? [...] Est-il plus beau de dire *gueules* ou *sinople*
au lieu de *rouge* et *vert*, que *pitancher du pivois* au lieu de dire
boire du vin? *Ibid.*

La science de la cour est comme la chirurgie, qui s'apprend 5644
par les blessures d'autrui. *Ibid.*

Les paroles sont aux pensées ce que l'or est aux diamants; 5645
il est nécessaire pour les mettre en œuvre, mais il en faut peu.
Ibid.

Un livre défendu est un feu sur lequel on veut marcher, et 5646
qui jette au nez des étincelles. *Ibid.*

Il n'y a que les ouvriers qui sachent le prix du temps; ils se 5647
le font toujours payer. *Ibid.*

Le plaisir donne ce que la sagesse promet. 5648
Ibid., Contradictions.

Si Dieu nous a faits à son image, nous le lui avons bien 5649
rendu. *Ibid., Faits détachés.*

5650   Le duc de Guise au siège de Rouen : « Votre religion vous enseigne à m'assassiner, et la mienne à vous pardonner. »
Ibid.

5651   Il y avait trois dames de Paris assez laides à la cour; on disait que c'étaient des ponts sans garde-fous, parce que personne ne voulait passer dessus.   *Ibid., Naïvetés.*

5652   Newton disait qu'un Anglais avait converti sa première femme, mais n'avait pas pu venir à bout de la seconde, parce que ses arguments avaient plus de force autrefois.
Ibid.

5653   On a trouvé, en bonne politique, le secret de faire mourir de faim ceux qui, en cultivant la terre, font vivre les autres.
Ibid., Contradictions.

5654   Les femmes ressemblent aux girouettes : elles se fixent quand elles se rouillent.   *Ibid.*

5655   Les hommes sont comme les animaux : les gros mangent les petits, et les petits les piquent.   *Ibid.*

5656   Le peuple reçoit la religion, les lois, comme la monnaie, sans l'examiner.   *Ibid., Mœurs du temps.*

5657   Dissimuler, vertu de roi et de femme de chambre.   *Ibid.*

5658   Tout dogme est ridicule, funeste; toute contrainte sur le dogme est abominable. Ordonner de croire est absurde. Bornez-vous à ordonner de bien vivre.
Remarques sur le Contrat Social de J.-J. Rousseau.

5659   Je ne laissai pas de me sentir attaché à lui [1], car il avait de l'esprit, des grâces, et de plus, il était roi; ce qui fait toujours une grande séduction, attendu la faiblesse humaine.
Mémoires pour servir à la vie de M. de Voltaire écrits par lui-même.

5660   [...] Philosophe pour philosophe, j'aimais mieux une dame qu'un roi.   *Ibid.*

5661   Je conclus que, pour faire la plus petite fortune, il valait mieux faire quatre mots à la maîtresse d'un roi que d'écrire cent volumes.   *Ibid.*

5662   Laissez faire, lui dit le roi [de Prusse], on presse l'orange, et on la jette quand on a avalé le jus. [...] Je résolus dès lors de mettre en sûreté les pelures de l'orange.   *Ibid.*

5663   J'ai vu tant de gens de lettres pauvres et méprisés, que j'ai conclu dès longtemps que je ne devais pas en augmenter le nombre.   *Ibid.*

1. Frédéric, futur roi de Prusse.

Il faut être, en France, enclume ou marteau : j'étais né enclume. *Ibid.* 5664

Rien n'est si doux que de faire sa fortune par soi-même : le premier pas coûte quelques peines; les autres sont aisés. Il faut être économe dans sa jeunesse; on se trouve dans sa vieillesse un fonds dont on est surpris. *Ibid.* 5665

Je n'ai jamais trop conçu comment on meurt de chagrin, et comment des ministres et de vieux cardinaux, qui ont l'âme si dure, ont pourtant assez de sensibilité pour être frappés à mort par un petit dégoût. *Ibid.* 5666

Variété, c'est ma devise. 5667
Correspondance, à Mme Denis, 26 décembre 1750.

Quand une fois la calomnie est entrée dans l'esprit d'un roi, elle est comme la goutte chez un prélat : elle n'en déloge plus. 5668
Ibid., à Mme Denis, 1er octobre 1752.

« Nous nous saluons, mais nous ne nous parlons pas. » 5669
Ibid., à Piron (qui lui demandait s'il était réconcilié avec Dieu).

Malheur aux détails, la postérité les néglige tous. Ils sont la vermine qui tue les grands ouvrages. 5670
Ibid., à l'abbé Du Bos.

J'ai reçu, monsieur, votre nouveau livre contre le genre humain [...]. On n'a jamais employé tant d'esprit à vouloir nous rendre bêtes; il prend envie de marcher à quatre pattes, quand on lit votre ouvrage. 5671
Ibid., à J.-J. Rousseau, 30 août 1755.

Les lettres nourrissent l'âme, la rectifient, la consolent; elles vous servent, monsieur, dans le temps que vous écrivez contre elles : vous êtes comme Achille, qui s'emporte contre la gloire, et comme le P. Malebranche, dont l'imagination brillante écrivait contre l'imagination. *Ibid.* 5672

Le génie français est perdu; il veut devenir anglais, hollandais, et allemand. Nous sommes des singes qui avons renoncé à nos jolies gambades, pour imiter mal les bœufs et les ours. *Ibid., à Mme du Boccage, 2 février 1759.* 5673

Tout ce qui tend à nous faire trop valoir nous met toujours au-dessous de ce que nous sommes. 5674
Ibid., à M. le comte de Schowalow, 29 mai 1759.

Ce qui fait le grand mérite de la France, son seul mérite, son unique supériorité, c'est un petit nombre de génies sublimes ou aimables, qui font qu'on parle aujourd'hui français à Vienne, Stockholm, et Moscou. Vos ministres, vos intendants, et vos premiers commis, n'ont aucune part à cette gloire. 5675
Ibid., à Mme la Marquise du Deffand, 13 octobre 1759.

5676 L'industrie de la nation répare les balourdises du ministère.
Ibid., à Mme la Marquise du Deffand, 18 février 1760.

5677 Pour nous autres Français, nous sommes écrasés sur terre, anéantis sur mer, sans vaisselle, sans espérance; mais nous dansons fort joliment.
Ibid., à M. Bettinelli, 24 mars 1760.

5678 Si Horace est le premier des faiseurs de bonnes épîtres, Rabelais, quand il est bon, est le premier des bons bouffons. Il ne faut pas qu'il y ait deux hommes de ce métier dans une nation; mais il faut qu'il y en ait un.
Ibid., à Mme la Marquise du Deffand, 12 avril 1760.

5679 Les beaux esprits se rencontrent.
Ibid., à M. Thiériot, 30 juin 1760.

5680 Si la nature ne nous avait faits un peu frivoles, nous serions très malheureux; c'est parce qu'on est frivole que la plupart des gens ne se pendent pas.
Ibid., à Mme la Marquise du Deffand, 12 septembre 1760.

5681 Je joue avec la vie, madame; elle n'est bonne qu'à cela. Il faut que chaque enfant, vieux ou jeune, fasse ses bouteilles de savon.
Ibid., à Mme la Marquise du Deffand, 22 juillet 1761.

5682 Quand je vous aurai bien répété que la vie est un enfant qu'il faut bercer jusqu'à ce qu'il s'endorme, j'aurai dit tout ce que je sais. *Ibid.*

5683 Les vraies passions donnent des forces, en donnant du courage.
Ibid., à M. le Comte de Schowalow, 24 octobre 1761.

5684 Les vérités sont des fruits qui ne doivent être cueillis que bien mûrs.
Ibid., à Mme la Comtesse de Bassewitz, 25 décembre 1761.

5685 On aurait beau rouer cent innocents, on ne parlera à Paris que d'une pièce nouvelle, et on ne songera qu'à un bon souper. *Ibid., à M. Audibert, 9 juillet 1762.*

5686 Est-il possible qu'il soit si aisé d'être roué, et si difficile d'obtenir la permission de s'en plaindre!
Ibid., à M. Damilaville, 18 juillet 1762.

5687 Il n'est pas mal de couper une tête de l'hydre de la calomnie dès qu'on en trouve une qui remue.
Ibid., à M. Damilaville, 28 novembre 1762.

5688 Tout ce que je vois jette les semences d'une révolution qui arrivera immanquablement, et dont je n'aurai pas le plaisir d'être témoin. Les Français arrivent tard à tout, mais enfin ils arrivent. La lumière s'est tellement répandue de proche en proche, qu'on éclatera à la première occasion; et alors ce sera un beau tapage. Les jeunes gens sont bien heureux; ils verront de belles choses.
Ibid., à M. le Marquis de Chauvelin, 2 avril 1764.

Je voudrais aussi qu'on fît lit à part : un mari malsain et une 5689
femme malade ne se feront pas grand bien l'un à l'autre,
attendu que mal sur mal n'est pas santé.
Ibid., à M. Damilaville, 2 avril 1764.

Ce n'est pas l'amour qu'il fallait peindre aveugle, c'est 5690
l'amour-propre. *Ibid., à M. Damilaville, 11 mai 1764.*

Corneille a des éclairs dans une nuit profonde, et ces éclairs 5691
furent un beau jour pour une nation composée alors de
petits-maîtres grossiers, et de pédants plus grossiers encore
qui voulaient sortir de la barbarie.
Ibid., à Mme la Marquise du Deffand, 1er juillet 1764.

Il me paraît essentiel qu'il y ait des gueux ignorants. [...] 5692
Ce n'est pas le manœuvre qu'il faut instruire, c'est le bon
bourgeois, c'est l'habitant des villes.
Ibid., à M. Damilaville, 1er avril 1766.

Quand la populace se mêle de raisonner, tout est perdu. 5693
Ibid.

On dit que cet infortuné jeune homme [le chevalier de la 5694
Barre] est mort avec la fermeté de Socrate; et Socrate a
moins de mérite que lui : car ce n'est pas un grand effort,
à soixante et dix ans, de boire tranquillement un gobelet
de ciguë; mais mourir dans les supplices horribles, à l'âge
de vingt et un ans, cela demande assurément plus de courage.
Cette barbarie m'occupe nuit et jour. Est-il possible que le
peuple l'ait soufferte? L'homme, en général, est un animal
bien lâche; il voit tranquillement dévorer son prochain,
et semble content, pourvu qu'on ne le dévore pas : il regarde
encore ces boucheries avec le plaisir de la curiosité.
Ibid., à M. le Comte d'Argental, 23 juillet 1766.

Les grandes choses sont souvent plus faciles qu'on ne pense. 5695
Ibid., à M. Damilaville, 25 juillet 1766.

Je vous l'ai déjà dit : les plus petits liens arrêtent les plus 5696
grandes résolutions. Il y a des monstres qui n'ont subsisté
que parce que les Hercules qui pouvaient les détruire n'ont
pas voulu s'éloigner de leurs commères.
Ibid., à M. Damilaville, 9 auguste 1766

Si l'on n'est pas sensible, on n'est jamais sublime. 5697
Ibid., à M. de la Harpe, 11 auguste 1766.

Il semble que l'affaire des Calas n'ait inspiré que de la cruauté. 5698
Je ne m'accoutume point à ce mélange de frivolité et de
barbarie : des singes devenus tigres affligent ma sensibilité,
et révoltent mon esprit. Il est triste que les nations étrangères
ne nous connaissent depuis quelques années que par les
choses les plus avilissantes et les plus odieuses.
*Ibid., à M. le Maréchal duc de Richelieu, 19 août, comme
disent les Welches, car ailleurs on dit auguste, 1766.*

[...] Je n'ai jamais été gai que par emprunt. Quiconque fait 5699
des tragédies et écrit des histoires est naturellement sérieux,
quelque Français qu'il puisse être. *Ibid.*

5700   Je vois que les philosophes seront toujours de malheureux
       êtres isolés qu'on dévorera les uns après les autres, sans qu'ils
       s'unissent pour se secourir. *Sauve qui peut!* sera la devise
       de ce commun naufrage. Les persécuteurs finiront par avoir
       raison, et la plus pure portion du genre humain sera à la fois
       sous le couteau et dans le mépris.
                          Ibid., à M. Damilaville, 25 auguste 1766.

5701   [...] Voilà comme les hommes sont ballottés par la fortune.
       Sa sacrée majesté le Hasard décide de tout.
                *Ibid., à M. Mariott, avocat-général d'Angleterre, 26 février
                                                                1767.*

5702   Ce n'est pas que le suicide soit toujours de la folie. [...]
       Mais, en général, ce n'est pas dans un accès de raison qu'on
       se tue.   *Ibid.*

5703   Nos vieux prêtres et nos vieux magistrats sont précisément
       ce qu'étaient les anciens druides, qui sacrifiaient des hommes :
       les mœurs ne changent point.
                        Ibid., à M. d'Etallonde de Morival, 26 mai 1767.

5704   Tous les systèmes sur la manière dont nous venons au monde
       ont été détruits les uns par les autres; il n'y a que la manière
       dont on fait l'amour qui n'a jamais changé.
                          Ibid., à M. Thierrot, 15 septembre 1768.

5705   J'avais dit, il y a très longtemps, que si Shakespeare était
       venu dans le siècle d'Addison, il aurait joint à son génie
       l'élégance et la pureté qui rendent Addison recommandable.
       J'avais dit *que son génie était à lui et que ses fautes étaient
       à son siècle.*
                          Ibid., à M. Horace Walpole, 15 juillet 1768.

5706   Je suis un vieux polichinelle qui a besoin d'un compère.
                  Ibid., à Mme la Marquise du Deffand, 30 juillet 1768.

5707   J'ai eu peine à en croire mes yeux. J'ai vu des limaçons à qui
       j'avais coupé le cou manger au bout de trois semaines.
       Saint Denis porta sa tête, comme vous savez, mais il ne
       mangea pas.   *Ibid.*

5708   [...] Deux Enéides ensemble n'en feront pas une troisième,
       au lieu que deux créatures animées font une troisième créa-
       ture, laquelle en fait à son tour : ce qui augmente prodi-
       gieusement l'avantage du pari.
                        Ibid., à M. le Marquis, de Villevielle, 26 auguste 1768.

5709   Le nombre des vrais poètes et des vrais connaisseurs sera
       toujours extrêmement petit; mais il faut qu'il le soit, c'est
       le petit nombre des élus. Moins il y a d'initiés, plus les
       mystères sont sacrés.
                          Ibid., à M. de Saint-Lambert, 7 mars 1769.

5710   La métaphysique n'est d'ordinaire que le roman de l'âme,
       et ce roman n'est pas si amusant que celui des *Mille et une
       nuits.*
                     Ibid., à Mme la Duchesse de Choiseul, 20 auguste 1770.

J'approche tout doucement du moment où les philosophes 5711
et les imbéciles ont la même destinée.
Ibid., à M. le Marquis d'Argence de Dirac, 3 septembre 1770.

Il faudrait des volumes, non pas pour commencer à s'éclaircir, 5712
mais pour commencer à s'entendre. Il faudrait bien savoir
quelle idée nette on attache à chaque mot qu'on prononce.
Ce n'est pas encore assez : il faudrait savoir quelle idée ce
mot fait passer dans la tête de votre adverse partie. Quand
tout cela est fait, on peut disputer pendant toute sa vie sans
convenir de rien.
Ibid., à M. le Marquis de Voyer d'Argenson, 6 novembre 1770.

Il y a une chose peut-être consolante; c'est que la nature 5713
nous a donné à peu près tout ce qu'il nous fallait; et si nous
ne comprenons pas certaines choses un peu délicates, c'est
apparemment qu'il n'était pas nécessaire que nous le com-
prissions.
Si certaines choses étaient absolument nécessaires, tous les
hommes les auraient, comme tous les chevaux ont des pieds.
Ibid.

Si Dieu n'existait pas, il faudrait l'inventer. Je suis rarement 5714
content de mes vers, mais j'avoue que j'ai une tendresse
de père pour celui-là.
Ibid., à M. Saurin, 10 novembre 1770.

MARIE DE VICHY-CHAMROND,
MARQUISE DU DEFFAND
1697-1780

[...] Tous ceux en qui je crois de la finesse me deviennent 5715
suspects au point de ne pouvoir plus prendre aucune confiance
en eux.
Correspondance, à Mlle de Lespinasse, 13 février 1754.

[...] Le vrai mérite rend tout égal. *Ibid.* 5716

Il n'y a que le premier pas qui coûte. 5717
Ibid., à d'Alembert, 7 juillet 1763.

Mais, Monsieur de Voltaire, amant déclaré de la vérité, 5718
dites-moi de bonne foi, l'avez-vous trouvée? Vous combattez
et détruisez toutes les erreurs; mais que mettez-vous à leur
place? *Ibid., à M. de Voltaire, 28 décembre 1765.*

Toute personne qui parvenue à l'âge de raison n'est pas 5719
choquée des absurdités et n'entrevoit pas la vérité ne se
laissera jamais instruire ni persuader. Qu'est-ce que la foi?
C'est de croire fermement ce que l'on ne comprend pas.
Il faut laisser le don du ciel à qui il l'a accordé.
Ibid., à M. de Voltaire, 14 janvier 1766.

La recherche de la vérité est pour vous la médecine univer- 5720
selle; elle l'est pour moi aussi, non dans le même sens,

qu'elle est pour vous; vous croyez l'avoir trouvée, et moi, je crois qu'elle est introuvable. *Ibid.*

5721   Il n'y a qu'un malheur, celui d'être né. *Ibid.*

5722   Ceux qui paraissent modestes ne sont-ils pas doublement vains? *Ibid., à M. Horace Walpole, 27 octobre 1766.*

5723   Le « je » et le « moi » sont à chaque ligne, mais quelles sont les connaissances qu'on peut avoir, si ce n'est par le « je » et le « moi »? [...] Montaigne est le seul bon philosophe et le seul bon métaphysicien qu'il y ait jamais eu. Ce sont des rapsodies, si vous voulez, des contradictions perpétuelles; mais il n'établit aucun système, il cherche, il observe, et reste dans le doute : il n'est utile à rien, j'en conviens, mais il détache de toute opinion, et détruit la présomption du savoir. *Ibid.*

5724   L'ennui est un mal dont on ne peut se délivrer, c'est une maladie de l'âme dont nous afflige la nature en nous donnant l'existence; c'est le ver solitaire qui absorbe tout, et qui fait que rien ne nous profite.
Ibid., à M. Horace Walpole, 7 février 1773.

CHARLES-GABRIEL DE L'ATTAIGNANT
1697-1779

5725   Trois saints mots prononcés par un homme à soutane
Vont donc éteindre en toi toute flamme profane?
Union, A M. de Coiseau, sur son mariage.

L'ABBÉ ANTOINE-FRANÇOIS PRÉVOST
1697-1763

5726   On ne peut réfléchir sur les préceptes de la morale, sans être étonné de les voir tout à la fois estimés et négligés; et l'on se demande la raison de cette bizarrerie du cœur humain, qui lui fait goûter des idées de bien et de perfection, dont il s'éloigne dans la pratique.
Histoire du chevalier Des Grieux et de Manon Lescaut, Avis de l'auteur des Mémoires d'un homme de qualité.

5727   On ne ferait pas une divinité de l'amour, s'il n'opérait souvent des prodiges. *Ibid., Première partie.*

5728   S'il est vrai que les secours célestes sont à tous moments d'une force égale à celle des passions, qu'on m'explique donc par quel funeste ascendant on se trouve emporté tout d'un coup loin de son devoir, sans se trouver capable de la moindre résistance et sans ressentir le moindre remords. *Ibid.*

5729   La plupart des grands et des riches sont des sots : cela est clair à qui connaît un peu le monde. Or il y a là-dedans une

justice admirable : s'ils joignaient l'esprit aux richesses,
ils seraient trop heureux, et le reste des hommes trop misérable. Les qualités du corps et de l'âme sont accordées
à ceux-ci, comme des moyens pour se tirer de la misère et
de la pauvreté [...] et, de quelque façon qu'on le prenne,
c'est un fond excellent de revenu pour les petits, que la
sottise des riches et des grands.   *Ibid.*

Rien n'est plus admirable et ne fait plus d'honneur à la   5730
vertu, que la confiance avec laquelle on s'adresse aux personnes dont on connaît parfaitement la probité.   *Ibid.*

Crois-tu qu'on puisse être bien tendre lorsqu'on manque de   5731
pain ? La faim me causerait quelque méprise fatale; je
rendrais quelque jour le dernier soupir, en croyant en
pousser un d'amour.   *Ibid., (lettre de Manon).*

Le commun des hommes n'est sensible qu'à cinq ou six pas-   5732
sions, dans le cercle desquelles leur vie se passe, et où toutes
leurs agitations se réduisent. Otez-leur l'amour et la haine,
le plaisir et la douleur, l'espérance et la crainte, ils ne sentent
plus rien. Mais les personnes d'un caractère plus noble
peuvent être remuées de mille façons différentes; il semble
qu'elles aient plus de cinq sens et qu'elles puissent recevoir
des idées et des sensations qui passent les bornes ordinaires
de la nature. [...] De là vient qu'elles souffrent si impatiemment le mépris et la risée, et que la honte est une de leurs plus
violentes passions.   *Ibid.*

Direz-vous comment font les Mystiques, que ce qui tour-   5733
mente le corps est un bonheur pour l'âme? Vous n'oseriez
le dire; c'est un paradoxe insoutenable. Ce bonheur, que vous
relevez tant, est donc mêlé de mille peines, ou, pour parler
plus juste, ce n'est qu'un tissu de malheurs au travers desquels
on tend à la félicité.   *Ibid.*

De la manière dont nous sommes faits, il est certain que   5734
notre félicité consiste dans le plaisir; je défie qu'on s'en forme
une autre idée; or le cœur n'a pas besoin de se consulter
longtemps pour sentir que de tous les plaisirs, les plus doux
sont ceux de l'amour.   *Ibid.*

L'amour est plus fort que l'abondance, plus fort que les   5735
trésors et les richesses, mais il a besoin de leur secours;
et rien n'est plus désespérant, pour un amant délicat, que de
se voir ramené par là, malgré lui, à la grossièreté des âmes
les plus basses.   *Ibid.*

Après tout l'amour est un bon maître; la fortune ne saurait   5736
nous causer autant de peines qu'il nous fait goûter de
plaisirs.   *Ibid., deuxième partie.*

Il faut compter ses richesses par les moyens qu'on a de   5737
satisfaire ses désirs.   *Ibid.*

Un cœur de père est le chef-d'œuvre de la Nature; elle y   5738
règne, pour ainsi parler, avec complaisance, et elle en règle
elle-même tous les ressorts.   *Ibid.*

5739   J'ai éprouvé [...] que rien n'est plus capable d'inspirer du courage à une femme que l'intrépidité d'un homme qu'elle aime.   *Ibid.*

5740   L'expérience commençait à nous tenir lieu d'âge; elle fit sur nous le même effet que les années.   *Ibid.*

PIERRE MOREAU DE
MAUPERTUIS
1698-1759

5741   Ce n'est donc point dans les petits détails, dans ces parties de l'Univers dont nous connaissons trop peu les rapports qu'il faut chercher l'Être suprême : c'est dans les Phénomènes dont l'universalité ne souffre aucune exception, et que leur simplicité expose entièrement à notre vue.
                                        Essai de Cosmologie, Avant-propos.

5742   Le plus grand Phénomène de la Nature, le plus merveilleux, est le Mouvement.
                              Ibid., Les Lois du mouvement et du repos.

5743   J'ai vu de ces nuits plus belles que les jours, qui faisaient oublier la douceur de l'Aurore, et l'éclat du midi.
                                  Ibid., Abrégé du Système du monde.

5744   Ce serait un spectacle curieux pour nous, que de voir quelque Comète venir fondre un jour sur Mars, ou Vénus, ou Mercure, et les briser à nos yeux, ou les emporter et s'en faire des satellites.
                           Lettre sur la Comète qui paraissait en 1742.

5745   Je n'ai point encore parlé de la figure, ni de la taille des Lapons, sur lesquels on a débité tant de fables. On a exagéré leur petitesse, mais on ne saurait avoir exagéré leur laideur.
                           Relation d'un voyage fait dans la Laponie Septentrionale.

5746   Notre esprit ne paraît destiné qu'à raisonner sur les choses que nos sens découvrent. Les microscopes et les lunettes nous ont pour ainsi dire donné de nouveaux sens au-dessus de notre portée; tels qu'ils appartiendraient à des intelligences supérieures, et qui mettent sans cesse la nôtre en défaut.   *Vénus Physique, Première Partie, chap. 8.*

5747   Dans l'Europe, l'Asie, l'Afrique et l'Amérique, tous les hommes, d'ailleurs si divers, ont cherché des remèdes au mal de vivre.   *Essai de philosophie morale, chap. 2.*

5748   Peut-être ferait-on bien des découvertes sur cette merveilleuse union de l'âme et du corps, si l'on osait en aller chercher les liens dans le cerveau d'un homme vivant. Qu'on ne se laisse point émouvoir par l'air de cruauté qu'on pourrait croire ici; un homme n'est rien, comparé à l'espèce humaine; un criminel est encore moins que rien.
                           Lettre XIX, Utilité du Supplice des Criminels.

PAUL DESFORGES-MAILLARD
1699-1772

Passant, la rigueur des destins 5749
A renfermé sous cette lame
Un tendre époux et sa Femme,
Et celle de tous ses voisins.
Epitaphe d'un mari et de sa femme.

Ce juge, si simple et si bonne âme, 5750
Met les gens dos à dos dans tous ses jugements;
S'il est de même avec Madame,
Je ne m'étonne plus s'il ne fait point d'enfants.
Le Juge timide.

JEAN-BAPTISTE SAUVÉ dit LANOUE
1701-1761

Le bruit est pour le fat, la plainte pour le sot, 5751
L'honnête homme trompé s'éloigne et ne dit mot.
La Coquette corrigée, acte I, scène 2.

CHARLES PINOT DUCLOS
1704-1772

Il y a d'ailleurs une grande différence entre la connaissance 5752
de l'homme et la connaissance des hommes. Pour connaître
l'homme, il suffit de s'étudier soi-même; pour connaître les
hommes, il faut les pratiquer.
Considérations sur les mœurs de ce siècle, Introduction.

Ceux qui vivent à cent lieues de la capitale en sont à un siècle 5753
pour les façons de penser et d'agir. *Ibid., chap. 1.*

Il règne à Paris une certaine indifférence générale qui multiplie 5754
les goûts passagers, qui tient lieu de liaison, qui fait que
personne n'est de trop dans la société, que personne n'y
est nécessaire : tout le monde se convient, personne ne se
manque. *Ibid.*

Le mérite a sa pudeur comme la chasteté. 5755
Ibid., chap. 3.

Grand seigneur est un mot dont la réalité n'est plus que 5756
dans l'histoire. *Ibid., chap. 6.*

De tous les peuples, le Français est celui dont le caractère a, 5757
dans tous les temps, éprouvé le moins d'altération; on

retrouve les Français d'aujourd'hui dans ceux des croisades,
et, en remontant jusqu'aux Gaulois, on y remarque encore
beaucoup de ressemblance. Cette nation a toujours été vive,
gaie, généreuse, brave, sincère, présomptueuse, inconstante,
avantageuse et inconsidérée. Ses vertus partent du cœur,
ses vices ne tiennent qu'à l'esprit.   *Ibid., chap. 8.*

5758   L'homme aimable, du moins celui à qui l'on donne aujour-
d'hui ce titre, est fort indifférent sur le bien public : ardent
à plaire à toutes les sociétés où son goût et le hasard le
jettent, et prêt à en sacrifier chaque particulier. Il n'aime
personne, n'est aimé de qui que ce soit, plaît à tous, et souvent
est méprisé et recherché par les mêmes gens.   *Ibid.*

5759   L'homme sociable inspire le désir de vivre avec lui; on n'aime
qu'à rencontrer l'homme aimable. Tel est enfin, dans ce
caractère, l'assemblage de vices, de frivolités et d'inconvénients, que l'homme *aimable* est souvent l'homme le moins
digne d'être aimé.   *Ibid.*

5760   Les gens de lettres les plus recherchés sont ceux qu'on
appelle communément beaux-esprits.   *Ibid., chap. 11.*

5761   Le meilleur des gouvernements, n'est pas celui qui fait les
hommes les plus heureux, mais celui qui fait le plus grand
nombre d'heureux.   *Ibid., chap. 15.*

5762   Le mal que l'on nous dit d'une maîtresse n'est pas si dangereux par les premières impressions, que par les prétextes
qu'il fournit dans la suite aux dégoûts et à toutes les injustices des amants.
          *Les Confessions du Comte de ** , Première partie.*

5763   Les femmes n'ont point de plus grands ennemis que les
femmes.   *Ibid.*

5764   Il n'y a point de pays où la galanterie soit plus commune
qu'en France; mais les emportements de l'amour ne se
trouvent qu'avec les Italiennes.   *Ibid.*

5765   Le mari d'une dévote est obligé à une sorte de respect pour
elle, dont il ne peut s'écarter, quelque mécontentement
qu'il éprouve, s'il ne veut avoir affaire à tout le parti.
          Ibid.

5766   Un des grands avantages que les gens de robe retirent de
leur profession est d'apprendre aux dépens des autres à
fuir les procès.   *Ibid.*

5767   En général, la robe s'estime trop, et l'on ne l'estime pas assez.
          Ibid.

5768   Paris est le centre de la dissipation, et les gens les plus oisifs
par goût et par état y sont peut-être les plus occupés.   *Ibid.*

5769   On partage le ridicule de ce qu'on aime [...] Il faut non seulement se marier au goût du public; mais encore prendre une
maîtresse qui lui convienne.   *Ibid.*

C'est l'usage parmi les amants de profession d'éviter de 5770
rompre totalement avec celles qu'on cesse d'aimer. On en
prend de nouvelles, et on tâche de conserver les anciennes,
mais on doit surtout songer à augmenter la liste [...]. Ces
femmes de réserve sont de celles que l'on a sans soin, qu'on
perd sans se brouiller. *Ibid.*

On peut compter sur la constance des femmes, quand on 5771
n'en exige pas même l'apparence de la fidélité. *Ibid.*

L'opinion nous détermine presque aussi souvent que l'amour. 5772
Ibid.

Les grandes fortunes se commencent souvent en province; 5773
mais ce n'est qu'à Paris qu'elles s'achèvent et qu'on en jouit.
Ibid.

Les préliminaires d'une intrigue ne languissent pas avec une 5774
femme consommée, les retardements auraient eu un air
d'enfance [...] *Ibid., Deuxième partie.*

La femme la plus méprisable est celle dont l'empire est le 5775
plus sûr. *Ibid.*

Une femme n'a pas besoin d'être bien pénétrante pour soup- 5776
çonner des rivales; la multiplicité des devoirs d'un amant
les empêche d'être bien vifs. *Ibid.*

Je rendis dans le jour même à la société Mme Derval, comme 5777
un effet qui devait être dans le commerce. *Ibid.*

On n'est point impunément un homme à la mode [...]. Aussi- 5778
tôt qu'on homme parvient à ce précieux titre, il est couru
de toutes les femmes, qui sont plus jalouses d'être connues
qu'estimées [...]. C'est par air qu'elles courent après un homme
qu'elles méprisent souvent, quoiqu'elles le préfèrent à un
amant qui n'a d'autres torts que d'être un honnête homme
ignoré. *Ibid.*

Les filles qui vivent de leurs attraits ont la même ambition 5779
que les femmes du monde; non seulement la conquête d'un
homme célèbre met un plus haut prix à leurs charmes; mais
cela les élève encore à une sorte de rivalité avec certaines
femmes de condition qui n'ont que trop de ressemblance
avec elles; de sorte que vous entendez souvent citer les
mêmes noms par des femmes qui ne seraient pas faites pour
avoir les mêmes connaissances. *Ibid.*

L'innocence est souvent plus hardie que le vice n'est entre- 5780
prenant. *Ibid.*

L'auteur d'un bienfait est celui qui en recueille le fruit le 5781
plus doux. *Ibid.*

Il faut qu'il y ait dans le cœur un sens particulier et supé- 5782
rieur à tous les autres. *Ibid.*

5783   Que les femmes ne se plaignent point des hommes, ils ne
        sont que ce qu'elles les ont faits.   *Ibid.*

5784   Voilà ce qu'il y a de commode avec ceux qui ne sont liés
        que par les plaisirs. Ils se rencontrent avec plus de vivacité
        qu'ils n'ont d'empressement à se rechercher; ils se pren-
        nent sans se choisir, se perdent sans se quitter, jouissent du
        plaisir de se voir sans jamais se désirer, et s'oublient parfai-
        tement dans l'absence.   *Ibid.*

5785   Une femme qui parle souvent des dangers de l'amour s'aguer-
        rit sur les risques, et s'y familiarise avec la passion; c'est
        toujours parler de l'amour, et l'on n'en parle guère impuné-
        ment.   *Ibid.*

5786   Les amants seraient trop heureux que leurs désirs fussent
        entretenus par des obstacles continuels; il n'est pas moins
        essentiel pour le bonheur de conserver des désirs que de les
        satisfaire.   *Ibid.*

5787   Il faut qu'il y ait en nous-mêmes un sentiment plus péné-
        trant que l'esprit même, et qui nous absout ou nous con-
        damne avec l'équité la plus éclairée. Il y a, si j'ose dire, une
        sagacité du cœur qui est la mesure de notre sensibilité.
                                                              Ibid.

5788   [...] La constance n'est pas au pouvoir des hommes, et leur
        éducation leur rend l'infidélité nécessaire.   *Ibid.*

5789   [...] Les sens n'exigent que ce qu'on a coutume de leur donner,
        et les hommes mêmes sont souvent plus occupés à les irriter
        qu'à les satisfaire.   *Ibid.*

5790   L'habitude, qui diminue le prix de la beauté, ajoute au
        caractère, et ne sert qu'à nous attacher.   *Ibid.*

BERNARD–JOSEPH SAURIN
1706-1781

5791   Longtemps on aime encore en rougissant d'aimer.
                                            Blanche et Guiscard.

5792   La loi de l'univers, c'est : « Malheur au vaincu ».
                                                    Spartacus.

5793   Elle croit que tout change, et seule elle a changé.
                                        Épître sur la vieillesse.

5794   Rien ne manque à sa gloire, il manquait à la nôtre.
            *Sur le buste de Molière placé dans le foyer de la Comédie-
                                                    Française.*

GEORGES-LOUIS LECLERC
COMTE DE BUFFON
1707-1788

La gloire n'est un bien qu'autant qu'on en est digne. **5795**
Discours sur le style, prononcé à l'Académie française, le
jour de sa réception, le 25 août 1753.

Ce n'est [...] que dans les siècles éclairés que l'on a bien **5796**
écrit et bien parlé. La véritable éloquence suppose l'exercice
du génie et la culture de l'esprit. Elle est bien différente
de cette facilité naturelle de parler, qui n'est qu'un talent,
une qualité accordée à tous ceux dont les passions sont
fortes, les organes souples et l'imagination prompte. *Ibid.*

Le style n'est que l'ordre et le mouvement qu'on met dans **5797**
ses pensées. *Ibid.*

Ceux qui écrivent comme ils parlent, quoiqu'ils parlent très **5798**
bien, écrivent mal. *Ibid.*

Tout sujet est un; et quelque vaste qu'il soit, il peut être **5799**
renfermé dans un seul discours. *Ibid.*

Pourquoi les ouvrages de la nature sont-ils si parfaits? **5800**
C'est que chaque ouvrage est un tout, et qu'elle travaille
sur un plan éternel dont elle ne s'écarte jamais; elle prépare
en silence les germes de ses productions; elle ébauche par
un acte unique la forme primitive de tout être vivant; elle
la développe, elle la perfectionne par un mouvement continu
et dans un temps prescrit. *Ibid.*

L'esprit humain ne peut rien créer; il ne produira qu'après **5801**
avoir été fécondé par l'expérience et la méditation; ses
connaissances sont les germes de ses productions. *Ibid.*

Rien ne s'oppose plus à la chaleur que le désir de mettre **5802**
partout des traits saillants; rien n'est plus contraire à la
lumière qui doit faire un corps et se répandre uniformément
dans un écrit, que ces étincelles qu'on ne tire que par force
en choquant les mots les uns contre les autres, et qui ne nous
éblouissent pendant quelques instants, que pour nous laisser
ensuite dans les ténèbres. *Ibid.*

Rien n'est plus opposé au beau naturel que la peine qu'on **5803**
se donne pour exprimer des choses ordinaires ou communes
d'une manière singulière ou pompeuse; rien ne dégrade
plus l'écrivain. Loin de l'admirer, on le plaint d'avoir passé
tant de temps à faire de nouvelles combinaisons de syllabes,
pour ne dire que ce que tout le monde dit. *Ibid.*

Le style doit graver des pensées, ils [les écrivains qui n'ont **5804**
point de style] ne savent que tracer des paroles. *Ibid.*

Bien écrire, c'est tout à la fois bien penser, bien sentir et **5805**
bien rendre; c'est avoir en même temps de l'esprit, de l'âme
et du goût. *Ibid.*

5806   Les ouvrages bien écrits seront les seuls qui passeront à la postérité. La quantité des connaissances, la singularité des faits, la nouveauté même des découvertes, ne sont pas de sûrs garants de l'immortalité. [...] Ces choses sont hors de l'homme, le style est l'homme même.   *Ibid.*

5807   Il n'y a que la vérité qui soit durable, et même éternelle. Or un beau style n'est tel en effet que par le nombre infini des vérités qu'il présente. Toutes les beautés intellectuelles qui s'y trouvent, tous les rapports dont il est composé sont autant de vérités aussi utiles, et peut-être plus précieuses pour l'esprit humain, que celles qui peuvent faire le fond du sujet.   *Ibid.*

5808   Le ton de l'orateur et du poète, dès que le sujet est grand, doit toujours être sublime [...]   *Ibid.*

5809   Il y a une espèce de force de génie et de courage d'esprit à pouvoir envisager, sans s'étonner, la nature dans la multitude innombrable de ses productions, et à se croire capable de les comprendre et de les comparer ; [...] et l'on peut dire que l'amour de l'étude de la nature suppose dans l'esprit deux qualités qui paraissent opposées, les grandes vues d'un génie ardent qui embrasse tout d'un coup d'œil, et les petites attentions d'un instinct laborieux qui ne s'attache qu'à un seul point.
Histoire naturelle, Premier discours, De la manière d'étudier et de traiter l'Histoire Naturelle.

5810   Quelque nécessaire que l'attention soit à tout, ici on peut s'en dispenser d'abord : je veux parler de cette attention scrupuleuse, toujours utile lorsqu'on sait beaucoup, et souvent nuisible à ceux qui commencent à s'instruire.   *Ibid.*

5811   Si vous avez résolu de ne considérer les choses que dans une certaine vue, dans un certain ordre, dans un certain système, eussiez-vous pris le meilleur chemin, vous n'arriverez jamais à la même étendue de connaissances à laquelle vous pourrez prétendre si vous laissez dans les commencements votre esprit marcher de lui-même, se reconnaître, s'assurer sans secours, et former seul la première chaîne qui représente l'ordre de ses idées.   *Ibid.*

5812   Les enfants se lassent aisément des choses qu'ils ont déjà vues : [...] au lieu de leur répéter simplement ce qu'on leur a déjà dit, il vaut mieux y ajouter des circonstances, même étrangères ou inutiles : on perd moins à les tromper qu'à les dégoûter.   *Ibid.*

5813   Serait-il vrai qu'il faut un but imaginaire aux hommes pour les soutenir dans leurs travaux, et que, s'ils étaient bien persuadés qu'ils ne feront que ce qu'en effet ils peuvent faire, ils ne feraient rien du tout?   *Ibid.*

5814   Il y a dans l'étude de l'histoire naturelle deux écueils également dangereux : le premier, de n'avoir aucune méthode; et le second, de vouloir tout rapporter à un système particulier.   *Ibid.*

Les choses par rapport à nous ne sont rien en elles-mêmes ;   5815
elles ne sont encore rien lorsqu'elles ont un nom ; mais elles
commencent à exister pour nous lorsque nous leur connaissons des rapports, des propriétés.   *Ibid.*

Dans les choses naturelles il n'y a rien de bien défini que ce   5816
qui est exactement décrit.   *Ibid.*

Rien de si rare que de trouver de l'exactitude dans les des-   5817
criptions, de la nouveauté dans les faits, de la finesse dans
les observations.   *Ibid.*

Toutes les idées des arts ont leurs modèles dans la production   5818
de la nature : Dieu a créé, et l'homme imite.   *Ibid.*

Ne serait-il pas plus simple, plus naturel et plus vrai, de dire   5819
qu'un âne est un âne, et un chat un chat, que de vouloir,
sans savoir pourquoi, qu'un âne soit un cheval, et un chat
un loup-cervier ?   *Ibid.*

Le mot de vérité ne fait naître qu'une idée vague, il n'a jamais   5820
eu de définition précise ; et la définition elle-même, prise
dans un sens général et absolu, n'est qu'une abstraction
qui n'existe qu'en vertu de quelque supposition. Au lieu de
chercher à faire une définition de la vérité, cherchons donc à
faire une énumération.   *Ibid.*

On va de définitions en définitions dans les sciences abs-   5821
traites ; on marche d'observations en observations dans les
sciences réelles. Dans les premières on arrive à l'évidence ;
dans les dernières, à la certitude.   *Ibid.*

Il est plus aisé d'imaginer un système que de donner une   5822
théorie.   *Ibid., Second discours, Histoire et théorie de la terre.*

Quoique les ouvrages du Créateur soient en eux-mêmes tous   5823
également parfaits, l'animal est, selon notre façon d'apercevoir, l'ouvrage le plus complet de la nature, et l'homme en
est le chef-d'œuvre.   *Ibid., Histoire des animaux, chap. 1.*

[...] Les espèces les plus viles, les plus abjectes, les plus petites   5824
à nos yeux, sont les plus abondantes en individus, tant dans
les animaux que dans les plantes ; à mesure que les espèces
d'animaux nous paraissent plus parfaites, nous les voyons
réduites à un moindre nombre d'individus.   *Ibid.*

Pourrait-on croire que de certaines formes de corps, comme   5825
celles des quadrupèdes et des oiseaux, de certains organes
pour la perfection du sentiment, coûteraient plus à la nature
que la production du vivant et de l'organisé qui nous paraît
si difficile à concevoir ?   *Ibid.*

Tant qu'il subsistera des individus l'espèce sera toujours   5826
toute neuve, elle l'est autant aujourd'hui qu'elle l'était il
y a trois mille ans ; toutes subsisteront d'elles-mêmes tant
qu'elles ne seront pas anéanties par la volonté du créateur.
                                 Ibid., Récapitulation.

5827   Quelque intérêt que nous ayons à nous connaître nous-
        mêmes, je ne sais si nous ne connaisons pas mieux tout ce
        qui n'est pas nous. Pourvus par la nature d'organes unique-
        ment destinés à notre conservation, nous ne les employons
        qu'à recevoir les impressions étrangères, nous ne cherchons
        qu'à nous répandre au-dehors et à exister hors de nous.
                        Ibid., De l'homme, De la nature de l'homme.

5828   Être et penser sont pour nous la même chose; cette vérité
        est intime et plus qu'intuitive, elle est indépendante de nos
        sens, de notre imagination, de notre mémoire et de toutes
        nos autres facultés relatives. L'existence de notre corps et
        des autres objets extérieurs est douteuse pour quiconque
        raisonne sans préjugé.   *Ibid.*

5829   [...] La matière pourrait bien n'être qu'un mode de notre
        âme, une de ses façons de voir.   *Ibid*

5830   Quelle raison a-t-on pour croire que la séparation de l'âme
        et du corps ne puisse se faire sans une douleur extrême?
                             Ibid., De la vieillesse et de la mort.

5831   Il s'en faut donc bien que tous les attachements viennent
        de l'âme, et que la faculté de pouvoir s'attacher suppose
        nécessairement la puissance de penser et de réfléchir, puisque
        c'est lorsqu'on pense et qu'on réfléchit le moins que naissent
        la plupart de nos attachements, que c'est encore faute de
        penser et de réfléchir qu'ils se confirment et se tournent
        en habitude, qu'il suffit que quelque chose flatte nos sens
        pour que nous l'aimions [...]
        Ibid., Des animaux, Discours sur la nature des animaux.

5832   L'amitié suppose [...] non seulement le principe de la connais-
        sance, mais l'exercice actuel et réfléchi de ce principe.   *Ibid.*

5833   Ainsi l'amitié n'appartient qu'à l'homme, et l'attachement
        peut appartenir aux animaux.   *Ibid.*

5834   La plus noble conquête que l'homme ait jamais faite est
        celle de ce fier et fougueux animal, qui partage avec lui les
        fatigues de la guerre et la gloire des combats; aussi intrépide
        que son maître, le cheval voit le péril et l'affronte...
                                             Ibid., Le cheval.

5835   La perfection de l'animal dépend donc de la perfection du
        sentiment : plus il est étendu, plus l'animal a de facultés et
        de ressources, plus il existe, plus il a de rapports avec le
        reste de l'univers.   *Ibid., Le chien.*

5836   Le chat est un domestique infidèle qu'on ne garde que par
        nécessité, pour l'opposer à un autre ennemi domestique
        encore plus incommode et qu'on ne peut chasser.
                                               Ibid., Le chat.

5837   Quelque idée que nous voulions avoir de nous-mêmes,
        il est aisé de sentir que représenter n'est pas être, et aussi
        que nous sommes moins faits pour penser que pour agir,
        pour raisonner que pour jouir : nos vrais plaisirs consistent
        dans le libre usage de nous-mêmes; nos vrais biens sont ceux
        de la nature.   *Ibid., Le cerf.*

En général, la nature [a] donné plus de constance en amour   5838
aux oiseaux qu'aux quadrupèdes.
                        Ibid., Discours sur la nature des oiseaux.

Les pierres et les métaux polis par notre art ne sont pas   5839
comparables à ce bijou de la nature; elle l'a placé dans l'ordre
des oiseaux au dernier degré de grandeur - *maxime miranda
in minimis.* Son chef-d'œuvre est le petit oiseau-mouche.
                                        Ibid., L'oiseau-mouche.

Dans toute société, soit des animaux, soit des hommes, la   5840
violence fit les tyrans, la douce autorité fait les rois.
                        Ibid., Les oiseaux aquatiques, Le cygne.

Le passé est comme la distance; notre vue y décroît, et s'y   5841
perdrait de même, si l'histoire et la chronologie n'eussent
placé des fanaux, des flambeaux aux points les plus obscurs.
                                        Les Époques de la nature.

La condition la plus méprisable de l'espèce humaine n'est   5842
pas celle du sauvage, mais celle de ces nations au quart
policées, qui de tout temps ont été les vrais fléaux de la nature
humaine, et que les peuples civilisés ont encore peine à
contenir aujourd'hui : ils ont [...] ravagé la première terre
heureuse, ils en ont arraché les germes du bonheur et détruit
les fruits de la science.   *Ibid.*

Combien n'a-t-on pas vu de ces débordements d'animaux   5843
à face humaine, toujours venant du nord, ravager les terres
du midi! Jetez les yeux sur les annales de tous les peuples,
vous y compterez vingt siècles de désolation pour quelques
années de paix et de repos.   *Ibid.*

Assainir, défricher et peupler un pays, c'est lui rendre de la   5844
chaleur pour plusieurs milliers d'années.   *Ibid.*

Le premier trait de l'homme qui commence à se civiliser,   5845
est l'empire qu'il sait prendre sur les animaux; et ce premier
trait de son intelligence devient ensuite le plus grand caractère de sa puissance sur la nature.   *Ibid.*

Le grain dont l'homme fait son pain n'est point un don de la   5846
nature, mais le grand, l'utile fruit de ses recherches et de son
intelligence dans le premier des arts.   *Ibid.*

Qui sait jusqu'à quel point l'homme pourrait perfectionner   5847
sa nature, soit au moral, soit au physique? Y a-t-il une seule
nation qui puisse se vanter d'être arrivée au meilleur gouvernement possible, qui serait de rendre tous les hommes,
non pas également heureux, mais moins inégalement malheureux [...]?   *Ibid.*

Il semble que de tout temps l'homme ait fait moins de   5848
réflexions sur le bien que de recherches pour le mal. *Ibid.*

5849   [...] Enfin l'homme a reconnu que sa vraie gloire est la science, et la paix son vrai bonheur.   *Ibid.*

5850   Il en est ici comme de tous les autres arts : le modèle qui réussit le mieux en petit souvent ne peut s'exécuter en grand.
        Sur la conservation et le rétablissement des forêts.

CLAUDE-PROSPER CRÉBILLON
1707-1777

5851   On s'ennuie quand on aime médiocrement.
        Lettres de la Marquise de M*** au Comte de R***, lettre 31.

5852   Il est rare qu'on n'abuse pas d'un pouvoir sans bornes et quiconque peut faire tout ce qui lui plaît, ne détermine pas toujours ses volontés sur la justice.
        L'Écumoire, livre Ier, chap. 1.

5853   Un amant à qui l'on craint de déplaire et qui n'a pas la même peur est plus fort par votre faiblesse, que vous n'êtes faible par sa force.   *Ibid., livre Ier, chap. 3.*

5854   Plus on a, plus on veut avoir. Un désir satisfait en fait naître un autre dans le cœur d'un amant. Sur ce qu'on lui permet, il voit ce qu'on peut encore lui permettre.   *Ibid.*

5855   [...] [Le] peuple [...], sot pour le moins autant que crédule, n'ajoute jamais plus de foi qu'à ce qui est le moins vraisemblable.   *Ibid., livre second, chap. 11.*

5856   Un peuple sans religion est bientôt sans obéissance.
        Ibid., livre second, chap. 18.

5857   On s'attache souvent moins à la femme qui touche le plus, qu'à celle qu'on croit le plus facilement toucher...
        Les Égarements du cœur et de l'esprit, 1re partie.

5858   On disait trois fois à une femme qu'elle était jolie, car il n'en fallait pas plus : dès la première, assurément elle vous croyait, vous remerciait à la seconde, et assez communément vous en récompensait à la troisième [...].
        Un homme, pour plaire, n'avait pas besoin d'être amoureux : dans les cas pressés, on le dispensait même d'être aimable.   *Ibid.*

5859   [...] Avec quelque ardeur que les hommes poursuivent la victoire, ils aiment toujours à l'acheter.   *Ibid.*

5860   Une femme, quand elle est jeune, est plus sensible au plaisir d'inspirer des passions, qu'à celui d'en prendre.   *Ibid.*

5861   Une jolie femme dépend bien moins d'elle-même que des circonstances; et par malheur il s'en trouve tant, de si peu prévues, de si pressantes, qu'il n'y a point à s'étonner si, après plusieurs aventures, elle n'a connu ni l'amour, ni son cœur. *Ibid.*

[...] Ce qu'on croit la dernière fantaisie d'une femme est bien souvent sa première passion. *Ibid.* 5862

Tout paraît passion à qui n'en a point éprouvé. *Ibid.* 5863

Sans me répondre, elle me regarda en dessous : regard qui n'est pas le plus maladroit dont une femme puisse se servir, et qui en effet est décisif dans les occasions délicates. *Ibid.* 5864

Les conquêtes les plus méprisables sont quelquefois celles qui coûtent le plus de soin; et l'hypocrisie montre souvent plus de scrupules que la vertu même. *Ibid.* 5865

[...] Il est bien plus important pour les femmes de flatter notre vanité que de toucher notre cœur. *Ibid.* 5866

Les femmes adorent souvent en nous nos plus grands ridicules, quand elles peuvent se flatter que c'est notre amour pour elles qui nous les donne. *Ibid.* 5867

On commence toujours par médire, sauf après à examiner si l'on a eu de quoi le faire. *Ibid.* 5868

[...] Toute femme qui, en pareille occasion, parle de sa vertu, s'en pare moins pour vous ôter l'espoir du triomphe que pour vous le faire paraître plus grand. *Ibid.* 5869

[...] Il la surprit un jour avec D..., le lendemain avec un autre, et deux jours après avec un troisième, et enfin, ennuyé de toutes ces surprises qui ne finissaient pas, il mourut, pour ne pas avoir le déplaisir de retomber dans cet inconvénient. *Ibid.* 5870

J'estime cent fois plus une femme galante qui l'est de bonne foi. Je lui trouve un vice de moins. *Ibid.* 5871

Si l'on ne voyait que les gens qu'on estime, on ne verrait personne. *Ibid., Seconde partie.* 5872

[...] Un ton nonchalant et traîné, paresse affectée qu'on prend quelquefois pour du naturel, et qui n'est à mon sens qu'une façon d'ennuyer plus lentement. *Ibid.* 5873

L'esprit qu'on emploie ordinairement dans le monde est borné, quoi qu'on en dise, et ce ton charmant qu'on appelle le ton de la bonne compagnie, n'est le plus souvent que le ton de l'ignorance, du précieux et de l'affectation. *Ibid.* 5874

Un mauvais choix marque un mauvais fonds. *Ibid.* 5875

Nous vivons ordinairement plus avec les gens qui nous plaisent qu'avec ceux que nous estimons. *Ibid.* 5876

5877   Le ton de l'amour ne séduit qu'autant qu'il est employé sur
       quelqu'un qui aime, et devient ridicule partout où il n'atten-
       drit pas.   *Ibid.*

5878   Une facilité continuelle et une vertu qui ne relâche jamais
       rien de sa sévérité, sont deux choses également à craindre
       pour une femme.   *Ibid., Troisième partie.*

5879   Il est un âge où tout plaît, c'est un malheur. On prend quel
       qu'un sans savoir pourquoi, parce qu'il le veut, parce qu'on
       est trop jeune aussi pour savoir dire qu'on ne le veut pas :
       qu'on est pressé d'avoir une affaire, et que la plus prompte-
       ment décidée paraît toujours la meilleure.   *Ibid.*

5880   C'est une erreur de croire que l'on puisse conserver dans le
       monde cette innocence de mœurs que l'on a communément
       quand on y entre, et que l'on y puisse être toujours vertueux
       et toujours naturel, sans risquer sa réputation ou sa fortune.
       Le cœur et l'esprit sont forcés de s'y gâter [...].   *Ibid.*

5881   Tant qu'un ridicule plaît, il est grâce, agrément, esprit; et
       ce n'est que quand pour l'avoir usé on s'en lasse, qu'on lui
       donne le nom qu'en effet il mérite.   *Ibid.*

5882   Un travers que l'on possède seul fait plus d'honneur qu'un
       mérite que l'on partage avec quelqu'un.   *Ibid.*

5883   Il vaut souvent mieux donner mauvaise opinion de son esprit,
       que de montrer tout ce qu'on en a; cacher, sous un air
       inappliqué et étourdi, le penchant qui vous porte à la
       réflexion, et sacrifier votre vanité à vos intérêts.   *Ibid.*

5884   Nous ne nous déguisons jamais avec plus de soin que devant
       ceux à qui nous croyons l'esprit d'examen.   *Ibid.*

5885   Ce n'est qu'en paraissant se livrer soi-même à l'impertinence,
       qu'il n'échappe rien de celle d'autrui.   *Ibid.*

5886   On n'est jamais moins à portée de deviner ce que vous êtes
       que lorsque vous paraissez être tout; et un génie supérieur
       sait embellir ce que les autres lui fournissent, et le rendre
       neuf à leurs yeux mêmes.   *Ibid.*

5887   Pour moi, je n'ai encore vu personne, quelque modestie qu'il
       affectât, qui ne trouvât toujours en fort peu de temps le
       secret de m'apprendre à quel point il s'estimait, et combien
       je devais l'estimer moi-même.   *Ibid.*

5888   De toutes les vertus, celle qui, dans le monde, m'a toujours
       paru réussir le moins à celui qui la pratique, c'est la modestie.
                                                              Ibid.

5889   Ne craignons point de dire et de répéter que nous avons un
       mérite supérieur. Il y a mille gens à qui l'on n'en croit que
       parce qu'ils ne cessent pas de dire qu'ils en ont.   *Ibid.*

Tout homme qui vous blâme de trop parler de vous, ne le fait que parce que vous ne lui laissez pas toujours le temps de parler de lui. *Ibid.* 5890

C'est avouer que nous croyons qu'un homme nous est supérieur, que d'être timide devant lui. Cette crainte de lui déplaire, même en le flattant, ne nous le gagne pas. *Ibid.* 5891

La modestie anéantit les grâces et les talents; en songeant à ce que l'on a à dire, on perd le temps de parler, et pour persuader, il faut étourdir. *Ibid.* 5892

Quelqu'un qui veut avoir le ton de la bonne compagnie, doit éviter de dire souvent des choses pensées : quelque naturellement qu'il les exprime, quelque peu de vanité qu'il en tire, on y trouve une affectation marquée de parler autrement que tout le monde et l'on dit d'un homme qui a le malheur de tomber dans cet inconvénient, non qu'il a de l'esprit, mais qu'il s'en croit. *Ibid.* 5893

Un sot qui se tourne vers la méchanceté est plus respecté qu'un homme d'esprit qui, trop supérieur à ces vils objets pour descendre jusqu'à eux, rit en secret des travers de son siècle et les méprise assez pour ne pas même les blâmer tout haut. *Ibid.* 5894

Les gens du bon ton laissent au vulgaire, et le soin de penser, et la crainte de penser faux. *Ibid.* 5895

Une profonde ignorance avec beaucoup de modestie serait à vérité fort incommode, mais, avec une extrême présomption, je puis vous assurer qu'elle n'a rien de gênant. *Ibid.* 5896

Ignorer tout, et croire n'ignorer rien; ne rien voir, quelque chose que ce puisse être, qu'on ne méprise ou ne loue à l'excès; se croire également capable du sérieux et de la plaisanterie; ne craindre jamais d'être ridicule, et l'être sans cesse; mettre de la finesse dans ses tours et du puéril dans ses idées; prononcer des absurdités, les soutenir, les recommencer : voilà le ton de l'extrêmement bonne compagnie. *Ibid.* 5897

Il n'y a personne qui ne puisse trouver dans sa vanité, ou dans la stérilité d'autrui, de quoi sentir moins le peu qu'il vaut, et se faire, en dépit de la nature même, une sorte de mérite qui le mette au niveau de tout le monde. *Ibid.* 5898

Plus vous refuserez de vous prêter aux travers, plus on s'empressera à vous en donner. Je ne suis pas le seul qui ai senti que, pour ne point passer pour ridicule, il faut le devenir, ou le paraître du moins. *Ibid.* 5899

Nous marquons trop nos désirs, ils agissent trop sensiblement sur nous, pour qu'ils puissent échapper à la femme même la moins habile. *Ibid.* 5900

5901 S'il est presque impossible de se corriger des vices du cœur,
on revient des erreurs de l'esprit; et la femme qui a été la
plus galante, peut devenir, par ses seules réflexions, ou la
femme la plus vertueuse, ou la maîtresse la plus fidèle.

Ibid.

5902 [...] S'il est vrai qu'il y ait peu de héros pour les gens qui les
voient de près, je puis dire aussi qu'il y a, pour leur sopha,
bien peu de femmes vertueuses.   *Le Sopha, Introduction.*

5903 [...] Et communément plus la femme est aimable, moins
l'homme est généreux.   *Ibid., Deuxième partie, chap. 16.*

5904 [...] Croyez-vous qu'une femme craigne jamais de sacrifier
son honneur à sa réputation?   *Ibid.*

5905 Quand on porte un certain nom, qu'on est d'un certain rang,
une affaire de plus ou moins n'est pas une chose à laquelle
on doive regarder de si près : mais [...] il faut éviter de se
faire des ennemis.   *Ibid., Deuxième partie, chap. 19.*

5906 On sait aujourd'hui que le goût seul existe; et si l'on se dit
encore qu'on s'aime, c'est bien moins parce qu'on le croit,
que parce que c'est une façon plus polie de se demander
réciproquement ce dont on sent qu'on a besoin.

La Nuit et le moment.

5907 Je crois, à tout prendre, qu'il y a bien de la sagesse à sacrifier à tant de plaisirs quelques vieux préjugés qui rapportent
assez peu d'estime, et beaucoup d'ennui à ceux qui en font
encore la règle de leur conduite.   *Ibid.*

5908 Je lui montrais peu de sentiments, mais beaucoup d'ardeur,
et il n'est que trop ordinaire que l'un remplace l'autre, et
mène même beaucoup plus loin.   *Ibid.*

5909 Nous ne nous en apercevons peut-être pas; mais à quelque
point que ce qu'on appelle *mœurs* et *principes* soit discrédité,
nous en voulons encore.   *Ibid.*

5910 Que les femmes disent plus vrai que nous ne croyons, quand
elles affirment que les plaisirs les plus vifs ne font point oublier
à une femme, qui pense avec une certaine délicatesse, l'objet
dont elle a le cœur rempli, et que quand ce n'est pas lui qui
les procure, il n'en est pas moins celui à qui elle voudrait
toujours les devoir; ah! c'est une chose bien vraie que celle-
là!   *Ibid.*

5911 On dit à une belle qu'elle a des agréments, parce qu'en le lui
répétant souvent, c'est une façon polie de l'exhorter à en
faire usage.   *Le Sylphe.*

CARLO GOLDONI
1707-1793

On verra que l'humanité est la même partout, que la jalousie   5912
se rencontre partout, et que partout l'homme tranquille et
de sang-froid vient à bout de se faire aimer du public, et de
lasser la perfidie de ses ennemis.   *Mémoires, Préface.*

La vérité a toujours été ma vertu favorite, je me suis toujours   5913
bien trouvé avec elle; elle m'a épargné la peine d'étudier le
mensonge, et m'a évité le désagrément de rougir.   *Ibid.*

La Providence se sert de différents moyens pour partager   5914
ses faveurs. Souvent elle se sert du méchant pour secourir
l'honnête homme, et nous devons bénir l'auteur du bienfait,
et en reconnaître l'intermédiaire.
Ibid., Première partie, chap. 34.

[...] Je tombai malade; on me fit faire par force un opéra-   5915
comique; l'ouvrage sentait la fièvre comme moi; heureusement il n'y eut que l'opéra d'enterré.
Ibid., Deuxième partie, chap. 34.

On disait que la nature avait cassé les moules de ces grands   5916
comédiens : on se trompait. La nature fait le moule et le
modèle et l'original tout à la fois et elle les renouvelle à son
gré. C'est l'ordinaire de tous les temps : on regrette toujours
le passé, on se plaint du présent; c'est dans la nature.
Ibid., Troisième partie, chap. 4.

J'ai été toute ma vie au-devant de ceux qui avaient des rai-   5917
sons bonnes ou mauvaises pour m'éviter, et quand je parve-
nais à gagner l'estime d'un homme mal prévenu sur mon
compte, je regardais ce jour-là comme un jour de triomphe
pour moi.   *Ibid., chap. 5.*

Il y a des plaisirs pour tous les états; bornez vos désirs,   5918
mesurez vos forces, vous serez bien ici ou vous serez mal
partout.   *Ibid., chap. 19.*

J'ai été trompé plus d'une fois, il est vrai, mais les méchants   5919
ne m'ont jamais dégoûté du plaisir de me rendre utile.
Ibid., chap. 22.

On a soin dans certains jours et dans certains moments de   5920
séparer le peuple d'avec le monde comme il faut; s'il s'en
mêle quelquefois mal à propos, les cotillons des bonnes ne
salissent pas les robes des dames parées; c'est en passant, on
n'y prend pas garde; c'est un endroit public, un endroit
marchand, utile, commode, agréable : vive le Palais-Royal!
Ibid., chap. 30.

On se plaint des femmes qui enchantent par leurs grâces,   5921
qui enchaînent les hommes par leurs agréments, qui les

ruinent quelquefois par leurs caprices; mais leurs charmes
sont connus, et c'est l'homme lui-même qui leur prête les
armes pour le soumettre.   *Ibid., chap. 34.*

5922   C'est le ton de la nation; si les Français perdent une bataille,
une' épigramme les console; si un nouvel impôt les charge,
un vaudeville les dédommage [...]   *Ibid., chap. 37.*

GENTIL-BERNARD
1708-1775

5923   J'aime une fleur lente à s'épanouir :
            C'est par degrés qu'il faut plaire et jouir.
                            L'Art d'aimer, chant 2.

5924   Grands dieux! ouvrez l'Olympe à mon âme immortelle,
            Pour éterniser avec elle
            Le souvenir de mon bonheur.
                                    Madrigal.

5925   Doit-on rougir de chanter ce qu'on aime?
            Faut-il des noms et des titres divers?
            Que fait un nom, quand l'amour est extrême?
            Claudine est belle et suffit à mes vers.
                                Épître à Claudine.

CLAUDE-HENRI DE FUZÉE DE VOISENON
1708-1775

5926   Et le cœur s'ennoblit souvent par ce qu'il aime.
                        L'Heureuse ressemblance, scène 8.

5927   Ah! qu'il est doux de critiquer le monde
            Et de s'y dérober dans les bras de l'Amour.
                    Épître dédicatoire, L'École du Monde.

5928   Cette offre-là, Monsieur, me conviendrait très fort,
        Mais du moins attendez que mon mari soit mort.
                        Le Coquette fixée, acte II, scène 11.

5929   L'Amour est un vrai Braconnier
            [...]
            Il chasse de jour et de nuit :
            Ses fusils ne font point de bruit.
                                Le Braconnage.

LE PRÉSIDENT DE BROSSES
1709-1777

[...] A vous parlez net, la Provence n'est qu'une gueuse parfumée.   5930
> *Lettres Italiennes, à M. de Blancey, 15 juin 1739.*

[...] Qu'est-ce que l'indécence dans les usages, si ce n'est le défaut d'habitude de ces usages mêmes?   5931
> *Ibid., au même, 1er juillet 1739.*

Les gens qui donnent beaucoup sont sujets à prendre de même.   *Ibid., à M. l'abbé Cortois de Quincey, 1739.*   5932

Un voyage est comme un mariage; on se voit jour et nuit; on se pratique, on se contraint si peu qu'il en résulte souvent du malaise et quelquefois de l'humeur.   *Ibid.*   5933

On connaît encore mieux la valeur des biens par la privation que par la jouissance. L'amour de la patrie, vertu dominante des grandes âmes, me saisit toujours à l'aspect d'une bouteille de vin de Bourgogne. [...]   5934
> *Ibid., à MM. de Tournay et de Neuilly, 1739.*

Il n'arrive à personne d'entendre pour la première fois un chant étranger, quel qu'il soit, sans avoir envie d'en rire; peu à peu on s'y accoutume et l'on acquiert deux espèces de plaisir du même genre, au lieu d'un; c'est un gain véritable.   5935
> *Ibid., à M. de Maleteste, 1740.*

[...] Quiconque, à jour et à jamais, voudra connaître à fond la nation française du siècle passé n'aura qu'à lire Molière, pour la savoir sur le bout du doigt.   *Ibid.*   5936

On aime toujours à trouver aux choses plus de finesse qu'il n'y en a.   5937
> *Ibid., à M. l'abbé Cortois de Quincey mars 1740.*

Il y a de l'injustice à vous de vouloir supprimer le bruit qu'on fait aujourd'hui aux pièces de la chaussée, puisqu'elles ne feront jamais que celui-là.   5938
> *Lettres, à Loppin de Gemeaux, 28 mai 1744.*

[...] Je n'ai pas vu une république qui fût de mon goût. On y est désolé de piqûres d'épingles; au lieu que chez nous on en est quitte pour un coup d'épée au travers du corps, et tout est dit. Le manteau de la liberté sert à couvrir nombre de petites chaînes.   *Ibid., à Voltaire, septembre 1758.*   5939

Ce n'est pas seulement un esprit qu'il a [Voltaire], ce sont tous les esprits ensemble qui reviennent dans son crâne et y tiennent le Sabbat.   5940
> *Ibid., à Loppin de Gemeaux, 4 janvier 1759.*

CHARLES COLLÉ
1709-1783

5941   Pour faire un bouquet à Lucrèce,
             Suffit-il de cueillir des fleurs?
             Il faut encore avoir l'adresse
             D'en bien assortir les couleurs.
             Tout consiste dans la manière
                   Et dans le goût;
             Et c'est la façon de faire
                   Qui fait tout.
                        La Manière fait tout, vaudeville.

JEAN-LOUIS BAPTISTE GRESSET
1709-1777

5942   J'ai lu qu'on perd à trop courir le monde;
             Très rarement en devient-on meilleur :
             Un sort errant ne conduit qu'à l'erreur.
                        Ver-Vert, chant 1.

5943   Ah! qu'un grand nom est un bien dangereux!
             Un sort caché fut toujours plus heureux.
                        Ibid., chant 2.

5944   La douleur est un siècle, et la mort un moment.
                   Épître VI, à ma sœur, Sur ma convalescence.

5945   Félicité trop peu durable!
             Il passa, ce songe enchanteur;
             Et je n'aperçus le bonheur
             Que pour être plus misérable.
                        Fragment du Chartreux.

5946   Les sots sont ici-bas pour nos menus plaisirs.
                        Le Méchant, acte II, scène 1.

5947   Mais Paris guérit tout et les absents ont tort.
                        Ibid., acte II, scène 7.

5948   On ne vit qu'à Paris, et l'on végète ailleurs.
                        Ibid., acte III, scène 9.

5949   Quand le cœur est bon, tout peut se corriger.
                        Ibid., acte IV, scène 4.

5950   [...] Elle a d'assez beaux yeux
             Pour des yeux de province.
                        Ibid., acte IV, scène 5.

5951   L'esprit qu'on veut avoir gâte celui qu'on a.
                        Ibid., acte IV, scène 7.

ABBÉ DE MABLY
1709-1785

Je demanderai toujours pourquoi l'histoire de tous les pays   5952
du monde n'offre rien qui ne puisse s'expliquer aisément,
tandis que celle de la Chine ne présente que des événements
dont on ne peut découvrir les causes et qui paraissent contra-
rier la nature du cœur humain.
Doutes proposés aux philosophes économistes sur l'ordre
naturel et essentiel des sociétés politiques, Lettre IV.

Les Chinois n'ayant qu'un cercle très borné d'idées, chacun   5953
se tient à la place où il se trouve, non pas parce qu'il est
heureux, mais parce qu'il est assez stupide pour croire que
c'est celle qu'il doit occuper; et l'empereur lui-même abruti
par l'abrutissement général de sa nation, végète sans crainte
et sans désirs, parce que tous ses sujets tremblent à son nom
seul.   *Ibid., Lettre V.*

Chaque nation a eu le sort qu'elle devait avoir : et quoique   5954
chaque État meure, chaque État peut et doit aspirer à l'immortalité.
De l'étude de l'histoire, à Monseigneur le Prince de Parme,
Première partie, chap. 1.

JULIEN OFFRAY DE LA METTRIE
1709-1751

Puisque la morale tire son origine de la politique, comme les   5955
lois et les bourreaux, il s'ensuit qu'elle n'est point l'ouvrage
de la nature.   *Discours préliminaire.*

Qui vit en citoyen, peut écrire en philosophe — mais écrire   5956
en philosophe c'est enseigner le matérialisme!   *Ibid.*

S'il est dans mes écrits quelques beautés neuves et hardies,   5957
un certain feu, quelque étincelle de génie, je dois tout à ce
courage philosophique qui m'a fait concevoir la plus haute
et la plus téméraire entreprise.   *Ibid.*

Les enfants sont des espèces d'oiseaux qui n'apprennent   5958
que peu de mots et d'idées à la fois parce qu'ils ont le cerveau
mou.   *Traité de l'âme, chap. 14.*

Défaut de sang et de mouvement, défaut de parents et d'amis,   5959
qu'on ne connaît plus, défaut de soi-même, qu'on ignore;
tel est l'âge décrépit, la nouvelle enfance, la seconde végétation de l'homme, qui finit comme il a commencé.   *Ibid.*

5960   Un célèbre abbé de mes amis, métaphysicien de la première
force, croyait que tous les hommes étaient musiciens nés;
parce qu'il ne se souvenait pas d'avoir appris les airs avec
lesquels sa nourrice l'endormait.
Ibid., chap. XV, Histoire IV, § 1.

5961   Il est aussi impossible de donner une seule idée à un homme,
privé de tous les sens, que de faire un enfant à une femme, à
laquelle la nature aurait poussé la distraction jusqu'à oublier
de faire une vulve, comme je l'ai vu dans une, qui n'avait
ni fente, ni vagin, ni matrice, et qui pour cette raison fut
démariée après dix ans de mariage.
L'Homme-machine.

5962   On sait depuis longtemps que ce sont les vents, ces messagers
de l'amour végétal, qui portent aux plantes femelles le
sperme des mâles. Ce n'est point en plein vent que les nôtres
courent ordinairement de pareils risques!
L'Homme-plante.

5963   Tout le monde, dit plaisamment Pomponace, souhaite
l'immortalité, comme un mulet désire la génération qu'il
n'obtient pas.   *Traité des systèmes, VIII.*

5964   La nature a fait, dans la machine de l'homme, une autre
machine qui s'est trouvée propre à retenir les idées et à en
faire de nouvelles, comme dans la femme, cette matrice,
qui d'une goutte de liqueur fait un enfant.
Système d'Épicure, XXVIII.

5965   Savez-vous pourquoi je fais encore quelque cas des hommes?
C'est que je les crois sérieusement des *machines*.
Ibid., XLVI.

5966   Quelle vie fugitive! Les formes des corps brillent comme les
vaudevilles se chantent. L'homme et la rose paraissent le
matin, et ne sont plus le soir.   *Ibid., LI.*

5967   La mort et l'amour se consomment par les mêmes moyens,
l'expiration. On se reproduit, quand c'est d'amour qu'on
meurt : on s'anéantit, quand c'est par le ciseau d'Atropos.
Ibid., LXIX.

5968   Si j'ai perdu mes jours dans la volupté, *ah! rendez-les-moi,
grands dieux*, pour les reperdre encore.
L'art de jouir.

LEFRANC DE POMPIGNAN
1709-1784

5969   [...] Tu vois par là ce que nous sommes.
        Le Poète fait des chansons,
        Le Guerrier massacre des hommes
    . Et le Pêcheur prend des poissons.
Les Tombeaux.

Les Empires, les Républiques,   5970
Dans des mensonges magnifiques,
Cherchent leurs premiers Citoyens.
Respectons d'illustres chimères;
Jamais les Romains pour leurs pères
N'ont désavoué les Troyens.
Éloge de Clémence Isaure.

MADAME DUBOCAGE
1710-1802

Colomb, quitte l'espoir de voir de nouveaux mondes :   5971
Plus loin qu'aucun mortel tu sillonnes les ondes...
La Colombiade, chant 3.

CHARLES FAVART
1710-1792

Point d'esclaves chez nous; on ne respire en France   5972
   Que les plaisirs, la liberté, l'aisance.
Tout citoyen est roi sous un roi citoyen.
Les trois Sultanes.

FRÉDÉRIC II
1712-1786

J'ose prendre la défense de l'humanité contre ce monstre   5973
[Machiavel] qui veut la détruire.
Anti-Machiavel ou Examen critique du Prince *de Machiavel,*
Avant-Propos.

Il n'y a donc que trois manières légitimes de devenir maître   5974
d'un pays, ou par succession, ou par l'élection des peuples
qui en ont le pouvoir, ou lorsque par une guerre justement
entreprise on fait la conquête de quelques provinces sur
l'ennemi.   *Ibid., chap. 1.*

Insensés que nous sommes, nous voulons tout conquérir,   5975
comme si nous avions le temps de tout posséder!
Ibid., chap. 5.

Que César Borgia soit le modèle des machiavélistes, le mien   5976
est Marc Aurèle.   *Ibid., chap. 6.*

Il me semble que de tous les peuples dont il nous est resté   5977
quelque faible connaissance, il n'y a que les Juifs qui aient eu

une suite de pontifes despotiques. Il n'est pas étonnant que dans la plus superstitieuse et la plus ignorante de toutes les nations barbares, ceux qui étaient à la tête de la religion aient enfin usurpé le maniement des affaires; mais partout ailleurs il me semble que les prêtres ne se mêlaient que de leurs fonctions.   *Ibid., chap. 11.*

5978   La chasse est un de ces plaisirs sensuels qui agitent beaucoup le corps et qui ne disent rien à l'esprit; c'est un désir ardent de poursuivre quelque bête, et une satisfaction cruelle de la tuer; c'est un amusement qui rend le corps robuste et dispos, et qui laisse l'esprit en friche et sans culture.
                                                    Ibid., chap. 14.

5979   *Demande.* En servant les hommes, on n'oblige souvent que des ingrats; que vous reviendra-t-il de vos peines?
       Réponse. Il est beau de faire des ingrats; il est infâme de l'être.
                Dialogue de morale à l'Usage de la jeune Noblesse.

5980   Pour vous convaincre du peu de goût qui jusqu'à nos jours règne en Allemagne, vous n'avez qu'à vous rendre aux spectacles publics. Vous y verrez représenter les abominables pièces de Shakespeare traduites en notre langue, et tout l'auditoire se pâmer d'aise en entendant ces farces ridicules et dignes des sauvages du Canada.
       De la Littérature allemande, des défauts qu'on peut lui reprocher, quelles en sont les causes, et par quels moyens on peut les corriger.

5981   L'Allemagne produit des hommes à recherches laborieuses, des philosophes, des génies, et tout ce que l'on peut désirer; il ne faut qu'un Prométhée qui dérobe le feu céleste pour les animer.   *Ibid.*

5982   Une maladie est pour un philosophe une école de physique.
                                            Éloge de La Mettrie.

5983   M. La Mettrie était né avec un fond de gaieté naturelle intarissable; il avait l'esprit vif, et l'imagination si féconde, qu'elle faisait croître des fleurs dans le terrain aride de la médecine.
                                                              Ibid.

5984   Un auteur d'autant de génie [que Voltaire], aussi varié que correct, n'échappa point à l'Académie Française.
                                              Éloge de Voltaire.

5985   L'on peut dire, s'il m'est permis de m'exprimer ainsi, que M. de Voltaire valait seul toute une Académie.
                                                              Ibid.

JEAN-JACQUES ROUSSEAU
1712-1778

Le besoin éleva les trônes, les sciences et les arts les ont   5986
affermis.
Discours sur les sciences et les arts, Première partie.

L'homme de bien est un athlète qui se plaît à combattre nu.   5987
Ibid.

Les hommes sont pervers; ils seraient pires encore s'ils avaient   5988
eu le malheur de naître savants.   *Ibid.*

L'astronomie est née de la superstition; l'éloquence, de   5989
l'ambition, de la haine, de la flatterie, du mensonge; la
géométrie, de l'avarice; la physique, d'une vaine curiosité;
toutes, et la morale même, de l'orgueil humain. Les sciences
et les arts doivent donc leur naissance à nos vices : nous
serions moins en doute sur leurs avantages, s'ils la devaient
à nos vertus.   *Ibid., Seconde partie.*

[...] Le faux est susceptible d'une infinité de combinaisons;   5990
mais la vérité n'a qu'une manière d'être.   *Ibid.*

En politique comme en morale, c'est un grand mal que de ne   5991
point faire de bien; et tout citoyen inutile peut être regardé
comme un homme pernicieux.   *Ibid.*

Le luxe va rarement sans les sciences et les arts, jamais ils   5992
ne vont sans lui.   *Ibid.*

Deux fameuses républiques se disputèrent l'empire du   5993
monde; l'une était très riche, l'autre n'avait rien, et ce fut
celle-ci qui détruisit l'autre.   *Ibid.*

[...] On a de tout avec de l'argent, hormis des mœurs et des   5994
citoyens.   *Ibid.*

Je sais qu'il faut occuper les enfants, et que l'oisiveté est pour   5995
eux le danger le plus à craindre. Que faut-il donc qu'ils
apprennent? Voilà certes une belle question? Qu'ils apprennent ce qu'ils doivent faire étant hommes, et non ce qu'ils
doivent oublier.   *Ibid.*

On ne demande plus d'un homme s'il a de la probité, mais   5996
s'il a des talents; ni d'un livre s'il est utile, mais s'il est bien
écrit. Les récompenses sont prodiguées au bel esprit, et la
vertu reste sans honneurs.   *Ibid.*

Tel qui sera toute sa vie un mauvais versificateur, un géo-   5997
mètre subalterne, serait peut-être devenu un grand fabri-
cateur d'étoffes.   *Ibid.*

L'âme se proportionne insensiblement aux objets qui l'occu-   5998
pent, et ce sont les grandes occasions qui font les grands
hommes.   *Ibid.*

5999   Il en est de la liberté comme de ces aliments solides et suc-
        culents, ou de ces vins généreux, propres à nourrir et fortifier
        les tempéraments robustes qui en ont l'habitude, mais qui
        accablent, ruinent et enivrent les faibles et délicats qui n'y
        sont point faits.
        Discours sur l'origine et les fondements de l'inégalité parmi
                    les hommes (à la République de Genève).

6000   Les peuples une fois accoutumés à des maîtres ne sont plus
        en état de s'en passer.   *Ibid.*

6001   C'est en un sens à force d'étudier l'homme que nous nous
        sommes mis hors d'état de le connaître.
                                                Ibid., préface.

6002   J'ose presque assurer que l'état de réflexion est un état contre
        nature, et que l'homme qui médite est un animal dépravé.
                                        Ibid., Première partie.

6003   La volonté parle encore quand la nature se tait.   *Ibid.*

6004   Vous oubliez que les fruits sont à tous et que la terre n'est à
        personne.   *Ibid.*

6005   Mais, Monsieur, quand on veut honorer les gens, il faut que
        ce soit à leur manière, et non pas à la nôtre.
                                        Lettre à d'Alembert.

6006   Quand un homme ne peut croire ce qu'il trouve absurde,
        ce n'est pas sa faute, c'est celle de sa raison.   *Ibid.*

6007   L'on croit s'assembler au spectacle, et c'est là que chacun
        s'isole; c'est là qu'on va oublier ses amis, ses voisins, ses
        proches, pour s'intéresser à des fables, pour pleurer les
        malheurs des morts, ou rire aux dépens des vivants.   *Ibid.*

6008   Il n'y a que la raison qui ne soit bonne à rien sur la scène.
                                                              Ibid.

6009   N'est-ce pas un effet nécessaire de la constitution des choses,
        que le méchant tire un double avantage, de son injustice,
        et de la probité d'autrui?   *Ibid.*

6010   Il faut des spectacles dans les grandes villes, et des romans
        aux peuples corrompus.
                            Julie ou la nouvelle Héloïse, Préface.

6011   Otez à nos savants le plaisir de se faire écouter, le savoir ne
        sera rien pour eux. Ils n'amassent dans le cabinet que pour
        répandre dans le public; ils ne veulent être sages qu'aux
        yeux d'autrui; et ils ne se soucieraient plus de l'étude s'ils
        n'avaient plus d'admirateurs.
                            Ibid., Première partie, lettre 12.

6012   [...] Quand on a une fois l'entendement ouvert par l'habitude
        de réfléchir, il vaut toujours mieux trouver de soi-même les
        choses qu'on trouverait dans les livres; c'est le vrai secret
        de les bien mouler à sa tête, et de se les approprier : au lieu
        qu'en les recevant telles qu'on nous les donne, c'est presque
        toujours sous une forme qui n'est pas la nôtre.   *Ibid.*

Proposons-nous de grands exemples à imiter, plutôt que de vains systèmes à suivre. *Ibid.* 6013

J'ai toujours cru que le bon n'était que le beau mis en action, que l'un tenait intimement à l'autre, et qu'ils avaient tous deux une source commune dans la nature bien ordonnée. *Ibid.* 6014

On s'exerce à voir comme à sentir, ou plutôt une vue exquise n'est qu'un sentiment délicat et fin. *Ibid.* 6015

Le goût est en quelque manière le microscope du jugement; c'est lui qui met les petits objets à sa portée, et ses opérations commencent où s'arrêtent celles du dernier. *Ibid.* 6016

Il y a des peuples sans physionomie auxquels il ne faut point de peintres; il y a des gouvernements sans caractère auxquels il ne faut point d'historiens, et où, sitôt qu'on sait quelle place un homme occupe, on sait d'avance tout ce qu'il y fera. *Ibid.* 6017

Les sensations ne sont rien que ce que le cœur les fait être. *Ibid., lettre 14.* 6018

J'ai toujours remarqué que les gens faux sont sobres, et la grande réserve de la table annonce assez souvent des mœurs feintes et des âmes doubles. *Ibid., lettre 23.* 6019

L'amour est privé de son plus grand charme quand l'honnêteté l'abandonne. [...] Otez l'idée de la perfection, vous ôtez l'enthousiasme; ôtez l'estime, et l'amour n'est plus rien. *Ibid., lettre 24.* 6020

[...] L'âme résiste bien plus aisément aux vives douleurs qu'à la tristesse prolongée. *Ibid., lettre 25.* 6021

Que c'est un fatal présent du ciel qu'une âme sensible! Celui qui l'a reçu doit s'attendre à n'avoir que peine et douleur sur la terre. *Ibid., lettre 26.* 6022

[...] Je hais les mauvaises maximes encore plus que les mauvaises actions. *Ibid., lettre 30.* 6023

[...] C'est le dernier degré de l'opprobre de perdre avec l'innocence le sentiment qui nous la fait aimer. *Ibid., lettre 32.* 6024

Toutes les grandes passions se forment dans la solitude; on n'en a point de semblables dans le monde, où nul objet n'a le temps de faire une profonde impression, et où la multitude des goûts énerve la force des sentiments. *Ibid., lettre 33.* 6025

Une femme parfaite et un homme parfait ne doivent pas plus se ressembler d'âme que de visage. Ces vaines imitations de sexe sont le comble de la déraison; elles font rire le sage et fuir les amours. *Ibid., lettre 46.* 6026

6027 Celui qui feint d'envisager la mort sans effroi ment. Tout homme craint de mourir, c'est la grande loi des êtres sensibles, sans laquelle tout espèce mortelle serait bientôt détruite.
Ibid., lettre 57.

6028 Combien de grands noms retomberaient dans l'oubli, si l'on ne tenait compte que de ceux qui ont commencé par un homme estimable!
[...] On voit, je l'avoue, beaucoup de malhonnêtes gens parmi les roturiers; mais il y a toujours vingt à parier contre un qu'un gentilhomme descend d'un fripon.
Ibid., lettre 61.

6029 [...] La sublime raison ne se soutient que par la même vigueur de l'âme qui fait les grandes passions, et l'on ne sert digne-ment la philosophie qu'avec le même feu qu'on sent pour une maîtresse.
Ibid., Seconde partie, lettre 2.

6030 Que le rang se règle par le mérite, et l'union des cœurs par leur choix, voilà le véritable ordre social; ceux qui le règlent par la naissance ou par les richesses sont les vrais perturba-teurs de cet ordre; ce sont ceux-là qu'il faut décrier ou punir.
Ibid.

6031 Il y a souvent plus de stupidité que de courage dans une constance apparente; le vulgaire ne connaît point de vio-lentes douleurs, et les grandes passions ne germent guère chez les hommes faibles.
Ibid., lettre 6.

6032 Je trouve beau qu'ils ne soient qu'Anglais, puisqu'ils n'ont pas besoin d'être hommes.
Ibid., lettre 9, note.

6033 Il y a ainsi un petit nombre d'hommes et de femmes qui pensent pour tous les autres, et pour lesquels tous les autres parlent et agissent.
Ibid., lettre 14.

6034 [...] Je soutiens qu'il n'y a qu'un géomètre et un sot qui puissent parler sans figures.
Ibid., lettre 16.

6035 On ne voit agir les autres qu'autant qu'on agit soi-même; dans l'école du monde comme dans celle de l'amour, il faut commencer par pratiquer ce qu'on veut apprendre.
Ibid., lettre 17.

6036 Au reste, hommes et femmes, tous, instruits par l'expérience du monde, et surtout par leur conscience, se réunissent pour penser de leur espèce aussi mal qu'il est possible, toujours philosophant tristement, toujours dégradant par vanité la nature humaine, toujours cherchant dans quelque vice la cause de tout ce qui se fait de bien, toujours d'après leur propre cœur médisant du cœur de l'homme.
Ibid.

6037 Voilà de quoi fut cause Molière lui-même; il corrigea la cour en infectant la ville : et ses ridicules marquis furent le premier modèle des petits-maîtres bourgeois qui leur succédèrent.
Ibid.

6038 Si la France n'est pas le pays des hommes libres, elle est celui des hommes vrais; et cette liberté vaut bien l'autre aux yeux du sage.
Ibid., lettre 18.

Depuis le faubourg Saint-Germain jusqu'aux halles, il y a   6039
peu de femmes à Paris dont l'abord, le regard, ne soit d'une
hardiesse à déconcerter quiconque n'a rien vu de semblable
en son pays; et de la surprise où jettent ces nouvelles manières
naît cet air gauche qu'on reproche aux étrangers. C'est encore
pis sitôt qu'elles ouvrent la bouche.   *Ibid., lettre 21.*

Paris est plein d'aventuriers et de célibataires qui passent   6040
leur vie à courir de maison en maison; et les hommes semblent, comme les espèces, se multiplier par la circulation.
                                                        Ibid.

Pour moi, je suis persuadé qu'on applaudit les cris d'une   6041
actrice à l'Opéra comme les tours de force d'un bateleur
à la foire : la sensation en est déplaisante et pénible, on souffre
tandis qu'ils durent; mais on est si aise de les voir finir
sans accident qu'on en marque volontiers sa joie.
                                              Ibid., lettre 23.

Tous les talents ne sont pas donnés aux mêmes hommes;   6042
et en général le Français paraît être de tous les peuples de
l'Europe celui qui a le moins d'aptitude à la musique. *Ibid.*

L'image de l'amour éteint effraye plus un cœur tendre que   6043
celle de l'amour malheureux, et le dégoût de ce qu'on possède
est un état cent fois pire que le regret de ce qu'on a perdu.
                                   Ibid., Troisième partie, lettre 7.

[...] Vouloir le bonheur de sa femme, n'est-ce pas l'avoir   6044
obtenu?   *Ibid., lettre 20.*

Il n'y a pas d'association plus commune que celle du faste   6045
et de la lésine. On prend sur la nature, sur les vrais plaisirs,
sur le besoin même, tout ce qu'on donne à l'opinion.
                                                 Ibid., note.

Depuis que le monde existe on n'a jamais vu deux amants   6046
en cheveux blancs soupirer l'un pour l'autre.
                                           Ibid., lettre 20.

Philosophe d'un jour! Ignores-tu que tu ne saurais faire   6047
un pas sur la terre sans y trouver quelque devoir à remplir,
et que tout homme est utile à l'humanité par cela seul qu'il
existe?   *Ibid., lettre 22.*

A mesure qu'on avance en âge, tous les sentiments se con-   6048
centrent. On perd tous les jours quelque chose de ce qui
nous fut cher, et l'on ne le remplace plus. On meurt ainsi
par degrés, jusqu'à ce que, n'aimant enfin que soi-même,
on ait cessé de sentir et de vivre avant de cesser d'exister.
Mais un cœur sensible se défend de toute sa force contre cette
mort anticipée : quand le froid commence aux extrémités,
il rassemble autour de lui toute sa chaleur naturelle; plus
il perd, plus il s'attache à ce qui lui reste, et il tient pour
ainsi dire au dernier objet par les liens de tous les autres.
                                 Ibid., Quatrième partie, lettre 1.

6049   Le premier pas vers le vice est de mettre du mystère aux
       actions innocentes; et quiconque aime à se cacher a tôt
       ou tard raison de se cacher.   *Ibid., lettre 6.*

6050   Il n'y a que l'intention qui oblige; et celui qui profite d'un
       bien que je ne veux faire qu'à moi ne me doit aucune recon-
       naissance.   *Ibid., lettre 10.*

6051   L'erreur des prétendus gens de goût est de vouloir de l'art
       partout, et de n'être jamais contents que l'art ne paraisse;
       au lieu que c'est à le cacher que consiste le véritable goût,
       surtout quand il est question des ouvrages de la nature.
                                                  Ibid., lettre 11.

6052   Il n'y a que des âmes de feu qui sachent combattre et vain-
       cre; tous les grands efforts, toutes les actions sublimes sont
       leur ouvrage : la froide raison n'a jamais rien fait d'illustre,
       et l'on ne triomphe des passions qu'en les opposant l'une à
       l'autre.   *Ibid., lettre 12.*

6053   [...] Ce sont les petites précautions qui conservent les grandes
       vertus.   *Ibid., lettre 13.*

6054   Le grand défaut des maisons bien réglées est d'avoir un air
       triste et contraint. L'extrême sollicitude des chefs sent tou-
       jours un peu l'avarice. Tout respire la gêne autour d'eux;
       la rigueur de l'ordre a quelque chose de servile qu'on ne
       supporte point sans peine.   *Ibid., Cinquième partie, lettre 2.*

6055   Comme le premier pas vers le bien est de ne point faire de
       mal, le premier pas vers le bonheur est de ne point souffrir.
                                                  Ibid.

6056   N'est pas toujours bienfaisant qui veut; et souvent tel
       croit rendre de grands services, qui fait de grands maux
       qu'il ne voit pas, pour un petit bien qu'il aperçoit.   *Ibid.*

6057   L'homme sorti de sa première simplicité devient si stupide
       qu'il ne sait pas même désirer. Ses souhaits exaucés le mène-
       raient tous à la fortune, jamais à la félicité.   *Ibid., note.*

6058   [...] Les hommes ne sont pas faits pour les places, mais les
       places sont faites pour eux.   *Ibid.*

6059   Il n'est jamais permis de détériorer une âme humaine pour
       l'avantage des autres, ni de faire un scélérat pour le service
       des honnêtes gens.   *Ibid.*

6060   Rien n'est plus équivoque que les signes d'inclination qu'on
       donne dès l'enfance; l'esprit imitateur y a souvent plus de
       part que le talent; ils dépendront plutôt d'une rencontre
       fortuite que d'un penchant décidé et le penchant même
       n'annonce pas toujours la disposition. Le vrai talent, le vrai
       génie a une certaine simplicité qui le rend moins inquiet,
       moins remuant, moins prompt à se montrer, qu'un apparent
       et faux talent, qu'on prend pour véritable, et qui n'est
       qu'une vaine ardeur de briller, sans moyens pour y réussir.
                                                  Ibid.

Si le grand nombre des mendiants est onéreux à l'État, de combien d'autres professions qu'on encourage et qu'on tolère n'en peut-on pas dire autant! *Ibid.* 6061

[...] Prévenir toujours les désirs n'est pas l'art de les contenter, mais de les éteindre. *Ibid.* 6062

[...] On ne jouit sans inquiétude que de ce qu'on peut perdre sans peine; et si le vrai bonheur appartient au sage, c'est parce qu'il est de tous les hommes celui à qui la fortune peut le moins ôter. *Ibid.* 6063

[...] L'art d'assaisonner les plaisirs n'est que celui d'en être avare. *Ibid.* 6064

Quand je vois qu'on a voulu faire un grand palais, je me demande aussitôt pourquoi ce palais n'est pas plus grand. [...] O homme petit et vain! montre-moi ton pouvoir, je te montrerai ta misère. *Ibid.* 6065

Si jamais la vanité fit quelque heureux sur la terre, à coup sûr cet heureux-là n'était qu'un sot. *Ibid., note.* 6066

L'art d'interroger n'est pas si facile qu'on pense. C'est bien plus l'art des maîtres que des disciples; il faut avoir déjà beaucoup appris de choses pour savoir demander ce qu'on ne sait pas. *Ibid.* 6067

L'obligation de se marier n'est pas commune à tous; elle dépend pour chaque homme de l'état où le sort l'a placé : c'est pour le peuple, pour l'artisan, pour le villageois, pour les hommes vraiment utiles, que le célibat est illicite; pour les ordres qui dominent les autres, auxquels tout tend sans cesse, et qui ne sont toujours que trop remplis, il est permis et même convenable. *Ibid., Sixième partie, lettre 3.* 6068

Une grande passion malheureuse est un grand moyen de sagesse. *Ibid., lettre 7.* 6069

[...] Si c'est un devoir de se marier, un devoir plus indispensable encore est de ne faire le malheur de personne. *Ibid.* 6070

Je veux chercher si dans l'ordre civil il peut y avoir quelque règle d'administration légitime et sûre, en prenant les hommes tels qu'ils sont, et les lois telles qu'elles peuvent être. *Du contrat social, Livre 1.* 6071

Si j'étais prince ou législateur, je ne perdrais pas mon temps à dire ce qu'il faut faire; je le ferais, ou je me tairais. *Ibid.* 6072

L'homme est né libre, et partout il est dans les fers. Tel se croit le maître des autres, qui ne laisse pas d'être plus esclave qu'eux. *Ibid., chap. 1.* 6073

6074   Tant qu'un peuple est contraint d'obéir et qu'il obéit, il fait
       bien; sitôt qu'il peut secouer le joug et qu'il le secoue, il
       fait encore mieux; car, recouvrant sa liberté par le même
       droit qui la lui a ravie, ou il est fondé à la reprendre, ou l'on
       ne l'était point à la lui ôter. Mais l'ordre social est un droit
       sacré, qui sert de base à tous les autres.   *Ibid.*

6075   Le chef est l'image du père, le peuple est l'image des enfants,
       et tous étant nés égaux et libres n'aliènent leur liberté que
       pour leur utilité. Toute la différence est que dans la famille
       l'amour du père pour ses enfants le paye des soins qu'il
       leur rend, et que dans l'État le plaisir de commander sup-
       plée à cet amour que le chef n'a pas pour ses peuples.
                                                     Ibid., chap. 2.

6076   Tout homme né dans l'esclavage naît pour l'esclavage,
       rien n'est plus certain. Les esclaves perdent tout dans leurs
       fers, jusqu'au désir d'en sortir; ils aiment leur servitude
       comme les compagnons d'Ulysse aimaient leur abrutisse-
       ment. S'il y a donc des esclaves par nature, c'est parce qu'il
       y a eu des esclaves contre nature. La force a fait les premiers
       esclaves, leur lâcheté les a perpétués.   *Ibid.*

6077   S'il faut obéir par force on n'a pas besoin d'obéir par devoir
       et si l'on n'est plus forcé d'obéir on n'y est plus obligé.
                                                     Ibid., chap. 3.

6078   Bien loin qu'un roi fournisse à ses sujets leur subsistance
       il ne tire la sienne que d'eux, et selon Rabelais un roi ne vit
       pas de peu. Les sujets donnent donc leur personne à condi-
       tion qu'on prendra aussi leur bien? Je ne vois pas ce qu'il
       leur reste à conserver.   *Ibid., chap. 4.*

6079   Dire qu'un homme se donne gratuitement, c'est dire une
       chose absurde et inconcevable; un tel acte est illégitime et
       nul, par cela seul que celui qui le fait n'est pas dans son bon
       sens.   *Ibid.*

6080   Renoncer à sa liberté c'est renoncer à sa qualité d'homme,
       aux droits de l'humanité, même à ses devoirs. [...] Une telle
       renonciation est incompatible avec la nature de l'homme,
       et c'est ôter toute moralité à ses actions que d'ôter toute
       liberté à sa volonté.   *Ibid.*

6081   [...] La guerre ne donne aucun droit qui ne soit nécessaire
       à sa fin.   *Ibid.*

6082   [...] Je dis qu'un esclave fait à la guerre ou un peuple conquis
       n'est tenu à rien du tout envers son maître, qu'à lui obéir
       autant qu'il y est forcé.   *Ibid.*

6083   Si donc on écarte du pacte social ce qui n'est pas de son
       essence, on trouvera qu'il se réduit aux termes suivants :
       chacun de nous met en commun sa personne et toute sa
       puissance sous la suprême direction de la volonté générale;
       et nous recevons en corps chaque membre comme partie
       indivisible du tout.   *Ibid., chap. 6.*

[...] Quiconque refusera d'obéir à la volonté générale y 6084
sera contraint par tout le corps : ce qui ne signifie autre
chose sinon qu'on le forcera d'être libre; car telle est la condition qui donnant chaque citoyen à la Patrie le garantit de
toute dépendance personnelle; condition qui fait l'artifice
et le jeu de la machine politique, et qui seule rend légitimes
les engagements civils, lesquels sans cela seraient absurdes,
tyranniques, et sujets aux plus énormes abus.
Ibid., chap. 7.

Ce que l'homme perd par le contrat social, c'est sa liberté 6085
naturelle et un droit illimité à tout ce qui le tente et qu'il
peut atteindre; ce qu'il gagne, c'est la liberté civile et la
propriété de tout ce qu'il possède. *Ibid., chap. 8.*

Tout homme a naturellement droit à tout ce qui lui est 6086
nécessaire; mais l'acte positif qui le rend propriétaire de
quelque bien l'exclut de tout le reste. Sa part étant faite
il doit s'y borner, et n'a plus aucun droit à la communauté.
Voilà pourquoi le droit de premier occupant, si faible dans
l'état de nature, est respectable à tout homme civil. On
respecte moins dans ce droit ce qui est à autrui que ce qui
n'est pas à soi. *Ibid., chap. 9.*

Je dis donc que la souveraineté n'étant que l'exercice de la 6087
volonté générale ne peut jamais s'aliéner, et que le souverain, qui n'est qu'un être collectif, ne peut être représenté
que par lui-même; le pouvoir peut bien se transmettre, mais
non pas la volonté. *Livre II, chap. premier.*

On veut toujours son bien, mais on ne le voit pas toujours. 6088
Jamais on ne corrompt le peuple, mais souvent on le trompe,
et c'est alors seulement qu'il paraît vouloir ce qui est mal.
Ibid., chap. 3.

Qui veut conserver sa vie aux dépens des autres doit la donner 6089
aussi pour eux quand il faut. *Ibid., chap. 5.*

La peine de mort infligée aux criminels peut être envisagée 6090
à peu près sous le même point de vue : c'est pour n'être pas
la victime d'un assassin que l'on consent à mourir si on le
devient. *Ibid.*

[...] La fréquence des supplices est toujours un signe de 6091
faiblesse ou de paresse dans le gouvernement. Il n'y a point
de méchant qu'on ne pût rendre bon à quelque chose. On
n'a droit de faire mourir, même pour l'exemple, que celui
qu'on ne peut conserver sans danger. *Ibid.*

J'appelle donc République tout État régi par des lois, sous 6092
quelque forme d'administration que ce puisse être. [...]
Tout gouvernement légitime est républicain.
Ibid. chap. 6.

La volonté générale est toujours droite, mais le jugement 6093
qui la guide n'est pas toujours éclairé. *Ibid.*

6094   Les sages qui veulent parler au vulgaire leur langage au lieu
       du sien n'en sauraient être entendus. Or il y a mille sortes
       d'idées qu'il est impossible de traduire dans la langue du
       peuple. Les vues trop générales et les objets trop éloignés
       sont également hors de sa portée.   *Ibid., chap. 7.*

6095   Les peuples ainsi que les hommes ne sont dociles que dans
       leur jeunesse, ils deviennent incorrigibles en vieillissant;
       quand une fois les coutumes sont établies et les préjugés
       enracinés, c'est une entreprise dangereuse et vaine de vouloir
       les réformer; le peuple ne peut pas même souffrir qu'on
       touche à ses maux pour les détruire, semblable à ces malades
       stupides et sans courage qui frémissent à l'aspect du médecin.
                                                   Ibid., chap. 8.

6096   [...] Des époques violentes où les révolutions font sur les
       peuples ce que certaines crises font sur les individus, où
       l'horreur du passé tient lieu d'oubli, et où l'État, embrasé
       par les guerres civiles, renaît pour ainsi dire de sa cendre
       et reprend la vigueur de la jeunesse en sortant des bras de
       la mort [...]   '   *Ibid.*

6097 ¡ Peuples libres, souvenez-vous de cette maxime : On peut
       acquérir la liberté; mais on ne la recouvre jamais.   *Ibid.*

6098   [...] Tous les peuples ont une espèce de force centrifuge,
       par laquelle ils agissent continuellement les uns contre les
       autres et tendent à s'agrandir aux dépens de leurs voisins,
       comme les tourbillons de Descartes. Ainsi les faibles ris-
       quent d'être bientôt engloutis, et nul ne peut guère se con-
       server qu'en se mettant avec tous dans une espèce d'équi-
       libre, qui rende la compression partout à peu près égale.
                                                   Ibid., chap. 9.

6099   Tout peuple qui n'a par sa position que l'alternative entre
       le commerce ou la guerrre est faible en lui-même; il dépend
       de ses voisins, il dépend des événements; il n'a jamais qu'une
       existence incertaine et courte. Il subjugue et change de
       situation, ou il est subjugué et n'est rien. Il ne peut se con-
       server libre qu'à force de petitesse ou de grandeur.
                                                   Ibid., chap. 10.

6100   Il est encore en Europe un pays capable de législation;
       c'est l'île de Corse. La valeur et la constance avec laquelle
       ce brave peuple a su recouvrer et défendre sa liberté méri-
       terait bien que quelque homme sage lui apprît à la
       conserver. J'ai quelque pressentiment qu'un jour cette
       petite île étonnera l'Europe.   *Ibid.*

6101   Si l'on recherche en quoi consiste précisément le plus grand
       bien de tous, qui doit être la fin de tout système de législa-
       tion, on trouvera qu'il se réduit à ces deux objets principaux,
       la *liberté* et l'*égalité*. La liberté, parce que toute dépendance
       particulière est autant de force ôtée au corps de l'État;
       l'égalité, parce que la liberté ne peut subsister sans elle.
                                                   Ibid., chap. 11.

A prendre le terme dans la rigueur de l'acception, il n'a   6102
jamais existé de véritable démocratie, et il n'en existera
jamais. Il est contre l'ordre naturel que le grand nombre
gouverne et que le petit soit gouverné.   *Livre III, chap. 4.*

Ou le luxe est l'effet des richesses, ou il les rend nécessaires;   6103
il corrompt à la fois le riche et le pauvre, l'un par la possession, l'autre par la convoitise; il vend la patrie à la mollesse, à la vanité; il ôte à l'État tous ses citoyens pour les
asservir les uns aux autres, et tous à l'opinion.   *Ibid.*

S'il y avait un peuple de dieux, il se gouvernerait démocra-   6104
tiquement. Un gouvernement si parfait ne convient pas à
des hommes.   *Ibid.*

En feignant de donner des leçons aux rois il en a donné de   6105
grandes aux peuples. *Le Prince* de Machiavel est le livre des
républicains.   *Ibid., chap. 6.*

Un défaut essentiel et inévitable, qui mettra toujours le   6106
gouvernement monarchique au-dessous du républicain,
est que dans celui-ci la voix publique n'élève presque jamais
aux premières places que des hommes éclairés et capables,
qui les remplissent avec honneur : au lieu que ceux qui parviennent dans les monarchies ne sont le plus souvent que de
petits brouillons, de petits fripons, de petits intrigants, à qui
les petits talents, qui font dans les cours parvenir aux grandes
places, ne servent qu'à montrer au public leur ineptie aussitôt
qu'ils y sont parvenus. [...] Le mérite est presque aussi
rare dans le ministère qu'un sot à la tête d'un gouvernement
républicain.   *Ibid.*

Les bornes du possible dans les choses morales sont moins   6107
étroites que nous ne pensons. Ce sont nos faiblesses, nos
vices, nos préjugés qui les rétrécissent. Les âmes basses ne
croient point aux grands hommes : de vils esclaves sourient
d'un air moqueur à ce mot de liberté.   *Ibid., chap. 12.*

Souvenez-vous que les murs des villes ne se forment que du   6108
débris des maisons des champs.   *Ibid., chap. 13.*

Donnez de l'argent, et bientôt vous aurez des fers. Ce mot   6109
de *Finance* est un mot d'esclave.   *Ibid., chap. 15.*

Je suis bien loin des idées communes; je crois les corvées   6110
moins contraires à la liberté que les taxes.   *Ibid.*

Plus le concert règne dans les assemblées, c'est-à-dire plus   6111
les avis approchent de l'unanimité, plus aussi la volonté
générale est dominante; mais les longs débats, les dissen-
sions, le tumulte, annoncent l'ascendant des intérêts particuliers et le déclin de l'État.   *Livre IV, chap. 2.*

Redressez les opinions des hommes et leurs mœurs s'épure-   6112
ront d'elles-mêmes. On aime toujours ce qui est beau ou
ce qu'on trouve tel, mais c'est sur ce jugement qu'on se
trompe; c'est donc ce jugement qu'il s'agit de régler. Qui
juge des mœurs juge de l'honneur, et qui juge de l'honneur
prend sa loi de l'opinion.   *Ibid., chap. 7.*

6113   [...] Quoique la loi ne règle pas les mœurs, c'est la législa-
        tion qui les fait naître; quand la législation s'affaiblit les
        mœurs dégénèrent, mais alors le jugement des censeurs ne
        fera pas ce que la force des lois n'aura pas fait.   *Ibid.*

6114   [...] Quiconque ose dire : *Hors de l'Église point de salut*,
        doit être chassé de l'État; à moins que l'État ne soit l'Église,
        et que le prince ne soit le pontife. Un tel dogme n'est bon que
        dans un gouvernement théocratique, dans tout autre il est
        pernicieux. La raison sur laquelle on dit qu'Henri IV embrassa
        la religion romaine la devrait faire quitter à tout honnête
        homme, et surtout à tout prince qui saurait raisonner.
                                            Ibid., chap. 8.

6115   Tout est bien sortant des mains de l'Auteur des choses, tout
        dégénère entre les mains de l'homme.
                            Émile ou de l'éducation, livre I.

6116   [...] La race humaine eût péri, si l'homme n'eût commencé
        par être enfant.   *Ibid.*

6117   Forcé de combattre la nature ou les institutions sociales,
        il faut opter entre faire un homme ou un citoyen : car on ne
        peut faire à la fois l'un et l'autre.   *Ibid.*

6118   Défiez-vous de ces cosmopolites qui vont chercher loin dans
        leurs livres des devoirs qu'ils dédaignent de remplir autour
        d'eux. Tel philosophe aime les Tartares, pour être dispensé
        d'aimer ses voisins.   *Ibid.*

6119   Les bonnes institutions sociales sont celles qui savent le
        mieux dénaturer l'homme, lui ôter son existence absolue
        pour lui en donner une relative, et transporter le *moi* dans
        l'unité commune; en sorte que chaque particulier ne se croie
        plus un, mais partie de l'unité, et ne soit plus sensible que
        dans le tout.   *Ibid.*

6120   Ces deux mots *patrie* et *citoyen* doivent être effacés des lan-
        gues modernes.   *Ibid.*

6121   L'homme qui a le plus vécu n'est pas celui qui a compté
        le plus d'années, mais celui qui a le plus senti la vie.   *Ibid.*

6122   Toute notre sagesse consiste en préjugés serviles; tous nos
        usages ne sont qu'assujettissement, gêne et contrainte.
        L'homme civil naît, vit et meurt dans l'esclavage : à sa
        naissance on le coud dans un maillot; à sa mort on le cloue
        dans une bière; tant qu'il garde la figure humaine, il est
        enchaîné par nos institutions.   *Ibid.*

6123   Un père, quand il engendre et nourrit des enfants, ne fait
        en cela que le tiers de sa tâche. Il doit des hommes à son
        espèce, il doit à la société des hommes sociables; il doit
        des citoyens à l'État. Tout homme qui peut payer cette
        triple dette et ne le fait pas est coupable, et plus coupable
        peut-être quand il la paye à demi.   *Ibid.*

Les enfants flattent quelquefois les vieillards, mais ils ne les aiment jamais. *Ibid.* 6124

On n'a besoin d'élever que les hommes vulgaires; leur éducation doit seule servir d'exemple à celle de leurs semblables. Les autres s'élèvent malgré qu'on en ait. *Ibid.* 6125

Plus le corps est faible, plus il commande; plus il est fort, plus il obéit. Toutes les passions sensuelles logent dans des corps efféminés; ils s'en irritent d'autant plus qu'ils peuvent moins les satisfaire. *Ibid.* 6126

Je ne dispute donc pas que la médecine ne soit utile à quelques hommes, mais je dis qu'elle est funeste au genre humain. *Ibid.* 6127

Une des misères des gens riches est d'être trompés en tout. *Ibid.* 6128

[...] L'éducation de l'homme commence à sa naissance; avant de parler, avant que d'entendre, il s'instruit déjà. *Ibid.* 6129

La seule habitude qu'on doit laisser prendre à l'enfant est de n'en contracter aucune. *Ibid.* 6130

Toutes nos langues sont des ouvrages de l'art. On a longtemps cherché s'il y avait une langue naturelle et commune à tous les hommes; sans doute, il y en a une; et c'est celle que les enfants parlent avant de savoir parler. Cette langue n'est pas articulée, mais elle est accentuée, sonore, intelligible. *Ibid.* 6131

Toute méchanceté vient de faiblesse; l'enfant n'est méchant que parce qu'il est faible; rendez-le fort, il sera bon : celui qui pourrait tout ne ferait jamais de mal. *Ibid.* 6132

[...] Il ne faut pas une longue expérience pour sentir combien il est agréable d'agir par les mains d'autrui, et de n'avoir besoin que de remuer la langue pour faire mouvoir l'univers. *Ibid.* 6133

Resserrez donc le plus qu'il est possible le vocabulaire de l'enfant. C'est un très grand inconvénient qu'il ait plus de mots que d'idées, et qu'il sache dire plus de choses qu'il n'en peut penser. Je crois qu'une des raisons pourquoi les paysans ont généralement l'esprit plus juste que les gens de la ville, est que leur dictionnaire est moins étendu. Ils ont peu d'idées, mais ils les comparent très bien. *Ibid.* 6134

[...] La misère ne consiste pas dans la privation des choses, mais dans le besoin qui s'en fait sentir.
Le monde réel a ses bornes, le monde imaginaire est infini; ne pouvant élargir l'un, rétrécissons l'autre; car c'est de leur seule différence que naissent toutes les peines qui nous rendent vraiment malheureux. *Ibid., livre II.* 6135

6136   La domination même est servile, quand elle tient à l'opinion;
       car tu dépends des préjugés de ceux que tu gouvernes par les
       préjugés.   *Ibid.*

6137   Le seul qui fait sa volonté est celui qui n'a pas besoin,
       pour la faire, de mettre les bras d'un autre au bout des siens :
       d'où il suit que le premier de tous les biens n'est pas l'auto-
       rité, mais la liberté. L'homme vraiment libre ne veut que
       ce qu'il peut, et fait ce qu'il lui plaît.   *Ibid.*

6138   Il est bien étrange que, depuis qu'on se mêle d'élever des
       enfants, on n'ait imaginé d'autre instrument pour les con-
       duire que l'émulation, la jalousie, l'envie, la vanité, l'avidité,
       la vile crainte, toutes les passions les plus dangereuses, les
       plus promptes à fermenter, et les plus propres à corrompre
       l'âme, même avant que le corps soit formé.   *Ibid.*

6139   Oserais-je exposer ici la plus grande, la plus importante,
       la plus utile règle de toute l'éducation? ce n'est pas de gagner
       du temps, c'est d'en perdre.   *Ibid.*

6140   [...] J'aime mieux être homme à paradoxes qu'homme à
       préjugés.   *Ibid.*

6141   Cessez de vous en prendre aux autres de vos propres fautes :
       le mal que les enfants voient les corrompt moins que celui
       que vous leur apprenez.   *Ibid.*

6142   Il suit de là que les mensonges des enfants sont tous l'ou-
       vrage des maîtres, et que vouloir leur apprendre à dire la
       vérité n'est autre chose que leur apprendre à mentir. *Ibid.*

6143   Quiconque veut trouver quelques bons mots n'a qu'à dire
       beaucoup de sottises. Dieu garde de mal les gens à la mode,
       qui n'ont pas d'autre mérite pour être fêtés!   *Ibid.*

6144   Respectez l'enfance, et ne vous pressez point de la juger,
       soit en bien, soit en mal. Laissez les exceptions s'indiquer,
       se prouver, se confirmer longtemps avant d'adopter pour
       elles des méthodes particulières. Laissez longtemps agir
       la nature, avant de vous mêler d'agir à sa place, de peur de
       contrarier ses opérations.   *Ibid.*

6145   Les têtes se forment sur les langages, les pensées prennent
       la teinte des idiomes. La raison seule est commune, l'esprit
       en chaque langue a sa forme particulière; différence qui
       pourrait bien être en partie la cause ou l'effet des caractères
       nationaux; et, ce qui paraît confirmer cette conjecture
       est que, chez toutes les nations du monde, la langue suit les
       vicissitudes des mœurs, et se conserve ou s'altère comme
       elles.   *Ibid.*

6146   On fait apprendre les fables de la Fontaine à tous les enfants,
       et il n'y en a pas un seul qui les entende. Quand ils les enten-
       draient, ce serait encore pis; car la morale en est tellement
       mêlée et si disproportionnée à leur âge, qu'elle les porterait
       plus au vice qu'à la vertu.   *Ibid.*

C'est une erreur bien pitoyable d'imaginer que l'exercice du corps nuise aux opérations de l'esprit; comme si ces deux actions ne devaient pas marcher de concert, et que l'une ne dût pas toujours diriger l'autre! *Ibid.* 6147

Vous ne parviendrez jamais à faire des sages si vous ne faites d'abord des polissons. *Ibid.* 6148

Il n'y a point d'assujettissement si parfait que celui qui garde l'apparence de la liberté; on captive ainsi la volonté même. *Ibid.* 6149

Nos premiers maîtres de philosophie sont nos pieds, nos mains, nos yeux. Substituer des livres à tout cela, ce n'est pas nous apprendre à raisonner, c'est nous apprendre à nous servir de la raison d'autrui; c'est nous apprendre à beaucoup croire, et à ne jamais rien savoir. *Ibid.* 6150

Il importe de s'accoutumer d'abord à être mal couché; c'est le moyen de ne plus trouver de mauvais lit. *Ibid.* 6151

Je n'imagine rien dont, avec un peu d'adresse, on ne pût inspirer le goût, même la fureur, aux enfants, sans vanité, sans émulation, sans jalousie. Leur vivacité, leur esprit imitateur, suffisent; surtout leur gaieté naturelle, instrument dont la prise est sûre, et dont jamais précepteur ne sut s'aviser. *Ibid.* 6152

J'ai dit que la géométrie n'était pas à la portée des enfants; mais c'est notre faute. Nous ne sentons pas que leur méthode n'est point la nôtre, et que ce qui devient pour nous l'art de raisonner ne doit être pour eux que l'art de voir. Au lieu de leur donner notre méthode, nous ferions mieux de prendre la leur; car notre manière d'apprendre la géométrie est bien autant une affaire d'imagination que de raisonnement. *Ibid.* 6153

D'où vient la faiblesse de l'homme? De l'inégalité qui se trouve entre sa force et ses désirs. Ce sont nos passions qui nous rendent faibles, parce qu'il faudrait pour les contenter plus de forces que ne nous en donna la nature. Diminuez donc les désirs, c'est comme si vous augmentiez les forces : celui qui peut plus qu'il ne désire en a de reste; il est certainement un être très fort. *Ibid., livre III.* 6154

Rendez votre élève attentif aux phénomènes de la nature, bientôt vous le rendrez curieux; mais, pour nourrir sa curiosité, ne vous pressez jamais de la satisfaire. Mettez les questions à sa portée, et laissez-les lui résoudre. [...] Si jamais vous substituez dans son esprit l'autorité à la raison, il ne raisonnera plus; il ne sera plus que le jouet de l'opinion des autres. *Ibid.* 6155

C'est dans le cœur de l'homme qu'est la vie du spectacle de la nature; pour le voir, il faut le sentir. *Ibid.* 6156

[...] L'esprit de mon institution n'est pas d'enseigner à l'enfant beaucoup de choses, mais de ne laisser jamais entrer 6157

dans son cerveau que des idées justes et claires. Quand il
ne saurait rien, peu m'importe, pourvu qu'il ne se trompe pas,
et je ne mets des vérités dans sa tête que pour le garantir
des erreurs qu'il apprendrait à leur place.   *Ibid.*

6158   Du reste, jamais de comparaisons avec d'autres enfants,
point de rivaux, point de concurrents, même à la course,
aussitôt qu'il commence à raisonner; j'aime cent fois mieux
qu'il n'apprenne point ce qu'il n'apprendrait que par jalousie
ou par vanité.   *Ibid.*

6159   Je hais les livres; ils n'apprennent qu'à parler de ce qu'on
ne sait pas.   *Ibid.*

6160   Le plus sûr moyen de s'élever au-dessus des préjugés et
d'ordonner ses jugements sur les vrais rapports des choses,
est de se mettre à la place d'un homme isolé, et de juger
de tout comme cet homme en doit juger lui-même, eu
égard à sa propre utilité.   *Ibid.*

6161   Vous vous fiez à l'ordre actuel de la société sans songer
que cet ordre est sujet à des révolutions inévitables, et qu'il
vous est impossible de prévoir ni de prévenir celle qui peut
regarder vos enfants. Le grand devient petit, le riche devient
pauvre, le monarque devient sujet : les coups du sort sont-
ils si rares que vous puissiez compter d'en être exempt?
Nous approchons de l'état de crise et du siècle des révolutions.   *Ibid.*

6162   Je tiens pour impossible que les grandes monarchies de
l'Europe aient encore longtemps à durer : toutes ont brillé,
et tout État qui brille est sur son déclin. J'ai de mon opinion
des raisons plus particulières que cette maxime; mais il
n'est pas à propos de les dire, et chacun ne les voit que trop.
                                                        Ibid., note.

6163   Nos passions sont les principaux instruments de notre
conservation : c'est donc une entreprise aussi vaine que
ridicule de vouloir les détruire.   *Ibid., livre IV.*

6164   Ce qui nous sert, on le cherche; mais ce qui nous veut servir,
on l'aime. Ce qui nous nuit, on le fuit; mais ce qui nous veut
nuire, on le hait.   *Ibid.*

6165   Loin que l'amour vienne de la nature, il est la règle et le
frein de ses penchants : c'est par lui qu'excepté l'objet aimé,
un sexe n'est plus rien pour l'autre.   *Ibid.*

6166   Quiconque rougit est déjà coupable; la vraie innocence n'a
honte de rien.   *Ibid.*

6167   C'est la faiblesse de l'homme qui le rend sociable; ce sont
nos misères communes qui portent nos cœurs à l'humanité :
nous ne lui devrions rien si nous n'étions pas hommes.
Tout attachement est un signe d'insuffisance : si chacun de
nous n'avait nul besoin des autres, il ne songerait guère à
s'unir à eux. Ainsi de notre infirmité même naît notre frêle
bonheur.   *Ibid.*

Un homme vraiment heureux ne parle guère et ne rit guère;   6168
il resserre pour ainsi dire le bonheur autour de son cœur.
Ibid.

Toujours la multitude sera sacrifiée au petit nombre, et   6169
l'intérêt public à l'intérêt particulier; toujours ces noms
spécieux de justice et de subordination serviront d'instruments à la violence et d'armes à l'iniquité.   *Ibid.*

La femme a tout contre elle, nos défauts, sa timidité, sa   6170
faiblesse; elle n'a pour elle que son art et sa beauté. N'est-il
pas juste qu'elle cultive l'un et l'autre? Mais la beauté n'est
pas générale; elle périt par mille accidents, elle passe avec
les années; l'habitude en détruit l'effet. L'esprit seul est
la véritable ressource du sexe.   *Ibid., livre V.*

L'homme dit ce qu'il sait, la femme dit ce qui plaît.   *Ibid.*   6171

Dans la société, les manières qu'on prend avec tous les   6172
hommes ne laissent pas de plaire à chacun; pourvu qu'on
soit bien traité, l'on n'y regarde pas de si près sur les préférences; mais en amour, une faveur qui n'est pas exclusive
est une injure.   *Ibid.*

L'essentiel est d'être ce que nous fit la nature; on n'est tou-   6173
jours que trop ce que les hommes veulent que l'on soit.
Ibid.

Tout n'est qu'illusion dans l'amour, je l'avoue; mais ce qui   6174
est réel, ce sont les sentiments dont il nous anime pour le
vrai beau qu'il nous fait aimer. Ce beau n'est point dans
l'objet qu'on aime, il est l'ouvrage de nos erreurs. Eh!
qu'importe? En sacrifie-t-on moins tous ses sentiments bas
à ce modèle imaginaire?   *Ibid.*

Naturellement l'homme ne pense guère. Penser est un art   6175
qu'il apprend comme tous les autres, et même plus difficilement. Je ne connais pour les deux sexes que deux classes
réellement distinguées : l'une des gens qui pensent, l'autre
des gens qui ne pensent point; et cette différence vient
presque uniquement de l'éducation.   *Ibid.*

La femme du monde la plus honnête sait peut-être le moins   6176
ce que c'est qu'honnêteté.   *Ibid.*

Toute fille lettrée restera fille toute sa vie, quand il n'y aura   6177
que des hommes sensés sur la terre.   *Ibid.*

A moins qu'une belle femme ne soit un ange, son mari est   6178
le plus malheureux des hommes.   *Ibid.*

Les hommes disent que la vie est courte, et je vois qu'ils   6179
s'efforcent de la rendre telle.   *Ibid.*

Je ne conçois qu'une manière de voyager plus agréable que   6180
d'aller à cheval; c'est d'aller à pied.   *Ibid.*

6181   On ne voit pas qu'une première impression, aussi vive que celle de l'amour ou du penchant qui tient sa place, a de longs effets dont on n'aperçoit point la chaîne dans le progrès des ans, mais qui ne cessent d'agir jusqu'à la mort. *Ibid.*

6182   Sophie sait bien qu'une parure plus recherchée est une déclaration; mais elle ne sait pas qu'une parure plus négligée en est une autre. *Ibid.*

6183   Quiconque revient de courir le monde est à son retour ce qu'il sera toute sa vie : il en revient plus de méchants que de bons, parce qu'il en part plus d'enclins au mal qu'au bien. *Ibid.*

6184   Le droit politique est encore à naître, et il est à présumer qu'il ne naîtra jamais. *Ibid.*

6185   Me voici donc seul sur la terre, n'ayant plus de frère, de prochain, d'ami, de société que moi-même. Le plus sociable et le plus aimant des humains en a été proscrit par un accord unanime. [...] J'aurais aimé les hommes en dépit d'eux-mêmes.
Les Rêveries du promeneur solitaire, Première promenade.

6186   Tout est fini pour moi sur la terre. On ne peut plus m'y faire ni bien ni mal. Il ne me reste plus rien à espérer ni à craindre en ce monde, et m'y voilà tranquille au fond de l'abîme, pauvre mortel infortuné, mais impassible comme Dieu même. *Ibid.*

6187   L'habitude de rentrer en moi-même me fit perdre enfin le sentiment et presque le souvenir de mes maux, j'appris ainsi par ma propre expérience que la source du vrai bonheur est en nous, et qu'il ne dépend pas des hommes de rendre vraiment misérable celui qui sait vouloir être heureux.
Ibid., Seconde promenade.

6188   La jeunesse est le temps d'étudier la sagesse; la vieillesse est le temps de la pratiquer. L'expérience instruit toujours, je l'avoue; mais elle ne profite que pour l'espace qu'on a devant soi. Est-il temps au moment qu'il faut mourir d'apprendre comment on aurait dû vivre?
Ibid., Troisième promenade.

6189   Je n'ai appris à mieux connaître les hommes que pour mieux sentir la misère où ils m'ont plongé, sans que cette connaissance, en me découvrant tous leurs pièges, m'en ait pu faire éviter aucun. *Ibid.*

6190   Tous les vieillards tiennent plus à la vie que les enfants et en sortent de plus mauvaise grâce que les jeunes gens. C'est que tous leurs travaux ayant été pour cette même vie, ils voient à sa fin qu'ils ont perdu leurs peines. *Ibid.*

6191   Jeté dès mon enfance dans le tourbillon du monde, j'appris de bonne heure par l'expérience que je n'étais pas fait pour y vivre, et que je n'y parviendrais jamais à l'état dont mon cœur sentait le besoin. *Ibid.*

Ce qu'on doit faire dépend beaucoup de ce qu'on doit croire, 6192
et dans tout ce qui ne tient pas aux premiers besoins de la
nature nos opinions sont la règle de nos actions. Dans ce
principe, qui fut toujours le mien, j'ai cherché souvent et
longtemps, pour diriger l'emploi de ma vie, à connaître sa
véritable fin, et je me suis bientôt consolé de mon peu
d'aptitude à me conduire habilement dans ce monde, en
sentant qu'il n'y fallait pas chercher cette fin. *Ibid.*

La vérité générale et abstraite est le plus précieux de tous les 6193
biens. Sans elle l'homme est aveugle; elle est l'œil de la
raison. C'est par elle que l'homme apprend à se conduire,
à être ce qu'il doit être, à faire ce qu'il doit faire, à tendre
à sa véritable fin. La vérité particulière et individuelle n'est
pas toujours un bien, elle est quelquefois un mal, très souvent
une chose indifférente. *Ibid., Quatrième promenade.*

[...] Puisque la propriété n'est fondée que sur l'utilité, où 6194
il n'y a point d'utilité possible il ne peut y avoir de propriété.
Ibid.

Dans l'ordre moral rien n'est inutile non plus que dans 6195
l'ordre physique. Rien ne peut être dû de ce qui n'est bon
à rien; pour qu'une chose soit due, il faut qu'elle soit ou
puisse être utile. *Ibid.*

[...] En fait de vérités inutiles, l'erreur n'a rien de pire que 6196
l'ignorance. *Ibid.*

[...] Suffit-il de n'être jamais injuste pour être toujours 6197
innocent? *Ibid.*

S'il faut être juste pour autrui, il faut être vrai pour soi, 6198
c'est un hommage que l'honnête homme doit rendre à sa
propre dignité. *Ibid.*

Jamais la fausseté ne dicta mes mensonges, ils sont tous venus 6199
de faiblesse, mais cela m'excuse très mal. Avec une âme
faible on peut tout au plus se garantir du vice, mais c'est
être arrogant et téméraire d'oser professer de grandes vertus.
Ibid.

[...] M'étendant tout de mon long dans le bateau les yeux 6200
tournés vers le ciel, je me laissais aller et dériver lentement
au gré de l'eau, quelquefois pendant plusieurs heures,
plongé dans mille rêveries confuses mais délicieuses, et qui
sans avoir aucun objet bien déterminé ni constant ne
laissaient pas d'être à mon gré cent fois préférables à tout ce
que j'avais trouvé de plus doux dans ce qu'on appelle les
plaisirs de la vie. *Ibid., Cinquième promenade.*

Le flux et le reflux de cette eau, son bruit continu mais renflé 6201
par intervalles frappant sans relâche mon oreille et mes yeux,
suppléaient aux mouvements internes que la rêverie éteignait
en moi et suffisaient pour me faire sentir avec plaisir mon
existence, sans prendre la peine de penser. *Ibid.*

6202   [...] Le bonheur que mon cœur regrette n'est point composé
       d'instants fugitifs mais un état simple et permanent, qui
       n'a rien de vif en lui-même, mais dont la durée accroît le
       charme au point d'y trouver enfin la suprême félicité.
                                                              Ibid.

6203   Tout est dans un flux continuel sur la terre. Rien n'y garde
       une forme constante et arrêtée, et nos affections qui s'atta-
       chent aux choses extérieures passent et changent nécessaire-
       ment comme elles. Toujours en avant ou en arrière de nous,
       elles rappellent le passé qui n'est plus ou préviennent l'avenir
       qui souvent ne doit point être.   *Ibid.*

6204   Le sentiment de l'existence dépouillé de toute autre affection
       est par lui-même un sentiment précieux de contentement
       et de paix, qui suffirait seul pour rendre cette existence chère
       et douce [...]   *Ibid.*

6205   Né sensible et bon, portant la pitié jusqu'à la faiblesse, et
       me sentant exalter l'âme par tout ce qui tient à la générosité,
       je fus humain, bienfaisant, secourable, par goût, par passion
       même, tant qu'on n'intéressa que mon cœur; j'eusse été le
       meilleur et le plus clément des hommes si j'en avais été
       le plus puissant, et pour éteindre en moi tout désir de ven-
       geance il m'eût suffi de pouvoir me venger.
                                        Ibid., Sixième promenade.

6206   Quand je paye une dette c'est un devoir que je remplis;
       quand je fais un don c'est un plaisir que je me donne. Or le
       plaisir de remplir ses devoirs est de ceux que la seule habitude
       de la vertu fait naître : ceux qui nous viennent immédiatement
       de la nature ne s'élèvent pas si haut que cela.   *Ibid.*

6207   [...] Je m'aime trop moi-même pour pouvoir haïr qui que ce
       soit. Ce serait resserrer, comprimer mon existence, et je
       voudrais plutôt l'étendre sur tout l'univers.   *Ibid.*

6208   [...] Après ma propre histoire il faudrait que je fusse insensé
       pour adopter sur quoi que ce fût le jugement des hommes,
       et pour croire aucune chose sur la foi d'autrui.   *Ibid.*

6209   C'est la force et la liberté qui font les excellents hommes.
       La faiblesse et l'esclavage n'ont fait jamais que des méchants.
                                                              Ibid.

6210   Celui que sa puissance met au-dessus de l'homme doit être
       au-dessus des faiblesses de l'humanité, sans quoi cet excès
       de force ne servira qu'à le mettre en effet au-dessous des
       autres et de ce qu'il eût été lui-même s'il fût resté leur égal.
                                                              Ibid.

6211   Lorsqu'il faut faire le contraire de ma volonté, je ne le fais
       point, quoi qu'il arrive; je ne fais pas non plus ma volonté
       même, parce que je suis faible. Je m'abstiens d'agir : car
       toute ma faiblesse est pour l'action, toute ma force est néga-
       tive, et tous mes péchés sont d'omission, rarement de
       commission.   *Ibid.*

Plus un contemplateur a l'âme sensible plus il se livre aux extases qu'excite en lui cet accord. Une rêverie douce et profonde s'empare alors de ses sens, et il se perd avec une délicieuse ivresse dans l'immensité de ce beau système avec lequel il se sent identifié. *Ibid., Septième promenade.* 6212

[...] Les règles sur lesquelles les hommes fondent leurs opinions ne sont tirées que de leurs passions ou de leurs préjugés qui en sont l'ouvrage, et [...] lors même qu'ils jugent bien, souvent encore ces bons jugements naissent d'un mauvais principe, comme lorsqu'ils feignent d'honorer en quelque succès le mérite d'un homme non par esprit de justice mais pour se donner un air impartial en calomniant tout à leur aise le même homme sur d'autres points. *Ibid., Huitième promenade.* 6213

Dans tous les maux qui nous arrivent, nous regardons plus à l'intention qu'à l'effet. Une tuile qui tombe d'un toit peut nous blesser davantage mais ne nous navre pas tant qu'une pierre lancée à dessein par une main malveillante. Le coup porte à faux quelquefois mais l'intention ne manque jamais son atteinte. *Ibid.* 6214

Un innocent persécuté prend longtemps pour un pur amour de la justice l'orgueil de son petit individu. *Ibid.* 6215

Je cède à toutes les impulsions présentes, tout choc me donne un mouvement vif et court; sitôt qu'il n'y a plus de choc, le mouvement cesse, rien de communiqué ne peut se prolonger en moi. *Ibid.* 6216

Le bonheur est un état permanent qui ne semble pas fait ici-bas pour l'homme. Tout est sur la terre dans un flux continuel qui ne permet à rien d'y prendre une forme constante. Tout change autour de nous. Nous changeons nous-mêmes et nul ne peut s'assurer qu'il aimera demain ce qu'il aime aujourd'hui. *Ibid., Neuvième promenade.* 6217

J'ai remarqué qu'il n'y a que l'Europe seule où l'on vende l'hospitalité. Dans toute l'Asie on vous loge gratuitement, je comprends qu'on n'y trouve pas si bien toutes ses aises. Mais n'est-ce rien que de se dire : je suis homme et reçu chez des humains. C'est l'humanité pure qui me donne le couvert. *Ibid.* 6218

Dans la simplicité de mœurs que l'éducation m'avait donnée je vis longtemps prolonger pour moi cet état délicieux mais rapide où l'amour et l'innocence habitent le même cœur. *Ibid., Dixième promenade.* 6219

Je forme une entreprise qui n'eut jamais d'exemple et dont l'exécution n'aura point d'imitateur. Je veux montrer à mes semblables un homme dans toute la vérité de la nature; et cet homme ce sera moi. *Les Confessions, Première partie, livre I.* 6220

[...] Je coûtai la vie à ma mère, et ma naissance fut le premier de mes malheurs. *Ibid.* 6221

6222   Je sentis avant de penser : c'est le sort commun de l'huma-
       nité. Je l'éprouvai plus qu'un autre.   *Ibid.*

6223   Ce sont presque toujours de bons sentiments mal dirigés
       qui font faire aux enfants le premier pas vers le mal.   *Ibid.*

6224   J'aime les seuls biens qui ne sont à personne qu'au premier
       qui sait les goûter.   *Ibid.*

6225   L'argent qu'on possède est l'instrument de la liberté; celui
       qu'on pourchasse est celui de la servitude.   *Ibid.*

6226   On sent, je crois, qu'avoir de la religion, pour un enfant,
       et même pour un homme, c'est suivre celle où il est né.
       Quelquefois on en ôte; rarement on y ajoute.
                                                      Ibid., livre II.

6227   Un homme qu'on interroge commence par cela seul à se
       mettre en garde, et s'il croit que, sans prendre à lui un
       véritable intérêt, on ne veut que le faire jaser, il ment, ou
       se tait, ou redouble d'attention sur lui-même, et aime encore
       mieux passer pour un sot que d'être dupe de votre curiosité.
       Enfin c'est toujours un mauvais moyen de lire dans le cœur
       des autres que d'affecter de cacher le sien.   *Ibid.*

6228   [...] Le remords s'endort durant un destin prospère, et s'aigrit
       dans l'adversité.   *Ibid.*

6229   Quoique cette sensibilité de cœur, qui nous fait vraiment
       jouir de nous, soit l'ouvrage de la nature et peut-être un
       produit de l'organisation, elle a besoin de situations qui la
       développent. Sans ces causes occasionnelles, un homme né
       très sensible ne sentirait rien, et mourrait sans avoir connu
       son être.   *Ibid., livre III.*

6230   On dirait que mon cœur et mon esprit n'appartiennent pas
       au même individu. Le sentiment, plus prompt que l'éclair,
       vient remplir mon âme, mais au lieu de m'éclairer, il me brûle
       et m'éblouit. Je sens tout et je ne vois rien. Je suis emporté,
       mais stupide; il faut que je sois de sang-froid pour penser.
                                                                 Ibid.

6231   [...] Je ne sais rien voir de ce que je vois; je ne vois bien que
       ce que je me rappelle, et je n'ai de l'esprit que dans mes
       souvenirs.   *Ibid.*

6232   Ce n'est pas quand une vilaine action vient d'être faite qu'elle
       nous tourmente, c'est quand longtemps après on se la rap-
       pelle; car le souvenir ne s'en éteint point.
                                                       Ibid., livre IV.

6233   L'innocence des mœurs a sa volupté, qui vaut bien l'autre,
       parce qu'elle n'a point d'intervalle et qu'elle agit continuel-
       lement.   *Ibid.*

6234   J'ai toujours trouvé dans le sexe une grande vertu consola-
       trice, et rien n'adoucit plus mes afflictions dans mes dis-
       grâces que de sentir qu'une personne aimable y prend intérêt.
                                                                 Ibid.

Plus j'ai vu le monde, moins j'ai pu me faire à son ton.   6235
Ibid.

[...] Il est impossible aux hommes et difficile à la nature elle-   6236
même de passer en richesse mon imagination.   *Ibid.*

On dit que chez les mahométans un homme passe au point   6237
du jour dans les rues pour ordonner aux maris de rendre le
devoir à leurs femmes. Je serais un mauvais Turc à ces
heures-là.   *Ibid., livre V.*

[...] Jamais toute la morale d'un pédagogue ne vaudra le   6238
bavardage affectueux et tendre d'une femme sensée pour qui
l'on a de l'attachement.   *Ibid.*

[...] Si je retournais dans le monde, j'aurais toujours dans ma   6239
poche un bilboquet, et j'en jouerais toute la journée pour me
dispenser de parler quand je n'aurais rien à dire [...] Enfin,
que les plaisants rient, s'ils veulent, mais je soutiens que la
seule morale à la portée du présent siècle est la morale du
bilboquet.   *Ibid.*

L'épée use le fourreau, dit-on quelquefois. Voilà mon his-   6240
toire. Mes passions m'ont fait vivre, et mes passions m'ont
tué.   *Ibid.*

Ah! si jamais une seule fois dans ma vie j'avais goûté dans   6241
leur plénitude toutes les délices de l'amour, je n'imagine
pas que ma frêle existence y eût pu suffire; je serais mort sur
le fait.   *Ibid.*

En général, les croyants font Dieu comme ils sont eux-mêmes;   6242
les bons le font bon, les méchants le font méchant; les dévots,
haineux et bilieux, ne voient que l'enfer, parce qu'ils voudraient damner tout le monde; les âmes aimantes et douces
n'y croient guère; et l'un des étonnements dont je ne reviens
point est de voir le bon Fénelon en parler dans son *Télémaque* comme s'il y croyait tout de bon : mais j'espère qu'il
mentait alors; car enfin, quelque véridique qu'on soit, il
faut bien mentir quelquefois quand on est évêque.
Ibid., livre VI.

[...] Il faut avouer qu'en effet, et dans ce monde et dans   6243
l'autre, les méchants sont toujours bien embarrassants.
Ibid.

Auprès des personnes qu'on aime, le sentiment nourrit   6244
l'esprit ainsi que le cœur, et l'on a peu besoin de chercher
ailleurs des idées.   *Ibid., Deuxième partie, livre VII.*

C'est à moi d'être vrai, c'est au lecteur d'être juste. Je ne lui   6245
demanderai jamais rien de plus.   *Ibid., livre VIII.*

Mon plus grand malheur fut toujours de ne pouvoir résister   6246
aux caresses. Je ne me suis jamais bien trouvé d'y avoir cédé.
Ibid.

6247   Du faible au fort, ce serait voler; du fort au faible, c'est seule-
       ment s'approprier le bien d'autrui.   *Ibid.*

6248   Insensés qui vous plaignez sans cesse de la nature, apprenez
       que tous vos maux vous viennent de vous.   *Ibid.*

6249   Non, non : j'ai toujours senti que l'état d'auteur n'était,
       ne pouvait être illustre et respectable qu'autant qu'il n'était
       pas un métier. Il est trop difficile de penser noblement quand
       on ne pense que pour vivre. Pour pouvoir, pour oser dire de
       grandes vérités, il ne faut pas dépendre de son succès.
                                                 Ibid., livre IX.

6250   Les climats, les saisons, les sons, les couleurs, l'obscurité,
       la lumière, les éléments, les aliments, le bruit, le silence, le
       mouvement, le repos, tout agit sur notre machine, et sur
       notre âme; par conséquent tout nous offre mille prises
       presque assurées, pour gouverner dans leur origine les senti-
       ments dont nous nous laissons dominer.   *Ibid.*

6251   [...] Jamais mon cœur ni mes sens n'ont su voir une femme
       dans quelqu'une qui n'eût pas des tétons.   *Ibid.*

6252   Quand je ne vis plus les hommes, je cessai de les mépriser;
       quand je ne vis plus les méchants, je cessai de les haïr. *Ibid.*

6253   C'est surtout dans la solitude qu'on sent l'avantage de vivre
       avec quelqu'un qui sait penser.   *Ibid.*

6254   L'impossibilité d'atteindre aux êtres réels me jeta dans le pays
       des chimères, et ne voyant rien d'existant qui fût digne de
       mon délire, je le nourris dans un monde idéal, que mon
       imagination créatrice eut bientôt peuplé d'êtres selon mon
       cœur. [...] Dans mes continuelles extases, je m'enivrais à
       torrents des plus délicieux sentiments qui jamais soient
       entrés dans un cœur d'homme.   *Ibid.*

6255   Voltaire, en paraissant toujours croire en Dieu, n'a réelle-
       ment jamais cru qu'au Diable, puisque son Dieu prétendu
       n'est qu'un être malfaisant qui, selon lui, ne prend de plaisir
       qu'à nuire.   *Ibid.*

6256   Grande leçon pour les âmes honnêtes, que le vice n'attaque
       jamais à découvert, mais qu'il trouve le moyen de surprendre,
       en se masquant toujours de quelque sophisme, et souvent
       de quelque vertu.   *Ibid.*

6257   J'ai dit quelque part qu'il ne faut rien accorder aux sens
       quand on veut leur refuser quelque chose.   *Ibid.*

6258   Les femmes ont toutes l'art de cacher leur fureur, surtout
       quand elle est vive.   *Ibid.*

6259   Contre ce qui est fait, il n'y a plus de précautions à prendre,
       et il est inutile de s'en occuper. J'épuise en quelque façon
       mon malheur d'avance; plus j'ai souffert à le prévoir, plus
       j'ai de facilité à l'oublier; tandis qu'au contraire, sans cesse
       occupé de mon bonheur passé, je le rappelle et le rumine,
       pour ainsi dire, au point d'en jouir derechef quand je veux [...]
                                                 Ibid., livre XI.

Seul je n'ai jamais connu l'ennui, même dans le plus parfait   6260
désœuvrement : mon imagination, remplissant tous les vides,
suffit seule pour m'occuper. Il n'y a que le bavardage inactif
de chambre, assis les uns vis-à-vis des autres à ne mouvoir
que la langue, que jamais je n'ai pu supporter.
Ibid., livre XII.

Mais, dites-moi, qui est-ce qui sait aimer, si ce n'est un cœur   6261
sensible? Les cœurs sensibles ne le sont-ils pas à toutes les
sortes d'affections? et peut-il y naître un seul sentiment qui
ne tourne au profit de celui qui les domine?
Correspondance, à M. de Saint-Lambert, 4 septembre 1757.

Oh! que je connais bien tous les sens de ce mot d'amitié!   6262
C'est un beau nom, qui sert souvent de gage à la servitude.
J'aimerai toujours à servir mon ami, pourvu qu'il soit aussi
pauvre que moi. S'il est plus riche, soyons libres tous deux,
ou qu'il me serve lui-même; car son pain est tout gagné, et
il a plus de temps à donner à ses plaisirs.
Ibid., à M. Grimm, 19 octobre 1757.

Quoi que vous en disiez, on ne fuit point les hommes quand   6263
on cherche à leur nuire; le méchant peut méditer ses coups
dans la solitude, mais c'est dans la société qu'il les porte.
Ibid., à M. Diderot, 2 mars 1758.

Quiconque a le courage de paraître toujours ce qu'il est   6264
deviendra tôt ou tard ce qu'il doit être; mais il n'y a plus
rien à espérer de ceux qui se font un caractère de parade.
Ibid., à Sophie, 13 juillet 1758.

L'on n'est jamais bien quand on n'est pas à sa place; et,   6265
dès qu'on en sort, on ne sait plus comment y rentrer.
Ibid., à M. le chevalier de Lorenzy, 21 mai 1759.

Quand tous mes rêves se seraient tournés en réalités, ils ne   6266
m'auraient pas suffi : j'aurais imaginé, rêvé, désiré encore.
Je trouvais en moi un vide inexplicable que rien n'aurait
pu remplir, un certain élancement de cœur vers une autre
sorte de jouissance [...] *Troisième lettre à Malesherbes.*

[...] L'esprit perdu dans cette immensité, je ne pensais pas,   6267
je ne raisonnais pas, je ne philosophais pas : je me sentais,
avec une sorte de volupté, accablé du poids de cet univers,
je me livrais avec ravissement à la confusion de ces grandes
idées, j'aimais à me perdre en imagination dans l'espace;
mon cœur, resserré dans les bornes des êtres, s'y trouvait
trop à l'étroit, j'étouffais dans l'univers, j'aurais voulu
m'élancer dans l'infini.   *Ibid.*

La loi de bien faire est tirée de la raison même; et le chrétien   6268
n'a besoin que de logique pour avoir de la vertu.
Ibid., à M. d'Offreville, 4 octobre 1761.

La vertu ne donne pas le bonheur, mais elle seule apprend   6269
à en jouir quand on l'a : la vertu ne garantit pas des maux
de cette vie et n'en procure pas les biens; c'est ce que ne fait

pas non plus le vice avec toutes ses ruses; mais la vertu fait porter plus patiemment les uns et goûter plus délicieusement les autres.   *Ibid.*

6270   L'amour-propre m'a souvent égaré par mon aversion même pour le mensonge; j'ai haï le despotisme en républicain, et l'intolérance en théiste.
Ibid., à Mme la Comtesse de Boufflers, août 1762.

6271   Je connais trop les hommes pour ignorer que souvent l'offensé pardonne, mais que l'offenseur ne pardonne jamais.
Ibid., à M. Pictet, 23 septembre 1762.

6272   Ce ton que la décence et l'honnêteté même rendent séducteur, ce ton que les Françaises savent si bien prendre quand elles veulent, qui montre du sentiment, de l'âme, et qui promet des héroïnes de roman.
Ibid., à M. le Maréchal de Luxembourg, 20 janvier 1763.

6273   Je ne connais rien de si difficile quand on est riche que de faire usage de sa richesse pour aller à ses fins. L'argent est un ressort dans la mécanique morale, mais il repousse toujours la main qui le fait agir.
Ibid., au Prince Louis-Eugène de Wirtemberg, 10 novembre 1763.

6274   Je ris toujours de vos Parisiens, de ces esprits si subtils, de ces jolis faiseurs d'épigrammes, que leur Voltaire mène incessamment avec des contes de vieilles, qu'on ne ferait pas croire aux enfants.   *Ibid., à M. Le Nieps, 8 février 1765.*

6275   Faire un homme heureux, c'est mériter de l'être.
Ibid., à M. Hume, 22 mars 1766.

6276   Ah! madame, les races de gens de bien sont si rares sur la terre! [...] A la place des simples et vrais sentiments de la nature, qu'on étouffe, on a fourré dans la société je ne sais quels raffinements de délicatesse que je ne saurais souffrir.
Ibid., à Mme la Marquise de Verdelin, août 1766.

6277   Ayez un petit nombre d'amis sûrs, et tenez-vous-en à leur commerce : ayez-en, si vous voulez, qui aient de la littérature, cela jette de l'agrément dans la société; mais point de gens de lettres de profession, sur toute chose; jamais aucun auteur, quel qu'il soit.   *Ibid.*

6278   [...] Le sang d'un seul homme est d'un plus grand prix que la liberté de tout le genre humain.
*Ibid., à Mme ***, 27 septembre 1766.*

6279   [...] Quiconque veut être libre l'est en effet.   *Ibid.*

6280   [...] L'entendement humain n'a toujours qu'une même mesure et très étroite, [...] il perd d'un côté tout autant qu'il gagne de l'autre, et [...] des préjugés toujours renaissants nous ôtent autant de lumières acquises que la raison cultivée en peut remplacer.
Ibid., à M. le Marquis de Mirabeau, 26 juillet 1767.

Il me semble que l'évidence ne peut jamais être dans les lois naturelles et politiques qu'en les considérant par abstraction. 6281
Ibid.

Presque tous les hommes connaissent leurs vrais intérêts, et ne les suivent pas mieux pour cela. Le prodigue qui mange ses capitaux sait parfaitement qu'il se ruine, et n'en va pas moins son train : de quoi sert que la raison nous éclaire quand la passion nous conduit ? 6282
Ibid.

Voici, dans mes vieilles idées, le grand problème en politique, que je compare à celui de la quadrature du cercle en géométrie et à celui des longitudes en astronomie : Trouver une forme de gouvernement qui mette la loi au-dessus de l'homme. [...] Si malheureusement cette forme n'est pas trouvable, et j'avoue ingénument que je crois qu'elle ne l'est pas, mon avis est qu'il faut passer à l'autre extrémité, et mettre tout d'un coup l'homme autant au-dessus de la loi qu'il peut l'être, par conséquent établir le despotisme arbitraire et le plus arbitraire qu'il est possible : je voudrais que le despote pût être dieu. 6283
Ibid.

Le peuple, qui fut mon idole, ne voit en moi qu'une perruque mal peignée et un homme crotté. 6284
Ibid., à une dame de Lyon, 3 septembre 1768.

Les chefs du peuple, élevés sur mes épaules, voudraient me cacher si bien que l'on ne vît qu'eux. 6285
Ibid.

Je meurs en détail dans tous ceux qui m'aiment. 6286
Ibid., à M. Moultou, 5 novembre 1768.

Que seule [la paix de l'âme] tienne lieu de tout et rende seule heureux les infortunés, voilà ce que j'avoue ne pouvoir admettre, ne pouvant, tant que je suis homme, compter totalement pour rien la voix de la nature pâtissante et le cri de l'innocence avilie. 6287
Ibid., à M. Dupeyrou, 21 novembre 1768.

La bonté de cœur et l'équité d'un honnête homme vaut cent fois mieux que l'amitié d'un coquin. 6288
Ibid., à Mme Rousseau, 12 août 1769.

Les scélérats endurcis au crime ont des fronts d'airain, mais l'innocence rougit et pleure en se voyant couvrir de fange. Une âme noble et fière a beau se raidir et s'élever, un tempérament timide ne peut se refondre [...] 6289
Ibid., à M. de Saint-Germain, 26 février 1770.

J'espère qu'un jour on jugera de ce que je fus par ce que j'ai su souffrir. 6290
Ibid.

On ne déshonore point un homme qui sait mourir. 6291
Ibid., à M. l'A. M., 14 mars 1770.

DENIS DIDEROT
1713-1784

6292   Erguebzed [...] pressé par des sentiments de religion, pro-
       nostics certains de la mort prochaine [...] descendit du trône
       pour y placer son fils.   *Les Bijoux indiscrets, chap. 2.*

6293   [...] Alcine lui jura que ces calomnies étaient les discours
       de quelques fats qui se seraient tus, s'ils avaient eu des raisons
       de parler [...]   *Ibid., chap. 6.*

6294   La passion du jeu est une des moins dissimulées; elle se
       manifeste, soit dans le gain, soit dans la perte, par des symp-
       tômes frappants.   *Ibid., chap. 12*

6295   L'on sait que les dettes du jeu sont les seules qu'on paye dans
       le monde.   *Ibid.*

6296   [...] Quoi de plus commun que de se croire deux nez au visage,
       et de se moquer de celui qui se croit deux trous au cul?
                                                Ibid., chap. 16.

6297   Les grandes villes fourmillent de gens que la misère rend
       industrieux. Ils ne volent ni ne filoutent; mais ils sont aux
       filous, ce que les filous sont aux fripons.   *Ibid., chap. 17.*

6298   [...] Dans notre monde rien n'est plus conforme aux lois
       qu'un mariage; et rien n'est souvent plus contraire au bonheur
       et à la raison.   *Ibid., chap. 18.*

6299   Je voudrais bien que vous me disiez à quoi sert cette hypo-
       crisie qui vous est commune à toutes, sages ou libertines.
       Sont-ce les choses qui vous effarouchent? Non; car vous
       les savez. Sont-ce les mots? en vérité, cela n'en vaut pas la
       peine. S'il est ridicule de rougir de l'action, ne l'est-il pas
       infiniment davantage de rougir de l'expression?   *Ibid.*

6300   Il faut une terrible passion pour tenir contre une humiliation
       qui ne finit point.   *Ibid., chap. 19.*

6301   En fait de modes, ce sont les fous qui donnent la loi aux sages,
       les courtisanes qui la donnent aux honnêtes femmes [...]
       Nous rions en voyant les portraits de nos aïeux, sans penser
       que nos neveux riront en voyant les nôtres.   *Ibid.*

6302   C'est un air à une femme que d'avoir des vapeurs. Sans
       amants et sans vapeurs, on n'a aucun usage du monde;
       et il n'y a pas une bourgeoise à Banza qui ne s'en donne.
                                                Ibid., chap. 23.

6303   J'ai remarqué dans plus d'une occasion, que telle qui croyait
       suivre sa tête, obéissait à son bijou. Un grand philosophe
       plaçait l'âme, la nôtre s'entend, dans la glande pinéale.
       Si j'en accordais une aux femmes, je sais bien, moi, où je la
       placerais.   *Ibid., chap. 25.*

Je ne me pique pas d'argumenter. Je parle sentiment : 6304
c'est notre philosophie à nous autres femmes [...]
Ibid., chap. 29.

A quoi ne fût-il point parvenu, s'il eût été bel esprit? Une 6305
place à l'Académie était la moindre récompense qu'il pouvait
espérer ; mais malheureusement il ne savait que deux ou trois
cents mots, et n'avait jamais pu parvenir à en composer
deux ritournelles. *Ibid.*

On n'est point toujours une bête pour l'avoir été quelquefois. 6306
Ibid., chap. 30.

Un homme de cœur ne doit point entrer chez la plupart des 6307
grands, ou doit laisser ses sentiments à la porte.
Ibid., chap. 31.

Il n'a jamais pensé; et s'il n'eût point appris de rôles, peut- 6308
être ne parlerait-il pas... *Ibid., chap. 37.*

Les princes et les rois marchent-ils autrement qu'un homme 6309
qui marche bien? Ont-ils jamais gesticulé comme des possédés
ou des furieux? Les princesses poussent-elles, en parlant,
des sifflements aigus? *Ibid., chap. 38.*

De la façon dont elle est tournée, elle a dû sortir du sein 6310
de la nature comme un boulet de la bouche d'un canon.
Ibid., chap. 39.

Il n'est pas nécessaire d'entendre une langue pour la traduire, 6311
puisque l'on ne traduit que pour des gens qui ne l'entendent
point. *Ibid., chap. 42.*

Pour de l'esprit, on lui en reconnaît tout ce que la galanterie 6312
en peut communiquer, et il faut qu'une femme soit née bien
imbécile pour n'avoir pas au moins du jargon, après une
vingtaine d'intrigues. *Ibid., chap. 43.*

Si l'estime n'enivre pas, elle ajoute du moins beaucoup à 6313
l'ivresse. *Ibid.*

Tout bien calculé, je conclus qu'il vaut encore mieux aimer 6314
comme on aime à présent; en prendre à son aise; tenir tant
qu'on s'amuse; quitter dès qu'on s'ennuie, ou que la fantaisie
parle pour un autre. L'inconstance offre une variété de plaisirs
inconnus à vous autres transis. *Ibid.*

Une des occupations de ces dames, c'est de se procurer 6315
des amants [...] Elles possèdent je ne sais combien de petites
finesses pour attirer celui qu'elles ont en vue et cent tracasseries en réserve pour se débarrasser de celui qu'elles ont.
Ibid., chap. 46.

L'amant soupçonneux est un chat à qui l'oreille démange 6316
dans un temps nébuleux : les animaux et les amants ont encore
ceci de commun, que les animaux domestiques perdent
cet instinct, et qu'il s'émousse dans les amants lorsqu'ils
sont devenus époux. *Ibid., chap. 49.*

6317   Nos vertus ne sont pas plus désintéressées que nos vices.
        Le brave poursuit la gloire en s'exposant à des dangers;
        le lâche aime le repos et la vie; et l'amant veut jouir.
                                                Ibid., chap. 53.

6318   Ceux qui m'ont consolée, m'ont souvent dit de mes pensées,
        les uns que c'étaient autant d'instigations de Satan, et les
        autres, autant d'inspirations de Dieu. Le même mal vient,
        ou de Dieu qui nous éprouve, ou du diable qui nous tente.
                                                La Religieuse.

6319   On n'invoque presque jamais la voix du ciel, que quand on
        ne sait à quoi se résoudre; et il est rare qu'alors elle ne nous
        conseille pas d'obéir.   *Ibid.*

6320   Les favorites du règne antérieur ne sont jamais les favorites
        du règne qui suit.   *Ibid.*

6321   Quand on s'ôte la vie, peut-être cherche-t-on à désespérer
        les autres, et la garde-t-on quand on croit les satisfaire;
        ce sont des mouvements qui se passent bien subtilement
        en nous.   *Ibid.*

6322   La bonne religieuse est celle qui apporte dans le cloître
        quelque grande faute à expier.   *Ibid.*

6323   Il y a dans les communautés des têtes faibles; c'est même
        le grand nombre.   *Ibid.*

6324   [...] Juste, mais peu sensible, il était du nombre de ceux qui
        sont assez malheureusement nés pour pratiquer la vertu,
        sans en éprouver la douceur; ils font le bien par esprit d'ordre,
        comme ils raisonnent.   *Ibid.*

6325   On s'occupe à nous décourager et à nous résigner toutes à
        notre sort par le désespoir de le changer. Il me semble pour-
        tant que, dans un État bien gouverné, ce devrait être le
        contraire : entrer difficilement en religion, et en sortir faci-
        lement.   *Ibid.*

6326   L'homme est né pour la société; séparez-le, isolez-le, ses
        idées se désuniront, son caractère se tournera, mille affections
        ridicules s'élèveront dans son cœur; des pensées extravagantes
        germeront dans son esprit, comme les ronces dans une terre
        sauvage. Placez un homme dans une forêt, il y deviendra
        féroce; dans un cloître, où l'idée de nécessité se joint à celle
        de servitude, c'est pis encore. On sort d'une forêt, on ne sort
        plus d'un cloître; on est libre dans la forêt, on est esclave
        dans le cloître. Il faut peut-être plus de force d'âme encore
        pour résister à la solitude qu'à la misère; la misère avilit,
        la retraite déprave.   *Ibid.*

6327   [...] Est-ce qu'il est permis aux avocats de calomnier tant
        qu'il leur plaît? Est-ce qu'il n'y a point de justice contre eux?
                                                            Ibid.

6328   Serait-ce que nous croyons les hommes moins sensibles à
        la peinture de nos peines qu'à l'image de nos charmes?
        et nous promettrions-nous encore plus de facilité à les
        séduire qu'à les toucher.   *Ibid.*

[...] Maigre et hâve comme un malade au dernier degré   6329
de la consomption; on compterait ses dents à travers ses
joues.   *Le Neveu de Rameau.*

Personne n'a autant d'humeur, pas même une jolie femme   6330
qui se lève avec un bouton sur le nez, qu'un auteur menacé
de survivre à sa réputation [...]   *Ibid.*

Dans les plus petites choses, la sottise est si commune et si   6331
puissante qu'on ne la réforme pas sans charivari. [...] La
sagesse du moins de Rabelais est la vraie sagesse pour son
repos et pour celui des autres : faire son devoir tellement
quellement, toujours dire du bien de monsieur le prieur
et laisser aller le monde à sa fantaisie.   *Ibid.*

Un sot sera plus souvent un méchant qu'un homme d'esprit.   6332
                                                      Ibid.

Si vous jetez de l'eau froide sur la tête de Greuze, vous   6333
éteindrez peut-être son talent avec sa vanité. Si vous rendez
De Voltaire moins sensible à la critique, il ne saura plus
descendre dans l'âme de Mérope, il ne vous touchera plus.
                                                      Ibid.

Si tout ici-bas était excellent, il n'y aurait rien d'excellent [...].   6334
                                                      Ibid.

Il est dur d'être gueux, tandis qu'il y a tant de sots opulents   6335
aux dépens desquels on peut vivre.   *Ibid.*

Dans la nature, toutes les espèces se dévorent; toutes les   6336
conditions se dévorent dans la société. Nous faisons justice
les uns des autres sans que la loi s'en mêle.   *Ibid.*

Il n'y a plus de patrie : je ne vois d'un pôle à l'autre que des   6337
tyrans et des esclaves.   *Ibid.*

Quoi qu'on fasse, on ne peut se déshonorer quand on est   6338
riche.   *Ibid.*

On loue la vertu, mais on la hait, mais on la fuit, mais elle   6339
gèle de froid, et dans ce monde, il faut avoir les pieds chauds.
                                                      Ibid.

C'est une lâcheté bien commune que celle d'immoler un   6340
bon homme à l'amusement des autres.   *Ibid.*

On tire parti de la mauvaise compagnie comme du libertinage.   6341
On est dédommagé de la perte de son innocence par celle de
ses préjugés.   *Ibid.*

Le vice ne blesse les hommes que par intervalle; les carac-   6342
tères apparents du vice les blessent du matin au soir. Peut-
être vaudrait-il mieux être un insolent que d'en avoir la
physionomie: l'insolent de caractère n'insulte que de temps
en temps, l'insolent de physionomie insulte toujours. *Ibid.*

6343 Celui qui serait sage n'aurait point de fou; celui donc qui a un fou n'est pas sage; s'il n'est pas sage il est fou et peut être, fût-il le roi, le fou de son fou. *Ibid.*

6344 [...] Ceux qui s'attendent à des procédés honnêtes de la part de gens nés vicieux, de caractères vils et bas, sont-ils sages? Tout a son vrai loyer dans ce monde. Il y a deux procureurs généraux, l'un à votre porte, qui châtie les délits contre la société; la nature est l'autre. Celle-ci connaît de tous les vices qui échappent aux lois. *Ibid.*

6345 S'il importe d'être sublime en quelque genre, c'est surtout en mal. On crache sur un petit filou, mais on ne peut refuser une sorte de considération à un grand criminel : son courage vous étonne, son atrocité vous fait frémir. On prise en tout l'unité de caractère. *Ibid.*

6346 Nous comptons tellement sur nos bienfaits, qu'il est rare que nous cachions notre secret à celui que nous avons comblé de nos bontés; le moyen qu'il n'y ait pas des ingrats, quand nous exposons l'homme à la tentation de l'être impunément? *Ibid.*

6347 Savez-vous qu'il serait peut-être plus aisé de trouver un enfant propre à gouverner un royaume, à faire un grand roi, qu'un grand violon! *Ibid.*

6348 Madame une telle est accouchée de deux enfants à la fois; chaque père aura le sien [...] *Ibid.*

6349 Rameau! s'appeler Rameau, cela est gênant. Il n'en est pas des talents comme de la noblesse qui se transmet et dont l'illustration s'accroît en passant du grand-père au père et du père au fils, du fils à son petit-fils, sans que l'aïeul impose quelque mérite à son descendant. La vieille souche se ramifie en une énorme tige de sots, mais qu'importe? Il n'en est pas ainsi du talent. Pour n'obtenir que la renommée de son père, il faut être plus habile que lui. *Ibid.*

6350 L'homme nécessiteux ne marche pas comme un autre, il saute, il rampe, il se tortille, il traîne, il passe sa vie à prendre et à exécuter des positions. *Ibid.*

6351 Je vois Pantalon dans un prélat, un satyre dans un président, un pourceau dans un cénobite, une autruche dans un ministre, une oie dans son premier commis. *Ibid.*

6352 Quiconque a besoin d'un autre est indigent et prend une position. Le roi prend une position devant sa maîtresse et devant Dieu; il fait son pas de pantomime. Le ministre fait le pas de courtisan, de flatteur, de valet ou de gueux devant son roi. La foule des ambitieux danse vos positions, en cent manières plus viles les unes que les autres, devant le ministre [...] Ma foi, ce que vous appelez la pantomime des gueux est le grand branle de la terre [...] *Ibid.*

Si les bienfaits réciproques cimentent les amitiés réfléchies, 6353
peut-être ne font-ils rien à celles que j'appellerais volontiers
des amitiés amicales et domestiques.
Les Deux Amis de Bourbonne.

Tel meurt obscur, à qui il n'a manqué qu'un autre théâtre. 6354
Ibid.

[...] En général il ne peut guère y avoir d'amitiés entières 6355
et solides qu'entre des hommes qui n'ont rien. Un homme
alors est toute la fortune de son ami, et son ami est toute
la sienne. De là la vérité de l'expérience, que le malheur
resserre les liens. *Ibid.*

Plaignons beaucoup les hommes, blâmons-les sobrement; 6356
regardons nos années passées comme autant de moments
dérobés à la méchanceté qui nous suit [...]
Ceci n'est pas un conte.

Comment s'étaient-ils rencontrés? Par hasard, comme tout 6357
le monde. Comment s'appelaient-ils? Que vous importe?
D'où venaient-ils? Du lieu le plus prochain. Où allaient-ils?
Est-ce qu'on sait où l'on va? Que disaient-ils? Le maître
ne disait rien; et Jacques disait que son capitaine disait que
tout ce qui nous arrive de bien et de mal ici-bas était écrit
là-haut. *Jacques le fataliste.*

Et quand je serais devenu amoureux d'elle, qu'est-ce qu'il 6358
y aurait à dire? Est-ce qu'on est maître de devenir ou de ne
pas devenir amoureux? Et quand on l'est, est-on maître
d'agir comme si on ne l'était pas? *Ibid.*

Vous concevez, lecteur, jusqu'où je pourrais pousser cette 6359
conversation sur un sujet dont on a tant parlé, tant écrit
depuis deux mille ans, sans en être d'un pas plus avancé.
Si vous me savez peu de gré de ce que je vous dis,
sachez-m'en beaucoup de ce que je ne vous dis pas. *Ibid.*

Nos deux théologiens disputaient sans s'entendre, comme 6360
il peut arriver en théologie. *Ibid.*

Mon maître, mon maître, vous n'y avez pas bien regardé; 6361
croyez que nous ne plaignons jamais que nous. *Ibid.*

Il cherchait à faire concevoir à son maître que le mot douleur 6362
était sans idée, et qu'il ne commençait à signifier quelque
chose qu'au moment où il rappelait à notre mémoire une
sensation que nous avions éprouvée. Son maître lui demanda
s'il avait déjà accouché. *Ibid.*

JACQUES 6363

On ne fait jamais tant d'enfants que dans les temps de misère.

LE MAITRE

Rien ne peuple comme les gueux. *Ibid.*

6364 Et que firent-ils là? — Jacques disait ce qui était écrit là-
haut; son maître, ce qu'il voulut : et ils avaient tous deux
raison. — Quelle compagnie y trouvèrent-ils? — Mêlée. —
Qu'y disait-on? — Quelques vérités, et beaucoup de mensonges. — Y avait-il des gens d'esprit? — Où n'y en a-t-il
pas?   *Ibid.*

6365 Ce qui reste de tabac le soir dans ma tabatière est en raison
directe de l'amusement, ou inverse de l'ennui de ma journée.
                                                         Ibid.

6366 Tous les jours on couche avec des femmes qu'on n'aime
pas, et l'on ne couche pas avec des femmes qu'on aime...
                                                         Ibid.

6367 En terme de l'art, boire un coup c'est vider au moins une
bouteille [...]   *Ibid.*

6368 S'il faut être vrai, c'est comme Molière, Regnard, Richardson, Sedaine; la vérité a ses côtés piquants, qu'on saisit
quand on a du génie. — Oui, quand on a du génie; mais
quand on en manque? — Quand on en manque, il ne faut
pas écrire.   *Ibid.*

6369 Ni les dieux, ni les hommes, ni les colonnes, n'ont pardonné
la médiocrité aux poètes : c'est Horace qui l'a dit.   *Ibid.*

6370 Je veux que votre plainte soit libre pour être moins douloureuse, je la veux violente pour être moins longue.
                                                         Ibid.

6371 Ce n'est pas le linceul qui fait le mort.   *Ibid.*

6372 Je n'aime pas à parler des vivants, parce qu'on est de temps
en temps exposé à rougir du bien et du mal qu'on en a dit;
du bien qu'ils gâtent, du mal qu'ils réparent.   *Ibid.*

6373 Dis la chose comme elle est!... Cela n'arrive peut-être pas
deux fois en un jour dans toute une grande ville. Et celui
qui vous écoute est-il mieux disposé que celui qui parle?
Non. D'où il doit arriver que deux fois à peine en un jour,
dans toute une grande ville, on soit entendu comme on dit.
                                                         Ibid.

6374 Si l'on ne dit presque rien dans ce monde, qui soit entendu
comme on le dit, il y a bien pis, c'est qu'on n'y fait presque
rien, qui soit jugé comme on l'a fait.   *Ibid.*

6375 La joue de tous les hommes d'honneur est la même.
                                                         Ibid.

6376 Chacun apprécie l'injure et le bienfait à sa manière; et
peut-être n'en portons-nous pas le même jugement dans
deux instants de notre vie.   *Ibid.*

6377 Pourquoi sous cet habit, qui est très propre, une chemise
sale?
      — C'est que je n'en ai qu'une.
      — Et pourquoi n'en avez-vous qu'une?
      — C'est que je n'ai qu'un corps à la fois.   *Ibid.*

— Et vos enfants? 6378
— A merveille!
— Et celui qui a de si beaux yeux, un si bel embonpoint,
une si belle peau?
— Beaucoup mieux que les autres; il est mort.   *Ibid.*

C'est qu'on ne m'a rien appris, et que je n'en suis pas plus 6379
ignorant. S'ils ont de l'esprit, ils feront comme moi; s'ils
sont sots, ce que je leur apprendrais ne les rendrait que plus
sots...   *Ibid.*

Le capitaine de Jacques et son camarade pouvaient être 6380
tourmentés d'une jalousie violente et secrète : c'est un
sentiment que l'amitié n'éteint pas toujours. Rien de si
difficile à pardonner que le mérite.   *Ibid.*

Les duels se répètent dans la société sous toutes sortes de 6381
formes, entre des prêtres, entre des magistrats, entre des
littérateurs, entre des philosophes; chaque état a sa lance
et ses chevaliers, et nos assemblées les plus respectables,
les plus amusantes, ne sont que de petits tournois où quelquefois on porte des livrées de l'amour dans le fond de son
cœur, sinon sur l'épaule. Plus il y a d'assistants, plus la joute
est vive.   *Ibid.*

Il y a longtemps que le rôle de sage est dangereux parmi les 6382
fous.   *Ibid.*

Pas de gens qui aiment plus à parler que les bègues, pas de 6383
gens qui aiment plus à marcher que les boiteux.   *Ibid.*

Mon maître, on ne sait de quoi se réjouir, ni de quoi 6384
s'affliger dans la vie. Le bien amène le mal, le mal amène
le bien.   *Ibid.*

Gousse avait une servante jolie, et qui lui servait de moitié 6385
plus souvent que la sienne.   *Ibid.*

On ne sait jamais ce que le ciel veut ou ne veut pas, et il 6386
n'en sait peut-être rien lui-même.   *Ibid.*

Aucun homme n'a reçu de la nature le droit de commander 6387
aux autres. La liberté est un présent du ciel, et chaque individu
de la même espèce a le droit d'en jouir aussitôt qu'il jouit
de la raison.   *Encyclopédie, article : Autorité politique.*

La puissance qui s'acquiert par la violence n'est qu'une 6388
usurpation, et ne dure qu'autant que la force de celui qui
commande l'emporte sur celle de ceux qui obéissent; en
sorte que si ces derniers deviennent à leur tour les plus forts
et qu'ils secouent le joug, ils le font avec autant de droit et
de justice que l'autre qui le leur avait imposé.   *Ibid.*

La puissance qui vient du consentement des peuples suppose 6389
nécessairement des conditions qui en rendent l'usage légitime, utile à la société, avantageux à la république, et qui
la fixent et la restreignent entre des limites.   *Ibid.*

6390   Le prince tient de ses sujets mêmes l'*autorité* qu'il a sur
       eux; et cette *autorité* est bornée par les lois de la nature et de
       l'État. Les lois de la nature et de l'État sont les conditions
       sous lesquelles ils se sont soumis, ou sont censés s'être soumis
       à son gouvernement. L'une de ces conditions est que n'ayant
       de pouvoir et d'*autorité* sur eux que par leur choix et de leur
       consentement, il ne peut jamais employer cette *autorité*
       pour casser l'acte ou le contrat par lequel elle lui a été déférée :
       il agirait, dès lors, contre lui-même, puisque son *autorité*
       ne peut subsister que par le titre qui l'a établie. Qui annule
       l'un détruit l'autre.   *Ibid.*

6391   L'observation des lois, la conservation de la liberté et l'amour
       de la patrie sont les sources fécondes de toutes grandes
       choses et de toutes belles actions. Là, se trouvent le bonheur
       des peuples, et la véritable illustration des princes qui les
       gouvernent. Là, l'obéissance est glorieuse, et le commande-
       ment auguste.   *Ibid.*

6392   Les volontés particulières sont suspectes; elles peuvent être
       bonnes ou méchantes, mais la volonté générale est toujours
       bonne; elle n'a jamais trompé, elle ne trompera jamais.
                              Ibid., article : Droit naturel, § 6.

6393   Vous avez le *droit naturel* le plus sacré à tout ce qui ne vous
       est point contesté par l'espèce entière [...]. C'est cette
       conformité de vous à eux tous et d'eux tous à vous qui vous
       marquera quand vous sortirez de votre espèce, et quand
       vous y resterez.   *Ibid., § 7.*

6394   La soumission à la volonté générale est le lien de toutes les
       sociétés, sans en excepter celles qui sont formées par le
       crime. Hélas! la vertu est si belle, que les voleurs en respec-
       tent l'image dans le fond même de leurs cavernes!
                                                        Ibid., § 9.

6395   [...] Puisque des deux volontés, l'une générale et l'autre
       particulière, la volonté générale n'erre jamais, il n'est pas
       difficile de voir à laquelle il faudrait, pour le bonheur du
       genre humain, que la puissance législative appartînt.
                                                        Ibid., § 9.

6396   Le consentement des hommes réunis en société est le fonde-
       ment du *pouvoir*. Celui qui ne s'est établi que par la force
       ne peut subsister que par la force.
                                         Ibid., article : Pouvoir.

6397   L'homme dans l'état de nature ne connaît point de *souve-
       rain;* chaque individu est égal à un autre, et jouit de la plus
       parfaite indépendance; il n'est dans cet état d'autre subor-
       dination que celle des enfants à leur père.
                                       Ibid., article : Souverains.

6398   L'abbé Morellet [est] un homme qui s'aime, qui s'embrasse
       sans cesse mais qui s'étouffe à force de s'embrasser [...]
                              Apologie de l'abbé Galiani.

6399   [...] Je pense qu'il y a un point que le sage soupçonne d'ins-
       tinct, que l'homme en fonction aperçoit avec le temps et
       dont l'écrivain ne se doute jamais.   *Ibid.*

Rien n'est si bête qu'un chien de chasse, jamais un docteur 6400
ne saura éventer aussi bien que lui; mon cher abbé, en tout,
rien n'est tel que de chasser de race. *Ibid.*

La société est partagée en deux classes d'hommes : les uns 6401
savent mal et parlent de tout; c'est le grand nombre [...]
les autres ignorent et cherchent à s'instruire; c'est le petit
nombre. *Ibid.*

On commence par des cas particuliers; à force de cas parti- 6402
culiers, examinés en eux-mêmes et comparés à d'autres,
on aperçoit des ressemblances et des différences, et l'on se
forme des notions plus ou moins générales, des théories
plus ou moins étendues. Ce sont les faits, les phénomènes
subsistants qui servent d'échelons pour s'élever, et non
les spéculations abstraites de marches pour descendre.
Avant que d'avoir des phénomènes dans sa tête, on n'y a rien.
Ibid.

La folle philosophie est celle qui veut s'assujettir les lois de la 6403
nature et le train du monde; la bonne philosophie est celle
qui reconnaît ces lois et qui s'assujettit à ce train nécessaire.
Le train du monde ne changera pas; à moins que vous n'ayez
un secret pour le ramener et fixer un âge où tout soit dans
un ordre renversé de celui-ci, où l'on soit sûr de quarante-
neuf bons rois pour un mauvais, au lieu de quarante-
neuf mauvais pour un bon. *Ibid.*

Le joueur heureux et le joueur malheureux ont tous les deux 6404
le caractère du joueur. C'est cette incertitude qui se promène
sur toutes les provinces, qui affecte la nation agricole et qui
l'assimile si bien au joueur. *Ibid.*

Le dialogue permet des repos et des écarts. Le dialogue 6405
est la vraie manière instructive; car que font le maître et le
disciple? Ils dialoguent sans cesse. *Ibid.*

Je mange mal quand je n'ai que du pain possible. *Ibid.* 6406

Les erreurs passent, mais il n'y a que le vrai qui reste. 6407
L'homme est donc fait pour la vérité; la vérité est donc
faite pour l'homme puisqu'il court sans cesse après elle;
qu'il l'embrasse quand il la trouve; qu'il ne veut ni ne peut
s'en séparer quand il la trouve. Il ne faut pas juger les hommes
par leurs actions. *Pages contre un tyran.*

Si le monde est plein d'erreurs, c'est qu'il est plein de scélé- 6408
rats prédicateurs du mensonge; mais en prêchant le mensonge
ils font à leurs dupes l'éloge de la vérité, mais leurs dupes
n'embrassent le mensonge qui leur est prêché que sous le
nom de vérité. *Ibid.*

Quelle est la vérité utile à l'homme qui ne soit pas découverte 6409
un jour? *Ibid.*

[...] Il n'y a aucun exemple que la vérité ait été nuisible ni 6410
pour le présent ni pour l'avenir. *Ibid.*

6411   Le paradoxe n'est point une opinion contraire à une vérité
d'expérience, car le paradoxe serait toujours faux : or il
arrive assez souvent que c'est une vérité. Le paradoxe n'est
donc qu'une proposition contraire à l'opinion commune;
or l'opinion commune pouvant être fausse, le paradoxe
peut être vrai.   *Ibid.*

6412   C'est qu'un roi de France peut laisser à son clergé la préro-
gative royale de haranguer le peuple, *concio ad populum.*
C'est qu'il peut, sans trembler, se dire le dimanche matin,
entre dix et onze : « Il y a à l'heure qu'il est, cinquante mille
fripons qui disent ce qu'il leur plaît à dix-huit millions
d'imbéciles; mais grâces à ma petite poignée de philosophes,
la plupart de ces imbéciles-là ou ne croiront pas ce qu'on leur
dira, ou s'ils le croient ce sera sans le moindre péril pour
moi. »   *Ibid.*

6413   Entendez-vous qu'il faut se soumettre aux lois de la société
dont on est membre? il n'y a pas de difficulté à cela; préten-
dez-vous que si ces lois sont mauvaises il faille garder le
silence? ce sera peut-être votre avis, mais comment le législateur reconnaîtra-t-il le vice de son administration, le défaut
de ses lois, si personne n'ose élever la voix? Et si par hasard
une des détestables lois de cette société décernait la peine
de mort contre celui qui osera attaquer les lois, faudrait-il
se courber sous le joug de cette loi?   *Ibid.*

6414   Je vois tant d'illustres fainéants se déshonorer sur les lauriers de leurs ancêtres, que je fais un peu plus de cas du
bourgeois ou du roturier ignoré qui ne se gonfle point du
mérite d'autrui.   *Ibid.*

6415   [...] Nous ne serions pas embarrassés de lui citer des exemples
de guerres où la justice n'était d'aucuns côtés [...]   *Ibid.*

6416   Un guerrier juste suppose au moins un adversaire injuste
[...]   *Ibid.*

6417   Regardez comme vos ennemis-nés tous les ambitieux.
[...] Les plus dangereux sont des grands, pauvres et obérés,
qui ont tout à gagner et rien à perdre à une révolution.
                        Principes de politique des souverains, II.

6418   Lorsque les haines ont éclaté, toutes les réconciliations
sont fausses.   *Ibid., V.*

6419   [...] Il est certain qu'il y a des circonstances où l'on est forcé
de suppléer à l'ongle du lion, qui nous manque, par la queue
du renard.   *Ibid., XV.*

6420   Donner de belles raisons. Il serait beaucoup mieux de n'en
point donner du tout, ou d'en donner de bonnes.
                                                    Ibid., XXV.

6421   Ne lever jamais la main sans frapper. Il faut rarement lever
la main, peut-être ne faut-il jamais frapper; mais il n'en est
pas moins vrai qu'il y a des circonstances, où le geste est
aussi dangereux que le coup. De là, la vérité de la maxime
suivante.   *Ibid., XXVIII.*

Frapper juste. *Ibid., XXIX.* 6422

Affranchir les esclaves lorsqu'on a besoin de leur témoi- 6423
gnage contre un maître qu'on veut perdre. *Ibid., XLVI.*

Ne point commander de crime, sans avoir pourvu à la 6424
discrétion, c'est-à-dire à la mort de celui qui l'exécute.
Ibid., LI.

Quand on ne veut pas être faible, il faut souvent être ingrat. 6425
Ibid., LIV.

Rugir quelquefois, cela est essentiel; sans cette précaution 6426
le souverain est souvent exposé à une familiarité injurieuse.
Ibid., LVI.

Toute dispense est une infraction de la loi; et tout privilège 6427
est une atteinte à la liberté générale. *Ibid., LVII.*

Se presser d'ordonner ce qu'on ferait sans notre consente- 6428
ment ; on masque au moins sa faiblesse par cette politique.
Ibid., LXI.

Un État chancelle quand on en ménage les mécontents. Il 6429
touche à sa ruine quand on les élève aux premières dignités.
Ibid., LXII.

Celui qui n'est pas maître du soldat, n'est maître de rien. 6430
Ibid., LXV.

Celui qui est maître du soldat, est maître de la finance. 6431
Ibid., LXVI.

Il n'y a de bonnes remontrances que celles qui se feraient 6432
la baïonnette au bout du fusil. *Ibid., LXVIII.*

Ébranler la nation pour raffermir le trône; savoir susciter 6433
une guerre; ce fut le conseil d'Alcibiade à Périclès.
Ibid., LXXIV.

Dans les sociétés les plus corrompues, on élève la jeunesse 6434
pour être honnête; sous les gouvernements les plus tyranniques, on l'élève pour être libre. Les principes de la scélératesse
sont si hideux, et ceux de l'esclavage si vils, que les pères
qui les pratiquent rougissent de les prêcher à leurs enfants.
Il est vrai que, dans l'un et l'autre cas, l'exemple remédie à
tout. *Ibid., LXXVII.*

Dans les émeutes populaires on dirait que chacun est sou- 6435
verain, et s'arroge le droit de vie et de mort. *Ibid., LXXX.*

Il faut que le peuple vive, mais il faut que sa vie soit pauvre 6436
et frugale : plus il est occupé, moins il est factieux; et il est
d'autant plus occupé, qu'il a plus de peine à pourvoir à ses
besoins. *Ibid., LXXXIV.*

Il faut lui permettre la satire et la plainte : la haine renfermée 6437
est plus dangereuse que la haine ouverte. *Ibid., LXXXVI.*

6438   Ne former des alliances que pour semer des haines.
Ibid., XCIII.

6439   Point de ministres au loin, mais des espions.
Ibid., XCVII.

6440   Point de ministres chez moi, mais des commis.
Ibid., XCVIII.

6441   Il n'y a qu'une personne dans l'Empire, c'est moi.
Ibid., XCIX.

6442   Tenir constamment pour ennemi celui qu'on ne peut compter pour ami, et ne compter pour ami que celui qui a intérêt à l'être.   *Ibid., CVII.*

6443   Être neutre, ou profiter de l'embarras des autres pour arranger ses affaires, c'est la même chose.   *Ibid., CVIII.*

6444   L'habitant indigent doit spolier le voyageur.
Ibid., CXVIII.

6445   Le besoin satisfait, le reste appartient au fisc.   *Ibid., CXX.*

6446   Quand on sert les grands, toujours avoir moins d'esprit qu'eux.   *Ibid., CXXV.*

6447   Malheur à celui dont on parlera trop.   *Ibid., LXXVI.*

6448   Malheur à celui qui s'illustrera par ses services.
Ibid., CXXVII.

6449   Lorsque le prêtre favorise une innovation, elle est mauvaise; lorsqu'il s'y oppose, elle est bonne. J'en appelle à l'histoire. C'est le contraire du peuple.   *Ibid., CXXXIX.*

6450   Que le peuple ne voie jamais couler le sang royal pour quelque cause que ce soit. Le supplice public d'un roi change l'esprit d'une nation pour jamais.   *Ibid., CXLVI.*

6451   Une guerre interminable, c'est celle du peuple qui veut être libre, et du roi qui veut commander. Le prêtre est, selon son intérêt, ou pour le roi contre le peuple, ou pour le peuple contre le roi. Lorsqu'il s'en tient à prier les dieux, c'est qu'il se soucie fort peu de la chose.   *Ibid., CXLVIII.*

6452   Savoir dire *non*, pour un souverain; pouvoir dire *non* pour un particulier.   *Ibid., CL.*

6453   Les femmes ne sont, nulle part, aussi aviliees que dans une nation où le souverain peut faire asseoir sur le trône, à côté de lui, la femme qui lui plaît le plus : là, elles ne sont rien qu'un sexe dont on a besoin.   *Ibid., CLIII.*

6454   Le soldat qui n'est pas en état de soutenir l'éclair des yeux de son général, ne soutiendra pas aisément l'éclat des armes de l'ennemi.   *Ibid., CLXIII.*

Le droit de la nature est restreint par le droit civil; le droit
civil, par le droit des gens, qui cesse au moment de la guerre,
dont tout le code est renfermé dans un mot : *Sois le plus fort.*
Ibid., CLXVI.

6455

Il ne faut de la morale et de la vertu qu'à ceux qui obéissent.
Ibid., CLXXV.

6456

L'ennemi le plus dangereux d'un souverain, c'est sa femme,
si elle sait faire autre chose que des enfants.
Ibid., CLXXXIII.

6457

Un souverain, qui aurait quelque confiance dans ces pactes
si solennellement jurés, ne serait ni plus ni moins imbécile
que celui qui, étranger à nos usages, mettrait quelque valeur
à ces très humbles protestations qui terminent nos lettres.
Ibid., CC.

6458

Celui qui préfère une belle ligne dans l'histoire à l'invasion
d'une province, pourrait bien n'avoir ni la belle ligne ni la
province. *Ibid., CCVIII.*

6459

La liberté d'écrire et de parler impunément, marque ou
l'extrême bonté du prince, ou le profond esclavage du peuple;
on ne permet de dire qu'à celui qui ne peut rien.
Ibid., CCXVII.

6460

Déposer entre les mains d'un roi toute la puissance publique,
ce n'est pas seulement lui conférer le pouvoir de faire exécuter
les lois ou de les ramener à leur pureté, à leur activité première, quand elles l'ont perdue, c'est lui accorder bien davantage, ainsi que le temps ne manque jamais de le prouver.
Entretiens avec Catherine II.

6461

Des usages suppléent pendant des siècles aux lois oubliées,
c'est-à-dire qu'on en usa ainsi, parce qu'on a continué d'en
user ainsi; quelle singulière base de police et de tranquillité
publique! *Ibid.*

6462

Je pense qu'il faut faire un grand mal d'un moment pour un
grand bien qui dure. *Ibid.*

6463

Il y a des circonstances où l'extrême du mal est un bien et
où un palliatif qui invétère le mal est plus funeste que tous
les remèdes. *Ibid.*

6464

Qu'un peuple est heureux, lorsqu'il n'y a rien de fait chez
lui! Les mauvaises et surtout les vieilles institutions sont un
obstacle presque invincible aux bonnes. *Ibid.*

6465

Il est bien grand, bien courageux, bien humain dans une
souveraine de former elle-même une digue à la souveraineté.
Ibid.

6466

Je ne regrette pas les hommes, les hommes se refont; je ne
regrette pas l'or de ses trésors, les trésors se remplissent;
mais qui rendra à ces peuples les années qui s'écoulent?
Ibid.

6467

6468   Quel homme ç'aurait été que ce saint Louis! Je lui passerais, je crois, son esprit intolérant s'il eût fait par politique ce qu'il fit par sottise pieuse.   *Ibid.*

6469   Point de souverain plus en sûreté sur son trône que celui qui doit à tous ses sujets, s'il paie bien sa dette.
Ces emprunts sont autant de chaînes qui partent du pied du trône et qui s'étendent jusqu'aux dernières limites de l'Empire.   *Ibid.*

6470   Quand un peuple n'est pas libre, c'est encore une chose précieuse que l'opinion qu'il a de sa liberté; il avait cette opinion, il fallait la lui laisser; à présent il est esclave, et il le sent et il le voit; aussi n'en attendez plus rien de grand ni à la guerre, ni dans les sciences, ni dans les lettres, ni dans les arts.   *Ibid.*

6471   Abolir le délit, c'est abolir la loi.   *Ibid.*

6472   [...] Jamais les dernières années d'un long règne d'un roi ordinaire, pour ne rien dire de pis, n'ont réparé les désastres des années précédentes.   *Entretiens, chap. 2.*

6473   On a défini l'ambassadeur ou le ministre un homme rusé, instruit et faux, envoyé aux nations étrangères pour mentir en faveur de la chose publique [...]   *Ibid.*

6474   La moindre affectation se pressentirait et augmenterait le mal, quoi qu'en ait dit la marquise de Tencin en mourant, que les hommes étaient si bêtes qu'elle regrettait les trois quarts de la finesse qu'elle avait employée à les mener.
                                                                     Ibid., chap. 3.

6475   Tout gouvernement arbitraire est mauvais; je n'en excepte pas le gouvernement arbitraire d'un maître bon, ferme, juste et éclairé.   *Ibid., chap. 4.*

6476   Un despote, fût-il le meilleur des hommes, en gouvernant selon son bon plaisir, commet un forfait. C'est un bon pâtre qui réduit ses sujets à la condition des animaux; en leur faisant oublier le sentiment de la liberté, sentiment si difficile à recouvrer quand on l'a perdu, il leur procure un bonheur de dix ans qu'ils payeront de vingt siècles de misère.   *Ibid.*

6477   Malheur au peuple en qui il ne reste aucun ombrage, même mal fondé, sur la liberté!
Cette nation tombe dans un sommeil doux, mais c'est un sommeil de mort.   *Ibid.*

6478   Qu'où il n'y a point de propriété il n'y a point de sujets; qu'où il n'y a point de sujets l'empire est pauvre, et qu'où la puissance souveraine est illimitée, il n'y a point de pro. priété.   *Ibid.*

6479   [...] On ne peut jamais emmailloter l'enfant qui naît avec quatre cent mille bras.   *Ibid.*

Cependant l'histoire du luxe est écrite sur toutes les portes
des maisons de la capitale, et en si gros caractères que je ne
conçois pas comment, avec d'aussi bons yeux, ces écrivains
ne l'ont pas lue tout courant.   *Ibid., chap. 5.*   6480

L'or mène à tout. L'or qui mène à tout est devenu le Dieu
de la nation.
Il n'y a qu'un vice, c'est la pauvreté. Il n'y a qu'une vertu,
c'est la richesse. Il faut être riche ou méprisé.   *Ibid.*   6481

Les mœurs sont perdues dans tous les états, au centre de
la richesse par la richesse même, mère des vices; dans l'état
supérieur à ce centre, par la bassesse; dans les états inférieurs,
par la prostitution et la mauvaise foi : dans tous, par l'indifférence sur le choix des moyens ou d'acquérir plus qu'on
n'a, ou de masquer son indigence.   *Ibid.*   6482

Toute la société est pleine d'avares fastueux. On loue une
première loge à l'Opéra et l'on emprunte le livret.   *Ibid.*   6483

[...] Quand on est riche, si l'on a tout, quel intérêt à avoir du
mérite et de la vertu?   *Ibid.*   6484

Une révolution différée d'un jour ne se fait peut-être jamais.
                               Ibid., chap. 6.   6485

Il n'y a qu'une seule vertu, la justice; un seul devoir, de
se rendre heureux; un seul corollaire, mépriser quelquefois
la vie.   *Ibid., chap. 7, de la Morale des Rois.*   6486

Je doute que la justice des rois, et par conséquent leur morale,
puisse être la même que celle des particuliers, parce que la
morale d'un particulier dépend de lui et que la morale d'un
souverain dépend souvent d'un autre.   *Ibid.*   6487

Il est impossible que la justice, et par conséquent la morale
de l'homme public et de l'homme privé, soit la même, [...]
ce droit des gens dont on parle tant n'a jamais été et ne sera
jamais qu'une chimère.   *Ibid.*   6488

Il n'y a qu'un devoir, c'est d'être heureux. Puisque ma pente
naturelle, invincible, inaliénable, est d'être heureux, c'est la
source et la source unique de mes vrais devoirs, et la seule
base de toute bonne législation.   *Ibid.*   6489

Toutes les sortes de travaux soulagent également de l'ennui,
mais tous ne sont pas égaux. Je n'aime point ceux qui amènent
rapidement la vieillesse, et ce ne sont ni les moins utiles,
ni les moins communs, ni les mieux récompensés.
                               Réfutation d'Helvétius.   6490

Sire, si vous voulez des prêtres, vous ne voulez point de
philosophes, et si vous voulez des philosophes, vous ne voulez
point de prêtres [...].
                    Discours d'un philosophe à un Roi.   6491

L'étendue de l'esprit, la force de l'imagination et l'activité
de l'âme, voilà le *génie*.   *Encyclopédie, article : Génie.*   6492

6493   L'homme de *génie* est celui dont l'âme plus étendue, frappée
       par les sensations de tous les êtres, intéressée à tout ce qui
       est dans la nature, ne reçoit pas une idée qu'elle n'éveille
       un sentiment; tout l'anime et tout s'y conserve.   *Ibid.*

6494   L'imagination gaie d'un *génie* étendu agrandit le champ du
       ridicule; et tandis que le vulgaire le voit et le sent dans ce
       qui choque les usages établis, le *génie* le découvre et le sent
       dans ce qui blesse l'ordre universel.   *Ibid.*

6495   Le goût est souvent séparé du *génie*. Le *génie* est un pur
       don de la nature; ce qu'il produit est l'ouvrage d'un moment;
       le goût est l'ouvrage de l'étude et du temps.   *Ibid.*

6496   [...] La force et l'abondance, je ne sais quelle rudesse, l'irré-
       gularité, le sublime, le pathétique, voilà dans les arts le
       caractère du *génie;* il ne touche pas faiblement, il ne plaît
       pas sans étonner, il étonne encore par ses fautes.   *Ibid.*

6497   Le sang-froid, cette qualité si nécessaire à ceux qui gouver-
       nent, sans lequel on ferait rarement une application juste
       des moyens aux circonstances, sans lequel on serait sujet aux
       inconséquences, sans lequel on manquerait de la présence
       d'esprit; le sang-froid qui soumet l'activité de l'âme à la
       raison, et qui préserve, dans tous les événements, de la crainte,
       de l'ivresse, de la précipitation, n'est-il pas une qualité qui
       ne peut exister dans les hommes que l'imagination maîtrise?
       cette qualité n'est-elle pas absolument opposée au *génie?*
                                                                Ibid.

6498   Les systèmes sont plus dangereux en politique qu'en philo-
       sophie; l'imagination qui égare le philosophe ne lui fait faire
       que des erreurs; l'imagination qui égare l'homme d'État
       lui fait faire des fautes et le malheur des hommes.   *Ibid.*

6499   L'esprit dit de jolies choses et n'en fait que de petites. Est-ce
       la chaleur, la vivacité, la fougue même? Non. Les gens chauds
       se démènent beaucoup pour ne rien faire qui vaille.
                                                        Sur le génie.

6500   Le goût efface les défauts plutôt qu'il ne produit les beautés;
       c'est un don qu'on acquiert plus ou moins, ce n'est pas un
       ressort de nature.   *Ibid.*

6501   Qu'est-ce que la vertu? C'est, sous quelque face qu'on la
       considère, un sacrifice de soi-même. Le sacrifice que l'on
       fait de soi-même en idée est une disposition préconçue à
       s'immoler en réalité.   *Éloge de Richardson.*

6502   Un bien présent peut être dans l'avenir la source d'un grand
       mal; un mal, la source d'un grand bien.   *Ibid.*

6503   L'idée d'une multitude d'hommes de notre petite stature
       nous importune moins que l'idée d'un colosse.
                                                        Éloge de Térence.

6504   S'il n'est point d'homme de lettres qui ne fût très vain d'avoir
       gagné une bataille, y a-t-il un bon général d'armée qui ne
       fût aussi vain d'avoir écrit un beau poème?   *Ibid.*

Il est glorieux de s'exposer pour la patrie; mais il est glorieux aussi, et il est plus rare de savoir célébrer dignement ceux qui sont morts pour elle. *Ibid.* 6505

[...] La verve se laisse rarement maîtriser par le goût, mais ne l'exclut pas. *Ibid.* 6506

Le goût timide et circonspect tourne sans cesse les yeux autour de lui; il ne hasarde rien; il veut plaire à tous; il est le fruit des siècles et des travaux successifs des hommes. *Ibid.* 6507

Il n'y a donc qu'un moyen de rendre fidèlement un auteur, d'une langue étrangère dans la nôtre : c'est d'avoir l'âme bien pénétrée des impressions qu'on en a reçues, et de n'être satisfait de sa traduction que quand elle réveillera les mêmes impressions dans l'âme du lecteur. Alors l'effet de l'original et celui de la copie sont les mêmes; mais cela se peut-il toujours? *Ibid.* 6508

[...] Il ne faut point donner d'esprit à ses personnages; mais savoir les placer dans des circonstances qui leur en donnent... *Entretiens sur le fils naturel, Second entretien.* 6509

Les poètes, les acteurs, les musiciens, les peintres, les chanteurs de premier ordre, les grands danseurs, les amants tendres, les vrais dévots, toute cette troupe enthousiaste et passionnée sent vivement, et réfléchit peu. *Ibid.* 6510

Un grand goût suppose un grand sens, une longue expérience, une âme honnête et sensible, un esprit élevé, un tempérament un peu mélancolique, et des organes délicats... *Ibid.* 6511

Ne vaut-il pas mieux encore, me disait-elle [1], faire des ingrats, que de manquer à faire le bien? *Ibid.* 6512

Les parents ont pour leurs enfants un amour inquiet et pusillanime qui les gâte. Il en est un autre attentif et tranquille, qui les rend honnêtes; et c'est celui-ci, qui est le véritable amour de père. *Ibid.* 6513

L'ennui de tout ce qui amuse la multitude, est la suite du goût réel pour la vertu. *Ibid.* 6514

Il y a un tact moral qui s'étend à tout, et que le méchant n'a point. *Ibid.* 6515

L'homme le plus heureux est celui qui fait le bonheur d'un plus grand nombre d'autres. *Ibid.* 6516

Je voudrais être mort, est un souhait fréquent qui prouve, du moins quelquefois, qu'il y a des choses plus précieuses que la vie. *Ibid.* 6517

Un honnête homme est respecté de ceux même qui ne le sont pas, fût-il dans une autre planète. *Ibid.* 6518

1. Mlle Clairon.

6519   Les passions détruisent plus de préjugés que la philosophie.
Et comment le mensonge leur résisterait-il? Elles ébranlent
quelquefois la vérité.   *Ibid.*

6520   Si la langue de la vertu s'appauvrit à mesure que celle du vice
s'étend, bientôt on en sera réduit à ne pouvoir parler sans
dire une sottise. Pour moi, je pense qu'il y a mille occasions
où un homme ferait honneur à son goût et à ses mœurs, en
méprisant cette espèce d'invasion du libertinage.   *Ibid.*

6521   Il me semble qu'il y a bien de l'avantage à rendre les hommes
tels qu'ils sont. Ce qu'ils devraient être est une chose trop
systématique et trop vague pour servir de base à un art
d'imitation. Il n'y a rien de si rare qu'un homme tout à fait
méchant, si ce n'est peut-être un homme tout à fait bon.
Ibid., Troisième entretien.

6522   Les beautés ont, dans les arts, le même fondement que les
vérités dans la philosophie. Qu'est-ce que la vérité? La
conformité de nos jugements avec les êtres. Qu'est-ce que la
beauté d'imitation? La conformité de l'image avec la chose.
Ibid.

6523   Des hommes de génie ont ramené, de nos jours, la philosophie
du monde intelligible dans le monde réel. Ne s'en trouvera-
t-il point un qui rende le même service à la poésie lyrique et
qui la fasse descendre, des régions enchantées, sur la terre
que nous habitons?   *Ibid.*

6524   Un sage était autrefois un philosophe, un poète, un musicien.
Ces talents ont dégénéré en se séparant : la sphère de la
philosophie s'est resserrée; les idées ont manqué à la poésie;
la force et l'énergie, aux chants; et la sagesse, privée de ces
organes, ne s'est plus fait entendre aux peuples avec le
même charme. Un grand musicien et un grand poète lyrique
répareraient tout le mal.   *Ibid.*

6525   Une danse est un poème.   *Ibid.*

6526   Les sens ne sont tous qu'un toucher; tous les arts, qu'une
imitation. Mais chaque sens touche, et chaque art imite d'une
manière qui lui est propre.   *Ibid.*

6527   [...] Rien ne prévaut contre le vrai. Le mauvais passe, malgré
l'éloge de l'imbécillité; et le bon reste, malgré l'indécision
de l'ignorance et la clameur de l'envie.
Discours sur la poésie dramatique.

6528   Malheur à celui qui s'occupe, si son travail n'est pas la source
de ses instants les plus doux, et s'il ne sait pas se contenter
de peu de suffrages! Le nombre des bons juges est borné.
Ibid.

6529   Les gens de bien sont rares; mais il y en a. Celui qui pense
autrement s'accuse lui-même, et montre combien il est
malheureux dans sa femme, dans ses parents, dans ses amis,
dans ses connaissances.   *Ibid.*

L'eau, l'air, la terre, le feu, tout est bon dans la nature; 6530
et l'ouragan, qui s'élève sur la fin de l'automne, secoue les
forêts, et frappant les arbres les uns contre les autres, en brise
et sépare les branches mortes [...]. *Ibid.*

Qu'il est doux d'avoir bien vécu, lorsqu'on est sur le point 6531
de mourir! *Ibid.*

Moins un genre est vraisemblable, plus il est facile d'y être 6532
rapide et chaud. On a de la chaleur aux dépens de la vérité
et des bienséances. *Ibid.*

Il n'est pas donné à tout le monde d'estropier ainsi. Si l'on 6533
croit qu'il y ait beaucoup plus d'hommes capables de faire
Pourceaugnac que *le Misanthrope*, on se trompe. *Ibid.*

Qu'est-ce qu'Aristophane? Un farceur original. Un auteur 6534
de cette espèce doit être précieux pour le gouvernement,
s'il sait l'employer. C'est à lui qu'il faut abandonner tous
les enthousiastes qui troublent de temps en temps la société.
Si on les expose à la foire, on n'en remplira pas les prisons.
Ibid.

[...] En général il y a plus de pièces bien dialoguées que de 6535
pièces bien conduites. Le génie qui dispose les incidents,
paraît plus rare que celui qui trouve les vrais discours. Combien de belles scènes dans Molière! On compte ses dénoue-
ments heureux. *Ibid.*

Écouter les hommes, et s'entretenir souvent avec soi : 6536
voilà les moyens de se former au dialogue. *Ibid.*

[...] Le poète comique est le poète par excellence. C'est lui 6537
qui fait. Il est, dans sa sphère, ce que l'Être tout-puissant
est dans la nature. C'est lui qui crée, qui tire du néant [...].
Ibid.

Il faut que les hommes fassent, dans la comédie, le rôle 6538
que font les dieux dans la tragédie. La fatalité et la méchanceté, voilà, dans l'un et l'autre genre, les bases de l'intérêt
dramatique. *Ibid.*

O combien l'homme qui pense le plus est encore automate! 6539
Ibid.

Comment s'oublier lorsque l'ennui nous rappelle à notre 6540
existence? Comment échauffer, éclairer les autres, lorsque la
lampe de l'enthousiasme est éteinte, et que la flamme du
génie ne luit plus sur le front? *Ibid.*

Le génie se sent; mais il ne s'imite point. *Ibid.* 6541

Qu'un auteur intelligent fasse entrer dans son ouvrage 6542
des traits que le spectateur s'applique, j'y consens; qu'il y
rappelle des ridicules en vogue, des vices dominants, des
événements publics; qu'il instruise et qu'il plaise, mais que
ce soit sans y penser. Si l'on remarque son but, il le manque;
il cesse de dialoguer, il prêche. *Ibid.*

6543   [...] Quelque génie qu'ait un poète, il lui faut un censeur.
                                                                    Ibid.

6544   [...] Un drame est fait pour le peuple, et [...] il ne faut supposer
        au peuple ni trop d'imbécillité, ni trop de finesse.   *Ibid.*

6545   Il y a de la différence entre la plaisanterie de théâtre et la
        plaisanterie de société. Celle-ci serait trop faible sur la scène,
        et n'y ferait aucun effet. L'autre serait trop dure dans le
        monde, et elle offenserait. Le cynisme, si odieux, si incom-
        mode dans la société, est excellent sur la scène.   *Ibid.*

6546   Autre chose est la vérité en poésie; autre chose, en philo-
        sophie. Pour être vrai, le philosophe doit conformer son
        discours à la nature des objets; le poète à la nature de ses
        caractères.   *Ibid.*

6547   Pourquoi chercher l'auteur dans ses personnages? Qu'a
        de commun Racine avec *Athalie*, Molière avec *le Tartuffe*?
        Ce sont des hommes de génie qui ont su fouiller au fond de
        nos entrailles, et en arracher le trait qui nous frappe. Jugeons
        les poèmes, et laissons là les personnes.   *Ibid.*

6548   [...] Telle est la différence de l'esprit et du génie, que l'un est
        presque toujours présent, et que souvent l'autre s'absente.
                                                                Ibid.

6549   Je conçois comment, à force de travail, on réussit à faire
        une scène de Corneille, sans être né Corneille : je n'ai jamais
        conçu comment on réussissait à faire une scène de Racine,
        sans être né Racine.   *Ibid.*

6550   Un peuple n'est pas également propre à exceller dans tous
        les genres de drame. La tragédie me semble plus du génie
        républicain; et la comédie, gaie surtout, plus du caractère
        monarchique.   *Ibid.*

6551   En général, plus un peuple est civilisé, poli, moins ses mœurs
        sont poétiques; tout s'affaiblit en s'adoucissant.   *Ibid.*

6552   La poésie veut quelque chose d'énorme, de barbare et de
        sauvage.
        C'est lorsque la fureur de la guerre civile ou du fanatisme
        arme les hommes de poignards, et que le sang coule à grands
        flots sur la terre, que le laurier d'Apollon s'agite et verdit.
        Il en veut être arrosé. Il se flétrit dans les temps de la paix
        et du loisir.   *Ibid.*

6553   Celui qui est frappé des diamants qui déparent une belle
        femme, n'est pas digne de voir une belle femme.   *Ibid.*

6554   Le public ne sait pas toujours désirer le vrai. Quand il est
        dans le faux, il peut y rester des siècles entiers; mais il est
        sensible aux choses naturelles; et lorsqu'il en a reçu l'impres-
        sion, il ne la perd jamais entièrement.   *Ibid.*

6555   La nature, la nature! on ne lui résiste pas. Il faut ou la chasser,
        ou lui obéir.   *Ibid.*

Il est facile de critiquer juste; et difficile d'exécuter médio- 6556
crement. *Ibid.*

Les voyageurs parlent d'une espèce d'hommes sauvages, 6557
qui soufflent au passant des aiguilles empoisonnées. C'est
l'image de nos critiques. *Ibid.*

Le rôle d'un auteur est un rôle assez vain; c'est celui d'un 6558
homme qui se croit en état de donner des leçons au public.
Et le rôle du critique? Il est bien plus vain encore; c'est
celui d'un homme qui se croit en état de donner des leçons
à celui qui se croit en état d'en donner au public. *Ibid.*

La vérité et la vertu sont les amies des beaux-arts. Voulez- 6559
vous être auteur? voulez-vous être critique? commencez
par être homme de bien. Qu'attendre de celui qui ne peut
s'affecter profondément? *Ibid.*

Si l'on m'assure qu'un homme est avare, j'aurai peine à 6560
croire qu'il produise quelque chose de grand. Ce vice rapetisse l'esprit et rétrécit le cœur. Les malheurs publics ne
sont rien pour l'avare. Quelquefois il s'en réjouit. Il est dur.
Comment s'élèvera-t-il à quelque chose de sublime? il est
sans cesse courbé sur un coffre-fort. Il ignore la vitesse du
temps et la brièveté de la vie. *Ibid.*

Ce n'est que par la mémoire que nous sommes un même indi- 6561
vidu pour les autres et pour nous-mêmes. Il ne me reste peut-
être pas, à l'âge que j'ai, une seule molécule du corps que
j'apportai en naissant. *Ibid.*

La sensibilité n'est guère la qualité d'un grand génie. 6562
Paradoxe sur le comédien.

La larme qui s'échappe de l'homme vraiment homme nous 6563
touche plus que tous les pleurs d'une femme. *Ibid.*

« C'est l'extrême sensibilité qui fait les acteurs médiocres; 6564
c'est la sensibilité médiocre qui fait la multitude des mauvais
acteurs; et c'est le manque absolu de sensibilité qui prépare
les acteurs sublimes. » Les larmes du comédien descendent
de son cerveau; celles de l'homme sensible montent de son
cœur. *Ibid.*

Ce n'est pas que la pure nature n'ait ses moments sublimes; 6565
mais je pense que s'il est quelqu'un sûr de saisir et de conserver leur sublimité, c'est celui qui les aura pressentis d'imagination ou de génie, et qui les rendra de sang-froid. *Ibid.*

Il en est au théâtre comme dans la société, où l'on ne reproche 6566
la galanterie à une femme que quand elle n'a ni assez de
talents, ni assez d'autres vertus pour couvrir un vice. *Ibid.*

On a dit que l'amour, qui ôtait l'esprit à ceux qui en avaient, 6567
en donnait à ceux qui n'en avaient pas; c'est-à-dire, en autre
français, qu'il rendait les uns sensibles et sots, et les autres
froids et entreprenants. *Ibid.*

6568   Un moyen sûr de jouer petitement, mesquinement, c'est
        d'avoir à jouer son propre caractère. Vous êtes un tartuffe,
        un avare, un misanthrope, vous le jouerez bien; mais vous
        ne ferez rien de ce que le poète a fait; car il a fait, lui, le
        Tartuffe, l'Avare et le Misanthrope.   *Ibid.*

6569   Les choses dont on parle le plus parmi les hommes sont
        assez ordinairement celles qu'on connaît le moins.
        Recherches philosophiques sur l'origine et la nature du Beau.

6570   Comment se fait-il que presque tous les hommes soient
        d'accord qu'il y a un *beau*; qu'il y en ait tant entre eux qui le
        sentent vivement où il est, et que si peu sachent ce que c'est?
                                                               Ibid.

6571   Cet homme a tout, excepté la vérité.
                                 Les Salons, salon de 1761, Boucher.

6572   Quand on écrit, faut-il tout écrire? Quand on peint, faut-il
        tout peindre? De grâce, laissez quelque chose à suppléer
        par mon imagination.
                        Ibid., salon de 1763, Boucher : une Bergerie.

6573   On ne manque pas d'excellents dessinateurs; il y a peu de
        grands coloristes. Il en est de même en littérature : cent froids
        logiciens pour un grand orateur; dix grands orateurs pour
        un poète sublime. Un grand intérêt fait éclore subitement
        un homme éloquent; quoi qu'en dise Helvétius, on ne ferait
        pas dix bons vers, même sous peine de mort.
                                     Essai sur la peinture, chap. 2.

6574   Un comédien qui ne se connaît pas en peinture est pauvre
        comédien; un peintre qui n'est pas physionomiste est un
        pauvre peintre.   *Ibid., chap. 4.*

6575   On retrouve les poètes dans les peintres, et les peintres dans
        les poètes. La vue des tableaux des grands maîtres est aussi
        utile à un auteur, que la lecture des grands ouvrages à un
        artiste.
                Pensées détachées sur la peinture, la sculpture et la poésie.
                                                             Du goût.

6576   Le goût a prononcé longtemps avant que de connaître le
        motif de son jugement; il le cherche quelquefois sans le
        trouver, et cependant il persiste.   *Ibid.*

6577   Les règles ont fait de l'art une routine; et je ne sais si elles
        n'ont pas été plus nuisibles qu'utiles. Entendons-nous :
        elles ont servi à l'homme ordinaire; elles ont nui à l'homme
        de génie.   *Ibid.*

6578   On ne retient presque rien sans le secours des mots, et les
        mots ne suffisent presque jamais pour rendre précisément
        ce que l'on sent.   *Ibid.*

6579   Un mauvais mot, une expression bizarre m'en a quelquefois
        plus appris que dix belles phrases.   *Ibid.*

La sotte occupation que celle de nous empêcher sans cesse   6580
de prendre du plaisir, ou de nous faire rougir de celui que
nous avons pris!... C'est celle du critique.   *Ibid.*

Si ces pensées ne plaisent à personne, elles pourront n'être   6581
que mauvaises; mais je les tiens pour détestables si elles
plaisent à tout le monde.   *Pensées philosophiques.*

Les passions sobres font les hommes communs. Si j'attends   6582
l'ennemi, quand il s'agit du salut de ma patrie, je ne suis qu'un
citoyen ordinaire. Mon amitié n'est que circonspecte, si
le péril d'un ami me laisse les yeux ouverts sur le mien. La
vie m'est-elle plus chère que ma maîtresse, je ne suis qu'un
amant comme un autre.   *Ibid., II.*

Le beau projet que celui d'un dévot qui se tourmente comme   6583
un forcené pour ne rien désirer, ne rien aimer, ne rien sentir,
et qui finirait par devenir un vrai monstre s'il réussissait!
          Ibid., V.

Il y a des gens dont il ne faut pas dire qu'ils craignent Dieu,   6584
mais bien qu'ils en ont peur.   *Ibid., VIII.*

Oui, je le soutiens, la superstition est plus injurieuse à Dieu   6585
que l'athéisme.   *Ibid., XII.*

Pascal avait de la droiture; mais il était peureux et crédule.   6586
Élégant écrivain et raisonneur profond, il eût sans doute
éclairé l'univers, si la Providence ne l'eût abandonné à
des gens qui sacrifièrent ses talents à leurs haines. [...] On
pourrait bien lui appliquer ce que l'ingénieux La Mothe
disait de La Fontaine : Qu'il fut assez bête pour croire qu'Ar-
naud, de Sacy et Nicole valaient mieux que lui.
          Ibid., XIV.

On n'a recours aux invectives que quand on manque de   6587
preuves. Entre deux controversistes, il y a cent à parier contre
un que celui qui aura tort se fâchera.   *Ibid., XV.*

On demandait un jour à quelqu'un s'il y avait de vrais athées.   6588
Croyez-vous, répondit-il, qu'il y ait de vrais chrétiens?
          Ibid., XVI.

L'intelligence d'un premier être ne m'est-elle pas mieux   6589
démontrée dans la nature par ses ouvrages, que la faculté
de penser dans un philosophe par ses écrits? [...] C'est sur
ce raisonnement, et quelques autres de la même simplicité,
que j'admets l'existence d'un Dieu, et non sur ces tissus
d'idées sèches et métaphysiques, moins propres à dévoiler
la vérité qu'à lui donner l'air du mensonge.   *Ibid., XX.*

Qu'on apporte cent preuves de la même vérité, aucune ne   6590
manquera de partisans. Chaque esprit a son télescope.
C'est un colosse à mes yeux que cette objection qui disparaît
aux vôtres : vous trouvez légère une raison qui m'écrase.
          Ibid., XXIV.

6591   Les hommes ont banni la Divinité d'entre eux; ils l'ont relé-
        guée dans un sanctuaire; les murs d'un temple bornent sa
        vue; elle n'existe point au-delà.   *Ibid., XXVI.*

6592   L'ignorance et l'*incuriosité* sont deux oreillers fort doux;
        mais pour les trouver tels, il faut avoir *la tête aussi bien faite*
        que Montaigne.   *Ibid., XXVII.*

6593   Damner un homme pour de mauvais raisonnements, c'est
        oublier qu'il est un sot pour le traiter comme un méchant.
                                                  Ibid., XXIX.

6594   L'incrédulité est quelquefois le vice d'un sot, et la crédulité
        le défaut d'un homme d'esprit. L'homme d'esprit voit loin
        dans l'immensité des possibles; le sot ne voit guère de possible
        que ce qui est. C'est là peut-être ce qui rend l'un pusilla-
        nime, et l'autre téméraire.   *Ibid., XXXII.*

6595   Tous les peuples ont de ces faits, à qui, pour être merveil-
        leux, il ne manque que d'être vrais; avec lesquels on démontre
        tout, mais qu'on ne prouve point; qu'on n'ose nier sans être
        impie, et qu'on ne peut croire sans être imbécile.
                                                  Ibid., XLVIII.

6596   Une seule démonstration me frappe plus que cinquante faits.
                                                  Ibid., L.

6597   Je suis plus sûr de mon jugement que de mes yeux.   *Ibid.*

6598   Pourquoi me harceler par des prodiges, quand tu n'as
        besoin, pour me terrasser, que d'un syllogisme? Quoi donc!
        te serait-il plus facile de redresser un boiteux que de
        m'éclairer?   *Ibid.*

6599   Les lumières des ministres ne sont point une preuve de la
        vérité d'une religion. Quel culte plus absurde que celui des
        Égyptiens, et quels ministres plus éclairés?...   *Ibid., LVI.*

6600   L'exemple, les prodiges, et l'autorité peuvent faire des dupes
        ou des hypocrites : la raison seule fait des croyants.   *Ibid.*

6601   Dévots, je vous en avertis; je ne suis pas chrétien parce que
        saint Augustin l'était; mais je le suis, parce qu'il est raison-
        nable de l'être.   *Ibid., LVII.*

6602   Si la raison est un don du ciel, et que l'on en puisse dire
        autant de la foi, le ciel nous a fait deux présents incompa-
        tibles et contradictoires.
                                Addition aux Pensées philosophiques, V.

6603   Le Dieu des chrétiens est un père qui fait grand cas de ses
        pommes, et fort peu de ses enfants.   *Ibid., XVI.*

6604   Otez la crainte de l'enfer à un chrétien, et vous lui ôterez
        sa croyance.   *Ibid., XVII.*

6605   La religion de Jésus-Christ, annoncée par des ignorants, a
        fait les premiers chrétiens. La même religion, prêchée par
        des savants et des docteurs, ne fait aujourd'hui que des
        incrédules.   *Ibid., XXXI.*

Dire que l'homme est un composé de force et de faiblesse, 6606
de lumière et d'aveuglement, de petitesse et de grandeur, ce
n'est pas lui faire son procès, c'est le définir. *Ibid., XLI.*

Ce que nous appelons le péché originel, Ninon de l'Enclos 6607
l'appelait le péché *original.* *Ibid., XLIII.*

A entendre un théologien exagérer l'action d'un homme 6608
que Dieu fit paillard, et qui a couché avec sa voisine, que
Dieu fit complaisante et jolie, ne dirait-on pas que le feu
ait été mis aux quatre coins de l'univers? Eh! mon ami,
écoute Marc-Aurèle, et tu verras que tu courrouces ton
Dieu pour le frottement illicite et voluptueux de deux intestins. *Ibid., LVII.*

Qu'est-ce qu'un paradoxe, sinon une vérité opposée aux 6609
préjugés du vulgaire, ignorée du commun des hommes, et
que l'inexpérience actuelle les empêche de sentir? Ce qui
est aujourd'hui un paradoxe pour nous sera pour la postérité une vérité démontrée. *Essai sur les préjugés.*

Les grands services sont comme de grosses pièces d'or ou 6610
d'argent qu'on a rarement occasion d'employer; mais les
petites attentions sont une monnaie courante qu'on a toujours à la main.
Lettre sur les aveugles à l'usage de ceux qui voient.

[...] Tous les animaux, nous accordant volontiers une raison 6611
avec laquelle nous aurions grand besoin de leur instinct,
se prétendront doués d'un instinct avec lequel ils se passent
fort bien de notre raison. Nous avons un si violent penchant
à surfaire nos qualités et à diminuer nos défauts, qu'il
semblerait presque que c'est à l'homme à faire le traité de
la force, et à l'animal celui de la raison. *Ibid.*

Je ne doute point que, sans la crainte du châtiment, bien 6612
des gens n'eussent moins de peine à tuer un homme à une
distance où ils ne le verraient gros que comme une hirondelle, qu'à égorger un bœuf de leurs mains. *Ibid.*

Un moyen presque sûr de se tromper en métaphysique, c'est 6613
de ne pas simplifier assez les objets dont on s'occupe; et un
secret infaillible pour arriver en physico-mathématique à
des résultats défectueux, c'est de les supposer moins composés qu'ils ne le sont. *Ibid.*

[...] Toute langue en général étant pauvre de mots propres 6614
pour les écrivains qui ont l'imagination vive, ils sont dans
le même cas que des étrangers qui ont beaucoup d'esprit;
les situations qu'ils inventent, les nuances délicates qu'ils
aperçoivent dans les caractères, la naïveté des peintures
qu'ils ont à faire, les écartent à tout moment des façons
de parler ordinaires [...]. *Ibid.*

On appelle *idéalistes* ces philosophes qui, n'ayant conscience 6615
que de leur existence et des sensations qui se succèdent au
dedans d'eux-mêmes, n'admettent pas autre chose : système extravagant qui ne pouvait, ce me semble, devoir sa

naissance qu'à des aveugles; système qui, à la honte de l'esprit humain et de la philosophie, est le plus difficile à combattre, quoique le plus absurde de tous.   *Ibid.*

6616   Si la nature nous offre un nœud difficile à délier, laissons-
le pour ce qu'il est; et n'employons pas à le couper la main
d'un être qui devient ensuite pour nous un nouveau nœud
plus indissoluble que le premier.   *Ibid.*

6617   Nous ne savons donc presque rien; cependant combien
d'écrits dont les auteurs ont tous prétendu savoir quelque
chose! Je ne devine pas pourquoi le monde ne s'ennuie
point de lire et de ne rien apprendre.   *Ibid.*

6618   Quand on vient à comparer la multitude infinie des phénomènes de la nature avec les bornes de notre entendement
et la faiblesse de nos organes, peut-on jamais attendre
autre chose de la lenteur de nos travaux, de leurs longues
et fréquentes interruptions et de la rareté des génies créateurs, que quelques pièces rompues et séparées de la grande
chaîne qui lie toutes choses?
                    De l'interprétation de la nature, § 6.

6619   Les hommes en sont à peine à sentir combien les lois de
l'investigation de la vérité sont sévères, et combien le nombre de nos moyens est borné. Tout se réduit à revenir des
sens à la réflexion, et de la réflexion aux sens : rentrer en
soi et en sortir sans cesse. C'est le travail de l'abeille. On a
battu bien du terrain en vain, si on ne rentre pas dans la
ruche chargée de cire. On a fait bien des amas de cire inutile, si on ne sait pas en former des rayons.   *Ibid., § 9.*

6620   Celui qui confesse librement qu'il ne sait pas ce qu'il ignore,
me dispose à croire ce dont il entreprend de me rendre raison.
                                                    Ibid., § 10.

6621   [...] Il est évident que la nature n'a pu conserver tant de
ressemblance dans les parties, et affecter tant de variété
dans les formes, sans avoir souvent rendu sensible dans un
être organisé ce qu'elle a dérobé dans un autre. C'est une
femme qui aime à se travestir, et dont les différents déguisements, laissant échapper tantôt une partie, tantôt une
autre, donnent quelque espérance à ceux qui la suivent avec
assiduité de connaître un jour toute sa personne. *Ibid., § 12.*

6622   L'entendement a ses préjugés; le sens, son incertitude; la
mémoire, ses limites; l'imagination, ses lueurs; les instruments, leur imperfection. Les phénomènes sont infinis;
les causes, cachées; les formes, peut-être transitoires. Nous
n'avons contre tant d'obstacles que nous trouvons en nous,
et que la nature nous oppose au dehors, qu'une expérience
lente, qu'une réflexion bornée. Voilà les leviers avec lesquels
la philosophie s'est proposé de remuer le monde. *Ibid., § 22.*

6623   Hâtons-nous de rendre la philosophie populaire. Si nous
voulons que les philosophes marchent en avant, approchons
le peuple du point où en sont les philosophes.
                                                    Ibid., § 40.

L'homme fait un mérite à l'Éternel de ses petites vues; 6624
et l'Éternel qui l'entend du haut de son trône, et qui connaît
son intention, accepte sa louange imbécile, et sourit de sa
vanité.   *Ibid.*, § 57.

C'est qu'il y a tant de méchants dans ce monde, qu'ils 6625
n'y faut pas retenir ceux à qui il prend envie d'en sortir.
                Entretien d'un père avec ses enfants.

Est-ce que l'homme n'est pas antérieur à l'homme de loi? 6626
Est-ce que la raison de l'espèce humaine n'est pas tout
autrement sacrée que la raison d'un législateur? Nous nous
appelons civilisés, et nous sommes pires que des sauvages.
Il semble qu'il nous faille encore tournoyer pendant des
siècles, d'extravagances en extravagances et d'erreurs en
erreurs, pour arriver où la première étincelle de jugement,
l'instinct seul, nous eût menés tout droit.   *Ibid.*

Regardez-y de près et vous verrez que le mot liberté est 6627
un mot vide de sens, qu'il n'y a point et qu'il ne peut y
avoir d'êtres libres, que nous ne sommes que ce qui convient
à l'ordre général, à l'organisation, à l'éducation et à la
chaîne des événements... Ce qui nous trompe, c'est la pro-
digieuse variété de nos actions, jointe à l'habitude que nous
avons prise tout en naissant de confondre le volontaire avec
le libre.   *Correspondance, lettre à Landois, 29 juin 1756.*

Un tout est beau lorsqu'il est un; en ce sens Cromwell 6628
est beau, et Scipion aussi, et Médée, et Arria, et César,
et Brutus.   *Lettre à Sophie Volland, 10 août 1759.*

Ah! Sophie, la vie est bien mauvaise chose pour les âmes 6629
sensibles; elles sont entourées de cailloux qui les choquent
et les froissent sans cesse.
                Lettre à Sophie Volland, 20 septembre 1760.

A propos de ces Chinois, savez-vous que l'illustration 6630
remonte chez eux et ne descend jamais? Ce sont les enfants
qui illustrent et anoblissent leurs aïeux et non pas les aïeux
leurs enfants. Ma foi, cela est encore bien sage.
                Lettre à Sophie Volland, 30 septembre 1760.

Je prétends que c'est la sensibilité qui fait les comédiens 6631
médiocres; l'extrême sensibilité les comédiens bornés; le
sens froid et la tête, les comédiens sublimes.
                    Lettre à Grimm, 14 novembre 1769.

LE CARDINAL DE BERNIS
1715-1794

Il suffit de penser pour être homme d'esprit; mais il faut 6632
imaginer pour être poète.   *Discours sur la poésie.*

6633   Un profond géomètre traite les vers de bagatelle : cependant il y a à parier que le grand Newton ne vivra pas aussi longtemps que le vieux Homère.   *Ibid.*

6634   Le naturel est le sceau du génie,
                      L'appui du goût, l'âme de l'harmonie.
                                      Épîtres, I, sur le goût.

6635   A force d'art, l'art lui-même est banni.
                                                           Ibid.

6636   Trop de finesse affadit la saillie.
                                                           Ibid.

6637   Le ton du monde est une amorce
                      Qui nous en cache le danger :
                      Le savoir, un vain étalage
                      De mémoire et de vanité :
                      Notre raison, un badinage
                      Où succombe la vérité.
                                      Ibid., II, sur les mœurs.

6638   Français, connaissez votre image;
                      Des modes vous êtes l'ouvrage...
                                                           Ibid.

6639   Le monde a de son sein exilé la science;
       Mais il sait par l'usage ennoblir l'ignorance;
       Il prête à nos discours ce vernis animé,
       Ce ton enfin, ce ton plus senti qu'exprimé.
                              Ibid., III, contre le libertinage.

6640   Outrager est d'un fou, flatter est d'un esclave.
                              Ibid., IV, sur l'indépendance.

6641   Aimerait-on autrui, si l'on ne s'aimait pas?
                              Ibid., V, sur l'amour de la patrie.

6642   Je reconnais tous les travers
                      De ce rien qu'on nomme science :
                      Je vois que la sombre ignorance
                      Obscurcit les pâles éclairs
                      De notre faible intelligence.
                              Ibid., VII, à mes dieux pénates.

6643   Le sentiment qu'on alambique
                      N'a guère de solidité :
                      Par un seul mot l'amour s'explique;
                      L'art du cœur est la vérité.
                                      Ibid., VIII, à M. Duclos.

6644   Car enfin, que sert-il d'écrire?
                      N'est-ce pas assez de penser?
                                      Ibid., X, sur la paresse.

6645   Rien ne dure que ce qui plaît,
                      L'utile doit être agréable;
                      Un auteur n'est jamais parfait
                      Quand il néglige d'être aimable.
                                      Ibid., XII, aux Grâces.

Qu'un autre exalte le courage   6646
D'Achille mort dans son printemps :
Il faut plus de vertus pour vivre plus longtemps,
Et le Nestor des Grecs fut encor le plus sage.
                    Ibid., XIII, à M. de Fontenelle.

Où se forge la foudre, il ne tonne jamais.   6647
                    Poésies diverses, sur la Cour.

La mode est un tyran, des mortels respecté,   6648
Digne enfant du dégoût et de la nouveauté.
[...]
La suivre est un devoir, la fuir un ridicule.
                    Ibid., sur la mode.

Trop de culture épuise un champ fertile.   6649
*Ibid., Réponse à une Dame qui demandait qu'on corrigeât
                                    ses vers.*

L'ouvrage a toujours l'air facile,   6650
Quand le travail est un plaisir.
                                    Ibid.

Les amants véritables ressemblent aux fontaines abon-   6651
dantes; elles sont vives; mais elles sont douces.
                    Réflexions sur les passions.

Il n'est rien de si commun que de parler d'amour; il n'est   6652
rien de si rare que d'en bien parler.   *Ibid.*

La coquetterie sauve ordinairement les femmes des grandes   6653
passions, et le libertinage en garantit presque toujours les
hommes. Il faut penser modestement de soi-même pour
aimer sincèrement; il faut être sage pour aimer longtemps.
                                    Ibid.

Un amour ordinaire est la plus faible de toutes les passions.   6654
L'espérance du plaisir le soutient, son approche l'affaiblit,
son arrivée l'anéantit absolument.   *Ibid.*

L'eau retient la figure du vase qu'elle remplit : nos maî-   6655
tresses nous rendent tout ce que nous sommes.   *Ibid.*

C'est jouir de trois personnes en une seule, que d'avoir une   6656
maîtresse qui rassemble les agréments, l'esprit et les caprices.
                                    Ibid.

Dans les amants vulgaires, c'est toujours le cœur qui se lasse   6657
le premier; mais parmi ceux qui pensent, le cœur est toujours
touché, tant que l'esprit s'amuse. Il suffit d'être curieux,
et d'avoir en soi-même de quoi exciter la curiosité d'autrui,
pour plaire longtemps à une maîtresse aimable, et pour
l'aimer longtemps soi-même.   *Ibid.*

Heureusement que toutes les espèces de grâces sont pas-   6658
sagères; ainsi le beau sexe se console de la perte de ses
charmes, par l'espérance de voir bientôt flétrir ceux qui font
le plus de bruit.   *Ibid.*

6659   La confiance d'être aimé est le seul bonheur de la vie; mais
       c'est un bonheur appuyé sur une colonne de sable; en sonder
       l'intérieur, c'est s'exposer à la renverser absolument. Con-
       tentons-nous de savoir en général qu'il est peu de vrais
       amis.   *Ibid.*

6660   J'étends ces réflexions jusqu'au plaisir même : le définir,
       c'est le détruire; il s'est couvert d'un voile brillant qui
       s'obscurcit dès qu'on cherche à le lever.   *Ibid.*

6661   Que je plains ces philosophes malheureux, qui ne trouvent
       de réel que ce qui est durable, et qui laissent échapper un
       plaisir avec autant de facilité qu'un autre aurait d'ardeur
       en évitant une peine!   *Ibid.*

ÉTIENNE BONNOT, ABBÉ DE CONDILLAC
1715-1780

6662   Le défaut des Français, c'est de borner les arts à force de
       vouloir les rendre simples. Par là ils se privent quelquefois
       du meilleur, pour ne conserver que le bon.
                    *Essai sur l'origine des connaissances humaines, Seconde
                              partie, Première section, chap. 1, § 12.*

6663   Le Français a été, pendant longtemps, si peu favorable aux
       progrès de l'esprit, que si l'on pouvait se représenter Cor-
       neille successivement dans les différents âges de la monarchie,
       on lui trouverait moins de génie, et l'on arriverait enfin à
       un Corneille qui ne pourrait donner aucune preuve de
       talent.   *Ibid., chap. 15, § 147.*

6664   Nous avons quatre métaphysiciens célèbres, Descartes, Male-
       branche, Leibniz et Locke. Le dernier est le seul qui ne fut
       pas géomètre, et de combien n'est-il pas supérieur aux trois
       autres!   *Ibid., Seconde section, chap. 4, § 52.*

6665   Les philosophes doivent leur réputation à l'importance des
       sujets dont ils s'occupent plutôt qu'à la manière dont ils
       les traitent.   *Traité des systèmes, chap. 4.*

6666   Voulez-vous apprendre les sciences avec facilité? Commencez
       par apprendre votre langue.   *Ibid., chap. 18.*

6667   Nous ne saurions nous rappeler l'ignorance dans laquelle
       nous sommes nés : c'est un état qui ne laisse point de traces
       après lui.   *Traité des sensations, Dessein de cet ouvrage.*

6668   Si nous lui présentons une rose, elle sera par rapport à
       nous une statue qui sent une rose; mais par rapport à elle,
       elle ne sera que l'odeur même de cette fleur.
       Elle sera donc odeur de rose, d'œillet, de jasmin, de violette,
       suivant les objets qui agiront sur son organe.
                              Ibid., Première partie, chap. 1, § 2.

Si quelques jolies phrases, qu'un écrivain pourrait ne pas   6669
se permettre, ne font pas lire un livre, elles le font feuille-
ter, et l'on en parle.   *Traité des animaux.*

Pour nous former le goût, il ne suffit pas d'étudier les langues   6670
mortes, il faut encore cultiver celle qui nous est devenue
naturelle, parce que c'est dans cette langue que nous pensons.
            Discours de Réception à l'Académie française.

Je regarde la grammaire comme la première partie de l'art   6671
de penser.
Cours d'étude pour l'instruction du Prince de Parme, II,
                                              Grammaire.

Les langues n'ont d'élégance qu'autant qu'il y en a dans   6672
l'esprit de ceux qui les parlent.
            Ibid., VI, Histoire moderne, Livre XX, chap. 1.

L'art de bien traiter une science se réduit à l'art d'en bien   6673
faire la langue.
Le commerce et le gouvernement considérés relativement l'un
                                              à l'autre.

Les villes sont, en dernière analyse, les grands réservoirs   6674
où l'argent entre, et d'où il sort par un mouvement qui se
soutient, ou qui se renouvelle continuellement.   *Ibid.*

Le grand défaut de la synthèse est de commencer par des   6675
principes généraux et par des définitions, ce que je crois tout
à fait contraire à la génération des idées.
            Lettre au Comte Potocki, 23 janvier 1779.

CLAUDE ADRIEN HELVÉTIUS
1715-1771

La morale est une science frivole si l'on ne la confond avec   6676
la politique et la législation.   *De l'esprit, II, XV.*

Il y a dans l'esprit des maladies épidémiques auxquelles   6677
peu de gens échappent.   *Notes, maximes et pensées.*

La vérité est un flambeau qui luit dans un brouillard sans le   6678
dissiper.   *Ibid.*

On n'est imposteur que lorsqu'on l'est à demi.   *Ibid.*   6679

Il y a des gens que l'on mène par la crainte même où ils   6680
sont d'être menés.   *Ibid.*

L'art du politique est de faire en sorte qu'il soit de l'intérêt   6681
de chacun d'être vertueux.   *Ibid.*

VAUVENARGUES
1715-1747

6682 Il est plus aisé de dire des choses nouvelles que de concilier celles qui ont été dites.   *Réflexions.*

6683 La clarté orne les pensées profondes.   *Ibid.*

6684 C'est un grand signe de médiocrité de louer toujours modérément.   *Ibid.*

6685 La servitude abaisse les hommes jusqu'à s'en faire aimer.   *Ibid.*

6686 On ne peut être juste, si on n'est humain.   *Ibid.*

6687 Il n'y a peut-être point de vérité qui ne soit à quelque esprit faux matière d'erreur.   *Ibid.*

6688 Quand on sent qu'on n'a pas de quoi se faire estimer de quelqu'un, on est bien près de le haïr.   *Ibid.*

6689 Le trafic de l'honneur n'enrichit pas.   *Ibid.*

6690 Il n'y a guère de gens plus aigres que ceux qui sont doux par intérêt.   *Ibid.*

6691 La modération des grands hommes ne borne que leurs vices.   *Ibid.*

6692 C'est être médiocrement habile, que de faire des dupes.   *Ibid.*

6693 On dit peu de choses solides, lorsqu'on cherche à en dire d'extraordinaires.   *Ibid.*

6694 La raison nous trompe plus souvent que la nature.   *Ibid.*

6695 Les grandes pensées viennent du cœur.   *Ibid.*

6696 Personne n'est sujet à plus de fautes que ceux qui n'agissent que par réflexion.   *Ibid.*

6697 On ne peut juger de la vie par une plus fausse règle que la mort.   *Ibid.*

6698 Pour exécuter de grandes choses, il faut vivre comme si on ne devait jamais mourir.   *Ibid.*

6699 La pensée de la mort nous trompe; car elle nous fait oublier de vivre.   *Ibid.*

6700 L'esprit est l'œil de l'âme, non sa force. Sa force est dans le cœur, c'est-à-dire dans les passions.   *Ibid.*

Suffit-il d'avoir la vue bonne pour marcher? Ne faut-il   6701
pas encore avoir des pieds, et la volonté avec la puissance de
les remuer?   *Ibid.*

Nous querellons les malheureux pour nous dispenser de les   6702
plaindre.   *Ibid.*

On n'est pas né pour la gloire lorsqu'on ne connaît pas le   6703
prix du temps.   *Ibid.*

Celui qui serait né pour obéir, obéirait jusque sur le trône.   6704
                                                        Ibid.

Qui sait tout souffrir peut tout oser.   *Ibid.*   6705

Lorsque les plaisirs nous ont épuisés, nous croyons avoir   6706
épuisé les plaisirs; et nous disons que rien ne peut remplir
le cœur de l'homme.   *Ibid.*

Le feu, l'air, l'esprit, la lumière, tout vit par l'action. De là   6707
la communication et l'alliance de tous les êtres; de là
l'unité et l'harmonie dans l'univers. Cependant cette loi
de la nature, si féconde, nous trouvons que c'est un vice
dans l'homme : et parce qu'il est obligé d'y obéir, ne pouvant
subsister dans le repos, nous concluons qu'il est hors de sa
place.   *Ibid.*

Quand on a beaucoup de lumières, on admire peu; lorsque   6708
l'on en manque, de même. L'admiration marque le terme
de nos connaissances, et prouve moins, souvent, la perfection
des choses, que l'imperfection de notre esprit.   *Ibid.*

Ceux qui se moquent des goûts sérieux aiment sérieuse-   6709
ment les bagatelles.   *Ibid.*

De tout temps on a vu des hommes qui savaient beaucoup   6710
avec un esprit très médiocre; et au contraire, des esprits très
vastes qui savaient fort peu. Ni l'ignorance n'est défaut
d'esprit, ni le savoir n'est preuve de génie.   *Ibid.*

Les grands hommes, en apprenant aux faibles à réfléchir,   6711
les ont mis sur la route de l'erreur.   *Ibid.*

Il est faux que l'égalité soit une loi de la nature. La nature   6712
n'a rien fait d'égal. Sa loi souveraine est la subordination et
la dépendance.   *Ibid.*

Nous aimons quelquefois jusqu'aux louanges que nous ne   6713
croyons pas sincères.   *Ibid.*

Nous nous consolons rarement des grandes humiliations;   6714
nous les oublions.   *Ibid.*

La patience est l'art d'espérer.   *Ibid.*   6715

Les biens et les maux extrêmes ne se font pas sentir aux âmes   6716
médiocres.   *Ibid.*

6717 Il s'en faut de beaucoup que notre goût soit toujours aussi difficile à contenter que notre esprit. *Ibid.*

6718 L'erreur ajoutée à la vérité ne l'augmente point. *Ibid.*

6719 Ceux qui ont abusé les peuples sur quelque intérêt général étaient fidèles aux particuliers. *Ibid.*

6720 Ceux qui sont nés éloquents parlent quelquefois avec tant de clarté et de brièveté des grandes choses, que la plupart des hommes n'imaginent pas qu'ils en parlent avec profondeur. *Ibid.*

6721 C'est un malheur que les hommes ne puissent d'ordinaire posséder aucun talent sans avoir quelque envie d'abaisser les autres. *Ibid.*

6722 Il y a des semences de bonté et de justice dans le cœur de l'homme, si l'intérêt propre y domine. *Ibid.*

6723 Le corps a ses grâces, l'esprit ses talents. Le cœur n'aurait-il que des vices? Et l'homme capable de raison serait-il incapable de vertu? *Ibid.*

6724 La médiocrité d'esprit et la paresse font plus de philosophes que la réflexion. *Ibid.*

6725 Celui qui a besoin des autres, les avertit de se défier de lui; un homme inutile a bien de la peine à leurrer personne. *Ibid.*

6726 L'art de plaire est l'art de tromper. *Ibid.*

6727 On fait un ridicule à un homme du monde du talent et du goût d'écrire. Je demande aux gens raisonnables : que font ceux qui n'écrivent pas? *Ibid.*

6728 La plupart des grandes affaires se traitent par écrit; il ne suffit donc pas de savoir parler : tous les intérêts subalternes, les engagements, les plaisirs, les devoirs de la vie civile, demandent qu'on sache parler; c'est donc peu de savoir écrire. *Ibid.*

6729 Comptez rarement sur l'estime et sur la confiance d'un homme qui entre dans tous vos intérêts, s'il ne vous parle aussitôt des siens. *Pensées diverses.*

6730 Je n'ai jamais vu de préface ennuyeuse à la tête d'un bon livre. *Ibid.*

6731 Les femmes ne peuvent comprendre qu'il y ait des hommes désintéressés à leur égard. *Ibid.*

6732 Il n'est pas libre à un homme qui vit dans le monde de n'être pas galant. *Ibid.*

Quels que soient ordinairement les avantages de la jeunesse, un jeune homme n'est pas bienvenu auprès des femmes jusqu'à ce qu'elles en aient fait un fat.   *Ibid.*   6733

La clarté est la bonne foi des philosophes.   *Ibid.*   6734

La netteté est le vernis des maîtres.   *Ibid.*   6735

Pour savoir si une pensée est nouvelle, il n'y a qu'à l'exprimer bien simplement.   *Ibid.*   6736

Il y a peu de pensées synonymes, mais beaucoup d'approchantes.   *Ibid.*   6737

La constance est la chimère de l'amour.   *Ibid.*   6738

Ceux qui ne sont plus en état de plaire aux femmes s'en corrigent.   *Ibid.*   6739

Le plus grand de tous les projets est celui de prendre un parti.   *Ibid.*   6740

On promet beaucoup pour se dispenser de donner peu.   *Ibid.*   6741

On tourne une pensée comme un habit, pour s'en servir plusieurs fois.   *Ibid.*   6742

C'est faute de pénétration que nous concilions si peu de choses.   *Ibid.*   6743

L'incrédulité a ses enthousiastes, ainsi que la superstition.   *Ibid.*   6744

Personne ne peut se vanter de n'avoir jamais été méprisé.   *Ibid.*   6745

Il ne faut pas autant d'acquis pour être habile que pour le paraître.   *Ibid.*   6746

Il n'y a point de perte que l'on sente si vivement et si peu de temps que celle d'une femme aimée.   *Ibid.*   6747

La vérité est le soleil des intelligences.   *Ibid.*   6748

Les hommes ne se comprennent pas les uns les autres. Il y a moins de fous qu'on ne croit.   *Ibid.*   6749

Ceux qui méprisent l'homme ne sont pas de grands hommes.   *Ibid.*   6750

Le plus grand et le plus ordinaire défaut des poètes est de ne pouvoir conserver le génie de leur langue et la naïveté du sentiment.   *Jugements.*   6751

Le public n'est pas obligé de tenir compte aux gens sans talent de la très grande peine qu'ils ont à écrire.   *Ibid.*   6752

6753   Les grandes et les premières règles sont trop fortes pour les écrivains médiocres, car elles les réduiraient à ne point écrire.
Ibid.

6754   C'est dans l'oisiveté et la petitesse que la vertu souffre, lorsqu'une prudence timide l'empêche de prendre l'essor et la fait ramper dans ses liens; mais le malheur même a ses charmes dans les grandes extrémités; car cette opposition de la fortune élève un esprit courageux et lui fait ramasser toutes ses forces qu'il n'employait pas.
Conseils à un jeune homme.

6755   La liberté découvre, jusque dans l'excès du crime, la vraie grandeur de notre âme.
Lettre au Marquis de Mirabeau, 22 mars 1740.

6756   Corneille n'avait point de goût, parce que le bon goût n'étant qu'un sentiment vif et fidèle de la belle nature, ceux qui n'ont pas un esprit naturel ne peuvent l'avoir que mauvais.
Lettre à Voltaire, avril 1743.

L'ABBÉ BARTHÉLEMY
1716-1795

6757   Nous lançâmes un chevreuil et tuâmes un loup, à peu près comme les généraux gagnent des batailles, c'est-à-dire que nous entendîmes le coup, que nous courûmes au bruit, que nous vîmes l'ennemi étendu sur le carreau, que nous en eûmes peur, et que nous nous retirâmes en bon ordre.
Lettre à Madame la Marquise du Deffand, 7 juin 1770.

DOM DESCHAMPS
1716-1774

6758   Le passé et le futur rentrent continuellement l'un dans l'autre et ne donnent jamais que le présent ou, ce qui est égal, que le temps, toujours le même au fond, mais toujours nuancé différemment. Ce sont ces nuances qui sont le passé et le futur, qui sont tous les objets qui se succèdent les uns aux autres.
Observations métaphysiques, Première partie.

6759   Il n'a jamais vraisemblablement été écrit, ni dit, ni pensé jusqu'à moi que *tout et rien fût la même chose.*
Le vrai système ou le mot de l'énigme métaphysique et morale,
La vérité métaphysique, I, IV.

6760   Ce n'est pas la morale du prince qu'il faut réprouver, puisqu'il ne peut en avoir une autre, c'est le prince.
Ibid., La Vérité morale, I, II.

Nos livres, pour le dire ici, demandent un livre qui prouvât 6761
qu'ils sont de trop et qu'il serait de trop lui-même, une fois
les hommes éclairés par lui.   *Ibid., II, II.*

SAINT-LAMBERT
1716-1803

Amour, charmant Amour, la campagne est ton temple...   6762
                          Les Saisons, Le Printemps.

Souvent j'écoute encor quand le chant a cessé.   6763
                                          Ibid.

La campagne et mes chants ne sont pas faits pour vous.   6764
Il faut avoir nos mœurs pour partager nos goûts.
                                    Ibid., L'Automne.

Ci-gît un vieil atrabilaire :   6765
Après l'avoir fait enterrer,
Sa veuve, n'ayant rien à faire,
Prit le parti de le pleurer.
                                            Épitaphe.

Par tes rigueurs ou ton absence   6766
Cesse de déchirer mon cœur;
Je t'aimerais sans inconstance
Qaund tu m'aimerais sans humeur.
                                           Romance.

D'ALEMBERT
1717-1783

La nature de l'homme, dont l'étude est si nécessaire, est un   6767
mystère impénétrable à l'homme même, quand il n'est
éclairé que par la raison seule; et les plus grands génies à
force de réflexions sur une matière si importante, ne parviennent que trop souvent à en savoir un peu moins que le
reste des hommes.
Discours préliminaire de l'Encyclopédie, Première partie.

Celui qui dit que deux et deux font quatre, a-t-il une con-   6768
naissance de plus que celui qui se contenterait de dire que
deux et deux font deux et deux?   *Ibid.*

L'univers, pour qui saurait l'embrasser d'un seul point de   6769
vue, ne serait, s'il est permis de le dire, qu'un fait unique
et une grande vérité.   *Ibid.*

Toute musique qui ne peint rien n'est que du bruit.   *Ibid.*   6770

L'esprit qui invente est toujours mécontent de ses progrès,   6771
parce qu'il voit au-delà; et les plus grands génies trouvent

souvent dans leur amour-propre même un juge secret, mais sévère, que l'approbation des autres fait taire pour quelques instants, mais qu'elle ne parvient jamais à corrompre.

Ibid., Deuxième partie.

6772   Que ne coûtent point les premiers pas en tout genre? Le mérite de les faire dispense de celui d'en faire de grands.

Ibid.

6773   Pour avoir le droit d'admirer les erreurs d'un grand homme, il faut savoir les reconnaître, quand le temps les a mises au grand jour.

Ibid.

6774   Avant la fin du xviiie siècle, un philosophe qui voudra s'instruire à fond des découvertes de ses prédécesseurs, sera contraint de charger sa mémoire de sept à huit langues différentes; et après avoir consumé à les apprendre le temps le plus précieux de sa vie, il mourra avant de commencer à s'instruire.

Ibid.

6775   On nuit plus aux progrès de l'esprit en plaçant mal les récompenses qu'en les supprimant.

Ibid.

6776   Au reste, si l'éducation de la jeunesse est négligée, ne nous en prenons qu'à nous-mêmes, et au peu de considération que nous témoignons à ceux qui s'en chargent.

Article « Collège » de l'Encyclopédie.

6777   Démocrite fou! Lui qui, pour le dire ici en passant, avait trouvé la manière la plus philosophique de jouir de la nature et des hommes; savoir, d'étudier l'une et rire des autres.

Article « Expérimental » de l'Encyclopédie.

6778   Pour l'ordinaire, ceux qui ont causé la misère du peuple, croient s'acquitter en la plaignant.

Article « Fortune » de L'Encyclopédie.

ANTOINE BRET
1717-1792

6779   Le premier soupir de l'amour
               Est le dernier de la sagesse.

L'École amoureuse.

CLAUDE–HENRI WATELET
1718-1786

6780   Sur la nature même établir le vrai Beau
               Et de l'Anatomie emprunter le flambeau...

L'Art de peindre, chant 1.

[...] La réserve doit être aux Arts, ce que la pudeur est à   6781
l'Amour.
    Réflexions sur les différentes parties de la Peinture.

JACQUES CAZOTTE
1719-1792

Dans toutes les occasions où nous avons besoin de secours   6782
extraordinaires pour régler notre conduite, si nous les demandons avec force, dussions-nous n'être pas exaucés, au moins,
en nous recueillant pour les recevoir, nous nous mettons
dans le cas d'user de toutes les ressources de notre propre
prudence.   *Le Diable amoureux.*

MICHEL-JEAN SEDAINE
1719-1797

Un Livre sans Préface est une femme de condition sans   6783
rouge; cela n'annonce point.
                   Recueil de Poésies, Au lecteur.

Faites-nous des volumes, Monsieur, des volumes. On ne   6784
vous demande pas des chefs-d'œuvre; mais que cela supporte une reliure.   *Ibid.*

        Ce que je décidai fut le *nec plus ultra.*   6785
        On applaudit à tout, j'avais tant de génie!
        Ah! mon habit, que je vous remercie!
         C'est vous qui me valez cela!
                    Épître, A mon habit.

        Ici l'habit fait valoir l'homme,   6786
        Là l'homme fait valoir l'habit.
                              Ibid.

L'arbre n'est point jugé sur ses fleurs, sur son fruit,   6787
            On le juge sur son écorce.
                              Ibid.

        Nais, produis ton semblable, et meurs.   6788
        L'homme ainsi que le Dromadaire,
        Les arbres ainsi que les fleurs,
        Dans leur passage sur la terre
        N'ont pas un autre itinéraire.
                    A Monsieur de S.A.

Un sot n'est pas moins sot, sous l'or que sous la bure.   6789
        Épître, A mon premier recueil.

6790   Ignorez-vous que l'art est un devoir;
              Qu'une femme sans art ne peut être jolie;
              Qu'il faut que ses regards dictés par le miroir,
              Soient l'effet de l'étude, et le fruit du génie?
                                        Portrait d'Églé.

6791   Il m'a toujours paru aussi juste que clair
          Que femme à Procureur eût du goût pour son clerc...
                                        L'Écritoire.

6792   Tu ne sais donc pas comme les maîtres sont aises quand
          nous leur donnons occasion de dire : « Ah! que ces gens-là
          sont bêtes [...] ». C'est comme s'ils se disaient à eux-mêmes :
          « Ah! que j'ai d'esprit! »
                                        La Gageure imprévue, scène 18.

6793   Il faut qu'un domestique soit bien sot, lorsqu'au bout de
          sept ans il ne gouverne pas son maître.   *Ibid.*

6794   O Richard! ô mon roi!
                  L'univers t'abandonne;
                  Sur la terre il n'est que moi
                  Qui s'intéresse à ta personne.
                          Richard Cœur de Lion, acte I, scène 1.

JEAN-JOSEPH VADÉ
1719-1757

6795   Qui mal veut, mal lui tourne, on l'a dit avant moi,
          D'autres viendront après qui le diront encore.
                                  Les quatre Bouquets poissards.

6796   Je ne vois rien de si charmant
                  Que d'obtenir un brevet de veuvage,
                  Quand il n'en coûte seulement
                  Que les frais de l'enterrement.
                                        Chansons, I.

6797   On peut dire,
                  Sans médire,
                  Qu'une femme vaste
                  N'est point chaste.
                                        Amphigouris, VI.

CHARLES BONNET
1720-1793

6798   Mon livre forme une chaîne et cette chaîne est longue. Il ne
          serait pas bien de vouloir juger de toute la chaîne par quelques
          chaînons pris au hasard.
                      Analyse abrégée de l'Essai analytique, chap. 14.

L'âme humaine placée dans le cerveau de l'huître, y acquer-   6799
rait-elle jamais des notions de morale et de métaphysique?
Ibid., chap. 15.

Nous connaissons des espèces qui subissent un assez bon   6800
nombre de métamorphoses qui font revêtir à chaque individu
des formes si variées qu'elles paraissent en faire autant
d'espèces différentes. Notre Monde a été apparemment sous
la forme de ver ou de chenille : il est à présent sous celle de
chrysalide : la dernière révolution lui fera revêtir celle de
papillon.
*Palingénésie philosophique ou Idées sur l'état passé et l'état
futur des êtres vivants, Quatrième partie, chap. 6.*

Ces divers mondes sont autant de livres qui servent à l'expli-   6801
cation les uns des autres, et qui font partie de cette immense
Bibliothèque de l'Univers que le premier des Chérubins ne se
flatte pas d'épuiser.   *Ibid., Treizième partie, chap. 7.*

Je suis un être sentant et intelligent : il est dans la nature de   6802
tout être sentant et intelligent de vouloir sentir ou exister
agréablement, et vouloir c'est cela s'aimer soi-même.
Ibid., Dix-septième partie, chap. 4.

AIMÉ-ANTOINE-JOSEPH FEUTRY
1720-1789

Tout n'est qu'illusion d'illusions suivie,   6803
Et ce n'est qu'à la mort où commence la vie.
Les Tombeaux.

JOSEPH-FRANÇOIS-ÉDOUARD
DE CORSEMBLEU DE DESMAHIS
1722-1761

Le jour n'est favorable aux belles,   6804
Que quand la nuit l'est aux amants.
Épître à Madame de...

Le temps n'est qu'une immensité   6805
Dont l'usage fait la mesure,
Et vingt ans de plaisir, voilà l'éternité.
Épître à M. de Voltaire.

Si les femmes voulaient s'entendre,   6806
Les hommes les plus fins ne seraient que des sots.
Julie, L'Impertinent, scène 18.

Ah! Qu'on a bien raison de dire   6807
Qu'à l'œuvre seule on connaît l'ouvrier!
Le Valet maître.

FRÉDÉRIC-MELCHIOR GRIMM
1723-1807

6808   Comme on faisait valoir sa mauvaise santé comme une raison de le mettre de l'Académie, parce qu'il n'en jouirait pas longtemps, M. Duclos dit plaisamment à ce sujet que *l'Académie n'est pas une extrême-onction.*
Gazette littéraire, juillet 1753.

6809   On dit que le roi d'Angleterre a demandé la tête de l'évêque de Montauban. On lui a répondu qu'il n'en avait point; au moyen de quoi le roi ne demande plus rien.
Ibid., novembre 1753.

6810   Il [Fontenelle] a conservé la justesse et la finesse de son esprit jusqu'à sa mort [...] Il disait, il n'y a pas longtemps, à une jeune femme, pour lui faire sentir l'impression que sa beauté faisait sur lui : Ah! si je n'avais que quatre-vingts ans. Dans le cours de la maladie qui a terminé sa vie, il disait à quelqu'un qui lui demandait quel mal il sentait : Aucun, si ce n'est celui d'exister. Je sens une grande difficulté d'être. C'était mieux parler qu'il ne lui appartenait.
Ibid., février 1757.

6811   Il [Marivaux] a eu parmi nous la destinée d'une jolie femme, et qui n'est que cela; c'est-à-dire un printemps fort brillant, un automne et un hiver des plus durs et des plus tristes. Le souffle vigoureux de la philosophie a renversé depuis une quinzaine d'années toutes ces réputations étayées sur des roseaux.
Ibid., février 1763.

6812   Il n'en est pas des reliques d'un philosophe comme de celles d'un saint; on les garde sans profit.   *Ibid., mai 1774.*

6813   M. le docteur Franklin parle peu; et au commencement de son séjour à Paris, lorsque la France refusait encore de se déclarer ouvertement en faveur des colonies, il parlait encore moins. A un dîner de beaux-esprits, un de ces messieurs, pour engager la conversation, s'avisa de lui dire : « Il faut avouer, Monsieur, que c'est un grand et superbe spectacle que l'Amérique nous offre aujourd'hui. » — *Oui,* répondit modestement le docteur de Philadelphie, *mais les spectateurs ne paient point...*   *Ibid., juin 1778.*

PAUL THIRY, BARON D'HOLBACH
1723-1789

6814   La religion est l'art d'enivrer les hommes de l'enthousiasme, pour les empêcher de s'occuper des maux dont ceux qui le gouvernent les accablent ici-bas. A l'aide des puissances invisibles dont on les menace, on les force de souffrir en silence les misères dont ils sont affligés par les puissances visibles.   *Le christianisme dévoilé, conclusion.*

L'Évangile n'est qu'un roman oriental, dégoûtant pour tout homme de bon sens et qui ne semble s'adresser qu'à des ignorants, des stupides, des gens de la lie du peuple, les seuls qu'il puisse séduire. 6815
Histoire critique de Jésus-Christ, préface.

Au seul nom d'un *athée*, le superstitieux frissonne; le déiste lui-même s'alarme, le prêtre entre en fureur, la tyrannie prépare ses bûchers; le vulgaire applaudit aux châtiments que des lois insensées décernent contre le véritable ami du genre humain.   *Système de la nature, II, chap. 11.* 6816

L'homme est un être purement physique.   *Ibid., I, chap. 1.* 6817

L'homme de bien est une machine dont les ressorts sont adaptés de manière à remplir leur fonction d'une manière qui doit plaire.   *Ibid., chap. 12.* 6818

La religion met les hommes à genoux devant un être sans étendue, et qui pourtant est infini et remplit tout de son immensité; devant un être tout-puissant, qui n'exécute jamais ce qu'il désire; devant un être souverainement bon, et qui ne fait que des mécontents; devant un être ami de l'ordre, et dans le gouvernement duquel tout est dans le désordre.   *Le Bon sens, chap. 27.* 6819

Toute religion n'est qu'un système imaginé pour concilier des contradictions à l'aide des mystères.   *Ibid., chap. 110.* 6820

La crainte ne fait que des esclaves; et des esclaves sont lâches, bas, cruels, et se croient tout permis quand il s'agit, ou de captiver la bienveillance, ou de se soustraire aux châtiments du maître qu'ils redoutent. La liberté de penser peut seule donner aux hommes de la grandeur d'âme et de l'humanité.   *Ibid., chap. 155.* 6821

La religion, par son essence, est l'ennemie de la joie et du bien-être des hommes. *Bienheureux sont les pauvres! Bienheureux sont ceux qui pleurent! Bienheureux sont ceux qui souffrent!* Malheur à ceux qui sont dans l'abondance et dans la joie! Telles sont les rares découvertes que le christianisme annonce!   *Ibid., chap. 161.* 6822

Il est évident que la pratique littérale et rigoureuse de la morale divine des chrétiens entraînerait infailliblement la ruine des nations.   *Ibid., chap. 162.* 6823

Femmes! vous quittez, dites-vous, votre amant pour votre Dieu! c'est que votre amant n'est plus le même à vos yeux, ou c'est que votre amant vous quitte, et qu'il faut remplir le vide qui s'est fait dans votre cœur.   *Ibid., chap. 167.* 6824

Nous respecterons les prêtres quand ils deviendront citoyens. 6825
Ibid., chap. 189.

Il faut répondre à un livre par un livre, et non par des prisons et des supplices qui détruisent l'homme, sans détruire ses raisons.   *La Politique naturelle, Discours VI, § 18.* 6826

6827   La Chine est le seul pays connu où la Politique se trouve,
       par la Constitution même, intimement liée avec la morale.
                                   Système social, II, chap. 7.

6828   Le luxe est une sorte d'imposture, par laquelle les hommes
       sont convenus de se tromper les uns les autres et parviennent
       souvent à se tromper eux-mêmes.   *L'Ethocratie, chap. 8.*

6829   *Vérité, sagesse, raison, vertu, nature,* sont des termes équi-
       valents pour désigner ce qui est utile au genre humain.
                                   Essai sur les Préjugés, chap. 8.

6830   La vérité, comme le soleil, ne peut pas rétrograder.
                                   Ibid., chap. 14.

6831   Un livre qui renferme des vérités utiles ne périt plus : la
       tyrannie la plus acharnée ne peut plus étouffer les produc-
       tions de la science : la typographie rend indestructibles les
       mouvements de l'esprit humain.   *Ibid.*

ANTOINE–MARIN LEMIERRE
1723-1793

6832   Même quand l'oiseau marche on sent qu'il a des ailes.
       Fragments du Poème des Fastes, chant I, Invocation à la
                                                      variété.

6833   Malheur au peuple altier qui ne suit que Bellone!
       Avec tous ses lauriers lui-même il se moissonne.
                         Ode, L'Accord des armes et des lettres.

6834   Contre les clameurs passagères
                 Le vrai talent est aguerri;
                 Par les vampires littéraires
                 Le sage n'est point amaigri.
             A M. Dorat, A l'occasion du poème de la Peinture.

6835   Tous ces Narcisses demi-chauves,
                 Qui n'ont vécu qu'en des alcôves,
                 Si l'on en croit à leurs écrits...
                                                   A Julie.

6836   La puissance dépend de l'empire de l'onde;
       Le trident de Neptune est le sceptre du monde.
                                             Le Commerce.

JEAN–FRANÇOIS MARMONTEL
1723-1799

6837   Pour son plaisir un Dieu m'a fait; eh bien,
                 Je tâche aussi qu'il m'ait fait pour le mien.
             Discours sur la force et la faiblesse de l'esprit humain.

Rassure-toi : le bon Dieu ne condamne   6838
Que des vers doux, faciles, arrondis
Et faits pour plaire à ce monde profane.
Ce qui séduit, voilà ce qui nous damne.
Les rimeurs durs vont tous en Paradis.
                      Réponse à une épigramme de Piron.

Anglais, vous fûtes grands dans vos malheurs passés.   6839
De notre estime enfin vous êtes-vous lassés?
Épître à l'abbé C. de Bernis, Sur la conduire respective de la
                      France et de l'Angleterre.

Du commerce des cœurs les esprits s'enrichissent.   6840
                      Denis le tyran, Épître à M. de Voltaire.

Le premier ennemi d'un héros, c'est lui-même.   6841
                      Ibid., acte I, scène 7.

[...] Sous le règne du crime   6842
La place de l'honneur est dans l'obscurité.
                      Ibid., acte II, scène 3.

[...] Et tel, de sa patrie, est devenu l'appui,   6843
Qui ne fit rien pour elle, et qui fit tout pour lui.
                      Aristomène, acte I, scène 1.

Dans le cœur des ingrats tout se change en poison.   6844
Loin que par les bienfaits leur noir chagrin s'apaise,
La générosité les aigrit et leur pèse.
                      Ibid., acte II, scène 11.

J'ai toujours cru, fondé sur le témoignage et sur l'exemple   6845
de nos maîtres, qu'il n'était que très peu de règles générales
en poésie; et qu'une soumission trop scrupuleuse à celles
qu'on nous a prescrites, refroidissait l'imagination, et
resserrait le talent.   *Réflexions sur la tragédie.*

Le grand art d'être utile aux hommes, c'est de tourner les   6846
plaisirs au profit des mœurs.   *Ibid., des mœurs.*

Tout ce qui émeut l'âme, la change à la longue, et ce principe,   6847
puisé dans la nature, a été, pour toutes les nations, une règle
de politique.   *Ibid., note.*

L'esprit parle à l'esprit, le cœur seul peut parler au cœur.   6848
Qu'un poète est éloquent, lorsque dans ses écrits, c'est le
cœur qui pense et qui s'exprime!   *Ibid.*

La passion porte avec elle le principe de son activité. C'est   6849
ce qui la distingue du sentiment, qui ne devient actif que
lorsqu'il est remué par des causes étrangères. L'amour,
l'ambition, la vengeance sont des passions : l'âme qui les
éprouve en est sans cesse agitée. L'amitié, l'amour paternel,
l'amour de la vertu, l'amour de la patrie sont des sentiments :
le calme est leur état naturel; mais dès qu'ils sont mis en
mouvement, on doit les compter au rang des passions.
                      Ibid., des caractères.

6850 Les hommes compatissent avec plaisir : mais ils n'admirent
      qu'à regret.   *Ibid., de l'intérêt.*

6851 Dans les querelles du bas peuple, il s'échappe souvent des
      traits de force qui surprendraient même dans la bouche
      d'un poète, et ces traits sont plus vifs et plus fréquents chez
      les nations à qui la nature du climat donne des passions
      plus fougueuses et une imagination plus ardente.
                              Ibid., du style et des détails.

6852 L'usage est le tyran des mots, non des images. Nous n'avons
      point de bon écrivain qui n'en ait risqué, et c'est à ces har-
      diesses que toutes les langues ont dû leur embellissement.
                                                          Ibid.

6853   L'amour faible avilit, l'amour extrême honore.
              Un cœur timide et lent ne sent point ces accès,
              Et peu sont assez forts pour aimer à l'excès.
                                    Cléopâtre, acte II, scène 1.

6854   Et qu'on nous dise après cela
              Que le goût est le fruit d'une lente culture.
                  Non, c'est l'instinct de la nature,
                  Et l'art ne va point au delà.
                          La Bergère des Alpes, acte I, scène 6.

6855   Ne croyez pas qu'on aime
                  Du soir au lendemain.
              Il faut avoir le cœur pour obtenir la main.
                              Le Huron, acte I, scène 2.

6856   L'éclair devient un orage.
              C'est tout de même en amour;
              Et, de l'éclair au ravage,
              L'intervalle n'est qu'un jour.
                          L'ami de la maison, scène 2.

6857   Aimer n'est pas un projet;
              C'est l'instant qui nous éclaire.
                          La fausse magie, acte I, scène 5.

6858 Dans les espaces immenses de l'erreur, la vérité n'est qu'un
      point. Qui l'a saisi, ce point unique? Chacun prétend que
      c'est lui; mais sur quelle preuve? Et l'évidence même le
      met-elle en droit d'exiger, d'exiger le fer à la main, qu'un
      autre en soit persuadé?   *Bélisaire, chap. 15.*

PIERRE-LAURENT DE BELLOY
1727-1775

6859   Le ciel, en divisant la France et l'Angleterre,
              Sauve la liberté du reste de la terre.
                          Pierre le Cruel, acte II, scène 1.

Mourir pour ce qu'on aime en servant la patrie,   6860
C'est la plus digne mort de la plus belle vie.
                              Gaston et Bayard, acte I, scène 2.

Plus je vis d'Étrangers, plus j'aimai ma Patrie.   6861
                              Le siège de Calais, acte II, scène 3.

TURGOT
1727-1781

On ne peut *évaluer* une *monnaie* qu'en une autre *monnaie* :   6862
de même qu'on ne peut interpréter les sons d'une langue que
par d'autres sons.   *Valeurs et monnaies.*

Les seuls usuriers qui soient vraiment nuisibles à la société   6863
sont donc, comme je l'ai déjà dit, ceux qui font métier de
prêter aux jeunes gens dérangés.
                              Mémoire sur les prêts d'argent, chap. 32.

Si tous les hommes qui ont vécu avaient eu un tombeau,   6864
il aurait bien fallu, pour trouver des terres à cultiver, renverser ces monuments stériles et remuer les cendres des morts
pour nourrir les vivants.
                              Article « Fondation » de l'Encyclopédie.

Le despotisme est comme une masse énorme qui, pesant   6865
sur des piliers de bois, affaiblit leur résistance et les affaisse ou
les enfonce de jour en jour.
                              Plan d'un discours sur l'histoire universelle.

Un des plus grands malheurs pour les princes, est de conserver   6866
des prétentions anciennes qu'ils ne peuvent plus faire valoir.
                              Pensées et fragments.

Des hommes grossiers ne font rien de simple; il faut des   6867
hommes perfectionnés pour y arriver.
                              Remarques critiques sur l'origine des langues.

L'étude des langues bien faites serait peut-être la meilleure   6868
des logiques.   *Réflexions sur les langues.*

ÉTIENNE–LOUIS BOULLÉE
1728-1799

L'architecte doit se rendre le metteur en œuvre de la nature.   6869
Considérations sur l'importance et l'utilité de l'architecture.

Il faut concevoir pour effectuer. Nos premiers pères n'ont   6870
bâti leurs cabanes qu'après en avoir conçu l'image. C'est
cette production de l'esprit, c'est cette création qui constitue

l'architecture [...] L'art de bâtir n'est donc qu'un art secondaire, qu'il nous paraît convenable de nommer la partie
scientifique de l'architecture.

Architecture. Essai sur l'art, Introduction.

6871   L'image du grand nous plaît sous tous les rapports, parce
que notre âme, avide d'étendre ses jouissances, voudrait
embrasser l'univers.   *Ibid., De l'essence des corps.*

6872   C'est un axiome reconnu qu'il n'y a pas de beauté morte.
Considérations particulières sur l'architecture.

PONCE DENIS ECOUCHARD LEBRUN,
dit LEBRUN-PINDARE
1729-1807

6873   Rien n'est plus dangereux qu'un despote clément.
Odes, Livre 3, Brumaire an II.

6874   Plutus, un jour, trouvant une lyre égarée,
            Une corde rompit sous l'effort de ses doigts :
            Il en mit une d'or; riche et déshonorée,
                Cette lyre perdit la voix!
*Ibid., Livre 4, Qu'une pauvreté mâle est l'aiguillon de la gloire
et du génie.*

6875   Voulez-vous, sexe aimable, éviter ces disgrâces?
Ne chantez point l'amour : ses jeux vous sont connus.
Mais ne doit point toucher la guitare des Grâces;
La trompette sied mal dans la main de Vénus.
*Ibid., Livre 6, A Chloé, qui voulait traduire en vers français
quelques morceaux de l'Iliade.*

6876   L'Amour ne dit point *vous* à sa tendre Psyché...
Elégies, livre I, 7.

6877   Le langage des dieux n'est point fait pour les sots.
            L'art qui rend immortel ne plaît qu'à des héros.
Épîtres, I, A M. Chénier l'aîné.

6878   Chloé, belle et poète, a deux petits travers :
            Elle fait son visage et ne fait pas ses vers.
Épigrammes, II, Sur une dame poète.

6879   On vient de me voler. — Que je plains ton malheur!
            Tous mes vers manuscrits. — Que je plains le voleur!
Ibid., XX, Dialogue entre un pauvre poète et l'auteur.

6880   Nous avons de si riches plaines
                Et de si fertiles coteaux,
                Disait un gascon de Bordeaux,
                Que si l'on y plantait des gaines,
                Il y pousserait des couteaux.
Ibid., LXXX, Gasconade.

Voulez-vous ressembler aux Muses?   6881
Inspirez, mais n'écrivez pas!
Odes aux belles qui veulent écrire.

GAÉTAN VESTRIS
1729-1808

Quand mon fils touche le sol, c'est seulement par fraternité   6882
avec les autres danseurs.
Lettres sur la danse et sur les ballets.

JEAN-BAPTISTE BEAUVAIS
1731-1790

Le silence des peuples est la leçon des rois.   6883
Oraison funèbre de Louis XV.

JEAN-FRANÇOIS GUICHARD
1731-1811

L'indigent veut qu'on l'aide, et non qu'on le raisonne.   6884
Fables, Livre I, 4.

Nulle femme ne m'a quitté,   6885
Dit Cléon à qui veut l'entendre;
Et Cléon dit la vérité :
Quelle femme eût daigné le prendre?
Le Véridique.

L'argent s'en va; l'or ne vient point.   6886
A un alchimiste.

Joins-toi, volage Amour, à l'Amitié naïve!   6887
Tu deviendras constant, elle en sera plus vive.
Pour un dessin représentant l'Amour entraînant l'amitié.

Quel est l'heureux époux qui n'ait pas un adjoint?   6888
Je suis cocu, dit-on, cela peut fort bien être,
Peu m'importe, pourvu que je ne trouve point
L'outil du compagnon dans l'atelier du maître.
A un cocu qui ne s'embarrassait point de l'être.

Je l'aime... Ah! de mon cœur la passion est telle   6889
Qu'AIMER n'exprime pas ce que je sens pour elle.
Insuffisance du mot aimer.

BEAUMARCHAIS
1732-1799

6890   Monsieur,
J'ai l'honneur de vous offrir un nouvel opuscule de ma
façon. Je souhaite vous rencontrer dans un de ces moments
heureux où, dégagé de soins, content de votre santé, de vos
affaires, de votre maîtresse, de votre dîner, de votre estomac,
vous puissiez vous plaire un moment à la lecture de mon
Barbier de Séville, car il faut tout cela pour être homme
amusable et lecteur indulgent.
Le Barbier de Séville, Lettre modérée sur la chute et la critique
du Barbier de Séville.

6891   On ne s'intéresse guère aux affaires des autres que lorsqu'on
est sans inquiétude sur les siennes.   *Ibid.*

6892   [...] Par état, les gens de feuilles sont souvent ennemis des
gens de lettres.   *Ibid.*

6893   Après le bonheur de commander aux hommes, le plus grand
honneur [...] n'est-il pas de les juger?   *Ibid.*

6894   [...] Dans un siècle d'ergotisme où l'on calcule tout jusqu'au
rire, où la plus légère diversité d'opinions fait germer des
haines éternelles, où tous les jeux tournent en guerre, où
l'injure qui repousse l'injure est à son tour payée par l'injure,
jusqu'à ce qu'une autre effaçant cette dernière en enfante
une nouvelle, auteur de plusieurs autres, et propage ainsi
l'aigreur à l'infini, depuis le rire jusqu'à la satiété, jusqu'au
dégoût, à l'indignation même du lecteur le plus caustique.
                                                         Ibid.

6895   Au moindre échec, ô mes amis, souvenez-vous qu'il n'est
plus d'amis.   *Ibid.*

6896   [...] Si la déclamation est déjà un abus de la narration au
théâtre, le chant, qui est un abus de la déclamation, n'est
donc, comme on voit, que l'abus de l'abus.   *Ibid.*

6897   [...] Le défaut reproché trop justement à nos Français, de
toujours faire de petites chansons sur les grandes affaires,
et de grandes dissertations sur les petites.   *Ibid.*

6898   Je suis las des conquêtes que l'intérêt, la convenance ou
la vanité nous présentent sans cesse. Il est si doux d'être
aimé pour soi-même.   *Le Barbier de Séville, acte I, scène 1.*

6899   Aujourd'hui, ce qui ne vaut pas la peine d'être dit, on le
chante.   *Ibid., acte 1, scène 2.*

6900   [...] Un grand nous fait assez de bien quand il ne nous fait
pas de mal.   *Ibid., acte I, scène 2.*

6901   Aux vertus qu'on exige dans un domestique, Votre Excellence
connaît-elle beaucoup de maîtres qui fussent dignes d'être
valets?   *Ibid.*

Sais-tu qu'on n'a que vingt-quatre heures au Palais pour 6902
maudire ses juges? *Ibid.*

Accueilli dans une ville, emprisonné dans l'autre, et partout 6903
supérieur aux événements; loué par ceux-ci, blâmé par ceux-
là; aidant au bon temps, supportant le mauvais; me moquant
des sots, bravant les méchants; riant de ma misère et faisant
la barbe à tout le monde [...] *Ibid.*

Je me presse de rire de tout, de peur d'être obligé d'en 6904
pleurer. *Ibid.*

En occupant les gens de leur propre intérêt, on les empêche 6905
de nuire à l'intérêt d'autrui. *Ibid., acte I, scène 4.*

[...] En amour, le cœur n'est pas difficile sur les productions 6906
de l'esprit... *Ibid., acte I, scène 6.*

De l'or, mon Dieu, de l'or, c'est le nerf de l'intrigue. *Ibid.* 6907

[...] Quand on cède à la peur du mal, on ressent déjà le mal 6908
de la peur. *Ibid., acte II, scène 2.*

Il faut un état, une famille, un nom, un rang, de la consis- 6909
tance enfin, pour faire sensation dans le monde en calomniant. *Ibid., acte II, scène 9.*

ROSINE 6910

Et vous les avez écoutés, Monsieur Figaro? Mais savez-vous
que c'est fort mal?

FIGARO

D'écouter? C'est pourtant tout ce qu'il y a de mieux pour
bien entendre. *Ibid., acte II, scène 10.*

Votre savoir, mon camarade, 6911
Est d'un succès plus général;
Car, s'il n'emporte point le mal,
Il emporte au moins le malade.
Ibid., acte II, scène 13.

Doutez-vous de ma probité, Monsieur? Vos cent écus! j'ai- 6912
merais mieux vous les devoir toute ma vie que de les nier
un seul instant. *Ibid., acte III, scène 5.*

BARTHOLO 9613

Vous le prenez bien haut, Monsieur! Sachez que quand je
dispute avec un fat, je ne lui cède jamais.

FIGARO *lui tourne le dos*

Nous différons en cela, Monsieur! moi je lui cède toujours.
Ibid.

La calomnie, docteur, la calomnie! Il faut toujours en venir 6914
là. *Ibid., acte IV, scène 1.*

Il y a souvent très loin du mal que l'on dit d'un ouvrage à 6915
celui qu'on en pense. Le trait qui nous poursuit, le mot qui
importune reste enseveli dans le cœur, pendant que la bouche

se venge en blâmant presque tout le reste. De sorte qu'on peut regarder comme un point établi au théâtre, qu'en fait de reproche à l'auteur ce qui nous affecte le plus est ce dont on parle le moins.   *Le Mariage de Figaro, Préface.*

6916 La fable est une comédie légère, et toute comédie n'est qu'un long apologue : leur différence est, que dans la fable les animaux ont de l'esprit, et que dans notre comédie les hommes sont souvent des bêtes, et, qui pis est, des bêtes méchantes.   *Ibid.*

6917 Que poursuivrait-on au théâtre? les travers et les ridicules? cela vaut bien la peine d'écrire! ils sont chez nous comme les modes; on ne s'en corrige point, on en change.
Les vices, les abus, voilà ce qui ne change point, mais se déguise en mille formes sous le masque des mœurs dominantes : leur arracher ce masque et les montrer à découvert, telle est la noble tâche de l'homme qui se voue au théâtre.   *Ibid.*

6918 On ne peut corriger les hommes qu'en les faisant voir tels qu'ils sont.   *Ibid.*

6919 Nos jugements sur les mœurs se rapportent toujours aux femmes; on n'estime pas assez les hommes pour tant exiger d'eux sur ce point délicat.   *Ibid.*

6920 Il est même tellement reçu de déchirer sans pitié les absents, que moi, qui les défends toujours, j'entends murmurer très souvent : Quel diable d'homme, et qu'il est contrariant! il dit du bien de tout le monde!   *Ibid.*

6921 [...] Ne devez-vous pas me passer un peu de morale en faveur de ma gaieté, comme on passe aux Français un peu de folie en faveur de leur raison?   *Ibid.*

6922 [...] Dans une monarchie, si l'on ôtait les rangs intermédiaires il y aurait trop loin du monarque aux sujets; bientôt on n'y verrait qu'un despote et des esclaves : le maintien d'une échelle graduée du laboureur au potentat intéresse également les hommes de tous les rangs, et peut-être est le plus ferme appui de la constitution monarchique.   *Ibid.*

6923 Ce qui multiplie les libelles est la faiblesse de les craindre; ce qui fait vendre les sottises est la sottise de les défendre.   *Ibid.*

6924 C'est pendant le règne d'un bon prince qu'on écrit sans danger l'histoire des méchants rois; et, plus le gouvernement est sage, est éclairé, moins la liberté de dire est en presse; chacun y faisant son devoir, on n'y craint pas les allusions.   *Ibid.*

6925 De mon style, Monsieur? Si par malheur j'en avais un, je m'efforcerais de l'oublier quand je fais une comédie, ne connaissant rien d'insipide au théâtre comme ces fades camaïeux où tout est bleu, où tout est rose, où tout est l'auteur, quel qu'il soit.   *Ibid.*

[...] Du soldat au colonel, au général exclusivement, quel imbécile homme de guerre a jamais eu la prétention qu'il dût pénétrer les secrets du cabinet pour lesquels il fait la campagne? *Ibid.*   6926

Prouver que j'ai raison serait accorder que je puis avoir tort.   6927
          Le Mariage de Figaro, acte I, scène 1.

Que les gens d'esprit sont bêtes! *Ibid.*   6928

Mon sexe est ardent, mais timide : un certain charme a beau nous attirer vers le plaisir, la femme la plus aventurée sent en elle une voix qui lui dit : « Sois belle si tu peux, sage si tu veux; mais sois considérée, il le faut. »   6929
          Ibid., acte I, scène 4.

De toutes les choses sérieuses, le mariage étant la plus bouffonne [...] *Ibid., acte I, scène 9.*   6930

FIGARO
J'étais né pour être courtisan.   6931

SUZANNE
On dit que c'est un métier si difficile!

FIGARO
Recevoir, prendre, et demander, voilà le secret en trois mots.
          Ibid., acte II, scène 2.

LE COMTE   6932
Ta physionomie qui t'accuse me prouverait déjà que tu mens.

FIGARO
S'il est ainsi, ce n'est pas moi qui mens, c'est ma physionomie.
          Ibid., acte II, scène 20.

Boire sans soif et faire l'amour en tout temps, Madame, il n'y a que ça qui nous distingue des autres bêtes.   6933
          Ibid., acte II, scène 21.

Les Anglais, à la vérité, ajoutent par ci, par là quelques autres mots en conversant; mais il est bien aisé de voir que *God-dam* est le fond de la langue.   *Ibid., acte III, scène 5.*   6934

N'humilions pas l'homme qui nous sert bien, crainte d'en faire un mauvais valet. *Ibid.*   6935

LE COMTE   6936
Une réputation détestable!

FIGARO
Et si je vaux mieux qu'elle? y a-t-il beaucoup de seigneurs qui puissent en dire autant? *Ibid.*

Médiocre et rampant, et l'on arrive à tout. *Ibid.*   6937

6938   Est-ce que les femmes de mon état ont des vapeurs, donc?
        c'est un mal de condition, qu'on ne prend que dans les bou-
        doirs.   *Ibid., acte III, scène 9.*

6939   [...] La-a forme, voyez-vous, la-a forme! Tel rit d'unj uge en
        habit court, qui-i tremble au seul aspect d'un procureur
        en robe. La-a forme, la-a forme!   *Ibid., acte III, scène 14.*

6940   [...] Le client un peu instruit sait toujours mieux sa cause
        que certains avocats qui, suant à froid, criant à tue-tête,
        et connaissant tout, hors le fait, s'embarrassent aussi peu
        de ruiner le plaideur, que d'ennuyer l'auditoire, et d'endor-
        mir Messieurs.   *Ibid., acte III, scène 15.*

6941   Les plus coupables sont les moins généreux; c'est la règle.
                                            Ibid., acte III, scène 16.

6942   FIGARO
        Ma vérité la plus vraie!

                             SUZANNE
        Fi donc, vilain! en a-t-on plusieurs?

                             FIGARO
        Oh! que oui. Depuis qu'on a remarqué qu'avec le temps
        vieilles folies deviennent sagesse, et qu'anciens petits men-
        songes assez mal plantés ont produit de grosses, grosses
        vérités, on en a de mille espèces! et celles qu'on sait, sans
        oser les divulguer : car toute vérité n'est pas bonne à dire;
        et celles qu'on vante, sans y ajouter foi : car toute vérité
        n'est pas bonne à croire; et les serments passionnés, les
        menaces des mères, les protestations des buveurs, les pro-
        messes des gens en place, le dernier mot de nos marchands;
        cela ne finit pas.   *Ibid., acte IV, scène 1.*

6943   FIGARO
        En fait d'amour, vois-tu, trop n'est pas même assez.

                             SUZANNE
        Je n'entends pas toutes ces finesses; mais je n'aimerai que
        mon mari.

                             FIGARO
        Tiens parole, et tu feras une belle exception à l'usage.
                                                            Ibid.

6944   Parce que vous êtes un grand seigneur, vous vous croyez
        un grand génie!... noblesse, fortune, un rang, des places;
        tout cela rend si fier! Qu'avez-vous fait pour tant de biens!
        vous vous êtes donné la peine de naître, et rien de plus [...].
        Tandis que moi, morbleu! perdu dans la foule obscure,
        il m'a fallu déployer plus de science et de calculs pour sub-
        sister seulement, qu'on n'en a mis depuis cent ans à gouver-
        ner toutes les Espagnes.   *Ibid., acte V, scène 3.*

Ne pouvant avilir l'esprit, on se venge en le maltraitant.   6945
Ibid.

[...] Les sottises imprimées n'ont d'importance, qu'aux lieux   6946
où l'on en gêne le cours; que sans la liberté de blâmer, il
n'est point d'éloge flatteur; et qu'il n'y a que les petits
hommes qui redoutent les petits écrits.   *Ibid.*

[...] Pourvu que je ne parle en mes écrits, ni de l'autorité,   6947
ni du culte, ni de la politique, ni de la morale, ni des gens en
place, ni des corps en crédit, ni de l'opéra, ni des autres
spectacles, ni de personne qui tienne à quelque chose; je
puis tout imprimer librement, sous l'inspection de deux ou
trois censeurs.   *Ibid.*

On pense à moi pour une place, mais par malheur j'y étais   6948
propre : il fallait un calculateur, ce fut un danseur qui
l'obtint.   *Ibid.*

[...] Pour gagner du bien, le savoir-faire vaut mieux que le   6949
savoir.   *Ibid.*

L'amour... n'est que le roman du cœur : c'est le plaisir qui   6950
en est l'histoire.   *Ibid., acte V, scène 7.*

[...] Trois ans d'union rendent l'hymen si respectable!   6951
Ibid.

> Or, Messieurs, la co-omédie   6952
> Que l'on juge en cè-et instant,
> Sauf erreur, nous pein-eint la vie
> Du bon peuple qui l'entend.
> Qu'on l'opprime, il peste, il crie,
> Il s'agit en cent fa-açons;
> Tout finit-it par des chansons...
> *Ibid., acte V, scène 19, Vaudeville.*

On est meilleur quand on se sent pleurer. On se trouve si   6953
bon après la compassion!
La Mère coupable, Un mot sur la Mère coupable.

Un sot est un falot; la lumière passe à travers.   6954
Ibid., acte II, scène 8.

SUZANNE   6955

Quant à la politique?...

BÉGEARSS

Ah! c'est l'art de créer des faits; de dominer, en se jouant,
les événements et les hommes; l'intérêt est son but; l'intrigue
son moyen : toujours sobre de vérités, ses vastes et riches
conceptions sont un prisme qui éblouit. Aussi profonde que
l'Etna, elle brûle et gronde longtemps avant d'éclater au
dehors; mais alors rien ne lui résiste : elle exige de hauts
talents : le scrupule seul peut lui nuire; c'est le secret des
négociateurs.   *Ibid., acte IV, scène 4.*

6956 [...] La colère chez les bons cœurs, n'est qu'un besoin pressant de pardonner!   *Ibid., acte IV, scène 18.*

6957 S'il est vrai que tous les hommes à couleur brune qui sont en France doivent être vendus aux marchés publics, je vous supplie que ce malheureux qui n'est que jaunâtre, soit excepté de la proscription générale.
Correspondance, Lettre à M. Dubucq, 30 avril 1766.

6958 J'ai donné ma pièce au public, pour l'amuser et pour l'instruire, non pour offrir à des bégueules mitigées le plaisir d'aller en penser du bien en petite loge, à condition d'en dire du mal en société. Les plaisirs du vice et les honneurs de la vertu, telle est la pruderie du siècle.
Correspondance, Lettre à M. Dupaty, 10 mai 1784.

6959 Quand je veux rire, c'est aux éclats; s'il faut pleurer, c'est aux sanglots. Je n'y connais de milieu que l'ennui [...] Écartez les cœurs usés, les âmes desséchées qui prennent en pitié ces douleurs que nous trouvons si délicieuses. Ces gens-là ne sont bons qu'à parler révolution.
Ibid., Lettre à la Comtesse d'Albany, 5 février 1791.

CHARLES-PIERRE COLARDEAU
1732-1776

6960   L'art d'écrire, Abailard, fut sans doute inventé
Par l'amante captive et l'amant agité.
Lettre amoureuse d'Héloïse à Abailard.

6961   J'existe pour sentir que je n'existe plus.
Fragment d'une réponse d'Abailard à Héloïse.

6962   Le philosophe observe et l'homme seul a peur.
Épître à M. Duhamel de Denainvilliers.

6963   Si tu veux, nous irons à Cythère
Passer bail, par-devant l'Amour [...]
Viens; si le dieu nous demande un salaire,
(Le bail signé par nous, et signé sans retour)
Par un baiser tu paieras le notaire.
Étrennes à toi.

JULIE DE LESPINASSE
1732-1776

6964 Quand on ne peut que régner dans un cœur, on ne règne point dans l'opinion. Il y a des noms faits pour l'histoire [...]
Lettre à M. de Guibert, 23 mai 1773.

6965 [...] Je ne fais qu'aimer, je ne sais qu'aimer. Avec des moyens médiocres, vous savez qu'on peut beaucoup quand on les réunit tous à un seul objet.   *Ibid., 30 mai 1773.*

[...] Je veux souffrir par mes amis, pour mes amis; et je chéris   6966
mille fois plus les maux qui me viennent par eux, que tout
le bonheur qui est sur la terre, et qui ne tient pas à eux.
Ibid., 20 juin 1773.

Le silence est si doux, lorsqu'il peut consoler l'amour-   6967
propre!   *Ibid., 21 juin 1773.*

Ce qui est grand mérite bien rarement d'être aimé.   6968
Ibid., 1er juillet 1773.

On a beau se dire qu'on doit mourir, on ne veut pas en être   6969
averti ni prévoir de quelle manière on sortira de cette triste
vie. Pour moi je n'y trouve de fâcheux que le vague où cela
me laisse; la lenteur, la durée, voilà ce qui lasse ma pensée
et effraie mon âme.
Lettre à Condorcet, 8 octobre 1774.

L'excès de frivolité des uns et la stupidité des autres compo-   6970
sent une espèce de calmant qui engourdit et préserve la
multitude de cette sorte de douleur qui consume les âmes
sensibles et qui sont assez malheureuses pour ne pouvoir
être enlevées à leurs maux ni par la sottise, ni par l'occupation.   *Ibid.*

Presque tout ce qui existe n'aime que parce qu'il est aimé.   6971
Lettre à M. de Guibert, 22 octobre 1774.

On aime à se trouver sensible, et les maux des autres ont   6972
cette juste mesure qui fait compatir sans souffrir.   *Ibid.*

Je ne puis pas vous exprimer le dégoût, le redoublement de   6973
dégoût que je me sens, je ne dis pas seulement pour les sots,
mais pour ces gens qui sont si bien à ma mesure que je pré-
vois tout ce qu'ils vont dire lorsqu'ils ouvrent la bouche!
Ibid.

Le mariage est un véritable éteignoir de tout ce qui est grand   6974
et qui peut avoir de l'éclat.
Lettre à M. de Guibert, 23 octobre 1774.

JEAN-CHARLES LOUIS DE MALFILÂTRE
1732-1767

Dans le tableau de ces femelles   6975
Tout nous présente des dégoûts,
Je n'ai que des cyprès pour elles,
Je n'ai que des roses pour vous.
Épître à Sophie Arnould.

ANTOINE-LÉONARD THOMAS
1732-1785

6976   Pour le soir de la vie il n'est plus de flambeau,
Et nos longs préjugés nous suivent au tombeau.
Le Czar Pierre 1er, chant deuxième.

6977   O, Temps! être inconnu, que l'âme seule embrasse;
Invisible torrent des siècles et des jours...
Ode sur le Temps.

6978   Dieu, telle est ton essence. Oui, l'océan des âges
Roule au-dessous de toi, sur tes frêles ouvrages...
Ibid.

6979   Siècles qui n'êtes plus, et vous qui devez naître,
J'ose vous appeler; hâtez-vous de paraître...
Ibid.

6980   O Temps! suspends ton vol, respecte ma jeunesse...
Ibid.

JEAN-FRANÇOIS DUCIS
1733-1816

6981   Le désir, quand il l'implore,
Offense-t-il la beauté?
La jeune immortelle.

6982   Mais je le vois, ce vieux Caron...
Je m'en vais souper chez Pluton.
Le Monde.

6983   Mais qu'un sot vienne à m'apparaître,
Exaucez ma prière, ô dieux :
Fermez vite et porte et fenêtre!
Après m'avoir sauvé du traître,
Défendez-moi de l'ennuyeux.
A mes pénates.

6984   Il m'est impossible de m'occuper d'affaires : elles me répu-
gnent; j'en ai horreur. Le mot de « devoir » me fait frémir.
Si j'étais chargé de grandes et hautaines fonctions, je ne
dormirais pas.
Lettre à Bernardin de Saint-Pierre, 1er nivôse an VIII.

6985   En me mettant en vue, je me mettrais en prise. Les serpents
lettrés se joindraient aux serpents politiques; les calomnies
pleuvraient sur mes cheveux blancs.   *Ibid.*

6986   Je ne vis plus, j'assiste à la vie.   *Ibid.*

Notre bonheur n'est qu'un malheur plus ou moins consolé.   6987
Mot rapporté par Sainte-Beuve.

NICOLAS-THOMAS BARTHE
1734-1785

De l'Amour, s'il se peut, n'ayons que les douceurs...   6988
Les Fausses infidélités.

Il est quitté? La chose est-elle si cruelle?   6989
Une belle bientôt vous venge d'une belle.
Ibid.

Expliquera, morbleu, les femmes qui pourra...   6990
L'Amour me les ravit, l'Hymen me les rendra.
Ibid.

Heureux [l'Amour] qui vole comme lui!   6991
On a besoin d'ailes en France.
La triste chose que l'ennui!
Et que d'ennui dans la constance...
Épître à un amant trahi.

Immoler les mœurs aux manières,   6992
Et le bon sens à des bons mots;
Dire gravement des misères,
Et plaisanter sur des fléaux...
[...]
Tel est ce monde tant fêté,
Telle est la bonne compagnie.
Épître, sur l'influence des femmes sur les mœurs.

CLAUDE-JOSEPH DORAT
1734-1780

Aimer est le métier des femmes. Pourquoi leur cacher si   6993
longtemps ce qu'elles ne savent jamais trop tôt.
Les Baisers, Réflexions préliminaires.

Si je parviens à te fléchir,   6994
Un second baiser peut guérir
Le mal qu'un premier t'a pu faire.
Ibid., L'Abeille justifiée.

Ce zèle, où votre cœur se livre,   6995
N'est que le masque du moment :
Ce que vous fuyez dans un livre,
Vous le cherchez dans un Amant.
Ibid., La Fausse Pudeur.

6996   La Vérité dit un jour à la Fable :
De quel front soutiens-tu que nos droits sont égaux,
J'existe avant les temps : toujours brillante et stable,
J'ai vu les éléments s'élancer du chaos.
Fables nouvelles, Livre I, Fable 1, La Fable et la Vérité.

6997   L'amour est nu, mais il n'est pas crotté.
Contes et nouvelles.

NICOLAS-EDMÉÉ RESTIF DE LA BRETONNE
1734-1806

6998   La dépravation suit le progrès des lumières. Chose très
naturelle, que les hommes ne puissent s'éclairer sans se
corrompre.   *Le Pornographe.*

6999   Princes, régnez sur des hommes; vous serez plus grands
qu'en commandant des esclaves.
Le Nouvel Émile ou l'Éducation pratique.

7000   Une éducation, pour être bonne, ne doit tendre qu'à régler
les passions [...] elles sont le résultat de la sensibilité, la
perfection de l'ouvrage de Dieu; chercher à les détruire,
serait aller contre les vues de l'Être suprême; ce serait tenter
l'impossible [...] Soyons hommes, et ne soyons que cela;
aussi bien c'est une entreprise absurde que de vouloir être
davantage.
Le Paysan perverti ou les Dangers de la ville, Lettre LXXVII.

7001   Une jeune personne entêtée de sa fausse prééminence, gâtée
par les fades adulations des galants [...], épouse enfin un
homme : c'est-à-dire un être fort imparfait; l'illusion où elle
a toujours vécu se soutient huit jours environ; le mari
prend ensuite assez brusquement la route de tous les maris
[...].   *Ibid.*

7002   Ce sexe [les femmes] est fait pour être assujetti; et je prédis
aux peuples de l'Europe qu'ils n'auront des mœurs et de la
tranquillité, que lorsqu'ils l'auront remis à sa place.   *Ibid.*

7003   Ce sexe est toujours extrême, et ne sait pas assez s'arrêter
pour garder un juste milieu : le laisser notre égal, c'est lui
donner l'empire. Eh! s'il se contentait de cet empire!...
Mais non, la femme ne sent son pouvoir qu'autant qu'elle
en abuse.   *Ibid.*

7004   La plus vertueuse des femmes n'est qu'une coquette plus
raffinée, qui veut que ses victimes se consument devant elle
[...]. Maudite soit la vertu [...]; le vice est cent fois plus
aimable.   *Ibid., Lettre LXXXVI.*

7005   Le plus grand mal, quoi qu'en disent les moralistes, c'est
l'obscurité, la bassesse; c'est la vie de ces plantes mouvantes
qui végètent autour de vous, qui vivent et qui meurent sans
que personne se soit aperçu de leur existence.
La Paysanne pervertie, Lettre XCVIII.

Je préfère le sort d'Érostrate, de Cartouche ou de Mandrin, à celui de quelque honnête homme obscur, mort avant d'avoir cessé de vivre et parfaitement nul aujourd'hui.
Ibid.
7006

Plus un être est heureux, plus il remplit le but de sa formation; car Dieu l'a fait principalement pour le bonheur; le bien-être épanouit l'âme, la pénètre et la rend plus reconnaissante envers l'Être suprême [...]. Jouissez donc.   *Ibid.*
7007

Le bonheur n'est pas une plante sauvage, qui vient spontanément, comme les mauvaises herbes des jardins : c'est un fruit délicieux, qu'on ne rend tel, qu'à force de culture.
Les Parisiennes.
7008

[...] Faire l'amour tendrement, mais vertueusement, serait très favorable aux personnes disposées à devenir poitrinaires.
Ibid.
7009

Dans tout pays, où les femmes ne seront pas honorées en public, comme des objets sacrés, plus que les prêtres même, il n'y aura pas de mœurs...
Les Nuits de Paris ou le Spectateur nocturne, 33e Nuit, les bals.
7010

A Paris, le citadin et les étrangers naturalisés ont une façon de penser dure, égoïste [...]; les hommes, les femmes sont pour eux des masses inanimées qu'ils terrassent, qu'ils foulent aux pieds, et plus ils font de mal, plus ils ont de gloire et de plaisir : c'est une prouesse dont ils parlent le lendemain.   *Ibid., 111e Nuit, la place Louis-XV.*
7011

Je pense que, les hommes étant originaires des différents points du globe, ils ne sont pas tous sortis d'un seul homme, mais qu'ils n'en sont pas moins frères, n'ayant qu'un seul auteur, qui est le soleil, et une même mère qui est la terre.
Philosophie de Monsieur Nicolas, 1796.
7012

Partout où se trouvent des hommes et des femmes, il y a fermentation et corruption.
Monsieur Nicolas ou le Cœur humain dévoilé, 1re époque.
7013

Je crois que les hommes les plus violemment portés pour les femmes, ont tous, dans leur jeunesse impubère, la même timidité, la même pudeur, les mêmes goûts factices : c'est qu'ils sentent déjà ce que les autres ne sentent pas encore.
Ibid.
7014

Ne désespérons jamais des êtres actifs, fussent-ils vicieux; ils ont de l'étoffe : l'être nul et sans passions est le seul qui ne soit bon à rien.   *Ibid., 6e époque.*
7015

Je m'aperçus bientôt que l'amour ressemble à la soif : une goutte d'eau l'augmente.   *Ibid.*
7016

Les belles du Palais-Royal sont très jolies! surtout les jeunes; quant aux vieilles, c'est comme partout; une vieille bête n'est jamais belle.   *Le Palais-Royal, tome I.*
7017

7018   [...] Il n'y a vraiment que les actions moralement bonnes qui donnent une gloire solide. L'enthousiasme et la bravoure aveugle ne sont une vertu qu'à l'armée, devant l'ennemi, et dans le soldat; car dans les chefs, ce serait imprudence le plus souvent.   *Ibid.*

JEAN-MARIE ROLAND
1734-1793

7019   La patrie n'est point un mot que l'imagination se soit complu d'embellir; c'est un être auquel on a fait des sacrifices, à qui l'on s'attache chaque jour davantage par les sollicitudes qu'il cause; qu'on a créé par de grands efforts, qui s'élève au milieu des inquiétudes, et qu'on aime autant par ce qu'il coûte que par ce qu'on espère.
Lettre à Louis XVI, 10 juin 1792.

CLAUDE DE RULHIÈRE
1734-1791

7020   Vingt têtes, vingt avis : nouvel an, nouveau goût :
Autre ville, autres mœurs : tout change, on détruit tout.
Discours en vers, sur les disputes.

7021   Le monde est plein d'erreurs; mais de là je conclus
Que prêcher la raison n'est qu'une erreur de plus.
Ibid.

7022   Un jour une actrice fameuse
Me contait les fureurs de son premier amant;
        Moitié riant, moitié rêveuse,
        Elle ajouta ce mot charmant :
« Oh! c'était le bon temps, j'étais bien malheureuse! »
Épitre à M. de Cha... sur le renversement de ma fortune.

LE PRINCE DE LIGNE
1735-1814

7023   Les Turcs sont tout à la fois l'ennemi le plus dangereux et le plus méprisable qu'il y ait au monde : dangereux, si on le laisse attaquer, méprisable, si on le prévient.
Relation de ma campagne de 1788-1789 contre les Turcs,
Lettre IV, 1ᵉʳ septembre 1788.

7024   Observateurs, voyageurs, spectateurs, au lieu de faire des réflexions triviales, sur les nations de l'Europe, qui se ressemblent toutes, à peu de chose près, méditez sur tout ce qui tient à l'Asie, si vous voulez trouver du neuf, du beau, du grand, du noble, et très souvent du raisonnable.

Ibid., Lettre VIII.

Je n'aime point les citadelles, j'aime encore mieux être battu qu'être pris [...]   7025

Fantaisies militaires, Campement.

Il n'y a malheureusement plus d'étourdis en France.   7026

De l'armée française pendant la Révolution.

Assez gai pour moi, il faut que je me fatigue à l'être pour   7027
ceux qui ne le sont pas. Si je suis un instant occupé de cent choses qui me passent par la tête, ils me disent : *vous êtes triste,* c'est de quoi le devenir; ou bien : *vous vous ennuyez,* c'est de quoi me rendre ennuyeux.

Mélanges militaires, littéraires, sentimentaires, Lettre à la Marquise de Coigny.

Si Dieu avait permis à Moïse d'être un conquérant, comme   7028
Mahomet a pris sur lui de l'être, les deux tiers du monde seraient juifs, au lieu d'être mahométans.

Mémoire sur les Juifs.

Telle vertueuse que soit une femme, c'est sur sa vertu qu'un   7029
compliment lui fait le moins de plaisir. Quand on la loue sur sa fidélité à son mari, elle est toujours prête à vous dire : « Quelle preuve en avez-vous? ».

Diverses remarques sur les femmes.

Napoléon est l'exemple, la terreur, le soutien, et le fléau   7030
des rois.   *Ma Napoléonide, Annales du Prince de Ligne, t. I.*

La destruction est son véritable élément. Ce goût lui sert   7031
même pour embellir Paris. Il renverse les édifices qui cachaient la beauté des autres, comme il renverse les constitutions. Il détruit jusqu'à la Seine, qu'il couvre de ponts qui portent les noms de ses victoires.   *Ibid.*

Continuez à n'avoir ni chiens, ni enfants, ni talents, qui   7032
sont des éteignoirs de société : il est ennuyeux d'entendre parler aux premiers comme aux seconds, ou de voir les troisièmes, par un petit air de clavecin, interrompre la conversation.

Annales du Prince de Ligne, t. VIII, à Mme de R.

La postérité est à présent une ouvreuse de lettres; il n'y en a   7033
plus de confidentielles.

Fragments inédits de l'Histoire de ma vie, Lettre à M. de La Borde.

Mon père ne m'aimait pas. Je ne sais pourquoi, car nous ne   7034
nous connaissions pas. Ce n'était pas la mode d'être alors bon père ni bon mari.   *Ibid.*

J'ai toujours eu assez d'imagination pour être dévot de   7035
temps en temps, à l'article près des devoirs à en remplir.

Ibid.

7036   Que je déteste les gens qui cherchent toujours une raison
        d'intérêt à une belle action, et qui ont de la peine à la croire!
        Qu'il est admirable. selon moi, d'admirer! Si je trouve
        quelque chose qui mérite de l'être, je m'empresse d'autant
        plus, qu'il paraît par là que je relève mon existence. Je suis
        glorieux de ce qu'un de mes semblables a fait une grande
        chose.   *Mes écarts ou ma tête en liberté.*

7037   Il y a deux espèces de sots : ceux qui ne doutent de rien et
        ceux qui doutent de tout.   *Ibid.*

7038   La popularité [...] est un rasoir entre les mains d'un enfant.
                                    Mes écarts posthumes.

7039   A mesure qu'on est plus éclairé, on a moins de lumière.   *Ibid.*

7040   La police doit être une mère et non pas une commère.   *Ibid.*

LA DUCHESSE DE CHOISEUL
1736-1801

7041   J'ai toujours eu la vanité des gens que j'aime; c'est ma façon
        d'aimer.   *Lettre à Voltaire, 24 janvier 1771.*

7042   [...] Les jouissances de l'amitié, je l'avoue, sont la véritable
        béatitude; mais on ne peut pas toujours être dans les cieux.
        Je rampe donc tout comme un autre, et je m'en tire tout
        comme un autre. En fait de bonheur, il ne faut pas rechercher
        le « pourquoi », ni regarder au « comment ». Le meilleur
        et le plus sûr est de le prendre comme il vient.
                        Lettre à Mme du Deffand, 15 juin 1775.

GABRIEL SÉNAC DE MEILHAN
1736-1803

7043   Tout est vraisemblable, et tout est romanesque dans la
        révolution de la France.   *L'émigré, Préface.*

7044   Un joueur, homme d'un grand sang-froid, se contentait
        de dire à l'aspect des coups les plus piquants : « cela est dans
        les dés »; on peut dire de même au récit des plus singulières
        ou tragiques aventures : « cela est dans une révolution ».
                                                        Ibid.

7045   On n'a peut-être jamais mis l'économie au nombre des
        avantages que procure la sensibilité, rien n'est cependant
        plus vrai; plus on est capable d'aimer, plus le cœur est rempli
        d'un sentiment profond, et plus il est facile de se suffire
        à soi-même.   *Ibid., Lettre VIII.*

Une révolution est une fatale lumière qui découvre la   7046
hideuse nudité de la majeure partie des hommes.
                                        Ibid., Lettre IX.

Les hommes sont modifiés par l'état qu'ils embrassent,   7047
au point, en quelque sorte, d'être entre eux comme des êtres
distincts.   *Histoire du marquis de Saint-Alban.*

Le peuple français est aimable, léger, facile; mais emporté,   7048
mais barbare dans ses emportements.   *Ibid.*

Les Allemands tiennent table pour faire bonne chère, et les   7049
Français pour réunir des personnes qui se conviennent.   *Ibid.*

L'or est le dieu de l'univers, il donne l'intelligence aux plus   7050
bornés.   *Ibid., Lettre XI.*

Il n'est point de puissance humaine qui puisse soutenir   7051
un papier monnaie.   *Ibid., Lettre LVII.*

Combien de jeunes filles, peut-être, auraient besoin de   7052
perdre leur innocence pour conserver leur sagesse!
                                        Ibid., Lettre LX.

On peut dire de cette histoire [de la Révolution], bien plus   7053
justement que de celle de l'Angleterre, qu'elle devrait être
écrite par le Bourreau.   *Ibid., Lettre LXXV.*

La peine de mort sera un jour abolie, et n'est-il pas étonnant   7054
que ce soit en faisant couler des flots de sang, que ce soit,
assis sur des monceaux de cadavres, que le Français aura
enseigné aux nations à respecter la vie de l'homme?
                                   Ibid., Lettre LXXXVI.

Le théâtre, chez toutes les nations, porte l'empreinte du   7055
gouvernement.   *Ibid.*

Que contiennent [...] les bibliothèques, si ce n'est des romans?   7056
Il y en a sur la Divinité, sur l'Ame, sur les gouvernements,
sur la nature de l'homme [...]   *Ibid.*

A mesure que l'esprit avance, une multitude d'ouvrages   7057
disparaît.   *Ibid.*

Hélas! telle est la triste condition des hommes que leur   7058
bonheur consiste dans la plus prompte consommation de la
vie; tous ne tendent qu'à abréger le sentiment de sa durée :
qu'est-ce donc qu'un trésor qu'il faut promptement dépenser
pour en jouir, qui nous accable de son poids si l'on ne s'empresse de le diminuer, et dont on regrette vivement la diminution.   *Histoire de la vicomtesse de Vassy.*

Il serait bien imprudent de faire connaître à la plupart des   7059
hommes qu'ils peuvent être dangereux.
                                    Ibid., Lettre XCVIII.

Qu'importe aux hommes que l'on souffre si c'est pour eux,   7060
si c'est par eux; si les maux qu'on éprouve sont la preuve
de leur domination dans un cœur.   *Ibid., Lettre CI.*

7061   La beauté est moins pour la plupart des hommes une harmonie sublime de proportion, qu'une réunion de traits qui
leur présagent la volupté qu'ils cherchent.
Ibid., Lettre CVII.

7062   Des nœuds indissolubles m'ont toujours paru contraires
non seulement au bonheur, mais à la nature humaine, et la
faculté du divorce peut seule les rendre supportables.
Ibid., Lettre CXIX.

7063   Il n'est point de vérité absolue, et les hommes se trompent
bien moins, faute d'entrevoir la vérité, que faute d'en apercevoir les limites.   *Ibid., Lettre CXXIV.*

7064   Combien on s'éloignerait de l'humanité en voulant rapprocher
les hommes de ce que l'on appelle l'état de nature.   *Ibid.*

7065   Toutes [les religions] sont fondées sur le danger d'éclairer
les hommes.   *Ibid.*

7066   Il faut avant tout se garantir de la misère; tout autre malheur
doit peu affecter un homme jeune et bien portant; mais le
besoin, la dépendance, et le mépris des autres empoisonnent
la vie, flétrissent l'âme, abâtardissent le génie.   *Ibid.*

7067   Ce qui doit dégoûter de la science, c'est que jamais elle ne
nous apprendra ni l'origine du monde, ni le premier principe
des êtres, ni leur destination.   *Ibid.*

7068   Deux penchants opposés attirent l'homme en sens contraire;
l'horreur de l'ennui et l'amour du repos : le grand art est
d'échapper à l'un sans troubler trop violemment l'autre,
de trouver un état mitoyen entre la léthargie et la convulsion.
Ibid.

7069   Il est bon d'exercer son esprit pour se procurer des plaisirs
à tous les âges; il est bon de se former des plaisirs intellectuels,
qui servent d'entra'ctes aux plaisirs des sens, qui sont les
seuls réels [...]   *Ibid.*

7070   Le plus grand plaisir en amitié est de parler de soi, et cet
épanchement provient d'une faiblesse mêlée d'amour-
propre.   *Ibid.*

7071   Ce qu'il y a de plus rare parmi les hommes, c'est le secret;
les grands y manquent envers leurs inférieurs par une sorte
de mépris de leurs intérêts, et on y manque envers ses égaux
par le même principe qui leur fait confier leur secret. Il ne
faut jamais perdre de vue le proverbe italien : un et un font
deux.   *Ibid.*

7072   A mesure que l'on vieillit, il faut se concentrer davantage
dans soi-même, se réduire au bonheur sensuel, et restreindre
ses rapports avec les autres, parce qu'on n'en peut attendre
que des marques du mépris inné dans le cœur de l'homme
pour tout ce qui décèle l'impuissance, et que la vieillesse
est la plus grande des impuissances.   *Ibid.*

Nous croyons être affligés de la mort d'une personne, quand c'est la mort seule qui fait impression sur nous. 7073
Ibid., Lettre CXL.

Il est trois sortes de gens qui parlent peu, ce sont les savants et les gens fort heureux ou fort malheureux; ainsi l'on peut dire que le savoir, la douleur et le bonheur sont muets. 7074
Ibid., Lettre CLIII.

Il ne faut pas chercher les femmes sensibles, ou celles qui ont du penchant pour les plaisirs de l'amour, parmi celles qui sont les plus vives, les plus gaies, les plus folâtres, mais parmi les femmes sérieuses et composées. *Ibid.* 7075

Les grands hommes sont comme les athlètes qui perdent à être vus couverts des plus beaux habits; c'est nus qu'il faut les voir pour juger leurs belles proportions. C'est dans l'adversité qu'il faut juger les hommes que le sort a mis au-dessus des autres. *Ibid., Lettre CLVII.* 7076

JACQUES-HENRI
BERNARDIN DE SAINT-PIERRE
1737-1814

Les hommes ne veulent connaître que l'histoire des grands et des rois, qui ne sert à personne. *Paul et Virginie.* 7077

C'est un instinct commun à tous les êtres sensibles et souffrants de se réfugier dans les lieux les plus sauvages et les plus déserts; comme si des rochers étaient des remparts contre l'infortune, et comme si le calme de la nature pouvait apaiser les troubles malheureux de l'âme. *Ibid.* 7078

Le pain du méchant remplit la bouche de gravier. *Ibid.* 7079

La nécessité donne de l'industrie, et souvent les inventions les plus utiles ont été dues aux hommes les plus misérables. 7080
Ibid.

[...] Il est impossible de ne pas haïr les hommes si on les croit méchants, et de vivre avec les méchants si on ne leur cache sa haine sous de fausses apparences de bienveillance. Ainsi la médisance nous oblige d'être mal avec les autres ou avec nous-mêmes. *Ibid.* 7081

Quelque plaisir que j'ai eu dans mes voyages à voir une statue ou un monument de l'antiquité, j'en ai encore davantage à lire une inscription bien faite; il me semble alors qu'une voix humaine sorte de la pierre, se fasse entendre à travers les siècles, et s'adressant à l'homme au milieu des déserts, lui dise qu'il n'est pas seul [...]. *Ibid.* 7082

Je tiens pour principes certains du bonheur qu'il faut préférer les avantages de la nature à tous ceux de la fortune, et que 7083 nous ne devons point aller chercher hors de nous ce que nous pouvons trouver chez nous. J'étends ces maximes à tout, sans exception.   *Ibid.*

7084   Il n'y a jamais qu'un côté agréable à connaître dans la vie humaine. Semblable au globe sur lequel nous tournons, notre révolution rapide n'est que d'un jour, et une partie de ce jour ne peut recevoir la lumière que l'autre ne soit livrée aux ténèbres.   *Ibid.*

7085   Sans doute c'est aux jouissances que se propose cette passion ardente et inquiète que les hommes doivent la plupart des sciences et des arts, et c'est de ses privations qu'est née la philosophie, qui apprend à se consoler de tout. Ainsi la nature ayant fait l'amour le lien de tous les êtres, l'a rendu le premier mobile de nos sociétés, et l'instigateur de nos lumières et de nos plaisirs.   *Ibid.*

7086   Après le rare bonheur de trouver une compagne qui nous soit bien assortie, l'état le moins malheureux de la vie est sans doute de vivre seul.   *Ibid.*

7087   La solitude rétablit aussi bien les harmonies du corps que celles de l'âme.   *Ibid.*

7088   Toute opinion est indifférente aux ambitieux, pourvu qu'ils gouvernent.   *Ibid.*

7089   Mais pourquoi voulez-vous être distingué du reste des hommes? C'est un sentiment qui n'est pas naturel, puisque, si chacun l'avait, chacun serait en état de guerre avec son voisin.   *Ibid.*

7090   Le meilleur des livres, qui ne prêche que l'égalité, l'amitié, l'humanité, et la concorde, l'Évangile, a servi pendant des siècles de prétexte aux fureurs des Européens. Combien de tyrannies publiques et particulières s'exercent encore en son nom sur la terre! Après cela, qui se flattera d'être utile aux hommes par un livre?   *Ibid.*

7091   Les femmes sont fausses dans les pays où les hommes sont tyrans. Partout la violence produit la ruse.   *Ibid.*

7092   L'État est semblable à un jardin, où les petits arbres ne peuvent venir s'il y en a de trop grands qui les ombragent; mais il y a cette différence que la beauté d'un jardin peut résulter d'un petit nombre de grands arbres, et que la prospérité d'un État dépend toujours de la multitude et de l'égalité des sujets, et non pas d'un petit nombre de riches.   *Ibid.*

7093   On se fait une idée précise de l'ordre, mais non pas du désordre. La beauté, la vertu, le bonheur, ont des proportions; la laideur, le vice, et le malheur, n'en ont point.   *Ibid.*

7094   Le parfum de mille roses ne plaît qu'un instant; mais la douleur que cause une seule de leurs épines dure longtemps après la piqûre.   *Ibid.*

Les sages qui ont écrit avant nous sont des voyageurs qui   7095
nous ont précédés dans les sentiers de l'infortune, qui nous
tendent la main, et nous invitent à nous joindre à leur compagnie lorsque tout nous abandonne. Un bon livre est un bon
ami.   *Ibid.*

Il y a des maux si terribles et si peu mérités que l'espérance   7096
même du sage en est ébranlée.   *Ibid.*

Les projets de plaisirs, de repos, de délices, d'abondance,   7097
de gloire, ne sont point faits pour l'homme faible, voyageur
et passager.   *Ibid.*

La mort, mon fils, est un bien pour tous les hommes; elle   7098
est la nuit de ce jour inquiet qu'on appelle la vie.   *Ibid.*

C'est une chose digne de remarque, que ce qui fait les répu-   7099
tations, est l'intérêt que d'autres trouvent à vous louer ou
à vous blâmer.   *Fragments de l'Amazone.*

La femme est faite pour tempérer ce que les hommes ont   7100
de trop violent dans le caractère; c'est la moitié naturelle
de l'homme. Aussi la plupart des célibataires sont-ils portés
à la cruauté.   *Ibid.*

[...] L'organisation [de la nature] se forma de la pensée du   7101
Tout-Puissant, et la vie sortit de sa parole.
                          Harmonies de la nature, Livre premier.

La plus petite mousse, par ses harmonies, élève notre intel-   7102
ligence jusqu'à l'Intelligence qui veille aux destins de
toute la terre [...].   *Ibid.*

Nous formons notre logique, et souvent notre morale, des   7103
premières notions que nous donne la nature. Ce sont elles,
et non les raisonnements de la métaphysique, qui développent
l'entendement humain.   *Ibid.*

Les femmes atteignent en bien et en mal les deux extrêmes,   7104
et les inspirent alors aux hommes; les jouissances et les
douleurs exquises leur appartiennent.   *Ibid.*

Les sociétés des hommes ne seraient guère plus savantes   7105
que celles des fourmis, si elles étaient isolées comme elles.
                                       Ibid., Livre troisième.

Je ne parle ici que des sciences humaines; car quant aux   7106
sciences véritables, elles ne sont connues que de Dieu :
lui seul a le secret de son intelligence [...].
                                        Ibid., Livre sixième.

STANISLAS DE BOUFFLERS
1738-1815

7107
Sans diamants vous paraîtrez
Toujours assez brillante,
Et sans épingles vous serez
Toujours assez piquante.

Couplet.

7108
De tout ce qu'il a dit je sens que je suis ivre,
Jusqu'à présent personne à tel point ne m'a plu;
Vous-même, convenez qu'il parle comme un livre.
— Oui, comme un livre qu'on a lu.

Sur un bel esprit.

7109
Tu me peignais la tendresse,
Hélas! c'est moi qui la sens;
Tu jurais d'aimer sans cesse,
Et je tiens tous tes serments.

Vers à une dame.

7110
Faisons l'amour, faisons la guerre,
Ces deux métiers sont pleins d'attraits :
La guerre au monde est un peu chère,
L'amour en rembourse les frais.

Le Bon avis.

7111
Eh! mes amis, peut-on mieux faire,
Quand on a dépeuplé la terre,
Que de la repeupler après?

Ibid.

7112
Ci-gît un chevalier, qui sans cesse courut;
Qui sur les grands chemins naquit, vécut, mourut,
Pour prouver ce qu'a dit le sage,
Que notre vie est un voyage.

Épitaphe faite par lui-même.

7113
Que ce Dieu est bon! il a fait le ciel pour nous tous, y va
qui peut; mais peu y vont, c'est un peu haut...

Lettre en monosyllabes.

L'ABBÉ DELILLE
1738-1813

7114
Telle jadis Carthage
Vit sur ses murs détruits Marius malheureux;
Et ces deux grands débris se consolaient entre eux.

Les Jardins, chant 4.

7115
Vivre pour mes amis, mes livres, et moi-même!

L'Homme des champs, chant 4.

L'homme aux regards de l'homme est le premier miracle.   7116
L'Imagination, chant 3.

Ce que Dieu seul a fait, Newton seul l'imagine.   7117
Ibid., chant 5.

CHARLES-FRANÇOIS DUMOURIEZ
1739-1823

Les défilés de l'Argonne ont été les Thermopyles où cette   7118
poignée de soldats de la liberté a présenté pendant quinze
jours à une formidable armée une résistance importante.
Discours à la Convention, octobre 1792.

JACQUES ROUX
?-1794

Le courage et la vertu vengent l'homme libre des poursuites   7119
des méchants. L'estime de l'homme de bien, la calomnie
des traîtres, seront, en tout temps, ma liste civile.
*Discours sur le jugement de Louis-le-Dernier (section de
l'Observatoire), décembre 1792.*

Les rois sont dignes de mort, du moment qu'ils voient le   7120
jour.   *Ibid.*

PIERRE-SAMUEL DUPONT
dit DUPONT DE NEMOURS
1739-1817

Point de propriété, sans liberté; point de liberté, sans sûreté.   7121
De l'origine et des progrès d'une science nouvelle, § V.

Impositions indirectes; pauvres paysans. Pauvres paysans;   7122
pauvre royaume. Pauvre royaume; pauvre souverain.
Ibid., § XV.

Périssent les colonies plutôt qu'un principe!   7123
Discours à l'Assemblée Nationale, le 13 mai 1791.

JEAN-FRANÇOIS LA HARPE
1739-1803

Ainsi toujours sensible aux charmes des Neuf Sœurs,   7124
Puissé-je encore goûter leurs dons consolateurs...
Conseils à un jeune poète.

7125   Que tes vers ont flatté le bon goût de Virgile!
Souvent avec Homère il parle de ton style.
Réponse d'Horace à Voltaire.

7126   Heureux le bon bourgeois qui, loin de ces travers,
Hors les Commandements, n'a jamais lu de vers...
Ibid.

7127   Un bienfait n'avilit que les cœurs nés ingrats.
Warwick, acte V, scène 3.

7128   On en était alors venu, dans le monde, au point où tout est
permis pour faire rire. Chamfort nous avait lu de ses contes
impies et libertins, et les grandes dames avaient écouté, sans
avoir même recours à l'éventail.
La prophétie de Cazotte.

7129   « Savez-vous ce qui arrivera de cette révolution, ce qui en
arrivera pour vous tous tant que vous êtes ici, et ce qui en
sera la suite immédiate, l'effet bien prouvé, la conséquence
bien reconnue? — Ah! voyons, dit Condorcet, avec son air
et son rire sournois et niais, un philosophe n'est pas fâché
de rencontrer un prophète. — Vous, Monsieur de Condorcet,
vous expirerez étendu sur le pavé d'un cachot; vous mourrez
du poison que vous aurez pris pour vous dérober au bourreau,
du poison que le *bonheur* de ce temps-là vous forcera de
porter toujours sur vous. »   *Ibid.*

7130   « Vous serez alors gouvernés par la seule philosophie, par
la seule raison. Ceux qui vous traiteront ainsi seront tous
des philosophes, auront à tout moment dans la bouche les
mêmes phrases que vous débitez depuis une heure, répéte-
ront toutes vos maximes [...] »   *Ibid.*

LOUIS–SÉBASTIEN MERCIER
1740-1814

7131   Mais comment écrira-t-on l'histoire de Louis XIII, de
Louis XIV, et de Louis XV, si l'on ne sait pas l'histoire de la
Bastille?   *Tableau de Paris, tome II, chap. 44, Bastille.*

7132   Les Parisiens aiment mieux acheter du pain pour vivre que
le plus beau discours où l'on prouverait qu'ils ont droit à une
vie aisée.   *Ibid.*

7133   On a laissé l'opinion de la veille s'effacer par celle du lendemain, et l'on a compris que lorsqu'on avait la force physique,
il fallait peu s'inquiéter des idées politiques et morales,
versatiles et changeantes par leur nature.   *Ibid.*

7134   Voyez dans toutes nos comédies si l'on ne rit pas toujours
aux dépens des maris [...]. Ces gentillesses ne sont qu'une
apologie perpétuelle de l'adultère : on dirait qu'on a peur
que les femmes ne comprennent pas assez tôt que leurs
charmes ne sont pas faits pour n'appartenir qu'à un seul.
Ibid., chap. 56, mariage, adultère.

Le monde polit plus qu'il n'instruit. Il ne faut point être dans son tourbillon, pour bien le connaître et surtout pour l'apprécier.   *Ibid., chap. 59, de la langue du monde.*   7135

Il y a des amis de table, qui enlèvent leurs promesses avec la nappe; quand ils vous ont régalé, ils se croient dispensés d'acquitter leurs paroles.
Ibid., chap. 63, légères observations.   7136

L'honneur d'une fille est à elle; elle y regarde à deux fois : l'honneur d'une femme est à son mari; elle y regarde moins.
Ibid.   7137

Nos pensées deviennent si subtiles, qu'elles s'exhalent de manière qu'il ne reste rien.   *Ibid.*   7138

On peut tromper les femmes; mais on ne doit jamais les surprendre.   *Tome III, chap. 85, Toilette.*   7139

Comme c'est l'âme qui fait le regard et que les belles âmes sont en petit nombre, les beaux yeux sont assez rares.
Ibid., chap. 92, promenades publiques.   7140

Une loi timide est ordinairement une mauvaise loi.   7141
Ibid., chap. 104, couvents, religieuses.

Les extrêmes se touchent.   *Ibid., tome IV, chap. 348.*   7142

NICOLAS MASSON DE MORVILLIERS
1740?-1789

Es-tu chagrine? je suis triste;   7143
Dévote? je lis Augustin;
Philosophe? Bayle ou Voltaire;
Un peu friponne? l'Arétin;
Bavarde enfin? je sais me taire.
Épître à une femme de quarante ans.

Daphné semble en tout mon affaire;   7144
Un mois au moins j'aurai son cœur :
C'est toujours un beau rêve à faire,
Que de croire un mois au bonheur.
L'Embarras du choix, ode anacréontique.

LE MARQUIS DE SADE
1740-1814

Prouve-moi l'inertie de la matière et je t'accorderai le créateur.   7145
Dialogue entre un prêtre et un moribond.

7146   Le nom de Dieu ne sera jamais prononcé qu'accompagné
d'invectives et d'imprécations, et on le répétera le plus souvent possible.   *Les Cent vingt Journées de Sodome.*

7147   Si la nature se meut elle-même, enfin, à quoi sert le moteur?
Et si le moteur agit sur la matière, en la mouvant, comment
n'est-il pas matière lui-même? Pouvez-vous concevoir l'effet
de l'esprit sur la matière et la matière recevant le mouvement de l'esprit qui lui-même n'a point de mouvement?
Justine ou les malheurs de la vertu.

7148   Eh quoi! Les hommes ne comprendront jamais qu'il n'est
aucune sorte de goûts, quelque bizarres, quelque criminels
même qu'on puisse les supposer, qui ne dépende de la sorte
d'organisation que nous avons reçu de la Nature!   *Ibid.*

7149   Les passions de l'homme ne sont que les moyens que la
nature emploie pour parvenir à ses desseins.   *Ibid.*

7150   Ces écrivains pervers, dont la corruption est si dangereuse,
si active qu'ils n'ont pour but, en imprimant leurs affreux
systèmes, que d'étendre au-delà de leur vie la somme de leurs
crimes; ils n'en peuvent plus faire, mais leurs maudits
écrits en feront commettre, et cette douce idée, qu'ils emportent au tombeau, les console de l'obligation où les met la
mort de renoncer au mal.   *Ibid.*

7151   Une jolie fille ne doit s'occuper que de foutre et jamais
d'engendrer.   *La Philosophie dans le boudoir.*

7152   Ne divisons pas cette portion de sensibilité que nous avons
reçue de la nature. C'est l'anéantir que de l'éteindre [...]
Que le foyer de notre sensibilité n'allume jamais que nos
plaisirs! Soyons sensibles à tout ce qui les flatte, absolument
inflexibles sur tout le reste. Il résulte de cet état de l'âme
une sorte de cruauté qui n'est quelquefois pas sans délices.
Ibid.

7153   [...] Dès l'instant où il n'y a plus de Dieu, à quoi sert d'insulter son nom? Mais c'est qu'il est essentiel de prononcer
des mots forts ou sales dans l'ivresse du plaisir, et que ceux
du blasphème servent bien l'imagination; il faut orner
ces mots du plus grand luxe d'expression; il faut qu'ils scan-
dalisent le plus possible; car il est très doux de scandaliser :
il existe là un petit triomphe pour l'orgueil qui n'est nullement à dédaigner.   *Ibid.*

7154   La cruauté, bien loin d'être un vice, est le premier sentiment
qu'imprime en nous la nature; l'enfant brise son hochet,
mord le téton de sa nourrice, étrangle son oiseau, bien avant
que d'avoir l'âge de raison.   *Ibid.*

7155   Je ne m'adresse qu'à des gens capables de m'entendre, et
ceux-là me liront sans danger.   *Ibid.*

7156   Nous ne devons certainement pas douter un moment que
tout ce qui s'appelle crimes moraux, c'est-à-dire toutes les
actions de l'espèce de celles que nous venons de citer, ne soit

parfaitement indifférent dans un gouvernement dont le
seul devoir consiste à conserver, par tel moyen que ce puisse
être, les formes essentielles de son maintien : voilà l'unique
morale d'un gouvernement républicain.   *Ibid.*

L'insurrection n'est point un état moral; elle doit être   7157
pourtant l'état permanent d'une République.   *Ibid.*

Il est aussi injuste de posséder exclusivement une femme   7158
que de posséder des esclaves.   *Ibid.*

Une nation qui commence à se gouverner en république ne se 7159
soutiendra que par des vertus, parce que pour arriver au plus
il faut toujours débuter par le moins; mais une nation déjà
vieille et corrompue qui, courageusement, secouera le joug
de son gouvernement monarchique pour en adopter un
républicain, ne se maintiendra que par beaucoup de crimes;
car elle est déjà dans le crime, et si elle voulait passer du
crime à la vertu, c'est-à-dire d'un état violent dans un état
doux, elle tomberait dans une inertie dont sa ruine certaine
serait bientôt le résultat.   *Ibid.*

Le sot orgueil de l'homme qui croit que tout est fait pour   7160
lui serait bien étonné, après la destruction totale de l'espèce
humaine, s'il voyait que rien ne varie dans la nature, et que
le cours des astres n'est pas seulement retardé.   *Ibid.*

Tout est bon quand il est excessif.   7161
                              La Nouvelle Justine.

Quand l'athéisme voudra des martyrs, qu'il le dise et mon   7162
sang est tout prêt.   *Ibid.*

— Aussi, le meurtre est un plaisir.   7163
— Je dis plus; il est un devoir; il est un des moyens dont la
nature se sert pour parvenir aux fins qu'elle se propose
sur nous.   *Ibid.*

Je suis l'homme de la nature avant que d'être celui de la   7164
société.   *Ibid.*

L'impossibilité d'outrager la nature est, selon moi, le plus 7165
grand supplice de l'homme.   *Ibid.*

Le bonheur n'est que dans ce qui agite, et il n'y a que le   7166
crime qui agite : la vertu, qui n'est qu'un état d'inaction
et de repos, ne peut jamais conduire au bonheur.   *Ibid.*

La tolérance est la vertu du faible.   *Ibid.*   7167

Un de vos philosophes modernes se disait l'amant de la   7168
nature; eh bien, mon ami, je m'en déclare le bourreau.
                                                        Ibid.

Il n'est pas le seul homme qui voulût recommencer à vivre,   7169
si on le lui offrait le jour de sa mort.   *Ibid.*

7170   L'homme serait le plus heureux des êtres si du seul besoin
qu'il a d'une illusion quelconque en naissait aussitôt la réalité.
Ibid.

7171   Je souffre peut-être encore plus que vous de la médiocrité
des crimes dont la nature me laisse le pouvoir. Il n'y a, dans
tout ce que nous faisons, que des idoles et des créatures
offensées; mais la nature ne l'est pas, et c'est elle que je
voudrais pouvoir outrager. Je voudrais déranger ses plans,
contrecarrer sa marche, arrêter le cours des astres, boule-
verser les globes qui flottent dans l'espace, détruire ce qui la
sert, protéger ce qui lui nuit, édifier ce qui l'irrite, l'insulter
en un mot dans ses œuvres, suspendre tous ses grands effets;
mais je ne puis y réussir.   *Ibid.*

7172   L'idée de Dieu est, je l'avoue, le seul tort que je ne puisse
pardonner à l'homme.   *L'Histoire de Juliette.*

7173   N'admettons jamais comme cause de ce que nous ne comprenons pas quelque chose que nous comprenons moins encore.
Ibid.

7174   Un laurier perpétuel croît sur le tombeau de Virgile. Cette
transmigration glorieuse n'est-elle pas, sots déistes, aussi
douce que l'alternative de l'enfer ou du paradis? Qui osera
soutenir d'après cela que l'opinion qui débarrasse de ces
craintes ne soit mille fois plus agréable que l'incertitude où
nous laisse l'admission d'un Dieu qui, maître de ses grâces,
ne les donne qu'à ses favoris et qui permet que tous les
autres se rendent dignes des supplices éternels?   *Ibid.*

7175   La première loi que m'indique la nature est de me délecter
n'importe aux dépens de qui.   *Ibid.*

7176   C'est par un mélange absolument égal de ce que nous appelons crime et vertu que [les] lois [de la nature] se soutiennent;
c'est par des destructions qu'elle renaît; c'est par des crimes
qu'elle subsiste; c'est, en un mot, par la mort qu'elle vit.
Ibid.

7177   Le crime n'a donc rien de réel, il n'y a donc véritablement
aucun crime, aucune manière d'outrager une nature toujours
agissante, toujours trop au-dessus de nous pour nous redouter
en quoi que ce puisse être.   *Ibid.*

7178   C'est dans le silence des lois que naissent les grandes actions.
Ibid.

7179   Tous les hommes tendent au despotisme; c'est le premier
désir que nous inspire la nature.   *Ibid.*

7180   Il n'y a d'autre enfer pour l'homme que la bêtise ou la
méchanceté de ses semblables.   *Ibid.*

7181   Ce qui caractériserait vraiment un crime serait la résistance
que l'homme apporterait à se livrer à toutes les inspirations
de la nature, de telles espèces qu'elles puissent être.   *Ibid.*

En raidissant notre âme contre tout ce qui peut l'émouvoir, 7182
en la familiarisant au crime par le libertinage, en ne lui laissant
de la volupté que la physique, en lui refusant opiniâtrement
la délicatesse, on l'énerve; et de cet état dans lequel son
activité naturelle ne lui permet pas de rester longtemps,
elle passe à une espèce d'apathie qui se métamorphose
bientôt en plaisirs mille fois plus divins que ceux que lui
procuraient des faiblesses.   *Ibid.*

Le prétendu Dieu des hommes n'est que l'assemblage de 7183
tous les êtres, de toutes les propriétés, de toutes les puissances;
il est la cause immanente et non distincte de tous les effets
de la nature; c'est parce qu'on s'est abusé sur les qualités
de cet être chimérique, c'est parce qu'on l'a vu tour à tour
bon, méchant, jaloux, vindicatif, qu'on a supposé de là
qu'il devait punir ou récompenser. Mais Dieu n'est que la
nature et tout égal à la nature : tous les êtres qu'elle produit
sont indifférents à ses yeux, puisqu'ils ne lui coûtent pas plus
à créer l'un que l'autre.   *Ibid.*

L'échafaud même serait pour moi le trône de mes voluptés, 7184
j'y braverais la mort en jouissant du plaisir d'expirer victime
de mes forfaits.   *Ibid.*

C'est sans aucune terreur que j'aperçois la désunion des 7185
molécules de mon existence.   *Ibid.*

Le principe de la vie de tous les êtres n'est autre que celui 7186
de la mort. Nous les recevons et les nourrissons dans
nous tous les deux à la fois.   *Ibid.*

Depuis l'âge de quinze ans, ma tête ne s'est embrasée qu'à 7187
l'idée de périr victime des passions cruelles du libertinage.
                                                   Ibid.

Celui que servirait le mieux la nature serait incontestablement 7188
celui dont la multiplicité des crimes ou leur atrocité détruirait jusqu'à la possibilité d'une régénération.   *Ibid.*

Le flambeau des passions allume à la fois dans les âmes 7189
fortes celui de Minerve et celui de Vénus.   *Ibid.*

La frivolité n'est point mon vice.   *Ibid.* 7190

Respectons éternellement le vice et ne frappons que la vertu. 7191
                                                   Ibid.

Mon plus grand chagrin est qu'il n'existe réellement pas de 7192
Dieu, et de me voir privé, par là, du plaisir de l'insulter
plus positivement.   *Ibid.*

Ma façon de penser est le fruit de mes réflexions; elle tient à 7193
mon existence, à mon organisation, je ne suis pas le maître
de la changer; je le serais que je ne le ferais pas. Cette façon
de penser que vous blâmez fait l'unique consolation de ma
vie; elle allège toutes mes peines en prison, elle compose
tous mes plaisirs dans le monde et j'y tiens plus que ma vie.
Ce n'est point ma façon de penser qui fait mon malheur,
c'est celle des autres.   *Correspondance.*

7194   Dieu est absolument pour l'homme ce que sont les couleurs pour un aveugle de naissance, il lui est impossible de se les figurer.   *Pensées.*

7195   Comme nos lois, nos vertus, nos vices, nos divinités seraient méprisables aux yeux d'une société qui aurait deux ou trois sens de plus que nous, et une sensibilité double de la nôtre!   *Ibid.*

7196   Nos passions n'ont vraiment de charme que quand elles transgressent le mieux l'intention [du ciel], ou du moins ce que les sots nous assurent être tel, mais qui n'est dans le fond que la chaîne illusoire dont l'imposture a voulu captiver le plus fort.   *Les Infortunes de la vertu.*

7197   La fosse une fois recouverte, il sera semé dessus des glands, afin que, par la suite, le terrain de ladite fosse se trouvant regarni et le taillis se retrouvant fourré comme il l'était auparavant, les traces de ma tombe disparaissent de dessus la surface de la terre comme je me flatte que ma mémoire s'effacera de la mémoire des hommes.   *Testament.*

CHAMFORT
1741-1794

7198   [...] Presque tous les livres sont des corrupteurs, les meilleurs font presque autant de mal que de bien.
                                                   Maximes et pensées.

7199   La pensée console de tout et remédie à tout. Si quelquefois elle vous fait du mal, demandez-lui le remède du mal qu'elle vous a fait, et elle vous le donnera.   *Ibid.*

7200   La meilleure Philosophie, relativement au monde, est d'allier, à son égard, le sarcasme de la gaieté avec l'indulgence du mépris.   *Ibid.*

7201   On souhaite la paresse d'un méchant et le silence d'un sot.
                                                                     Ibid.

7202   Il y a des sottises bien habillées, comme il y a des sots très bien vêtus.   *Ibid.*

7203   Les trois quarts des folies ne sont que des sottises.   *Ibid.*

7204   L'Opinion est la Reine du Monde, parce que la Sottise est la Reine des Sots.   *Ibid.*

7205   Il faut savoir faire les sottises que nous demande notre caractère.   *Ibid.*

7206   Quelqu'un disait que la Providence était le nom de baptême du Hasard; quelque dévot dira que le Hasard est le sobriquet de la Providence.   *Ibid.*

De nos jours, ceux qui aiment la Nature sont accusés d'être romanesques. *Ibid.* 7207

La plus perdue de toutes les journées est celle où l'on n'a pas ri. *Ibid.* 7208

Il y a des siècles où l'opinion publique est la plus mauvaise des opinions. *Ibid.* 7209

On croit communément que l'art de plaire est un grand moyen de faire fortune : savoir s'ennuyer est un art qui réussit bien davantage. *Ibid.* 7210

Vivre est une maladie dont le sommeil nous soulage toutes les seize heures. C'est un palliatif. La mort est le remède. *Ibid.* 7211

Il y a deux choses auxquelles il faut se faire, sous peine de trouver la vie insupportable : ce sont les injures du temps et les injustices des hommes. *Ibid.* 7212

Il faut convenir que, pour être heureux en vivant dans le monde, il y a des côtés de son âme qu'il faut entièrement *paralyser*. *Ibid.* 7213

Célébrité : l'avantage d'être connu de ceux qui ne vous connaissent pas. *Ibid.* 7214

Il y a plus de fous que de sages, et dans le sage même, il y a plus de folie que de sagesse. *Ibid.* 7215

Il faut être juste avant d'être généreux, comme on a des chemises avant d'avoir des dentelles. *Ibid.* 7216

Le changement de modes est l'impôt que l'industrie du pauvre met sur la vanité du riche. *Ibid.* 7217

Quand on a été bien tourmenté, bien fatigué par sa propre sensibilité, on s'aperçoit qu'il faut vivre au jour le jour, oublier beaucoup, enfin, *éponger la vie* à mesure qu'elle s'écoule. *Ibid.* 7218

Les gens du monde ne sont pas plutôt attroupés, qu'ils se croient en Société. *Ibid.* 7219

La société est composée de deux grandes classes : ceux qui ont plus de dîners que d'appétit, et ceux qui ont plus d'appétit que de dîners. *Ibid.* 7220

On n'imagine pas combien il faut d'esprit pour n'être jamais ridicule. *Ibid.* 7212

Les bourgeois, par une vanité ridicule, font de leurs filles un fumier pour les terres des gens de qualité. *Ibid.* 7222

L'art de la parenthèse est un des grands secrets de l'éloquence dans la société. *Ibid.* 7223

7224 J'ai entendu dire à un homme d'esprit : « Otez à la plaisanterie son empire, et je quitte demain la Société. » *Ibid.*

7225 Les courtisans sont des pauvres enrichis par la mendicité. *Ibid.*

7226 Quand on veut plaire dans le monde, il faut se résoudre à se laisser apprendre beaucoup de choses qu'on sait par des gens qui les ignorent. *Ibid.*

7227 Dans un pays où tout le monde cherche à *paraître*, beaucoup de gens doivent croire, et croient en effet, qu'il vaut mieux être banqueroutier que de n'être rien. *Ibid.*

7228 Un homme d'esprit est perdu s'il ne joint pas à l'esprit l'énergie de caractère. Quand on a la lanterne de Diogène, il faut avoir son bâton. *Ibid.*

7229 La Nature ne m'a point dit : « Ne sois point pauvre »; encore moins : « Sois riche »; mais elle me crie : « Sois indépendant. » *Ibid.*

7230 Quiconque n'a pas de caractère n'est pas un homme, c'est une chose. *Ibid.*

7231 Tout bienfait qui n'est pas cher au cœur est odieux. C'est une relique, ou un os de mort. Il faut l'enchâsser ou le fouler aux pieds. *Pensées morales.*

7232 L'amitié extrême et délicate est souvent blessée du repli d'une rose. *Ibid.*

7233 La générosité n'est que la pitié des âmes nobles. *Ibid.*

7234 Si l'on doit aimer son prochain comme soi-même, il est au moins aussi juste de s'aimer comme son prochain. *Ibid.*

7235 Les premiers sujets de chagrin m'ont servi de cuirasse contre les autres. *Ibid.*

7236 Quand j'ai fait quelque bien et qu'on vient à le savoir, je me crois puni, au lieu de me croire récompensé. *Ibid.*

7237 Ce que j'ai appris, je ne le sais plus. Le peu que je sais encore, je l'ai deviné. *Ibid.*

7238 En fait de sentiments, ce qui peut être évalué n'a pas de valeur. *Ibid.*

7239 L'amour est comme les maladies épidémiques. Plus on les craint, plus on y est exposé. *Ibid.*

7240 Un homme amoureux est un homme qui veut être plus aimable qu'il ne peut; et voilà pourquoi presque tous les amoureux sont ridicules. *Ibid.*

7241 La société, qui rapetisse beaucoup les hommes, réduit les femmes à rien. *Ibid.*

L'amour, tel qu'il existe dans la société, n'est que l'échange de deux fantaisies et le contact de deux épidermes. *Ibid.* 7242

Les femmes font avec les hommes une guerre où ceux-ci ont un grand avantage, parce qu'ils ont les filles de leur côté. *Ibid.* 7243

Il y a telle fille qui trouve à se vendre, et ne trouverait pas à se donner. *Ibid.* 7244

Le commerce des hommes avec les femmes ressemble à celui que les Européens font dans l'Inde : c'est un commerce guerrier. *Ibid.* 7245

Pour qu'une liaison d'homme à femme soit vraiment intéressante, il faut qu'il y ait entre eux jouissance, mémoire ou désir. *Ibid.* 7246

Je me souviens d'avoir vu un homme quitter les filles d'Opéra, parce qu'il y avait vu, disait-il, autant de fausseté que dans les honnêtes femmes. *Ibid.* 7247

Il y a des redites pour l'oreille et pour l'esprit; il n'y en a point pour le cœur. *Ibid.* 7248

Le mariage et le célibat ont tous deux des inconvénients; il faut préférer celui dont les inconvénients ne sont pas sans remède. *Ibid.* 7249

L'amour plaît plus que le mariage, par la raison que les romans sont plus amusants que l'Histoire. *Ibid.* 7250

L'état de mari a cela de fâcheux que le mari qui a le plus d'esprit peut être de trop partout, même chez lui, ennuyeux sans ouvrir la bouche, et ridicule en disant la chose la plus simple. *Ibid.* 7251

La pire de toutes les mésalliances est celle du cœur. *Ibid.* 7252

Une des meilleures raisons qu'on puisse avoir de ne se marier jamais, c'est qu'on n'est pas tout à fait la dupe d'une femme, tant qu'elle n'est point la vôtre. *Ibid.* 7253

Quelque mal qu'un homme puisse penser des femmes, il n'y a pas de femme qui n'en pense encore plus mal que lui. *Ibid.* 7254

La plupart des livres d'à présent ont l'air d'avoir été faits en un jour avec des livres lus de la veille. *Ibid.* 7255

Peu de philosophie mène à mépriser l'érudition; beaucoup de philosophie mène à l'estimer. *Ibid.* 7256

Ce qui fait le succès de quantité d'ouvrages est le rapport qui se trouve entre la médiocrité des idées de l'auteur et la médiocrité des idées du public. *Ibid.* 7257

7258   On n'est point un homme d'esprit pour avoir beaucoup
d'idées, comme on n'est pas un bon général pour avoir
beaucoup de soldats.   *Ibid.*

7259   Plusieurs gens de Lettres croient aimer la gloire et n'aiment
que la vanité. Ce sont deux choses bien différentes et même
opposées; car l'une est une petite passion, l'autre en est une
grande. Il y a, entre la vanité et la gloire, la différence qu'il
y a entre un fat et un amant.   *Ibid.*

7260   Le titre le plus respectable de la noblesse française c'est de
descendre immédiatement de quelques-uns de ces trente
mille hommes casqués, cuirassés, brassardés, cuissardés,
qui, sur de grands chevaux bardés de fer, foulaient aux
pieds huit ou neuf millions d'hommes nus, qui sont les
ancêtres de la nation actuelle. Voilà un droit bien avéré
à l'amour et au respect de leurs descendants! Et, pour
achever de rendre cette noblesse respectable, elle se recrute
et se régénère par l'adoption de ces hommes qui ont accru
leur fortune en dépouillant la cabane du pauvre hors d'état
de payer les impositions. Misérables institutions humaines
qui, faites pour inspirer le mépris et l'horreur, exigent qu'on
les respecte et qu'on les révère!   *Ibid.*

7261   En France, on laisse en repos ceux qui mettent le feu, et on
persécute ceux qui sonnent le tocsin.   *Ibid.*

7262   En France, il n'y a plus de public ni de nation, par la raison
que de la charpie n'est pas du linge.   *Ibid.*

7263   On gouverne les hommes avec la tête. On ne joue pas aux
échecs avec un bon cœur.   *Ibid.*

7264   Un homme, attaquant une femme sans être prêt, lui dit :
« Madame, s'il vous était égal d'avoir encore un quart
d'heure de vertu? »   *Ibid.*

7265   La laide veut qu'on demande quelle est la plus riche.   *Ibid.*

7266   Il y a une mélancolie qui tient à la grandeur de l'esprit.   *Ibid.*

7267   M..., vieux célibataire, disait plaisamment que le mariage
est un état trop parfait pour l'imperfection de l'homme.
                                                        Ibid.

7268   M... disait : « Les femmes n'ont de bon que ce qu'elles ont
de meilleur. »   *Caractères et Anecdotes.*

7269   « Il a fait semblant d'être malhonnête, afin que les femmes ne
le rebutent pas. »   *Ibid.*

7270   [...] En vivant et en voyant les hommes, il faut que le cœur
se brise ou se bronze.   *Ibid.*

7271   M..., pour peindre d'un seul mot la rareté des honnêtes gens,
me disait que, dans la société, l'honnête homme est une
variété de l'espèce humaine.   *Ibid.*

M. de Brissac, ivre de Gentilhommerie, désignait souvent   7272
Dieu par cette phrase : « Le Gentilhomme d'en haut. »
Ibid.

M... disait que le grand monde est un mauvais lieu que l'on   7273
avoue.   *Ibid.*

Un homme d'esprit me disait un jour : que le Gouvernement   7274
de France était une Monarchie absolue tempérée par des
chansons.   *Ibid.*

Je ne sais quel homme disait : « Je voudrais voir le dernier   7275
des Rois étranglé avec le boyau du dernier des Prêtres. »
Ibid.

On demandait à M. de Fontenelle mourant : « Comment   7276
cela va-t-il? — Cela ne va pas, dit-il; cela s'en va. »   *Ibid.*

Madame de C... disait à M. B.... : « J'aime en vous... —   7277
Ah, Madame, dit-il avec feu : si vous savez quoi, je suis
perdu. »   *Ibid.*

« Dans le monde, disait M..., vous avez trois sortes d'amis :   7278
vos amis qui vous aiment; vos amis qui ne se soucient pas
de vous, et vos amis qui vous haïssent. »   *Ibid.*

D..., misanthrope plaisant, me disait, à propos de la méchan-   7279
ceté des hommes : « Il n'y a que l'inutilité du premier déluge
qui empêche Dieu d'en envoyer un second. »   *Ibid.*

« En fait d'inutilités, il ne faut que le nécessaire. »   *Ibid.*   7280

M... me dit un jour plaisamment, à propos des femmes et   7281
de leurs défauts : « Il faut choisir d'aimer les femmes ou de
les connaître : il n'y a pas de milieu. »   *Ibid.*

« Si je n'étais pas incorrigible, il y a bien longtemps que je   7282
serais corrompu. »   *Ibid.*

Quelqu'un disait d'un homme très personnel : « Il brûlerait   7283
votre maison pour se faire cuire deux œufs. »   *Ibid.*

M... avait, pour exprimer le mépris, une formule favorite :   7284
« C'est l'avant-dernier des hommes! — Pourquoi l'avant-
dernier? lui demandait-on. — Pour ne décourager personne,
car il y a presse. »   *Ibid.*

M... disait d'un sot sur lequel il n'y a pas de prise : « C'est   7285
une cruche sans anse. »   *Ibid.*

Marivaux disait que le style a un sexe et qu'on reconnaissait   7286
les femmes à une phrase.   *Ibid.*

On demandait à un homme qui faisait profession d'estimer   7287
beaucoup les femmes, s'il en avait eu beaucoup. Il répondit :
.« Pas autant que si je les méprisais. »   *Ibid.*

7288   Les grands vendent toujours leur société à la vanité des
       petits.   *Ibid.*

7289   M. Dubuc disait que les femmes sont si décriées qu'il n'y a
       même plus d'hommes à bonnes fortunes.   *Ibid.*

PIERRE CHODERLOS DE LACLOS
1741-1803

7290   [...] Le succès, qui ne prouve pas toujours le mérite, tient
       souvent davantage au choix du sujet qu'à son exécution,
       à l'ensemble des objets qu'il présente, qu'à la manière dont
       ils sont traités.   *Les Liaisons dangereuses, Préface.*

7291   Il me semble au moins que c'est rendre un service aux mœurs,
       que de dévoiler les moyens qu'emploient ceux qui en ont
       de mauvaises pour corrompre ceux qui en ont de bonnes,
       et je crois que ces lettres pourront concourir efficacement
       à ce but.   *Ibid.*

7292   *Et si de l'obtenir je n'emporte le prix,*
           J'aurai du moins l'honneur de l'avoir entrepris.
       On peut citer de mauvais vers, quand ils sont d'un grand
       poète [1].
       Ibid., Première partie, Lettre IV, Le Vicomte de Valmont à la
                                       Marquise de Merteuil.

7293   Que nous sommes heureux que les femmes se défendent
       si mal ! nous ne serions auprès d'elles que de timides esclaves.
                                                                  Ibid.

7294   Quel rival avez-vous à combattre ? un mari ! Ne vous sentez-
       vous pas humilié à ce seul mot ? Quelle honte si vous échouez !
       et même combien peu de gloire dans le succès !
           Ibid., Lettre V, La Marquise de Merteuil au Vicomte de
                                       Valmont.

7295   Réservées au sein même du plaisir, [les prudes] ne vous
       offrent que des demi-jouissances. Cet entier abandon de
       soi-même, ce délire de la volupté où le plaisir s'épure par
       son excès, ces biens de l'amour, ne sont pas connus d'elles.
                                                                  Ibid.

7296   [...] Ce mot de perfide m'a toujours fait plaisir ; c'est, après
       celui de cruelle, le plus doux à l'oreille d'une femme, et il
       est moins pénible à mériter.   *Ibid.*

7297   Au nom de l'amitié, attendez que j'aie eu cette femme, si
       vous voulez en médire. Ne savez-vous pas que la seule
       volupté a le droit de détacher le bandeau de l'amour ?
       Ibid., Lettre VI, Le Vicomte de Valmont à la Marquise de
                                       Merteuil.

1. La Fontaine.

Ne vous souvient-il plus que l'amour est, comme la médecine, *seulement l'art d'aider la nature ?*
Ibid., Lettre X, La Marquise de Merteuil au Vicomte de Valmont.

7298

[...] Nos deux passions favorites, la gloire de la défense et le plaisir de la défaite. *Ibid.*

7299

Il ne faut se permettre d'excès qu'avec les gens qu'on veut quitter bientôt. *Ibid.*

7300

J'ai été étonné du plaisir qu'on éprouve en faisant le bien; et je serais tenté de croire que ce que nous appelons les gens vertueux, n'ont pas tant de mérite qu'on se plaît à nous le dire.
Ibid., Lettre XXI, Le Vicomte de Valmont à la Marquise de Merteuil.

7301

Quel Dieu osait-elle invoquer? en est-il d'assez puissant contre l'amour?
Ibid., Lettre XXIII, Le Vicomte de Valmont à la Marquise de Merteuil.

7302

L'humanité n'est parfaite dans aucun genre, pas plus dans le mal que dans le bien. Le scélérat a ses vertus, comme l'honnête homme a ses faiblesses.
Ibid., Lettre XXXII, Madame de Volanges à la Présidente de Tourvel.

7303

[...] Je sais assez, quoi qu'on en dise, qu'une occasion manquée se retrouve, tandis qu'on ne revient jamais d'une démarche précipitée.
Ibid., Lettre XXXIII, La Marquise de Merteuil au Vicomte de Valmont.

7304

A force de chercher de bonnes raisons, on en trouve; on les dit; et après on y tient, non pas tant parce qu'elles sont bonnes que pour ne pas se démentir. *Ibid.*

7305

[...] Il n'y a rien de si difficile en amour, que d'écrire ce qu'on ne sent pas. Je dis écrire d'une façon vraisemblable : ce n'est pas qu'on ne se serve des mêmes mots; mais on ne les arrange pas de même, ou plutôt on les arrange, et cela suffit.
Ibid.

7306

Pour aller vite en amour, il vaut mieux parler qu'écrire. [...] Ce sont les plus simples éléments de l'art de séduire.
Ibid., Lettre XXXIV, Le Vicomte de Valmont à la Marquise de Merteuil.

7307

[...] L'autorité illusoire que nous avons l'air de laisser prendre aux femmes, est un des pièges qu'elles évitent le plus difficilement.
Ibid., Lettre XL, Le Vicomte de Valmont à la Marquise de Merteuil.

7308

7309   [...] Coucher avec une fille, ce n'est que lui faire ce qui lui
plaît : de là, à lui faire faire ce que nous voulons, il y a
souvent bien loin.
*Ibid., Lettre XLIV, Le Vicomte de Valmont à la Marquise
de Merteuil.*

7310   [...] Le plus beau moment d'une femme, le seul où elle
puisse produire cette ivresse de l'âme, dont on parle toujours,
et qu'on éprouve si rarement, est celui où, assurés de son
amour, nous ne le sommes pas de ses faveurs [...]
Ibid.

7311   [...] Il ne faut pas fâcher les vieilles femmes; ce sont elles
qui font la réputation des jeunes.
*Ibid., Seconde partie, Lettre LI, La Marquise de Merteuil au
Vicomte de Valmont.*

7312   [...] Un sentiment involontaire ne peut pas être un crime :
comme s'il ne cessait pas d'être involontaire, du moment
qu'on cesse de le combattre!   *Ibid.*

7313   [...] La vraie façon de vaincre les scrupules est de ne laisser
rien à perdre à ceux qui en ont.   *Ibid.*

7314   [...] Si les premiers amours paraissent, en général, plus
honnêtes, et comme on dit plus purs ; s'ils sont au moins
plus lents dans leur marche, ce n'est pas, comme on le pense,
délicatesse ou timidité, c'est que le cœur, étonné par un sentiment inconnu, s'arrête pour ainsi dire à chaque pas [...]
Cela est si vrai, qu'un libertin amoureux, si un libertin peut
l'être, devient de ce moment même moins pressé de jouir.
*Ibid., Lettre LVII, Le Vicomte de Valmont à la Marquise de
Merteuil.*

7315   Les complaintes amoureuses ne sont bonnes à entendre qu'en
récitatifs obligés, ou en grandes ariettes.
*Ibid., Lettre LIX, Le Vicomte de Valmont à la Marquise de
Merteuil.*

7316   Il est bon, d'ailleurs, d'accoutumer aux grands événements,
quelqu'un qu'on destine aux grandes aventures.
*Ibid., Lettre LXIII, La Marquise de Merteuil au Vicomte
de Valmont.*

7317   Vous ne sauriez croire combien la douleur l'embellit! Pour
peu qu'elle prenne de coquetterie, je vous garantis qu'elle
pleurera souvent.   *Ibid.*

7318   Voilà bien les hommes! tous également scélérats dans leurs
projets, ce qu'ils mettent de faiblesse dans l'exécution, ils
l'appellent probité.
*Ibid., Lettre LXVI, Le Vicomte de Valmont à la Marquise
de Merteuil.*

7319   [Sans] déraisonnement, point de tendresse; et, c'est, je crois,
par cette raison que les femmes nous sont si supérieures dans
les lettres d'amour.
*Ibid., Lettre LXX, Le Vicomte de Valmont à la Marquise de
Merteuil.*

[...] Femme qui consent à parler d'amour, finit bientôt par 7320
en prendre, ou au moins par se conduire comme si elle en
avait.
*Ibid., Lettre LXXVI, Le Vicomte de Valmont à la Marquise
de Merteuil.*

[...] Pour l'effet public, avoir un homme ou recevoir ses 7321
soins, est absolument la même chose, à moins que cet homme
ne soit un sot.   *Ibid.*

[...] On a toujours assez vécu, quand on a eu le temps d'ac- 7322
quérir l'amour des femmes et l'estime des hommes.
*Ibid., Lettre LXXIX, Le Vicomte de Valmont à la Marquise de
Merteuil.*

Pour vous autres hommes, les défaites ne sont que des succès 7323
de moins. Dans cette partie si inégale, notre fortune est de
ne pas perdre, et votre malheur de ne pas gagner. Quand je
vous accorderais autant de talents qu'à nous, de combien
encore ne devrions-nous pas vous surpasser, par la nécessité,
où nous sommes d'en faire un continuel usage!
*Ibid., Lettre LXXXI, La Marquise de Merteuil au Vicomte
de Valmont.*

Ah! gardez vos conseils et vos craintes pour ces femmes à 7324
délire, et qui se disent *à sentiment;* dont l'imagination exaltée
ferait croire que la nature a placé leurs sens dans leur tête;
qui, n'ayant jamais réfléchi, confondent sans cesse l'amour
et l'amant; qui, dans leur folle illusion, croient que celui-là
seul avec qui elles ont cherché le plaisir, en est l'unique dépositaire; et vraies superstitieuses, ont pour le prêtre, le respect
et la foi qui n'est dû qu'à la divinité.   *Ibid.*

Descendue dans mon cœur, j'y ai étudié celui des autres. 7325
J'y ai vu qu'il n'est personne qui n'y conserve un secret
qu'il lui importe qui ne soit point dévoilé.   *Ibid.*

Ce sont ces petits détails qui donnent la vraisemblance, et 7326
la vraisemblance rend les mensonges sans conséquence,
en ôtant le désir de les vérifier.
*Ibid., Lettre LXXXIV, Le Vicomte de Valmont à Cécile
Volanges.*

[...] J'ai toujours pensé que quand il n'y avait plus que des 7327
louanges à donner à une femme, on pouvait s'en reposer
sur elle, et s'occuper d'autre chose.
*Ibid., Troisième partie, Lettre XCVI, Le Vicomte de Valmont
à la Marquise de Merteuil.*

Nous ne sommes plus au temps de madame de Sévigné. Le 7328
luxe absorbe tout : on le blâme, mais il faut l'imiter; et le
superflu finit par priver du nécessaire.
*Ibid., Lettre CIV, la Marquise de Merteuil à Madame de
Volanges.*

Les illusions de l'amour peuvent être plus douces; mais qui 7329
ne sait aussi qu'elles sont moins durables? et quels dangers
n'amène pas le moment qui les détruit! C'est alors que les

moindres défauts paraissent choquants et insupportables,
par le contraste qu'ils forment avec l'idée de perfection qui
nous avait séduits. Chacun des deux époux croit cependant
que l'autre seul a changé [...].   *Ibid.*

7330   La honte que cause l'amour est comme sa douleur : on ne
l'éprouve qu'une fois. On peut encore la feindre après;
mais on ne la sent plus. Cependant le plaisir reste, et c'est
bien quelque chose.
Ibid., Lettre CV, La Marquise de Merteuil à Cécile Volanges.

7331   Pour ce qu'on fait d'un mari, l'un vaut toujours bien l'autre;
et le plus incommode est encore moins gênant qu'une mère.
Ibid.

7332   [...] Ne craignez pas de lui faire quelques avances; aussi bien
apprendrez-vous bientôt, que si les hommes nous font les
premières, nous sommes presque toujours obligées de faire
les secondes.   *Ibid.*

7333   [...] Je ne connais rien de si plat que cette facilité de bêtise,
qui se rend sans savoir ni comment ni pourquoi, uniquement
parce qu'on l'attaque et qu'elle ne sait pas résister. Ces
sortes de femmes ne sont absolument que des machines à
plaisir.
*Ibid., Lettre CVI, La Marquise de Merteuil au Vicomte de
Valmont.*

7334   Il est si commode d'être rigoriste dans ses discours! cela ne
nuit jamais qu'aux autres, et ne nous gêne aucunement...
Ibid.

7335   La haine est toujours plus clairvoyante et plus ingénieuse
que l'amitié.
*Ibid., Lettre CXIII, la Marquise de Merteuil au Vicomte de
Valmont.*

7336   Je remarque surtout l'insultante confiance qu'il prend en
moi, et la sécurité avec laquelle il me regarde comme à lui
pour toujours. J'en suis vraiment humiliée. Il me prise
donc bien peu, s'il croit valoir assez pour me fixer!
Ibid.

7337   C'est une chose inconcevable, ma belle amie, comme aussi-
tôt qu'on s'éloigne, on cesse facilement de s'entendre.
*Ibid., Lettre CXV, Le Vicomte de Valmont à la Marquise de
Merteuil.*

7338   Nous voilà donc à la campagne, ennuyeuse comme le sentiment, et triste comme la fidélité!   *Ibid.*

7339   Laissez les écoliers se former auprès des *bonnes,* ou jouer
avec les pensionnaires *à de petits jeux innocents.*   *Ibid.*

7340   [...] Les hommes même n'aiment plus tant leurs femmes,
quand elles les ont trop aimés avant de l'être.
Ibid., Lettre CXVII, Cécile Volanges au Chevalier Danceny.

La longue défense est le seul mérite qui reste à celles qui ne   7341
résistent pas toujours...
Ibid., Lettre CXXI, la Marquise de Merteuil au Chevalier
Danceny.

Serait-il donc vrai que la vertu augmentât le prix d'une   7342
femme, jusque dans le moment même de sa faiblesse?
Ibid., Lettre CXXV, Le Vicomte de Valmont à la Marquise de
Merteuil.

[...] En amour rien ne se finit que de très près.   *Ibid.*   7343

O ma jeune amie! je vous le dis avec douleur; mais vous   7344
êtes bien trop digne d'être aimée, pour que jamais l'amour
vous rende heureuse. Hé! quelle femme vraiment délicate
et sensible, n'a pas trouvé l'infortune dans ce même sentiment qui lui promettait tant de bonheur! Les hommes savent-
ils apprécier la femme qu'ils possèdent!
Ibid., Lettre CXXX, Madame de Rosemonde à la Présidente de
Tourvel.

L'homme jouit du bonheur qu'il ressent, et la femme de   7345
celui qu'elle procure.   *Ibid.*

Le plaisir de l'un est de satisfaire des désirs, celui de l'autre   7346
est surtout de les faire naître. Plaire n'est pour lui qu'un
moyen de succès; tandis que pour elle, c'est le succès lui-
même.   *Ibid.*

[...] Ce goût exclusif, qui caractérise particulièrement l'amour,   7347
n'est dans l'homme qu'une préférence, qui sert, au plus,
à augmenter un plaisir, qu'un autre objet affaiblirait peut-
être, mais ne détruirait pas; tandis que dans les femmes,
c'est un sentiment profond, qui non seulement anéantit
tout désir étranger, mais qui, plus fort que la nature, et
soustrait à son empire, ne leur laisse éprouver que répugnance
et dégoût, là même où semble devoir naître la volupté.
Ibid.

N'avez-vous pas encore remarqué que le plaisir, qui est bien   7348
en effet l'unique mobile de la réunion des deux sexes, ne
suffit pourtant pas pour former une liaison entre eux? et
que, s'il est précédé du désir qui rapproche, il n'est pas moins
suivi du dégoût qui repousse? C'est une loi de la nature, que
l'amour seul peut changer; et de l'amour, en a-t-on quand on
veut? Il en faut pourtant toujours : et cela serait vraiment
fort embarrassant, si on ne s'était pas aperçu qu'heureusement il suffisait qu'il en existât d'un côté. La difficulté est
devenue par là de moitié moindre, et même sans qu'il y ait
eu beaucoup à perdre; en effet, l'un jouit du bonheur d'aimer,
l'autre de celui de plaire, un peu moins vif à la vérité, mais
auquel je joins le plaisir de tromper, ce qui fait équilibre; et
tout s'arrange.
Ibid., Lettre CXXXI, La Marquise de Merteuil au Vicomte de
Valmont.

[...] Pour beaucoup de femmes, le plaisir est toujours le   7349
plaisir, et n'est jamais que cela; et auprès de celles-là, de
quelque titre qu'on nous décore, nous ne sommes jamais

que des facteurs, de simples commissionnaires, dont l'activité fait toujours le mérite, et parmi lesquels celui qui fait le plus, est toujours celui qui fait le mieux.
Ibid., Lettre CXXXIII, Le Vicomte de Valmont à la Marquise de Merteuil.

7350   [...] Qu'on dise que l'amour rend ingénieux! il abrutit au contraire ceux qu'il domine.   *Ibid.*

7351   [...] Le charme qu'on croit trouver dans les autres, c'est en nous qu'il existe; et c'est l'amour seul qui embellit tant l'objet aimé.
Ibid., Lettre CXXXIV, la Marquise de Merteuil au Vicomte de Valmont.

7352   Pour les hommes, l'infidélité n'est pas l'inconstance.
Ibid., Lettre CXXXIX, La Présidente de Tourvel à Madame de Rosemonde.

7353   [...] Le ridicule qu'on a, augmente toujours en proportion qu'on s'en défend.
Ibid., Lettre CXLI, La Marquise de Merteuil au Vicomte de Valmont.

7354   [...] La Nature n'a accordé aux hommes que la constance, tandis qu'elle donnait aux femmes l'obstination.   *Ibid.*

7355   Il est un terme dans le malheur, où l'amitié même augmente nos souffrances et ne peut les guérir. Quand les blessures sont mortelles, tout secours devient inhumain.
Ibid., Lettre CXLIII, La Présidente de Tourvel à Madame de Rosemonde.

7356   [...] Quand une femme frappe dans le cœur d'une autre, elle manque rarement de trouver l'endroit sensible, et la blessure est incurable.
Ibid., Lettre CXLV, La Marquise de Merteuil au Vicomte de Valmont.

7357   [...] Pour être indulgent, il suffit de réfléchir à combien de circonstances indépendantes de nous, tient l'alternative effrayante de la délicatesse, ou de la dépravation de nos sentiments.
Ibid., Lettre CLXXIV, Le Chevalier Danceny à Madame de Rosemonde.

7358   [...] Notre raison, déjà si insuffisante pour prévenir nos malheurs, l'est encore davantage pour nous en consoler.
Ibid., Lettre CLXXV, Madame de Volanges à Madame de Rosemonde.

ANTOINE CARITAT,
MARQUIS DE CONDORCET
1743-1794

La corruption des mœurs naît de l'inégalité d'état et de for- 7359
tune et non point du luxe; elle n'existe que parce qu'un
individu de l'espèce humaine peut acheter ou soumettre un
autre. *Introduction à l'édition des Œuvres de Voltaire.*

Rien n'est plus commun que les maximes de l'humanité 7360
et de la justice; rien n'est plus chimérique que de proposer
aux hommes d'y conformer leur conduite.
Réflexions sur l'esclavage des nègres, Épître dédicatoire aux
nègres esclaves.

Le raisonnement des politiques qui croient les nègres esclaves 7361
nécessaires, se réduit à dire : *les blancs sont avares, ivrognes,*
crapuleux; donc les noirs doivent être esclaves. **Ibid.**

Il y a donc lieu d'espérer que l'Amérique, d'ici à quelques 7362
générations, en produisant presque autant d'hommes
occupés d'ajouter à la masse des connaissances que l'Europe
entière, en doublera au moins les progrès, les rendra au
moins deux fois plus rapides.
De l'influence de la révolution d'Amérique sur l'Europe,
chap. 3.

En méditant sur la nature des sciences morales, on ne peut, 7363
en effet, s'empêcher de voir qu'appuyées comme les sciences
physiques sur l'observation des faits, elles doivent suivre
la même méthode, acquérir une langue également exacte
et précise, atteindre au même degré de certitude.
Discours de réception à l'Académie française.

Conservons par la sagesse ce que nous avons acquis par 7364
l'enthousiasme, et sachons faire aimer notre liberté républicaine à ceux mêmes qui sont assez malheureux pour ne pas
en connaître le sentiment. *Sur l'impôt progressif.*

Il n'est pas aussi chimérique qu'il le paraît au premier coup 7365
d'œil de croire que la culture peut améliorer des générations
elles-mêmes, et que le perfectionnement dans les facultés
des individus est transmissible à leurs descendants.
Premier mémoire sur l'instruction publique.

L'instruction bien dirigée corrige l'inégalité naturelle des 7366
facultés, au lieu de la fortifier, comme les bonnes lois remé-
dient à l'inégalité naturelle de subsistance; comme dans les
sociétés où les institutions auront amené cette égalité, la
liberté, quoique soumise à une constitution régulière, sera
plus étendue, plus entière que dans l'indépendance de la vie
sauvage. Alors, l'art social a rempli son but, celui d'assurer
et d'étendre pour tous la jouissance des droits communs,
auxquels ils sont appelés par la nature.
Esquisse d'un tableau historique des progrès de l'esprit humain.

7367   Et combien ce tableau de l'espèce humaine, affranchie de
       toutes ses chaînes, soustraite à l'emprise du hasard, comme
       à celle des ennemis du progrès, et marchant d'un pas ferme
       et sûr dans la route de la vérité, de la vertu et du bonheur,
       présente au philosophe un spectacle qui le console des
       erreurs, des crimes, des injustices, dont la terre est encore
       souillée, et dont il est souvent la victime.   *Ibid.*

ANTOINE-LAURENT DE LAVOISIER
1743-1794

7368   [...] Ce sont les mots qui conservent les idées et qui les trans-
       mettent, il en résulte qu'on ne peut perfectionner le langage
       sans perfectionner la science, ni la science sans le langage.
                 Traité élémentaire de chimie, Discours préliminaire.

7369   L'homme naît avec des sens et des facultés; mais il n'apporte
       avec lui en naissant aucune idée : son cerveau est une table
       rase qui n'a reçu aucune impression, mais qui est préparée
       pour en recevoir.
       *Réflexions sur l'instruction publique présentées à la Conven-
       tion nationale par le Bureau de Consultation des Arts et Métiers.*

7370   Que partout, dans les livres qui seront mis entre les mains
       de l'enfant, l'idée principale qu'on se propose de graver
       dans son esprit soit rendue sensible par des gravures et par
       des images; que la langue écrite soit pour lui, autant qu'il
       sera possible, la langue des hiéroglyphes, de manière que
       l'idée ne soit jamais séparée du mot.   *Ibid.*

7371   On ne doit pas exiger de cette classe d'hommes [les cher-
       cheurs] qu'ils professent et qu'ils enseignent, mais qu'ils
       inventent et qu'ils publient : car les découvertes sont rares;
       elles sont le fruit d'un long travail, de pénibles méditations;
       elles ne se commandent pas, et ne sont pas susceptibles
       d'être assujetties aux heures périodiques d'un cours public.
                                                             Ibid.

JEAN-PAUL MARAT
1743-1793

7372   Il semble que ce soit le sort inévitable de l'homme de ne
       pouvoir être libre nulle part : partout les princes marchent
       au despotisme, et les peuples à la servitude.
                                      Les Chaînes de l'esclavage.

7373   O Français! Serez-vous donc toujours des enfants?...
                                 L'Ami du peuple, 13 août 1792.

7374   C'est par la violence qu'on doit établir la liberté, et le moment
       est venu d'organiser momentanément le despotisme de la
       liberté pour écraser le despotisme des rois. *Ibid., avril 1793.*

CLAUDE DE SAINT-MARTIN

1743-1803

L'on doit apprendre combien la vraie connaissance de la musique pourrait le préserver [l'homme] de la crainte de la mort, puisque cette mort n'est que le trille qui termine son état de confusion, et le ramène à ses quatre consonances. 7375
Des Erreurs et de la Vérité.

L'homme perd à la mort tous les objets, tous les moyens, tous les organes qui servaient d'aliment et de canal au crime : et si, pendant sa vie corporelle il a nourri en lui des penchants faux et des habitudes d'erreur, il ne lui reste, lorsqu'il est séparé de son enveloppe, que le désordre de ses goûts et de ses désirs corrompus, avec l'horreur de ne pouvoir plus les accomplir. 7376
Tableau naturel des rapports qui existent entre Dieu, l'Homme et l'Univers.

Ne négligez pas les secours de la terre sur laquelle vous marchez. 7377
Ibid.

Savants, oubliez vos sciences, elles ont mis le bandeau sur vos yeux! 7378
L'Homme de Désir.

Nous avons reçu le caractère de signes et de témoins de la divinité dans l'univers. 7379
Ecce homo.

Si l'on ne commence pas par apprendre à l'homme à lire ces vérités dans son être, dans sa situation ténébreuse en opposition avec la soif de son cœur pour la lumière, enfin dans le mouvement et le jeu de ses propres facultés, il les saisit mal dans les livres. 7380
Lettre à un ami sur la Révolution française.

Ceux qui ont voulu regarder l'homme comme une table rase, se sont peut-être trop pressés; ils auraient pu, ce me semble, se contenter de le regarder comme une table *rasée*, mais dont les racines restent encore, et n'attendent que la réaction convenable pour germer. 7381
Le Crocodile, Discours du juif Éléazar.

La mesure d'une erreur est en même temps la mesure de la vérité correspondante. 7382
De l'Esprit des choses.

Si les doctes anciens et modernes, depuis les Platon, les Aristote, jusqu'aux Newton et aux Spinoza, avaient su faire attention que la matière n'est qu'une représentation et une image de ce qui n'est pas elle, ils ne se seraient pas tant tourmentés, ni tant égarés pour vouloir nous dire ce qu'elle était. 7383
Elle est comme le portrait d'une personne absente.
Le Ministère de l'Homme-Esprit.

7384   Il nous est bien plus facile d'atteindre aux lumières et aux
       certitudes qui brillent dans le monde où nous ne sommes pas
       que de nous naturaliser avec les obscurités et les ténèbres
       qui embrassent le monde où nous sommes; [...] enfin, puis-
       qu'il faut le dire, nous sommes bien plus près de ce que
       nous appelons l'autre monde, que nous ne le sommes de
       celui-ci.   *Ibid.*

7385   Car quel peut être le but de l'action, si ce n'est de faire que
       ceux qui s'y livrent puissent se lier à l'action universelle?
       Aussi, c'est en agissant que nous nous unissons enfin à
       l'action, et que nous finissons par n'être plus que les organes
       de l'action constante et continue.   *Ibid.*

7386   Nous n'ignorons pas que le corps de l'homme est tout entier
       comme une plaie toujours en suppuration, et que ses vête-
       ments sont un appareil chirurgical qu'il faut lever et réap-
       pliquer continuellement, si l'on ne veut pas que la plaie
       prennent un caractère pestilentiel.   *Ibid.*

7387   Les mots sont devenus dans les langues humaines ce que la
       pensée est devenue dans l'esprit des hommes. Ces mots sont
       devenus comme autant de morts qui enterrent des morts,
       et qui souvent même enterrent des vivants, ou ceux qui
       auraient le désir de l'être. Aussi l'homme s'enterre-t-il
       lui-même journellement avec ses propres mots altérés qui
       ont perdu tous leurs sens. Aussi enterre-t-il journellement et
       continuellement la parole.   *Ibid.*

7388   Le catholicisme, auquel appartient proprement le titre de
       religion, est la voie d'épreuves et de travail pour arriver au
       christianisme.
       Le christianisme est la région de l'affranchissement et de la
       liberté : le catholicisme n'est que le séminaire du chris-
       tianisme; il est la région des règles et de la discipline du
       néophyte.   *Ibid.*

7389   L'homme est un être chargé de continuer Dieu là où Dieu
       ne se fait plus connaître par lui-même.   *Ibid.*

7390   Dans la graine, la vie est cachée dans la mort; dans le fruit,
       la mort est cachée dans la vie.   *Ibid.*

7391   La porte par où Dieu sort de lui-même, est la porte par où
       il entre dans l'âme humaine.
       La porte par où l'âme humaine sort d'elle-même, est la
       porte par où elle entre dans l'intelligence.
       La porte par où l'intelligence sort d'elle-même, est la porte
       par où elle entre dans l'esprit de l'univers.
       La porte par où l'esprit de l'univers sort de lui-même, est
       celle par où il entre dans les éléments de la matière.
                                                           Ibid.

BERNARD DE BONNARD
1744-1784

Sois plus amoureux que jamais;   7392
Peins en courant toutes les belles,
Et sois payé de tes portraits
Entre les bras de tes modèles.
Épître à M. le chevalier de Boufflers.

Après cinq ou six mois d'absence,   7393
Je puis sans doute me flatter
Que tu voudras bien me traiter
Comme nouvelle connaissance.
Épître à Zéphirine.

Le silence est l'esprit des sots,   7394
Et l'une des vertus du sage.
Poésies diverses, Moralité.

JEAN-BAPTISTE DE MONET,
CHEVALIER DE LAMARCK
1744-1829

On peut assurer que parmi ses productions, la nature n'a   7395
réellement formé ni classes, ni ordres, ni familles, ni genres,
ni espèces constantes, mais seulement des individus qui se
succèdent les uns aux autres et qui ressemblent à ceux qui
les ont produits.   *Philosophie zoologique, chap. 1.*

J'espère prouver que la nature possède les moyens et les   7396
facultés qui lui sont nécessaires pour produire elle-même
ce que nous admirons en elle.   *Ibid., chap. 3.*

Dans tout ce que la nature opère, elle ne fait rien brusque-   7397
ment.   *Ibid.*

On peut dire qu'il se trouve entre les matières brutes et   7398
les corps vivants, un *hiatus* immense qui ne permet pas de
ranger sur une même ligne ces deux sortes de corps, ni
d'entreprendre de les lier par aucune nuance, ce qu'on a
vainement tenté de faire.   *Ibid., chap. 4.*

L'homme seul, considéré séparément de tout ce qui lui est   7399
particulier, semble pouvoir se multiplier indéfiniment, car
son intelligence et ses moyens le mettent à l'abri de voir sa
multiplication arrêtée par la voracité d'aucun des animaux.
Ibid.

NICOLAS-GERMAIN LÉONARD
1744-1793

7400   L'âme froide au bonheur est de feu pour les maux;
La plus légère peine et l'éveille et l'agite :
Une rose pliée au lit d'un Sybarite
Pendant toute une nuit le priva de repos.

Le Temple de Gnide, chant 2.

7401   Tremblant de me trahir par un mot indiscret,
J'aurais voulu moi-même ignorer mon secret.

Ibid., chant 3.

JEAN-ANTOINE ROUCHER
1745-1794

7402   O soleil! c'est toi seul qu'implore mon génie.
Sois l'astre de ma muse, et préside à mes vers :
Comme toi, mon sujet embrasse l'univers.

Les Mois, poème liminaire.

7403   Je mourrai : cependant les germes de mon être
D'une éternelle mort ne seront point frappés...

Ibid., Novembre.

ARNAUD BERQUIN
1747-1791

7404   La vertu de l'amour ennoblit le délire :
L'amour, sans la vertu, perdrait tout son bonheur.

Idylle XXIII.

DOMINIQUE VIVANT,
BARON DENON
1747-1825

7405   Il en est des baisers comme des confidences : ils s'attirent,
ils s'accélèrent, ils s'échauffent les uns par les autres.

Point de lendemain.

BARTHÉLÉMI IMBERT
1747-1790

O prêcheur éternel, moraliste ignorant!   7406
[...]
Tu prêches à la fois, dans ta morgue oratoire,
    La passion de Dieu mourant
    Et celle de ton auditoire.
Épigramme, Contre un mauvais prédicateur qui prêchait la
passion.

    Bien fou l'homme qui veut régner   7407
    Sur un cœur dont il fait emplette!
    Cc cœur, qu'il aurait pu gagner,
    N'est plus à lui, dès qu'il l'achète.
              Épître à M. de***.

    Un livre parut, et la France   7408
    Le trouve bon. L'était-il? je ne sais.
    Il est souvent un intervalle immense
    Entre la gloire et le succès.
        Fable, La plume d'un bel esprit.

Le mariage en soi n'est rien, mademoiselle;   7409
C'est l'époux, non l'hymen, qui plaît ou qui déplaît :
Quand on hait le mari, le mariage est laid.
      Le Jaloux sans amour, acte II, scène 5.

LOUIS DAVID
1748-1825

De tous les arts que professe le génie, la peinture est   7410
incontestablement celui qui exige le plus de sacrifice. [...]
Ces difficultés, n'en doutons pas, ont rebuté beaucoup
d'artistes; et peut-être avons-nous perdu bien des chefs-
d'œuvre que le génie de plusieurs d'entre eux avait conçus,
et que leur pauvreté les a empêchés d'exécuter.
      Préface à l'Exposition des Sabines.

PIERRE-LOUIS GUINGUENÉ
1748-1816

A moins que sous le poids de quatre-vingts hivers   7411
Ma tête dégradée à la fin ne succombe,
Mes vers persécuteurs vous suivront vers la tombe,
Et ne vous laisseront de repos qu'aux enfers.
        La Satire des satires.

7412
Odieuse et funeste armée,
Du Fisc affreuse légion,
Dont l'ardeur, de gain affamée,
A dévoré la Nation!
Ode sur les États généraux.

EMMANUEL-JOSEPH SIEYÈS
1748-1836

7413   Qu'est-ce que le Tiers État? Tout.
Qu'a-t-il été jusqu'à présent dans l'ordre politique? Rien.
Que demande-t-il? A y devenir quelque chose.
Qu'est-ce que le Tiers État?

PIERRE SIMON,
MARQUIS DE LAPLACE
1749-1827

7414   Une intelligence qui, pour un instant donné, connaîtrait
toutes les forces dont la nature est animée et la situation
respective des êtres qui la composent, si d'ailleurs elle était
assez vaste pour soumettre ces données à l'Analyse, embras-
serait dans la même formule les mouvements des plus grands
corps de l'univers et ceux du plus léger atome : rien ne serait
incertain pour elle, et l'avenir, comme le passé, serait présent
à ses yeux.
Introduction à la théorie analytique des probabilités.

HONORÉ-GABRIEL MIRABEAU
1749-1791

7415   Je traiterai enfin du système militaire, genre d'industrie
vraiment prussien, et jusqu'ici l'une des plus solides bases
de la puissance à laquelle s'est élevée la maison de Brandebourg.   *La Monarchie prussienne.*

7416   J'aurais bientôt vingt-huit ans. C'est un âge où avec de
l'émulation et quelques connaissances, on peut n'être pas
tout à fait inutile; mais c'est aussi celui où l'on n'a plus de
temps à perdre.
*Lettres originales du Donjon de Vincennes, à M. le Maréchal
Duc de Noailles, 17 octobre 1777.*

7417   Allez dire à votre maître que nous sommes ici par la volonté
du peuple et qu'on ne nous en arrachera que par la puissance
des baïonnettes.
*A M. de Brézé, à l'Assemblée Constituante, séance royale du
23 juin 1789.*

Le silence des peuples est la leçon des rois. 7418
Discours à l'Assemblée Constituante, 15 juillet 1789.

Deux siècles de déprédations et de brigandages ont creusé 7419
le gouffre où le royaume est prêt de s'engloutir. Il faut le
combler ce gouffre effroyable.
Discours à l'Assemblée Constituante sur le projet Necker,
26 septembre 1789.

Contemplateurs stoïques des maux incalculables que cette 7420
catastrophe vomira sur la France, impassibles égoïstes qui
pensez que ces convulsions du désespoir et de la misère passeront comme tant d'autres, et d'autant plus rapidement
qu'elles seront plus violentes, êtes-vous bien sûrs que tant
d'hommes sans pain vous laisseront tranquillement savourer
les mets dont vous n'aurez voulu diminuer ni le nombre ni la
délicatesse. *Ibid.*

Gardez-vous de demander du temps; le malheur n'en accorde 7421
jamais. *Ibid.*

Vous avez entendu naguère ces mots forcenés : « Catilina 7422
est aux portes de Rome et l'on délibère! » Et certes, il n'y
avait autour de nous ni Catilina, ni périls, ni factions, ni
Rome... Mais aujourd'hui la banqueroute, la hideuse banqueroute est là; elle menace de consumer, vous, vos propriétés,
votre honneur, et vous délibérez!... *Ibid.*

Il serait temps que, dans cette révolution qui fait éclore tant 7423
de sentiments justes et généreux, l'on abjurât les préjugés
d'ignorance orgueilleuse qui font dédaigner les mots *salaires*
et *salariés*. Je ne connais que trois manières d'exister dans
la société : il faut y être *mendiant, voleur*, ou *salarié*.
Pensées diverses.

PHILIPPE FRANÇOIS NAZAIRE
FABRE D'ÉGLANTINE
1750-1794

C'est peu d'aimer, il faut aimer toujours : 7424
On n'est heureux qu'à force de constance.
Romance.

Ce n'est que par l'amour qu'on sait vivre et jouir : 7425
Pour les indifférents la vie est un mensonge [...]
Hymne à la mélancolie.

Le beau plaisir d'avoir de reste 7426
Deux bras pendant à ses côtés!
Le Berger Martin, poème sirvente.

Grâce aux faveurs de la fortune, 7427
Maîtresse ne vous manquent point;
Vous en avez mille pour une;
Les contenter c'est là le point.
Ibid.

7428   Il pleut, il pleut, bergère...
                                      L'hospitalité, romance.

7429   C'est lorsqu'il ne sent rien, qu'au théâtre, au barreau,
         L'acteur ou l'avocat se transforme en taureau.
                                      L'Amateur chagrin.

7430   L'esprit, souviens-t'en bien, est la mort du génie.
                                      A un jeune poète.

7431   Au demeurant, homme de bien,
                       J'entends de ceux qu'en bon chrétien,
                       Peine d'autrui ne touche guère.
                                      Le Quiproquo.

7432   L'occasion, je sais, fait souvent le larron.
                                      L'Intrigue épistolaire, acte IV, scène 2.

7433   La raison n'est raison qu'autant qu'elle nous touche.
                                      Les Précepteurs, acte IV, scène 3.

SYLVAIN MARÉCHAL
1750-1803

7434   Périssent s'il le faut tous les arts,
                       Pourvu qu'il nous reste l'égalité réelle!
                                      Manifeste des égaux.

NICOLAS–JOSEPH–LAURENT GILBERT
1751-1780

7435   Un vers coûte à polir, et le travail nous pèse;
         Mais en prose du moins on est sot à son aise.
                                      Satire I.

7436   J'ai révélé mon cœur au Dieu de l'innocence;
                       Il a vu mes pleurs pénitents;
         Il guérit mes remords, il m'arme de constance :
                       Les malheureux sont ses enfants.
                                      Ode IX.

7437   Au banquet de la vie, infortuné convive,
                       J'apparus un jour, et je meurs :
         Je meurs, et sur ma tombe, où lentement j'arrive,
                       Nul ne viendra verser des pleurs.
                                      Ibid.

Ainsi, par les sentiers de la misanthropie, 7438
Quand au bord du tombeau je serai parvenu,
Avec ces tristes mots j'exhalerai ma vie :
« J'eusse aimé les humains s'ils aimaient la vertu. »
Quarts d'heure de misanthropie (Poésies diverses).

ANTOINE DE BERTIN
1752-1790

Quand Vulcain venait à paraître, 7439
On sait que des bras de Vénus,
Mars, en chemise et les pieds nus,
Sautait gaiement par la fenêtre.
A une femme que je ne nommerai point.

JOSEPH DE MAISTRE
1753-1821

Voyez ce Mirabeau qui a tant marqué dans la révolution : 7440
au fond, c'était le *roi de la halle.*
Considérations sur la France, chap. 1.

On ne saurait trop le répéter, ce ne sont point les hommes 7441
qui mènent la révolution, c'est la révolution qui emploie
les hommes. On dit fort bien quand on dit *qu'elle va toute
seule.* *Ibid.*

Or, ce qui distingue la Révolution française, et ce qui en fait 7442
un événement unique dans l'histoire, c'est qu'elle est *mauvaise* radicalement; aucun élément de bien n'y soulage l'œil
de l'observateur : c'est le plus haut degré de corruption
connu; c'est la pure impureté. *Ibid.*

Le Christianisme a été prêché par des ignorants et cru par 7443
des savants, et c'est en quoi il ne ressemble à rien de connu.
Ibid., chap. 5.

La constitution de 1795 [...] est faite pour l'homme. Or, il 7444
n'y a point d'*homme* dans le monde [...]. S'il existe, c'est
bien à mon insu. *Ibid., chap. 6.*

Les deux productions les plus informes de l'esprit humain 7445
sont l'Encyclopédie et la Constitution française.
Fragments sur la France.

Semblable à l'acier, le plus intraitable des métaux, mais celui 7446
de tous qui reçoit le plus beau poli lorsque l'art est parvenu
à le dompter, la langue française, traitée et dominée par les
véritables artistes, reçoit entre leurs mains les formes les plus
durables et les plus brillantes. Ce qu'on appelle précisément

l'art de la parole est éminemment le talent des Français,
et c'est par l'art de la parole qu'on règne sur les hommes.
Ibid.

7447   Le Français est un ressort qui ne se laisse comprimer que
jusqu'à un certain point; pour peu qu'on passe ce point,
le ressort réagit avec une force surprenante.   *Lettre.*

7448   Quand je serais forcé de convenir qu'on a droit de massacrer
Néron, jamais je ne conviendrai qu'on ait celui de le juger.
Étude sur la souveraineté.

7449   En général, tous les gouvernements démocratiques ne sont que
des météores passagers, dont le brillant exclut la durée.
Ibid.

7450   Le grand ennemi de l'Europe qu'il importe d'étouffer par
tous les moyens qui ne sont pas des crimes, l'ulcère funeste
qui s'attache à toutes les souverainetés et qui les ronge sans
relâche, le fils de l'orgueil, le père de l'anarchie, le dissolvant universel, c'est le protestantisme.
Réflexions sur le protestantisme dans ses rapports avec la
souveraineté.

7451   *Le gouvernement seul ne peut gouverner.* C'est une maxime
qui paraîtra d'autant plus incontestable qu'on la méditera
davantage. Il a donc besoin, comme d'un ministre indispensable, ou de l'esclavage qui diminue le nombre des volontés
agissantes dans l'état, ou de la force divine qui, par une
espèce de *greffe* spirituelle, détruit l'âpreté naturelle de ces
volontés, et les met en état d'agir ensemble sans se nuire.
Du Pape, Livre III, chap. 2.

7452   L'Église ne doit rien à Pascal pour ses ouvrages, dont elle
se passerait fort aisément. Nulle puissance n'a besoin de
révoltés; plus leur nom est grand, plus ils sont dangereux.
De l'Église gallicane, Livre 1.

7453   Tout Français, ami des jansénistes, est un sot ou un janséniste.   *Ibid.*

7454   *Tout homme, en qualité d'homme, est sujet à tous les malheurs*
de l'humanité: la loi est générale; donc elle n'est pas injuste.
Les soirées de Saint-Pétersbourg, Premier entretien.

7455   Le glaive de la justice n'a pas de fourreau.   *Ibid.*

7456   D'autres cyniques étonnèrent la vertu, Voltaire étonne le
vice. Il se plonge dans la fange, il s'y roule, il s'en abreuve;
il livre son imagination à l'enthousiasme de l'enfer qui lui
prête toutes ses forces pour le traîner jusqu'aux limites du
mal. Il invente des prodiges, des monstres qui font pâlir.
Paris le couronna, Sodome l'eût banni.
Ibid., Quatrième entretien.

7457   Pourquoi ce qu'il y a de plus honorable dans le monde, au
jugement de tout le genre humain sans exception, est le
droit de verser innocemment le sang innocent?
Ibid., Septième entretien.

Jamais le Christianisme, si vous y regardez de près, ne vous paraîtra plus sublime, plus digne de Dieu, et plus fait pour l'homme qu'à la guerre. *Ibid.* 7458

Au-dessus de ces nombreuses races d'animaux est placé l'homme, dont la main destructive n'épargne rien de ce qui vit; il tue pour se nourrir, il tue pour se vêtir, il tue pour se parer, il tue pour attaquer, il tue pour se défendre, il tue pour s'instruire, il tue pour s'amuser, il tue pour tuer. *Ibid.* 7459

La terre entière, continuellement imbibée de sang, n'est qu'un autel immense où tout ce qui vit doit être immolé sans fin, sans mesure, sans relâche, jusqu'à la consommation des choses, jusqu'à l'extinction du mal, jusqu'à la mort de la mort. *Ibid.* 7460

La guerre est divine dans la gloire mystérieuse qui l'environne, et dans l'attrait non moins inexplicable qui nous y porte. *Ibid.* 7461

C'est l'imagination qui perd les batailles. *Ibid.* 7462

Le *Contrat social* s'adressait à la foule, et les laquais même pouvaient l'entendre; c'était un grand mal sans doute; mais enfin leurs maîtres nous restaient : le livre de Montesquieu les perdit.
Examen de la philosophie de Bacon, chap. 14. 7463

En premier lieu, il n'y a rien de si juste, de si docte, de si incorruptible que les grands tribunaux espagnols, et si, à ce caractère général, on ajoute encore celui du sacerdoce catholique, on se convaincra, avant toute expérience, qu'il ne peut y avoir dans l'univers rien de plus calme, de plus circonspect, de plus humain par nature que le tribunal de l'Inquisition.
Lettres à un gentilhomme russe sur l'Inquisition espagnole. 7464

Si l'on pouvait enfermer un désir russe sous une citadelle, il la ferait sauter. *Quatre chapitres sur la Russie.* 7465

On rampe vers la science, on n'y *vole* pas. *Ibid.* 7466

Or je dis que l'effet principal du jeu, et qui le met au rang des institutions les plus précieuses, *c'est qu'il force les hommes à se regarder.*
Cinq paradoxes à Madame la Marquise Nav... 7467

Toute nation a le gouvernement qu'elle mérite. 7468
*Lettre à M. le Chevalier de ***, août 1811.*

Je ne sais ce qu'est la vie d'un coquin, je ne l'ai jamais été; mais celle d'un honnête homme est abominable. 7469
Lettre au chevalier de Saint-Réal.

ÉVARISTE-DÉSIRÉ DE FORGES DE PARNY
1753-1814

7470   Vous possédez le talent de charmer;
Vous saurez tout, quand vous saurez aimer.
Plan d'études.

7471   La bouche sourit mal quand les yeux sont en pleurs.
La Rechute.

7472   Ainsi le sourire s'efface,
Ainsi meurt, sans laisser de trace,
Le chant d'un oiseau dans les bois.
Sur la mort d'une jeune fille.

ANTOINE DE RIVAROL
1753-1801

7473   Sa gloire passera, les navets resteront.
Lettre critique sur le poème des Jardins suivi du Chou et du Navet (à propos de l'abbé Delille).

7474   C'est avec les sujets de l'Afrique que nous cultivons l'Amérique, et c'est avec les richesses de l'Amérique que nous trafiquons en Asie.
De l'Universalité de la langue française.

7475   Le genre humain est comme un fleuve qui coule du nord au midi : rien ne peut le faire rebrousser contre sa source.
Ibid.

7476   Tout le monde a besoin de la France, quand l'Angleterre a besoin de tout le monde.
Ibid.

7477   Chez les peuples perfectionnés et corrompus, la pensée a toujours un voile, et la modération, exilée des mœurs, se réfugie dans le langage, ce qui le rend plus fin et plus piquant.
Ibid.

7478   Les langues sont les vraies médailles de l'histoire.
Ibid.

7479   CE QUI N'EST PAS CLAIR N'EST PAS FRANÇAIS ; ce qui n'est pas clair est encore anglais, italien, grec ou latin.
Ibid.

7480   La prose accuse le nu de la pensée; il n'est pas permis d'être faible avec elle.
Ibid.

7481   Sûre, sociale, raisonnable, ce n'est plus la langue française, c'est la langue humaine.
Ibid.

Ils veulent être neufs et ne sont que bizarres; ils tourmentent 7482
leur langue pour que l'expression leur donne la pensée, et
c'est pourtant celle-ci qui doit toujours amener l'autre.
Ibid.

Les écrivains qui savent le plus de langues sont ceux qui 7483
commettent le plus d'impropriétés. *Ibid., notes.*

EST, verbe unique dans toutes les langues, parce qu'il repré- 7484
sente une opération unique de l'esprit; verbe simple et primitif, parce que tous les autres ne sont que des déguisements
de celui-là. Il se modifie pour se plier aux différents besoins
de l'homme, suivant les temps, les personnes et les circonstances. *Ibid.*

C'est sans doute un terrible avantage que de n'avoir rien fait, 7485
mais il ne faut pas en abuser.
Le petit Almanach de nos grands hommes, année 1788, Préface.

Il y a deux vérités qu'il ne faut jamais séparer, en ce monde : 7486
1º que la souveraineté réside dans le peuple; 2º que le peuple
ne doit jamais l'exercer.
Journal politique national, 1re série, nº 13.

M. de Robespierre est cité dans tout l'Artois comme un au- 7487
teur *classique.* *Actes des Apôtres, nº 5, « Robespierre ».*

Poète conquérant, sage voluptueux, 7488
Après avoir instruit et ravagé la terre,
Il se lassa des rois, des vers et de la guerre,
Méprisa ses sujets et les rendit heureux.
Vers pour être mis au bas du portrait du feu roi de Prusse.

Que de miracles n'opère point le patriotisme! les plus lourds 7489
esprits de la littérature se sont bien montrés les plus profonds de l'assemblée; les plus illustres ignorants de la jeunesse française n'ont paru ni embarrassés, ni déplacés dans
la tribune parisienne : en un mot, les ennemis de la langue
sont devenus tout à coup les défenseurs de la nation.
*Petit Dictionnaire des grands hommes de la Révolution par
un citoyen actif, ci-devant rien, Préface.*

Mirabeau (le comte de). — Ce grand homme a senti de 7490
bonne heure que la moindre vertu pouvait l'arrêter sur le
chemin de la gloire, et jusqu'à ce jour, il ne s'en est permis
aucune. *Ibid.*

La parole est en effet la physique expérimentale de l'esprit. 7491
Discours sur l'homme intellectuel et moral.

L'homme ne travaille qu'en dehors; le fond lui échappe 7492
sans cesse; il ne voit et ne touche que des formes. *Ibid.*

Tous les pas d'un voyageur, en périssant tour à tour, ne 7493
laissent pas de le conduire à son but. *Ibid.*

7494   Toute passion est une vraie conjuration dont le sentiment est à la fois le chef, le dénonciateur et l'objet.

Ibid., Des Passions.

7495   Quand la fortune nous exempte du travail, la nature nous accable du temps.   *Ibid.*

7496   Ainsi, du vice à la vertu, comme d'un pôle à l'autre, comme du ciel aux enfers, la distance est infinie, et les passions sont les vents qui nous y poussent.   *Ibid.*

7497   La jeunesse, comme la verdure, pare la terre; mais l'éducation la couvre de moissons.   *Ibid.*

7498   Il est plus facile à l'imagination de se composer un enfer avec la douleur qu'un paradis avec le plaisir.   *Ibid.*

7499   Les moyens qui rendent un homme propre à faire fortune sont les mêmes qui l'empêchent d'en jouir.   *Ibid.*

7500   [Les philosophes ont dit] « Périssent nos colonies, périsse le monde, plutôt qu'un seul de nos principes! Guerre aux châteaux! c'est-à-dire *à l'or;* paix aux chaumières! c'est-à-dire *oubli.* »   *Ibid.*

7501   La dévote croit aux dévots, l'indévote aux philosophes; mais toutes deux sont également crédules.   *Rivaroliana.*

7502   L'homme est le seul animal qui fasse du feu, ce qui lui a donné l'empire du monde.   *Ibid.*

7503   Les sots, les paysans et les sauvages se croient bien plus loin des bêtes que le philosophe.   *Ibid.*

7504   Un homme habitué à écrire écrit aussi sans idées, comme un vieux médecin nommé Bouvard, qui tâtait le pouls à son fauteuil en mourant.   *Ibid.*

7505   Mirabeau est capable de tout pour de l'argent, même d'une bonne action.   *Ibid.*

7506   La nature n'ayant plus rien de nouveau à offrir à l'homme qui pense et qui vieillit, et la société encore moins, il ne doit demander que l'air et l'eau, le silence et l'absence, quatre éléments de la vie, quatre choses sans goût et sans reproche.   *Ibid.*

7507   Il faut de si bonnes raisons pour vivre, qu'il n'en faut pas pour mourir.   *Ibid.*

7508   L'or est le souverain des souverains.   *Ibid.*

7509   Il n'est point de siècle de lumière pour la populace : elle n'est ni française, ni anglaise, ni espagnole. La populace est, toujours et en tout pays, la même : toujours cannibale, toujours anthropophage, et, quand elle se venge de ses magistrats, elle punit des crimes qui ne sont pas avérés par des crimes qui sont toujours certains. *Ibid.*

A prince dévot confesseur homme d'État. *Ibid.*   7510

Nous sommes le premier de tous les Français qui écrivîmes   7511
contre la Révolution avant la prise de la Bastille.
Ibid.

Les Anglaises ont deux bras gauches. *Ibid.*   7512

Paris, avec ses accroissements périodiques, ressemble à   7513
une fille de joie, qui ne s'agrandit que par la ceinture.
Ibid.

Ma besogne du *Dictionnaire de la langue française* me fait   7514
penser à celle d'un amant médecin obligé de disséquer sa
maîtresse. *Ibid.*

Les coups d'autorité des rois sont comme les coups de la   7515
foudre, qui ne durent qu'un moment; mais les révolutions
des peuples sont comme ces tremblements de terre dont les
secousses se communiquent à des distances incommensu-
rables. *Ibid.*

Mon épitaphe :   7516
LA PARESSE NOUS L'AVAIT RAVI AVANT LA MORT.
Ibid.

C'est bien, mais il y a des longueurs.   7517
Réponse à quelqu'un qui lui demandait son avis sur un distique.

LOUIS-PHILIPPE, COMTE DE SÉGUR
1753-1830

Tous les méchants sont buveurs d'eau;   7518
C'est bien prouvé par le déluge.
Chanson morale.

PIERRE-VICTURNIEN VERGNIAUD
1753-1793

Ce qui afflige surtout, c'est de voir que les bêches ne sont   7519
maniées que par des mains salariées, et point par des mains
que dirige l'intérêt commun.
Discours prononcé à l'Assemblée législative, 16 septembre 1792.

[...] Il faut bien qu'il se cache, l'homme vertueux, quand le   7520
crime triomphe! Il n'en a pas l'horrible sentiment; il se tait,
il s'éloigne; il attend pour paraître des temps plus heureux.
Ibid.

7521   Il est des hommes, au contraire, à la fois hypocrites et féroces, qui ne se montrent que dans les calamités publiques, comme il est des insectes malfaisants que la terre ne produit que dans les orages. Ces hommes répandent sans cesse les soupçons, les méfiances, les jalousies, les haines, les vengeances; ils sont avides de sang; dans leurs propos séditieux, ils aristocratisent la vertu même, pour acquérir le droit de la fouler aux pieds; ils démocratisent le crime pour pouvoir s'en rassasier, sans avoir à redouter le glaive de la justice.   *Ibid.*

7522   N'avez-vous pas d'autre manière de prouver votre zèle qu'en demandant sans cesse, comme les Athéniens : « Qu'y a-t-il aujourd'hui de nouveau? »   *Ibid.*

7523   On a cherché à consommer la révolution par la terreur, j'aurais voulu la consommer par l'amour.
Convention nationale, 10 avril 1793.

LOUIS VIGÉE
1753-1820

7524   Je suis riche des biens dont je sais me passer.
Épître à Ducis.

7525   Ci-gît qui fit des vers, les fit mal et ne put,
        Quoiqu'il fût sans esprit, être de l'Institut.
Sur lui-même.

LOUIS DE BONALD
1754-1840

7526   L'être pensant s'explique par l'être parlant et l'homme parle sa pensée avant de penser sa parole.
Législation primitive considérée dans les derniers temps par les seules lumières de la raison, discours préliminaire.

7527   La parole est dans le commerce des pensées ce que l'argent est dans le commerce des marchandises, expression réelle des valeurs, parce qu'elle est valeur elle-même.   *Ibid.*

7528   La Révolution française a commencé par la Déclaration des Droits de l'Homme; elle ne finira que par la Déclaration des Droits de Dieu.   *Ibid.*

7529   L'état sauvage est donc contre la nature de la société, comme l'état d'ignorance et d'enfance est contre la nature de l'homme : l'état *natif* ou *originel* est donc l'opposé de l'état naturel, et c'est cette guerre intestine de l'état *natif*

ou mauvais contre l'état *naturel* ou bon qui partage l'homme et trouble la société.
Ibid., « *De la loi générale et de son application aux états particuliers de la société* ».

La liberté physique est l'indépendance de toute contrainte   7530
extérieure, la liberté morale est l'indépendance de toute
volonté particulière et de la plus tyrannique de toutes, sa
propre volonté. L'homme n'est moralement libre, et *libre
de la liberté des enfants de Dieu*, qu'en ne faisant pas sa
volonté, toujours déréglée, pour faire la volonté de l'Auteur
de tout ordre.   *Pensées sur divers sujets.*

Des sottises faites par des gens habiles; des extravagances   7531
dites par des gens d'esprit; des crimes commis par d'honnêtes
gens... voilà les révolutions.   *Ibid.*

La littérature est l'expression de la société, comme la parole   7532
est l'expression de l'homme.   *Ibid.*

L'irréligion sied mal aux femmes; il y a trop d'orgueil   7533
pour leur faiblesse.   *Ibid.*

L'homme n'existe que par la société et la société ne le forme   7534
que pour elle.
                Théorie du pouvoir politique et religieux.

Depuis l'*Évangile* jusqu'au *Contrat social* ce sont les livres   7535
qui ont fait les révolutions.
Mélanges littéraires, politiques et philosophiques, « *Sur les
Éloges historiques de MM. Séguier et de Malesherbes* ».

L'homme, considéré par une vraie philosophie, est une   7536
intelligence servie par des organes.
                *Recherches philosophiques sur les premiers objets des
                                        connaissances morales.*

JEAN-PIERRE BRISSOT
1754-1793

La propriété civile n'est qu'une usurpation sociale.   7537
        Recherches philosophiques sur la propriété et le vol.

[La] propriété exclusive est un délit véritable dans la nature.   7538
                                                        Ibid.

ANTOINE DESTUTT DE TRACY
1754-1836

On n'a qu'une connaissance incomplète d'un animal, si   7539
l'on ne connaît pas ses facultés intellectuelles. L'idéologie

est une partie de la zoologie, et c'est surtout dans l'homme
que cette partie est importante, et mérite d'être approfondie.
Éléments d'Idéologie, Préface.

7540   Autrefois on ne parlait que de réformes, de changements
nécessaires dans l'éducation; aujourd'hui on voudrait la voir
comme du temps de Charlemagne.   *Ibid.*

7541   *Penser,* comme vous voyez, *c'est toujours sentir,* et ce n'est
rien que sentir. Maintenant me demanderez-vous ce que c'est
que sentir? Je vous répondrai : C'est ce que vous savez,
ce que vous éprouvez. Si vous ne l'éprouviez pas, ce serait
bien inutilement que je m'efforcerais de vous l'expliquer :
vous ne m'entendriez ni ne me comprendriez.
Ibid., Première partie, chap. 1.

7542   Un langage quelconque ne peut jamais avoir plus de signes
que ceux qui l'instituent n'ont d'idées.   *Ibid., chap. 17.*

7543   Les caractères alphabétiques ou syllabiques ne sont que des
signes de signes, et non des signes d'idées, et à parler exactement, eux seuls méritent le nom d'écriture.   *Ibid.*

7544   Toutes nos connaissances sont des idées; ces idées ne nous
apparaissent jamais que revêtues de signes.
Ibid., Seconde partie, Avertissement de l'édition de 1803.

7545   Dès que nous sommes nés, dès que nous sentons, nous
exprimons ce que nous sentons, nous parlons; nous avons
un langage.   *Ibid., Seconde partie, Introduction.*

7546   Il est impossible de s'occuper un moment de Grammaire
générale sans être frappé des vices de tous nos langages et
des inconvénients de leur multiplicité, et sans concevoir
le désir de voir naître une langue parfaite qui devienne
universelle.   *Ibid., chap. 6.*

7547   Les hommes qui, dans les commotions politiques de nos
temps modernes, disent : *je ne m'embarrasse pas d'être
libre; la seule chose dont je me soucie, c'est d'être heureux,*
disent une chose à la fois très sensée et très insignifiante :
très sensée, en ce que le bonheur est effectivement la seule
chose que l'on doive rechercher; très insignifiante, en ce
qu'il est une seule et même chose avec la vraie liberté.
*Commentaire sur l'Esprit des lois de Montesquieu, Livre XI,
chap. 1.*

JOSEPH JOUBERT
1754-1824

7548   L'homme n'est imparfait et méchant que parce qu'il a quelques passions et ne les a pas toutes.   *Pensées.*

La pensée se forme dans l'âme comme les nuages se forment 7549
dans l'air. *Ibid.*

Tout ouvrage de génie, épique ou didactique, est trop long, 7550
s'il ne peut pas être lu dans un jour. *Ibid.*

Imitez le temps. Il détruit tout avec lenteur. Il mine, il use, 7551
il déracine, il détache et il n'arrache pas. *Ibid.*

L'imagination est l'œil de l'âme. *Ibid.* 7552

Dieu est le lieu où je ne me souviens pas du reste. *Ibid.* 7553

L'utilité est tellement une propriété de la vérité qu'elle en 7554
indique sûrement ou la présence ou les approches. *Ibid.*

Les passions sont aux sentiments ce que la pluie est à la 7555
rosée, ce que l'eau est à la vapeur. *Ibid.*

Toute flamme est un feu humide. *Ibid.* 7556

Un rêve est la moitié d'une réalité. *Ibid.* 7557

Souviens-toi de cuver ton encre. *Ibid.* 7558

Illusions. Elles ne peuvent donc être produites que par ces 7559
effluvions, ces écoulements invisibles, ces subtiles émanations
qui entretiennent les courants perpétuels entre les êtres
différents. Ils ne peuvent donc donner et recevoir des sensations agréables, s'il ne se fait quelque part quelque déper-
dition de substance. Ainsi à la condition de changer et de
dépérir est attaché le bien d'inspirer et de ressentir le plaisir.
Ibid.

Il n'y a de bon dans l'homme que ses jeunes sentiments et 7560
ses vieilles pensées. *Ibid.*

Musique, perspective, architecture, etc. Brodent le temps, 7561
brodent l'espace. *Ibid.*

Parmi les trois étendues, il faut compter le temps, l'espace 7562
et le silence. L'espace est dans le temps, le silence est dans
l'espace. *Ibid.*

La terre est un point dans l'espace, et l'espace est un point 7563
dans l'esprit. J'entends ici par esprit l'esprit élément, le
cinquième élément du monde, l'espace de tout, lien de toutes
choses, car toutes choses y sont, y vivent, s'y meuvent, y
meurent, y naissent. L'esprit... dernière ceinture du monde.
Ibid.

Les rois ne savent plus régner. *Ibid.* 7564

7565   Descartes. Tout est tellement plein dans ce système que la pensée même ne peut s'y faire jour et place. On est toujours tenté de crier, comme au parterre : *de l'air, de l'air; du vide!* On étouffe, on est moulu.   *Ibid.*

7566   Je voudrais que les pensées se succédassent dans un livre comme les astres dans le ciel, avec ordre, avec harmonie, mais à l'aise et à intervalles, sans se toucher, sans se confondre; et non pas pourtant sans se suivre, sans s'accorder, sans s'assortir. Oui, je voudrais qu'elles roulassent sans s'accrocher et se tenir, en sorte que chacune d'elles pût subsister indépendante. Point de cohésion trop stricte; mais aussi point d'incohérences : la plus légère est monstrueuse.   *Ibid.*

7567   L'air est sonore, et le son est de l'air, de l'air lancé, vibré, configuré, articulé.   *Ibid.*

7568   Ferme les yeux et tu verras.   *Ibid.*

7569   La logique est une demi-géométrie et la métaphysique est une demi-poésie, qui consiste à donner un corps transparent à ce qui n'a pas de corps, comme la poésie donne de l'âme.   *Ibid.*

7570   Tout ce qui est beau est indéterminé.   *Ibid.*

7571   On dit qu'il n'y a pas de temps pour Dieu. Cela est faux, car il y a, à ses yeux comme aux nôtres, une succession des êtres. La durée de l'existence du père n'est pas pour lui le temps de l'existence du fils.   *Ibid.*

7572   Tous les êtres viennent de peu, et il s'en faut de peu qu'ils ne viennent de rien.   *Ibid.*

7573   La transparence, le diaphane, le peu de pâte, le magique; l'imitation du divin qui a fait toutes choses avec peu et, pour ainsi dire, avec rien : voilà un des caractères essentiels de la poésie.   *Ibid.*

7574   Cela est vrai, un roi sans religion paraît toujours un tyran.   *Ibid.*

7575   Il n'y a que deux sortes de beaux mots, ceux qui ont une grande plénitude de son, de sens, d'âme, de chaleur et de vie, et ceux qui ont une grande transparence.   *Ibid.*

7576   Le sein. Cet ornement nouveau fait rougir celles qui le portent et n'y sont pas accoutumées.   *Ibid.*

7577   Le temps me frappe à la tête. Je le sens qui ébranle mes dents.   *Ibid.*

7578   Car il faut que l'idée et la forme première d'un ouvrage soit un espace, un lieu simple où sa matière se placera, s'arrangera, et non une matière à placer et à arranger.   *Ibid.*

La musique a sept lettres, l'écriture a vingt-cinq notes. 7579
Ibid.

J'ai de la peine à quitter Paris parce qu'il faut me séparer 7580
de mes amis; et de la peine à quitter la campagne parce
qu'alors il faut me séparer de moi. *Ibid.*

Tout ce qui est exact est court. *Ibid.* 7581

Le style continu (ou la succession didactique et non inter- 7582
rompue des phrases et des expressions) n'est naturel qu'à
l'homme qui tient la plume et qui écrit pour les autres.
Tout est jet, tout est coupure, dans l'âme. Elle s'entend
à demi-mot. *Ibid.*

[...] Quand on se souvient d'un beau vers, d'un beau mot, 7583
d'une belle phrase, c'est toujours dans l'air qu'on les lit;
on les voit devant soi, les yeux semblent les lire dans l'espace.
On ne les imagine point sur la feuille où ils sont collés. Au
contraire un passage vulgaire ne se distingue point du
livre où on l'a lu; et c'est là que la mémoire le voit d'abord
quand on le cite. J'en appelle à l'expérience. *Ibid.*

Le génie est l'aptitude de voir les choses invisibles, de remuer 7584
les choses intangibles, de peindre les choses qui n'ont pas
de traits. *Ibid.*

Ce n'est guère que par le visage qu'on est soi. Et le corps 7585
nu d'une femme montre son sexe plus que sa personne. On
ne pense plus au visage de la femme dont on voit le corps
nu. Les vêtements font donc valoir le visage. La personne
est proprement dans le visage; l'espèce seule est dans le
reste. *Ibid.*

Quand mes amis sont borgnes, je les regarde de profil. 7586
Ibid.

Il faut qu'il y ait plusieurs voix ensemble dans une voix 7587
pour qu'elle soit belle. Et plusieurs significations dans un
mot pour qu'il soit beau. *Ibid.*

Il s'exhale de tous les cris et de toutes les plaintes une vapeur, 7588
et de cette vapeur il se forme un nuage, et de ces nuages
amoncelés il sort des foudres, des tempêtes, ou du moins
des intempéries qui détruisent tout. *Ibid.*

Pour bien écrire il faut aimer Racine, et, pour bien faire, 7589
aimer Corneille. *Ibid.*

Notre véritable Homère, l'Homère des Français, qui le 7590
croirait? c'est La Fontaine. *Ibid.*

Certaines gens, quand ils entrent dans nos idées, semblent 7591
entrer dans une hutte. *Ibid.*

MADAME ROLAND
1754-1793

7592   Le soin de me soustraire à l'injustice me coûte plus que de
la subir.
Mémoires, Notices historiques, juin 1793, 1er cahier.

7593   Celui-là qui [...] compte [sa vie] pour quelque chose en
révolution ne comptera jamais pour rien vertu, honneur et
patrie.   *Ibid.*

7594   J'aime mieux mourir que d'être témoin de la ruine de mon
pays; je m'honorerai d'être comprise parmi les glorieuses
victimes immolées à la rage du crime.   *Ibid.*

7595   Je gémis pour mon pays; je regrette les erreurs d'après
lesquelles je l'ai cru propre à la liberté, au bonheur; mais
j'apprécie la vie, je n'ai jamais craint que le crime, je méprise
l'injustice et la mort.   *Ibid.*

7596   Je trouve que la prison produit sur moi à peu près le même
effet que la maladie; je ne suis tenue aussi qu'à être là, et
qu'est-ce que cela me coûte? Ma compagnie n'est pas si
mauvaise.   *Ibid.*

7597   Les factions passent, la justice seule demeure, et, de tous les
défauts de l'homme en place, la faiblesse est celui qu'on lui
pardonne le moins, parce qu'elle est la source des plus grands
désordres, surtout dans les temps d'orage.
Ibid., au ministre de l'Intérieur, le 8 juin 1793.

7598   [Robespierre] me paraissait alors un honnête homme; je
lui pardonnais, en faveur des principes, son mauvais langage et son ennuyeux débit. [...] La nature l'a fait si peureux
qu'il me semblait avoir doublement du courage à soutenir
la bonne cause.   *Ibid.*

7599   [...] Il est tel degré d'hypocrisie dont il n'y a plus de honte
à être dupe, car il faudrait être pervers pour le soupçonner.
Ibid., Portraits et Anecdotes, le 8 août 1793.

7600   Il est fort difficile de ne point se passionner en révolution;
il est même sans exemple d'en faire aucune sans cela; on
a de grands obstacles à vaincre : on ne peut y parvenir qu'avec
une activité, un dévouement qui tiennent de l'exaltation
ou qui la produisent. Dès lors on saisit avidement ce qui peut
servir, et l'on perd la faculté de prévoir ce qui pourra nuire.
Ibid., Brissot, août 1793.

7601,   La sottise et la peur du grand nombre font le triomphe de
la scélératesse et la perte des gens de bien. La postérité
rend à chacun sa place, mais c'est au temple de mémoire;
Thémistocle n'en meurt pas moins en exil, Socrate dans sa
prison, et Sylla dans son lit.
Ibid., Réflexions, 24 septembre 1793.

Je sais que le règne des méchants ne peut être de longue 7602
durée ; ils survivent ordinairement à leur pouvoir et subissent
presque toujours le châtiment qu'ils ont mérité.
Ibid., Mes dernières pensées.

Il est nécessaire que je périsse à mon tour, parce qu'il est 7603
dans les principes de la tyrannie de sacrifier ceux qu'elle a
violemment opprimés et d'anéantir jusqu'aux témoins de
ses excès. A ce double titre, vous me devez la mort, et je
l'attends.
*Projet de défense au tribunal de Mme Roland, écrit dans la
nuit du 12 juin 1793.*

La liberté? Elle est pour les âmes fières qui méprisent la mort 7604
et savent à propos la donner. Elle n'est pas pour ces hommes
faibles qui temporisent avec le crime, en couvrant du nom
de prudence leur égoïsme et leur lâcheté. *Ibid.*

[...] O mes concitoyens! vous parlerez vainement de la 7605
liberté; vous n'aurez qu'une licence dont vous tomberez
victimes chacun à votre tour; vous demanderez du pain,
on vous donnera des cadavres, et vous finirez par être
asservis. *Ibid.*

Je suis plus paisible avec ma conscience que mes oppresseurs 7606
ne le sont avec leur domination.
Lettres, à M. Buzot, 22 juin 1793.

Tu m'as vue heureuse par le soin de remplir mes devoirs 7607
et d'être utile à ceux qui souffrent. Il n'y a que cette manière
de l'être. *Ibid., à sa fille, octobre 1793.*

CHARLES-MAURICE DE TALLEYRAND-PÉRIGORD
1754-1838

Dans les temps de révolutions, on ne trouve d'habileté que 7608
dans la hardiesse, et de grandeur que dans l'exagération.
Mémoires.

Ce qui est, presque toujours, est fort peu de choses, toutes 7609
les fois que l'on ne pense pas que *ce qui est* produit *ce qui
sera*. *Ibid.*

On connaît, dans les grandes cours, un autre moyen de se 7610
grandir : c'est de se courber. Les petits princes ne savent
que se jeter à terre. *Ibid.*

La vie intérieure seule peut remplacer toutes les chimères. 7611
Ibid.

Un ministère qu'on soutient est un ministère qui tombe. 7612
*Mot rapporté par Bernard de Lacombe dans sa « Vie privée
de Talleyrand ».*

7613 Il y a quelqu'un qui a plus d'esprit que Voltaire, c'est tout le
monde. *Discours sur la liberté de la presse.*

7614 Qui n'a pas vécu dans les années voisines de 1780 n'a pas
connu le plaisir de vivre.
Mot rapporté par Guizot dans ses « Mémoires ».

7615 Ne suivez jamais votre premier mouvement car il est bon.
Attribué à Talleyrand.

7616 Voilà le commencement de la fin. *Attribué à Talleyrand.*

LOUIS XVI
1754-1793

7617 C'est une maxime bien essentielle dans le gouvernement,
de prévenir que les peuples ne tombent dans une sorte d'indi-
férence qui leur fasse penser qu'il est égal de vivre sous une
domination ou sous une autre.
Réflexions sur les entretiens avec le duc de La Vauguyon,
(gouverneur du futur Louis XVI).

7618 La bienfaisance presse de donner, et la justice avertit du
moment où le don est légitime; c'est l'accord de la bienfaisance et de la justice qui forme le caractère d'un homme
vraiment digne de commander. *Ibid.*

7619 [Les Français] savent gagner des batailles, mais ils ne savent
pas les perdre, et le moindre échec est pour eux une entière
déroute et un malheur presque irréparable. *Ibid.*

7620 Les Français sont inquiets et murmurateurs, les rênes du
gouvernement ne sont jamais conduites à leur gré; ils crient,
ils se plaignent, ils murmurent éternellement; on dirait que
la plainte et le murmure entrent dans l'essence de leur caractère [...] *Ibid.*

7621 La nature vous avait donné une âme *citoyenne* [...]
Lettre à M. de Malesherbes, 17 avril 1776.

7622 Je vois qu'il n'y a que M. Turgot et moi qui aimions le peuple.
Cité dans une lettre de Condorcet à Voltaire, du 23 avril 1776.

7623 Voilà le grand grief de M. Turgot. Il faut, aux amateurs
de nouveautés, une France plus qu'anglaise!
Notes de Louis XVI en marge du Mémoire de Turgot relatif
à l'Administration, 1776.

7624 Un souverain ne saurait rien faire de plus utile que
d'inspirer à sa nation une grande idée d'elle-même. Il faut
qu'un peuple s'attache à sa patrie, même par orgueil.
Maximes et pensées.

Il n'est pas douteux qu'une prudente sagacité, qui voit de   7625
loin les malheurs de l'État, ne puisse aisément les empêcher
d'éclore; mais du moment que, n'ayant point été aperçus,
ils viennent à éclater, et qu'on n'en peut démêler la cause
et la nature, il n'est presque plus possible d'en arrêter le
cours.   *Ibid.*

Il en est des monarchies comme des machines dont la simpli-   7626
cité fait la perfection. Plus de ressorts et de mouvements
paraîtraient leur donner plus de jeu et ne serviraient qu'à
en diminuer la justesse et la force.   *Ibid.*

Prenons-y garde, nous aurons peut-être un jour à nous repro-   7627
cher un peu trop d'indulgence pour les philosophes et pour
leurs opinions [...] La philosophie trop audacieuse du siècle
a une arrière-pensée [...].
               Lettre à M. de Malesherbes, 13 décembre 1786.

[...] Il faut une âme atroce pour verser le sang de ses sujets, 7628
pour opposer une résistance et amener une guerre civile
en France [...]. Il me fallait le cœur de Néron et l'âme de
Caligula [...].   *Lettre à M. de Bouillé, 3 juillet 1791.*

BERTRAND BARÈRE DE VIEUZAC
1755-1841

Il n'y a que les morts qui ne reviennent pas.   7629
               Rapport à la Convention, le 26 mai 1794.

ANTHELME BRILLAT-SAVARIN
1755-1826

[...] J'ai vécu assez pour savoir que chaque génération en   7630
dit autant, et que la génération suivante ne manque jamais
de s'en moquer. D'ailleurs, comment les mots ne change-
raient-ils pas quand les mœurs et les idées éprouvent des
modifications continuelles?
                            Physiologie du goût, Préface.

Sans la participation de l'odorat, il n'y a point de dégustation 7631
complète.   *Ibid., Méditation II, du goût.*

Le plaisir de manger est le seul qui, pris avec modération,   7632
ne soit pas suivi de fatigue.   *Ibid.*

La gourmandise est l'apanage exclusif de l'homme.   *Ibid.* 7633

[...] L'homme mange; l'homme d'esprit seul sait manger.   7634
                                                        Ibid.

7635   C'est la gastronomie qui inspecte les hommes et les choses,
pour transporter d'un pays à l'autre tout ce qui mérite d'être
connu, et qui fait qu'un festin savamment ordonné est
comme un abrégé du monde, où chaque partie figure par ses
représentants.   *Ibid., Méditation III, de la gastronomie.*

7636   Les connaissances gastronomiques sont nécessaires à tous
les hommes, puisqu'elles tendent à augmenter la somme de
plaisir qui leur est destinée.   *Ibid.*

7637   Les repas sont devenus un moyen de gouvernement, et le
sort des peuples s'est décidé dans un banquet. [...] Qu'on
ouvre tous les historiens, depuis Hérodote jusqu'à nos jours,
et on verra que sans même en excepter les conspirations,
il ne s'est jamais passé un grand événement qui n'ait été
conçu, préparé et ordonné dans les festins.   *Ibid.*

7638   De toutes les qualités du cuisinier, la plus indispensable est
l'exactitude.
                    Ibid., Méditation IV, de l'appétit.

7639   Dis-moi ce que tu manges, je te dirai ce que tu es.   *Ibid.*

7640   Le vin, la plus aimable des boissons [...] date de l'enfance du
monde.   *Ibid., Méditation IX, des boissons.*

7641   L'alcool est le monarque des liquides.   *Ibid.*

7642   La gourmandise, quand elle est partagée, a l'influence la
plus marquée sur le bonheur qu'on peut trouver dans l'union
conjugale.   *Ibid., Méditation XI, de la gourmandise.*

7643   On devient cuisinier, mais on naît rôtisseur.
                            Ibid., Méditation XV.

ANACHARSIS CLOOTS
1755-1794

7644   France, tu seras heureuse lorsque tu seras guérie enfin des
individus.   *Appel au genre humain, décembre 1793.*

JEAN-FRANÇOIS COLLIN D'HARLEVILLE
1755-1806

7645   Va, va, dans sa douleur le sexe est raisonnable,
        Et je n'ai jamais vu de femme inconsolable.
                        L'Inconstant, acte I, scène 1.

7646   Trop heureux, en manquant un mauvais mariage,
        D'en être quitte encor pour les frais du voyage!
                    Les Châteaux en Espagne, acte II, scène 9.

[...] Telle femme est charmante, entre nous,   7647
Dont on serait fâché de devenir l'époux.
Le Vieux Célibataire, acte I, scène 8.

Chacun est, dans ce monde, heureux à sa manière.   7648
Ibid., acte II, scène 2.

On peut être honnête homme et fort mauvais époux.   7649
Ibid., acte III, scène 4.

Ève a péché, pourquoi? Parce qu'on la flatta;   7650
Exemple que depuis mainte femme imita.
Monsieur de Crac dans son petit Castel.

La santé peut paraître à la longue un peu fade;   7651
Il faut, pour la sentir, avoir été malade.
L'Optimiste, acte I, scène 1.

Nous étions malheureux, c'était là le bon temps.   7652
Mes Souvenirs.

JEAN-PIERRE CLARIS DE FLORIAN
1755-1794

C'est qu'on se croit toujours plus sage que sa mère [...]   7653
Fables, livre premier, La carpe et les carpillons.

[...] Les loups ne craignent guère   7654
Les pasteurs amoureux qui chantent leur bergère.
Ibid., Le Roi et les deux bergers.

Tout mon secret consiste à choisir de bons chiens.   7655
Ibid.

Qui ne songe qu'à soi quand sa fortune est bonne,   7656
Dans le malheur n'a point d'amis.
Ibid., Les deux voyageurs.

Rien n'est vrai comme ce qu'on sent.   7657
Ibid., Les serins et le chardonneret.

Quoi! reprend le coursier écumant de colère,   7658
Votre avis n'est dicté que par votre intérêt?
Eh mais! dit le Normand, par quoi donc, s'il vous plaît;
N'est-ce pas le code ordinaire?
Ibid., Le bœuf, le cheval et l'âne.

[...] Chacun son métier,   7659
Les vaches seront bien gardées.
Ibid., Le vacher et le garde-chasse.

Chacun de nous connaît bien ses défauts;   7660
En convenir, c'est autre chose :
On aime mieux souffrir de véritables maux
Que d'avouer qu'ils en sont cause.
Ibid., La taupe et les lapins.

7661   Que ne fait-on passer avec un peu d'encens?
Ibid., La coquette et l'abeille.

7662   Notre paralytique,
Couché sur un grabat dans la place publique,
Souffrait sans être plaint : il en souffrait bien plus.
Ibid., L'aveugle et le paralytique.

7663   L'asile le plus sûr est le sein d'une mère.
Ibid., livre deuxième, La mère, l'enfant et les sarigues.

7664   La nature de cent manières
Voulut nous affliger : marchons ensemble en paix;
            Le chemin est assez mauvais
            Sans nous jeter encor des pierres.
Ibid., Le bonhomme et le trésor.

7665   Soyons contents du nécessaire,
Sans jamais souhaiter de trésors superflus :
Il faut les redouter autant que la misère,
            Comme elle ils chassent les vertus.
Ibid.

7666   Comptez sur la reconnaissance
            Quand l'intérêt vous en répond.
Ibid., Le vieux arbre et le jardinier.

7667   Il n'avait oublié qu'un point :
            C'était d'éclairer sa lanterne.
Ibid., Le singe qui montre la lanterne magique.

7668   Quiconque jouit trop est bientôt dégoûté;
            Il faut au bonheur du régime.
Ibid., Le cheval et le poulain.

7669   [...] Le Secret de réussir,
C'est d'être adroit, non d'être utile.
Ibid., Les deux chats.

7670   Il en coûte trop cher pour briller dans le monde.
Combien je vais aimer ma retraite profonde!
            Pour vivre heureux, vivons caché.
Ibid., Le grillon.

7671   Ne jouons point avec les grands,
Le plus doux a toujours des griffes à la patte.
Ibid., livre troisième, Les singes et le léopard.

7672   L'excès d'un très grand bien devient un mal très grand.
Ibid., L'inondation.

7673   Un homme riche, sot, et vain,
Qualités qui parfois marchent de compagnie [...]
Ibid., Le sanglier et les rossignols.

7674   Un de ces pieux solitaires
Qui, détachant leur cœur des choses d'ici-bas,
Font vœu de renoncer à des biens qu'ils n'ont pas
            Pour vivre du bien de leurs frères [...]
Ibid., Le dervis, la corneille et le faucon.

Nous ne recevons l'existence   7675
Qu'afin de travailler pour nous ou pour autrui.
De ce devoir sacré quiconque se dispense
        Est puni de la Providence,
        Par le besoin ou par l'ennui.   *Ibid.*

Ainsi notre intérêt est toujours la boussole   7676
        Que suivent nos opinions.
            Ibid., Le hibou, le chat, l'oison et le rat.

Ainsi dans l'univers tout ce que je contemple   7677
M'avertit d'un devoir qu'il m'est doux de remplir.
Je fais souvent du bien pour avoir du plaisir [...]
        Ibid., livre quatrième, Le savant et le fermier.

[...] Avec de l'esprit il est souvent facile   7678
Au piège qu'il nous tend de surprendre un trompeur.
            Ibid., L'écureuil, le chien et le renard.

« Que leur avez-vous fait? » L'oiseau lui répondit :   7679
« Rien du tout; mon seul crime est d'y voir clair la nuit. »
        Ibid., Le philosophe et le chat-huant.

        Rira bien qui rira le dernier.   7680
            Ibid., Les deux paysans et le nuage.

Les noix ont fort bon goût, mais il faut les ouvrir.   7681
        Souvenez-vous que, dans la vie,
Sans un peu de travail on n'a point de plaisir.
            Ibid., La guenon, le singe et la noix.

Partir avant le jour, à tâtons, sans voir goutte,   7682
Sans songer seulement à demander sa route,
Aller de chute en chute; et, se traînant ainsi,
Faire un tiers du chemin jusqu'à près de midi,
[...]
Courir en essuyant orages sur orages,
Vers un but incertain où l'on n'arrive pas;
[...]
Arriver haletant, se coucher, s'endormir,
On appelle cela naître, vivre et mourir!
                    Ibid., Le voyage.

Vous perdez en projets les plus beaux de vos jours :   7683
Si vous voulez passer, jetez-vous à la nage [...]
        Ibid., livre cinquième, Le paysan et la rivière.

L'homme est plus cher aux dieux qu'il ne l'est à lui-même.   7684
            Ibid., Le prêtre de Jupiter.

Jupiter, mieux que nous, sait bien ce qu'il nous faut.   7685
                                    Ibid.

La Vanité nous rend aussi dupes que sots.   7686
                    Ibid., Le petit chien.

7687   Lorsque notre bonheur nous vient de la vertu,
            La gaîté vient bientôt de notre caractère.
                                Ibid., Le léopard et l'écureuil.

7688   On perd ce que l'on tient quand on veut gagner tout.
                                Ibid., Le chat et les rats.

7689   Assez de bien pour en donner,
                Et pas assez pour faire envie.
                                Ibid., Épilogue.

7690   Plaisir d'amour ne dure qu'un moment,
                Chagrin d'amour dure toute la vie.
                                Plaisir d'amour, Célestine.

MAXIMIN   ISNARD
1755-1825

7691   Un peuple en état de révolution est invincible.
                                Assemblée nationale, 29 novembre 1791.

JOSEPH DOMINIQUE BARON LOUIS
1755-1837

7692   Faites-moi de bonne politique, je vous ferai de bonnes
            finances.
            *Cité par Guizot dans ses « Mémoires pour servir à l'histoire
                                de mon temps », t. I.*

LOUIS XVIII
1755-1824

7693   L'exactitude est la politesse des rois.
                                Cité dans les souvenirs du banquier J. Laffitte.

7694   Rappelez-vous qu'il n'est aucun de vous qui n'ait dans sa
            giberne le bâton de maréchal [...]
                                Aux élèves de l'École de Saint-Cyr, le 8 août 1819.

AUGUSTIN DE PIIS
1755-1832

7695   Souvent l'idée a l'air de devancer les signes,
                Tant on peut énoncer de choses dans deux lignes!
            L'Harmonie imitative de la langue française, chant premier.

On s'éveille, on se lève, on s'habille et l'on sort;   7696
On rentre, on dîne, on soupe, on se couche et l'on dort.
Ibid.

A l'aspect du Très-Haut sitôt qu'Adam parla,   7697
Ce fut apparemment l'A qu'il articula.
Ibid.

Par l'I précipité le rire se trahit,   7698
Et par l'I prolongé l'infortune gémit.
Ibid.

L'M aime à murmurer, l'N à nier s'obstine;   7699
L'N est propre à narguer, l'M est souvent mutine.
Ibid.

Mais quel ruisseau jamais coula sans murmurer!   7700
Et telle est des plaisirs la source trop légère!
Si tout mortel y boit, nul ne s'y désaltère.
Ibid., chant quatrième.

Ah! que de sots courbés, dans le champ de l'histoire,   7701
Pour une date, hélas, le retournent en vain!
[...]
Le troupeau muselé grogne, fouille et déterre.
En voulez-vous, des faits, des dates? En voilà.
Mais un littérateur vient à passer par là;
Il ramasse les fruits, les cueille et les digère.
Le « Sic vos non vobis » des antiquaires, Épigrammes.

PIERRE-JEAN-GEORGES CABANIS
1757-1808

L'étude de l'homme physique est également intéressante   7702
pour le médecin et pour le moraliste : elle est presque également nécessaire à tous les deux.
Rapports du physique et du moral de l'homme, Préface.

Les chocs révolutionnaires ne sont point, comme quelques   7703
personnes semblent le croire, occasionnés par le libre développement des idées : ils ont toujours, au contraire, été le
produit inévitable des vains obstacles qu'on lui oppose
imprudemment; du défaut d'accord entre la marche des
affaires et celle de l'opinion, entre les institutions sociales
et l'état des esprits.   *Ibid.*

C'est sans doute, citoyens, une belle et grande idée que celle   7704
qui considère toutes les sciences et tous les arts comme
formant un ensemble, un tout indivisible, ou comme les
rameaux d'un même tronc, unis par une origine commune,
plus étroitement unis encore par le fruit qu'ils sont tous
également destinés à produire, le perfectionnement et le
bonheur de l'homme.
Ibid., Premier Mémoire, Introduction.

7705   La physiologie, l'analyse des idées et la morale, ne sont que les trois branches d'une seule et même science, qui peut s'appeler, à juste titre, *la science de l'homme.*   *Ibid.*

7706   Sans la sensibilité, nous ne serions point avertis de la présence des objets extérieurs, nous n'aurions même aucun moyen d'apercevoir notre propre existence, ou plutôt nous n'existerions pas.   *Ibid., § III.*

7707   Sujet à l'action de tous les corps de la nature, l'homme trouve à la fois, dans les impressions qu'ils font sur ses organes, la source de ses connaissances et les causes mêmes qui le font vivre ; car vivre c'est sentir ; et dans cet admirable enchaînement des phénomènes qui constituent son existence, chaque *besoin* tient au développement de quelque *faculté* ; chaque faculté, par son développement même, satisfait à quelque besoin ; et les facultés s'accroissent par l'exercice, comme les besoins s'étendent avec la facilité de les satisfaire.
Ibid., Deuxième Mémoire, § II.

7708   Les organes de la génération, par exemple, sont très souvent le siège véritable de la folie.   *Ibid., § IV.*

7709   Les gens de lettres, les penseurs, les artistes, en un mot tous les hommes dont les nerfs et le cerveau reçoivent beaucoup d'impressions ou combinent beaucoup d'idées, sont très sujets à des pertes nocturnes, très énervantes pour eux.   *Ibid., Troisième Mémoire, § II.*

7710   Il [Bacon] regardait l'art de rendre la mort douce — c'est ce qu'il appelle l'*euthanasie* — comme le complément de celui d'en retarder l'époque.
Ibid., Quatrième Mémoire, Conclusion.

7711   En un mot, la nature des choses et l'expérience prouvent également que, si la faiblesse des muscles de la femme lui défend de descendre dans le gymnase et dans l'hippodrome, les qualités de son esprit et le rôle qu'elle doit jouer dans la vie lui défendent plus impérieusement encore peut-être de se donner en spectacle dans le lycée ou dans le portique.
Ibid., Cinquième Mémoire, § IX.

EMMANUEL CARBON
DE FLINS DES OLIVIERS
1757-1806

7712   Le sort de Bonaparte est d'effacer vos crimes
Par sa gloire et par ses bienfaits.
Vers sur l'attentat commis le 3 nivôse an 9, contre le Premier Consul.

LOUIS DE FONTANES
1757-1821

J'ai des fables du Pinde abjuré la chimère,   7713
Et Buffon me tient lieu de Virgile et d'Homère...
La Forêt de Navarre.

Le moine aime son froc, et le roi sa couronne.   7714
La couronne et le froc! quel destin différent!
Traduction de l'Essai sur l'Homme de Pope, Épître IV.

MAXIMILIEN DE ROBESPIERRE
1758-1794

Je suis du peuple, je n'ai jamais été que cela, je ne veux être   7715
que cela; je méprise quiconque a la prétention d'être quelque
chose de plus.   *Aux Jacobins, 2 janvier 1792.*

La royauté est anéantie, la noblesse et le clergé ont disparu,   7716
le règne de l'égalité commence.
Lettre à ses commettants, nº 1, 30 sept. 1792.

Nous sommes les sans-culottes et la canaille.   7717
Aux Jacobins, 28 octobre 1792.

Observez ce penchant éternel à lier l'idée de sédition et de   7718
brigandage avec celle de peuple et de pauvreté.   *Ibid.*

Citoyens, vouliez-vous une révolution sans révolution?   7719
A l'Assemblée nationale, 5 novembre 1792.

Toute institution qui ne suppose pas que le peuple est bon,   7720
et le magistrat corruptible, est vicieuse.
Projet de déclaration des droits de l'homme (Jacobins),
21 avril 1793.

La révolution est la guerre de la liberté contre ses ennemis,   7721
la constitution est le régime de la liberté victorieuse et
paisible.   *A la Convention nationale, 25 décembre 1793.*

Quand le gouvernement viole les droits du peuple, l'insurrec-   7722
tion est pour le peuple le plus sacré et le plus indispensable
des devoirs.   *A la Convention nationale, 10 juillet 1794.*

Je suis fait pour combattre le crime, non pour le gouverner.   7723
Ibid., 26 juillet 1794.

Peuple, souviens-toi que si dans la République la justice   7724
ne règne pas avec un empire absolu, la liberté n'est qu'un vain
nom!   *Ibid.*

FRANÇOIS ANDRIEUX
1759-1833

7725   Hélas! est-ce une loi sur notre pauvre terre
Que toujours deux voisins auront entre eux la guerre?
Que la soif d'envahir et d'étendre ses droits
Tourmentera toujours les meuniers et les rois?
Contes en vers, Le meunier sans-souci.

7726   « Il vous faut » est fort bon; mon moulin est à moi,
Tout aussi bien au moins que la Prusse est au roi.
Ibid.

7727   Les rois malaisément souffrent qu'on leur résiste.
Ibid.

7728   Oui, si nous n'avions pas des juges à Berlin.
Ibid.

7729   Il mit l'Europe en feu. Ce sont là jeux de prince;
On respecte un moulin, on vole une province.
Ibid.

7730   De la gloire d'autrui ce qu'on pourrait ôter,
A la sienne jamais on ne peut l'ajouter.
Molière avec ses amis ou La soirée d'Auteuil.

7731   On ne devrait jamais se quitter quand on s'aime.
Le rêve du mari, acte I, scène 1.

GEORGES–JACQUES DANTON
1759-1794

7732   Le tocsin qu'on va sonner n'est point un signal d'alarme,
c'est la charge contre les ennemis de la patrie. Pour les vaincre,
il nous faut de l'audace, encore de l'audace, toujours de
l'audace, et la France est sauvée.
Convention nationale, 2 septembre 1792.

7733   Que la loi soit terrible et tout rentrera dans l'ordre.
Ibid., 22 septembre 1792.

7734   Que la pique du peuple brise le sceptre des rois.
Ibid., 4 octobre 1792.

7735   On n'emporte pas la patrie à la semelle de ses souliers.
Ibid., 30 mars 1794.

7736   Tu montreras ma tête au peuple, elle en vaut bien la peine.
Au bourreau.

JOSEPH FOUCHÉ
1759-1820

Beaucoup se sont trompés, il y a peu de coupables.   7737
Mémoires, Première partie, chap. 1.

En politique, l'atrocité aurait-elle aussi parfois son point de   7738
vue salutaire?   *Ibid.*

Comment se flatter de gouverner et de réformer l'État avec   7739
la licence de la presse!   *Ibid., chap. 5.*

Pourtant, il n'est que trop vrai, elles sont incurables les   7740
plaies de l'ambition.   *Ibid., Deuxième partie, chap. 1.*

Je crois résumer ma vie en déclarant que j'ai voulu vaincre   7741
pour la Révolution et que la Révolution a été vaincue dans
moi.   *Ibid., chap. 13.*

MARIE-JEAN HÉRAULT DE SÉCHELLES
1759-1794

Monsieur de Buffon me dit à ce sujet un mot bien frappant,   7742
un de ces mots capables de produire un homme tout entier :
« Le génie n'est plus qu'une grande aptitude à la patience. »
Visite à Buffon.

« Le style est l'homme même, me répétait-il [Buffon] souvent,   7743
les poètes n'ont pas de style parce qu'ils sont gênés par la
mesure du vers qui fait d'eux des esclaves; aussi quand on
vante devant moi un homme, je dis toujours : voyons ses
papiers. »   *Ibid.*

Un grand plan et un grand but laissent du bonheur dans   7744
l'âme, chaque jour qu'on se met à l'œuvre.   *Ibid.*

La plupart des hommes manquent de génie, parce qu'ils   7745
n'ont pas la force ni la patience de prendre les choses haut;
ils partent de trop bas, et cependant tout doit se trouver dans
les origines.   *Ibid.*

Il ne m'est ni utile, ni possible de trouver *le pourquoi* des   7746
phénomènes; ce qui m'importe, c'est de savoir qu'après
tel mouvement j'aurai tel autre : le cercle vicieux est donc
le meilleur de tous les raisonnements.
Codicille politique et pratique d'un jeune habitant d'Épône,
chap. 1, XI.

7747   On ne fait les grands progrès qu'à l'époque où l'on devient mélancolique, qu'à l'heure où, mécontent du monde réel, on est forcé de s'en faire un plus supportable.
Ibid., chap. 2, XVI.

7748   Le génie est plus libre dans un habit flottant.
Ibid., chap. 2, XXII.

7749   Tel tissu de la peau; tel tissu des opinions et du style.
Ibid., chap. 5, XXI.

7750   Où la femme domine seule, il n'y a point d'ordre moral; où l'homme règne seul, il n'y a point d'ordre physique.
Ibid., chap. 6, IX.

7751   Apprendre *par cœur*; ce mot me plaît. Il n'y a guère en effet que le cœur qui retienne bien, et qui retienne vite.
Réflexions sur la déclamation.

7752   Quel est le père de la gloire? Le génie. Quelle est la mère du génie? La solitude.   *Pensées et anecdotes.*

7753   Les sentiments produisent le courage actif, et la philosophie, le courage passif.   *Ibid.*

7754   Nous aurons le temps d'être humains lorsque nous serons vainqueurs.
Circulaire du Comité de Salut public (à Carrier), 29 septembre 1793.

ROBERT PONS DE VERDUN
1759-1844

7755   C'est elle... Dieux, que je suis aise!
Oui... c'est... la bonne édition;
Voilà bien, pages neuf et seize,
Les deux fautes d'impression
Qui ne sont pas dans la mauvaise.
Le Bibliomane.

7756   Pour trouver beaux des enfants qui sont laids,
Pour trouver bons des vers qui sont mauvais,
Il n'est rien tel que de les avoir faits.
L'Amour paternel.

7757   De m'avoir confessé ne te vante pas tant;
Tel se croit confesseur qui n'est que pénitent.
Le Finaud.

7758   Entre l'esprit et le génie,
Malgré ce qu'ils ont de pareil,
La différence est infinie :
Un éclair n'est pas le soleil.

Quatrain.

GRACCHUS BABEUF
1760-1797

Peuple! réveille-toi à l'Espérance.   7759
La Tribune du Peuple, n° 35, 30 novembre 1795.

Que ces mots : égalité, égaux, plébéianisme, soient les mots   7760
de ralliement de tous les amis du peuple.   *Ibid.*

La propriété est odieuse dans son principe et meurtrière   7761
dans ses effets.   *Ibid., n° 37, 21 décembre 1795.*

CHARLES-ALBERT DE MOUSTIER
1760-1801

L'esprit est d'en donner à ceux qui n'en ont pas.   7762
Le Conciliateur, acte II, scène 12.

CAMILLE DESMOULINS
1760-1794

La volonté d'une nation est la loi. C'est à elle seule qu'il   7763
sied de dire : *Car tel est notre plaisir.*
        La France libre, chap. 2.

C'est bien la moindre chose que ceux qui peuvent faire un   7764
Dieu puissent faire un enfant.   *Ibid., chap. 3.*

Montrons que nous sommes des hommes, et non pas des   7765
chiens ou des chevaux.   *Ibid., chap. 4.*

C'est un crime d'être roi.   7766
Convention nationale, décembre 1792.

Le véritable patriote ne connaît point les personnes, il ne   7767
connaît que les principes.   *Jacobins, 15 décembre 1792.*

La clémence est aussi une mesure révolutionnaire.   7768
Le Vieux Cordelier, n° 4, 20 décembre 1793.

Ayez la liberté de la presse à Moscou et demain Moscou   7769
sera une République.   *Ibid., n° 7.*

J'ai l'âge du sans-culotte Jésus; c'est-à-dire 33 ans, âge fatal   7770
aux révolutionnaires.   *1794.*

Brûler n'est pas répondre.   7771
Aux Jacobins, 7 janvier 1794.

JEAN-BAPTISTE LOUVET
1760-1797

7772   Un romancier ne doit-il pas être l'historien fidèle de son âge?
Peut-il peindre autre chose que ce qu'il a vu? O vous tous qui
criez si fort, changez vos mœurs, je changerai mes tableaux!
Les Amours du chevalier de Faublas, Préface de la
Fin des amours.

7773   [...] Il n'y a point de naturel sans négligences, principalement dans le dialogue.   *Ibid.*

7774   C'est, ce me semble, où le personnage va parler, que l'auteur
doit cesser d'écrire.   *Ibid.*

7775   [...] L'espérance entra dans mon cœur; il me parut très-
possible qu'en fait de tendresse, la philosophie radotât,
et que les romans seuls eussent raison.
Une année de la vie du chevalier de Faublas, tome I.

7776   Une femme est bien malheureuse [...] dès qu'elle aime
quelqu'un, son mari n'est plus qu'un sot.   *Ibid.*

7777   Un malheureux qui est à jeun, ne raisonne pas du tout comme
un malheureux qui vient de faire un bon repas.
Ibid., tome II.

7778   [...] Lorsqu'il le fallait, eh bien! ma Sophie, notre littérature
qui avait fait le mal, était là pour le réparer. J'allais demander
à d'autres écrivains le bienfaisant sommeil; et c'était de
mes contemporains, je dois le dire à leur gloire : oui
c'était de mes contemporains que j'obtenais ordinairement
les plus violents narcotiques.   *Ibid.*

7779   [...] Justine enfin me prodiguait les attentions fines et recherchées, les petits soins délicats, toutes ces caresses empressées
dont vous accable toujours une femme qui vous trompe ou
qui va vous tromper.   *Ibid.*

7780   Ce que vous appelez une conjecture, n'est jamais qu'une
incertitude, surtout quand il y va de l'honneur, je ne dis pas
d'un noble, mais d'un citoyen, d'un homme quel qu'il soit.
Ibid.

7781   Le meilleur médecin est celui qui, connaissant vos passions,
sait les flatter quand il ne peut les guérir.
Six semaines de la vie du chevalier de Faublas.

7782   Par un de ses décrets immuables et bienfaisants, la nature
a voulu que la crédulité naquît de l'infortune. Rarement
l'espérance abandonne un mortel malheureux, et plus ses
maux sont grands, plus aisément on lui persuade qu'ils
vont bientôt finir.   *Ibid.*

CLAUDE-JOSEPH ROUGET DE LISLE
1760-1836

Allons, enfants de la Patrie,   7783
Le jour de gloire est arrivé!
La Marseillaise.

Aux armes, citoyens! Formez vos bataillons :   7784
Marchez, qu'un sang impur abreuve nos sillons.
Ibid.

Amour sacré de la Patrie,   7785
Conduis, soutiens nos bras vengeurs.
Liberté, liberté chérie,   ·
Combats avec tes défenseurs!
Ibid.

Nous entrerons dans la carrière   7786
Quand nos aînés n'y seront plus.
Ibid. ·

Le jour, ils maudissaient les rois,   7787
Leurs entreprises sacrilèges;
Et la nuit, ils creusaient les pièges,
Tombeaux du PEUPLE et de ses droits!...
Hymne dithyrambique, sur la conjuration de Robespierre,
et la révolution du 9 thermidor.

O France! à tes destins DIEU lui-même a veillé! 7788
Ibid.

O Dieu! pour célébrer ta clémence immortelle,   7789
C'est encore trop peu que de l'éternité.
L'Homme reconnaissant à Dieu, hymne imité de l'anglais
d'Adisson.

CLAUDE-HENRI DE ROUVROY,
COMTE DE SAINT-SIMON
1760-1825

Une des expériences les plus importantes à faire sur l'homme,   7790
consiste à l'établir dans de nouvelles conditions sociales.
Lettre au Bureau des longitudes.

L'homme qui se livre à des recherches de haute philosophie,   7791
peut et doit même, pendant le cours de sa vie expérimentale,
faire beaucoup d'actions marquées au coin de la folie.
Ibid.

Le militaire avec le sabre, le diplomate avec ses ruses, le   7792
géomètre avec le compas, le chimiste avec les cornues, le
physiologiste avec le scalpel, le héros par ses actions, le

philosophe par ses combinaisons, s'efforcent de parvenir
au commandement, ils escaladent par différents côtés le
plateau au sommet duquel se trouve l'être fantastique qui
commande à toute la nature, et que chaque homme fortement organisé tend à remplacer.

Introduction aux travaux scientifiques du XIXᵉ siècle.

7793   Le xviiiᵉ siècle n'a fait que détruire; nous ne continuerons
point son ouvrage.   *L'Industrie.*

7794   La société tout entière repose sur l'industrie.   *Ibid.*

7795   Il y a des révolutions qui ne sont d'abord que particulières
et nationales; il y a des révolutions partielles et qui portent
seulement sur quelqu'une des institutions sociales. Ces révolutions successives concourent à déterminer plus tard une
révolution générale.   *Ibid.*

7796   Admettons que la France conserve tous les hommes de génie
qu'elle possède dans les sciences, dans les beaux-arts, et
dans les arts et métiers, mais qu'elle ait le malheur de perdre
le même jour Monsieur, frère du Roi, Monseigneur le duc
d'Angoulême, Monseigneur le duc de Berry, Monseigneur
le duc d'Orléans, Monseigneur le duc de Bourbon, Madame
la duchesse d'Angoulême, Madame la duchesse de Berry,
Madame la duchesse d'Orléans, Madame la duchesse de
Bourbon, et Mademoiselle de Condé.
Qu'elle perde en même temps tous les grands officiers de la
couronne, tous les ministres d'État (avec ou sans département), tous les conseillers d'État, tous les maîtres de requêtes,
tous ses maréchaux, tous ses cardinaux, archevêques, évêques, grands-vicaires et chanoines, tous les préfets et les
sous-préfets, tous les employés dans les ministères, tous les
juges, et, en sus de cela, les dix mille propriétaires les plus
riches parmi ceux qui vivent noblement.
Cet accident affligerait certainement les Français, parce
qu'ils sont bons, parce qu'ils ne sauraient voir avec indifférence la disparition subite d'un aussi grand nombre de leurs
compatriotes. Mais cette perte des trente mille individus,
réputés les plus importants de l'État, ne leur causerait de
chagrin que sous un rapport purement sentimental, car il
n'en résulterait aucun mal politique pour l'État.

L'Organisateur.

7797   La capacité industrielle ou des arts et métiers est ce qui
doit se substituer au pouvoir féodal ou militaire.   *Ibid.*

7798   La société ne vit point d'idées négatives, mais d'idées positives.   *Du Système industriel.*

7799   Les nations, de même que les individus, ne peuvent vivre
que de deux manières, savoir : *en volant ou en produisant.*
                                                      Ibid.

7800   La France est devenue une grande manufacture, et la Nation
française un grand atelier. Cette manufacture générale doit
être dirigée de la même manière que les fabriques particulières.   *Ibid.*

La lutte politique existante depuis le commencement de la 7801
révolution n'a point encore pris son véritable caractère, et
telle est la cause fondamentale de toutes les inquiétudes
qu'éprouvent les rois et les peuples. *Ibid.*

Les savants rendent des services très importants à la classe 7802
industrielle; mais ils reçoivent d'elle des services bien plus
importants encore; ils en reçoivent l'*existence.*
Catéchisme des industriels.

Il est une science bien plus importante pour la société que 7803
les connaissances physiques ou mathématiques : c'est la
science qui constitue la société, c'est celle qui lui sert de
base, c'est la morale. *Le nouveau christianisme.*

Le licenciement de l'armée est donc la première mesure à 7804
prendre pour contenter le peuple, pour le rendre heureux
et pour ne pas se trouver exposé aux effets de son mécontentement.
La classe des prolétaires.

L'histoire est, dit-on, le bréviaire des rois; à la manière dont 7805
les rois gouvernent, on voit bien que leur bréviaire ne vaut
rien [...] *Mémoire sur la science de l'homme.*

L'Europe aurait la meilleure organisation possible si toutes 7806
les nations qu'elle renferme [...] reconnaissaient la suprématie
d'un parlement général placé au-dessus de tous les
gouvernements nationaux et investi du pouvoir de juger leurs
différends. *Réorganisation de la société européenne.*

ANTOINE BARNAVE
1761-1793

La Constitution, voilà notre guide; l'Assemblée nationale, 7807
voilà notre point de ralliement. *Aux Jacobins, 21 juin 1791.*

ANDRÉ CHÉNIER
1762-1794

Trop de désirs naissent de trop de force. 7808
Le Jeu de Paume, XV.

L'obstacle nous fait grands [...] 7809
Ibid.

O peuple souverain! A votre oreille admis, 7810
Cent orateurs bourreaux se nomment vos amis.
Ibid., XVII.

Les destins n'ont jamais de faveurs qui soient pures. 7811
Bucoliques, Idylles, L'Aveugle.

7812   Qu'aimable est la vertu que la grâce environne!

Ibid.

7813   Car jusques à la mort nous espérons toujours.

Ibid.

7814   Et les riches, grossiers, avares, insolents,
      N'ont pas une âme ouverte à sentir les talents.

Ibid.

7815   Souviens-toi, jeune enfant, que le ciel quelquefois
      Venge les opprimés sur la tête des rois.

Ibid., III, le mendiant.

7816   Crains de laisser périr l'étranger en détresse :
      L'étranger qui supplie est envoyé des dieux.

Ibid.

7817   La faim qui flétrit l'âme autant que le visage [...]

Ibid.

7818   Le ciel d'un jour à l'autre est humide ou serein,
      Et tel pleure aujourd'hui qui sourira demain.

Ibid.

7819   Et ceux-là sont heureux et sont dignes d'envie
      Qui pleurent seulement la moitié de leur vie.

Ibid., IV, l'esclave.

7820   Qui prévient le moment l'empêche d'arriver.

Ibid., Damalis, A.

7821   Pleurez, doux alcyons! ô vous, oiseaux sacrés,
      Oiseaux chers à Thétis, doux alcyons, pleurez!
      Elle a vécu, Myrto, la jeune Tarentine!
      Un vaisseau la portait aux bords de Camarine.

Ibid., XIII, la Jeune Tarentine.

7822   Elle est au sein des flots, la jeune Tarentine!
      Son beau corps a roulé sous la vague marine.

Ibid.

7823   Peut-être errant au loin, sous de nouveaux climats,
      Je vais chercher la mort, qui ne me cherchait pas.

Élégies, VI.

7824   Aujourd'hui qu'au tombeau je suis prêt à descendre,
      Mes amis, dans vos mains je dépose ma cendre.

Ibid.,VII.

7825   Eh! qui peut sans horreur, à ses heures dernières,
      Se voir au loin périr dans des mémoires chères?
      L'espoir que des amis pleureront notre sort
      Charme l'instant suprême et console la mort.

Ibid.

Je meurs. Avant le soir j'ai fini ma journée.   7826
A peine ouverte au jour, ma rose s'est fanée.
La vie eut bien pour moi de volages douceurs;
Je les goûtais à peine, et voilà que je meurs.
                                        Ibid.

De ses pensers errants vive et rapide image,   7827
Chaque chanson nouvelle a son nouveau langage,
Et des rêves nouveaux un nouveau sentiment :
Tous sont divers et tous furent vrais un moment.
                            Ibid., IX, à la Seine.

L'Amour aime les champs, et les champs l'ont vu naître.   7828
                Ibid., X, au chevalier de Pange.

Les muses et l'amour ont les mêmes retraites.   7829
L'astre qui fait aimer est l'astre des poètes.
                                        Ibid.

Là, je veux, ignorant le monde et ses travaux,   7830
Loin du superbe ennui que l'éclat environne,
Vivre comme jadis, aux champs de Babylone [...]
                                   Ibid., XIV.

[...] Errer, un livre en main, de bocage en bocage; 7831
Savourer sans remords, sans crainte, sans désirs,
Une paix dont nul bien n'égale les plaisirs.
                                        Ibid.

    [...] Penses-tu qu'il ait perdu ses jours   7832
Celui qui, se livrant à ses chères amours,
Recueilli dans sa joie, eut pour toute science
De jouir en secret, fut heureux en silence?
                                 Ibid., XVIII.

L'art, des transports de l'âme est un faible interprète :   7833
L'art ne fait que des vers; le cœur seul est poète.
                                  Ibid., XXI.

    [...] Ah! qu'un cœur est à plaindre   7834
De s'être à son amour longtemps accoutumé,
Quand il faut n'aimer plus ce qu'on a tant aimé!
                                 Ibid., XXII.

Hâtons-nous, l'heure fuit. Hâtons-nous de saisir   7835
L'instant, le seul instant donné pour le plaisir.
                                  Ibid., XXV.

Cependant jouissons; l'âge nous y convie.   7836
Avant de la quitter, il faut user la vie.
Le moment d'être sage est voisin du tombeau.
                                        Ibid.

Ah! que ceux qui, plaignant l'amoureuse souffrance, 7837
N'ont connu qu'une oisive et morne indifférence,
En bonheur, en plaisir pensent m'avoir vaincu :
Ils n'ont fait qu'exister, l'amant seul a vécu.
                                        Ibid.

7838   Souffre un moment encor; tout n'est que changement;
        L'axe tourne, mon cœur; souffre encore un moment.
                                            Ibid., XXVII.

7839   Ainsi, que mes écrits, enfants de ma jeunesse,
        Soient un code d'amour, de plaisir, de tendresse.
                                            Ibid., XXXII.

7840   L'Amour seul dans mon âme a créé le génie;
        L'Amour est seul arbitre et seul dieu de ma vie.
                                    Ibid., XXXIV, à Le Brun.

7841   Car c'est là qu'une Grecque en son jeune printemps,
        Belle, au lit d'un époux nourrisson de la France,
        Me fit naître Français dans le sein de Byzance.
                                Fragments d'élégies, XLI.

7842   [...] De mes écrits en foule
        Je prépare longtemps et la forme et le moule;
        Puis, sur tous à la fois je fais couler l'airain :
        Rien n'est fait aujourd'hui, tout sera fait demain.
                                            Épîtres, III.

7843   Le critique imprudent, qui se croit bien habile,
        Donnera sur ma joue un soufflet à Virgile.
                                            Ibid.

7844   Trahir la vérité pour avoir le repos,
        Et feindre d'être un sot pour vivre avec les sots.
                            Ibid., IV, Au chevalier de Pange.

7845   Un langage sonore, aux douceurs souveraines,
        Le plus beau qui soit né sur des lèvres humaines!
                                    Poèmes, I, l'Invention.

7846   Changeons en notre miel leurs plus antiques fleurs;
        Pour peindre notre idée empruntons leurs couleurs;
        Allumons nos flambeaux à leurs feux poétiques;
        Sur des pensers nouveaux faisons des vers antiques.
                                            Ibid.

7847   Travaille. Un grand exemple est un puissant témoin.
        Montre ce qu'on peut faire en le faisant toi-même.
                                            Ibid.

7848   Mais la vérité seule est une, est éternelle.
        Le mensonge varie; et l'homme, trop fidèle,
        Change avec lui : pour lui les humains sont constants [...]
                            Ibid., Fragment XVIII, Épilogue.

7849   Votre bouche dit non; votre voix et vos yeux
        Disent un mot plus doux, et le disent bien mieux.
                        Ibid., V, L'art d'aimer, Fragment VI.

7850   Nul n'est juge des arts que l'artiste lui-même.
        L'étranger n'entre point dans leurs secrets jaloux.
                            Ibid., La poésie, Fragment III.

L'heure s'écoule, ami; tout fuit, la mort s'avance : 7851
Les grands ni les petits n'échappent à ses lois;
Jouis, et te souviens qu'on ne vit qu'une fois.
Poésies diverses, IX, Le rat de ville et le rat des champs,
(traduit d'Horace).

Il regagne à grands pas son asile et l'étude : 7852
Il y trouve la paix, la douce solitude,
Ses livres, et sa plume au bec noir et malin,
Et la sage folie, et le rire à l'œil fin.
Ibid., XVII, Le poète.

Ramper est des humains l'ambition commune. 7853
[...]
Voir fatigue leurs yeux; juger les importune [...]
Odes, X.

Teint du sang des vaincus, tout glaive est innocent. 7854
Ibid.

[...] Tout puissant qu'est le crime, 7855
Qui renonce à la vie est plus puissant que lui.
Ibid., XI, à Charlotte Corday.

L'épi naissant mûrit de la faux respecté. 7856
Sans crainte du pressoir, le pampre tout l'été
        Boit les doux présents de l'aurore.
Et moi, comme lui belle, et jeune comme lui,
[...]
        Je ne veux point mourir encore.
Ibid., XV, La jeune captive.

Qu'un stoïque aux yeux secs vole embrasser la mort, 7857
        Moi je pleure et j'espère.
Ibid.

S'il est des jours amers, il en est de si doux! 7858
Hélas! quel miel jamais n'a laissé de dégoûts?
        Quelle mer n'a point de tempête?
Ibid.

Ma bienvenue au jour me rit dans tous les yeux. 7859
Ibid.

Au banquet de la vie à peine commencé, 7860
Un instant seulement mes lèvres ont pressé
        La coupe en mes mains encor pleine.
Ibid.

Je n'ai vu luire encor que les feux du matin, 7861
        Je veux achever ma journée.
Ibid.

O mort! Tu peux attendre; éloigne, éloigne-toi, 7862
Va consoler les cœurs que la honte, l'effroi,
        Le pâle désespoir dévore.
Ibid.

7863   L'infâme, après tout, mange et dort.
                                        Iambes, VII.

7864   Mais tout est précipice. Ils ont eu droit de vivre.
         Vivez, amis; vivez contents.
                                        Ibid., VIII.

7865   Comme un dernier rayon, comme un dernier zéphire
                     Animent la fin d'un beau jour,
         Au pied de l'échafaud, j'essaye encor ma lyre.
                                        Ibid., IX.

7866   Le messager de mort, noir recruteur des ombres [...]
                                        Ibid.

7867   Mourir sans vider mon carquois!
         Sans percer, sans fouler, sans pétrir dans leur fange
                  Ces bourreaux barbouilleurs de lois!
                                        Ibid.

7868   Souffre, ô cœur gros de haine, affamé de justice.
                  Toi, vertu, pleure si je meurs.
                                        Ibid.

7869   Pourtant j'avais quelque chose là.
         Dernières paroles d'André Chénier, au pied de l'échafaud, le
                                        25 juillet 1794.

THÉODORE DESORGUES
1763-1808

7870   Dissipe nos erreurs, rends-nous bons, rends-nous justes,
         Règne, règne, au-delà du tout illimité;
         Enchaîne la nature à tes décrets augustes,
                  Laisse à l'homme la liberté.
                                        Hymne à l'Être suprême.

XAVIER DE MAISTRE
1763-1852

7871   Dans l'immense famille des hommes qui fourmillent sur la
         surface de la terre, il n'en est pas un seul; — non, pas un
         seul (j'entends de ceux qui habitent des chambres) qui
         puisse, après avoir lu ce livre, refuser son approbation à la
         nouvelle manière de voyager que j'introduis dans le monde.
                                 Voyage autour de ma chambre, chap. 1.

7872   Un lit nous voit naître et nous voit mourir; c'est le théâtre
         variable où le genre humain joue tour à tour des drames
         intéressants, des farces risibles et des tragédies épouvantables.
         — C'est un berceau garni de fleurs; — c'est le trône de
         l'Amour; — c'est un sépulcre.   *Ibid., chap. 5.*

Le grand art d'un homme de génie est de savoir bien élever   7873
sa bête, afin qu'elle puisse aller seule, tandis que l'âme,
délivrée de cette pénible accointance, peut s'élever jusqu'au
ciel.   *Ibid., chap. 6.*

La mort d'un homme sensible qui expire au milieu de ses   7874
amis désolés, et celle d'un papillon que l'air froid du matin
fait périr dans le calice d'une fleur, sont deux époques
semblables dans le cours de la nature; l'homme n'est rien
qu'un fantôme, une ombre, une vapeur qui se dissipe dans
les airs.   *Ibid., chap. 21.*

En vain les glaces se multiplient autour de nous, et réfléchissent   7875
avec une exactitude géométrique la lumière et la vérité;
au moment où les rayons vont pénétrer dans notre œil,
et nous peindre tels que nous sommes, l'amour-propre
glisse son prisme trompeur entre nous et notre image, et
nous présente une divinité.   *Ibid. chap. 27.*

Malheur à celui qui ne peut être seul un jour de sa vie sans   7876
éprouver le tourment de l'ennui, et qui préfère, s'il le faut,
converser avec des sots plutôt qu'avec lui-même!
          Expédition nocturne autour de ma chambre, chap. 1.

Si le firmament était toujours voilé pour nous, si le spectacle   7877
qu'il nous offre dépendait d'un entrepreneur, les premières
loges sur les toits seraient hors de prix, et les dames de Turin
s'arracheraient ma lucarne.   *Ibid., chap. 14.*

Les souvenirs du bonheur passé sont les rides de l'âme!   7878
                                            Ibid., chap. 37.

A force d'être malheureux on finit par devenir ridicule.   *Ibid.*   7879

PIERRE ROYER-COLLARD
1763-1845

C'est Descartes qui, en concentrant toute certitude dans le   7880
fait intérieur de la conscience, a mis la philosophie dans la
nécessité de démontrer l'existence du monde matériel; il
a tenté le premier de franchir l'abîme qu'il avait ouvert
entre le dedans et le dehors.
*Fragments de leçons, publiés par Th. Jouffroy dans les Œuvres
complètes de Thomas Reid (T. III), Fragments historiques, IV.*

La philosophie de l'esprit humain est une science de faits;   7881
les leçons, les livres peuvent diriger votre attention, vous aider
à classer et à retenir ceux que vous observez; mais ils ne
tiennent pas lieu de l'observation.
                        Ibid., Fragments théoriques, I.

La limite du possible et de l'impossible n'est point placée   7882
dans l'enceinte de mes facultés.
          Ibid., t. IV, Fragments théoriques, X, 2.

7883   Il n'y a point de génération de l'activité; loin de là, l'acti-
        vité, ou ce qui est la même chose, la volonté est le seul prin-
        cipe générateur qui se rencontre dans la nature humaine.
                                                            Ibid.

7884   D'où vient que la même heure paraît à la fois si longue et si
        courte à deux êtres à qui la nature l'a délivrée comme une
        quantité absolue?   *Ibid., X, 4.*

7885   C'est donc un fait que la morale publique et privée, que l'ordre
        des sociétés et le bonheur des individus sont engagés dans le
        débat de la vraie et de la fausse philosophie sur la réalité
        de la connaissance.   *Ibid.*

7886   Je suis dans un âge où l'on ne lit plus, mais où l'on relit
        les anciens ouvrages.
                        Rapporté par Vigny, « Journal d'un Poète ».

7887   Je conviens que la démocratie coule à pleins bords dans la
        France, telle que les siècles et les événements l'ont faite.
                        Discours à la Chambre des Députés, 1822.

MARIE-JOSEPH CHÉNIER
1764-1811

7888   Quelques gens semblent croire aux poèmes en prose :
        Ils ont tort, et le mot ne change point la chose.
        A quoi bon, mes amis, défigurer vos pas?
        Vous marchez mal, d'accord; mais vous ne dansez pas.
                                Essai sur les principes des arts.

7889   Je réclame leur haine, et non pas leurs suffrages;
        Je leur demande encor d'honorables outrages.
                                        Essai sur la satire.

7890   Ils dînent du mensonge, et soupent du scandale.
                                Discours en vers, Sur la Calomnie.

7891   Mentir est le talent de ceux qui n'en ont pas;
        Nuire est la liberté qui convient aux esclaves.
                                                        Ibid.

7892   De la vérité seule espérant quelque appui,
        Les yeux sur l'avenir, écrivez devant lui.
                        Ibid., Sur les entraves données à la littérature.

7893   Tout cherche son bien-être, et chacun vit pour soi :
        Des êtres animés c'est l'immuable loi;
        Dans les airs, sous les eaux, ainsi que sur la terre,
        L'intérêt fait l'amour, l'intérêt fait la guerre.
                                Ibid., Sur l'intérêt personnel.

Sur aucun monument leur nom n'est établi; 7894
Comme on brigue l'éclat, ils ont brigué l'oubli;
Et, par un vol sublime échappant à l'histoire,
Les plus hautes vertus sont des vertus sans gloire.

Ibid.

Eh! qui ne connaît point la gravité des sots? 7895

Épîtres, à Voltaire, 1806.

Aux accents prolongés de l'airain monotone, 7896
S'éveillant en sursaut, la pesante Sorbonne
Redemande ses bancs, à l'ennui consacrés,
Et les arguments faux de ses docteurs fourrés.

Ibid.

Trois mille ans ont passé sur la cendre d'Homère; 7897
Et depuis trois mille ans Homère respecté
Est jeune encor de gloire et d'immortalité.

Ibid.

[...] Femmes de Paris 7898
Savent tromper, mais servir leurs maris.

La lettre de cachet, conte.

[...] Narguant seul la publique inconstance, 7899
Depuis neuf ans, grâce à ma conscience,
Je suis toujours dans la majorité.

Épigrammes, VII, Sur un député gascon.

La victoire en chantant nous ouvre la carrière. 7900
La liberté guide nos pas.

Le Chant du départ.

La République nous appelle; 7901
Sachons vaincre, ou sachons périr :
Un Français doit vivre pour elle;
Pour elle un Français doit mourir.

Ibid.

Qui meurt pour le peuple a vécu. 7902

Ibid.

Première déité, des lois source immortelle, 7903
Toi, qu'on adorait même avant la liberté,
Toi, mère des vertus, véritable Cybèle,
Touchante et sainte Humanité!

Hymne du 9 thermidor.

Un cœur qui sait haïr est toujours criminel. 7904

Ibid.

Un Corse a des Français dévoré l'héritage! 7905

La Promenade, élégie.

Aujourd'hui dans un homme un peuple est tout entier! 7906
Tel est le fruit amer des discordes civiles.

Ibid.

7907   Les Français de leurs droits ne sont-ils plus jaloux?
         [...]
         Vains cris! plus de sénat; la république expire;
         Sous un nouveau Cromwell naît un nouvel empire.
                                                              Ibid.

GABRIEL LEGOUVÉ
1764-1812

7908   [...] Et si la voix du sang n'est pas une chimère,
         Tombe aux pieds de ce sexe à qui tu dois ta mère.
                                              Le Mérite des femmes.

7909   Je noircis mes pinceaux du deuil de l'univers.
                                                    La Mélancolie.

7910   Un frère est un ami donné par la nature.
                                                  La Mort d'Abel.

DUC DE LÉVIS
1764-1830

7911   Toutes les heures sont comptées par la frivolité : les raisonne-
         ments lui font peur. On aime mieux croire sans preuves ou
         douter sans raison, que de ne pas expédier promptement
         ces sortes d'affaires : aussi entre-t-il dans la précipitation
         que l'on met à juger, autant de paresse que de présomption.
                           Maximes, préceptes et réflexions, Avant-propos.

7912   La crainte gouverne le monde, et l'espérance le console.
                                                       Ibid., V.

7913   La plupart des peines n'arrivent si vite que parce que nous
         faisons la moitié du chemin.   *Ibid., VI.*

7914   Le temps use l'erreur et polit la vérité.   *Ibid., X.*

7915   S'il est plus satisfaisant pour l'amour-propre de convaincre,
         il est plus sûr pour l'intérêt de persuader. *Ibid., XV.*

7916   Il est encore plus facile de juger de l'esprit d'un homme par
         ses questions que par ses réponses.   *Ibid., XVIII.*

7917   Le passé est soldé, le présent vous échappe, soyez à l'avenir.
                                                     Ibid., XXII.

7918   L'oisiveté est la rouille de l'âme.   *Ibid., XXV.*

7919   L'ennui est une maladie dont le travail est le remède; le
         plaisir n'est qu'un palliatif.   *Ibid., XXVII.*

Le génie crée, l'esprit arrange. *Ibid., XXXIII.* 7920

Tout est relatif, excepté l'infini. *Ibid., XXXVII.* 7921

L'imagination peint, l'esprit compare, le goût choisit, le 7922
talent exécute. *Ibid., XLVI.*

De tous les sentiments, le plus difficile à feindre c'est la 7923
fierté. Il n'est pas au pouvoir des âmes vulgaires de l'imiter :
dans l'infortune, elle soutient le courage et donne de la
dignité; dans la prospérité, elle rend affable et contraste
avec l'insolence de la bassesse parvenue. *Ibid., LVIII.*

Quelque idée que l'on ait de la crédulité du peuple et de la 7924
bassesse des courtisans, on est toujours au-dessous de la
vérité. *Ibid., LIX.*

Les jouissances les plus douces sont celles qui n'épuisent 7925
pas l'espérance. *Ibid., LXX.*

Si vous étiez grand, vous ne monteriez pas sur des échasses. 7926
Ibid., LXXVII.

La vertu est le triomphe de la générosité sur l'intérêt. 7927
Ibid., LXXXIX.

Le courage est compatissant, la faiblesse égoïste. Ainsi ne 7928
comptez pas sur l'assistance de celui à qui la plainte est
familière : dans l'occasion, il pourra vous plaindre; mais il
est douteux qu'il veuille vous secourir. *Ibid., XCVIII.*

Les préjugés sont comme ces plantes qui perdent leur force 7929
sous un ciel étranger. *Ibid., CV.*

Rarement ce que l'on n'entend pas sans peine vaut-il la 7930
peine d'être entendu. *Ibid., CXI.*

La force de l'expression est en raison de l'énergie de la pensée, 7931
comme la force d'un jet d'eau indique la hauteur du réservoir.
Ibid., CXIII.

Celui qui n'est jamais content ne contente jamais. 7932
Ibid., CXXIX.

L'homme s'ennuie du bien, cherche le mieux, trouve le mal, 7933
et s'y soumet crainte de pire. *Ibid., CXL.*

Ce qu'il y a de plus difficile dans la vie, c'est de savoir jusqu'à 7934
quel point il faut chercher à vaincre la fortune avant que de
se résigner à son sort. Céder trop tôt, c'est lâcheté; trop tard,
c'est folie. *Ibid., CXLII.*

La crainte et l'espérance se partagent la vie; le plaisir et la 7935
douleur n'occupent que des moments. *Réflexions.*

Tel court au danger qui n'oserait l'attendre. *Ibid.* 7936

7937   Ce qui rend les faiblesses des femmes inexcusables, c'est le peu de mérite des hommes à bonnes fortunes.

Ibid., Sur les femmes.

7938   Les femmes sont comme les princes; souvent elles cèdent à l'importunité ce que la faveur n'aurait point obtenu.

Ibid.

7939   On dit beaucoup que les femmes sont volages en amour, mais on ne dit pas assez combien elles ont de constance en amitié.

Ibid.

7940   Il est assez facile de trouver une maîtresse, et bien aisé de conserver un ami; ce qui est difficile, c'est de trouver un ami et de conserver une maîtresse.   *Ibid., Sur l'amour et l'amitié.*

7941   Oter l'espoir au vice, c'est donner des armes à la vertu.

Ibid.

7942   L'on peut aimer plus d'une fois, mais non pas la même personne.

Ibid.

7943   Noblesse oblige.   *Ibid., Sur la noblesse.*

7944   Les obligations que la noblesse impose sont l'honneur et la générosité : en France, on y ajoute la politesse.   *Ibid.*

7945   Les titres et les décorations ont cela de commun avec le papier-monnaie, que l'opinion les soutient, et que les prodiguer c'est les avilir.

Ibid.

7946   La plus commune des inconséquences est de ne pas vouloir les moyens de ce que l'on veut.   *Pensées détachées, 5.*

7947   Combien de désirs sont décorés du nom de volontés.

Ibid., 6.

7948   L'habitude de la sagesse dispense presque toujours de la vertu.   *Ibid., 56.*

7949   Rien n'assure mieux le repos du cœur que le travail de l'esprit.   *Ibid., 57.*

7950   Il est rare que l'on ne fasse pas un bon marché en achetant des espérances par des privations.   *Ibid., 179.*

7951   Une des erreurs les plus communes est de prendre le résultat d'un événement pour sa conséquence nécessaire.

Ibid., 211.

7952   Les hommes donnent l'impulsion aux affaires, et les affaires entraînent les hommes.   *Maximes politiques, I.*

7953   Les grands États peuvent supporter de grands abus; ce sont les grandes fautes qui les font périr.   *Ibid., II.*

Les grands travailleurs ne valent rien pour les grandes places ;   7954
mais ils sont bons pour les emplois subalternes.
Ibid., XXII.

Gouverner, c'est choisir.   *Ibid., XXIV.*   7955

Réprimez, vous aurez moins à punir.   *Ibid., XXIX.*   7956

Les grands États peuvent se passer d'alliances, et les petits   7957
États ne doivent pas y compter.   *Ibid., XXXIV.*

Quand les révolutionnaires arrivent, [...] ce ne sont plus   7958
ceux qui administrent, c'est le législateur qu'il faut accuser.
Ibid., XXXIX.

Quand une conjuration échoue par l'effet du hasard, il est   7959
plus urgent de changer la police que de punir les conspira-
teurs.   *Ibid., XL.*

[...] Le gouvernement populaire n'est autre chose que l'assem-   7960
blage de plusieurs rois absolus : donc la monarchie absolue
vaut encore mieux que le règne de la populace.
Ibid., XLVIII.

Le prince habile dans l'art de gouverner les hommes se sert   7961
de leurs défauts pour réprimer leurs vices.   *Ibid., LVI.*

ALEXANDRE DE TILLY
1764-1816

J'écris pour moi et pour le petit nombre de lecteurs qui   7962
pensent qu'il y a presque toujours dans un livre médiocre
de quoi en faire un bon.   *Mémoires, chap. 1.*

Le système moral est comme l'organisation physique :   7963
il a des maladies dont il peut guérir.   *Ibid., chap. 5.*

La nature ne donne pas tout : l'or de ses faveurs a toujours   7964
un peu d'alliage.   *Ibid., chap. 15.*

Ce qu'on veut faire avec le cœur ne vaut pas ce qu'on devrait   7965
faire avec le talent.   *Ibid., chap. 16.*

[...] Un décret du ciel portant défense à l'humanité de boire   7966
le nectar dans une coupe qui ne contient pas la moitié d'absinthe.   *Ibid., chap. 23.*

JOSEPH BERCHOUX
1765-1839

7967   Domitien un jour se présente au sénat :
             [...]
             « Il s'agit d'un turbot : daignez délibérer
             Sur la sauce qu'on doit lui faire préparer... »
             Le sénat mit aux voix cette affaire importante,
             Et le turbot fut mis à la sauce piquante.
                                          La Gastronomie, chant I.

7968   Hélas! nous n'avons plus l'estomac de nos pères.
                                          Ibid., chant II.

7969   Un poème jamais ne valut un dîner.
                                          Ibid., chant IV.

7970   Le Ciel sourit toujours au parti du vainqueur;
             Pour moi, comme Caton, je souris au malheur.
                                          La Danse, chant VI.

7971   Mais les républicains, nés bons et vertueux,
             N'en sont pas moins sujets à s'égorger entre eux.
                         L'Art politique, chant I, l'origine des pouvoirs.

7972   Détruisez : c'est ainsi que tout fait des progrès.
                                  Ibid., chant II, la monarchie.

7973   Mille écoles déjà nous peuvent témoigner
             Que ce qu'on ne sait pas, on le peut enseigner.
                                          Ibid.

7974   Placez la liberté près des maisons d'arrêt.
             Par cet heureux contraste elle aura plus d'attrait.
                                  Ibid., chant III, la république.

7975   Il sied bien d'être obscur aux hommes éclairés!
                                  Ibid., chant IV, le pouvoir absolu.

7976   Le style d'un tyran est toujours assez bon.
                                          Ibid.

7977   Qui me délivrera des Grecs et des Romains?
                                          Élégie.

7978   Au nombre des fléaux qui désolent la vie,
             Je mets les lieux communs de notre poésie.
                         Les lieux communs en poésie, épître à Iris.

JOSEPH LE BAS
1765-1794

Nous voilà lancés, les chemins sont rompus derrière nous, 7979
il faut aller de l'avant, bon gré, mal gré, et c'est à présent
surtout qu'on peut dire : vivre libre ou mourir.
20 janvier 1793.

ANTOINE-VINCENT ARNAULT
1766-1834

Je vais où le vent me mène, 7980
Sans me plaindre ou m'effrayer;
Je vais où va toute chose,
Où va la feuille de rose
Et la feuille de laurier.
La Feuille.

Enfin, chez soi comme en prison, 7981
Vieillir, de jour en jour plus triste;
C'est l'histoire de l'égoïste,
Et celle du colimaçon.
Le Colimaçon.

JEAN CHARLES DE LACRETELLE
1766-1855

Cédez-moi vos vingt ans, si vous n'en faites rien! 7982
Discours en vers sur les faux chagrins.

EMMANUEL DE LAS CASES
1766-1842

A présent, je me suis fait connaître; le lecteur a mes lettres 7983
de créance en ses mains...
Le Mémorial de Sainte-Hélène, Préambule.

Les bases posées par lui [Napoléon] ont été sûres et solides, 7984
tant les jalons ont été bien placés, tant les racines ont été
profondes, tant enfin tout cet ensemble porte le caractère du
génie et la rectitude de la durée! *Ibid., chap. 9.*

Au bruit de la mort de Napoléon, on doit le dire, ce ne fut 7985
partout qu'un seul cri, un même sentiment, dans les rues,
dans les boutiques, sur les places publiques; les salons mêmes

témoignèrent quelque chose, les cabinets seuls se montrèrent insensibles. Que dis-je, insensibles!... Mais après tout, c'était naturel : ils respiraient enfin à leur aise!...   *Ibid., chap. 14.*

MADAME DE STAËL
1766-1817

7986   Le spectacle de la mer fait toujours une impression profonde; elle est l'image de cet infini qui attire sans cesse la pensée, et dans lequel sans cesse elle va se perdre.
Corinne ou l'Italie, Livre I, chap. 1.

7987   Si les vaisseaux sillonnent un moment les ondes, la vague vient effacer aussitôt cette légère marque de servitude, et la mer reparaît telle qu'elle fut au premier jour de la création.
Ibid., chap. 4.

7988   Dans le vaste caravansérail de Rome, tout est étranger, même les Romains, qui semblent habiter là, non comme des possesseurs, *mais comme des pèlerins qui se reposent auprès des ruines.*   *Ibid., Livre I, chap. 5.*

7989   Dans le Midi, l'on se sert si naturellement des expressions poétiques, qu'on dirait qu'elles se puisent dans l'air et sont inspirées par le soleil.   *Ibid., Livre II, chap. 1.*

7990   On a souvent dans le cœur je ne sais quelle image innée de ce qu'on aime, qui pourrait persuader qu'on reconnaît l'objet que l'on voit pour la première fois.
Ibid., Livre II, chap. 4.

7991   Les païens ont divinisé la vie, et les chrétiens ont divinisé la mort.   *Ibid., Livre IV, chap. 2.*

7992   Pourquoi demander au rossignol ce que signifie son chant? il ne peut expliquer qu'en recommençant à chanter, on ne peut le comprendre qu'en se laissant aller à l'impression qu'il produit.   *Ibid., Livre VII, chap. 1.*

7993   Il y a quelque chose de triste au fond de la plaisanterie fondée sur la connaissance des hommes : la gaieté vraiment inoffensive est celle qui appartient seulement à l'imagination.
Ibid., Livre VII, chap. 2.

7994   Tout aimable qu'est Corinne, je pense comme Thomas Walpole : *que fait-on de cela à la maison*?
Ibid., Livre VIII, chap. 1.

7995   On pourrait dire que [l'Italien] c'est une langue qui va d'elle-même, exprime sans qu'on s'en mêle, et paraît presque toujours avoir plus d'esprit que celui qui la parle.
Ibid., Livre IX, chap. 1.

7996   On dirait que l'âme des justes donne, comme les fleurs, plus de parfums vers le soir.   *Ibid., Livre XII, chap. 2.*

Le malheur du cœur étant inépuisable, plus on a d'idées, mieux on le sent. *Ibid., Livre XV, chap. 6.* 7997

Sans doute, il faut, pour bien écrire, une émotion vraie, mais il ne faut pas qu'elle soit déchirante. Le bonheur est nécessaire à tout, et la poésie la plus mélancolique doit être inspirée par une sorte de verve qui suppose de la force et des jouissances intellectuelles. *Ibid., Livre XVIII, chap. 4.* 7998

Si les Allemands pouvaient encore être asservis, leur infortune déchirerait le cœur; mais on serait toujours tenté de leur dire, comme Mademoiselle de Mancini à Louis XIV, *Vous êtes roi, Sire, et vous pleurez*, vous êtes une nation, et vous pleurez! *De l'Allemagne, Préface.* 7999

Les Allemands ont le tort de mettre souvent dans la conversation ce qui ne convient qu'aux livres; les Français ont quelquefois aussi celui de mettre dans les livres ce qui ne convient qu'à la conversation. *Ibid., Observations générales.* 8000

Le mal que peuvent faire les mauvais livres n'est corrigé que par les bons; les inconvénients des lumières ne sont évités que par un plus haut degré de lumières. *Ibid., chap. 6.* 8001

Les fêtes conduisent naturellement à réfléchir sur les tombeaux; de tout temps la poésie s'est plu à rapprocher ces images, et le sort aussi est un terrible poète qui ne les a que trop souvent réunies. *Ibid., chap. 7.* 8002

La monotonie, dans la retraite, tranquillise l'âme; la monotonie, dans le grand monde, fatigue l'esprit. *Ibid., chap. 8.* 8003

Dans le Midi il n'y a point de société : le soleil, l'amour et les beaux-arts remplissent la vie. *Ibid., chap. 9.* 8004

Un Français sait encore parler, lors même qu'il n'a point d'idées; un Allemand en a toujours dans sa tête un peu plus qu'il n'en saurait exprimer. *Ibid., chap. 10.* 8005

Le désir de plaire rend dépendant de l'opinion, le besoin d'être aimé en affranchit. *Ibid., chap. 11.* 8006

On a fait la révolution de France en 1789 en envoyant un courrier qui, d'un village à l'autre, criait : *Armez-vous, car le village voisin s'est armé*, et tout le monde se trouva levé contre tout le monde, ou plutôt contre personne. *Ibid.* 8007

Le mérite des Allemands c'est de bien remplir le temps; le talent des Français, c'est de le faire oublier. *Ibid., chap. 12.* 8008

En France, on étudie les hommes; en Allemagne, les livres. *Ibid., chap. 13.* 8009

XIXᵉ SIECLE

8010   Il [Gœthe] dispose du monde poétique comme un conqué-
        rant du monde réel, et se croit assez fort pour introduire
        comme la nature le génie destructeur dans ses propres
        ouvrages.   *Ibid., Deuxième partie, chap. 7.*

8011   La poésie est le langage naturel de tous les cultes.
                                              Ibid., chap. 10.

8012   Les gens du peuple sont beaucoup plus près d'être poètes
        que les hommes de bonne compagnie, car la convenance
        et le persiflage ne sont propres qu'à servir de bornes, ils ne
        peuvent rien inspirer.   *Ibid.*

8013   [...] Le sort ne compte pour rien les sentiments des hommes,
        la Providence ne juge les actions que d'après les sentiments.
                                              Ibid., chap. 11.

8014   La poésie doit être le miroir terrestre de la divinité, et réflé-
        chir par les couleurs, les sons et les rythmes, toutes les
        beautés de l'univers.   *Ibid., chap. 13.*

8015   Le bon goût en littérature est, à quelques égards, comme
        l'ordre sous le despotisme, il importe d'examiner à quel
        prix on l'achète.   *Ibid., chap. 14.*

8016   Puisque nous consentons à croire que des acteurs séparés
        de nous par quelques planches sont des héros grecs morts
        il y a trois mille ans, il est bien certain que ce qu'on appelle
        l'illusion, ce n'est pas s'imaginer que ce qu'on voit existe
        véritablement; une tragédie ne peut nous paraître vraie
        que par l'émotion qu'elle nous cause.   *Ibid.*

8017   Les écrivains français du dix-huitième siècle s'entendaient
        mieux à la liberté politique; ceux du dix-septième à la liberté
        morale. Les philosophes du dix-huitième étaient des combat-
        tants; ceux du dix-septième des solitaires.
                                      Ibid., Troisième partie, chap. 3.

8018   Fichte et Schelling se sont partagé l'empire que Kant avait
        reconnu pour divisé, et chacun a voulu que sa moitié fût
        le tout.   *Ibid., chap. 7.*

8019   Il vaut encore mieux, pour maintenir quelque chose de sacré
        sur la terre, qu'il y ait dans le mariage une esclave que deux
        esprits forts.   *Ibid., chap.19.*

8020   Le sentiment de l'infini est le véritable attribut de l'âme.
                                      Ibid., Quatrième partie, chap.1.

8021   On a vu, dans les temps modernes [au siège de Saragosse],
        une armée tout entière, assistant à ses propres funérailles,
        dire pour elle-même le service des morts, décidée qu'elle était
        à conquérir l'immortalité.   *Ibid., chap. 3.*

8022   L'enthousiasme ne nous abandonnera pas, ses ailes brillantes
        planeront sur notre lit funèbre, il soulèvera les voiles de la
        mort, il nous rappellera ces moments où, pleins d'énergie,
        nous avions senti que notre cœur était impérissable, et nos
        derniers soupirs seront peut-être comme une noble pensée
        qui remonte vers le ciel.   *Ibid., chap. 12.*

Ce qui caractérise le gouvernement de Bonaparte, c'est un mépris profond pour toutes les richesses intellectuelles de la nature humaine : vertu, dignité de l'âme, religion, enthousiasme, voilà quels sont, à ses yeux, *les éternels ennemis du continent.*   *Dix années d'exil, Première partie, chap. 3.*   8023

Il n'y aura ni liberté, ni dignité, ni sûreté, dans un pays où l'on s'occupera des noms propres, quand il s'agit d'une injustice.   *Ibid., chap. 5.*   8024

Le respect de l'histoire est inconnu à cet homme, qui ne conçoit le monde que comme contemporain de lui.   *Ibid.*   8025

Les Français, qui saisissent le ridicule avec tant d'esprit, ne demandent pas mieux que de se rendre ridicules eux-mêmes, dès que leur vanité y trouve son compte d'une autre manière.   *Ibid., chap.18.*   8026

Comme l'on annonçait un jour les princesses du sang, quelqu'un s'écria : *Du sang d'Enghien!*   *Ibid.*   8027

Son caractère, inconciliable avec le reste de la création, est comme le feu grégeois, qu'aucune force de la nature ne saurait éteindre.   *Ibid.*   8028

En France, et dans l'Europe-France, comme tout est nouveau, le passé ne saurait être une garantie, et l'on peut tout craindre comme tout espérer, suivant qu'on sert ou non les intérêts de l'homme qui ose se donner lui-même, et lui seul, pour but à la race humaine entière.   *Ibid., Deuxième partie, chap. 1.*   8029

Mon fils s'en alla, et, quand je ne le vis plus, je pus dire comme lord Russel : *La douleur de la mort est passée.*   *Ibid., chap. 5.*   8030

Il y a tant d'espace en Russie que tout s'y perd, même les châteaux, même la population. On dirait qu'on traverse un pays dont la nation vient de s'en aller.   *Ibid., chap. 13.*   8031

Il me semble que maintenant les nations européennes n'ont de vigueur que quand elles sont ou ce qu'on appelle barbares, c'est-à-dire non éclairées, ou libres.   *Ibid.*   8032

Un homme de beaucoup d'esprit disait que la Russie ressemblait aux pièces de Shakespeare, où tout ce qui n'est pas faute est sublime, où tout ce qui n'est pas sublime est faute.   *Ibid.*   8033

On dit qu'un homme en Russie avait proposé de composer un alphabet avec des pierres précieuses, et d'écrire ainsi la Bible.   *Ibid., chap.14.*   8034

On a beaucoup vanté le mot fameux de Diderot : *Les Russes sont pourris avant d'être mûrs.* Je n'en connais pas de plus faux; leurs vices mêmes, à quelques exceptions près, n'appartiennent pas à la corruption mais à la violence. Un désir russe, disait un homme supérieur, ferait sauter une ville.   *Ibid.*   8035

8036   La conquête est un hasard qui dépend peut-être encore plus
       des fautes des vaincus que du génie du vainqueur.
                                              Ibid., chap. 16.

8037   L'infini fait autant de peur à notre vue qu'il plaît à notre
       âme.   *Ibid., chap. 20.*

MAINE DE BIRAN
1766-1824

8038   Il n'y a guère que les gens malsains qui se sentent exister.
                                              Cahier-Journal.

8039   Si l'individu ne *voulait* pas ou n'était pas déterminé à com-
       mencer de se mouvoir, il ne connaîtrait rien. Si rien ne lui
       résistait, il ne connaîtrait rien non plus, il ne soupçonnerait
       aucune existence, il n'aurait pas même d'*idée* de la sienne
       propre.   *Influence de l'habitude sur la faculté de penser.*

8040   La connaissance se fait nécessairement par une antithèse;
       tout est antithèse pour l'homme; il est en lui-même une anti-
       thèse primitive et ineffaçable; il en forme une avec l'univers.
       Tous les êtres se révèlent peut-être ainsi un dans leur essence,
       jusqu'à Dieu, qu'il est impossible de concevoir comme un
       être *solitaire.* S'il en est ainsi, tous les systèmes qui cherchent
       une base dans l'*unité absolue* sont jugés.
       *Essai sur les fondements de la psychologie. Introduction
                                              générale, III.*

8041   Le temps de ces grandes et interminables discussions méta-
       physiques est passé; et c'est là un des services les plus impor-
       tants qu'a pu rendre une philosophie raisonnable, circons-
       crite dans l'étude de nos facultés ou de nos moyens réels de
       connaître les choses et nous-mêmes.   *Ibid.*

8042   Telle est la nature de l'esprit humain, telles sont les limites
       de sa science propre, qu'il n'y a jamais lieu à faire des décou-
       vertes toutes nouvelles, mais seulement à éclaircir, vérifier,
       distinguer dans leur source certains faits de sens intime, faits
       simples, liés à notre existence, aussi anciens qu'elle, aussi
       évidents, mais qui s'y trouvent enveloppés avec diverses
       impressions hétérogènes qui les rendent vagues et obscurs.
                                              Ibid., V.

8043   La science de la nature extérieure et celle de nos idées se
       pénètrent, en quelque sorte, ou se réduisent à la même;
       c'est l'unité absolue, matérielle ou spirituelle, peu importe;
       mais c'est toujours l'unité, l'identité pure de l'être qui sent
       ou pense, avec l'objet senti ou pensé.   *Ibid.*

8044   En général, le succès d'un ouvrage de métaphysique, dans le
       monde, est en raison inverse de sa bonté, de son appro-
       priation au sujet spécial dont il traite; j'en pourrais donner
       des exemples récents.   *Ibid.*

Dans les classes élevées de la société, où l'imagination et les 8045
passions trouvent tant de mobiles d'exercice et de développement, on n'a jamais assez de raison, d'attention, de réflexion, d'empire sur soi-même pour faire le contrepoids,
comme on n'a jamais assez de richesses, eu égard à la multitude des besoins factices.   *Ibid., IV.*

Que j'aime à voir la psychologie, ou le vrai système de la 8046
génération de nos facultés, mise pour ainsi dire en action,
non dans une statue, mais dans l'enfant qui s'élève, par des
progrès réguliers, des premières idées sensibles aux notions
intellectuelles!   *Ibid., à propos de « l'Émile ».*

Il faut opter entre ce monde et le monde intérieur. Celui 8047
qui vit en lui-même doit renoncer à tous les avantages de la
vie extérieure, dont le premier, sans doute, est la gloire;
celui qui a fait l'étude la plus profonde des facultés de son
esprit doit renoncer peut-être par là même à occuper une
grande place dans l'esprit des autres.   *Ibid.*

J'assiste à ma mort avec les forces entières de ma vie. 8048
                              Journal, 21 avril 1815.

Le sentiment religieux, si pur, si doux à éprouver, peut 8049
compenser toutes les autres pertes.   *Ibid., 6-7 juin 1818.*

Les deux termes, ou les deux pôles de la science humaine, 8050
Dieu et le *moi*, disparaissent en même temps.
      *Fragments relatifs aux fondements de la morale et de la
                                        religion, VI.*

Dieu ne peut se manifester à l'esprit que par l'intermédiaire 8051
du cœur et du sentiment, qui est le *Médiateur* entre la pensée
humaine et l'infini, l'absolu qu'elle a pour objet.   *Ibid.*

Je pense dans mon cabinet comme un homme spirituel et 8052
j'agis au-dehors comme un homme charnel.
                              Ibid., 24 janvier 1821.

Le centre droit représente la vraie opinion de la France. 8053
                              Ibid., 18 décembre 1821.

Nos facultés affectives procèdent d'une manière inverse de 8054
celle des facultés cognitives. Comme le *moi* est le pivot et le
pôle de celles-ci, le *non-moi* ou l'absorption du *moi* dans
l'objectif pur est la condition première et le plus haut degré
de celles-là. Pour connaître, il faut que le *moi* soit présent à
lui-même et qu'il y rapporte tout le reste. Pour aimer, il
faut que le *moi* s'oublie ou se perde de vue, en se rapportant
à l'être beau, bon, parfait, qui est sa fin.
*Nouveaux essais d'anthropologie ou de la science de l'homme
                                        intérieur, I.*

Il semble que l'esprit divin abandonne l'homme en même 8055
temps que son propre esprit l'abandonne.   *Ibid., II.*

8056   Le pur amour s'identifie ainsi avec une sorte de connaissance
        intuitive où l'on voit la vérité sans la chercher, où l'on
        sait tout sans avoir rien étudié, ou plutôt où l'on méprise
        toute la connaissance humaine en se trouvant plus haut
        qu'elle.   *Ibid., III.*

BENJAMIN CONSTANT
· 1767-1830

8057   Je voudrais qu'on pût empêcher mon sang de circuler avec
        tant de rapidité et lui donner une marche plus cadencée.
        J'ai essayé si la musique pouvait faire cet effet, je joue des
        adagio, des *largo* qui endormiraient trente cardinaux, mais je
        ne sais par quelle magie ces airs si lents finissent toujours
        par devenir des *prestissimo*.
        Lettre à la générale de Chandieu, 19 octobre 1779 (Menos).

8058   L'opposition est sans force alors qu'elle est sans discerne-
        ment, et des hommes dont la vocation serait de résister à
        l'établissement des lois utiles ne seraient bientôt écoutés
        qu'avec indifférence, lors même qu'ils en combattraient de
        dangereuses.   *Discours du 5 janvier 1800.*

8059   Le cours des choses est bien plus fort que la volonté des
        hommes, et la devise de tous ceux qui sont appelés à se mêler
        des affaires doit être : *fata viam invenient.*
        Lettre à Samuel de Constant, 20 janvier 1800 (Menos).

8060   J'éprouve un charme inexprimable à marcher en aveugle au-
        devant de ce que je crains.
        Lettre à Mrs. Lindsay, 22 novembre 1800 (Plon).

8061   Si à la lettre de la constitution, qui est la seule chose positive,
        l'on substitue un esprit que l'on appellera protecteur, ai-je
        besoin de vous dire qu'il n'existera plus de constitution?
        Discours du 25 janvier 1801.

8062   Mon livre a pour moi l'attrait d'une chose commencée dès
        longtemps, et je le continue comme on a vu des gens ajouter
        chaque jour à une collection de tulipes.
        Lettre à Mme de Nassau, 30 novembre 1803 (Albin Michel).

8063   J'ai comme vous le savez ce malheur particulier que l'idée
        de la mort ne me quitte pas. Elle pèse sur ma vie, elle foudroie
        tous mes projets.
        Lettre à Mme de Nassau, 1er février 1805 (Albin Michel).

8064   J'ai appris à dormir dans une barque battue des vagues, et le
        mal de mer m'est devenu une sensation si habituelle qu'elle
        ne m'empêche pas de penser à autre chose.
        Lettre à Mme de Nassau, 5 janvier 1808 (Menos).

Comme on peut bien renoncer aux forces qu'on a, mais non   8065
se donner celles qu'on n'a pas, le seul parti à prendre, c'est
d'abdiquer cette faculté de vouloir, qui n'est pas suffisante
pour persister et qui l'est pour faire de la vie une suite de
tourments.   *Lettre à Prosper de Barante, 27 juillet 1808.*

L'Arioste raconte qu'un de ses chevaliers fut tué dans un   8066
combat, mais il avait tellement l'habitude de se battre, que,
tout mort qu'il était, il continuait encore. Je suis comme
cela pour la littérature.
        Lettre à Mme de Nassau, 24 septembre 1808 (Menos).

Ma religion consiste en deux points : vouloir ce que Dieu   8067
veut, c'est-à-dire lui faire l'hommage de notre cœur; ne rien
nier, c'est-à-dire lui faire l'hommage de notre esprit.
        Lettre à Prosper de Barante, 23 novembre 1808.

Il n'y a personne, je le pense, qui, laissant errer ses regards   8068
sur un horizon sans bornes, ou se promenant sur les rives de
la mer que viennent battre les vagues, ou levant les yeux sur
le firmament parsemé d'étoiles, n'ait éprouvé une sorte
d'émotion qu'il lui était impossible d'analyser ou de définir.
On dirait que des voix descendent du haut des cieux, s'élancent de la cime des rochers, retentissent dans les torrents
ou dans les forêts agitées, sortent des profondeurs des
abîmes.   *Préface de Wallstein.*

J'ai appris à me regarder comme une machine souffrante,   8069
mais qui, en souffrant, se remonte. Je m'attends donc, et je
me retrouve.
        Lettre à Prosper de Barante, 21 juillet 1812.

Toutes les idées, tous les faits, je les accueille et leur *laisse*   8070
à produire la modification qu'il est dans leur nature de produire en moi.
        Lettre à Cl. Hochet, 2 décembre 1812 (La Baconnière).

Je suis comme un paralytique qui a trouvé dans l'immobilité   8071
le moyen d'éviter les chutes.
        Lettre à Sismonde de Sismondi, 13 août 1813.

Le monde ressemble à un chat qu'on a voulu noyer dans une   8072
rivière; il en est ressorti tant bien que mal, et il fait à présent
sa toilette, polissant ses poils avec sa langue.
        Lettre à Mme de Nassau, 31 décembre 1813 (Albin Michel).

Le gouvernement est stationnaire, l'espèce humaine est pro-   8073
gressive. Il faut que la puissance du gouvernement contrarie
le moins qu'il est possible la marche de l'espèce humaine. Ce
principe, appliqué aux constitutions, doit les rendre courtes
et pour ainsi dire négatives. Elles doivent suivre les idées pour
poser derrière les peuples des barrières qui les empêchent de
reculer, mais elles ne doivent point en poser devant ceux qui
les empêchent d'aller en avant.
        Réflexions sur les constitutions.

8074   Le roi, dans un pays libre, est un être à part, supérieur aux diversités d'opinions, n'ayant d'autre intérêt que le maintien de l'ordre et le maintien de la liberté.
Observations sur le Discours prononcé par S. E. le Ministre de l'Intérieur (20 août 1814).

8075   L'unique garantie des citoyens contre l'arbitraire, c'est la publicité.   *Ibid.*

8076   Malheur à ceux qui, se croyant invincibles, jettent le gant à l'espèce humaine, et prétendent opérer par elle, car ils n'ont pas d'autre instrument, des bouleversements qu'elle désapprouve, et des miracles dont elle ne veut pas.
De l'Esprit de Conquête et de l'Usurpation, dans leurs rapports avec la civilisation européenne.

8077   L'indépendance de la pensée est aussi nécessaire, même à la littérature légère, aux sciences et aux arts, que l'air à la vie physique.   *Ibid.*

8078   Les gouvernements qui veulent tuer l'opinion et croient encourager l'intérêt se trouvent par une opération double et maladroite, les avoir tués tous les deux.   *Ibid.*

8079   Rien de plus absurde que de violenter les habitudes, sous prétexte de servir les intérêts. Le premier des intérêts c'est d'être heureux, et les habitudes forment une partie essentielle du bonheur.   *Ibid.*

8080   C'est toujours en dehors qu'un gouvernement veut arrondir ses frontières. Aucun n'a sacrifié, que l'on sache, une portion de son territoire pour donner au reste une plus grande régularité géométrique.   *Ibid.*

8081   Des sujets qui soupçonnent leurs maîtres de duplicité et de perfidie se forment à la perfidie et à la duplicité.   *Ibid.*

8082   L'arbitraire est au moral ce que la peste est au physique.
Ibid.

8083   Ne soyez ni obstinés dans le maintien de ce qui s'écroule, ni trop pressés dans l'établissement de ce qui semble s'annoncer.
Ibid.

8084   Confiez au passé sa propre défense, à l'avenir son propre accomplissement.   *Ibid.*

8085   Je n'irai pas, misérable transfuge, me traîner d'un pouvoir à l'autre, couvrir l'infamie par le sophisme et balbutier des mots profanés pour racheter une vie honteuse.
Journal des Débats, 19 mars 1815.

8086   Toutes les fois que l'on croit remarquer qu'il y a eu abus de lumières, c'est qu'il y avait manque de lumières. Toutes les fois qu'on accuse la vérité d'avoir fait du mal, ce mal n'a pas été l'effet de la vérité, mais de l'erreur.
Principes de politique, chap. 14.

Il y a dans la contemplation du beau en tout genre, quelque   8087
chose qui nous détache de nous-même en nous faisant sentir
que la perfection vaut mieux que nous, et qui, par cette
conviction, nous inspirant un désintéressement momentané,
réveille en nous la puissance du sacrifice. *Ibid., chap. 17.*

Il est facile à l'autorité d'opprimer le peuple comme sujet,   8088
pour le forcer à manifester, comme souverain, la volonté
qu'elle lui prescrit.   *Ibid.*

Serait-ce que la vie semble d'autant plus réelle que toutes   8089
les illusions disparaissent, comme la cime des rochers se
dessine mieux dans l'horizon lorsque les nuages se dissipent?
Adolphe, chap. 1.

L'amour supplée aux longs souvenirs par une sorte de magie.   8090
Toutes les autres affections ont besoin du passé : l'amour
crée, comme par enchantement, un passé dont il nous
entoure.   *Ibid., chap. 3.*

Malheur à l'homme qui, dans les premiers moments d'une   8091
liaison d'amour, ne croit pas que cette liaison doit être éternelle!   *Ibid.*

Dès qu'il existe un secret entre deux cœurs qui s'aiment,   8092
dès que l'un d'eux a pu se résoudre à cacher à l'autre une
seule idée, le charme est rompu, le bonheur est détruit.
Ibid., chap. 5.

Nous vivions, pour ainsi dire, d'une espèce de mémoire du   8093
cœur, assez puissante pour que l'idée de nous séparer nous
fût douloureuse, trop faible pour que nous trouvassions du
bonheur à être unis.   *Ibid., chap. 6.*

Ah! renonçons à ces efforts inutiles; jouissons de voir ce   8094
temps s'écouler, mes jours se précipiter les uns sur les autres;
demeurons immobile, spectateur indifférent d'une existence
à demi passée; qu'on s'en empare, qu'on la déchire : on
n'en prolongera pas la durée! Vaut-il la peine de la disputer?
Ibid., chap. 7.

C'était une de ces journées d'hiver où le soleil semble éclairer   8095
tristement la campagne grisâtre, comme s'il regardait en pitié
la terre qu'il a cessé de réchauffer.   *Ibid., chap. 10.*

La grande question dans la vie, c'est la douleur que l'on   8096
cause, et la métaphysique la plus ingénieuse ne justifie pas
l'homme qui a déchiré le cœur qui l'aimait.
Ibid., Réponse de l'éditeur.

Nous ne pouvons plus jouir de la liberté des anciens, qui   8097
se composait de la participation active et constante au pou-
voir collectif. Notre liberté, à nous, doit se composer de la
jouissance paisible de l'indépendance privée.
De la liberté des anciens comparée à celle des modernes.

8098   Le but des anciens était le partage du pouvoir social entre
        tous les citoyens d'une même patrie. C'était là ce qu'ils
        nommaient liberté. Le but des modernes est la sécurité dans
        les jouissances privées, et ils nomment liberté les garanties
        accordées par les institutions à ces jouissances.   *Ibid.*

8099   Les individus pauvres font eux-mêmes leurs affaires; les
        hommes riches prennent des intendants. C'est l'histoire des
        nations anciennes et des nations modernes.   *Ibid.*

8100   La liberté politique soumettant à tous les citoyens, sans
        exception, l'examen et l'étude de leurs intérêts les plus
        sacrés agrandit leur esprit, anoblit leurs pensées, établit
        entre eux tous une sorte d'égalité intellectuelle qui fait la
        gloire et la puissance d'un peuple.   *Ibid.*

8101   Quoi de plus ignorant, de plus superstitieux que le sauvage
        abruti, qui enduit de boue et de sang son informe fétiche?
        Mais suivez-le sur le tombeau de ses morts : écoutez les
        lamentations des guerriers pour leurs chefs, de la mère pour
        l'enfant qu'elle a perdu. Vous y démêlerez quelque chose qui
        pénétrera dans votre âme, qui réveillera vos émotions, qui
        ranimera vos espérances. Le sentiment religieux vous sem-
        blera, pour ainsi dire, planer sur sa propre forme.
        De la religion considérée dans sa source, ses formes et ses
                        développements, tome I.

8102   Sur cette terre les générations se suivent, passagères, for-
        tuites, isolées; elles paraissent, elles souffrent, elles meurent;
        nul lien n'existe entre elles. Aucune voix ne se prolonge des
        races qui ne sont plus aux races vivantes, et la voix des races
        vivantes doit s'abîmer bientôt dans le même silence éternel.
                        Ibid.

8103   La douleur réveille en nous, tantôt ce qu'il y a de plus noble
        dans notre nature, le courage, tantôt ce qu'il y a de plus
        tendre, la sympathie et la pitié. Elle nous apprend à lutter
        pour nous, à sentir pour les autres.   *Ibid., tome IV.*

8104   Du sein de l'obscurité qui l'enveloppe, le doute voit s'échap-
        per des rayons lumineux. Il se livre à des pressentiments
        qui le raniment et le consolent. Loin de repousser, il invoque.
        Il ne nie pas, il ignore.   *Ibid., tome V.*

8105   Le droit à l'insurrection · n'appartient à personne, ou il
        appartient à tous. Aucune classe ne peut faire de l'insurrec-
        tion un monopole.   *Discours du 23 février 1825.*

8106   Dans la seule faculté de sacrifice est le germe indestructible
        de la perfectibilité.   *Mélanges de littérature et de politique.*

8107   Ce n'est pas la seule fois de ma vie qu'après une action
        d'éclat je me suis soudainement ennuyé de la solennité qui
        aurait été nécessaire pour la soutenir et que, d'ennui, j'ai
        défait mon propre ouvrage.
                        Le Cahier Rouge (Calmann-Lévy).

En général, ce qui m'a le plus aidé dans ma vie à prendre des 8108
partis très absurdes, mais qui semblaient au moins supposer
une grande décision de caractère, c'est précisément l'absence
complète de cette décision, et le sentiment que j'ai toujours
eu, que ce que je faisais n'était rien moins qu'irrévocable
dans mon esprit. De la sorte, rassuré par mon incertitude
même sur les conséquences d'une folie que je me disais que
je ne ferais peut-être pas, j'ai fait un pas après l'autre et
la folie s'est trouvée faite. *Ibid.*

Ce n'est ni le goût de l'amusement, ni l'ennui, ni aucun des 8109
motifs qui d'ordinaire décident les hommes dans l'habitude
de la vie, qui me font agir. Il faut qu'une passion me saisisse
pour qu'une idée dominante s'empare de moi et devienne
une passion. *Ibid.*

[...] Ajoutez à cela cette liberté complète d'aller et de venir 8110
sans qu'âme qui vive s'occupe de vous, et sans que rien
rappelle cette police dont les coupables sont le prétexte,
et les innocents le but. *Ibid.*

[...] Presque tous les vieux gouvernements sont doux parce 8111
qu'ils sont vieux et tous les nouveaux gouvernements durs,
parce qu'ils sont nouveaux. *Ibid.*

[...] Un des caractères que la nature m'a donnés, c'est un 8112
grand mépris pour la vie, et même une secrète envie d'en
sortir pour éviter ce qui peut encore m'arriver de fâcheux.
Je suis assez susceptible d'être effrayé par une chose inatten-
due qui agit sur mes nerfs. Mais dès que j'ai un quart d'heure
de réflexion, je deviens sur le danger d'une indifférence
complète. *Ibid.*

Comme il arrive souvent dans la vie, les précautions qu'il 8113
prit pour que ce pressentiment ne se réalisât point furent
précisément ce qui le fit se réaliser.
Cécile, cinquième époque (Gallimard).

L'opinion française m'effrayait beaucoup, cette opinion 8114
qui pardonne tous les vices, mais qui est inexorable sur les
convenances et qui sait gré de l'hypocrisie comme d'une
politesse qu'on lui rend. *Ibid.*

Et que vous importe? N'est-il pas égal qu'il arrive ce que vous 8115
voulez, ou que vous vouliez ce qui arrive. Ce qu'il vous faut,
c'est que votre volonté et les événements soient d'accord.
Ibid., dixième époque.

Mais aujourd'hui même, je ne sais si cet abandon complet 8116
à la Providence n'est pas, au milieu de la nuit qui nous
entoure, et avec l'insuffisance d'une raison douteuse et
superbe, la plus sûre ressource de l'homme. *Ibid.*

Par une complication bizarre d'impressions diverses, je 8117
m'affligeais du départ de Mme de Malbée, précisément parce
que je lui savais gré de partir. *Ibid.*

8118 Je crus en effet que nous péririons, et j'en éprouvai une grande joie. J'avais besoin de la mort pour m'arracher aux incertitudes de la vie, et l'éternité ne me semblait pas trop longue pour m'y reposer. *Ibid., septième époque.*

ALEXANDRE DUVAL
1767-1842

8119 Cela fera du bruit dans Landerneau.
Les Héritiers ou le Naufrage, scène 23.

8120 Soldats français!... chantez Roland;
Son destin est digne d'envie :
Heureux qui peut en combattant
Vaincre et mourir pour sa patrie!
Roland, chanson.

LOUIS–ANTOINE DE SAINT–JUST
1767-1794

8121 On ne peut régner innocemment [...]. Tout roi est un rebelle et un usurpateur.
Discours concernant le jugement de Louis XVI (Convention nationale), 13 novembre 1790.

8122 Un moment encore, citoyens; il faut laisser mûrir le crime, et je l'attends.
Discours sur la proposition d'entourer la Convention nationale d'une garde armée (Société des Jacobins), 22 octobre 1792.

8123 L'amour-propre du peuple a plus d'esprit que nous. *Ibid.*

8124 Notre liberté aura passé comme un orage, et son triomphe comme un coup de tonnerre.
Discours sur les susbsistances (Convention nationale), 29 novembre 1792.

8125 Tout le monde veut bien de la République; personne ne veut de la pauvreté ni de la vertu. *Ibid.*

8126 L'art de gouverner n'a produit que des monstres.
Discours sur la constitution à donner à la France (Convention nationale), 24 avril 1793.

8127 Le peuple français vote la liberté du monde.
Essai de Constitution, chap. 9, Des relations extérieures (Convention nationale).

8128 Osez! Ce mot renferme toute la politique de votre révolution.
Rapport sur les suspects incarcérés (Convention nationale), 26 février 1794.

Ce qui constitue une République, c'est la destruction totale de ce qui lui est opposé. 8129
Convention nationale, 26 février 1794.

Ceux qui font des révolutions à moitié n'ont fait que se creuser un tombeau. 8130
Même date.

Le bonheur est une idée neuve en Europe. 8131
Rapport sur le mode d'exécution du décret contre les ennemis de la Révolution (Convention nationale), 3 mars 1794.

Tout le monde veut gouverner, personne ne veut être citoyen. Où donc est la cité? 8132
Rapport sur les factions de l'étranger (Convention nationale), 13 mars 1794.

La liberté n'est pas une chicane de palais; elle est la rigidité envers le mal, elle est la justice et l'amitié. 8133
Rapport sur la police générale, la justice, etc. (Convention nationale), 15 avril 1794.

... Les tyrans périssent par la faiblesse des lois qu'ils ont énervées. 8134
L'Esprit de la Révolution et de la constitution en France, Première partie, chap. 1.

[...] La liberté qui conquiert doit se corrompre. 8135
Ibid., Deuxième partie, chap. 3.

Il n'est rien de plus doux pour l'oreille de la liberté que le tumulte et les cris d'une assemblée du peuple... 8136
Ibid., chap. 5.

Si le Christ renaissait en Espagne, il serait de nouveau crucifié par les prêtres, comme un factieux, un homme subtil, qui sous l'appât de la modestie et de la charité, méditerait la ruine de l'Évangile et de l'État... 8137
Ibid., Troisième partie, chap. 18.

Les vertus farouches font les mœurs atroces. 8138
Ibid., chap. 21.

Toute prétention des droits de la nature qui offense la liberté est un mal; tout usage de la liberté qui offense la nature, est un vertige. 8139
Ibid., chap. 23.

Tous les crimes sont venus de la tyrannie, qui fut le premier de tous. 8140
Ibid., Quatrième partie, chap. 10.

Quand tous les hommes seront libres, ils seront égaux; quand ils seront égaux, ils seront justes. Ce qui est honnête se suit de soi-même. 8141
Ibid., Cinquième partie, chap. 10.

[...] L'homme obligé de s'isoler du monde et de lui-même, jette son ancre dans l'avenir, et presse sur son cœur la postérité, innocente des maux présents. 8142
Fragments sur les Institutions républicaines, Préambule.

8143   Je méprise la poussière qui me compose et qui vous parle;
       on pourra la persécuter et faire mourir cette poussière!
       Mais je défie qu'on m'arrache cette vie indépendante que
       je me suis donnée dans les siècles et dans les cieux.   *Ibid.*

8144   L'esprit est un sophiste qui conduit les vertus à l'échafaud.
                                                              Ibid.

8145   Je crois pouvoir dire que la plupart des erreurs politiques
       sont venues de ce qu'on a regardé la législation comme une
       science difficile.   *Deuxième fragment, De la société.*

8146   Les longues lois sont des calamités publiques.
       La monarchie était noyée dans les lois; et, comme toutes
       les passions et les volontés des maîtres étaient devenues
       des lois, on ne s'entendait plus.
                              Troisième fragment, Idées générales.

8147   Le jour où je me serai convaincu qu'il m'est impossible de
       donner au peuple français des mœurs douces, énergiques,
       sensibles, et inexorables pour la tyrannie et l'injustice, je
       me poignarderai.   *Ibid., 3.*

8148   Lorsqu'on parle à un fonctionnaire, on ne doit pas dire
       citoyen; ce titre est au-dessus de lui.   *Ibid., 4.*

8149   Tant que vous verrez quelqu'un dans l'antichambre des
       magistrats et des tribunaux, le gouvernement ne vaut rien.
       C'est une horreur qu'on soit obligé de demander justice.
                                                              Ibid.

8150   Ce qui produit le bien général est toujours terrible, on paraît
       bizarre lorsqu'on commence trop tôt.   *Ibid., 5.*

8151   Tout homme âgé de vingt et un ans est tenu de déclarer
       dans le temple quels sont ses amis.
                      Sixième fragment, Division des institutions, 2.

8152   Le peuple français voue sa fortune et ses enfants à l'Éternel.
       Dixième fragment, Quelques institutions morales sur les fêtes.

8153   Le prix de la poésie ne sera donné qu'à l'ode et à l'épopée.
                                                              Ibid.

LADRÉ
? — ?

8154   Ah! ça ira, ça ira, ça ira,
              Le peuple en ce jour sans cesse répète :
                 Ah! ça ira, ça ira, ça ira;
              Malgré les mutins, tout réussira.

                                                          Ça ira.

8155   Le vrai catéchisme nous instruira,
              Et l'affreux fanatisme s'éteindra.

                                                           Ibid.

FRANÇOIS-RENÉ DE CHATEAUBRIAND
1768-1848

La liberté civile n'est qu'un songe, un sentiment factice que nous n'avons point, qui n'habite point dans notre sein [...].
Essai sur les Révolutions, I, chap. 70.

8156

Un infortuné parmi les enfants de la prospérité ressemble à un gueux qui se promène en guenilles au milieu d'une société brillante : chacun le regarde et le fuit.
Ibid., II, chap. 13.

8157

Tout consiste dans la peinture de deux amants qui marchent et causent dans la solitude, et dans le tableau des troubles de l'amour au milieu du calme des déserts. *Atala, Préface.*

8158

Les Muses sont des femmes célestes, qui ne défigurent point leurs traits par des grimaces; quand elles pleurent, c'est avec le secret dessein de s'embellir. *Ibid.*

8159

Je ne crois point que la « pure nature » soit la plus belle chose du monde. *Ibid.*

8160

Peignons la nature, mais la belle nature : l'art ne doit pas s'occuper de l'imitation des monstres. *Ibid.*

8161

[...] Ami, notre union aurait été courte sur la terre, mais il est après cette vie une plus longue vie. Qu'il serait affreux d'être séparé de toi pour jamais! Je [Atala] ne fais que te devancer aujourd'hui, et je te vais attendre dans l'empire céleste. Si tu m'as aimée, fais-toi instruire dans la religion chrétienne, qui préparera notre réunion. Elle fait sous tes yeux un grand miracle, cette religion, puisqu'elle me rend capable de te quitter, sans mourir dans les angoisses du désespoir [...]. *Atala.*

8162

[Atala] paraissait enchantée par l'Ange de la mélancolie, et par le double sommeil de l'innocence et de la tombe.
Ibid.

8163

Il n'y a rien de plus poétique dans la fraîcheur de ses passions, qu'un cœur de seize années. Le matin de la vie est comme le matin du jour, plein de pureté, d'images et d'harmonie.
René.

8164

Les sons que rendent les passions dans le vide d'un cœur solitaire ressemblent au murmure que les vents et les eaux font entendre dans le silence d'un désert; on en jouit, mais on ne peut les peindre. *Ibid.*

8165

Dans tout pays le chant naturel de l'homme est triste, lors même qu'il exprime le bonheur. Notre cœur est un instrument incomplet, une lyre où il manque des cordes, et où nous sommes forcés de rendre les accents de la joie sur le ton consacré aux soupirs. *Ibid.*

8166

8167   « Levez-vous vite, orages désirés qui devez emporter René
dans les espaces d'une autre vie! » Ainsi disant, je marchais
à grands pas, le visage enflammé, le vent sifflant dans ma
chevelure, ne sentant ni pluie, ni frimas, enchanté, tourmenté,
et comme possédé par le démon de mon cœur.   *Ibid.*

8168   On n'est point [...] un homme supérieur parce qu'on aperçoit le monde sous un jour odieux. On ne hait le monde et
la vie que faute de voir assez loin.   *Ibid.*

8169   J'ai pleuré et j'ai cru.
                            Génie du christianisme, Première Préface.

8170   Ce n'était pas les sophistes qu'il fallait réconcilier à la religion, c'était le monde qu'ils égaraient. On l'avait séduit
en lui disant que le christianisme était un culte né du sein
de la barbarie, absurde dans ses dogmes, ridicule dans ses
cérémonies, ennemi des arts et des lettres, de la raison et de
la beauté; un culte qui n'avait fait que verser le sang, enchaîner les hommes, et retarder le bonheur et les lumières du
genre humain [...]. On devait montrer qu'il n'y a rien de
plus divin que sa morale, rien de plus aimable, de plus
pompeux que ses dogmes, sa doctrine et son culte; on devait
dire qu'elle favorise le génie, épure le goût, développe les
passions vertueuses, donne de la vigueur à la pensée, offre
des formes nobles à l'écrivain, et des moules parfaits à
l'artiste; qu'il n'y a point de honte à croire avec Newton
et Bossuet, Pascal et Racine [...].
                            Ibid., Première partie, Livre I, chap. 1.

8171   Un soir je m'étais égaré dans une forêt, à quelque distance
de la cataracte du Niagara; bientôt je vis le jour s'éteindre
autour de moi, et je goûtai, dans toute sa solitude, le beau
spectacle d'une nuit dans les déserts du Nouveau Monde.
                            Ibid., Livre V, chap. 12.

8172   Les biens de la terre ne font que creuser l'âme et en augmenter
le vide.   *Ibid., Livre VI, chap. 1.*

8173   Plus les peuples avancent en civilisation, plus cet état du
vague des passions augmente; car il arrive alors une chose
fort triste : le grand nombre d'exemples qu'on a sous les
yeux, la multitude de livres qui traitent de l'homme et de
ses sentiments rendent habile sans expérience. On est détrompé
sans avoir joui [...] Sans avoir usé de rien, on est désabusé
de tout.   *Ibid., Deuxième partie, Livre III, chap. 9.*

8174   La mythologie [...] peuplant l'univers d'élégants fantômes,
ôtait à la création sa gravité, sa grandeur et sa solitude. Il
a fallu que le christianisme vînt chasser ce peuple de faunes,
de satyres et de nymphes, pour rendre aux grottes leur
silence, et aux bois leur rêverie [...]. Le vrai Dieu, en rentrant dans ses œuvres, a donné son immensité à la nature.
                            Ibid., Livre IV, chap. 1.

8175   *Chaque chose doit être mise en son lieu*, vérité triviale à force
d'être répétée, mais sans laquelle, après tout, il ne peut y
avoir rien de parfait. Les Grecs n'auraient pas plus aimé
un temple égyptien à Athènes que les Égyptiens un temple
grec à Memphis.   *Ibid., Troisième partie, I, 8.*

Les nations ne jettent pas à l'écart leurs antiques mœurs 8176
comme on se dépouille d'un vieil habit. On leur en peut
arracher quelques parties, mais il en reste des lambeaux
qui forment avec les nouveaux vêtements une effroyable
bigarrure.   *Ibid.*

Les forêts ont été les premiers temples de la Divinité, et les 8177
hommes ont pris dans les forêts la première idée de l'architecture [...].
Les forêts des Gaules ont passé à leur tour dans les temples
de nos pères, et nos bois de chênes ont ainsi maintenu leur
origine sacrée.   *Ibid.*

Quiconque rejette les notions sublimes que la religion nous 8178
donne de la nature et de son auteur se prive volontairement
d'un moyen fécond d'images et de pensées.   *Ibid., III, 1.*

Le Français a été dans tous les temps [...] vain, léger et 8179
sociable. Il réfléchit peu sur l'ensemble des objets, mais il
observe curieusement les détails [...]; il faut toujours qu'il
soit en scène, et il ne peut consentir, même comme historien, à disparaître tout à fait. Les mémoires lui laissent la
liberté de se livrer à son génie. [...]   *Ibid., III, 4.*

Tous les hommes ont un secret attrait pour les ruines. Ce 8180
sentiment tient à la fragilité de notre nature, à une conformité
secrète entre les monuments détruits et la rapidité de notre
existence. Il s'y joint en outre une idée qui console notre
petitesse, en voyant que des peuples entiers, des hommes
quelquefois si fameux, n'ont pu vivre cependant au-delà
du peu de jours assignés à notre obscurité. Ainsi les ruines
jettent une grande moralité au milieu des scènes de la nature.
                                                     Ibid., V, 3.

[...] Si tout à coup, jetant à l'écart le drap mortuaire qui 8181
les couvre, ces monarques allaient se dresser dans leur
sépulcre [...]! Oui, nous les voyons tous se lever à demi,
ces spectres des rois; nous les reconnaissons, nous osons
interroger ces majestés du tombeau. Hé bien, peuple royal
de fantômes, dites-le-nous : voudriez-vous revivre maintenant au prix d'une couronne? Le trône vous tente-t-il encore?
[...]   *Ibid,, Quatrième partie, II, 9.*

Frères, il faut mourir.   *Ibid., III, 6.* 8182

La cloche du dôme de Saint-Pierre retentit sous les portiques 8183
du Colisée. Cette correspondance établie par des sons religieux entre les deux plus grands monuments de Rome
païenne et de Rome chrétienne me causa une vive émotion :
je songeai que l'édifice moderne tomberait comme l'édifice
antique; je songeai que les monuments se succèdent comme
les hommes qui les ont élevés.
Lettre à M. de Fontanes sur la campagne romaine, 1804.

J'ai avancé, dans un premier ouvrage, que la religion chré- 8184
tienne me paraissait plus favorable que le paganisme au
développement des caractères et au jeu des passions dans

l'épopée. J'ai dit encore que le *merveilleux* de cette religion pouvait peut-être lutter contre le *merveilleux* emprunté de la mythologie.   *Les Martyrs, Préface.*

8185   C'était une de ces nuits dont les ombres transparentes semblent craindre de cacher le beau ciel de la Grèce : ce n'étaient point des ténèbres, c'était seulement l'absence du jour.
                                                    Ibid., Livre I.

8186   On entendit, comme autrefois à Jérusalem, une voix qui disait : « Les dieux s'en vont ».   *Ibid., Livre XXIV.*

8187   Dans un ouvrage du genre de cet *Itinéraire*, j'ai dû souvent passer des réflexions les plus graves aux récits les plus familiers : tantôt m'abandonnant à mes rêveries sur les ruines de la Grèce, tantôt revenant aux soins du voyageur, mon style a suivi nécessairement le mouvement de ma pensée et de ma fortune.
                            Itinéraire de Paris à Jérusalem, Préface.

8188   C'est l'homme beaucoup plus que l'auteur que l'on verra partout; je parle éternellement de moi.   *Ibid.*

8189   Un voyageur est une espèce d'historien : son devoir est de raconter fidèlement ce qu'il a vu ou ce qu'il a entendu dire; il ne doit rien inventer, mais aussi il ne doit rien omettre [...].
                                                              Ibid.

8190   Je voulus du moins faire parler l'écho dans des lieux [Sparte] où la voix humaine ne se faisait plus entendre, et je criai de toute ma force : Léonidas! Aucune ruine ne répéta ce grand nom, et Sparte même sembla l'avoir oublié.
                                                Ibid., Première partie.

8191   Ne dédaignons pas trop la gloire : rien n'est plus beau qu'elle si ce n'est la vertu.   *Ibid.*

8192   Après leur harmonie générale, leur rapport avec les lieux et les sites, et surtout leurs convenances avec les usages auxquels ils étaient destinés, ce qu'il faut admirer dans les édifices de la Grèce, c'est le fini de toutes les parties.   *Ibid.*

8193   J'allais descendre sur la terre des prodiges, aux sources de la plus étonnante poésie, aux lieux où, même humainement parlant, s'est passé le plus grand événement qui ait jamais changé la face du monde, je veux dire la venue du Messie [...]. Obscur pèlerin, comment oserais-je fouler un sol consacré par tant de pèlerins illustres?
                                                Ibid., Troisième partie.

8194   La vue d'un tombeau n'apprend-elle donc rien? Si elle enseigne quelque chose, pourquoi se plaindre qu'un roi ait voulu rendre la leçon perpétuelle? Les grands monuments font une partie essentielle de la gloire de toute société humaine. A moins de soutenir qu'il est égal pour une nation de laisser ou de ne pas laisser un nom dans l'histoire, on ne peut condamner ces édifices qui portent la mémoire d'un peuple au-delà de sa propre existence, et le font vivre contemporain des générations qui viennent s'établir dans ses champs abandonnés [...]. Tout est tombeau chez un peuple qui n'est plus.   *Ibid., Sixième partie.*

Pourquoi ne pas le dire avec franchise? Certes, nous avons   8195
beaucoup perdu par la révolution, mais aussi n'avons-nous rien gagné? N'est-ce rien que vingt années de victoires?
Réflexions politiques, Conclusion.

Chacun est plus soi, moins ressemblant à son voisin [qu'avant   8196
1789].   *Ibid.*

Achille n'existe que par Homère. Otez de ce monde l'art   8197
d'écrire, il est probable que vous en ôterez la gloire.
Les Natchez, Préface.

Nous fûmes conduits jusqu'au père des Français[1]. Surpris   8198
de l'air d'esclavage que je remarquais autour de moi, je disais sans cesse [...] : « Où est donc la nation des guerriers libres! » Nous trouvâmes le soleil assis comme un génie, sur je ne sais quoi qu'on appelait un trône, et qui brillait de toutes parts. [...]   *Ibid., Première partie, Livre VI.*

Je m'ennuie de la vie; l'ennui m'a toujours dévoré : ce qui   8199
intéresse les autres hommes ne me touche point [...] En Europe, en Amérique, la société et la nature m'ont lassé. Je suis vertueux sans plaisir; si j'étais criminel, je le serais sans remords. Je voudrais n'être pas né ou être à jamais oublié.   *Ibid., Deuxième partie, Lettre de René.*

On place souvent dans les tableaux quelque personnage   8200
difforme pour faire ressortir la beauté des autres; dans cette nouvelle, j'ai voulu peindre trois hommes d'un caractère également élevé [...]. Il faut au moins que le monde chimérique, quand on s'y transporte, nous dédommage du monde réel.   *Aventures du dernier Abencérage, Avertissement.*

Combien j'ai douce souvenance   8201
Du joli lieu de ma naissance!
Ma sœur, qu'ils étaient beaux, les jours
De France!
O mon pays, sois mes amours
Toujours!
Aventures du dernier Abencérage.

Liberté primitive, je te retrouve enfin! Je passe comme cet   8202
oiseau qui vole devant moi, qui se dirige au hasard, et n'est embarrassé que du choix des ombrages. Me voilà tel que le Tout-Puissant m'a créé, souverain de la nature, porté triomphant sur les eaux [...]. Est-ce sur le front de l'homme de la société, ou sur le mien, qu'est gravé le sceau immortel de notre origine?   *Voyage en Amérique, Journal sans date.*

1. Louis XIV.

8203   Qui dira le sentiment qu'on éprouve en entrant dans ces
        forêts aussi vieilles que le monde, et qui seules donnent une
        idée de la création, telle qu'elle sortit des mains de Dieu?
                                                            Ibid.

8204   Ne serait-il pas possible qu'un homme marchant avec pré-
        caution entre les deux lignes [1], et se tenant toutefois beaucoup
        plus près de l'antique que du moderne, parvînt à marier les
        deux écoles et à en faire sortir le génie d'un nouveau siècle?
                                              Mélanges littéraires.

8205   Lorsque, dans le silence de l'abjection, l'on n'entend plus
        retentir que la chaîne de l'esclave et la voix du délateur;
        lorsque tout tremble devant le tyran, et qu'il est aussi dan-
        gereux d'encourir sa faveur que de mériter sa disgrâce,
        l'historien paraît, chargé de la vengeance des peuples. C'est
        en vain que Néron prospère, Tacite est déjà né dans l'empire.
                                                            Ibid.

8206   [...] Abandonnez la petite et facile critique des défauts pour
        la grande et difficile critique des beautés.   *Ibid.*

8207   Il ne faut pas être plus royaliste que le roi.
                                    La Monarchie selon la Charte.

8208   Une grande révolution est accomplie, une plus grande
        révolution se prépare : la France doit recomposer ses anna-
        les, pour les mettre en rapport avec les progrès de l'intelli-
        gence.   *Études historiques, Préface.*

8209   L'histoire n'est pas un ouvrage de philosophie, c'est un
        tableau; il faut joindre à la narration la représentation de
        l'objet, c'est-à-dire qu'il faut à la fois dessiner et peindre;
        il faut donner aux personnages le langage et les sentiments
        de leur temps, ne pas les regarder à travers nos propres
        opinions, principale cause de l'altération des faits.   *Ibid.*

8210   L'histoire aura son Homère comme la poésie [2].   *Ibid.*

8211   Annuler totalement l'individu, ne lui donner que la posi-
        tion d'un chiffre, lequel vient dans la série d'un nombre,
        c'est lui contester la valeur absolue qu'il possède, indépen-
        damment de sa valeur relative. De même qu'un siècle influe
        sur un homme, un homme influe sur un siècle.   *Ibid.*

8212   Je pense que l'âge politique du christianisme finit; que son
        âge philosophique commence.   *Ibid.*

8213   Ainsi j'amène du pied de la Croix au pied de l'échafaud de
        Louis XVI les trois vérités qui sont au fond de l'ordre social :
        la vérité religieuse, la vérité philosophique ou l'indépendance
        de l'esprit de l'homme, et la vérité politique, ou la liberté.

---

1. Du classicisme et du romantisme.
2. Augustin Thierry.

Je cherche à démontrer que l'espèce humaine suit une ligne progressive dans la civilisation, alors même qu'elle semble rétrograder. *Ibid.*

Bossuet a renfermé les événements dans un cercle rigoureux 8214 comme son génie; tout se trouve emprisonné dans un christianisme inflexible. L'existence de ce cerceau redoutable, où le genre humain tournerait dans une sorte d'éternité sans progrès et sans perfectionnement, n'est heureusement qu'une imposante erreur. *Ibid.*

Tout arrive par les idées; elles produisent les faits, qui ne 8215 leur servent que d'enveloppe.
Analyse raisonnée de l'histoire de France, Première partie.

Le moyen âge offre un tableau bizarre, qui semble être le 8216 produit d'une imagination puissante, mais déréglée.
Ibid., Deuxième partie.

Toute révolution qui n'est pas accomplie dans les mœurs 8217 et dans les idées échoue. *Ibid.*

La morale va au-devant de l'action ; la loi l'attend. Dans 8218 l'ordre moral, la mort saisit le crime; dans l'ordre légal, c'est le crime qui saisit la mort. *Ibid.*

Les forfaits n'inspirent d'horreur que dans les sociétés au 8219 repos; dans les révolutions, ils font partie de ces révolutions mêmes, desquelles ils sont le drame et le spectacle. *Ibid.*

Tout ce que produit l'esprit est impérissable comme l'esprit 8220 même. Toutes les idées ne sont pas encore engendrées, mais, quand elles naissent, c'est pour vivre sans fin, et elle deviennent le trésor commun de la race humaine.
Ibid., Troisième partie.

Le temps ne s'arrête point pour admirer la gloire; il s'en sert 8221 et passe outre. *Les quatre Stuarts.*

Le goût est le bon sens du génie. 8222
Essai sur la littérature anglaise.

L'école classique, qui ne mêlait pas la vie des auteurs à leurs 8223 ouvrages, se privait [...] d'un puissant moyen d'appréciation. Le bannissement de Dante donne une clé de son génie.
Ibid., Seconde partie.

Écrire est un art; [...] cet art a des genres [...]. Chaque genre 8224 a des règles. Les genres et les règles ne sont point arbitraires, ils sont nés de la nature même; l'art a seulement séparé ce que la nature a confondu; il a choisi les plus beaux traits sans s'écarter de la ressemblance du modèle. La perfection ne détruit point la vérité : Racine, dans toute l'excellence de son *art*, est plus *naturel* que Shakespeare. *Ibid.*

Cet amour du laid, qui nous a saisis, cette horreur de l'idéal, 8225 cette passion pour les bancroches, les culs-de-jatte, les borgnes, les moricauds, les édentés, cette tendresse pour les verrues, les rides, les escarres, les formes triviales, sales, communes, sont une dépravation de l'esprit; elle ne nous est pas donnée par cette nature dont on parle tant. Lors même que nous aimons une certaine laideur, c'est que nous y trouvons une certaine beauté. *Ibid.*

8226 Shakespeare est au nombre des cinq ou six écrivains qui ont suffi aux besoins et à l'aliment de la pensée; ces génies-mères semblent avoir enfanté et allaité tous les autres. *Ibid.*

8227 En Espagne, que l'on aime ou que l'on haïsse, tuer est naturel; par la mort, on se flatte d'atteindre à tout. *Le Congrès de Vérone, chap. 2.*

8228 Il n'y a de liberté durable que pour ceux dont le temps a usé les fers. *Ibid., chap. 51.*

8229 On remarque des traits indécis dans le tableau du *Déluge*, dernier travail de Poussin : ces défauts du temps embellissent le chef-d'œuvre du grand peintre, mais on ne m'excusera pas; je ne suis pas Poussin, je n'habite point au bord du Tibre, et j'ai un mauvais soleil. *La vie de Rancé, Avertissement.*

8230 La vieillesse est une voyageuse de nuit : la terre lui est cachée; elle ne découvre plus que le ciel. *Ibid., Livre I.*

8231 La plus dure des afflictions, le survivre. *Ibid.*

8232 Les temps de Louis XIV ne rendent pas innocent [...], mais ils agrandissent tout; placez-la hors de ces temps, que serait-ce aujourd'hui que Ninon [de Lenclos]? *Ibid.*

8233 Sociétés depuis longtemps évanouies, combien d'autres vous ont succédé! les danses s'établissent sur la poussière des morts, et les tombeaux poussent sous les pas de la joie. Nous rions et nous chantons sur les lieux arrosés du sang de nos amis. *Ibid.*

8234 L'amitié? Elle disparaît quand celui qui est aimé tombe dans le malheur, ou quand celui qui aime devient puissant. L'amour? Il est trompé, fugitif ou coupable. La renommée? Vous la partagerez avec la médiocrité ou le crime. *Ibid.*

8235 Quiconque est voué à l'avenir a au fond de sa vie un Roman, pour donner naissance à la légende, mirage de l'histoire. *Ibid., Livre II.*

8236 Il sembla jouer à la pénitence pour l'apprendre avant de la pratiquer : on assiste avec intérêt à cette conquête de l'homme sur l'homme. *Ibid.*

8237 La Révolution, piscine de sang où se lavèrent les immoralités qui avaient souillé la France. *Ibid.*

Rompre avec les choses réelles, ce n'est rien; mais avec les souvenirs! Le cœur se brise à la séparation des songes, tant il y a peu de réalités dans l'homme. *Ibid.* 8238

Des pays enchantés où rien ne vous attend sont arides. *Ibid.* 8239

On compte ses aïeux lorsqu'on ne compte plus. *Ibid.* 8240

En l'exhumant [Retz] de ses *Mémoires*, on a trouvé un mort enterré vivant qui s'était dévoré dans son cercueil. *Ibid.* 8241

Admirable tremblement du temps! Souvent les hommes de génie ont annoncé leur fin par des chefs-d'œuvre : c'est leur âme qui s'envole. *Ibid.* 8242

Rancé, qui s'accotait contre Dieu, acheva son œuvre; l'abbé de Lamennais s'est incliné sur l'homme : réussira-t-il? L'homme est fragile et le génie pèse. Le roseau en se brisant peut percer la main qui l'avait pris pour appui. *Ibid.* 8243

Le siècle de Louis XIV ne négligeait aucune grandeur; il s'associait aux victoires d'un reclus comme aux victoires d'un capitaine : Rocroi, pour ce siècle, était partout. *Ibid., Livre III.* 8244

C'est un caquetage éternel de tabourets dans les *Mémoires* de Saint-Simon. Dans ce caquetage viendraient se perdre les qualités incorrectes du style de l'auteur, mais heureusement il avait un tour à lui; il écrivait à la diable pour l'immortalité. *Ibid., Livre IV.* 8245

Pellisson avait aimé Mlle de Scudéry; il n'était pas beau, elle ne perdit point sa bonne réputation. *Ibid.* 8246

Les hommes éclatants ont un penchant pour les lieux obscurs. *Ibid.* 8247

Lorsqu'on descendait de la montagne et que l'on était près d'entrer dans Clairvaux, on reconnaissait Dieu de toutes parts. On trouvait au milieu du jour un silence pareil à celui de la nuit [...] La renommée seule de cette grande aphonie imprimait une telle révérence que les séculiers craignaient de dire une parole. *Ibid.* 8248

[Rancé] arrive devant le public sans daigner lui apprendre ce qu'il est; la créature ne vaut pas la peine qu'on s'explique devant elle : il renferme en lui-même son histoire, qui lui retombe sur le cœur. *Ibid.* 8249

Cette langue du XVIIe siècle mettait à la disposition de l'écrivain, sans effort et sans recherche, la force, la précision et la clarté, en laissant à l'écrivain la liberté du tour et le caractère de son génie. *Ibid.* 8250

8251   On rougit en pensée des folies que l'on a confiées au papier;
       on voudrait pouvoir retirer ses lettres et les jeter au feu.
       Qu'est-il survenu? Est-ce un nouvel attachement qui com-
       mence ou un vieil attachement qui finit? N'importe : c'est
       l'amour qui meurt avant l'objet aimé.   *Ibid.*

8252   Il est une exception à cette infirmité des choses humaines;
       il arrive quelquefois que dans une âme forte un amour dure
       assez pour se transformer en amitié passionnée, pour devenir
       un devoir, pour prendre les qualités de la vertu; alors il
       perd sa défaillance de nature et vit de ses principes immor-
       tels.   *Ibid.*

8253   Sa morale tombait dans ces méprises de notre poésie, qui
       ne parle que de la cruauté des tigres dans des forêts où nous
       n'apercevons que des chevreuils.   *Ibid.*

8254   La musique tient le milieu entre la nature matérielle et la
       nature intellectuelle; elle peut dépouiller l'amour de son
       enveloppe terrestre ou donner un corps à l'ange : selon
       les dispositions de celui qui écoute, ses accords sont des
       pensées ou des caresses.   *Ibid.*

8255   Les générations se disent héritières des grandeurs qui les
       ont précédées; les barbares méprisaient souverainement ces
       Romains qui prétendaient descendre des légions de l'empire,
       parce qu'ils traversaient les voies romaines que ces légions
       avaient construites et foulées.   *Ibid.*

8256   Telle est la fatalité chrétienne : la fatalité antique vient de
       l'objet extérieur, la fatalité chrétienne vient de l'homme;
       je veux dire que le chrétien crée la nécessité par sa vertu;
       il ne détruit pas le mal; il en est le maître.   *Ibid.*

8257   Tel fut Rancé. Cette vie ne satisfait pas, il y manque le
       printemps : l'aubépine a été brisée lorsque ses bouquets
       commençaient à paraître.   *Ibid.*

8258   Ce siècle est devenu immobile comme tous les grands siècles;
       il s'est fait le contemporain des âges qui l'ont suivi. On ne
       voit pas tomber quelques pierres de l'édifice sans un senti-
       ment de douleur. Quand Louis XIV descend le dernier au
       cercueil, on est atteint d'un inconsolable regret.   *Ibid.*

8259   Mon berceau a de ma tombe, ma tombe a de mon berceau.
       Mémoires d'Outre-Tombe, Préface testamentaire de 1833.

8260   La vie me sied mal; la mort m'ira peut-être mieux.   *Ibid.*

8261   La mort ne révèle point les secrets de la vie.
                                      Ibid., Avant-propos de 1846.

8262   Il devient d'usage de déclarer [...] qu'on a l'honneur d'être
       fils d'un homme attaché à la glèbe. Ces déclarations sont-
       elles aussi fières que philosophiques? N'est-ce pas se ranger
       du parti du plus fort?
                          Ibid., Première partie, Livre I, chap. 1.

C'est par la mort qu'on arrive à la présence de Dieu. 8263
Ibid., chap. 4.

Le vrai bonheur coûte peu; s'il est cher, il n'est pas d'une 8264
bonne espèce. *Ibid., chap. 7.*

La mémoire est souvent la qualité de la sottise; elle appartient 8265
généralement aux esprits lourds, qu'elle rend plus pesants
par le bagage dont elle les surcharge. Et néanmoins, sans
la mémoire, que serions-nous? Nous oublierions nos amitiés,
nos amours, nos plaisirs, nos affaires; le génie ne pourrait
rassembler ses idées; le cœur le plus affectueux perdrait sa
tendresse. *Ibid., Livre II, chap. 1.*

L'adversité est pour moi ce qu'était la terre pour Antée; 8266
je reprends des forces dans le sein de ma mère. Si jamais le
bonheur m'avait enlevé dans ses bras, il m'eût étouffé.
Ibid., chap. 2.

Après le malheur de naître, je n'en connais pas de plus grand 8267
que celui de donner le jour à un homme. *Ibid., chap. 3.*

A tous les âges de ma vie, il n'y a point de supplice que je 8268
n'eusse préféré à l'horreur d'avoir à rougir devant une
créature vivante. *Ibid., chap. 4.*

La mort est belle, elle est notre amie; néanmoins, nous ne 8269
la reconnaissons pas, parce qu'elle se présente à nous masquée et que son masque nous épouvante. *Ibid.*

Plus semblable au reste des hommes, j'eusse été plus heureux : 8270
celui qui, sans m'ôter l'esprit, fût parvenu à tuer ce qu'on
appelle mon talent, m'aurait traité en ami. *Ibid., chap. 8.*

J'ai en moi une impossibilité d'obéir. *Ibid.* 8271

J'ai vu de près les rois, et mes illusions politiques se sont 8272
évanouies. *Ibid., Livre III, chap. 1.*

Tout devint passion chez moi, en attendant les passions 8273
mêmes. *Ibid., chap. 5.*

J'étais agité d'un désir de bonheur que je ne pouvais ni 8274
régler ni comprendre; mon esprit et mon cœur s'achevaient
de former comme deux temples vides, sans autels et sans
sacrifices; on ne savait encore quel Dieu y serait adoré.
Ibid.

Tous mes jours sont des adieux. *Ibid., chap. 9.* 8275

L'homme qui attente à ses jours montre moins la vigueur 8276
de son âme que la défaillance de sa nature.
Ibid., chap. 14.

L'homme n'a pas une seule et même vie; il en a plusieurs 8277
mises bout à bout, et c'est sa misère. *Ibid., chap. 16.*

8278   Qu'importe que j'aie tracé des images plus ou moins brillantes de la religion, si mes passions jettent une ombre sur
ma foi !   *Ibid., Livre IV, chap. 2.*

8279   Il n'est que deux choses vraies : la religion avec l'intelligence,
l'amour avec la jeunesse [...] : le reste n'en vaut pas la peine.
Ibid., chap. 6.

8280   Notre existence est d'une telle fuite que, si nous n'écrivons
pas le soir l'événement du matin, le travail nous encombre
et nous n'avons plus le temps de le mettre à jour.
Ibid., chap. 12.

8281   La Révolution m'aurait entraîné, si elle n'eût débuté par
des crimes : je vis la première tête portée au bout d'une
pique, et je reculai. Jamais le meurtre ne sera à mes yeux
un objet d'admiration et un argument de liberté ; je ne connais
rien de plus servile, de plus méprisable, de plus lâche, de
plus borné qu'un terroriste.   *Ibid., chap. 13.*

8282   A toutes les époques historiques, il existe un esprit-principe.
Ibid., Livre V, chap. 1.

8283   Toute opinion meurt impuissante ou frénétique, si elle
n'est logée dans une assemblée qui la rend pouvoir, la munit
d'une volonté, lui attache une langue et des bras. C'est
et ce sera toujours par des corps légaux ou illégaux qu'arrivent et arriveront les révolutions.   *Ibid.*

8284   Religion à part, le bonheur est de s'ignorer et d'arriver à
la mort sans avoir senti la vie.   *Ibid., chap. 6.*

8285   Dans les grandes transformations sociales, les résistances
individuelles, honorables pour les caractères, sont impuis-
santes contre les faits.   *Ibid., chap. 7.*

8286   La liberté qui capitule, ou le pouvoir qui se dégrade, n'obtient point merci de ses ennemis.   *Ibid., chap. 9.*

8287   J'eus horreur des festins de cannibales[1], et l'idée de quitter
la France pour quelque pays lointain germa dans mon esprit.
Ibid.

8288   Il ne restera que trois hommes, chacun d'eux attaché à
chacune des trois grandes époques révolutionnaires, Mirabeau pour l'aristocratie, Robespierre pour la démocratie,
Bonaparte pour le despotisme ; la monarchie restaurée
n'a rien : la France a payé cher trois renommées que ne
peut avouer la vertu.   *Ibid., chap. 12.*

8289   Les moments de crise produisent un redoublement de vie chez
les hommes.   *Ibid., chap. 14.*

8290   De chrétien zélé que j'avais été, j'étais devenu un esprit
fort, c'est-à-dire un esprit faible.   *Ibid.*

1. En juillet 1789.

L'homme, chaque soir, en se couchant, peut compter ses pertes : il n'y a que ses ans qui ne le quittent point, bien qu'ils passent. *Ibid., Livre VI, chap. 6.*

8291

J'admirais beaucoup les républiques, bien que je ne les crusse pas possibles à l'époque du monde où nous étions parvenus : je connaissais la liberté à la manière des anciens, la liberté fille des mœurs dans une société naissante; mais j'ignorais la liberté fille des lumières et d'une vieille civilisation, liberté dont la république représentative a prouvé la réalité. *Ibid., chap. 7.*

8292

La grandeur de l'âme ou celle de la fortune ne m'imposent point; j'admire la première sans en être écrasé; la seconde m'inspire plus de pitié que de respect : visage d'homme ne me troublera jamais. *Ibid.*

8293

Alexandre créait des villes partout où il courait : j'ai laissé des songes partout où j'ai traîné ma vie. *Ibid., Livre VII, chap. 7.*

8294

L'immobilité politique est impossible; force est d'avancer avec l'intelligence humaine. *Ibid., chap. 11.*

8295

Je descendrai aux Champs-Élysées avec plus d'ombres qu'homme n'en a jamais emmené avec soi. *Ibid., Livre VIII, chap. 4.*

8296

Hors en religion, je n'ai aucune croyance. *Ibid.*

8297

Tout me lasse : je remorque avec peine mon ennui avec mes jours, et je vais partout bâillant ma vie. *Ibid.*

8298

Parti pour être voyageur en Amérique, revenu pour être soldat en Europe, je ne fournis jusqu'au bout ni l'une ni l'autre de ces carrières : un mauvais génie m'arracha le bâton et l'épée, et me mit la plume à la main. *Ibid., chap. 5.*

8299

L'Américain a remplacé les opérations intellectuelles par les opérations positives; ne lui imputez pas à infériorité sa médiocrité dans les arts, car ce n'est pas de ce côté qu'il a porté son attention. *Ibid.*

8300

Ce qui convient à la complexion d'une société libre, c'est un état de paix modéré par la guerre, et un état de guerre attrempé de paix. *Ibid., chap. 6.*

8301

La menace du plus fort me fait toujours passer du côté du plus faible. *Ibid., Livre IX, chap. 1.*

8302

Les Conventionnels [...] faisaient couper le cou à leurs voisins avec une extrême sensibilité, pour le plus grand bonheur de l'espèce humaine. *Ibid., chap. 2.*

8303

Presque toujours, en politique, le résultat est contraire à la prévision. *Ibid., chap. 3.*

8304

8305 Les infirmités de l'âme et du corps ont joué un rôle dans nos troubles; l'amour-propre en souffrance a fait de grands révolutionnaires. *Ibid.*

8306 Comme des crimes se sont trouvés mêlés à un grand mouvement social, on s'est, très mal à propos, figuré que ces crimes avaient produit les grandeurs de la Révolution. *Ibid., chap. 4.*

8307 Les coupables à imagination comme Danton semblent, en raison même de l'exagération de leurs dits et déportements, plus pervers que les coupables de sang-froid, et, dans le fait, ils le sont moins. *Ibid.*

8308 Il paraît qu'on n'apprend pas à mourir en tuant les autres. *Ibid.*

8309 Il est curieux d'entendre aujourd'hui d'ignorants philosophes et des démocrates bavards crier contre les religieux, comme si ces prolétaires enfroqués, ces ordres mendiants à qui nous devons presque tout, avaient été des gentilshommes. *Ibid., chap. 8.*

8310 Dans le cœur humain, les plaisirs ne gardent pas entre eux les relations que les chagrins y conservent : les joies nouvelles ne font point printaner les anciennes joies, mais les douleurs récentes font reverdir les vieilles douleurs. *Ibid., Livre X, chap. 3.*

8311 Ce qui enchante dans l'âge des liaisons devient dans l'âge délaissé un objet de souffrance et de regrets. *Ibid.*

8312 La vie, sans les maux qui la rendent grave, est un hochet d'enfant. *Ibid., chap. 7.*

8313 Il ne manque à l'amour que la durée pour être à la fois l'Eden avant la chute et l'Hosanna sans fin. Faites que la beauté reste, que la jeunesse demeure, que le cœur ne se puisse lasser, et vous reproduirez le ciel. *Ibid., chap. 9.*

8314 Une passion vraie et malheureuse est un levain empoisonné qui reste au fond de l'âme et qui gâterait le pain des anges. *Ibid., chap. 10.*

8315 Comme je ne crois à rien, excepté en religion, je me défie de tout : la malveillance et le dénigrement sont les deux caractères de l'esprit français; la moquerie et la calomnie, le résultat certain d'une confidence. *Ibid., Livre XI, chap. 1.*

8316 Douce, patriarcale, innocente, honorable amitié de famille, votre siècle est passé! On ne tient plus au sol par une multitude de fleurs, de rejetons et de racines; on naît et l'on meurt maintenant un à un. *Ibid., chap. 6.*

8317 L'on ne vit que par le style. [...] L'ouvrage le mieux composé, orné de portraits d'une bonne ressemblance, rempli de mille autres perfections, est mort-né si le style manque. Le style, et il y en a de mille sortes, ne s'apprend pas; c'est le don du ciel, c'est le talent. *Ibid., Livre XII, chap. 2.*

Il est moins facile de régler le cœur que de le troubler. 8318
Ibid.

On soutient que les beautés réelles sont de tous les temps, 8319
de tous les pays : oui, les beautés de sentiment et de pensée;
non, les beautés de style. *Ibid., chap. 4.*

Comment renouer avec quelque ardeur la narration d'un 8320
sujet rempli jadis pour moi de passion et de feu, quand ce
ne sont plus des vivants avec qui je vais m'entretenir, quand
il s'agit de réveiller des effigies glacées au fond de l'Éternité,
de descendre dans un caveau funèbre pour y jouer à la vie?[...]
Il ne suffit pas de dire aux songes, aux amours : « Renaissez! »
pour qu'ils renaissent; on ne se peut ouvrir la région des
ombres qu'avec le rameau d'or, et il faut une jeune main
pour le cueillir. *Ibid., Deuxième partie, Livre XIII, chap. 2.*

De jour en jour [1] s'accomplissait la métamorphose des répu- 8321
blicains en impérialistes et de la tyrannie de tous dans le
despotisme d'un seul. *Ibid., chap. 5.*

Atala tombant au milieu de la littérature de l'Empire, 8322
de cette école classique, vieille rajeunie dont la seule vue
inspirait l'ennui, était une sorte de production d'un genre
inconnu. *Ibid., chap. 6.*

Quand il [le moraliste Joubert] lisait, il déchirait de ses 8323
livres les feuilles qui lui déplaisaient, ayant, de la sorte,
une bibliothèque à son usage, composée d'ouvrages évidés
renfermés dans des couvertures trop grandes.
Ibid., chap. 7.

Platon à cœur de La Fontaine, il [Joubert] s'était fait l'idée 8324
d'une perfection qui l'empêchait de rien achever. *Ibid.*

L'aiguille ne revient point à l'heure qu'on voudrait ramener. 8325
Ibid., chap. 9.

Les sentiments généraux qui composent le fond de l'huma- 8326
nité, la tendresse paternelle et maternelle, la piété filiale,
l'amitié, l'amour, sont inépuisables; mais les manières particulières de sentir, les individualités d'esprit et de caractère,
ne peuvent s'étendre et se multiplier dans de grands et
nombreux tableaux. Les petits coins non découverts du cœur
de l'homme sont un champ étroit; il ne reste rien à recueillir
dans ce champ après la main qui l'a moissonné la première.
Ibid., chap. 10.

Les diverses combinaisons abstraites ne font que substituer 8327
aux mystères chrétiens des mystères encore plus incompréhensibles. *Ibid.*

Le Génie du Christianisme étant encore à faire, je le compose- 8328
rais tout différemment qu'il est : au lieu de rappeler les
bienfaits et les institutions de notre religion au passé, je
ferais voir que le christianisme est la pensée de l'avenir et de

1. En 1800.

la liberté humaine; que cette pensée rédemptrice et messie
est le seul fondement de l'égalité sociale; qu'elle seule la
peut établir, parce qu'elle place auprès de cette égalité la
nécessité du devoir, correctif et régulateur de l'instinct
démocratique.   *Ibid., chap. 11.*

8329   Il y a beaucoup de songes dans le premier enivrement de la
renommée, et les yeux se remplissent d'abord avec délices
de la lumière qui se lève; mais que cette lumière s'éteigne,
elle vous laisse dans l'obscurité; si elle dure, l'habitude de la
voir vous y rend bientôt insensible.
                                Ibid., Livre XIV, chap. 2.

8330   La mer, qui ne marche point, est la source de mythologie
comme l'océan, qui se lève deux fois le jour, est l'abîme,
auquel a dit Jéhovah : « Tu n'iras pas plus loin ».   *Ibid.*

8331   Tout est usé aujourd'hui, même le malheur.   *Ibid.*

8332   Tel est le danger des lettres : le désir de faire du bruit l'emporte sur les sentiments généreux.   *Ibid., chap. 6.*

8333   Rome païenne s'enfonce de plus en plus dans ses tombeaux,
et Rome chrétienne redescend peu à peu dans ses cata-
combes.   *Ibid., chap. 7.*

8334   Toutes les opinions politiques de la terre seraient trop
payées par le sacrifice d'une heure d'une sincère amitié.
                                        Ibid., chap. 8.

8335   Chaque homme renferme en soi un monde à part, étranger
aux lois et aux destinées générales des siècles.
                                Ibid., Livre XV, chap. 6.

8336   Dans nos infirmités volages, nous ne pouvons employer que
des mots déjà usés par nous dans nos anciens attachements.
Il est cependant des paroles qui ne devraient servir qu'une
fois.   *Ibid., chap. 7.*

8337   En osant quitter Bonaparte, je m'étais placé à son niveau.
                                Ibid., Livre XVI, chap. 1.

8338   Si Bonaparte n'eût pas tué le duc d'Enghien, [...] ma vie,
rangée parmi celles qu'on appelle heureuses, eût été privée
de ce qui en a fait le caractère et l'honneur : la pauvreté, le
combat et l'indépendance.   *Ibid., chap. 7.*

8339   Tout crime porte en soi une incapacité radicale et un germe
de malheur : pratiquons donc le bien pour être heureux, et
soyons justes pour être habiles.   *Ibid., chap. 9.*

8340   Si l'homme est ingrat, l'humanité est reconnaissante.
                                Ibid., Livre XVII, chap. 3.

Ne disputons à personne ses souffrances; il en est des dou- 8341
leurs comme des patries, chacun a la sienne.   *Ibid.*

Les révolutions [...] se sont étendues sur la Grèce, la Syrie, 8342
l'Égypte. Un nouvel Orient va-t-il se former? Qu'en sortira-
t-il? Recevrons-nous le châtiment mérité d'avoir appris
l'art moderne des armes à des peuples dont l'état social est
fondé sur l'esclavage et la polygamie? Avons-nous porté la
civilisation au-dehors, ou avons-nous amené la barbarie
dans l'intérieur de la chrétienté?
                          Ibid., Livre XVIII, chap. 4.

Du vivant d'Hippocrate, il y avait disette de morts aux 8343
enfers, dit l'épigramme; grâce à nos Hippocrates modernes,
il y a aujourd'hui abondance.   *Ibid., chap. 5.*

Mes actes ont été de l'ancienne cité, mes pensées de la nou- 8344
velle; les premiers de mon devoir, les derniers de ma nature.
                                    Ibid., chap. 9.

Les langues ne suivent le mouvement de la civilisation 8345
qu'avant l'époque de leur perfectionnement; parvenues
à leur apogée, elles restent un moment stationnaires, puis
elles descendent sans pouvoir remonter.   *Ibid.*

La jeunesse est une chose charmante; elle part au commence- 8346
ment de la vie couronnée de fleurs comme la flotte athénienne
pour aller conquérir la Sicile et les délicieuses campagnes
d'Enna.   *Ibid., Troisième partie, Livre XIX, chap. 1.*

Si parfois je fais encore entendre les accords de la lyre, ce 8347
sont les dernières harmonies du poète qui cherche à se guérir
de la blessure des flèches du temps, ou à se consoler de la
servitude des années.   *Ibid.*

Cette vieille Europe pensait ne combattre que la France; elle 8348
ne s'apercevait pas qu'un siècle nouveau marchait sur elle.
                                                Ibid.

Quels que soient les efforts de la démocratie pour rehausser 8349
ses mœurs par le grand but qu'elle se propose, ses habitudes
abaissent ses mœurs.   *Ibid., chap. 9.*

Turenne en savait autant que Bonaparte, mais il n'était pas 8350
maître absolu et ne disposait pas de quarante millions
d'hommes. Tôt ou tard, il faudra rentrer dans la guerre
civilisée que savait encore Moreau, guerre qui laisse les
peuples en repos tandis qu'un petit nombre de soldats font
leur devoir [...].   *Ibid., Livre XX, chap. 10.*

L'empereur s'était transformé en un monarque de vieille 8351
race qui s'attribue tout, qui ne parle que de lui, qui croit
récompenser ou punir en disant qu'il est satisfait ou mécontent.   *Ibid., chap. 11.*

Pour moi, la terre fût-elle un globe explosible, je n'hésiterais 8352
pas à y mettre le feu s'il s'agissait de délivrer mon pays.
                              Ibid., Livre XXI, chap. 4.

8353   Moscou chancelait, silencieuse, devant l'étranger; trois
jours après, elle avait disparu; la Circassienne du Nord, la
belle fiancée, s'était couchée sur son bûcher funèbre.
Ibid.

8354   Il n'y a peut-être que moi qui, dans les soirées d'automne,
en regardant voler au haut du ciel les oiseaux du Nord,
me souvienne qu'ils ont vu la tombe de nos compatriotes.
Des compagnies industrielles se sont transportées au désert
avec leurs fourneaux et leurs chaudières; les os ont été
convertis en noir animal [...].   *Ibid., chap. 5.*

8355   Hors de la religion, de la justice et de la liberté, il n'y a point
de droits.   *Ibid.*

8356   C'était dans le sang que Bonaparte était accoutumé à laver
le linge des Français.   *Ibid., Livre XXII, chap. 7.*

8357   Louis XVIII déclara que ma brochure [De Buonaparte et des
Bourbons] lui avait plus profité qu'une armée de cent mille
hommes.   *Ibid., chap. 15.*

8358   La postérité n'est pas aussi équitable dans ses arrêts qu'on
le dit.   *Ibid., chap. 15.*

8359   Nous sommes revenus au temps de Babel; mais on ne travaille plus à un monument commun de confusion : chacun
bâtit sa tour à sa propre hauteur.   *Ibid., chap. 21.*

8360   Tout est-il vide et absence dans la région des sépulcres? [...]
Qui sait les passions, les plaisirs, les embrassements de ces
morts? [...]   *Ibid., chap. 25.*

8361   Un homme vous protège par ce qu'il vaut, une femme par ce
que vous valez : voilà pourquoi, de ces deux empires, l'un
est si odieux, l'autre si doux.   *Ibid., Livre XXIII, chap. 5.*

8362   Les chimères sont comme la torture : ça fait toujours passer
une heure ou deux. J'ai souvent mené en main, avec une bride
d'or, de vieilles rosses de souvenirs qui ne pouvaient se tenir
debout, et que je prenais pour de jeunes et fringantes
espérances.   *Ibid.*

8363   L'âme supérieure n'est pas celle qui pardonne, c'est celle
qui n'a pas besoin de pardon.   *Ibid., chap. 6.*

8364   On dirait que nul ne peut devenir mon compagnon s'il n'a
passé à travers la tombe, ce qui me porte à croire que je suis
un mort.   *Ibid., chap. 7.*

8365   Je vous fais voir l'envers des événements, que l'histoire ne
montre pas.   *Ibid., chap. 12.*

8366   Le despotisme musèle les masses et affranchit les individus
dans une certaine limite; l'anarchie déchaîne les masses, et
asservit les indépendances individuelles. De là, le despotisme
ressemble à la liberté, quand il succède à l'anarchie; il reste
ce qu'il est véritablement quand il remplace la liberté.
Ibid.

Auditeur silencieux et solitaire du formidable arrêt des 8367
destinées[1], j'aurais été moins ému si je m'étais trouvé dans
la mêlée [...]. *Ibid., chap. 16.*

La plupart des hommes ont le défaut de se trop compter; 8368
j'ai le défaut de ne me pas compter assez.
Ibid., chap. 19.

Les Français vont instinctivement au pouvoir; ils n'aiment 8369
point la liberté; l'égalité seule est leur idole.
Ibid., Livre XXIV, chap. 6.

Le tort que la vraie philosophie ne pardonnera pas à Bona- 8370
parte, c'est d'avoir façonné la société à l'obéissance passive,
repoussé l'humanité vers les temps de dégradation morale
[...]. *Ibid., chap. 7.*

Bonaparte n'est plus le vrai Bonaparte, c'est une figure 8371
légendaire composée des lubies du poète, des devis du soldat
et des contes du peuple. *Ibid., chap. 8.*

Plus le visage est sérieux, plus le sourire est beau. 8372
Ibid., chap. 10.

La destinée de Napoléon était une muse, comme toutes les 8373
hautes destinées. Cette muse sut changer un dénouement
avorté en une péripétie qui renouvelait son héros.
Ibid., chap. 12.

Bien de petits hommes à qui j'ai rendu de grands services 8374
ne m'ont pas jugé si favorablement que le géant dont j'avais
osé attaquer la puissance. *Ibid., chap. 14.*

Retomber de Bonaparte et de l'Empire à ce qui les a suivis, 8375
c'est tomber de la réalité dans le néant.
Ibid., Livre XXV, chap. 1.

Ce qui est vil n'a pas le pouvoir d'avilir; l'honneur seul peut 8376
infliger le déshonneur. *Ibid., chap. 9.*

Ce n'est pas de tuer l'innocent comme innocent qui perd la 8377
société, c'est de le tuer comme coupable.
Ibid., chap. 10.

Le protestantisme n'est en religion qu'une hérésie illogique; 8378
en politique, qu'une révolution avortée.
Ibid., Livre XXVI, chap. 1.

Le sommeil dévore l'existence, c'est ce qu'il y a de bon. 8379
Ibid., chap. 3.

Les vivants ne peuvent rien apprendre aux morts; les morts, 8380
au contraire, instruisent les vivants. *Ibid., chap. 9.*

1. Waterloo.

8381   J'ai peur maintenant des sensations : [...] mon sang, ayant
un chemin moins long à parcourir, se précipite dans mon
cœur avec une affluence si rapide que ce vieil organe de mes
plaisirs et de mes douleurs palpite comme prêt à se briser.
Ibid., chap. 11.

8382   Les hommes désormais, pris ensemble comme public (et
cela pour plusieurs siècles) seront pitoyables.   *Ibid.*

8383   Un mystérieux nuage couvre toujours les affaires des Jésuites.
Ibid., Livre XXVIII, chap. 11.

8384   Le ciel fait rarement naître ensemble l'homme qui veut et
l'homme qui peut.   *Ibid., chap. 17.*

8385   Je suis sujet à faillir; je n'ai point la perfection évangélique :
si un homme me donnait un soufflet, je ne tendrais pas
l'autre joue.   *Ibid.*

8386   L'homme sage et inconsolé de ce siècle sans conviction ne
rencontre un misérable repos que dans l'athéisme politique.
Ibid.

8387   Quelle puissance ennemie coupe et gaspille ainsi nos jours,
les prodigue ironiquement à toutes les indifférences appelées
attachements [...]! Puis, par une autre dérision, quand elle
en a flétri et dépensé la partie la plus précieuse, elle vous
ramène au point de départ de vos courses.
Ibid., Livre XXIX, chap. 1.

8388   Montaigne dit que les hommes vont béant aux choses futures;
j'ai la manie de béer aux choses passées. Tout est plaisir,
surtout lorsque l'on tourne les yeux sur les premières années
de ceux que l'on chérit.   *Ibid.*

8389   Rien [...] n'est plus malheureux que d'inspirer à des caractères mobiles ces résolutions énergiques qu'ils sont incapables de tenir.   *Ibid., chap. 20.*

8390   Moi, l'homme de toutes les chimères, j'ai la haine de la
déraison, l'abomination du nébuleux et le dédain des jongleries; on n'est pas parfait.   *Ibid., chap. 21.*

8391   Quand on s'est rejoint à sa destinée, on croit ne l'avoir
jamais quittée.   *Ibid., chap. 22.*

8392   En approchant de ma fin, il me semble que tout ce qui m'a
été cher m'a été cher dans Madame Récamier, et qu'elle
était la source cachée de mes affections [...]. Elle règle mes
sentiments, de même que l'autorité du ciel a mis le bonheur,
l'ordre et la paix dans mes devoirs.   *Ibid., chap. 23.*

8393   Je voudrais être né artiste : la solitude, l'indépendance,
le soleil parmi des ruines et des chefs-d'œuvre me convien-
draient.   *Ibid., Livre XXX, chap. 6.*

8394   Loin de mépriser le passé, nous devrions, comme le font tous
les peuples, le traiter en vieillard vénérable qui raconte à

nos foyers ce qu'il a vu [...]. Il nous instruit et nous amuse par ses récits, ses idées, son langage, ses manières, ses habits d'autrefois. *Ibid., chap. 8.*

Prétendre civiliser la Turquie en lui donnant des bateaux 8395 à vapeur et des chemins de fer, en disciplinant ses armées, en lui apprenant à manœuvrer ses flottes, ce n'est pas étendre la civilisation en Orient, c'est introduire la barbarie en Occident : des Ibrahim futurs pourront amener l'avenir au temps de Charles-Martel [...]. *Ibid., chap. 12.*

On transmet son sang, on ne transmet pas son génie. 8396
Ibid., Livre XXXI, chap. 8.

La presse est un élément jadis ignoré, une force jadis incon- 8397 nue [...]; c'est la parole à l'état de foudre; c'est l'électricité sociale. [...] Plus vous prétendez la comprimer, plus l'explo- sion sera violente. Il faut donc vous résoudre à vivre avec elle. *Ibid., Livre XXXII, chap. 8.*

Dans les querelles armées, il y a des philanthropes qui 8398 distinguent les espèces et sont prêts à se trouver mal au seul nom de « guerre civile » : « Des compatriotes qui se tuent! des frères, des pères, des fils, en face les uns des autres! » Tout cela est fort triste sans doute; cependant un peuple s'est souvent retrempé et régénéré dans les discordes intes- tines. Il n'a jamais péri par une guerre civile, et il a souvent disparu dans des guerres étrangères.
Ibid., Livre XXXIV, chap. 4.

La liberté ne découle pas du droit politique, comme on le 8399 supposait au XVIIIe siècle; elle vient du droit naturel, ce qui fait qu'elle existe dans toutes les formes de gouvernement et qu'une monarchie peut être libre et beaucoup plus libre qu'une république.
Ibid., chap. 7 (extrait d'un discours prononcé par Chateau- briand à la Chambre des Pairs, le 7 août 1830).

C'est le devoir qui crée le droit et non le droit qui crée le 8400 devoir. *Ibid., chap. 9.*

Fasse le ciel que ces intérêts industriels dans lesquels nous 8401 devons trouver une prospérité d'un genre nouveau ne trompent personne, qu'ils soient aussi féconds, aussi civi- lisateurs que ces intérêts moraux d'où sortit l'ancienne société! *Ibid., chap. 10.*

J'appellerai beaucoup de songes à mon secours, pour me 8402 défendre contre cette horde de vérités qui s'engendrent dans les vieux jours.
Ibid., Quatrième partie, Livre XXXV, chap. 1.

Il y a des hommes qui, après avoir prêté serment à la Répu- 8403 blique une et indivisible, au Directoire en cinq personnes, au Consulat en trois, à l'Empire en une seule, à la première Restauration, à l'Acte additionnel aux constitutions de

l'Empire, à la seconde Restauration, ont encore quelque chose à prêter à Louis-Philippe; je ne suis pas si riche.
Ibid., chap. 3 (extrait d'une brochure écrite en 1830 : De la Restauration et de la Monarchie élective).

8404   Je m'ennuie; c'est ma nature, et je suis comme un poisson dans l'eau; si pourtant l'eau était un peu moins profonde, je m'y plairais peut-être mieux.
Ibid., chap. 6 (lettre du 18 juin 1831 à Mme Récamier).

8405   Trompez-moi bien, et je vous tiens quitte du reste. La vie est-elle autre chose qu'un mensonge? *Ibid., chap. 8.*

8406   Les sociétés secrètes ont seules une longue portée, parce qu'elles procèdent par révolution et non par conspiration; elles visent à changer les doctrines, les idées et les mœurs avant de changer les hommes et les choses.
Ibid., chap. 13 (lettre à la duchesse de Berry).

8407   Entre les royalistes et moi il y a quelque chose de glacé : nous désirons le même roi; à cela près, la plupart de nos vœux sont opposés. *Ibid., Livre XXXVI, chap. 27.*

8408   Je ne sais rire que des lèvres; j'ai le « spleen », tristesse physique, véritable maladie.
Ibid., Livre XXXVII, chap. 1.

8409   Jadis, j'étais fort lié avec mon corps; je lui conseillais de vivre sagement, afin de se montrer tout gaillard et tout ravigoté dans une quarantaine d'années. Il se moquait des serments de mon âme, s'obstinait à se divertir [...]. Et il se donnait du bonheur par-dessus la tête.
Je suis donc obligé de le prendre tel qu'il est maintenant.
Ibid., chap. 11.

8410   Tout en reconnaissant les avantages immenses de la loi salique, je ne me dissimulais pas que la durée de race a quelques graves inconvénients pour les peuples et pour les rois : pour les peuples, parce qu'elle mêle trop leur destinée avec celles des rois; pour les rois, parce que le pouvoir permanent les enivre [...]. Le malheur ne leur apprend rien; l'adversité n'est qu'une plébéienne grossière qui leur manque de respect, et les catastrophes ne sont pour eux que des insolences. *Ibid., Livre XXXVIII, chap. 13.*

8411   La méprise de beaucoup est de se persuader [...] que le genre humain est toujours dans sa place primitive; ils confondent les *passions* et les *idées :* les premières sont les mêmes dans tous les siècles, les secondes changent avec la succession des âges. *Ibid.*

8412   Qu'elle est admirable cette nuit, dans la campagne romaine! [...] Législatrice du monde, Rome, assise sur la pierre de son sépulcre, avec sa robe de siècles, projette le dessin irrégulier de sa grande figure dans la solitude lactée.
Ibid., Livre XXXIX, chap. 5.

Les gouvernements absolus, qui établissent des télégraphes, 8413
des chemins de fer, des bateaux à vapeur, et qui veulent en
même temps retenir les esprits au niveau des dogmes politiques du xive siècle, sont inconséquents; à la fois progressifs
et rétrogrades, ils se perdent dans la confusion [...]. On ne
peut séparer le principe industriel du principe de la liberté.
*Ibid., Livre XL, chap. 1 (lettre de 1833 à Madame la Dau-
phine).*

Aux yeux de l'avenir, il n'y a de beau que les existences 8414
malheureuses. *Ibid., Livre XLI, chap. 2.*

Le Français, si amoureux des femmes, se passe très bien 8415
d'elles dans une multitude de soins et de travaux; l'Allemand ne peut vivre sans sa compagne.
Ibid., Livre XLII, chap. 2.

Le parti démocratique est seul en progrès parce qu'il marche 8416
vers le monde futur; à moins toutefois que ce parti ne soit
trop décomposé pour y parvenir.
Ibid., Livre XLIII, chap. 1.

Il va naître incessamment un Évangile nouveau fort au- 8417
dessus des lieux communs de cette sagesse de convention
laquelle arrête les progrès de l'espèce humaine et la réhabilitation de ce pauvre corps, si calomnié par l'âme. Quand
les femmes courront les rues; quand il suffira, pour se marier,
d'ouvrir une fenêtre et d'appeler Dieu aux noces comme
témoin, prêtre et convive; alors toute prudence sera détruite;
il y aura des épousailles partout, et l'on s'élèvera, de même
que les colombes, à la hauteur de la nature. *Ibid., chap. 7.*

Le vieil ordre européen expire. *Ibid., Livre XLIV, chap. 2.* 8418

...Pour ne toucher qu'un point entre mille, la propriété, 8419
par exemple, restera-t-elle distribuée comme elle l'est?
[...]. Un état politique où des individus ont des millions
de revenu, tandis que d'autres individus meurent de faim,
peut-il subsister quand la religion n'est plus là avec ses
espérances hors de ce monde pour expliquer le sacrifice?
Ibid., chap. 3.

Si le sens moral se développait en raison du développement 8420
de l'intelligence, il y aurait contrepoids et l'humanité gran-
dirait, mais il arrive tout le contraire : la perception du bien
et du mal s'obscurcit à mesure que l'intelligence s'éclaire;
la conscience se rétrécit à mesure que les idées s'élargissent.
Ibid., chap. 4.

Les excès de la liberté mènent au despotisme; mais les 8421
excès de la tyrannie ne mènent qu'à la tyrannie.
Ibid., chap. 5.

L'homme n'a pas besoin de voyager pour s'agrandir; il 8422
porte avec lui l'immensité. *Ibid.*

8423   Quelle serait une société universelle qui n'aurait point de
pays particulier, qui ne serait ni française, ni anglaise,
ni allemande, ni espagnole, ni portugaise, ni italienne, ni
russe, ni tartare, ni turque, ni persane, ni indienne, ni chinoise, ni américaine, ou plutôt qui serait à la fois toutes
ces sociétés? Qu'en résulterait-il pour ses mœurs, ses sciences,
ses arts, sa poésie? [...] Comment entrerait dans le langage
cette confusion de besoins et d'images produits des divers
soleils qui auraient éclairé une jeunesse, une virilité et une
vieillesse communes? Et quel serait ce langage? De la fusion
des sociétés résultera-t-il un idiome universel, ou y aura-t-il
un dialecte de transaction servant à l'usage journalier, tandis
que chaque nation parlerait sa propre langue, ou bien des
langues diverses seraient-elles entendues de tous? [...]
Comment trouver place sur une terre agrandie par la puissance d'ubiquité, et rétrécie par les petites proportions
d'un globe souillé partout? Il ne resterait qu'à demander
à la science le moyen de changer de planète.   *Ibid.*

8424   Sans la propriété individuelle, nul n'est affranchi; quiconque
n'a pas de propriété ne peut être indépendant; il devient
prolétaire ou salarié [...].   *Ibid., chap. 6.*

8425   Dans toutes les hypothèses, les améliorations que vous
désirez, vous ne les pouvez tirer que de l'Évangile.
Ibid., chap. 7.

8426   Ma conviction religieuse, en grandissant, a dévoré mes
autres convictions; il n'est ici-bas chrétien plus croyant
et homme plus incrédule que moi.   *Ibid.*

8427   Les gouvernements passeront, le mal moral disparaîtra,
la réhabilitation annoncera la consommation des siècles de
mort et d'oppression nés de la chute.   *Ibid.*

8428   J'ai [...] aidé à conquérir celle de nos libertés qui les vaut
toutes, la liberté de la presse.   *Ibid., chap. 8.*

8429   A compter du règne de Louis XIV, nos écrivains ont trop
souvent été des hommes isolés, dont les talents pouvaient
être l'expression de l'esprit, non des faits de leur époque.
Ibid.

8430   J'ai fait de l'histoire et je la pouvais écrire.   *Ibid.*

8431   Je me suis rencontré entre deux siècles comme au confluent
de deux fleuves; j'ai plongé dans leurs eaux troublées,
m'éloignant à regret du vieux rivage où je suis né, nageant
avec espérance vers une rive inconnue.   *Ibid.*

8432   Grâce à l'exorbitance de mes années, mon monument est
achevé. Ça m'est un grand soulagement; je sentais quelqu'un
qui me poussait : le patron de la barque sur laquelle ma place
est retenue m'avertissait qu'il ne me restait qu'un moment
pour monter à bord.   *Ibid., chap. 9.*

8433   Le monde ne saurait changer de face sans qu'il y ait douleur. Mais, encore un coup, ce ne seront point des révolu-

tions à part; ce sera la grande révolution allant à son terme.
Les scènes de demain ne me regardent plus; elles appellent
d'autres peintres : à vous, messieurs.   *Ibid.*

Je vois les reflets d'une aurore dont je ne verrai pas se lever   8434
le soleil. Il ne me reste qu'à m'asseoir au bord de ma fosse;
après quoi je descendrai hardiment, le crucifix à la main,
dans l'éternité.   *Ibid.*

ANTOINE FABRE D'OLIVET
1768-1825

L'homme développe, perfectionne ou déprave mais il ne   8435
crée rien.   *Les Vers dorés de Pythagore.*

Ne craignons point d'annoncer cette importante vérité :   8436
toutes les langues que les hommes parlent et qu'ils ont
parlées sur la face de la terre, et la masse incalculable de
mots qui entrent ou sont entrés dans la composition de ces
langues ont pris naissance dans un très petit nombre de signes
radicaux.   *La langue hébraïque restituée.*

Les langues particulières ne sont que les dialectes d'une   8437
Langue universelle, fondée sur la nature, et dont une étincelle de la Parole divine anime les éléments. On peut appeler
cette Langue, que jamais nul peuple n'a possédée en entier,
la *Langue primitive.*   *Ibid.*

Si l'homme était parfait, si ses organes avaient acquis toute   8438
la perfection dont ils sont susceptibles, une seule langue
serait entendue, et parlée, d'une extrémité à l'autre de la
terre.   *Ibid.*

L'homme est un germe divin qui se développe par la réac-   8439
tion de ses sens. Tout est inné en lui, tout : ce qu'il reçoit
de l'extérieur n'est que l'occasion de ses idées, et non pas
ses idées elles-mêmes. C'est une plante, comme je l'ai dit,
qui porte des pensées, comme un rosier porte des roses, et
un pommier des pommes.
*L'Histoire philosophique du genre humain ou l'homme consi-
déré sous ses rapports religieux et politiques dans l'État social,
à toutes les époques et chez les différents peuples de la Terre.*

Le règne animal existait tout entier avant que l'Homme   8440
existât. Lorsque l'homme parut sur la scène de l'Univers
il forma à lui seul un quatrième règne, le Règne hominal.
                                                         Ibid.

Jouir avant de posséder voilà l'instinct de l'homme : possé-   8441
der avant de jouir voilà l'instinct de la femme.   *Ibid.*

Il n'y a d'innocents que ceux qui s'opposent au crime;   8442
ceux qui le souffrent, le partagent.   *Ibid.*

8443 Ce n'est qu'à la faveur de l'esclavage que peut se soutenir la liberté. Les républiques sont oppressives de leur nature.
Ibid.

8444 L'Europe, couverte pendant longtemps d'un brouillard spirituel, a perdu les lumières étrangères qu'elle avait reçues de l'Afrique et de l'Asie; l'irruption des hordes septentrionales a entraîné sur elle toute l'épaisseur des ombres cimmériennes.
La Musique, expliquée comme science et comme art, et considérée dans ses rapports analogiques avec les mystères religieux, la mythologie ancienne et l'histoire de la Terre.

NAPOLÉON BONAPARTE
1769-1821

8445 Les hommes dans l'état de nature ne forment pas de gouvernement. Pour en établir un, il a fallu que chaque individu consentît au changement. L'acte constituant cette convention est nécessairement un contrat réciproque. Tous les hommes ainsi engagés ont fait des lois. Ils étaient donc souverains. Soit par la difficulté de s'assembler souvent, soit pour toute autre cause, le peuple aura remis son autorité à un corps ou homme particulier.
Mes réflexions sur l'état de nature.

8446 Je naquis quand la patrie [la Corse] périssait. Trente mille Français vomis sur nos côtes, noyant le trône de la liberté dans des flots de sang, tel fut le spectacle odieux qui vint le premier frapper mes regards [...]. L'infortuné Péruvien périssant sous le fer de l'avide Espagnol éprouvait-il une vexation plus ulcérante?
Au général Paoli, Auxonne-en-Bourgone, 12 juin 1789.

8447 L'homme en naissant porte avec lui des droits sur la portion des fruits de la terre nécessaires à son existence.
Discours de Lyon, 1791.

8448 Descendez aux bords de la mer; voyez l'astre du jour sur son déclin se précipiter avec majesté dans le sein de l'infini; la mélancolie vous maîtrisera; vous vous y abandonnerez. L'on ne résiste pas à la mélancolie de la nature. *Ibid.*

8449 Les hommes de génie sont des météores destinés à brûler pour éclairer leur siècle. *Ibid.*

8450 L'énergie est la vie de l'âme comme le principal ressort de la raison. *Ibid.*

8451 La République, qui donne la loi à l'Europe, la recevra-t-elle de Marseille? *Le Souper de Beaucaire.*

Dans un état révolutionnaire, il y a deux classes, les sus- 8452
pects et les patriotes.
Aux représentants en mission Salicetti, Albitte et Laporte,
Antibes, août 1794.

Une femme a besoin de six mois de Paris pour connaître 8453
ce qui lui est dû, et quel est son empire.
A Joseph Bonaparte, Paris, 24 messidor an III (12 juillet 1795).

Les femmes sont l'âme de toutes les intrigues; on devrait 8454
les reléguer dans leur ménage; les salons du gouvernement
devraient leur être fermés.
A Joseph Bonaparte, Paris, 22 fructidor an III (8 septembre
1795).

Soldats, vous êtes nus, mal nourris; le gouvernement vous 8455
doit beaucoup, il ne peut rien vous donner. Votre patience,
le courage que vous montrez au milieu de ces rochers, sont
admirables; mais ils ne vous procurent aucune gloire; aucun
éclat ne rejaillit sur vous. Je veux vous conduire dans les
plus fertiles plaines du monde. De riches provinces, de
grandes villes seront en votre pouvoir; vous y trouverez
honneur, gloire et richesses. Soldats d'Italie, manqueriez-
vous de courage et de constance?
Proclamation du Général en Chef à l'Armée à l'ouverture
de la campagne, Quartier général, Nice, 7 germinal an IV
(27 mars 1796).

Qu'est-ce que l'avenir? qu'est-ce que le passé? qu'est-ce 8456
que nous? quel fluide magique nous environne et nous cache
les choses qu'il nous importe le plus de connaître? Nous
naissons, nous vivons, nous mourons au milieu du merveilleux.
A Joséphine, Albenga, 16 germinal an IV (5 avril 1796).

Tous les hommes de génie, tous ceux qui ont obtenu un rang 8457
distingué dans la république des lettres, sont Français,
quel que soit le pays qui les a vu naître.
Au citoyen Oriani, astronome, Milan, 5 prairial an IV
(24 mai 1796).

La vraie récompense des armées ne consiste-t-elle pas dans 8458
l'opinion de leurs concitoyens?
A l'Administration municipale de Marseille, Montebello,
16 messidor an V (3 juillet 1797).

La haine des traîtres, des tyrans et des esclaves sera dans 8459
l'histoire notre plus beau titre à la gloire et à l'immortalité.
Proclamation, Quartier Général, Passariano, 1er vendémiaire
an V (22 septembre 1797),

Nous vous avons donné la liberté; sachez la conserver. 8460
Proclamation au peuple cisalpin, Quartier général, Milan,
21 brumaire an VI (11 novembre 1797).

Les vraies conquêtes, les seules qui ne donnent aucun regret, 8461
sont celles que l'on fait sur l'ignorance. [...] La vraie puissance de la République française doit consister désormais

à ne pas permettre qu'il existe une seule idée nouvelle qu'elle ne lui appartienne.
Au Président de l'Institut National, Paris, 6 nivôse an VI (26 décembre 1797).

8462   Nous ne sommes plus de ces infidèles des temps barbares qui venaient combattre votre foi; nous la reconnaissons sublime, nous y adhérons, et l'instant est arrivé où tous les Français deviendront aussi de vrais croyants.
Au Pacha d'Alep, Quartier général, au Caire, 26 fructidor an VI (12 septembre 1798).

8463   Je suis annulé de la nature humaine! j'ai besoin de solitude et d'isolement; la grandeur m'ennuie; le sentiment est desséché; la gloire est fade; à 29 ans j'ai tout épuisé.
A Joseph Bonaparte, Le Caire, 7 thermidor an VII (25 juillet 1799).

8464   Qu'on ne cherche pas dans le passé des exemples qui pourraient retarder votre marche! Rien, dans l'histoire, ne ressemble à la fin du XVIIIe siècle; rien, dans la fin du XVIIIe siècle, ne ressemble au moment actuel.
Discours au Conseil des Anciens, Paris, 18 brumaire an VIII (9 novembre 1799).

8465   Citoyens Représentants, les circonstances où vous vous trouvez ne sont pas ordinaires : vous êtes sur un volcan.
Discours du Général Bonaparte au Conseil des Anciens, dans la séance du 19 brumaire, Château de Saint-Cloud (10 novembre 1799).

8466   Souvenez-vous que je marche accompagné du dieu de la guerre et du dieu de la fortune.   *Ibid.*

8467   Bien souvent, je ne dis pas ce que je sais, mais il ne m'arrive jamais de dire ce qui sera.
Aux Consuls de la République, Martigny, 29 floréal an VIII (19 mai 1800).

8468   L'art de la police est de ne pas voir ce qu'il est inutile qu'elle voie.   *Au citoyen Fouché, 24 mai 1800.*

8469   Nulle société ne peut exister sans morale. Il n'y a pas de bonne morale sans religion. Il n'y a donc que la religion qui donne à l'État un appui ferme et durable. Une société sans religion est comme un vaisseau sans boussole : un vaisseau dans cet état ne peut ni s'assurer de sa route, ni espérer d'entrer au port.
Allocution aux curés de Milan, 5 juin 1800.

8470   Vous ne devez pas souhaiter votre retour en France. Il vous faudrait marcher sur 100 000 cadavres... Sacrifiez votre intérêt au repos et au bonheur de la France. L'histoire vous en tiendra compte.
Au Comte de Provence (Lôuis XVIII), Paris, 20 fructidor an VIII de la République (7 septembre 1800).

L'armée, c'est la nation. 8471
*Paroles du Premier Consul au Conseil d'État dans la séance
du 14 floréal an X (4 mai 1802).*

L'argent qu'on dépense en bâtiments est un argent perdu. 8472
Décision, Saint-Cloud, 24 floréal an XII (14 mai 1804).

Il [Barère] croit toujours qu'il faut animer les masses; il 8473
faut, au contraire, les diriger sans qu'elles s'en aperçoivent.
A Fouché, Aix-la-Chapelle, 9 septembre 1804.

Je n'ai pas succédé à Louis XVI mais à Charlemagne. 8474
A Pie VII, le jour du Sacre, 2 décembre 1804.

Montrez pour la nation que vous gouvernez une estime 8475
qu'il convient de manifester d'autant plus que vous décou-
vrirez des motifs de l'estimer moins.
*Instructions pour le Prince Eugène, Vice-Roi d'Italie, Milan,
7 juin 1805.*

Sachez écouter, et soyez sûr que le silence produit souvent 8476
le même effet que la science. *Ibid.*

Pour moi, je n'ai qu'un besoin, celui de réussir. 8477
Au Vice-Amiral Decrès, Camp de Boulogne, 22 août 1805.

Je m'afflige de ma manière de vivre qui, m'entraînant dans 8478
les camps, dans les expéditions, détourne mes regards de
ce premier objet de mes soins, de ce premier besoin de mon
cœur, une bonne et solide organisation de ce qui tient aux
banques, aux manufactures et au commerce.
A Barbé-Marbois, Camp de Boulogne, 24 août 1805.

Soldats, je suis content de vous! 8479
Proclamation du 2 décembre 1805 après la victoire d'Austerlitz.

La paix est un mot vide de sens; c'est une paix glorieuse 8480
qu'il nous faut.
*Au Prince Joseph [Bonaparte], Schœnbrunn, 22 frimaire
an XIV (13 décembre 1805).*

Je ne donne rien au hasard, ce que je dis je le fais toujours 8481
ou je meurs.
Au Prince Joseph, Schœnbrunn, 15 décembre 1805.

La liberté de la pensée est la première conquête du siècle. 8482
L'Empereur veut qu'elle soit conservée.
Moniteur, 22 janvier 1806.

Bon Dieu! que les hommes de lettres sont bêtes! 8483
A Cambacérès, Strasbourg, 24 janvier 1806.

Nos conditions doivent être que Votre Sainteté aura pour 8484
moi, dans le temporel, les mêmes égards que je lui porte
pour le spirituel [...]. Votre Sainteté est souveraine de Rome,
mais j'en suis l'empereur.
A S.S. le Pape, Paris, 13 février 1806.

8485   Un roi doit se défendre et mourir dans ses États. Un roi émi-
       gré et vagabond est un sot personnage.
                                        Au Roi Joseph, 9 août 1806.

8486   L'art de la guerre est de disposer de ses troupes de manière
       à ce qu'elles soient partout à la fois.   *Ibid.*

8487   A tout peuple conquis il faut une révolte, et je regarderai
       une révolte à Naples comme un père de famille voit une
       petite vérole à ses enfants, pourvu qu'elle n'affaiblisse pas
       trop le malade.   *A Joseph, 17 août 1806.*

8488   Plus on est grand et moins on doit avoir de volonté; l'on
       dépend des événements et des circonstances.
                      A Joséphine, Posen, 3 décembre 1806, à 6 h du soir.

8489   Le temps est le grand art de l'homme.
              Au Roi de Naples [Joseph Bonaparte], Osterode, 1er mars 1807.

8490   Je ne crois pas au proverbe que, pour savoir commander,
       il faut savoir obéir.   *A Joseph, 4 mai 1807.*

8491   La faiblesse du cerveau des femmes, la mobilité de leurs
       idées, leur destination dans l'ordre social, la nécessité d'une
       constante et perpétuelle résignation et d'une sorte de charité
       indulgente et facile, tout cela ne peut s'obtenir que par la
       religion, par une religion charitable et douce.
       Note sur l'établissement d'Ecouen, Finkenstein, 15 mai 1807.

8492   Il ne faut point passer sur cette terre sans y laisser des traces
       qui recommandent notre mémoire à la postérité.
                      A Cretet, Fontainebleau, 14 novembre 1807.

8493   Il faut être plus grands, malgré nous.
       *A Alexandre Ier, Empereur de Russie, à Saint-Pétersbourg,
                                        Paris, 2 février 1808.*

8494   Il est de la sagesse et de la politique de faire ce que le des-
       tin ordonne et d'aller où la marche irrésistible des événe-
       ments nous conduit.   *Ibid.*

8495   Il faut qu'une chose soit faite pour qu'on avoue y avoir
       pensé.
       *A Louis-Napoléon, Roi de Hollande, à La Haye, Saint-Cloud,
                                27 mars 1808, sept heures du soir.*

8496   Je vous dispense également de me comparer à Dieu. Il y a
       tant de singularité et d'irrespect pour moi, dans cette phrase,
       que je veux croire que vous n'avez pas réfléchi à ce que vous
       écriviez.   *Au Vice-Amiral Decrès, Bayonne, 22 mai 1808.*

8497   On dirait, en vérité, qu'à la police on ne sait pas lire.
                      A Fouché, Schœnbrunn, 26 juillet 1809.

8498   Quiconque préfère la mort à l'ignominie se sauve et vit
       avec honneur, et au contraire celui qui préfère la vie meurt
       en se couvrant de honte.
              Au Général Clarke, Schœnbrunn, 1er octobre 1809.

Celles de mes journées que je passe loin de la France sont des journées perdues pour mon bonheur.
Allocution au Sénat, Palais des Tuileries, 16 novembre 1809.

8499

Je sais qu'il faut rendre à Dieu ce qui est à Dieu, mais le Pape n'est pas Dieu.
Au Comité Ecclésiastique à Paris, 16 mars 1811.

8500

L'amour de la patrie est la première vertu de l'homme civilisé.
L'Empereur aux Députés de la Confédération de Pologne, Vilna, 14 juillet 1812.

8501

Ce n'est pas possible, m'écrivez-vous; cela n'est pas français.
Au général comte Lemarois, 9 juillet 1813.

8502

La France a plus besoin de moi que je n'ai besoin de la France.
Réponse à une Députation du Corps Législatif, Paris, 31 décembre 1813.

8503

Je ne suis à la tête de cette nation que parce que la Constitution de l'État me convient. Si la France exigeait une autre constitution et qu'elle ne me convînt pas, je lui dirais de chercher un autre souverain.
Ibid.

8504

La Révolution n'a pas été produite par le choc de deux familles se disputant le trône; elle a été un mouvement général de la masse de la nation contre les privilégiés.
Manuscrit de l'Ile d'Elbe (20 février 1815).

8505

Depuis le peu de mois que les Bourbons règnent, ils vous ont convaincu qu'ils n'ont rien oublié ni rien appris.
Proclamation du 1er mars 1815.

8506

L'aigle avec les couleurs nationales volera de clocher en clocher jusqu'aux tours de Notre-Dame.
Ibid.

8507

Dans la prospérité, dans l'adversité, sur le champ de bataille, au conseil, sur le trône, dans l'exil, la France a été l'objet unique et constant de mes pensées et de mes actions.
Discours du Champ de Mars, l'Empereur aux députés des collèges électoraux, 1er juin 1815.

8508

Je viens, comme Thémistocle, m'asseoir au foyer du peuple britannique.
Au Régent d'Angleterre, 13 juillet 1815.

8509

J'en appelle à l'histoire : elle dira qu'un ennemi, qui fit longtemps la guerre au peuple anglais, vint librement, dans son infortune, chercher un asile sous ses lois; quelle plus grande preuve pouvait-il lui donner de son estime et de sa confiance? Mais comment répondit-on, en Angleterre, à une telle magnanimité? Ou feignit de tendre une main hospitalière à cet ennemi; et quand il se fut livré de bonne foi, on l'immola.
A bord du Bellérophon, 4 août 1815.

8510

8511   [...] Dans l'état actuel des choses, avant dix ans l'Europe
       sera peut-être cosaque, ou toute en république.
                        A Las Cases, 1816, Mémorial de Sainte-Hélène.

8512   Je meurs prématurément, assassiné par l'oligarchie anglaise
       et son sicaire. Le peuple anglais ne tardera pas à me venger.
       Testament, Longwood, île de Sainte-Hélène, 15 avril 1821.

8513   Je désire que mes cendres reposent sur les bords de la Seine,
       au milieu de ce peuple français que j'ai tant aimé.   *Ibid.*

8514   J'avais demandé vingt ans; la destinée ne m'en a donné
       que treize.
       *Notes sur les « Lettres écrites de Paris pendant le dernier
       règne de l'Empereur Napoléon », traduites de l'anglais de
                        J. Hobhouse (écrit à Sainte-Hélène).*

8515   Mais qui, quand, comment peut-on être sans espérance sur
       ce théâtre mobile, où la mort naturelle ou forcée d'un seul
       homme change sur-le-champ l'état et la face des affaires?
       Précis des guerres de Jules César (écrit à Sainte-Hélène).

8516   Le fusil d'infanterie avec sa baïonnette est l'arme la plus
       parfaite qu'aient inventée les hommes.
                        *Projet d'une nouvelle organisation de l'armée (écrit à
                        Sainte-Hélène).*

8517   Au moment de la bataille, Napoléon avait dit à ses troupes,
       en leur montrant les pyramides : « Soldats, quarante siè-
       cles vous regardent... »
       Campagne d'Égypte et de Syrie (écrit à Sainte-Hélène).

8518   Il n'y a que des moyens politiques et moraux qui puissent
       maintenir les peuples conquis; l'élite des armées de la
       France n'a pas pu contenir la Vendée, qui ne compte que
       5 à 600 000 habitants.
       *Dix-huit notes sur l'ouvrage intitulé « Considérations sur
       l'art de la guerre » (écrit à Sainte-Hélène).*

8519   La Révolution a changé l'esprit de ces insulaires; ils sont
       devenus Français en 1790.
                        Histoire de la Corse (écrit à Sainte-Hélène).

8520   Vous [le ministère de Londres] finirez comme la superbe
       république de Venise, et moi, mourant sur cet affreux rocher,
       privé des miens et manquant de tout, je lègue l'opprobre
       et l'horreur de ma mort à la famille régnante d'Angleterre.
       *Au docteur Arnott, 19 avril 1821, in Mémoires d'Antom-
                        marchi, t. II.*

GEORGES CUVIER
1769-1832

8521   Si l'on met de l'intérêt à suivre dans l'enfance de notre
       espèce les traces presque effacées de tant de nations éteintes,
       comment n'en mettrait-on pas aussi à rechercher dans les

ténèbres de l'enfance de la terre les traces de révolutions antérieures à l'existence de toutes les nations?
Discours sur les Révolutions de la surface du Globe.

La marche de la nature est changée; et aucun des agents 8522 qu'elle emploie aujourd'hui ne lui aurait suffi pour produire ses anciens ouvrages. *Ibid.*

Un quatrième [philosophe] créa la terre avec l'atmosphère 8523 d'une comète, et la fit inonder par la queue d'une autre : la chaleur qui lui restait de sa première origine fut ce qui excita tous les êtres vivants au péché; aussi furent-ils tous noyés, excepté les poissons, qui avaient apparemment les passions moins vives. *Ibid.*

Tout être organisé forme un ensemble, un système unique 8524 et clos, dont les parties se correspondent mutuellement, et concourent à la même action définitive par une action réciproque. Aucune de ces parties ne peut changer sans que les autres ne changent aussi, et par conséquent chacune d'elles prise séparément indique et donne toutes les autres. *Ibid.*

[...] Partout la nature nous tient le même langage; partout 8525 elle nous dit que l'ordre actuel des choses ne remonte pas très haut; et, ce qui est bien remarquable, partout l'homme nous parle comme la nature, soit que nous consultions les vraies traditions des peuples, soit que nous examinions leur état moral et politique et le développement intellectuel qu'ils avaient atteint au moment où commencent les monuments authentiques. *Ibid.*

On doit considérer l'édifice des sciences comme celui de 8526 la nature; tout y est infini, mais tout y est nécessaire.
Cours fait au collège de France sur l'histoire des Sciences naturelles.

LE MARÉCHAL SOULT
1769-1851

[Au duc de Montmorency qui lui disait : « Vous êtes duc, 8527 mais vous n'avez pas d'ancêtres », Soult répondit :] c'est vrai; c'est nous qui sommes des ancêtres.

PIERRE-FRANÇOIS BAOUR-LORMIAN
1770-1854

L'homme a-t-il donc besoin, pour deviner son sort, 8528 D'attacher ses regards et de lire la mort?
Les Veillées poétiques, II.

8529   Dès que je nomme Dieu, toute pompe s'efface.
L'Univers comme un point disparaît devant moi.
Ibid., III.

8530   L'homme est un nautonier dont la tombe est le port.
Fragments imités d'Young, La crainte de la mort.

PIERRE CAMBRONNE
1770-1842

8531   La garde meurt et ne se rend pas[1].

ÉTIENNE PIVERT DE SENANCOUR
1770-1846

8532   Que m'importe cette beauté que je n'admire qu'au jour,
cet ordre dans lequel je ne serai plus rien, cette régénération qui m'efface?
Rêveries sur la nature primitive de l'homme.

8533   Tout est indifférent dans la nature, car tout est nécessaire :
tout est beau, car tout est déterminé.   *Ibid.*

8534   Le faible est toujours faible, il ne varie que dans sa faiblesse; mais le fort est faible quelquefois.   *Ibid.*

8535   Je ne connais point la satiété, je trouve partout le vide.
Obermann, Première année, Lettre I.

8536   C'est le propre d'une sensibilité profonde de recevoir une
volupté plus grande de l'opinion d'elle-même que de ses
jouissances positives [...]   *Ibid., Lettre II.*

8537   Si la vie du cœur n'est qu'un néant agité, ne vaut-il pas
mieux la laisser pour un néant plus tranquille?
Ibid., Deuxième année, Lettre XLI.

8538   Le vide et l'accablante vérité sont dans le cœur de celui qui
se cherche lui-même : l'illusion entraînante ne peut venir
que de celui qu'on aime.
Ibid., Huitième année, Lettre LIX.

8539   On parle d'hommes qui se suffisent à eux-mêmes, et se
nourrissent de leur propre sagesse : s'ils ont l'éternité
devant eux, je les admire et les envie; s'ils ne l'ont point,
je ne les comprends pas.
Ibid., Neuvième année, Lettre LXXVIII.

1. Attribué à tort à Cambronne. L'auteur en serait le colonel
Michel.

[...] Si le moraliste pervers n'obtient que du mépris, le 8540
moraliste inconnu reste [...] inutile [...]
Ibid., Lettre LXXIX.

Si l'homme est l'ami naturel de la femme, les femmes 8541
n'ont souvent pas de plus funeste ennemi [...]. Les verrats
sont aussi des mâles. *Ibid., Lettre LXXX.*

Lorsqu'un homme ne forme pas de liaisons, il passe pour 8542
n'y avoir point songé; mais une femme à qui nul ne s'atta-
cherait semblerait avoir échoué de toute part.
*De l'amour considéré dans les lois réelles et dans les formes
sociales de l'union des sexes.*

La continence est une exception dans le mouvement des 8543
êtres, une particularité dans l'ordre universel. *Ibid.*

[...] On aime à être conduit par son imagination, ne fût- 8544
ce que pour faire penser qu'elle a un pouvoir irrésistible.
Ibid.

Quand un mari, comparé superficiellement à un autre homme, 8545
semble avoir autant de qualités agréables, c'est une preuve
qu'il en possède davantage. *Ibid.*

XAVIER BICHAT
1771-1802

On cherche dans des considérations abstraites la définition 8546
de la vie; on la trouvera, je crois, dans cet aperçu général :
La vie est l'ensemble des fonctions qui résistent à la mort.
Recherches physiologiques sur la vie et la mort,
Première Partie, art. I.

L'eunuque jouit de moins d'énergie vitale; mais les phéno- 8547
mènes de la vie se développent chez lui avec plus de plénitude. *Ibid., § 1.*

Le fœtus n'a, pour ainsi dire, rien dans ses phénomènes de 8548
ce qui caractérise spécialement l'animal; son existence
est la même que celle du végétal; sa destruction ne porte
que sur un être vivant, et non sur un être animé.
Ibid., art. VIII, § 2.

NÉPOMUCÈNE LEMERCIER
1771-1840

Oui, je sens sur mon front mes cheveux se dresser... 8549
Agamemnon, acte IV, scène 3.

8550   La splendeur de ta gloire acquise à ma famille,
            Voilà qui te répond de la main de ma fille.
            Blanche et Montcassin, ou les Vénitiens, acte I, scène 3.

8551   Sais-je comment, pourquoi je commençai de naître?
            Sais-je comment, pourquoi sitôt je périrai?
                                        La Plainte du chêne.

PAUL-LOUIS COURIER
1772-1825

8552   Colomb découvrit l'Amérique, et on ne le mit qu'au cachot;
            Galilée trouva le vrai système du monde, il en fut quitte
            pour la prison. Moi, j'ai trouvé cinq ou six pages dans
            lesquelles il s'agit de savoir qui baisera Chloé; me fera-t-on
            pis qu'à eux?
            *Lettre à Monsieur Renouard sur une tache faite à un manuscrit
                                        de Florence.*

8553   La gloire aujourd'hui est très rare : on ne le croirait jamais;
            dans ce siècle de lumières et de triomphes, il n'y a pas deux
            hommes assurés de laisser un nom.   *Ibid.*

8554   Les gens qui savent le grec sont cinq ou six en Europe;
            ceux qui savent le français sont en bien plus petit nombre.
                                        Ibid.

8555   Mais avant de proscrire le grec, y avez-vous pensé, mes-
            sieurs? Car enfin que ferez-vous sans grec? Voulez-vous
            avec du chinois, une bible copte ou syriaque, vous passer
            d'Homère et de Platon? Quitterez-vous le Parthénon pour
            la pagode de Jagarnaut, la Vénus de Praxitèle pour les
            magots de Fo-hi-Can?
                *Lettre à Messieurs de l'Académie des Inscriptions et
                                        Belles-Lettres.*

8556   Mes principes sont, *qu'entre deux points la ligne droite est
            la plus courte; que le tout est plus grand que sa partie; que
            deux quantités, égales chacune à une troisième, sont égales
            entre elles.*
            Je tiens aussi *que deux et deux font quatre;* mais je n'en suis
            pas bien sûr.   *Ibid.*

8557   Du temps de Montaigne, un vilain, son seigneur le voulant
            tuer, s'avisa de se défendre. Chacun en fut surpris et le
            seigneur surtout qui ne s'y attendait pas, et Montaigne qui
            le raconte. Ce manant devinait les droits de l'homme. Il
            fut pendu, cela devait être. Il ne faut pas devancer son
            siècle.   *Lettres au rédacteur du « Censeur », Lettre I.*

8558   En matière de religion, ainsi que de langage, le peuple fait
            la loi; le peuple de tout temps a converti les Rois. Il les a
            faits chrétiens de païens qu'ils étaient; de chrétiens catho-
            liques, schismatiques, hérétiques; il les fera raisonnables
            s'il le devient lui-même; il faut finir par là.
                                        Ibid., Lettre VII.

L'autorité, messieurs, voilà le grand mot en France. Ailleurs 8559
on dit la loi, ici l'autorité. *Pétition aux deux Chambres.*

L'offrande n'est jamais pour le saint, ni nos épargnes pour 8560
les rois, mais pour cet essaim dévorant qui sans cesse bourdonne autour d'eux, depuis leur berceau jusqu'à Saint-
Denis.
*Simple discours de Paul-Louis Vigneron de la Chavonnière
aux membres du conseil de la commune de Véretz, département
d'Indre-et-Loire, à l'occasion d'une souscription proposée par
S. E. le ministre de l'Intérieur pour l'acquisition de Chambord.*

Isolés à tout âge, loin de toute vérité, ignorant les choses 8561
et les hommes, ils [les princes] naissaient, ils mouraient dans
les liens de l'étiquette et du cérémonial, n'ayant vu que le
fard et les fausses couleurs étalées devant eux; ils marchaient
sur nos têtes, et ne nous apercevaient que quand par hasard
ils tombaient. *Ibid.*

Rendons aux grands ce qui leur est dû; mais tenons-nous-en 8562
loin le plus que nous pourrons, et, ne nous approchant
jamais d'eux, tâchons qu'ils ne s'approchent point de nous,
parce qu'ils peuvent nous faire du mal, et ne nous sauraient
faire de bien. *Ibid.*

Bref, comme il n'est, ne fut, ne sera jamais, pour nous autres 8563
vilains, qu'un moyen de fortune, c'est le travail : pour la
noblesse non plus, il n'y en a qu'un, et c'est... c'est la prostitution, puisqu'il faut, mes amis, l'appeler par son nom.
Ibid.

Les gendarmes se sont multipliés en France bien plus encore 8564
que les violons, quoique moins nécessaires pour la danse.
*Pétitions à la Chambre des députés pour les villageois que
l'on empêche de danser.*

Nous ne sommes pas de ces tièdes que Dieu vomit, suivant 8565
l'expression de saint Paul, nous sommes froids. *Ibid.*

Ce n'est pas un des moindres biens qu'on doive à la révolu- 8566
tion, de voir non seulement les curés, ordre respectable de
tout temps, mais les évêques avoir des mœurs. *Ibid.*

Voulant parler tout seul, il [Napoléon] imposa silence, à 8567
nous premièrement; puis à l'Europe entière; et le monde
se tut : personne ne souffla, homme ne s'en plaignit; ayant
cela de commode, qu'avec lui on savait du moins à quoi
s'en tenir. *Réponse aux anonymes.*

Tout le mal est dans ce peu. Seize pages, vous êtes pamphlé- 8568
taire, et gare Sainte-Pélagie. Faites-en seize cents, vous serez
présenté au roi. Malheureusement je ne saurais.
Pamphlet des pamphlets.

Dans tout ce qui s'imprime il y a du poison plus ou moins 8569
délayé selon l'étendue de l'ouvrage, plus ou moins malfai-
sant, mortel. De l'*acétate de morphine*, un grain dans une

cuve se perd, n'est point senti, dans une tasse fait vomir, en une cuillerée tue, et voilà le pamphlet.   *Ibid.*

8570   Parler est bien, écrire est mieux; imprimer est excellente chose.   *Ibid.*

MARC-ANTOINE DÉSAUGIERS
1772-1827

8571   Le ciel fit l'eau pour Jean qui pleure,
             Et fit le vin pour Jean qui rit.
                         Jean qui pleure et Jean qui rit.

8572   Chien et chat,
             Chien et chat,
             Voilà le monde
             A la ronde;
             Chaque État,
             Chaque État
             N'offre, hélas! que chien et chat.
                                    Chien et chat.

8573   Bon voyage,
                       Cher Dumollet,
             A Saint-Malo, débarquez sans naufrage.
                         Le départ pour Saint-Malo.

CHARLES FOURIER
1772-1837

8574   Les philosophes sont donc restreints au *doute partiel*, parce qu'ils ont des livres et des préjugés corporatifs à soutenir; et de peur de compromettre les livres et la coterie, ils ont escobardé de tout temps les problèmes importants. Pour moi qui n'avais aucun parti à soutenir, j'ai pu adopter le *doute absolu* et l'appliquer d'abord à la civilisation et à ses préjugés les plus invétérés.
                         Théorie des quatre mouvements.

8575   *L'écart absolu.* J'avais présumé que le plus sûr moyen d'arriver à des découvertes utiles, c'était de s'éloigner en tout sens des routes suivies par les sciences incertaines, qui n'avaient jamais fait la moindre invention utile au corps social; et qui malgré les immenses progrès de l'industrie, n'avaient pas même réussi à prévenir l'indigence : je pris donc à tâche de me tenir constamment en opposition avec ces sciences.
                                                             Ibid.

8576   Je reconnus bientôt que les lois de l'attraction passionnée étaient en tout point conformes à celles de l'attraction matérielle, expliquées par Newton et Leibnitz; et qu'il y avait *unité du système de mouvement pour le monde matériel et spirituel.*

Je soupçonnai que cette analogie pouvait s'étendre des lois générales aux lois particulières; que les attractions et propriétés des animaux, végétaux et minéraux étaient peut-être coordonnées au même plan que celles de l'homme et des astres [...]
Ibid.

Le sexe masculin, quoique le plus fort, n'a pas fait la loi à son avantage, en établissant les ménages isolés et le mariage permanent qui en est une suite. On dirait qu'un tel ordre est l'œuvre d'un troisième sexe qui aurait voulu condamner les deux autres à l'ennui.
Ibid. 8577

Le mariage semble inventé pour récompenser les pervers.
Ibid. 8578

Un riche mariage est comparable au baptême, par la promptitude avec laquelle il efface toute souillure antérieure.
Ibid. 8579

Tous ces caprices philosophiques appelés *des devoirs* n'ont aucun rapport avec la nature.
Théorie de l'Unité universelle, tome III. 8580

Venez, philosophes rigoristes, vertueux citoyens, ennemis des richesses, perfides; vous allez être servis à souhait par une confrérie qui méprisera *en action* ces richesses que vous ne méprisez qu'*en paroles.*
Ibid. 8581

Ma théorie se borne à *utiliser les passions réprouvées telles que la nature les donne, et sans y rien changer.* *Ibid.* 8582

Les sympathies et antipathies ont été pour Dieu l'objet d'un calcul très mathématique; il a réglé celles de nos passions aussi exactement que les affinités chimiques et accords musicaux.
Ibid., tome V. 8583

Que de richesses dans les livres, que de misères dans les chaumières!
Le Nouveau monde industriel et sociétaire, tome VI. 8584

L'industrie présente une subversion bien plus saillante, c'est la *contrariété des deux intérêts collectif et individuel.*
Ibid. 8585

On a si bien reconnu ce cercle vicieux de l'industrie que de toutes parts on commence à la suspecter, et s'étonner *que la pauvreté naisse en civilisation de l'abondance même.*
Ibid. 8586

Je ne saurais trop le redire, Londres, qui passe pour envahir les richesses du monde, Londres d'où sont sorties les sectes d'économisme qui enseignent aux nations l'art de s'enrichir, Londres contient 115 000 mendiants, filous, vagabonds, etc.; ainsi dans toutes les villes d'Angleterre. Ne peut-on pas dire aux Anglais, en vertu du sens commun : vous êtes devenus nation riche dont le sol est couvert de pauvres; tâchez plutôt de devenir nation pauvre dont le sol soit couvert de riches.
La Phalange, 1845. 8587

8588　Dévoiler les intrigues de la Bourse et des Courtiers, c'est entreprendre un des travaux d'Hercule.　*Ibid., 1848.*

8589　Si je ne vaux rien pour pratiquer le commerce, je vaudrai pour le démasquer.　*Ibid.*

8590　Quand on n'a su en 3 000 ans de travail inventer que ce pitoyable mécanisme social, comment ose-t-on douter qu'il ne reste une grande théorie à découvrir sur les passions (et que son étude ne soit pas l'affaire d'un jour) et qu'il n'y ait en ce genre un nouveau monde aussi inconnu que l'était l'Amérique avant Colomb.　*Le Phalanstère, 1846.*

8591　Une preuve que Dieu ne tiendra aucun cas de vos bonnes ou mauvaises actions, qu'il n'admet point vos distractions de crime ou de vertu, et qu'il juge toutes les passions bonnes, c'est qu'il a permis que tout acte que vous jugez criminel dominât dans un corps social, et y fût excité, admiré comme vertu, comme penchant religieux et agréable à Dieu.
　　　　　　　　　　　　　　　　Ibid., 1847.

8592　Une planète est un corps androgyne, pourvu des deux sexes et fonctionnant en masculin par les copulations du pôle nord, et en féminin par celles du pôle sud.　*Ibid., 1848.*

8593　Quant au frein religieux, la révolution l'a détruit, et il faudrait un siècle pour habituer les paysans à croire à l'enfer.
　　　　　　　　　　　　　　Manuscrits, 1857-1858.

ÉTIENNE GEOFFROY-SAINT-HILAIRE
1772-1844

8594　La Nature emploie constamment les mêmes matériaux et n'est ingénieuse qu'à en varier les formes. Comme si, en effet, elle était soumise à de premières données, on la voit toujours à faire reparaître les mêmes éléments, en même nombre, dans les mêmes circonstances, avec les mêmes connexions. S'il arrive qu'un organe présente un accroissement extraordinaire, l'influence en devient sensible sur les parties voisines qui, dès lors, ne parviennent plus à leur développement habituel; mais toutes n'en sont pas moins conservées, quoique dans un degré de petitesse qui les laisse souvent sans utilité; elles deviennent comme autant de rudiments qui témoignent en quelque sorte de la primauté du plan général.　*Philosophie anatomique, Premier mémoire.*

8595　*Je me trouve,* dit le général en chef [Napoléon], *conquérant en Égypte comme l'y fut Alexandre; il eût été plus de mon goût de marcher sur les traces de Newton : cette pensée me préoccupait à l'âge de quinze ans.*
Notions synthétiques, historiques et physiologiques d'histoire naturelle, Introduction.

8596　Tous les esprits synthétiques, et de nos jours ils se multiplient d'autant plus que s'encombrent dans les avenues de la science des faits circonstanciés aussi nombreux qu'inexacts et incompris, qu'y verse sans cesse la foule des naturalistes positifs ou soi-disant tels, comme exclusivement et uniquement descripteurs; tous les esprits synthétiques, dis-je, réclament aujourd'hui l'avènement d'une doctrine unitaire, qui devienne la conciliation et qui opère la fusion des deux physiques si mal à propos disjointes, la physique des corps bruts et celle des corps vivants. Ces cris, *la science est une, et vous l'avez partagée*, ces cris éclatent de toute part, principalement chez les philosophes.   *Ibid., chap. 1.*

HORACE SÉBASTIANI DE LA PORTA
1772-1851

L'ordre règne à Varsovie.   8597
Discours à la Chambre des députés, 1831.

JEAN-CHARLES-LÉONARD SIMONDE DE SISMONDI
1773-1842

Comme le travail de l'agriculture est le seul qui suffise à   8598
la vie, c'est aussi le seul qui puisse être apprécié sans aucun échange.
Nouveaux principes d'Économie politique ou de la Richesse dans ses rapports avec la population.

LOUIS-PHILIPPE
1773-1850

La Charte sera désormais une vérité.   8599
Proclamation aux habitants de Paris, 31 juillet 1830.

FRANÇOIS FAYOLLE
1775-1852

Le temps n'épargne point ce qu'on a fait sans lui.   8600
Discours sur la littérature et les littérateurs.

L'amour et l'amitié fécondent le génie.   8601
Racine à Champmêlé dut son Iphigénie.
Ibid.

LOUIS-EMMANUEL MERCIER DUPATY
1775-1851

8602   A Paris, dit-on, c'est l'usage;
On s'moque des provinciaux.
Tout c'qui n'est pas du grand village,
Passe à Paris pour êt' des sots.
Couplets de Ninon chez Madame de Sévigné.

PIERRE, COMTE DE SERRE
1776-1824

8603   La démocratie coule à pleins bords [1].
A la Chambre des députés, 3 décembre 1821.

CHARLES-GUILLAUME ÉTIENNE
1777-1845

8604   On n'est jamais servi si bien que par soi-même.
Bruïs et Pulaprat, acte I, scène 2.

8605   La paix du cœur, voilà ce qu'il faut pour écrire :
Je n'attends rien de bon d'un auteur qui soupire.
Ibid., acte I, scène 4.

8606   Oui, c'est l'opinion qui gouverne le monde.
La crainte qu'elle inspire est un frein tout-puissant;
Des lois, en quelque sorte, elle est le supplément.
Les deux gendres, acte II, scène 15.

8607   Comment, pour le ministre, il laisse là sa femme!
Voilà l'ambition!
Ibid., acte III, scène 14.

8608   On devient infidèle;
On court de belle en belle;
Mais on revient toujours
A ses premiers amours.
Joconde ou les Coureurs d'aventures, acte III, scène 1.

1. Mot repris par Royer-Collard.

CASIMIR PERIER
1777-1832

Les grandes questions de responsabilité morale ne doivent pas nous faire perdre de vue les questions d'ordre et de comptabilité.
Discours à la Chambre des députés, séance du 2 mai 1825. 8609

C'est la peur qui sert les partis, qui les grandit, qui les crée; car c'est elle qui fait croire à leur pouvoir.
Ibid., 9 août 1831. 8610

La France n'est la patrie que des Français [...], elle est Française, et comme telle, sans doute, elle est bienveillante et secourable; mais de sa part c'est un sentiment, ce n'est pas un système. *Ibid., 30 septembre 1831.* 8611

PIERRE-JEAN DE BÉRANGER
1780-1857

Il était un roi d'Yvetot,
  Peu connu dans l'histoire,
Se levant tard, se couchant tôt,
Dormant fort bien sans gloire [...]
Chansons, Le Roi d'Yvetot. 8612

Maman, que lui dit la famille?
— Rien; mais un mari plus sensé
Eût pu connaître à la coquille
Que l'œuf était déjà cassé.
Ibid., Ma grand'mère. 8613

[...] Depuis, à l'amour des belles,
J'ai mêlé le goût du vin.
Ibid., La Double ivresse. 8614

Toujours Français, chantons encore,
Autant de pris sur l'ennemi.
Ibid., Ma dernière chanson, peut-être. 8615

J'aime qu'un Russe soit Russe,
Et qu'un Anglais soit Anglais.
Si l'on est Prussien en Prusse,
En France soyons Français.
Ibid., Le Bon Français. 8616

Tout marchands d'habits que nous sommes,
Messieurs, nous observons les hommes :
D'un bout du monde à l'autre bout,
  L'habit fait tout.
Ibid., Vieux habits, vieux galons. 8617

8618 Adieu, charmant pays de France,
Que je dois tant chérir!
Berceau de mon heureuse enfance,
Adieu! te quitter c'est mourir.
Ibid., Adieux de Marie Stuart.

8619 Du métier d'fille j'me dégoûte :
C'commerce n'rapporte plus rien.
Mais si l'public nous fait banq'route,
C'est qu'les affaires n'vont pas bien.
Ibid., Complainte d'une de ces demoiselles.

8620 Chapeau bas! chapeau bas!
Gloire au marquis de Carabas!
Ibid., le Marquis de Carabas.

8621 J'ai pris goût à la république
Depuis que j'ai vu tant de rois.
Je m'en fais une, et je m'applique
A lui donner de bonnes lois.
Ibid., Ma République.

8622 Il est un Dieu : devant lui je m'incline,
Pauvre et content, sans lui demander rien.
De l'univers observant la machine,
J'y vois du mal, et n'aime que le bien.
Ibid., Le Dieu des bonnes gens.

8623 « Je vais, Margot,
» Passer pour un nigaud;
» Rendez-moi mes clefs, disait saint Pierre »
Ibid., Les clefs du Paradis.

8624 Électeurs, j'ai sans nul mystère
Fait de bons dîners l'an passé;
On met la table au ministère,
Renommez-moi, je suis pressé.
Ibid., Le Ventru, aux élections de 1819.

8625 Il dit parfois : « Ce n'est pas tout de naître;
« Dieu, mes enfants, vous donne un beau trépas! »
Ibid., Le Vieux sergent.

8626 Ce qu'il disait, je pourrais vous le dire;
Mais je me tais par respect pour les mœurs.
Ibid., Les Mœurs.

8627 Je viens revoir l'asile où ma jeunesse
De la misère a subi les leçons...
Le grenier.

8628 Dans un grenier qu'on est bien à vingt ans!
Ibid.

8629 On parlera de sa gloire
Sous le chaume bien longtemps.
Les Souvenirs du peuple.

Parlez-nous de lui, grand'mère 8630
Parlez-nous de lui.
Ibid.

Finissons-en : le monde est assez vieux. 8631
La Comète de 1832.

Non, mes amis, non, je ne veux rien être; 8632
[...]
Oiseau craintif je fuis la glu des rois.
A mes amis devenus ministres.

Un jour dame Métaphysique 8633
Me dit : Petit rimeur, allons!
Prends un vol plus philosophique;
Monte dans un de mes ballons.
Dame Métaphysique.

THÉOPHILE MARION DU MERSAN
1780-1849

et NICOLAS BRAZIER
1783-1838

Je vais, par l'ordre de ma mère, 8634
Me mêler à nos travailleurs...
[...]
Heureux qui peut, après la guerre,
Réparer le mal qu'elle a fait!
Couplets du soldat laboureur.

Lorsque Dieu créa le monde 8635
Où tant d'bien et d'mal abonde,
L'Paradis fut habité
D'abord par la Liberté.
Histoire universelle racontée par un vieux cultivateur.

CHARLES NODIER
1780-1844

Mille ans sont si peu de temps pour posséder ce qu'on aime, 8636
si peu de temps pour le pleurer! *Trilby.*

C'est donc à mon grand regret que je me suis aperçu depuis 8637
longtemps qu'une histoire fantastique manquait de la meilleure partie de son charme quand elle se bornait à égayer
l'esprit, comme un feu d'artifice, de quelques émotions
passagères, sans rien laisser au cœur. Il me semblait que la
meilleure partie de son effet était dans l'âme [...]
La fée aux miettes, Au lecteur qui lit les préfaces.

8638 J'ai dit souvent que je détestais le vrai dans les arts, et il m'est avis que j'aurais peine à changer d'avis; mais je n'ai jamais porté le même jugement du vraisemblable et du possible, qui me paraissent de première nécessité dans toutes les compositions de l'esprit. *Ibid.*

8639 Je consens à être étonné; je ne demande pas mieux que d'être étonné, et je crois volontiers ce qui m'étonne le plus, mais je ne veux pas que l'on se moque de ma crédulité, parce que ma vanité entre alors en jeu dans mon impression, et que notre vanité est, entre nous, le plus sévère des critiques. *Ibid.*

8640 [...] Pour intéresser dans le conte fantastique, il faut d'abord se faire croire, et qu'une condition indispensable pour se faire croire, c'est de croire. *Ibid.*

8641 Un fou n'intéresse que par le malheur de sa folie, et n'intéresse pas longtemps. Shakespeare, Richardson et Gœthe ne l'ont trouvé bon qu'à remplir une scène ou un chapitre, et ils ont eu raison. Quand son histoire est longue et mal écrite, elle ennuie presque autant que celle d'un homme raisonnable, qui est, comme vous savez, la chose la plus insipide que l'on puisse imaginer. *Ibid.*

8642 Si on voulait se prescrire, après quatre ou cinq mille ans de littérature écrite, la bizarre obligation de ne ressembler à rien, on finirait par ne ressembler qu'au mauvais, et c'est une extrémité dans laquelle on tombe assez facilement sans cela, quand on est réduit à écrire beaucoup par une sotte passion ou par une fâcheuse nécessité. *Ibid.*

8643 Et vous savez par expérience que rien n'imprime une impulsion plus bienveillante à la pensée que la satisfaction de soi-même. *La fée aux miettes, chap. 1.*

8644 [...] Et vous savez si l'homme aime à repousser jusqu'à son dernier terme, sous l'enchantement d'une espérance longtemps nourrie, la désolante idée qu'il a tout rêvé... Tout; et qu'il ne reste rien derrière ses chimères... Rien!... *Ibid., chap. 2.*

8645 Ce qu'il y a de vrai, c'est que la destination de l'homme sur la terre est le travail; son devoir, la modération; sa justice, la tolérance et l'humanité; son bonheur, la médiocrité; sa gloire, la vertu; et sa récompense, la satisfaction intérieure d'une bonne conscience. *Ibid., chap. 4.*

8646 Il faut maintenant penser à l'avenir, qui est toute la vie du sage, puisque le présent n'est jamais, et que le passé ne sera plus. *Ibid.*

8647 Il n'y a point de Crésus, vois-tu, qui n'ait senti quelquefois que le meilleur des jours de la vie est celui qui gagne son pain. *Ibid.*

8648 Cet avantage qu'on prend sur les autres est une des raisons qui nous en font haïr, et [...] je regardais l'amitié comme un

avantage bien plus doux que ceux qui résultent de la supériorité de l'instruction et du talent.   *Ibid., chap. 6.*

Il faut bien passer quelque vanité aux pauvres gens. C'est le   8649
seul dédommagement de leurs misères.   *Ibid.*

[...] Cette fiction de la fortune qu'on n'a inventée, [...] que   8650
pour les infirmes et les paresseux.   *Ibid., chap. 7.*

Il n'y a pas de libéralité bien placée, pourvu qu'elle le soit   8651
sans calcul et sans ostentation, qui ne vaille mieux qu'une
économie.   *Ibid.*

Le plaisir auquel on s'est livré sans défense et sans retour   8652
devient le plus inexorable des ennemis.   *Ibid.*

Je comprenais, pour la première fois, le besoin que tous les   8653
hommes ont de l'opinion, et je sentais que la satisfaction
de nous-mêmes, qui réside essentiellement dans notre
conscience, se maintient et se fortifie par le jugement que
les autres portent de nous; j'apprenais, s'il faut le dire, une
vérité toute nouvelle, c'est que l'homme en société, quelque
progrès qu'il ait fait dans l'exercice de la vertu, ne peut se
passer de considération pour être justement content de lui,
et qu'on est bien près de renoncer à sa propre estime quand
on dédaigne celle du monde.   *Ibid., chap. 8.*

La vie de l'homme est au bout d'un bâton d'un officier   8654
de justice comme au bout du doigt de Dieu. Ces deux auto-
rités, par bonheur, ne sont en partage que sur la terre.
                                                  Ibid., chap. 19.

Assassiner judiciairement un homme, c'est un crime   8655
effroyable! mais le plus grand des crimes c'est de tuer la
langue d'une nation avec tout ce qu'elle renferme d'espérance et de génie. Un homme est peu de chose sur cette
terre, qui regorge de vivants, et avec une langue on referait
un monde.   *Ibid.*

On ne saurait comprendre ce qui entre de dédain ou de   8656
compassion pour le genre humain dans le cœur d'un innocent
qui va mourir.   *Ibid.*

Ce qu'il y a de plus bas au monde, c'est de mortifier la pau-   8657
vreté.   *Ibid., chap. 20.*

Il n'y a que deux choses qui servent au bonheur : c'est de   8658
croire et d'aimer.   *Ibid.*

Tout est vérité; tout est mensonge.   *Ibid., chap. 25.*   8659

Entre le palefrenier et le maréchal il n'y a, comme on dit,   8660
que la main.   *La Combe de l'homme mort.*

La nature de l'homme aurait-elle un besoin secret de se   8661
relever jusqu'au merveilleux pour entrer en possession de
quelque privilège qui lui a été ravi autrefois, et qui formait
la plus noble partie de son essence?   *Inès de Las Sierras.*

8662 Il y a des natures privilégiées que la gloire dédommage du bonheur, et cette compensation leur a été merveilleusement ménagée par la Providence; car le bonheur et la gloire se trouvent rarement ensemble. *Ibid.*

8663 Tout croire est d'un imbécile,
Tout nier est d'un sot.
Ibid.

8664 Il y a dans le cœur d'une femme qui commence à aimer un immense besoin de souffrir. *Smarra, le récit.*

8665 J'ai quelquefois pensé que Virgile ne serait peut-être pas Virgile, s'il n'était né dans un hameau.
La Neuvaine de la Chandeleur, chap. 1.

8666 On ne recommence plus, mais se souvenir, c'est presque recommencer. *Ibid.*

8667 On ne fait pas de portraits avec des mots; j'ai douté quelquefois qu'on pût en faire avec des traits et avec des couleurs. Il y a dans l'ensemble de toutes les formes d'un être animé je ne sais quel jeu de passion et de vie qui ne se reproduit guère mieux sous le pinceau que sous la plume, et ce qui n'est pas moins sûr, c'est que la signification de cet ensemble n'est pas également intelligible pour tout le monde. *Ibid.*

8668 Je ne me demandai pas pourquoi j'aimais cette femme, je ne me demandai pas même si je l'aimais; je sus que je l'aimais, je me dis ce que dut se dire Adam quand Dieu combla le bienfait de la création en lui donnant une épouse : J'achève d'être; je suis. *Ibid.*

8669 La vie des bons est une jeunesse perpétuelle.
La Légende de la sœur Béatrix.

8670 Les noms des choses, parlés, ont donc été l'imitation de leurs sons, et les noms des choses, écrits, l'imitation de leurs formes.
L'Onomatopée est donc le type des langues prononcées, et l'hiéroglyphe, le type des langues écrites.
Dictionnaire raisonné des Onomatopées françaises, Préface.

8671 *Écrou.* La consonne roulante marque les efforts et le cri de la vis dans les crans pressés où elle s'emboîte; et dans *clou*, qui est une Onomatopée assez douteuse, le son est bref et net, parce qu'on le *fiche* brusquement, et qu'il produit un bruit indécomposable et immodulé.
Ibid., article « Écrou ».

8672 Le naturel est bien plus sûr :
Le mot doit mûrir sur l'idée,
Et puis tomber comme un fruit mûr.
Le style naturel.

8673 Ils ne comprennent pas, ces amants de la gloire,
Le bonheur de vivre inconnu
[...]
Et de partir après comme l'on est venu.
Cacher sa vie.

Un sexe régit l'univers. 8674
On l'adore, on le craint, on l'obsède, on en glose.
On en a dit du mal en prose,
On en a dit du mal en vers...
Poésies, Les Furies et les Grâces.

Le bonheur, à vrai dire, est toute la sagesse, 8675
Et rêver est tout le bonheur.
Ibid., Le Fou du Pirée.

FÉLICITÉ LAMENNAIS
1782-1854

Nos pères ont vu le soleil décliner. Quand il descendit sous 8676
l'horizon, toute la race humaine tressaillit. Puis il y eut,
dans cette nuit, je ne sais quoi qui n'a pas de nom. Enfants
de la nuit, le Couchant est noir, mais l'Orient commence à
blanchir. *Paroles d'un croyant, I.*

Fils de l'homme, que vois-tu? Je vois Satan qui fuit, et le 8677
Christ entouré de ses anges qui vient pour régner. *Ibid., II.*

Et après avoir écouté la parole du Serpent, ils se levèrent 8678
et dirent : Nous sommes rois. *Ibid., III.*

Aimez-vous les uns les autres, et vous ne craindrez ni les 8679
grands, ni les princes, ni les rois. *Ibid., IV.*

Car celui qui est plus fort qu'un seul sera moins fort que deux, 8680
et celui qui est plus fort que deux sera moins fort que quatre;
et ainsi les faibles ne craindront rien, lorsque, s'aimant les
uns les autres, ils seront unis véritablement. *Ibid., VII.*

Et quand Dieu voulut que l'homme travaillât, il cacha un 8681
trésor dans le travail, parce qu'il est père et que l'amour d'un
père ne meurt point. *Ibid., VIII.*

Le cri du pauvre monte jusqu'à Dieu, mais il n'arrive pas à 8682
l'oreille de l'homme. *Ibid., XII.*

La parole qui nie Dieu brûle les lèvres sur lesquelles elle 8683
passe, et la bouche qui s'ouvre pour blasphémer est un
soupirail de l'enfer. *Ibid., XVI.*

La cause la plus sainte se change en une cause impie, exé- 8684
crable, quand on emploie le crime pour la soutenir. D'esclave
l'homme de crime peut devenir tyran, mais jamais il ne
devient libre. *Ibid., XXII.*

La liberté est le pain que les peuples doivent gagner à la 8685
sueur de leur front. *Ibid., XXXVIII.*

Où vont ces nuages que chasse la tempête? Elle me chasse 8686
comme eux, et qu'importe où? L'exilé partout est seul.
Ibid., XLI.

8687   Mon Dieu, ayez pitié du pauvre prolétaire!
                                    Une Voix de Prison, III.

8688   C'était le jour Saint-Sylvestre, le jour qui clôt cette série
       presque sans mélange de vaines pensées, d'espérances
       trompeuses, de soucis et de douleurs, qu'on appelle l'année.
                                    Ibid., IX.

8689   Dors, ô ma Pologne, dors en paix, dans ce qu'ils appellent
       ta tombe : moi, je sais que c'est ton berceau.
                                    Hymne à la Pologne.

8690   Frères, sachez-le bien, il existe deux races, la race égoïste
       de l'intérêt pur, la race sympathique du devoir et du droit.
                                    De l'Esclavage moderne, Préface.

8691   Si le Christ eût vécu parmi nous, un sergent de ville l'aurait
       profané de son ignoble attouchement, et un juge l'aurait
       fait écrouer pour vagabondage : car le Fils de l'homme
       n'avait pas une pierre pour y reposer sa tête.   *Ibid.*

8692   Ce que veut le Peuple, Dieu lui-même le veut; car ce que veut
       le Peuple, c'est la justice, c'est l'ordre essentiel, éternel,
       c'est l'accomplissement dans l'humanité de cette sublime
       parole du Christ : « Qu'ils soient un, mon Père, comme vous
       et moi nous sommes un! »   *Ibid.*

8693   L'homme est ainsi fait : la lumière du soleil le laisse dans
       l'obscurité; il ne discerne rien qu'à la lueur des feux qui
       consument, qui dévastent.
                                    Lettre au comte de Senfft, 13 juillet 1830.

CHARLES-HUBERT MILLEVOYE
1782-1816

8694   De la dépouille de nos bois
                  L'automne avait jonché la terre [...]
                                    Élégies, La chute des feuilles.

8695   Ah! songe bien que pour l'amour extrême
                  Un souvenir est encore un rival.
                                    Ibid., L'Inquiétude.

8696   [...] Et, célébré par le divin Homère,
                  Le nom d'Achille encor fait soupirer sa mère.
                                    Ibid., Homère mendiant.

ANDRÉ DUPIN dit DUPIN AÎNÉ
1783-1865

8697   Chacun chez soi et chacun son droit.
                                    A la Chambre des députés, 6 décembre 1830.

HENRI BEYLE dit STENDHAL
1783-1842

Je n'écris que pour cent lecteurs, et des êtres malheureux, aimables, charmants, point hypocrites, point *moraux*, auxquels je voudrais plaire; j'en connais à peine un ou deux.
De l'Amour, deuxième préface.
8698

L'immense majorité des hommes, surtout en France, désire et a une femme à la mode, comme on a un joli cheval...
De l'amour.
8699

Ce que j'appelle cristallisation, c'est l'opération de l'esprit, qui tire de tout ce qui se présente la découverte que l'objet aimé a de nouvelles perfections.
Ibid.
8700

L'homme n'est pas libre de ne pas faire ce qui lui fait plus de plaisir que toutes les autres actions possibles.
Ibid.
8701

La haine a sa cristallisation; dès qu'on peut espérer de se venger, on recommence de haïr.
Ibid.
8702

Un homme est humilié de la longueur du siège; il fait au contraire d'une femme.
Ibid.
8703

Je fais tous les efforts possibles pour être *sec* [...]. Je tremble toujours de n'avoir écrit qu'un soupir, quand je crois avoir noté une vérité.
Ibid.
8704

[...] Pour un amant il n'est plus d'ami.
Ibid.
8705

...] Par le mécanisme de la branche d'arbre garnie de diamants dans la mine de Salzbourg, tout ce qui est beau et sublime au monde fait partie de la beauté de ce qu'on aime [...]. L'amour du beau et l'amour se donnent mutuellement la vie.
Ibid.
8706

Plus une danseuse est célèbre et usée, plus elle vaut [...]
Ibid.
8707

Les femmes extrêmement belles étonnent moins le second jour.
Ibid.
8708

Il est beaucoup plus contre la pudeur de se mettre au lit avec un homme qu'on n'a vu que deux fois, après trois mots latins dits à l'église, que de céder malgré soi à un homme qu'on adore depuis deux ans.
Ibid.
8709

La beauté n'est que la promesse du bonheur.
Ibid.
8710

L'amour est le miracle de la civilisation.
Ibid.
8711

L'inconvénient de la pudeur, c'est qu'elle jette sans cesse dans le mensonge.
Ibid.
8712

Les larmes sont l'extrême sourire.
Ibid.
8713

8714   Le plus grand bonheur que puisse donner l'amour, c'est le premier serrement de main d'une femme qu'on aime.
Ibid.

8715   L'amour-goût s'enflamme et l'amour-passion se refroidit par les confidences.   *Ibid.*

8716   J'ai éprouvé que la vue d'une belle mer est consolante.
Ibid.

8717   Une femme n'est puissante que par le degré de malheur dont elle peut punir son amant...   *Ibid.*

8718   [...] Le succès flatteur est de conquérir et non de conserver.
Ibid.

8719   [...] Il y a toujours une chose qu'un Français respecte plus que sa maîtresse, c'est sa vanité.   *Ibid.*

8720   La fidélité des femmes dans le mariage, lorsqu'il n'y a pas d'amour, est probablement une chose contre nature.
Ibid.

8721   Les vrais don Juan finissent même par regarder les femmes comme le parti ennemi [...]   *Ibid.*

8722   Les plaisirs de l'amour sont toujours en proportion de la crainte.   *Ibid.*

8723   Qu'une femme sage ne se donne jamais la première fois par rendez-vous. — Ce doit être un bonheur imprévu.   *Ibid.*

8724   On peut tout acquérir dans la solitude, hormis du caractère.
Ibid., Fragments divers.

8725   Les gens heureux en amour ont l'air profondément attentifs...
Ibid.

8726   Une femme appartient de droit à l'homme qui l'aime et qu'elle aime *plus que la vie.*   *Ibid.*

8727   L'amour est la seule passion qui se paye d'une monnaie qu'elle fabrique elle-même.   *Ibid.*

8728   Dans les arts rien ne vit que ce qui donne continuellement du plaisir.
Vies de Haydn, de Mozart et de Métastase, Lettres sur Haydn,
II.

8729   L'homme de génie est celui-là seulement qui trouve une si douce jouissance à exercer son art, qu'il travaille malgré tous les obstacles. Mettez des digues à ces torrents, celui qui doit devenir un fleuve fameux saura bien les renverser.
Ibid., IV.

8730   Il y a peut-être plus d'amour pour la musique dans vingt de ces gueux insouciants de Naples, appelés *lazzaroni,* qui chantent le soir le long de la rive de Chiaja, que dans tout le public élégant qui se réunit le dimanche au Conservatoire de la rue Bergère.   *Ibid., VIII.*

Les instruments peuvent peindre les mouvements les plus 8731
rapides et les plus énergiques, tandis que le chant ne peut
atteindre à l'expression des passions dès que celles-ci exigent
un mouvement un peu rapide dans les paroles. Il faut du
temp   au compositeur, comme de la place sur sa toile au
peintre. Ce sont là les *infirmités* de ces beaux-arts.
Ibid., IX.

Il [Mozart] est le La Fontaine de la musique; et comme ceux 8732
qui ont voulu imiter le naturel du premier poète de la langue
française n'ont attrapé que le niais, de même les compositeurs
qui veulent suivre Mozart tombent dans le baroque le plus
abominable. *Ibid.*

Il en est de la musique dans une pièce comme de l'amour dans 8733
un cœur : s'il n'y règne pas en despote, si tout ne lui a pas
été sacrifié, ce n'est pas de l'amour. *Ibid., XIII.*

La bonne musique ne se trompe pas, et va droit au fond de 8734
l'âme chercher le chagrin qui nous dévore. *Ibid., XVI.*

Tous les arts sont fondés sur un certain degré de fausseté. 8735
Ibid., XVII.

Peut-être, sans cette exaltation de la sensibilité nerveuse 8736
qui va jusqu'à la folie, n'y a-t-il pas de génie supérieur dans
les arts qui exigent de la tendresse.
Ibid., Vie de Mozart, chap. 6.

Rien de plus doux, de plus aimable, de plus digne d'être 8737
aimé que les mœurs milanaises. C'est l'opposé de l'Angleterre; chaque femme est en général avec son amant; plaisanteries douces, disputes vives, rires fous, mais jamais d'airs
importants.
Rome, Naples et Florence, Milan, 20 novembre 1816.

La musique ne peut peindre l'esprit. Elle est obligée de 8738
prononcer lentement, et le degré de rapidité de la repartie
peint presque toujours la nuance de l'idée. La musique ne
peint que les passions tendres.
Ibid., Rome, 2 janvier 1817.

Nos gens ne peuvent pas s'élever à comprendre que les 8739
anciens n'ont jamais rien fait *pour orner*, et que chez eux le
beau n'est que la saillie de l'utile.
Ibid., Naples, 16 février 1817.

Les choses qu'il faut aux arts pour prospérer sont souvent 8740
contraires à celles qu'il faut aux nations pour être heureuses.
Ibid., Naples, 7 mars 1817.

Prenez garde à vous; si vous continuez à être de bonne foi, 8741
nous allons être d'accord. *Racine et Shakespeare, chap. 1.*

Il me semble que l'on fait plus de plaisanteries à Paris pendant 8742
une seule soirée que dans toute l'Allemagne en un mois.
Ibid., chap. 2.

8743   Le *Romanticisme* est l'art de présenter aux peuples les
        œuvres littéraires qui, dans l'état actuel de leurs habitudes
        et de leurs croyances, sont susceptibles de leur donner le plus
        de plaisir possible.
        Le *classicisme*, au contraire, leur présente la littérature qui
        donnait le plus grand plaisir possible à leurs arrière-grands-
        pères.   *Ibid., chap. 3.*

8744   Il me semble qu'il faut du courage à l'écrivain presque autant
        qu'au guerrier; l'un ne doit pas plus songer aux journalistes
        que l'autre à l'hôpital.   *Ibid.*

8745   Le vers alexandrin n'est souvent qu'un cache-sottise.
                                    Ibid., Seconde Partie, Lettre II.

8746   Tous les grands écrivains ont été romantiques de leur temps.
                                                            Ibid.

8747   Dès que vous introduisez la politique dans un ouvrage litté-
        raire, l'*odieux* paraît et avec l'*odieux* la *haine impuissante.*
        Or, dès que votre cœur est en proie à la haine impuissante,
        cette fatale maladie du dix-neuvième siècle, vous n'avez plus
        assez de gaieté pour rire de quoi que ce soit.
                                                    Ibid., Lettre V.

8748   Si jamais nous avons la liberté complète, qui songera à faire
        des chefs-d'œuvre? Chacun travaillera, personne ne lira si ce
        n'est de grands journaux in-folio, où toute vérité s'énoncera
        dans les termes les plus directs et les plus nets.   *Ibid., note.*

8749   Le cri du cœur n'admet pas d'inversion.
                                            Ibid., Lettre VIII, note.

8750   Le premier instrument du génie d'un peuple, c'est sa langue.
        Que sert à un muet d'avoir beaucoup d'esprit? Or l'homme
        qui ne parle qu'une langue entendue de lui seul est-il si diffé-
        rent d'un muet?
                    Ibid., Appendice II, Des périls de la langue italienne.

8751   Ce n'est pas un petit mouvement de vanité qui fait enfanter
        des chefs-d'œuvre. L'homme de génie, tourmenté de ses
        idées, a plus besoin de prendre la plume que les êtres ordi-
        naires de se mettre à table.   *Ibid.*

8752   Nous sommes aussi réellement conduits (mais non pas aussi
        sûrement) par les mots dans nos raisonnements que l'algé-
        briste par ses formules dans ses calculs.   *Ibid.*

8753   L'amour, cette passion si visionnaire, exige dans son langage
        une exactitude mathématique.
                    Ibid., Appendice IV, De Molière et de Regnard.

8754   En 1760 il fallait de la grâce, de l'esprit et pas beaucoup
        d'humeur, ni pas beaucoup d'honneur, comme disait le
        régent, pour gagner la faveur du maître et de la maîtresse.
        Il faut de l'économie, du travail opiniâtre, de la solidité,
        et l'absence de toute illusion dans une tête, pour tirer parti
        de la machine à vapeur. Telle est la différence entre le siècle
        qui finit en 1789 et celui qui commença en 1815.
                                            Armance, Avant-propos.

L'homme qui pendant trois quarts d'heure venait de songer   8755
à terminer sa vie, à l'instant même montait sur une chaise
pour chercher dans sa bibliothèque le tarif des glaces de
Saint-Gobain.   *Armance, chap. 2.*

S'il eût reçu du ciel un cœur sec, froid, raisonnable, avec   8756
tous les autres avantages qu'il réunissait d'ailleurs, il eût
pu être fort heureux. Il ne lui manquait qu'une âme commune.
\   *Ibid., chap. 3.*

Il faut ou tout finir rapidement et sans délai par quelques   8757
gouttes d'acide prussique ou prendre la vie gaiement.
                                          Ibid., chap. 9.

Ce fut un de ces instants rapides que le hasard accorde   8758
quelquefois, comme une compensation de tant de maux,
aux âmes faites pour sentir avec énergie. La vie se presse
dans les cœurs, l'amour fait oublier tout ce qui n'est pas
divin comme lui, et l'on vit plus en quelques instants que
pendant de longues périodes.   *Ibid., chap. 16.*

La parole a été donnée à l'homme pour cacher sa pensée.   8759
                                         Ibid., chap. 25.

Hélas! Trop aimer le beau donne le ton misanthrope; et   8760
le mot de méchant se présente à la pensée des gens froids.
Heureux les tempéraments à la hollandaise qui peuvent aimer
le *beau* sans exécrer le laid!
                        Promenades dans Rome, 18 avril 1828.

Les trois quarts des voyageurs français se trouveraient   8761
bien en peine d'avoir un tête-à-tête avec une des madones
de Raphaël; leur vanité souffrirait étrangement, et ils fini-
raient par la prendre en guignon; ils lui reprocheraient de
la hauteur et s'en croiraient méprisés.   *Ibid., 14 juin 1828.*

Il a été donné aux Français de comprendre les arts avec une   8762
finesse et un esprit infinis; mais, jusqu'ici, ils n'ont pas pu
s'élever jusqu'à les *sentir*.   *Ibid., 16 juin 1828.*

Il est sans doute parmi nous quelques âmes nobles et tendres   8763
comme Madame Roland, Mademoiselle de Lespinasse,
Napoléon, le condamné Lafargue, etc. Que ne puis-je écrire
dans un langage sacré compris d'elles seules! Alors un
écrivain serait aussi heureux qu'un peintre; on oserait
exprimer les sentiments les plus délicats, et les livres, loin
de se ressembler platement comme aujourd'hui, seraient
aussi différents que les toilettes d'un bal.   *Ibid.*

Molière fut chargé, par Louis XIV, de donner un modèle   8764
idéal à chaque classe de ses sujets et de poursuivre par le
ridicule tout ce qui hésiterait à se conformer à ce modèle.
Colbert obtint que les gens de finance seraient exemptés
de cette classification.   *Ibid., 3 juin 1828.*

Après une conversation savante de deux grandes heures, où   8765
pas un mot ne fut dit au hasard, la finesse du paysan l'emporta sur la finesse de l'homme riche, qui n'en a pas besoin
pour vivre.   *Le Rouge et le Noir, Livre I, chap. 5.*

8766   A Paris, l'amour est fils des romans. Le jeune précepteur et
        sa timide maîtresse auraient retrouvé dans trois ou quatre,
        et jusque dans les couplets du Gymnase, l'éclaircissement de
        leur position. Les romans leur auraient tracé le rôle à jouer,
        montré le modèle à imiter.   *Ibid., chap. 7.*

8767   Tel était l'effet de la force, et, si j'ose parler ainsi, de la
        grandeur des mouvements de passion qui bouleversaient
        l'âme de ce jeune ambitieux. Chez cet être singulier, c'était
        presque tous les jours tempête.   *Ibid., chap. 11.*

8768   Tel est, hélas, le malheur d'une excessive civilisation! A
        vingt ans, l'âme d'un jeune homme, s'il a quelque éducation,
        est à mille lieues du laisser-aller, sans lequel l'amour n'est
        souvent que le plus ennuyeux des devoirs.   *Ibid., chap. 13.*

8769   Il y eut un *Te Deum*, des flots d'encens, des décharges infi-
        nies de mousqueterie et d'artillerie; les paysans étaient ivres
        de bonheur et de piété. Une telle journée défait l'ouvrage
        de cent numéros des journaux jacobins.   *Ibid., chap. 18.*

8770   Serait-il possible que ces prêtres si fourbes... eussent raison?
        Eux qui commettent tant de péchés auraient le privilège de
        connaître la vraie théorie du péché? Quelle bizarrerie!
                                                      Ibid., chap. 19.

8771   Une odalisque du sérail peut à toute force aimer le sultan;
        il est tout-puissant, elle n'a aucun espoir de lui dérober son
        autorité par une suite de petites finesses. La vengeance du
        maître est terrible, sanglante, mais militaire, généreuse :
        un coup de poignard finit tout. C'est à coup de mépris public
        qu'un mari tue sa femme au XIXe siècle; c'est en lui fermant
        tous les salons.   *Ibid,. chap. 21.*

8772   Voilà donc, se disait la conscience de Julien, la sale fortune
        à laquelle tu parviendras, et tu n'en jouiras qu'à cette
        condition et en pareille compagnie! Tu auras peut-être
        une place de vingt mille francs, mais il faudra que, pendant
        que tu te gorges de viandes, tu empêches de chanter le pauvre
        prisonnier; tu donneras à dîner avec l'argent que tu auras
        volé sur sa misérable pitance, et pendant ton dîner il sera
        encore plus malheureux! — O Napoléon! qu'il était doux
        de ton temps de monter à la fortune par les dangers d'une
        bataille.   *Ibid., chap. 22.*

8773   M. Valenod avait dit en quelque sorte aux épiciers du pays :
        donnez-moi les deux plus sots d'entre vous; aux gens de loi :
        indiquez-moi les deux plus ignares; aux officiers de santé :
        désignez-moi les deux plus charlatans. Quand il avait eu
        rassemblé les plus effrontés de chaque métier, il leur avait
        dit : régnons ensemble.   *Ibid.*

8774   La marche ordinaire du XIXe siècle est que, quand un être
        puissant et noble rencontre un homme de cœur, il le tue,
        l'exile, l'emprisonne ou l'humilie tellement, que l'autre a la
        sottise d'en mourir de douleur.   *Ibid., chap. 23.*

Quelle pitié notre provincial ne va-t-il pas inspirer aux 8775
jeunes lycéens de Paris qui, à quinze ans, savent déjà entrer
dans un café d'un air si distingué? Mais ces enfants, si bien
stylés à quinze ans, à dix-huit tournent *au commun*. La timidité passionnée que l'on rencontre en province se surmonte
quelquefois et alors elle enseigne à vouloir.
Ibid., chap. 24.

Depuis Voltaire, depuis le gouvernement des deux chambres, 8776
qui n'est au fond que *méfiance et examen personnel*, et donne
à l'esprit des peuples cette mauvaise habitude de *se méfier*,
l'Église de France semble avoir compris que les livres sont
ses vrais ennemis. *Ibid., chap. 26.*

Au séminaire, il est une façon de manger un œuf à la coque 8777
qui annonce les progrès faits dans la vie dévote. *Ibid.*

Je vais chercher la solitude et la paix champêtre au seul 8778
lieu où elles existent en France, dans un quatrième étage,
donnant sur les Champs-Élysées.
Ibid., Livre II, chap. 1.

Toute vraie passion ne songe qu'à elle. C'est pourquoi, 8779
ce me semble, les passions sont si ridicules à Paris, où le
voisin prétend toujours qu'on pense beaucoup à lui. *Ibid.*

Nous sommes prêtres, car elle vous prendra pour tel; à ce 8780
titre, elle nous considère comme des valets de chambre
nécessaires à son salut. *Ibid.*

Pourvu qu'on ne plaisantât ni de Dieu, ni des prêtres, ni du 8781
roi, ni des gens en place, ni des artistes protégés par la cour,
ni de tout ce qui est établi; pourvu qu'on ne dît du bien ni
de Béranger, ni des journaux de l'opposition, ni de Voltaire,
ni de Rousseau, ni de tout ce qui se permet un peu de franc-
parler; pourvu surtout qu'on ne parlât jamais politique, on
pouvait librement raisonner de tout. *Ibid., chap. 4.*

Comment, habitant l'hôtel d'un grand seigneur, ne savez- 8782
vous pas le mot du duc de Castries sur d'Alembert et Rousseau : Cela veut raisonner de tout, et n'a pas mille écus
de rente. *Ibid.*

L'esprit et le génie perdent vingt-cinq pour cent de leur 8783
valeur, en débarquant en Angleterre. *Ibid., chap. 7.*

Je ne vois que la condamnation à mort qui distingue un 8784
homme, pensa Mathilde : c'est la seule chose qui ne s'achète
pas. *Ibid., chap. 8.*

Quelle est la grande action qui ne soit pas un *extrême* au 8785
moment où on l'entreprend? C'est quand elle est accomplie
qu'elle semble possible aux êtres du commun.
Ibid., chap. 11.

Il est digne d'être mon maître, puisqu'il a été sur le point 8786
de me tuer. Combien faudrait-il fondre ensemble de beaux
jeunes gens de la société pour arriver à un tel mouvement
de passion? *Ibid., chap. 18.*

8787 Eh, monsieur, un roman est un miroir qui se promène sur
une grande route. Tantôt il reflète à vos yeux l'azur des
cieux, tantôt la fange des bourbiers de la route. Et l'homme
qui porte le miroir dans sa hotte sera par vous accusé d'être
immoral! Son miroir montre la fange, et vous accusez
le miroir! Accusez bien plutôt le grand chemin où est le
bourbier, et plus encore l'inspecteur des routes qui laisse
l'eau croupir et le bourbier se former.   *Ibid., chap. 19.*

8788 La politique [...] est une pierre attachée au cou de la littérature, et qui, en moins de six mois, la submerge. La politique au milieu des intérêts d'imagination, c'est un coup
de pistolet au milieu d'un concert.   *Ibid., chap. 22.*

8789 L'air triste ne peut être de bon ton; c'est l'air ennuyé qu'il
faut. Si vous êtes triste, c'est donc quelque chose qui vous
manque, quelque chose qui ne vous a pas réussi.
C'est montrer soi inférieur. Êtes-vous ennuyé, au contraire,
c'est ce qui a essayé vainement de vous plaire qui est inférieur.   *Ibid., chap. 24.*

8790 Grand Dieu! Pourquoi suis-je moi?   *Ibid., chap. 28.*

8791 Dans les hautes classes de la société de Paris, où Mathilde
avait vécu, la passion ne peut que bien rarement se dépouiller
de prudence, et c'est du cinquième étage qu'on se jette par
la fenêtre.   *Ibid., chap. 28.*

8792 Quand je serais moins coupable, je vois des hommes qui,
sans s'arrêter à ce que ma jeunesse peut mériter de pitié,
voudront punir en moi et décourager à jamais cette classe
de jeunes gens qui, nés dans une classe inférieure et en
quelque sorte opprimés par la pauvreté, ont le bonheur de
se procurer une bonne éducation, et l'audace de se mêler
à ce que l'orgueil des gens riches appelle la société.
          Ibid., chap. 41.

8793 Le comte Altamira me racontait que, la veille de sa mort,
Danton disait avec sa grosse voix : C'est singulier, le verbe
guillotiner ne peut pas se conjuguer dans tous ses temps;
on peut bien dire : Je serai guillotiné, tu seras guillotiné,
mais on ne dit pas : J'ai été guillotiné.   *Ibid., chap. 42.*

8794 Si je trouve le Dieu des chrétiens, je suis perdu : c'est un
despote, et, comme tel, il est rempli d'idées de vengeance;
sa Bible ne parle que de punitions atroces. Je ne l'ai jamais
aimé; je n'ai même jamais voulu croire qu'on l'aimât sincèrement.   *Ibid.*

8795 Ce passage du *Venceslas* de Rotrou lui revint tout à coup.
LADISLAS
...Mon âme est toute prête.
LE ROI, PÈRE DE LADISLAS
L'échafaud l'est aussi; portez-y votre tête.
Belle réponse! pensa-t-il, et il s'endormit.
          Ibid.

Le pire des malheurs en prison, pensa-t-il, c'est de ne pouvoir fermer sa porte.   *Ibid., chap. 44.*   8796

Les gens qu'on honore ne sont que des fripons qui ont eu le bonheur de n'être pas pris en flagrant délit.   *Ibid.*   8797

L'influence de mes contemporains l'emporte, dit-il tout haut et avec un rire amer. Parlant seul avec moi-même, à deux pas de la mort, je suis encore hypocrite... O dix-neuvième siècle !   *Ibid.*   8798

Une mouche éphémère naît à neuf heures du matin dans les grands jours d'été, pour mourir à cinq heures du soir; comment comprendrait-elle le mot *nuit ?*   *Ibid.*   8799

Le 15 mai 1796, le général Bonaparte fit son entrée dans Milan à la tête de cette jeune armée qui venait de passer le pont de Lodi, et d'apprendre au monde qu'après tant de siècles César et Alexandre avaient un successeur...
                La Chartreuse de Parme, Livre I, chap. 1.   8800

Bonaparte, que tous les gens bien nés croyaient pendu depuis longtemps, descendit du mont Saint-Bernard. Il entra dans Milan : ce moment est encore unique dans l'histoire; figurez-vous tout un peuple amoureux fou.   *Ibid.*   8801

Notre héros était ce matin-là du plus beau sang-froid du monde; la quantité de sang qu'il avait perdue l'avait délivré de toute la partie romanesque de son caractère.
                Ibid., chap. 5.   8802

La première qualité chez un jeune homme aujourd'hui, c'est-à-dire pendant cinquante ans peut-être, tant que nous aurons peur et que la religion ne sera point rétablie, c'est de n'être pas susceptible d'enthousiasme et de n'avoir pas d'esprit.   *Ibid., chap. 6.*   8803

Fabrice avait un cœur italien; j'en demande pardon pour lui : ce défaut, qui le rendra moins aimable, consistait surtout en ceci : il n'avait de vanité que par accès, et l'aspect seul de la beauté sublime le portait à l'attendrissement [...]
                Ibid., chap. 8.   8804

La pensée du privilège avait desséché cette plante toujours si délicate qu'on nomme le bonheur.   *Ibid.*   8805

C'est par une folie d'imagination que Napoléon s'est rendu au prudent *John Bull*, au lieu de chercher à gagner l'Amérique. John Bull, dans son comptoir, a bien ri de sa lettre où il cite Thémistocle. De tous temps les vils Sancho Pança l'emporteront à la longue sur les sublimes don Quichotte.
                Ibid., chap. 10.   8806

Elle était saisie d'une sorte d'horreur à la seule pensée de mettre sa chère solitude et ses pensées intimes à la disposition d'un jeune homme, que le titre de mari autoriserait à troubler toute cette vie intérieure.   *Ibid., Livre II, chap. 15.*   8807

8808   Mais à propos, se dit Fabrice étonné en interrompant tout à
coup le cours de ses pensées, j'oublie d'être en colère! Serais-
je un de ces grands courages comme l'antiquité en a montré
quelques exemples au monde? Suis-je un héros sans m'en
douter?   *Ibid., chap. 18.*

8809   Le courage consiste à savoir choisir le moindre mal, si
affreux qu'il soit encore.   *Ibid., chap. 20.*

8810   Je croirais assez que le bonheur immoral qu'on trouve à se
venger en Italie tient à la force d'imagination de ce peuple;
les gens des autres pays ne pardonnent pas à proprement
parler, ils oublient.   *Ibid., chap. 21.*

8811   Au milieu des plats intérêts d'argent, et de la froideur déco-
lorée des pensées vulgaires qui remplissent notre vie, les
démarches inspirées par une vraie passion manquent rarement de produire leur effet.   *Ibid., chap. 22.*

8812   Le calembour est incompatible avec l'assassinat.
                                           Ibid., chap. 24.

8813   L'homme qui approche de la cour compromet son bonheur,
s'il est heureux, et, dans tous les cas, fait dépendre son
avenir des intrigues d'une femme de chambre.
D'un autre côté, en Amérique, dans la République, il faut
s'ennuyer toute la journée à faire une cour sérieuse aux bouti-
quiers de la rue, et devenir aussi bête qu'eux; et là, pas
d'Opéra.   *Ibid.*

8814   Le prince, qui se réservait toujours des rôles d'amoureux à
jouer avec la duchesse, avait été tellement passionné en lui
parlant de sa tendresse, qu'il eût été ridicule, si, en Italie,
un homme passionné ou un prince pouvaient jamais l'être.
                                           Ibid., chap. 25.

8815   En composant la *Chartreuse*, pour prendre le ton, je lisais
chaque matin deux ou trois pages du Code civil, afin d'être
toujours naturel; je ne veux pas, par des moyens factices,
fasciner l'âme du lecteur.
                         Lettre à M. de Balzac, 30 octobre 1840.

8816   Je ne vois qu'une règle : être clair. Si je ne suis pas clair,
tout *mon monde* est anéanti.   *Ibid.*

8817   En 1796, comme le général Bonaparte quittait Brescia, les
municipaux qui l'accompagnaient à la porte de la ville lui
disaient que les Bressans aimaient la liberté par-dessus tous
les autres Italiens. — Oui, répondit-il, ils aiment à en parler à
leurs maîtresses. *Chroniques italiennes, Vanina Vanini.*

8818   Les raisonnements politiques de l'an 1500 sont parfaitement
ridicules, l'on n'avait pas encore inventé à cette époque de
faire voter l'impôt par les députés de ceux qui doivent le
payer.   *Préface des Manuscrits italiens.*

Le gouvernement le plus baroque et le plus infâme a cela de 8819
bon qu'il donne sur le cœur humain des aperçus que l'on
chercherait en vain dans la jeune Amérique où toutes les
passions se réduisent à peu près au culte du dollar.   *Ibid.*

J'aime le style de ces histoires, c'est celui du peuple, il est 8820
rempli de pléonasmes et ne laisse jamais passer le nom
d'une chose horrible sans nous apprendre qu'elle est horrible.
Ibid.

Le don Juan de Molière est galant sans doute, mais avant tout 8821
il est homme de bonne compagnie; avant de se livrer au penchant irrésistible qui l'entraîne vers les jolies femmes, il tient
à se conformer à un certain modèle idéal, il veut être
l'homme qui serait souverainement admiré à la cour d'un
jeune roi galant et spirituel.   *Ibid., Les Cenci.*

C'est à la religion chrétienne que j'attribue le rôle satanique 8822
de don Juan.   *Ibid.*

C'est en Italie et au XVIIe siècle qu'une princesse disait, 8823
en prenant une glace avec délices le soir d'une journée fort
chaude : *quel dommage que ce ne soit pas un péché!*   *Ibid.*

Les paroles sont toujours une force que l'on cherche hors 8824
de soi.   *Ibid., La duchesse de Palliano.*

Au XVIe siècle, l'activité d'un homme et son mérite réel ne 8825
pouvaient se montrer en France et conquérir l'admiration
que par la bravoure sur le champ de bataille ou dans les
duels; et, comme les femmes aiment la bravoure et surtout
l'audace, elles devinrent les juges suprêmes du mérite d'un
homme. Alors naquit *l'esprit de galanterie* qui prépara
l'anéantissement successif de toutes les passions et même de
l'amour, au profit de ce tyran cruel auquel nous obéissons
tous : la vanité. Les rois protégèrent la vanité avec grande
raison; de là l'empire des rubans!
                    Ibid., L'Abbesse de Castro.

Un jeune homme de vingt-six ans se trouve avoir effacé en 8826
une année les Alexandre, les César, les Annibal, les Frédéric.
Et, comme pour consoler l'humanité de ces succès sanglants,
il joint aux lauriers de Mars l'olivier de la civilisation.
                    Vie de Napoléon, chap. 4.

C'est un argument des aristocrates que celui des crimes 8827
qu'entraîne une révolution. Ils oublient les crimes qui se
commettaient en silence avant la Révolution.
                    Ibid., chap. 6.

Le général Bonaparte était extrêmement ignorant dans l'art 8828
de gouverner. Nourri des idées militaires, la délibération lui
a toujours semblé de l'insubordination.   *Ibid., chap. 20.*

Il n'est pas donné à un seul être humain d'avoir à la fois 8829
tous les talents, et il était trop sublime comme général pour
être bon comme politique et législateur.   *Ibid.*

8830 Depuis deux siècles, un ministre, en France, est un homme qui signe quatre cents dépêches par jour, et qui donne à dîner.
Ibid., chap. 49.

8831 Napoléon est donc un tyran du XIXe siècle. Qui dit Tyran, dit esprit supérieur, et il ne se peut pas qu'un génie supérieur ne respire, même sans s'en douter, le bon sens qui est répandu dans l'air.
Ibid., chap. 86.

8832 Les petits mérites seuls peuvent aimer le mensonge qui leur est favorable; plus la vérité tout entière sera connue, plus Napoléon sera grand.
Mémoires sur Napoléon, Préface.

8833 L'amour pour Napoléon est la seule passion qui me soit restée.
Ibid.

8834 Les esprits sont précoces en Normandie; quoique à peine âgée de douze ans, elle était déjà susceptible d'ennui, et l'ennui à cet âge, quand il ne tient pas à la souffrance physique, annonce la présence de l'âme.
Lamiel, chap. 3.

8835 *La bravoure personnelle, la fermeté de caractère* n'offrent point de prise à l'hypocrisie. Comment un homme peut-il être hypocrite en se lançant contre le mur d'un cimetière de campagne bien crénelé et défendu par deux cents hommes?
Ibid., chap. 7.

8836 Lamiel s'assit et le regarda s'en aller (elle essuya le sang et songea à peine à la douleur).
Puis elle éclata de rire en se répétant :
« Comment, ce fameux amour, ce n'est que ça! ».
Ibid., chap. 9.

8837 Je ne fais point de plan. Quand cela m'est arrivé, j'ai été dégoûté du roman par le mécanisme que voici : je cherchais à me souvenir en écrivant le roman des choses auxquelles j'avais pensé en écrivant le plan, et, chez moi, le travail de la mémoire éteint l'imagination.
Ibid., Note du 25 mai 1840.

8838 S'il y a un autre monde, je ne manquerai pas d'aller voir Montesquieu, s'il me dit : « Mon pauvre ami, vous n'avez pas eu de talent du tout », j'en serai fâché mais nullement surpris.
Vie de Henry Brulard, chap. 1.

8839 Sentir les défauts d'un autre, est-ce avoir du talent? Je vois les plus mauvais peintres voir très bien les défauts les uns des autres : M. Ingres a toute raison contre M. Gros, et M. Gros contre M. Ingres.
Ibid.

8840 J'ai recherché avec une sensibilité exquise la vue des beaux paysages; c'est pour cela uniquement que j'ai voyagé. Les paysages étaient comme un *archet* qui jouait sur mon âme.
Ibid., chap. 2.

8841 Tout ce qui est bas et plat dans le genre bourgeois me rappelle Grenoble, tout ce qui me rappelle Grenoble me fait horreur, non, *horreur* est trop noble, *mal au cœur.*
Ibid., chap. 9.

J'aimais, et j'aime encore, les mathématiques pour elles- 8842
mêmes comme n'admettant pas l'*hypocrisie* et le *vague*,
mes deux bêtes d'aversion. *Ibid., chap. 10.*

Mes compositions m'ont toujours inspiré la même pudeur 8843
que mes amours. Rien ne m'eût été plus pénible que d'en
entendre parler. *Ibid.*

Je ne pourrais, ce me semble, peindre ce bonheur ravissant, 8844
pur, frais, divin, que par l'énumération des maux et de
l'ennui dont il était l'absence complète. Or ce doit être une
triste façon de peindre le bonheur. *Ibid., chap. 13.*

J'ai horreur de ce qui est sale, or le peuple est toujours sale 8845
à mes yeux. Il n'y a qu'une exception pour Rome, mais là
la saleté est cachée par la férocité. *Ibid., chap. 14.*

Un roman est comme un archet, la caisse du violon *qui rend* 8846
les sons, c'est l'âme du lecteur. *Ibid., chap. 16.*

Les phrases nombreuses et prétentieuses de MM. Chateau- 8847
briand et Salvandy m'ont fait écrire *le Rouge et le Noir*
d'un style trop haché. Grande sottise car dans vingt ans qui
songera aux fatras hypocrites de ces Messieurs? Et moi,
je mets un billet à une loterie dont le gros lot se réduit à ceci :
être lu en 1935. *Ibid., chap. 23.*

La finesse et la promptitude de l'égoïsme, un égoïsme, je 8848
crois, hors de mesure, sont les seules choses qui aient du
succès parmi les enfants. *Ibid., chap. 24.*

Les poètes ont du cœur, les savants proprement dits sont 8849
serviles et lâches. *Ibid.*

Je ne sais combien de lieues je ne ferais pas à pied, ou à 8850
combien de jours de prison je ne me soumettrais pas pour
entendre *Don Juan* ou le *Matrimonio Segreto,* et je ne sais
pour quelle autre chose je ferais cet effort. *Ibid., chap. 25.*

L'amour a toujours été pour moi la plus grande des affaires, 8851
ou plutôt la seule. *Ibid.*

Ne serais-je point le fils d'un grand prince, et tout ce que 8852
j'entends dire de la Révolution, et le peu que j'en vois, une
fable destinée à faire mon éducation, comme dans *Émile?*
Ibid., chap. 26.

Pour que rien ne manquât au pouvoir de Shakespeare sur 8853
mon cœur, je crois même que mon père m'en dit du mal.
Ibid., chap. 27.

Tout but moral, c'est-à-dire d'intérêt dans l'artiste, tue 8854
tout ouvrage d'art. *Ibid.*

Mes amis, quand je sors dans la rue avec un habit neuf et 8855
bien fait, donneraient un écu pour qu'on me jetât un verre
d'eau sale. *Ibid., chap. 30.*

8856   Quand une idée se saisit trop de moi au milieu de la rue,
        je tombe.   *Ibid.*

8857   Un peu de passion augmente l'esprit, beaucoup l'éteint.
                                                    Ibid., chap. 33.

8858   J'appelle *caractère* d'un homme sa manière habituelle
        d'aller à la chasse du bonheur, en termes plus clairs, mais
        moins significatifs : *l'ensemble de ses habitudes morales.*
                                                    Ibid., chap. 36.

8859   *N'avoir pas de montagnes* perdait absolument Paris à mes
        yeux.
        Avoir dans les jardins des arbres taillés l'achevait.
                                                    Ibid., chap. 39.

8860   Je ne puis être touché jusqu'à l'attendrissement *qu'après
        un passage comique.*   *Ibid., chap. 41.*

8861   L'esprit si *délicieux* pour qui le sent ne dure pas. Comme une
        belle pêche passe en quelques jours, l'*esprit* passe en deux
        cents ans, et bien plus vite s'il y a révolution dans les
        rapports que les classes d'une société ont entre elles.
                                                    Ibid., chap. 42.

8862   Les épinards et Saint-Simon ont été mes seuls goûts durables,
        après celui toutefois de vivre à Paris avec cent louis de rente,
        faisant des livres.   *Ibid., chap. 43.*

8863   Je voyais ce beau lac s'étendre sous mes yeux, le son de la
        cloche était une ravissante musique qui accompagnait mes
        idées et leur donnait une physionomie sublime.
        Là, ce me semble, a été mon approche la plus voisine du
        bonheur parfait.
        Pour un tel moment il vaut la peine d'avoir vécu.
                                                    Ibid., chap. 44.

8864   C'est là le danger d'acheter des gravures des beaux tableaux
        que l'on voit dans ses voyages. Bientôt la gravure forme
        tout le souvenir, et détruit le souvenir réel.   *Ibid., chap. 45.*

8865   J'ai eu un lot exécrable de sept ans à dix-sept, mais, depuis
        le passage du mont Saint-Bernard (à 2 491 mètres d'éléva-
        tion au-dessus de l'océan), je n'ai plus eu à me plaindre du
        destin, mais au contraire à m'en louer.   *Ibid., chap. 46.*

8866   Enfin j'allai au spectacle, on donnait le *Matrimonio Segreto*
        de Cimarosa, l'actrice qui jouait Caroline avait une dent de
        moins sur le devant. Voilà tout ce qui me reste d'un bonheur
        divin.   *Ibid.*

8867   On ne peut pas apercevoir distinctement la partie du ciel
        trop voisine du soleil, par un effet semblable j'aurais grand'
        peine à faire une narration raisonnable de mon amour pour
        Angela Pietragrua. Comment faire un récit un peu raison-
        nable de tant de folies? Par où commencer? Comment rendre
        cela un peu intelligible? Voilà déjà que j'oublie l'orthographe,
        comme il m'arrive dans les grands transports de passion,
        et il s'agit pourtant de choses passées il y a trente-six ans.
                                                    Ibid., chap. 47.

Quel parti prendre? Comment peindre le bonheur fou?   8868
Le lecteur a-t-il jamais été amoureux fou? A-t-il jamais eu
la fortune de passer une nuit avec cette maîtresse qu'il a le
plus aimée en sa vie?
Ma foi je ne puis continuer, le sujet surpasse le disant.
Ibid.

On gâte des sentiments si tendres à les raconter en détail.   8869
Ibid.

Je craignais de déflorer les moments heureux que j'ai ren-   8870
contrés, en les décrivant, en les anatomisant. Or, c'est ce que
je ne ferai point, je sauterai le bonheur.
Souvenirs d'égotisme, chap. 1.

Les Anglais sont, je crois, le peuple du monde le plus obtus, 8871
le plus barbare. Cela est au point que je leur pardonne les
infamies de Sainte-Hélène.
Ils ne les sentaient pas.   *Ibid., chap. 7.*

A mes yeux, quand on pend un voleur ou un assassin en   8872
Angleterre, c'est l'aristocratie qui s'immole une victime à sa
sûreté, car c'est elle qui l'a forcé à être scélérat, etc. *Ibid.*

Excepté pour la passion du héros, un roman doit être un   8873
miroir.   *Lucien Leuwen, Première Préface.*

Entre deux hommes d'esprit, l'un extrêmement républicain,   8874
l'autre extrêmement légitimiste, le penchant secret de l'auteur sera pour le plus aimable.   *Ibid., Deuxième Préface.*

Ce conte fut écrit en songeant à un petit nombre de lecteurs 8875
que je n'ai jamais vus et que je ne verrai point, ce dont bien
me fâche : j'eusse trouvé tant de plaisir à passer les soirées
avec eux!   *Ibid., I.*

Dans ce salon dont l'ameublement avait coûté cent mille   8876
francs, on ne haïssait personne (étrange contraste!).
Ibid., I, chap. 1.

Heureux les héros morts avant 1804!   *Ibid., I, chap. 3.*   8877

Washington m'eût ennuyé à la mort, et j'aime mieux me   8878
trouver dans le même salon que M. de Talleyrand.
Ibid., I, chap. 6.

Excepté mes pauvres républicains attaqués de folie, je ne vois 8879
rien d'estimable dans le monde.   *Ibid.*

Pour plaire à son mari et à son parti, Mme de Puylaurens   8880
allait à l'église deux ou trois fois le jour; mais, dès qu'elle y
était entrée, le temple du Seigneur devenait un salon.
Ibid., I, chap. 11.

Voilà un des malheurs de l'extrême beauté, elle ne peut   8881
voiler ses sentiments.   *Ibid., I, chap. 24.*

8882   Les amants sont si heureux dans les scènes qu'ils ont ensemble que le lecteur, au lieu de sympathiser avec la peinture de ce bonheur, en devient jaloux et se venge d'ordinaire en disant : « Bon Dieu! Que ce livre est fade! »   *Ibid., I, chap. 27.*

8883   L'âme de l'homme est comme un marais infect : si l'on ne passe vite, on enfonce.   *Ibid., I, chap. 32.*

8884   Tout gouvernement, même celui des États-Unis, ment toujours et en tout; quand il ne peut pas mentir au fond, il ment sur les détails. Ensuite, il y a les bons mensonges et les mauvais; les *bons* sont ceux que croit le petit public de cinquante louis de rente à douze ou quinze mille francs, les *excellents* attrapent quelques gens à voiture, les *exécrables* sont ceux que personne ne croit et qui ne sont répétés que par les ministériels éhontés.   *Ibid., II, chap. 39.*

8885   Rien ne rend méchant comme le malheur. Voyez les prudes.   *Ibid., II, chap. 44.*

8886   La vieillesse n'est autre chose que la privation de folie, l'absence d'illusion et de passion.   *Ibid., II, chap. 47.*

8887   C'est un homme qui, en parlant du teint d'une femme, dirait : « Il est couleur de chair ».   *Journal, 26 août 1804.*

8888   La pire des duperies où puisse mener la connaissance des femmes est de n'aimer jamais, de peur d'être trompé.   *Ibid., 11 février 1805.*

8889   C'est un moyen de se consoler que de regarder sa douleur de près (surtout avec une tête comme la mienne).   *Ibid., 14 mars.*

8890   [...] Je ne regrette presque plus le calendrier républicain.   *Ibid., 20 janvier 1806.*

8891   Moi, j'ai passionnément désiré être aimé d'une femme mélancolique, maigre et actrice.   *Ibid., 30 mars.*

8892   Remède souverain contre l'amour : manger des pois.   *Ibid., 25 mars 1808.*

8893   Il y a des passions semblables aux vents alizés, qui prennent les gens à certaine hauteur.   *Ibid., 16 avril 1813.*

8894   J'ai eu quelques idées de finir, comme un jocrisse, par un coup de pistolet.   *Ibid., 16 octobre 1814.*

HENRI DE LATOUCHE
1785-1851

8895   On t'aime, *un peu, beaucoup*. Prends garde, téméraire!
L'espérance repose auprès de la douleur...
          Superstitions de l'amour.

MARCELINE DESBORDES-VALMORE
1786-1859

Par toi tout le bonheur que m'offre l'avenir   8896
Est dans mon souvenir.
Romances, Le Souvenir.

Que la vie est rapide et paresseuse ensemble!   8897
Dans la main qui s'égare, et qui brûle, et qui tremble,
Que sa coupe fragile est lente à se briser!
Poésies, Élégie.

Qui n'a cru respirer dans la fleur renaissante,   8898
Les parfums regrettés de ses premiers printemps.
Ibid., Le Printemps.

Je vais d'un jour encore essayer le fardeau.   8899
Ibid., La Fête.

Ce qu'on donne à l'amour est à jamais perdu.   8900
Ibid., L'Isolement.

Le ciel nous a formés mobiles et sensibles,   8901
Et le sol le plus doux n'enchaîne point nos pas.
Ibid., Les Deux Peupliers.

Si l'amour a des pleurs, la haine a des tourments.   8902
Ibid., Le Retour à Bordeaux.

Vous aviez mon cœur,   8903
Moi, j'avais le vôtre :
Un cœur pour un cœur,
Bonheur pour bonheur!
Pauvres fleurs, qu'en avez-vous fait?

Brisé par une main qu'on aime,   8904
Seigneur! un cheveu de nous-même
Est si vivant à la douleur!
Ibid., au Christ.

J'ai voulu ce matin te rapporter des roses;   8905
Mais j'en avais tant pris dans mes ceintures closes
Que les nœuds trop serrés n'ont pu les contenir.
Poésies posthumes, Les Roses de Saadi.

Amour, divin rôdeur, glissant entre les âmes,   8906
[...]
C'est lui! Sauve qui peut! Voici venir les armes!...
Ce n'est pas tout d'aimer, l'amour porte des armes.
C'est le roi, c'est le maître, et, pour le désarmer,
Il faut plaire à l'Amour : ce n'est pas tout d'aimer!
Ibid., Amour, divin rôdeur.

J'ai vécu d'aimer, j'ai donc vécu de larmes.   8907
Ibid., Rêve intermittent d'une nuit triste.

8908   Les enfants sont venus vous demander des roses;
              Il faut leur en donner.
              — Mais les petits ingrats détruisent toutes choses...
              — Il faut leur pardonner.
                                        Ibid., Ouvrez aux enfants.

8909   J'irai, j'irai porter ma couronne effeuillée
              Au jardin de mon père où revit toute fleur;
              J'y répandrai longtemps mon âme agenouillée;
              Mon père a des secrets pour vaincre la douleur.
                                        Ibid., La Couronne effeuillée.

8910   Vous [1] ne rejetez pas la fleur qui n'est plus belle;
              Ce crime de la terre au ciel est pardonné.
              Vous ne maudirez pas votre enfant infidèle,
              Non d'avoir rien vendu, mais d'avoir tout donné.
                                                        Ibid.

FRANÇOIS GUIZOT
1787-1874

8911   Les événements sont plus grands que ne le savent les hommes,
        et ceux-là mêmes qui semblent l'ouvrage d'un accident,
        d'un individu, d'intérêts particuliers ou de quelque cir-
        constance extérieure ont des sources bien plus profondes et
        une bien autre portée.
                              Essai sur l'histoire de France, 3ᵉ essai.

8912   De toutes les tyrannies, la pire est celle qui peut ainsi compter
        ses sujets et voir de son siège les limites de son empire. *Ibid.*

8913   La France a subi, depuis quatorze siècles, les plus éclatantes
        alternatives d'anarchie et de despotisme, d'illusion et de
        mécompte; elle n'a jamais renoncé longtemps ni à l'ordre
        ni à la liberté, ces deux conditions de l'honneur comme
        du bien-être durable des nations.
                              Histoire de la civilisation, Préface de 1855.

8914   Les révolutions, Messieurs, emploient presque autant d'an-
        nées à se terminer qu'à se préparer; et de même que long-
        temps avant le jour où elles ont éclaté, la société se sentait
        travaillée d'une lutte sourde et douloureuse, de même, long-
        temps après qu'elles paraissent accomplies, elles agitent
        et tourmentent les gouvernements et les peuples.
        Histoire parlementaire de France, Discours du 3 mai 1819.

8915   Le développement intellectuel et moral des individus ne
        marche pas aussi vite que le développement de leur existence
        matérielle, et la Révolution n'a pas réparti les lumières
        avec autant de rapidité et d'égalité que les fortunes. *Ibid.*

8916   Les lois ne manquent point à la justice; la force ne manquera
        point aux lois.   *Ibid., Discours du 11 septembre 1830.*

---

1. L'auteur s'adresse à Dieu.

La France n'a ni des idées républicaines, ni des passions   8917
ardentes, ni des prétentions exclusives. Quiconque se présente
poussé par ces trois forces, marche au rebours de la France
et n'est pas national.   *Ibid., Discours du 9 novembre 1830.*

L'esprit de révolution, l'esprit d'insurrection est un esprit   8918
radicalement contraire à la liberté.
Ibid., Discours du 29 décembre 1830.

Vous n'avez, contre cette disposition révolutionnaire des   8919
classes pauvres, vous n'avez aujourd'hui, indépendamment
de la force légale, qu'une seule garantie efficace, puissante,
le travail, la nécessité incessante du travail. C'est là le côté
admirable de notre société.   *Ibid., Discours du 3 mai 1837.*

Le moment est venu, à mon avis, d'écarter ces vieux pré-   8920
jugés d'égalité de droits politiques, d'universalité des droits
politiques, qui ont été non seulement en France, mais dans
tous les pays, partout où ils ont été appliqués, la mort de
la vraie liberté et de la justice, qui est la vraie égalité.
Ibid., Discours du 5 mai 1837.

Ce qui a souvent perdu la démocratie, c'est qu'elle n'a su   8921
admettre aucune organisation hiérarchique de la société;
c'est que la liberté ne lui a pas suffi; elle a voulu le nivelle-
ment. Voilà pourquoi la démocratie a péri.   *Ibid.*

J'accepte 1791 et 1792; les années suivantes mêmes, je   8922
les accepte dans l'histoire, mais je ne les veux pas dans
l'avenir... et je me fais un devoir, un devoir de conscience,
d'avertir mon pays toutes les fois que je le vois pencher de
ce côté. Messieurs, on ne tombe jamais que du côté où l'on
penche.   *Ibid.*

Quant aux injures, aux calomnies, aux colères extérieures,   8923
on peut les multiplier, les entasser tant qu'on voudra on ne
les élèvera jamais au-dessus de mon dédain.
Ibid., Discours du 26 janvier 1844.

ÉTIENNE CABET
1788-1856

Tous pour chacun. — Chacun pour tous.   8924
Voyage en Icarie, Page de titre.

A chacun suivant ses besoins. — De chacun suivant ses   8925
forces.   *Ibid.*

[...] Il est impossible d'admettre que la destinée de l'homme   8926
soit d'être *malheureux* sur la Terre [...] Il n'est pas plus
possible d'admettre qu'il soit naturellement *méchant*.
Ibid., Préface.

8927   [...] Le remède, l'unique remède au mal, c'est la suppres-
sion de l'opulence et de la misère, c'est-à-dire l'établissement
de l'Égalité, de la Communauté des biens [...] Telle fut l'opinion de Jésus-Christ [...].
                        Ibid., Deuxième partie, chap. 3.

8928   [...] Quand le temps, qui est une Puissance aussi, aura mis
les fils en place des pères, vous verrez comme la France sera
plus hardie pour demander l'Égalité et la Démocratie!
                                    Ibid., chap. 10.

8929   [...] Si je tenais une révolution dans ma main, je la tiendrais
fermée[1], quand même je devrais mourir en exil!
                        Ibid., Troisième partie, chapitre unique.

8930   Les Communistes actuels sont donc les *Disciples*, les *Imitateurs* et les *Continuateurs* de Jésus-Christ.   *Ibid.*

JULES DE RESSÉGUIER
1789-1862

8931   Racontez-moi ce qu'on fait dans la vie;
                Je ne vis plus, car je ne souffre pas.
                                        Le Passé.

ALPHONSE DE LAMARTINE
1790-1869

8932   L'homme est Dieu par la pensée.
                    Méditations poétiques, première préface.

8933   Les fables de La Fontaine sont plutôt la philosophie dure,
froide et égoïste d'un vieillard que la philosophie aimante,
généreuse, naïve et bonne d'un enfant. C'est du fiel. *Ibid.*

8934   Le soleil des vivants n'échauffe plus les morts.
                        Méditations poétiques, I, L'isolement.

8935   Un seul être vous manque, et tout est dépeuplé.
                                            Ibid.

8936   Qu'importe le soleil? je n'attends rien des jours.
                                            Ibid.

8937   Sur la terre d'exil pourquoi resté-je encore?
                Il n'est rien de commun entre la terre et moi.
                                            Ibid.

1. Opposition de Cabet à toute violence.

Notre crime est d'être homme et de vouloir connaître : 8938
Ignorer et servir, c'est la loi de notre être.
Ibid., II, L'homme.

Aux regards de Celui qui fit l'immensité, 8939
L'insecte vaut un monde : ils ont autant coûté.
Ibid.

Borné dans sa nature, infini dans ses vœux, 8940
L'homme est un dieu tombé qui se souvient des Cieux.
Ibid.

J'ai vu partout un Dieu sans jamais le comprendre. 8941
Ibid.

Je marche dans la nuit par un chemin mauvais, 8942
Ignorant d'où je viens, incertain où je vais.
Ibid.

C'est pour la vérité que Dieu fit le génie. 8943
Ibid.

Beauté, présent d'un jour que le ciel nous envie. 8944
Ibid., III, A Elvire.

Je te salue, ô Mort! Libérateur céleste [...] 8945
Ibid., V, L'immortalité.

[...] J'aime, il faut que j'espère. 8946
Ibid.

Mon cœur, lassé de tout, même de l'espérance, 8947
N'ira plus de ses vœux importuner le sort.
Ibid., VI, Le vallon.

J'ai trop vu, trop senti, trop aimé dans ma vie. 8948
Ibid.

Beaux lieux, soyez pour moi ces bords où l'on oublie : 8949
L'oubli seul désormais est ma félicité.
Ibid.

L'amour seul est resté, comme une grande image 8950
Survit seule au réveil dans un songe effacé.
Ibid.

Mais la nature est là qui t'invite et qui t'aime; 8951
Plonge-toi dans son sein qu'elle t'ouvre toujours :
Quand tout change pour toi, la nature est la même,
Et le même soleil se lève sur tes jours.
Ibid.

Dieu pour le concevoir a fait l'intelligence : 8952
Sous la nature enfin découvre son auteur!
Ibid.

Quel crime avons-nous fait pour mériter de naître? 8953
Ibid., VII, Le désespoir.

8954
Jusqu'à ce que la Mort, ouvrant son aile immense,
Engloutisse à jamais dans l'éternel silence
L'éternelle douleur!

Ibid.

8955
Tu n'as qu'un jour pour être juste,
J'ai l'éternité devant moi!
Ibid., VIII, La Providence à l'homme.

8956
Pour tout peindre, il faut tout sentir.
Ibid., XI, L'enthousiasme.

8957
Ce qu'on appelle nos beaux jours
N'est qu'un éclair brillant dans une nuit d'orage,
Et rien, excepté nos amours,
N'y mérite un regret du sage;
Mais, que dis-je? on aime à tout âge [...]
Ibid., XII, La retraite.

8958
Ainsi, toujours poussés vers de nouveaux rivages,
Dans la nuit éternelle emportés sans retour,
Ne pourrons-nous jamais sur l'océan des âges
Jeter l'ancre un seul jour?
Ibid., XIII, Le lac.

8959
« O temps, suspends ton vol, et vous, heures propices!
Suspendez votre cours [...] »

Ibid.

8960
« Mais je demande en vain quelques moments encore,
Le temps m'échappe et fuit [...] ».

Ibid.

8961
« Aimons donc, aimons donc! De l'heure fugitive,
Hâtons-nous, jouissons! »

Ibid.

8962
O lac! rochers muets! grottes! forêt obscure!
Vous que le temps épargne ou qu'il peut rajeunir,
Gardez de cette nuit, gardez, belle nature,
Au moins le souvenir!

Ibid.

8963
Que le vent qui gémit, le roseau qui soupire,
Que les parfums légers de ton air embaumé,
Que tout ce qu'on entend, l'on voit ou l'on respire,
Tout dise : « Ils ont aimé! »

Ibid.

8964
Voilà le sacrifice immense, universel!
L'univers est le temple, et la terre est l'autel.
Ibid., XVI, La prière.

8965
Tout se tait : mon cœur seul parle dans ce silence.
La voix de l'univers, c'est mon intelligence.

Ibid.

8966
Celui qui peut créer dédaigne de détruire.

Ibid.

[...] Après m'avoir aimé quelques jours sur la terre,   8967
Souviens-toi de moi dans les cieux.
Ibid., XVII, Invocation.

Je ne veux pas d'un monde où tout change, où tout passe.   8968
Ibid., XVIII, La Foi.

Mon âme aura passé, sans guide et sans flambeau,   8969
De la nuit d'ici-bas dans la nuit du tombeau.
Ibid.

Le soin de chaque jour à chaque jour suffit.   8970
Ibid., XX, Philosophie.

Ainsi tout change, ainsi tout passe;   8971
Ainsi nous-mêmes nous passons,
Hélas! sans laisser plus de trace
Que cette barque où nous glissons
Sur cette mer où tout s'efface.
Ibid., XXI, Le Golfe de Baya, près de Naples.

Prends ton vol, ô mon âme! et dépouille tes chaînes.   8972
Déposer le fardeau des misères humaines,
   Est-ce donc là mourir?
Ibid., XXVII, Le chrétien mourant.

Oui, ce monde, Seigneur, est vieilli pour ta gloire;   8973
Il a perdu ton nom, ta trace et ta mémoire [...]
Ibid., XXVIII, Dieu.

Salut! bois couronnés d'un reste de verdure!   8974
Feuillages jaunissants sur les gazons épars!
Salut, derniers beaux jours! le deuil de la nature
Convient à la douleur et plaît à mes regards!
Ibid., XXIX, L'Automne.

Les poètes ont dit qu'avant sa dernière heure,   8975
En sons harmonieux le doux cygne se pleure;
Amis, n'en croyez rien!
La Mort de Socrate.

[...] Je suis un cygne aussi, je [1] meurs, je puis chanter!   8976
Ibid.

Mourir n'est pas mourir; mes amis! c'est changer!   8977
Ibid.

Mais mourir c'est souffrir; et souffrir est un mal.   8978
Ibid.

N'est-ce pas par un mal que tout bien est produit?   8979
L'été sort de l'hiver, le jour sort de la nuit.
Ibid.

Un seul désir suffit pour peupler tout un monde.   8980
Ibid.

---

1. C'est Socrate qui parle.

8981   C'est ainsi qu'il mourut!... si c'était là mourir!...
Ibid.

8982   La mort fut de tout temps l'asile de la gloire.
Rien ne doit jusqu'ici poursuivre une mémoire.
Rien!... excepté la vérité!
Nouvelles Méditations poétiques, III, Bonaparte.

8983   Tu [1] mourus cependant de la mort du vulgaire [...]
Ibid.

8984   Viens! l'amoureux silence occupe au loin l'espace;
Viens du soir près de moi respirer la fraîcheur!
C'est l'heure; à peine au loin la voile qui s'efface
Blanchit en ramenant le paisible pêcheur.
Ibid., IX, Ischia.

8985   Le poète est semblable aux oiseaux de passage,
Qui ne bâtissent point leurs nids sur le rivage,
Qui ne se posent point sur les rameaux des bois;
Nonchalamment bercés sur le courant de l'onde,
Ils passent en chantant loin des bords; et le monde
Ne connaît rien d'eux que leur voix.
Ibid, XIII, Le poète mourant.

8986   Mais le temps? — Il n'est plus. — Mais la gloire? — Eh!
qu'importe
Cet écho d'un vain son, qu'un siècle à l'autre apporte?
Ce nom, brillant jouet de la postérité?
Ibid.

8987   Je chantais, mes amis, comme l'homme respire,
Comme l'oiseau gémit, comme le vent soupire,
Comme l'eau murmure en coulant.
Ibid.

8988   Aimer, prier, chanter, voilà toute ma vie.
Ibid.

8989   Oui, je reviens à toi, berceau de mon enfance,
Ibid., XVI, Les Préludes.

8990   J'aimais les voix du soir dans les airs répandues,
Le bruit lointain des chars gémissant sous leur poids [...]
Ibid.

8991   Toi que j'ai recueilli sur sa bouche expirante
Avec son dernier souffle et son dernier adieu,
Symbole deux fois saint, don d'une main mourante,
Image de mon Dieu!
Ibid., XXI, Le Crucifix.

8992   [...] L'Amour, la Liberté, dieux qui ne mourront pas!
Le Dernier chant du pèlerinage d'Harold, I.

8993   J'aimai, je fus aimé; c'est assez pour ma tombe.
Ibid., II.

1. Le poète s'adresse à Napoléon.

Je vais chercher ailleurs [1] (pardonne, ombre romaine!)   8994
Des hommes, et non pas de la poussière humaine!...
Ibid., XIII.

Béni soit l'étranger qui vient au nom du Christ!   8995
Ibid., XXXV.

Chaque être s'écrie :   8996
C'est lui, c'est le jour!
C'est lui, c'est la vie!
C'est lui, c'est l'amour!
Harmonies poétiques et religieuses, I, 3, Hymne du matin.

C'est la saison où tout tombe   8997
Aux coups redoublés des vents;
Un vent qui vient de la tombe
Moissonne aussi les vivants.
Ibid., II, 1, Pensée des morts.

Quoique jeune sur la terre,   8998
Je suis déjà solitaire
Parmi ceux de ma saison.
Ibid.

Italie! Italie! ah! pleure tes collines,   8999
Où l'histoire du monde est écrite en ruines!
Ibid., II, 3, La Perte de l'Anio.

Les cieux pour les mortels sont un livre entr'ouvert,   9000
Ligne à ligne à leurs yeux par la nature offert.
Ibid., II, 4, L'Infini dans les cieux.

La vie! A ce seul mot tout œil, toute pensée,   9001
S'inclinent confondus et n'osent pénétrer;
Au seuil de l'infini c'est la borne placée,
Où la sage ignorance et l'audace insensée
Se rencontrent pour adorer!
Ibid., II, 9, Le Chêne.

Ah! l'homme est le livre suprême :   9002
Dans les fibres de son cœur même,
Lisez, mortels : Il est un Dieu!
Ibid., II, 10, L'Humanité.

Pourquoi le prononcer, ce nom de la patrie?   9003
Dans son brillant exil mon cœur en a frémi [...]
Ibid., III, 2, Milly ou la terre natale.

Objets inanimés, avez-vous donc une âme   9004
Qui s'attache à notre âme et la force d'aimer?
Ibid.

[...] Et ces vieux souvenirs dormant au fond de nous,   9005
Qu'un site nous conserve et qu'il nous rend plus doux.
Ibid.

1. Ailleurs qu'en Italie.

9006   La vie a dispersé, comme l'épi sur l'aire,
            Loin du champ paternel les enfants et la mère [...]
                                                        Ibid.

9007   Rien n'est vrai, rien n'est faux; tout est songe et mensonge,
        Illusion du cœur qu'un vain espoir prolonge.
        Nos seules vérités, hommes, sont nos douleurs.
                            Ibid., III, 7, Le tombeau d'une mère.

9008   Hélas! dans une longue vie
                Que reste-t-il après l'amour?
                    Ibid., III, 9, Pourquoi mon âme est-elle triste?

9009   Roulez dans vos sentiers de flamme,
                Astres, rois de l'immensité!
                Insultez, écrasez mon âme
                Par votre presque éternité!
            Ibid., IV, 9, Éternité de la nature, brièveté de l'homme.

9010   Sur la plage sonore où la mer de Sorrente
        Déroule ses flots bleus aux pieds de l'oranger
        Il est, près du sentier, sous la haie odorante,
        Une pierre petite, étroite, indifférente
            Aux pas distraits de l'étranger!
                            Ibid., IX, 10, Le premier regret.

9011   Laissons le vent gémir et le flot murmurer;
        Revenez, revenez, ô mes tristes pensées!
            Je veux rêver et non pleurer!
                                                        Ibid.

9012   Et le rapide oubli, second linceul des morts,
        A couvert le sentier qui menait vers ces bords.
                                                        Ibid.

9013   Amour, être de l'être! amour, âme de l'âme!
                        *Ibid., IV, 11, Novissima verba ou
                        Mon âme est triste jusqu'à la mort!*

9014   Le plaisir est une prière,
                Et l'aumône une volupté.
            Ibid. (pièces ajoutées aux Harmonies), Pour une quête.

9015   Honte à qui peut chanter pendant que Rome brûle,
        S'il n'a l'âme et la lyre et les yeux de Néron [...].
                                            Réponse à Némésis.

9016   Marchez! L'humanité ne vit pas d'une idée!
        Elle éteint chaque soir celle qui l'a guidée,
        Elle en allume une autre à l'immortel flambeau [...]
                                Ode sur les Révolutions, III.

9017   Qu'est-ce donc que l'amour si son rêve est si doux?
                                        Jocelyn, 1ʳᵉ époque.

9018   A tout être la fin n'est que commencement;
        La souffrance, travail; la mort, enfantement.
                                        Ibid., 2ᵉ époque.

[...] Au cœur de cet enfant j'ai reconnu le mien.   9019
[...] Et mon cœur abusé, ne comptant plus les jours,
Croit en l'aimant d'hier l'avoir aimé toujours.
Ibid., 3ᵉ époque.

Qu'importe aux cœurs unis ce qui change autour d'eux?   9020
Ibid.

Dans cet autre soi-même, où tout va retentir,   9021
On se regarde vivre, on s'écoute sentir.
Ibid.

On admire le monde à travers ce qu'on aime.   9022
Ibid.

Esprit saint! Conduis-les comme un autre Moïse   9023
Par des chemins de paix à ta terre promise!!!...
Ibid., 8ᵉ époque.

Le pauvre colporteur est mort la nuit dernière,   9024
Nul ne voulait donner de planches pour sa bière,
Le forgeron lui-même a refusé son clou :
« C'est un juif, disait-il, venu je ne sais d'où [...] »
[...] Je fis honte aux chrétiens de leur dureté d'âme.
Ibid., 9ᵉ époque.

O travail, sainte loi du monde,   9025
Ton mystère va s'accomplir!
Pour rendre la glèbe féconde,
De sueur il faut l'amollir.
Ibid.

[...] Et l'homme, à tous les droits propice,   9026
Trouva dans son cœur la justice,
Et grava son code en tout lieu,
Et, pour consacrer ses lois même,
S'élevant à la loi suprême,
Chercha le juge et trouva Dieu.
Ibid.

[...] Et la famille enracinée   9027
[...]
Refleurit d'année en année,
Collective immortalité.
Ibid.

Or c'était dans ces jours avant que sur ces cimes   9028
Dieu n'eût fait refluer les vagues des abîmes,
Quand tout être voisin de sa création,
Excepté l'homme, était dans sa perfection. [...]
La chute d'un ange, 1ʳᵉ vision.

Tant peut sur les humains la mémoire chérie!   9029
C'est la cendre des morts qui créa la patrie.
Ibid., 3ᵉ vision.

La nuit, qui livre l'homme à ses réflexions   9030
Et qui laisse à son cœur mordre ses passions [...]
Ibid., 12ᵉ vision.

9031   Il est dans les repos de l'humaine existence
       De célestes moments, moments, hélas! trop courts,
       Où dans le cœur trop plein le sang suspend son cours [...]
                                    Ibid., 15ᵉ vision.

9032   Amitié, doux repos de l'âme,
                 Crépuscule charmant des cœurs [...].
                 Recueillements poétiques, X, Amitié de femme.

9033   Frère, le temps n'est plus où j'écoutais mon âme
       Se plaindre et soupirer comme une faible femme.
          Ibid., XIII, à M. Félix Guillemardet, sur sa maladie.

9034   Que Dieu serait cruel, s'il n'était pas si grand!
          Les Oiseaux (Pièces nouvelles de l'édition de 1842).

9035   Roule libre et superbe entre tes larges rives,
       Rhin, Nil de l'Occident, coupe des nations!
          La Marseillaise de la Paix (Œuvres complètes de 1843).

9036   Nations, mot pompeux pour dire barbarie,
       L'amour s'arrête-t-il où s'arrêtent vos pas?
       Déchirez ces drapeaux; une autre voix vous crie :
       « L'égoïsme et la haine ont seuls une patrie;
             La fraternité n'en a pas! »
                                            Ibid.

9037   Ma patrie est partout où rayonne la France,
       Où son génie éclate aux regards éblouis!
       Chacun est du climat de son intelligence :
       Je suis concitoyen de toute âme qui pense :
             La vérité, c'est mon pays!
                                            Ibid.

9038   Un grand peuple sans âme est une vaste foule!
                          Ressouvenir du lac Léman.

9039   Voltaire! Quel que soit le nom dont on le nomme,
       C'est un cycle vivant, c'est un siècle fait homme!
                                            Ibid.

9040   Enfants des noirs, proscrits du monde,
                 Pauvre chair changée en troupeau,
                 [...]
                 Relevez du sol votre tête [...]
                 Le nom d'homme est votre conquête!
                 Toussaint Louverture, I, 1, La Marseillaise noire.

9041   Entre la race blanche et la famille noire,
       Il fallait un combat, puisqu'il faut la victoire!...
                                        Ibid., II, 1.

9042   Je suis de la couleur de ceux qu'on persécute!
                                        Ibid., II, 4.

9043   Spartacus a brisé ses fers ailleurs qu'à Rome!
                                        Ibid., V, 6.

La licence, l'erreur, les peuples et les rois   9044
De ce monde naissant corrompirent les lois;
Et, souillé sur ces bords par le sang des victimes,
L'arbre heureux de la foi n'y porta que des crimes.
Les Visions, Première vision.

Un silence éternel, effroi de la nature,   9045
Régnait seul où régnait son éternel murmure.
L'Océan semblait mort, le ciel vide, et pour l'œil
L'horizon n'était plus que solitude et deuil.
Ibid., Seconde vision.

Age heureux de la grâce et de la volupté;   9046
Qui confond en un jour le printemps et l'été.
Ibid.

Il est nuit... Qui respire?... Ah! c'est la longue haleine,   9047
La respiration nocturne de la plaine!
Poèmes du Cours Familier de Littérature, Tome II,
11ᵉ entretien, Le Désert ou l'Immatérialité de Dieu, I.

Être seul, c'est régner; être libre, c'est vivre.   9048
Ibid., IV.

Mers humaines d'où monte avec des bruits de houles   9049
L'innombrable rumeur du grand roulis des foules!
Ibid.

Moi-même, de mon âme y déposant la rouille,   9050
Je sens que j'y grandis de ce que j'y dépouille,
Et que mon esprit, libre et clair comme les cieux,
Y prend la solitude et la grandeur des lieux!
Ibid., V.

Insectes bourdonnants, assembleurs de nuages,   9051
Vous prendrez-vous toujours au piège des images?
Ibid., X.

Quel fardeau te pèse, ô mon âme!   9052
Sur ce vieux lit des jours par l'ennui retourné,
Comme un fruit de douleurs qui pèse aux flancs de femme
Impatient de naître et pleurant d'être né?
Ibid., La Vigne et la maison, dialogue entre mon âme et moi,
(Moi).

Bénis plutôt ce Dieu qui place un crépuscule   9053
Entre les bruits du soir et la paix de la nuit!
Ibid.

Pourtant le soir qui tombe a des langueurs sereines   9054
Que la fin donne à tout, aux bonheurs comme aux peines.
Ibid.

Cette heure a pour nos sens des impressions douces   9055
Comme des pas muets qui marchent sur des mousses.
Ibid.

9056
> Le mur est gris, la tuile est rousse,
> L'hiver a rongé le ciment;
> Des pierres disjointes la mousse
> Verdit l'humide fondement;
> Les gouttières, que rien n'essuie,
> Laissent, en rigoles de suie,
> S'égoutter le ciel pluvieux,
> Traçant sur la vide demeure
> Ces noirs sillons par où l'on pleure,
> Que les veuves ont sous les yeux.
>
> *Ibid., I.*

9057
> Efface ce séjour, ô Dieu! de ma paupière,
> Ou rends-le-moi semblable à celui d'autrefois,
> Quand la maison vibrait comme un grand cœur de pierre.
> De tous ces cœurs joyeux qui battaient sous ses toits!
>
> *Ibid., II.*

9058
> O famille! ô mystère! ô cœur de la nature!
>
> *Ibid., IV.*

9059
> Premier rayon du ciel vu dans des yeux de femmes,
> Premier foyer d'une âme où s'allument nos âmes.
>
> *Ibid.*

9060
> Le passé, l'avenir, ces deux moitiés de vie
> Dont l'une dit jamais et l'autre dit toujours.
>
> *Ibid., V.*

9061   Où le temps a cessé tout n'est-il pas présent?   *Ibid.*

9062   Une idée vraie, une idée sociale descendue du ciel sur l'humanité, n'y retourne jamais à vide [...]
Sur la politique rationnelle, Avertissement au pays.

9063   La vertu politique? je sais que la liberté la produit en l'exerçant; mais il en faut déjà pour supporter la liberté.   *Ibid.*

9064   Le crime a aussi son parti en France, l'échafaud a aussi ses apôtres; mais le crime ne peut jamais être un élément politique [...]   *Ibid.*

9065   La poésie sera de la raison chantée [...]; elle sera philosophique, religieuse, politique, sociale, comme les époques que le genre humain va traverser; elle sera intime surtout [...].
Des destinées de la poésie.

9066   [La poésie] doit se faire peuple...   *Ibid.*

9067   Je crois que Dieu se manifeste toujours au moment précis où tout ce qui est humain est insuffisant, où l'homme confesse qu'il ne peut rien pour lui-même.
Voyage en Orient, IV.

9068   Que les chrétiens s'interrogent et se demandent de bonne foi ce qu'ils auraient fait si les destinées de la guerre leur avaient livré la Mecque et la Kaaba.   *Ibid., V.*

Pour le chrétien ou pour le philosophe, pour le moraliste 9069
ou pour l'historien, ce tombeau [le Saint-Sépulcre] est la
borne qui sépare deux mondes [...]. Ce tombeau est le sépulcre
du vieux monde et le berceau du monde nouveau. *Ibid.*

Nature et miracle, n'est-ce pas tout un? et l'univers est-il 9070
autre chose que miracle éternel et de tous les moments?
Ibid., VI.

Il n'y a d'homme complet que celui qui a beaucoup voyagé, 9071
qui a changé vingt fois la forme de sa pensée et de sa vie.
Ibid., VIII.

Voyager pour chercher la sagesse était un grand mot des 9072
anciens... *Ibid.*

Étudier les siècles dans l'histoire, les hommes dans les 9073
voyages et Dieu dans la nature, c'est la grande école...
Ibid.

Le monde est un livre dont chaque pas nous ouvre une page. 9074
Ibid.

Le péché contre l'Esprit-Saint, c'est ce combat de certains 9075
hommes contre l'amélioration des choses; c'est cet effort
égoïste et stupide pour rappeler toujours en arrière le monde
moral et social [...] *Ibid., XI.*

L'oppression de la pensée conduit à la révolte du cœur. [...] 9076
Vous nous demandez la seule dictature sans contrôle et sans
responsabilité, la dictature masquée, honteuse, indirecte, la
dictature du silence! [...]
[...]
La grande passion de ce temps-ci, c'est [...] la passion de
l'avenir, c'est la passion du perfectionnement social. [...]
Eh bien : l'instrument de cette passion actuelle du monde
moral, c'est la presse, c'est l'outil de la civilisation.
Discours en faveur de la liberté de la presse, 21 août 1835,
Chambre des Députés.

La France est une nation qui s'ennuie [1]. 9077
Discours à la Chambre des Députés, 10 janvier 1839.

L'ambition qu'on a pour soi-même s'avilit et se trompe; 9078
l'ambition qu'on a pour assurer la sécurité et la grandeur du
pays, elle change de nom, elle s'appelle dévouement...
A la Chambre des Députés, 27 janvier 1843.

Périssent nos mémoires, pourvu que nos idées triomphent! 9079
[...] Ce cri sera le mot d'ordre de ma vie politique [...] *Ibid.*

Otez de la vie le cœur qui vous aime : qu'y reste-t-il? Il en 9080
est de même de la nature. Effacez-en le site et la maison que
vos pensées cherchent ou que vos souvenirs peuplent, ce

---

1. Mot repris le 18 juillet 1847, à Mâcon, sous la forme :
« La France s'ennuie. »

n'est plus qu'un vide éclatant [...]. Chacun porte avec soi
son point de vue. [...] Le spectacle est dans le spectateur.
Graziella, chap. 10.

9081   [...] Sa[1] démocratie tombait de haut : elle n'avait rien de ce
sentiment de convoitise et de haine qui soulève les viles
passions du cœur humain, et qui ne voit dans le bien fait au
peuple qu'une insulte à la noblesse. [...] C'était un volontaire de la démocratie. [...]   *Histoire des Girondins, I, 1.*

9082   La main de Dieu est visible sur les choses humaines, mais cette
main même a une ombre qui nous cache ce qu'elle accom-
plit.   *Ibid., XIII.*

9083   [Le christianisme] avait proclamé les trois mots que répétait
à deux mille ans de distance la philosophie française : liberté,
égalité, fraternité des hommes.   *Ibid.*

9084   [...] Le monde antique s'était affranchi au nom du Christ,
le monde moderne s'affranchissait au nom des droits que
toute créature a reçus de Dieu.   *Ibid.*

9085   [Il était évident] que l'idée de Dieu, confinée dans les sanc-
tuaires, en sortirait pour rayonner dans chaque conscience
libre de la lumière de la liberté même.   *Ibid.*

9086   Comme l'âme humaine, dont les philosophes ignorent le
siège dans le corps humain, la pensée de tout un peuple
repose quelquefois dans l'individu le plus ignoré d'une vaste
foule.   *Ibid., XIV.*

9087   [...] Le sentiment du droit est si fort parmi les hommes que,
même quand ils le violent, ils en affectent encore l'hypocrisie [...]   *Ibid., XVIII.*

9088   « [...] Le drapeau rouge que vous[2] rapportez n'a jamais fait
que le tour du Champ de Mars, traîné dans le sang du peuple
en 91 et en 93, et le drapeau tricolore a fait le tour du monde
avec le nom, la gloire et la liberté de la patrie ! »
A ces derniers mots, Lamartine, interrompu par des cris
d'enthousiasme presque unanimes, tomba de la chaise qui
lui servait de tribune dans les bras tendus de tous côtés
vers lui ! La cause de la République nouvelle l'emportait
sur les sanglants souvenirs qu'on voulait lui substituer.
Histoire de la Révolution de 1848, XXII.

9089   La nature elle-même, cette musique et cette poésie suprême,
qu'a-t-elle autre chose que deux ou trois paroles et deux ou
trois notes, toujours les mêmes, avec lesquelles elle attriste
ou enchante les hommes, depuis le premier soupir jusqu'au
dernier ?   *Les Confidences.*

1. Il s'agit de Mirabeau.
2. Le 25 février 1848, Lamartine, de l'Hôtel de Ville de Paris,
s'adresse au peuple pour le dissuader de faire du drapeau
rouge l'emblème du régime nouveau.

Quiconque ne comprend pas la tristesse ne comprend pas   9090
ce monde de larmes. La définition de l'univers, c'est la
douleur d'être né, qui contient la douleur de *mourir*. Ajou-
tez-y la douleur de vivre [...]
                              Cours familier de littérature.

C'est alors qu'il [Chateaubriand] écrivit contre M. Decazes   9091
[...] à propos de l'assassinat du duc de Berry : *Les pieds lui*
ont glissé dans le sang.   *Ibid.*

La raison des choses est la tristesse, parce que la souffrance   9092
et la mort sont le chemin et le but final de tout dans ce monde.
                                                       Ibid.

FRANÇOIS VILLEMAIN
1790-1870

A mesure qu'on a plus d'esprit, on trouve, dit Pascal, qu'il   9093
y a plus d'hommes originaux. N'est-il pas également vrai
de dire qu'avec plus d'esprit encore on découvrirait l'homme
original dont tous les hommes ne sont que des nuances et
des variétés qui le reproduisent avec diverses altérations,
mais ne le dénaturent jamais?
                    Mélanges littéraires, Éloge de Montaigne.

Le plus grand tort du génie, c'est de faire rougir la pudeur,   9094
et d'offenser la vertu.   *Ibid.*

Cet art d'être court, sans ôter rien à la justesse et à la clarté,   9095
semble une des perfections du langage humain : c'est au moins
un des avantages que les langues obtiennent avec le plus de
peine et le plus tard, après avoir été longtemps travaillées
en tous sens par d'habiles écrivains.   *Ibid.*

C'est au mauvais goût qu'il appartient d'être partial et   9096
passionné; le bon goût n'est pas une opinion, une secte;
c'est le raffinement de la raison cultivée, la perfection du
sens naturel.   *Ibid., Discours sur la critique.*

La critique est une de ces professions qui prospèrent dans   9097
les temps malheureux.   *Ibid.*

ÉMILE DESCHAMPS
1791-1871

Lorsque la paix générale est signée, que chaque peuple est   9098
rentré chez soi et que les armées sont dans les casernes, c'est
le bon moment pour les discordes civiles.
                              La Guerre en temps de paix.

9099   [...] L'immortalité paraît affectionner cette nation-phénix
qui a rejailli plus d'une fois de ses cendres...
La France, son histoire, ses historiens.

9100   Combien faut-il de sots pour faire un public?
Le Tour de faveur.

EUGÈNE SCRIBE
1791-1861

9101   Un vieux soldat sait souffrir et se taire sans murmurer.
Michel et Christine, scène 14.

9102   Chacun, dans le monde,
Intrigue à la ronde,
Et les meilleurs droits
Sont aux plus adroits.
Concert à la cour ou la Débutante, scène 18.

9103   En bons militaires,
Buvons à pleins verres :
Le vin au combat
Soutient le soldat.
Fra Diavolo, acte I, scène 1.

9104   On parle de cruelles,
Moi, je n'y crois jamais.
Leur sagesse est un rêve,
Comme on l'a dit déjà :
L'amour nous les enlève,
L'hymen nous les rendra.
La Fiancée, acte I, scène 7.

9105   Pour un esclave est-il quelque danger?
Mieux vaut mourir que rester misérable!
Tombe le joug qui nous accable,
Et sous nos coups périsse l'étranger!
Amour sacré de la patrie,
Rends-nous l'audace et la fierté;
A mon pays je dois la vie;
Il me devra sa liberté.
La Muette de Portici, acte II, scène 2.

9106   Je suis sergent,
Brave et galant,
Et je mène tambour battant
Et la gloire et le sentiment.
Le Philtre, acte I, scène 2.

9107   Je suis ce grand docteur, nommé Fontanarose,
Connu dans l'univers... et... dans mille autres lieux!
Ibid., acte I, scène 5.

Faiblesse humaine 9108
Que l'on entraîne,
Que l'on enchaîne
Par des bienfaits.
Robert le diable, acte III, scène 1.

Oui, chaque faute est un plaisir, 9109
Et l'on a pour s'en repentir
Le temps où l'on n'en peut commettre.
Ibid.

Pour être heureux, un cœur, une chaumière, 9110
Ne suffisent pas, j'en ai peur.
Une chaumière et son cœur, acte II, scène dernière.

Des jours de la jeunesse 9111
Et du temps qui nous presse,
Dans une douce ivresse
Hâtons-nous de jouir!
Les Huguenots, acte I, scène 1.

Plus blanche que la blanche hermine, 9112
Plus pure qu'un jour de printemps [...]
Ibid., acte I, scène 2.

Si la fortune 9113
Nous en prend une,
Prenons-en deux.
Ibid., acte I, scène 5.

Adieu conquêtes 9114
Que j'avais faites;
Adieu fleurettes,
Adieu galants,
Pour votre peine
Suis inhumaine;
L'hymen m'enchaîne,
Il n'est plus temps!
Le Lac des fées, acte II, scène 1.

[...] pour vous mon amour est si fort 9115
Que j'aime mieux vous savoir mort
Que de vous savoir infidèle!
Le Cheval de Bronze, acte I, scène 13.

Je n'ai servi que dans de saintes maisons... c'est bien plus 9116
avantageux... On y fait sa fortune dans ce monde, et son salut
dans l'autre. *Le Domino noir, acte II, scène 3.*

Les belles nuits font les beaux jours! 9117
Ibid., acte II, scène 4.

Souvent l'ennui roule en voiture 9118
Et les amours s'en vont à pié!
La Reine d'un jour, acte I, scène 8.

« Ma chère Simonne, j'ai l'agrément d'être veuf et le 9119
chagrin de ne pas avoir d'enfants. »
Ibid., acte I, scène 10.

9120   Oui... l'air de France est mauvais pour les secrets...
          Il est trop vif, trop léger...   *Ibid., acte I, scène 12.*

NICOLAS CHARLET
1792-1845

9121   A bien dire, ce qu'il y a de meilleur dans l'homme, c'est le
       chien.   *Légende d'une lithographie.*

VICTOR COUSIN
1792-1867

9122   Nous partons de l'homme pour arriver à tout, même à Dieu.
                    Discours politiques, Introduction, I, 6ᵉ série.

9123   Il n'y a au fond que deux écoles en philosophie et en poli-
       tique : l'une qui part de l'autorité seule, et avec elle et sur
       elle éclaire et façonne l'humanité; l'autre qui part de l'homme
       et y appuie toute autorité humaine.   *Ibid.*

9124   Comme dans une république le chef du gouvernement est
       élu par les citoyens tout comme les députés, il peut fort
       spécieusement répondre à leurs remontrances qu'il est l'élu
       de la nation, que c'est à la nation seule à juger, et qu'il n'a
       que faire de leurs tracasseries.   *Ibid., III.*

9125   La France n'est pas difficile à gouverner; elle ne renverse
       point ses gouvernements; ce sont eux qui comme à plaisir
       conspirent contre eux-mêmes.   *Ibid.*

9126   Tout peuple vraiment historique a une idée à réaliser, et
       quand il l'a suffisamment réalisée chez lui, il l'exporte, en
       quelque sorte, par la guerre, il lui fait faire le tour du monde.
                         Cours de philosophie moderne, 2ᵉ série.

9127   Cependant une idée me soutient, c'est que Kant, une fois
       mis en Français, et un peu débarbouillé, pourrait se présenter
       à tout le monde et aller en Angleterre, en Italie, en Amérique
       et dans l'Inde.
       A Hegel, 5 avril 1830 (Correspondance de Hegel, Gallimard).

CASIMIR DELAVIGNE
1793-1843

9128   Tant qu'on est redoutable, on n'est point innocent.
                              Les Vêpres siciliennes, IV, 4.

9129   Nous mesurons autrui sur ce peu que nous sommes,
       Et le dégoût de soi mène au mépris des hommes.
                              Louis XI, acte I, scène 6.

Faites ce que je dis et non ce que j'ai fait.   9130
                    Ibid., acte IV, scène 15.

Aimez qui vous résiste et croyez qui vous blâme.   9131
                              Ibid.

Comme, chez les enfants, le rire est près des pleurs!   9132
        Les Enfants d'Édouard, acte I, scène 1.

En vertu comme en vice ils font tout à moitié.   9133
                     Ibid., II, 1.

Les fous sont étonnants dans leurs moments lucides.   9134
                     Ibid., II, 4.

Que de petits esprits, jaloux des noms célèbres,   9135
Prendront contre le jour parti pour les ténèbres.
Leur nombre dangereux fait leur autorité.
Les sots depuis Adam sont en majorité.
Épître à Messieurs de l'Académie française sur cette question :
« L'étude fait-elle le bonheur dans toutes les situations de la
                                           vie ? »

    Peuple français, peuple de braves,   9136
    La liberté rouvre ses bras;
    On nous disait : soyez esclaves!
    Nous avons dit : soyons soldats!
                    La Parisienne, chanson.

    Marchons! chaque enfant de Paris   9137
    De sa cartouche citoyenne
    Fait une offrande à son pays.
                               Ibid.

    Polonais, à la baïonnette!   9138
    C'est le cri par nous adopté;
    Qu'en roulant le tambour répète :
        A la baïonnette,
        Vive la liberté!
                          La Varsovienne.

JACQUES-ARSÈNE ANCELOT
1794-1854

Oui; mieux que la raison l'estomac nous dirige.   9139
             L'Important, acte I, scène 9.

L'emploi de favori n'est pas inamovible.   9140
              Ibid., acte III, scène 5.

On ne plaisante pas avec la préfecture.   9141
                              Ibid.

ADOLPHE EMPIS
1795-1868

9142   Oui, oh! oui, les enfants sont tous des ingrats.
       Julie ou Une Séparation, acte IV, scène 2.

AUGUSTIN THIERRY
1795-1856

9143   Guerre aux écrivains sans érudition qui n'ont pas su voir,
       et aux écrivains sans imagination qui n'ont pas su peindre.
       Dix années d'études historiques, Préface.

9144   Si, comme je me plais à le croire, l'intérêt de la science est
       compté au nombre des grands intérêts nationaux, j'ai
       donné à mon pays tout ce que lui donne le soldat mutilé
       sur le champ de bataille.   *Ibid.*

9145   La dégénération de l'espèce humaine en politique a été la
       doctrine favorite des écrivains, parce qu'il est plus aisé de
       vanter le passé que d'expliquer le présent; on n'a besoin
       pour cela que de mémoire.
       Ibid., Première partie, Histoire d'Angleterre, I.

9146   [...] L'alliance de mots la plus menteuse, *un gouvernement
       qui donne la liberté.*   *Ibid.*

9147   De quel poids peut être la raison de celui qui n'a su que
       mourir pour la liberté, devant la raison de ceux qui ont su
       gouverner en paix et longtemps?   *Ibid., II.*

9148   Le despotisme a surtout beau jeu lorsqu'il peut répondre
       aux peuples qui murmurent : c'est vous-mêmes qui m'avez
       voulu.   *Ibid., VI.*

9149   Dans le mouvement d'une nation vers la liberté, sa marche
       doit être grave et réglée, comme celle des bataillons serrés,
       qui, par la seule force de leur ordre, s'avancent en chassant
       devant eux les obstacles, et sont victorieux sans porter un
       seul coup : c'est aux esclaves échappés qu'appartiennent la
       tactique des Parthes, les irruptions soudaines, la fuite simulée,
       les fausses trêves et les poignards.
       *Ibid., Seconde partie, Histoire du moyen âge et Histoire de
                                                    France, I.*

9150   Ne nous laissons pas séduire à l'ambition indiscrète de faire
       faire à la France ce qui est bien; faisons-le : n'est-ce pas nous
       qui sommes la France?   *Ibid.*

9151   La France fut ensanglantée, non point, comme on le prétend
       mal à propos, parce que les philosophes du xviiie siècle
       s'étaient fait entendre au peuple, mais parce que leur philo-

sophie ne s'était pas rendue populaire; les philosophes et
le peuple n'avaient pu s'expliquer ensemble.   *Ibid., VII.*

Une véritable histoire de France devrait raconter la destinée   9152
de la nation française; son héros serait la nation tout entière.
                                                    Ibid., XII.

C'est l'indépendance qui est ancienne, c'est le despotisme   9153
qui est moderne, a dit énergiquement madame de Staël;
et dans ce seul mot elle a retracé toute notre histoire, et
l'histoire de toute l'Europe.   *Ibid., XV.*

Une des phases nécessaires de toute conquête, grande ou   9154
petite, c'est que les conquérants se querellent entre eux
pour la possession et le partage des biens des vaincus.
            Histoire de la conquête de l'Angleterre, Livre VI.

Le grand précepte qu'il faut donner aux historiens, c'est   9155
de distinguer au lieu de confondre; car, à moins d'être varié,
on n'est point vrai.
                    Récits des temps mérovingiens, Préface.

La dissertation historique ne suffit plus, le récit doit s'y   9156
joindre et suppléer à ce qu'elle a, par sa nature, d'arbitraire
et d'incomplet.   *Ibid.*

On a dit que le but de l'historien était de raconter, non de   9157
prouver; je ne sais, mais je suis certain qu'en histoire le
meilleur genre de preuve, le plus capable de frapper et de
convaincre tous les esprits, celui qui permet le moins de
défiance et laisse le moins de doutes, c'est la narration
complète, épuisant les textes, rassemblant les détails épars,
recueillant jusqu'aux moindres indices des faits ou des
caractères, et, de tout cela, formant un corps auquel vient le
souffle de vie par l'union de la science et de l'art.
                                        Ibid., Sixième récit.

AUGUSTE–MARSEILLE BARTHÉLEMY
1796-1867

Sachez bien qu'au pouvoir se vend par lâcheté   9158
Celui que le public n'a jamais acheté.
                                    Ma justification.

L'homme absurde est celui qui ne change jamais.   9159
                                                Ibid.

Il faudrait que Dieu même avec le doigt de l'ange   9160
Écrivît une charte immortelle, et qu'enfin
A chaque ministère il mît un séraphin.
                                                Ibid.

PAUL-ÉMILE DE BRAUX
1796-1831

9161
Ah! qu'on est fier d'être Français
Quand on regarde la *colonne.*
Chansons nationales et autres, La Colonne.

9162
Donne une larme à ton drapeau,
Un soupir à ta douce amie,
Et répète jusqu'au tombeau :
Vaincre ou mourir pour la patrie!
Ibid., Vaincre ou mourir pour la patrie.

9163
Si le Français s'immortalise,
On en sait la cause aujourd'hui;
Qu'un verre de vin l'électrise,
Un roc est moins ferme que lui.
Ibid., L'Automne.

9164
Sous les drapeaux d'une mère chérie,
Tous deux jadis nous avons combattu;
Je m'en souviens, car je te dois la vie;
Mais toi, soldat, dis-moi, t'en souviens-tu?
Souvenirs d'un vieux militaire.

9165
« J'suis Français!
Qui touche mouille.
En avant, Fanfan La Tulipe,
Mil' millions d'un' pipe,
En avant! »
Fanfan La Tulipe.

9166
Quoi! l'aigle est mort, on a flétri la tête
Qui tant de fois de gloire étincela!
Caressons-nous, caressons-nous, Lisette,
Pour endormir encor ce regret-là.
Les Souvenirs.

PROSPER ENFANTIN
1796-1864

9167
Je glorifie Erostrate, je le porte dans mon cœur, je vis de
sa vie, s'il a senti que le Temple d'Ephèse devait disparaître
pour le bonheur du monde.   *La Vie éternelle, chap. 5.*

9168
Pas une seule des grandes vérités des temps modernes, des
vérités aujourd'hui consacrées, glorifiées, n'a pu luire sur
le monde qu'à la condition du mépris, de la persécution,
de l'excommunication, de la mort des premiers apôtres.
Ibid., chap. 45.

Alger enterrera des milliers de Français et des millions de 9169
francs parce que nous voulons coloniser comme on colonisait à l'époque où l'on s'emparait d'un pays peuplé d'anthro-
pophages; comme on colonisait lorsqu'on faisait la traite
de noirs, lorsqu'on réduisait en esclavage les ennemis vaincus,
lorsqu'on les exterminait comme hérétiques, en un mot,
lorsqu'on ignorait qu'il fallait *s'associer* avec eux.
Correspondance politique, IIIe partie. Politique étrangère,
janvier 1840.

Le fait TEMPOREL n'est-il pas devenu surtout un fait INDUS- 9170
TRIEL, au lieu d'être par-dessus tout un fait *militaire?*
Correspondance philosophique et religieuse, I, à M. Guizot,
31 mars 1845.

Organiser la société *en vue de la lutte* entre l'ordre et la liberté, 9171
c'est *restaurer* le passé; l'organiser pour l'ASSOCIATION
de ces deux principes (je ne dis pas seulement leur conciliation), c'est *édifier* l'avenir. *Ibid.*

Qui n'aime pas en frappant est un BOURREAU. 9172
Ibid., à M. Edgar Quinet, oct. 1844.

En France, pour souffler sur la poussière du cadavre que 9173
Voltaire y a fait, nous n'avons plus besoin que d'aspirer
l'avenir. *Ibid.*

De toutes les classes d'hommes qui vivent sous le ciel, 9174
croyez-vous qu'il en soit une seule qui ne renferme pas mille
fois plus de SÉDUCTEURS de femmes et de filles que la classe
des prêtres. *Ibid., à M. Michelet, 28 février 1845.*

Ne vous bornez point à faire le portrait peu flatté de vos 9175
adversaires, dites *qui vous êtes*; ne les *niez plus*, AFFIRMEZ-
VOUS. *Ibid.*

Sans religion et sans peuple on ne fonde qu'un parlement. 9176
Ibid., II, Lettres à un catholique, Première lettre, 6 mars 1843.

Que le successeur de saint Pierre étende donc sa main sur le 9177
monde, non pour le bénir seulement, mais pour se faire bénir.
Ibid., Troisième lettre, 31 mars 1843.

Laissez-moi croire à la vertu et au salut hors de la communion 9178
avec l'Église, sans que cette croyance blesse la vôtre. Vous
communiez avec les catholiques seuls; je me sens en communion avec tous les hommes, avec le monde entier qui m'environne; je sens Dieu *en moi* et *hors de moi*, en NOUS.
Ibid., Sixième lettre, 23 mai 1843.

Organisation du travail, résurrection religieuse, telles sont 9179
les deux grandes œuvres que notre époque demande à l'avenir.
Ibid., Notes A, Concordance des révolutions intellectuelles
et des révolutions politiques.

THÉODORE JOUFFROY
1796-1842

9180 Si le peuple ne doit point juger, mais croire, faites-lui des catéchismes et non des journaux; s'il est seul juge de la vérité, soumettez-vous à ses décisions.
Mélanges philosophiques, Philosophie de l'histoire, II.

9181 Si la poésie comprenait, elle deviendrait la philosophie et disparaîtrait.   *Ibid., III.*

9182 Il y a des images pour rendre la vérité païenne; il y en a pour rendre la vérité chrétienne; il n'y en a point pour rendre la vérité pure.   *Ibid.*

9183 La meilleure réfutation du matérialisme, c'est le spiritualisme; la meilleure réfutation du spiritualisme, c'est le matérialisme. Pour bien comprendre l'absurdité de l'une de ces opinions, il suffit de se placer au point de vue de l'opinion contraire.   *Ibid., Histoire de la philosophie, II.*

9184 La philosophie existe donc; mais elle n'existe pas pour le commun des hommes, ni même pour les hommes très éclairés, ni même pour les simples savants, ni même pour les simples philosophes.   *Ibid., IV.*

9185 Nos capacités sont nôtres et ne sont pas nous; notre nature est nôtre et n'est pas nous; cela seul est nous qui s'empare de notre nature et de nos capacités, et qui les fait nôtres.
Ibid., Psychologie, V.

9186 S'il fallait devenir philosophe pour distinguer le bien du mal, et décider entre Épicure et Zénon pour connaître son devoir, la morale serait aussi étrangère aux affaires de ce monde que les hautes mathématiques, et l'honnête homme plus difficile à former que le grand géomètre.
Ibid., Morale, I.

9187 L'objet qui s'appelle beau ne cause en nous que du plaisir; le jugement n'est que l'énonciation du plaisir; le jugement est la suite du plaisir.
Cours d'esthétique, Première leçon.

9188 Le sentiment de l'utile exclut le sentiment du beau.
Ibid., Quatrième leçon.

9189 Il faut donc choisir de deux choses l'une : ou souffrir pour se développer, ou ne pas se développer, pour ne pas souffrir. Voilà l'alternative de la vie, voilà le dilemme de la condition terrestre.   *Ibid., Huitième leçon.*

9190 L'esprit a tellement besoin d'unité, qu'à défaut d'unité réelle dans tout ce qu'il saisit, il en place une factice et de son invention.   *Ibid., Douzième leçon.*

Le monde n'est qu'un symbole matériel qui permet aux forces   9191
de se parler et de converser entre elles, de s'exprimer à sa
faveur dans quelque langage et de communiquer les unes
avec les autres.   *Ibid., Dix-neuvième leçon.*

Le langage peut [...] devenir philosophique tout comme   9192
poétique. Le poète court donc un danger que ne court pas
le peintre.   *Ibid., Vingt et unième leçon.*

Il n'y a que l'invisible qui nous émeuve.   9193
                              Ibid., Vingt-huitième leçon.

L'idée fondamentale du sublime, c'est la lutte, c'est l'idée   9194
de la force libre et intelligente luttant contre les obstacles
qui gênent son développement [...]
                              Ibid., Quarantième leçon.

Le beau est divin; le sublime est humain.   *Ibid.*   9195

Le sublime [...] est l'image de notre condition, et, par cela   9196
même, le sentiment du sublime est plus commun que le
sentiment du beau.   *Ibid.*

Il y a quelques âmes qui sentent délicieusement le beau,   9197
tandis que tout le monde sent le sublime.   *Ibid.*

HENRI HEINE
1797-1856

Si nous arrivons à ce point, que la grande masse comprenne   9198
le présent, les peuples ne se laisseront plus exciter à la haine
et à la guerre par les écrivains salariés de l'aristocratie;
la grande conférence des peuples, la sainte-alliance des
nations se formera; nous ne serons plus forcés, par défiance
mutuelle, de nourrir des armées permanentes de meurtriers
au nombre de quelques centaines de mille; nous utiliserons
au profit de l'agriculture leurs glaives et leurs chevaux, et
nous aurons enfin paix, aisance et liberté.
                              De la France, Préface.

J'entends déjà le fer rouge siffler sur le maigre dos de la   9199
Prusse.   *Ibid.*

Il faut réellement pour qu'une émeute soit bien faite un   9200
temps favorable, un soleil vivifiant, un jour agréable et
chaud, et c'est pourquoi elles ont toujours réussi le mieux
dans les mois de juin, juillet et août.
                              Ibid., I, Paris, 28 décembre 1831.

Les gouvernements ne peuvent se maintenir que par ce qui   9201
leur a donné naissance. Ainsi, par exemple, un gouvernement
fondé par la force ne se soutient que par la force et non par
la ruse, et de même en sens inverse.   *Ibid.*

9202   De même qu'on remplace aujourd'hui tranquillement, pour qu'il ne reste plus de traces de la révolution, les pavés qu'on avait employés comme arme en juillet et qui, en certains endroits, étaient restés en tas : ainsi l'on remet à présent le peuple à son ancienne place, et on le foule aux pieds comme auparavant.   *Ibid.*

9203   Les Français ressemblent maintenant à ces damnés de l'enfer de Dante, auxquels leur état présent est devenu tellement intolérable, qu'ils désirent en être délivrés à tout prix, dussent-ils tomber dans une situation plus déplorable encore!   *Ibid., V, Paris, 25 mars 1832.*

9204   Je me souvenais du vieux proverbe : « Quand le bon Dieu s'ennuie dans le ciel, il ouvre la fenêtre et regarde les boulevards de Paris. » Il me sembla seulement qu'il y avait plus de gendarmerie qu'il n'en fallait pour un jour de joie innocente.   *Ibid.*

9205   Les salons mentent, les tombeaux sont sincères. Mais hélas! les morts, ces froids récitateurs de l'histoire, parlent en vain à la foule furieuse, qui ne comprend que le langage de la passion vivante.   *Ibid., VI, Paris, 19 avril 1832.*

9206   La tragédie moderne diffère de celle de l'antiquité, en ce que maintenant les chœurs agissent et jouent les rôles principaux, pendant que les dieux, héros et tyrans, auxquels était jadis réservée toute l'action, sont descendus aujourd'hui au rôle de médiocres représentants de la volonté des partis et de l'action populaire.   *Ibid., IX, Paris, 16 juin 1832.*

9207   Nos descendants seront plus beaux et plus heureux que nous; car je crois au progrès et je tiens Dieu pour un être clément qui a destiné l'humanité au bonheur.
                                        De l'Allemagne, Ire partie.

9208   Le diable est froid, même comme amoureux, mais il n'est pas laid, car il peut prendre telle forme qui lui plaît.
                                                Ibid., VIIe partie.

PIERRE LEROUX
1797-1871

9209   Les vrais poètes sont toujours prophètes.
         De l'Humanité, de son principe et de son avenir, à Béranger.

9210   Serai-je sur la terre quand la justice et l'égalité régneront parmi les hommes?   *Ibid., Préface.*

9211   Tout ce que nous aimons étant périssable, nous nous trouvons ainsi, par notre amour, continuellement exposés à souffrir. Il faudrait donc ne rien aimer pour ne pas souffrir. Mais ne rien aimer est la mort de notre âme, la mort la plus affreuse, la véritable mort.   *Ibid., Introduction.*

9212   Vouloir vivre, c'est accepter le mal.   *Ibid.*

Émersion d'un état antérieur, et immersion dans un état futur, voilà notre vie. L'état permanent de notre être est donc l'aspiration. *Ibid.* 9213

Notre être est ce qui dure après la sensation, et non pas ce qui est dans la sensation. *Ibid.* 9214

L'homme ne supportera-t-il donc jamais deux vérités à la fois? *Ibid.* 9215

L'homme n'est ni une âme, ni un animal. L'homme est un animal transformé par la raison et uni à l'humanité. *Ibid.* 9216

De même que les corps placés à la surface de la terre ne gravitent vers le soleil que tous ensemble, et que l'attraction de la terre n'est ainsi dire que le centre de leur mutuelle attraction, de même nous gravitons spirituellement vers Dieu par l'intermédiaire de l'humanité. *Ibid.* 9217

Vivre ce n'est pas seulement changer, c'est continuer. *Ibid., Doctrine, livre II, chap. 2.* 9218

Changer en persistant ou se continuer en changeant, voilà donc ce qui constitue réellement la vie normale de l'homme, et par conséquent le *progrès*. *Ibid.* 9219

Que la famille soit telle que l'homme puisse se développer et progresser dans son sein sans en être opprimé.
Que la nation soit telle que l'homme puisse se développer et progresser dans son sein sans en être opprimé.
Que la propriété soit telle que l'homme puisse s'y développer et y progresser sans y être opprimé.
Voilà le programme de l'avenir. *Ibid., livre III, chap. 1.* 9220

Le despote en se faisant despote devient esclave. *Ibid., livre III, chap. 2.* 9221

Vous voulez vous aimer : aimez-vous donc dans les autres; car votre vie est dans les autres, et sans les autres votre vie n'est rien. *Ibid., livre III, chap. 3.* 9222

Le Christianisme est la plus grande religion du passé; mais il y a quelque chose de plus grand que le Christianisme : c'est l'Humanité. *Ibid., livre IV, chap. 1.* 9223

Le ciel, le véritable ciel, c'est la vie, c'est la projection infinie de notre vie. *Ibid., livre V, chap. 3.* 9224

L'humanité, donc, est *un être idéal composé d'une multitude d'êtres réels qui sont eux-mêmes l'humanité en germe, l'humanité à l'état virtuel.*
Et réciproquement l'homme est *un être réel dans lequel vit, à l'état virtuel, l'être idéal appelé humanité.*
Ibid., livre V, chap. 8. 9225

ADOLPHE THIERS
1797-1877

9226　On ne parle plus du socialisme, et on fait bien. On pouvait et on devait parler du socialisme lorsque tous les jours, en France, on discutait le droit de propriété, le droit au travail, l'impôt progressif, l'égalité des salaires, le crédit gratuit et illimité. Ces mots sont à présent oubliés chez nous; mais on les prononce ailleurs. Les épidémies morales, comme les épidémies physiques, durent un temps, et, quand elles ont régné dans un pays, passent dans un autre.
Manifeste de M. Thiers.

9227　La République, c'est un équitable partage entre les enfants de la France du gouvernement de leur pays, en proportion de leurs forces, de leur importance, de leurs mérites, partage possible, praticable, sans exclusion d'aucun d'eux, excepté de ceux qui annoncent qu'ils ne veulent la gouverner que par la révolution.
Ibid.

9228　Dans tout État libre, le premier soin, au moment où l'on va consulter la nation, est d'ouvrir toutes les voies par lesquelles peut arriver la vérité.
Ibid.

9229　Faisons donc la République, la République honnête, sage, conservatrice.
Ibid.

9230　Le roi règne et ne gouverne pas.
Article du National contre Charles X, en 1830.

9231　La république « tourne au sang ou à l'imbécillité ».
A la Chambre des députés, le 17 mars 1834.

9232　La République est le gouvernement qui nous divise le moins.
Discours sur l'Instruction publique à l'Assemblée Législative, le 13 février 1850.

9233　Il y aura quelques maisons de trouées, quelques personnes de tuées, mais force restera à la loi.
Réponse de Thiers à la délégation maçonnique, 22 avril 1871, Rapport de la délégation maçonnique sur son entrevue avec Thiers.

ALFRED DE VIGNY
1797-1863

9234　Au cœur privé d'amour, c'est bien peu que la gloire.
Héléna, poème, chant II.

9235　Le seul mérite qu'on n'ait jamais disputé à ces compositions, c'est d'avoir devancé en France toutes celles de ce genre,

dans lesquelles une pensée philosophique est mise en scène
sous une forme Épique ou Dramatique.
Poèmes antiques et modernes, Préface de 1837.

[...] Et, debout devant Dieu, Moïse ayant pris place,   9236
Dans le nuage obscur lui parlait face à face.
Ibid., Livre mystique, Moïse.

Hélas! je suis, Seigneur, puissant et solitaire,   9237
Laissez-moi m'endormir du sommeil de la terre!
Ibid.

« Je [1] suis celui qu'on aime et qu'on ne connaît pas.   9238
Sur l'homme j'ai fondé mon empire de flamme [...]
C'est moi qui fais parler l'épouse dans ses songes;
La jeune fille heureuse apprend d'heureux mensonges;
Je leur donne des nuits qui consolent des jours,
Je suis le Roi secret des secrètes amours. [...] »
Eloa ou La sœur des anges, chant II, Séduction.

« Puisque vous êtes [2] beau, vous êtes bon, sans doute [...] »   9239
Ibid., chant III, chute.

« [...] — J' [3] enlève mon esclave et je tiens ma victime.   9240
— Tu paraissais si bon! Oh! qu'ai-je fait? — Un crime.
— Seras-tu plus heureux? du moins es-tu content?
— Plus triste que jamais. — Qui donc es-tu? — Satan. »
Ibid.

Seigneur, vous êtes bien le Dieu de la vengeance;   9241
En échange du crime il vous faut l'innocence.
Ibid., Livre antique, Antiquité biblique, La Fille de Jephté.

[...] Car l'amour d'une femme est semblable à l'enfant   9242
Qui, las de ses jouets, les brise triomphant,
Foule d'un pied volage une rose immobile,
Et suit l'insecte ailé qui fuit sa main débile.
Ibid., Livre moderne, Dolorida.

La voix du temps est triste au cœur abandonné.   9243
Ibid.

L'infidélité même était pleine de toi,   9244
Je te voyais partout entre ma faute et moi [...].
Ibid.

Qu'il est doux, qu'il est doux d'écouter des histoires,   9245
Des histoires du temps passé,
Quand les branches d'arbres sont noires,
Quand la neige est épaisse et charge un sol glacé!
Ibid., La Neige.

1. C'est Lucifer qui parle.
2. Éloa à Lucifer.
3. Lucifer à Éloa.

9246   J'aime le son du Cor, le soir, au fond des bois,
        Soit qu'il chante les pleurs de la biche aux abois,
        Ou l'adieu du chasseur que l'écho faible accueille,
        Et que le vent du nord porte de feuille en feuille.
                                        Ibid., Le Cor.

9247   Dieu, que le son du cor est triste au fond des bois!
                                        Ibid.

9248   Ame des Chevaliers, revenez-vous encor?
        Est-ce vous qui parlez avec la voix du Cor?
                                        Ibid.

9249   Roncevaux! Roncevaux! dans ta sombre vallée
        L'ombre du grand Roland n'est donc pas consolée!
                                        Ibid.

9250   Tous les preux étaient morts, mais aucun n'avait fui.
                                        Ibid.

9251   [...] Le Cor éclate et meurt, renaît et se prolonge.
        « Malheur![1] c'est mon neveu! malheur! car si Roland
        Appelle à son secours, ce doit être en mourant.
        Arrière, chevaliers, repassons la montagne!
        Tremble encor sous nos pieds, sol trompeur de l'Espagne! »
                                        Ibid.

9252   En spectacles pompeux la nature est féconde;
        Mais l'homme a des pensers bien plus grands que le monde.
                                        Ibid., Le Trappiste.

9253   — Et Dieu? — Tel est le siècle, ils n'y pensèrent pas.
                        Ibid., Les Amants de Montmorency, III.

9254   Paris! principe et fin! Paris! ombre et flambeau!
        Je ne sais si c'est mal, tout cela; mais c'est beau!
        Mais c'est grand! mais on sent jusqu'au fond de son âme
        Qu'un monde tout nouveau se forge à cette flamme [...].
                                        Ibid., Paris.

9255   Je ne sais d'assurés, dans le chaos du sort,
        Que deux points seulement, LA SOUFFRANCE ET LA MORT.
        Tous les hommes y vont avec toutes les villes
        Mais les cendres, je crois, ne sont jamais stériles.
                                        Ibid.

9256   La grande noblesse quittera et perdra ses terres, et, cessant
        d'être la grande propriété, cessera d'être une puissance [...].
        Étrangère à ses foyers, la Noblesse ne sera plus rien [...].
                                Cinq-Mars, I : Les Adieux.

9257   C'est toujours une histoire bien simple que celle d'un cœur
        passionné.   *Ibid., XVIII : Le Secret.*

9258   Vous m'avez prêté [...] de hautes conceptions politiques;
        [...] vous le dirai-je? ces vagues projets du perfectionnement
        des sociétés corrompues me semblent ramper encore bien
        loin au-dessous du dévouement de l'amour.   *Ibid.*

        1. C'est Charlemagne qui parle.

La poésie pure est sentie par bien peu d'âmes; il faut, pour le vulgaire des hommes, qu'elle s'allie à l'intérêt presque physique du drame. *Ibid., XX : La Lecture.* 9259

O jeunesse, jeunesse, toujours nommée imprévoyante et légère de siècle en siècle! De quoi t'accuse-t-on aujourd'hui? [...] Amis, qu'est-ce qu'une grande vie, sinon une pensée de la jeunesse exécutée par l'âge mûr? La jeunesse regarde fixement l'avenir de son œil d'aigle, y trace un large plan, y jette une pierre fondamentale; et tout ce que peut faire notre existence entière, c'est d'approcher de ce premier dessein. *Ibid.* 9260

Quand on veut rester pur, il ne faut point se mêler d'agir sur les hommes. *Ibid., XXV : Les Prisonniers.* 9261

C'est pour s'entendre dire qu'on est parfait et se voir adorer qu'on veut être aimé. *Ibid.* 9262

On étouffe les clameurs, mais comment se venger du silence? *Ibid., XXVI : La Fête.* 9263

Un homme passe, mais un peuple se renouvelle. *Ibid.* 9264

J'ai le spleen, et un tel spleen, que tout ce que je vois [...] m'est en dégoût profond. J'ai le soleil en haine et la pluie en horreur. *Stello, chap. 2.* 9265

Comme le Pouvoir est une science de convention selon les temps et que tout ordre social est basé sur un mensonge plus ou moins ridicule, tandis qu'au contraire les beautés de tout Art ne sont possibles que dérivant de la vérité la plus intime, [...] le Pouvoir, quel qu'il soit, trouve une continuelle opposition dans toute œuvre ainsi créée. *Ibid., chap. 29.* 9266

L'application des idées aux choses n'est qu'une perte de temps pour les créateurs de pensées. *Ibid., chap. 39.* 9267

La neutralité du penseur solitaire est une NEUTRALITÉ ARMÉE, qui s'éveille au besoin. *Ibid., chap. 40.* 9268

On croirait [...] que c'est une chose commune qu'un Poète. — Songez donc que, lorsqu'une nation en a deux en dix siècles, elle se trouve heureuse et s'enorgueillit. *Chatterton, Dernière nuit de travail, préface.* 9269

Le suicide est un crime religieux et social. *Ibid.* 9270

Le Désespoir n'est pas une idée; c'est une chose, une chose qui torture, qui serre et qui broie le cœur d'un homme comme une tenaille, jusqu'à ce qu'il soit fou et se jette dans les bras de la mort comme dans les bras d'une mère. *Ibid.* 9271

La vanité la plus vaine est peut-être celle des théories littéraires. Je ne cesse de m'étonner qu'il y ait eu des hommes qui aient pu croire de bonne foi, durant un jour entier, à la durée des règles qu'ils écrivaient. [...] Il n'y a ni maître ni école en poésie [...]. *Ibid.* 9272

9273   Gardons bien les sous, les shillings se gardent eux-mêmes.
Chatterton, I, 2, proverbe cité par John Bell.

9274   L'impression d'un mot vrai ne dure pas plus que le temps
de le dire; c'est l'affaire d'un moment.   *Ibid.*

9275   Un calculateur véritable ne laisse rien subsister d'inutile
autour de lui.   *Ibid.*

9276   La science universelle, c'est l'infortune.   *Ibid., I, 5.*

9277   N'y a-t-il pour l'homme que le travail du corps? et le labeur
de la tête n'est-il pas digne de quelque pitié?   *Ibid.*

9278   Une âme contemplative est à charge à tous les désœuvrés
remuants qui couvrent la terre : l'imagination et le recueillement sont deux maladies dont personne n'a pitié. *Ibid.*

9279   La conscience ne peut pas avoir tort.   *Ibid.*

9280   La vie est une tempête [...]; il faut s'accoutumer à tenir la
mer.   *Ibid., II, 4.*

9281   Mieux vaut la mort que la folie.   *Ibid., II, 5.*

9282   Il[1] est atteint d'une maladie toute morale et presque incurable, et quelquefois contagieuse; maladie terrible qui se
saisit surtout des âmes jeunes, ardentes et toutes neuves à la
vie, éprises de l'amour du juste et du beau, et venant dans le
monde pour y rencontrer, à chaque pas, toutes les iniquités
et toutes les laideurs d'une société mal construite. Ce mal,
c'est la haine de la vie et l'amour de la mort; c'est l'obstiné
suicide.   *Ibid.*

9283   Pour qui donc fait-on l'heureux quand on ne l'est pas?
Je crois que c'est pour les femmes. Nous posons tous
devant elles.   *Ibid., III, 1.*

9284   O publicité, vile Publicité! toi qui n'es qu'un pilori où le
profane passant peut nous souffleter.   *Ibid.*

9285   Vous qui étiez vieux et qui saviez qu'il faut de l'argent pour
vivre, et que vous n'en aviez pas à me laisser, pourquoi
m'avez-vous créé?   *Ibid.*

9286   La poésie est une maladie du cerveau.   *Ibid., III, 5.*

9287   La plus belle Muse du monde ne peut suffire à nourrir son
homme, et [...] il faut avoir ces demoiselles-là pour maîtresses,
mais jamais pour femmes [2].   *Ibid., III, 6.*

9288   Le Poète [...] lit dans les astres la route que nous montre
le doigt du Seigneur.   *Ibid.*

1. Chatterton.
2. Pensée attribuée par M. Beckford à l'auteur dramatique
anglais Ben Jonson, né en 1572, mort en 1637, auteur de
Volpone.

O Mort, ange de délivrance, que ta paix est douce! 9289
Ibid., III, 7.

Les femmes sont dupes de leur bonté. *Ibid., III, 8.* 9290

La guerre s'est civilisée, mais non les Armées. 9291
Servitude et Grandeur militaires, I, 1.

On ne peut trop hâter l'époque où les Armées seront iden- 9292
tifiées à la Nation, si elle doit acheminer au temps où les
Armées et la guerre ne seront plus, et où le globe ne portera
plus qu'une nation unanime enfin sur ses formes sociales.
Ibid.

On n'est pas toujours maître de jouer le rôle qu'on eût aimé, 9293
et l'habit ne nous vient pas toujours au temps où nous le
porterions le mieux. *Ibid.*

La vie est trop courte pour que nous en perdions une part 9294
précieuse à nous contrefaire. *Ibid.*

Qui saura peser ce qu'il entre du comédien dans tout homme 9295
public toujours en vue? *Ibid.*

Les récits de famille ont cela de bon qu'ils se gravent plus 9296
fortement dans la mémoire que les narrations écrites. *Ibid.*

L'armée est une nation dans la Nation; c'est un vice de nos 9297
temps. Dans l'antiquité il en était autrement : tout citoyen
était guerrier et tout guerrier était citoyen; les hommes de
l'Armée ne se faisaient point un autre visage que les hommes
de la cité. *Ibid., I, 2.*

L'uniforme [...] donne à tous le même aspect, et soumet les 9298
esprits à l'habit et non à l'homme. *Ibid.*

Une Armée moderne [...], c'est un corps séparé du grand 9299
corps de la Nation, et qui semble le corps d'un enfant, tant
il marche en arrière pour l'intelligence, et tant il lui est
défendu de grandir. L'Armée moderne, sitôt qu'elle cesse
d'être en guerre, devient une sorte de gendarmerie. *Ibid.*

L'existence du soldat est (après la peine de mort) la trace 9300
la plus douloureuse de barbarie qui subsiste parmi les
hommes. *Ibid.*

Qu'il ne soit jamais possible à quelques aventuriers parvenus 9301
à la Dictature de transformer en assassins quatre cent
mille hommes d'honneur [...] *Ibid., II, 1.*

Les armées et la guerre n'auront qu'un temps; car, malgré 9302
les paroles d'un sophiste [1] [...], il n'est point vrai que, même
contre l'étranger, la guerre soit « divine »; il n'est point vrai
que « la terre soit avide de sang ». La guerre est maudite de
Dieu et des hommes mêmes qui la font [...]. *Ibid.*

1. Il s'agit de Joseph de Maistre.

9303   En général, quand les princes passent quelque part, ils passent trop vite. *Ibid., II, 13.*

9304   Il y a quelque chose d'aussi beau qu'un grand homme, c'est un homme d'honneur. *Ibid., III, 2.*

9305   Le cœur [...] s'ouvre plus tard en nous qu'on ne le pense généralement. *Ibid., III, 4.*

9306   La naissance est tout [...]; ceux qui viennent au monde pauvres et nus sont toujours des désespérés. *Ibid., III, 5.*

9307   Il n'y a au monde que deux classes d'hommes : ceux qui ont et ceux qui gagnent.
Les premiers se couchent, les autres se remuent. *Ibid.*

9308   Un être qu'on ne voit pas n'est pas, on ne l'aime pas, — et quand il est mort, il n'est pas plus absent qu'il n'était déjà. *Ibid., III, 6.*

9309   L'expérience seule et le raisonnement qui sort de nos propres réflexions peuvent nous instruire. *Ibid.*

9310   Voyez, vous qui vous en mêlez, l'inutilité des belles-lettres. A quoi servez-vous? qui convertissez-vous? et de qui êtes-vous jamais compris, s'il vous plaît? Vous faites presque toujours réussir la cause contraire à celle que vous plaidez. *Ibid.*

9311   Je n'ai qu'une chose à vous recommander, c'est de vous dévouer à un Principe plutôt qu'à un Homme. *Ibid.*

9312   Je n'aime pas les prisonniers [...]; on se fait tuer[1]. *Ibid., III, 7.*

9313   La philosophie a heureusement rapetissé la guerre; les négociations la remplacent; la mécanique achèvera de l'annuler par ses inventions. *Ibid., III, 10.*

9314   L'Honneur, c'est la conscience, mais la conscience exaltée. — C'est le respect de soi-même et de la beauté de sa vie porté jusqu'à la plus pure élévation et jusqu'à la passion la plus ardente. *Ibid.*

9315   L'Honneur, c'est la pudeur virile. *Ibid.*

9316   Notre mot éternel est-il : C'ÉTAIT ÉCRIT?
— SUR LE LIVRE DE DIEU, dit l'Orient esclave;
Et l'Occident répond : — SUR LE LIVRE DU CHRIST.
Les Destinées.

1. Paroles attribuées par Vigny à Napoléon.

Pars courageusement, laisse toutes les villes ;   9317
Ne ternis plus tes pieds aux poudres du chemin ;
Du haut de nos pensers vois les cités serviles
Comme les rocs fatals de l'esclavage humain.
Les grands bois et les champs sont de vastes asiles [...].
Ibid., *La Maison du berger*, I.

[...] Et le soupir d'adieu du soleil à la terre   9318
Balance les beaux lis comme des encensoirs.
Ibid.

Que m'importe le jour? que m'importe le monde?   9319
Je dirai qu'ils sont beaux quand tes yeux l'auront dit.
Ibid.

Adieu, voyages lents, bruits lointains qu'on écoute,   9320
Le rire du passant, les retards de l'essieu,
Les détours imprévus des pentes variées,
Un ami rencontré, les heures oubliées,
L'espoir d'arriver tard dans un sauvage lieu.
Ibid.

[...] La science   9321
Trace autour de la terre un chemin triste et droit. *Ibid.*

Poésie! ô trésor! perle de la pensée!   9322
Ibid., II.

Le pur enthousiasme est craint des faibles âmes   9323
Qui ne sauraient porter son ardeur et son poids.
Pourquoi le fuir? — La vie est double dans les flammes.
Ibid.

La barbarie encor tient nos pieds dans sa gaine.   9324
Le marbre des vieux temps jusqu'aux reins nous enchaîne,
Et tout homme énergique au Dieu Terme est pareil.
Ibid.

L'Invisible est réel. Les âmes ont leur monde.   9325
Ibid.

La terre est le tapis de tes beaux pieds d'enfant.   9326
Ibid., III.

Ne me laisse jamais seul avec la Nature,   9327
Car je la connais trop pour n'en avoir pas peur.

Elle me dit : Je suis l'impassible théâtre
Que ne peut remuer le pied de ses acteurs ;
Mes marches d'émeraude et mes parvis d'albâtre,
Mes colonnes de marbre ont les dieux pour sculpteurs.
. . . .
Je sens passer sur moi la comédie humaine
Qui cherche en vain au ciel ses muets spectateurs.
Ibid.

Aimez ce que jamais on ne verra deux fois.   9328
Ibid.

9329   J'aime la majesté des souffrances humaines.
Ibid.

9330   Les grands pays muets longuement s'étendront.
Ibid.

9331   Toute Démocratie est un désert de sables.
Ibid., Les Oracles, X.

9332   La Loi d'Europe est lourde, impassible et robuste,
Mais son cercle est divin, car au centre est le Juste.
Ibid., La Sauvage, IV.

9333   Vous m'appelez la Loi, je suis la Liberté.
Ibid.

9334   Une lutte éternelle en tout temps, en tout lieu,
Se livre sur la terre, en présence de Dieu,
Entre la bonté d'Homme et la ruse de femme.
Car la femme est un être impur de corps et d'âme.
Ibid., La Colère de Samson.

9335   L'Homme a toujours besoin de caresse et d'amour.
Ibid.

9336   [...] Et, plus ou moins, la Femme est toujours Dalila.
Ibid.

9337   C'est le plaisir qu'elle aime [1],
L'Homme est rude et le prend sans savoir le donner.
Ibid.

9338   Les deux sexes mourront chacun de son côté.
Ibid.

9339   La Femme, enfant malade et douze fois impur!
Ibid.

9340   Que j'ai honte de nous, débiles que nous sommes!
Ibid., La Mort du loup.

9341   Seul le silence est grand, tout le reste est faiblesse.
Ibid.

9342   Gémir, pleurer, prier, est également lâche.
Fais énergiquement ta longue et lourde tâche
Dans la voie où le Sort a voulu t'appeler,
Puis après, comme moi, souffre et meurs sans parler.
Ibid.

9343   Tout homme a vu le mur qui borne son esprit.
Ibid., La Flûte, III.

9344   Il [2] se courbe à genoux, le front contre la terre;
Puis regarde le ciel en appelant « Mon Père! »
Mais le ciel reste noir et Dieu ne répond pas.
Ibid., Le Mont des Oliviers, I.

1. La femme.
2. Jésus.

Muet, aveugle et sourd au cri des créatures, 9345
Si le Ciel nous laissa comme un monde avorté,
Le juste opposera le dédain à l'absence
Et ne répondra plus que par un froid silence
Au silence éternel de la Divinité.
Ibid., III, Le Silence.

La France est pour chacun ce qu'y laissa son cœur. 9346
Ibid., La Bouteille à la mer, X.

Le vrai Dieu, le Dieu fort est le Dieu des idées! 9347
Ibid., XXVI.

Jetons l'œuvre à la mer, la mer des multitudes : 9348
Dieu la prendra du doigt pour la conduire au port.
Ibid.

L'Empereur tout-puissant, qui voit d'en haut les choses, 9349
Du prince mon Seigneur [1] voulut faire un forçat.
Dieu seul peut réviser un jour ces grandes causes
Entre le souverain, le sujet et l'état.
Ibid., Wanda, V.

Si l'orgueil prend ton cœur quand le peuple me nomme, 9350
Que de mes livres seuls te vienne ta fierté.
J'ai mis sur le cimier doré du gentilhomme
Une plume de fer qui n'est pas sans beauté.
Ibid., L'Esprit pur, I.

J'ai fait illustre un nom qu'on m'a transmis sans gloire. 9351
Qu'il soit ancien, qu'importe? Il n'aura de mémoire
Que du jour seulement où mon front l'a porté.
Ibid.

C'est en vain que d'eux tous [2] le sang m'a fait descendre. 9352
Si j'écris leur histoire, ils descendront de moi.
Ibid., L'Esprit pur, II.

Ton règne est arrivé, PUR ESPRIT, roi du monde! 9353
Ibid., VIII.

Déesse de nos mœurs, la guerre vagabonde 9354
Régnait sur nos aïeux. Aujourd'hui, c'est l'ÉCRIT.
Ibid.

Jeune postérité d'un vivant qui vous aime! 9355
[...]
Flots d'amis renaissants! Puissent mes destinées
Vous amener à moi, de dix en dix années,
Attentifs à mon œuvre, et pour moi c'est assez!
Ibid., X.

L'espérance est la plus grande de nos folies. Cela bien compris, 9356
tout ce qui arrive d'heureux surprend.
Le Journal d'un poète, 1824.

---

1. C'est une ancienne princesse russe qui parle; son mari, compromis dans un complot contre le tsar, a été déporté en Sibérie.
2. Les aïeux du poète.

9357 Dieu a jeté [...] l'homme au milieu de la destinée. La destinée [...] l'emporte vers le but toujours voilé. Le vulgaire est entraîné, les grands caractères sont ceux qui luttent. *Ibid.*

9358 L'art est la vérité choisie. Si le premier mérite de l'art n'était pas la peinture exacte de la vérité, le panorama serait supérieur à la descente de croix. *Ibid., 1829.*

9359 Ce qui m'a fait le plus de tort dans ma vie, ç'a été d'avoir les cheveux blonds et la taille mince. Pour en imposer au vulgaire, dans une réputation littéraire, il faut être d'une saleté repoussante et avoir une figure de cuistre laide. [...] *Ibid., 1831.*

9360 Fatalité et Providence, même chose. *Ibid., 1834.*

9361 La presse est une bouche forcée d'être toujours ouverte et de parler toujours. De là vient qu'elle dit mille fois plus qu'elle n'a à dire, et qu'elle divague souvent et extravague. *Ibid.*

9362 La terre est révoltée des injustices de la création. *Ibid.*

9363 La volupté de l'âme est plus longue, l'extase morale est supérieure à l'extase physique. *Ibid.*

9364 J'ai la charité et l'espérance, mais je n'ai pas la foi. *Ibid., 1840.*

9365 Rien n'est plus rare qu'un poète écrivant en vers le fond de sa pensée la plus intime sur quelque chose.
Quand on y arrive [...], on éprouve une secrète et douce satisfaction à la rencontre du vrai dans le beau. *Ibid., 1842.*

9366 C'est le rêve qui est ma vie réelle, et la vie en est la distraction. *Ibid., 1851.*

9367 La perfection de Bouddha est plus belle que celle du christianisme parce qu'elle est plus désintéressée. *Ibid., 1859.*

9368 JUGEMENT DERNIER

Ce sera ce jour-là que Dieu viendra se justifier [...].
En ce moment, ce sera le genre humain ressuscité qui sera le juge, et l'Éternel, le Créateur, sera jugé par les générations rendues à la vie. *Ibid., 1862.*

ALEXANDRE VINET
1797-1847

9369 Il a été donné à la volonté de modifier le monde, comme il a appartenu à la PAROLE de le créer.
Philosophie morale et sociale, tome I, II.

Les individus sont sortis de l'état sauvage, les nations y sont 9370
restées.   *Ibid.*, *III.*

Votre liberté (ne l'oubliez pas) vaudra justement ce que vous 9371
vaudrez.   *Ibid.*, *V.*

L'idée du juste est dans le monde, donc le juste est une réalité. 9372
                                                           Ibid., *VIII.*

Nous avons un goût naturel pour le faux, mais nous avons 9373
naturellement besoin de croire que le faux est le vrai.
                                                           Ibid., *XIII.*

Toute jouissance trop savourée nous appauvrit spirituelle- 9374
ment d'autant; et je comprends qu'on puisse dire : Ce
fauteuil a gardé dans ses coussins une parcelle de mon âme.
                                                           Ibid., *XXII.*

Le suicide, en effet, n'est que l'expression franche et le résumé 9375
sublime d'une vie sans Dieu.   *Ibid.*, *XXIII.*

Le suicidé est un mondain conséquent.   *Ibid.* 9376

L'État socialiste est, selon les mœurs et le tempérament 9377
de la nation, une caserne ou un monastère.   *Ibid.*, *XLI.*

De ce que tout enfantement est douloureux, on ne doit pas 9378
conclure que toute douleur est un enfantement.
                                                           Ibid., *XLII.*

Que le soin du bonheur proprement dit, de l'égalité si l'on 9379
veut, préoccupe le politique et le législateur; que, comme tel,
il n'ait pas d'autre soin; comme homme, il doit en avoir un
autre, qui sera, d'ailleurs, d'une façon spéciale, celui du
philosophe et du philanthrope : c'est celui de persuader aux
hommes d'être contents.   *Ibid.*

AUGUSTE COMTE
1798-1857

Les éléments dont se compose l'idée de civilisation sont : 9380
les sciences, les beaux-arts et l'industrie; cette dernière
expression étant prise dans le sens le plus étendu, celui que
je lui ai toujours donné.
Plan des travaux scientifiques nécessaires pour réorganiser la
société.

L'esprit humain suit, dans le développement des sciences 9381
et des arts, une marche déterminée, supérieure aux plus
grandes forces intellectuelles, qui n'apparaissent, pour ainsi
dire, que comme des instruments destinés à produire à
temps nommé les découvertes successives.   *Ibid.*

9382   La saine politique ne saurait avoir pour objet de faire marcher
l'espèce humaine, qui se meut par une impulsion propre,
suivant une loi aussi nécessaire, quoique plus modifiable,
que celle de la gravitation. Mais elle a pour but de faciliter
sa marche en l'éclairant.   *Ibid.*

9383   Je regrette néanmoins d'avoir été obligé d'adopter, à défaut
de tout autre, un terme comme celui de *philosophie*, qui a
été si abusivement employé dans une multitude d'acceptions
diverses. Mais l'adjectif *positive* par lequel j'en modifie le
sens me paraît suffire pour faire disparaître, même au premier
abord, toute équivoque essentielle, chez ceux, du moins,
qui en connaissent bien la valeur.
        Cours de Philosophie positive, Avertissement de l'auteur.

9384   Chacune de nos conceptions principales, chaque branche
de nos connaissances, passe successivement par trois états
théoriques différents : l'état théologique, ou fictif, l'état
métaphysique, ou abstrait; l'état scientifique, ou positif.
En d'autres termes, l'esprit humain, par sa nature, emploie
successivement dans chacune de ses recherches trois méthodes
de philosopher dont le caractère est essentiellement différent
et même radicalement opposé : d'abord la méthode théologique, ensuite la méthode métaphysique et enfin la méthode
positive. De là, trois sortes de philosophies, ou de systèmes
généraux de conceptions sur l'ensemble des phénomènes,
qui s'excluent mutuellement : la première est le point de
départ nécessaire de l'intelligence humaine; la troisième
son état fixe et définitif; la seconde est uniquement destinée
à servir de transition.   *Ibid., Première leçon.*

9385   Dans l'état théologique, l'esprit humain, dirigeant essentiellement ses recherches vers la nature intime des êtres, les
causes premières et finales de tous les effets qui le frappent,
en un mot vers les connaissances absolues, se représente les
phénomènes comme produits par l'action directe et continue
d'agents surnaturels plus ou moins nombreux, dont l'intervention arbitraire explique toutes les anomalies apparentes
de l'univers.   *Ibid.*

9386   Dans l'état métaphysique, qui n'est au fond qu'une simple
modification générale du premier, les agents surnaturels
sont remplacés par des forces abstraites, véritables entités
(abstractions personnifiées) inhérentes aux divers êtres du
monde, et conçues comme capables d'engendrer par elles-
mêmes tous les phénomènes observés, dont l'explication
consiste alors à assigner pour chacun l'entité correspondante.   *Ibid.*

9387   Dans l'état positif, l'esprit humain reconnaissant l'impossibilité d'obtenir des notions absolues, renonce à chercher
l'origine et la destination de l'univers, et à connaître les
causes intimes des phénomènes, pour s'attacher uniquement à découvrir, par l'usage bien combiné du raisonnement
et de l'observation, leurs lois effectives, c'est-à-dire leurs
relations invariables de succession et de similitude.
                                                       Ibid.

Chacun de nous, en contemplant sa propre histoire, ne se   9388
souvient-il pas qu'il a été successivement, quant à ses notions
les plus importantes, *théologien* dans son enfance, *métaphysicien* dans sa jeunesse, et *physicien* dans sa virilité?   *Ibid.*

Maintenant que l'esprit humain a fondé la physique céleste,   9389
la physique terrestre, soit mécanique, soit chimique; la
physique organique, soit végétale, soit animale, il lui reste
à terminer le système des sciences d'observation en fondant
la *physique sociale.*   *Ibid.*

Ce n'est pas aux lecteurs de cet ouvrage que je croirai   9390
jamais devoir prouver que les idées gouvernent et boulever-
sent le monde, ou, en d'autres termes, que tout le mécanisme
social repose finalement sur des opinions. Ils savent surtout
que la grande crise politique et morale des sociétés actuelles
tient, en dernière analyse, à l'anarchie intellectuelle. Notre
mal le plus grave consiste, en effet, dans cette profonde diver-
gence qui existe maintenant entre tous les esprits relativement à toutes les maximes fondamentales dont la fixité est
la première condition d'un véritable ordre social.   *Ibid.*

Entre les savants proprement dits et les directeurs effectifs   9391
des travaux productifs, il commence à se former de nos
jours une classe intermédiaire, celle des *ingénieurs*, dont la
destination spéciale est d'organiser les relations de la théorie
et de la pratique. Sans avoir aucunement en vue le progrès
des connaissances scientifiques, elle les considère dans leur
état présent pour en déduire les applications industrielles
dont elles sont susceptibles.   *Ibid., Deuxième leçon.*

Le problème général de l'éducation intellectuelle consiste   9392
à faire parvenir, en peu d'années, un seul entendement, le
plus souvent médiocre, au même point de développement qui
a été atteint, dans une longue suite de siècles, par un grand
nombre de génies supérieurs appliquant successivement,
pendant leur vie entière, toutes leurs forces à l'étude d'un
même sujet.   *Ibid.*

On ne connaît pas complètement une science tant qu'on   9393
n'en sait pas l'histoire.   *Ibid.*

Issu, au midi de notre France, d'une famille éminemment   9394
catholique et monarchique, élevé d'ailleurs dans l'un de
ces lycées où Bonaparte s'efforçait vainement de restaurer, à
grands frais, l'antique prépondérance mentale du régime
théologico-métaphysique [...]
            Ibid., Préface personnelle au tome VI.

Il est évident, en principe, qu'aucun art proprement dit,   9395
pas plus l'art de penser que celui d'écrire, de parler, de
marcher, de lire, etc., n'est susceptible d'un enseignement
vraiment dogmatique; il ne peut jamais être appris qu'en
résultat spontané d'un judicieux exercice suffisamment
prolongé. L'art de raisonner est certainement moins que
tout autre à l'abri d'une telle prescription, puisque, en vertu
de son universalité caractéristique, sa propre systématisa-
tion directe ne pourrait reposer sur aucune base antérieure :

en sorte que, par exemple, rien ne saurait être plus irrationnel que la moderne institution française, si étrangement qualifiée de *normale* par un naïf orgueil métaphysique, où l'on se propose directement d'enseigner dogmatiquement l'art même de l'enseignement, sans être nullement choqué du cercle profondément vicieux qui résulte aussitôt d'une pareille prétention. *Ibid., Cinquante-huitième leçon.*

9396 Considéré d'abord dans son acception la plus ancienne et la plus commune, le mot positif désigne le *réel*, par opposition au chimérique. *Discours sur l'esprit positif.*

9397 Pour surmonter convenablement ce concours spontané de résistances diverses que lui présente aujourd'hui la masse spéculative proprement dite, l'école positive ne saurait trouver d'autre ressource générale que d'organiser un appel direct et soutenu au bon sens universel, en s'efforçant désormais de propager systématiquement, dans la masse active, les principales études scientifiques propres à y constituer la base indispensable de sa grande élaboration philosophique. *Ibid.*

9398 Si la célèbre *table rase* de Bacon et de Descartes était jamais pleinement réalisable, ce serait assurément chez les prolétaires actuels, qui, principalement en France, sont bien plus rapprochés qu'aucune classe quelconque du type idéal de cette disposition préparatoire à la positivité rationnelle. *Ibid.*

9399 D'abord spontanée, puis inspirée, et ensuite révélée, la religion devient enfin démontrée. *Système de Politique positive, II.*

9400 Les vivants sont toujours, et de plus en plus, dominés par les morts. *Ibid., II.*

9401 Supérieures par l'amour, mieux disposées à toujours subordonner au sentiment l'intelligence et l'activité, les femmes constituent spontanément des êtres intermédiaires entre l'Humanité et les hommes. *Ibid.*

9402 A chaque phase ou mode quelconque de notre existence, individuelle ou collective, on doit toujours appliquer la formule sacrée des positivistes : *L'Amour pour principe, l'Ordre pour base, et le Progrès pour but.* La véritable unité est donc constituée enfin par la religion de l'Humanité. Cette seule doctrine vraiment universelle peut être indifféremment caractérisée comme la religion de l'amour, la religion de l'ordre, ou la religion du progrès, suivant que l'on apprécie son aptitude morale, sa nature intellectuelle, ou sa destination active. En rapportant tout à l'Humanité, ces trois appréciations générales tendent nécessairement à se confondre. Car, l'amour cherche l'ordre et pousse au progrès; l'ordre consolide l'amour et dirige le progrès; enfin le progrès développe l'ordre et ramène à l'amour. *Ibid.*

9403 L'admirable sagesse spontanée qui dirige l'institution graduelle de notre langage a partout qualifié de *capital* chaque

groupe durable de produits matériels, afin de mieux indiquer
son importance fondamentale pour l'ensemble de l'existence
humaine. *Ibid.*

L'utilité sociale de la concentration des richesses est telle- 9404
ment irrécusable pour tous les esprits que n'égare point une
envieuse avidité, que, dès les plus anciens temps, une impulsion spontanée conduisit de nombreuses populations à doter
volontairement leurs dignes chefs. *Ibid.*

La décomposition de l'humanité en individus proprement 9405
dits ne constitue qu'une analyse anarchique, autant irrationnelle qu'immorale, qui tend à dissoudre l'existence
sociale au lieu de l'expliquer, puisqu'elle ne devient appli-
cable que quand l'association cesse. Elle est aussi vicieuse
en sociologie que le serait, en biologie, la décomposition
chimique de l'individu lui-même en molécules irréductibles,
dont la séparation n'a jamais lieu pendant la vie. *Ibid.*

Comme fils, nous apprenons à vénérer nos supérieurs, et 9406
comme frères à chérir nos égaux. Mais c'est la paternité
qui nous enseigne directement à aimer nos inférieurs.
Ibid.

Comme mère d'abord, et bientôt comme sœur, puis comme 9407
épouse surtout, et enfin comme fille, accessoirement comme
domestique, sous chacun de ces quatre aspects naturels,
la femme est destinée à préserver l'homme de la corruption
inhérente à son existence pratique et théorique. *Ibid.*

Si la présence extérieure de l'être adoré était regardée comme 9408
indispensable à l'effet moral des effusions humaines, on ne
saurait comprendre l'efficacité cérébrale des prières religieuses. *Ibid.*

Toutes les grandes conceptions, après avoir été suffisamment 9409
préparées par la méditation, n'ont irrévocablement surgi
que sous la plume, pour accomplir une digne exposition
écrite. *Ibid.*

Le public humain est donc le véritable auteur du langage, 9410
comme son vrai conservateur. *Ibid.*

La raison publique ne tardera point à seconder l'utile résis- 9411
tance des gouvernements actuels, pour repousser radicalement les aveugles prétentions politiques de nos prétendus
penseurs. Sous l'impulsion systématique du positivisme,
elle flétrira directement toute aspiration réelle des théoriciens
à la puissance temporelle, comme un symptôme certain
de médiocrité mentale et d'infériorité morale. *Ibid.*

Le siècle actuel sera principalement caractérisé par l'irré- 9412
vocable prépondérance de l'histoire, en philosophie, en
politique, et même en poésie. *Ibid., III.*

L'anarchie occidentale consiste principalement dans l'alté- 9413
ration de la continuité humaine, successivement violée par
le catholicisme maudissant l'antiquité, le protestantisme
réprouvant le moyen âge, et le déisme niant toute filiation.
Ibid.

9414   Sa longue enfance[1], qui remplit toute l'antiquité, dut être
       essentiellement théologique et militaire; son adolescence, au
       moyen âge, fut métaphysique et féodale; enfin, sa matu-
       rité, à peine appréciable depuis quelques siècles, est néces-
       sairement positive et industrielle.   *Ibid.*

9415   La présidence révolutionnaire devait donc flotter entre
       l'école philosophique de Voltaire et l'école politique de
       Rousseau : l'une sceptique, proclamant la liberté, l'autre
       anarchique, vouée à l'égalité : la première frivole, la seconde
       déclamatoire : toutes deux incapables de rien construire.
       Néanmoins, celle-ci dut bientôt dominer comme possédant
       seule une doctrine apparente, pendant le peu d'années où
       le *Contrat social* inspira plus de confiance et de vénération
       que n'en obtinrent jamais la Bible et le Coran.   *Ibid.*

9416   « Au nom du passé et de l'avenir, les serviteurs théoriques
       « et les serviteurs pratiques de l'HUMANITÉ viennent prendre
       « dignement la direction générale des affaires terrestres,
       « pour construire enfin la vraie providence, morale, intel-
       « lectuelle, et matérielle; en excluant irrévocablement de la
       « suprématie politique tous les divers esclaves de Dieu,
       « catholiques, protestants, ou déistes, comme étant à la fois
       « arriérés et perturbateurs. »
       *Catéchisme positiviste ou Sommaire exposition de la religion
       universelle en onze entretiens systématiques entre une Femme
                  et un Prêtre de l'*HUMANITÉ, *Préface.*

9417   Nous venons donc ouvertement délivrer l'Occident d'une
       démocratie anarchique et d'une aristocratie rétrograde,
       pour constituer, autant que possible, une vraie sociocratie,
       qui fasse sagement concourir à la commune régénération
       de toutes les forces humaines, toujours appliquées chacune
       suivant sa nature.   *Ibid.*

9418   Depuis trente ans que dure ma carrière philosophique et
       sociale, j'ai senti toujours un profond mépris pour ce qu'on
       nomma, sous nos divers régimes, l'*opposition*, et une secrète
       affinité pour les constructeurs quelconques.   *Ibid.*

9419   Sans répéter jamais le XVIIIe siècle, le XIXe doit toujours le
       continuer, en réalisant enfin le noble vœu d'une religion
       démontrée dirigeant une activité pacifique.   *Ibid.*

9420   Les démolisseurs incomplets, comme Voltaire et Rousseau,
       qui croyaient pouvoir renverser l'autel en conservant le
       trône ou réciproquement, sont irrévocablement déchus,
       après avoir dominé, suivant leur destinée normale, les deux
       générations qui préparèrent et accomplirent l'explosion
       révolutionnaire. Mais, depuis que la reconstruction est à
       l'ordre du jour, l'attention publique retourne de plus en
       plus vers la grande et immortelle école de Diderot et Hume,
       qui caractérisera réellement le XVIIIe siècle, en le liant au
       précédent par Fontenelle et au suivant par Condorcet.
                                                             Ibid.

1. Il s'agit de l'humanité.

Quelque solides que soient les fondements logiques et scien-   9421
tifiques de la discipline intellectuelle qu'institue la philosophie positive, ce régime sévère est trop antipathique aux
esprits actuels pour prévaloir jamais sans l'irrésistible appui
des femmes et des prolétaires.   *Ibid.*

Quoique les dignes prolétaires me semblent devoir bientôt   9422
accueillir beaucoup cet opuscule décisif, il convient davantage aux femmes, surtout illettrées. Elles seules peuvent
assez comprendre la prépondérance que mérite la culture
habituelle du cœur, tant comprimée par la grossière activité,
théorique et pratique, qui domine l'Occident moderne.
                                                     Ibid.

La révolution féminine doit maintenant compléter la révo-   9423
lution prolétaire, comme celle-ci consolida la révolution
bourgeoise, émanée d'abord de la révolution philosophique.
                                                     Ibid.

Le meilleur résumé pratique de tout le programme moderne   9424
consistera bientôt dans ce principe incontestable : *l'homme
doit nourrir la femme*, afin qu'elle puisse remplir convenablement sa sainte destination sociale.   *Ibid.*

En condensant toute la saine morale dans la loi *Vivre pour*   9425
autrui, le positivisme consacre la juste satisfaction permanente des divers instincts personnels, en tant qu'indispensable à notre existence matérielle, sur laquelle reposent
toujours nos attributs supérieurs.
               Ibid., Introduction, Premier entretien.

La vraie population humaine se compose donc de deux   9426
masses toujours indispensables, dont la proportion varie
sans cesse, en tendant à faire davantage prévaloir les morts
sur les vivants dans chaque opération réelle.
               Ibid., Première partie, Deuxième entretien.

L'homme dépend du monde, mais il n'en résulte pas. Tous   9427
les efforts des matérialistes pour annuler la spontanéité
vitale en exagérant la prépondérance des milieux inertes
sur les êtres organisés n'ont abouti qu'à discréditer cette
recherche, aussi vaine qu'oiseuse, désormais abandonnée
aux esprits anti-scientifiques.   *Ibid.*

L'enfant qui prie dignement exerce mieux son appareil   9428
méditatif que l'orgueilleux algébriste.
               Ibid., Seconde partie, Cinquième entretien.

Puisque l'Humanité se compose essentiellement des morts   9429
dignes de survivre, ses temples doivent se placer au milieu
des tombes d'élite. D'une autre part, le principal attribut
de la religion positive consiste dans son universalité nécessaire. Il faut donc que, sur toutes les parties de la planète
humaine, les temples du Grand-Être soient dirigés vers la
métropole générale, que l'ensemble du passé fixe, pour
longtemps, à Paris.   *Ibid., Septième entretien.*

9430　Nul n'est moins disposé qu'un égoïste à tolérer l'égoïsme,
qui partout lui suscite d'intraitables concurrents.
Ibid., Troisième partie, Huitième entretien.

9431　Il existe, en effet, dans notre espèce, comme chez les autres,
des individualités radicalement vicieuses, qui ne comportent
ou ne méritent aucune véritable correction. Envers ces orga-
nisations exceptionnelles, la défense sociale ne cessera jamais
d'être poussée jusqu'à la destruction solennelle de chaque
organe vicieux, quand l'indignité sera suffisamment cons-
tatée par des actes décisifs. *Ibid.*

9432　Les appétits sexuels n'ont ici d'autre destination que de
produire ou d'entretenir, surtout chez l'homme, les impulsions propres à développer la tendresse. Mais il faut pour
cela que leurs satisfactions restent très modérées. Autrement leur nature profondément égoïste tend, au contraire,
à stimuler la personnalité, presque autant que le font les
excès nutritifs, et souvent même avec plus de gravité, parce
que la femme s'y trouve odieusement sacrifiée aux brutalités de l'homme. *Ibid., Neuvième entretien.*

9433　Les anges n'ont pas de sexe, puisqu'ils sont éternels.
Ibid.

9434　La notion de *droit* doit disparaître du domaine politique
comme la notion de *cause* du domaine philosophique.
Ibid., Dixième entretien.

9435　Le positivisme n'admet jamais que des devoirs, chez tous
envers tous. *Ibid.*

9436　Une population d'un à trois millions d'habitants, au taux
ordinaire de soixante par kilomètre carré, constitue, en effet,
l'extension convenable aux États vraiment libres. Car on
ne doit qualifier ainsi que ceux dont toutes les parties sont
réunies, sans aucune violence, par le sentiment spontané
d'une intime solidarité. *Ibid.*

9437　Avant la fin du XIXᵉ siècle, la république Française se trouvera librement décomposée en dix-sept républiques indépendantes, formées chacune de cinq départements actuels.
Ibid.

9438　*Dévouement des forts aux faibles; vénération des faibles
pour les forts.* Aucune société ne peut durer si les inférieurs
ne respectent pas leurs supérieurs. *Ibid.*

9439　Toute l'histoire de l'Humanité se condense nécessairement
dans celle de la religion. La loi générale du mouvement
humain consiste, sous un aspect quelconque, en ce que
l'homme devient de plus en plus religieux.
Ibid., Conclusion, Onzième entretien.

9440　J'ai une souveraine aversion pour les travaux scientifiques
dont je n'aperçois pas clairement l'utilité, soit directe, soit

éloignée : et, en second lieu, je t'avoue aussi que, malgré toute ma philanthropie, j'apporterais beaucoup moins d'ardeur aux travaux politiques, s'ils ne donnaient pas prise à l'intelligence, s'ils ne mettaient pas mon cerveau fortement en jeu, en un mot s'ils n'étaient pas *difficiles*.

Lettre à Valat, 28 septembre 1819.

La décadence inévitable des doctrines religieuses a laissé 9441 sans appui la partie généreuse du cœur humain, et tout s'est réduit à la plus abjecte individualité.

Au même, 30 mars 1825.

Tu sais que par régime philosophique je m'abstiens soi- 9442 gneusement de lecture, afin de mieux préserver de toute altération mon originalité caractéristique.

Au même, 10 mai 1840.

L'action philosophique doit aujourd'hui l'emporter sur 9443 l'action politique proprement dite, dans toute l'étendue de l'Europe occidentale, maintenant en travail plus ou moins explicite de rénovation sociale.

Lettre à John Stuart Mill, 17 janvier 1842.

D'ailleurs, sans que la philosophie s'en mêle, une nouvelle 9444 et redoutable intervention politique partout imminente, et davantage peut-être en Angleterre, me semble devoir bientôt à cet égard changer la question et faciliter involontairement les voies; c'est l'apparition inévitable, et sans doute prochaine, des masses prolétaires sur la scène politique, où elles n'ont encore été qu'instruments, et où leur introduction personnelle changera nécessairement toute la physionomie des luttes actuelles. *Ibid.*

Dieu n'est pas plus nécessaire au fond pour aimer et pour 9445 pleurer que pour juger et pour penser.

Lettre à Mme Austin, 4 avril 1844.

EUGÈNE DELACROIX
1798-1863

Ne suffit-il pas, pour être bon juge, de ce sens naturel qui est 9446 donné à tous les hommes organisés à l'ordinaire, et qui les avertit intérieurement de la présence de l'admirable et du détestable?

Œuvres littéraires, Des critiques en matière d'art.

Le beau ne se transmet ni ne se concède comme l'héritage 9447 d'une ferme; il est le fruit d'une inspiration persévérante qui n'est qu'une suite de labeurs opiniâtres; il sort des entrailles avec des douleurs et des déchirements, comme tout ce qui est destiné à vivre. *Ibid., Questions sur le Beau.*

Il faut être écrivain de profession pour écrire sur ce qu'on 9448 ne sait qu'à moitié, ou sur ce qu'on ne sait pas du tout.

Ibid.

9449   Le Poussin a attendu deux cent cinquante ans cette fameuse
       souscription à sa statue [...]. S'il eût brûlé seulement deux
       villages, il n'eût pas attendu aussi longtemps.
                                                    Ibid., Le Poussin.

9450   C'est le propre seulement des plus grands artistes de pro-
       duire dans leurs œuvres la plus grande unité possible,
       de telle sorte que les détails, non seulement n'y nuisent point,
       mais y soient d'une nécessité absolue. Comment supposer
       alors que l'éternel architecte ait pu créer sans but la plus
       petite parcelle de matière vivante ou inanimée?
                                             Ibid., Réalisme et idéalisme.

9451   La matière retombe toujours dans la tristesse.   *Ibid.*

9452   J'ai beau chercher la vérité dans les masses, je ne la rencontre,
       quand je la rencontre, que dans les individus.
                                                    Ibid., Sur la peinture.

9453   Dans la peinture, il s'établit comme un pont mystérieux
       entre l'âme des personnages et celle du spectateur.
                                                    Journal, 8 octobre 1822.

9454   [...] Les esprits grossiers sont plus émus des écrivains que des
       musiciens ou des peintres.   *Ibid.*

9455   L'art du peintre est d'autant plus intime au cœur de l'homme
       qu'il paraît plus matériel; car chez lui, comme dans la nature
       extérieure, la part est faite franchement à ce qui est fini
       et à ce qui est infini, c'est-à-dire à ce que l'âme trouve qui
       la remue intérieurement dans les objets qui ne frappent que
       les sens.   *Ibid.*

9456   C'est une des plus grandes misères de ne pouvoir jamais
       être connu et senti tout entier par un même homme; [...]
       c'est là la souveraine plaie de la vie : c'est cette solitude
       inévitable à laquelle le cœur est condamné.
                                                    Ibid., 9 juin 1823.

9457   La peinture lâche est la peinture d'un lâche.
                                             Ibid., 22 ou 23 décembre 1823.

9458   Les savants et les raisonneurs paraissent bien moins avancés
       que le vulgaire, puisque ce qui leur servirait à prouver
       n'est pas même prouvé pour eux. [...] Ils passent la moitié
       de leur vie à attaquer pièce à pièce, à contrôler tout ce qui
       est trouvé; l'autre à poser les fondements d'un édifice qui
       ne sort jamais de terre.   *Ibid., 2 février 1824.*

9459   Ce qu'il y a de plus réel pour moi ce sont les illusions que je
       crée avec ma peinture. Le reste est un sable mouvant.
                                                    Ibid., 27 février 1824.

9460   Cette vie d'homme qui est si courte pour les plus frivoles
       entreprises est pour les amitiés humaines une épreuve diffi-
       cile et de longue haleine.   *Ibid., 1er mars 1824.*

9461   Dimier pensait que les grandes passions étaient la source
       du génie! Je pense que c'est l'imagination seule, ou bien,

ce qui revient au même, cette délicatesse d'organes qui fait voir là où les autres ne voient pas, et qui fait voir d'une différente façon. *Ibid., 27 avril 1824.*

Point de règles pour les grandes âmes : elles sont pour les gens qui n'ont que le talent qu'on acquiert. *Ibid.* 9462

Je remarque maintenant que mon esprit n'est jamais plus excité à produire que quand il voit une médiocre production sur un sujet qui me convient. *Ibid.* 9463

Que je hais tous ces rimeurs avec leurs rimes, leurs gloires, leurs victoires, leurs rossignols, leurs prairies! Combien y en a-t-il qui aient vraiment peint ce qu'un rossignol fait éprouver? *Ibid., 9 mai 1824.* 9464

Ce qui fait les hommes de génie ou plutôt ce qu'ils font, ce ne sont point les idées neuves, c'est cette idée, qui les possède, que ce qui a été dit ne l'a pas encore été assez. *Ibid., 15 mai 1824.* 9465

La nouveauté est dans l'esprit qui crée, et non pas dans la nature qui est peinte. *Ibid., 14 mai 1824.* 9466

Si le peintre ne laissait rien de lui-même, et qu'on fût obligé de le juger, comme l'acteur, sur la foi des gens de son temps, combien les réputations seraient différentes de ce que la postérité les fait! *Ibid., 27 janvier 1847.* 9467

L'exécution, dans la peinture, doit toujours tenir de l'improvisation, et c'est en ceci qu'est la différence capitale avec celle du comédien. *Ibid.* 9468

C'est une cruelle dérision de la nature que ce don du talent, qui n'arrive jamais qu'à force de temps et d'études qui usent la vigueur nécessaire à l'exécution. *Ibid., 4 février 1847.* 9469

En littérature, la première impression est la plus forte. *Ibid., 5 février 1847.* 9470

Est-il dans la création un être plus *esclave* que n'est l'homme? *Ibid., 5 septembre 1847.* 9471

La peinture est le métier le plus long et le plus difficile. Il lui faut l'érudition comme au compositeur, mais il lui faut aussi l'exécution comme au violon. *Ibid., 18 septembre 1847.* 9472

L'homme recommence toujours tout, même dans sa propre vie. Il ne peut fixer aucun progrès. Comment un peuple en fixerait-il un dans la sienne? Pour ne parler que de l'artiste, sa manière change. [...] Il y a plus, ceux qui ont systématisé leur manière au point de refaire toujours de même, sont ordinairement les plus inférieurs et froids nécessairement. *Ibid., 4 avril 1849.* 9473

Les Anglais sont tout Shakespeare. Il les a presque faits tout ce qu'ils sont en tout. *Ibid.* 9474

9475 Je crois [...] qu'on peut affirmer que tout progrès doit amener nécessairement non pas un progrès plus grand encore,
mais à la fin négation du progrès, retour au point dont on
est parti. L'histoire du genre humain est là pour le prouver.   *Ibid., 23 avril 1849.*

9476 On ne peut sortir de l'ornière qu'en retournant à l'enfance
des sociétés, et l'état sauvage, au bout des réformes successives, est la nécessité forcée des changements.   *Ibid.*

9477 En vieillissant, il faut bien s'apercevoir qu'il y a un masque
sur presque toutes choses, mais on s'indigne moins contre
cette apparence menteuse, et on s'accoutume à se contenter
de ce qui se voit.   *Ibid., 24 juin 1849.*

9478 [Les femmes] savent bien à quoi s'en tenir sur ce qui fait
le fond même de l'amour. Elles vantent les faiseurs d'odes
et d'invocations : mais elles attirent et recherchent soigneu-
sement les hommes bien portants et attentifs à leurs charmes.
                                        Ibid., 14 février 1850.

9479 Le beau ne se trouve qu'une fois à une certaine époque
marquée. Tant pis pour les génies qui viennent après ce
moment-là. Dans les époques de décadence, il n'y a de chance
de surnager que pour les génies très indépendants.
                                        Ibid., 19 février 1850.

9480 Un architecte qui remplit véritablement toutes les conditions
de son art me paraît un phénix plus rare qu'un grand peintre, un grand poète et un grand musicien.
                                        Ibid., 14 juin 1850.

9481 Le secret de n'avoir pas d'ennuis, pour moi du moins, c'est
d'avoir des idées.   *Ibid., 14 juillet 1850.*

9482 Il faut être hors de soi, *amens*, pour être tout ce qu'on peut
être.   *Ibid., 21 juillet 1850.*

9483 L'homme est un animal sociable qui déteste ses semblables.   *Ibid., 17 novembre 1852.*

9484 Il faut toujours gâter un peu un tableau pour le finir.
                                        Ibid., 13 avril 1853.

9485 Quel noble spectacle dans ce meilleur des siècles, que ce
bétail humain engraissé par les philosophes!
                                        Ibid., 16 mai 1853.

9486 L'infâme digestion est le grand arbitre de nos sentiments.
                                        Ibid., 31 mai 1853.

9487 En peinture, une belle indication, un croquis d'un grand
sentiment, peuvent égaler les productions les plus achevées
pour l'expression.   *Ibid., 4 avril 1854.*

9488 L'homme heureux est celui qui a *conquis* son bonheur ou
le moment de bonheur qu'il ressent actuellement. Le fameux
progrès tend à supprimer l'effort entre le désir et son accom-

plissement : il doit rendre l'homme plus véritablement malheureux. *Ibid., 8 avril 1854.*

[...] Le *beau* est partout, et [...] chaque homme non seulement le voit, mais doit absolument le rendre à sa manière. 9489
Ibid., 1ᵉʳ octobre 1855.

Il y a deux choses que l'expérience doit apprendre : la 9490 première, c'est qu'il faut beaucoup corriger; la seconde, c'est qu'il ne faut pas trop corriger. *Ibid., 8 mars 1860.*

On ne conserve dans la vie que la mémoire des sentiments 9491 touchants : tout le reste est moins même que ce qui est passé, parce que rien ne lui prête plus de couleurs dans l'imagination. *Lettre à J.-B. Pierret, 18 septembre 1818.*

Le bonheur d'un homme qui sent la nature, c'est de la rendre. 9492
Au même, 23 octobre 1818.

J'estime bien plus les poètes que tous les faiseurs de morale. 9493
Lettre à F. Guillemardet, 23 septembre 1819.

Les départs sont des morts. Quand on se quitte, l'espérance 9494 de se revoir n'est rien. *Lettre à Charles Soulier, 22 octobre 1820.*

Le livre d'un grand homme est un compromis entre le lec- 9495 teur et lui. *Lettre à Balzac, 1832.*

On dit toujours la paisible amitié : il n'y a pas plus de pai- 9496 sible amitié que de paisible amour : elle est une passion comme l'amour, elle est aussi fougueuse et souvent ne dure pas davantage. *Lettre à George Sand, 21 novembre 1844.*

Je suis tortue et ne me sens jamais si à l'aise que quand je 9497 porte une maison. *Ibid.*

C'est l'instable qui est le fixe. C'est sur l'incertain qu'il faut 9498 baser. *Lettre à J.-B. Pierret, 19 août 1846.*

Quand on peut espérer ce qu'on désire, on a toute la somme 9499 de bonheur accordée à notre nature pensante.
Lettre à Juliette de Forget, 13 septembre 1852.

Dans l'insomnie, dans la maladie, dans certains moments 9500 de solitude, quand le but de tout cela s'offre nettement dans sa nudité, il faut à l'homme doué d'imagination un certain courage pour ne pas aller au-devant du fantôme et *embrasser le squelette. A Soulier, décembre 1858.*

JULES MICHELET
1798-1874

Avec le monde a commencé une guerre qui doit finir avec le 9501 monde, et pas avant : celle de l'homme contre la nature, de l'esprit contre la matière, de la liberté contre la fatalité. L'histoire n'est pas autre chose que le récit de cette interminable lutte. *Introduction à l'histoire universelle.*

9502   La France est le pays de la prose. Que sont tous les prosateurs du monde à côté de Bossuet, de Pascal, de Montesquieu et de Voltaire? Or, qui dit la prose, dit la forme la moins figurée et la moins concrète, la plus abstraite, la plus pure, la plus transparente; autrement dit, la moins matérielle, la plus libre, la plus commune à tous les hommes, la plus *humaine.*   *Ibid.*

9503   Le génie démocratique de notre nation n'apparaît nulle part mieux que dans son caractère éminemment prosaïque, et c'est encore par là qu'elle est destinée à élever tout le monde des intelligences à l'égalité.   *Ibid.*

9504   Doucement, messieurs les morts, procédons par ordre, s'il vous plaît...   *Histoire de France, Préface de 1833.*

9505   Pour retrouver la vie historique, il faudrait patiemment la suivre en toutes ses voies, toutes ses formes, tous ses éléments. Mais il faudrait aussi, d'une passion plus grande encore, refaire et rétablir le jeu de tout cela, l'action réciproque de ces formes diverses dans un puissant mouvement qui redeviendrait la vie même.   *Ibid., Préface de 1869.*

9506   La France a fait la France, et l'élément fatal de race m'y semble secondaire. Elle est fille de sa liberté.   *Ibid.*

9507   L'homme est son propre Prométhée.   *Ibid.*

9508   L'histoire, dans le progrès du temps, fait l'historien bien plus qu'elle n'est faite par lui.   *Ibid.*

9509   Le don que Saint-Louis demande et n'obtient pas, je l'eus : « le don des larmes ».   *Ibid.*

9510   J'ai passé à côté du monde, et j'ai pris l'histoire pour la vie.   *Ibid.*

9511   La mer est anglaise d'inclination; elle n'aime pas la France; elle brise nos vaisseaux; elle ensable nos ports.   *Ibid., Tableau de la France.*

9512   C'est là [en Belgique] le coin de l'Europe, le rendez-vous des guerres. Voilà pourquoi elles sont si grasses, ces plaines; le sang n'a pas le temps d'y sécher!   *Ibid.*

9513   L'Angleterre est un empire, l'Allemagne un pays, une race, la France est une personne.   *Ibid.*

9514   Diminuer, sans la détruire, la vie locale, particulière, au profit de la vie générale et commune, c'est le problème de la sociabilité humaine. Le genre humain approche chaque jour plus près de la solution de ce problème.   *Ibid.*

Le Français du Nord a goûté le Midi, s'est animé à son 9515
soleil, le Méridional a pris quelque chose de la ténacité, du
sérieux, de la réflexion du Nord. La société, la liberté, ont
dompté la nature, l'histoire a effacé la géographie. Dans
cette transformation merveilleuse, l'esprit a triomphé de la
matière, le général du particulier, et l'idée du réel. *Ibid.*

Le moyen âge, la France du moyen âge, ont exprimé dans 9516
l'architecture leur plus intime pensée. Les cathédrales de
Paris, de Saint-Denis, de Reims, en disent plus que de longs
récits. La pierre s'anime et se spiritualise sous l'ardente et
sévère main de l'artiste. L'artiste en fait jaillir la vie. Il est
fort bien nommé au moyen âge : « Le maître des pierres
vives ». *Ibid., tome II, Éclaircissements.*

L'art moderne, fils de l'âme et de l'esprit, a pour principe, 9517
non la forme, mais la physionomie, mais l'œil ; non la colonne,
mais la croisée ; non le plein, mais le vide. *Ibid.*

Toute l'Angleterre halète de combat. L'homme en est comme 9518
effarouché. Voyez cette face rouge, cet air bizarre... On le
croirait volontiers ivre. Mais sa tête et sa main sont fermes.
Il n'est ivre que de sang et de force. Il se traite comme sa
machine à vapeur, qu'il charge et nourrit à l'excès, pour en
tirer tout ce qu'elle peut rendre d'action et de vitesse.
Ibid., Livre VI, chap. 1.

Les âmes de nos pères vibrent encore en nous pour des 9519
douleurs oubliées, à peu près comme le blessé souffre à la
main qu'il n'a plus. *Ibid., chap. 3.*

Admirable vertu de la mort ! Seule elle révèle la vie. L'homme 9520
vivant n'est vu de chacun que par un côté, selon qu'il le
sert ou le gêne. Meurt-il, on le voit alors sous mille aspects
nouveaux, on distingue tous les liens divers par lesquels il
tenait au monde. *Ibid., Livre VIII, chap. 1.*

Chaque homme est une humanité, une histoire universelle... 9521
Ibid.

La Tyrannie au moyen âge commença par la liberté. Rien 9522
ne commence que par elle.
Ibid., tome VII, Introduction.

On avait tout prévu pour que Savonarole ne laissât aucune 9523
trace ; des ordres sévères étaient donnés pour que ses cendres
recueillies fussent jetées à l'Arno. Mais les soldats qui gardaient le bûcher en pillèrent les reliques eux-mêmes. Ils ne
purent empêcher que d'autres n'approchassent et le cœur,
ce cœur si pur, plein de Dieu et de la patrie, se retrouva
entier dans la main d'un enfant. *Ibid.*

La condamnation de tout le moyen âge, de tous ses grands 9524
mystiques, est celle-ci : *Pas un n'a eu la Joie.*
Ibid., Réforme, chap. 5.

L'histoire, qui est le juge du monde, a pour premier devoir 9525
de perdre le respect. *Ibid., tome X, Conclusion.*

9526 L'homme qui fume n'a que faire de la femme; son amour,
c'est cette fumée où le meilleur de lui s'en va.
Ibid., tome XI, chap. 17.

9527 Louis XIV enterre un monde. Comme son palais de Versailles, il regarde le couchant.
Ibid., Richelieu et la Fronde, Préface.

9528 L'*Encyclopédie* fut bien plus qu'un livre. Ce fut une faction.
A travers les persécutions, elle alla grossissant. L'Europe
entière s'y mit. Belle conspiration générale qui devint celle
de tout le monde. Troie entière s'embarqua elle-même dans
le cheval de Troie. *Ibid., Louis XV, chap. 22.*

9529 La tyrannie a cela de bon qu'elle réveille souvent le sentiment national, on la brise ou elle se brise.
Des Jésuites, Introduction.

9530 Le jésuitisme, l'esprit de police et de délation, les basses
habitudes de l'écolier *rapporteur*, une fois transportés du
collège et du couvent dans la société entière, quel hideux
spectacle!... Tout un peuple vivant comme une maison de
Jésuites, c'est-à-dire du haut en bas, occupé à se dénoncer.
La trahison au foyer même, la femme espion du mari, l'enfant de la mère... Nul bruit, mais un triste murmure, un
bruissement de gens qui confessent les péchés d'autrui, qui
se travaillent les uns les autres et se rongent tout doucement.
Ibid.

9531 Prenez un homme dans la rue, le premier qui passe, et demandez-lui : « Qu'est-ce que les Jésuites? » Il répondra sans hésiter : « *La contre-révolution.* » *Ibid.*

9532 Au bout de dix ans passés sur l'histoire et les livres des Jésuites, vous n'y trouverez qu'un sens : *La mort de la liberté.*
Ibid.

9533 Celui qui de sang-froid, pour mieux surprendre le monde,
a pu spéculer sur Dieu, qui a calculé combien Dieu rapporte,
celui-là est mort de la mort dont on ne ressuscite pas.
Ibid.

9534 La tradition, c'est ma mère, et la liberté, c'est moi! *Ibid.*

9535 L'Église s'occupe du monde, elle nous enseigne nos affaires,
à la bonne heure. Nous lui enseignerons Dieu! *Ibid.*

9536 L'éducation mécanique que donnent les Jésuites, cultive
peut-être l'esprit, mais en brisant l'âme. On peut savoir
beaucoup, et n'en pas moins être une âme morte : *Perinde
ac cadaver.* *Ibid., Deuxième leçon.*

9537 Le miracle éternel du monde, c'est que la force infinie, loin
d'étouffer la faiblesse, veut qu'elle devienne une force.
Ibid., Troisième leçon.

9538 La liberté, c'est l'homme. — Même pour se soumettre, il faut
être libre; pour se donner, il faut être à soi. Celui qui se

serait abdiqué d'avance, ne serait plus un homme, il ne serait qu'une chose... Dieu n'en voudrait pas!
Ibid., Quatrième leçon.

Qu'ai-je vu? Le néant qui prend possession du monde... et le monde qui se laisse faire, le monde qui s'en va flottant, comme sur le radeau de la *Méduse*, et qui ne veut plus ramer, qui délie, détruit le radeau, qui fait signe... à l'avenir? à la voile de salut?... Non! mais à l'abîme, au vide... L'abîme murmure doucement : Venez à moi, que craignez-vous! Ne voyez-vous pas que *je ne suis rien?*
Ibid., Cinquième leçon.   9539

Ce livre est plus qu'un livre; c'est moi-même. Voilà pourquoi il vous appartient.   *Le Peuple, à M. Edgar Quinet.*   9540

La France a cela de grave contre elle, qu'elle se montre nue aux nations.   *Ibid.*   9541

Qu'est-ce que la Presse, au temps moderne, sinon l'arche sainte?   *Ibid.*   9542

Dieu m'a donné, par l'histoire, de participer à toute chose.
Ibid.   9543

Le difficile n'est pas de monter, mais, en montant, de rester soi.   *Ibid.*   9544

Par devant l'Europe, la France, sachez-le, n'aura jamais qu'un seul nom, inexpiable, qui est son vrai nom éternel : LA RÉVOLUTION!   *Ibid.*   9545

Chez nous, l'homme et la terre se tiennent, et ils ne se quittent pas; il y a entre eux légitime mariage, à la vie, à la mort. Le Français a épousé la France.
Ibid., Première partie, chap. 1.   9546

La liberté, pour qui connaît les vices obligés de l'esclave, c'est *la vertu possible.*   *Ibid.*   9547

L'extension du *machinisme* (pour désigner ce système d'un mot) est-elle à craindre? La machine doit-elle tout envahir? La France deviendra-t-elle sous ce rapport une Angleterre? A ces questions graves, je réponds sans hésiter : Non.
Ibid., chap. 2, note.   9548

Le pauvre seul est père; chaque jour il crée encore, et refait les siens.   *Ibid., chap. 3.*   9549

« Lumière! plus de lumière encore! » Tel fut le dernier mot de Goethe. Ce mot du génie expirant, c'est le cri général de la nature, et il retentit de monde en monde.   *Ibid.*   9550

Honte! infamie!... Le peuple qui paye le moins ceux qui instruisent le peuple (cachons-nous, pour l'avouer), c'est la France.   *Ibid., chap. 6.*   9551

9552 Puisse mon histoire imparfaite s'absorber dans un monument plus digne, où s'accordent mieux la science et l'inspiration, où parmi les vastes et pénétrantes recherches, on sente
partout le souffle des grandes foules, et l'âme féconde du
peuple! *Ibid., chap. 7.*

9553 France, glorieuse mère, qui n'êtes pas seulement la nôtre,
mais qui devez enfanter toute nation à la liberté, faites que
nous nous aimions en vous! *Ibid., Troisième partie, chap. 3.*

9554 Pour nous, quoi qu'il advienne de nous, pauvre ou riche,
heureux, malheureux, vivant, et par-delà la mort, nous remer-
cierons toujours Dieu, de nous avoir donné cette grande
patrie, la France. *Ibid., chap. 4.*

9555 Rome eut le pontificat du temps obscur, la royauté de l'équivoque. Et la France a été le pontife du temps de lumière.
Ibid., chap. 6.

9556 Vous ne sauverez vos enfants, et avec eux la France, le
monde, que par une seule chose : Fondez en eux la foi!
La foi au dévouement, au sacrifice, — à la grande association où tous se sacrifient à tous, je veux dire la Patrie.
Ibid., chap. 9.

9557 Les Jacobins ne sont pas la Révolution, mais l'œil de la
Révolution, l'œil pour surveiller, la voix pour accuser, le
bras pour frapper.
Histoire de la Révolution Française, Livre IV, chap. 4.

9558 Mais qu'est-ce qui préside là-bas? Ma foi, l'épouvante elle-
même... Terrible figure que ce Danton! Un cyclope? un dieu
d'en bas?... Ce visage effroyablement brouillé de petite vérole,
avec ses petits yeux obscurs, a l'air d'un ténébreux volcan...
Non, ce n'est pas là un homme, c'est l'élément même du
trouble; l'ivresse et le vertige y planent, la fatalité... Sombre
génie, tu me fais peur! dois-tu sauver, perdre la France?
Ibid., chap. 6.

9559 La nature, qui par-dessus toutes les lois, place l'amour et
la perpétuité de l'espèce, a par cela même mis dans les femmes ce mystère (absurde au premier coup d'œil) : *Elles sont
très responsables et elles ne sont pas punissables.*
Ibid., Livre XX, chap. 2.

9560 Saint-Just, dès longtemps, avait embrassé la mort et l'avenir.
Il mourut digne, grave et simple. La France ne se consolera
jamais d'une telle espérance; celui-ci était grand d'une grandeur qui lui était propre, ne devait rien à la fortune, et seul
il eût été assez fort pour faire trembler l'épée devant la Loi.
Ibid., chap. 10.

9561 Pour la première fois, on le sent, la France est aimée comme
une personne. Et elle devient telle, du jour qu'elle est
aimée.
C'était jusque-là une réunion de provinces, un vaste chaos
de fiefs, grand pays, d'idée vague. Mais, dès ce jour, par la
force du cœur, elle est une Patrie.
Jeanne d'Arc, Introduction à l'édition de 1853.

Souvenons-nous toujours, Français, que la Patrie chez nous   9562
est née du cœur d'une femme, de sa tendresse et de ses larmes, du sang qu'elle a donné pour nous.   *Ibid.*

Elle n'accusa ni son Roi, ni ses Saintes. Mais parvenue au   9563
haut du bûcher, voyant cette grande ville, cette foule immobile et silencieuse, elle ne put s'empêcher de dire : « Ah!
Rouen, Rouen, j'ai grand'peur que tu n'aies à souffrir de
ma mort! » Celle qui avait sauvé le peuple et que le peuple
abandonnait, n'exprima en mourant (admirable douceur
d'âme!) que de la compassion pour lui...   *Ibid.*, *VI*.

Un secrétaire du roi d'Angleterre disait tout haut en reve-   9564
nant : « Nous sommes perdus, nous avons brûlé une sainte! »
Ibid.

Quand le christianisme ne sera plus à l'état de vampire (ni   9565
mort ni vivant), mais comme un honnête mort, paisible
et couché, comme sont l'Inde, l'Égypte et Rome, alors,
alors, seulement, nous en défendrons tout ce qui est défen-
dable.
Jusque-là non. C'est l'ennemi.
Lettre à Victor Hugo, 4 mai 1856.

L'alouette a le génie lyrique; le rossignol a l'épopée, le   9566
drame, le combat intérieur : de là une lumière à part. En
pleines ténèbres, il voit dans son âme et dans l'amour;
par moments, au-delà, ce semble, de l'amour individuel,
dans l'océan de l'Amour infini.
L'Oiseau, Deuxième partie, chap. 11.

La vraie grandeur de l'artiste, c'est de dépasser son objet,   9567
et de faire plus qu'il ne veut, et tout autre chose, de passer
par-dessus le but, de traverser le possible, et de voir encore
au-delà.   *Ibid.*

L'amour (et j'entends l'amour fidèle et fixé sur un objet)   9568
est une succession, souvent longue, de passions fort différentes qui alimentent la vie et la renouvellent.
L'Amour, Introduction.

L'amour ne tue pas la mort, la mort ne tue pas l'amour. Au   9569
fond, ils s'entendent à merveille. Chacun d'eux explique
l'autre.   *Ibid.*

Si ce livre est solide, et si, le suivant pas à pas, tu maintiens   9570
ta femme libre des influences extérieures et fidèle à sa nature,
je puis dire hardiment le mot qui résume tout : « Ne crains
pas de t'ennuyer, car elle changera sans cesse. Ne crains pas
de te confier, car elle ne changera pas. »   *Ibid.*

Les insectes et les poissons restent muets. L'oiseau chante.   9571
Il voudrait articuler. L'homme a la langue distincte, la
parole nette et lumineuse, la clarté du verbe. Mais la femme,
au-dessus du verbe de l'homme et du chant de l'oiseau,
a une langue toute magique dont elle entrecoupe ce verbe
ou ce chant : le soupir, le souffle passionné.
Ibid., *Livre I, chap. 1.*

9572   En réalité, quinze ou vingt jours sur vingt-huit (on peut dire
        presque toujours), la femme n'est pas seulement une malade,
        mais une blessée. Elle subit incessamment l'éternelle blessure
        d'amour.   *Ibid., chap. 2.*

9573   S'il faut à l'homme une âme qui réponde à la sienne par des
        éclairs de raison autant que d'amour, qui lui refasse le cœur
        par une vivacité charmante, gaieté, saillies de courage, mots
        de femme ou chants d'oiseau, il lui faut une Française.
                                                    Ibid., chap. 5.

9574   Elle est sa fille; il retrouve en elle et jeunesse et fraîcheur.
        Elle est sa sœur, elle marche de front aux plus rudes chemins,
        et, faible, elle soutient sa force. Elle est sa mère, l'environne.
        Parfois dans les moments obscurs où il se trouble, où il
        cherche, ne voit plus son étoile au ciel, il regarde vers la
        femme, et cette étoile est dans ses yeux.
                                                    Ibid., chap. 6.

9575   L'amour, dans nos temps modernes, n'aime pas *ce qu'il
        trouve*, mais bien *ce qu'il fait.*   *Ibid., chap. 8.*

9576   Que peut-on sur la femme dans la société? Rien. Dans la
        solitude? Tout.   *Ibid., Livre II, chap. 1.*

9577   « Que la terre et le ciel prient et pleurent pour moi. » Mot
        de Christophe Colomb à l'entrée du monde inconnu.
                                                    Ibid., chap. 2.

9578   L'homme nourrit la femme, apporte chaque jour, comme
        l'oiseau des légendes, le pain de Dieu à sa bien-aimée soli-
        taire. Et la femme nourrit l'homme. A son besoin, à sa
        fatigue, à son tempérament connu, elle approprie la nourri-
        ture, l'humanise par le feu, par le sel et par l'âme.
                                                    Ibid., chap. 6.

9579   Tout est poésie dans la femme, mais surtout cette vie rythmi-
        que, harmonisée en périodes régulières, et comme scandée
        par la nature.
        Au contraire le temps pour l'homme est sans division réelle;
        il ne lui revient pas identique. Ses mois ne sont pas des mois.
        Point de rythme dans sa vie. Elle va, toujours devant elle,
        détendue comme la prose libre, mais infiniment mobile,
        créant sans cesse des germes, mais le plus souvent pour les
        perdre.   *Ibid., chap. 10.*

9580   Un cri inouï, qui n'est pas de ce monde-ci, qui n'est pas de
        notre espèce (ce semble), cri aigre et aigu, sauvage, nous
        perce l'oreille. Une petite masse sanglante est tombée...
        Et voilà donc l'homme!... Salut, pauvre naufragé!
                                                    Ibid., Livre III, chap. 4.

9581   *Il n'y a point de vieille femme.* Toute, à tout âge, si elle aime
        et si elle est bonne, donne à l'homme le moment de l'infini.
                                                    Ibid., Livre V, chap. 4.

9582   La force du monde supérieur, son charme, sa beauté, c'est
        le sang. Par lui commence une jeunesse toute nouvelle dans

la nature, par lui une flamme de désir, l'amour, et l'amour
de famille, de race, qui, étendu par l'homme, donnera le
couronnement divin de la vie, la Pitié.
La Mer, Livre II, chap. 12.

La grande révolution que font les sorcières, le plus grand pas   9583
à rebours contre l'esprit du moyen âge, c'est ce qu'on pourrait
appeler la réhabilitation du ventre et des fonctions diges-
tives. Elles professèrent hardiment : « Rien d'impur et rien
d'immonde. » L'étude de la matière fut dès lors illimitée,
affranchie. La médecine fut possible.
La Sorcière, Livre I, chap. 9.

L'Anti-Nature pâlit, et le jour n'est pas loin où son heureuse   9584
éclipse fera pour le monde une aurore.
Ibid., Épilogue.

L'amour est une loterie, la Grâce est une loterie. Voilà   9585
l'essence du roman.   *Bible de l'Humanité, II, chap. 6.*

Si les antiques dieux, les races actives et fortes, sous qui   9586
fleurissaient ces rivages, sortaient aujourd'hui du tombeau,
ils diraient : « Tristes *peuples du Livre*, de grammaire et de
mots, de subtilités vaines, qu'avez-vous fait de la Nature? »
Ibid., chap. 9.

Si l'on ouvre mon cœur à ma mort, on lira l'idée qui m'a   9587
suivie : « Comment viendront les livres populaires? ».
Nos Fils, V, chap. 2.

Je suis né peuple, j'avais le peuple dans le cœur. Les monu-   9588
ments de ses vieux âges ont été mon ravissement. J'ai pu
en 46 poser le droit du peuple plus qu'on ne fit jamais; en
64 sa longue tradition religieuse. Mais sa langue, sa langue,
elle m'était inaccessible. Je n'ai pas pu le faire parler.
Ibid.

Autant le xviiie siècle, à la mort de Louis XIV, s'avança   9589
légèrement sur l'aile de l'idée et de l'activité individuelle,
autant notre siècle par ses grandes machines (l'usine et la
caserne), attelant les masses à l'aveugle, a progressé dans la
fatalité.   *Histoire du XIXe siècle, tome I, Préface.*

Ce blé, au fond, c'est du silex qui s'infiltre dans la plante   9590
en fleur et lui donne une consistance, une durée singulière
d'alimentation.
La France, qu'on le sache bien, est nourrie de caillou. Ce
régime lui donne, par moments, l'étincelle, et dans les os
une grande force de résistance.
Ibid., tome III, Préface.

Oui, le grand mystère de la maternité enveloppe le monde.   9591
Quid naissance? Accouchement. Et la vie? Accouchement.
Et la mort? Accouchement. Celui de la naissance amène
un fruit visible : on se réjouit. Celui de la mort un fruit
invisible : on pleure. Mais enfin l'analogie nous mène à
conclure que l'un et l'autre amènent un fruit.
Journal, avril 1842 (Gallimard).

9592   Qu'il paraisse librement, ce signe distinctif de la femme et
       de la mère, cette puissance adorée d'amour par quoi elle
       nous est si chère et sacrée : le ventre et le sein!
                                          Ibid., 7 mars 1849.

9593   Le soleil de l'homme, c'est l'homme.   *Ibid., 18 avril 1854.*

9594   Oser une langue nouvelle; non celle de l'innocence barbare,
       qui disait tout sans rougir, n'en sentant pas les profondeurs,
       non celle de la fière Antiquité, qui usait et abusait, mépri-
       sait l'humanité, — mais celle de la tendresse moderne, qui,
       dans les choses du corps, sent et aime l'âme, ou plutôt ni
       l'âme ni le corps, mais partout l'esprit : la langue d'un
       Rabelais sérieux et aimant.   *Ibid., 27 juillet 1857.*

9595   Je souffre de la barrière que Dieu met à nos désirs. A chaque
       porte, nous nous trouvons arrêtés presque dès le seuil.
       Partout nous rencontrons l'impénétrabilité de l'existence
       individuelle. Nous touchons, nous n'entrons pas.   *Ibid.*

HONORÉ DE BALZAC
1799-1850

9596   Peu d'œuvres donne beaucoup d'amour-propre, beaucoup
       de travail donne infiniment de modestie.
                          La Comédie humaine, Avant-propos.

9597   Le hasard est le plus grand romancier du monde : pour être
       fécond, il n'y a qu'à l'étudier.   *Ibid.*

9598   La loi de l'écrivain, ce qui le fait tel, ce qui, je ne crains pas
       de le dire, le rend égal et peut-être supérieur à l'homme
       d'État, est une décision quelconque sur les choses humaines,
       un dévouement absolu à des principes.   *Ibid.*

9599   L'homme n'est ni bon ni méchant, il naît avec des instincts
       et des aptitudes; la société, loin de le dépraver comme l'a
       prétendu Rousseau, le perfectionne, le rend meilleur; mais
       l'intérêt développe aussi ses penchants mauvais.   *Ibid.*

9600   J'écris à la lueur de deux Vérités éternelles : la Religion, la
       Monarchie, deux nécessités que les événements contempo-
       rains proclament, et vers lesquelles tout écrivain de bon sens
       doit essayer de ramener notre pays.   *Ibid.*

9601   [...] Quiconque apporte sa pierre dans le domaine des idées,
       quiconque signale un abus, quiconque marque d'un signe le
       mauvais pour être retranché, celui-là passe toujours pour
       être immoral. Le reproche d'immoralité, qui n'a jamais
       failli à l'écrivain courageux, est d'ailleurs le dernier qui reste
       à faire quand on n'a plus rien à dire à un poète. Si vous êtes
       vrai dans vos peintures; si à force de travaux diurnes et
       nocturnes, vous parvenez à écrire la langue la plus difficile

du monde, on vous jette alors le mot immoral à la face. Socrate fut immoral, Jésus-Christ fut immoral; tous deux ils furent poursuivis au nom des sociétés qu'ils renversaient ou réformaient. Quand on veut tuer quelqu'un, on le taxe d'immoralité. *Ibid.*

La passion est toute l'humanité. Sans elle, la religion, l'histoire, le roman, l'art seraient inutiles. *Ibid.* 9602

Je ne partage point la croyance à un progrès indéfini, quant aux Sociétés; je crois aux progrès de l'homme sur lui-même. Ceux qui veulent apercevoir chez moi une intention de considérer l'homme créature finie se trompent donc étrangement. *Ibid.* 9603

La poésie, la peinture et les exquises jouissances de l'imagination possèdent sur les esprits élevés des droits imprescriptibles. *La Maison du chat-qui-pelote.* 9604

En toute chose, nous ne pouvons être jugés que par nos pairs. *Ibid.* 9605

Dans ces grandes crises, le cœur se brise ou se bronze. *Ibid.* 9606

Un enfant est un grand politique dont on se rend maître comme du grand politique... par ses passions. *Mémoires de deux jeunes mariées.* 9607

Nos sentiments ne sont-ils pas, pour ainsi dire, écrits sur les choses qui nous entourent? *La Bourse.* 9608

Quel crime de lèse-million que de démontrer aux riches l'impuissance de l'or! *Modeste Mignon.* 9609

Le phénomène de la croyance ou de l'admiration, qui n'est qu'une croyance éphémère, s'établit difficilement en concubinage avec l'idole. Le mécanicien redoute la machine que le voyageur admire et les officiers étaient un peu les chauffeurs de la locomotive napoléonienne, s'ils n'en furent pas le charbon. *Ibid.* 9610

La mélodie est à la musique ce que l'image et le sentiment sont à la poésie, une fleur qui peut s'épanouir spontanément. Aussi les peuples ont-ils eu des mélodies nationales avant l'invention de l'harmonie. La botanique est venue après les fleurs. *Ibid.* 9611

L'adoration d'une jeune fille est plus forte que toutes les réprobations sociales. *Ibid.* 9612

Les maisons peuvent brûler, les fortunes sombrer, les pères revenir de voyage, les empires crouler, le choléra ravager la cité, l'amour d'une jeune fille poursuit son vol, comme la nature sa marche, comme cet effroyable acide que la chimie a découvert et qui peut trouer le globe si rien ne l'absorbe au centre. *Ibid.* 9613

9614   Les grands ont toujours tort de plaisanter avec leurs infé-
       rieurs. La plaisanterie est un jeu, le jeu suppose l'égalité.
       Aussi est-ce pour obvier aux inconvénients de cette égalité
       passagère que, la partie finie, les joueurs ont le droit de ne
       se plus connaître.   *Ibid.*

9615   Il n'y a rien de plus poétique qu'une élégie animée qui a des
       yeux, qui marche et qui soupire sans rimes.   *Ibid.*

9616   Pour savoir jusqu'où va la cruauté de ces charmants êtres
       que nos passions grandissent tant, il faut voir les femmes
       entre elles.   *Ibid.*

9617   Le monde est bien bossu quand il se baisse.
                                        Un Début dans la vie.

9618   Pour peu que vous frottiez un Suisse, il reparaît un usurier.
                                              Albert Savarus.

9619   La joie ne peut éclater que parmi des gens qui se sentent
       égaux.   *La Vendetta.*

9620   La dévotion porte à je ne sais quelle humilité fatigante qui
       n'exclut pas l'orgueil.   *Une Double famille.*

9621   Le manque de goût est un des défauts qui sont inséparables
       de la fausse dévotion.   *Ibid.*

9622   [...] Aristocrates par inclination, ils se font républicains
       par dépit, uniquement pour trouver beaucoup d'inférieurs
       parmi leurs égaux.   *Madame Firmiani.*

9623   Ainsi va le monde littéraire. On n'y aime que ses inférieurs.
       Chacun est l'ennemi de quiconque tend à s'élever. Cette
       envie générale décuple les chances des gens médiocres, qui
       n'excitent ni l'envie, ni le soupçon, font leur chemin à la
       manière des taupes, et, quelque sots qu'ils soient, se trouvent
       casés au *Moniteur* dans trois ou quatre places au moment
       où les gens de talent se battent encore à la porte pour s'em-
       pêcher d'entrer.   *Une Fille d'Ève.*

9624   Si les Français ont autant de répugnance que les Anglais
       ont de propension pour les voyages, peut-être les Français
       et les Anglais ont-ils raison de part et d'autre. On trouve
       partout quelque chose de meilleur que l'Angleterre, tandis
       qu'il est excessivement difficile de retrouver loin de la France
       les charmes de la France.   *Honorine.*

9625   L'amour vrai commence chez la femme par expliquer tout
       à l'avantage de l'homme aimé.   *Béatrix.*

9626   Il n'y a pas de plus grande maladresse pour un mari que de
       parler de sa femme quand elle est vertueuse à sa maîtresse,
       si ce n'est de parler de sa maîtresse, quand elle est belle, à
       sa femme.   *Ibid.*

9627   La douleur est comme cette tige de fer que les sculpteurs
       mettent au sein de leur glaise, elle soutient, c'est une force!
                                                             Ibid.

Les hommes ont entre eux une fatuité qui leur est d'ailleurs   9628
commune avec les femmes, celle d'être aimés absolument.
Ibid.

On se repaît en France si principalement de la tête des   9629
femmes, que les belles têtes font longtemps vivre les corps
déformés.   *Ibid.*

Il n'y a rien de violent à Paris comme ce qui doit être éphé-   9630
mère.   *Ibid.*

Un grand amour est un crédit ouvert à une puissance si   9631
vorace, que le moment de la faillite arrive toujours.   *Ibid.*

Toutes les colombes sont des Robespierre à plumes blanches.   9632
Ibid.

Il y a des douleurs muettes d'une éloquence despotique.   9633
Ibid.

Les plus grands efforts de l'art sont toujours une timide   9634
contrefaçon des effets de la nature.   *Ibid.*

La reconnaissance est une dette que les enfants n'acceptent   9635
pas toujours à l'inventaire.   *Gobseck.*

[...] J'ai souvent eu l'occasion d'observer que quand la   9636
bienfaisance ne nuit pas au bienfaiteur, elle tue l'obligé.
Ibid.

Les vieilles gens sont assez enclins à doter de leurs chagrins   9637
l'avenir des jeunes gens.   *La Femme de trente ans.*

La raison est toujours mesquine auprès du sentiment; l'une   9638
est naturellement bornée, comme tout ce qui est positif,
et l'autre est infini. Raisonner là où il faut sentir est le propre
des âmes sans portée.   *Ibid.*

L'amour a son instinct, il sait trouver le chemin du cœur   9639
comme le plus faible insecte marche à sa fleur avec une irrésistible volonté qui ne s'épouvante de rien. Aussi, quand
un sentiment est vrai, sa destinée n'est-elle pas douteuse.
Ibid.

Pascal a dit : « Douter de Dieu, c'est y croire. » De même,   9640
une femme ne se débat que quand elle est prise.   *Ibid.*

Le cœur d'une mère est un abîme au fond duquel se trouve   9641
toujours un pardon.   *Ibid.*

Paris est un véritable océan. Jetez-y la sonde, vous n'en   9642
connaîtrez jamais la profondeur. Parcourez-le, décrivez-le!
quelque soin que vous mettiez à le parcourir, à le décrire,
quelque nombreux et intéressés que soient les explorateurs
de cette mer, il s'y rencontrera toujours un lieu vierge, un
antre inconnu, des fleurs, des perles, des monstres, quelque
chose d'inouï, oublié par les plongeurs littéraires.
Le Père Goriot.

9643   Heureuse, elle eût été ravissante : le bonheur est la poésie des femmes, comme la toilette en est le fard.   *Ibid.*

9644   « Je réussirai! » Le mot du joueur, du grand capitaine, mot fataliste qui perd plus d'hommes qu'il n'en sauve.   *Ibid.*

9645   Nos beaux sentiments ne sont-ils pas les poésies de la volonté?   *Ibid.*

9646   Il n'y a peut-être que ceux qui croient en Dieu qui font le bien en secret...   *Ibid.*

9647   L'amour n'est peut-être que la reconnaissance du plaisir.   *Ibid.*

9648   Certes, si les sacristies humides où les prières se pèsent et se payent comme des épices, si les magasins des revendeuses où flottent des guenilles qui flétrissent toutes les illusions de la vie en nous montrant où aboutissent nos fêtes, si ces deux cloaques de la poésie n'existaient pas, une Étude d'avoué serait de toutes les boutiques sociales la plus horrible.   *Le Colonel Chabert.*

9649   La justice militaire est franche, rapide, elle décide à la turque, et juge presque toujours bien.   *Ibid.*

9650   Il y a des ingratitudes forcées; mais quel cœur a pu semer le bien pour récolter la reconnaissance et se croire grand?   *L'Interdiction.*

9651   Dans la burlesque armée des gens du monde, l'homme à la mode représente le maréchal de France, l'homme élégant équivaut à un lieutenant-général.   *Le Contrat de mariage.*

9652   Le monde, qui n'est cause d'aucun bien, est complice de beaucoup de malheurs; puis, quand il voit éclore le mal qu'il a couvé maternellement, il le renie et s'en venge.   *Ibid.*

9653   Il est un âge où la femme pardonne des vices à qui lui évite des contrariétés, et où elle prend les contrariétés pour des malheurs.   *Ibid.*

9654   L'amour est aussi grand par le bavardage que par la concision.   *Ibid.*

9655   Le visage d'un homme chaste a je ne sais quoi de radieux.   *Ursule Mirouët.*

9656   Les pleurs des vieillards sont aussi terribles que ceux des enfants sont naturels.   *Ibid.*

9657   Pour un homme passionné, toute femme vaut ce qu'elle lui coûte.   *Ibid.*

Quand on pense aux immenses services que rendent les
fenêtres aux amoureux, il semble assez naturel d'en faire
l'objet d'une contribution. *Ibid.* 9658

Affreuse condition de l'homme! il n'y a pas un de ses bonheurs qui ne vienne d'une ignorance quelconque.
Eugénie Grandet. 9659

L'innocence ose seule de telles hardiesses. Instruite, la Vertu
calcule aussi bien que le Vice. *Ibid.* 9660

Il est dans le caractère français de s'enthousiasmer, de se
colérer, de se passionner pour le météore du moment, pour
les bâtons flottants de l'actualité. Les êtres collectifs, les
peuples seraient-ils donc sans mémoire? *Ibid.* 9661

Sentir, aimer, souffrir, se dévouer, sera toujours le texte de
la vie des femmes. *Ibid.* 9662

Un homme qui ne recule devant rien, pourvu que tout soit
légal, est bien fort. *Pierrette.* 9663

Les hommes passent pour être bien féroces et les tigres aussi;
mais ni les tigres, ni les vipères, ni les diplomates, ni les
gens de justice, ni les bourreaux, ni les rois ne peuvent, dans
leurs plus grandes atrocités, approcher des cruautés douces,
des douceurs empoisonnées, des mépris sauvages des demoiselles entre elles quand les unes se croient supérieures aux
autres en naissance, en fortune, en grâce, et qu'il s'agit de
mariage, de préséance, enfin des mille rivalités de femme.
Ibid. 9664

La pensée, seul trésor que Dieu mette hors de toute puissance
et garde comme un lien secret entre les malheureux et lui.
Ibid. 9665

L'amour-propre, ce sentiment indicible qui nous suivra,
dit-on, jusqu'à Dieu, puisqu'il y a des grades parmi les
saints. *Le Curé de Tours.* 9666

Un homme de génie ou un intrigant seuls se disent : « J'ai
eu tort. » L'intérêt et le talent sont les seuls conseillers
consciencieux et lucides. *Ibid.* 9667

Entre personnes sans cesse en présence, la haine et l'amour
vont toujours croissant : on trouve à tout moment des raisons
pour s'aimer ou se haïr mieux. *Ibid.* 9668

Si les choses grandes sont simples à comprendre, faciles à
exprimer, les petitesses de la vie veulent beaucoup de détails.
Ibid. 9669

L'éducation publique ne résoudra jamais le problème
difficile du développement simultané du corps et de l'intelligence. *La Rabouilleuse.* 9670

Tous les vrais grands hommes aiment à se laisser tyranniser
par un être faible. *L'Illustre Gaudissart.* 9671

9672 Quand tout le monde est bossu, la belle taille devient la monstruosité. *La Muse du département.*

9673 L'amour préfère ordinairement les contrastes aux similitudes. *Ibid.*

9674 La passion est sourde et muette de naissance. *Ibid.*

9675 Les idées, à Paris, sont dans l'air, elles vous sourient au coin d'une rue, elles s'élancent sous une roue de cabriolet avec un jet de boue! *Ibid.*

9676 Oui, sachez-le, toute la vie, ou toute l'élégance qui est l'expression de la vie, réside dans la taille. *La Vieille fille.*

9677 Or, l'on reproche sévèrement à la Vertu des défauts, tandis qu'on est plein d'indulgence pour les qualités du Vice. *Ibid.*

9678 N'est-ce pas le plus grand malheur qui puisse affliger un parti, que d'être représenté par des vieillards, quand déjà ses idées sont taxées de vieillesse? *Le Cabinet des Antiques.*

9679 En France, ce qu'il y a de plus national est la vanité. La masse des vanités blessées y a donné soif d'égalité; tandis que, plus tard, les plus ardents novateurs trouveront l'égalité impossible. *Ibid.*

9680 Privilège semblable à celui de la noblesse, la beauté ne se peut acquérir, elle est partout reconnue, et vaut souvent plus que la fortune et le talent, elle n'a besoin que d'être montrée pour triompher, on ne lui demande que d'exister. *Ibid.*

9681 La calomnie n'atteint jamais les médiocrités qui enragent de vivre en paix. *Ibid.*

9682 Le reste du monde a la valeur des personnages d'une tapisserie pour deux amants. *Ibid.*

9683 Une des plus douces jouissances des hommes qui possèdent une fortune acquise et non transmise, est le souvenir des peines qu'elle a coûtées et l'avenir qu'ils donnent à leurs écus : ils jouissent à tous les temps du verbe. *Ibid.*

9684 Les tantes, les mères et les sœurs ont une jurisprudence particulière pour leurs neveux, leurs fils et leurs frères. *Ibid.*

9685 L'avarice commence où la pauvreté cesse. *Illusions perdues, Les deux poètes.*

9686 A Paris, il n'y a de hasard que pour les gens extrêmement répandus; le nombre des relations y augmente les chances du succès en tout genre, et le hasard aussi est du côté des gros bataillons.

Illusions perdues, Un Grand homme de province à Paris.

Ce qui rend les amitiés indissolubles et double leur charme, est un sentiment qui manque à l'amour, la certitude.   *Ibid.*   9687

L'humilité de la courtisane amoureuse comporte des magnificences morales qui en remontrent aux anges.   *Ibid.*   9688

Quand les gens d'esprit en arrivent à vouloir s'expliquer eux-mêmes, à donner la clef de leurs cœurs, il est sûr que l'ivresse les a pris en croupe.   *Ibid.*   9689

Les dettes sont jolies chez les jeunes gens de vingt-cinq ans, plus tard, personne ne les leur pardonne.   *Ibid.*   9690

Une des niaiseries du commerce parisien est de vouloir trouver le succès dans les analogues, quand il est dans les contraires. A Paris surtout, le succès tue le succès.   *Ibid.*   9691

Les partis sont ingrats envers leurs vedettes, ils abandonnent volontiers leurs enfants perdus. Surtout en politique, il est nécessaire à ceux qui veulent parvenir d'aller avec le gros de l'armée.   *Ibid.*   9692

Les blessures d'amour-propre deviennent incurables quand l'oxyde d'argent y pénètre.   *Ibid.*   9693

Il est dans Paris certaines rues déshonorées autant que peut l'être un homme coupable d'infamie; puis il existe des rues nobles, puis des rues simplement honnêtes, puis de jeunes rues sur la moralité desquelles le public ne s'est pas encore formé d'opinion; puis des rues assassines, des rues plus vieilles que de vieilles douairières ne sont vieilles, des rues estimables, des rues toujours propres, des rues toujours sales, des rues ouvrières, travailleuses, mercantiles. Enfin les rues de Paris ont des qualités humaines, et nous impriment par leur physionomie certaines idées contre lesquelles nous sommes sans défense.   *Ferragus.*   9694

O Paris! qui n'a pas admiré tes sombres paysages, tes échappées de lumière, tes culs-de-sac profonds et silencieux; qui n'a pas entendu tes murmures entre minuit et deux heures du matin ne connaît encore rien de la vraie poésie, ni de tes bizarres et larges contrastes.   *Ibid.*   9695

Il y a les poètes qui sentent et les poètes qui expriment; les premiers sont les plus heureux.   *Ibid.*   9696

Aimer sans espoir, être dégoûté de la vie, constituent aujourd'hui des positions sociales.   *Ibid.*   9697

Les amants jaloux supposent tout; et c'est en supposant tout, en choisissant les conjectures les plus probables que les juges, les espions, les amants et les observateurs devinent la vérité qui les intéresse.   *Ibid.*   9698

9699   Les passions ne pardonnent pas plus que les lois humaines,
       et elles raisonnent plus juste : ne s'appuient-elles pas sur
       une conscience à elles, infaillible comme l'est un instinct?
                                                              Ibid.

9700   A Paris, tout fait spectacle, même la douleur la plus vraie.
       Il y a des gens qui se mettent aux fenêtres pour voir comment
       pleure un fils en suivant le corps de sa mère, comme il y en
       a qui veulent être commodément placés pour voir comment
       tombe une tête. Aucun peuple du monde n'a eu des yeux
       plus voraces.   *Ibid.*

9701   L'homme ne juge les lois qu'à la lueur des passions.   *Ibid.*

9702   A Paris, tous les hommes doivent avoir aimé. Aucune
       femme n'y veut de ce dont aucune n'a voulu. De la crainte
       d'être pris pour un sot, procèdent les mensonges de la fatuité
       générale en France, où passer pour un sot, c'est ne pas être
       du pays.   *La Duchesse de Langeais.*

9703   Peu de femmes osent être démocrates, elles sont alors trop
       en contradiction avec leur despotisme en fait de sentiments.
                                                              Ibid.

9704   La beauté fraîche, colorée, unie, le JOLI en un mot, est
       l'attrait vulgaire auquel se prend la médiocrité.   *Ibid.*

9705   L'homme malheureux de Paris est l'homme malheureux
       complet, car il trouve encore de la joie pour savoir combien
       il est malheureux.   *La Fille aux yeux d'or.*

9706   L'âme a je ne sais quel attachement pour le blanc, l'amour
       se plaît dans le rouge, et l'or flatte les passions, il a la puis-
       sance de réaliser leurs fantaisies.   *Ibid.*

9707   Il s'endormit du sommeil des mauvais sujets, lequel, par
       une bizarrerie dont aucun chansonnier n'a encore tiré parti,
       se trouve être aussi profond que celui de l'innocence.
                                                              Ibid.

9708   Mais pour le désespoir de l'homme, il ne peut rien faire que
       d'imparfait, soit en bien, soit en mal. Toutes ses œuvres
       intellectuelles ou physiques sont signées par une marque de
       destruction.   *Ibid.*

9709   Le flâneur parisien est aussi souvent un homme au désespoir
       qu'un oisif.   *César Birotteau.*

9710   Lorsqu'un homme se plonge dans la fange des excès, il
       est difficile que sa figure ne soit pas fangeuse en quelque
       endroit [...]   *Ibid.*

9711   La haine sans désir de vengeance est un grain tombé sur du
       granit.   *Ibid.*

9712   Entre hommes, la prétention des plus chastes bourgeois est
       de paraître égrillards.   *Ibid.*

Il raisonnait ses étiquettes, la forme de ses bouteilles, calculait la contexture du bouchon, la couleur des affiches. Et l'on dit qu'il n'y a pas de poésie dans le commerce! *Ibid.* 9713

Rien ne peut se faire simplement chez les gens qui montent d'un étage social à l'autre. *Ibid.* 9714

Le suicide est dans ce cas un moyen de fuir mille morts, il semble logique de n'en accepter qu'une. *Ibid.* 9715

Il y a souvent obligation pour les médecins de lâcher sciemment des niaiseries afin de sauver l'honneur ou la vie des gens bien portants qui sont autour du malade. *Ibid.* 9716

En commerce, l'occasion est tout. Qui n'enfourche pas le succès en se tenant aux crins manque sa fortune. *Ibid.* 9717

Il est possible de tromper le public, mais non les gens de sa maison sur celui qui a la supériorité réelle dans un ménage. *Ibid.* 9718

En se résignant, le malheureux consomme son malheur. *Ibid.* 9719

Les législateurs, partis presque tous d'un petit arrondissement où ils ont étudié la société dans les journaux, renferment alors le feu dans la machine. Quand la machine saute, arrivent les pleurs et les grincements de dents! Un temps où il ne se fait que des lois fiscales et pénales! Le grand mot de ce qui se passe, le voulez-vous? *Il n'y a plus de religion dans l'État! La Maison Nucingen.* 9720

Un grand politique doit être un scélérat abstrait, sans quoi les sociétés sont mal menées. *Ibid.* 9721

Ce privilège d'être partout chez soi n'appartient qu'aux rois, aux filles et aux voleurs.
Splendeurs et Misères des courtisanes, Comment aiment les filles. 9722

Une fois marqués, une fois immatriculés, les espions et les condamnés ont pris, comme les diacres, un caractère indélébile. *Ibid.* 9723

Si jamais homme doit sentir l'utilité, les douceurs de l'amitié, n'est-ce pas le lépreux moral appelé par la foule un espion, par le peuple un mouchard, par l'administration un agent? *Ibid.* 9724

Les nations disparues, la Grèce, Rome, l'Orient ont toujours séquestré la femme; la femme qui aime devrait se séquestrer d'elle-même.
Ibid., A combien l'amour revient aux vieillards. 9725

Les amoureux, de même que les martyrs, se sentent frères de supplices! Rien au monde ne se comprend mieux que deux douleurs semblables. *Ibid.* 9726

9727   La connaissance du visage d'un homme est, chez la femme
        qui l'aime, comme celle de la pleine mer pour un marin.
        Ibid.

9728   Rien ne grise comme le vin du malheur.   *Ibid.*

9729   Plus sa vie est infâme, plus l'homme y tient; elle est alors
        une protestation, une vengeance de tous les instants.   *Ibid.*

9730   L'opinion publique en France condamne les prévenus et
        réhabilite les accusés par une inexplicable contradiction.
        Peut-être est-ce le résultat de l'esprit essentiellement fron-
        deur du Français.   *Ibid., Où mènent les mauvais chemins.*

9731   L'amour vrai, comme on sait, est impitoyable.   *Ibid.*

9732   Le prêtre et le magistrat ont un harnais également lourd,
        également garni de pointes à l'intérieur. Toute profession
        d'ailleurs a son cilice et ses casse-têtes chinois.   *Ibid.*

9733   La hardiesse du vrai s'élève à des combinaisons interdites
        à l'art, tant elles sont invraisemblables ou peu décentes, à
        moins que l'écrivain ne les adoucisse, ne les émousse, ne les
        châtre...   *Ibid., La dernière incarnation de Vautrin.*

9734   On voit qu'à tous les étages de la société, les usages se ressem-
        blent et ne diffèrent que par les manières, les façons, les
        nuances. Le grand monde a son argot. Mais cet argot s'ap-
        pelle le style.   *Ibid.*

9735   La malheureuse tendance de notre temps à tout chiffrer
        rend un assassinat d'autant plus·frappant que la somme
        volée est plus considérable.   *Ibid.*

9736   [...] C'est surtout en prison qu'on croit à ce qu'on espère!
        Ibid.

9737   Pour faire les amitiés sincères et durables entre femmes, il
        faut qu'elles aient été cimentées par de petits crimes. Quand
        deux amies peuvent se tuer réciproquement, et se voient un
        poignard empoisonné dans la main, elles offrent le spectacle
        touchant d'une harmonie qui ne se trouble qu'au moment
        où l'une d'elles a, par mégarde, lâché son arme.
        Les Secrets de la princesse de Cadignan.

9738   Il n'est pas de créature qui n'ait plus de force pour supporter
        le chagrin que pour résister à l'extrême félicité.   *Ibid.*

9739   Là, [à Paris], les écus même tachés de sang ou de boue ne
        trahissent rien et représentent tout. Pourvu que la haute
        société sache le chiffre de votre fortune, vous êtes classé
        parmi les sommes qui vous sont égales, et personne ne vous
        demande à voir vos parchemins, parce que tout le monde
        sait combien peu ils coûtent. Dans une ville où les problèmes
        sociaux se résolvent par des équations algébriques, les aven-
        turiers ont en leur faveur d'excellentes chances.   *Sarrasine.*

Inventer en toute chose, c'est vouloir mourir à petit feu ; copier, c'est vivre.   *Pierre Grassou.*   9740

La table est le plus sûr thermomètre de la fortune dans les ménages parisiens.   *La Cousine Bette.*   9741

Dans les révolutions comme dans les tempêtes maritimes, les valeurs solides vont à fond, le flot met les choses légères à fleur d'eau.   *Ibid.*   9742

Rien ne démontrera mieux la singulière puissance que communiquent les vices, et à laquelle on doit les tours de force qu'accomplissent de temps en temps les ambitieux, les voluptueux, enfin tous les sujets du Diable.   *Ibid.*   9743

Il est dans l'esprit des gens venus de la campagne de ne jamais abandonner le gagne-pain, ils ressemblent aux juifs en ceci.   *Ibid.*   9744

A Paris, la vie est trop occupée pour que les gens vicieux fassent le mal par instinct, ils se défendent à l'aide du vice contre les agressions, voilà tout.   *Ibid.*   9745

Dans les classes inférieures, la femme est non seulement supérieure à l'homme, mais encore elle le gouverne presque toujours.   *Ibid.*   9746

Penser, rêver, concevoir de belles œuvres est une occupation délicieuse. C'est fumer des cigares enchantés, c'est mener la vie de la courtisane occupée à sa fantaisie. L'œuvre apparaît alors dans la grâce de l'enfance, dans la joie folle de la génération, avec les couleurs embaumées de la fleur et les sucs rapides du fruit dégusté par avance. Telle est la Conception et ses plaisirs. Celui qui peut dessiner son plan par la parole, passe déjà pour un homme extraordinaire. Cette faculté, tous les artistes et les écrivains la possèdent. Mais produire ! mais accoucher ! mais élever laborieusement l'enfant, le coucher gorgé de lait tous les soirs, l'embrasser tous les matins avec le cœur inépuisé de la mère, le lécher sale, le vêtir cent fois des plus belles jaquettes qu'il déchire incessamment ; mais ne pas se rebuter des convulsions de cette folle vie et en faire le chef-d'œuvre animé qui parle à tous les regards en sculpture, à toutes les intelligences en littérature, à tous les souvenirs en peinture, à tous les cœurs en musique, c'est l'Exécution et ses travaux. La main doit s'avancer à tout moment, prête à tout moment à obéir à la tête. Or, la tête n'a pas plus les dispositions créatrices à commandement que l'amour n'est continu.   *Ibid.*   9747

Les grands hommes appartiennent à leurs œuvres. Leur détachement de toutes choses, leur dévouement au travail, les constituent égoïstes aux yeux des niais ; car on les veut vêtus des mêmes habits que le dandy, accomplissant les évolutions sociales, appelées devoirs du monde. On voudrait des lions de l'Atlas peignés et parfumés comme des bichons de marquise. Ces hommes, qui comptent peu de pairs et qui les rencontrent rarement, tombent dans l'exclusivité de la solitude ; ils deviennent inexplicables pour la majorité composée, comme on le sait, de sots, d'envieux, d'ignorants et de gens superficiels.   *Ibid.*   9748

9749 Femme en vue, femme souhaitée! De là vient la terrible puissance des actrices. *Ibid.*

9750 Toutes les femmes vraiment nobles préfèrent la vérité au mensonge. Elles ne veulent pas voir leur idole dégradée, elles veulent être fières de la domination qu'elles acceptent. *Ibid.*

9751 Les libertins, ces gens que la nature a doués de la faculté précieuse d'aimer au-delà des limites qu'elle fixe à l'amour, n'ont presque jamais leur âge. *Ibid.*

9752 Dans les grandes tempêtes de la vie, on imite les capitaines qui, par les ouragans, allègent le navire des grosses marchandises. *Ibid.*

9753 On juge aussi souvent une femme d'après l'attitude de son amant, qu'on juge un amant sur le maintien de sa maîtresse. *Ibid.*

9754 L'Église est, en France, excessivement fiscale; elle se livre, dans la maison de Dieu, à d'ignobles trafics de petits bancs et de chaises dont s'indignent les Étrangers, quoiqu'elle ne puisse oublier la colère du Sauveur chassant les vendeurs du Temple. Si l'Église se relâche difficilement de ses droits, il faut croire que ses droits, dits de fabrique, constituent aujourd'hui l'une de ses ressources, et la faute des Églises serait alors celle de l'État. *Ibid.*

9755 L'ignorance est la mère de tous les crimes. Un crime est, avant tout, un manque de raisonnement. *Ibid.*

9756 La vie ne va pas sans de grands oublis! *Ibid.*

9757 Vous tous qui ne pouvez plus boire à ce que, dans tous les temps, on a nommé *la coupe du plaisir*, prenez à tâche de collectionner quoi que ce soit (on a collectionné des affiches!), et vous retrouverez le lingot du bonheur en petite monnaie. Une manie, c'est le plaisir passé à l'état d'idée! *Le Cousin Pons.*

9758 Rien ne fortifie l'amitié comme lorsque, de deux amis, l'un se croit supérieur à l'autre. *Ibid.*

9759 L'Empire est déjà si loin de nous, que tout le monde ne peut pas se le figurer dans sa réalité gallo-grecque. *Ibid.*

9760 Tâchez de compter sur vos doigts les gens de génie fournis depuis un siècle par les lauréats? D'abord, jamais aucun effort administratif ou scolaire ne remplacera les miracles du hasard auquel on doit les grands hommes. *Ibid.*

9761 Les âmes créées pour admirer les grandes œuvres ont la faculté sublime des vrais amants; ils éprouvent autant de plaisir aujourd'hui qu'hier, ils ne se lassent jamais, et les chefs-d'œuvre sont, heureusement, toujours jeunes. *Ibid.*

Le monde finit toujours par condamner ceux qu'il accuse. 9762
Ibid.

Les Allemands, s'ils ne savent pas jouer des grands instru- 9763
ments de la Liberté, savent jouer naturellement de tous les
instruments de musique. *Ibid.*

A Paris, une belle vertu a le succès d'un gros diamant, d'une 9764
curiosité rare. *Ibid.*

Les amis véritables jouissent, dans l'ordre moral, de la 9765
perfection dont est doué l'odorat des chiens; ils flairent les
chagrins de leurs amis, ils en devinent les causes, ils s'en
préoccupent. *Ibid.*

Dire à un riche : « Vous êtes pauvre! » c'est dire à l'arche- 9766
vêque de Grenade que ses homélies ne valent rien. *Ibid.*

[...] Toutes les choses vraies ressemblent d'autant plus à des 9767
fables que la fable prend, de notre temps, des peines inouïes
pour ressembler à la vérité. *Ibid.*

La misère, cette divine marâtre, fit pour ces deux jeunes gens 9768
ce que leur mère n'avait pu faire : elle leur apprit l'économie, le monde et la vie; elle leur donna cette grande, cette
forte éducation qu'elle dispense à coups d'étrivières aux
grands hommes tous malheureux dans leur enfance. *Ibid.*

Le stoïcisme vrai ne s'expliquera jamais la courtisanerie 9769
française. *Ibid.*

En certaines circonstances de la vie, on ne peut que sentir 9770
son ami près de soi. La consolation parlée aigrit la plaie,
elle en révèle la profondeur. *Ibid.*

Les Juifs, les Normands, les Auvergnats et les Savoyards, 9771
ces quatre races d'hommes ont les mêmes instincts, ils font
fortune par les mêmes moyens. Ne rien dépenser, gagner
de légers bénéfices, et cumuler intérêts et bénéfices, telle est
leur Charte. Et cette charte est une vérité. *Ibid.*

Il n'y a que les grandes croyances qui donnent de grandes 9772
émotions. *Ibid.*

Avoir ou ne pas avoir de rentes, telle était la question, a dit 9773
Shakespeare. *Ibid.*

En médecine, le cabriolet est plus nécessaire que le savoir. 9774
Ibid.

Par certains moments, le Parisien est réfractaire au succès. 9775
Lassé d'élever des piédestaux, il boude comme les enfants
gâtés et ne veut plus d'idoles; ou, pour être vrai, les gens
de talent manquent parfois à ses engouements. La gangue
d'où s'extrait le génie a ses lacunes; le Parisien regimbe
alors, il ne veut pas toujours dorer ou adorer les médiocrités.
Ibid.

9776 Un assez grand nombre de gens du monde qui devraient savoir, puisque c'est là toute leur science, ces délicatesses du savoir-vivre, ignorent que la qualification *d'homme de lettres* est la plus cruelle injure qu'on puisse faire à un auteur.
Ibid.

9777 A Paris, où les pavés ont des oreilles, où les portes ont une langue, où les barreaux des fenêtres ont des yeux, rien n'est plus dangereux que de causer devant des portes cochères. Les derniers mots qu'on se dit là, et qui sont à la conversation ce qu'un post-scriptum est à une lettre, contiennent des indiscrétions aussi dangereuses pour ceux qui les laissent écouter que pour ceux qui les recueillent.
Ibid.

9778 La jeunesse a d'étonnants privilèges; elle n'effraye pas.
Ibid.

9779 Quand un nom nouveau répond à un cas social qu'on ne pouvait pas dire sans périphrase, la fortune de ce mot est faite.
Un Homme d'affaires.

9780 Choisir! c'est l'éclair de l'intelligence. Hésitez-vous?... tout est dit, vous vous trompez. Le goût n'a pas deux inspi-rations.
Gaudissart II.

9781 En tous pays, avant de juger un homme, le monde écoute ce qu'en pense sa femme [...]
Les Employés.

9782 Chez les employés comme chez les artistes, il y a beaucoup plus d'avortements que d'enfantements, ce qui revient au mot de Buffon : « Le génie, c'est la patience. »
Ibid.

9783 Sans l'illusion où irions-nous? Elle donne la puissance de manger *la vache enragée* des Arts, de dévorer les commen-cements de toute science en nous donnant la croyance. L'illusion est une foi démesurée!
Ibid.

9784 La méchanceté combinée avec l'intérêt personnel équivaut à beaucoup d'esprit.
Ibid.

9785 La spéculation hideuse, effrénée, qui, d'année en année, abaisse la hauteur des étages, découpe un appartement dans l'espace qu'occupait un salon détruit, qui supprime les jardins, influera sur les mœurs de Paris. On sera forcé de vivre bientôt plus en dehors qu'au-dedans.
Les Petits Bourgeois.

9786 L'amour véritable s'enveloppe toujours des mystères de la pudeur, même dans son expression, car il se prouve par lui-même; il ne sent pas la nécessité, comme l'amour faux, d'allumer un incendie.
Ibid.

9787 Être propriétaire d'un journal, c'est devenir un personnage : on exploite l'intelligence, on en partage les plaisirs sans en épouser les travaux. Rien n'est plus tentant pour des esprits

inférieurs que de s'élever ainsi sur le talent d'autrui. Paris a vu deux ou trois parvenus de ce genre, dont le succès est une honte et pour l'époque et pour ceux qui leur ont prêté leurs épaules.
L'Envers de l'histoire contemporaine, Madame de la Chanterie.

Le mauvais ton est le salaire que les artistes prélèvent en disant la vérité.   *Ibid.*   9788

La concentration des forces morales par quelque système que ce soit en décuple la portée.   *Ibid.*   9789

De même que le mal, le sublime a sa contagion.   9790
Ibid., L'Initié.

Le pouvoir moral est comme la pensée, sans limite.   *Ibid.*   9791

Il y a une atmosphère des idées. Dans une cour de justice,   9792
les idées de la foule pèsent sur les juges, sur les jurés et réciproquement.   *Une Ténébreuse affaire.*

Rien ne forme l'âme comme une dissimulation constante   9793
au sein de la famille.   *Ibid.*

Chez les sots le vide ressemble à la profondeur. Pour le   9794
vulgaire, la profondeur est incompréhensible. De là vient peut-être l'admiration du peuple pour tout ce qu'il ne comprend pas.   *Ibid.*

La Police et les Jésuites ont la vertu de ne jamais abandonner   9795
ni leurs ennemis, ni leurs amis.   *Ibid.*

En France, tout est du domaine de la plaisanterie, elle y   9796
est reine : on plaisante sur l'échafaud, à la Bérésina, aux barricades, et quelque Français plaisantera sans doute aux grandes assises du jugement dernier.   *Ibid.*

Certains avocats, les artistes de la profession, font de leurs   9797
causes des maîtresses. Le cas est rare, ne vous y fiez pas.
Ibid.

Les gens qui aiment ne doutent de rien, ou doutent de tout.   9798
Ibid.

En France, au scrutin des élections, il se forme des produits   9799
politico-chimiques où les lois des affinités sont renversées.
Le Député d'Arcis.

Les dynasties qui commencent ont, comme les enfants, des   9800
langes tachés.   *Ibid.*

Les Chouans sont restés comme un mémorable exemple du   9801
danger de remuer les masses peu civilisées d'un pays.
Les Chouans.

L'amour est la seule passion qui ne souffre ni passé ni   9802
avenir.   *Ibid.*

9803   Dans ces temps de révolution, chacun faisait, au profit de son parti, une arme de ce qu'il possédait, et la croix pacifique de Jésus devenait un instrument de guerre aussi bien que le soc nourricier des charrues.   *Ibid.*

9804   J.-J. Rousseau a mis en tête de la *Nouvelle Héloïse* : *J'ai vu les mœurs de mon temps et j'ai publié ces lettres.* Ne puis-je pas vous dire, à l'imitation de ce grand écrivain : J'étudie la marche de mon époque et je publie cet ouvrage?
                                              Les Paysans, dédicace.

9805   Il est impossible, ni par le bienfait, ni par l'intérêt, de rompre l'accord éternel des domestiques avec le peuple. La livrée sort du peuple, elle lui reste attachée.   *Les Paysans.*

9806   Beaucoup de gens faux abritent leur platitude sous la brusquerie; brusquez-les, vous produirez l'effet du coup d'épingle sur le ballon.   *Ibid.*

9807   Nous verrons, répondit le comte.
       Mot fatal! pour les grands politiques, le verbe *voir* n'a pas de futur.   *Ibid.*

9808   A la manière dont une femme tire son fil à chaque point, une autre femme en surprend les pensées.   *Ibid.*

9809   Jamais la police n'aura d'espions comparables à ceux qui se mettent au service de la Haine.   *Ibid.*

9810   La loi émanera toujours d'un vaste cerveau, d'un homme de génie, et non de neuf cents intelligences qui, si grandes qu'elles puissent être, se rapetissent en se faisant foule.
                                                            Ibid.

9811   Avec le peuple, il faut toujours être infaillible. L'infaillibilité a fait Napoléon, elle en eût fait un Dieu, si l'univers ne l'avait entendu tomber à Waterloo. Si Mahomet a créé une religion après avoir conquis un tiers du globe, c'est en dérobant au monde le spectacle de sa mort.
                                          Le Médecin de campagne.

9812   Nous sommes habitués à juger les autres d'après nous, et si nous les absolvons complaisamment de nos défauts, nous les condamnons sévèrement de ne pas avoir nos qualités.
                                                            Ibid.

9813   La corruption est relative. Il est des natures vierges et sublimes qu'une seule pensée corrompt, elle y fait d'autant plus de dégâts que la nécessité d'une résistance n'a pas été prévue.
                                               Le Curé de village.

9814   [...] Les supérieurs ne pardonnent jamais à leurs inférieurs de posséder les dehors de la grandeur, ni de déployer cette majesté tant prisée des anciens et qui manque si souvent aux organes du pouvoir moderne.   *Ibid.*

9815   Il n'est pas un site de forêt qui n'ait sa signifiance, pas une clairière, pas un fourré qui ne présente des analogies avec le labyrinthe des pensées humaines. Quelle personne parmi les gens dont l'esprit est cultivé ou dont le cœur a reçu des blessures, peut se promener dans une forêt, sans que la forêt lui parle? Insensiblement, il s'en élève une voix ou consolante ou terrible, mais plus souvent consolante que terrible. Si l'on recherchait bien les causes de la sensation à la fois grave, simple, douce, mystérieuse qui vous y saisit, peut-être la trouverait-on dans le spectacle sublime et ingénieux de toutes les créatures obéissant à leurs destinées, et immuablement soumises. *Ibid.*

Pour ne point rougir devant sa victime, l'homme qui a 9816 commencé par la blesser, la tue.
Le Médecin de campagne.

A Paris surtout, les politiques en tout genre savent étouffer 9817 un talent dès sa naissance, sous des couronnes profusément jetées dans son berceau. *Ibid.*

Les parvenus sont comme les singes desquels ils ont l'adresse : 9818 on les voit en hauteur, on admire leur agilité pendant l'escalade; mais, arrivés à la cime, on n'aperçoit plus que leurs côtés honteux. *Le Lys dans la vallée.*

[...] En avançant dans la vie, vous apprendrez combien 9819 les principes de liberté mal définis sont impuissants à créer le bonheur des peuples. *Ibid.*

Si pour beaucoup d'êtres, les passions ont été des torrents 9820 de lave écoulés entre des rives désséchées, n'est-il pas des âmes où la passion contenue par d'insurmontables difficultés a rempli d'une eau pure le cratère du volcan? *Ibid.*

L'amour n'est-il pas dans les espaces infinis de l'âme, 9821 comme est dans une belle vallée le grand fleuve où se rendent les pluies, les ruisseaux et les torrents, où tombent les arbres et les fleurs, les graviers du bord et les plus élevés quartiers de roc? Il s'agrandit aussi bien par les orages que par le lent tribut des claires fontaines. Oui, quand on aime, tout arrive à l'amour. *Ibid.*

Rien dans les langages humains, aucune traduction de la 9822 pensée faite à l'aide des couleurs, des marbres, des mots ou des sons, ne saurait rendre le nerf, la vérité, le fini, la soudaineté du sentiment dans l'âme! Oui! qui dit art dit mensonge. *La Peau de chagrin.*

Il suffit à un jeune homme de rencontrer une femme qui ne 9823 l'aime pas, ou une femme qui l'aime trop, pour que toute sa vie soit dérangée. Le bonheur engloutit nos forces, comme le malheur éteint nos vertus. *Ibid.*

Un pouvoir impunément bravé touche à sa ruine. Cette 9824 maxime est gravée plus profondément au cœur d'une femme qu'à la tête des rois. *Ibid.*

9825   En France, nous savons cautériser une plaie, mais nous ne connaissons pas encore de remède au mal que produit une phrase.   *Ibid.*

9826   Les riches veulent ne s'étonner de rien, ils doivent reconnaître au premier aspect d'une belle œuvre le défaut qui les dispensera de l'admiration, sentiment vulgaire.   *Ibid.*

9827   Depuis la mollesse d'une éponge mouillée jusqu'à la dureté d'une pierre ponce, il y a des nuances infinies. Voilà l'homme.   *Ibid.*

9828   Si le monde tolère un malheur, n'est-ce pas pour le façonner à son usage, en tirer profit, le bâter, lui mettre un mors, une housse, le monter, en faire une joie?   *Ibid.*

9829   La clef de toutes les sciences est sans contredit le point d'interrogation, nous devons la plupart des grandes découvertes au : Comment? et la sagesse dans la vie consiste peut-être à se demander à tout propos : Pourquoi?   *Ibid.*

9830   Le sentiment que l'homme supporte le plus difficilement est la pitié, surtout quand il la mérite. La haine est un tonique, elle fait vivre, elle inspire la vengeance; mais la pitié tue, elle affaiblit encore notre faiblesse.   *Ibid.*

9831   Les créations humaines veulent des contrastes puissants. Aussi les artistes demandent-ils ordinairement à la nature ses phénomènes les plus brillants, désespérant sans doute de rendre la grande et belle poésie de son allure ordinaire, quoique l'âme humaine soit souvent aussi profondément remuée dans le calme que dans le mouvement, et par le silence autant que par la tempête.
                                    Jésus-Christ en Flandre.

9832   L'amour qui économise n'est jamais le véritable amour.
                                    Melmoth réconcilié.

9833   Les jouissances que promet le démon ne sont que celles de la terre agrandies, tandis que les voluptés célestes sont sans bornes.   *Ibid.*

9834   Le Français fit ce qu'en toute occasion font les Français, il se mit à rire.   *Massimila Doni.*

9835   L'habitude du triomphe amoindrit le doute, et la pudeur est un doute peut-être.   *Le Chef-d'œuvre inconnu.*

9836   A celui qui léger d'argent, qui adolescent de génie, n'a pas vivement palpité en se présentant devant un maître, il manquera toujours une corde dans le cœur, je ne sais quelle touche de pinceau, un sentiment dans l'œuvre, une certaine expression de poésie. Si quelques fanfarons bouffis d'eux-mêmes croient trop tôt à l'avenir, ils ne sont gens d'esprits que pour les sots.   *Ibid.*

9837   Quand on se croit destiné à produire de grandes choses, il est difficile de ne pas les laisser pressentir; le boisseau a toujours des fentes par où passe la lumière.   *Gambara.*

De toutes les semences confiées à la terre, le sang versé par 9838
les martyrs est celle qui donne la plus prompte moisson.
La Recherche de l'absolu.

Beaucoup d'hommes ont un orgueil qui les pousse à cacher 9839
leurs combats et à ne se montrer que victorieux. *Ibid.*

A lui la foi, à elle le doute, à elle le fardeau le plus lourd : 9840
la femme ne souffre-t-elle pas toujours pour deux? *Ibid.*

La gloire est le soleil des morts. *Ibid.* 9841

Les beaux sentiments ne sonnent pas moins fort dans l'âme 9842
par les conceptions vivantes que par les réalisations de l'art.
Ibid.

L'homme dont se sert le destin pour éveiller l'amour au 9843
cœur d'une jeune fille, ignore souvent son œuvre et la laisse
alors inachevée. *Ibid.*

L'amour n'est pas seulement un sentiment, il est un art 9844
aussi. Quelque mot simple, une précaution, un rien révèlent
à une femme le grand et sublime artiste qui peut toucher
son cœur sans le flétrir. *Ibid.*

C'est les cœurs sans tendresse qui aiment la domination, 9845
mais les sentiments vrais chérissent l'abnégation, cette
vertu de la Force. *L'Enfant maudit.*

L'amour cherche toujours à se vieillir, c'est la coquetterie 9846
des enfants. *Ibid.*

Pour les mères, il n'y a pas d'espace, une vraie mère pressent 9847
tout et voit son enfant d'un pôle à l'autre. *Les Marana.*

Pourquoi les consolations? Plus vives elles sont, plus elles 9848
élargissent le malheur. *Ibid.*

A génie égal, un insulaire sera toujours plus complet que ne 9849
l'est l'homme de la terre ferme, et sous la même latitude, le
bras de mer qui sépare la Corse de la Provence est, en dépit
de la science humaine, un océan tout entier qui en fait deux
patries. *Ibid.*

Plus une femme est vertueuse et plus elle est irréprochable, 9850
plus un homme aime à la trouver en faute, quand ce ne serait
que pour faire acte de sa supériorité légale; mais si par
hasard elle lui est complètement imposante, il éprouve le
besoin de lui forger des torts. Alors, entre époux, les riens
grossissent et deviennent des Alpes. *Ibid.*

L'amour crée dans la femme une femme nouvelle : celle de 9851
la veille n'existe plus le lendemain. En revêtant la robe
nuptiale d'une passion où il y va de toute la vie, une femme
la revêt pure et blanche. Renaissant vertueuse et pudique,
il n'y a plus de passé pour elle; elle est tout avenir et doit tout
oublier, pour tout réapprendre. *Ibid.*

9852   Nous ne connaissons point d'homme qui se soit encore
attristé pendant la digestion d'un bon dîner. Nous aimons
alors à rester dans je ne sais quel calme, espèce de juste
milieu entre la rêverie du penseur et la satisfaction des animaux ruminants, qu'il faudrait appeler la mélancolie matérielle de la gastronomie.   *L'Auberge rouge.*

9853   Le pouvoir est une *action*, et le principe électif est la *discussion*. Il n'y a pas de politique possible avec la discussion
en permanence.   *Sur Catherine de Médicis.*

9854   La mort est aussi soudaine dans ses caprices qu'une courtisane l'est dans ses dédains, mais plus fidèle, elle n'a jamais
trompé personne.   *L'Elixir de longue vie.*

9855   Pour les négociants, le monde est un ballot ou une masse
de billets en circulation; pour la plupart des jeunes gens,
c'est une femme; pour quelques femmes, c'est un homme;
pour certains esprits, c'est un salon, une coterie, un quartier,
une ville; pour don Juan, l'univers était lui.   *Ibid.*

9856   Au collège, ainsi que dans la société, le fort méprise déjà le
faible, sans savoir en quoi consiste la véritable force.
Louis Lambert.

9857   Peut-être les mots matérialisme et spiritualisme expriment-ils
les deux côtés d'un seul et même fait.   *Ibid.*

9858   N'est-ce pas durant leur jeunesse que les peuples enfantent
leurs dogmes, leurs idoles? Et les êtres surnaturels devant
lesquels ils tremblent ne sont-ils pas la personnification
de leurs sentiments, de leurs besoins agrandis?   *Ibid.*

9859   En l'homme, la Volonté devient une force qui lui est propre
et qui surpasse en intensité celle de toutes les espèces.
Ibid.

9860   Les faits ne sont rien, ils n'existent pas, il ne subsiste de nous
que des Idées.   *Ibid.*

9861   Tout principe extrême porte en soi l'apparence d'une négation et les symptômes de la mort : la vie n'est-elle pas le
combat de deux forces?   *Séraphîta.*

9862   Sa taille était médiocre, comme celle de presque tous les
hommes qui sont élevés au-dessus des autres; sa poitrine
et ses épaules étaient larges, et son col était court comme celui
des hommes dont le cœur doit être rapproché de la tête.
Ibid.

9863   Le remords, cette vertu des faibles, ne l'atteignait pas. Le
Remords est une impuissance, il recommencera sa faute.
Le Repentir seul est une force, il termine tout.   *Ibid.*

9864   Quand un homme a gagné vingt mille livres de rente, sa
femme est une femme honnête, quel que soit le genre de
commerce auquel il a dû sa fortune.
Physiologie du mariage.

Un homme n'a jamais pu élever sa maîtresse jusqu'à lui; mais une femme place toujours son amant aussi haut qu'elle.
Ibid.

9865

Nous n'essaierons pas de compter des femmes vertueuses par bêtise, il est reconnu qu'en amour toutes les femmes ont de l'esprit.
Ibid.

9866

Les hommes seraient par trop malheureux si, auprès des femmes, ils se souvenaient le moins du monde de ce qu'ils savent par cœur.
Ibid.

9867

La courtisane est une institution si elle est un besoin.
Ibid.

9868

L'expérience a démontré qu'il existait certaines classes d'hommes plus sujettes que les autres à certains malheurs : ainsi, de même les Gascons sont exagérés, les Parisiens vaniteux; comme on voit l'apoplexie s'attaquer aux gens dont le cou est court, comme le *charbon* (sorte de peste) se jette de préférence sur les bouchers, la goutte sur les riches, la santé sur les pauvres, la surdité sur les rois, la paralysie sur les administrateurs, on a remarqué que certaines classes de maris étaient plus particulièrement victimes des passions illégitimes.
Ibid.

9869

La femme est un délicieux instrument de plaisir, mais il faut en connaître les frémissantes cordes, en étudier la pose, le clavier timide, le doigté changeant et capricieux.
Ibid.

9870

Ne commencez jamais le mariage par un viol.
Ibid.

9871

Le mariage peut être considéré politiquement, civilement et moralement, comme une loi, comme un contrat, comme une institution : loi, c'est la reproduction de l'espèce; contrat, c'est la transmission des propriétés; institution, c'est une garantie dont les obligations intéressent tous les hommes; ils ont un père et une mère, ils auront des enfants. Le mariage doit donc être l'objet du respect général. La société n'a pu considérer que ces sommités, qui, pour elle, dominent la question conjugale.
Ibid.

9872

L'intérêt d'un mari lui prescrit au moins autant que l'honneur de ne jamais se permettre un plaisir qu'il n'ait eu le talent de faire désirer par sa femme.
Ibid.

9873

Le mariage doit incessamment combattre un monstre qui dévore tout : l'habitude.
Ibid.

9874

Un mari ne doit jamais s'endormir le premier ni se réveiller le dernier.
Ibid.

9875

La femme mariée est un esclave qu'il faut savoir mettre sur un trône.
Ibid.

9876

Votre femme était devant les plaisirs du mariage comme un Mohican à l'Opéra : l'instituteur est ennuyé quand le Sauvage commence à comprendre.
Ibid.

9877

9878   Entre deux êtres susceptibles d'amour, la durée de la pas-
        sion est en raison de la résistance primitive de la femme, ou
        des obstacles que les hasards sociaux mettent à votre bonheur.
        Ibid.

9879   La mère qui laisse voir toute sa tendresse à ses enfants crée
        en eux l'ingratitude; l'ingratitude vient peut-être de l'impos-
        sibilité où l'on est de s'acquitter.   *Ibid.*

9880   Un mari, comme un gouvernement, ne doit jamais avouer
        de faute.   *Ibid.*

9881   Vous devez avoir horreur de l'instruction chez les femmes,
        par cette raison, si bien sentie en Espagne, qu'il est plus
        facile de gouverner un peuple d'idiots qu'un peuple de
        savants.   *Ibid.*

9882   Existe-t-il au monde un homme qui sache bien comment il
        est et ce qu'il fait quand il dort?   *Ibid.*

9883   Paraître sublime ou grotesque, voilà l'alternative à laquelle
        nous réduit un désir.   *Ibid.*

9884   En révolution, le premier de tous les principes est de diriger
        le mal qu'on ne saurait empêcher, et d'appeler la foudre
        par des paratonnerres pour la conduire dans un puits.
        Ibid.

9885   Nier l'existence de la pudeur parce qu'elle disparaît au milieu
        des crises où presque tous les sentiments humains périssent,
        c'est vouloir nier que la vie a lieu parce que la mort arrive.
        Ibid.

9886   L'étude des mystères de la pensée, la découverte des organes
        de l'AME humaine, la géométrie de ses forces, les phéno-
        mènes de sa puissance, l'appréciation de la faculté qu'elle
        nous semble posséder de se mouvoir indépendamment du
        corps, de se transporter où elle veut et de voir sans le secours
        des organes corporels, enfin les lois de sa Dynamique et
        celles de son influence physique, constitueront la glorieuse
        part du siècle suivant dans le trésor des sciences humaines.
        Ibid.

9887   Ce n'est pas se venger que de surprendre sa femme et son
        amant et de les tuer dans les bras l'un de l'autre; c'est le plus
        immense service qu'on puisse leur rendre.   *Ibid.*

9888   Les femmes sachant toujours bien expliquer leurs grandeurs,
        c'est leurs petitesses qu'elles nous laissent à deviner.
        Petites Misères de la vie conjugale.

9889   Les femmes ont corrompu plus de femmes que les hommes
        n'en ont aimé.   *Ibid.*

9890   Pour être heureux en ménage, il faut être ou homme de génie
        marié à une femme tendre et spirituelle, ou se trouver, par
        l'effet d'un hasard qui n'est pas aussi commun qu'on pourrait
        le penser, tous les deux excessivement bêtes.   *Ibid.*

On devrait convenir diplomatiquement que la langue fran- 9891
çaise serait la langue de la cuisine, comme les savants ont
adopté le latin pour la botanique et l'entomologie, à moins
qu'on ne veuille absolument les imiter, et avoir réellement
le latin de cuisine. *Ibid.*

Pour une femme qui n'est ni Hollandaise, ni Anglaise, ni 9892
Belge, ni d'aucun pays marécageux, l'amour est un prétexte à souffrance, un emploi des forces surabondantes de
son imagination et de ses nerfs. *Ibid.*

Aucune femme n'est quittée sans raison. Cet axiome est 9893
écrit au fond du cœur de toutes les femmes, et de là vient la
fureur de la femme abandonnée. *Ibid.*

[...] Pour les femmes, l'amour est une absolution générale : 9894
l'homme qui aime bien peut commettre des crimes, il est
toujours blanc comme neige aux yeux de celle qu'il aime,
s'il aime bien. *Ibid.*

Les femmes ne se font implacables que pour rendre leur 9895
pardon charmant : elles ont deviné Dieu. *Ibid.*

Se donner un tort vis-à-vis de sa femme légitime, c'est 9896
résoudre le problème du mouvement perpétuel. *Ibid.*

SOPHIE ROSTOPCHINE,
COMTESSE DE SÉGUR
1799-1874

« Quel malheur que ce ne soit pas le beau-père de nourrice 9897
qui soit mort! elle n'aurait pas pleuré alors. » La nourrice
ne put s'empêcher de sourire malgré son chagrin; elle embrassa
tendrement le bon petit Henri. *Les Bons enfants.*

Je peux raccommoder le chagrin que j'ai fait, et je ne peux 9898
pas empêcher la punition que j'ai méritée. *Ibid.*

Une femme, ce n'est pas comme un homme; on rit, on ne 9899
tape pas. *Un Bon petit diable.*

Est-ce que les méchantes gens meurent comme ça! Le bon 9900
Dieu les conserve pour leur donner le temps du repentir;
et puis pour la punition des vivants. *Ibid.*

Un âne à deux pieds peut devenir général et rester âne. 9901
Le Général Dourakine.

RODOLPHE TOEPFFER
1799-1846

Tout le monde s'amuserait, les riches surtout, si l'on pouvait 9902

préparer le plaisir, le salarier et lui assigner rendez-vous.
Voyages en zigzag ou excursions d'un pensionnat en vacances
dans les cantons suisses et sur le revers italien des Alpes, Aux
Alpes et en Italie, 1837.

9903   Il en est de la bière bue comme des bêtises dites, cela ne fait
aucun effet sur le papier.   *Ibid.*

9904   En fait de voiture, ne regardez qu'au cocher. C'est un aphorisme   *Ibid., 2ᵉ journée.*

9905   Les épitaphes mentent certainement plus que les arracheurs
de dents.   *Ibid., 11ᵉ journée.*

9906   C'est dommage que le danger soit chose au fond si dangereuse, sans quoi on s'y jetterait rien que pour éprouver
cette joie puissante, ce reconnaissant élan du cœur, qui
accompagne la délivrance.
Ibid., Milan, Come, Splugen, 1839, 14ᵉ et 15ᵉ journée.

9907   Voir lever le soleil, c'est un goût que tout le monde n'a pas;
plusieurs préfèrent que le soleil les voie lever.
Ibid., 16ᵉ et 17ᵉ journée.

9908   Le pauvre seul chante encore; mais on le travaille, on l'instruit, on lui inspire le dégoût de sa condition; dans quelques
années il ne chantera plus; et le monde alors sera gai comme
une porte de prison, amusant comme un vestibule de chan-
cellerie!   *Ibid., Voyage à Venise, 3ᵉ journée.*

9909   Il y aura toujours de par le monde quelques Don Qui-
chottes; il y aura toujours d'obscurs martyrs d'une bonté
gauche, d'une probité maladroite, d'une trop transparente
ingénuité; de belles âmes dupes de leurs illusions généreuses;
des êtres excellents qui, pour prix de leurs douces et affec-
tueuses vertus, n'attraperont que brutalités et horions.
N'en connaissez-vous point, lecteur? moi j'en connais et
j'en vénère : ils sont fous, mais l'élite encore de l'espèce
humaine.   *Ibid., 11ᵉ journée.*

9910   Oui, du jour c'est le couchant qui nous plaît; des saisons c'est
l'automne qui est notre préférée; de la vie elle-même, si
tant de voix n'étaient là pour nous contredire, nous pen-
serions qu'une vieillesse saine, riche en fruits mûrs et en
fruits tombés, calme et reposée comme l'arrière-saison,
comme elle voisine du sommeil passager de l'hiver, est
encore la portion la plus désirable. *Ibid., 27ᵉ journée.*

JEAN-JACQUES AMPÈRE
1800-1864

9911   Les livres font les époques et les nations, comme les époques
et les nations font les livres.
Mélanges littéraires, De l'histoire de la littérature française.

La France, c'est tout l'opposé de la Chine. Bien que les Alpes 9912
et les Pyrénées, ses murailles à elle, soient plus hautes, et
malgré le Rhin, fossé féodal qui borne son domaine, elle
franchit assez volontiers murailles et fossés, et s'en va, glaive
ou flambeau à la main, discours ou chansons à la bouche,
tantôt adresser aux rois des enseignements dont ils s'amusent,
tantôt dire à l'oreille des peuples des mots qui les réveillent.
Ibid.

L'avenir, messieurs, c'est la foi de notre âge : c'est le flam- 9913
beau du passé, l'étoile du présent. *Ibid.*

On a comparé la civilisation à un phare qui éclaire les peu- 9914
ples. En effet, c'est un phare, mais semblable aux phares
ordinaires, c'est-à-dire un phare à feu tournant qui tantôt
fait briller sa lumière et tantôt laisse régner les ténèbres.
Ibid., Les Renaissances.

XIMÉNÈS DOUDAN
1800-1872

Dans les nouveaux ouvrages d'imagination, je remarque 9915
l'abaissement des passions. Comme des monstres qui ne
connaissent plus de maître, elles ont pris je ne sais quoi de
lyrique dans leur démarche. Leurs cris n'ont plus, pour ainsi
dire, la noblesse de la voix humaine.
Pensées et fragments, Littérature.

Nous peignons les hommes comme des tribus de castors, 9916
tandis que Virgile donne des sentiments moraux même aux
abeilles. *Ibid.*

Si tout le monde écrivait bien, il devrait y avoir autant de 9917
styles que d'individus. *Ibid.*

Les esprits secs et froids et nets sont productifs. Ils n'ont 9918
que la peine de décalquer un trait fort simple. *Ibid.*

Tout, au-dehors, dit à l'individu qu'il n'est rien. Tout, au- 9919
dedans, lui persuade qu'il est tout.
Ibid., Philosophie, morale, religion.

Il est un certain accompagnement physique de la pensée. 9920
C'est une musique qui va selon la santé ou la maladie.
Ibid., Pensées diverses.

La nature humaine n'est pas très riche. Lui demander 9921
l'harmonie en dehors de la médiocrité est injuste. *Ibid.*

L'amour-propre des autres, N... nomme cela de l'espace 9922
perdu. *Ibid.*

Quand le malheur fait une voie d'eau, la boucher avec une 9923
vertu. *Ibid.*

FRÉDÉRIC BÉRAT
1801-1855

9924   Enfants, c'est moi qui suis Lisette,
La Lisette du chansonnier
Dont vous chantez plus d'une chansonnette
Matin et soir, sous le vieux marronnier.
Chansons, La Lisette de Béranger.

9925   Si vous saviez, enfants,
Quand j'étais jeune fille,
Comme j'étais gentille...
Je parle de longtemps.
Teint frais, regard qui brille,
Sourire aux blanches dents,
Alors, ô mes enfants,
Grisette de quinze ans,
Ah! que j'étais gentille.
Ibid.

9926   Elle était jeune et belle;
Et, comme une étincelle,
Je voyais son œil bleu.
Ibid., Mon ange, air de Naples.

9927   A ma gentille belle
J'ai gardé mes amours;
Comme la tourterelle
M'aime-t-elle toujours?
Ibid., Zéphir léger, barcarolle.

9928   Quand tout renaît à l'espérance,
Et que l'hiver fuit loin de nous;
[...]
J'aime à revoir ma Normandie,
C'est le pays qui m'a donné le jour!
Ibid., Ma Normandie.

ANTOINE AUGUSTIN COURNOT
1801-1877

9929   L'une des imperfections radicales du discours parlé ou écrit, c'est qu'il constitue une série essentiellement linéaire. *Essai sur les fondements de la connaissance et sur les caractères de la critique philosophique.*

9930   Il arrive souvent qu'en acceptant les découvertes des inventeurs, on ne se contente pas des démonstrations qu'ils ont données, *comme s'ils avaient mal inventé ce qu'ils ont si bien découvert,* suivant l'expression piquante d'un spirituel géomètre. *Ibid.*

La raison est plus apte à connaître scientifiquement l'avenir que le passé.   *Ibid.*   9931

La pensée philosophique est bien moins que la pensée poétique sous l'influence des formes du langage, mais elle en dépend encore, tandis que la science se transmet sans modification aucune d'un idiome à l'autre.   *Ibid.*   9932

L'idée de hasard est l'idée de rencontre entre des faits rationnellement indépendants les uns des autres, rencontre qui n'est elle-même qu'un pur fait, auquel on ne peut assigner de loi ni de raison.   9933
Traité de l'enchaînement des idées fondamentales dans les sciences et dans l'histoire.

Les peuples, comme les personnages individuels, sont mus par leurs passions et par leurs souvenirs, aussi bien que par leurs intérêts.   *Ibid.*   9934

Plus la civilisation fait de progrès, plus il est à croire que les progrès ultérieurs seront la conséquence des lois mêmes de la civilisation, plutôt que des apparitions de ce brillant et fortuit météore qu'on appelle un grand homme, un homme de génie.   *Des Institutions d'instruction publique en France.*   9935

Ceux qui divinisaient après sa mort un César romain savaient au moins quel dieu ils adoraient; il serait, s'il se peut, moins raisonnable de diviniser d'avance l'humanité, quand on ne sait pas encore le sort qui l'attend.   9936
Matérialisme, vitalisme, rationalisme, Études sur l'emploi des données de la science en philosophie.

Vers la fin du xvie siècle, on ne faisait pas seulement en Hollande du calvinisme et du commerce, on s'y occupait beaucoup de la quadrature du cercle.   *Ibid.*   9937

La philosophie contribue moins aux progrès des sciences que les sciences ne contribuent aux progrès de la philosophie, aux seuls progrès réels que la philosophie comporte.   *Ibid.*   9938

MARC GIRARDIN dit
SAINT-MARC GIRARDIN
1801-1873

Aujourd'hui, les femmes hardies de nos drames et de nos romans se font mieux qu'un front qui ne rougit pas : elles se font une doctrine qui les pousse à s'enorgueillir de leur faute. On prêche du fond du fossé.   9939
Cours de littérature dramatique, tome IV, 66.

Soyons médiocres.   *Mot attribué à Saint-Marc Girardin.*   9940

ÉMILE LITTRÉ
1801-1881

9941   Les exemples ne sont pas sans quelque attrait par eux-mêmes.
De beaux vers de Corneille ou de Racine, des morceaux
du grand style de Bossuet, d'élégantes phrases de Massillon
plaisent à rencontrer ; ce sont sans doute des lambeaux, mais,
pour me servir de l'expression d'Horace, si justement appli-
cable ici, ce sont des lambeaux de pourpre.
Dictionnaire de la langue française, Préface.

9942   Tous les siècles font entrer dans la désuétude et dans l'oubli
un certain nombre de mots ; tous les siècles font entrer un
certain nombre de mots dans l'habitude et l'usage. Entre
ces acquisitions et ces déperditions, la langue varie tout en
durant. Un fonds reste qui n'a pas changé depuis le XIe et
le XIIe siècle ; des parties vont et viennent, les unes périssant,
les autres naissant. C'est cette combinaison entre la permanence et la variation qui constitue l'histoire de la langue.
Ibid.

CLAUDE TILLIER
1801-1844

9943   Je ne sais pas, en vérité, pourquoi l'homme tient tant à la
vie. Que trouve-t-il donc de si agréable dans cette insipide
succession des nuits et des jours, de l'hiver et du printemps ?
[...] Toujours les mêmes discours de la couronne, les mêmes
fripons et les mêmes dupes. Si Dieu n'a pu faire mieux,
c'est un triste ouvrier, et le machiniste de l'opéra en sait
plus que lui.   *Mon oncle Benjamin, I.*

9944   Les hommes ressemblent à des spectateurs les uns assis sur
le velours, les autres sur la planche nue, la plupart debout,
qui assistent tous les soirs au même drame, et bâillent tous
à se détraquer la mâchoire.   *Ibid.*

9945   Ce que vous appelez la couche végétale de ce globe, c'est
mille et mille linceuls superposés l'un sur l'autre par les
générations.   *Ibid.*

9946   La mort n'est pas seulement la fin de la vie, elle en est le
remède.   *Ibid.*

9947   Quiconque a semé des privilèges doit recueillir des révolutions.   *Ibid., III.*

9948   Manger est un besoin de l'estomac ; boire est un besoin de
l'âme.   *Ibid.*

9949   Dieu a mille moyens de faire des compensations ; s'il a
donné à l'un de bons dîners, à l'autre il donne un peu plus
d'appétit, et cela rétablit l'équilibre.   *Ibid.*

ALEXANDRE DUMAS
1802-1870

L'aigle bâtit son aire à la cime des rochers pour y voir de   9950
plus loin.   *Henri III et sa cour, acte I, scène 3.*

On connaît Henri de Lorraine, et l'on sait qu'il a toujours   9951
chargé son poignard de réitérer un ordre de sa bouche.
                          Ibid., acte III, scène 5.

Du trône chaque jour on le voit s'approcher,   9952
Car il rampe aussitôt qu'il ne peut plus marcher.
          Stockholm, Fontainebleau et Rome, Prologue.

[...] Un bon courtisan peut, quand il est de race,   9953
D'avance quinze jours flairer une disgrâce.
                                              Ibid.

                C'est un savant   9954
Qui, ne parlant jamais, va toujours écrivant;
[...]
C'est un monosyllabe à deux pieds et sans plume.
                                              Ibid.

Si bien qu'à voir la reine entre eux, lorsqu'arrêtés,   9955
Ils se tiennent debout tous deux à ses côtés,
De leur geste éternel applaudissant ses thèses,
On dirait une phrase entre deux parenthèses.
                                              Ibid.

Il faut se servir de ses conquêtes pour conquérir.   9956
              Napoléon Bonaparte, acte III, scène 1.

[...] Depuis que j'ai vu l'Égypte, je trouve Voltaire encore   9957
plus faux qu'auparavant.   *Ibid., scène 2.*

Les Russes, il faut les fendre jusqu'à la ceinture pour qu'ils   9958
tombent.   *Ibid., scène 3.*

Oui! morte! Elle me résistait... je l'ai assassinée!...   9959
                          Antony, acte V, scène 4.

Le peuple, il n'est puissant que pour renverser : c'est un   9960
élément.   *Richard Darlington, acte II, scène 4.*

Dix contre un!... Dix manants contre un gentilhomme,   9961
c'est cinq de trop!   *La Tour de Nesle, acte I, scène 2.*

[...] Il ne faut qu'un jour pour remettre en place des milliers   9962
de pavés... [...] et alors... va, enthousiaste, va, poète-artiste...
et tâche de deviner qu'une révolution a passé par là.
                          Angèle, acte I, scène 4.

Tous pour un, un pour tous.   *Les Trois Mousquetaires.*   9963

9964   Dieu est Dieu et le monde est le diable. Regretter le monde,
c'est regretter le diable. *Ibid.*

9965   On n'a pas été élevé dans un couvent sans être doué d'une
certaine dose de rancune. *Mes mémoires, chap. 4.*

9966   Non seulement on a au souper plus d'esprit qu'ailleurs, plus
d'esprit qu'aux autres repas, mais encore on a un autre
esprit.
Je suis sûr que la plupart des jolis mots du xviiiᵉ siècle ont
été dits en soupant. *Ibid., chap. 9.*

9967   Nous aurons juste autant d'esprit en France, en 1950, qu'il
y en a aujourd'hui en Hollande. *Ibid.*

9968   Ceux qui ont fait la révolution de 1830, c'est cette jeunesse
ardente du prolétariat héroïque qui allume l'incendie, il
est vrai, mais qui l'éteint avec son sang; ce sont ces hommes
du peuple qu'on écarte quand l'œuvre est achevée, et qui,
mourant de faim, après avoir monté la garde à la porte du
Trésor, se haussent sur leurs pieds nus pour voir, de la rue,
les convives parasites du pouvoir, admis, à leur détriment,
à la curée des charges, au festin des places, au partage des
honneurs. *Ibid., chap. 22.*

9969   Il n'y a que les renégats de toutes les opinions qui ne sont
jamais rebelles à aucun pouvoir. *Ibid.*

9970   Supprimer la distance, c'est augmenter la durée du temps.
Désormais, on ne vivra pas plus longtemps; seulement, on
vivra plus vite. *Ibid., chap. 35.*

JEAN COMMERSON
1802-1879

9971   La philosophie a cela d'utile qu'elle sert à nous consoler
de son inutilité. *Pensées d'un emballeur.*

9972   La lune est le pain à cacheter de la nature. *Ibid.*

9973   Demandez à Napoléon Landais ce que c'est que Dieu, il
vous répondra que c'est une diphtongue. *Ibid.*

9974   Une tortue mérite plus d'estime que certains réactionnaires
conservateurs. Au moins elle marche. *Ibid.*

9975   Quand parut le premier carme prêcheur, le génie de l'éloquence lui dit à l'oreille : Tonne, éclate, fais du bruit dans
le monde; va, carme; va, carme. *Ibid.*

9976   Dieu disait à Moïse : *Je suis celui qui est;* le capitaliste dit
aujourd'hui : *Je suis celui qui a.* *Ibid.*

9977   La supériorité des blancs sur les rouges est incontestable.
Je n'en veux que les haricots pour exemple. *Ibid.*

Ceux qui écrivent le français sans savoir leur langue n'en   9978
ont que plus de mérite.   *Ibid.*

A son lit de mort, l'homme songe plutôt à élever son âme   9979
vers Dieu que des lapins.   *Ibid.*

Les femmes ne savent bien que ce qu'elles n'ont pas appris.   9980
                                                          Ibid.

FÉLIX-ANTOINE DUPANLOUP
1802-1878

Étranges philosophes, qui, parce qu'ils s'arrêtent, se croient   9981
arrivés [...]   *Défense de la religion.*

VICTOR HUGO
1802-1885

L'insurrection des esclaves n'est qu'un contrecoup de la   9982
chute de la Bastille.   *Bug-Jargal.*

Le beau n'a qu'un type; le laid en a mille.   9983
                                        Cromwell, Préface.

Les temps primitifs sont lyriques, les temps antiques sont   9984
épiques, les temps modernes sont dramatiques.   *Ibid.*

« Du sublime au ridicule, il n'y a qu'un pas »[1], disait Napo-   9985
léon [...], et cet éclair d'une âme de feu qui s'entr'ouvre
illumine à la fois l'art et l'histoire.   *Ibid.*

A force de méditer sur l'existence, [...] ces hommes qui nous   9986
font tant rire deviennent profondément tristes. Beaumarchais
était morose, Molière était sombre, Shakespeare mélancolique.   *Ibid.*

Bien souvent, la cage des unités ne renferme qu'un squelette.   9987
                                                          Ibid.

Il n'y a ni règles ni modèles; ou plutôt il n'y a d'autres règles 9988
que les lois générales de la nature qui planent sur l'art
tout entier, et les lois spéciales qui, pour chaque composition, résultent des conditions d'existence propres à chaque
sujet.   *Ibid.*

1. Mot cité pour la première fois en 1812, dans l'*Histoire de
l'ambassade dans le Grand-Duché de Varsovie*, repris en mars
1824, dans le *Journal des débats*.

9989   La vérité de l'art ne saurait jamais être [...] la réalité *absolue*.
       L'art ne peut donner la chose même.   *Ibid.*

9990   Le théâtre est un point d'optique. Tout ce qui existe dans le
       monde, dans l'histoire, dans la vie, dans l'homme, tout
       doit et peut s'y réfléchir, mais sous la baguette magique de
       l'art.   *Ibid.*

9991   Le but de l'art est presque divin : ressusciter, s'il fait de
       l'histoire; créer, s'il fait de la poésie.   *Ibid.*

9992   Si le poète doit *choisir* dans les choses (et il le doit), ce n'est
       pas le *beau*, mais le *caractéristique*.   *Ibid.*

9993   Le vers est la forme optique de la pensée. Voilà pourquoi
       il convient surtout à la perspective scénique.   *Ibid.*

9994   Si nous avions le droit de dire quel pourrait être, à notre
       gré, le style du drame, nous voudrions un vers libre, franc
       et loyal, osant tout dire sans pruderie, tout exprimer sans
       recherche [...].   *Ibid.*

9995   L'idée, trempée dans le vers, prend soudain quelque chose
       de plus incisif et de plus éclatant. C'est le fer qui devient
       acier.   *Ibid.*

9996   La langue française n'est point *fixée* et ne se fixera point.
                                                                   Ibid.

9997   Nous touchons [...] au moment de voir la critique nouvelle
       prévaloir [...]. On comprendra bientôt généralement que les
       écrivains doivent être jugés, non d'après les règles et les
       genres, choses qui sont hors de la nature et hors de l'art,
       mais d'après les principes immuables de cet art et les lois spé-
       ciales de leur organisation personnelle. [...] On consentira
       pour se rendre compte d'un ouvrage, à se placer au point
       de vue de l'auteur, à regarder le sujet avec ses yeux.   *Ibid.*

9998   L'auteur de ce livre [...] répugne à revenir après coup sur
       une chose faite. [...] C'est sa méthode de ne corriger un
       ouvrage que dans un autre ouvrage.   *Ibid.*

9999   A quoi tiennent, mon Dieu, les vertus politiques?
       Combien doivent leur faute à leur sort rigoureux!
       Et combien semblent purs, qui ne furent qu'heureux!
                                                 Ibid., acte I, scène 1.

10000 Sois donc ami sincère ou sincère ennemi,
       Et ne reste pas traître et fidèle à demi.
                                                                   Ibid.

10001 L'Angleterre toujours sera sœur de la France.
                                                 Ibid., acte II, scène 2.

10002 L'Europe est d'un côté; mais ma femme est de l'autre!
                                                 Ibid., acte II, scène 5.

L'empire est au génie encor moins qu'au hasard.   10003
Que de Vitellius, grand Dieu, pour un César!
Ibid., acte II, scène 13.

Si vous avez la force, il nous reste le droit.   10004
Ibid., acte IV, scène 8.

Le peuple! — Toujours simple et toujours ébloui,   10005
Il vient, sur une scène à ses dépens ornée,
Voir par d'autres que lui jouer sa destinée.
Ibid., acte V, scène 9.

La poésie, c'est tout ce qu'il y a d'intime dans tout.   10006
Odes et Ballades, préface de 1822.

Les plus grands poètes du monde sont venus après de grandes   10007
calamités publiques.   *Ibid., préface de 1824.*

Plus on dédaigne la rhétorique, plus il sied de respecter   10008
la grammaire. [...] Le style est comme le cristal, sa pureté
fait son éclat.   *Ibid., préface de 1826.*

Admirons les grands maîtres, ne les imitons pas.   *Ibid.*   10009

Le poète ne doit avoir qu'un modèle, la nature, qu'un guide,   10010
la vérité.   *Ibid.*

J'ai des rêves de guerre en mon âme inquiète;   10011
J'aurais été soldat si je n'étais poète.
Odes et Ballades, livre V, ode 9, Mon enfance.

L'art n'a que faire des lisières, des menottes, des bâillons;   10012
il vous dit : Va! et vous lâche dans ce grand jardin de poésie, où il n'y a pas de fruit défendu.
Orientales, Préface.

En Grèce! en Grèce! adieu, vous tous! il faut partir!   10013
Qu'enfin, après le sang de ce peuple martyr,
Le sang vil des bourreaux ruisselle!
Orientales, IV, Enthousiasme.

Tout me fait songer : l'air, les prés, les monts, les bois.   10014
J'en ai pour tout un jour des soupirs d'un hautbois,
D'un bruit de feuilles remuées.
[...]
Ibid.

La lune était sereine et jouait sur les flots.   10015
Ibid., X, Clair de lune.

Les Turcs ont passé là. Tout est ruine et deuil.   10016
Chio, l'île des vins, n'est plus qu'un sombre écueil.
[...]
Tout est désert. Mais non; seul près des murs noircis,
Un enfant aux yeux bleus, un enfant grec, assis,
Courbait sa tête humiliée.
Ibid., XVIII, L'Enfant.

10017   [...]
         — Ami, dit l'enfant grec, dit l'enfant aux yeux bleus,
         Je veux de la poudre et des balles.
                                                           Ibid.

10018   Murs, ville,
                               Et port,
                               Asile
                               De mort,
                               Mer grise
                               Où brise
                               La brise
                               Tout dort.
                               [...]
                               On doute
                               La nuit...
                               J'écoute : —
                               Tout fuit,
                               Tout passe;
                               L'espace
                               Efface
                               Le bruit.
                                    Ibid., XXVIII, Les Djinns.

10019   Hélas! que j'en ai vu mourir, de jeunes filles.
                                    Ibid., XXXIII, Fantômes.

10020   Elle aimait trop le bal, c'est ce qui l'a tuée.
                                                           Ibid.

10021   A quoi donc allez-vous assister? à la transformation de la
         pénalité. [...] On regardera le crime comme une maladie,
         et cette maladie aura ses médecins qui remplaceront vos
         juges, ses hôpitaux qui remplaceront vos bagnes.
                          Le Dernier Jour d'un Condamné, préface.

10022   Dans les lettres, comme dans la société, point d'étiquette,
         point d'anarchie : des lois. Ni talons rouges, ni bonnets
         rouges.   *Hernani, Préface.*

10023   C'est bien à l'escalier
         Dérobé.
                                    Ibid., acte I, scène 1.

10024   Vous me manquez, je suis absente de moi-même.
                                              Ibid., scène 2.

10025   Si j'étais Dieu le Père et si j'avais deux fils,
         Je ferais l'aîné Dieu, le second roi de France.
                                              Ibid., scène 3.

10026   Oui, de ta suite, ô roi! de ta suite! — J'en suis!
                                              Ibid., scène 4.

10027   Si Dieu faisait le rang à la hauteur du cœur,
         Certe, il serait le roi, prince, et vous le voleur!
                                    Ibid., acte II, scène 2.

10028   Oh! je porte malheur à tout ce qui m'entoure!
                                    Ibid., acte III, scène 4.

Détrompe-toi. Je suis une force qui va!   10029
Agent aveugle et sourd de mystères funèbres!
Une âme de malheur faite avec des ténèbres!
                                        Ibid.

Vous êtes mon lion superbe et généreux!   10030
                                        Ibid.

J'en passe et des meilleurs.   10031
                        Ibid., acte III, scène 6.

Charlemagne est ici! Comment, sépulcre sombre,   10032
Peux-tu sans éclater contenir si grande ombre?
[...]
Ah! c'est un beau spectacle à ravir la pensée
Que l'Europe ainsi faite et comme il l'a laissée!
                        Ibid., acte IV, scène 2.

[...] Le bonheur, amie, est chose grave.   10033
Il veut des cœurs de bronze et lentement s'y grave,
Le plaisir l'effarouche en lui jetant des fleurs.
Son sourire est moins près du rire que des pleurs.
                        Ibid., acte V, scène 3.

Dis, ne le crois-tu pas? sur nous, tout en dormant,   10034
La nature à demi veille amoureusement.
Pas un nuage au ciel. Tout, comme nous, repose.
Viens, respire avec moi l'air embaumé de rose!
                                        Ibid.

Partons d'un vol égal vers un monde meilleur.   10035
                        Ibid., acte V, scène 6.

Nos pères avaient un Paris de pierre, nos fils auront un Paris   10036
de plâtre.   *Notre-Dame de Paris, III, 2.*

Le livre de pierre, si solide et si durable, allait faire place au   10037
livre de papier, plus solide et plus durable encore. [...]
L'imprimerie tuera l'architecture.
                        Ibid., V, 2, Ceci tuera cela.

A partir de la découverte de l'imprimerie, l'architecture se   10038
dessèche peu à peu, s'atrophie et se dénude.   *Ibid.*

Avant l'imprimerie, la Réforme n'eût été qu'un schisme,   10039
l'imprimerie la fait révolution. [...] Gutenberg est le précurseur de Luther.   *Ibid.*

C'est une mauvaise manière de protéger les lettres que de   10040
pendre les lettrés.   *Ibid., X, 5.*

« Quand on est du peuple, Sire, on a toujours quelque chose   10041
sur le cœur. »   *Ibid.*

Ce siècle avait deux ans! Rome remplaçait Sparte,   10042
Déjà Napoléon perçait sous Bonaparte,
[...]

Alors dans Besançon, vieille ville espagnole,
Jeté comme la graine au gré de l'air qui vole,
Naquit d'un sang breton et lorrain à la fois
Un enfant sans couleur, sans regard et sans voix.
[...].
Cet enfant que la vie effaçait de son livre,
Et qui n'avait pas même un lendemain à vivre,
C'est moi. —

Les Feuilles d'automne, 1.

10043   Oh! l'amour d'une mère! amour que nul n'oublie!
Pain merveilleux qu'un dieu partage et multiplie!
Table toujours servie au paternel foyer!
Chacun en a sa part, et tous l'ont tout entier!

Ibid.

10044   [...] L'amour, la tombe, et la gloire et la vie,
L'onde qui fuit, par l'onde incessamment suivie,
Tout souffle, tout rayon ou propice ou fatal,
Fait reluire et vibrer mon âme de cristal,
Mon âme aux mille voix, que le Dieu que j'adore
Mit au centre de tout comme un écho sonore!

Ibid.

10045   [...] Les grands hommes, mépris du temps qui les voit naître,
Religion de l'avenir!

Ibid., 11, Dédain.

10046   O mes lettres d'amour, de vertu, de jeunesse,
C'est donc vous! Je m'enivre encore à votre ivresse;
Je vous lis à genoux.

Ibid., 14.

10047   Lorsque l'enfant paraît, le cercle de famille
Applaudit à grands cris. Son doux regard qui brille
Fait briller tous les yeux [...].

Ibid., 19.

10048   Il est si beau, l'enfant, avec son doux sourire [...].

Ibid.

10049   Seigneur, préservez-moi, préservez ceux que j'aime,
Frères, parents, amis, et mes ennemis même
Dans le mal triomphants
De jamais voir, Seigneur, l'été sans fleurs vermeilles,
La cage sans oiseaux, la ruche sans abeilles,
La maison sans enfants.

Ibid.

10050   [...] La vague inquiétude
Qui fait que l'homme craint son désir accompli.

Ibid., 27, à mes amis L. B. et S.-B.

10051   J'ai différé : la vie à différer se passe [...]

Ibid.

10052   Rêver, c'est le bonheur; attendre, c'est la vie.

Ibid.

Amis, ne creusez pas vos chères rêveries.   10053
>   *Ibid., 29, La Pente de la rêverie.*

Au banquet du bonheur bien peu sont conviés.   10054
>   *Ibid., 32, Pour les pauvres.*

J'aime les soirs sereins et beaux, j'aime les soirs [...]   10055
>   *Ibid., 35, Soleils couchants.*

Je m'en irai bientôt au milieu de la fête   10056
Sans que rien manque au monde immense et radieux!
>   *Ibid.*

Mêlez toute votre âme à la création!   10057
>   *Ibid., 38, Pan.*

Je hais l'oppression d'une haine profonde.   10058
>   *Ibid., 40.*

Oh! La muse se doit aux peuples sans défense.   10059
J'oublie alors l'amour, la famille, l'enfance,
Et les molles chansons, et le loisir serein,
Et j'ajoute à ma lyre une corde d'airain!
>   *Ibid.*

Ceux qui pieusement sont morts pour la patrie   10060
Ont droit qu'à leur cercueil la foule vienne et prie.
>   *Les Chants du crépuscule, 3, Hymne.*

Mil huit cent onze[1]! O temps où des peuples sans nombre   10061
Attendaient, prosternés sous un nuage sombre,
>   Que le ciel eût dit oui!
>   *Ibid., 5, Napoléon II.*

Non, l'avenir n'est à personne!   10062
Sire, l'avenir est à Dieu!
A chaque fois que l'heure sonne,
Tout ici-bas nous dit adieu.
>   *Ibid.*

Oh! demain, c'est la grande chose!   10063
De quoi demain sera-t-il fait?
>   *Ibid.*

L'Angleterre prit l'aigle, et l'Autriche l'aiglon.   10064
>   *Ibid.*

Oh! n'exilons personne! oh! l'exil est impie!   10065
>   *Ibid.*

Oh! n'insultez jamais une femme qui tombe!   10066
>   *Ibid., 14.*

Mon cœur a plus d'amour que vous[2] n'avez d'oubli.   10067
>   *Ibid., 25.*

---

1. Année de la naissance du fils de Napoléon Ier.
2. Le temps qui passe.

10068   Aimer, c'est la moitié de croire.
                         Ibid., 38, Que nous avons le doute en nous.

10069   [...] Ce chant qui répond en nous au chant que nous
         entendons hors de nous.   *Les Voix intérieures, Préface.*

10070   O Virgile! ô poète! ô mon maître divin!
                         Les Voix intérieures, 7, à Virgile.

10071   O mère universelle! indulgente Nature!
                         Ibid., 15, La Vache.

10072   Tu dois te souvenir des vertes Feuillantines[1] [...].
                         Ibid., 29, à Eugène Vicomte H.

10073   Le drame tient de la tragédie par la peinture des passions
         et de la comédie par la peinture des caractères. Le drame est
         la troisième grande forme de l'art.   *Ruy Blas, Préface.*

10074   Charge, emplois, honneurs, tout, en un instant, s'écroule
         Au milieu des éclats de rire de la foule.
                         Ibid., acte I, scène 1.

10075   Je ne veux pas tomber, non, je veux disparaître.
                         Ibid.

10076   Hum! visage de traître!
               Quand la bouche dit oui, le regard dit peut-être.
                         Ibid., scène 2.

10077   [...] Sous l'habit d'un valet, les passions d'un roi.
                         Ibid., scène 3.

10078   Vois-tu, pour cet amour, dont tes regards sont pleins,
               Mon frère, je t'envie autant que je te plains!
                         Ibid.

10079   Les femmes aiment fort à sauver qui les perd.
                         Ibid., scène 4.

10080   La cour est un pays où l'on va sans voir clair.
                         Ibid., scène 5.

10081   Couvrez-vous, don César. Vous êtes grand d'Espagne.
                         Ibid.

10082   Il vient un jour où le cœur se reploie.
               Comme on perd le sommeil, enfant, on perd la joie.
                         Ibid., acte II, scène 1.

10083   Aujourd'hui je suis reine. Autrefois j'étais libre.
                         Ibid.

---

1. Ancien couvent de Paris, près du Val-de-Grâce; Victor Hugo
   et son frère Eugène, mort jeune et à qui il s'adresse ici, y
   passèrent une partie de leur enfance.

Que c'est faible, une reine, et que c'est peu de chose!   10084
                Ibid., scène 2.

Madame, sous vos pieds, dans l'ombre, un homme est là   10085
Qui vous aime, perdu dans la nuit qui le voile;
Qui souffre, ver de terre amoureux d'une étoile;
Qui pour vous donnera son âme, s'il le faut;
Et qui se meurt en bas quand vous brillez en haut.
                                     Ibid.

Dieu s'est fait homme; soit! Le diable s'est fait femme.   10086
                Ibid., scène 5.

Toute fille de joie en séchant devient prude.   10087
            Ibid., acte III, scène 1.

Bon appétit, messieurs! —   10088
                O ministres intègres!
Conseillers vertueux! Voilà votre façon
De servir, serviteurs qui pillez la maison!
            Ibid., acte III, scène 2.

Tout se fait par intrigue et rien par loyauté.   10089
                            Ibid.

La moitié de Madrid pille l'autre moitié.   10090
                            Ibid.

            Au secours, Charles Quint!   10091
Car l'Espagne se meurt, car l'Espagne s'éteint!
                            Ibid.

Donc je marche vivant dans mon rêve étoilé!   10092
                  Ibid., scène 4.

Ah! toute nation bénit qui la délie.   10093
                Ibid., scène 5.

La popularité? c'est la gloire en gros sous.   10094
                            Ibid.

A galant dénouement, commencement dévot!   10095
              Ibid., acte IV, scène 4.

                [...] Hasard?   10096
Mets que font les fripons pour les sots qui le mangent.
Point de hasard!
                Ibid., scène 7.

        Honte au penseur qui se mutile,   10097
        Et s'en va, chanteur inutile,
        Par la porte de la cité!
Les Rayons et les Ombres, I, Fonction du poète, 2.

        Peuples! écoutez le poète!   10098
        Écoutez le rêveur sacré!
        Dans votre nuit, sans lui complète,
        Lui seul a le front éclairé!
                          Ibid.

10099 Voltaire alors régnait, ce singe de génie
       Chez l'homme en mission par le diable envoyé.
                    Ibid., IV, Regard jeté dans une mansarde, 5.

10100 Ami, cache ta vie et répands ton esprit.
                              Ibid., XXI, A un poète.

10101 Les champs n'étaient point noirs, les cieux n'étaient pas
                                                    mornes,
              Non, le jour rayonnait dans un azur sans bornes
                        Sur la terre étendu,
              L'air était plein d'encens et les prés de verdures
              Quand il revit ces lieux où par tant de blessures
                        Son cœur s'est répandu!
                    Ibid., XXXIV, Tristesse d'Olympio.

10102 Que peu de temps suffit pour changer toutes choses!
       Nature au front serein, comme vous oubliez!
                                                        Ibid.

10103 La borne du chemin, qui vit des jours sans nombre,
       Où jadis pour m'attendre elle aimait à s'asseoir,
       S'est usée en heurtant, lorsque la route est sombre,
       Les grands chars gémissants qui reviennent le soir.
                                                        Ibid.

10104 [...] Car personne ici-bas ne termine et n'achève;
       Les pires des humains sont comme les meilleurs.
       Nous nous réveillons tous au même endroit du rêve.
       Tout commence en ce monde et tout finit ailleurs.
                                                        Ibid.

10105 Vous qui vivez, donnez une pensée aux morts.
                                                        Ibid.

10106 Toutes les passions s'éloignent avec l'âge,
       L'une emportant son masque et l'autre son couteau,
       Comme un essaim chantant d'histrions en voyage
       Dont le groupe décroît derrière le coteau.
                                                        Ibid.

10107 Quand notre âme en rêvant descend dans nos entrailles,
       [...]
       Elle arrive à pas lents, par une obscure rampe,
       Jusqu'au fond désolé du gouffre intérieur.
                                                        Ibid.

10108 C'est toi qui dors dans l'ombre, ô sacré souvenir!
                                                        Ibid.

10109 Oh! combien de marins, combien de capitaines,
       Qui sont partis joyeux pour des courses lointaines,
       Dans ce morne horizon se sont évanouis!
                              Ibid., XLII, Oceano nox.

10110 Ce que la fable a inventé, l'histoire le reproduit parfois.
                              Les Burgraves, Préface.

Du coquillage on peut conclure le mollusque, de la maison 10111
on peut conclure l'habitant. *Ibid.*

Il y a aujourd'hui une nationalité européenne, comme il y 10112
avait, au temps d'Eschyle, de Sophocle et d'Euripide, une
nationalité grecque. *Ibid.*

Oui, la civilisation tout entière est la patrie du poète. 10113
Ibid.

Vos pères, 10114
Hardis parmi les forts, grands parmi les meilleurs,
Étaient des conquérants; vous êtes des voleurs!
Ibid., Deuxième partie, scène 6.

Les montagnes toujours ont fait la guerre aux plaines. 10115
Ibid.

Mon crime a sué goutte à goutte 10116
Cette sueur de sang qu'on nomme le remords.
Ibid., Troisième partie, Le Caveau perdu, scène 1.

O soldats de l'an deux! ô guerres! épopées! 10117
Contre les rois tirant ensemble leurs épées,
Prussiens, Autrichiens,
[...]
Contre toute l'Europe avec ses capitaines,
Avec ses fantassins couvrant au loin les plaines,
[...]
Ils chantaient, ils allaient, l'âme sans épouvante
Et les pieds sans souliers!
Les Châtiments, II, 7.

La Révolution leur criait : — Volontaires, 10118
Mourez pour délivrer tous les peuples vos frères! —
Contents, ils disaient oui.
Ibid.

L'histoire a pour égout des temps comme les nôtres. 10119
Ibid., III, 13.

Ceux qui vivent, ce sont ceux qui luttent; ce sont 10120
Ceux dont un dessein ferme emplit l'âme et le front,
Ceux qui d'un haut destin gravissent l'âpre cime,
Ceux qui marchent pensifs, épris d'un but sublime,
Ayant devant les yeux sans cesse, nuit et jour,
Ou quelque saint labeur ou quelque grand amour.
Ibid., IV, 9.

Oh! vous dont le travail est joie, 10121
[...]
Filles de la lumière, abeilles,
Envolez-vous de ce manteau!
Ruez-vous sur l'homme [1], guerrières!
Ibid., V, 3.

Sachons-le bien, la honte est la meilleure tombe. 10122
Ibid., V, 8.

1. Il s'agit de Napoléon III.

10123   Il neigeait. On était vaincu par sa conquête.
          Pour la première fois l'aigle baissait la tête.
          Sombres jours! l'empereur revenait lentement,
          Laissant derrière lui brûler Moscou fumant.
          Il neigeait.
                                        Ibid., V, 13.

10124   Et chacun se sentant mourir, on était seul.
                                              Ibid.

10125   Waterloo! Waterloo! Waterloo! morne plaine!
                                              Ibid.

10126   L'espoir changea de camp, le combat changea d'âme,
          La mêlée en hurlant grandit comme une flamme.
                                              Ibid.

10127   Tranquille, souriant à la mitraille anglaise,
          La garde impériale entra dans la fournaise.
                                              Ibid.

10128   Le nom grandit quand l'homme tombe.
                                              Ibid.

10129   Quand tout se fait petit, femmes, vous restez grandes.
                                         Ibid., VI, 8.

10130   Le mal prend tout à coup la figure du bien.
                                        Ibid., VI, 13.

10131   Debout, vous qui dormez! — car celui qui me suit,
          Car celui qui m'envoie en avant la première,
          C'est l'ange Liberté, c'est le géant Lumière!
                                        Ibid., VI, 15.

10132   Sonnez, sonnez toujours, clairons de la pensée.
                                        Ibid., VII, 1.

10133   A la septième fois, les murailles tombèrent.
                                              Ibid.

10134   Donc l'épopée échoue avant qu'elle commence!
               Annibal a pris un calmant.
                                        Ibid., VII, 2.

10135   — On ne peut pas vivre sans pain;
          On ne peut pas non plus vivre sans la patrie. —
                                       Ibid., VII, 14.

10136   Si l'on n'est plus que mille, eh bien, j'en suis! Si même
          Ils ne sont plus que cent, je brave encor Sylla;
          S'il en demeure dix, je serai le dixième;
          Et s'il n'en reste qu'un, je serai celui-là!
                                       Ibid., VII, 17.

10137   O République universelle,
                    Tu n'es encor que l'étincelle,
                    Demain tu seras le soleil.
                                              Ibid.

Fêtes dans les cités, fêtes dans les campagnes!   10138
Les cieux n'ont plus d'enfers, les lois n'ont plus de bagnes.
Où donc est l'échafaud? ce monstre a disparu.
Tout renaît.
                                        Ibid.

Nul de nous n'a l'honneur d'avoir une vie qui soit à lui.   10139
[...] Hélas! quand je vous parle de moi, je vous parle de vous.
[...] Ah! insensé qui crois que je ne suis pas toi!
                              Les Contemplations, Préface.

Le poète s'en va dans les champs; il admire [...].   10140
Les grands arbres profonds qui vivent dans les bois
[...]
Contemplent de son front la sereine lueur,
Et murmurent tout bas : C'est lui! c'est le rêveur!
                        Ibid., Autrefois, I, Aurore, 2.

[...] Tout homme est un livre où Dieu lui-même écrit.   10141
                                        Ibid., I, 6.

          Dieu bénit l'homme   10142
Non pour avoir trouvé, mais pour avoir cherché.
                                        Ibid.

Quand, tâchant de comprendre et de juger, j'ouvris   10143
Les yeux sur la nature et sur l'art, l'idiome,
Peuple et noblesse, était l'image du royaume;
La poésie était la monarchie; un mot
Était un duc et pair, ou n'était qu'un grimaud.
[...]
La langue était l'État avant quatre-vingt-neuf.
                                        Ibid., I, 7.

Je fis souffler un vent révolutionnaire.   10144
Je mis un bonnet rouge au vieux dictionnaire.
                                        Ibid.

Sur le Racine mort, le Campistron pullule.   10145
                                        Ibid.

Guerre à la rhétorique et paix à la syntaxe!   10146
                                        Ibid.

J'ai jeté le vers noble aux chiens noirs de la prose.   10147
                                        Ibid.

Car le mot, qu'on le sache, est un être vivant.   10148
                                        Ibid., I, 8.

De quelque mot profond tout homme est le disciple.   10149
                                        Ibid.

Les mots sont les passants mystérieux de l'âme.   10150
                                        Ibid.

Car le mot, c'est le verbe, et le verbe, c'est Dieu.   10151
                                        Ibid.

10152 Marchands de grec! marchands de latin! cuistres, dogues!
       Philistins, magisters! je vous hais, pédagogues!
                                        Ibid., I, 13.

10153 [...] L'instituteur lucide et grave, magistrat
       Du progrès, médecin de l'ignorance et prêtre
       De l'idée.
                                               Ibid.

10154 La chose fut exquise et fort bien ordonnée.
                                        Ibid., I, 22.

10155 Oui, brigand, jacobin, malandrin,
       J'ai disloqué ce grand niais d'alexandrin.
                                        Ibid., I, 26.

10156   Si Dieu n'avait fait la femme,
                 Il n'aurait pas fait la fleur.
                          Ibid., II, L'Ame en fleur, 11.

10157   Aimons-nous! aimons toujours!
                 La chanson la plus charmante
                 Est la chanson des amours.
                                       Ibid., II, 13.

10158 Vous qui pleurez, venéz à ce Dieu, car il pleure.
       Vous qui souffrez, venez à lui, car il guérit.
       Vous qui tremblez, venez à lui, car il sourit.
       Vous qui passez, venez à lui, car il demeure.
                                      Ibid., III, 4.

10159 Bien lire l'univers, c'est bien lire la vie.
                                     Ibid., III, 10.

10160 L'homme injuste est celui qui fait des contresens.
                                               Ibid.

10161 La musique est dans tout. Un hymne sort du monde.
                                     Ibid., III, 21.

10162   Une âme est plus grande qu'un monde.
                                     Ibid., III, 30.

10163 Elle avait pris ce pli dans son âge enfantin
       De venir dans ma chambre un peu chaque matin.
            Ibid., Aujourd'hui — 1843-1855, IV, Pauca meae, 5.

10164   O souvenirs! printemps! aurore!
                                      Ibid., IV, 9.

10165 Puisque mon cœur est mort, j'ai bien assez vécu.
                                     Ibid., IV, 13.

10166 Nous ne voyons jamais qu'un seul côté des choses.
                                     Ibid., IV, 15.

10167 J'ai vu partout grandeur, vie, amour, liberté,
       Et j'ai dit : — Texte : Dieu; contresens : royauté.
                                  Ibid., V, En marche, 3.

Les Révolutions, qui viennent tout venger,   10168
Font un bien éternel dans leur mal passager.

Ibid.

Le rhumatisme antique appelé royauté.   10169

Ibid.

Toujours l'homme en sa nuit trahi par ses veilleurs!   10170

Ibid., V, 11.

Je regarde, au-dessus du mont et du vallon,   10171
      Et des mers sans fin remuées,
S'envoler, sous le bec du vautour aquilon,
      Toute la toison des nuées.

Ibid., V, 13.

Comme le souvenir est voisin du remords!   10172

Ibid.

L'été rit, et l'on voit sur le bord de la mer   10173
      Fleurir le chardon bleu des sables.

Ibid.

Mugissement des bœufs au temps du doux Virgile.   10174

Ibid., V, 17.

Le pâtre promontoire au chapeau de nuées   10175
S'accoude et rêve au bruit de tous les infinis,
[...]
Pendant que l'ombre tremble et que l'âpre rafale
Disperse à tous les vents avec son souffle amer
La laine des moutons sinistres de la mer.

Ibid.

      J'irai lire la grande bible;   10176
            J'entrerai nu
         Jusqu'au tabernacle terrible
            De l'inconnu.

Ibid., VI, Au bord de l'infini, 2.

Les promesses s'en vont où va le vent des plaines.   10177

Ibid., VI, 6.

            Soyons l'immense oui.   10178

Ibid.

Où sont les enfants morts et les printemps enfuis,   10179
Et tous les chers amours dont nous sommes les tombes,
Et toutes les clartés dont nous sommes les nuits?

Ibid., VI, 8.

Nous entendons souffler les chevaux de l'espace,   10180
      Traînant le char, qu'on ne voit pas.

Ibid., VI, 16.

      La pensée est la pourpre de l'âme;   10181
      Le blasphème en est le haillon.

Ibid., VI, 17.

10182　　Sans cesse le progrès, roue au double engrenage,
　　　　Fait marcher quelque chose en écrasant quelqu'un.
　　　　　　　　　　　　　　　　　Ibid., VI, 19.

10183　　Ne dites pas : mourir. Dites : naître. Croyez.
　　　　　　　　　　　　　　　　　Ibid., VI, 22.

10184　　　　Pourquoi donc faites-vous des prêtres
　　　　　　Quand vous en avez parmi vous?
　　　　　　[...]
　　　　　　Ces hommes, ce sont les poètes.
　　　　　　　　　　　　　　　　Ibid., VI, 23.

10185　　　　Son éclat[1] de rire énorme
　　　　　　Est un des gouffres de l'esprit.
　　　　　　　　　　　　　　　　　　　Ibid.

10186　　　　　　Tout est plein d'âmes.
　　　　　　　　　　　　　　　　Ibid., VI, 26.

10187　　La création sainte où rêve le prophète,
　　　　Pour être, ô profondeur, devait être imparfaite.
　　　　　　　　　　　　　　　　　　　Ibid.

10188　　　　　Le mal, c'est la matière.
　　　　　　　　　　　　　　　　　　　Ibid.

10189　　[...] Un affreux soleil noir d'où rayonne la nuit.
　　　　　　　　　　　　　　　　　　　Ibid.

10190　　Toute faute qu'on fait est un cachot qu'on s'ouvre.
　　　　　　　　　　　　　　　　　　　Ibid.

10191　　L'homme est une prison où l'âme reste libre.
　　　　　　　　　　　　　　　　　　　Ibid.

10192　　Ayez pitié. Voyez des âmes dans les choses.
　　　　　　　　　　　　　　　　　　　Ibid.

10193　Cette cloison qui nous sépare du mystère des choses et que
　　　nous appelons la vie.
　　　　　　　　　Les Misérables, Première partie, I, 2.

10194　On peut avoir une certaine indifférence sur la peine de mort
　　　[...] tant qu'on n'a pas vu une guillotine; mais si l'on en
　　　rencontre une, [...] il faut se décider et prendre parti pour ou
　　　contre.　　　　　　　　　　　　　　　*Ibid., I, 4.*

10195　[...] Ce génie particulier de la femme qui comprend l'homme
　　　mieux que l'homme ne se comprend.　　　　*Ibid., I, 9.*

10196　La Révolution française est le plus puissant pas du genre
　　　humain depuis l'avènement du Christ.　　　　　*Ibid.*

10197　Point de système, beaucoup d'œuvres.　　*Ibid., I, 14.*

1. Il s'agit de Rabelais.

Le calembour est la fiente de l'esprit qui vole. *Ibid., III, 6.* 10198

Le mariage est une greffe; cela prend bien ou mal. 10199
Ibid., III, 7.

Certaines natures ne peuvent aimer d'un côté sans haïr 10200
de l'autre. *Ibid., IV, 3.*

Les livres sont des amis froids et sûrs. *Ibid., V, 3.* 10201

Les galères font le galérien. *Ibid., VI, 11.* 10202

Il n'y a que les peuples barbares qui aient des crues subites 10203
après une victoire. [...] Les peuples civilisés [...] ne se haussent
ni ne s'abaissent par la bonne ou mauvaise fortune d'un
capitaine. *Ibid., Deuxième partie, I, 16.*

Conscience déchirée entraîne vie décousue. *Ibid., III, 2.* 10204

La symétrie, c'est l'ennui, et l'ennui est le fond même du 10205
deuil. Le désespoir bâille. *Ibid., IV, 1.*

Abdiquer pour régner semble être la devise du monachisme. 10206
Ibid., IV, 7.

Nous sommes pour la religion contre les religions. 10207
Ibid., IV, 8.

Personne ne garde un secret comme un enfant. 10208
Ibid., VII, 8.

La joie que nous inspirons a cela de charmant que, loin de 10209
s'affaiblir comme tout reflet, elle nous revient plus rayon-
nante. *Ibid., VII, 9.*

Un enterrement passe. Parmi ceux qui accompagnent le 10210
mort, il y a un médecin. — Tiens, s'écrie un gamin, depuis
quand les médecins reportent-ils leur ouvrage?
Ibid., Troisième partie, I, 2.

Paris commence au badaud et finit au gamin [...]. *Ibid., I, 4.* 10211

Respirer Paris, cela conserve l'âme. *Ibid., I, 6.* 10212

Le propre de la pruderie, c'est de mettre d'autant plus de 10213
factionnaires que la forteresse est moins menacée.
Ibid., II, 8.

Une affection est une conviction. *Ibid.* 10214

Être entre deux religions, l'une dont on n'est pas encore 10215
sorti, l'autre où l'on n'est pas encore entré, cela est insupportable; et ces crépuscules ne plaisent qu'aux âmes chauves-
souris. *Ibid., II, 6.*

On jugerait bien plus sûrement un homme d'après ce qu'il 10216
rêve que d'après ce qu'il pense. [...] *Ibid., V, 5.*

10217 Nos chimères sont ce qui nous ressemble le mieux.   *Ibid.*

10218 On a voulu, à tort, faire de la bourgeoisie une classe. La bourgeoisie est tout simplement la portion contentée du peuple. Le bourgeois, c'est l'homme qui a maintenant le temps de s'asseoir. Une chaise n'est pas une caste.
                                        Ibid., Quatrième partie, I, 2.

10219 Une révolution est un retour du factice au réel.   *Ibid., I, 4.*

10220 La première égalité, c'est l'équité.   *Ibid.*

10221 Ni despotisme ni terrorisme. Nous voulons le progrès en pente douce.   *Ibid., I, 5.*

10222 [...] C'est à peine si l'on ose dire maintenant que deux êtres se sont aimés parce qu'ils se sont regardés. C'est pourtant comme cela qu'on s'aime et uniquement comme cela. Le reste n'est que le reste, et vient après.   *Ibid., III, 6.*

10223 Le premier symptôme de l'amour vrai chez un jeune homme, c'est la timidité, chez une jeune fille, c'est la hardiesse.   *Ibid.*

10224 Devenir un coquin, ce n'est pas commode. Il est moins malaisé d'être honnête homme.   *Ibid., IV, 2.*

10225 Aimer un être, c'est le rendre transparent.   *Ibid., V, 4.*

10226 A un certain degré de misère, on est gagné par une sorte d'indifférence spectrale.   *Ibid., VI, 1.*

10227 L'argot est tout ensemble un phénomène littéraire et un résultat social [...] .La misère a inventé une langue de combat qui est l'argot.   *Ibid., VII, 1.*

10228 Faire surnager et soutenir au-dessus de l'oubli [...] un fragment d'une langue quelconque que l'homme a parlée [...], c'est étendre les données de l'observation sociale, c'est servir la civilisation même.   *Ibid.*

10229 Qui sait si l'homme n'est pas un repris de justice divine?
                                                            Ibid.

10230 Êtes-vous ce qu'on appelle un heureux? Eh bien, vous êtes triste tous les jours. Chaque jour a son grand chagrin ou son petit souci.   *Ibid.*

10231 Le sens révolutionnaire est un sens moral.   *Ibid., VII, 3.*

10232 Le grand ressort du spectre rouge est cassé.   *Ibid., VII, 3.*

10233 Limiter la pauvreté sans limiter la richesse. *Ibid., VII, 4.*

10234 Proportionner la jouissance à l'effort et l'assouvissement au besoin.   *Ibid.*

10235 Le travail ne peut être une loi sans être un droit.   *Ibid.*

L'éclosion prochaine du bien-être universel est un phéno- 10236
mène divinement fatal.   *Ibid.*

Je t'aime un peu plus de tout le temps qui s'est écoulé depuis 10237
ce matin.   *Ibid., VIII, 1.*

Le poids indéfinissable des voluptés immatérielles. 10238
                                          Ibid., VIII, 2.

C'est une erreur de croire que la passion, quand elle est 10239
heureuse et pure, conduit l'homme à un état de perfection;
elle le conduit simplement [...] à un état d'oubli.   *Ibid.*

Dans le premier amour, on prend l'âme bien avant le corps; 10240
plus tard on prend le corps bien avant l'âme, quelquefois
on ne prend pas l'âme du tout.   *Ibid., VIII, 6.*

Les soupçons ne sont autre chose que des rides; la première 10241
jeunesse n'en a pas.   *Ibid., IX, 2.*

La guerre du tout contre la fraction est insurrection, l'attaque 10242
de la fraction contre le tout est émeute.   *Ibid., X, 2.*

Les despotes sont pour quelque chose dans les penseurs. 10243
Parole enchaînée, c'est parole terrible.   *Ibid.*

« A voir tant de misère partout, je soupçonne que Dieu n'est 10244
pas riche. Il a des apparences, c'est vrai, mais je sens la
gêne [1]. »   *Ibid., XII, 2.*

« [...] Chastes sur la terre mais s'accouplant dans l'infini. 10245
[...] Ils couchent ensemble dans les étoiles [2] ».   *Ibid.*

Il vient une heure où protester ne suffit plus; après la philo- 10246
sophie, il faut l'action; la vive force achève ce que l'idée
a ébauché.   *Ibid., XIII, 3.*

Le dix-neuvième siècle est grand, mais le vingtième sera 10247
heureux.   *Ibid., Cinquième partie, I, 4.*

Au moment où Gavroche débarrassait de ses cartouches un 10248
sergent gisant près d'une borne, une balle frappa le cadavre.
« Fichtre! fit Gavroche. Voilà qu'on me tue mes morts. »
                                          Ibid., I, 15.

Gavroche n'était tombé que pour se redresser; il resta assis 10249
sur son séant, un long filet de sang rayait son visage, il

---

1. Paroles d'un ivrogne.
2. Cf. citation précédente; ici, il s'agit de Marius et Cosette, les
jeunes héros des *Misérables*.

éleva ses deux bras en l'air, regarda du côté d'où était venu le coup et se mit à chanter.

> *Je suis tombé par terre,*
> *C'est la faute à Voltaire,*
> *Le nez dans le ruisseau,*
> *C'est la faute à ...* [1]

Il n'acheva point. Une seconde balle du même tireur l'arrêta court. Cette fois il s'abattit la face contre le pavé, et ne remua plus. Cette petite grande âme venait de s'envoler.   *Ibid.*

10250 Le progrès est le mode de l'homme.   *Ibid., I, 20.*

10251 Le présent a sa quantité excusable d'égoïsme; la vie momentanée a son droit, et n'est pas tenue de se sacrifier sans cesse à l'avenir. La génération qui a actuellement son tour de passage sur la terre n'est pas forcée de l'abréger pour les générations, ses égales après tout, qui auront leur tour plus tard.   *Ibid.*

10252 L'histoire des hommes se reflète dans l'histoire des cloaques.
       Ibid., II, 2.

10253 Le suicide, cette mystérieuse voie de fait sur l'inconnu.
       Ibid., III, 10.

10254 Un mariage doit être royal et chimérique.   *Ibid., V, 6.*

10255 Qu'est-ce qu'Adam? C'est le royaume d'Ève. Pas de 89 pour Ève.   *Ibid., VI, 2.*

10256 Depuis soixante siècles, l'homme et la femme se tirent d'affaire en aimant. Le diable, qui est malin, s'est mis à haïr l'homme; l'homme, qui est plus malin, s'est mis à aimer la femme.
       Ibid.

10257   Depuis six mille ans, la guerre
       Plaît aux peuples querelleurs,
       Et Dieu perd son temps à faire
       Les étoiles et les fleurs.
       Chansons des rues et des bois, Depuis...

10258   L'ombre, où se mêle une rumeur,
       Semble élargir jusqu'aux étoiles
       Le geste auguste du semeur.
       Ibid., Saison des semailles : le soir.

10259   Que fais-tu là? me dit Virgile
       Et je répondis tout couvert
       De l'écume du monstre agile
       « Maître, je mets Pégase au vert. »
       Ibid., Le cheval.

1. Chanson populaire de l'époque de la Restauration.

Le joli, c'est le nécessaire. 10260
Les Travailleurs de la mer, Première partie, III, 1.

[Trochu] : Participe passé du verbe trop choir [...]. 10261
*A propos du Général Trochu, président du gouvernement de
la Défense nationale et commandant en chef (1871).*

Ce siècle est à la barre et je suis son témoin. 10262
L'Année terrible, texte liminaire.

Je voudrais n'être pas Français pour pouvoir dire 10263
Que je te choisis, France, et que, dans ton martyre,
Je te proclame, toi que ronge le vautour,
Ma patrie et ma gloire et mon unique amour!
Ibid., Décembre 1870, 7, A la France.

O morts pour mon pays, je suis votre envieux. 10264
Ibid., 8, Nos morts.

Nous mangeons du cheval, du rat, de l'ours, de l'âne. 10265
Ibid., Janvier 1871, 2, Lettre à une femme.

Je n'ai jamais connu l'art de désespérer; 10266
Il faut pour reculer, pour trembler, pour pleurer,
Pour être lâche, et faire avec l'honneur divorce,
Se donner une peine au-dessus de ma force.
Ibid., 4.

Vieillir, c'est regarder une clarté décrue. 10267
Ibid., 6, Une Bombe aux Feuillantines.

Je suis en république, et pour roi j'ai moi-même. 10268
Ibid., Février, 2, Aux Rêveurs de monarchie.

On ne va point au vrai par une route oblique. 10269
Ibid., Avril, 5, Pas de représailles.

Je sauverais Judas si j'étais Jésus-Christ. 10270
Ibid.

Je n'abdiquerai pas mon droit à l'innocence. 10271
Ibid.

Le grand rayon de l'art, c'est la fraternité. 10272
Ibid., 8.

J'accuse, ô nos aïeux, car l'heure est solennelle, 10273
Votre société, la vieille criminelle!
Ibid., Mai, 3, Paris incendié.

Les fautes que je fais sont des fautes sincères; 10274
L'hypocrisie et moi sommes deux adversaires;
Je crois ce que je dis, je fais ce que je crois.
Ibid., Juin, 4.

[...] 10275
La mort stupide eut honte et l'officier fit grâce.
Ibid., 11.

10276   Comment peut-il penser, celui qui ne peut vivre?
         En tournant dans un cercle horrible, on devient ivre;
         La misère, âpre roue, étourdit Ixion.
         Et c'est pourquoi j'ai pris la résolution
         De demander pour tous le pain et la lumière.
                              Ibid., 13, A ceux qu'on foule aux pieds.

10277   Flux, reflux. La souffrance et la haine sont sœurs.
         Les opprimés refont plus tard des oppresseurs.
                                                           Ibid.

10278   Je suis le compagnon de la calamité.
         [...]
         Volontairement, j'entre en votre enfer, damnés.
                                                           Ibid.

10279   Par un sentier d'angoisse aux bleus sommets j'irai.
                                                      Ibid., 16.

10280   La mort sera toujours la haute délivrance.
         Le ciel a le bonheur, la terre a l'espérance,
         Rien de plus; mais l'espoir croissant, mais les regrets
         S'effaçant, mais notre œil s'ouvrant, c'est le progrès.
                                            Ibid., Juillet, 11.

10281   La curiosité est une des formes de la bravoure féminine.
                                Quatrevingt-treize, Première partie, I.

10282   Les grands actes de guerre [...] veulent de la noblesse dans
         qui les accomplit. Ce sont choses de chevaliers et non de
         perruquiers.   *Ibid., II, 3.*

10283   La bonté d'une guerre se juge à la quantité de mal qu'elle
         fait.   *Ibid., III, 2.*

10284   Qui a été prêtre l'est.   *Ibid., Deuxième partie, I, 2.*

10285   Savoir distinguer le mouvement qui vient des convoitises
         du mouvement qui vient des principes, combattre l'un et
         seconder l'autre c'est là le génie et la vertu des grands révo-
         lutionnaires.   *Ibid., II, 3.*

10286   En même temps qu'elle dégageait de la révolution, cette
         assemblée[1] produisait de la civilisation. Fournaise mais
         forge.   *Ibid., III, 9.*

10287   La guérilla ne conclut pas ou conclut mal.
                                  Ibid., Troisième partie, II, 2.

10288   — La république, c'est deux et deux font quatre. Quand j'ai
         donné à chacun ce qui lui revient... — Il vous reste à donner
         à chacun ce qui ne lui revient pas.   *Ibid., VII, 5.*

1. La Convention.

Mieux vaudrait encore un enfer intelligent qu'un paradis   10289
bête. *Ibid.*

J'entends des voix. Lueurs à travers ma paupière.   10290
[...]
L'eau clapote. On entend haleter un steamer.
Une mouche entre. Souffle immense de la mer.
L'Art d'être grand-père, Fenêtres ouvertes.

Jeanne était au pain sec dans le cabinet noir.   10291
Ibid., Jeanne était au pain sec.

Dansez les petites filles,   10292
Toutes en rond.
En vous voyant si gentilles,
Les bois riront.
Ibid., Chanson de grand-père.

Je suis de mon siècle et je l'aime!   10293
Les Quatre Vents de l'esprit, Littérature.

La nature est l'encens, pur, éternel, sublime;   10294
Moi je suis l'encensoir intelligent et doux.
Ibid., Promenades dans les rochers.

Les sots, c'est un public.   10295
Ibid., Le Livre satirique.

Si l'homme est un bourreau, Dieu n'est plus qu'un tyran.   10296
Torquemada, Première partie, II, 2.

C'est de l'histoire écoutée aux portes de la légende.   10297
La Légende des siècles, Préface de 1859.

L'épanouissement du genre humain de siècle en siècle,   10298
l'homme montant des ténèbres à l'idéal, la transfiguration
paradisiaque de l'enfer terrestre, l'éclosion lente et suprême
de la liberté, droit pour cette vie, responsabilité pour l'autre;
une espèce d'hymne religieux à mille strophes, ayant dans
ses entrailles une foi profonde et sur son sommet une haute
prière; le drame de la création éclairé par le visage du créateur, voilà ce que sera, terminé, ce poème dans son ensemble;
si Dieu, maître des existences humaines, y consent.
Ibid.

J'eus un rêve, le mur des siècles m'apparut.   10299
Ibid., La vision d'où est sorti ce livre.

L'Être resplendissait, Un dans Tout, Tout dans Un.   10300
Ibid., II, D'Ève à Jésus, le Sacre de la Femme.

L'amour épars flottait comme un parfum s'exhale.   10301
Ibid.

L'œil était dans la tombe et regardait Caïn.   10302
Ibid., La Conscience.

10303   Cet homme marchait pur loin des sentiers obliques,
          Vêtu de probité candide et de lin blanc.
                                        Ibid., Booz endormi.

10304   Les femmes regardaient Booz plus qu'un jeune homme,
          Car le jeune homme est beau, mais le vieillard est grand.
                                                        Ibid.

10305   Et l'on voit de la flamme aux yeux des jeunes gens,
          Mais, dans l'œil du vieillard, on voit de la lumière.
                                                        Ibid.

10306   Et ceci se passait dans des temps très anciens.
                                                        Ibid.

10307   « Voilà longtemps que celle avec qui j'ai dormi,
          O Seigneur! a quitté ma couche pour la vôtre;
          Et nous sommes encor tout mêlés l'un à l'autre,
          Elle à demi vivante et moi mort à demi. [...] »
                                                        Ibid.

10308   Un frais parfum sortait des touffes d'asphodèle;
          Les souffles de la nuit flottaient sur Galgala.
          L'ombre était nuptiale, auguste et solennelle.
                                                        Ibid.

10309   Une immense bonté tombait du firmament;
          C'était l'heure tranquille où les lions vont boire.
          Tout reposait dans Ur et dans Jérimadeth.
                                                        Ibid.

10310   Et Ruth se demandait,
          Immobile, ouvrant l'œil à moitié sous ses voiles,
          Quel Dieu, quel moissonneur de l'éternel été
          Avait, en s'en allant, négligemment jeté
          Cette faucille d'or dans le champ des étoiles.
                                                        Ibid.

10311   Il n'aimait pas qu'on vînt faire après lui
          Les générosités qu'il avait déjà faites.
          Ibid., X, Le cycle héroïque chrétien, Le Mariage de Roland.

10312   Et les os des héros blanchissent dans la plaine.
                                        Ibid., Aymerillot.

10313   Deux liards couvriraient fort bien toutes mes terres,
          Mais tout le grand ciel bleu n'emplirait pas mon cœur.
                                                        Ibid.

10314   Le lendemain, Aymery prit la ville.
                                                        Ibid.

10315   La moitié d'un ami, c'est la moitié d'un traître.
                                        Ibid., XI, Le Cid exilé.

10316   Ce que j'étais hier, je le serai demain.
          Ibid., XII, Les Sept Merveilles du monde, 1, Le Temple d'Ephèse.

Je suis l'art radieux, saint, jamais abattu;   10317
Ma symétrie auguste est sœur de la vertu.
Ibid.

Mon austère équilibre enseigne la justice;   10318
Je suis la vérité bâtie en marbre blanc.
Ibid.

Je suis le monument du cœur démesuré;   10319
La mort n'est plus la mort sous mon dôme azuré [...]
Ibid., 3, Le Mausolée.

[...] L'immense apaisement de ma sérénité.   10320
Ibid., 4, Le Jupiter Olympien.

La création triste, aux entrailles profondes,   10321
Porte deux Tout-puissants, le Dieu qui fait les mondes,
Le ver qui les détruit.
Ibid., XIII, L'Epopée du ver.

     « Si tu veux, faisons un rêve :   10322
     Montons sur deux palefrois;
     Tu m'emmènes, je t'enlève.
     L'oiseau chante dans les bois. [...] »
Ibid., XV, Les Chevaliers errants, Le Petit Roi de Galice.

La mélodie encore quelques instants se traîne   10323
Sous les arbres bleus par la lune sereine
Puis tremble, puis expire, et la voix qui chantait
S'éteint comme un oiseau se pose : tout se tait.
Ibid., Eviradnus.

Un seul instant d'amour rouvre l'Eden fermé.   10324
Ibid., XVI, Les Trônes d'Orient, Sultan Mourad.

C'est pour ou contre un saint que tout combat se livre.   10325
Ibid., XVII, Avertissements et châtiments : L'Aigle du casque.

[...] O fleuves, ô forêts, cèdres, sapins, érables,   10326
Je vous prends à témoin que cet homme est méchant!
Ibid.

Vieillir, sombre déclin! l'homme est triste le soir;   10327
Il sent l'accablement de l'œuvre finissante.
On dirait par instants que son âme s'absente.
*Ibid., XVIII, L'Italie-Ratbert, La Confiance du marquis
Fabrice.*

Jésus disait : aimer; l'église dit : payer.   10328
Ibid., XX, Les Quatre Jours d'Elciis.

Le prodige et le monstre ont les mêmes racines.   10329
Ibid., XXI, Le Cycle pyrénéen, Masferrer.

               Le rêve du héros,   10330
C'est d'être grand partout et petit chez son père.
Ibid., La Paternité.

C'était l'heure où sortaient les chevaux du soleil.   10331
Ibid., XXII, Seizième siècle..., Le Satyre.

10332   Le chaos est l'époux lascif de l'infini.

Ibid.

10333   Un roi c'est de la guerre, un dieu c'est de la nuit.
Liberté, vie et foi, sur le dogme détruit!
Partout une lumière et partout un génie!
Amour! tout s'entendra, tout étant l'harmonie!
L'azur du ciel sera l'apaisement des loups.
Place à Tout! Je suis Pan; Jupiter! à genoux.

Ibid.

10334   Elle est toute petite. Une duègne la garde.

Ibid., XXVI, La Rose de l'Infante.

10335   J'ai regardé de près le dieu de l'étranger,
Et j'ai dit : — Ce n'est pas la peine de changer.

Ibid., XXVII, L'Inquisition, Les Raisons du Momotombo.

10336   En partant du golfe d'Otrante,
Nous étions trente;
Mais, en arrivant à Cadiz,
Nous étions dix.

Ibid., XXVIII, La Chanson des aventuriers de la mer.

10337   De quel droit mettez-vous des oiseaux dans des cages!

Ibid., XXXIII, Le Cercle des tyrans, Liberté.

10338   Jouer la comédie est le faible de Dieu;
Il ne s'irrite pas, mais il se moque un peu;
C'est un poète.

Ibid., Un Voleur à un Roi.

10339   L'amour est une mer dont la femme est la rive.

Ibid., XXXVI, Le Groupe des Idylles, 7 : Bion.

10340   Toutes nos passions reflètent les étoiles.

Ibid.

10341   Le plus sage en ce monde immense est le plus ivre.
Femme, écoute ton cœur, ne lis pas d'autre livre.

Ibid., XX, Diderot.

10342   Quand donc lèvera-t-on l'écrou du triste amour!

Ibid., XXXIX, L'Amour.

10343   L'homme cherche, la vierge attend, la femme attire.

Ibid.

10344   La prière est la sœur tremblante de l'amour.

Ibid.

10345   Un monde plus profond que l'astre, c'est l'atome.

Ibid., XLII, A l'homme.

10346   Les hommes en travail sont grands des pas qu'ils font;
Leur destination, c'est d'aller, portant l'arche;
Ce n'est pas de toucher le but, c'est d'être en marche.

Ibid.

Hier était le monstre et demain sera l'ange;
   Le point du jour blanchit nos fronts.
      Ibid., XLIV, Tout le Passé et tout l'Avenir.

10347

Nul être, âme au soleil, ne sera solitaire;
L'avenir, c'est l'hymen des hommes sur la terre.
      Ibid.

10348

Un poète est un monde enfermé dans un homme.
      Ibid., XLVII, Un Poète.

10349

Pour la création le poète est sacré.
      Ibid.

10350

Sire, vous reviendrez dans votre capitale [...].
      Ibid., XLVIII, Le Retour de l'Empereur.

10351

Mon père, ce héros au sourire si doux,
Suivi d'un seul housard qu'il aimait entre tous,
Pour sa grande bravoure et pour sa haute taille,
Parcourait à cheval, le soir d'une bataille,
Le champ couvert de morts sur qui tombait la nuit.
      Ibid., XLIX, Le Temps présent, Après la Bataille.

10352

Donne-lui tout de même à boire, dit mon père.
      Ibid.

10353

J'aime la vie, et vivre est la chose certaine,
Mais rien ne sait mourir comme les bons vivants.
      Ibid., Le Cimetière d'Eylau.

10354

Ah! Dieu veut qu'on le donne et non pas qu'on le vende!
Ibid., Dénoncé à celui qui chassa les vendeurs du Temple.

10355

Ce suicide affreux, le célibat.
      Ibid., Les Enterrements civils.

10356

France, France, sans toi, le monde serait seul.
      Ibid., L, L'Elégie des fléaux.

10357

Il est nuit. La cabane est pauvre, mais bien close.
      Ibid., LII, Les Pauvres Gens.

10358

[...] Et cinq petits enfants, nid d'âmes, y sommeillent.
      Ibid.

10359

Le sinistre océan jette son noir sanglot.
      Ibid.

10360

L'homme est en mer. Depuis l'enfance matelot,
Il livre au hasard sombre une rude bataille.
Pluie ou bourrasque, il faut qu'il sorte, il faut qu'il aille,
Car les petits enfants ont faim.
      Ibid.

10361

      Ces choses-là sont rudes.
Il faut pour les comprendre avoir fait des études.
      Ibid.

10362

10363   — J'étais enfant, j'étais petit, j'étais cruel, —
Ibid., LIII, Le Crapaud.

10364   Une chute sans fin dans une nuit sans fond,
Voilà l'enfer.
Ibid., LIV, La Vision de Dante.

10365   Je hais le dogme, un dogme c'est un cloître.
Ibid., LV, Les Grandes Lois.

10366   Mourir n'est pas finir, c'est le matin suprême.
Ibid.

10367   C'est à l'ironie
Que commence la liberté.
Ibid., LVI, Rupture avec ce qui amoindrit.

10368   Quand Beaumarchais est sur la scène,
Danton dans la coulisse attend.
Ibid.

10369   Nul n'ira jusqu'au fond du rire d'un enfant.
Ibid., LVII, Les Petits.

10370   [...] Voici qu'enfin la traversée
Effrayante, d'un astre à l'autre est commencée.
Ibid., LVIII, Vingtième Siècle.

10371   [...] Je refuse l'oraison de toutes les églises; je demande une
prière à toutes les âmes. Je crois en Dieu.
Testament de Victor Hugo, 2 août 1883.

10372   C'est ici le combat du jour et de la nuit.
Dernières paroles de Hugo, 1885.

10373   Depuis quatre mille ans il tombait dans l'abîme.
La Fin de Satan, Hors de la terre, I : Et nox facta est, I.

10374   L'enfer est tout entier dans ce mot : solitude.
Ibid., Hors de la terre, II : La Judée, l. II, 8.

10375   J'aime. O vents, chassez l'hiver.
Les plaines sont embaumées.
L'oiseau semble, aux bois d'Aser,
Une âme dans les ramées.
Ibid., Jésus-Christ, II : Le Cantique de Bethphagé.

10376   Qu'est-ce que des amants? Ce sont des nouveau-nés.
Ibid.

10377   Quand donc pourra-t-on dire : « Hommes, le mal n'est
plus! »?
Ibid., Le Crucifix.

10378   L'enfer, c'est l'absence éternelle.
Ibid., Hors de la terre, III : I, Satan dans la nuit, 2.

Ne pas mourir, ne pas dormir. Voilà mon sort. 10379
En songe, on ne dort pas mais on croit que l'on dort.
C'est assez. Je n'ai point cette trêve.
Ibid., 11.

Satan est mort; renais, ô Lucifer céleste! 10380
Ibid., Hors de la terre, IV : Satan pardonné : Dieu parle dans
l'infini.

La proclamation de l'abolition de l'esclavage se fit à la 10381
Guadeloupe avec solennité. [...]
Au moment où le gouverneur proclamait l'égalité de la
race blanche, de la race mulâtre et de la race noire, il n'y
avait sur l'estrade que trois hommes, représentant pour
ainsi dire les trois races : un blanc, le gouverneur; un mulâtre
qui lui tenait le parasol; et un nègre qui lui portait son chapeau. *Choses vues.*

Loin de se dilater, tout esprit se contracte 10382
Dans les immensités de la science exacte.
Toute la lyre, Le Calcul.

Honte au vain philosophe, à l'artiste inutile 10383
Qui ne met pas son sang et son cœur dans son style.
Ibid., Honte...

Lorsqu'un vivant nous quitte, ému, je le contemple; 10384
Car, entrer dans la mort, c'est entrer dans le temple.
Ibid., A Théophile Gautier.

Nous sommes tous les deux voisins du ciel, Madame, 10385
Puisque vous êtes belle et puisque je suis vieux.
Ibid., Ave, dea; Moriturus te salutat.

Je rature 10386
Une aventure en moi par une autre aventure.
Ibid., Le Blasphème de l'amour.

J'ai fait dans ma jeunesse quatre ans de mathématiques. 10387
Mon professeur [...] me demandant [...] : « Eh bien, Mon-
sieur, que pensez-vous des x et des y? » Je lui ai répondu :
« C'est bas de plafond. »
Pierres (Ed. Milieu du monde).

Je suis un homme qui pense à autre chose. *Ibid., 1863.* 10388

J'aime mieux tout de quelque chose que quelque chose de 10389
tout. *Ibid.*

Lamartine est mort. C'était le plus grand des Racine, sans 10390
excepter Racine. *Ibid., 4 mars 1869.*

Louis XIV. Napoléon. Je préfère ce qu'est la gloire, même 10391
ensanglantée, à ce qui n'est que la pompe. *Ibid.*

L'âme française est plus forte que l'esprit français, et Voltaire 10392
se brise à Jeanne d'Arc. *Ibid.*

10393 Jamais les questions ne se décident par la raison directe [...].
La tangente a plus de puissance que la sécante.   *Ibid.*

10394 Le mal est un mulet : il est opiniâtre et stérile.   *Ibid.*

10395 Dans « connaître », il y a « naître ».   *Ibid.*

10396 Il y a toujours dans le bonheur, même des meilleures gens,
un peu d'insolence aimable qui défie les autres d'en faire
autant.   *Ibid.*

10397 Être contesté, c'est être constaté.   *Ibid.*

10398 Les vrais grands écrivains sont ceux dont la pensée occupe
tous les recoins de leur style.   *Ibid.*

10399 Ce qu'on appelle l'adultère comme ce qu'on appelle l'hérésie
est de droit naturel.   *Ibid.*

10400 Communisme.
Une égalité d'aigles et de moineaux, de colibris et de chauves-
souris, qui consisterait à mettre toutes les envergures dans la
même cage et toutes les prunelles dans le même crépuscule,
je n'en veux pas.   *Ibid.*

10401 Venue inévitable d'un Spartacus russe.   *Ibid.*

HENRI LACORDAIRE
1802-1861

10402 Messieurs, soyons hommes de notre époque. De quel droit
vous élèveriez-vous contre votre siècle? Il m'est permis, à
moi, de m'élever contre mon siècle, car j'ai pour piédestal
l'éternité. Malheur à qui attaque son siècle! Il faudra bien
qu'il subisse les conséquences de cet attentat.
Ire Conférence à Nancy.

10403 L'Église ne détruit pas, elle laisse tomber.
IIIe Conférence à Nancy.

10404 Cependant savez-vous quel fut le dernier mot de ce puissant
génie [Platon]? Ce dernier mot, le voici : « Il est nécessaire
qu'il vienne du ciel un maître pour nous instruire. »   *Ibid.*

10405 Il y a cette différence entre la certitude et l'infaillibilité
que la certitude consiste à ne pas se tromper dans un cas
donné, tandis que l'infaillibilité consiste à ne pas pouvoir se
tromper.   *IIIe Conférence à Notre-Dame.*

10406 Longin a dit : Le sublime, c'est le son que rend une grande
âme; et le peuple, Messieurs, n'a pas renoncé à rendre ce
son-là.   *XXVIe Conférence à Notre-Dame.*

Vous n'êtes pas religieux par la même raison que vous n'êtes
pas chastes.   *Ibid.*   10407

Retournez, retournez à l'infini, lui seul est assez grand pour   10408
l'homme. Ni chemin de fer, ni longue cheminée à vapeur,
ni aucune autre invention n'agrandiront la terre d'un pouce.
L'âme seule a du pain pour tous, et de la joie pour une éternité. Rentrez-y à pleines voiles, rendez Jésus-Christ au
pauvre.   *XXXIIIe Conférence à Notre-Dame.*

Les autres peuples ont eu des historiens, des jurisconsultes,   10409
des sages, des poètes, mais qui sont à eux seuls et forment
comme une gloire privée, le peuple juif a été l'historien,
le sage, le poète de l'humanité.
                          XLe Conférence à Notre-Dame.

Touchons la main du Malais et du Mongol; touchons la   10410
main du nègre; touchons la main du pauvre et du lépreux.
Tous ensemble, unissant nos biens et nos maux dans une
immense et sincère fraternité, allons à Dieu, notre premier
Père.   *LIe Conférence à Notre-Dame.*

Je ne parle pas au matérialisme, je le tiens pour ce qu'il   10411
est, une passion de se rabaisser pour faire à son corps une
bauge libre dans l'univers.
Discours de distribution des prix prononcé à Sorèze le 10 août
1859.

Quelle pitié que les politiques qui ne regardent pas en haut,   10412
et qui se croient assez forts pour gouverner le monde avec
des écus de cinq francs et des gendarmes!
                   XXVIe lettre à Mme de la Tour du Pin.

HECTOR BERLIOZ
1803-1869

Soignons notre art, et veillons au salut de l'empire.   10413
              Les Soirées de l'orchestre, Septième soirée.

Bach, c'est Bach, comme Dieu c'est Dieu.   *Mémoires.*   10414

A Paris, le frère scrofuleux et adultérin de l'*art*, le *métier*,   10415
couvert d'oripeaux, étale à tous les yeux sa bourgeoise
indolence [...].   *Ibid.*

Les Médicis sont morts. Ce ne sont pas nos députés qui les   10416
remplaceront.   *Ibid.*

L'industrialisme de l'art, suivi de tous les bas instincts   10417
qu'il flatte et caresse, marche à la tête de son ridicule cortège,
promenant sur ses ennemis vaincus un regard niaisement
superbe [...]   *Ibid.*

10418 Je ne ressemble point [...] à ce caporal qui avait *l'ambition d'être domestique.*   *Ibid.*

AUGUSTE BRIZEUX
1803-1858

10419 A mon tour un ami que je n'ai pu connaître
      Sur ma tombe... qui sait?... viendra pleurer peut-être.
                                   Raphaël.

10420 Dans l'ombre de mon cœur mes plus fraîches amours,
      Mes amours de quinze ans refleuriront toujours!
                                   Marie.

PROSPER MÉRIMÉE
1803-1870

10421 [...] Je donnerais volontiers Thucydide pour des mémoires authentiques d'Aspasie ou d'un esclave de Périclès.
               Chronique du règne de Charles IX, Préface.

10422 L'assassinat n'est plus dans nos mœurs.   *Ibid.*

10423 C'est Louis XI qui a dit : « Diviser pour régner. »   *Ibid.*

10424 Mais, dites-moi, pourquoi voulez-vous que je vous fasse faire connaissance avec des gens qui ne doivent point jouer de rôle dans mon roman?   *Ibid., chap. 8.*

10425 Quand deux amants sont discrets, il se passe quelquefois plus de huit jours avant que le public soit dans leur confidence.
                           Ibid., chap. 18.

10426 On se moque des visions et des apparitions surnaturelles; quelques-unes, cependant, sont si bien attestées, que, si l'on refusait d'y croire, on serait obligé, pour être conséquent, de rejeter en masse tous les témoignages historiques.
              Mosaïque, Vision de Charles XI.

10427 Quand une passion nous emporte, nous éprouvons quelque consolation d'amour-propre à contempler notre faiblesse du haut de notre orgueil. « Il est vrai que je suis faible, se dit-on, mais si je voulais! »   *Ibid., Le Vase étrusque.*

10428 [...] Il n'y a rien de plus odieux pour une femme que ces caresses qu'il est presque aussi ridicule de refuser que d'accepter.   *La Double Méprise, chap. 2.*

[...] Comme tous les hommes, il était beaucoup plus éloquent   10429
pour demander que pour remercier.   *Ibid., chap. 12.*

L'énergie même dans les mauvaises passions excite tou-   10430
jours en nous l'étonnement et une sorte d'admiration.
La Vénus d'Ille.

Pour qu'une femme soit belle, disent les Espagnols, il faut   10431
qu'elle réunisse trente « si », ou, si l'on veut, qu'on puisse
la définir au moyen de dix adjectifs, applicables chacun
à trois parties de sa personne. Par exemple, elle doit avoir
trois choses noires : les yeux, les paupières et les sourcils;
trois fines : les doigts, les lèvres, les cheveux, etc. Voyez
Brantôme pour le reste.   *Carmen, chap. 2.*

En close bouche, n'entre point mouche.   *Ibid., chap. 4.*   10432

« Plutarque, disait Courier, ferait gagner à Pompée la bataille   10433
de Pharsale si cela pouvait arrondir tant soit peu sa phrase. »
Il a raison. M. Nodier était de l'école de Plutarque.
Portraits historiques et littéraires, Charles Nodier.

Aujourd'hui, l'enterrement ne manque à personne, grâce   10434
à un règlement de police; mais, nous autres païens, nous
avons aussi des devoirs à remplir envers nos morts [...]
Ibid., Henri Beyle.

« Nos parents et nos maîtres, disait-il, sont nos ennemis   10435
naturels quand nous entrons dans le monde. » C'était un
de ses aphorismes.   *Ibid.*

Le plus sceptique a ses moments de croyance superstitieuse,   10436
et sous quelque forme qu'il se présente, le merveilleux
trouve toujours une fibre qui tressaille dans le cœur humain.
Ibid., Alexandre Pouchkine.

Tout gros mensonge a besoin d'un détail bien circonstancié,   10437
moyennant quoi il passe. C'est pourquoi notre maître Rabelais a laissé ce beau précepte : « *qu'il faut mentir par nombre
impair.* »   *Ibid.*

Les Turcs, qui marchandent une femme en l'examinant   10438
comme un mouton gras, valent bien mieux que nous qui
avons mis sur ce vil marché [le mariage] un vernis d'hypocrisie, hélas! bien transparent.
Lettres à une inconnue, VI.

Les amants ne sont, à vrai dire, ici [Madrid] que des maris   10439
autorisés par l'Église.   *Ibid., CVIII.*

Paris est absolument dépourvu d'habitants intelligents.   10440
Il n'y reste plus que des bonnetiers ou des députés, ce qui
revient à peu près au même.   *Ibid., CXIV.*

Il est bien malheureux de perdre ses amis, mais c'est une   10441
calamité qu'on ne peut éviter que par une autre bien plus
grande, qui est de n'aimer rien.   *Ibid., CLXII.*

10442 Je suis toujours malade et quelquefois je soupçonne que je suis sur le grand railway menant outre-tombe. Tantôt cette idée m'est très pénible, tantôt j'y trouve la consolation qu'on éprouve en chemin de fer : c'est l'absence de responsabilité devant une force supérieure et irrésistible.
Ibid., CCI.

10443 Le chassepot est tout-puissant et pourra donner à la populace de Paris une leçon historique, comme disait le général Changarnier; mais saura-t-on s'en servir à propos?
Ibid., CCCXXIII.

10444 Souviens-toi de te méfier[1].

EDGAR QUINET
1803-1875

10445 Aujourd'hui, comme aux jours de Pline et de Columelle, la jacinthe se plaît dans les Gaules, la pervenche en Illyrie, la marguerite sur les ruines de Numance, et pendant qu'autour d'elles les villes ont changé de maîtres et de nom, que plusieurs sont rentrées dans le néant, que les civilisations se sont choquées et brisées, leurs paisibles générations ont traversé les âges, et se sont succédé l'une à l'autre jusqu'à nous, fraîches et riantes comme aux jours des batailles.
Introduction aux « Idées sur la philosophie de l'histoire de l'humanité de Herder ».

10446 Je pourrais nommer les plus beaux génies de l'Allemagne à qui le sol manque sous les pas, et qui tombent à cette heure, épuisés et désespérés, sur la borne de quelque principauté, faute d'un peu d'espace pour s'y mouvoir à l'aise.
L'Allemagne et la Révolution.

10447 La bourgeoisie sans le peuple, c'est la tête sans le bras. Le peuple sans la bourgeoisie, c'est la force sans la lumière.
Avertissement au pays.

10448 Si je pensais que la démocratie n'eût rien autre chose à faire qu'à augmenter et imiter la bourgeoisie, je serais volontiers d'avis qu'il est assez de bourgeois dans le monde, et je m'en tiendrais à ce que je vois.
Ibid.

10449 Voltaire est l'ange d'extermination envoyé par Dieu contre son Église pécheresse.
L'ultramontanisme.

10450 Il [Voltaire] ébranle, avec un rire terrible, les portes de l'Église qui, posées par saint Pierre, se sont ouvertes pour les Borgia.
Ibid.

1. Devise gravée dans le chaton de la bague que Mérimée portait constamment.

L'Italie, la France et tous les peuples qui ont fait dans le 10451
XVIe siècle obstacle à la liberté religieuse, en sont punis par
l'impossibilité d'entrer, au XIXe siècle, dans la liberté politique. *Les Révolutions d'Italie.*

Imitez donc, hommes de la liberté, la franchise de vos adver- 10452
saires. Ils osent être du moyen âge et vous n'oseriez être du
XIXe siècle! *L'Enseignement du peuple.*

Les politiques, qui ont trouvé tant de moyens d'étouffer 10453
la liberté où elle est née, n'en ont encore trouvé aucun pour
l'empêcher de naître et de faire explosion là où elle ne s'est
montrée jamais; ce problème existe encore en son entier.
La Révolution, Livre I, chap. 5.

Toute pensée qui se bornera aux combinaisons de l'économie 10454
politique sera infailliblement trompée dans les grandes
affaires humaines. *Ibid., Livre I, chap. 8.*

Quand le progrès matériel s'accomplit par un despote, 10455
c'est un bail quasi-perpétuel de servitude; car tous ceux qui
ont acquis quelque chose croient que le despotisme est
leur meilleur garant. *Ibid., Livre IV, chap. 2.*

Il est certain que, dans un siècle, les hommes seront mieux 10456
nourris, mieux couverts, mieux vêtus, plus facilement
transportés. Ils posséderont, à n'en pas douter, ce qu'ils
appellent une meilleure vie animale. A moins d'un cataclysme, rien n'empêchera ce progrès. Mais cette chose
divine, la dignité, compagne de la liberté, il faut qu'ils la
méritent pour la posséder. *Ibid.*

En 1796, c'est le peuple qui est harassé; il se retire en masse; 10457
il a besoin de sommeil, il va dormir pendant un tiers de siècle.
Ibid., Livre VI, ch. 11.

La véritable réponse au manifeste de Brunswick fut *la* 10458
Marseillaise de Rouget de Lisle.
Un chant sortit de toutes les bouches; on eût pu croire que
la nation entière l'avait composé; car au même moment,
il éclata en Alsace, en Provence, dans les villes et dans la
plus misérable chaumière [...] Un grand silence succède,
pendant lequel résonnent les pas confus d'un peuple qui se
lève; puis ce cri imprévu, gigantesque, qui perce les nues :
Aux armes! Ce cri de la France, prolongé d'échos en échos,
immense, surhumain, remplit la terre!... Et, encore une fois,
le vaste silence de la terre et du ciel! et comme un commandement militaire à un peuple de soldats! Alors la marche
cadencée, la danse guerrière d'une nation dont tous les pas
sont comptés. A la fin, comme un coup de tonnerre, tout se
précipite. La victoire a éclaté en même temps que la bataille.
Ibid., Livre XI, chap. 3.

Rien au monde ne fait plus d'honneur aux Français que 10459
d'avoir été capables de se donner froidement, impassible-
ment leur code civil au milieu du délire de 1793. C'est ce
qui montre le mieux les énergies indomptables de cette
race. *Ibid., Livre XV, chap. 2.*

10460 Et Saint-Just, que n'était-il pas? Accusateur, inquisiteur, écrivain, administrateur, financier, utopiste, tête froide, tête de feu, orateur, général, soldat! Le civil achevait le militaire, et le militaire achevait le civil. Cela ne s'était pas vu depuis les Romains.   *Ibid., Livre XV, ch. 3.*

10461 Saint-Just promène l'épouvante sur tous les partis. Comme l'épervier qui paraît immobile et n'a pas encore trouvé la proie sur laquelle il veut fondre, il tient, pendant deux heures, la Convention sous sa vague menace. Il ne conclut pas. Il met chacun en présence de lui-même; car il sait que la terreur, pour être un bon instrument de règne, doit d'abord entrer dans toutes les âmes.   *Ibid.*

10462 Où s'est-il vu jamais une assemblée d'hommes ainsi présents partout, occupés de tout, de ce qui est loin et de ce qui est près, de l'ensemble et du détail, de l'infiniment grand et de l'infiniment petit, d'armées et de médailles antiques, de peuples et de bibliothèques, d'échafauds et de vases étrusques? Ubiquité, universalité, c'est le nom de la Convention.   *Ibid.*

10463 L'ère de l'an I a passé avant la génération qui l'a fondée. Où sont les mois qui promettaient la moisson, germinal, messidor, fructidor? Ils sont passés comme ceux qui annonçaient les tempêtes, brumaire, frimaire, nivôse. Rien n'est resté, ni le printemps, ni l'hiver.   *Ibid.*

10464 Danton parlait les fenêtres ouvertes; ses derniers rugissements allaient retentir sur les places publiques, sur les quais, jusqu'au-delà de la Seine; chose qui semblerait incroyable, si tant de témoins n'empêchaient qu'on en doutât. Dans les moments de crise, nous savons de quel effrayant silence est capable une ville telle que Paris [...]
                    Ibid., Livre XVIII, chap. 2.

10465 La terreur ne réussit pas à la démocratie, parce que la démocratie a besoin de justice, et que l'aristocratie et la monarchie peuvent s'en passer.   *Ibid., Livre XX, chap. 6.*

10466 Dans cette déroute morale, quand les anciens conventionnels de la Montagne, traqués par le Directoire, séparés par leurs propres mécomptes, se rencontraient, ils s'abordaient avec le ricanement de Hamlet parmi les fossoyeurs du cimetière.   *Ibid., Livre XXII, chap. 6.*

10467 Les peuples libres sont les seuls qui aient une histoire; les autres n'ont que des chroniques : matière pour l'érudit, le genre humain ne les connaît pas.
                    Ibid., Livre XXII, chap. 9.

10468 S'il est difficile d'empêcher de penser les peuples qui y sont accoutumés, il est cent fois plus difficile de forcer à penser ceux qui l'ont oublié ou désappris.
                    Ibid., Livre XXIV, chap. 3.

10469 Comme il n'y a pas eu de plèbe parmi nous, il n'y a pas non plus de prolétaires véritables; c'est un nom ancien qui devrait être abandonné; car il est offensant et ne répond point à la réalité.   *Ibid., Livre XXIV, chap. 17.*

Véritablement, la lutte est trop inégale entre nous, qui n'avons   10470
qu'une heure, et les peuples, qui comptent sur des siècles.
Nous nous exténuons à les gourmander; à peine s'ils entendent nos murmures. Notre vie est déjà passée que la leur n'a
pas vieilli d'un moment.   *Ibid.*

Le vrai moyen d'honorer la Révolution est de la continuer,   10471
en portant une âme libre dans son histoire.
                              Critique de La Révolution, I.

Faisons-nous une âme libre pour révolutionner la Révolution.   10472
                                           Ibid., III.

DELPHINE GAY DE GIRARDIN
1804-1855

Quel bonheur d'être belle, alors qu'on est aimée!   10473
                    Poèmes, Le Bonheur d'être belle.

Tu sais le secret de ma vie,   10474
De ma courageuse gaieté;
Tu sais que ma philosophie
N'est qu'un désespoir accepté.
                                     Ibid., La Nuit.

Je sens à mon bonheur que je suis innocente.   10475
                                   Ibid., Les Adieux.

Être bel homme est un métier.   10476
                          La Canne de M. de Balzac.

En bataille, en amour, en toute chose, le lendemain est un   10477
grand jour...   *Ibid.*

Il n'est point de ces gens, banquiers imaginaires,   10478
Qui promettent toujours, Célimènes d'affaires,
Qui ne donnent jamais; spéculateurs profonds
Que nous avons nommés *entrebailleurs* de fonds.
                 L'École des Journalistes, acte 1, scène 5.

Celui-là se croit Kant parce qu'il l'a traduit.   10479
                                                    Ibid.

JULES JANIN
1804-1874

Avoir aimé, c'est ne plus vivre...   10480
*Vers écrits sur la garde d'un exemplaire des œuvres du chevalier
de Bertin.*

[...] Que l'innocence est un grand art   10481
Et que le bonheur est un songe.
                                                    Ibid.

NESTOR ROQUEPLAN
1804-1870

10482   Qui oblige s'oblige.
Nouvelles à la main.

10483   Ce qui a déterminé beaucoup de gens à croire à l'urgence
de la guerre, c'est que la majorité des Français porte aujour-
d'hui des moustaches.   *Ibid.*

10484   La lassitude publique deviendra, nous l'espérons, le bon sens
des hommes d'État.   *Ibid.*

SAINTE-BEUVE
1804-1869

10485   Qu'on dise : il[1] osa trop, mais l'audace était belle.
Tableau de la poésie française au XVIe siècle.

10486   La médecine [...] est de tous les temps et de tous les lieux.
Véritablement utile aux hommes lorsqu'on l'exerce avec
zèle et intelligence, souvent elle leur donne plus que la
santé, elle leur rend le bonheur; car tant de maladies viennent
de l'âme [...].
*Vie, Poésies et Pensées de Joseph Delorme, Vie de Joseph
Delorme.*

10487   Le désespoir lui-même, pour peu qu'il se prolonge, devient
une sorte d'asile dans lequel on peut s'asseoir et reposer.
Ibid.

10488   Pourquoi ne pas mourir? De ce monde trompeur
Pourquoi ne pas sortir sans colère et sans peur,
Comme on laisse un ami qui tient mal sa promesse?
Ibid., Poésies de Joseph Delorme, Sonnets, I.

10489   Souvent à des festins de joie,
Convive malgré moi venu,
Assis sur des coussins de soie,
La coupe en main, je suis en proie
Au souci d'un mal inconnu.
Ibid., Retour à la Poésie.

10490   [...] Et mon bonheur, à moi, n'est pas de cette vie.
Ibid., Le Rendez-vous.

10491   Dans ce que nous écrivons, il y a toujours [...] les trois
quarts d'inexact, [...] et qui donne beau jeu aux lecteurs de
mauvaise volonté! Mais qui est-ce qui écrit pour les lecteurs
de mauvaise volonté?
Ibid., Pensées de Joseph Delorme, II.

1. Il s'agit de Ronsard.

Réduire l'art à une question de « forme », c'est le rapetisser et le rétrécir outre mesure. *Ibid., III.* 10492

Le sentiment de l'art implique un sentiment vif et intime des choses. [...] L'artiste [...] s'occupe [...] à sentir sous ce monde apparent l'autre monde tout intérieur qu'ignorent la plupart, et dont les philosophes se bornent à constater l'existence [...]. *Ibid., XX.* 10493

[...] Naître, vivre et mourir dans la même maison. *Les Consolations, à E. Fouinet.* 10494

On croit posséder en son sein d'incomparables secrets; on se flatte d'avoir été l'objet de fatalités singulières, et, pour peu que le cœur [...] de ceux qui nous coudoient dans la rue s'ouvre à nous, on s'étonne d'y apercevoir des misères toutes semblables, des combinaisons équivalentes. *Volupté.* 10495

J'eus toujours le goût des intérieurs [...], des habitudes intimes, des convenances privées, du détail des maisons : un intérieur nouveau où je pénétrais était toujours une découverte agréable à mon cœur [...] *Ibid., III.* 10496

A mesure que les sens avancent et se déchaînent en un endroit, l'amour vrai tarit et s'en retire. Plus les sens deviennent prodigues et faciles, plus l'amour se contient, s'appauvrit ou fait l'avare [...]. *Ibid., IV.* 10497

Rêver, [...] c'est ne rien vouloir, c'est répandre au hasard sur les choses la sensation présente et se dilater démesurément par l'univers, en se mêlant soi-même à chaque objet senti, tandis que la prière est voulue, qu'elle est humble, [...] et, jusqu'en ses plus chères demandes, couronnée de désintéressement. *Ibid.* 10498

La moindre caresse de l'amour, la plus indifférente familiarité du mariage, laisse loin en arrière les plus vives avances de l'amitié. *Ibid.* 10499

Idole et symbole, révélation et piège, voilà le double aspect de l'humaine beauté depuis Ève. *Ibid., V.* 10500

A défaut d'éclat glorieux, on réclamerait de sanglantes infortunes et des rigueurs acharnées, pour ne rien épouser qu'à demi. *Ibid., VI.* 10501

Le dépaysement surtout et la variété des lieux, quand on commence d'aimer, tournent au profit de l'amour. *Ibid., VII.* 10502

Nous montons [...] l'escalier des amis d'aujourd'hui, nous disant que probablement, dans un an ou deux, nous en monterons quelque autre; et le jour où cette prévoyance nous vient, nous sommes morts de cœur à l'amitié. *Ibid., VIII.* 10503

10504 Qui de vous, amants humains, parmi les plus comblés, et
       au sein des accablantes faveurs, qui de vous n'a subi l'ennui?
       [...] L'amour humain [...] a des sécheresses subites, inouïes;
       c'est la pauvreté de notre nature qui fait cela.
                                                              Ibid., IX.

10505 Mieux vaut [...] une passion éperdument manifeste qu'un
       amour caché.   *Ibid., X.*

10506 L'avidité de savoir est distincte en nous de la fidélité d'aimer;
       [...] il y a dans l'homme une grande inquiétude d'apprendre
       qui a besoin d'errer, de se jeter au-dehors, pour ne pas dévorer
       le dedans [...].   *Ibid., XI.*

10507 C'est d'espérance toujours que se nourrit obscurément
       et à la dérobée le désir, sans quoi il finirait par périr d'ina-
       nition et du sentiment de son inutilité.   *Ibid., XIV.*

10508 Tâcher de se guérir intimement, c'est déjà songer aux autres,
       c'est déjà leur faire du bien.   *Ibid.*

10509 Le monde se vante [...] qu'entre certaines gens bien nés,
       la querelle elle-même est décente, que la rupture n'admet
       point l'outrage. Le monde ment.   *Ibid., XIX.*

10510 Si le Christ m'attendrit, Rome au moins m'embarrasse.
              Ibid., Epilogue. La réponse de Sainte-Beuve à Amaury.

10511 Paganisme immortel, es-tu mort? On le dit;
       Mais Pan tout bas s'en moque et la Sirène en rit.
              Eglogue napolitaine. Suite de Joseph Delorme.

10512 Le point essentiel dans une vie de grand écrivain, de grand
       poète, est celui-ci : saisir, embrasser et analyser tout l'homme
       au moment où, par un concours plus ou moins lent ou facile,
       son génie, son éducation et les circonstances se sont accordés
       de telle sorte qu'il ait enfanté son premier chef-d'œuvre.
                              Critiques et Portraits littéraires.

10513 Il se trouve, en un mot, dans les trois quarts des hommes,
       comme un poète qui meurt jeune, tandis que l'homme
       survit.   *Ibid., I, Millevoye.*

10514 Le style seul fait vivre.
                              Portraits contemporains, tome IV.

10515 Montaigne déjà avait trouvé [...] un style de génie, mais
       tout individuel et qui ne tirait pas à conséquence. Pascal a
       trouvé un style à la fois individuel, de génie, qui a sa marque
       et que nul ne peut lui prendre, et un style aussi de forme
       générale, logique et régulière, qui fait loi et auquel tous peu-
       vent et doivent plus ou moins se rapporter : il a établi la
       prose française.   *Port-Royal, Livre I, chap. 2.*

10516 Dans le monde, dans les divers ordres de talent et d'emploi,
       ces natures, que j'ai appelées « secondes », existent [...] :
       elles ont besoin de suivre et de s'attacher.
                                    Ibid., Livre II, chap. 4.

Le goût [1] est un don [...]; c'est un sens singulier que l'exer- 10517
cice cultive, que la pratique aiguise. Il ne paraît jamais plus
noble, plus complet, plus véritablement délicat et élevé,
qu'au sein d'une nature saintement morale; mais il se voit
souvent très développé chez des natures bien différentes.
Une certaine corruption agréable [...] n'y messied pas, et
en raffine même extrêmement plusieurs parties rares. Pour
prendre des noms consacrés [...], qui donc a plus de goût
que M. de Talleyrand ou que César?
Ibid., Livre II, chap. 9.

Il y a du Montaigne en chacun de nous. Tout goût, toute 10518
humeur et passion, toute diversion, amusement et fantaisie,
où le Christianisme n'a aucune part et où il est [...] ignoré
[...], qu'est-ce autre chose que du Montaigne?
Ibid., Livre III, chap. 2.

Molière, c'est la nature comme Montaigne, et sans le moin- 10519
dre mélange appréciable de ce qui appartient à « l'ordre de
Grâce »; il n'a pas été entamé plus que Montaigne [...]
par le Christianisme [...].
Mais si Molière est « tout nature » comme Montaigne,
j'oserai dire qu'il l'est encore plus richement, plus géné-
reusement surtout.
[...] Molière nous rend la nature, mais plus généreuse, plus
large et plus franche [...].   *Ibid., Livre III, chap. 15.*

Toute philosophie, quelle qu'elle soit au premier degré 10520
et dans son premier chef et parent, devient anti-chrétienne
ou du moins hérétique à la seconde génération : c'est la loi.
Ibid., Livre VI, chap. 5.

[...] Jésus-Christ lui-même, qui n'est plus tout à fait Dieu 10521
dans Malebranche, cessera même d'être un homme, tant le
sens philosophique triomphera de l'anthropologique! Du
plus haut de cette construction métaphysique de Malebranche,
j'entrevois déjà tout au bout Hegel et son cortège.
Ibid., Livre VI, chap. 6.

Dis-moi qui t'admire et je te dirai qui tu es.   10522
Causeries du lundi, 20 avril 1850.

Chacun a son idéal dans le passé, et la nature, la vocation 10523
de chaque esprit ne se déclarerait jamais mieux, j'imagine,
que par le choix du personnage qu'on irait d'abord chercher
si l'on revenait dans un temps antérieur.
Ibid., 7 octobre 1850.

Un vrai classique, [...] c'est un auteur qui a enrichi l'esprit 10524
humain, qui en a réellement augmenté le trésor, qui lui a
fait faire un pas de plus, qui a découvert quelque vérité
morale non équivoque, ou ressaisi quelque passion éternelle
dans ce cœur où tout semblait connu et exploré; qui a rendu
sa pensée, son observation ou son invention, sous une forme

---

1. Réplique à Vauvenargues : « Il faut [...] avoir de l'âme pour
   avoir du goût » (*Introduction à la connaissance de l'esprit
   humain*, chap. 17).

n'importe laquelle, mais large et grande, fine et sensée, saine et belle en soi; qui a parlé à tous dans un style à lui et qui se trouve aussi celui de tout le monde, dans un style nouveau sans néologisme, nouveau et antique, aisément contemporain de tous les âges.   *Ibid., 21 octobre 1850.*

10525   [...] Cette faculté de *demi*-métamorphose, qui est le jeu et le triomphe de la critique, et qui consiste à se mettre à la place de l'auteur [...].
                                                        Ibid., 20 janvier 1851.

10526   La postérité, de plus en plus, me paraît ressembler à un voyageur pressé qui fait sa malle, et qui ne peut y faire entrer qu'un petit nombre de volumes choisis.
                                                        Ibid., 15 septembre 1851.

10527   Il y a la race des hommes qui, lorsqu'ils découvrent autour d'eux un vice, une sottise ou littéraire ou morale, gardent le secret et ne songent qu'à s'en servir où à en profiter doucement [...]; c'est le grand nombre. Et pourtant il y a la race encore de ceux qui, voyant ce faux et ce convenu hypocrite, n'ont pas de cesse que [...] la vérité, comme ils la sentent, ne soit sortie et proférée. Qu'il s'agisse de rimes ou même de choses un peu plus sérieuses, soyons de ceux-là.   *Ibid., 27 septembre 1852.*

10528   Il faut une morale à tout. [...] Ma morale [...], c'est qu'en ayant tous nos défauts, le pire de tous encore est de ne pas être sincère, véridique, et de se rompre à mentir.
                                                        Ibid., 8 novembre 1852.

10529   Il est un point élevé où l'art, la nature et la morale ne font qu'un et se confondent.   *Ibid., 12 février 1853.*

10530   Qu'on ne voie entre les génies proprement dits et la médiocrité qui les entoure que du plus ou du moins [...], je ne saurais appeler cela que myopie.   *Ibid., 16 janvier 1854.*

10531   Les jeunes gens [...] cherchent plutôt dans les hommes célèbres du passé et dans les noms en vogue des prétextes à leurs propres passions ou à leurs systèmes, des véhicules à leurs trains d'idées et à leurs ardeurs [...]. Voir les choses telles qu'elles sont et les hommes tels qu'ils ont été est l'affaire déjà d'une intelligence qui se désintéresse, et un effet, je le crains, du refroidissement.
                                                        Ibid., 20 octobre 1856.

10532   [...] Cet ordre stable et ce gouvernement qui seul rend possibles [...] les fêtes de l'esprit.   *Ibid., 5 février 1857.*

10533   Quand des œuvres vraies et vives passent devant nous, à notre portée et pavillon flottant, d'un air de dire : « Qu'en dites-vous? », si l'on est vraiment critique, [...] on pétille d'impatience, [...] on grille de lancer son mot, de les saluer au passage, ces nouveaux venus, ou de les canonner vivement. Il y a longtemps que Pindare l'a dit pour ce qui est des vers : Vive le vieux vin et les jeunes chansons!
                                                        Ibid., 4 mai 1857.

Le classique [...], dans son caractère le plus général et dans 10534
sa plus large définition, comprend les littératures à l'état
de santé et de fleur heureuse, les littératures en plein accord
et en harmonie avec leur époque, avec leur cadre social,
avec les principes et les pouvoirs dirigeants de la société
[...] qui sont et qui se sentent chez elles, dans leur voie, non
déclassées, non troublantes, n'ayant pas pour principe le
malaise, qui n'a jamais été un principe de beauté.
Ibid., 12 avril 1858.

Le romantique a la nostalgie, comme Hamlet; il cherche 10535
ce qu'il n'a pas, et jusque par-delà les nuages; il rêve, il
vit dans les songes. Au XIXe siècle, il adore le moyen âge;
au XVIIIe siècle, il est déjà révolutionnaire avec Rousseau.
Au sens de Gœthe, il y a des romantiques de divers temps :
le jeune homme de Chrysostome, Stagyre, Augustin dans sa
jeunesse, étaient des romantiques, des Renés anticipés,
des malades; mais c'étaient des malades pour guérir, et le
Christianisme les a guéris : il a exorcisé le démon. Hamlet,
Werther, Childe-Harold, les Renés purs, sont des malades
pour chanter et souffrir, pour jouir de leur mal, des romantiques plus ou moins par dilettantisme : — la maladie pour
la maladie. *Ibid., 12 avril 1858.*

[...] Tâchons de trouver ce nom caractéristique d'un chacun, 10536
et qu'il porte gravé moitié au front, moitié au-dedans du
cœur [...] *Nouveaux Lundis, 1862.*

Lorsqu'on[1] dit et qu'on répète que la littérature est l'ex- 10537
pression de la société, il convient de ne l'entendre qu'avec
bien des précautions et des réserves [...] Il n'y a rien [...]
de plus imprévu que le talent, et il ne serait pas le talent s'il
n'était imprévu [...] *Ibid., 1864.*

La critique [...], c'est le plaisir de connaître les esprits, non 10538
de les régenter. *Les Cahiers.*

Il faut écrire le plus possible comme on parle, et ne pas 10539
trop parler comme on écrit. *Ibid.*

La nature veut qu'on jouisse de la vie le plus possible, et 10540
qu'on meure sans y penser. Le christianisme a retourné
cela. *Ibid.*

Le plus souvent, nous ne jugeons pas les autres, mais nous 10541
jugeons nos propres facultés dans les autres. *Ibid.*

Une des plus vraies satisfactions de l'homme, c'est quand 10542
la femme qu'il a passionnément désirée et qui s'est refusée
opiniâtrement à lui, cesse d'être belle. *Ibid.*

Dans mes portraits, le plus souvent la louange est extérieure, 10543
et la critique intestine. Pressez l'éponge, l'acide sortira.
Mes Poisons, 1, En guise de préface (Plon et Nourrit).

1. Il s'agit de Taine.

10544 Tout roman est contraire au véritable christianisme, parce que tout roman renferme en soi et caresse plus ou moins un idéal de félicité sur terre, ou un idéal de douleurs.
Ibid., 2, Sur lui-même.

10545 Ce que je fais, c'est de l'*histoire naturelle littéraire.*
Ibid., 20, Sur son œuvre.

10546 De toutes les dispositions d'esprit, l'ironie est la moins intelligente.   *Ibid.*

10547 La critique est pour moi une métamorphose : je tâche de disparaître dans le personnage que je reproduis.
Ibid., 21, Sur la critique.

10548 Je veux de l'érudition, mais une érudition maîtrisée par le jugement et organisée par le goût.   *Ibid.*

10549 Trop de libertinage dans la jeunesse dessèche le cœur, et trop de continence engorge l'esprit.
Ibid., 22, Pensées philosophiques.

10550 Ce serait avoir gagné beaucoup dans la vie que de savoir rester toujours parfaitement *naturel et sincère* avec soi-même, de ne croire aimer que ce qu'on aime véritablement et de ne pas prolonger par amour-propre et par émulation vaine des passions déjà expirées en nous [...]   *Ibid.*

GEORGE SAND
1804-1876

10551 Nous vivons dans un temps de ruine morale, où la raison humaine a besoin de rideaux pour atténuer le trop grand jour qui l'éblouit.   *Indiana, Préface de 1832.*

10552 Peut-être que tout l'art du conteur consiste à intéresser à leur propre histoire les coupables qu'il veut ramener, les malheureux qu'il veut guérir.   *Ibid.*

10553 Cette douceur qu'on a par générosité avec les gens qu'on aime, et par égard pour soi-même avec ceux qu'on n'aime pas.   *Ibid., Première partie, 1.*

10554 En France particulièrement, les mots ont plus d'empire que les idées.   *Ibid., 2.*

10555 L'amour-propre est dans l'amour comme l'intérêt personnel est dans l'amitié.   *Ibid., 4.*

10556 L'homme qui a un peu usé ses émotions est plus pressé de plaire que d'aimer.   *Ibid., 5.*

10557 Le plus honnête des hommes est celui qui pense et qui agit le mieux, mais le plus puissant est celui qui sait le mieux écrire et parler.   *Ibid., Deuxième partie, 10.*

Réussir [...] à se faire une conviction contre toute espèce 10558
de vraisemblance et à la faire prévaloir quelque temps parmi
les hommes sans conviction aucune, c'est l'art qui confond
le plus. *Ibid.*

Toute sa conscience, c'était la loi; toute sa morale, c'était 10559
son droit. *Ibid.*

Je crois que l'opinion politique d'un homme, c'est l'homme 10560
tout entier. Dites-moi votre cœur et votre tête, et je vous
dirai vos opinions politiques. *Ibid., 14.*

Dieu ne veut pas qu'on opprime et qu'on écrase les créatures 10561
de ses mains. S'il daignait descendre jusqu'à intervenir
dans nos chétifs intérêts, il briserait le fort et relèverait le
faible; il passerait sa grande main sur nos têtes inégales et
les nivellerait comme les eaux de la mer [...]
Ibid., Troisième partie, 23.

Le malheur, en s'attachant à moi, m'enseigna peu à peu 10562
une autre religion que la religion enseignée par les hommes.
Ibid., 30.

La société ne doit rien exiger de celui qui n'attend rien 10563
d'elle. *Ibid., Conclusion.*

Le rêve de la vie champêtre a été de tout temps l'idéal des 10564
villes et même celui des cours.
La Mare au diable, note.

Tout ce que l'artiste peut espérer de mieux, c'est d'engager 10565
ceux qui ont des yeux à regarder aussi. *Ibid.*

Il faut que tous soient heureux, afin que le bonheur de quel- 10566
ques-uns ne soit pas criminel et maudit de Dieu.
La Mare au diable, 1.

L'Église du Moyen Age répondait aux terreurs des puissants 10567
de la terre par la vente des indulgences. Le gouvernement
d'aujourd'hui calme l'inquiétude des riches en leur faisant
payer beaucoup de gendarmes et de geôliers, de baïonnettes
et de prisons. *Ibid.*

L'art n'est pas une étude de la réalité positive; c'est une 10568
recherche de la vérité idéale. *Ibid.*

La nature est éternellement jeune, belle et généreuse. Elle 10569
verse la poésie et la beauté à tous les êtres, à toutes les plantes,
qu'on laisse s'y développer à souhait. *Ibid., 2.*

Un jour viendra où le laboureur pourra être aussi un artiste, 10570
sinon pour exprimer (ce qui importera assez peu alors),
du moins pour sentir le beau. *Ibid.*

Celui qui puise de nobles jouissances dans le sentiment de 10571
la poésie est un vrai poète, n'eût-il pas fait un vers dans toute
sa vie. *Ibid.*

10572 Entre la « connaissance » et la « sensation », le rapport, c'est le « sentiment ».
François le Champi, Avant-propos.

10573 La nature est une œuvre d'art, mais Dieu est le seul artiste qui existe, et l'homme n'est qu'un arrangeur de mauvais goût.   *Ibid.*

10574 L'art est une démonstration dont la nature est la preuve.
Ibid.

10575 Les chansons, les récits, les contes rustiques, peignent en peu de mots ce que notre littérature ne sait qu'amplifier et déguiser.   *Ibid.*

10576 Les chefs-d'œuvre ne sont jamais que des tentatives heureuses.
Ibid.

10577 Quand un homme a fait deux ou trois chefs-d'œuvre, si courts qu'ils soient, on doit le couronner et lui pardonner ses erreurs.   *Ibid.*

10578 Cette pauvre planète encore enfant est destinée à se transformer indéfiniment. L'avenir fera de vous tous et de vous toutes, faibles créatures humaines, des fées et des génies qui possèdent la science, la raison et la bonté.
Contes d'une grand-mère, La Fée poussière.

10579 Écrivez, pendant que vous avez du génie, pendant que c'est le dieu qui vous dicte, et non la mémoire.
Correspondance, à Mme d'Agoult, mai 1835.

10580 Ce n'est pas grand'merveille que d'aimer [...] Il faut un travail rude et une haute volonté pour faire de la passion une vertu.   *Ibid., à M***, juin 1835.*

10581 Ne pas croire à d'autre Dieu que celui qui ordonne aux hommes la justice, l'égalité.
Ibid., à Mme d'Agoult, juillet 1836.

10582 Nous autres, cœurs démocrates, nous aurions peut-être préféré être conquis par vous que par tout autre; mais nous n'aurions pas moins été conquis,... d'autres diraient délivrés.
Ibid., au prince Louis-Napoléon Bonaparte, décembre 1844.

10583 Le gouvernement est composé d'hommes excellents pour la plupart, tous un peu incomplets et insuffisants à une tâche qui demanderait le génie de Napoléon et le cœur de Jésus.
Ibid., à M. Charles Poncy, mars 1848.

10584 La vérité n'a de vie que dans une âme droite et d'influence que dans une bouche pure.
Ibid., à Maurice Sand, avril 1848.

10585 [...] Il faut s'avouer impuissant devant cette fatalité politique d'un nouvel ordre dans l'histoire : *le suffrage universel.*
Ibid., à Joseph Mazzini, novembre 1848.

Les riches ne font tout ce mal que parce que le peuple tend 10586
le cou. *Ibid., à M. E. Planchut, février 1849.*

Dans la politique, toute poésie est un mensonge auquel la 10587
conscience se refuse.
Ibid., à Joseph Mazzini, septembre 1850.

Qui veut la fin veut les moyens. Ce principe est vrai en fait, 10588
faux en morale, et un parti qui rompt avec la morale ne
vivra jamais en France [...]
Ibid., à M. Alphonse Fleury, avril 1852.

Quant à l'État, qui n'est pas Dieu, il faut pourtant qu'il 10589
cherche à imiter Dieu dans sa logique, sa patience, sa protection universelle, sa douceur et sa prévoyante fécondité.
Ibid., à Maurice Sand, septembre 1861.

Il n'y a rien là où règne le prêtre et où le vandalisme catho- 10590
lique a passé, rasant les monuments du vieux monde et
semant les poux de l'avenir.
Ibid., à Flaubert, septembre 1866.

Le vrai est trop simple, il faut y arriver toujours par le 10591
compliqué. *Ibid., à Armand Barbès, mai 1867.*

VICTOR SCHŒLCHER
1804-1893

Si les nègres font partie de l'espèce humaine, ils ne nous 10592
appartiennent plus, ils sont nos égaux.
Si les nègres font partie de l'espèce brute, nous avons droit
de les exploiter, de les utiliser à notre profit, comme les
rennes, les bœufs et les chameaux; nous avons même aussi
le droit, c'est une conséquence forcée, de les manger comme
des poulets et des chevreuils; — il n'y a pas ici de juste
milieu.
De l'esclavage des noirs et de la législation coloniale, chap. 11.

Tant que l'association du travail et du capital ne viendra pas 10593
faire de l'employeur et de l'employé des compagnons également intéressés à la chose commune par un bénéfice propor-
tionnellement égal, forcé de choisir entre deux maux, nous
aimerons mieux que l'ouvrier fasse la loi au maître qui gardera
toujours une bonne table, plutôt que le maître à l'ouvrier
qui souffre et pâtit, jusqu'à ce qu'il entre dans les demeures
inconnues où nous allons tous et où personne n'a faim.
Des colonies françaises.

Ainsi que pour les individus, nul ne fait du mal à autrui 10594
sans s'en faire à soi-même; ainsi pour les sociétés, celle qui
en opprime, qui en dégrade une autre, se condamne elle-
même à la souffrance. Les victimes d'hier sont les bourreaux
de demain. *Vie de Toussaint Louverture, Préface.*

EUGÈNE SUE
1804-1857

10595 [...] Les plus grands scélérats ont du moins quelques années de paix et d'innocence à opposer à leurs années criminelles et sanglantes. On ne naît pas méchant...
Les Mystères de Paris.

10596 La passion physique peut atteindre [...] à une incroyable intensité; alors tous les phénomènes qui, dans l'ordre moral, caractérisent l'amour irrésistible, unique, absolu, se reproduisent dans l'ordre matériel.   *Ibid.*

10597 Tu es laid... sois terrible, on oubliera ta laideur. Tu es vieux... sois énergique, on oubliera ton âge.   *Ibid.*

10598 Le Seigneur, dans ses vues impénétrables, m'a conduit jusqu'ici [Paris] à travers la France, en me faisant éviter sur ma route jusqu'au plus humble hameau; aussi aucun redoublement de glas funèbre n'a signalé mon passage.
Le Juif errant.

10599 Votre Éminence peut être convaincue que je suis romaine de cœur, d'âme et de conviction; je ne fais aucune différence entre un gallican et un Turc, dit bravement la princesse.
Ibid.

10600 Ah! Lyon est la digne capitale de la France catholique... Trois cent mille écus de donation... voilà de quoi confondre l'impiété... trois cent mille écus!!! Que répondront à cela messieurs les philosophes?   *Ibid.*

10601 [...] Une attaque horrible contre cette maxime qui est le catholicisme tout entier : *Hors de l'Église pas de salut.*
Ibid.

10602 Comme c'est intéressant, un vilain petit animal noirâtre tendant fil sur fil, renouant ceux-ci, renforçant ceux-là [...] Vous haussez les épaules, soit... mais revenez deux heures après; que trouvez-vous? le petit animal noirâtre bien gorgé, bien repu [...]   *Ibid.*

10603 Je vise toujours au cœur, moi; c'est légal, et c'est sûr. *Ibid.*

10604   Mort aux carabins[1]!
Ibid

10605 Lorsque la multitude, égarée par une rage aveugle, se rue sur une victime en poussant des clameurs féroces et que chacun frappe son coup, cette espèce d'épouvantable meurtre en commun semble à tous moins horrible, parce que tous en partagent la solidarité...   *Ibid.*

1. Pendant l'épidémie de choléra.

AUGUSTE BARBIER
1805-1882

[...] Et sous le sable détesté 10606
La grande populace et la sainte canaille
Se ruaient à l'immortalité.
Iambes et Poèmes, La Curée, II.

C'est que la Liberté n'est pas une comtesse 10607
Du noble faubourg Saint-Germain...
[...]
C'est une femme enfin qui, toujours belle et nue,
Avec l'écharpe aux trois couleurs,
Dans nos murs mitraillés tout à coup revenue,
Vient de sécher nos yeux en pleurs... *Ibid.*

La popularité! — c'est la grande impudique 10608
Qui tient dans ses bras l'univers [...]
Ibid., La Popularité, V.

O Corse aux cheveux plats! que ta France était belle 10609
Au grand soleil de Messidor!
Ibid., L'Idole, III.

Centaure impétueux, tu pris sa chevelure, 10610
Tu montas botté sur son dos. *Ibid.*

Voilà ce que j'essaie... Ah! quand la veine s'use, 10611
[...]
Il faut se départir des grands airs d'inventeur
Et faire volontiers métier d'imitateur.

Satires, Prologue.

AUGUSTE BLANQUI
1805-1881

L'économie politique est le code de l'usure [...] 10612
Critique sociale, tome I, Capital et travail.

Le prêteur viole outrageusement cette loi mathématique : 10613
l'équivalence de l'échange. *Ibid., I, Prologue.*

L'usure a changé de camp. Elle est avec César [...] et le 10614
Peuple est avec la République. *Ibid.*

Définir, c'est savoir. Aussi la définition juste est-elle la plus 10615
rare des denrées. *Ibid., II, Capital et travail.*

L'Épargne, cette divinité du jour, prêchée dans toutes les 10616
chaires, l'Épargne est une peste. *Ibid.*

Le capital est du *travail volé.* *Ibid.* 10617

10618 Pourquoi le sexe charmant a-t-il oublié les garnitures de clochettes? Les mules avaient pris l'initiative.
Ibid., III, Le luxe.

10619 « Le capital ne se formera plus, puisqu'il n'y aura plus *intérêt* à le former ».
Délicieux, le calembour! On n'en a jamais pondu de si frais.   *Ibid., IV, Les Apologies de l'usure.*

10620 Supposez, une belle nuit, tous les soldats transformés en savants. J'imagine que l'entrée des officiers dans la caserne, le lendemain matin, offrirait un spectacle des plus pittoresques, et que leur sortie s'opérerait pour le moins au pas gymnastique.
Ibid., V, Le Communisme, avenir de la société.

10621 C'est une chose réjouissante, quand on discute communisme, comme les terreurs de l'adversaire le portent d'instinct sur ce meuble fatal! « Qui videra le pot de chambre? » C'est toujours le premier cri. « Qui videra *mon* pot de chambre », veut-il dire, au fond.   *Ibid.*

10622 Le communisme, qui est la Révolution même, doit se garder des allures de l'utopie et ne se séparer jamais de la politique.   *Ibid.*

10623 Seuls, l'écrivain, le savant, l'inventeur, doivent leur gain ,au travail personnel, sans la plus légère souillure d'exploitation.   *Ibid., tome II, X, La Propriété intellectuelle.*

10624 M. de Rothschild pompe [...] énormément. Lorsqu'il n'est pas satisfait des révolutionnaires, il retient toutes les vapeurs pompées et ne lâche pas une goutte d'eau, moyen infaillible de rôtir les perturbateurs [...]
Ibid., XXX, Lamartine et Rothschild.

10625 M. de Lamartine [...] est bien toujours le même, un pied dans chaque camp et sur chaque rive, un vrai colosse de Rhodes, ce qui fait que le vaisseau de l'État lui passe toujours entre les jambes.   *Ibid.*

EUGÉNIE DE GUÉRIN
1805-1848

10626 J'ai vu des fous, j'ai vu des sages dans mes courses, car on voit un peu de tout en courant.
Lettre à Maurice de Guérin, 17 juin 1831.

10627 Israël deviendra un grand peuple.   *Ibid.*

10628 Les rois peuvent voir tomber leurs palais, les fourmis auront toujours leur demeure.
Lettre à madame de Maistre, 23 octobre 1838.

10629 Les poètes ne meurent pas, ni les amis, je vous assure, Monsieur.   *Lettre à H. de la Morvonnais, 19 juillet 1840.*

HENRI MARET
1805-1884

On aurait beau frotter un bâton pendant deux mois, on n'en 10630
tirerait pas un verre de chartreuse.
Nous n'irons donc pas jusqu'à demander aux Versaillais
d'avoir de l'esprit...
                                    La Commune, n° du 10 mai 1871.

HENRI MONNIER
1805-1877

Ah! quel bonheur! avoir une fille baronne et un mari décoré! 10631
        Grandeur et décadence de M. Joseph Prudhomme,
                                    acte I, scène 7.

Bons villageois! hommes primitifs qui avez gardé, malgré 10632
les révolutions, le respect des supériorités sociales, c'est
parmi vous que je veux couler mes jours.
                                    Ibid., acte II, scène 2.

Quand on est riche, il faut le montrer. 10633
                                    Ibid., scène 5.

Je l'ai toujours dit : les hommes sont égaux. Il n'y a de 10634
véritable distinction que la différence qui peut exister entre
eux.   *Ibid., scène 10.*

Messieurs! ce sabre... est le plus beau jour de ma vie. 10635
                                    Ibid., scène 13.

Le char de l'État navigue sur un volcan... 10636
                                    Ibid., acte III, scène 3.

Comme il faut qu'un bourgeois soit riche pour avoir des 10637
opinions!   *Ibid., acte IV, scène 2.*

Qu'est-ce que la bourgeoisie en ce moment? Tout. Que doit- 10638
elle être? Je l'ignore.
                        Mémoires de M. Joseph Prudhomme.

On ne va jamais plus loin que lorsqu'on ne sait pas où l'on 10639
va, a dit un homme politique célèbre.   *Ibid.*

Un auteur doit toujours avoir son manuscrit dans sa poche, 10640
on ne sait pas ce qui peut arriver.   *Ibid.*

Embêtant n'est pas français.   *Ibid.* 10641

C'est mon opinion, et je la partage.   *Ibid.* 10642

10643 Ce livre est le plus beau jour de ma vie!
Sous la gravure de L. Deghouy représentant Joseph Prudhomme.

ALEXIS DE TOCQUEVILLE
1805-1859

10644 Le goût du luxe, l'amour de la guerre, l'empire de la mode, les passions les plus superficielles du cœur humain comme les plus profondes, semblent travailler à appauvrir les riches et à enrichir les pauvres.
De la Démocratie en Amérique, Introduction.

10645 Il faut une science politique nouvelle à un monde tout nouveau. *Ibid.*

10646 J'avoue que dans l'Amérique j'ai vu plus que l'Amérique; j'y ai cherché une image de la démocratie elle-même. *Ibid.*

10647 L'homme est pour ainsi dire tout entier dans les langes de son berceau. Il se passe quelque chose d'analogue chez les nations. Les peuples se ressentent toujours de leur origine.
Ibid., Livre I, Première partie, chap. 2.

10648 L'Amérique est le seul pays où l'on ait pu assister aux développements naturels et tranquilles d'une société, et où il ait été possible de préciser l'influence exercée par le point de départ sur l'avenir des États. *Ibid.*

10649 L'état social est ordinairement le produit d'un fait, quelquefois des lois, le plus souvent de ces deux causes réunies; mais une fois qu'il existe, on peut le considérer lui-même comme la cause première de la plupart des lois, des coutumes et des idées qui règlent la conduite des nations; ce qu'il ne produit pas, il le modifie. *Ibid., chap. 3.*

10650 Il n'y a au monde que le patriotisme, ou la religion, qui puisse faire marcher pendant longtemps vers un même but l'universalité des citoyens.
Il ne dépend pas des lois de ranimer les croyances qui s'éteignent; mais il dépend des lois d'intéresser les hommes aux destinées de leur pays. *Ibid., chap. 5.*

10651 Le plus redoutable de tous les maux qui menacent l'avenir des États-Unis naît de la présence des noirs sur leur sol. *Ibid.*

10652 L'esclave est un serviteur qui ne discute point et se soumet à tout sans murmurer. Quelquefois il assassine son maître, mais il ne lui résiste jamais. *Ibid.*

10653 Il y a aujourd'hui sur la terre deux grands peuples qui, partis de points différents, semblent s'avancer vers le même but : ce sont les Russes et les Anglo-Américains. *Ibid.*

L'Américain lutte contre les obstacles que lui oppose la 10654
nature; le Russe est aux prises avec les hommes. L'un combat
le désert et la barbarie, l'autre la civilisation revêtue de toutes
ses armes : aussi les conquêtes de l'Américain se font-elles
avec le soc du laboureur, celles du Russe avec l'épée du
soldat. *Ibid.*

Les rapports qui existent entre l'état social et politique d'un 10655
peuple et le génie de ses écrivains sont toujours très nombreux; qui connaît l'un n'ignore jamais complètement
l'autre. *Ibid., Livre II, Première partie, chap. 12.*

Les hommes qui vivent dans les pays démocratiques ne savent 10656
guère la langue qu'on parlait à Rome et à Athènes. Mais il
arrive quelquefois que ce sont les plus ignorants d'entre eux
qui en font le plus souvent usage. *Ibid., chap. 16.*

Je pense que le mouvement social qui rapproche du même 10657
niveau le fils et le père, le serviteur et le maître, et, en général,
l'inférieur et le supérieur, élève la femme et doit de plus en
plus en faire l'égale de l'homme.
Ibid., Troisième partie, chap. 12.

Un peuple aristocratique qui, luttant contre une nation 10658
démocratique, ne réussit pas à la ruiner dès les premières
campagnes, risque toujours beaucoup d'être vaincu par elle.
Ibid., chap. 24.

Il faut donc bien prendre garde de juger les sociétés qui 10659
naissent avec les idées qu'on a puisées dans celles qui ne
sont plus. *Ibid., Quatrième partie, chap. 8.*

La destinée des individus est encore bien plus obscure que 10660
celle des peuples.
L'Ancien Régime et la Révolution, Avant-Propos.

Les grandes révolutions qui réussissent, faisant disparaître 10661
les causes qui les avaient produites, deviennent ainsi incompréhensibles par leurs succès mêmes.
Ibid., Livre premier, chap. 1.

Tel qui laisse volontiers le gouvernement de toute la nation 10662
dans la main d'un maître, regimbe à l'idée de n'avoir pas
à dire son mot dans l'administration de son village.
Ibid., Livre II, chap. 3.

L'histoire est une galerie de tableaux où il y a peu d'originaux 10663
et beaucoup de copies. *Ibid., chap. 6.*

Du temps de la Fronde, Paris n'est encore que la plus grande 10664
ville de France. En 1789, il est déjà la France même.
Ibid., chap. 7.

Il n'y a rien qui s'égalise plus lentement que cette superficie 10665
de mœurs qu'on nomme les manières. *Ibid., chap. 8.*

On peut m'opposer sans doute des individus; je parle des 10666
classes, elles seules doivent occuper l'historien.
Ibid., chap. 12.

10667 Il faut se défier de la gaieté que montre souvent le Français dans ses plus grands maux; elle prouve seulement que, croyant sa mauvaise fortune inévitable, il cherche à s'en distraire en n'y pensant point, et non qu'il ne la sent pas.
Ibid.

10668 Ce qui est qualité dans l'écrivain est parfois vice dans l'homme d'État, et les mêmes choses qui souvent ont fait de beaux livres peuvent souvent mener à de grandes révolutions.
Ibid., Livre III, chap. 1.

10669 Si les Français qui firent la Révolution étaient plus incrédules que nous en fait de religion, il leur restait du moins une croyance admirable qui nous manque : ils croyaient en eux-mêmes.
Ibid., chap. 2.

10670 Qui cherche dans la liberté autre chose qu'elle-même est fait pour servir.
Ibid., chap. 3.

10671 Le régime qu'une révolution détruit vaut presque toujours mieux que celui qui l'avait immédiatement précédé, et l'expérience apprend que le moment le plus dangereux pour un mauvais gouvernement est d'ordinaire celui où il commence à se réformer.
Ibid., chap. 4.

10672 Le meilleur moyen d'apprendre aux hommes à violer les droits individuels des vivants est de ne tenir aucun compte de la volonté des morts.
Ibid., chap. 6.

10673 Le contraste entre la bénignité des théories et la violence des actes, qui a été l'un des caractères les plus étranges de la Révolution française, ne surprendra personne si l'on fait attention que cette révolution a été préparée par les classes les plus civilisées de la nation, et exécutée par les plus incultes et les plus rudes.
Ibid., chap. 8.

10674 C'est 89, temps d'inexpérience sans doute, mais de générosité, d'enthousiasme, de virilité et de grandeur, temps d'immortelle mémoire, vers lequel se tourneront avec admiration et avec respect les regards des hommes, quand ceux qui l'ont vu et nous-mêmes auront disparu depuis longtemps.
Ibid.

10675 [La France:] La plus brillante et la plus dangereuse des nations de l'Europe, et la mieux faite pour y devenir tour à tour un objet d'admiration, de haine, de pitié, de terreur, mais jamais d'indifférence.
Ibid.

FÉLIX ARVERS
1806-1850

10676   Mon âme a son secret, ma vie a son mystère,
          Un amour éternel en un moment conçu.
          Le mal est sans espoir, aussi j'ai dû le taire,
          Et celle qui l'a fait n'en a jamais rien su.
          Mes heures perdues.

A l'austère devoir pieusement fidèle,   10677
Elle dira, lisant ces vers tout remplis d'elle :
« Quelle est donc cette femme? » et ne comprendra pas.
Ibid.

Le ciel m'a donné plus que je n'osais prétendre :   10678
L'amitié, par le temps, a pris un nom plus tendre,
Et l'amour arriva, qu'on ne l'attendait plus.
Sonnet.

MICHEL CHEVALIER
1806-1879

Lorsque vous rapprochez deux hommes qui jusque-là avaient   10679
vécu éloignés l'un de l'autre, pour peu que ces hommes aient
quelque qualité éminente, leur frottement produit inévitablement quelque étincelle. Si au lieu de deux hommes, les
deux pôles de votre pile sont deux peuples, le résultat s'élargit
dans la proportion d'un peuple à un homme.
Lettres sur l'Amérique du Nord, tome premier, I.

Un ébranlement général du crédit, pour peu qu'il dure,   10680
est plus redoutable ici [aux États-Unis] que le plus terrible
tremblement de terre.   *Ibid., II.*

Un peuple *absolu* peut aussi bien qu'un roi *absolu* dédaigner   10681
pour un temps les conseils de l'expérience et de la sagesse.
Un peuple aussi bien qu'un roi peut avoir ses courtisans.
Ibid., V.

[Les] mots de *monopole* et *d'aristocratie* sont ici ce qu'était   10682
le mot de *jésuites* en France il y a quelques années.
Ibid., VI.

La *politique* des États-Unis, c'est l'extension de leur com-   10683
merce [...].   *Ibid.*

[...] Qui peut dire que ces deux jeunes colosses qui se regar-   10684
dent d'un bord à l'autre de l'Atlantique, et se touchent sur
les rivages de l'Océan Pacifique, ne se partageront pas bientôt la domination de l'Univers?   *Ibid., IX.*

A force d'exagérer les applications du grand principe   10685
d'unité, nous avons organisé la France comme si c'était,
non un puissant royaume, mais une province d'un empire.
Ibid., X.

En Amérique [...], une coalition signifie : Augmentez nos   10686
salaires, sinon nous allons à l'Ouest.   *Ibid., XIII.*

L'égoïsme américain est plus sage que le nôtre; il ne s'abaisse   10687
jamais à de misérables lésineries; il taille en pleine étoffe.
Ibid., XV.

10688 En toute chose le Français a besoin de sentir légèrement le coude du voisin, comme dans une ligne de bataille.
Ibid., tome II, XXIII.

10689 Dans une société travaillante, l'argent, fruit et objet du travail, ne sent pas mauvais.
Ibid., XXIV.

10690 La France est un pays pauvre.
Ibid.

10691 [...] La liberté américaine n'est pas une liberté mystique, indéfinie; c'est une liberté spéciale [...] C'est une liberté de travail et de locomotion, dont l'Amérique profite pour se répandre sur l'immense territoire que lui a donné la Providence [...]
Ibid., XXVII.

10692 Luttons contre les États-Unis, moins en dénonçant leurs péchés au monde, qu'en nous efforçant de nous approprier leurs vertus et leurs facultés [...]
Ibid., XXXIV.

ÉMILE DE GIRARDIN
1806-1881

10693 Le socialisme avait un levier; ce levier, c'était le budget; mais il lui manquait un point d'appui pour soulever le monde: ce point d'appui, la révolution de février le lui a donné; c'est le suffrage universel.
Le Socialisme et l'Impôt, Introduction.

10694 La force des gouvernements est en raison inverse du poids des impôts.
Ibid., Deuxième partie, II.

10695 L'impôt est une chaîne dont les peuples fournissent le métal, cela est vrai, mais ce sont les gouvernements qui la traînent.
Ibid.

10696 L'impôt sur le capital c'est l'œuf de Christophe Colomb; c'est la pyramide qui, assise d'aplomb sur sa base, se consolide d'elle-même par sa propre pesanteur [...]; c'est la révolution sans les révolutionnaires.
Ibid., VI.

10697 L'impôt sur le revenu agit comme le mors; l'impôt sur le capital agit comme l'éperon.
Ibid., VII.

10698 La Misère, entretenue par la Charité, disparaîtra par l'Épargne.
Ibid., VIII.

10699 La France ne manque pas d'hommes; mais un homme lui manque.
Les 52, I, Apostasie.

10700 Là où la liberté de la presse existe, la liberté de l'enseignement doit également exister, sous peine d'inconséquence, car ce sont deux branches d'un même arbre.
Ibid.

[...] La liberté n'est pas à craindre, tant qu'elle n'a pas à 10701
craindre pour elle-même. *Ibid.*

Le calcul des probabilités, appliqué à la mortalité humaine 10702
[...] a donné naissance à une science nouvelle [...] : celle des
assurances. Le calcul des probabilités appliqué à la vie des
nations, aux cas de guerre et de révolution, est le fondement
de toute haute politique [...] Gouverner, c'est prévoir. *Ibid.*

L'Angleterre est à la France ce qu'un pôle est à l'autre. 10703
Ibid., III, L'Équilibre financier par la réforme administrative.

Longtemps on a dit, en parlant des hommes : — *Diviser* 10704
pour régner; nous disons, nous, en parlant des choses :
— *Diviser pour administrer.* *Ibid.*

Le juré n'a qu'un juge, le juge n'a qu'un juré, c'est Dieu! 10705
Ibid., IV, La Note du 14 décembre.

[...] Que le ministère le sache bien, il est condamné au succès. 10706
Ibid.

[...] La routine, cette préface des révolutions! *Ibid.* 10707

Usez-vous les uns les autres! Ces paroles semblent avoir pris 10708
dans notre évangile politique la place de celles-ci empruntées
au premier des livres : *Aimez-vous les uns les autres!* *Ibid.*

Respect de la Constitution, car on connaît la Constitution 10709
qu'on a, mais on n'est jamais sûr de celle qu'on aura.
Ibid., V, Respect de la Constitution.

Un diadème posé sur une tête n'y a jamais fait entrer une 10710
idée de plus que ce qu'elle en pouvait contenir. *Ibid.*

Non, un journal ne peut ni ne doit abdiquer; aussi n'abdi- 10711
quons-nous pas.
Ibid., VI, La Constituante et la Législative.

Une majorité vaut ce que vaut le gouvernement qui la met 10712
en mouvement. *Ibid.*

DÉSIRÉ NISARD
1806-1888

Dans l'ordre naturel, chaque individu est parfait [...] Au 10713
contraire, parmi les écrivains, plus on descend, plus l'imperfection se fait voir, jusqu'à ce qu'on en rencontre qui n'ont
fait que sentir par la mémoire et écrire par l'imitation [...]
Histoire de la littérature française, Livre I, chap. 1, § 1.

L'esprit français [...], c'est l'esprit pratique par excellence. 10714
La littérature française, c'est l'image idéalisée de la vie
humaine, dans tous les pays et dans tous les temps [...]

L'art français [...] c'est l'ensemble des procédés les plus propres à exprimer cet idéal sous des formes durables.
Ibid., § 2.

10715 L'homme de génie, en France, c'est celui qui dit ce que tout le monde sait. Il n'est que l'écho intelligent de la foule.
Ibid., § 3.

10716 [...] L'image la plus exacte de l'esprit français est la langue française elle-même.
Ibid., § 4, titre.

10717 La multitude des poètes ne prouve guère que l'ignorance ou le relâchement de l'art.
Ibid., chap. 3, § 1.

10718 Le génie seul est le père des langues durables.
Ibid., § 2.

10719 Si un sourd-muet, disait-on, recouvrait la parole, il parlerait le français de Paris.
Ibid., chap. 4, § 1.

10720 [...] La valeur de chaque esprit sera toujours proportionnée à la part qu'il aura reçue de la force commune.
Ibid., Livre 4, Conclusion.

LOUIS BERTRAND dit
ALOYSIUS BERTRAND
1807-1841

10721 Enfance et poésie! Que l'une est éphémère, et que l'autre est trompeuse! L'enfance est un papillon qui se hâte de brûler ses blanches ailes aux flammes de la jeunesse, et la poésie est semblable à l'amandier : ses fleurs sont parfumées et ses fruits sont amers.
Gaspard de la nuit, texte préliminaire.

10722 Toute originalité est un aiglon qui ne brise la coquille de son œuf que dans les aires sublimes et foudroyantes du Sinaï.
Ibid.

10723 Ce n'est point avec le froc et le chapelet, c'est avec le tambour de basque et l'habit de fou que j'entreprends, moi, la vie, ce pèlerinage à la mort!
Gaspard de la nuit, Cinquième livre, La Chanson du masque.

10724 Ainsi mon âme est une solitude où, sur le bord de l'abîme, une main à la vie et l'autre à la mort, je pousse un sanglot désolé.
Ibid., Sixième livre, Chèvremorte.

10725 Non, Dieu, éclair qui flamboie dans le triangle symbolique, n'est point le chiffre tracé sur les lèvres de la sagesse humaine!
Pièces détachées, à M. David, statuaire.

JULES BARBEY D'AUREVILLY
1808-1889

Les passions [...] font moins de mal que l'ennui, car les   10726
passions tendent toujours à diminuer, tandis que l'ennui
tend toujours à s'accroître.
Une vieille maîtresse, chap. 2.

Les petits soins sont les grands pour les femmes.   10727
Ibid., chap. 6.

C'est surtout ce qu'on ne comprend pas qu'on explique.   10728
L'esprit humain se venge de ses ignorances par ses erreurs.
L'Ensorcelée, chap. 9.

C'est un rude spiritualiste que Don Juan. Il l'est comme   10729
le démon lui-même, qui aime les âmes encore plus que les
corps et qui fait même cette traite-là de préférence à l'autre,
le négrier infernal.
Les Diaboliques, Le Plus bel amour de Don Juan.

Je n'ai jamais vu moins de manège, moins de pruderie et   10730
de coquetterie, ces deux choses si souvent emmêlées dans les
femmes, comme un écheveau dans lequel la griffe du chat
aurait passé.   *Ibid.*

[...] Les êtres heureux sont graves. Ils portent en eux atten-   10731
tivement leur cœur, comme un verre plein, que le moindre
mouvement peut faire déborder ou briser.
Ibid., Le Bonheur dans le crime.

[...] L'oisiveté, sans laquelle il n'y a pas d'amour, mais qui   10732
tue aussi souvent l'amour qu'elle est nécessaire pour qu'il
naisse.   *Ibid.*

Comme toutes les choses haïes et enviées, la naissance exerce   10733
physiquement sur ceux qui la détestent une action qui est
peut-être la meilleure preuve de son droit.
Ibid., Le Dessous de cartes.

[...] L'égalité, cette chimère des vilains, n'existe vraiment   10734
qu'entre nobles.   *Ibid.*

Il y a plus loin d'une femme à son premier amant, que de son   10735
premier au dixième.   *Ibid., A un dîner d'athées.*

Les marbres sont nus, et la nudité est chaste. C'est même   10736
la bravoure de la chasteté.
Ibid., La Vengeance d'une femme.

Les crimes de l'extrême civilisation sont certainement plus   10737
atroces que ceux de l'extrême barbarie.   *Ibid.*

VICTOR CONSIDÉRANT
1808-1893

10738 Quand le temps est venu où le passé doit se transformer, si le passé livre bataille à ce qui doit être, il succombe fatalement. *Manifeste de la démocratie, Première partie.*

10739 La Civilisation, qui a commencé par la FÉODALITÉ NOBILIAIRE [...], aboutit aujourd'hui à la FÉODALITÉ INDUSTRIELLE, qui opère les servitudes *collectives ou indirectes* des travailleurs. *Ibid.*

10740 La libre concurrence, c'est-à-dire la concurrence anarchique et sans organisation, a donc cet inhumain, cet exécrable caractère, qu'elle est partout et toujours *dépréciative du salaire.* *Ibid.*

10741 Notre régime industriel est un véritable *Enfer* : il réalise, sur une échelle immense, les conceptions les plus cruelles des mythes de l'antiquité. *Ibid.*

10742 [...] Faire travailler les machines POUR *les* capitalistes ET POUR *le peuple* et non plus POUR *les capitalistes* CONTRE le peuple. *Ibid.*

10743 Nous croyons que cette grande Association de la famille humaine arrivera à une UNITÉ parfaite, c'est-à-dire à un État Social où l'Ordre résultera naturellement, librement, de l'accord spontané de tous les éléments humains.
Ibid., Deuxième partie.

ALPHONSE KARR
1808-1890

10744 Si l'on veut abolir la peine de mort, en ce cas que MM. les Assassins commencent. *Les Guêpes, 1840.*

10745 J'ai toujours entendu dire que la *Henriade* de Voltaire est un poème épique; un poème épique est une chose dont on est fier mais qu'on ne lit pas. *Ibid., 1841.*

10746 La propriété littéraire est une propriété. *Ibid.*

10747 Entre deux amis il n'y en a qu'un qui soit l'ami de l'autre. *Ibid.*

10748 Plus ça change, plus c'est la même chose. *Ibid., 1849.*

10749 La patrie est en danger, mangeons du veau. *Ibid.*

NAPOLÉON III
1808-1873

La foi politique, comme la foi religieuse, a eu ses martyrs; 10750
elle aura comme elle ses apôtres, comme elle son empire!
L'Idée napoléonienne.

Napoléon, en arrivant sur la scène du monde, vit que son 10751
rôle était d'être l'*exécuteur testamentaire* de la Révolution.
Des idées napoléoniennes, chap. 2.

L'Empereur doit être considéré comme le messie des idées 10752
nouvelles.   *Ibid.*

Un jour seul ne fait pas d'une république de cinq cents ans 10753
une monarchie héréditaire, ni d'une monarchie de quatorze
cents ans une république élective.   *Ibid.*

La liberté est comme un fleuve : pour qu'elle apporte l'abon- 10754
dance et non la dévastation, il faut qu'on lui creuse un
lit large et profond. Si, dans son cours régulier et majestueux, elle reste dans ses limites naturelles, les pays qu'elle
traverse bénissent son passage; mais si elle vient comme
un torrent qui déborde, on la regarde comme le plus terrible
des fléaux.   *Ibid., chap. 3.*

En politique il faut guérir les maux, jamais les venger. *Ibid.* 10755

Une constitution doit être faite uniquement pour la nation 10756
à laquelle on veut l'adapter. Elle doit être comme un vêtement qui, pour être bien fait, ne doit aller qu'à un seul
homme.   *Ibid.*

Plus le monde se perfectionne, plus les barrières qui divisent 10757
les hommes s'élargissent, plus il y a de pays que les mêmes
intérêts tendent à réunir.   *Ibid., chap. 5.*

Malheur aux souverains dont les intérêts ne sont pas liés 10758
à ceux de la nation!   *Rêveries politiques.*

Lorsque le peuple vote en masse sur la place publique, et 10759
donne directement son suffrage, c'est pour ainsi dire tout
le sang d'un corps qui afflue vers la tête; il y a malaise,
congestion, étourdissement.
Mélanges, Du système électoral.

Surtout n'ayez pas peur du peuple, il est plus conservateur 10760
que vous!   *Ibid.*

C'est l'absence des femmes qui permet aux hommes d'aborder 10761
journellement les questions sérieuses.
*Ibid., Améliorations à introduire dans nos mœurs et nos
habitudes parlementaires.*

Avec une tribune, une Chambre ressemble trop à un théâtre, 10762
où les grands acteurs seuls peuvent réussir.   *Ibid.*

10763 Échafauder n'est point bâtir.
Ibid., Des gouvernements et de leurs soutiens.

10764 Véritable Saturne du travail, l'industrie dévore ses enfants et ne vit que de leur mort.
L'Extinction du paupérisme, chap. 1.

10765 La quantité des marchandises qu'un pays exporte est toujours en raison directe du nombre de *boulets* qu'il peut envoyer à ses ennemis quand son honneur et sa dignité le commandent.
Ibid.

10766 Voilà ce que nous proposons pour la classe ouvrière, cet autre fleuve, qui peut être à la fois une source de ruine ou de fertilité, suivant la manière dont on tracera son cours.
Ibid., chap. 3.

10767 La pauvreté ne sera plus séditieuse, lorsque l'opulence ne sera plus oppressive.
Ibid., chap. 5.

10768 Aujourd'hui, le but de tout gouvernement habile doit être de tendre par des efforts à ce qu'on puisse dire bientôt : « Le triomphe du christianisme a détruit l'esclavage; le triomphe de la révolution française a détruit le servage; le triomphe des idées démocratiques a détruit le paupérisme! ».
Ibid.

10769 De même qu'une république sage et démocratique peut être le meilleur des gouvernements, une république tyrannique est le pire de tous, car il est plus facile de s'affranchir du joug d'un seul que de celui de plusieurs.
Considérations sur la Suisse.

10770 Il est temps que les bons se rassurent et que les méchants tremblent.
Proclamation au peuple français, 13 juin 1849.

10771 La France a répondu à l'appel loyal que je lui avais fait. Elle a compris que je n'étais sorti de la légalité que pour rentrer dans le droit.
Discours devant la commission consultative, 31 décembre 1851.

10772 Votre religion, comme la nôtre, apprend à se soumettre aux décrets de la Providence. Or, si la France est maîtresse de l'Algérie, c'est que Dieu l'a voulu, et la nation ne renoncera jamais à cette conquête.
Allocution à Abd-El-Kader, 16 octobre 1852.

10773 Représentant à tant de titres la cause du peuple et la volonté nationale, ce sera la nation qui, en m'élevant au trône, se couronnera elle-même.
Message du prince-président au Sénat, 4 novembre 1852.

10774 L'armée est la véritable noblesse de notre pays.
Allocution à la Garde impériale, 20 mars 1855.

GÉRARD DE NERVAL
1808-1855

Il est un air pour qui je donnerais   10775
Tout Rossini, tout Mozart, et tout Weber,
Un air très-vieux, languissant et funèbre,
Qui pour moi seul a des charmes secrets.
Odelettes, Fantaisie.

Oh! c'est que l'aigle seul — malheur à nous, malheur!   10776
Contemple impunément le Soleil et la Gloire.
Ibid., Le Point noir.

Où sont nos amoureuses?   10777
Elles sont au tombeau!
Elles sont plus heureuses
Dans un séjour plus beau!
Ibid., Les Cydalises.

Adieu, doux rayon qui m'as lui, —   10778
Parfum, jeune fille, harmonie...
Le bonheur passait — il a fui!
Ibid., Une allée du Luxembourg.

Hélas! qu'elle doit être heureuse   10779
La mort de l'oiseau — dans les bois!
Ibid., Dans les bois.

S'il est vrai, comme la religion nous l'enseigne, qu'une partie   10780
immortelle survive à l'être humain décomposé, si elle se
conserve indépendante et distincte, et ne va pas se fondre
au sein de l'âme universelle, il doit exister dans l'immensité
des régions ou des planètes, où ces âmes conservent une
forme perceptible aux regards des autres âmes, et de celles
mêmes qui ne se dégagent des liens terrestres que pour un
instant, par le rêve, par le magnétisme ou par la contemplation ascétique.   *Lettre à Linguay, 23 juin 1840.*

En somme, l'Orient n'approche pas de ce rêve éveillé que   10781
j'en avais fait il y a deux ans... j'en ai assez de courir après
la poésie; je crois qu'elle est à votre porte, et peut-être dans
votre lit.   *Lettre à Jules Janin, 1843.*

Où vais-je? Où peut-on souhaiter d'aller en hiver? Je vais   10782
au-devant du printemps, je vais au-devant du soleil... il
flamboie à mes yeux dans les brumes colorées de l'Orient.
Voyage en Orient, Vers l'Orient, 3.

C'est une impression douloureuse, à mesure qu'on va loin,   10783
de perdre, ville à ville et pays à pays, tout ce bel univers qu'on
s'est créé jeune, par les lectures, par les tableaux et par les
rêves. Le monde qui se compose ainsi dans la tête des enfants
est si riche et si beau, qu'on ne sait s'il est le résultat exagéré
d'idées apprises, ou si c'est un ressouvenir d'une existence
antérieure et la géographie magique d'une planète inconnue.
Ibid., 4.

10784 L'Autriche est la Chine de l'Europe. J'en ai dépassé la grande muraille... et je regrette seulement qu'elle manque de mandarins lettrés.   *Ibid., 9.*

10785 Je marche en pleine couleur locale, unique spectateur d'une scène étrange, où le passé renaît sous l'enveloppe du présent.
                                                        Ibid., 19.

10786 Qu'espérer de ce labyrinthe confus, grand peut-être comme Paris ou Rome, de ces palais et de ces mosquées que l'on compte par milliers? Tout cela a été splendide et merveilleux sans doute, mais trente générations y ont passé; partout la pierre croule, et le bois pourrit. Il semble que l'on voyage en rêve dans une cité du passé, habitée seulement par des fantômes, qui la peuplent sans l'animer.
        Ibid., Les Femmes du Caire, I, Les mariages cophtes.

10787 Un miracle public est devenu une chose assez rare, depuis que l'homme s'est avisé, comme dit Henri Heine, de regarder dans les manches du bon Dieu... mais celui-là, si c'en est un, est incontestable. J'ai vu de mes yeux le vieux cheik des derviches, couvert d'un benich blanc, avec un turban jaune, passer à cheval sur les reins de soixante croyants pressés sans le moindre intervalle, ayant les bras croisés sous leur tête. Le cheval était ferré. Ils se relevèrent tous sur une ligne en chantant Allah!
            Ibid., Les Femmes du Caire, II, Les esclaves.

10788 Il y a quelque chose de très séduisant dans une femme d'un pays lointain et singulier, qui parle une langue inconnue, dont le costume et les habitudes frappent déjà par l'étrangeté seule, et qui enfin n'a rien de ces vulgarités de détail que l'habitude nous révèle chez les femmes de notre patrie.   *Ibid.*

10789 L'étranger se trouve toujours en Orient dans la position de l'amoureux naïf ou du fils de famille des comédies de Molière.
                                                        Ibid.

10790 Le théâtre a cela de particulier, qu'il vous donne l'illusion de connaître parfaitement une inconnue. De là les grandes passions qu'inspirent les actrices.   *Ibid.*

10791 En Afrique, on rêve l'Inde comme en Europe on rêve l'Afrique; l'idéal rayonne toujours au-delà de notre horizon actuel.   *Ibid.*

10792 Mon pauvre oncle disait souvent : « Il faut toujours tourner sa langue sept fois dans sa bouche avant de parler. »
Que devrait-on faire avant d'écrire?
                Les Illuminés, La Bibliothèque de mon oncle.

10793 Le grand siècle n'était plus : — il s'était en allé où vont les vieilles lunes et les vieux soleils. Louis XIV avait usé l'ère brillante des victoires. On lui reprenait ce qu'il avait gagné en Flandre, en Franche-Comté, aux bords du Rhin, en Italie. Le prince Eugène triomphait en Allemagne, Marlborough dans le Nord... Le peuple français ne pouvant mieux faire, se vengeait par une chanson.
                Ibid., Histoire de l'abbé de Bucquoy.

Rien de plus dangereux pour les gens d'un naturel rêveur 10794
qu'un amour sérieux pour une personne de théâtre; c'est
un mensonge perpétuel, c'est le rêve d'un malade, c'est
l'illusion d'un fou.
Ibid., Les confidences de Nicolas Restif de La Bretonne.

Les grands bouleversements de la nature font monter à la 10795
surface du sol des matières inconnues, des résidus obscurs,
des combinaisons monstrueuses ou avortées. La raison
s'en étonne, la curiosité s'en repaît avidement, l'hypothèse
audacieuse y trouve les germes d'un monde. *Ibid.*

Le génie n'existe pas plus sans le goût que le caractère sans 10796
la moralité. *Ibid.*

Avec le temps, la passion des grands voyages s'éteint, à 10797
moins qu'on n'ait voyagé assez longtemps pour devenir
étranger à sa patrie. Le cercle se rétrécit de plus en plus,
se rapprochant peu à peu du foyer.
Les Nuits d'octobre.

Le roman rendra-t-il jamais l'effet des combinaisons bizarres 10798
de la vie? Vous inventez l'homme, — ne sachant pas l'observer. Quels sont les romans préférables aux histoires comi-
ques — ou tragiques d'un journal de tribunaux? *Ibid.*

Le vrai, c'est le faux, — du moins en art et en poésie. Quoi 10799
de plus faux que l'*Iliade*, que l'*Enéide*, que la *Jérusalem
délivrée*, que la *Henriade* — que les tragédies, que les
romans?... *Ibid.*

La muse est entrée dans mon cœur comme une déesse aux 10800
paroles dorées; elle s'en est échappée comme une pythie
en jetant des cris de douleur.
Petits Châteaux de Bohême, A un ami.

La vie d'un poète est celle de tous. *Ibid.* 10801

Puisque vous avez eu l'imprudence de citer un des sonnets 10802
composés dans cet état de rêverie *supernaturaliste*, comme
diraient les Allemands, il faut que vous les entendiez tous.
Vous les trouverez dans mes poésies. Ils ne sont guère plus
obscurs que la métaphysique d'Hegel ou les *Mémorables*
de Swedenborg, et perdraient de leur charme à être expliqués,
si la chose était possible; concédez-moi du moins le mérite
de l'expression.
Les Filles du Feu, Préface, à Alexandre Dumas.

Je suis le Ténébreux, — le Veuf, — l'Inconsolé [...] 10803
Ibid., Les Chimères, El Desdichado.

Ma seule *Étoile* est morte, — et mon luth constellé 10804
Porte le *Soleil noir* de la *Mélancolie*.
Ibid.

10805 Et j'ai deux fois vainqueur traversé l'Achéron :
       Modulant tour à tour sur la lyre d'Orphée
       Les soupirs de la Sainte et les cris de la Fée.

                                                    Ibid.

10806 Je pense à toi, Myrtho, divine enchanteresse [...].

                                          Ibid., Myrtho.

10807 Je sais pourquoi là-bas le volcan s'est rouvert...
       C'est qu'hier tu l'avais touché d'un pied agile,
       Et de cendres soudain l'horizon s'est couvert.

                                                    Ibid.

10808 La déesse avait fui sur sa conque dorée,
       La mer nous renvoyait son image adorée,
       Et les cieux rayonnaient sous l'écharpe d'Iris.

                                          Ibid., Horus.

10809 Ils m'ont plongé trois fois dans les eaux du Cocyte,
       Et, protégeant tout seul ma mère Amalécyte,
       Je ressème à ses pieds les dents du vieux dragon.

                                         Ibid., Antéros.

10810 La connais-tu, Dafné, cette ancienne romance [...].

                                         Ibid., Delfica.

10811 Reconnais-tu le TEMPLE au péristyle immense,
       Et les citrons amers où s'imprimaient tes dents [...].

                                                    Ibid.

10812 Ils reviendront, ces Dieux que tu pleures toujours!
       Le temps va ramener l'ordre des anciens jours;
       La terre a tressailli d'un souffle prophétique...

                                                    Ibid.

10813 La Treizième revient... C'est encor la première;
       Et c'est toujours la seule, — ou c'est le seul moment.

                                         Ibid., Artémis.

10814 Aimez qui vous aima du berceau dans la bière;
       Celle que j'aimai seul m'aime encor tendrement :
       C'est la Mort — ou la Morte... O délice! ô tourment!

                                                    Ibid.

10815 « Frères, je vous trompais : Abyme! abyme! abyme!
       Le dieu manque à l'autel où je suis la victime...
       Dieu n'est pas! Dieu n'est plus! » Mais ils dormaient
                                                    toujours!...
                                Ibid., Le Christ aux oliviers.

10816 « Viens! ô toi qui, du moins, a la force du crime! »

                                                    Ibid.

10817 Homme! libre penseur — te crois-tu seul pensant
       Dans ce monde, où la vie éclate en toute chose...
                                      Ibid., Vers dorés.

Souvent dans l'être obscur habite un Dieu caché; 10818
Et, comme un œil naissant couvert par ses paupières,
Un pur esprit s'accroît sous l'écorce des pierres.
Ibid.

Le Roi des rois dormait dans sa couche éclatante, 10819
Et tous deux en rêvant nous pleurions Israël!
Autres Chimères, à Madame Ida Dumas.

Si tu vois *Bénarès* sur son fleuve accoudée 10820
Prends ton arc et revêts ton corset d'or bruni :
Car voici *le Vautour*, volant sur *Patani*,
Et de *papillons blancs* la Mer est inondée.
Ibid., Erythréa.

Dans le Grand Siècle, le plus petit commis écrivait aussi 10821
pompeusement que Bossuet. *Ibid., Angélique.*

Quoi qu'on puisse dire philosophiquement, nous tenons au 10822
sol par bien des liens. On n'emporte pas les cendres de ses
pères à la semelle de ses souliers. *Ibid.*

Il ne nous restait pour asile que cette tour d'ivoire des poètes. 10823
où nous montions toujours plus haut pour nous isoler de la
foule. A ces points élevés où nous guidaient nos maîtres,
nous respirions enfin l'air pur des solitudes, nous buvions
l'oubli dans la coupe d'or des légendes, nous étions ivres
de poésie et d'amour. Amour, hélas! des formes vagues,
des teintes roses et bleues, des fantômes métaphysiques!
Vue de près, la femme réelle révoltait notre ingénuité! il
fallait qu'elle apparût reine ou déesse, et surtout n'en pas
approcher. *Ibid., Sylvie, souvenirs du Valois.*

Plongé dans une demi-somnolence, toute ma jeunesse repas- 10824
sait en mes souvenirs. Cet état, où l'esprit résiste encore aux
bizarres combinaisons du songe, permet souvent de voir se
presser en quelques minutes les tableaux les plus saillants
d'une longue période de la vie. *Ibid.*

Cet amour vague et sans espoir, conçu pour une femme de 10825
théâtre, qui tous les soirs me prenait à l'heure du spectacle,
pour ne me quitter qu'à l'heure du sommeil, avait son germe
dans le souvenir d'Adrienne, fleur de la nuit éclose à la
pâle clarté de la lune, fantôme rose et blond glissant sur
l'herbe verte à demi baignée de blanches vapeurs.
Ibid.

En un instant, je me transformais en marié de l'autre siècle. 10826
Sylvie m'attendait sur l'escalier, et nous descendîmes tous
deux en nous tenant par la main. La tante poussa un cri en
se retournant : « O mes enfants! » dit-elle, et elle se mit à
pleurer, puis sourit à travers ses larmes. — C'était l'image
de sa jeunesse, — cruelle et charmante apparition!
Ibid.

Où sont les buissons de roses qui entouraient la colline? 10827
L'églantier et le framboisier en cachent les derniers plants,
qui retournent à l'état sauvage. — Quant aux lauriers, les
a-t-on coupés, comme le dit la chanson des jeunes filles qui
ne veulent plus aller au bois? *Ibid.*

10828   Voici les peupliers de l'île, et la tombe de Rousseau, vide
de ses cendres. O sage! tu nous avais donné le lait des forts,
et nous étions trop faibles pour qu'il pût nous profiter. Nous
avons oublié tes leçons que savaient nos pères, et nous avons
perdu le sens de ta parole, dernier écho des sagesses antiques.
Pourtant ne désespérons pas, et, comme tu fis à ton suprême
instant, tournons nos yeux vers le soleil!   *Ibid.*

10829   Les illusions tombent l'une après l'autre, comme les écorces
d'un fruit, et le fruit, c'est l'expérience. Sa saveur est amère;
elle a pourtant quelque chose d'âcre qui fortifie.   *Ibid*

10830   Ainsi périssait, sous l'effort de la raison moderne, le Christ
lui-même, ce dernier des révélateurs, qui, au nom d'une raison
plus haute, avait autrefois dépeuplé les cieux. O nature!
ô mère éternelle! était-ce là vraiment le sort réservé au
dernier de tes fils célestes! Les mortels en sont-ils venus à
repousser toute espérance et tout prestige, et, levant ton
voile sacré, déesse de Saïs! le plus hardi de tes adeptes s'est-il
donc trouvé face à face avec l'image de la Mort?
Ibid., Isis.

10831   Vous l'avez tous connue, ô mes amis! la belle *Pandora* du
théâtre de Vienne. Elle vous a laissé sans doute, ainsi qu'à
moi-même, de cruels et doux souvenirs! C'était bien à elle
peut-être — à elle, en vérité — que pouvait s'appliquer
l'indéchiffrable énigme gravée sur la pierre de Bologne :
AELIA LAELIA. *Nec vir, nec mulier, nec androgyna*, etc. « Ni
homme, ni femme, ni androgyne, ni fille, ni jeune, ni vieille,
ni *chaste*, ni *folle*, ni pudique, mais tout cela ensemble... »
Enfin la Pandora, c'est tout dire, car je ne veux pas dire tout.
La Pandora.

10832   Le nom de Prométhée me déplaît toujours singulièrement,
car je sens encore à mon flanc le bec éternel du vautour
dont Alcide m'a délivré.
O Jupiter! quand finira mon supplice?   *Ibid.*

10833   Le Rêve est une seconde vie. Je n'ai pu percer sans frémir
ces portes d'ivoire ou de corne qui nous séparent du monde
invisible.   *Aurélia.*

10834   Les premiers instants du sommeil sont l'image de la mort;
un engourdissement nébuleux saisit notre pensée, et nous ne
pouvons déterminer l'instant précis où le *moi*, sous une
autre forme, continue l'œuvre de l'existence. C'est un sou-
terrain vague qui s'éclaire peu à peu, et où se dégagent de
l'ombre et de la nuit les pâles figures gravement immobiles
qui habitent le séjour des limbes. Puis le tableau se forme,
une clarté nouvelle illumine et fait jouer ces apparitions
bizarres; — le monde des Esprits s'ouvre pour nous.
Ibid.

10835   Un soir, vers minuit, je remontais un faubourg où se trouvait
ma demeure, lorsque, levant les yeux par hasard, je remarquai
le numéro d'une maison éclairé par un réverbère. Ce nombre
était celui de mon âge. Aussitôt, en baissant les yeux, je vis

devant moi une femme au teint blême, aux yeux caves, qui
me semblait avoir les traits d'Aurélia. Je me dis : « C'est
sa mort ou la mienne qui m'est annoncée! »   *Ibid.*

L'un d'eux, nommé Paul, voulut me reconduire chez moi, 10836
mais je lui dis que je ne rentrais pas. « Où vas-tu? me dit-il.
— *Vers l'Orient!*» Et pendant qu'il m'accompagnait, je me mis
à chercher dans le ciel une étoile, que je croyais connaître,
comme si elle avait quelque influence sur ma destinée.
L'ayant trouvée, je continuai ma marche en suivant les rues
dans la direction desquelles elle était visible, marchant pour
ainsi dire au-devant de mon destin, et voulant apercevoir
l'étoile jusqu'au moment où la mort devait me frapper.
                                                      Ibid.

Cette idée m'est revenue bien des fois, que, dans certains 10837
moments graves de la vie, tel Esprit du monde extérieur
s'incarnait tout à coup en la forme d'une personne ordinaire, et agissait ou tentait d'agir sur nous, sans que cette
personne en eût la connaissance ou en gardât le souvenir.
                                                      Ibid.

Je crus tomber dans un abîme qui traversait le globe. Je me 10838
sentais emporté sans souffrance par un courant de métal
fondu, et mille fleuves pareils, dont les teintes indiquaient
les différences chimiques, sillonnaient le sein de la terre
comme les vaisseaux et les veines qui serpentent parmi les
lobes du cerveau. Tous coulaient, circulaient et vibraient
ainsi, et j'eus le sentiment que ces courants étaient composés
d'âmes vivantes, à l'état moléculaire, que la rapidité de ce
voyage m'empêchait seule de distinguer.   *Ibid.*

Notre passé et notre avenir sont solidaires. Nous vivons dans 10839
notre race, et notre race vit en nous.   *Ibid.*

Dans les rêves on ne voit jamais le soleil, bien qu'on ait 10840
souvent la perception d'une clarté beaucoup plus vive. Les
objets et les corps sont lumineux par eux-mêmes.   *Ibid.*

Combien d'années encore le monde aura-t-il à souffrir, car 10841
il faut que la vengeance de ces éternels ennemis se renouvelle
sous d'autres cieux! Ce sont les tronçons divisés du serpent
qui entoure la terre... Séparés par le fer, ils se rejoignent
dans un hideux baiser cimenté par le sang des hommes.
                                                      Ibid.

Je crois que l'imagination humaine n'a rien inventé qui ne 10842
soit vrai, dans ce monde ou dans les autres.   *Ibid.*

Peut-être touchons-nous à l'époque prédite où la science, 10843
ayant accompli son cercle entier de synthèse et d'analyse,
de croyance et de négation, pourra s'épurer elle-même et
faire jaillir du désordre et des ruines la cité merveilleuse de
l'avenir.   *Ibid.*

Le désespoir et le suicide sont le résultat de certaines situa- 10844
tions fatales pour qui n'a pas foi dans l'immortalité, dans ses
peines et dans ses joies.   *Ibid.*

10845 Les étoiles brillaient dans le firmament. Tout à coup il me
       sembla qu'elles venaient de s'éteindre à la fois comme les
       bougies que j'avais vues à l'église. Je crus que les temps
       étaient accomplis et que nous touchions à la fin du monde
       annoncée dans l'Apocalypse de saint Jean. Je croyais voir
       un soleil noir dans le ciel désert et un globe rouge de sang
       au-dessus des Tuileries. Je me dis : « La nuit éternelle com-
       mence, et elle va être terrible. Que va-t-il arriver quand les
       hommes s'apercevront qu'il n'y a plus de soleil? »
                                                              Ibid.

10846 Rien n'est indifférent, rien n'est impuissant dans l'univers;
       un atome peut tout dissoudre, un atome peut tout sauver!
                                                              Ibid.

10847 Sur la cime d'un mont bleuâtre une petite fleur est née. —
       Ne m'oubliez pas! — Le regard chatoyant d'une étoile
       s'est fixé un instant sur elle, et une réponse s'est fait entendre
       dans un doux langage étranger. — *Myosotis!*   *Ibid.*

10848 Le sommeil occupe le tiers de notre vie. Il est la consolation
       des peines de nos journées ou la peine de leurs plaisirs;
       mais je n'ai jamais éprouvé que le sommeil fût un repos.
                                                              Ibid.

10849 Il y a dans ma tête un orage de pensées dont je suis ébloui
       et fatigué sans cesse; il y a des années de rêves, de projets,
       d'angoisses qui voudraient se presser dans une phrase, dans
       un mot.   *Lettres à Jenny Colon.*

10850 Non, mon Dieu! vous ne m'avez pas créé pour mon éternelle
       souffrance. Je ne veux pas vous outrager par ma mort, mais
       donnez-moi la force, donnez-moi le pouvoir, donnez-moi
       surtout la résolution qui fait que les uns arrivent au trône,
       les autres à la gloire, les autres à l'amour!   *Ibid.*

10851 Dans l'affection que je vous porte il y a trop de passé pour
       qu'il n'y ait pas beaucoup d'avenir.   *Ibid.*

10852 J'arrange volontiers ma vie comme un roman, les moindres
       désaccords me choquent.   *Ibid.*

10853 La pensée se glace en se traduisant en phrases, et les plus
       douces émotions de l'amour ressemblent alors à ces plantes
       desséchées, que l'on presse entre des feuillets afin de les
       conserver.   *Ibid.*

10854 La conjugaison éternelle du verbe « aimer » ne convient
       peut-être qu'aux âmes tout à fait naïves.   *Ibid.*

10855 Mon Dieu! notre pauvre lune de miel n'a guère eu qu'un
       premier quartier...   *Ibid.*

ARMAND BARBÈS
1809-1870

Ici, comme sur tous les autres globes analogues à ce premier   10856
échelon au rez-de-chaussée du monde, [l'homme] commence
à mériter devant Dieu, et, lorsque ce phénomène que nous
appelons *la mort* s'accomplit, il va, emporté par l'attraction
du progrès, renaître [...] dans un astre supérieur [...] Cet astre
où vont habiter les bons a nécessairement son corrélatif dans
un autre astre où sont enchaînés les méchants.
                              Deux Jours de condamnation à mort.

Citoyens de l'univers, dans le vrai sens du mot, nous sommes   10857
partis de la croyance à la solidarité des nations et de l'humanité terrestre, pour en arriver enfin à la pratique du dogme
de la solidarité de l'humanité universelle.   *Ibid.*

PÉTRUS BOREL
1809-1859

Oui! je suis républicain, mais ce n'est pas le soleil de juillet   10858
qui a fait éclore en moi cette haute pensée, je le suis d'enfance,
mais non pas républicain à jarretière rouge ou bleue à ma
carmagnole, pérorateur de hangar et planteur de peupliers,
je suis républicain comme l'entendrait un loup-cervier,
mon républicanisme, c'est de la lycanthropie!
                              Rhapsodies, Préface.

Je suis républicain parce que je ne puis pas être Caraïbe.   10859
                                                   Ibid.

Heureusement que pour se consoler de tout cela, il nous reste   10860
l'adultère! le tabac de Maryland! et du papel espanol por
cigaritos.   *Ibid.*

Comme une louve ayant fait chasse vaine,   10861
Grinçant les dents, s'en va par le chemin,
Je vais, hagard, tout chargé de ma peine,
Seul avec moi, nulle main dans ma main;
Pas une voix qui me dise : A demain.
                              Ibid., Désespoir.

C'est un oiseau, le barde! il doit vieillir austère,   10862
Sobre, pauvre, ignoré, farouche, soucieux,
Ne chanter pour aucun, et n'avoir rien sur terre
Qu'une cape trouée, un poignard et les cieux!
                              Ibid., Heur et malheur.

O Monsieur le bourreau, je voudrais que vous me guillo-   10863
tinassiez.
         Champavert, Contes immoraux. Passereau l'écolier.

XAVIER FORNERET
1809-1884

10864 L'Homme noir, l'auteur de ce quasi-livre, ne veut pas
Écrire; c'est Écrire qui a voulu et veut l'auteur.
Sans titre, par un homme noir, blanc de visage.

10865 Nous ne sommes bons que de côté.   *Ibid.*

10866 Le cercueil est le salon des morts, ils y reçoivent des vers.
Ibid.

10867 Il n'y a donc de vrai que le jour qui se lève.   *Ibid.*

10868 Quand le soleil est pâle, il regarde les tombes.   *Ibid.*

10869 J'ai vu une boîte aux lettres sur un cimetière.
Encore un an de sans titre.

10870 Ame, — femme échevelée;
Cœur, — homme pâle et maigre;
Corps, — maison de fous, où les deux premiers se regardent.
Ibid.

10871 *Tout ou Rien.* — Ces trois mots sont une paire de lunettes à
envoyer à la femme qui dit ne pouvoir bien *lire* que dans
notre cœur. *Tout* et *Rien* seront les deux verres, et *ou* — ce
qui lui tiendra sur le nez. —   *Ibid.*

10872 C'est le miroir qui se mire dans la Femme.   *Ibid.*

10873 Un parapluie ouvert est un beau ciel fermé.
Broussailles de la pensée de la famille de sans titre.

10874 Les rêves sont seuls les réalités de la vie.   *Ibid.*

10875 La nuit passe à l'ordre... du jour.   *Ibid.*

10876 Son haleine? L'idéal d'une pureté de brise que chasse autour
de lui un ruisseau qui court sur des fleurs qui soupirent.
Pièce de pièces, temps perdu.

10877 Je ne sais si l'abeille qui bourdonne et pique, si l'aigle qui
trompette et déchire, si le gros chien qui hurle et mord, si
le corbeau qui croasse et fouille, si le crocodile qui lamente
et angoule, si l'éléphant qui barète et renverse, si l'épervier
qui glapit et tiraille, si le hibou qui hue et crève les yeux,
si le lion qui rugit et terrasse, si le perroquet qui cause et peut
conduire à la mort, si le sanglier qui grommelle et déracine,
si le serpent qui siffle et étreint, si enfin le tigre qui rauque
et dévore, — je ne sais si ces quadrupèdes, reptiles et oiseaux,
font plaies à ce qu'ils touchent, comme ce qu'on attend,
et qui ne vient pas, nous jette au milieu du cœur l'amertume
à gouttes, la déchirure au vif.
Ibid., Un désespoir.

La Tombe est une boîte où l'on en place une autre. 10878
Lignes rimées, La Tombe.

PIERRE-JOSEPH PROUDHON
1809-1865

Il y a une science des quantités qui force l'assentiment, exclut 10879
l'arbitraire, repousse toute utopie; une science des phénomènes physiques qui ne repose que sur l'observation des
faits. Il doit exister aussi une science de la société, absolue,
rigoureuse, basée sur la nature de l'homme et de ses facultés,
et sur leurs rapports, science qu'il ne faut pas inventer, mais
découvrir.
De l'utilité de la célébration du dimanche, chap. 5.

Si j'avais à répondre à la question suivante : *Qu'est-ce que* 10880
l'esclavage? et que d'un seul mot je répondisse : *c'est l'assas-*
sinat, ma pensée serait d'abord comprise. Je n'aurais pas
besoin d'un long discours pour montrer que le pouvoir
d'ôter à un homme la pensée, la volonté, la personnalité,
est un pouvoir de vie et de mort, et que faire un homme esclave,
c'est l'assassiner. Pourquoi donc à cette autre demande :
Qu'est-ce que la propriété? ne puis-je répondre de même :
c'est le vol! sans avoir la certitude de n'être pas entendu,
bien que cette seconde proposition ne soit que la première
transformée.
Qu'est-ce que la propriété? Premier mémoire, chap. 1.

Je prétends que ni le travail, ni l'occupation, ni la loi ne 10881
peuvent créer la propriété : qu'elle est un effet sans cause.
Ibid.

Anarchie, absence de maître, de souverain, telle est la forme 10882
de gouvernement dont nous approchons tous les jours.
Ibid., chap. 5.

L'homme, qu'il le veuille ou non, fait partie intégrante de la 10883
société qui, antérieurement à toute convention, existe par le
fait de la division du travail et par l'unité de l'action collective. *De la création de l'ordre dans l'humanité, chap. 6.*

Le champ d'observation de la science économique, c'est la 10884
société, c'est-à-dire encore le moi. Voulez-vous connaître
l'homme, étudiez la société; voulez-vous connaître la société,
étudiez l'homme. L'homme et la société se servent réciproquement de sujet et d'objet.
Système des contradictions économiques, chap. 2.

Il ne s'agit pas de tuer la liberté individuelle mais de la 10885
socialiser. *Ibid.*

L'État, quoi qu'on en dise et quoi qu'on en fasse, n'est, ni ne 10886
sera jamais la même chose que l'universalité des citoyens.
Ibid., chap. 10.

Dans la république, tout citoyen, en faisant ce qu'il veut et 10887
rien que ce qu'il veut, participe directement à la législation
et au gouvernement, comme il participe à la production et
à la circulation de la richesse. Là, tout citoyen est roi parce

qu'il a la plénitude du pouvoir. Il règne et gouverne. La
république est une anarchie positive.
Solution du problème social.

10888 La révolution après avoir été tour à tour, religieuse, philosophique, politique, est devenue économique, et comme
toutes ses devancières, ce n'est rien de moins qu'une contradiction au passé, une sorte de renversement de l'ordre établi
qu'elle nous apporte.
Toast à la Révolution, 7 octobre 1848.

10889 Qui dit donc révolution, dit nécessairement *progrès*, dit par
cela même conservation. D'où il suit que la révolution est
en permanence dans l'histoire, et qu'à proprement parler
il n'y a pas eu plusieurs révolutions, il n'y a eu qu'une seule
et même révolution.   *Ibid.*

10890 De système, je n'en ai pas, j'en repousse formellement la
supposition. Le système de l'humanité ne sera connu qu'à
la fin de l'humanité.   *Le Peuple, 21 mars 1849.*

10891 La plupart des révolutionnaires ne songent à l'instar des
conservateurs qu'ils combattent, qu'à se bâtir des prisons.
*La Révolution sociale démontrée par le coup d'État du
2 décembre.*

10892 Rendre l'ouvrier copropriétaire de l'engin industriel et
participant aux bénéfices au lieu de l'y enchaîner comme un
esclave, qui oserait dire que telle ne soit pas la tendance
du siècle?
Manuel d'un spéculateur à la Bourse, Conclusion.

10893 La justice est humaine, tout humaine, rien qu'humaine;
c'est lui faire tort que de la rapporter, de près ou de loin,
directement ou indirectement, à un principe supérieur ou
antérieur à l'humanité.
De la Justice dans la Révolution et dans l'Église, 1re étude, IV.

10894 Une liquidation générale est le préliminaire obligé de toute
révolution.
Idée générale de la révolution au XIXe siècle.

10895 De deux choses l'une : ou le travailleur, nécessairement
parcellaire, sera simplement le salarié du propriétaire-
capitaliste-entrepreneur; ou bien il *participera* aux chances
de perte et de gain de l'établissement, il aura voix délibé-
rative au conseil, en un mot, il deviendra associé.   *Ibid.*

10896 Direct ou indirect, simple ou composé, le gouvernement
du peuple sera toujours l'escamotage du peuple. C'est
toujours l'homme qui commande à l'homme; la fiction qui
fait violence à la liberté; la force brutale qui tranche les
questions, à la place de la justice qui seule peut les résoudre;
l'ambition perverse qui se fait un marchepied du dévouement
et de la crédulité.   *Ibid.*

10897 Religion pour religion, l'urne populaire est encore au-dessous
de la sainte-ampoule mérovingienne. Tout ce qu'elle a
produit a été de changer la science en dégoût, et le scepticisme
en haine.   *Ibid., 4e étude, II.*

La Justice révolutionnaire et la Justice théologale ne sont 10898
pas deux puissances qui s'équilibrent, elles sont l'une à
l'autre ce que l'idée positive est à l'allégorie, la science au
mythe, la réalité au rêve, le corps à l'ombre.

Ibid., 7e étude, III.

L'homme et la femme peuvent être équivalents devant 10899
l'Absolu : ils ne sont point égaux, ils ne peuvent pas l'être,
ni dans la famille, ni dans la cité. *Ibid., 11e étude, IV.*

La Justice est plus grande que le moi. Elle ne vit pas en soli- 10900
taire. *Ibid., 12e étude.*

Salut à la guerre! C'est par elle que l'homme, à peine sorti 10901
de la boue qui lui sert de matrice, se pose dans sa majesté
et sa vaillance. C'est sur le corps d'un ennemi battu qu'il
fait son premier rêve de gloire et d'immortalité.

La Guerre et la Paix, Livre I.

Agir c'est combattre. *Ibid., chap. 5.* 10902

Celui qui a son idée dans le creux de la main est souvent 10903
un homme de plus d'intelligence, en tout cas plus complet
que celui qui la porte dans sa tête, incapable de l'exprimer
autrement que par une formule. *Les Majorats littéraires.*

Tout le mystère consiste à distribuer la nation en provinces 10904
indépendantes souveraines ou du moins qui, s'administrant
elles-mêmes, disposent d'une force d'initiative et d'une
influence suffisante.

Du principe fédératif, 1re partie, chap. 10.

En résumé, qui dit liberté, dit fédération ou ne dit rien. 10905
Qui dit République, dit fédération ou ne dit rien.
Qui dit socialisme, dit fédération ou ne dit encore rien.

Ibid., 2e partie, chap. 3.

Une révolution vraiment organique, produit de la vie uni- 10906
verselle, bien qu'elle ait ses messagers et ses exécuteurs,
n'est vraiment l'œuvre de personne.
De la capacité politique des classes ouvrières, Livre II, chap. 5.

Si la démocratie ouvrière, satisfaite de faire l'agitation 10907
dans ses ateliers, de harceler le bourgeois et de se signaler
dans des élections inutiles, reste indifférente sur les principes
de l'économie politique qui sont ceux de la révolution, il faut
qu'elle le sache, elle ment à ses devoirs et elle sera flétrie
un jour devant la postérité. *Ibid., chap. 8.*

La puissance de l'État est une puissance de concentration. 10908
La propriété au rebours est une puissance de décentralisation.

Théorie de la propriété, chap. 6.

Le monde moral comme le monde physique repose sur une 10909
pluralité d'éléments irréductibles et antagonistes et c'est de la
contradiction de ces éléments que résultent la vie et le mouvement dans l'univers. *Ibid., Conclusion.*

10910 L'homme est principalement une puissance d'*action*, la femme, une puissance de *fascination*.
La Pornocratie ou les femmes dans les temps modernes,
chap. 2.

10911 Pour moi, la société humaine est un être réel au même titre que l'homme qui en fait partie. Cet être formé d'hommes, mais qui n'est pas la même chose que l'homme, a sa vie, sa puissance, ses attributs, sa raison, sa conscience, ses passions.
Ibid., chap. 5.

10912 La nation française, quoique frondeuse et remuante, curieuse de nouveautés, incapable d'une discipline exacte, riche en esprits inventifs et en caractères entreprenants, n'en est pas moins au fond, et prise en masse, le représentant, en toute chose, du juste milieu et de la stabilité.
Confessions d'un révolutionnaire, Post-scriptum.

10913 Tous, tant que nous vivons, dévots et sceptiques, royalistes et républicains, en tant que nous raisonnons d'après les idées reçues et les intérêts établis, nous sommes conservateurs; en tant que nous obéissons à nos instincts secrets, aux forces occultes qui nous pressent, aux désirs d'amélioration générale que les circonstances nous suggèrent, nous sommes révolutionnaires.   *Ibid.*

10914 Il serait, à mon avis, d'une mauvaise politique pour nous, de parler en exterminateurs; les moyens de rigueur viendront assez : le peuple n'a besoin pour cela d'aucune exhortation!
Lettre à Karl Marx, 17 mai 1846.

10915 Le peuple voudrait en finir; or il n'y a pas de fin.
Lettre à Langlois, décembre 1851.

10916 Les communistes sont avec moi, bien que je ne sois pas communiste, et je suis avec eux, parce que, sans qu'ils le sachent, ils ne sont pas plus communistes que moi.
Carnets, 2 août 1845 (Éd. Marçel Rivière).

10917 Dans la société travailleuse, il n'y a pas des travailleurs, il y a un travailleur unique diversifié à l'infini.
Ibid., 11 mars 1846.

10918 La France est une maison de commerce qui ne tient pas d'écriture.   *Ibid., 29 novembre 1847.*

ELIPHAS LÉVI
(ALPHONSE LOUIS CONSTANT)
1810-1875

10919 Aussi, comme l'on demandait un jour au Christ quand son royaume s'établirait sur la terre, il répondit :

« Lorsque deux ne feront qu'un, lorsque ce qui est au-dedans sera au-dehors, et quand l'homme et la femme, inséparablement unis, ne seront plus ni homme ni femme. »
L'Assomption de la Femme ou le livre de l'amour,
Le Cantique des cantiques.

Le mariage, dans une société ainsi faite, est un grand bagne 10920 où sont enchaînées des veuves qui n'ont jamais connu l'amour et des vierges violées et flétries.
Ibid., III, « Sur mon humble couche, pendant la nuit... ».

Malheur à vous qui croyez que la femme est faite pour 10921 votre plaisir.
Ibid., IV, « Tes mamelles sont plus belles que le vin ».

Pourquoi une pudeur invincible détourne-t-elle les yeux 10922 du saint acte de la génération? C'est que cet acte est un désordre obscène et monstrueux lorsqu'il est accompli sans amour et que l'amour est bien rare en ce monde!
Ibid., VIII, « Qui me donnera que tu sois mon frère... ».

Le christianisme était encore un mystère, que déjà les Césars 10923 se sentaient détrônés par le Verbe chrétien.
Dogme et Rituel de haute magie, Discours préliminaire.

Se créer soi-même, telle est la sublime vocation de l'homme 10924 rétabli dans tous ses droits par le baptême de l'esprit. *Ibid.*

La religion est raisonnable. Voilà ce qu'il faut dire à la 10925 philosophie [...] La Raison est sainte. Voilà ce qu'il faut dire à l'Église [...] *Ibid.*

L'homme est fils de ses œuvres : il est ce qu'il veut être; 10926 il est l'image du Dieu qu'il se fait; il est la réalisation de son idéal. *Ibid., tome 2, Le livre d'Hermès.*

PIERRE CHARLES DE FAILLY
1810-1892

Nos fusils Chassepot ont fait merveille. 10927
Télégramme au gouvernement français après la bataille de
Mentana (3 novembre 1867) où Garibaldi fut défait par
les troupes pontificales et françaises.

MAURICE DE GUÉRIN
1810-1839

Les plus belles journées, les plus douces études ne peuvent 10928 assoupir en moi cette pensée inquiète et geigneuse qui fait le fond de l'humanité. *Le Cahier vert.*

10929 La vie ne descend pas dans la fraîcheur des nuits, ni répartie dans les gouttes des ondées, ni fondue et dissoute dans l'étendue entière de l'air; elle tombe d'en haut comme un poids. *Ibid.*

10930 La forme, c'est le bonheur de la matière, l'éternel embrassement de ses atomes ivres d'amour. Dans leur union, la matière jouit d'elle-même et se béatifie. C'est pourquoi l'âme, pauvre molécule d'intelligence, séparée de l'unité des esprits, contemple avec tant d'avidité, à travers les sens, la forme bienheureuse. L'âme dans ce monde est condamnée au spectacle de la volupté. *Ibid.*

10931 Ma liberté se lève dans la nuit.
Lettre à H. de la Morvonnais, 5 décembre 1835.

CHARLES DE MONTALEMBERT
1810-1870

10932 Pauvre France, pendant le cours de ta longue histoire, tu es souvent descendue bien bas, tu as bu à longs traits dans la coupe des dérisions et des ignominies; avais-tu donc besoin pour dernière épreuve, pour dernier affront, d'endurer la tyrannie des écoliers!
Œuvres polémiques et diverses, tome I, De l'impartialité ministérielle et de l'intervention des écoliers dans le gouvernement représentatif (28 décembre 1830).

10933 L'Université ne représente pas seulement l'orgueil du rationalisme et l'anarchie intellectuelle où conduit l'incrédulité : elle représente surtout et elle sert merveilleusement cette tendance de l'État à tout ployer sous l'implacable niveau d'une stérile uniformité.
Ibid., Du devoir des catholiques dans la question de la liberté d'enseignement, IX.

10934 Les catholiques, en France, sont nombreux, ils sont riches; ils sont estimés même par leurs plus violents adversaires. Il ne leur manque qu'une seule chose, c'est le courage.
Ibid., XVII.

10935 Les catholiques de nos jours ont en France un goût prédominant et une fonction qui leur est propre : c'est le sommeil.
Ibid., Du rapport de M. Liadières sur le projet de loi contre la liberté d'enseignement, I.

10936 Il ne faut pas prendre les puissantes sympathies que le Christianisme proclame et inspire en faveur des pauvres et des faibles pour une conformité de principe avec le gouvernement démocratique.
Ibid., Quelques conseils aux catholiques, Deuxième lettre.

10937 Tant que l'esprit révolutionnaire n'a point envahi les classes agricoles d'un pays, ses victoires ne sont qu'éphémères et n'ont point de racines.
Ibid., tome II, De l'avenir politique de l'Angleterre, chap. 6.

On n'est jamais aussi vainqueur ni aussi vaincu qu'on se 10938
l'imagine.
Ibid., Le Nouveau Ministère et la dissolution de la Chambre
en Belgique.

Les longs souvenirs font les grands peuples. La mémoire 10939
du passé ne devient importune que lorsque la conscience du
présent est honteuse.
Mélanges d'art et de littérature, Du vandalisme en France.

Quand on est réduit à faire de la philosophie religieuse, 10940
c'est qu'il n'y a plus de religion; quand on fait de la philosophie de l'art, c'est qu'il n'y a plus d'art.
Ibid., De l'état actuel de l'art religieux en France.

HÉGÉSIPPE MOREAU
1810-1838

Liberté, c'est en vain qu'on cherche à te flétrir! 10941
Tu ne peux maintenant t'égarer ni mourir.
Le Myosotis, Épître à M. Firmin-Didot.

Le tocsin dans la Chambre étouffait la sonnette 10942
Et l'émeute y frappait à coups de baïonnette...
Ibid., à M. C. Opoix, de Provins.

Et chaque apôtre se signait, 10943
Et Judas surtout s'indignait :
Hélas! disait-il, mes amis,
Le Bon Dieu nous a compromis.
Ibid., Les Noces de Cana.

S'il est un nom bien doux fait pour la poésie, 10944
Oh! dites, n'est-ce pas le nom de la Voulzie?
La Voulzie, élégie.

ALFRED DE MUSSET
1810-1857

Mes premiers vers sont d'un enfant, 10945
Les seconds d'un adolescent,
Les derniers à peine d'un homme.
Premières poésies, Au lecteur des deux volumes de vers de
l'auteur.

Dans Venise la rouge, 10946
Pas un bateau qui bouge,
Pas un pêcheur dans l'eau,
Pas un falot.
Ibid., Venise.

10947   C'était, dans la nuit brune,
               Sur le clocher jauni,
               La lune,
               Comme un point sur un i.
                         Ibid., Ballade à la lune.

10948   [...] L'heure
               Où (quand par le brouillard la chatte rôde et pleure)
               Monsieur Hugo va voir mourir Phœbus le blond.
                         Ibid., Mardoche, I.

10949   [...] A peine
               Le spleen le prenait-il quatre fois par semaine.
                         Ibid., II.

10950   L'amour (hélas! l'étrange et la fausse nature!)
               Vit d'inanition, et meurt de nourriture.
                         Ibid., XVI.

10951   On croit au sang qui coule, et l'on doute des pleurs.
                         Ibid., Les Vœux stériles.

10952   Racine, rencontrant Shakspeare sur ma table,
               S'endort près de Boileau qui leur a pardonné.
               Ibid., Les Secrètes pensées de Rafaël, gentilhomme français.

10953   J'ai dit à mon cœur, à mon faible cœur :
               N'est-ce point assez d'aimer sa maîtresse?
               Et ne vois-tu pas que changer sans cesse,
               C'est perdre en désirs le temps du bonheur?
               [...]
               Et ne vois-tu pas que changer sans cesse
               Nous rend doux et chers les plaisirs passés?
                         Ibid., Chanson.

10954   Ah! frappe-toi le cœur, c'est là qu'est le génie.
                         Ibid., à mon ami Édouard B.

10955   Fille de la douleur! harmonie! harmonie!
               Langue que pour l'amour inventa le génie!
                         Ibid., Le Saule, I.

10956   Ah! blessures du cœur, votre trace est amère!
               Promptes à vous ouvrir, lentes à vous fermer!
                         Ibid., II.

10957   Pâle étoile du soir, messagère lointaine [...]
                         Ibid.

10958   Et toi, charme inconnu dont rien ne se défend,
               Qui fit hésiter Faust au seuil de Marguerite,
               Doux mystère du toit que l'innocence habite,
               Candeur des premiers jours, qu'êtes-vous devenus?
                         Ibid., VIII.

10959   Je ne fais pas grand cas, pour moi, de la critique.
               Toute mouche qu'elle est, c'est rare qu'elle pique.
                  La Coupe et les lèvres, Dédicace à M. Alfred Tattet.

Je hais comme la mort l'état de plagiaire; 10960
Mon verre n'est pas grand, mais je bois dans mon verre.
Ibid.

[...] Je hais les pleurards, les rêveurs à nacelles [...]. 10961
Ibid.

Doutez si vous voulez de l'être qui vous aime, 10962
D'une femme ou d'un chien, mais non de l'amour même.
Ibid.

Qu'importe le flacon, pourvu qu'on ait l'ivresse? 10963
Ibid.

Un artiste est un homme — il écrit pour des hommes. 10964
Pour prêtresse du temple, il a la liberté,
Pour trépied, l'univers; pour éléments, la vie;
Pour encens, la douleur; l'amour et l'harmonie;
Pour victime, son cœur; — pour dieu, la vérité.
Ibid.

Ah! malheur à celui qui laisse la débauche 10965
Planter le premier clou sous sa mamelle gauche!
Le cœur d'un homme vierge est un vase profond :
Lorsque la première eau qu'on y verse est impure,
La mer y passerait sans laver la souillure,
Car l'abîme est immense, et la tache est au fond.
Ibid., acte IV.

Ninon, Ninon, que fais-tu de la vie? 10966
L'heure s'enfuit, le jour succède au jour.
Rose ce soir, demain flétrie.
Comment vis-tu, toi qui n'as pas d'amour?
A quoi rêvent les jeunes filles, acte I, scène 1.

La vie est un sommeil, l'amour en est le rêve, 10967
Et vous aurez vécu, si vous avez aimé.
Ibid.

Tout le réel pour moi n'est qu'une fiction. 10968
Ibid., acte I, scène 4.

On a bouleversé la terre avec des mots. 10969
Ibid.

Croyez-moi, les enfants n'aiment que l'inconnu. 10970
Ibid.

Nu comme le discours d'un académicien. 10971
Namouna, Chant I, 3.

Toujours le cœur humain pour modèle et pour loi. 10972
Le cœur humain de qui? le cœur humain de quoi?
Celui de mon voisin a sa manière d'être;
Mais, morbleu! comme lui, j'ai mon cœur humain, moi!
Ibid., 19.

10973   Manon! sphinx étonnant! véritable sirène,
         Cœur trois fois féminin, Cléopâtre en paniers!
                                                Ibid., 59.

10974   J'aime surtout les vers, cette langue immortelle.
         C'est peut-être un blasphème, et je le dis tout bas;
         Mais je l'aime à la rage. Elle a cela pour elle
         Que les sots d'aucun temps n'en ont pu faire cas,
         Qu'elle nous vient de Dieu, — qu'elle est limpide et belle,
         Que le monde l'entend, et ne la parle pas.
                                       Ibid., Chant II, 2.

10975   Eh! depuis quand un livre est-il donc autre chose
         Que le rêve d'un jour qu'on raconte un instant;
         Un oiseau qui gazouille et s'envole; — une rose
         Qu'on respire et qu'on jette, et qui meurt en tombant; —
         Un ami qu'on aborde, avec lequel on cause,
         Moitié lui répondant, et moitié l'écoutant?
                                                Ibid., 7.

10976   Rien n'appartient à rien, tout appartient à tous.
         Il faut être ignorant comme un maître d'école
         Pour se flatter de dire une seule parole
         Que personne ici-bas n'ait pu dire avant vous.
         C'est imiter quelqu'un que de planter des choux.
                                                Ibid., 9.

10977   Regrettez-vous le temps où le ciel sur la terre
         Marchait et respirait dans un peuple de dieux;
         Où Vénus Astarté, fille de l'onde amère,
         Secouait, vierge encor, les larmes de sa mère,
         Et fécondait le monde en tordant ses cheveux?
                                Poésies nouvelles, Rolla, I.

10978   O Christ! je ne suis pas de ceux que la prière
         Dans tes temples muets amène à pas tremblants.
                                                Ibid.

10979   Je ne crois pas, ô Christ! à ta parole sainte :
         Je suis venu trop tard dans un monde trop vieux.
         D'un siècle sans espoir naît un siècle sans crainte.
                                                Ibid.

10980   Qui de nous, qui de nous va devenir un Dieu?
                                                Ibid.

10981   L'habitude, qui fait de la vie un proverbe.
                                                Ibid., II.

10982   Quinze ans! ô Roméo! l'âge de Juliette!
                                                Ibid., III.

10983   Dors-tu content, Voltaire, et ton hideux sourire
         Voltige-t-il encor sur tes os décharnés?
         Ton siècle était, dit-on, trop jeune pour te lire;
         Le nôtre doit te plaire, et tes hommes sont nés.
                                                Ibid., IV.

Ce qu'on fait maintenant, on le dit; et la cause   10984
En est bien excusable : on fait si peu de chose!
> *Ibid., Une bonne fortune, II.*

Mes chers amis, quand je mourrai,   10985
Plantez un saule au cimetière.
J'aime son feuillage éploré [...].
> *Ibid., Lucie.*

Poète, prends ton luth et me donne un baiser.   10986
> *Ibid., La Nuit de mai.*

Partons, nous sommes seuls, l'univers est à nous.   10987
Voici la verte Écosse et la brune Italie,
[...]
Et le bleu Titarèse, et le golfe d'argent
Qui montre dans ses eaux, où le cygne se mire,
La blanche Oloossone à la blanche Camyre.
> *Ibid.*

Rien ne nous rend si grands qu'une grande douleur.   10988
> *Ibid.*

Les plus désespérés sont les chants les plus beaux,   10989
Et j'en sais d'immortels qui sont de purs sanglots.
> *Ibid.*

Lorsque le pélican, lassé d'un long voyage [...]   10990
> *Ibid.*

Partout où j'ai voulu dormir,   10991
Partout où j'ai voulu mourir,
Partout où j'ai touché la terre,
Sur ma route est venu s'asseoir
Un malheureux vêtu de noir,
Qui me ressemblait comme un frère.
> *Ibid., La Nuit de décembre.*

Qui donc es-tu, spectre de ma jeunesse?   10992
> *Ibid.*

Viens à moi sans inquiétude.   10993
Je te suivrai sur le chemin;
Mais je ne puis toucher ta main,
Ami, je suis la Solitude.
> *Ibid.*

Crois-tu donc qu'on oublie autant qu'on le souhaite?   10994
> *Ibid., La Nuit d'août.*

Crois-tu qu'en te cherchant tu te retrouveras?   10995
> *Ibid.*

De ton cœur ou de toi lequel est le poète?   10996
C'est ton cœur [...]
> *Ibid.*

10997   J'aime, et je veux pâlir; j'aime et je veux souffrir;
Fjaime, et pour un baiser je donne mon génie.

Ibid.

10998   Après avoir souffert, il faut souffrir encore;
Il faut aimer sans cesse, après avoir aimé.

Ibid.

10999   Le mal dont j'ai souffert s'est enfui comme un rêve.

Ibid., La Nuit d'octobre.

11000   Jours de travail! seuls jours où j'ai vécu!

Ibid.

11001   Est-ce faire un récit fidèle
Que de renier ses beaux jours?

Ibid.

11002   C'est ta voix, c'est ton sourire,
C'est ton regard corrupteur,
Qui m'ont appris à maudire
Jusqu'au semblant du bonheur.

Ibid.

11003   A défaut du pardon, laisse venir l'oubli.

Ibid.

11004   L'homme est un apprenti, la douleur est son maître,
Et nul ne se connaît tant qu'il n'a pas souffert.

Ibid.

11005   Qui de nous, Lamartine, et de notre jeunesse,
Ne sait par cœur ce chant, des amants adoré,
Qu'un soir, au bord d'un lac, tu nous as soupiré?

Ibid., Lettre à M. de Lamartine.

11006   Quiconque aima jamais porte une cicatrice.

Ibid.

11007   Quel tombeau que le cœur, et quelle solitude!

Ibid.

11008   Qu'est-ce donc qu'oublier, si ce n'est pas mourir?

Ibid.

11009   Puisque tu sais chanter, ami, tu sais pleurer.

Ibid.

11010   Créature d'un jour qui t'agites une heure,
De quoi viens-tu te plaindre et qui te fait gémir?
Ton âme t'inquiète, et tu crois qu'elle pleure :
Ton âme est immortelle, et tes pleurs vont tarir.

Ibid.

11011   C'est cette voix du cœur, qui seule au cœur arrive,
Que nul autre, après toi, ne nous rendra jamais.

Ibid., A la Malibran, XVII.

Rien n'est bon que d'aimer, n'est vrai que de souffrir.   11012
Ibid.

Ce que l'homme ici-bas appelle le génie,   11013
C'est le besoin d'aimer; hors de là, tout est vain.
Ibid.

Malgré moi l'infini me tourmente.   11014
Je n'y saurais songer sans crainte et sans espoir.
Ibid., L'Espoir en Dieu.

Une immense espérance a traversé la terre;   11015
Malgré nous vers le ciel il faut lever les yeux!
Ibid.

Voilà bientôt trente ans que je suis sur la terre,   11016
Et j'en ai passé dix à chercher un libraire.
Pas un être vivant n'a lu mes manuscrits.
Ibid., Dupont et Durand.

J'abolis la famille et romps le mariage;   11017
Voilà. Quant aux enfants, en feront qui pourront.
Ceux qui voudront trouver leurs pères chercheront.
Ibid.

Le monde sera propre et net comme une écuelle;   11018
L'humanitairerie en fera sa gamelle.
Et le globe rasé, sans barbe ni cheveux,
Comme un grand potiron roulera dans les cieux.
Ibid.

Ah! Dupont, qu'il est doux de tout déprécier!   11019
Ibid.

Non, l'amour qui se tait n'est qu'une rêverie.   11020
[...]
Et c'est un vieux mensonge à plaisir inventé,
Que de croire au bonheur hors de la volupté!
Ibid., Idylle.

C'est une vision que la réalité.   11021
Ibid.

Le masque est si charmant que j'ai peur du visage.   11022
Ibid.

[...] Le seul vrai langage au monde est un baiser.   11023
Ibid.

Que ne demandez-vous un conte à La Fontaine?   11024
[...]
Bien des choses auront vécu
Que nos enfants liront encore
Ce que le bonhomme a conté,
Fleur de sagesse et de gaîté.
Ibid., Silvia.

11025   Si je vous le disais pourtant, que je vous aime,
                Qui sait, brune aux yeux bleus, ce que vous en diriez!
                                      Ibid., à Ninon.

11026   Ce n'était que Molière, et nous savons de reste
                Que ce grand maladroit, qui fit un jour *Alceste*,
                Ignora le bel art de chatouiller l'esprit
                Et de servir à point un dénouement bien cuit.
                [...]
                J'écoutais cependant cette simple harmonie,
                Et comme le bon sens fait parler le génie.
                J'admirais quel amour pour l'âpre vérité
                Eut cet homme si fier en sa naïveté,
                Quel grand et vrai savoir des choses de ce monde,
                Quelle mâle gaîté, si triste et si profonde,
                Que, lorsqu'on vient d'en rire, on devrait en pleurer!
                                  Ibid., Une Soirée perdue.

11027   Notre siècle a ses mœurs, partant, sa vérité.
                                      Ibid.

11028   Le bien perdu rend l'homme avare.
                              Ibid., Simone.

11029   J'ai perdu ma force et ma vie,
                Et mes amis et ma gaîté,
                J'ai perdu jusqu'à la fierté
                Qui faisait croire à mon génie.
                            Ibid., Tristesse.

11030   Le seul bien qui me reste au monde
                Est d'avoir quelquefois pleuré.
                                Ibid.

11031   Nous l'avons eu, votre Rhin allemand,
                Il a tenu dans notre verre.
                      Ibid., Le Rhin allemand.

11032   Où le père a passé, passera bien l'enfant.
                                      Ibid.

11033   J'espérais bien pleurer, mais je croyais souffrir
                En osant te revoir, place à jamais sacrée,
                O la plus chère tombe et la plus ignorée
                  Où dorme un souvenir!
                            Ibid., Souvenir.

11034   Dante, pourquoi dis-tu qu'il n'est pire misère
                Qu'un souvenir heureux dans les jours de douleur?
                [...]
                Un souvenir heureux est peut-être sur terre
                Plus vrai que le bonheur.
                                Ibid.

11035   Vive le mélodrame où Margot a pleuré.
                        Ibid., Après une lecture.

Rien n'est vrai que le beau, rien n'est vrai sans beauté[1].   11036
Ibid.

Le jour où l'Hélicon m'entendra sermonner,   11037
Mon premier point sera qu'il faut déraisonner.
Ibid.

Mimi Pinson porte une rose,   11038
Une rose blanche au côté.
Cette fleur dans son cœur éclose,
Landerinette!
C'est la gaîté.   *Ibid., Mimi Pinson.*

Figure-toi un danseur de corde, en brodequins d'argent,   11039
le balancier au poing, suspendu entre le ciel et la terre;
à droite et à gauche, de vieilles petites figures racornies, de
maigres et pâles fantômes, des créanciers agiles, des parents
et des courtisans [...] Il va plus vite que le vent, et toutes
les mains tendues autour de lui ne lui feront pas renverser
une goutte de la coupe joyeuse qu'il porte à la sienne. Voilà
ma vie.   *Les Caprices de Marianne, acte I, scène 4.*

— Quel âge avez-vous, Marianne?   11040
— [...] Et si je n'avais que dix-huit ans [...]?
— Vous avez donc encore cinq ou six ans pour être aimée,
huit ou dix pour aimer vous-même et le reste pour prier
Dieu.   *Ibid., acte I, scène 5.*

Une sentence de mort est une chose superbe à lire à haute   11041
voix.   *Ibid., acte I, scène 8.*

Vous êtes comme les roses du Bengale, Marianne, sans épines   11042
et sans parfum.   *Ibid., acte II, scène 4.*

Une femme, c'est une partie de plaisir! Ne pourrait-on pas   11043
dire, quand on en rencontre une : voilà une belle nuit qui
passe?   *Ibid., acte II, scène 4.*

— Tu as le mois de mai sur les joues.   11044
— C'est vrai; et le mois de janvier dans le cœur.
Fantasio, acte I, scène 2.

Si je pouvais seulement sortir de ma peau pendant une heure   11045
ou deux! Si je pouvais être ce monsieur qui passe!
Ibid.

C'est tout un monde que chacun porte en lui! un monde   11046
ignoré qui naît et qui meurt en silence! Quelles solitudes
que tous ces corps humains!   *Ibid.*

Il n'y a point de maître d'armes mélancolique.   *Ibid.* 11047

Jean-Paul[2] n'a-t-il pas dit qu'un homme absorbé par une   11048
grande pensée est comme un plongeur sous sa cloche, au
milieu du vaste Océan?   *Ibid.*

1. Réplique à Boileau (*Épîtres*, IX, v. 43).
2. Richter (1763-1825).

11049   L'éternité est une grande aire, d'où tous les siècles, comme
        de jeunes aiglons, se sont envolés [...]; le nôtre est arrivé à
        son tour au bord du nid; mais on lui a coupé les ailes et
        il attend la mort en regardant l'espace dans lequel il ne peut
        s'élancer.
                                                           Ibid.

11050   L'amour n'existe plus [...]. La religion, sa nourrice, a les
        mamelles pendantes comme une vieille bourse [...]
                                                           Ibid.

11051   Tout est calembour ici-bas.   *Ibid.*

11052   Chacun a ses lunettes; mais personne ne sait au juste de
        quelle couleur en sont les verres.   *Ibid.*

11053   Je parle beaucoup au hasard : c'est mon plus cher confident.
                                              Ibid., acte II, scène 5.

11054   On ne badine pas avec l'amour.
                                              Titre de la comédie.

11055   Les sciences sont une belle chose [...]; ces arbres et ces
        prairies enseignent à haute voix la plus belle de toutes,
        l'oubli de ce qu'on sait.
                    On ne badine pas avec l'amour, acte I, scène 4.

11056   Tous les hommes sont menteurs, inconstants, faux, bavards,
        hypocrites, orgueilleux et lâches, méprisables et sensuels;
        toutes les femmes sont perfides, artificieuses, vaniteuses,
        curieuses et dépravées; le monde n'est qu'un égout sans fond
        où les phoques les plus informes rampent et se tordent sur
        des montagnes de fange; mais il y a au monde une chose
        sainte et sublime, c'est l'union de deux de ces êtres si impar-
        faits et si affreux.   *Ibid., acte II, scène 5.*

11057   Connaissez-vous le cœur des femmes [...]? Avez-vous bien
        réfléchi à la nature de cet être faible et violent, à la rigueur
        avec laquelle on le juge, aux principes qu'on lui impose?
        Et qui sait si, forcée à tromper par le monde, la tête de ce
        petit être sans cervelle ne peut pas y prendre plaisir, et
        mentir quelquefois par passe-temps, par folie, comme elle
        ment par nécessité?   *Ibid., acte III, scène 6.*

11058   Nous sommes deux enfants insensés, et nous avons joué
        avec la vie et la mort; mais notre cœur est pur. [...] Eh bien!
        Camille, qu'y a-t-il?
        — Elle est morte. Adieu, Perdican!
                                             Ibid., acte III, scène 8.

11059   La république, il nous faut ce mot-là. Et quand ce ne serait
        qu'un mot, c'est quelque chose, puisque les peuples se lèvent
        quand il traverse l'air.
                                             Lorenzaccio, acte II, scène 1.

Un peuple malheureux fait les grands artistes.   11060
Ibid., acte II, scène 2.

Vous ne connaissez pas la véritable éloquence. On tourne   11061
une grande période autour d'un beau petit mot, pas trop
court ni trop long, et rond comme une toupie. On rejette
son bras gauche en arrière de manière à faire faire à son
manteau des plis pleins d'une dignité tempérée par la grâce;
on lâche sa période qui se déroule comme une corde ron-
flante, et la petite toupie s'échappe avec un murmure délicieux.   *Ibid.*

Je connais la vie et c'est une vilaine cuisine.   11062
Ibid., acte III, scène 3.

Je me suis fait à mon métier. Le vice a été pour moi un   11063
vêtement, maintenant il est collé à ma peau. Je suis vraiment
un ruffian.   *Ibid.*

Sais-tu où vont les larmes des peuples, quand le vent les   11064
emporte?   *Ibid.*

Je puis délibérer et choisir, mais non revenir sur mes pas   11065
quand j'ai choisi.   *Ibid., acte IV, scène 5.*

Tous les hommes ne sont pas capables de grandes choses,   11066
mais tous sont sensibles aux grandes choses.
Ibid., acte V, scène 2.

Celui qui sait aimer peut seul savoir combien on l'aime.   11067
La Quenouille de Barberine, acte I, scène 3.

Faites-vous rare, on vous aimera — c'est un proverbe des   11068
Turcs.   *Ibid., acte I, scène 4.*

      Beau chevalier qui partez pour la guerre,   11069
            Qu'allez-vous faire
            Si loin de nous?
      J'en vais pleurer, moi qui me laissais dire
            Que mon sourire
            Était si doux.
Ibid., acte II, scène 1.

Il me semble que si j'étais homme, je mourrais plutôt que de   11070
parler d'amour à la femme de mon ami.
Ibid., acte II, scène 3.

         Si vous croyez que je vais dire   11071
            Qui j'ose aimer,
         Je ne saurais pour un empire
            Vous la nommer.
Le Chandelier, acte II, scène 3.

A l'âge où le cœur est riche, on n'a pas les lèvres avares.   11072
Ibid., acte II, scène 4.

11073 Le moindre mot en ce monde vaut mieux que le plus gros
écrit.   *Ibid., acte III, scène 1.*

11074 Il ne faut jurer de rien, et encore moins défier personne.
                    Il ne faut jurer de rien, acte III, scène 4.

11075 Un homme marié n'en reste pas moins homme; la bénédiction ne le métamorphose pas, mais elle l'oblige quelquefois
à prendre un rôle et à en donner les répliques.
                                    Un Caprice, scène 8.

11076 Un jeune curé fait les meilleurs sermons.   *Ibid.*

11077 [...] Quelle expérience pouvez-vous avoir? Celle de ce voyageur, qui, à l'auberge, avait vu une femme rousse, et qui
écrivait sur son journal : Les femmes sont rousses dans ce
pays-ci.   *Il faut qu'une porte soit ouverte ou fermée.*

11078 Être prude, cela se conçoit; dire non, se boucher les oreilles,
haïr l'amour, cela se peut; mais le nier, quelle plaisanterie!
                                                        Ibid.

11079 Si l'amour est une comédie, cette comédie, vieille comme
le monde, sifflée ou non, est, au bout du compte, ce qu'on a
encore trouvé de moins mauvais [...] Si la pièce ne valait
rien, tout l'univers ne la saurait pas par cœur.   *Ibid.*

11080 L'Amour est mort, vive l'Amour!   *Ibid.*

11081 Voici mon second proverbe : c'est qu'il faut qu'une porte
soit ouverte ou fermée.   *Ibid.*

11082 Rien n'est plus pitoyable que d'arriver mal à propos, eût-on
d'ailleurs le plus grand mérite, témoin ce célèbre diplomate
qui arriva trop tard à la mort de son prince et vit la reine
mettant ses papillotes.
                        On ne saurait penser à tout, scène 1.

11083 Trouvez sur terre une chose plus gaie et plus divertissante
qu'un sourire, quand c'est une belle fille qui sourit.
                                Carmosine, acte I, scène 8.

11084 On peut aimer sans souffrir lorsque l'on aime sans rougir.
                                Ibid., acte III, scène 8.

11085 Je répète, avec le vieux proverbe : celui qui aime et qui est
aimé est à l'abri des coups du sort!   *Bettine, scène 11.*

11086 Demandez à celui qui touche aux cartes si elles ne lui représentent que cela. [...] Il y a plus de science au fond d'un cornet
que n'en a rêvé d'Alembert.   *Ibid., scène 17.*

11087 Oh! gracieux, subtil et puissant opium! toi qui verses le
baume sur la plaie ardente, la consolation sur les peines qui

ne finiront jamais; [...] toi qui élèves dans les ténèbres ton
architecture fantastique, devant laquelle pâlissent les Phidias
et les Praxitèle [...]!

L'Anglais mangeur d'opium, Troisième partie,

Alors s'assit sur un monde en ruines une jeunesse soucieuse.   11088
Tous ces enfants étaient des gouttes d'un sang brûlant qui
avait inondé la terre; ils étaient nés au sein de la guerre,
pour la guerre. Ils avaient rêvé pendant quinze ans des neiges
de Moscou et du soleil des Pyramides. Ils n'étaient pas sortis
de leurs villes; mais on leur avait dit que, par chaque barrière
de ces villes, on allait à une capitale d'Europe. Ils avaient
dans la tête tout un monde; ils regardaient la terre, le ciel,
les rues et les chemins, tout cela était vide, et les cloches de
leurs paroisses résonnaient seules dans le lointain.

La Confession d'un enfant du siècle,
Première partie, chap. 2.

Quand les enfants parlaient de gloire, on leur disait : « Faites-   11089
vous prêtres »; quand ils parlaient d'ambition : « Faites-
vous prêtres »; d'espérance, d'amour, de force, de vie :
« Faites-vous prêtres ».   *Ibid.*

Ce vêtement noir que portent les hommes de notre temps   11090
est un symbole terrible [...]. C'est la raison humaine qui a
renversé toutes ses illusions; mais elle en porte elle-même le
deuil, afin qu'on la console.   *Ibid.*

Si le pauvre, ayant bien compris une fois que les prêtres le   11091
trompent, que les riches le dérobent, que tous les hommes ont
les mêmes droits, que tous les biens sont de ce monde, et
que sa misère est impie; si le pauvre [...] s'est dit un beau
jour : « Guerre au riche! [...] », ô raisonneurs sublimes
qui l'avez mené là, que lui direz-vous s'il est vaincu?

Ibid.

Toute la maladie du siècle présent vient de deux causes :   11092
le peuple qui a passé par 93 et par 1814 porte au cœur deux
blessures. Tout ce qui était n'est plus; tout ce qui sera
n'est pas encore. Ne cherchez pas ailleurs le secret de nos
maux.   *Ibid.*

O peuples des siècles futurs! lorsque, par une chaude journée   11093
d'été, vous serez courbés sur vos charrues dans les vertes
campagnes de la patrie; lorsque vous verrez, sous un soleil
pur et sans tache, la terre, votre mère féconde, sourire dans
sa robe matinale au travailleur, son enfant bien-aimé [...]
ô hommes libres! quand alors vous remercierez Dieu d'être
nés pour cette récolte, pensez à nous qui n'y serons plus,
dites-vous que nous avons acheté bien cher le repos dont vous
jouirez.   *Ibid.*

La perfection [...] n'est pas plus faite pour nous que l'immen-   11094
sité.   *Ibid., chap. 5.*

Ne confondez pas le vin avec l'ivresse; ne croyez pas la coupe   11095
divine où vous buvez le breuvage divin.   *Ibid.*

11096 Une larme est ce qu'il y a de plus vrai, de plus impérissable
au monde.   *Le Poète déchu, VII.*

11097 Dans tout vers remarquable d'un vrai poète, il y a deux ou
trois fois plus que ce qui est dit; c'est au lecteur à suppléer
le reste.   *Ibid., VIII.*

11098 La poésie est si essentiellement musicale qu'il n'y a pas de
si belle pensée devant laquelle le poète ne recule si la mélodie
ne s'y trouve pas.   *Ibid.*

11099 [...] Le prosateur est un piéton et le poète un cavalier. Je
veux dire que ce sont deux natures entièrement différentes,
presque opposées et antipathiques l'une à l'autre.   *Ibid.*

11100 On naît poète, on devient prosateur. Le romancier, l'écrivain
dramatique, le moraliste, l'historien, le philosophe, voient
les rapports des choses; le poète en saisit l'essence. [...]
Regarder, sentir, exprimer, voilà sa vie; tout lui parle, il
cause avec un brin d'herbe; dans tous les contours qui
frappent ses yeux, même dans les plus difformes, il puise et
nourrit incessamment l'amour de la suprême beauté; dans
tous les sentiments qu'il éprouve, dans toutes les actions
dont il est témoin, il cherche la vérité éternelle. Tel il est,
tel il meurt dans sa simplicité première; [...] le dernier regard
qu'il jette sur ce monde est encore celui d'un enfant.
                                       Ibid.

11101 J'aime peu les proverbes [...], parce que ce sont des selles à
tous chevaux; il n'en est pas un qui n'ait son contraire, et,
quelque conduite que l'on tienne, on en trouve un pour
s'appuyer.   *Emmeline, chap. 5.*

11102 Il y a un proverbe qui prétend que ce qui est différé n'est
pas perdu. [...] Qu'on tienne ce langage en paradis, [...]
c'est à merveille; il sied à des gens qui ont devant eux l'éternité de jeter le temps par les fenêtres. Mais nous, pauvres
mortels, notre chance n'est pas si longue.   *Ibid.*

11103 Ce qui vient du cœur peut s'écrire, mais non ce qui est le
cœur lui-même.   *Ibid., chap. 7.*

11104 Ce qui est véritablement beau est l'ouvrage du temps et du
recueillement, et [...] il n'y a pas de vrai génie sans patience.
                                       Ibid., chap. 8.

11105 Dans un cœur troublé par le souvenir, il n'y a pas de place
pour l'espérance.   *Frédéric et Bernerette, chap. 3.*

11106 Le plus grand danger que courent les gens qui sont habituellement un peu fous, c'est de le devenir tout à fait par instants.
                                       Croisilles, chap. 5.

11107 Il vaut mieux faire que dire.   *Pierre et Camille, chap. 2.*

11108 Il n'y a rien qui porte moins conseil qu'une nuit passée sous
le toit d'une jolie femme, et on ne dort jamais bien chez les
gens dont on rêve.   *Le Secret de Javotte, chap. 1.*

La pioche voltairienne n'a pas encore trouvé de truelle à sa 11109
taille.   *Lettres de Dupuis et Cotonet, quatrième lettre.*

LOUIS BLANC
1811-1882

Voilà deux mille ans déjà que des nations entières s'age- 11110
nouillent devant un gibet, adorant dans celui qui voulut y
mourir, le Sauveur des hommes. Et pourtant, que d'esclaves
encore! Que de lépreux dans le monde moral! Que d'infortunés dans le monde visible et sensible! Que d'iniquités
triomphantes! Que de tyrannies savourant à leur aise les
scandales de leur impunité! Le Rédempteur est venu;
mais la Rédemption, quand viendra-t-elle?
                    Organisation du travail, Introduction.

Une doctrine, quelle qu'elle soit, politique, religieuse ou 11111
sociale, ne se produit jamais sans trouver plus de contra-
dicteurs que d'adeptes, et ne recrute quelques soldats qu'après
avoir fait beaucoup de martyrs.   *Ibid.*

Ce qui effraie le plus dans les partis, ce n'est pas ce qu'ils 11112
disent, c'est ce qu'ils négligent ou refusent de dire. *Ibid.*

Ce qui manque aux prolétaires pour s'affranchir, ce sont 11113
les instruments de travail : la fonction du gouvernement est
de les leur fournir.   *Ibid.*

La liberté consiste, non pas seulement dans le DROIT accordé, 11114
mais dans le POUVOIR donné à l'homme d'exercer, de développer ses facultés, sous l'empire de la justice et sous la
sauvegarde de la loi.   *Ibid.*

L'ordre n'a pas de meilleur bouclier que l'étude.   *Ibid.* 11115

Pour chaque indigent qui pâlit de faim, il y a un riche qui 11116
pâlit de peur.   *Ibid., Première partie, I.*

Une nation dans laquelle une classe est opprimée, ressemble 11117
à un homme qui a une blessure à la jambe : la jambe malade
interdit tout exercice à la jambe saine.   *Ibid.*

Lorsqu'un homme qui demande à vivre en servant la société 11118
en est fatalement réduit à l'attaquer sous peine de mourir,
il se trouve dans son apparente agression, en état de légitime
défense, et la société qui le frappe ne juge pas : elle assassine.   *Ibid., II.*

Le *bon marché*, c'est l'exécuteur des hautes œuvres du mono- 11119
pole.   *Ibid., III.*

La concurrence c'est l'embrasement nécessaire du monde. 11120
                              Ibid., V.

11121 L'homme qui s'adjuge, en vertu de sa supériorité intellectuelle, une plus large part des biens terrestres, perd le droit
de maudire l'homme fort qui, aux époques de barbarie,
asservissait le faible en vertu de sa supériorité physique.
Ibid., Réponses à diverses objections.

11122 Lorsque, dans une société, la force organisée n'est nulle part,
le despotisme est partout. *Ibid.*

11123 Pour que le *travail fût un frein*, au moins faudrait-il que le
travail ne fît jamais défaut à ceux qu'il doit contenir. *Ibid.*

11124 Le Saint-simonisme disait : « L'Etat propriétaire »; c'était
l'absorption de l'individu. Mais nous disons, nous, « la
société propriétaire ». *Ibid.*

11125 C'est avec les pauvres que les riches se font la guerre.
Ibid.

11126 Pour l'enfant la protection de la famille; la protection de
la société pour l'homme! *Ibid.*

LOUIS CLAIRVILLE
1811-1879

PAUL SIRAUDIN
1813-1883

et

VICTOR KONING
1842-1894

11127 Clairette est venue au monde deux ans après que son père
en était sorti! *La Fille de Mme Angot, acte I, scène 4.*

11128   Pas bégueule!
         Forte en gueule,
    Telle était madame Angot!
                   Ibid.

11129   C'n'était pas la peine,
    Non, pas la peine, assurément,
    De changer de gouvernement!
        Ibid., acte I, scène 14.

11130   Comme tout se peut ici-bas,
    Vous pouvez supposer de même,
    Alors que vous ne l'aimez pas,
    Que la République vous aime.
        Ibid., acte II, scène 7.

Quand, sans frayeur,   11131
On peut se dire
Conspirateur,
Pour tout le monde
Il faut avoir
Perruque blonde
Et collet noir.
Ibid., acte II, scène 12.

VICTOR DURUY
1811-1894

Un grand poète étranger appelait la France le soldat de Dieu. 11132
Voilà en effet plus de douze siècles qu'elle semble agir,
combattre et vaincre ou souffrir pour le monde.
Histoire de France, Préface de la première édition.

La civilisation ne marche pas en ligne droite; elle a des 11133
temps d'arrêt et des reculs qui feraient désespérer, si l'on
ne savait pas que la vie de l'humanité est un long voyage sur
une route difficile, où l'éternel voyageur monte et redescend en avançant toujours.   *Ibid.*

Les peuples, réunions d'hommes actifs et libres, ont des 11134
besoins toujours nouveaux; pour eux, l'immobilité serait la
mort. Nées des besoins généraux et contraintes, pour durer,
de les satisfaire, les constitutions doivent se plier aux transformations qui s'opèrent dans les idées et les habitudes,
comme l'enveloppe élastique et souple qui, suivant la croissance cède et s'étend autour du germe qu'elle protège.
Ibid.

On a dit bien souvent du génie littéraire de la France que son 11135
caractère distinctif est le bon sens, la raison; j'ajouterais
à un certain point de vue l'impersonnalité; car Rabelais et
Montaigne, Descartes et Molière, Pascal, Voltaire et Montesquieu écrivent pour le monde autant que pour leur patrie.
Le but qu'ils poursuivent, c'est le vrai; leur ennemi personnel, le faux; et les types immortels qu'ils dessinent appartiennent à l'humanité bien plus qu'à la France. Dans ce
sens, notre littérature, comme nos arts, est, de toutes les
littératures, la plus humaine, parce qu'elle est la moins exclusivement nationale.   *Ibid.*

THÉOPHILE GAUTIER
1811-1872

J'en préviens les mères de famille,   11136
Ce que j'écris n'est pas pour les petites filles
Dont on coupe le pain en tartines. Mes vers
Sont des vers de jeune homme et non un catéchisme.
Albertus, XCVIII.

11137 Il n'y a de vraiment beau que ce qui ne peut servir à rien;
tout ce qui est utile est laid, car c'est l'expression de quelque
besoin et ceux de l'homme sont ignobles et dégoûtants,
comme sa pauvre et infirme nature.

Mademoiselle de Maupin, Préface.

11138   Oubli, seconde mort.

La Comédie de la Mort.

11139 Il est des cœurs épris du triste amour du laid.

España, Ribeira.

11140 Les plus grands cœurs, hélas! ont les plus grandes peines.

Ibid.

11141 [...] Un vrai peintre espagnol, catholique et féroce.

Ibid., Deux tableaux de Valdès Léal.

11142 Chaque heure fait sa plaie et la dernière achève.

Ibid., L'Horloge.

11143 Naître, c'est seulement commencer à mourir.

Ibid.

11144 [...] L'homme, avare bourreau de la création.

Ibid., Le Pin des Landes.

11145 Le poète est ainsi dans les landes du monde;
Lorsqu'il est sans blessure, il garde son trésor.
Il faut qu'il ait au cœur une entaille profonde
Pour épancher ses vers, divines larmes d'or!

Ibid.

11146   Marbre, perle, rose, colombe,
Tout se dissout, tout se détruit;
La perle fond, le marbre tombe,
La fleur se fane et l'oiseau fuit.

Émaux et Camées, Affinités secrètes.

11147   Produit des blancs reflets du sable
Et du soleil toujours brillant,
Nul ennui ne t'est comparable,
Spleen lumineux de l'Orient.

Ibid., Nostalgies d'obélisques : L'obélisque de Louxor.

11148   L'Égypte, en ce monde où tout change,
Trône sur l'immobilité.

Ibid.

11149   Le squelette était invisible
Au temps heureux de l'art païen;
L'homme, sous la forme sensible,
Content du beau, ne cherchait rien.

Ibid., Bûchers et tombeaux.

Reviens, reviens, bel art antique, 11150
De ton paros étincelant
Couvrir le squelette gothique;
Dévore-le, bûcher brûlant!

Ibid.

Les fantômes, quand minuit sonne, 11151
Viennent armés de pied en cap [...].

La débauche devient farouche,
On n'entendrait pas tonner Dieu;
Car, lorsqu'un fantôme découche,
C'est le moins qu'il s'amuse un peu.
Ibid., Le Souper des armures.

Tandis qu'à leurs œuvres perverses 11152
Les hommes courent haletants,
Mars qui rit, malgré les averses,
Prépare en secret le printemps.
Ibid., Premier sourire de printemps.

Le Ciel est noir, la terre est blanche; 11153
— Cloches, carillonnez gaîment! —
Jésus est né! — La Vierge penche
Sur lui son visage charmant.

Ibid., Noël.

Oui, l'œuvre sort plus belle 11154
D'une forme au travail
    Rebelle,
Vers, marbre, onyx, émail.

Ibid., L'Art.

Point de contraintes fausses! 11155
Mais que pour marcher droit
    Tu chausses,
Muse, un cothurne étroit.

Ibid.

Tout passe. — L'art robuste 11156
Seul a l'éternité.
    Le buste
Survit à la cité.

Ibid.

Les dieux eux-mêmes meurent; 11157
Mais les vers souverains
    Demeurent
Plus forts que les airains.

Sculpte, lime, cisèle;
Que ton rêve flottant
    Se scelle
Dans le bloc résistant!

Ibid.

L'amour n'est pas le même sous les chaudes régions qu'em- 11158
brase un vent de feu, qu'aux rives hyperborées d'où le
calme descend du ciel avec les frimas.
Le Roman de la momie, chap. 5.

11159 — [...] Est-ce que Matamore est malade [...]?
— Il n'est pas malade [...]. Il est guéri à tout jamais d'une
maladie pour laquelle aucun médecin, fût-ce Hippocrate,
Galien ou Avicenne, n'ont jamais trouvé de remède, je
veux dire la vie, dont on finit toujours par mourir.
Le Capitaine Fracasse.

11160 Une fervente prière pour celui qui venait de s'engloutir si
subitement dans la trappe de l'éternité monta sur les ailes
de la foi dans les profondeurs du ciel obscur.   *Ibid.*

11161 Le génie est vraiment divin : il invente l'Idéal, il entrevoit
la beauté supérieure et l'éternelle lumière. Où ne monte-t-il
pas, lorsqu'il a pour ailes la foi et l'amour?
Spirite.

11162 Ce n'étaient pas les Huns d'Attila qui campaient devant le
Théâtre-Français[1], malpropres, farouches, hérissés, stupides,
mais bien les chevaliers de l'avenir, les champions de l'idée,
les défenseurs de l'art libre; et ils étaient beaux, libres et
jeunes. Oui, ils avaient des cheveux, — on ne peut naître
avec des perruques, — et ils en avaient beaucoup qui retom-
baient en boucles souples et brillantes, car ils étaient bien
peignés. Quelques-uns portaient de fines moustaches et
quelques autres des barbes entières. Cela est vrai, mais cela
seyait fort bien à leurs têtes spirituelles, hardies et fières que
les maîtres, de la Renaissance eussent aimé à prendre pour
modèles.   *Histoire du romantisme.*

11163 [...] Les routines et les mauvais instincts de la foule qui
regimbe contre tout ascendant qu'elle ne subissait pas la
veille et trouve qu'elle admire déjà bien assez de gens comme
cela.   *Ibid.*

11164 Si l'on prononce le nom de Théophile Gautier devant un
philistin, n'eût-il jamais lu de nous deux vers et une seule
ligne, il nous connaît au moins par le gilet rouge que nous
portions à la première représentation d'*Hernani.*   *Ibid.*

11165 La sphère de la littérature s'est élargie et renferme maintenant la sphère de l'art dans son orbe immense.   *Ibid.*

11166 Je suis un homme pour qui le monde extérieur existe.

11167 Je mettrais l'orthographe même sous la main du bourreau.
Cité par Baudelaire, Journaux intimes.

VICTOR DE LAPRADE
1812-1883

11168   Je renonce à la paix des sereines hauteurs;
On dit que le sommeil y gagnait mes lecteurs [...]
Poèmes civiques, Jeunes fous et jeunes sages.

1. Il s'agit des partisans de V. Hugo à la première d'*Hernani.*

ALPHONSE PEYRAT
1812-1891

Trois choses fondamentales constituent la société et la dis- 11169
tinguent de la barbarie : la liberté, la propriété et l'égalité
des droits; la Révolution qui les proclama ne fit donc que
placer la France dans les conditions de toute société bien
organisée.
Études historiques et religieuses, De la liberté politique en
France.

Le cléricalisme? voilà l'ennemi. 11170
Mot rapporté par Gambetta.

CLAUDE BERNARD
1813-1878

Les idées que nous allons exposer ici n'ont certainement 11171
rien de nouveau.
Introduction à l'étude de la médecine expérimentale,
Introduction.

L'état physiologique et l'état pathologique sont régis par 11172
les mêmes forces, et ils ne diffèrent que par les conditions
particulières dans lesquelles la loi vitale se manifeste.
Ibid., Première partie, chap. 1, § 1.

On n'arrivera jamais à des généralisations vraiment fécondes 11173
et lumineuses sur les phénomènes vitaux, qu'autant qu'on
aura expérimenté soi-même et remué dans l'hôpital, l'amphi-
théâtre ou le laboratoire, le terrain fétide et palpitant de la
vie. *Ibid., § 3.*

L'*observation* est l'investigation d'un phénomène naturel, 11174
et l'*expérience* est l'investigation d'un phénomène modifié
par l'investigateur. *Ibid., § 4.*

Ces sortes d'expériences de tâtonnements, qui sont extrê- 11175
mement fréquentes en physiologie, en pathologie et en
thérapeutique, à cause de l'état complexe et arriéré de ces
sciences, pourraient être appelées des *expériences pour voir*,
parce qu'elles sont destinées à faire surgir une première
observation imprévue et indéterminée d'avance, mais dont
l'apparition pourra suggérer une idée expérimentale
et ouvrir une voie de recherche [...] On peut dire alors que
l'expérience est une *observation provoquée dans le but de faire*
naître une idée. *Ibid., § 5.*

L'observateur doit être le photographe de la nature, son 11176
observation doit représenter exactement la nature. Il faut
observer sans idée préconçue; l'esprit de l'observateur doit
être passif, c'est-à-dire se taire; il écoute la nature et écrit
sous sa dictée. *Ibid., § 6.*

11177 L'expérimentateur pose des questions à la nature; mais, dès qu'elle parle, il doit se taire; il doit constater ce qu'elle répond, l'écouter jusqu'au bout, et, dans tous les cas, se soumettre.
Ibid.

11178 Il faut croire à la science, c'est-à-dire au déterminisme, au rapport absolu et nécessaire des choses, aussi bien dans les phénomènes propres aux êtres vivants que dans tous les autres. *Ibid., chap. 2, § 3.*

11179 Nos idées ne sont que des instruments intellectuels qui nous servent à pénétrer dans les phénomènes; il faut les changer quand elles ont rempli leur rôle, comme on change un bistouri émoussé quand il a servi assez longtemps. *Ibid., § 4.*

11180 Un poète contemporain a caractérisé ce sentiment de la personnalité de l'art et de l'impersonnalité de la science par ces mots : l'art, c'est *moi*; la science, c'est *nous*. *Ibid.*

11181 Un fait n'est rien par lui-même, il ne vaut que par l'idée qui s'y rattache ou par la preuve qu'il fournit. *Ibid., § 7.*

11182 L'organisme vivant n'est qu'une machine admirable douée des propriétés les plus merveilleuses et mise en activité à l'aide des mécanismes les plus complexes et les plus délicats. Il n'y a pas des forces en opposition et en lutte les unes avec les autres; dans la nature, il ne saurait y avoir qu'arrangement et dérangement, harmonie et désharmonie.
Ibid., Deuxième partie, chap. I, § 3.

11183 Le physiologiste ou le médecin ne doivent pas s'imaginer qu'ils ont à rechercher la cause de la vie ou l'essence des maladies. Ce serait perdre complètement son temps à poursuivre un fantôme. Il n'y a aucune réalité objective dans les mots vie, mort, santé, maladie [...] De même quand un physiologiste invoque la force vitale ou la vie, il ne la voit pas, il ne fait que prononcer un mot; le phénomène vital seul existe avec ses conditions matérielles et c'est là la seule chose qu'il puisse étudier et connaître. *Ibid., § 4.*

11184 Il faut admettre comme un axiome expérimental que *chez les êtres vivants aussi bien que dans les corps bruts les conditions d'existence de tout phénomène sont déterminées d'une manière absolue.* Ce qui veut dire en d'autres termes que la condition d'un phénomène une fois connue et remplie, le phénomène doit se reproduire toujours et nécessairement, à la volonté de l'expérimentateur. *Ibid., § 5.*

11185 La vie est le résultat du contact de l'organisme et du milieu; nous ne pouvons pas la comprendre avec l'organisme seul, pas plus qu'avec le milieu seul. *Ibid., § 7.*

11186 S'il fallait définir la vie d'un seul mot, qui, en exprimant bien ma pensée, mît en relief le seul caractère qui, suivant moi, distingue nettement la science biologique, je dirais : la vie, c'est la *création*. *Ibid., chap. 2, § 1.*

Le chirurgien, le physiologiste et Néron se livrent également 11187
à des mutilations sur des êtres vivants. Qu'est-ce qui les
distingue encore, si ce n'est l'idée? [...] Le physiologiste
n'est pas un homme du monde, c'est un savant, c'est un
homme qui est saisi et absorbé par une idée scientifique
qu'il poursuit : il n'entend plus les cris des animaux, il ne
voit plus le sang qui coule, il ne voit que l'idée et n'aperçoit
que des organismes qui lui cachent des problèmes qu'il veut
découvrir. *Ibid.,* § *3.*

S'il fallait tenir compte des services rendus à la science, 11188
la grenouille occuperait la première place. *Ibid.,* § *6.*

La statistique ne saurait donc enfanter que les sciences 11189
conjecturales; elle ne produira jamais les sciences actives
et expérimentales, c'est-à-dire les sciences qui règlent les
phénomènes d'après les lois déterminées. *Ibid.,* § *9.*

Toute science expérimentale ne peut donc faire de progrès 11190
qu'en avançant et en poursuivant son œuvre dans l'avenir.
Ce serait absurde de croire qu'on doit aller la chercher dans
l'étude des livres que nous a légués le passé. On ne peut
trouver là que l'histoire de l'esprit humain, ce qui est tout
autre chose. *Ibid.,* § *10.*

Je pense que la médecine ne finit pas à l'hôpital comme on le 11191
croit souvent, mais qu'elle ne fait qu'y commencer. *Ibid.*

Les principes et la méthode scientifiques sont supérieurs à 11192
la théorie, ils sont immuables et ne doivent jamais varier.
Ibid., Troisième partie, chap. 2.

Il ne suffit pas de dire : Je me suis trompé; il faut dire com- 11193
ment on s'est trompé, et c'est là précisément ce qui est
important. *Ibid.,* § *1.*

L'empirisme n'est point la négation de la science expéri- 11194
mentale, comme semblent le croire certains médecins, ce
n'en est que le premier état. *Ibid., chap. 3,* § *1.*

La médecine expérimentale est donc la médecine qui a la 11195
prétention de connaître les lois de l'organisme sain et malade
de manière non seulement à prévoir les phénomènes, mais
aussi de façon à pouvoir les régler et les modifier dans
certaines limites. *Ibid., chap. 4.*

La vie n'est rien qu'un mot qui veut dire ignorance, et 11196
quand nous qualifions un phénomène de *vital,* cela équivaut
à dire que c'est un phénomène dont nous ignorons la cause
prochaine ou les conditions. *Ibid.,* § *2.*

Un auteur a défini la maladie « une fonction qui conduit 11197
à la mort », par opposition à une fonction normale qui
entretient la vie. Je n'ai pas besoin de dire que cette définition
de la maladie me paraît une pure fantaisie. Toutes les fonctions ont pour objet l'entretien de la vie et tendent constamment à rétablir l'état physiologique quand il est troublé.
Cette tendance persiste dans tous les états morbides, et c'est

elle qui constituait déjà pour Hippocrate la force médi-
catrice de la nature.
*Leçons sur le diabète et la glycogenèse animale, Première
leçon.*

11198 Je considère qu'il y a nécessairement dans l'être vivant
deux ordres de phénomènes :
1º Les phénomènes de *création vitale* ou de *synthèse organi-
satrice;*
2º Les phénomènes de mort ou de *destruction organique.*
*Leçons sur les phénomènes de la vie communs
aux animaux et végétaux, Première leçon.*

11199 Toute manifestation d'un phénomène dans l'être vivant
est nécessairement liée à une destruction organique; et
c'est ce que j'ai voulu exprimer lorsque, sous une forme
paradoxale, j'ai dit ailleurs *la vie c'est la mort.*   *Ibid.*

FRÉDÉRIC OZANAM
1813-1853

11200 [...] Dieu, qui aime à se faire servir par des hommes éloquents,
en trouve assez de nos jours pour justifier ses dogmes.
La civilisation au Vᵉ siècle.

11201 [...] Le christianisme, si souvent accusé de fouler aux pieds ׳
la nature, a [...] seul appris à l'homme à la respecter, à
l'aimer véritablement, en faisant paraître le plan divin
qui la soutient, l'éclaire et la sanctifie.
Les Poètes franciscains.

11202 La Providence divine et la liberté humaine, ces deux grandes
puissances dont le concours explique l'histoire, s'accordent
quelquefois pour mettre plus solennellement la main à
l'œuvre et pour renouveler toutes choses.
*Dante et la philosophie catholique au XIIIᵉ siècle, Première
partie, chap. 1.*

11203 L'homme ne saurait apercevoir l'ordre qui règne dans la
création, sans éprouver quelque chose de la joie d'un fils
qui retrouverait la trace de son père.
Ibid., Troisième partie, chap. 1.

11204 Quant à nous, gens de lettres, la forme dont nous disposons,
c'est la langue française, langue souverainement chrétienne
et qui tient de la religion par ces trois grands caractères de
majesté, de précision, de clarté.
Des devoirs littéraires des chrétiens.

11205 Si le doute et l'erreur ont rendu malades les sociétés modernes,
nous savons que Dieu a fait les nations guérissables.   *Ibid.*

EUGÈNE PELLETAN
1813-1884

Dieu est-il mort? Non, disent-ils.   11206
Pour avoir le droit de mourir, il faut avoir vécu.
Dieu est-il mort ? Introduction.

Qui dit Dieu ne dit rien.   *Ibid.* 11207

[...] Le monde n'est plus que l'hôpital des religions vieillies. 11208
Ibid.

« Vous rappelez-vous, disait Louis XIV au duc de Vendôme 11209
en lui montrant une colline de Versailles, qu'il y avait là un
moulin?
— Oui, Sire; mais si le moulin n'y est plus, le vent y est
toujours. »
On en peut dire autant de l'Église : si l'Inquisition n'y
fonctionne plus, le vent y est encore.   *Ibid., chap. 4.*

FÉLIX RAVAISSON
1813-1900

L'action est comme un instant qui durerait sans succession. 11210
Testament philosophique.

Distinction est petitesse. Les idées distinctes sont de petites 11211
idées.   *Ibid.*

L'humanité est donc la mesure esthétique comme la mesure 11212
scientifique de toutes choses.   *Ibid.*

Devant l'idée de Dieu l'entendement humain se trouble 11213
comme se trouble devant le jour, suivant une parole d'Aristote, l'œil de l'oiseau de nuit.   *Ibid., Fragments, IV.*

LOUIS VEUILLOT
1813-1883

J'appelle « libres penseurs », comme ils se nomment eux- 11214
mêmes, les lettrés ou se croyant tels qui, par livres, discours
et pratiques ordinaires, travaillent sciemment à détruire en
France la religion révélée et sa morale divine.
Les Libres penseurs, Avant-propos.

Je lutte donc en pleurant contre ce pauvre peuple, parce 11215
que, de tous les malheurs dont il est menacé, son triomphe
serait le plus affreux.   *Ibid.*

11216 Liberté, égalité, fraternité! paroles vaines, funestes même, depuis qu'elles sont devenues politiques; car la politique en a fait trois mensonges.   *Ibid.*

11217 La libre-penseuse est un monstre, même lorsqu'elle se tait.   *Ibid., (deuxième édition).*

11218 Sur cinquante écrivains de profession, nous en comptons trente-quatre plus ou moins timbrés et quinze tout à fait. Ces quinze sont philosophes.   *Ibid., Livre premier, I.*

11219 Prendre la femme et ne pas prendre le mariage, c'est (que l'on me pardonne la comparaison) manger crue une viande qui devait passer par le feu. Si friande qu'elle paraisse dans cet état de nature à l'appétit dépravé qui la dévore, l'arrière-goût en est horrible, la digestion s'en fait mal; et tout le corps ne tarde pas à sentir qu'au lieu d'une nourriture il a pris un poison.   *Ibid., Livre III, I.*

11220 Le sacrement de mariage est un désinfectant.   *Ibid.*

11221 On entendait de continuelles disputes entre les républicains et les anarchistes : c'est-à-dire entre les révolutionnaires arrivés et les révolutionnaires en marche.
          Les dialogues socialistes, L'esclave Vindex, Préface.

11222 Véritablement Paris est une inondation qui a submergé la civilisation française, et l'emporte tout entière en débris.
                    Les odeurs de Paris, Paris-Rome.

ALPHONSE ESQUIROS
1814-1876

11223 Le pauvre est le seul qui soit forcé d'avoir de l'argent.
          *Les Vierges martyres, De la condition de la femme
                    dans notre société.*

11224 Tout le monde maintenant ne peut pas travailler : vérité terrible, puisqu'elle implique cette conclusion : tout le monde maintenant ne peut pas vivre!
          Ibid., De l'état moral des femmes dans les classes laborieuses.

11225 Il n'est pas encore bien prouvé si le bonheur se compose des biens qu'on a ou de ceux qu'on croit avoir.   *Ibid.*

11226 Les prétentions de la femme diminuent sensiblement à mesure qu'on se rapproche du soleil et de la nature : en Angleterre on la séduit avec des billets de banque, en France avec de l'or, en Italie avec de l'argent, en Espagne avec du cuivre, toujours ainsi jusqu'aux filles des tropiques, lesquelles se donnent pour un clou, — mais toujours pour quelque chose.   *Ibid., Des industries secrètes et immorales.*

JULES LEQUIER
1814-1862

En matière de métaphysique, j'oserais mettre un enfant 11227
au-dessus même d'un bon et sage laboureur qui n'a rien lu.
La Recherche d'une première vérité, Le Problème de la science,
Introduction.

[...] Si le doute est un moyen de se préparer à connaître, 11228
c'en est un aussi de se tromper : j'ai douté à tort quelquefois.
Ibid., Première partie.

Je veux ressusciter et j'hésite à mourir! On dirait que je ne 11229
peux sans devenir sacrilège immoler le vieil homme avec ses
erreurs. *Ibid., Seconde partie.*

Il semble que l'on cherche à affirmer quelque chose qui 11230
contraigne d'affirmer. Or c'est un acte de liberté qui affirme
la liberté! *Ibid., Fragments.*

L'instant présent existe présentement, l'Éternité est présen- 11231
tement du présent qui appartient à Dieu, sans que de ces
deux présents ni l'un se rapetisse infiniment ni l'autre s'étende
infiniment pour s'égaler à l'autre. *Ibid.*

[...] Dieu qui voit ces choses changer change aussi en les 11232
regardant, ou il ne s'aperçoit pas qu'elles changent.
Ibid.

FRANÇOIS PONSARD
1814-1867

Les femmes de son temps mettaient tout leur souci 11233
A surveiller l'ouvrage, à mériter ainsi
Qu'on lût sur leur tombeau, digne d'une Romaine :
« Elle vécut chez elle, et fila de la laine. »
Lucrèce, acte I, scène 1.

Tel mont touche les cieux, qu'un brin d'herbe domine. 11234
Ibid., acte I, scène 2.

Je ne vaux pas la mort, c'est pourquoi je peux vivre. 11235
Ibid., acte I, scène 3.

Tout conseil est mauvais quand il est imposé. 11236
Agnès de Méranie, acte III, scène 6.

Qu'est-ce qu'une vertu qui ne s'indigne pas! 11237
Charlotte Corday, acte I, scène 1.

L'art, ce consolateur des misères humaines! 11238
L'Honneur et l'argent, acte III, scène 6.

11239   L'argent, mon cher, l'argent, c'est la seule puissance.
On a quelque respect encor pour la naissance,
Pour le talent fort peu, point pour la probité;
Mais qui sait s'enrichir est vraiment respecté [...]
Ibid., acte IV, scène 5.

11240   Heureux, tu compteras des amitiés sans nombre,
Mais adieu les amis, si le temps devient sombre.
Ibid., acte IV, scène 6.

ANAÏS SÉGALAS
1814-1895

11241   La vie a mille aspects, le néant n'a qu'un moule.
A une tête de mort.

JULES SIMON
1814-1896

11242 La Déclaration des droits de l'homme apprit au monde
entier que la révolution française était faite pour lui.
La Liberté, Première partie, chap. 1, § 4.

11243 Le communisme pur, le despotisme sans limites, n'a peut-
être jamais existé, parce qu'il est contre nature, mais on
s'en est rapproché souvent.   *Ibid., chap. 3, § 2.*

11244 Il n'y a rien que l'homme foule aux pieds si aisément qu'un
cadavre.   *Ibid.*

11245 Quelques communistes, il est vrai, parlent de liberté comme
le reste des hommes : c'est un air de bravoure que tout le
monde aime à chantonner.
Ibid., Deuxième partie, chap. 2, § 1.

11246 Un danseur de corde se fatigue; il travaille; il ne produit pas;
sa profession n'est pas honorable.   *Ibid., chap. 3, § 4.*

11247 Entre le droit de travailler et le droit au travail, il y a toute
la distance qui sépare la liberté du communisme, le droit
de la violation du droit, le respect de la nature humaine de
l'asservissement de l'esprit et du corps à des lois factices,
l'égalité proportionnelle, et par conséquent équitable et
féconde, de l'égalité brutale, numérique, injuste, oppressive,
homicide.   *Ibid.*

EUGÈNE EMMANUEL VIOLLET-LE-DUC
1814-1879

Il n'est pas d'œuvre humaine qui ne contienne en germe, 11248
dans son sein, le principe de sa dissolution.
Dictionnaire raisonné de l'architecture française du XIe au
XVIe siècle, tome I, « Architecture ».

La construction gothique n'est point, comme la construction 11249
antique, tout d'une pièce, absolue dans ses moyens; elle est
souple, libre et chercheuse comme l'esprit moderne.
Ibid., tome IV, « Construction ».

Le style est, pour l'œuvre d'art, ce que le sang est pour le 11250
corps humain; il le développe, le nourrit, lui donne la force,
la santé, la durée.   *Ibid., tome VIII, « Style ».*

Le style est comme le parfum d'un état primitif des esprits. 11251
Ibid.

Le jour où l'artiste *cherche* le style, c'est que le style n'est 11252
plus dans l'art.   *Ibid.*

EUGÈNE LABICHE
1815-1888

La fortune ne fait pas le bonheur.   11253
Le major Cravachon, scène 10.

L'éducation ne fait pas le bonheur.   11254
Ibid.

L'amour ne fait pas le bonheur.   11255
Ibid.

La jeunesse n'a qu'un temps.   11256
Ibid.

Embrassons-nous, Folleville.   11257
Titre d'un vaudeville.

Mon gendre, tout est rompu!   11258
Un Chapeau de paille d'Italie, acte I, scène 6.

Le dévouement est la plus belle coiffure d'une femme.   11259
Ibid., acte III, scène 4.

Vous n'êtes pas un beau-père... vous êtes un morceau de 11260
colle forte.   *Ibid., acte IV, scène 7.*

11261 Tiens! son habit!... si je l'interrogeais!... Montesquieu l'a
       dit : « C'est souvent dans la poche des hommes qu'on trouve
       l'histoire de leurs passions! » Fouillons, furetons, mouchar-
       dons!   *Mon Isménie, scène 2.*

11262 Que l'homme est petit quand on le contemple du haut de
       la Mer de glace!
                          Le Voyage de M. Perrichon, acte II, scène 7.

11263 Les hommes ne s'attachent point à nous en raison des
       services que nous leur rendons, mais en raison de ceux qu'ils
       nous rendent.   *Ibid., acte IV, scène 8.*

11264 Avant d'obliger un homme, assurez-vous bien d'abord
       que cet homme n'est pas un imbécile.   *Ibid.*

11265 Il y a des circonstances où le mensonge est le plus saint des
       devoirs.
                          Les Vivacités du capitaine Tic, acte II, scène 7.

11266   Ah! les hommes ne savent pas aimer!
                          Le plus heureux des trois, acte I, scène 2.

11267   Dieu, qu'il y a des maris bêtes!
                          Ibid., acte III, scène 3.

MARTIN NADAUD
1815-1898

11268   Quand le bâtiment va, tout va.
                          A l'Assemblée législative, en 1849.

JOSÉPHIN SOULARY
1815-1891

11269 « Aussi loin que ton ombre ira sur le gazon,
       Aussi loin je m'en vais tracer mon horizon. »
       — Tout bonheur que la main n'atteint pas n'est qu'un rêve!
                          Pastels et Mignardises, IV, Rêves ambitieux.

11270 Et toi, Barde de Cô, souris, vieux Théocrite!
       Vois! ton drame d'amour dure éternellement;
       C'est, depuis deux mille ans, la seule page écrite
       Où le temps ait passé sans aucun changement!
                          Ibid., VI, Øaristys.

CLOTILDE DE VAUX
1815-1846

[Le dévouement] est une magnifique vertu, mais qui vit bien   11271
plus volontiers de jouissances que de sacrifices.   *Lucie.*

Il est indigne des grands cœurs de répandre le trouble qu'ils   11272
ressentent.   *Ibid.*

JOSEPH-ARTHUR DE GOBINEAU
1816-1882

La chute des civilisations est le plus frappant et en même   11273
temps le plus obscur de tous les phénomènes de l'histoire.
Essai sur l'inégalité des races humaines, Livre I, chap. 1.

Toute agglomération humaine, même protégée par la compli-   11274
cation la plus ingénieuse de liens sociaux, contracte, au
jour même où elle se forme, et caché parmi les éléments de
sa vie, le principe d'une mort inévitable.   *Ibid.*

Certains États, loin de mourir de leur perversité, en ont   11275
vécu.   *Ibid.*

L'humanité éprouve, dans toutes les branches, une répulsion   11276
secrète pour les croisements.   *Ibid.*

La hiérarchie des langues correspond rigoureusement à la   11277
hiérarchie des races.   *Ibid., chap. 15.*

L'Histoire nous montre que toute civilisation découle de la   11278
race blanche, qu'aucune ne peut exister sans le concours
de cette race et qu'une société n'est grande et brillante qu'à
proportion qu'elle conserve plus longtemps le noble groupe
qui l'a créée, et que ce groupe lui-même appartient au rameau
le plus illustre de l'espèce.   *Ibid., chap. 16.*

Une société n'est, en elle-même, ni vertueuse ni vicieuse;   11279
elle n'est ni sage ni folle; *elle est.*
Ibid., Conclusion générale.

L'espèce blanche, considérée abstractivement, a désormais   11280
disparu de la face du monde.   *Ibid.*

La prévision attristante, ce n'est pas la mort, c'est la certitude   11281
de n'y arriver que dégradés.   *Ibid.*

Le *mouvement* dans les œuvres littéraires c'est une invention   11282
jacobine, comme la pomme de terre en cuisine.
Lettre à d'Héricault, 4 janvier 1873.

11283 Je suis, en face des vanités de ce monde, une sorte d'inspecteur aux revues. Je ne me mêle pas à l'escadron des passions,
ni à l'infanterie des goûts, ni à l'artillerie des fantaisies, pour
conduire les charges des unes, les attaques des autres, les
évolutions des troisièmes. Non, je me mets là pour regarder
tout, voir ce qui existe, ce qui fonctionne, et, bien que portant
l'uniforme de l'armée, du moment que le tapage commence,
je n'en suis plus, et mon état est de me tenir à l'écart, de
distinguer ce qui tombe d'avec ce qui reste debout et d'en
tenir registre. Sans vanité, je ne vois guère que les abeilles
auxquelles je puisse justement me comparer. Je butine sur les
surfaces.   *Les Pléiades, Livre I, chap. 1.*

11284 Je ne saurais m'intéresser à la masse de ce qui s'appelle
hommes. Je suppose que, dans le plan de la création, ces
créatures ont une utilité, puisque je les y vois : elles nous
gênent et nous les poussons. Mais je ne me figure et je ne vois
rien de beau et de bon que sans elles.   *Ibid., chap. 2.*

11285 Dans tous les pays du monde, quand on n'est pas Français,
on est étranger.   *Ibid., chap. 7,*

11286 C'est à l'éducation publique que nous, Français, nous devons
le trait principal de notre caractère moderne, celui qui nous
suit de l'enfance à la tombe, la peur horrible de passer pour
dupes, et la résolution bien arrêtée de tout faire au monde
afin d'éviter un pareil malheur.   *Ibid.*

11287 Je ne connais pas les mœurs futures pour les approuver,
les costumes futurs pour les admirer, les institutions futures
pour les respecter, et je m'en tiens à savoir que ce que j'approuve, ce que j'admire, ce que j'aime est parti. Je n'ai rien
à faire avec ce qui succédera.   *Ibid., Livre III, chap. 1.*

11288 Dans l'homme aimé, il arrive le plus ordinairement qu'on ne
s'est épris que de l'amour. On n'a pas écouté ce que dit la
musique, on s'est complu uniquement dans les sons qui
flattent l'oreille, et, du merveilleux opéra que l'on se donne,
on goûte surtout le ballet.   *Ibid., chap. 3.*

11289 Tout ce que la société perd ne disparaît pas, mais se réfugie
dans des existences individuelles. L'ensemble est petit,
misérable, honteux, répugnant. L'être isolé s'élève [...]
                                              Ibid., chap. 4.

11290 Si tout se passait ici-bas suivant la régularité inflexible des
théories, le moindre des inconvénients, c'est que personne
ne vaudrait la peine d'être regardé, rien n'inspirerait ni la
curiosité, ni l'intérêt; il n'y aurait pas de conflits à observer,
et, finalement rien à décrire, rien à apprendre.
                                              Ibid., chap. 6.

11291 On n'est pas grand, on ne le devient pas, quelque effort qu'on
y fasse, quand on n'est pas heureux. Être heureux, c'est une
vertu et une des plus puissantes.   *Ibid., Livre IV, chap. 5.*

Gloire à Dieu qui a voulu, pour des raisons que nous ne 11292
connaissons pas, que la méchanceté et la bêtise conduisent
l'univers!   *Nouvelles Asiatiques, La guerre des Turcomans.*

Remplissez le monde de votre amour, et votre amour de 11293
tout le charme infini du monde.   *Ibid., La vie de voyage.*

La République, en France, a ceci de particulier, que personne 11294
n'en veut et que tout le monde y tient.
                    La Troisième République et ce qu'elle vaut.

Qu'est-ce qu'une basse-cour? Un lieu assez malpropre où 11295
les coqs se battent à perpétuité, et battent les poules. La
République est tout de même.   *Ibid.*

Tout le monde, au nom de l'égalité, a conclu aussi avoir 11296
le mérite, et tout le monde a vociféré pour en obtenir les
avantages.   *Ibid.*

Le Général qui délivrera la France n'aura pas été plus tôt 11297
acclamé, porté au faîte du pouvoir absolu et encouragé
à tout faire, que la population entière, moins son entourage
immédiat, va s'entendre à merveille sur ce point qu'il est
une superfétation et que ce qui pourrait arriver de mieux
serait d'en être débarrassé.   *Ibid.*

EUGÈNE POTTIER
1816-1887

Debout! Les damnés de la terre...   11298
                    L'Internationale,   juin 1871.

PAUL FÉVAL
1817-1887

[...] Les choses passées ont leurs spectres comme les hommes 11299
décédés; c'est que la nuit évoque le fantôme des mondes
transformés aussi bien que les ombres humaines.
                    La Fée des grèves.

Ta main gardera ma marque, et quand il en sera temps, si 11300
tu ne viens pas à Lagardère, Lagardère ira à toi!
                    Le Bossu, Prologue, scène 5.

Elle frémit de la pointe à la garde... elle s'élance d'elle- 11301
même hors du fourreau; quand une fois elle est en jeu,
elle touche, et quand elle touche, elle tue!...
                    Ibid., acte I, scène 1.

PIERRE LAROUSSE
1817-1875

11302 BONAPARTE, — le nom le plus grand, le plus glorieux, le plus
éclatant de l'histoire, sans excepter celui de NAPOLÉON, —
général de la République française, né à Ajaccio (île de
Corse) le 15 août 1769, mort au château de Saint-Cloud,
près de Paris, le 18 brumaire, an VIII de la République
française, une et indivisible.
*Grand dictionnaire universel du XIX*e *siècle, art.*
« *Bonaparte.* »

CHARLES LECONTE DE LISLE
1818-1894

11303 Nous sommes une génération savante; la vie instinctive,
spontanée, aveuglément féconde de la jeunesse, s'est retirée
de nous; tel est le fait irréparable.
Poèmes antiques, Préface.

11304 L'art et la science, longtemps séparés [...], doivent [...]
tendre à s'unir étroitement, sinon à se confondre. *Ibid.*

11305 Nul sanglot n'a brisé ton sein inaltérable,
Jamais les pleurs humains n'ont terni ta beauté.
Ibid., La Vénus de Milo.

11306 Midi, Roi des étés, épandu sur la plaine,
Tombe en nappes d'argent des hauteurs du ciel bleu.
Tout se tait. L'air flamboie et brûle sans haleine;
La Terre est assoupie en sa robe de feu.
Ibid., Midi.

11307 L'homme a perdu le sens des paroles de vie :
L'esprit se tait, la lettre est morte pour jamais.
Ibid., Dies Irae.

11308 [...] Mais nous, nous, consumés d'une impossible envie,
En proie au mal de croire et d'aimer sans retour,
Répondez, jours nouveaux! nous rendrez-vous la vie?
Dites, ô jours anciens! nous rendrez-vous l'amour?
Ibid.

11309 O vents! emportez-nous vers les Dieux inconnus!
Ibid.

11310 [...] Et toi, divine Mort, où tout rentre et s'efface,
Accueille tes enfants dans ton sein étoilé;
Affranchis-nous du temps, du nombre et de l'espace
Et rends-nous le repos que la vie a troublé.
Ibid.

La nature se rit des souffrances humaines;   11311
Ne contemplant jamais que sa propre grandeur,
Elle dispense à tous ses forces souveraines
Et garde pour sa part le calme et la splendeur.
      Poèmes barbares, La Fontaine aux lianes.

Maintenant, dans le sable aride de nos grèves,   11312
    Sous les chiendents, au bruit des mers,
Tu reposes parmi les morts qui me sont chers,
    O charme de mes premiers rêves!
              Ibid., Le Manchy.

Tu te tairas, ô voix sinistre des vivants!   11313
      Ibid., Solvet Saeclum.

J'ai vécu, je suis mort. [...]   11314

Inerte, blême, au fond d'un lugubre entonnoir
Je descends d'heure en heure et d'année en année,
A travers le Muet, l'Immobile, le Noir.
    Poèmes barbares, éd. de 1872, Le Dernier Souvenir.

La Faim sacrée est un long meurtre légitime   11315
Des profondeurs de l'ombre aux cieux resplendissants,
Et l'homme et le requin, égorgeur ou victime,
Devant ta face, ô Mort, sont tous deux innocents.
    Poèmes tragiques, Sacra Fames.

[...] La honte de penser et l'horreur d'être un homme!   11316
      Ibid., à un poète mort.

Devant ta grâce et ta beauté, Nature!   11317
Enfant qui n'avais rien souffert ni deviné,
Je sentais croître en moi l'homme prédestiné,
Et je pleurais, saisi de l'angoisse future,
Épouvanté de vivre, hélas! et d'être né.
    Derniers poèmes.L'aigu bruissement...

MICHEL CARRÉ et JULES BARBIER
1819-1872   1825-1901

Le foyer appelle la flamme,   11318
L'aurore va bien au ciel bleu!
La poussière demande une âme
Et la nature veut un Dieu!
Aimons!
    Galathée, acte I, scène 4.

Ah! qu'il est doux   11319
De ne rien faire,
Quand tout s'agite autour de nous!
    Ibid., acte II, scène 1.

11320   Salut! ô mon dernier matin!
          J'arrive sans terreur au terme du voyage;
          Et je suis, avec ce breuvage,
          Le seul maître de mon destin!
                              Faust, acte I, scène 1.

11321   Le veau d'or est encor debout,
                    On encense
                    Sa puissance
               D'un bout du monde à l'autre bout!
               [...]
               Et Satan conduit le bal!
                              Ibid., acte II, scène 4.

11322   Salut! demeure chaste et pure, où se devine
          La présence d'une âme innocente et divine.
                              Ibid., acte III, scène 4.

11323   Ah! je ris de me voir
                    Si belle en ce miroir!
                    Est-ce toi, Marguerite?
                              Ibid., acte III, scène 6.

11324   Hélas! ma belle, quand vous aurez un mari,
          Les bijoux deviendront assez rares.
                              Ibid., acte III, scène 7.

11325   N'ouvre ta porte, ma belle,
                    Que la bague au doigt!
                              Ibid., acte IV, scène 3.

11326   Anges purs! anges radieux!
                    Portez mon âme au sein des cieux!
                              Ibid., acte V, scène 3.

11327   Les bois ont reverdi, les fleurs se sont fanées,
          Personne n'a pris soin de compter mes années.
                              Mignon, acte I, scène 6.

11328   Connais-tu le pays où fleurit l'oranger,
          Le pays des fruits d'or et des roses vermeilles,
          Où la brise est plus douce et l'oiseau plus léger,
          Où dans toute saison butinent les abeilles?
                              Ibid.

GUSTAVE COURBET
1819-1877

11329 A quoi sert la vie si les enfants n'en font pas plus que leurs
       pères.   *Manuscrit, Cabinet des Estampes.*

11330 Ils sont morts en riant, comme des hommes sûrs de l'avenir,
       et qui avaient foi dans leurs convictions.   *Ibid.*

11331 Les gens qui prient perdent du temps.   *En 1871.*

AUGUSTE VACQUERIE
1819-1895

Les tours de Notre-Dame étaient l'H de son nom[1].   11332
Mes premières années de Paris, A Paul M.

Chaque année, à la Chambre, un tas de noirs bavards,   11333
Que l'homœopathie à leur insu fascine,
Interdisent Shakspeare et prescrivent Racine...
Demi-Teintes, XVII.

ÉMILE AUGIER
1820-1889

« Qui mettra la main au gouvernail, sinon ceux qui ont   11334
prouvé qu'ils savaient mener leur barque?
— Une barque n'est pas un vaisseau, un batelier n'est pas
un pilote, et la France n'est pas une maison de commerce...
J'enrage quand je vois cette manie qui s'empare de toutes
les cervelles. On dirait, ma parole, que dans ce pays-ci le
gouvernement est le passe-temps naturel des gens qui n'ont
rien à faire... » *Le Gendre de M. Poirier, acte I, scène 4.*

— Pourquoi ai-je toujours adoré ta mère? C'est que je   11335
n'avais jamais le temps de penser à elle.
Ibid., acte I, scène 5.

— Je me brûlerais la cervelle plutôt que de manquer à mon   11336
nom.
— Encore un qui tient à son nom! Brûlez-vous la cervelle,
monsieur Vatel, mais ne brûlez pas vos sauces.
Ibid., acte II, scène 9.

— Vous avez réussi : je n'étais que votre mari, je veux être   11337
votre amant.
— Non, cher Gaston, restez mon mari; il me semble qu'on
peut cesser d'aimer son amant, mais non pas d'aimer son
mari.   *Ibid., acte III, scène 1.*

EUGÈNE FROMENTIN
1820-1876

J'ai trouvé la certitude et le repos, ce qui vaut mieux que   11338
toutes les hypothèses. Je me suis mis d'accord avec moi-
même, ce qui est bien la plus grande victoire que nous puissions remporter sur l'impossible.   *Dominique.*

1. Hugo.

11339 Le mal était fait, si l'on peut appeler un mal le don cruel
d'assister à sa vie comme à un spectacle donné par un autre,
et j'entrai dans la vie sans la haïr [...] avec un ennemi inséparable, bien intime et positivement mortel : c'était moi-
même.   *Ibid.*

11340 Le paradis de ce monde s'est renfermé sur les pas de nos
premiers parents; voilà quarante-cinq mille ans qu'on se
contente ici-bas de demi-perfections, de demi-bonheurs
et de demi-moyens.   *Ibid.*

11341 Sais-tu quel est mon plus grand souci? C'est de tuer l'ennui.
Celui qui rendrait ce service à l'humanité serait le vrai
destructeur des monstres. Le vulgaire et l'ennuyeux! toute la
mythologie des païens grossiers n'a rien imaginé de plus
subtil et de plus effrayant.   *Ibid.*

11342 L'art de peindre n'est que l'art d'exprimer l'invisible par le
visible; petites ou grandes, ses voies sont semées de problèmes
qu'il est permis de sonder pour soi comme des vérités, mais
qu'il est bon de laisser dans leur nuit comme des mystères.
                         Les Maîtres d'autrefois, Préambule.

11343 La peinture est à fleur de toile, la vie n'est qu'à fleur de peau.
                                 Les Maîtres d'autrefois.

11344 Une bête au pâturage qui *n'a pas son idée*, comme les paysans
disent de l'instinct des bêtes, est une chose à ne pas peindre.
                                                        Ibid.

GUSTAVE NADAUD
1820-1893

11345   Le premier dit d'un ton sonore :
               « Le temps est beau pour la saison.
               — Brigadier, répondit Pandore,
               Brigadier, vous avez raison! »
      Chansons populaires, Pandore ou les deux gendarmes.

11346   Nous étions gris,
                      Mes amis;
               Tout marche mal en ce bas monde;
               La terre est plate, et le ciel gronde;
                  Nous étions gris.
                         Ibid., Nous sommes gris.

11347   Le monde est vieux, il radote;
               Il devient savant, je croi;
               Tout ce qui porte culotte
               Veut être un fragment de roi.
                      Ibid., Les Pauvres d'esprit.

Ma grand'mère vous dira 11348
Que tout dégénère.
Si le siècle qui viendra
Ne vaut pas son père,
Nos descendants, Dieu merci,
En verront de grises...
Allons à Montmorency
Cueillir des cerises!
Ibid., Les Cerises de Montmorency.

Prudes sournoises, 11349
Vertus bourgeoises,
Qui des attraits ignorez tout le prix
Arrière, arrière,
Pauvreté fière,
Je suis lorette et je règne à Paris.
La Lorette.

Être classique, 11350
Et romantique,
Aimer Ponsard et sourire à Victor.
Ibid.

LOUIS-AUGUSTE ROGEARD
1820-1896

Vous riez parce qu'il sommeille 11351
Prenez garde qu'un beau matin
Il ne s'éveille
Il ne dort que sur une oreille
Le lion du quartier latin.
Le Lion du quartier latin, 1869.

L'Assemblée de Versailles est un législatif qui exécute, et 11352
M. Thiers est un exécutif qui commande.
Le Vengeur, 15 avril 1871.

HENRI-FRÉDÉRIC AMIEL
1821-1881

Respecter dans chaque homme l'*homme*, sinon celui qu'il 11353
est, au moins celui qu'il *pourrait* être, qu'il *devrait* être.
Journal intime, 10 février 1846 (Ed. Pierre Cailler).

Chaque vie se fait son destin. 11354
Ibid., 16 décembre 1847.

Le devoir est la nécessité volontaire, la lettre de noblesse 11355
de l'homme. *Ibid., 5 mai 1848.*

11356 Le mariage doit être une éducation mutuelle et infinie.
Ibid., 31 mai 1848.

11357 Poésie et philosophie ont une même source, l'identification,
l'assimilation, la consubstantialité de l'esprit et de l'objet.
Ibid., 4 février 1849.

11358 Connaître est un acte. *La science est donc du ressort de la
morale.*
Agir c'est suivre une pensée. *La morale est donc du domaine de
la science.*   *Ibid., 19 février 1849.*

11359 La vraie poésie est plus vraie que la science, parce qu'elle
est synthétique et saisit dès l'abord ce que la combinaison
de toutes les sciences pourra tout au plus atteindre une fois
comme résultat. L'âme de la nature est devinée par le poète,
le savant ne sert qu'à accumuler les matériaux pour sa
démonstration.   *Ibid., 31 octobre 1852, (Ed. Georg).*

11360 [...] Tant que la majorité des hommes n'est pas libre, on
ne peut concevoir l'homme libre [...]
Ibid., 10 novembre 1852.

11361 Il y a deux degrés d'orgueil : l'un où l'on s'approuve soi-
même; l'autre où l'on ne peut s'accepter. Celui-ci est probablement le plus raffiné.   *Ibid., 27 octobre 1853.*

11362 J'ai dissipé mon individualité pour n'avoir rien à défendre;
je me suis enfoncé dans l'incognito pour n'avoir nulle responsabilité; c'est dans le zéro que j'ai cherché ma liberté.
Ibid., 25 juin 1856. (U.G.E.-Plon).

11363 Le moment où une pensée arrive à notre conscience est une
phase avancée de son développement; c'est son éclosion;
toute sa période fœtale et embryonnaire l'a précédée.
Ibid., 1er mars 1857.

11364 Il y a une manière laborieuse de n'être rien, c'est d'être tout;
de ne rien vouloir, c'est de tout vouloir.   *Ibid., 3 mars 1857.*

11365 Ce que l'homme redoute le plus, c'est ce qui lui convient.
Ibid., 31 mars 1857.

11366 L'inachevé n'est rien.   *Ibid., 25 novembre 1861, (Ed. Georg.)*

11367 Apparu, disparu, — c'est toute l'histoire d'un homme, comme
celle d'un monde et celle d'un infusoire.
Ibid., 16 novembre 1864.

CHARLES BAUDELAIRE
1821-1867

11368 Parmi tous ces demi-grands hommes que j'ai connus dans
cette terrible vie parisienne, Samuel fut, plus que tout
autre, l'homme des belles œuvres ratées; — créature maladive

et fantastique, dont la poésie brille bien plus dans sa personne que dans ses œuvres, et qui, vers une heure du matin, entre l'éblouissement d'un feu de charbon de terre et le tic tac d'une horloge, m'est toujours apparu comme le dieu de l'impuissance, — dieu moderne et hermaphrodite, — impuissance si colossale et si énorme qu'elle en est épique.

La Fanfarlo.

Il considérait la reproduction comme un vice de l'amour, 11369
la grossesse comme une maladie d'araignée. Il a écrit quelque
part : les anges sont hermaphrodites et stériles. *Ibid.*

Le vin est semblable à l'homme : on ne saura jamais jusqu'à 11370
quel point on peut l'estimer et le mépriser, l'aimer et le haïr,
ni de combien d'actions sublimes ou de forfaits monstrueux
il est capable. Ne soyons donc pas plus cruels envers lui
qu'envers nous-mêmes, et traitons-le comme notre égal.

Du vin et du haschisch, II.

Un homme qui ne boit que de l'eau a un secret à cacher à ses 11371
semblables. *Ibid.*

Certaines boissons contiennent la faculté d'augmenter outre 11372
mesure la personnalité de l'être pensant, et de créer, pour
ainsi dire, une troisième personne, opération mystique, où
l'homme naturel et le vin, le dieu animal et le dieu végétal,
jouent le rôle du Père et du Fils dans la Trinité; ils engendrent
un Saint-Esprit, qui est l'homme supérieur, lequel procède
également des deux. *Ibid., III.*

C'est une béatitude calme et immobile. Tous les problèmes 11373
philosophiques sont résolus. Toutes les questions ardues
contre lesquelles s'escriment les théologiens, et qui font le
désespoir de l'humanité raisonnante, sont limpides et claires.
Toute contradiction est devenue unité. L'homme est *passé*
dieu. *Ibid., IV.*

Le goût frénétique de l'homme pour toutes les substances, 11374
saines ou dangereuses, qui exaltent sa personnalité, témoigne
de sa grandeur. Il aspire toujours à réchauffer ses espérances
et à s'élever vers l'infini. *Ibid., VI.*

Ceux qui mériteraient peut-être le bonheur sont justement 11375
ceux-là à qui la félicité, telle que la conçoivent les mortels,
a toujours fait l'effet d'un vomitif.

Les Paradis artificiels, dédicace.

J'ai, quant à moi, si peu de goût pour le monde vivant, que, 11376
pareil à ces femmes sensibles et désœuvrées qui envoient,
dit-on, par la poste leurs confidences à des amis imaginaires,
volontiers je n'écrirais que pour les morts. *Ibid.*

Ce seigneur visible de la nature visible (je parle de l'homme) 11377
a donc voulu créer le Paradis par la pharmacie, par les
boissons fermentées, semblable à un maniaque qui remplacerait des meubles solides et des jardins véritables par des
décors peints sur toile et montés sur châssis.

Ibid., Le poème du haschisch, I.

11378 L'homme n'échappera pas à la fatalité de son tempérament physique et moral : le haschisch sera, pour les impressions et les pensées familières de l'homme, un miroir grossissant, mais un pur miroir. *Ibid., III.*

11379 Voilà donc le bonheur! il remplit la capacité d'une petite cuiller! le bonheur avec toutes ses ivresses, toutes ses folies, tous ses enfantillages! Vous pouvez avaler sans crainte; on n'en meurt pas. *Ibid.*

11380 Toute débauche parfaite a besoin d'un parfait loisir. *Ibid.*

11381 La grammaire, l'aride grammaire elle-même, devient quelque chose comme une sorcellerie évocatoire; les mots ressuscitent revêtus de chair et d'os, le substantif, dans sa majesté substantielle, l'adjectif, vêtement transparent qui l'habille et le colore comme un glacis, et le verbe, ange du mouvement qui donne le branle à la phrase. *Ibid., IV.*

11382 Tout homme qui n'accepte pas les conditions de la vie, vend son âme. *Ibid.*

11383 Ainsi que l'a dit, je crois, Robespierre, dans son style de glace ardente, recuit et congelé comme l'abstraction : « L'homme ne voit jamais l'homme sans plaisir! ». *Ibid., Un mangeur d'opium, II.*

11384 Qui peut calculer la force de reflet et de répercussion d'un incident quelconque dans la vie d'un rêveur? Qui peut penser, sans frémir, à l'infini élargissement des cercles dans les ondes spirituelles agitées par une pierre de hasard? *Ibid., IV.*

11385 La faculté de rêverie est une faculté divine et mystérieuse; car c'est par le rêve que l'homme communique avec le monde ténébreux dont il est environné. *Ibid., VI.*

11386 Ne serait-il pas facile de prouver, par une comparaison philosophique entre les ouvrages d'un artiste mûr et l'état de son âme quand il était enfant, que le génie n'est que l'enfance nettement formulée, douée maintenant, pour s'exprimer, d'organes virils et puissants? *Ibid.*

11387 Le goût précoce du *monde* féminin, *mundi muliebris*, de tout cet appareil ondoyant, scintillant et parfumé, fait les génies supérieurs. *Ibid., VII.*

11388 Tous les échos de la mémoire, si on pouvait les réveiller simultanément, formeraient un concert, agréable ou douloureux, mais logique et sans dissonances. *Ibid., VIII.*

11389 Un homme de génie, mélancolique, misanthrope, et voulant se venger de l'injustice de son siècle, jette un jour au feu toutes ses œuvres encore manuscrites. Et comme on lui reprochait cet effroyable holocauste fait à la haine, qui, d'ailleurs était le sacrifice de toutes ses propres espérances,

il répondit : « Qu'importe? ce qui était important, c'était
que ces choses fussent *créées;* elles ont été créées, donc elles
sont. »   *Ibid.*

Chaque jour vers l'Enfer nous descendons d'un pas,   11390
Sans horreur, à travers des ténèbres qui puent.
                    Les Fleurs du mal, Au lecteur.

Hypocrite lecteur, — mon semblable, — mon frère!   11391
                                                    Ibid.

« Soyez béni, mon Dieu, qui donnez la souffrance   11392
Comme un divin remède à nos impuretés.
                    Ibid., Spleen et Idéal, I, Bénédiction.

Le Poète est semblable au prince des nuées   11393
Qui hante la tempête et se rit de l'archer;
Exilé sur le sol au milieu des huées,
Ses ailes de géant l'empêchent de marcher.
                    Ibid., II, L'Albatros.

Heureux celui qui peut d'une aile vigoureuse   11394
S'élancer vers les champs lumineux et sereins;

Celui dont les pensers, comme des alouettes,
Vers les cieux le matin prennent un libre essor,
— Qui plane sur la vie, et comprend sans effort
Le langage des fleurs et des choses muettes!
                    Ibid., III, Élévation.

Les parfums, les couleurs et les sons se répondent.   11395
                    Ibid., IV, Correspondances.

Il est des parfums frais comme des chairs d'enfants,   11396
Doux comme les hautbois, verts comme les prairies,
— Et d'autres, corrompus, riches et triomphants.
                                                    Ibid.

Rubens, fleuve d'oubli, jardin de la paresse [...]   11397
                    Ibid., VI, Les Phares.

Léonard de Vinci, miroir profond et sombre [...]   11398
                                                    Ibid.

Rembrandt, triste hôpital tout rempli de murmures [...]   11399
                                                    Ibid.

Michel-Ange, lieu vague où l'on voit des Hercules [...]   11400
                                                    Ibid.

Goya, cauchemar plein de choses inconnues [...]   11401
                                                    Ibid.

Delacroix, lac de sang hanté de mauvais anges [...]   11402
                                                    Ibid.

11403 Car c'est enfin, Seigneur, le meilleur témoignage
Que nous puissions donner de notre dignité,
Que cet ardent sanglot qui roule d'âge en âge
Et vient mourir au bord de votre éternité.
Ibid.

11404 O douleur! ô douleur! Le Temps mange ma vie [...]
Ibid., X, L'Ennemi.

11405 Mainte fleur épanche à regret
Son parfum doux comme un secret
Dans les solitudes profondes.
Ibid., XI, Le Guignon.

11406 C'est là que j'ai vécu dans les voluptés calmes,
Au milieu de l'azur, des vagues, des splendeurs
Et des esclaves nus, tout imprégnés d'odeurs,

Qui me rafraîchissaient le front avec des palmes,
Et dont l'unique soin était d'approfondir
Le secret douloureux qui me faisait languir.
Ibid., XII, La Vie antérieure.

11407 Homme libre, toujours tu chériras la mer!
Ibid., XIV, L'Homme et la mer.

11408 Tout droit dans son armure, un grand homme de pierre
Se tenait à la barre et coupait le flot noir;
Mais le calme héros, courbé sur sa rapière,
Regardait le sillage et ne daignait rien voir.
Ibid., XV, Don Juan aux enfers.

11409 « Jésus, petit Jésus! je t'ai poussé bien haut! »
Ibid., XVI, Châtiment de l'orgueil.

11410 J'unis un cœur de neige à la blancheur des cygnes;
Je hais le mouvement qui déplace les lignes.
Ibid., XVII, La Beauté.

11411 J'eusse aimé vivre auprès d'une jeune géante,
Comme aux pieds d'une reine un chat voluptueux.
Ibid., XIX, La Géante.

11412 Que tu viennes du ciel ou de l'enfer, qu'importe,
O Beauté! monstre énorme, effrayant, ingénu!
Ibid., XXI, Hymne à la Beauté.

11413 Fortes tresses, soyez la houle qui m'enlève!
Ibid., XXIII, La Chevelure.

11414 Cheveux bleus, pavillon de ténèbres tendues,
Vous me rendez l'azur du ciel immense et rond [...]
Ibid.

11415 La froide majesté de la femme stérile.
Ibid., XXVII.

Sur ta chevelure profonde 11416
    Aux âcres parfums,
Mer odorante et vagabonde
    Aux flots bleus et bruns,

Comme un navire qui s'éveille
    Au vent du matin,
Mon âme rêveuse appareille
    Pour un ciel lointain.
Ibid., XXVIII, Le Serpent qui danse.

Alors, ô ma beauté, dites à la vermine 11417
Qui vous mangera de baisers
Que j'ai gardé la forme et l'essence divine
De nos amours décomposés.
Ibid., XXIX, Une charogne.

Je jalouse le sort des plus vils animaux 11418
Qui peuvent se plonger dans un sommeil stupide,
Tant l'écheveau du temps lentement se dévide!
Ibid., XXX, De profundis clamavi.

Et le ver rongera ta peau comme un remords. 11419
Ibid., XXXIII, Remords posthume.

Il n'est pas une fibre en tout mon corps tremblant 11420
Qui ne crie : *O mon cher Belzébuth, je t'adore!*
Ibid., XXXVII, Le Possédé.

Quand notre cœur a fait une fois sa vendange, 11421
Vivre est un mal.
Ibid., XL, Semper eadem.

Son fantôme dans l'air danse comme un flambeau. 11422

Parfois il parle et dit : « Je suis belle, et j'ordonne
Que pour l'amour de moi vous n'aimiez que le Beau;
Je suis l'Ange gardien, la Muse et la Madone. »
Ibid., XLII.

Parfois on trouve un vieux flacon qui se souvient, 11423
D'où jaillit toute vive une âme qui revient.
Ibid., XLVIII, Le Flacon.

    Mon enfant, ma sœur, 11424
    Songe à la douceur,
D'aller là-bas vivre ensemble.
[...]
Là, tout n'est qu'ordre et beauté,
Luxe, calme et volupté.
Ibid., LIII, L'Invitation au voyage.

Ne cherchez plus mon cœur; les bêtes l'ont mangé. 11425
Ibid., LV, Causerie.

Et comme le soleil dans son enfer polaire, 11426
Mon cœur ne sera plus qu'un bloc rouge et glacé.
Ibid., LVI, Chant d'automne.

11427   Mais le vert paradis des amours enfantines,
         Les courses, les chansons, les baisers, les bouquets,
         Les violons vibrant derrière les collines,
         Avec les brocs de vin, le soir, dans les bosquets,
         — Mais le vert paradis des amours enfantines,

         L'innocent paradis, plein de plaisirs furtifs,
         Est-il déjà plus loin que l'Inde et que la Chine?
                             Ibid., LXII Moesta et errabunda.

11428   Ce soir la lune rêve avec plus de paresse;
         Ainsi qu'une beauté, sur de nombreux coussins,
         Qui d'une main distraite et légère caresse
         Avant de s'endormir le contour de ses seins.
                             Ibid., LXI, Tristesses de la lune.

11429   Je hais les testaments et je hais les tombeaux.
                             Ibid., LXXII, Le Mort joyeux.

11430   O vers! noirs compagnons sans oreille et sans yeux,
         Voyez venir à vous un mort libre et joyeux.
                                                         Ibid.

11431   Moi, mon âme est fêlée, et lorsqu'en ses ennuis
         Elle veut de ses chants peupler l'air froid des nuits,
         Il arrive souvent que sa voix affaiblie

         Semble le râle épais d'un blessé qu'on oublie
         Au bord d'un lac de sang, sous un grand tas de morts,
         Et qui meurt, sans bouger, dans d'immenses efforts.
                             Ibid., LXXIV, La Cloche fêlée.

11432   J'ai plus de souvenirs que si j'avais mille ans.
                             Ibid., LXXVI, Spleen.

11433   Je suis un cimetière abhorré de la lune,
         Où comme des remords se traînent de longs vers
         Qui s'acharnent toujours sur mes morts les plus chers.
                                                         Ibid.

11434   — Et de longs corbillards, sans tambours ni musique,
         Défilent lentement dans mon âme; l'Espoir,
         Vaincu, pleure, et l'Angoisse atroce, despotique,
         Sur mon crâne incliné plante son drapeau noir.
                             Ibid., LXXVIII, Spleen.

11435   Comme tu me plaisais, ô nuit! sans ces étoiles
         Dont la lumière parle un langage connu!
         Car je cherche le vide, et le noir, et le nu!
                             Ibid., LXXIX, Obsession.

11436   Je suis la plaie et le couteau!
                   Je suis le soufflet et la joue!
                   Je suis les membres et la roue,
                   Et la victime et le bourreau.
                             Ibid., LXXXIII, L'Héautontimorouménos.

Trois mille six cents fois par heure, la Seconde 11437
Chuchote : *Souviens-toi!* — Rapide, avec sa voix
D'insecte, Maintenant dit : Je suis Autrefois,
Et j'ai pompé ta vie avec ma trompe immonde!
                    Ibid., LXXXV, L'Horloge.

Tantôt sonnera l'heure où le divin Hasard, 11438
Où l'auguste Vertu, ton épouse encor vierge,
Où le Repentir même (oh! la dernière auberge!),
Où tout te dira : Meurs, vieux lâche! il est trop tard! »
                                        Ibid.

Paris change! mais rien dans ma mélancolie 11439
N'a bougé! palais neufs, échafaudages, blocs,
Vieux faubourgs, tout pour moi devient allégorie,
Et mes chers souvenirs sont plus lourds que des rocs.
          Ibid., Tableaux parisiens, LXXXIX, Le Cygne.

Ruines! ma famille! ô cerveaux congénères! 11440
Je vous fais chaque soir un solennel adieu!
Où serez-vous demain, Eves octogénaires,
Sur qui pèse la griffe effroyable de Dieu?
                Ibid., XCI, Les Petites vieilles.

Ailleurs, bien loin d'ici! trop tard! *jamais* peut-être! 11441
Car j'ignore où tu fuis, tu ne sais où je vais,
O toi que j'eusse aimée, ô toi qui le savais!
                    Ibid., XCIII, A une passante.

La Prostitution s'allume dans les rues [...], 11442
Elle remue au sein de la cité de fange
Comme un ver qui dérobe à l'Homme ce qu'il mange.
              Ibid., XCV, Le Crépuscule du soir.

Les charmes de l'horreur n'enivrent que les forts! 11443
                    Ibid., XCVII, Danse macabre.

En tout climat, sous tout soleil, la Mort t'admire 11444
En tes contorsions, risible Humanité,
Et souvent, comme toi, se parfumant de myrrhe,
Mêle son ironie à ton insanité!
                                        Ibid.

La servante au grand cœur dont vous étiez jalouse, 11445
Et qui dort son sommeil sous une humble pelouse,
Nous devrions pourtant lui porter quelques fleurs.
Les morts, les pauvres morts, ont de grandes douleurs,
                                    Ibid., C.

L'aurore grelottante en robe rose et verte 11446
S'avançait lentement sur la Seine déserte,
Et le sombre Paris, en se frottant les yeux,
Empoignait ses outils, vieillard laborieux.
              Ibid., CIII, Le Crépuscule du matin.

Un soir, l'âme du vin chantait dans les bouteilles. 11447
              Ibid., Le Vin, CIV, L'Ame du vin.

11448   Dieu, touché de remords, avait fait le sommeil;
          L'Homme ajouta le Vin, fils sacré du Soleil!
                    Ibid., CV, Le Vin des chiffonniers.

11449   Il me semble parfois que mon sang coule à flots,
          Ainsi qu'une fontaine aux rythmiques sanglots.
          Je l'entends bien qui coule avec un long murmure,
          Mais je me tâte en vain pour trouver la blessure.
                    Ibid., CXIII, La Fontaine de sang.

11450   — Ah! Seigneur! donnez-moi la force et le courage
          De contempler mon cœur et mon corps sans dégoût!
                    Ibid., CXVI, Un Voyage à Cythère.

11451   Puissé-je user du glaive et périr par le glaive!
          Saint-Pierre a renié Jésus... il a bien fait!
                    Ibid., Révolte, CXVIII, Le Reniement de Saint Pierre.

11452   Certes, je sortirai quant à moi satisfait
          D'un monde où l'action n'est pas la sœur du rêve...
                    Ibid.

11453   O Satan, prends pitié de ma longue misère!
                    Ibid., CXX, Les Litanies de Satan.

11454   Nous aurons des lits pleins d'odeurs légères,
          Des divans profonds comme des tombeaux,
          Et d'étranges fleurs sur les étagères,
          Écloses pour nous sous des cieux plus beaux.
                    Ibid., CXXI, La Mort des amants.

11455   J'étais mort sans surprise, et la terrible aurore
          M'enveloppait. — Eh quoi! n'est-ce donc que cela?
          La toile était levée et j'attendais encore.
                    Ibid., CXXV, Le Rêve d'un curieux.

11456   Pour l'enfant, amoureux de cartes et d'estampes,
          L'univers est égal à son vaste appétit.
          Ah! que le monde est grand à la clarté des lampes!
          Aux yeux du souvenir que le monde est petit!
                    Ibid., CXXVI, Le Voyage.

11457   La Curiosité nous tourmente et nous roule,
          Comme un Ange cruel qui fouette des soleils.
                    Ibid.

11458   Notre âme est un trois-mâts cherchant son Icarie.
                    Ibid.

11459   O le pauvre amoureux des pays chimériques!
          Faut-il le mettre aux fers, le jeter à la mer,
          Ce matelot ivrogne inventeur d'Amériques
          Dont le mirage rend le gouffre plus amer?
                    Ibid.

L'Humanité bavarde, ivre de son génie,
Et, folle maintenant comme elle était jadis,
Criant à Dieu, dans sa furibonde agonie :
« O mon semblable, ô mon maître, je te maudis! ».

11460

Ibid.

Amer savoir, celui qu'on tire du voyage!
Le monde, monotone et petit, aujourd'hui,
Hier, demain, toujours, nous fait voir notre image :
Une oasis d'horreur dans un désert d'ennui!

11461

Ibid.

O Mort, vieux capitaine, il est temps! levons l'ancre!
Ce pays nous ennuie, ô Mort! Appareillons!
Si le ciel et la mer sont noirs comme de l'encre,
Nos cœurs que tu connais sont remplis de rayons!

11462

Verse-nous ton poison pour qu'il nous réconforte!
Nous voulons, tant ce feu nous brûle le cerveau,
Plonger au fond du gouffre, Enfer ou Ciel, qu'importe?
Au fond de l'Inconnu pour trouver du *nouveau!*

Ibid.

Mes baisers sont légers comme ces éphémères
Qui caressent le soir les grands lacs transparents,
Et ceux de ton amant creuseront leurs ornières
Comme des chariots ou des socs déchirants [...]

11463

Ibid., Pièces condamnées, Lesbos.

Ombres folles, courez au but de vos désirs;
Jamais vous ne pourrez assouvir votre rage,
Et votre châtiment naîtra de vos plaisirs.

11464

Ibid.

Et le printemps et la verdure
Ont tant humilié mon cœur,
Que j'ai puni sur une fleur
L'insolence de la Nature.

11465

Ibid., A celle qui est trop gaie.

L'homme est aveugle, sourd, fragile, comme un mur
Qu'habite et que ronge un insecte!

11466

Ibid., Pièces diverses, L'Imprévu.

Ame curieuse qui souffres
Et vas cherchant ton paradis,
Plains-moi!... Sinon, je te maudis!

11467

*Additions de la troisième édition des Fleurs du mal, Épigraphe
pour un livre condamné.*

Le Ciel! couvercle noir de la grande marmite
Où bout l'imperceptible et vaste Humanité.

11468

Ibid., Le Couvercle.

Ah! ne jamais sortir des Nombres et des Êtres!

11469

Ibid., Le Gouffre.

11470 Ma Douleur, donne-moi la main; viens par ici,

Loin d'eux. Vois se pencher les défuntes Années,
Sur les balcons du ciel, en robes surannées;
Surgir du fond des eaux le Regret souriant;

Le Soleil moribond s'endormir sous une arche,
Et, comme un long linceul traînant à l'Orient,
Entends, ma chère, entends la douce Nuit qui marche.
Ibid., Recueillement.

11471 Le livre doit être jugé *dans son ensemble*, et alors il en ressort
une terrible moralité.
Notes et Documents pour mon avocat.

11472 Il y a aussi plusieurs sortes de *Liberté.* Il y a la Liberté pour
le Génie, et il y a une liberté très restreinte pour les polissons.
Ibid.

11473 Il était impossible de faire autrement un livre destiné à
représenter l'AGITATION DE L'ESPRIT DANS LE MAL.   *Ibid.*

11474 Ce livre, essentiellement inutile et absolument innocent, n'a
pas été fait dans un autre but que de me divertir et d'exercer
mon goût passionné de l'obstacle.
Projets de préface pour « Les Fleurs du mal », II.

11475 Chaste comme le papier, sobre comme l'eau, porté à la
dévotion comme une communiante, inoffensif comme une
victime, il ne me déplairait pas de passer pour un débauché,
un ivrogne, un impie et un assassin.   *Ibid., III.*

11476 Ne rien savoir, ne rien enseigner, ne rien vouloir, ne rien
sentir, dormir, et encore dormir, tel est aujourd'hui mon
unique vœu. Vœu infâme et dégoûtant, mais sincère.   *Ibid.*

11477 Quel est celui d'entre nous qui n'a pas, dans ses jours d'ambition, rêvé le miracle d'une prose poétique, musicale sans
rythme et sans rime, assez souple et assez heurtée pour
s'adapter aux mouvements lyriques de l'âme, aux ondula-
tions de la rêverie, aux soubresauts de la conscience?
Le Spleen de Paris, dédicace à Arsène Houssaye.

11478 — J'aime les nuages... les nuages qui passent... là-bas...
là-bas... les merveilleux nuages!
Le Spleen de Paris, I, L'Étranger.

11479 Que les fins de journées d'automne sont pénétrantes! Ah!
pénétrantes jusqu'à la douleur! car il est de certaines sensations délicieuses dont le vague n'exclut pas l'intensité;
et il n'est pas de pointe plus acérée que celle de l'Infini.
Ibid., III, Le « Confiteor » de l'artiste.

11480 L'étude du beau est un duel où l'artiste crie de frayeur avant
d'être vaincu.   *Ibid.*

Oui! le Temps règne; il a repris sa brutale dictature. Et 11481
il me pousse, comme si j'étais un bœuf, avec son double
aiguillon. — « Et hue donc! bourrique! Sue donc, esclave!
Vis donc, damné! ».   *Ibid., V, La Chambre double.*

Ames de ceux que j'ai aimés, âmes de ceux que j'ai chantés, 11482
fortifiez-moi, soutenez-moi, éloignez de moi le mensonge
et les vapeurs corruptrices du monde; et vous, Seigneur mon
Dieu! accordez-moi la grâce de produire quelques beaux
vers qui me prouvent à moi-même que je ne suis pas le dernier des hommes, que je ne suis pas inférieur à ceux que je
méprise.   *Ibid., X, A une heure du matin.*

Le poète jouit de cet incomparable privilège, qu'il peut à 11483
sa guise être lui-même et autrui. Comme ces âmes errantes
qui cherchent un corps, il entre, quand il veut, dans le personnage de chacun. Pour lui seul, tout est vacant; et si de
certaines places paraissent lui être fermées, c'est qu'à ses
yeux elles ne valent pas la peine d'être visitées.
                    Ibid., XII, Les Foules.

Il y a toujours dans le deuil du pauvre quelque chose qui 11484
manque, une absence d'harmonie qui le rend plus navrant.
Il est contraint de lésiner sur sa douleur. Le riche porte la
sienne au grand complet.   *Ibid., XIII, Les Veuves.*

Mon âme voyage sur le parfum comme l'âme des autres 11485
hommes sur la musique.
          Ibid., XVII, Un hémisphère dans une chevelure.

Laisse-moi mordre longtemps tes tresses lourdes et noires. 11486
Quand je mordille tes cheveux élastiques et rebelles, il me
semble que je mange des souvenirs.   *Ibid.*

O nuit! ô rafraîchissantes ténèbres! vous êtes pour moi le 11487
signal d'une fête intérieure, vous êtes la délivrance d'une
angoisse! Dans la solitude des plaines, dans les labyrinthes
pierreux d'une capitale, scintillement des étoiles, explosion
des lanternes, vous êtes le feu d'artifice de la déesse Liberté!
                    Ibid., XXII, Le Crépuscule du soir.

On n'est jamais excusable d'être méchant, mais il y a quelque 11488
mérite à savoir qu'on l'est; et le plus irréparable des vices
est de faire le mal par bêtise.
                    Ibid., XXVIII, La Fausse monnaie.

Il est l'heure de s'enivrer! Pour n'être pas les esclaves marty- 11489
risés du Temps, enivrez-vous sans cesse! De vin, de poésie
ou de vertu, à votre guise.   *Ibid., XXXIII, Enivrez-vous.*

Seigneur, ayez pitié des fous et des folles! O Créateur! 11490
peut-il exister des monstres aux yeux de Celui-là seul qui sait
pourquoi ils existent, comment ils *se sont faits* et comment
ils auraient pu *ne pas se faire*?
                    Ibid., XLVII, Mademoiselle Bistouri.

Cette vie est un hôpital où chaque malade est possédé du 11491
désir de changer de lit. Celui-ci voudrait souffrir en face du
poêle, et celui-là croit qu'il guérirait à côté de la fenêtre.
                    Ibid., XLVIII, Anywhere out of the world.

11492 Installons-nous au pôle. Là le soleil ne frise qu'obliquement
la terre, et les lentes alternatives de la lumière et de la nuit
suppriment la variété et augmentent la monotonie, cette
moitié du néant. Là, nous pourrons prendre de longs bains
de ténèbres, cependant que, pour nous divertir, les aurores
boréales nous enverront de temps en temps leurs gerbes roses,
comme des reflets d'un feu d'artifice de l'Enfer!   *Ibid.*

11493 Celui-là seul est l'égal d'un autre, qui le prouve, et celui-là
seul est digne de la liberté, qui sait la conquérir.
Ibid., XLIX, Assommons les pauvres!

11494 Je chante le chien crotté, le chien pauvre, le chien sans
domicile, le chien flâneur, le chien saltimbanque, le chien
dont l'instinct, comme celui du pauvre, du bohémien et de
l'histrion, est merveilleusement aiguillonné par la nécessité,
cette si bonne mère, cette vraie patronne des intelligences!
Ibid., L, Les Bons chiens.

11495 Si les ouvrages d'un homme célèbre, qui a fait votre joie,
vous paraissent aujourd'hui naïfs et dépaysés, enterrez-le
donc au moins avec un certain bruit d'orchestre, égoïstes
populaces!   *Curiosités esthétiques, Salon de 1845, II.*

11496 Il y a une grande différence entre un morceau *fait* et un morceau *fini* — en général ce qui est *fait* n'est pas *fini*, et une
chose très-*finie* peut n'être pas *faite* du tout.
Ibid., Salon de 1845, V.

11497 Moins l'ouvrier se laisse voir dans une œuvre et plus l'intention en est pure et claire, plus nous sommes charmés.
Ibid., Salon de 1845, VII.

11498 Il est une chose mille fois plus dangereuse que le bourgeois,
c'est l'artiste bourgeois, qui a été créé pour s'interposer
entre le public et le génie; il les cache l'un à l'autre.
Ibid., Le Musée classique du bazar Bonne-Nouvelle.

11499 L'épicier est une grande chose, un homme céleste qu'il faut
respecter, *homo bonae voluntatis!* Ne le raillez point de
vouloir sortir de sa sphère, et aspirer, l'excellente créature,
aux régions hautes. Il veut être ému, il veut sentir, connaître,
rêver comme il aime; il veut être complet; il vous demande
tous les jours son morceau d'art et de poésie, et vous le volez
[...]. Servez-lui un chef-d'œuvre, il le digérera et ne s'en
portera que mieux!   *Ibid.*

11500 L'art est un bien infiniment précieux, un breuvage rafraî-
chissant et réchauffant, qui rétablit l'estomac et l'esprit
dans l'équilibre naturel de l'idéal.
Ibid., Salon de 1846, Aux bourgeois.

11501 Tout livre qui ne s'adresse pas à la majorité, — nombre et
intelligence, — est un sot livre.   *Ibid.*

11502 Pour être juste, c'est-à-dire pour avoir sa raison d'être, la
critique doit être partiale, passionnée, politique, c'est-à-
dire faite à un point de vue exclusif, mais au point de vue
qui ouvre le plus d'horizons.   *Ibid., Salon de 1846, I.*

Pour moi, le romantisme est l'expression la plus récente, la 11503
plus actuelle du beau.   *Ibid., Salon de 1846, II.*

Cette grande symphonie du jour, qui est l'éternelle variation 11504
de la symphonie d'hier, cette succession de mélodies, où la
variété sort toujours de l'infini, cet hymne compliqué s'appelle
la couleur.   *Ibid., Salon de 1846, III.*

Les purs dessinateurs sont des philosophes et des abstrac- 11505
teurs de quintessences.
Les coloristes sont des poètes épiques.   *Ibid.*

Les poètes, les artistes et toute la race humaine seraient 11506
bien malheureux, si l'idéal, cette absurdité, cette impossibilité,
était trouvé. Qu'est-ce que chacun ferait désormais de son
pauvre *moi*, — de sa ligne brisée?
                                          Ibid., Salon de 1846, VII.

L'idéal n'est pas cette chose vague, ce rêve ennuyeux et 11507
impalpable qui nage au plafond des académies; un idéal,
c'est l'individu redressé par l'individu, reconstruit et rendu
par le pinceau ou le ciseau à l'éclatante vérité de son harmonie
native.   *Ibid.*

Dans le sens le plus généralement adopté, Français veut dire 11508
vaudevilliste, et vaudevilliste un homme à qui Michel-Ange
donne le vertige et que Delacroix remplit d'une stupeur
bestiale, comme le tonnerre certains animaux. Tout ce qui
est abîme, soit en haut, soit en bas, le fait fuir prudemment.
Le sublime lui fait toujours l'effet d'une émeute, et il n'aborde
même son Molière qu'en tremblant et parce qu'on lui a
persuadé que c'était un auteur gai.   *Ibid., Salon de 1846, XI.*

Un éclectique est un navire qui voudrait marcher avec quatre 11509
vents.   *Ibid., Salon de 1846, XII.*

Vous, ô Honoré de Balzac, vous le plus héroïque, le plus 11510
singulier, le plus romantique et le plus poétique parmi tous
les personnages que vous avez tirés de votre sein!
                                          Ibid., Salon de 1846, XVIII.

Le beau est toujours bizarre. Je ne veux pas dire qu'il soit 11511
volontairement, froidement bizarre, car dans ce cas il serait
un monstre sorti des rails de la vie. Je dis qu'il contient
toujours un peu de bizarrerie, de bizarrerie naïve, non voulue,
inconsciente, et que c'est cette bizarrerie qui le fait être
particulièrement le Beau.
                                          Ibid., Exposition universelle de 1855.

La simplification dans le dessin est une monstruosité, comme 11512
la tragédie dans le monde dramatique.   *Ibid.*

Qui n'a connu ces admirables heures, véritables fêtes du 11513
cerveau, où les sens plus attentifs perçoivent des sensations
plus retentissantes, où le ciel d'un azur plus transparent
s'enfonce comme un abîme plus infini, où les sons tintent
musicalement, où les couleurs parlent, où les parfums
racontent des mondes d'idées? Eh bien, la peinture de
Delacroix me paraît la traduction de ces beaux jours de

l'esprit. Elle est revêtue d'intensité, et sa splendeur est privilégiée. Comme la nature perçue par des nerfs ultra-sensibles,
elle révèle le surnaturalisme.   *Ibid.*

11514 L'artiste n'est artiste qu'à la condition d'être double et de
n'ignorer aucun phénomène de sa double nature.
Ibid., De l'essence du rire.

11515 Il y a dans les œuvres issues des profondes individualités
quelque chose qui ressemble à ces rêves périodiques ou
chroniques qui assiègent régulièrement notre sommeil.
Ibid., Quelques caricaturistes étrangers.

11516 Le grand mérite de Goya consiste à créer le monstrueux
vraisemblable. Ses monstres sont nés viables, harmoniques.
Nul n'a osé plus que lui dans le sens de l'absurde possible.
Toutes ces contorsions, ces faces bestiales, ces grimaces
diaboliques sont pénétrées d'*humanité.*   *Ibid.*

11517 Existe-t-il [...] quelque chose de plus charmant, de plus
fertile et d'une nature plus positivement *excitante* que le
lieu commun?   *Ibid., Salon de 1859, I.*

11518 L'artiste, aujourd'hui et depuis de nombreuses années, est,
malgré son absence de mérite, un simple *enfant gâté.* Que
d'honneurs, que d'argent prodigués à des hommes sans âme
et sans instruction!   *Ibid.*

11519 Si l'artiste abêtit le public, celui-ci le lui rend bien. Ils sont
deux termes corrélatifs qui agissent l'un sur l'autre avec une
égale puissance.   *Ibid., Salon de 1859, II.*

11520 Parce que le Beau est *toujours* étonnant, il serait absurde
de supposer que ce qui est étonnant est *toujours* beau.
Ibid.

11521 La poésie et le progrès sont deux ambitieux qui se haïssent
d'une haine instinctive, et, quand ils se rencontrent dans le
même chemin, il faut que l'un des deux serve l'autre.
Ibid.

11522 C'est l'imagination qui a enseigné à l'homme le sens moral
de la couleur, du contour, du son et du parfum. Elle a créé,
au commencement du monde, l'analogie et la métaphore.
Elle décompose toute la création, et, avec les matériaux
amassés et disposés suivant des règles dont on ne peut trouver
l'origine que dans le plus profond de l'âme, elle crée un
monde nouveau, elle produit la sensation du neuf.
Ibid., Salon de 1859, III.

11523 L'imagination est la reine du vrai, et le *possible* est une
des provinces du vrai. Elle est positivement apparentée avec
l'infini.   *Ibid.*

11524 Comme l'imagination a créé le monde, elle le gouverne.
Ibid., Salon de 1859, IV.

Si tel assemblage d'arbres, de montagnes, d'eaux et de 11525
maisons, que nous appelons un paysage, est beau, ce n'est
pas par lui-même, mais par moi, par ma grâce propre, par
l'idée ou le sentiment que j'y attache.
Ibid., Salon de 1859, VIII.

Il [Delacroix] disait une fois à un jeune homme de ma 11526
connaissance : « Si vous n'êtes pas assez habile pour faire le
croquis d'un homme qui se jette par la fenêtre, pendant le
temps qu'il met à tomber du quatrième étage sur le sol,
vous ne pourrez jamais produire de grandes machines. »
Je retrouve dans cette énorme hyperbole la préoccupation
de toute sa vie, qui était, comme on le sait, d'exécuter assez
vite et avec assez de certitude pour ne rien laisser s'évaporer
de l'intensité de l'action ou de l'idée.
Ibid., L'Œuvre et la vie de Delacroix.

Le beau est fait d'un élément éternel, invariable, dont la 11527
quantité est excessivement difficile à déterminer, et d'un
élément relatif, circonstanciel, qui sera, si l'on veut, tour à
tour ou tout ensemble, l'époque, la mode, la morale, la
passion. *Ibid., Le Peintre de la vie moderne, I.*

L'enfant voit tout en *nouveauté*; il est toujours *ivre*. Rien 11528
ne ressemble plus à ce qu'on appelle l'inspiration, que la joie
avec laquelle l'enfant absorbe la forme et la couleur.
Ibid., III.

L'observateur est un *prince* qui jouit partout de son incognito. 11529
Ibid.

Il est beaucoup plus commode de déclarer que tout est abso- 11530
lument laid dans l'habit d'une époque, que de s'appliquer
à en extraire la beauté mystérieuse qui peut y être contenue,
si minime ou si légère qu'elle soit.
Ibid., IV.

La modernité, c'est le transitoire, le fugitif, le contingent, 11531
la moitié de l'art, dont l'autre moitié est l'éternel immuable.
Ibid.

Le dandysme est le dernier éclat d'héroïsme dans les déca- 11532
dences. Le dandysme est un soleil couchant; comme l'astre
qui décline, il est superbe, sans chaleur et plein de mélancolie.
Ibid., IX.

La femme est sans doute une lumière, un regard, une invita- 11533
tion au bonheur, une parole quelquefois; mais elle est surtout une harmonie générale, non seulement dans son allure
et le mouvement de ses membres, mais aussi dans les mousse-
lines, les gazes, les vastes et chatoyantes nuées d'étoffes dont
elle s'enveloppe, et qui sont comme les attributs et le piédestal de sa divinité. *Ibid., X.*

Le mal se fait sans effort, *naturellement*, par fatalité; le bien 11534
est toujours le produit d'un art.
Ibid., XI.

11535 La femme est bien dans son droit, et même elle accomplit
une sorte de devoir en s'appliquant à paraître magique et
surnaturelle; il faut qu'elle étonne, qu'elle charme; idole,
elle doit se dorer pour être adorée.   *Ibid.*

11536 Qui ne voit que l'usage de la poudre de riz, si niaisement
anathémisé par les philosophes candides, a pour but et pour
résultat de faire disparaître du teint toutes les taches que la
nature y a outrageusement semées, et de créer une unité
abstraite dans le grain et la couleur de la peau, laquelle unité,
comme celle produite par le maillot, rapproche immédiatement l'être humain de la statue, c'est-à-dire d'un être divin
et supérieur?   *Ibid.*

11537 Le rouge et le noir représentent la vie, une vie surnaturelle
et excessive; ce cadre noir rend le regard plus profond et
plus singulier, donne à l'œil une apparence plus décidée de
fenêtre ouverte sur l'infini; le rouge, qui enflamme la pommette,
augmente encore la clarté de la prunelle et ajoute à un beau
visage féminin la passion mystérieuse de la prêtresse.   *Ibid.*

11538 La poésie est essentiellement philosophique; mais comme
elle est avant tout *fatale,* elle doit être involontairement
philosophique.   *L'Art romantique, II, Prométhée délivré.*

11539 Ce n'est que par les beaux sentiments qu'on parvient à la
fortune.   *Ibid., IV, Conseils aux jeunes littérateurs.*

11540 La haine est une liqueur précieuse, un poison plus cher que
celui des Borgia, — car il est fait avec notre sang, notre
santé, notre sommeil et les deux tiers de notre amour! Il
faut en être avare!   *Ibid.*

11541 Tout homme bien portant peut se passer de manger pendant
deux jours, — de poésie, jamais.   *Ibid.*

11542 C'est parce que tous les vrais littérateurs ont horreur de
la littérature à de certains moments, que je n'admets pour
eux, — âmes libres et fières, esprits fatigués, qui ont toujours
besoin de se reposer leur septième jour, — que deux classes
de femmes possibles : les filles ou les femmes bêtes, l'amour
ou le pot-au-feu.   *Ibid.*

11543 Le poète placé sur un des points de la circonférence de
l'humanité, renvoie sur la même ligne en vibrations plus
mélodieuses la pensée humaine qui lui fut transmise.
Ibid., VIII, Pierre Dupont.

11544 Le vice est séduisant, il faut le peindre séduisant; mais il
traîne avec lui des maladies et des douleurs morales singulières; il faut les décrire.
Ibid., IX, Les Drames et les romans honnêtes.

11545 Je défie qu'on me trouve un seul ouvrage d'imagination qui
réunisse toutes les conditions du beau et qui soit un ouvrage
pernicieux.   *Ibid.*

La passion frénétique de l'art est un chancre qui dévore le 11546 reste; et, comme l'absence nette du juste et du vrai dans l'art équivaut à l'absence d'art, l'homme entier s'évanouit.
Ibid., X, L'Ecole païenne.

Le temps n'est pas loin où l'on comprendra que toute 11547 littérature qui se refuse à marcher fraternellement entre la science et la philosophie est une littérature homicide et suicide. *Ibid.*

La Révolution a été faite par des voluptueux. *Ibid.* 11548

La jeune fille. [Cécile Volanges]. La niaise, stupide et sen- 11549 suelle. Tout près de l'ordure originelle. *Ibid.*

Balzac, ce prodigieux météore qui couvrira notre pays d'un 11550 nuage de gloire, comme un orient bizarre et exceptionnel, comme une aurore polaire inondant le désert glacé de ses lumières féeriques. *Ibid., XIV, Madame Bovary.*

Une véritable œuvre d'art n'a pas besoin de réquisitoire. 11551 La logique de l'œuvre suffit à toutes les postulations de la morale, et c'est au lecteur à tirer les conclusions de la conclusion. *Ibid.*

La sensibilité de cœur n'est pas absolument favorable au 11552 travail poétique. Une extrême sensibilité de cœur peut même nuire en ce cas. La sensibilité de l'imagination est d'une autre nature; elle sait choisir, juger, comparer, fuir ceci, rechercher cela, rapidement, spontanément.
Ibid., XVII, Théophile Gautier.

Chaque écrivain est plus ou moins marqué par sa faculté 11553 principale. Chateaubriand a chanté la gloire douloureuse de la mélancolie et de l'ennui. Victor Hugo, grand, terrible, immense comme une création mythique, cyclopéen pour ainsi dire, représente les forces de la nature et leur lutte harmonieuse. Balzac, grand, terrible, complexe aussi, figure le monstre d'une civilisation, et toutes ses luttes, ses ambitions et ses fureurs. Gautier, c'est l'amour exclusif du Beau, avec toutes ses subdivisions, exprimé dans le langage le mieux approprié.
Ibid., XIII.

Il y a dans le mot, dans le *verbe*, quelque chose de *sacré* 11554 qui nous défend d'en faire un jeu de hasard. Manier savam- ment une langue, c'est pratiquer une espèce de sorcellerie évocatoire. *Ibid.*

Chacun, chez Balzac, même les portières, a du génie. Toutes 11555 les âmes sont des armes chargées à volonté jusqu'à la gueule. C'est bien Balzac lui-même.
Ibid., XVII, IV.

C'est un des privilèges prodigieux de l'Art que l'horrible, 11556 artistement exprimé, devienne beauté, et que la *douleur* rythmée et cadencée remplisse l'esprit d'une *joie* calme.
Ibid.

11557 Quelque politique que soit le condiment, le Beau amène l'indigestion, ou plutôt l'estomac français le refuse immédiatement. Cela vient non seulement, je crois, de ce que la France a été providentiellement créée pour la recherche du Vrai préférablement à celle du Beau, mais aussi de ce que le caractère utopique, communiste, alchimique, de tous ses cerveaux, ne lui permet qu'une passion exclusive, celle des formules sociales.   *Ibid., VXII, V.*

11558 Il en est des vers comme de quelques belles femmes en qui se sont fondues l'originalité et la correction; on ne les définit pas, on les *aime.*   *Ibid.*

11559 Tous les grands poètes deviennent naturellement, fatalement, critiques.   *Ibid., XVIII, Richard Wagner.*

11560 Ce qui me paraît donc avant tout marquer d'une manière inoubliable la musique de ce maître [Wagner], c'est l'intensité nerveuse, la violence dans la passion et dans la volonté. Cette musique-là exprime avec la voix la plus suave ou la plus stridente tout ce qu'il y a de plus caché dans le cœur de l'homme.   *Ibid.*

11561 En matière d'art, j'avoue que je ne hais pas l'outrance; la modération ne m'a jamais semblé le signe d'une nature artistique vigoureuse. J'aime ces excès de santé, ces débordements de volonté qui s'inscrivent dans les œuvres comme le bitume enflammé dans le sol d'un volcan.   *Ibid.*

11562 L'opéra de Wagner *est un ouvrage sérieux,* demandant une attention soutenue; on conçoit tout ce que cette condition implique de chances défavorables dans un pays où l'ancienne tragédie réussissait surtout par les facilités qu'elle offrait à la distraction.   *Ibid.*

11563 Quand on se figure ce qu'était la poésie française avant qu'il [Victor Hugo] apparût, et quel rajeunissement elle a subi depuis qu'il est venu; quand on imagine ce peu qu'elle eût été s'il n'était pas venu; combien de sentiments mystérieux et profonds, qui ont été exprimés, seraient restés muets; combien d'intelligences il a accouchées, combien d'hommes qui ont rayonné par lui seraient restés obscurs, il est impossible de ne pas le considérer comme un de ces esprits rares et providentiels qui opèrent, dans l'ordre littéraire, le salut de tous, comme d'autres dans l'ordre moral et d'autres dans l'ordre politique.
Ibid., XIX, Réflexions sur quelques-uns de mes contemporains,
I, Victor Hugo.

11564 La musique des vers de Victor Hugo s'adapte aux profondes harmonies de la nature; sculpteur, il découpe dans ses strophes la forme inoubliable des choses; peintre il les illumine de leur couleur propre. Et, comme si elles venaient directement de la nature, les trois impressions pénètrent simultanément le cerveau du lecteur.   *Ibid.*

11565 Je vois dans la Bible un prophète à qui Dieu ordonne de manger un livre. J'ignore dans quel monde Victor Hugo a mangé préalablement le dictionnaire de la langue qu'il était appelé à parler; mais je vois que le lexique français, en sortant de sa bouche, est devenu un monde, un univers coloré, mélodieux et mouvant. *Ibid.*

C'est de la force même et de la certitude qu'elle donne à 11566 celui qui la possède que dérive l'esprit de justice et de charité. *Ibid.*

La morale n'entre pas dans cet art à titre de but; elle s'y 11567 mêle et s'y confond comme dans la vie elle-même. Le poète [Victor Hugo] est moraliste sans le vouloir, par abondance et plénitude de nature. *Ibid.*

En décrivant ce qui est, le poète se dégrade et descend au 11568 rang de professeur; en racontant le possible, il reste fidèle à sa fonction; il est une âme collective qui interroge, qui pleure, qui espère et qui devine quelquefois. *Ibid.*

Les personnes trop amoureuses d'utilité et de morale négli- 11569 gent volontiers la grammaire, absolument comme les per- sonnes passionnées. *Ibid.*

Le cri du sentiment est toujours absurde; mais il est sublime, 11570 parce qu'il est absurde. *Ibid., IV, Théophile Gautier.*

La mythologie est un dictionnaire d'hiéroglyphes vivants. 11571 *Ibid.*

Phèdre en paniers a ravi les esprits les plus délicats de l'Eu- 11572 rope; à plus forte raison, Vénus, qui est immortelle, peut bien, quand elle veut visiter Paris, faire descendre son char dans les bosquets du Luxembourg. *Ibid.*

L'art moderne a une tendance essentiellement démoniaque. 11573 *Ibid.*

Il y a dans la jeunesse littéraire, comme dans la jeunesse 11574 physique, une certaine beauté du diable qui fait pardonner bien des imperfections. *Ibid., V, Hégésippe Moreau.*

La grammaire sera bientôt une chose aussi oubliée que la 11575 raison, et, au train dont nous marchons vers les ténèbres, il y a lieu d'espérer qu'en l'an 1900 nous serons plongés dans le noir absolu. *Ibid., XX, Les Martyrs ridicules.*

Le génie (si toutefois on peut appeler ainsi le germe indé- 11576 finissable du grand homme) doit, comme le saltimbanque apprenti, risquer de se rompre mille fois les os en secret avant de danser devant le public; l'inspiration, en un mot, n'est que la récompense de l'exercice quotidien. *Ibid.*

Napoléon est un substantif qui signifie domination, et, 11577 règne pour règne, quelques-uns peuvent préférer celui de Chateaubriand à celui de Napoléon. *Ibid., XXIII, L'Esprit de M. Villemain.*

11578 Les Villemain ne comprendront jamais que les Chateaubriand ont droit à des immunités et à des indulgences auxquelles tous les Villemain de l'humanité ne pourront jamais
aspirer.   *Ibid.*

11579 Pour taper sur le ventre d'un colosse, il faut pouvoir s'y
hausser.   *Ibid.*

11580 Toute phrase doit être en soi un monument bien coordonné,
l'ensemble de tous ces monuments formant la ville qui est
le Livre.   *Ibid.*

11581 Faut-il qu'un homme soit tombé bas pour se croire heureux.
Ibid., XXV, Projets de lettre à Jules Janin.

11582 J'ai de très sérieuses raisons pour plaindre celui qui n'aime
pas la mort.   *Ibid.*

11583 Quand Hugo parle de sauver le genre humain, je voudrais
lui faire horreur en criant *Vive Tartuffe!*
Ibid., XXVIII, Notes sur Nerciat.

11584 Quel que soit le parti qu'ils choisissent, les auteurs de 1780
ne s'appliquent qu'à paraître gracieux et spirituels. La
saloperie leur est chère, mais ils ont le mérite de la défendre
avec énergie.   *Ibid.*

11585 Jeune homme, qui voulez être un grand poète, gardez-vous
du paradoxe en amour; laissez les écoliers ivres de leur première pipe chanter à tue-tête les louanges de la femme grasse;
abandonnez ces mensonges aux néophytes de l'école pseudo-
romantique. Si la femme grasse est parfois un charmant
caprice, la femme maigre est un puits de voluptés téné-
breuses!
Essais et notes, Choix de maximes consolantes sur l'amour.

11586 La bêtise est souvent l'ornement de la beauté; c'est elle
qui donne aux yeux cette limpidité morne des étangs noi-
râtres, et ce calme huileux des mers tropicales. La bêtise
est toujours la conservation de la beauté; elle éloigne les
rides.   *Ibid.*

11587 Quand même Dieu n'existerait pas, la religion serait encore
sainte et divine.   *Ibid., Journaux intimes, Fusées, I.*

11588 Dieu est le seul être qui, pour régner, n'ait même pas besoin
d'exister.   *Ibid.*

11589 Le plaisir d'être dans les foules est une expression mystérieuse de la jouissance de la multiplication du nombre.
Tout est nombre. Le nombre est dans *tout.* Le nombre est
dans l'individu. L'ivresse est dans le nombre.   *Ibid.*

11590 Moi, je dis : la volupté unique et suprême de l'amour gît
dans la certitude de faire le *mal.*
Ibid., Journaux intimes, Fusées, III.

L'enthousiasme qui s'applique à autre chose que les abstractions est un signe de faiblesse et de maladie. 11591
Ibid., Fusées, VI.

Aimer les femmes intelligentes est un plaisir de pédéraste. 11592
Ibid.

La musique creuse le ciel. *Ibid., Fusées, VIII.* 11593

Ces beaux et grands navires, imperceptiblement balancés 11594
(dandinés) sur les eaux tranquilles, ces robustes navires, à l'air
désœuvré et nostalgique, ne nous disent-ils pas dans une
langue muette : Quand partons-nous pour le bonheur?
Ibid., Fusées, XI.

Ce qui n'est pas légèrement difforme a l'air insensible; 11595
d'où il suit que l'irrégularité, c'est-à-dire l'inattendu, la
surprise, l'étonnement sont une partie essentielle et la caractéristique de la beauté. *Ibid., Fusées, XII.*

L'inspiration vient toujours, quand l'homme le *veut*, mais 11596
elle ne s'en va pas toujours, quand il le veut.
Ibid., Fusées, XVII.

Quand j'aurai inspiré le dégoût et l'horreur universels, 11597
j'aurai conquis la solitude. *Ibid.*

Le travail, n'est-ce pas le sel qui conserve les âmes momies? 11598
Ibid., Fusées, XXI.

Le monde va finir. La seule raison, pour laquelle il pourrait 11599
durer, c'est qu'il existe. Que cette raison est faible, comparée
à toutes celles qui annoncent le contraire, particulièrement à
celle-ci : Qu'est-ce que le monde a désormais à faire sous le
ciel? *Ibid., Fusées, XXII.*

Le premier venu, pourvu qu'il sache amuser, a le droit de 11600
parler de lui-même. *Ibid., Mon cœur mis à nu, II.*

La femme est *naturelle*, c'est-à-dire abominable. 11601
Aussi est-elle toujours vulgaire, c'est-à-dire le contraire du
Dandy. *Ibid., V.*

Le Dandy doit aspirer à être sublime, sans interruption. Il 11602
doit vivre et dormir devant un miroir. *Ibid., V.*

Il y a dans tout changement quelque chose d'infâme et 11603
d'agréable à la fois, quelque chose qui tient de l'infidélité
et du déménagement. Cela suffit à expliquer la Révolution
française. *Ibid., VII.*

Être un homme utile m'a paru toujours quelque chose de 11604
bien hideux. *Ibid., IX.*

Robespierre n'est estimable que parce qu'il a fait quelques 11605
belles phrases. *Ibid., IX.*

11606 Les nations n'ont de grands hommes que malgré elles. Donc, le grand homme est vainqueur de toute sa nation.
Ibid., XIV.

11607 Il faut travailler, sinon par goût, au moins par désespoir, puisque, tout bien vérifié, travailler est moins ennuyeux que s'amuser.   *Ibid., XVIII.*

11608 Il y a dans tout homme, à toute heure, deux postulations simultanées, l'une vers Dieu, l'autre vers Satan.
L'invocation à Dieu, ou spiritualité, est un désir de monter en grade; celle de Satan, ou animalité, est une joie de descendre.   *Ibid., XIX.*

11609 Il n'existe que trois êtres respectables : le prêtre, le guerrier, le poète. Savoir, tuer et créer.   *Ibid., XXII.*

11610 Les abolisseurs d'âmes *(matérialistes)* sont nécessairement des abolisseurs d'*enfer;* ils y sont, à coup sûr, *intéressés.* Tout au moins, ce sont des gens qui ont *peur de revivre,* — des paresseux.   *Ibid., XXIII.*

11611 Je m'ennuie en France, surtout parce que tout le monde y ressemble à Voltaire.   *Ibid., XXIX.*

11612 Ce qu'il y a d'ennuyeux dans l'amour, c'est que c'est un crime où l'on ne peut pas se passer d'un complice.
Ibid., XXXV.

11613 L'homme aime tant l'homme que, quand il fuit la ville, c'est encore pour chercher la foule, c'est-à-dire pour refaire la ville à la campagne.   *Ibid., XXXVI.*

11614 J'ai toujours été étonné qu'on laissât les femmes entrer dans les églises. Quelle conversation peuvent-elles avoir avec Dieu?   *Ibid., XLIX.*

11615 Il n'y a rien d'intéressant sur la terre que les religions.
Ibid., LVII.

11616 La jeune fille, ce qu'elle est en réalité.
Une petite sotte et une petite salope; la plus grande imbécillité unie à la plus grande dépravation.   *Ibid., LXI.*

11617 Toute forme créée, même par l'homme, est immortelle. Car la forme est indépendante de la matière, et ce ne sont pas les molécules qui constituent la forme.   *Ibid., LXXX.*

11618 Je ne comprends pas qu'une main pure puisse toucher un journal sans une convulsion de dégoût.   *Ibid., LXXXI.*

11619 Il n'y a de long ouvrage que celui qu'on n'ose pas commencer. Il devient cauchemar.   *Ibid., LXXXIX.*

PIERRE DUPONT
1821-1870

J'ai deux grands bœufs dans mon étable 11620
[...]
Ils gagnent dans une semaine
Plus d'argent qu'ils n'en ont coûté.
Mes bœufs, chanson.

J'aime Jeanne ma femme, eh bien! j'aimerais mieux 11621
La voir mourir, que voir mourir mes bœufs.
Ibid.

Dans la vie on ne reste guère, 11622
A l'âge riant des amours,
Les ans vont comme les rivières,
Et rien n'en peut barrer le cours.
Le Mère Jeanne, chanson.

Bon Français, quand je vois mon verre 11623
Plein de son vin couleur de feu,
Je songe, en remerciant Dieu,
Qu'ils n'en ont pas dans l'Angleterre.
Ma Vigne, chanson.

Pauvres moutons, quels bons manteaux 11624
Il se tisse avec votre laine.
Le Chant des ouvriers.

Que le canon se taise ou gronde, 11625
Buvons
A l'indépendance du monde!
Ibid.

GUSTAVE FLAUBERT
1821-1880

Il réconforta le patient avec toutes sortes de bons mots, 11626
caresses chirurgicales qui sont comme l'huile dont on graisse
les bistouris.
Madame Bovary, Première Partie, chap. 2.

A travers leurs manières douces, perçait cette brutalité 11627
particulière que communique la domination de choses à
demi faciles, dans lesquelles la force s'exerce et où la vanité
s'amuse, le maniement des chevaux de race et la société des
femmes perdues. *Ibid., chap. 8.*

L'amour, croyait-elle, devait arriver tout à coup, avec de 11628
grands éclats et des fulgurations, — ouragan des cieux qui
tombe sur la vie, la bouleverse, arrache les volontés comme
des feuilles et emporte à l'abîme le cœur entier. Elle ne savait
pas que, sur la terrasse des maisons, la pluie fait des lacs

quand les gouttières sont bouchées, et elle fût ainsi demeurée en sa sécurité, lorsqu'elle découvrit subitement une lézarde dans le mur.   *Ibid., Deuxième partie, chap. 4.*

11629 Pauvre petite femme! Ça bâille après l'amour, comme une carpe après l'eau sur une table de cuisine.   *Ibid.*

11630 Le charme de la nouveauté, peu à peu tombant comme un vêtement, laissait voir à nu l'éternelle monotonie de la passion, qui a toujours les mêmes formes et le même langage.
Ibid., chap. 12.

11631 [...] Comme si la plénitude de l'âme ne débordait pas quelquefois par les métaphores les plus vides, puisque personne, jamais, ne peut donner l'exacte mesure de ses besoins, ni de ses conceptions, ni de ses douleurs, et que la parole humaine est comme un chaudron fêlé où nous battons des mélodies à faire danser les ours, quand on voudrait attendrir les étoiles.   *Ibid.*

11632 La parole est un laminoir qui allonge toujours les sentiments.   *Ibid., Troisième partie, chap. 1.*

11633 [...] Et déjà elle se sentait au cœur cette lâche docilité qui est, pour bien des femmes, comme le châtiment tout à la fois et la rançon de l'adultère.   *Ibid., chap. 2.*

11634 Il ne faut pas toucher aux idoles : la dorure en reste aux mains.   *Ibid., chap. 6.*

11635 Tout bourgeois, dans l'échauffement de sa jeunesse, ne fût-ce qu'un jour, une minute, s'est cru capable d'immenses passions, de hautes entreprises. Le plus médiocre libertin a rêvé des sultanes; chaque notaire porte en soi les débris d'un poète.   *Ibid.*

11636 C'était à Mégara, faubourg de Carthage, dans les jardins d'Hamilcar.   *Salammbô, chap. 1.*

11637 Elle ressemblait aux femmes des livres romantiques. Il n'aurait voulu rien ajouter, rien retrancher à sa personne. L'univers venait tout à coup de s'élargir. Elle était le point lumineux où l'ensemble des choses convergeait.
L'Éducation sentimentale, Première partie, chap. 1.

11638 Il tournait dans son désir, comme un prisonnier dans son cachot.   *Ibid., chap. 5.*

11639 Si les regards pouvaient user les choses, Frédéric aurait dissous l'horloge à force d'attacher dessus les yeux.
Ibid., Deuxième partie, chap. 1.

11640 Les passions s'étiolent quand on les dépayse.   *Ibid.*

11641 Les affections profondes ressemblent aux honnêtes femmes; elles ont peur d'être découvertes, et passent dans la vie les yeux baissés.   *Ibid., chap. 3.*

Il reste toujours dans la conscience quelque chose des sophismes qu'on y a versés; elle en garde l'arrière-goût, comme d'une liqueur mauvaise. *Ibid.* 11642

La plupart des hommes qui étaient là avaient servi, au moins, quatre gouvernements; et ils auraient vendu la France ou le genre humain, pour garantir leur fortune, s'épargner un malaise, un embarras, ou même par simple bassesse, adoration instinctive de la force [...]. *Ibid., chap. 4.* 11643

Il y a des hommes n'ayant pour mission parmi les autres que de servir d'intermédiaires; on les franchit comme des ponts, et l'on va plus loin. *Ibid.* 11644

Elle touchait au mois d'août des femmes, époque tout à la fois de réflexion et de tendresse, où la maturité qui commence colore le regard d'une flamme plus profonde, quand la force du cœur se mêle à l'expérience de la vie, et que, sur la fin de ses épanouissements, l'être complet déborde de richesses dans l'harmonie de sa beauté. *Ibid, chap. 6.* 11645

« Les héros ne sentent pas bon! » 11646
Ibid., Troisième partie, chap. 1.

On se redit, pendant un mois, la phrase de Lamartine sur le drapeau rouge, « qui n'avait fait que le tour du Champ-de-Mars, tandis que le drapeau tricolore, etc. »; et tous se rangèrent sous son ombre, chaque parti ne voyant des trois couleurs que la sienne — et se promettant bien, dès qu'il serait le plus fort, d'arracher les deux autres. *Ibid.* 11647

On fut indigné, en vertu de cette haine que provoque l'avènement de toute idée parce que c'est une idée, exécration dont elle tire plus tard sa gloire, et qui fait que ses ennemis sont toujours au-dessous d'elle, si médiocre qu'elle puisse être. *Ibid.* 11648

Les cœurs des femmes sont comme ces petits meubles à secret, pleins de tiroirs emboîtés les uns dans les autres; on se donne du mal, on se casse les ongles, et on trouve au au fond quelque fleur desséchée, des brins de poussière — ou le vide! *Ibid., chap. 4.* 11649

Par cela même que je connais les choses, les choses n'existent plus.
Pour moi, maintenant, il n'y a pas d'espoir et pas d'angoisse, pas de bonheur, pas de vertu, ni jour ni nuit, ni toi, ni moi, absolument rien. *La Tentation de saint Antoine, chap. 4.* 11650

Pour que la matière ait tant de pouvoir, il faut qu'elle contienne un esprit. L'âme des dieux est attachée à ses images... *Ibid., chap. 5.* 11651

La Forme est peut-être une erreur de tes sens, la Substance une imagination de ta pensée.
A moins que le monde étant un flux perpétuel des choses, l'apparence au contraire ne soit tout ce qu'il y a de plus vrai, l'illusion, la seule réalité. 11652

> Mais es-tu sûr de voir? es-tu même sûr de vivre? Peut-être
> qu'il n'y a rien!   *Ibid., chap. 6.*

11653 Elle avait peine à imaginer sa personne; car il [Dieu] n'était
pas seulement oiseau, mais encore un feu, et d'autres fois
un souffle. C'est peut-être sa lumière qui voltige la nuit
aux bords des marécages, son haleine qui pousse les nuées,
sa voix qui rend les cloches harmonieuses.
Un Cœur simple, chap. 3.

11654 D'ailleurs, comment expliquer les sympathies? Pourquoi
telle particularité, telle imperfection, indifférente ou odieuse
dans celui-ci, enchante-t-elle dans celui-là? Ce qu'on appelle
le coup de foudre est vrai pour toutes les passions.
Bouvard et Pécuchet, chap. 1.

11655 Ce qu'ils admirèrent du cèdre, c'est qu'on l'eût rapporté
dans un chapeau.   *Ibid.*

11656 Les ouvrages dont les titres étaient pour eux inintelligibles
leur semblaient contenir un mystère.   *Ibid.*

11657 Et ayant plus d'idées, ils eurent plus de souffrances.   *Ibid.*

11658 Quelle merveille que de retrouver chez les êtres vivants les
mêmes substances qui composent les minéraux! Néanmoins,
ils éprouvaient une sorte d'humiliation à l'idée que leur
individu contenait du phosphore comme les allumettes, de
l'albumine commes les blancs d'œufs, du gaz hydrogène
comme les réverbères.   *Ibid., chap. 3.*

11659 Si l'individu ne peut rien savoir, pourquoi tous les individus
en sauraient-ils davantage? Une erreur, fût-elle vieille de cent
mille ans, par cela même qu'elle est vieille, ne constitue pas
la vérité! La foule invariablement suit la routine. C'est au
contraire, le petit nombre qui mène le progrès.
Ibid., chap. 8.

11660 Crucifix. — Fait bien dans une alcôve et à la guillotine.
Dictionnaire des idées reçues.

11661 Dictionnaire. — En dire : « N'est fait que pour les ignorants. » [...].   *Ibid.*

11662 Doigt. — Le doigt de Dieu se fourre partout.   *Ibid.*

11663 Échafaud. — S'arranger quand on y monte pour prononcer
quelques mots éloquents avant de mourir.   *Ibid.*

11664 Ère (des révolutions). — Toujours ouverte puisque chaque
nouveau gouvernement promet de la fermer.   *Ibid.*

11665 Érection. — Ne se dit qu'en parlant des monuments.   *Ibid.*

11666 Esprit. — Toujours suivi d'étincelant. Court les rues. Les
beaux esprits se rencontrent.   *Ibid.*

11667 Extinction. — Ne s'emploie qu'avec paupérisme.   *Ibid.*

Faubourgs. — Terribles dans les révolutions.   *Ibid.* 11668

Fusillade. — Seule manière de faire taire les Parisiens. 11669
Ibid.

Garde. — La garde meurt et ne se rend pas! Huit mots pour 11670
remplacer cinq lettres.   *Ibid.*

Habit noir. — Il faut dire frac, excepté dans le proverbe 11671
« l'habit ne fait pas le moine », auquel cas il faut dire froc [...]
Ibid.

Hostilités. — Les hostilités sont comme les huîtres, on les 11672
ouvre. « Les hostilités sont ouvertes. » Il semble qu'il n'y a
plus qu'à se mettre à table.   *Ibid.*

Légalité. — La légalité nous tue. Avec elle aucun gouver- 11673
nement n'est possible.   *Ibid.*

Libre-échange. — Cause des souffrances du commerce. 11674
Ibid.

Macadam. — A supprimé les révolutions : plus moyen de 11675
faire des barricades. Est néanmoins bien incommode.
Ibid.

Ministre. — Dernier terme de la gloire humaine.   *Ibid.* 11676

Radicalisme. — D'autant plus dangereux qu'il est latent. 11677
La république nous mène au radicalisme.   *Ibid.*

Républicains. — Les républicains ne sont pas tous voleurs, 11678
mais les voleurs sont tous républicains.   *Ibid.*

Quant à l'idée de la patrie, c'est-à-dire d'une certaine 11679
portion de terrain dessinée sur la carte et séparée des autres
par une ligne rouge ou bleue, non, la patrie est pour moi le
pays que j'aime, c'est-à-dire celui que je rêve, celui où je
me trouve bien. — je suis autant Chinois que Français [...].
Correspondance, à Louise Colet, 8 août 1846.

L'Idée seule est éternelle et nécessaire. — Il n'y en a plus 11680
de ces artistes comme autrefois, de ceux dont la vie et l'esprit
étaient l'instrument aveugle de l'appétit du beau, organes
de Dieu par lesquels il se prouvait à lui-même.
Ibid., à Louise Colet, 9 août 1846.

Ce qui m'empêche de me prendre au sérieux, quoique j'aie 11681
l'esprit assez grave, c'est que je me trouve très ridicule, non
pas de ce ridicule relatif qui est le comique théâtral, mais
de ce ridicule intrinsèque à la vie humaine elle-même, et qui
ressort de l'action la plus simple ou du geste le plus ordinaire.
Ibid., à Louise Colet, 1846.

Il m'est doux de songer que je servirai un jour à faire croî- 11682
tre des tulipes. Qui sait! L'arbre au pied duquel on me mettra
donnera peut-être d'excellents fruits; je serai peut-être un
engrais superbe, un guano supérieur.
Ibid., à la même, 26 août 1846.

11683 L'amour, après tout, n'est qu'une curiosité supérieure, un
appétit de l'inconnu qui vous pousse dans l'orage, poitrine
ouverte et tête en avant.
Ibid., à la même, 18 septembre 1846.

11684 Il y aurait une histoire magnifique à faire, mais ce n'est pas
moi qui la ferai, ni personne, ce serait trop beau. C'est l'histoire de l'homme moderne depuis sept ans jusqu'à quatre-
vingt-dix. Celui qui accomplira cette tâche restera aussi
éternel que le cœur humain lui-même.
Ibid., à la même, 10 octobre 1846.

11685 Oui, la bêtise consiste à vouloir conclure. Nous sommes un
fil et nous voulons savoir la trame. [...] Quel est l'esprit
un peu fort qui ait conclu, à commencer par Homère?
Contentons-nous du tableau, c'est aussi bon.
Ibid., à Louis Bouilhet, 4 septembre 1850.

11686 Quand tout sera mort, avec des brins de moelle de sureau
et des débris de pot de chambre l'imagination rebâtira
des mondes.   *Ibid.*

11687 On ne se rencontre qu'en se heurtant, et chacun, portant
dans ses mains ses entrailles déchirées, accuse l'autre qui
ramasse les siennes.   *Ibid., à Louise Colet, 1851.*

11688 La passion ne fait pas les vers, et plus vous serez personnel,
plus vous serez faible. [...] *Moins on sent une chose, plus on
est apte à l'exprimer comme elle est*, [...], mais il faut avoir
la faculté *de se la faire sentir.*
Ibid., à Louise Colet, 1852.

11689 La censure quelle qu'elle soit me paraît une monstruosité,
une chose pire que l'homicide; l'attentat contre la pensée
est un crime de lèse-âme. La mort de Socrate pèse encore
sur le genre humain.   *Ibid.*

11690 La critique est au dernier échelon de la littérature, comme
forme presque toujours et comme *valeur morale*, incontestablement elle passe après le bout rimé et l'acrostiche, lesquelles demandent au moins un travail d'invention quelconque.
Ibid., à Louise Colet, 1853.

11691 Réservons la moelle de notre cœur pour la doser en tartines, le jus intime des passions pour le mettre en bouteilles,
faisons de tout notre nous-même un résidu sublime pour
nourrir les postérités.   *Ibid., à Mme X..., août 1853.*

11692 L'art est assez vaste pour occuper tout un homme; en distraire quelque chose est presque un crime, c'est un vol
fait à l'idée, un manque au devoir.   *Ibid.*

11693 Tous les souvenirs de ma jeunesse crient sous mes pas,
comme les coquilles de la plage.   *Ibid.*

11694 Les illusions tombent, mais les âmes-cyprès sont toujours
vertes.   *Ibid., à Louis Bouilhet, 1854.*

La morale de l'art consiste dans sa beauté même, et j'estime 11695
par-dessus tout d'abord le style, et ensuite le vrai.
Ibid., à Louis Bonenfant, 1856.

Il faut, si l'on veut vivre, renoncer à avoir une idée nette 11696
de quoi que ce soit. *L'humanité est ainsi,* il ne s'agit pas de
la changer, mais de la connaître.
Ibid., à Mlle Leroyer de Chantepie, 18 mai 1857.

La vie est un éternel problème, et l'histoire aussi, et tout. 11697
Il s'ajoute sans cesse des chiffres à l'addition. D'une roue
qui tourne, comment pouvez-vous compter les rayons?
Ibid.

L'horizon perçu par les yeux humains n'est jamais le rivage, 11698
parce qu'au-delà de cet horizon, il y en un autre, et toujours?
Ainsi chercher la meilleure des religions, ou le meilleur des
gouvernements, me semble une folie niaise. Le meilleur,
pour moi, c'est celui qui agonise, parce qu'il va faire place
à un autre.
Ibid.

Plus j'acquiers d'expérience dans mon art, et plus cet art 11699
devient pour moi un supplice : l'imagination reste stationnaire et le goût grandit. Voilà le malheur. Peu d'hommes,
je crois, auront autant souffert que moi, par la littérature.
Ibid., à Mlle Leroyer de Chantepie, 4 novembre 1857.

Il y a tant de gens dont la joie est si immonde et l'idéal si 11700
borné, que nous devons bénir notre malheur, s'il nous fait
plus dignes.
Ibid.

Ah! quelle nécropole que le cœur humain! Pourquoi aller 11701
aux cimetières? Ouvrons nos souvenirs, que de tombeaux!
Ibid.

C'est comme le corps et l'âme, la forme et l'idée; pour moi 11702
c'est tout un et je ne sais pas ce qu'est l'un sans l'autre.
Plus une idée est belle, plus la phrase est sonore [...]. La
précision de la pensée fait (et est elle-même) celle du mot.
Ibid.

Notre âme est une bête féroce; toujours affamée, il faut la 11703
gorger jusqu'à la gueule pour qu'elle ne se jette pas sur nous.
Rien n'apaise plus qu'un long travail. L'érudition est chose
rafraîchissante. *Ibid., à la même, 1er mars 1858.*

La manière dont parlent de Dieu toutes les religions me 11704
révolte, tant elles le traitent avec certitude, légèreté et familiarité. Les prêtres surtout, qui ont toujours ce nom-là à la
bouche, m'agacent. C'est une espèce d'éternuement qui
leur est habituel : *la bonté de Dieu, la colère de Dieu, offenser
Dieu,* voilà leurs mots. C'est le considérer comme un homme
et, qui pis est, comme un bourgeois. *Ibid.*

Il faut que les endroits faibles d'un livre soient mieux écrits 11705
que les autres.
Ibid., à Ernest Feydeau, 1er mai 1858.

11706   Il faut écrire pour soi, avant tout. C'est la seule chance de faire beau.
>   *Ibid., à Mlle Leroyer de Chantepie, 11 juillet 1858.*

11707   Les livres ne se font pas comme les enfants, mais comme les pyramides, avec un dessin prémédité, et en apportant des grands blocs l'un par-dessus l'autre, à force de reins, de temps et de sueur, et ça ne sert à rien! et ça reste dans le désert! mais en le dominant prodigieusement. Les chacals pissent au bas et les bourgeois montent dessus, etc.; continue la comparaison.
>   *Ibid., à Ernest Feydeau, 1858.*

11708   [...] Les appétits matériels les plus furieux se formulent *insciemment* par des élans d'idéalisme, de même que les extravagances charnelles les plus immondes sont engendrées par le désir pur de l'impossible, l'aspiration éthérée de la souveraine joie.
>   *Ibid.*

11709   J'aime le grand Voltaire autant que je déteste le grand Rousseau [...] Son *Écrasons l'infâme* me fait l'effet d'un cri de croisade. Toute son intelligence était une machine de guerre. Et ce qui me le fait chérir, c'est le dégoût que m'inspirent les Voltairiens, des gens qui rient sur les grandes choses! Est-ce qu'il riait, lui? Il grinçait...
>   *Ibid., à Mme Royer des Genettes, 1859.*

11710   Les bourgeois ne se doutent guère que nous leur servons notre cœur. La race des gladiateurs n'est pas morte, tout artiste en est un. Il amuse le public avec ses agonies.
>   *Ibid., à Ernest Feydeau, 1859.*

11711   Le style est autant *sous* les mots que *dans* les mots. C'est autant l'âme que la chair d'une œuvre.
>   *Ibid., à Ernest Feydeau, 1860.*

11712   Je veux faire l'histoire morale des hommes de ma génération, sentimentale serait plus vrai. C'est un livre d'amour, de passion; mais de passion telle qu'elle peut exister maintenant, c'est-à-dire inactive [1].
>   *Ibid., à Mlle Leroyer de Chantepie, 6 octobre 1864.*

11713   Quand le peuple ne croira plus à l'Immaculée conception, il croira aux tables tournantes.
>   *Ibid., à Mlle Leroyer de Chantepie, 23 janvier 1866.*

11714   Le sens du grotesque m'a retenu sur la pente des désordres. Je maintiens que le cynisme confine à la chasteté.
>   *Ibid., à George Sand, 1866.*

11715   Un romancier, selon moi, *n'a pas le droit* de dire son avis sur les choses de ce monde. Il doit, dans sa vocation, imiter Dieu dans la sienne, c'est-à-dire faire et se taire.
>   *Ibid., à Mlle Bosquet, 1866.*

11716   La femme, pour nous tous, est l'ogive de l'infini. Cela n'est pas noble, mais tel est le vrai fond du mâle.
>   *Ibid., à George Sand, 1866.*

---

1. L'Éducation sentimentale.

Rugissons contre M. Thiers! Peut-on voir un plus triomphant   11717
imbécile, un croûtard plus abject, un plus étroniforme
bourgeois! Non, rien ne peut donner l'idée du vomissement
que m'inspire ce vieux melon diplomatique, arrondissant
sa bêtise sur le fumier de la bourgeoisie! [...] Il me semble
éternel comme la médiocrité!   *Ibid., à George Sand, 1867.*

Dans l'hallucination proprement dite, il y a toujours terreur;   11718
vous sentez que votre personnalité vous échappe; on croit
que l'on va mourir. Dans la vision poétique, au contraire,
il y a joie; c'est quelque chose qui entre en vous.
Ibid., à Taine, 1868.

Un nom propre est une chose extrêmement importante dans   11719
un roman, une chose *capitale*. On ne peut pas plus changer
un personnage de nom que de peau. C'est vouloir blanchir
un nègre.   *Ibid., à Louis Bonenfant, 1868.*

Le néo-catholicisme d'une part et le socialisme de l'autre   11720
ont abêti la France. Tout se meurt entre l'Immaculée-
Conception et les gamelles ouvrières.
Ibid., à George Sand, 1869.

Tous les drapeaux ont été tellement souillés de sang et de   11721
m... qu'il est temps de n'en plus avoir du tout. A bas les
mots! Plus de symboles ni de fétiches! La grande moralité
de ce règne-ci sera de prouver que le suffrage universel est
aussi bête que le droit divin, quoique un peu moins odieux!
Ibid., à George Sand, 1869.

Les hommes purement intellectuels ont rendu plus de ser-   11722
vices au genre humain que tous les saint Vincent de Paul du
monde! Et la politique sera une éternelle niaiserie tant qu'elle
ne sera pas une dépendance de la science. Le gouvernement
d'un pays doit être une section de l'Institut, et la dernière de
toutes.   *Ibid.*

La mort n'a peut-être pas plus de secrets à nous révéler que   11723
la vie?   *Ibid., à George Sand, 2 juillet 1870.*

Je suis convaincu que nous entrons dans un monde hideux   11724
où les gens comme nous n'aurons plus leur raison d'être.
On sera utilitaire et militaire, économe, petit, pauvre,
abject.   *Ibid., à Claudius Popelin, 1870.*

Paganisme, christianisme, muflisme. Telles sont les trois   11725
grandes évolutions de l'humanité. Il est désagréable de se
trouver dans la dernière.   *A Mme Régnier, 11 mars 1871.*

Tout le rêve de la démocratie est d'élever le prolétaire au   11726
niveau de bêtise du bourgeois. Le rêve est en partie accompli.
A George Sand, 1871.

Voici un principe d'esthétique [...], une règle, dis-je, pour   11727
les artistes. Soyez réglé dans votre vie et ordinaire comme
un bourgeois, afin d'être violent et original dans vos œuvres.
A Mme Tennant, Noël 1876.

11728 *Bouvard et Pécuchet* m'emplissent à un tel point que je suis devenu eux! Leur bêtise est mienne et j'en crève.
A Mme Roger des Genettes, 1877.

11729 J'ai relu dans cette nouvelle édition mes pièces favorites, avec le *gueuloir* qui leur sied, et ça m'a fait du bien.
Ibid., à Leconte de Lisle, 1877.

11730 Ce qui m'indigne ce sont ceux qui ont le bon Dieu dans leur poche et qui vous expliquent l'incompréhensible par l'absurde. Quel orgueil que celui d'un dogme quelconque!
A Mme Roger des Genettes, 1879.

11731 J'appelle bourgeois quiconque pense bassement.
Mot rapporté par Maupassant, dans Gustave Flaubert.

LOUIS BOUILHET
1822-1869

11732 Tu n'as jamais été, dans tes jours les plus rares,
Qu'un banal instrument sous mon archet vainqueur,
Et, comme un air qui sonne, au bois creux des guitares,
J'ai fait chanter mon rêve au vide de ton cœur.
Festons et Astragales, A une femme.

11733 Fut-elle blonde ou brune, insouciante ou sage?
Que vous fait le trépied, si mon âme y brûla?
Ibid.

11734 On est plus près du cœur quand la poitrine est plate.
A une jeune fille manquant de charmes.

ÉMILE ERCKMANN
1822-1899

ALEXANDRE CHATRIAN
1826-1890

11735 Il n'y a qu'une chose pour laquelle un peuple doit marcher [...], c'est quand on attaque notre liberté [...]; alors on meurt ensemble ou l'on gagne ensemble. [...] Voilà la seule guerre juste, où personne ne peut se plaindre; toutes les autres sont honteuses, et la gloire qu'elles rapportent n'est pas la gloire d'un homme, c'est la gloire d'une bête sauvage!
Histoire d'un conscrit de 1813, chap. 5.

11736 Le misérable souffle qui nous fait tant pleurer, tant souffrir, pourquoi donc craignons-nous de le perdre plus que tout au monde? Que nous est-il donc réservé plus tard, puisqu'à la moindre crainte de mort tout frémit en nous?
Ibid., chap. 14.

La force est tout. On fait d'abord les conscrits par force; car si on ne les forçait pas de partir, tous resteraient à la maison. Avec les conscrits on fait des soldats par force, en leur expliquant la discipline; avec des soldats on gagne des batailles par force, et alors les gens vous donnent tout par force : ils vous dressent des arcs de triomphe et vous appellent des héros, parce qu'ils ont peur. 11737
Ibid., chap. 16.

Les gueux sont des gueux sous tous les gouvernements. 11738
Waterloo, chap. 2.

Est-il possible que des hommes se tuent pour une cuisinière? 11739
C'est tout à fait contre nature. *L'Ami Fritz, chap. 13.*

EDMOND DE GONCOURT
1822-1896

JULES DE GONCOURT
1830-1870

Elle en était venue à considérer la vente et le débit de l'amour 11740
comme une profession un peu moins laborieuse, un peu moins pénible que les autres, une profession où il n'y avait pas de morte-saison. *La fille Élisa, I, chap. 7.*

[...] Des êtres, pour la plupart, n'ayant, pour ainsi dire, 11741
rien de la femme dont elles faisaient le métier, et dont la parole libre et hardie n'était même jamais érotique, — des êtres qui paraissaient avoir laissé dans leurs chambres leur sexe, comme l'outil de leur travail. *Ibid. chap. 10.*

L'Histoire humaine, voilà l'histoire moderne; l'histoire 11742
sociale, voilà la dernière expression de cette histoire.
La Duchesse de Châteauroux et ses sœurs, Préface.

[...] Les coups d'État se passeraient encore mieux s'il y 11743
avait des places, des loges, des stalles, pour les bien voir et n'en rien perdre.
Journal, Mémoires de la vie littéraire, décembre 1851.

Les deux plus belles conquêtes que l'homme ait faites sur 11744
lui-même, c'est le saut périlleux et la philosophie.
Ibid., mars 1855.

Dieu a fait le coït, l'homme a fait l'amour. 11745
Ibid., 19 juillet 1855.

L'excès en tout est la vertu de la femme. 11746
Ibid., 20-26 août 1857.

Penser qu'on ne sait pas le nom du premier cochon qui a 11747
trouvé une truffe! *Ibid., 15 décembre 1857.*

11748 Le beau est ce que ma maîtresse et ma servante trouvent
d'instinct affreux.   *Ibid., 17 février 1859.*

11749 Dans l'histoire du monde, c'est encore l'absurde qui a le
plus de martyrs.   *Ibid., 31 octobre 1860.*

11750 La statistique est la première des sciences inexactes.
                    Ibid., 14 janvier 1861.

11751 Le peuple n'aime ni le vrai ni le simple. Il aime le roman
et le charlatan.   *Ibid., 2 mars 1861.*

11752 La femme de quarante ans [...]. Un amant lui semble une
protestation contre son acte de naissance.   *Ibid., 2 juin 1861.*

11753 Il faut retourner la phrase de Bonald : l'homme est une
intelligence *trahie* par des organes.   *Ibid., 30 juillet 1861.*

11754 La pensée de la femme moud dans le vide, comme la pensée
du roulier marchant à côté de son cheval.
                    Ibid., 12 novembre 1861.

11755 Le sceptique doit être reconnaissant aux Napoléon des
progrès qu'ils ont fait faire à la bassesse humaine.
                    Ibid., 8 avril 1862.

11756 Ne pas s'occuper des autres, c'est toute la distinction;
s'en occuper, c'est toute la politesse.
                    Ibid., 3 janvier 1864.

11757 Hugo, à l'heure qu'il est, c'est saint Jean dans l'île du Pathos.
                    Ibid., 11 avril.

11758 Un livre n'est jamais un chef-d'œuvre : il le devient.
                    Ibid., 23 juillet.

11759 Pleurer, c'est diminuer son corps.
                    Ibid., 30 octobre.

11760 Peut-être dit-on moins de sottises qu'on n'en imprime.
                    Ibid., 8 février 1866.

11761 L'homme peut tout, mais il ne peut qu'une chose.
                    Ibid., 21 mai 1866.

11762 Il n'y a que les domestiques qui savent reconnaître les gens
distingués.   *Ibid., 15 août 1867.*

11763 Un bourgeois est l'océan du rien.   *Ibid., 5 septembre.*

11764 La religion n'agit absolument que sur les enfances de l'homme
à tous les âges de la vie.   *Ibid., 17 avril 1868*

11765 Nous avons été les premiers les écrivains des nerfs.
                    Ibid., 15 décembre

11766 La messe de l'amour, — on dirait que la musique est cela
pour la femme.   *Idées et Sensations.*

Trop suffit quelquefois à la femme.   *Ibid.* 11767

Qu'est-ce que la vie? L'usufruit d'une agrégation de molé- 11768
cules.   *Ibid.*

Ce qui entend le plus de bêtises dans le monde est peut-être 11769
un tableau de musée.   *Ibid.*

La mort des animaux est humaine.   *Ibid.* 11770

L'histoire est un roman qui a été; le roman est de l'histoire 11771
qui aurait pu être.   *Ibid.*

Le mariage est la croix d'honneur des filles.   *Ibid.* 11772

La religion est une partie du sexe de la femme.   *Ibid.* 11773

LOUIS MÉNARD
1822-1901

Mais je ne trouve, au lieu de la béatitude,   11774
Au lieu du ciel rêvé dans l'âpre solitude,
Que la morne impuissance et l'incurable ennui.
Rêveries d'un païen mystique, Thébaïde.

HENRI MURGER
1822-1861

Il existe [...] de ces Pygmalions singuliers qui, au contraire 11775
de l'autre, voudraient pouvoir changer en marbre leurs
Galatées vivantes.
Scènes de la vie de bohème, chap. 18.

Dans tes mains ma jeunesse est restée en lambeaux,   11776
Mon cœur s'est en éclats brisé comme du verre,
    Et ma chambre est le cimetière
    Où sont enterrés les morceaux
    De ce qui t'aima tant naguère.
Ibid., chap. 22.

        Notre jeunesse est enterrée   11777
        Au fond du vieux calendrier.
        Ce n'est plus qu'en fouillant la cendre
        Des beaux jours qu'il a contenus,
        Qu'un souvenir pourra nous rendre
        La clef des paradis perdus.
Ibid., chap. 23.

LOUIS PASTEUR
1822-1895

11778 La science n'a pas de patrie.
Discours du 14 novembre 1888 pour l'inauguration de l'Institut
Pasteur.

11779 Ma philosophie est toute du cœur et point de l'esprit. ·
Correspondance réunie et annotée par Pasteur Vallery-
Radot, Lettre à Sainte-Beuve (Flammarion).

11780 Je les admire tous nos grands philosophes! Nous avons,
nous autres, l'expérience qui redresse et modifie sans cesse
nos idées et nous voyons constamment, pour ainsi dire, que
la nature, dans la moindre de ses manifestations, est
autrement faite que nous l'avions pressenti. Et eux qui devinent toujours, placés qu'ils sont derrière ce voile épais du
commencement et de la fin de toutes choses, comment donc
font-ils pour savoir? *Ibid*

11781 Lorsque, dans un être vivant, les mouvements intestins
que réglaient les lois de la vie viennent à s'arrêter, l'œuvre
de mort ne fait que commencer. Il faut, pour qu'elle s'achève,
que la matière organique du cadavre quel qu'il soit, animal
ou végétal, fasse retour à la simplicité des combinaisons
minérales.
Ibid., Lettre adressée au ministre de l'Instruction publique,
avril 1862.

11782 Après la mort, la vie reparaît sous une autre forme, et avec
des propriétés nouvelles. *Ibid*

11783 Qu'il me suffise d'avoir essayé de faire comprendre le but
vers lequel tendent toutes mes recherches actuelles. C'est
la poursuite, à l'aide d'une expérience rigoureuse, du rôle
physiologique, immense selon moi, des infiniments petits
dans l'économie générale de la nature   *Ibid.*

HERVEY DE SAINT-DENYS
1822-1892

11784 L'image du rêve est donc exactement à l'idée qui l'appelle
ce que l'image de la lanterne magique est au verre éclairé
qui la produit.
Les Rêves et les moyens de les diriger, Première partie, chap. 4.

11785 Le sommeil, loi fondamentale qui régit tous les animaux,
est un état essentiellement actif.
Ibid., Deuxième partie, chap. 3.

11786 Les sentiments du sommeil ressemblent parfois si peu à
ceux de la veille, et le sentiment du bien notamment peut se

trouver en rêve perverti de telle sorte qu'on s'imagine accomplir, comme une action la plus simple, des faits qui seraient monstrueux ou insensés en réalité. *Ibid., chap. 5.*

Les arcanes de notre mémoire sont comme d'immenses 11787 souterrains où la lumière de l'esprit ne pénètre jamais mieux que lorsqu'elle a cessé de briller au-dehors.
Ibid., Troisième partie, chap. 4.

THÉODORE DE BANVILLE
1823-1891

Vous en qui je salue une nouvelle aurore, 11788
    Vous tous qui m'aimerez,
Jeunes hommes des temps qui ne sont pas encore,
    O bataillons sacrés!
Les Cariatides, le Sang de la coupe.

Nous n'irons plus aux bois, les lauriers sont coupés. 11789
Ibid., Nous n'irons plus au bois.

Et que, brillant et ferme, 11790
Le beau rythme d'airain
    Enferme
L'idée au front serein.
Odelettes, Odelette à Th. Gautier.

Maître, qui nous enseignes 11791
L'amour du vert laurier,
    Tu daignes
Être un bon ouvrier.
Ibid.

« Cherchez les effets et les causes », 11792
Nous disent les rêveurs moroses.
Des mots! des mots! cueillons les roses!
Ibid., à Adolphe Gaiffe.

Enfin, de son vil échafaud, 11793
Le clown sauta si haut, si haut,
Qu'il creva le plafond de toiles
Au son du cor et du tambour,
Et, le cœur dévoré d'amour,
Alla rouler dans les étoiles.
Odes funambulesques, le Saut du tremplin.

Et ceux qui ne font rien ne se trompent jamais. 11794
Ibid., Occidentales.

Je ne vois pas de différence entre une boutique et une prison. 11795
Gringoire, scène 2.

Les gens n'aiment pas plus à tenir leur bonheur des mains 11796
d'un autre que les anguilles à être écorchées vives!
Ibid., scène 3.

11797 Les rimeurs sont une sorte de fous qu'on n'enferme pas, je ne sais pourquoi, bien que le plus sain d'entre eux soupe du clair de lune, et se conduise avec moins de jugement qu'une bête apprivoisée. *Ibid., scène 4.*

11798 Rien ne nous attire mieux que le sourire décevant des Chimères. *Ibid.*

11799 Tant que notre salut dépend de quelqu'un, et que nous n'avons pas la langue coupée, rien n'est perdu. *Ibid., scène 5.*

11800 LICENCES POÉTIQUES : Il n'y en a pas.
DE L'INVERSION : Il n'en faut jamais.
Petit Traité de poésie française, chap. 4.

11801 Sans la justesse de l'expression, pas de poésie.
Ibid., chap. 11.

THÉODORE BARRIÈRE
1823-1877
et
ERNEST CAPENDU
1826-1868

11802 Les affaires sont les affaires.
Les Faux Bonshommes, acte III, scène 20.

GUSTAVE PAUL CLUSERET
1823-1900

11803 Le premier élément d'une dictature est une force militaire permanente comme le premier élément d'un civet est un lièvre. *Mémoires.*

HENRI FABRE
1823-1915

11804 Ils craignent qu'une page qui se lit sans fatigue ne soit pas toujours l'expression de la vérité.
Souvenirs entomologiques, Deuxième série, I. L'Harmas
(Delagrave).

11805 La similitude d'organisation n'entraîne pas la parité des instincts. Un fond commun se maintient sans doute, consé-quence d'un outillage identique; mais sur le thème essentiel

bien des variations sont possibles, dictées par d'intimes
aptitudes que l'organe ne peut en rien faire prévoir.
Ibid., Cinquième série, VI. Le Scarabée au large cou.

L'instinct, qui, dans les conditions normales, nous émerveille   11806
par son impeccable lucidité, ne nous étonne pas moins
par sa stupide ignorance quand surviennent des conditions
non habituelles.   *Ibid.*

L'aveugle-né ne saurait avoir l'idée des couleurs. Nous   11807
sommes des aveugles-nés en face de l'insondable inconnu
qui nous enveloppe; mille et mille questions surgissent sans
réponse possible.
Ibid., VII. Le Copris espagnol — La ponte.

Hommes et bousiers, nous sommes tous à l'effigie d'un   11808
prototype immuable : les conditions changeantes de la vie
nous modifient un peu à la surface; dans la charpente,
jamais.   *Ibid., IX. Les Onthophages.*

Le travail des ovaires pervertit le troupeau, lui inspire la   11809
frénésie de s'entre-dévorer.
Ibid., XIX, La Mante — Les amours.

Manger l'amoureux après le mariage consommé, faire repas   11810
du nain épuisé, désormais bon à rien, cela se comprend,
dans une certaine mesure, chez l'insecte peu scrupuleux
en matière de sentiment; mais le croquer pendant l'acte,
cela dépasse tout ce qu'oserait rêver une atroce imagination.
Ibid.

S'il est un légume du bon Dieu sur la terre, c'est bien le   11811
haricot.
Ibid., Huitième série, IV, La Bruche des haricots.

Que ne ferait-on pas dans l'espoir d'une idée!   11812
Ibid., VI, Le Réduve à masque.

Le beau a sa raison d'être tout autant que l'utile.   11813
Ibid., XIII, Les Mangeurs de pucerons.

Sur la planète des premiers âges admettons une plante pour   11814
défricher le roc, un puceron pour exploiter la plante. Cela
suffit : l'alchimie vitale est fondée, les créatures de haut
rang sont possibles. L'insecte et l'oiseau peuvent venir :
ils trouveront banquet servi.   *Ibid.*

Les ruines elles-mêmes doivent périr.   *Ibid., XX, La Guêpe.*   11815

ERNEST RENAN
1823-1892

Par cela seul qu'on admet le surnaturel, on est en dehors   11816
de la science, on admet une explication qui n'a rien de scientifique, une explication dont se passent l'astronome, le phy-

sicien, le chimiste, le géologue, le physiologiste, dont l'historien doit aussi se passer.
Vie de Jésus, préface de la treizième édition (Calmann-Lévy).

11817　Mais il est une chose qu'un théologien ne saurait jamais être, je veux dire historien. L'histoire est essentiellement désintéressée. L'historien n'a qu'un souci, l'art et la vérité (deux choses inséparables, l'art gardant le secret des lois les plus intimes du vrai). Le théologien a un intérêt, c'est son dogme.　　*Ibid.*

11818　Expliquer l'histoire par des incidents est aussi faux que de l'expliquer par des principes purement philosophiques. Les deux explications doivent se soutenir et se compléter l'une et l'autre.　　*Ibid.*

11819　Un hasard n'est rien pour une âme froide ou distraite; il est un signe divin pour une âme obsédée.　　*Ibid.*

11820　Il y a eu des vols d'oiseaux, des courants d'air, des migraines qui ont décidé du sort du monde.　　*Ibid.*

11821　La talent de l'historien consiste à faire un ensemble vrai avec des traits qui ne sont vrais qu'à demi.　　*Ibid.*

11822　Tel voudrait faire de Jésus un sage, tel un philosophe, tel un patriote, tel un homme de bien, tel un moraliste, tel un saint. Il ne fut rien de tout cela. Ce fut un charmeur.
　　Ibid.

11823　[...] J'ai compris, depuis, que l'histoire n'est pas un simple jeu d'abstractions, que les hommes y sont plus que les doctrines. Ce n'est pas une certaine théorie sur la justification et la rédemption qui a fait la Réforme : c'est Luther, c'est Calvin.　　*Ibid., Introduction.*

11824　Pour faire l'histoire d'une religion, il est nécessaire, premièrement, d'y avoir cru (sans cela, on ne saurait comprendre par quoi elle a charmé et satisfait la conscience humaine); en second lieu, de n'y plus croire d'une manière absolue; car la loi absolue est incompatible avec l'histoire sincère.
　　Ibid.

11825　De nos jours (et cela rend la tâche des réformateurs difficile), ce sont les peuples qui doivent comprendre.
La Réforme intellectuelle et morale de la France, Première partie (Calmann-Lévy).

11826　Les besognes humbles, comme celle du magister, seront toujours chez nous pauvrement exécutées. La France excelle dans l'exquis; elle est médiocre dans le commun.　*Ibid., I.*

11827　Le jour où la France coupa la tête à son roi, elle commit un suicide.　　*Ibid.*

11828　La France du Moyen Age est une construction germanique, élevée par une aristocratie militaire germanique avec des matériaux gallo-romains. Le travail séculaire de la France a consisté à expulser de son sein tous les éléments déposés par l'invasion germanique, jusqu'à la Révolution, qui a été la dernière convulsion de cet effort. *Ibid., II.*

Il est incontestable que, s'il fallait s'en tenir à un moyen 11829 de sélection unique, la naissance vaudrait mieux que l'élection. Le hasard de la naissance est moindre que le hasard du scrutin. *Ibid.*

La colonisation en grand est une nécessité politique tout à 11830 fait de premier ordre. Une nation qui ne colonise pas est irrévocablement vouée au socialisme, à la guerre du riche et du pauvre. La conquête d'un pays de race inférieure par une race supérieure, qui s'y établit pour le gouverner, n'a rien de choquant. *Ibid.*

La nature a fait une race d'ouvriers; c'est la race chinoise, 11831 d'une dextérité de main merveilleuse sans presque aucun sentiment d'honneur; gouvernez-la avec justice, en prélevant d'elle pour le bienfait d'un tel gouvernement un ample douaire au profit de la race conquérante, elle sera satisfaite; — une race de travailleurs de la terre, c'est le nègre; soyez pour lui bon et humain, et tout sera dans l'ordre; — une race de maîtres et de soldats, c'est la race européenne. *Ibid.*

Le manque de foi à la science est le défaut profond de la 11832 France; notre infériorité militaire et politique n'a pas d'autre cause; nous doutons trop de ce que peuvent la réflexion, la combinaison savante. *Ibid., IV.*

Le but de l'humanité n'est pas de jouir; acquérir et créer 11833 est œuvre de force et de jeunesse : jouir est de la décrépitude. *Ibid., VI.*

Souvenons-nous que la tristesse seule est féconde en grandes 11834 choses. *Ibid.*

Le but du monde est que la raison règne. 11835
Dialogue et fragments philosophiques, Préface
(Calmann-Lévy).

Le prétendu dieu des armées est toujours pour la nation qui 11836 a la meilleure artillerie, les meilleurs généraux.
Ibid., Premier dialogue, Certitudes.

Le monde aspire à être de plus en plus; or l'être dans sa 11837 plénitude, c'est l'être conscient. Tout l'effort du monde tend à se connaître, à s'aimer, à se voir, à s'admirer. Le but du monde est de produire la raison.
Ibid., Deuxième dialogue, Probabilités.

Qu'on se figure le spectacle qu'eût offert la Terre, si elle 11838 eût été uniquement peuplée de nègres, bornant tout à la jouissance individuelle au sein d'une médiocrité générale, et substituant la jalousie et le désir du bien-être aux nobles poursuites de l'idéal? *Ibid.*

Consolons-nous, pauvres victimes; un Dieu se fait avec nos 11839 pleurs. *Ibid., Troisième dialogue, Rêves.*

11840   Ce qu'on dit de soi est toujours poésie.
        Souvenirs d'enfance et de jeunesse, Préface (Calmann-Lévy).

11841   La femme nous remet en communication avec l'éternelle
        source où Dieu se mire.   *Ibid.*

11842   La vulgarité américaine ne brûlerait point Giordano Bruno,
        ne persécuterait point Galilée. Nous n'avons pas le droit
        d'être fort difficiles.   *Ibid.*

11843   Au fond je sens que ma vie est toujours gouvernée par une
        foi que je n'ai plus. La foi a cela de particulier que, disparue,
        elle agit encore.   *Ibid., I, Le broyeur de lin, I.*

11844   L'impression que me fit Athènes est de beaucoup la plus
        forte que j'aie jamais ressentie. Il y a un lieu où la perfection
        existe; il n'y en a pas deux : c'est celui-là.
                            Ibid., II, I. Prière sur l'Acropole.

11845   Un excellent architecte avec qui j'avais voyagé avait coutume
        de me dire que, pour lui, la vérité des dieux était en propor-
        tion de la beauté solide des temples qu'on leur a élevés.
                                                             Ibid.

11846   Je suis né, déesse aux yeux bleus, de parents barbares, chez
        les Cimmériens bons et vertueux qui habitent au bord d'une
        mer sombre, hérissée de rochers, toujours battue par les
        orages. On y connaît à peine le soleil; les fleurs sont les
        mousses marines, les algues et les coquillages colorés qu'on
        trouve au fond des baies solitaires. Les nuages y paraissent
        sans couleur, et la joie même y est un peu triste.
        *Ibid., Prière que je fis sur l'Acropole quand je fus arrivé à
                             comprendre la parfaite beauté.*

11847   Ma formule ethnique serait de la sorte : « Un Celte, mêlé
        de Gascon, mâtiné de Lapon. » Une telle formule devrait, je
        crois, représenter, d'après les théories des anthropologistes, le
        comble du crétinisme et de l'imbécillité; mais ce que l'anthro-
        pologie traite de stupidité chez les vieilles races incomplètes
        n'est souvent qu'une force extraordinaire d'enthousiasme
        et d'intuition.   *Ibid., II, Saint Renan.*

11848   La foi qu'on a eue ne doit jamais être une chaîne. On est
        quitte envers elle quand on l'a soigneusement roulée dans le
        linceul de pourpre où dorment les dieux morts.   *Ibid.*

11849   C'est M. Homais qui a raison. Sans M. Homais nous serions
        tous brûlés vifs.   *Ibid.*

11850   [...] Depuis que je vois l'espèce de rage avec laquelle des
        écrivains étrangers cherchent à prouver que la Révolution
        française n'a été que honte, folie, et qu'elle constitue un
        fait sans importance dans l'histoire du monde, je commence
        à croire que c'est peut-être ce que nous avons fait de mieux,
        puisqu'on en est si jaloux.   *Ibid., IV.*

11851   Un éternel *fieri*, une métamorphose sans fin, me semblait
        la loi du monde.   *Ibid., IV, Le séminaire d'Issy, II.*

L'inexorable phrase de M. Littré : « Quelque recherche 11852
qu'on ait faite, jamais un miracle ne s'est produit là où
il pouvait être observé et constaté », cette phrase, dis-je,
est un bloc qu'on ne remuera point.
Ibid., V, Le séminaire de Saint-Sulpice, II.

Un littérateur qui se respecte doit n'écrire que dans un seul 11853
journal, dans une seule revue, et n'avoir qu'un seul éditeur.
Ibid., VI, Premiers pas hors de Saint-Sulpice, IV.

Je vois très bien que le talent n'a de valeur que parce que 11854
le monde est enfantin. Si le public avait la tête assez forte,
il se contenterait de la vérité.   *Ibid.*

Une école où les écoliers feraient la loi serait une triste école. 11855
*L'Avenir de la Science — Pensées de 1848, Préface
(Calmann-Lévy).*

Il se peut que tout le développement humain n'ait pas 11856
plus de conséquence que la mousse ou le lichen dont s'entoure
toute surface humectée.   *Ibid.*

Ce qui paraît maintenant bien probable, c'est que le socia- 11857
lisme ne finira pas. Mais sûrement le socialisme qui triomphera sera bien différent des utopies de 1848.   *Ibid.*

Pour la politique, dit Herder, l'homme est un moyen; 11858
pour la morale, il est une fin. La révolution de l'avenir
sera le triomphe de la morale sur la politique.   *Ibid, II.*

Le moyen de ne pas varier, c'est de ne pas penser.   11859
Ibid., III.

La mort d'un Français est un événement dans le monde 11860
moral; celle d'un Cosaque n'est guère qu'un fait physiologique : une machine fonctionnait qui ne fonctionne plus.
Ibid., XVIII, note.

Il faut une religion autour du lit de mort; laquelle? n'im- 11861
porte; mais il en faut une. Il me semble bien en ce moment
que je mourrai content dans la communion de l'humanité
et dans la religion de l'avenir.   *Ibid., XXIII.*

GEORGES DUCHÊNE
1824-1876

La vérité, la loi, le droit, la justice dépendraient de quarante 11862
croupions qui se lèvent contre vingt-deux qui restent assis!
La Commune, 18 mai 1871.

DUMAS FILS
1824-1895

11863 N'estime l'argent ni plus ni moins qu'il ne vaut : c'est un
bon serviteur et un mauvais maître.
La Dame aux camélias, Préface.

11864 Mon avis est qu'on ne peut créer des personnages que
lorsqu'on a beaucoup étudié les hommes, comme on ne
peut parler une langue qu'à la condition de l'avoir sérieusement apprise.   *La Dame aux camélias, chap. 1.*

11865 Les larmes deviennent une chose si rare qu'on ne peut les
donner à la première venue. C'est tout au plus si les parents
qui paient pour être pleurés le sont en raison du prix qu'ils
y mettent.   *Ibid., chap. 2.*

11866 Combien avaient raison les anciens qui n'avaient qu'un
même dieu pour les marchands et les voleurs!
Ibid., chap. 3.

11867 L'humanité est depuis quinze ans dans un de ses plus audacieux élans. La science du bien et du mal est à jamais acquise;
la foi se reconstruit, le respect des choses saintes nous est
rendu, et si le monde ne se fait pas tout à fait bon, il se fait du
moins meilleur.   *Ibid., chap. 3.*

11868 Moi qui aurais voulu souffrir pour cette femme, je
craignais qu'elle ne m'acceptât trop vite et ne me donnât
trop promptement un amour que j'eusse voulu payer d'une
longue attente ou d'un grand sacrifice. Nous sommes
ainsi, nous autres hommes, et il est bien heureux que
l'imagination laisse cette poésie aux sens, et que les désirs
du corps fassent cette concession aux rêves de l'âme.
Ibid., chap. 7.

11869 Que de routes prend et que de raisons se donne le cœur
pour en arriver à ce qu'il veut!   *Ibid., chap. 8.*

11870 Il y a des incidents d'une minute qui font plus qu'une cour
d'une année.   *Ibid., chap. 11.*

11871 L'amour physique, cette énergique conclusion des plus
chastes impressions de l'âme.   *Ibid., chap. 12.*

11872 La famille, [...] l'ambition, ces secondes et dernières amours
de l'homme.   *Ibid., chap. 13.*

11873 La vie est charmante, [...] c'est selon le verre par lequel on
la regarde.   *Ibid.*

11874 Les femmes entretenues prévoient toujours qu'on les aimera,
jamais qu'elles aimeront, sans quoi elles mettraient de
l'argent de côté, et à trente ans elles pourraient se payer le
luxe d'avoir un amant pour rien.   *Ibid., chap. 18.*

L'amour vrai rend toujours meilleur, quelle que soit la   11875
femme qui l'inspire.   *Ibid., chap. 20.*

Je ne suis pas l'apôtre du vice, mais je me ferai l'écho du   11876
malheur noble partout où je l'entendrai prier.
                                    Ibid., chap. 27.

Les femmes qui vous entourent ont toutes une faute dans leur   11877
passé, une tache sur leur nom [...]. Avec la même origine,
le même extérieur et les mêmes préjugés que les femmes
de la société, elles se trouvent ne plus en être, et composent
ce que nous appelons le demi-monde, qui vogue comme une
île flottante sur l'océan parisien.
                        Le Demi-Monde, acte II, scène 9.

En amour, écrire est dangereux, sans compter que c'est   11878
inutile.   *Ibid., acte III, scène 2.*

L'argent est l'argent, quelles que soient les mains où il se   11879
trouve. C'est la seule puissance que l'on ne discute jamais.
                    La Question d'argent, acte I, scène 4.

Les affaires? C'est bien simple, c'est l'argent des autres.   11880
                        Ibid., acte II, scène 7.

Inaugurons [...] le théâtre « utile », au risque d'entendre crier   11881
les apôtres de « l'art pour l'art », trois mots absolument
vides de sens.   *Le Fils naturel, Préface.*

ÉMILE OLLIVIER
1825-1913

Il y a une impartialité qui résulte de l'absence de passions,   11882
c'est la mauvaise. Il y en a une autre qui naît de la hauteur
et de l'étendue de la passion, c'est la bonne...
                    Journal, 20 février 1858 (Julliard).

On n'est pas obligé d'être révolutionnaire, mais on est   11883
injustifiable de vouloir, ne l'étant pas, accomplir œuvre de
révolution.   *Ibid., 10 octobre 1858.*

La gloire de la France n'a pas besoin d'être accrue, c'est   11884
sa liberté qui demande à l'être.   *Ibid., 12 janvier 1859.*

Nous l' [1] acceptons le cœur léger...   11885
            Séance du Corps législatif du 15 juillet 1870.

1. La guerre

GUSTAVE ADOLPHE LEFRANÇAIS
1826-1901

11886 Le prolétariat n'arrivera à s'émanciper réellement qu'à la
condition de se débarrasser de la République, dernière forme,
et non la moins malfaisante, des gouvernements autori-
taires.   *La Revue blanche.*

MARCELIN BERTHELOT
1827-1907

11887 Aux débuts de l'humanité, tout phénomène était regardé
comme le produit d'une volonté particulière. L'expérience
perpétuelle nous a au contraire appris qu'il n'en était jamais
ainsi. Toutes les fois que les conditions d'un phénomène
se trouvent réalisées, il ne manque jamais de se produire.
                             Lettre à Renan, 1863 (Calmann-Lévy).

11888 Sciences physiques, sciences morales, c'est-à-dire sciences
des réalités démontrables par l'observation ou par le témoignage, telles sont les sources uniques de la connaissance
humaine. C'est avec leurs notions générales que nous devons
ériger la pyramide progressive de la science idéale.   *Ibid.*

11889 Un jour viendra, où chacun emportera pour se nourrir sa
petite tablette azotée, sa petite motte de matière grasse,
son petit morceau de fécule ou de sucre, son petit flacon
d'épices aromatiques, accommodés à son goût personnel.
                                        Discours, avril 1894.

11890 La science domine tout : elle seule rend des services définitifs. Nul homme, nulle institution désormais n'aura une
autorité durable, s'il ne se conforme à ses enseignements.
                             Science et Morale (Calmann-Lévy).

11891 La vie humaine n'a pas pour fin la recherche du bonheur.
                                                        Ibid.

11892 La morale humaine, pas plus que la science, ne reconnaît
une origine divine : elle ne procède pas des religions. L'établissement de ses règles a été tiré du domaine interne de la
conscience et du domaine externe de l'observation. Ce sont
au contraire les religions, ou, pour préciser davantage,
quelques-unes d'entre elles et les plus pures, qui ont cherché
à prendre leur point d'appui sur le fondement solide d'une
morale qu'elles n'avaient pas créée.   *Ibid.*

11893 Sans doute, les flots de la démocratie [...], sont mobiles comme
la mer; mais n'importe! Ayons la foi. Ces flots nous porteront; ils porteront le vaisseau de la raison, construit avec

tant de souffrances et souvent d'amertumes, par nous et par nos prédécesseurs, et dont la solidité a été éprouvée par tant de tempêtes. *Discours, 1903.*

FRANCISQUE SARCEY
1827-1899

Le succès est la règle de ma critique. Ce n'est pas du tout 11894 qu'il prouve pour moi le mérite absolu de la pièce; mais il montre évidemment qu'entre l'œuvre représentée et le goût actuel du public, il y a certains rapports secrets qu'il est curieux de découvrir : je les cherche.
Quarante ans de théâtre, tome I, Les droits et les devoirs du critique.

Notre métier, à nous autres critiques est, je crois, d'expli- 11895 quer au public pourquoi certaines choses lui plaisent; quel rapport ces choses ont avec ses mœurs, ses idées et ses sentiments. C'est nous qui dressons les poteaux indicateurs sur lesquels on écrit : Passez par là, la route est ouverte; ce n'est pas nous qui sommes chargés de la frayer, et, si nous voulons le faire, nous nous trompons presque toujours.
Ibid., Évolution de l'art dramatique.

HIPPOLYTE TAINE
1828-1893

On peut considérer l'homme comme un animal d'espèce 11896 supérieure qui produit des philosophies et des poèmes à peu près comme les vers à soie font leurs cocons et comme les abeilles font leurs ruches.
La Fontaine et ses fables, Préface.

Plus un poète est parfait, plus il est national. Plus il pénètre 11897 dans son art, plus il a pénétré dans le génie de son siècle et de sa race. Il a fallu la finesse, la sobriété, la gaieté, la malice gauloise, l'élégance, l'art et l'éducation du XVIIe siè- cle pour produire un La Fontaine. *Ibid.*

La fable, le plus humble des genres poétiques, ressemble aux 11898 petites plantes perdues dans une grande forêt; les yeux fixés sur les arbres immenses qui croissent autour d'elle, on l'oublie, ou, si l'on baisse les yeux, elle ne semble qu'un point. Mais, si on l'ouvre pour examiner l'arrangement intérieur de ses organes, on y trouve un ordre aussi compli- qué que dans les vastes chênes qui la couvrent de leur ombre [...]; et l'on peut découvrir en elles les lois générales, selon lesquelles toute plante végète et se soutient. *Ibid.*

11899 Qu'est-ce que notre pensée, si haute en dignité, si petite en
       puissance? La substance minérale et ses forces sont les vrais
       possesseurs et les seuls maîtres du monde.
                                          Voyage aux Pyrénées.

11900 Un os épais d'un demi-pouce est la misérable cuirasse qui
       défend ma pensée du délire et de la mort.   *Ibid.*

11901 Par tous ses développements, l'animal humain continue
       l'animal brut.
               Essais de critique et d'histoire, Préface de la 2e édition.

11902 Il suit de là qu'une carrière semblable à celle des sciences
       naturelles est ouverte aux sciences morales; que l'histoire,
       la dernière venue, peut découvrir des lois comme ses aînées.
                                                          Ibid.

11903 L'utile et le beau ne sont pas le vrai; renverser les bornes
       qui les séparent, c'est détruire les fondements qui les sou-
       tiennent.
               Ibid., Philosophie religieuse : M. Jean Reynaud.

11904 Chaque nation apparaît comme une grande expérience
       instituée par la nature. Chaque pays est un creuset où des
       substances distinctes en des proportions différentes sont
       jetées dans des conditions particulières. Ces substances
       sont les tempéraments et les caractères. Ces conditions sont
       les climats et la situation originelle des classes.
               Ibid., M. Troplong et M. de Montalembert.

11905 Le vice et la vertu sont des produits comme le vitriol et le
       sucre.   *Histoire de la littérature anglaise, Introduction.*

11906 Lorsque nous avons considéré la race, le milieu, le moment,
       c'est-à-dire le ressort du dedans, la pression du dehors et
       l'impulsion déjà acquise, nous avons épuisé, non seulement
       toutes les causes réelles, mais encore toutes les causes possi-
       bles du mouvement.   *Ibid,*

11907 A proprement parler, l'homme est fou, comme le corps est
       malade, par nature; la raison comme la santé n'est en nous
       qu'une réussite momentanée et un bel accident.   *Ibid.*

11908 Homme du monde et poète, il [Swift] a inventé la plaisan-
       terie atroce, le rire funèbre, la gaieté convulsive des contrastes
       amers, et, tout en traînant comme une guenille obligée le
       harnais mythologique, il s'est fait une poésie personnelle
       par la peinture des détails crus de la vie triviale, par l'énergie
       du grotesque douloureux, par la révélation implacable des
       ordures que nous cachons.   *Ibid.*

11909 Un vrai peintre regarde avec plaisir un bras bien attaché
       et des muscles vigoureux, quand même ils seraient employés
       à assommer un homme. Un vrai romancier jouit par contem-
       plation de la grandeur d'un sentiment nuisible ou du méca-
       nisme ordonné d'un caractère pernicieux.   *Ibid.*

11910 J'aime mieux en rase campagne rencontrer un mouton qu'un
       lion; mais, derrière une grille, j'aime mieux voir un lion qu'un

mouton. L'art est justement cette sorte de grille; en ôtant la terreur, il conserve l'intérêt.

Nouveaux Essais de critique et d'histoire, Balzac et Shakespeare.

Nos tragiques ne sont que de grands orateurs. Ils sont bien 11911 plus rhétoriciens qu'observateurs; ils savent mieux mettre en relief des vérités connues que trouver des vérités nouvelles. Beyle n'a point ce défaut, et le genre qu'il choisit aide à l'en préserver. Car un roman est bien plus propre qu'un drame à montrer la vérité et la rapidité des sentiments, leurs causes et leurs altérations imprévues. *Ibid., Stendhal.*

L'un et l'autre [le roman et la critique] sont maintenant 11912 une grande *enquête sur l'homme*, sur toutes les variétés, toutes les situations, toutes les floraisons, toutes les dégénérescences de la nature humaine. Par leur sérieux, par leur méthode, par leur exactitude rigoureuse, par leur avenir et leurs espérances, tous deux se rapprochent de la science.

Ibid., seconde édition, Camille Selden.

Certainement il est imprudent de noter ici ses premières 11913 impressions, telles qu'on les a; mais, puisqu'on les a, pourquoi ne pas les noter? Un voyageur doit se traiter comme un thermomètre, et, à tort ou à raison, c'est ce que je ferai demain comme aujourd'hui. *Voyage en Italie.*

On aurait passé un an comme un fumeur d'opium, et ce 11914 serait tant mieux : le seul moyen efficace de supporter la vie, c'est d'oublier la vie. *Ibid.*

L'honnête homme à Paris ment dix fois par jour, l'honnête 11915 femme vingt fois par jour, l'homme du monde cent fois par jour. On n'a jamais pu compter combien de fois par jour ment une femme du monde.

Vie et opinions de Frédéric-Thomas Graindorge.

On s'étudie trois semaines, on s'aime trois mois, on se dis- 11916 pute trois ans, on se tolère trente ans, — et les enfants recommencent. *Ibid.*

La folie n'est pas un empire distinct et séparé; notre vie 11917 ordinaire y confine, et nous y entrons tous par quelque portion de nous-mêmes. Il ne s'agit pas de la fuir, mais seulement de n'y tomber qu'à demi. *Ibid.*

L'art a cela de particulier, qu'il est à la fois *supérieur et* 11918 *populaire :* il manifeste ce qu'il y a de plus élevé, et il le manifeste à tous. *La Philosophie de l'art.*

De tout petits faits bien choisis, importants, significatifs, 11919 simplement circonstanciés et minutieusement notés, voilà aujourd'hui la matière de toute science.

L'Intelligence, Préface.

La linguistique et l'histoire sont des applications de la 11920 psychologie, à peu près comme la météorologie est une application de la physique. *Ibid.*

11921 Notre perception extérieure est un rêve du dedans qui se trouve en harmonie avec les choses du dehors; et, au lieu de dire que l'hallucination est une perception extérieure fausse, il faut dire que la perception extérieure est une *hallucination vraie.* *Ibid.*

JULES VERNE
1828-1905

11922 Les Yankees, ces premiers mécaniciens du monde, sont ingénieurs, comme les Italiens sont musiciens et les Allemands métaphysiciens, — de naissance.
De la Terre à la Lune, chap. 1 (Hachette).

11923 [...] L'unique préoccupation de cette société savante fut la destruction de l'humanité dans un but philanthropique, et le perfectionnement des armes de guerre, considérées comme instruments de civilisation. *Ibid.*

11924 Bien qu'il ne s'agît encore que d'envoyer un boulet à l'astre des nuits, tous voyaient là le point de départ d'une série d'expériences; tous espéraient qu'un jour l'Amérique pénétrerait les derniers secrets de ce disque mystérieux, et quelques-uns même semblèrent craindre que sa conquête ne dérangeât sensiblement l'équilibre européen.
Ibid., chap. 3.

11925 En remontant de l'atome à la molécule, de la molécule à l'amas nébuleux, de l'amas nébuleux à la nébuleuse, de la nébuleuse à l'étoile principale, de l'étoile principale au Soleil, du Soleil à la planète, et de la planète au satellite, on a toute la série des transformations subies par les corps célestes depuis les premiers jours du monde.
Ibid., chap. 5.

11926 Un Anglais ne plaisante jamais quand il s'agit d'une chose aussi importante qu'un pari.
Le Tour du monde en 80 jours, chap. 3 (Hachette).

11927 Avec la police russe, qui est très péremptoire, il est absolument inutile de vouloir raisonner. Les employés sont revêtus de grades militaires, et ils opèrent militairement.
Michel Strogoff, I, chap. 4 (Hachette).

11928 — L'hiver est l'ami du Russe.
— Oui, [...] mais quel tempérament à toute épreuve il faut pour résister à une telle amitié! *Ibid., chap. 9.*

11929 Tous les Français sont un peu médecins!
Ibid., II, chap. 1.

11930 Tous les Anglais sont généreux! *Ibid.*

11931 Eh! que diable! Il faut bien bouillir quelquefois! Dieu nous aurait mis de l'eau dans les veines et non du sang, s'il nous eût voulus toujours et partout imperturbables!
Ibid., chap. 3.

Quant à Alcide Jolivet et à Harry Blount [1] ils n'avaient qu'une   11932
seule et même pensée : c'est que la situation était extrêmement dramatique et que, bien mise en scène, elle fournirait
une chronique des plus intéressantes. L'Anglais songeait
donc aux lecteurs du *Daily Telegraph* [...]. Au fond, ils
n'étaient pas sans éprouver quelque émotion tous les deux.
« Eh! tant mieux! pensait Alcide Jolivet. Il faut être ému
pour émouvoir! Je crois même qu'il y a un vers célèbre à
ce sujet, mais, du diable! si je sais... »
                                                    Ibid., chap. 11.

On se rappelle qu'au moment du supplice, Marfa Strogoff   11933
était là [...]. Michel Strogoff la regardait comme un fils
peut regarder sa mère, quand c'est pour la dernière fois.
Remontant à flots de son cœur à ses yeux, des larmes, que sa
fierté essayait en vain de retenir, s'étaient amassées sous ses
paupières, et en se volatilisant sur la cornée, lui avaient sauvé
la vue. La couche de vapeur formée par ses larmes, s'inter-
posant entre le sabre ardent et ses prunelles, avait suffi à
annihiler l'action de la chaleur.   *Ibid., chap. 15.*

Michel Strogoff arriva, par la suite, à une haute situation   11934
dans l'empire. Mais ce n'est pas l'histoire de ses succès,
c'est l'histoire de ses épreuves qui méritait d'être racontée.
                                                    Ibid.

— [...] Tout donc n'est que charbon en ce monde?   11935
— [...] La science contemporaine [...] tend à réduire de plus
en plus le nombre des corps simples élémentaires [...]. Aussi
les soixante-deux substances classées jusqu'ici comme corps
simples élémentaires ou fondamentaux pourraient-ils bien
n'être qu'une seule et unique substance atomique [...]
                    L'Étoile du Sud, chap. 3 (Hachette).

« Si le monde savait toutes les injustices que ces Anglais,   11936
si fiers de leurs guinées et de leur puissance navale, ont semées
sur le globe, il ne resterait pas assez d'outrages dans la langue humaine pour les leur jeter à la face [2]! »
                                                    Ibid., chap. 5.

Le spectacle de la mort, partout si auguste et si solennel,   11937
semble emprunter au désert une majesté nouvelle. En présence de la seule nature, l'homme comprend mieux que c'est
là le terme inévitable [...]   *Ibid., chap. 13.*

EUGÈNE CHATELAIN
1829-1902

En politique toute faute est un crime.   *22 mars 1871.*   11938

---

1. Journalistes.
2. C'est un vieux Boër qui parle.

DENIS FUSTEL DE COULANGES
1830-1889

11939 Heureusement, le passé ne meurt jamais complètement pour l'homme. L'homme peut bien l'oublier, mais il le garde toujours en lui. Car, tel qu'il est lui-même à chaque époque, il est le produit et le résumé de toutes les époques antérieures. S'il descend en son âme, il peut y retrouver et distinguer ces différentes époques d'après ce que chacune d'elles a laissé en lui.　　*La Cité antique, Introduction.*

11940 S'il faut beaucoup de temps pour que les croyances humaines se transforment, il en faut encore bien davantage pour que les pratiques extérieures et les lois se modifient.
Ibid., I, 2.

11941 La mort fut le premier mystère; elle mit l'homme sur la voie des autres mystères. Elle éleva sa pensée du visible à l'invisible, du passager à l'éternel, de l'humain au divin.　*Ibid.*

11942 La famille n'a pas reçu ses lois de la cité. [...] L'ancien droit n'est pas l'œuvre d'un législateur; il s'est, au contraire, imposé au législateur. C'est dans la famille qu'il a pris naissance.　　*Ibid., II, 8.*

11943 L'histoire n'étudie pas seulement les faits matériels et les institutions; son véritable objet d'étude est l'âme humaine.
Ibid., II, 9.

11944 Une croyance est l'œuvre de notre esprit, mais nous ne sommes pas libres de la modifier à notre gré. Elle est notre création, mais nous ne le savons pas. Elle est humaine, et nous la croyons dieu. Elle est l'effet de notre puissance et elle est plus forte que nous. Elle est en nous; elle ne nous quitte pas; elle nous parle à tout moment. Si elle nous dit d'obéir, nous obéissons; si elle nous trace des devoirs, nous nous soumettons. L'homme peut bien dompter la nature, mais il est assujetti à sa pensée.　*Ibid., III, 3.*

11945 On se trompe gravement sur la nature humaine si l'on suppose qu'une religion puisse s'établir par convention et se soutenir par imposture.　　*Ibid., III, 17.*

11946 Le christianisme est la première religion qui n'ait pas prétendu que le droit dépendît d'elle.　*Ibid., V, 3.*

11947 Le meilleur des historiens est celui qui se tient le plus près des textes, qui les interprète avec le plus de justesse, qui n'écrit même et ne pense que d'après eux.
Histoire des Institutions politiques de l'ancienne France,
La monarchie franque, I, 3.

11948 Telle est l'inévitable loi : les inégalités sociales sont toujours en proportion inverse de la force de l'autorité publique.
Ibid., Les transformations de la royauté.

Le véritable patriotisme n'est pas l'amour du sol, c'est 11949
l'amour du passé, c'est le respect pour les générations qui
nous ont précédés.
Questions contemporaines, De la manière d'écrire l'histoire.

LOUISE MICHEL
1830-1905

On ne peut pas tuer l'idée à coups de canon ni lui mettre 11950
les poucettes. *La Commune, Avant-Propos (Stock).*

Montmartre, Belleville, ô légions vaillantes, 11951
Venez, c'est l'heure d'en finir.
Debout! la honte est lourde et pesantes les chaînes,
Debout! il est beau de mourir!
Ibid., « A ceux qui veulent rester esclaves ».

Tout plébiscite, grâce à l'apeurement, à l'ignorance, donne 11952
toujours la majorité contre le droit, c'est-à-dire au gouvernement qui l'invoque. *Ibid., Deuxième partie, IV.*

Les foules à certaines heures sont l'avant-garde de l'océan 11953
humain. *Ibid., Troisième partie, II.*

La proclamation de la Commune fut splendide; ce n'était 11954
pas la fête du pouvoir, mais la pompe du sacrifice : on
sentait les élus prêts pour la mort. *Ibid., IV.*

La race bourgeoise ne fut grande qu'un demi-siècle à peine, 11955
après 89. *Ibid., Quatrième partie, I.*

Le bon Dieu est trop versaillais. *Ibid., IV.* 11956

On aura besoin du socialisme pour faire un monde nouveau. 11957
Lettre à la Commission des grâces, mai 1873.

ELISÉE RECLUS
1830-1905

L'évolution et la révolution sont les deux actes successifs 11958
d'un même phénomène, l'évolution précédant la révolution,
et celle-ci précédant une évolution nouvelle, mère de révolutions futures.
L'Évolution, la révolution et l'idéal anarchique, chap. 1
(Stock).

On peut dire que jusqu'à maintenant aucune révolution 11959
n'a été absolument raisonnée, et c'est pour cela qu'aucune
n'a complètement triomphé. *Ibid., chap. 2*

11960 L'histoire nous dit que toute obéissance est une abdication, que toute servitude est une mort anticipée.   *Ibid., chap. 4.*

11961 Si le capital devait l'emporter, il serait temps de pleurer notre âge d'or, nous pourrions alors regarder derrière nous et voir, comme une lumière qui s'éteint, tout ce que la terre eut de doux et de bon, l'amour, la gaieté, l'espérance. L'Humanité aurait cessé de vivre.   *Ibid., chap. 6.*

11962 L'internationale! Depuis la découverte de l'Amérique et la circumnavigation de la Terre, nul fait n'eut plus d'importance dans l'histoire des hommes. Colomb, Magellan, El Cano avaient constaté, les premiers, l'unité matérielle de la Terre, mais la future unité morale que désiraient les philosophes n'eut un commencement de réalisation qu'au jour où des travailleurs anglais, français, allemands, oubliant la différence d'origine et se comprenant les uns les autres malgré la diversité du langage, se réunirent pour ne former qu'une seule nation, au mépris de tous les gouvernements respectifs.   *Ibid., chap. 9.*

HENRI ROCHEFORT
1830-1913

11963 A la place du bon Dieu, je ne serais pas très flatté de n'amener à moi que les gens qui ne trouvent pas mieux.
    Le Soleil, 9 mars 1866.

11964 La grande leçon qui, en effet, ressort de la mort du président Lincoln, c'est qu'on a bien tort d'être honnête lorsqu'on peut faire autrement.   *Ibid., 24 juillet 1866.*

11965 L'incrédulité est un genre de foi au moins aussi respectable que l'autre.   *Ibid., 18 novembre 1866.*

11966 La France contient, dit l'*Almanach impérial*, trente-six millions de sujets, sans compter les sujets de mécontentement.
    La Lanterne, nº 1, 31 mai 1868 (Librairie centrale).

11967 L'arbitraire est une arme à un si grand nombre de tranchants, que ceux qui la tiennent s'y couperont éternellement les doigts.   *Ibid.*

11968 Comme bonapartiste, je préfère Napoléon II; c'est mon droit. J'ajouterai même qu'il représente pour moi l'idéal du souverain.   *Ibid.*

11969 En France tout écrivain est un accusé.
    Ibid., nº 5, 27 juin 1868

11970 Avant peu de jours, nos différents marchés seront approvisionnés de légumes frais venant d'Alger.
    Heureux pays! Quand on n'y récolte pas des cadavres, on y récolte des petits pois.   *Ibid.*

Il est singulier que tout progresse ici-bas, excepté l'éloquence   11971
officielle. J'ai retrouvé ces jours-ci un discours de 1824;
c'était exactement le même genre de niaiseries que ceux de
1868.   *Ibid., n° 6, 4 juillet 1868.*

L'Empire c'est l'emprunt.   *Ibid., n° 7, 11 juillet 1868.*   11972

Je ne connais rien d'aussi immoral que les fonds secrets   11973
si ce n'est les fonds publics.   *Ibid., n° 8, 18 juillet 1868.*

Les décorés du 15 août devraient être obligés d'aller chercher   11974
eux-mêmes la croix en haut du mât de cocagne de l'Espla-
nade des Invalides.
Nous serions sûrs au moins qu'ils auraient fait quelque
chose pour l'avoir.   *Ibid., n° 10, 1ᵉʳ août 1868.*

Il paraît que la Constitution anglaise interdit à la Souve-   11975
raine de parler politique.
La Constitution française est moins sévère; elle ne l'interdit
qu'aux journalistes.   *Ibid., n° 12, 15 août 1868.*

Si le silence des peuples est la leçon des rois, la résignation   11976
du condamné est la leçon de l'accusateur.
                                   Ibid., n° 54, 5 juin 1869.

M. Thiers, tous les matins, annonce que dès le soir, entre   11977
les neuf heures, neuf heures un quart, il fera son entrée
dans la capitale sauvage du monde civilisé.
                                   Le Mot d'ordre, 16 avril 1871.

Il s'agit aujourd'hui, non plus de couper les têtes mais   11978
d'ouvrir les intelligences.   *Ibid., 5 mai 1871.*

Quand le président n'est pas absolument enchaîné par le   11979
peuple, c'est, à peu de temps de là, lui qui l'enchaîne.
                                   Ibid., 8 mai 1871.

Il est assez difficile que M. Mac-Mahon nous dise ce qu'il   11980
veut puisqu'il ne peut même pas nous apprendre ce qu'il
est. C'est ce qu'on appelle en photographie un négatif,
et en histoire naturelle un mulet.
                                   La Lanterne, octobre 1874.

HENRI MEILHAC
1831-1897
et
LUDOVIC HALÉVY
1834-1908

[...] Tout ça... c'est des histoires de femmes.   11981
     La Grande-Duchesse de Gérolstein, acte I, scène 2
                              (Calmann-Lévy).

Je reviendrai vainqueur, ou ne reviendrai pas.   11982
                    Ibid., acte I, scène 13.

11983   C'est imprévu, mais c'est moral.
               Ainsi finit la comédie.
                         Ibid., acte III, scène 3.

11984   Mais, mon ami, ce serait à mourir... de bonheur,
               Je le veux bien, mais enfin à mourir...
                    Froufrou, acte II, scène 4 (Calmann-Lévy).

11985   Je m'adresse à Calchas et je lui dis :
                    La différence n'est pas maigre
                    Entre les cornichons et toi!
                    Ils sont confits dans du vinaigre...
                    Calchas est confident du roi.
          La Belle Hélène, acte I, scène 11 (Calmann-Lévy).

11986 Comme c'est drôle! une femme que je ne connais pas, et
      je suis ému en l'attendant!
                    La Vie parisienne, acte I, scène 8 (Calmann-Lévy).

11987   Je veux m'en fourrer jusque-là.
                         Ibid., acte II, scène 6.

11988   Il grandira, car il est Espagnol!
                    La Périchole, acte I, scène 5 (Calmann-Lévy).

11989   Voyez, messieurs, comme ils sont tristes,
               Les gens qui rêvent le pouvoir!
                         Ibid., acte II, scène 5.

11990   Nous sommes les carabiniers,
                    La sécurité des foyers...
               Les Brigands, acte II, scène 13 (Calmann-Lévy).

11991   Je reviendrai, quand la garde montante
               Remplacera la garde descendante.
                    Carmen, acte I, scène 1 (Calmann-Lévy).

11992   L'amour est un oiseau rebelle
                    Que nul ne peut apprivoiser,
                    Et c'est bien en vain qu'on l'appelle
                    S'il lui convient de refuser.
                         Ibid., acte I, scène 5.

11993   L'amour est enfant de Bohême,
                    Il n'a jamais connu de loi;
                    Si tu ne m'aimes pas, je t'aime;
                    Si je t'aime, prends garde à toi!
                                        Ibid.

11994   Toréador, en garde!
                    Et songe en combattant
                    Qu'un œil noir te regarde
                    Et que l'amour t'attend.
                         Ibid., acte II, scène 2.

VICTORIEN SARDOU
1831-1908

« Allez en liberté, ma fille, vous attendrirez tous les cœurs 11995
comme le mien, vous ferez verser de douces larmes... et
c'est encore une façon de prier Dieu. »
La Tosca, acte I, scène 3 (Albin Michel).

Alors, beauté fatale,   11996
Tu valais un sou d'or.
Que l'empereur détale,
Tu vaudras moins encor.
Théodora, acte II, scène 6 (Albin Michel).

« Ça nous a rivés l'un à l'autre, c'passé-là; ça nous a fait 11997
un même cœur, un même sang, une même chair!... Vous la
couperiez en deux, qu'les morceaux se r'colleraient d'eux-
mêmes! » V'là c'que j'lui aurais répondu, à l'empereur!
Madame Sans-Gêne, acte I, scène 6 (Albin Michel).

L'hospitalité du lit, j'laisse ça à d'plus grandes dames que 11998
moi, qui n'y reçoivent qu'les gens bien portants.
Ibid., scène 14.

Vous vous figurez que l'empereur va régler vos comptes de 11999
blanchisseuse?   *Ibid., acte II, scène 6.*

JULES FERRY
1832-1893

Ce n'est pas le Gouvernement, c'est la centralisation que 12000
j'accuse; non l'héritier, mais l'héritage.
Discours et opinions, La lutte électorale en 1863.

Les comptes fantastiques d'Haussmann.   12001
Ibid., titre de l'article.

L'égalité [...], c'est la loi même du progrès humain! C'est 12002
plus qu'une théorie : c'est un fait social, c'est l'essence même
et la légitimité de la société à laquelle nous appartenons.
Ibid., Sur l'égalité d'éducation.

Messieurs, ce que nous vous demandons à tous, c'est de 12003
nous faire des hommes avant de nous faire des grammai-
riens!   *Ibid., Discours au Congrès pédagogique.*

Je désire reposer [...] en face de cette ligne bleue des Vosges 12004
d'où monte jusqu'à mon cœur fidèle la plainte des vaincus.
Testament.

12005 Il ne faut délibérer qu'entre gens qui peuvent s'entendre, combiner son action en petit comité, et arriver armé aux réunions, qu'on prend d'assaut.
Lettres de Jules Ferry, A Gambetta, 23 juillet 1869 (Calmann-Lévy).

12006 Comme il est dans les destinées de ce pays de trouver des hommes toujours inférieurs aux situations! Voilà le signe implacable, la révélation chronique de notre décadence!
Ibid., à Charles Ferry, 8 décembre 1871.

JULES LACHELIER
1832-1918

12007 Ne craignons pas de suspendre en quelque sorte la pensée dans le vide; car elle ne peut reposer que sur elle-même, et tout le reste ne peut reposer que sur elle : le dernier point d'appui de toute vérité et de toute existence, c'est la spontanéité de l'esprit.   *Psychologie et Métaphysique (P.U.F.).*

12008 On interprète souvent mal le mot d'Aristote : l'homme ne pense pas seulement parce qu'il a une main; l'homme a une main, parce qu'il devait penser.
Conversation avec Bouglé, Œuvres, tome I.

12009 On ne peut pas partir de l'infini, on peut y aller.   *Ibid.*

12010 L'homme ne peut rester lui-même qu'en travaillant sans cesse à s'élever au-dessus de lui-même.
Lettre à Espinas du 1er février 1872 (Recueil de lettres).

THÉODORE SIX
1832 env. - ap. 1882

12011 Alors j'ai dit :
Abolition de l'exploitation de l'homme par l'homme.
J'ai dit :
La Terre à celui qui la cultive.
J'ai dit :
Celui qui ne produit pas n'est pas digne de vivre.
C'est alors qu'ils m'ont assassiné.
Le peuple au peuple.

JULES VALLÈS
1833-1885

12012 Et toi, vieil Homère, aux Quinze-Vingts!
L'Événement, 26 février 1866.

Vais-je descendre jusqu'au cimetière en ne faisant que me 12013
défendre contre la vie, sans sortir de l'ombre, sans avoir au
moins une bataille au soleil?
Jacques Vingtras : L'Insurgé, 1886, chap. 2.

Moi qui suis sauvé, je vais faire l'histoire de ceux qui ne le 12014
sont pas, des gueux qui n'ont pas trouvé leur écuelle.
C'est bien le diable si, avec ce bouquin-là, je ne sème pas la
révolte sans qu'il y paraisse, sans que l'on se doute que sous
les guenilles que je pendrai, comme à la morgue, il y a une
arme à empoigner, pour ceux qui ont gardé de la rage ou
que n'a pas dégradés la misère. *Ibid., chap. 3.*

J'ai pris des morceaux de ma vie, et je les ai cousus aux 12015
morceaux de la vie des autres, riant quand l'envie m'en
venait, grinçant des dents quand des souvenirs d'humiliation me grattaient la chair sur les os — comme la viande sur
un manche de côtelette, tandis que le sang pisse sous le
couteau. *Ibid.*

[...] Quel trou font, dans un cœur d'homme, dix ans de 12016
jeunesse perdue! *Ibid.*

Pour faire trou dans ces cervelles, j'ai emmanché mon arme 12017
comme un poignard de tragédie grecque, je les ai éclabous-
sés de latin, j'ai grandsièclisé ma parole — ces imbéciles
me laissent insulter leurs religions et leurs doctrines parce
que je le fais dans un langage qui respecte leur rhétorique
[...]. C'est entre deux périodes à la Villemain que je glisse un
mot de réfractaire, cru et cruel. *Ibid., chap. 4.*

Vous voulez un égayeur, je suis un révolté. Révolté je reste, 12018
et je reprends mon rang dans le bataillon des pauvres.
Ibid., chap. 7.

L'ironie me prête du cerveau et du cœur. *Ibid., chap. 8.* 12019

Robespierre est le frère aîné de Bonaparte, et [...] quiconque 12020
défend la République au nom de l'autorité est un Gribouille
de l'Empire. *Ibid., chap. 10.*

Ah! jeune homme! ce n'est pas la Marianne qui est tout, 12021
c'est la Sociale! *Ibid., chap. 14.*

Le Capital mourrait si, tous les matins, on ne graissait pas 12022
les rouages de ses machines avec de l'huile d'homme.
Ibid.

Elle me fait horreur, votre *Marseillaise* de maintenant! 12023
Elle est devenue un cantique d'État. Elle n'entraîne point
des volontaires, elle mène des troupeaux. Ce n'est pas le
tocsin sonné par le véritable enthousiasme, c'est le tintement
de la cloche au cou des bestiaux. *Ibid., chap. 16.*

Les convaincus sont terribles. *Ibid., chap. 17.* 12024

Ce sont les indisciplinés qui font plier la discipline. 12025
Ibid., chap. 18.

12026 La patrie sociale, qui seule peut sauver la patrie classique.
Ibid., chap. 18, 3 septembre 1870.

12027 Je croyais que le grade donnait de l'autorité — il en ôte.
Ibid., chap. 20.

12028 Ah! ceux qui croient que les chefs mènent les insurrections
sont de grands innocents!   *Ibid., chap. 21.*

12029 Halte-là!... l'éternel halte-là qui m'attend à toutes les portes,
depuis que je suis au monde.   *Ibid.*

12030 Allons! C'est la Révolution!
La voilà donc, la minute espérée et attendue depuis la première cruauté du père, depuis la première gifle du cuistre,
depuis le premier jour passé sans pain, depuis la première
nuit passée sans logis — voilà la revanche du collège, de la
misère, et de décembre!   *Ibid., chap. 24.*

12031 Pour ceux qui ont cru au ciel, souvent la terre est trop petite.
Ibid., chap. 28.

12032 Les fureurs des foules sont crimes d'honnêtes gens.
Ibid., chap. 35.

12033 Ne tire pas demain, républicain!
Ne tire pas, parce que peut-être on voudrait que tu tires...
Et ne te fais pas tuer, lâche héroïque, quand il y a encore de
la peine à avoir, du bien à faire; quand, à côté de la patrie en
deuil, il y a la révolution à faire.
Le Cri du peuple, 28 février 1871.

12034 Je n'ai rien moins que l'amour des parlements.
J'appartiens à la race de ceux qui préfèrent y entrer par les
fenêtres que par les portes.
Lettre à Secondigné, 3 août 1881.

JEAN-BAPTISTE CLÉMENT
1836-1903

12035   C'est de ce temps-là que je garde au cœur
Une plaie ouverte.
Le Temps des cerises.

HENRI BECQUE
1837-1899

12036 Les illusions sur une femme qu'on a aimée, cela ressemble
aux rhumatismes : on ne s'en défait jamais complètement.
L'Enfant prodigue, acte IV, scène 11.

[...] Les femmes, c'est comme les photographies : il y a un   12037
imbécile qui conserve précieusement le cliché, pendant que
les gens d'esprit se partagent les épreuves.
Ibid., scène 14.

LÉON DIERX
1838-1912

Tel je suis. Vers quels ports, quels récifs, quels abîmes, 12038
Dois-tu les charrier les secrets de mon cœur?
Qu'importe? Viens à moi, Caron, vieux remorqueur,
Écumeur taciturne aux avirons sublimes!
Poésies, Le vieux solitaire (Lemerre, S.G.L.).

GUSTAVE FLOURENS
1838-1871

A quand donc l'avènement de la raison dans l'humanité? 12039
Quand se délivrera-t-elle de ces dieux parasites : les rois,
les aristocrates et les jongleurs?
Athènes, 23 juillet 1870.

LÉON GAMBETTA
1838-1882

La centralisation et la terreur ont tout fait [...]. La vapeur, 12040
le télégraphe sont devenus des instruments du règne.
Discours et Plaidoyers choisis, Plaidoyer pour M. Delescluze,
1868.

C'est l'essence même du suffrage universel, de ne pouvoir 12041
pas stipuler sur sa propre aliénation.
Ibid., Contre le plébiscite, 1871.

Ne parlons jamais de l'étranger, mais que l'on comprenne 12042
que nous y pensons toujours.
Ibid., Discours prononcé à Saint-Quentin, 1871.

Un Sénat? Non, citoyens, il en sortira le Grand Conseil des 12043
Communes françaises.
Ibid., Sur les lois constitutionnelles, 1875.

Nous en sommes arrivés à nous demander si l'État n'est 12044
pas maintenant dans l'Église... [...] A l'encontre de la vérité
des principes qui veut que l'Église soit dans l'État.
Ibid., Sur les menées ultramontaines,1877.

12045 Quand la France aura fait entendre sa voix souveraine, croyez-le bien, Messieurs, il faudra se soumettre ou se démettre.   *Ibid., Discours prononcé à Lille, 1877.*

12046 [...] Et elle [La France] dit à ses gouvernants [...] : Quand me débarrasserez-vous de ce haillon de guerre civile?
          Ibid., Sur l'amnistie, 1880.

12047 Pour une chose mal conçue, il fallait un vocable mal conçu : on l'a appelée « opportunisme ».
Ibid., Discours prononcé dans le XXe arrondissement, 1881.

12048 Eh bien, j'ai assez vu les choses pour vous dire ceci : Au prix des plus grands sacrifices, ne rompez jamais l'alliance anglaise.   *Ibid., Sur les affaires d'Égypte, 1881.*

VILLIERS DE L'ISLE-ADAM
1838-1889

12049 La Mort n'est une circonstance définitive que pour ceux qui espèrent des cieux.   *Contes cruels, Véra.*

12050 La seule devise qu'un homme de lettres sérieux doive adopter de nos jours est celle-ci : SOIS MÉDIOCRE!
          Ibid., Deux augures.

12051 La Claque est à la Gloire dramatique ce que les Pleureuses étaient à la Douleur.   *Ibid., La machine à Gloire.*

12052 Les objets se transfigurent selon le magnétisme des personnes qui les approchent, toutes choses n'ayant d'autre signification, pour chacun, que celle que chacun *peut* leur prêter.   *Ibid., Le convive des dernières fêtes.*

12053 Un fou ne saurait être égalé en *perfection* sur le point où il déraisonne.   *Ibid.*

12054 J'espère qu'il y aura bientôt quatre ou cinq cents théâtres par capitale, où les événements usuels de la vie étant joués sensiblement mieux que dans la réalité, personne ne se donnera plus beaucoup la peine de vivre soi-même.
          Ibid., Sentimentalisme.

12055 Il y a toujours du bon dans la folie humaine.
          L'Ève future, Livre I, 3.

12056 Le premier des bienfaits dont nous soyons, positivement, redevables à la Science, est d'avoir placé les choses simples, essentielles et « naturelles » de la vie, HORS DE LA PORTÉE DES PAUVRES.
          Nouveaux contes cruels, L'amour du naturel.

12057 Tout *s'efforce* autour de nous! Le grain de blé qui pourrit dans la terre et dans la nuit, voit-il donc le soleil? Non, mais il a la foi. C'est pourquoi il monte, par et à travers la mort, vers la lumière... Nous, nous sommes le blé de Dieu.
          Axel, 1re partie, scène 4.

L'intérêt de tous! But généreux, dont, au cri des siècles, les 12058
princiers spoliateurs sanctionnèrent, par tous pays, les
exactions de leur bon plaisir et qui permet encore d'extor-
quer la bénédiction des plèbes en les dépouillant froidement
au nom même de leurs intérêts.
Ibid., 2ᵉ partie, scène 13.

Nul, jamais, n'eut d'autres droits que ceux qu'il prit — et 12059
sut garder. *Ibid.*

Passant, — tu es passé. *Ibid.* 12060

Tu tombes au profond de la Mort comme une pierre dans le 12061
vide, — sans attirance et sans but. La vitesse d'une telle
chute, multipliée par le seul poids idéal, est à ce point...
sans mesure... que cette pierre, en réalité, *n'est plus nulle
part.* — Disparais donc! même d'entre mes deux sourcils.
Ibid.

Comprendre, c'est le reflet de créer.
Ibid., 3ᵉ partie, scène 1. 12062

La Science constate, mais n'explique pas : c'est la fille aînée 12063
des chimères. *Ibid., scène 2.*

Contempler des ossements, c'est se regarder au miroir. 12064
Ibid., 4ᵉ partie, scène 3.

La qualité de notre espoir ne nous permet plus la terre. 12065
Ibid., scène 5.

Vivre? les serviteurs feront cela pour nous. *Ibid.* 12066

J'ai trop pensé pour daigner agir. *Ibid.* 12067

L'homme n'emporte dans la mort que ce qu'il renonça 12068
de posséder dans la vie. En vérité — nous ne laissons ici
qu'une écorce vide. Ce qui fait la valeur de ce trésor est en
nous-mêmes. *Ibid.*

OLLÉ-LAPRUNE
1839-1898

La métaphysique, prise en ce qu'elle a d'essentiel, est pré- 12069
sente partout, mêlée à tout, parce que l'homme se retrouve
partout. *De la certitude morale, Introduction.*

Il n'y a partout qu'une seule et même raison; entre la con- 12070
naissance et la croyance, entre la science et la foi, il n'y a
contradiction ni désaccord; mais il y a un ordre supérieur
de vérités où la croyance s'unit et s'ajoute à la connaissance,
où la foi est une des conditions de la certitude.
Ibid., chap. 7.

SULLY PRUDHOMME
1839-1907

12071   Le vase où meurt cette verveine
             D'un coup d'éventail fut fêlé;
             Le coup dut l'effleurer à peine,
             Aucun bruit ne l'a révélé.
             [...]
             Personne encore ne s'en doute.
             N'y touchez pas, il est brisé.
             [...]
             Il est brisé, n'y touchez pas.
             Stances et Poèmes, Le Vase brisé (Lemerre, S.G.L.).

12072   Bleus ou noirs, tous aimés, tous beaux,
             Des yeux sans nombre ont vu l'aurore;
             Ils dorment au fond des tombeaux,
             Et le soleil se lève encore.
             [...]
             Bleus ou noirs, tous aimés, tous beaux;
             Ouverts à quelque immense aurore,
             De l'autre côté des tombeaux,
             Les yeux qu'on ferme voient encore.
                                    Ibid., Les Yeux.

12073 J'ai voulu tout aimer et je suis malheureux,
       Car j'ai de mes tourments multiplié les causes;
       D'innombrables liens, frêles et douloureux,
       Dans l'univers entier vont de mon âme aux choses.
       [...]
       Et je suis le captif des mille êtres que j'aime.
                                    Ibid., Les Chaînes.

12074 Le laboureur m'a dit en songe : Fais ton pain,
       Je ne te nourris plus, gratte la terre et sème.
       [...]
       Je connus mon bonheur et qu'au monde où nous sommes,
       Nul ne peut se vanter de se passer des hommes;
       Et depuis ce jour-là je les ai tous aimés.
                                    Les Épreuves, Un Songe.

EUGÈNE VARLIN
1839-1871

12075 Lorsqu'une classe a perdu la supériorité morale qui l'a faite
       dominante, elle doit se hâter de s'effacer, si elle ne veut pas
       être cruelle, parce que la cruauté est le lot ordinaire de
       tous les pouvoirs qui tombent.
                          Deuxième procès de l'Internationale, 1868.

ALPHONSE DAUDET
1840-1897

La haine, c'est la colère des faibles!   12076
Lettres de mon moulin, La Diligence de Beaucaire.

[...] Les ailes de notre dernier moulin cessèrent de virer [...]. 12077
Que voulez-vous, monsieur!... tout a une fin en ce monde,
et il faut croire que le temps des moulins à vent était passé,
comme celui des coches sur le Rhône, des parlements et des
jaquettes à grandes fleurs.
Ibid., Le Secret de maître Cornille.

Si vous avez jamais passé la nuit à la belle étoile, vous savez 12078
qu'à l'heure où nous dormons, un monde mystérieux s'éveille
dans la solitude et le silence. [...] Le jour, c'est la vie des
êtres, mais la nuit, c'est la vie des choses.
Ibid., Les Étoiles.

A quinze lieues autour de mon moulin, quand on parle d'un 12079
homme rancunier, vindicatif, on dit : « Cet homme-là!
méfiez-vous!... il est comme la mule du Pape, qui garde sept
ans son coup de pied ».   *Ibid., La Mule du pape.*

En France, tout le monde est un peu de Tarascon.   12080
Tartarin de Tarascon, épigraphe.

Où serait le mérite, si les héros n'avaient jamais peur?   12081
Ibid., IIIe épisode, chap. 5.

Quand un peuple tombe esclave, tant qu'il tient bien sa   12082
langue, c'est comme s'il tenait la clé de sa prison.
Contes du Lundi, première partie, La dernière Classe.

Rêver qu'on est mort et se pleurer soi-même, il n'y a pas de 12083
sensation plus horrible.
Ibid., La Vision du juge de Colmar.

Le roman est l'histoire des hommes et l'histoire le roman 12084
des rois.
Souvenirs d'un homme de lettres, Histoire de mes livres :
Les Rois en exil.

CLAUDE MONET
1840-1926

J'avais envoyé une chose faite au Havre, de ma fenêtre; 12085
du soleil dans la buée, et, au premier plan, quelques mâts de
navires pointant... On me demanda le titre pour le catalogue,
ça ne pouvait vraiment pas passer pour une vue du Havre;

je répondis : « Mettez : Impression. » On en fit impressionnisme et les plaisanteries s'épanouirent.

Cité par M. Guillemot.

ODILON REDON
1840-1916

12086   Mes dessins *inspirent* et ne se définissent pas. Ils ne déter-
minent rien. Ils nous placent, ainsi que la musique, dans le
monde ambigu de l'indéterminé...   *A soi-même.*

12087   Le peintre qui a trouvé sa technique ne m'intéresse pas [...].
Je lui soupçonne un certain ennui propre à l'ouvrier vertueux
qui continue sa tâche sans l'éclair imprévu de la minute
heureuse. Il n'a pas le tourment sacré dont la source est
dans l'inconscient et l'inconnu; il n'attend rien de ce qui
sera. J'aime ce qui ne fut jamais.   *Ibid.*

AUGUSTE RODIN
1840-1917

12088   Il n'y a réellement ni beau style, ni beau dessin, ni belle
couleur : il n'y a qu'une seule beauté, celle de la vérité qui
se révèle...   *Propos recueillis par Paul Gsell.*

12089   Il n'y a de laid dans l'Art que ce qui est sans caractère,
c'est-à-dire ce qui n'offre aucune vérité extérieure ni intérieure.   *Ibid.*

12090   [...] Il faut que tous les traits soient expressifs, c'est-à-dire
utiles à la révélation d'une conscience.   *Ibid.*

ÉMILE ZOLA
1840-1902

12091   Si la poésie n'est pas susceptible de progrès, en ce sens qu'elle
est la voix de l'âme; si elle doit rester éternellement jeune
et nouvelle, quoique toujours semblable, il n'en est pas moins
vrai que, fille de l'humanité, elle doit en refléter les diverses
phases, rétrécir ou élargir son horizon, selon que baisse
ou grandit le savoir humain.
*Livres d'aujourd'hui et de demain, Le Journal populaire de
Lille, 16 avril 1864.*

Je hais les gens bêtement graves et les gens bêtement gais, 12092
les artistes et les critiques qui veulent sottement faire de la
vérité d'hier la vérité d'aujourd'hui. Ils ne comprennent
pas que nous marchons et que les paysages changent.
                                    Mes haines, Préface.

Ma définition d'une œuvre d'art serait, si je la formulais : 12093
« Une œuvre d'art est un coin de la création vu à travers
un tempérament. »   *Ibid., Proudhon et Courbet, I.*

L'objet ou la personne à peindre sont les prétextes; le génie 12094
consiste à rendre cet objet ou cette personne dans un sens
nouveau, plus vrai ou plus grand. Quant à moi, ce n'est
pas l'arbre, le visage, la scène qu'on me représente qui me
touchent : c'est l'homme que je trouve dans l'œuvre, c'est
l'individualité puissante qui a su créer, à côté du monde
de Dieu, un monde personnel que mes yeux ne pourront
plus oublier et qu'ils reconnaîtront partout.   *Ibid., II.*

La science du beau est une drôlerie inventée par les philo- 12095
sophes pour la plus grande hilarité des artistes.
                    Ibid., Les Chansons des rues et des bois.

Une école n'est jamais qu'une halte dans la marche de l'art, 12096
de même qu'une royauté est souvent une halte dans la
marche des sociétés.   *Ibid., M. H. Taine, artiste.*

Je comprends qu'au Moyen Age, à l'heure du réveil des 12097
intelligences, on se soit adressé à l'étude des langues mortes
pour se refaire une provision d'idées et de mots. Je comprends
encore qu'au dix-septième siècle, sous le Grand Roi, lorsqu'un petit nombre de privilégiés cultivait seul l'art du
bien-dire, on ait continué à baser l'instruction sur la connaissance du grec et du latin; mais aujourd'hui, quand le peuple
entier s'assoit sur les bancs, quand l'instruction devrait être
un outil pratique mis sous la main du plus grand nombre,
je vous demande un peu ce que signifient ces balbutiements
de langages disparus.
            Chroniques, L'Événement illustré, 16 juillet 1868.

Émanciper la femme, c'est excellent; mais il faudrait avant 12098
tout lui enseigner l'usage de la liberté.
                    Ibid., La Tribune, 27 septembre 1868.

On ne saurait aller trop loin dans la connaissance de l'homme. 12099
*Livres d'aujourd'hui et de demain, La Tribune, 29 novembre
                                                        1868.*

Parlez du vice, si vous voulez, mais parlez-en avec des 12100
calembredaines de vaudevillistes, risquez des mots orduriers
dans un éclat de rire, faites un couplet dont toutes les honnêtes femmes rougiront. Tout cela est permis. Ce qui est
défendu, c'est de parler du vice avec un fouet à la main,
comme Juvénal.   *Chroniques.*

Le romancier est fait d'un observateur et d'un expérimen- 12101
tateur. L'observateur chez lui donne les faits tels qu'il les
a observés, pose le point de départ, établit le terrain solide

sur lequel vont marcher les personnages et se développer
les phénomènes. Puis l'expérimentateur paraît et institue
l'expérience, je veux dire fait mouvoir les personnages dans
une histoire particulière, pour y montrer que la succession
des faits y sera telle que l'exige le déterminisme des phénomènes mis à l'étude. *Le Roman expérimental, chap. 1.*

12102　Le roman expérimental est une conséquence de l'évolution
scientifique du siècle; il continue et complète la physiologie,
qui elle-même s'appuie sur la chimie et la physique; il
substitue à l'étude de l'homme abstrait, de l'homme métaphysique, l'étude de l'homme naturel, soumis aux lois
physico-chimiques et déterminé par les influences du milieu;
il est en un mot la littérature de notre âge scientifique,
comme la littérature classique et romantique a correspondu
à un âge de scolastique et de théologie. *Ibid., chap. 2.*

12103　Le naturalisme, c'est le retour à la nature, c'est cette opération que les savants ont faite le jour où ils se sont avisés
de partir de l'étude des corps et des phénomènes, de se baser
sur l'expérience, de procéder par l'analyse. Le naturalisme,
dans les lettres, c'est également le retour à la nature et à
l'homme, l'observation directe, l'anatomie exacte, l'acceptation et la peinture de ce qui est.
Ibid., Le Naturalisme au théâtre, I.

12104　Les chefs-d'œuvre du roman contemporain en disent beaucoup plus long sur l'homme et sur la nature, que de graves
ouvrages de philosophie, d'histoire et de critique. *Ibid., II.*

12105　A cette heure, l'idée la plus haute que nous nous faisons
d'un écrivain est celle d'un homme libre de tout engagement,
n'ayant à flatter personne, ne tenant sa vie, son talent, sa
gloire, que de lui-même, se donnant à son pays et ne voulant
rien en recevoir. *Ibid., L'Argent dans la littérature, III.*

12106　Un grand romancier est, de nos jours, celui qui a le sens du
réel et qui exprime avec originalité la nature, en la faisant
vivante de sa vie propre.
Ibid., Du roman : L'expression personnelle.

12107　Les gouvernements suspectent la littérature parce qu'elle
est une force qui leur échappe.
Ibid., La République et la littérature, II.

12108　J'estime, pour mon compte, qu'entre le fossé des conteurs
et le fossé des psychologues, il y a une voie très large, la vie
elle-même, la réalité des êtres et des choses, ni trop basse
ni trop haute, avec son train moyen et sa bonhomie puissante,
d'un intérêt d'autant plus grand qu'elle nous donne l'homme
plus au complet et avec plus d'exactitude.
Les romanciers naturalistes, Stendhal, III.

12109　Une langue est une logique. On écrit bien, lorsqu'on exprime
une idée ou une sensation par le mot juste. Tout le reste
n'est que pompons et falbalas.
Ibid., Les Romanciers contemporains, III.

Le spectateur pris isolément est parfois un homme intelli- 12110
gent ; mais les spectateurs pris en masse sont un troupeau
que le génie ou même le simple talent doit conduire le fouet
à la main.
Le Naturalisme au théâtre, La critique et le public, II.

Je suis d'avis qu'un écrivain doit se donner tout entier au 12111
public, sans choisir lui-même parmi les œuvres, car la plus
faible est souvent la plus documentaire sur son talent.
Les Mystères de Marseille, préface.

Des hommes poussaient, une armée noire, vengeresse, qui 12112
germait lentement dans les sillons, grandissant pour les
récoltes du siècle futur, et dont la germination allait faire
bientôt éclater la terre. *Germinal (VIIe partie, chap. 6).*

Je crois que l'avenir de l'humanité est dans le progrès de la 12113
raison par la science. Je crois que la poursuite de la vérité
par la science est l'idéal divin que l'homme doit se proposer.
Je crois que tout est illusion et vanité, en dehors du trésor
des vérités lentement acquises et qui ne se perdront jamais
plus. Je crois que la somme de ces vérités, augmentées toujours, finira par donner à l'homme un pouvoir incalculable,
et la sérénité, sinon le bonheur... *Le Docteur Pascal, chap. 2.*

Le seul intérêt à vivre est de croire à la vie, de l'aimer et de 12114
mettre toutes les forces de son intelligence à la mieux
connaître. *Ibid.*

Ah! l'animalité, tout ce qui se traîne et tout ce qui se lamente 12115
au-dessous de l'homme, quelle place d'une sympathie
immense il faudrait lui faire, dans une histoire de la vie!
Ibid., chap. 5.

Aucun bonheur n'est possible dans l'ignorance, la certitude 12116
seule fait la vie calme. *Ibid., chap. 8.*

La science a-t-elle promis le bonheur? Je ne le crois pas. 12117
Elle a promis la vérité, et la question est de savoir si l'on
fera jamais du bonheur avec la vérité.
Discours aux étudiants de Paris, 18 mai 1893.

Certes, il est beau de rêver l'éternité. Mais il suffit à l'honnête 12118
homme d'avoir passé, en faisant son œuvre. *Ibid.*

C'est un grand bonheur certainement que de se reposer dans 12119
la certitude d'une foi, n'importe laquelle; et le pis est qu'on
n'est pas maître de la grâce et qu'elle souffle où elle veut.
Ibid.

Le moindre progrès demande des années de gestation 12120
douloureuse, on met un siècle pour obtenir des hommes un
peu plus d'équité et de vérité. Toujours l'animal humain
reste au fond, sous la peau de l'homme civilisé, prêt à mordre,
lorsque l'appétit l'emporte.
Nouvelle Campagne, 1897, La Vertu de la République.

12121 Pour moi, le solitaire est l'écrivain qui s'est enfermé dans son
œuvre, dans sa volonté de la faire aussi haute, aussi puissante
qu'il en aura le souffle, et qui la réalise, malgré tout. Il peut
se mêler aux hommes, vivre de leur vie ordinaire, accepter
les mœurs sociales, être d'apparence tel que les autres.
Il n'en est pas moins le solitaire, s'il a réservé le champ de sa
volonté, libre de toute influence, s'il ne fait littérairement
que ce qu'il veut et comme il le veut, inébranlable sous les
injures, seul et debout.   *Ibid., Le Solitaire.*

12122 J'ai la faiblesse de n'être pas pour les cités de brume et de
songe, les peuples de fantômes errant par les brouillards,
tout ce que le vent de l'imagination apporte et emporte.
Je trouve nos démocraties d'un intérêt poignant, travaillées
par le terrible problème de la loi du travail, si débordantes
de souffrance et de courage, de pitié et de charité humaines,
qu'un grand artiste ne saurait, à les peindre, épuiser son
cerveau ni son cœur.   *Ibid., A la jeunesse.*

12123 J'ai mis ma foi en la vie, je la crois l'éternellement bonne,
l'unique ouvrière de la santé et de la force. Elle seule est
féconde, elle seule travaille à la cité de demain. Si je m'entête
dans la règle étroite du positivisme, c'est qu'elle est le garde-
fou de la démence des esprits, de cet idéalisme qui verse si
aisément aux pires perversions, aux plus mortels dangers
sociaux.   *Ibid.*

12124 La preuve est infaillible : on m'attaque toujours, donc je suis
encore.   *Ibid., Le Crapaud.*

12125 Au cours des siècles, l'histoire des peuples n'est qu'une
leçon de mutuelle tolérance, si bien que le rêve final sera
de les ramener tous à l'universelle fraternité, de les noyer
tous dans une commune tendresse, pour les sauver tous le
plus possible de la commune douleur. Et, de notre temps,
se haïr et se mordre, parce qu'on n'a pas le crâne absolument
construit de même, commence à être la plus monstrueuse
des folies.   *Ibid., Pour les Juifs.*

12126 L'antisémitisme, dans les pays où il a une réelle importance,
n'est jamais que l'arme d'un parti politique ou le résultat
d'une situation économique grave.   *Ibid.*

12127 Pour mon compte, ma méthode n'a jamais varié depuis le
premier roman que j'ai écrit. J'admets trois sources d'informations : les livres, qui me donnent le passé; les témoins,
qui me fournissent, soit par des œuvres écrites, soit par la
conversation, des documents sur ce qu'ils ont vu ou sur ce
qu'ils savent; et enfin l'observation personnelle, directe,
ce qu'on va voir, entendre ou sentir sur place.
                          Ibid., Les Droits du romancier.

12128 La propriété littéraire est une propriété, et le travail littéraire
doit être soumis aux lois qui règlent actuellement l'exploitation de tout travail, quel qu'il soit.
                          Ibid., Auteurs et éditeurs.

12129 La vérité et la justice sont souveraines, car elles seules
assurent la grandeur des nations.
                  La Vérité en marche, M. Scheurer-Kestner.

La vérité est en marche, et rien ne l'arrêtera. *Ibid.* 12130

Quelle tristesse, ces cerveaux de polémistes vieillis, d'agita- 12131
teurs déments, de patriotes étroits, devenus des conducteurs
d'hommes, commettant le plus noir des crimes, celui d'obscur-
cir la conscience publique et d'égarer tout un peuple!
Ibid., Procès-Verbal.

Jeunesse, jeunesse! sois humaine, sois généreuse. Si même 12132
nous nous trompons, sois avec nous, lorsque nous disons
qu'un innocent subit une peine effroyable, et que notre
cœur révolté s'en brise d'angoisse.
Ibid., Lettre à la jeunesse.

Puisqu'ils ont osé, j'oserai aussi, moi. La vérité, je la dirai; 12133
car j'ai promis de la dire, si la justice, régulièrement saisie,
ne la faisait pas, pleine et entière. Mon devoir est de parler,
je ne veux pas être complice.
Ibid., Lettre à M. Félix Faure, président de la République.

C'est un crime d'empoisonner les petits et les humbles, 12134
d'exaspérer les passions de réaction et d'intolérance, en
s'abritant derrière l'odieux antisémitisme, dont la grande
France libérale des droits de l'homme mourra, si elle n'en
est pas guérie. *Ibid.*

Je n'ai qu'une passion, celle de la lumière, au nom de l'huma- 12135
nité qui a tant souffert et qui a droit au bonheur. *Ibid.*

Tout semble être contre moi, les deux Chambres, le pouvoir 12136
civil, le pouvoir militaire, les journaux à grand tirage,
l'opinion publique qu'ils ont empoisonnée. Et je n'ai pour
moi que l'idée, un idéal de vérité et de justice. Et je suis bien
tranquille, je vaincrai. *Ibid., Déclaration au jury.*

Je n'ai pas voulu que mon pays restât dans le mensonge 12137
et l'injustice. On peut me frapper ici. Un jour, la France me
remerciera d'avoir aidé à sauver son honneur. *Ibid.*

GEORGES CLEMENCEAU
1841-1929

Il ne suffit pas d'être des héros. Nous voulons être des 12138
vainqueurs.
Discours de guerre, Ni défendus, ni gouvernés,
« l'Homme libre », 15 juillet 1914 (Plon).

L'homme absurde est celui qui ne change jamais. 12139
Ibid., Discours au Sénat, 22 juillet 1917.

Le Parlement est le plus grand organisme qu'on ait inventé 12140
pour commettre des erreurs politiques, mais elles ont l'avantage supérieur d'être réparables, et ce, dès que le pays en a
la volonté. *Ibid.*

12141 Le droit de grève doit rester intact, mais le droit de grève n'est pas le droit à l'internationalisme sans patrie! *Ibid.*

12142 Le gouvernement a pour mission de faire que les bons citoyens soient tranquilles, que les mauvais ne le soient pas. *Ibid.*

12143 Tout pour la France saignante dans sa gloire, tout pour l'apothéose du droit triomphant. Un seul devoir, et simple : demeurer avec le soldat, vivre, souffrir, combattre avec lui. *Ibid., Déclaration ministérielle à la Chambre des députés, 20 novembre 1917.*

12144 Nous voulons vaincre pour être justes.   *Ibid.*

12145 Je ne suis qu'un humble soldat qui passe. *Ibid., Discours à la Sorbonne, 1er mars 1918.*

12146 Je fais la guerre. *Ibid., Discours à la Chambre des députés, 8 mars 1918.*

12147 On ne peut pas servir l'humanité aux dépens de la France. *Discours de paix, Discours à la Chambre des députés, 5 novembre 1918 (Plon).*

12148 Il est plus facile de faire la guerre que la paix. *Ibid., Discours à Verdun, juillet 1919.*

12149 Il y a quelque chose de moi dans l'étoile que je ne verrai jamais, il y a quelque chose d'elle au plus profond de moi. *Au soir de la pensée, tome I, chap. 2 (Plon).*

12150 C'est plutôt la conscience de ce qui lui manque que la sensation de ce qu'il possède, qui place l'homme au-dessus des reptations de l'animalité.   *Ibid., chap. 3.*

12151 L'absolu, c'est le simple, et la recherche de l'absolu n'est qu'une originelle conséquence du moindre effort. *Ibid., chap. 5.*

12152 Connaître, penser, c'est classer.   *Ibid., chap. 6.*

12153 La métaphysique est en l'air. Nous ne pouvons que l'y laisser.   *Ibid.*

ALBERT DE MUN
1841-1914

12154 [...] Si c'est être socialistes que de reconnaître qu'il y a une question sociale, je comprends qu'on nous en accuse. *Discours, 7 mai 1882 (Ed. de Gigord).*

12155 La France veut vivre, et la Révolution la tue. Elle la tue par l'athéisme officiel [...] *Ibid., Projet d'organisation du parti catholique, 1885.*

AUGUSTE RENOIR
1841-1919

En Italie, s'il y a de hauts maîtres, tout pour moi se présente   12156
comme des *ruines* [...]. Les musées, c'est de la foutaise;
on y perd son temps; il ne faut rien acquérir de seconde
main.   *Propos rapportés par G. Coquiot.*

Vous arrivez devant la nature avec des théories, la nature   12157
flanque tout par terre... La vérité est que, dans la peinture
comme dans les autres arts, il n'y a pas un seul procédé, si
petit soit-il, qui s'accommode d'être mis en formule.   *Ibid.*

Un matin, l'un de nous manquant de noir, se servit de bleu :   12158
l'impressionnisme était né.   *Ibid.*

AUGUSTE VERMOREL
1841-1871

Ce qu'on appelle liberté, dans le langage politique, c'est le   12159
droit de faire des lois, c'est-à-dire d'enchaîner la liberté.
                    Le parti socialiste, 10 mars 1870.

FRANÇOIS COPPÉE
1842-1908

Quand le déluge eut fait son œuvre salutaire,   12160
La race de Noé pullula sur la terre,
Ainsi que les yeux d'or sur les plumes du paon.
Les Récits et les élégies, Blasphème et prière (Lemerre, S.G.L.).

La vie est un éclair, la beauté dure un jour!   12161
Songe aux têtes de morts qui se ressemblent toutes.
                    Ibid., A un amant.

Je jette à pleines mains mon sang   12162
A ce grand soleil ironique.
                    Ibid., Les mois, Juillet.

Je serai poète et toi poésie...   12163
        Poèmes divers, Ritournelle (Lemerre, S.G.L.).

O les premiers baisers à travers la voilette!   12164
            Intimités, I (Lemerre, S.G.L.).

12165   Mais l'horloge implacable avec son timbre d'or
        Recommence. Tu veux te sauver; tu te troubles.

        Hélas! et nous devons mettre les baisers doubles.
                                                    Ibid.

12166   Amen! dit un tambour en éclatant de rire.
        Poèmes modernes, La Bénédiction (Lemerre, S.G.L.).

12167   C'était un tout petit épicier de Montrouge.
            Les Humbles, Le petit épicier (Lemerre, S.G.L.).

CHARLES CROS
1842-1888

12168   Et, surtout, que le vent emporte mes paroles!
                        Le Coffret de santal, Le But.

12169   Sidonie a plus d'un amant,
        Qu'on le lui reproche ou l'en loue
        Elle s'en moque également,
        Sidonie a plus d'un amant.
        Aussi jusqu'à ce qu'on la cloue
        Au sapin de l'enterrement,
        Qu'on le lui reproche ou l'en loue.
        Sidonie aura plus d'un amant.
                Ibid., Passé, Triolets fantaisistes.

12170   O lecteurs à venir, qui vivez dans la joie
        Des seize ans, des lilas et des premiers baisers,
        Vos amours font jouir mes os décomposés.
                    Ibid., Vingt sonnets, Avenir.

12171   J'ai composé cette histoire — simple, simple, simple,
        Pour mettre en fureur les gens — graves, graves, graves,
        Et amuser les enfants — petits, petits, petits.
                    Ibid., Grains de sel, Le Hareng saur.

12172   Proclamons les princip's de l'art!
        Que tout l'mond' s'entende!
        Les contours des femm's, c'est du lard,
        La chair, c'est d'la viande.
                    Ibid., Chanson des sculpteurs.

12173   Ceux qui dédaignent les amours
            Ont tort, ont tort,
        Car le soleil brille toujours;
            La Mort, la Mort
        Vient vite et les sentiers sont courts.
        Le Collier de griffes, Douleurs et colères, Aux femmes.

12174   Je ne sais pas ce qu'ils ont, ils ne se battent plus, il faut se
        battre. Si on ne se bat pas un peu entre soi, que devient la
        société? Plus de civilisation, plus de progrès, plus rien!
                        Monologues, Le Maître d'armes.

Que les femmes, que les hommes, que les choses, que la 12175
nature entière deviennent exagérés, je retrouverai mon
chapeau, je retrouverai ma femme et je resterai raisonnable!
Ibid., L'Homme raisonnable.

JOSÉ-MARIA DE HEREDIA
1842-1905

Et là-bas, sous le pont, adossé contre une arche, 12176
Hannibal écoutait, pensif et triomphant,
Le piétinement sourd des légions en marche.
Les Trophées, La Trebbia (Lemerre, S.G.L.).

Un des consuls tués, l'autre fuit vers Linterne 12177
Ou Venuse. L'Aufide a débordé, trop plein
De morts et d'armes. La foudre au Capitolin
Tombe [...]
Ibid., Après Cannes.

[...] Les deux Enfants divins, le Désir et la Mort. 12178
Ibid., Le Cydnus.

Comme un vol de gerfauts hors du charnier natal, 12179
Fatigués de porter leurs misères hautaines,
De Palos de Moguer, routiers et capitaines
Partaient ivres d'un rêve héroïque et brutal.
Ibid., Les Conquérants.

Chaque soir espérant des lendemains épiques, 12180
L'azur phosphorescent de la mer des Tropiques
Enchantait leur sommeil d'un mirage doré;

Ou penchés à l'avant des blanches caravelles,
Ils regardaient monter en un ciel ignoré
Du fond de l'Océan des étoiles nouvelles.

Ibid.

PAUL LAFARGUE
1842-1911

Une étrange folie possède les classes ouvrières des nations 12181
où règne la civilisation capitaliste. Cette folie traîne à sa
suite des misères individuelles et sociales qui, depuis deux
siècles, torturent la triste humanité. Cette folie est l'amour
du travail, la passion furibonde du travail, poussée jusqu'à
l'épuisement des forces vitales de l'individu et de sa progéni-
ture.
*Le Droit à la paresse, Réfutation du Droit au travail de 1848, I
(Ed. H. Oriol).*

12182   Dans la société capitaliste, le travail est la cause de toute
dégénérescence intellectuelle, de toute déformation organique.
Je me bornerai à démontrer qu'étant donné les moyens de
production modernes et leur puissance reproductive illimitée, il faut mater la passion extravagante des ouvriers
pour le travail et les obliger à consommer les marchandises
qu'ils produisent.   *Ibid.*, II.

STÉPHANE MALLARMÉ
1842-1898

12183   O Mort le seul baiser aux bouches taciturnes!
Poésies, Le Guignon (Gallimard).

12184   La lune s'attristait. Des séraphins en pleurs
Rêvant, l'archet aux doigts, dans le calme des fleurs
Vaporeuses, tiraient de mourantes violes
De blancs sanglots glissant sur l'azur des corolles.
— C'était le jour béni de ton premier baiser.
Ibid., Apparition.

12185   [...] La cueillaison d'un Rêve au cœur qui l'a cueilli.
Ibid.

12186   Je fuis et je m'accroche à toutes les croisées
D'où l'on tourne l'épaule à la vie, et, béni,
Dans leur verre, lavé d'éternelles rosées,
Que dore le matin chaste de l'Infini

Je me mire et me vois ange! et je meurs, et j'aime
— Que la vitre soit l'art, soit la mysticité —
A renaître, portant mon rêve en diadème,
Au ciel antérieur où fleurit la Beauté!
Ibid., Les fenêtres.

12187   [...] L'hiver, saison de l'art serein, l'hiver lucide [...]
Ibid., Renouveau.

12188   Je demande à ton lit le lourd sommeil sans songes
Planant sous les rideaux inconnus du remords,
Et que tu peux goûter après tes noirs mensonges,
Toi qui sur le néant en sais plus que les morts.
Ibid., Angoisse.

12189   [...] Imiter le Chinois au cœur limpide et fin [...]
Ibid., Las de l'amer repos...

12190   [...] J'ai beau tirer le câble à sonner l'Idéal [...]
Ibid., Le sonneur.

12191   [...] L'insensibilité de l'azur et des pierres.
Ibid., Tristesse d'été.

De l'éternel azur la sereine ironie
Accable, belle indolemment comme les fleurs,
Le poète impuissant qui maudit son génie
A travers un désert stérile de Douleurs.

Ibid., L'Azur. 12192

Et toi, sors des étangs léthéens et ramasse
En t'en venant la vase et les pâles roseaux,
Cher Ennui, pour boucher d'une main jamais lasse
Les grands trous bleus que font méchamment les oiseaux.

Ibid. 12193

— Le Ciel est mort. — Vers toi, j'accours! donne, ô matière,
L'oubli de l'Idéal cruel et du Péché [...]

Ibid. 12194

Où fuir dans la révolte inutile et perverse?
Je suis hanté. L'Azur! l'Azur! l'Azur! l'Azur!

Ibid. 12195

La chair est triste, hélas! et j'ai lu tous les livres.
Fuir! là-bas fuir! Je sens que des oiseaux sont ivres
D'être parmi l'écume inconnue et les cieux!

Ibid., Brise marine. 12196

Mais, ô mon cœur, entends le chant des matelots!

Ibid. 12197

Je t'apporte l'enfant d'une nuit d'Idumée!

Ibid., Don du poème. 12198

O miroir!
Eau froide par l'ennui dans ton cadre gelée [...]

Ibid., Hérodiade, II. Scène. 12199

Oui, c'est pour moi, pour moi, que je fleuris, déserte!

Ibid. 12200

[...] J'aime l'horreur d'être vierge [...]

Ibid. 12201

Ces nymphes, je les veux perpétuer.

Ibid., L'Après-midi d'un faune. 12202

Réfléchissons...
ou si les femmes dont tu gloses
Figurent un souhait de tes sens fabuleux [...]

Ibid. 12203

[...] Et de faire aussi haut que l'amour se module
Évanouir du songe ordinaire de dos
Ou de flanc pur suivis avec mes regards clos,
Une sonore, vaine et monotone ligne.

Ibid. 12204

Couple, adieu; je vais voir l'ombre que tu devins.

Ibid. 12205

12206   [...] Musicienne du silence.
                                    Ibid., *Sainte*.

12207   Nous sommes
          La triste opacité de nos spectres futurs.
                              Ibid., *Toast funèbre*.

12208   [...] Vaste gouffre apporté dans l'amas de la brume
          Par l'irascible vent des mots qu'il n'a pas dits [...]
                                    Ibid.

12209   [...] L'espace a pour jouet le cri : « Je ne sais pas! »
                                    Ibid.

12210   Le splendide génie éternel n'a pas d'ombre.
                                    Ibid.

12211   Gloire du long désir, Idées [...]
                    Ibid., *Prose* [*pour des Esseintes*].

12212   Vertige! voici que frissonne
                     L'espace comme un grand baiser
                     Qui, fou de naître pour personne,
                     Ne peut jaillir ni s'apaiser.
          Ibid., *Autre éventail* [*de Mademoiselle Mallarmé*].

12213   L'espace à soi pareil qu'il s'accroisse ou se nie [...]
                              Ibid., *Plusieurs sonnets*, I.

12214   Le vierge, le vivace et le bel aujourd'hui [...]
                                    Ibid., II.

12215   Fantôme qu'à ce lieu son pur éclat assigne,
          Il s'immobilise au songe froid de mépris
          Que vêt parmi l'exil inutile le Cygne.
                                    Ibid.

12216   Victorieusement fui le suicide beau [...]
                                    Ibid., III.

12217   Sur les crédences, au salon vide : nul ptyx,
          Aboli bibelot d'inanité sonore,
          (Car le Maître est allé puiser des pleurs au Styx
          Avec ce seul objet dont le Néant s'honore).
                                    Ibid., IV.

12218   Tel qu'en Lui-même enfin l'éternité le change,
          Le Poète suscite avec un glaive nu
          Son siècle épouvanté de n'avoir pas connu
          Que la mort triomphait dans cette voix étrange!
          Ibid., *Hommages et tombeaux*, *Le Tombeau d'Edgar Poe*.

12219   Donner un sens plus pur aux mots de la tribu [...]
                                    Ibid.

12220   Calme bloc ici-bas chu d'un désastre obscur [...]
                                    Ibid.

[...] Un peu profond ruisseau calomnié la mort.   12221
         Ibid., Tombeau.

Toute l'âme résumée   12222
Quand lente nous l'expirons
Dans plusieurs ronds de fumée
Abolis en autres ronds [...]
         Ibid., Hommage.

[...] Ainsi le chœur des romances.   12223
A la lèvre vole-t-il
Exclus-en si tu commences
Le réel parce que vil

Le sens trop précis rature
Ta vague littérature.
         Ibid.

Une dentelle s'abolit   12224
Dans le doute du Jeu suprême
A n'entr'ouvrir comme un blasphème
Qu'absence éternelle de lit.
     Ibid., Autres poèmes et sonnets, III.

M'introduire dans ton histoire   12225
C'est en héros effarouché
S'il a du talon nu touché
Quelque gazon de territoire [...]
     Ibid., Autres poèmes et sonnets.

Le devoir est de vaincre, et un inéluctable despotisme par- 12226
ticipe du génie.   *Les Poèmes d'Edgar Poe, Scolies.*

[...] La poésie lyrique, fille avérée de la seule inspiration. 12227
        Ibid., Le Corbeau.

[...] Tout hasard doit être banni de l'œuvre moderne et n'y 12228
peut être que feint.   *Ibid.*

Comme tout ce qui est absolument beau, la poésie force 12229
l'admiration; mais cette admiration sera lointaine, vague —,
bête, elle sort de la foule. Grâce à cette sensation générale,
une idée inouïe et saugrenue germera dans les cervelles, à
savoir, qu'il est indispensable de l'*enseigner* dans les collèges,
et irrésistiblement, comme tout ce qui est enseigné à plusieurs,
la poésie sera abaissée au rang d'une science.
Proses de jeunesse, Hérésies artistiques, L'art pour tous.

L'homme peut être démocrate, l'artiste se dédouble et doit 12230
rester aristocrate.   *Ibid.*

Que les masses lisent la morale, mais de grâce ne leur donnez 12231
pas notre poésie à gâter.   *Ibid.*

O poètes, vous avez toujours été orgueilleux; soyez plus, 12232
devenez dédaigneux.   *Ibid.*

Muse moderne de l'Impuissance, qui m'interdis depuis 12233
longtemps le trésor familier des Rhythmes, et me condamnes
(aimable supplice) à ne faire plus que relire [...]
     Ibid., Symphonie littéraire, I.

12234 Des paroles inconnues chantèrent-elles sur vos lèvres, lambeaux maudits d'une phrase absurde?
Poèmes en prose, Le démon de l'analogie.

12235 [...] Parmi cette robe spéciale portée avec l'apparence qu'on
est pour soi tout même sa femme.
Ibid., L'Ecclésiastique.

12236 [...] Car il n'est point d'autre sujet, sachez bien : l'antagonisme de rêve chez l'homme avec les fatalités à son existence
départies par le malheur.　*Crayonné au théâtre, Hamlet.*

12237 [...] L'incohérent manque hautain de signification qui scintille en l'alphabet de la Nuit [...]　　　*Ibid., Ballets.*

12238 [...] La danseuse *n'est pas une femme qui danse*, pour ces
motifs juxtaposés qu'elle *n'est pas une femme*, mais une
métaphore résumant un des aspects élémentaires de notre
forme, glaive, coupe, fleur, etc., et *qu'elle ne danse pas*,
suggérant, par le prodige de raccourcis ou d'élans, avec une
écriture corporelle ce qu'il faudrait des paragraphes en prose
dialoguée autant que descriptive, pour exprimer, dans la
rédaction : poème dégagé de tout appareil du scribe.
Ibid.

12239 Le Théâtre est d'essence supérieure.
Ibid., Le Genre ou des modernes.

12240 Que tout poème composé autrement qu'en vue d'obéir au
vieux génie du vers, n'en est pas un...　*Ibid., Solennité.*

12241 [...] Un livre, dans notre main, s'il énonce quelque idée
auguste supplée à tous les théâtres, non par l'oubli qu'il en
cause mais les rappelant impérieusement, au contraire.
Ibid.

12242 Parler n'a trait à la réalité des choses que commercialement :
en littérature, cela se contente d'y faire une allusion ou de
distraire leur qualité qu'incorporera quelque idée.
Variations sur un sujet, Crise de vers.

12243 L'œuvre pure implique la disparition élocutoire du poète,
qui cède l'initiative aux mots, par le heurt de leur inégalité
mobilisés; ils s'allument de reflets réciproques comme une
virtuelle traînée de feux sur des pierreries, remplaçant la
respiration perceptible en l'ancien souffle lyrique ou la
direction personnelle enthousiaste de la phrase.　*Ibid.*

12244 Je me figure par un indéracinable sans doute préjugé d'écrivain, que rien ne demeurera sans être proféré.　*Ibid.*

12245 Narrer, enseigner, même décrire, cela va et encore qu'à
chacun suffirait peut-être pour échanger la pensée humaine,
de prendre ou de mettre dans la main d'autrui en silence une
pièce de monnaie, l'emploi élémentaire du discours dessert
l'universel *reportage* dont, la littérature exceptée, participe
tout entre les genres d'écrits contemporains.　*Ibid.*

Je dis : une fleur ! et, hors de l'oubli où ma voix relègue aucun 12246
contour, en tant que quelque chose d'autre que les calices
sus, musicalement se lève, idée même et suave, l'absente
de tous bouquets.   *Ibid.*

Le vers qui de plusieurs vocables refait un mot total, neuf, 12247
étranger à la langue et comme incantatoire [...]
                                                           Ibid.

L'écrivain, de ses maux, dragons qu'il a choyés, ou d'une 12248
allégresse, doit s'instituer, au texte, le spirituel histrion.
                          Ibid., Quant au livre, L'action restreinte.

Impersonnifié, le volume, autant qu'on s'en sépare comme 12249
auteur, ne réclame approche de lecteur. Tel, sache, entre
les accessoires humains, il a lieu tout seul : fait, étant. Le
sens enseveli se meut et dispose, en chœur, des feuillets,
                                                           Ibid.

Une proposition qui émane de moi — si, diversement, 12250
citée à mon éloge ou par blâme — je la revendique avec
celles qui se presseront ici — sommaire veut, que tout, au
monde, existe pour aboutir à un livre.
                          Ibid., Le Livre, instrument spirituel.

Le livre, expansion totale de la lettre, doit d'elle tirer, direc- 12251
tement, une mobilité et spacieux, par correspondances,
instituer un jeu, on ne sait, qui confirme la fiction.
                                                           Ibid.

La Poésie, proche l'Idée, est Musique, par excellence — ne 12252
consent pas d'infériorité.   *Ibid.*

Je préfère, devant l'agression, rétorquer que des contempo- 12253
rains ne savent pas lire [...]
                          Ibid., Le Mystère dans les Lettres

Les célébrations officielles à part, la Musique s'annonce le 12254
dernier et plénier culte humain.
                          Ibid., Offices, Plaisir sacré.

Évoquer, dans une ombre exprès, l'objet tu, par des mots 12255
allusifs, jamais directs, se réduisant à du silence égal, comporte tentative proche de créer [...]
                          Ibid., Grands faits divers, Magie.

Le vers, trait incantatoire ! et, on ne déniera au cercle que 12256
perpétuellement ferme, ouvre la rime une similitude avec
les ronds, parmi l'herbe, de la fée ou du magicien.
                                                           Ibid.

« Adieu, nuit, que je fus, ton propre sépulcre, mais qui, 12257
l'ombre survivante, se métamorphosera en Éternité. »
                                                       Igitur, I.

12258 Le Néant parti, reste le château de la pureté.   *Ibid., V*

12259 [...] Appliquer un regard aux premiers mots du Poème
pour que de suivants, disposés comme ils sont, l'amènent
aux derniers, le tout sans nouveauté qu'un espacement de
la lecture.
Un Coup de dés jamais n'abolira le hasard, Préface.

12260 Sait-on ce que c'est qu'écrire? Une ancienne et très vague
mais jalouse pratique, dont gît le sens au mystère du cœur.
Quelques médaillons et portraits en pied,
Villiers de l'Isle-Adam.

12261 La tombe aime tout de suite le silence.   *Ibid., Verlaine.*

12262 Éclat, lui, d'un météore, allumé sans motif autre que sa
présence, issu seul et s'éteignant. Tout, certes, aurait existé,
depuis, sans ce passant considérable, comme aucune circonstance littéraire vraiment n'y prépara : le cas personnel
demeure, avec force.   *Ibid., Arthur Rimbaud.*

12263 Écoutez! il n'y a jamais eu de période artistique.
Il n'y a jamais eu un peuple amant de l'Art.
Le « ten o' clock » de M. Whistler.

12264 Les gouvernements changent : toujours la prosodie reste
intacte.   *La Musique et les lettres.*

12265 Oui, que la littérature existe et, si l'on veut, seule, à l'exception de tout.   *Ibid.*

12266 La littérature, d'accord avec la faim, consiste à supprimer
le Monsieur qui reste en l'écrivant [...]   *Ibid.*

12267 [...] A part les morceaux de prose et les vers de ma jeunesse
et la suite, qui y faisait écho, publiée un peu partout, chaque
fois que paraissaient les premiers numéros d'une Revue
Littéraire, j'ai toujours rêvé et tenté autre chose, avec une
patience d'alchimiste, prêt à y sacrifier toute vanité et toute
satisfaction, comme on brûlait jadis son mobilier et les
poutres de son toit, pour alimenter le fourneau du Grand
Œuvre. Quoi? c'est difficile à dire : un livre, tout bonnement,
en maints tomes, un livre qui soit un livre, architectural
et prémédité, et non un recueil des inspirations de hasard
fussent-elles merveilleuses... J'irai plus loin, je dirai : le
Livre, persuadé qu'au fond il n'y en a qu'un, tenté à son
insu par quiconque a écrit, même les Génies.
Proses diverses, Autobiographie.

12268 [...] Mon. travail personnel qui, je crois, sera anonyme, le
Texte y parlant de lui-même et sans voix d'auteur.   *Ibid.*

12269 Au fond je considère l'époque contemporaine comme un
interrègne pour le poète qui n'a point à s'y mêler : elle est
trop en désuétude et en effervescence préparatoire pour

qu'il ait autre chose à faire qu'à travailler avec mystère
en vue de plus tard ou de jamais et de temps en temps à
envoyer aux vivants sa carte de visite, stances ou sonnet,
pour n'être point lapidé d'eux, s'ils le soupçonnaient de
savoir qu'ils n'ont pas lieu.   *Ibid.*

DE LA SCIENCE. — La Science ayant dans le Langage trouvé 12270
une confirmation d'elle-même, doit maintenant devenir
une CONFIRMATION du Langage.   *Ibid., Notes I. — 1869.*

Nommer un objet, c'est supprimer les trois quarts de la 12271
jouissance du poème qui est faite de deviner peu à peu :
le *suggérer*, voilà le rêve.
    Ibid., Réponses à des enquêtes, Sur l'évolution littéraire.

Au fond, voyez-vous [...] le monde est fait pour aboutir 12272
à un beau livre.   *Ibid.*

PAUL LEROY-BEAULIEU
1843-1916

L'*Internationale*, en effet, ressemble assez à la cigale de 12273
La Fontaine : elle s'amuse à faire des grèves incessantes;
elle consacre tout son temps, tous ses soins, toutes ses
faibles ressources, à troubler perpétuellement l'industrie.
Elle a oublié que le principal, c'était de se constituer un
trésor.
La Question ouvrière au XIXe siècle, chap. 3 (Fasquelle).

Le régime des primes est infiniment supérieur au régime 12274
de la participation. Il en offre tous les avantages et en repousse
tous les inconvénients; il stimule l'ouvrier par la perspective
d'un gain assuré, il ne lui fournit aucun prétexte d'immixtion
dans la gestion de l'entreprise.   *Ibid., 2e partie, chap. 1.*

GABRIEL TARDE
1843-1904

La langue est donc pour ainsi dire, *l'espace social* des idées. 12275
                        La Logique sociale (P.U.F.).

Quand il cesse de se contredire, le philosophe s'endort à 12276
moins qu'il ne s'entende contredire par autrui, ce qui, par
reflet interne de la croyance d'autrui, le fait se combattre
plus ou moins lui-même, plus qu'il ne le croit, en combattant
son adversaire.   *Ibid.*

12277 Il n'est donc pas vrai, malgré la fausse définition de Bichat, que la vie soit une lutte contre la mort; elle en est la poursuite. *L'Opposition universelle (P.U.F.).*

ANATOLE FRANCE
1844-1924

12278 [...] Ce petit bonhomme est une ombre : c'est l'ombre du *moi* que j'étais il y a vingt-cinq ans.
Le Livre de Pierre, chap. 10, Les humanités (Calmann-Lévy).

12279 Ce n'est pas avec la philosophie qu'on soutient les ministères.
La Vie littéraire, Lettre-préface (Calmann-Lévy).

12280 Le bon critique est celui qui raconte les aventures de son âme au milieu des chefs-d'œuvre. *Ibid.*

12281 La critique est la dernière en date de toutes les formes littéraires; elle finira peut-être par les absorber toutes.
Ibid.

12282 Le livre est l'opium de l'Occident. *Ibid.*

12283 [...] Qui nous assure que nous n'aurons pas, nous aussi, une postérité barbare? *Ibid., tome I, Le Quai Malaquais.*

12284 Si la science un jour règne seule, les hommes crédules n'auront plus que des crédulités scientifiques.
Ibid., L'hypnotisme dans la littérature.

12285 Le peuple fait bien les langues. Il les fait imagées et claires, vives et frappantes. Si les savants les faisaient, elles seraient sourdes et lourdes. *Ibid., Propos de rentrée.*

12286 Le beau nous apporte la plus haute révélation du divin qu'il soit permis de connaître.
Ibid., tome II, Les Torts de l'Histoire.

12287 L'histoire narrative est inexacte par essence [...] mais elle est encore, avec la poésie, la plus fidèle image que l'homme ait tracé de lui-même. *Ibid.*

12288 Il est difficile d'être insensible quand on pense vivement, et c'est pour la plupart des hommes un exemple décourageant que la sérénité d'un cochon.
Ibid., Sur le scepticisme.

12289 Il fut des temps barbares et gothiques où les mots avaient un sens; alors les écrivains exprimaient des pensées.
Ibid., M. Charles Morice.

Cotta se frappait le front : 12290
— Mourir? vouloir mourir quand on peut encore servir
l'État, quelle aberration!
Thaïs, Le Papyrus (Calmann-Lévy).

[...] On est obligé de reconnaître que Dieu, dans sa perfec- 12291
tion, ne manque ni d'esprit ni de fantaisie, ni de force
comique; qu'il excelle au contraire dans l'imbroglio [...]
La Rôtisserie de la Reine Pédauque (Calmann-Lévy).

L'idée d'un Dieu à la fois parfait et créateur n'est qu'une 12292
rêverie gothique, d'une barbarie digne d'un Welche ou
d'un Saxon. *Ibid.*

Dieu, dans sa bonté, veut qu'un seul moment nous sauve; 12293
encore faut-il que ce moment soit le dernier [...]
Ibid.

L'État est comme le corps humain. Toutes les fonctions 12294
qu'il accomplit ne sont pas nobles.
Les Opinions de M. Jérôme Coignard, chap. 4
(Calmann-Lévy).

[...] Hors quelques rares exceptions [...], l'homme peut être 12295
défini un animal à mousquet. *Ibid., chap. 10.*

La pensée est une maladie particulière à quelques individus 12296
et qui ne se propagerait pas sans amener promptement la
fin de l'espèce. *Ibid.*

[...] L'histoire est condamnée, par un vice de nature, au 12297
mensonge. *Ibid., XVII.*

Les vérités découvertes par l'intelligence demeurent stériles. 12298
Ibid., XXI.

Les choses en elles-mêmes ne sont ni grandes ni petites, 12299
et quand nous trouvons que l'univers est vaste, c'est là une
idée tout humaine.
Le Jardin d'Épicure (Calmann-Lévy).

Le christianisme a beaucoup fait pour l'amour en en faisant 12300
un péché. *Ibid.*

L'artiste doit aimer la vie et nous montrer qu'elle est belle. 12301
Sans lui, nous en douterions. *Ibid.*

Nous mettons l'infini dans l'amour. Ce n'est pas la faute 12302
des femmes. *Ibid.*

Si l'on ne souffre que sur la terre, elle est plus grande que 12303
tout le reste du monde. *Ibid.*

12304   Je tiens à mon imperfection comme à ma raison d'être.
Ibid.

12305   Il y a toujours un moment où la curiosité devient un péché, et le diable s'est toujours mis du côté des savants.
Ibid.

12306   Poète, sénateur ou cordonnier, on se résigne mal à n'être pas la fin définitive des mondes et la raison suprême de l'univers.
Ibid.

12307   Songez-y, un métaphysicien n'a, pour constituer le système du monde, que le cri perfectionné des singes et des chiens.
Ibid.

12308   Le style simple est semblable à la clarté blanche. Il est complexe mais il n'y paraît pas.
Ibid.

12309   Il faut, dans la vie, faire la part du hasard. Le hasard, en définitive, c'est Dieu.
Ibid.

12310   L'histoire n'est pas une science, c'est un art. On n'y réussit que par l'imagination.
Ibid.

12311   Mourir, c'est accomplir un acte d'une portée incalculable.
Ibid.

12312   Quand les lois seront justes, les hommes seront justes.
Monsieur Bergeret à Paris, chap. 7 (Calmann-Lévy).

12313   Sur la meule de la royauté ou du césarisme s'aiguise l'amour de la liberté, qui s'émousse dans un pays libre, ou qui se croit libre.
Ibid., chap. 9.

12314   Si Napoléon avait été aussi intelligent que Spinoza, il aurait écrit quatre volumes dans une mansarde.
Ibid., chap. 17.

12315   Et, voyant tout à coup sa voiture en fourrière, sa liberté perdue, l'abîme sous ses pas et le soleil éteint, Crainquebille murmura :
— Tout de même !...
Crainquebille, Putois, Riquet et plusieurs autres récits profitables, Crainquebille (Calmann-Lévy).

12316   Ce sont d'anciens soldats, et qui restent soldats. Soldats, ce mot dit tout...
Ibid.

12317   La méthode qui consiste à examiner les faits selon les règles de la critique est inconciliable avec la bonne administration de la justice.
Ibid.

[...] L'agent 64, abstraction faite de son humanité, ne se trompe pas. C'est une entité! *Ibid.* 12318

Quand l'homme qui témoigne est armé d'un sabre, c'est le sabre qu'il faut entendre et non l'homme. *Ibid.* 12319

Ruiner l'autorité de l'agent 64, c'est affaiblir l'État. Manger une des feuilles de l'artichaut, c'est manger l'artichaut, comme dit Bossuet en son sublime langage. *(Politique tirée de l'Écriture sainte, passim.)* 12320

Ibid.

La justice est la sanction des injustices établies. 12321
Ibid.

[...] Il n'y a entre le crime et l'innocence que l'épaisseur d'une feuille de papier timbré. *Ibid.* 12322

On appelle gens de bien ceux qui font comme les autres. 12323
Ibid.

« Sainte mère de Dieu, vous qui avez conçu sans pécher, accordez-moi la grâce de pécher sans concevoir. » 12324
Sur la pierre blanche, I (Calmann-Lévy).

De quel droit les dieux immortels abaisseraient-ils un homme vertueux jusqu'à le récompenser? *Ibid., II.* 12325

Le christianisme ne s'établit que lorsque l'état des mœurs s'accommoda de lui et que lui-même s'accommoda de l'état des mœurs. *Ibid., III.* 12326

[...] Le principe fondamental de toute guerre coloniale est que l'Européen soit supérieur aux peuples qu'il combat; sans quoi la guerre n'est pas coloniale, cela saute aux yeux. 12327
Ibid., V.

Le péril blanc a créé le péril jaune. Ce sont de ces enchaînements qui donnent à la vieille Nécessité qui mène le monde une apparence de justice divine [...] *Ibid.* 12328

Un peuple n'existe que par le sentiment qu'il a de son existence. Il y a trois cents millions de Chinois; mais ils ne le savent pas. Tant qu'ils ne se seront pas comptés ils ne compteront pas. *Ibid.* 12329

Pour mettre en valeur le globe terrestre, il faut d'abord mettre l'homme en valeur. *Ibid.* 12330

Les imbéciles ont dans la fourberie des grâces inimitables. 12331
L'Ile des pingouins, livre V, chap. 3.

Encore aujourd'hui le devoir des filles est déterminé, dans la morale religieuse, par cette vieille croyance que Dieu, 12332

le plus puissant des chefs de guerre, est polygame, qu'il se
réserve tous les pucelages, et qu'on ne peut en prendre que
ce qu'il en a laissé.
Ibid., livre VII, chap. 1.

12333   « Connaissance, où me conduis-tu? Où m'entraînes-tu,
pensée? »
La Révolte des Anges, chap. 7 (Calmann-Lévy).

12334   Un chrétien ne se laisse pas séduire par de vaines apparences.
La foi le garde contre les séductions du merveilleux; il laisse
la crédulité aux libres penseurs!   *Ibid., chap. 15.*

12335   [...] Le commun des hommes, qui ne sait que faire de cette
vie, en veut une autre, qui ne finisse point.
Ibid., chap. 21.

PAUL VERLAINE
1844-1896

12336   Le rire est ridicule autant que décevant.
Poèmes saturniens, Prologue.

12337   Souvenir, souvenir, que me veux-tu? L'automne
Faisait voler la grive à travers l'air atone,
Et le soleil dardait un rayon monotone
Sur le bois jaunissant où la bise détone.
Ibid., Melancholia. II, Nevermore.

12338   Ah! Les premières fleurs qu'elles sont parfumées!
Et qu'il bruit avec un murmure charmant
Le premier *oui* qui sort des lèvres bien-aimées!
Ibid.

12339   Ah! les oarystis! les premières maîtresses!
Ibid., IV, Vœu.

12340   Je fais souvent ce rêve étrange et pénétrant
D'une femme inconnue, et que j'aime, et qui m'aime,
Et qui n'est, chaque fois, ni tout à fait la même,
Ni tout à fait une autre, et m'aime et me comprend.
Ibid., VI, Mon rêve familier.

12341   Son regard est pareil au regard des statues,
Et pour sa voix, lointaine, et calme, et grave elle a
L'inflexion des voix chères qui se sont tues.
Ibid.

12342   Les sanglots longs
                    Des violons
                    De l'automne
                    Blessent mon cœur
                    D'une langueur
                    Monotone.
Ibid., Paysages tristes. V : Chanson d'Automne.

Et je m'en vais   12343
Au vent mauvais
Qui m'emporte
Deçà, delà
Pareil à la
Feuille morte.
Ibid.

Ah! l'Inspiration, on l'évoque à seize ans!   12344
Ibid., Épilogue.

Pauvres gens! l'Art n'est pas d'éparpiller son âme; 12345
Est-elle en marbre ou non, la Vénus de Milo?
Ibid.

Votre âme est un paysage choisi [...]   12346
Fêtes galantes, Clair de lune.

Les donneurs de sérénades   12347
Et les belles écouteuses
Échangent des propos fades
Sous les ramures chanteuses.
Ibid., Mandoline.

— Te souvient-il de notre extase ancienne?   12348
— Pourquoi voulez-vous donc qu'il m'en souvienne?
Ibid., Colloque sentimental.

Tels ils marchaient dans les avoines folles   12349
Et la nuit seule entendit leurs paroles.
Ibid.

La lune blanche   12350
Luit dans les bois;
De chaque branche
Part une voix
Sous la ramée...
La Bonne Chanson, VI.

Un vaste et tendre   12351
Apaisement
Semble descendre
Du firmament
Que l'astre irise...

C'est l'heure exquise.
Ibid.

Donc, ce sera par un clair jour d'été;   12352
Le grand soleil, complice de ma joie,
Fera, parmi le satin et la soie,
Plus belle encor votre chère beauté.
Ibid., XIX.

Il pleure dans mon cœur   12353
Comme il pleut sur la ville;
Quelle est cette langueur
Qui pénètre mon cœur?
Romances sans paroles, Ariettes oubliées, III.

12354   C'est bien la pire peine
              De ne savoir pourquoi
              Sans amour et sans haine
              Mon cœur a tant de peine!

Ibid.

12355   O triste, triste était mon âme
              A cause, à cause d'une femme.

              Je ne me suis pas consolé
              Bien que mon cœur s'en soit allé [...].

Ibid., VII.

12356   Hélas! on se prend toujours au désir
              Qu'on a d'être heureux malgré la saison...

Ibid., Paysages belges, Birds in the night.

12357 Voici des fruits, des fleurs, des feuilles et des branches
Et puis voici mon cœur, qui ne bat que pour vous.
Ne le déchirez pas avec vos deux mains blanches
Et qu'à vos yeux si beaux l'humble présent soit doux.

Ibid., Aquarelles, Green.

12358 Bon chevalier masqué qui chevauche en silence,
Le Malheur a percé mon vieux cœur de sa lance.

Sagesse, I, 1.

12359 Les faux beaux jours ont lui tout le jour, ma pauvre âme.

Ibid., 7.

12360 Si ces hiers allaient manger nos beaux demains?

Ibid.

12361 La vie humble, aux travaux ennuyeux et faciles
Est une œuvre de choix qui veut beaucoup d'amour.

Ibid., 8.

12362   Écoutez la chanson bien douce
              Qui ne pleure que pour vous plaire.
              Elle est discrète, elle est légère :
              Un frisson d'eau sur de la mousse!

Ibid., 16.

12363   O mon Dieu, vous m'avez blessé d'amour,
              Et la blessure est encore vibrante,
              O mon Dieu, vous m'avez blessé d'amour [...]

Ibid., II, 1.

12364   Je ne veux plus aimer que ma mère Marie.

Ibid., 2.

12365 Mon Dieu m'a dit : « Mon fils, il faut m'aimer [...] ».

Ibid., 4.

12366   L'espoir luit comme un brin de paille dans l'étable.

Ibid., III, 3.

12367   Ah! quand refleuriront les roses de septembre?

Ibid.

Je suis venu, calme orphelin,   12368
Riche de mes seuls yeux tranquilles,
Vers les hommes des grandes villes :
Ils ne m'ont pas trouvé malin.

Ibid., 4.

Suis-je né trop tôt ou trop tard?   12369
Qu'est-ce que je fais en ce monde?
O vous tous, ma peine est profonde :
Priez pour le pauvre Gaspard!

Ibid.

Le ciel est, par-dessus le toit,   12370
    Si bleu, si calme!
Un arbre, par-dessus le toit,
    Berce sa palme!

Ibid., 6.

Qu'as-tu fait, ô toi que voilà   12371
    Pleurant sans cesse,
Dis, qu'as-tu fait, toi que voilà
    De ta jeunesse?

Ibid.

Je suis né romantique et j'eusse été fatal [...]   12372
Jadis et naguère, Jadis, Dizain mil huit cent trente.

De la musique avant toute chose,   12373
Et pour cela préfère l'Impair,
Plus vague et plus soluble dans l'air,
Sans rien en lui qui pèse ou qui pose.
    Ibid., Art poétique.

Pas la Couleur, rien que la Nuance!   12374
    Ibid.

Fuis du plus loin la Pointe assassine   12375
L'Esprit cruel et le Rire impur.
    Ibid.

Prends l'éloquence et tords-lui son cou!   12376
    Ibid.

O qui dira les torts de la Rime?   12377
Quel enfant sourd ou quel nègre fou
Nous a forgé ce bijou d'un sou
Qui sonne creux et faux sous la lime?
    Ibid.

Que ton vers soit la bonne aventure   12378
Éparse au vent crispé du matin
Qui va fleurant la menthe et le thym...
Et tout le reste est littérature.
    Ibid.

[...] Hélas, il fut frivole encor plus que barbare,   12379
Et son esprit surtout fit que son cœur pécha.
    Ibid., Les uns et les autres.

12380   La morale la meilleure,
             En ce monde où les plus fous
             Sont les plus sages de tous,
             C'est encor d'oublier l'heure.
                                                    Ibid.

12381 La Vie est triomphante et l'Idéal est mort.
                          Ibid., Vers jeunes : Les vaincus.

12382 [...] Car les morts sont bien morts et nous vous l'apprendrons.
                                                    Ibid.

12383 Je suis l'Empire à la fin de la décadence,
        Qui regarde passer les grands Barbares blancs [...].
                 Ibid., A la manière de plusieurs, II, Langueur.

12384   Trois petits pâtés, ma chemise brûle.
             Monsieur le curé n'aime pas les os.
             Ma cousine est blonde, elle a nom Ursule,
             Que n'émigrons-nous vers les Palaiseaux?
             [...]
                          Ibid., III, Pantoum négligé.

12385   Bois pour oublier!
                   L'eau-de-vie est une
                   Qui porte la lune
                   Dans son tablier.
                          Ibid., V, Conseil falot.

12386   « Oh! je[1] serai celui-là qui sera[2] Dieu! »
                          Ibid., Naguère, Crimen Amoris.

12387   « Nous avons tous trop souffert, anges et hommes,
             De ce conflit entre le Pire et le Mieux. »
                                                    Ibid.

12388   « Damne-toi! Nous serons heureux à deux. [...] »
                                          Ibid., La Grâce.

12389 O le premier amant! Souvenez-vous, Mesdames!
                          Ibid., L'Impénitence finale.

12390   La chair est sainte! Il faut qu'on la vénère.
                          Ibid., Don Juan pipé.

12391   On est le Diable, on ne le devient point.
                                                    Ibid.

12392 [...] Elle ne savait pas que l'Enfer, c'est l'absence.
                          Ibid., Amoureuse du diable.

12393   Vous[3] souvient-il, cocodette un peu mûre,
             Qui gobergez vos flemmes de bourgeoise,
             Du temps joli quand, gamine un peu sûre,
             Tu m'écoutais, blanc-bec fou qui dégoise?
                          Parallèlement, Dédicace.

_____

1. C'est Rimbaud qui parle.
2. Variante : « qui *créera* Dieu ».
3. Verlaine s'adresse à sa femme.

Je meurs si je mens, 12394
Je les trouve heureux,
Tous ces culs-terreux,
D'être tes amants.
Ibid., Filles, V, A Mademoiselle ***.

J'ai perdu ma vie et je sais bien 12395
Que tout blâme sur moi s'en va fondre :
A cela je ne puis que répondre
Que je suis vraiment né Saturnien.
Ibid., Révérence parler, I, Prologue.

Dame souris trotte, 12396
Noire dans le gris du soir,
Dame souris trotte,
Grise dans le noir.
Ibid., II, Impression fausse.

Ah, dans ces tristes décors, 12397
Les Déjàs sont les Encors!
Ibid., IV, Réversibilités.

Ah, dans ces mornes séjours, 12398
Les Jamais sont les Toujours!
Ibid.

Mortel, ange et démon, autant dire Rimbaud [...] 12399
Dédicaces, 62.

Je fus mystique et je ne le suis plus 12400
(La femme m'aura repris tout entier)
Non sans garder des respects absolus
Pour l'idéal qu'il fallut renier.
Chansons pour elle, 25.

TRISTAN CORBIÈRE
1845-1875

L'Art ne me connaît pas. Je ne connais pas l'Art. 12401
Les Amours jaunes, Ça, Ça? (Ed. Émile-Paul).

La passion c'est l'averse 12402
Qui traverse!
Mais la femme n'est qu'un grain
Grain de beauté, de folie
Ou de pluie...
Grain d'orage — ou de serein.
Ibid., Après la pluie.

Oh le printemps! je veux écrire! 12403
Donne-moi mon bout de crayon
— Mon bout de crayon, c'est ma lyre —
Et — là — je me sens un rayon.
Ibid., Un jeune qui s'en va.

12404   Ce fut un vrai poète : il n'avait pas de chant.
Mort, il aimait le jour et dédaigna de geindre.
Peintre : il aimait son art — Il oublia de peindre...
Il voyait trop. — Et voir est un aveuglement.

Ibid., Raccrocs, Décourageux

12405   Ma pensée est un souffle aride :
C'est l'air. L'air est à moi partout.
Et ma parole est l'écho vide
Qui ne dit rien — et c'est tout.

Ibid., Paria.

12406   Eh bien, tous ces marins — matelots, capitaines,
Dans leur grand Océan à jamais engloutis,
Partis insoucieux pour leurs courses lointaines,
Sont morts — absolument comme ils étaient partis.

Ibid., Gens de mer, La fin.

CHARLES FERRÉ
1845-1871

12407   Les trahisons se châtient, tandis que les faiblesses s'excusent.
Mieux vaudrait des criminels et point des hésitants.

A Vallès, le 19 mars 1871.

JULES GUESDE
1845-1922

12408   Pour qu'un assassinat devienne un acte de justice, il suffit
qu'au lieu d'être accompli sous le couvert de la République
il soit d'ordre monarchique et clérical.

Les Droits de l'homme, 8 avril 1871.

12409   Nous ne sommes séparés d'une restauration que par l'épaisseur de Paris.   *Les Droits de l'homme, 13 mai 1871.*

12410   Non, la place de la femme n'est pas plus au foyer qu'ailleurs.
Comme celle de l'homme, elle est partout, partout où son
activité peut et veut se déployer. Pourquoi, de quel droit
l'enfermer, la parquer dans son sexe, transformé, qu'on le
veuille ou non, en profession, pour ne pas dire en métier?

Les Droits de l'homme, octobre 1876.

12411   Une classe quelle qu'elle soit, qu'elle soit fermée comme
la Noblesse d'avant 1789, ou qu'elle soit, comme la Bourgeoisie d'aujourd'hui, à l'état de perpétuel recrutement,
ne se suicide jamais.   *Ibid.*

La Révolution sociale qui se poursuit actuellement est 12412
fille — et fille mieux que légitime, naturelle — de la Révolution
religieuse du seizième siècle et de la Révolution politique
du dix-huitième.
En garde! « *A Monsieur Léon XIII Pape de son état, en son*
palais du Vatican, Rome » *(Éd. Rouff)*.

Oui [1], c'étaient des maçons, des relieurs, des cordonniers, 12413
c'est-à-dire une nouvelle couche sociale qui entrait en ligne,
le Quatrième-État qui émergeait à coups de fusil.
L'Égalité, 18 mars 1879.

[...] un seul patron, un seul capitaliste : Tout le monde! 12414
mais tout le monde travaillant, obligé de travailler et maître
de la totalité des valeurs sorties de ses mains.
Le Collectivisme par la Révolution (Bureau d'éditions).

Par Révolution nous n'entendons pas les coups de fusil au 12415
hasard et en permanence, l'insurrection pour l'insurrection,
sans préparation, sans chance de succès et presque sans but.
Ibid.

Ils [les radicaux] ne se distinguent des conservateurs que 12416
par l'hypocrisie.   *Le Citoyen, 24 février 1882.*

Il n'est pas jusqu'aux sergents de ville qui ne songent avec 12417
terreur — leur menace de grève en fait foi — au jour où
il leur faudra, faute d'avoir pu trouver à abriter leur fatigue
et leur « instrument de travail », s'arrêter eux-mêmes pour
vagabondage.   *Le Citoyen, 9 juin 1882.*

EUGÈNE VERMERSCH
1845-1878

Sur un front de bataille épouvantable et large   12418
    L'émeute se relèvera
Et, sortant des pavés pour nous sonner la charge
    Le spectre de Mai parlera.
                              Les Incendiaires.

LÉON BLOY
1846-1917

Toute la philosophie chrétienne est dans l'importance 12419
inexprimable de l'acte libre et dans la notion d'une envelop-
pante et indestructible solidarité. Si Dieu, dans une éternelle
seconde de sa puissance, voulait faire ce qu'il n'a jamais
fait, anéantir un seul homme, il est probable que la création
s'en irait en poussière. *Le Désespéré (Mercure de France).*

_____
1. A propos de la Commune.

12420 La richesse aurait fait de moi une de ces charognes ambu-
lantes et dûment calées, que les hommes du monde flairent
avec sympathie dans leurs salons et dont se pourlèche la
friande vanité des femmes.   *Ibid.*

12421 Le monde moderne, avec toutes ses institutions et toutes
ses idées [...] : une Atlantide submergée dans un dépotoir.
                                                   Ibid.

12422 Que Dieu vous garde du feu, du couteau, de la littérature
contemporaine et de la rancune des mauvais morts.
          La Femme pauvre, dédicace (Mercure de France).

12423 Mon existence est une campagne triste où il pleut toujours...
                                                   Ibid.

12424 Tout le présent volume n'est [...] qu'une longue digression
sur le mal de vivre, sur l'infernale disgrâce de subsister, sans
groin, dans une société sans Dieu.   *Ibid.*

12425 Les femmes sont universellement persuadées que « tout leur
est dû ». Cette croyance est dans leur nature comme le triangle
est inscrit dans la circonférence qu'il détermine. *Ibid.*

12426 Une sainte peut tomber dans la boue et une prostituée
monter dans la lumière, mais jamais ni l'une ni l'autre
ne pourra devenir une honnête femme.   *Ibid.*

12427 Il n'y a que les saints ou les antagonistes des saints capables
de délimiter l'histoire.   *Ibid.*

12428 L'homme est si surnaturel que ce qu'il réalise le moins, ce
sont les notions de temps et d'espace.   *Ibid.*

12429 La *folie* des Croisades est ce qui a le plus honoré la raison
humaine. Antérieurement au Crétinisme scientifique, les
enfants savaient que le Sépulcre du Sauveur est le centre
de l'univers, le pivot et le cœur des mondes.   *Ibid.*

12430 Le monde ressemble à ces cavernes d'Algérie où s'empilaient,
avec leur bétail, des populations rebelles qu'on y enfumait
pour que les hommes et les animaux, suffoqués et rendus
fous, se massacrassent dans les ténèbres. [...] Le parricide
et l'inceste, pour ne rien dire de quelques autres abominations,
y prospèrent, Dieu le sait! à la condition d'être discrets
et de paraître plus beaux que la vertu.   *Ibid.*

12431 [...] Il y a la multitude infinie de ceux qui ne sont plus à
naître et qui n'ont pas encore assez souffert pour mourir.
Il y a ceux qu'on écorche vivants, qu'on coupe en morceaux,
qu'on brûle à petit feu, qu'on crucifie, qu'on flagelle, qu'on
écartelle, qu'on tenaille, qu'on empale, qu'on assomme
ou qu'on étrangle, en Asie, en Afrique, en Amérique,
en Océanie, sans parler de notre Europe délectable [...]
                                                   Ibid.

12432 En présence de la mort d'un petit enfant, l'Art et la Poésie
ressemblent vraiment à de très grandes misères.   *Ibid.*

Il n'y a qu'une tristesse, [...] c'est de N'ÊTRE PAS DES SAINTS. 12433
Ibid.

Malheur à celui qui n'a pas mendié! Il n'y a rien de plus 12434
grand que de mendier. Dieu mendie. Les anges mendient.
Les rois, les prophètes et les Saints mendient.
Le Mendiant ingrat, préface (Mercure de France).

Le manque d'argent est tellement le mystère de ma vie que, 12435
même lorsque je n'en ai pas du tout, il a l'air de diminuer.
Ibid.

Il n'y a pas de hasard, parce que le hasard est la Providence 12436
des imbéciles, et la Justice veut que les imbéciles soient sans
Providence. *Ibid.*

La plus ruineuse des folies, décidément, c'est de n'être pas 12437
un maquereau ou un imbécile. *Ibid.*

Évidemment, si on donne sa parole d'honneur que « rien 12438
n'est absolu », l'arithmétique, du même coup, devient
exorable et l'incertitude plane sur les axiomes les plus incon-
testés de la géométrie rectiligne. Aussitôt, c'est une question
de savoir s'il est meilleur d'égorger ou de ne pas égorger
son père, de posséder vingt-cinq centimes ou soixante-
quatorze millions, de recevoir des coups de pied dans le
derrière ou de fonder une dynastie.
Exégèse des lieux communs (Mercure de France).

J'avais cru jusqu'ici qu'on prouvait ou qu'on ne prouvait 12439
pas. J'apprends tout à coup qu'on peut prouver trop. Voilà
qui renverse toutes mes idées. On peut manger trop, boire
trop, cela se comprend. On peut être trop bête ou trop
cochon, cela s'est vu. Il paraît même qu'on peut être trop
honnête, ce qui est rarement le cas du Bourgeois, homme
d'équilibre et de juste tempérament. Mais prouver trop,
et par là même ne prouver rien, c'est un prodige qui me
dépasse. *Ibid.*

Il est permis de se demander, et même de demander aux 12440
autres, pourquoi un homme qui a vécu comme un cochon
a le désir de ne pas mourir comme un chien. *Ibid.*

Réponse excellente à un ecclésiastique objectant que le 12441
moment où on fait la guerre aux prêtres est mal choisi pour
jeter de la boue sur les soutanes. — Il vaut mieux, riposta
quelqu'un, que la boue soit sur la soutane que dedans.
Quatre ans de captivité à Cochons-sur-Marne
(Mercure de France).

Tout chrétien sans héroïsme est un porc. *Ibid.* 12442

On exige de moi ce qui n'est exigé de personne. On veut 12443
absolument que j'écrive toujours du Léon Bloy. [...] *Ibid.*

Voici deux bourgeois, l'homme et la femme, ayant passé 12444
ensemble un demi-siècle, sans avoir jamais dit autre chose
que des lieux communs, sans s'être jamais rien dit. Si Dieu
voulait qu'ils s'aperçussent tout à coup dans la Lumière,
« ils ne se reconnaîtraient pas ». *Ibid.*

12445 L'effroyable translation « de l'utérus au sépulcre » qu'on est
       convenu d'appeler cette vie, comblée de misères, de deuils,
       de mensonges, de déceptions, de trahisons, de puanteurs
       et de catastrophes.   *Belluaires et Porchers (Stock).*

12446 Tout nous manque indiciblement. Nous crevons de la nostal-
       gie de l'Être.   *Ibid.*

12447 La maîtresse faculté de l'artiste, l'Imagination, est naturel-
       lement et passionnément anarchique.   *Ibid.*

PAUL DÉROULÈDE
1846-1914

12448 [...] Et les Français s'en vont rabaissant les Français.
              Chants du soldat, Vive la France (Calmann-Lévy).

12449   L'air est pur, la route est large,
                  Le Clairon sonne la charge [...]
                                        Ibid., Le Clairon.

12450 [...] Comme de fiers vaincus, qui, sûrs de leur effort,
       N'ont qu'un but : la revanche, ou qu'un recours : la mort.
                                     Ibid., La Marseillaise.

12451   Ma cocarde a les trois couleurs,
                  Les trois couleurs de la patrie.
                  Le sang l'a bien un peu rougie [...]
                                        Ibid., La Cocarde.

12452   Le pauvre garçon est pris d'un transport :
                  De blanc qu'il était, il en devient rouge,
                  De rouge violet, et de violet... mort.
                                           De profundis.

12453 [...] Ces mots qui sont la langue et qui furent l'Histoire,
       Ces grands mots qu'un Corneille a faits Cornéliens [...]
                                     Ibid., Sur Corneille.

12454   En avant ! tant pis pour qui tombe,
                  La mort n'est rien. Vive la tombe,
                  Quand le Pays en sort vivant.
                          En avant !
              Nouveaux chants du soldat, En avant! (Calmann-Lévy).

12455   Et la bonne vieille de dire,
                  Moitié larme, moitié sourire :

                  « J'ai mon gars soldat comme toi! »
                                        Ibid., Le Bon gîte.

12456   O mère, ta tendresse a mal formé cette âme,
                  S'il ne sait pas mourir, tu n'as pas su créer!
                                        Ibid., Épilogue.

ISIDORE DUCASSE,
COMTE DE LAUTRÉAMONT
1846-1870

Plût au ciel que le lecteur, enhardi et devenu momentané- 12457
ment féroce comme ce qu'il lit, trouve, sans se désorienter,
son chemin abrupt et sauvage, à travers les marécages désolés
de ces pages sombres et pleines de poison.
Les Chants de Maldoror, Chant premier.

Il n'est pas bon que tout le monde lise les pages qui vont 12458
suivre; quelques-uns seuls savoureront ce fruit amer sans
danger. *Ibid.*

Lecteur, c'est peut-être la haine que tu veux que j'invoque 12459
dans le commencement de cet ouvrage!
Ibid.

J'établirai dans quelques lignes comment Maldoror fut 12460
bon pendant ses premières années, où il vécut heureux;
c'est fait. Il s'aperçut ensuite qu'il était né méchant. *Ibid.*

Il n'était pas menteur, il avouait la vérité et disait qu'il 12461
était cruel. *Ibid.*

Celui qui chante ne prétend pas que ses cavatines soient une 12462
chose inconnue; au contraire, il se loue de ce que les pensées
hautaines et méchantes de son héros soient dans tous les
hommes. *Ibid.*

Homme, n'as-tu jamais goûté de ton sang, quand par hasard 12463
tu t'es coupé le doigt? Comme il est bon, n'est-ce pas;
car, il n'a aucun goût. *Ibid.*

Vieil océan, tes eaux sont amères. C'est exactement le 12464
même goût que le fiel que distille la critique sur les beaux-
arts, sur les sciences, sur tout. Si quelqu'un a du génie, on
le fait passer pour un idiot; si quelque autre est beau de
corps, c'est un bossu affreux. Certes, il faut que l'homme
sente avec force son imperfection, dont les trois quarts
d'ailleurs ne sont dus qu'à lui-même, pour la critiquer ainsi!
Je te salue, vieil océan! *Ibid.*

Oui, quel est le plus profond, le plus impénétrable des deux : 12465
l'océan ou le cœur humain? *Ibid.*

Vieil océan, ô grand célibataire, quand tu parcours la soli- 12466
tude solennelle de tes royaumes flegmatiques, tu t'enor-
gueillis à juste titre de ta magnificence native, et des éloges
vrais que je m'empresse de te donner. *Ibid.*

Reprends la route qui va où tu dors... *Ibid.* 12467

12468 La fin du XIXe siècle verra son poète (cependant, au début, il ne doit pas commencer par un chef-d'œuvre mais suivre la loi de la nature); il est né sur les rives américaines, à l'embouchure de la Plata, là où deux peuples, jadis rivaux, s'efforcent actuellement de se surpasser par le progrès matériel et moral. Buenos-Ayres, la reine du Sud, et Montevideo, la coquette, se tendent une main amie, à travers les eaux argentines du grand estuaire.   *Ibid.*

12469 Ma poésie ne consistera qu'à attaquer, par tous les moyens, l'homme, cette bête fauve, et le Créateur, qui n'aurait pas dû engendrer une pareille vermine. Les volumes s'entasseront sur les volumes, jusqu'à la fin de ma vie, et, cependant, l'on n'y verra que cette seule idée, toujours présente à ma conscience!   *Ibid., Chant deuxième.*

12470 D'où peut venir cette répugnance profonde pour tout ce qui tient à l'homme?   *Ibid.*

12471 O mathématiques sévères, je ne vous ai pas oubliées, depuis que vos savantes leçons, plus douces que le miel, filtrèrent dans mon cœur, comme une onde rafraîchissante.   *Ibid.*

12472 Arithmétique! algèbre! géométrie! trinité grandiose! triangle lumineux!   *Ibid.*

12473 Mais, je ne me plaindrai pas. J'ai reçu la vie comme une blessure, et j'ai défendu au suicide de guérir la cicatrice. Je veux que le Créateur en contemple, à chaque heure de son éternité, la crevasse béante.   *Ibid., Chant troisième.*

12474 Ainsi donc, Maldoror, tu as été vainqueur! Ainsi donc, Maldoror, tu as vaincu l'Espérance!   *Ibid.*

12475 C'est un homme ou une pierre ou un arbre qui va commencer le quatrième chant.   *Ibid., Chant quatrième.*

12476 Si le lecteur trouve cette phrase trop longue, qu'il accepte mes excuses; mais, qu'il ne s'attende pas de ma part à des bassesses.   *Ibid.*

12477 Et, pour ne pas m'éloigner davantage du cadre de cette feuille de papier, ne voit-on pas que le laborieux morceau de littérature que je suis à composer, depuis le commencement de cette strophe, serait peut-être moins goûté, s'il prenait son point d'appui dans une question épineuse de chimie ou de pathologie interne?   *Ibid.*

12478 Je ne puis m'empêcher de rire, me répondrez-vous; j'accepte cette explication absurde, mais, alors, que ce soit un rire mélancolique. Riez, mais pleurez en même temps. Si vous ne pouvez pleurer par les yeux, pleurez par la bouche. Est-ce encore impossible, urinez; mais, j'avertis qu'un liquide quelconque est ici nécessaire, pour atténuer la sécheresse que porte, dans ses flancs, le rire, aux traits fendus en arrière.   *Ibid.*

12479 Que le lecteur ne se fâche pas contre moi, si ma prose n'a pas le bonheur de lui plaire.   *Ibid., Chant cinquième.*

La frontière entre ton goût et le mien est invisible; tu ne pourras jamais la saisir : preuve que cette frontière elle-même n'existe pas.   *Ibid.*   12480

O pédérastes incompréhensibles, ce n'est pas moi qui lancerai des injures à votre grande dégradation.   *Ibid.*   12481

Moi, je n'aime pas les femmes! Ni même les hermaphrodites! Il me faut des êtres qui me ressemblent, sur le front desquels la noblesse humaine soit marquée en caractères plus tranchés et ineffaçables!   *Ibid.*   12482

Que ne puis-je regarder à travers ces pages séraphiques le visage de celui qui me lit.   *Ibid.*   12483

Ce sentiment de remarquable stupéfaction, auquel on doit généralement chercher à soustraire ceux qui passent leur temps à lire des livres ou des brochures, j'ai fait tous mes efforts pour le produire.   *Ibid., Chant sixième.*   12484

Je remplace la mélancolie par le courage, le doute par la certitude, le désespoir par l'espoir, la méchanceté par le bien, les plaintes par le devoir, le scepticisme par la foi, les sophismes par la froideur du calme et l'orgueil par la modestie.   *Poésies, exergue.*   12485

Souffrir est une faiblesse, lorsqu'on peut s'en empêcher et faire quelque chose de mieux.   *Ibid.*   12486

Je veux que ma poésie puisse être lue par une jeune fille de quatorze ans.   *Ibid.*   12487

Donc, laissez-moi tranquille avec les chercheurs. A bas les pattes, à bas chiennes cocasses, faiseurs d'embarras, poseurs. Ce qui souffre, ce qui dissèque les mystères qui nous entourent, n'espère pas.   *Ibid.*   12488

La description de la douleur est un contresens. Il faut faire voir tout en beau.   *Ibid.*   12489

Ne pleurez pas en public.   *Ibid.*   12490

Si vous êtes malheureux, il ne faut pas le dire au lecteur. Gardez cela pour vous.   *Ibid.*   12491

La poésie personnelle a fait son temps de jongleries relatives et de contorsions contingentes. Reprenons le fil de la poésie impersonnelle, brusquement interrompu depuis la naissance du philosophe manqué de Ferney, depuis l'avortement du grand Voltaire.   *Ibid.*   12492

La poésie est la géométrie par excellence. Depuis Racine, la poésie n'a pas progressé d'un millimètre. Elle a reculé. Grâce à qui? aux Grandes-Têtes-Molles de notre époque. Grâce aux femmelettes, Chateaubriand, le Mohican-Mélancolique; Senancour, l'Homme-en-Jupon; Jean-Jacques Rousseau, le Socialiste Grincheur; Anne Radcliffe, le   12493

Spectre-Toqué; Edgar Poe, le Mameluck-des-Rêves-d'Alcool; Maturin, le Compère-des-Ténèbres; George Sand, l'Hermaphrodite-Circoncis; Théophile Gautier, l'Incomparable-Épicier; Leconte, le Captif-du-Diable; Goethe, le Suicidé-pour-Pleurer; Sainte-Beuve, le Suicidé-pour-Rire; Lamartine, la Cigogne-Larmoyante; Lermontoff, le Tigre-qui-Rugit; Victor Hugo, le Funèbre-Echalas-Vert; Mickiéwicz, l'Imitateur-de-Satan; Musset, le Gandin-Sans-Chemise-Intellectuelle; et Byron, l'Hippopotame-des-Jungles-Infernales.   *Ibid.*

12494 Il faut que la critique attaque la forme, jamais le fond de vos idées, de vos phrases. Arrangez-vous.   *Ibid.*

12495 Toute l'eau de la mer ne suffirait pas à laver une tache de sang intellectuelle.   *Ibid.*

12496 Les grandes pensées viennent de la raison.   *Ibid., II.*

12497 Bonté, ton nom est homme.   *Ibid.*

12498 L'homme est un chêne. La nature n'en compte pas de plus robuste.   *Ibid.*

12499 L'amour d'une femme est incompatible avec l'amour de l'humanité.   *Ibid.*

12500 Un pion pourrait se faire un bagage littéraire, en disant le contraire de ce qu'ont dit les poètes de ce siècle. Il remplacerait leurs affirmations par des négations. Réciproquement.
                                                                       Ibid.

12501 Si la morale de Cléopâtre eût été moins courte, la face de la terre aurait changé. Son nez n'en serait pas devenu plus long.   *Ibid.*

12502 La poésie doit avoir pour but la vérité pratique.   *Ibid.*

12503 Le plagiat est nécessaire. Le progrès l'implique. Il serre de près la phrase d'un auteur, se sert de ses expressions, efface une idée fausse, la remplace par l'idée juste.
                                                                       Ibid.

12504 Quelques philosophes sont plus intelligents que quelques poètes. Spinoza, Malebranche, Aristote, Platon ne sont pas Hégésippe Moreau, Malfilâtre, Gilbert, André Chénier.
                                                                       Ibid.

12505 Les jugements sur la poésie ont plus de valeur que la poésie. Ils sont la philosophie de la poésie. La philosophie, ainsi comprise, englobe la poésie. La poésie ne pourra pas se passer de la philosophie. La philosophie pourra se passer de la poésie.   *Ibid.*

12506 Cache-toi, guerre.   *Ibid.*

La poésie doit être faite par tous. Non par un. Pauvre 12507
Hugo! Pauvre Racine! Pauvre Coppée! Pauvre Corneille!
Pauvre Boileau! Pauvre Scarron! Tics, tics, et tics. *Ibid.*

Une logique existe pour la poésie. Ce n'est pas la même que 12508
celle de la philosophie. Les philosophes ne sont pas autant
que les poètes. Les poètes ont le droit de se considérer au-
dessus des philosophes. *Ibid.*

On ne peut juger de la beauté de la vie que par celle de la 12509
mort. *Ibid.*

Rien n'est dit. L'on vient trop tôt depuis plus de sept mille 12510
ans qu'il y a des hommes. *Ibid.*

On ne peut juger de la beauté de la mort que par celle de 12511
la vie. *Ibid.*

RAOUL RIGAULT
1846-1871

Je ne fais pas de la légalité ici, je fais de la révolution. 12512
A la Préfecture de police, en prenant ses fonctions de délégué
le 20 mars 1871.

Dieu c'est l'absurde. 12513

Si on meurt, il faut au moins mourir proprement. Ça sert 12514
pour la prochaine...
Au commandant du Bataillon du Père Duchêne,
quelques heures avant d'être tué.

ÉMILE FAGUET
1847-1916

Le secret de Rabelais, c'est qu'il sait conter; c'est qu'il est 12515
un grand conteur. Rien n'est plus rare. [...] Les grands
conteurs sont plus rares dans l'humanité que les grands
lyriques, les grands élégiaques et même les grands poètes
dramatiques.
Études littéraires, XVIe siècle, Rabelais (Hatier).

C'est le merveilleux qui a fait tort au surnaturel, comme de 12516
chaque chose, institution, doctrine, opinion, métier, les
parties basses ont toujours fait tort aux parties supérieures.
Ibid.

L'invention du christianisme, c'est l'infini. Au point de 12517
vue moral, il a apporté d'autres choses au monde; au point
de vue philosophique, il a apporté cette idée-là.
Ibid., Calvin.

12518 Ce beau désordre, installé par Ronsard, proscrit par Malherbe, réhabilité et consacré par Boileau, a été une plaie de notre littérature lyrique. Rien n'étant plus contraire à l'esprit français, quand les Français s'y livrent, c'est qu'ils s'y efforcent, et il n'y a rien de plus gauche que le désordre prémédité. *Ibid., Ronsard.*

GEORGES SOREL
1847-1922

12519 La légende du Juif errant est le symbole des plus hautes aspirations de l'humanité, condamnée à marcher toujours sans connaître le repos.
Réflexions sur la violence, Introduction (Marcel Rivière).

12520 Vous savez, aussi bien que moi, que ce qu'il y a de meilleur dans la conscience moderne est le tourment de l'infini.
Ibid.

12521 La conservation d'un langage marxiste par des gens devenus complètement étrangers à la pensée de Marx, constitue un grand malheur pour le socialisme. *Ibid., chap. 1.*

12522 Non seulement la violence prolétarienne peut assurer la révolution future, mais encore elle semble être le seul moyen dont disposent les nations européennes, abruties par l'humanitarisme, pour retrouver leur ancienne énergie. Cette violence force le capitalisme à se préoccuper uniquement de son rôle matériel et tend à lui rendre les qualités belliqueuses qu'il possédait autrefois. *Ibid., chap. 2.*

12523 Les députés socialistes trouveraient peu d'électeurs s'ils ne parvenaient à convaincre le grand public qu'ils sont des gens très raisonnables, fort ennemis des anciennes violences et uniquement occupés à méditer sur la philosophie du droit futur. *Ibid., chap. 3.*

12524 Il importe peu que la grève générale soit une réalité partielle, ou seulement une production de l'imagination populaire. Toute la question est de savoir si la grève générale contient bien tout ce qu'attend la doctrine socialiste du prolétariat révolutionnaire. *Ibid., chap. 4.*

12525 Plus la politique des réformes sociales deviendra prépondérante, plus le socialisme éprouvera le besoin d'opposer au tableau du progrès qu'elle s'efforce de réaliser, le tableau de la catastrophe totale que la grève générale fournit d'une manière vraiment parfaite. *Ibid.*

12526 La révolution apparaît comme une pure et simple révolte et nulle place n'est réservée aux sociologues, aux gens du monde amis des réformes sociales, aux intellectuels qui ont embrassé la *profession de penser pour le prolétariat.*
Ibid.

La science est pour la bourgeoisie un moulin qui produit des 12527
solutions pour tous les problèmes qu'on se pose : la science
n'est plus considérée comme une manière perfectionnée de
connaître, mais seulement comme une recette pour se procurer certains avantages. *Ibid.*

La grève générale, tout comme les guerres de la Liberté, 12528
est la manifestation la plus éclatante de la *force individualiste
dans des masses soulevées.* *Ibid., chap. 7.*

C'est à la violence que le socialisme doit les hautes valeurs 12529
morales par lesquelles il apporte le salut au monde moderne.
Ibid.

PAUL GAUGUIN
1848-1903

Le métier vient tout seul, malgré soi, avec l'exercice, et 12530
d'autant plus facilement qu'on pense à autre chose que le
métier. *Lettre à Daniel de Monfreid.*

JORIS-KARL HUYSMANS
1848-1907

Est-ce qu'il existe, ici-bas, un être conçu dans les joies d'une 12531
fornication et sorti des douleurs d'une matrice dont le
modèle, dont le type soit plus éblouissant, plus splendide que
celui de ces deux locomotives adoptées sur la ligne du chemin
de fer du Nord [...] A coup sûr, on peut le dire : l'homme a
fait, dans son genre, aussi bien que le Dieu auquel il croit.
A Rebours, chap. 2 (Fasquelle).

Baudelaire était allé plus loin; il était descendu jusqu'au 12532
fond de l'inépuisable mine, s'était engagé à travers des galeries abandonnées ou inconnues, avait abouti à ces districts
de l'âme où se ramifient les végétations monstrueuses de
la pensée.
Là, près de ces confins où séjournent les aberrations et les
maladies, le tétanos mystique, la fièvre chaude de la luxure,
les typhoïdes et les vomitos du crime, il avait trouvé, couvant
sous la morne cloche de l'Ennui, l'effrayant retour d'âge
des sentiments et des idées. *Ibid., chap. 12.*

En un mot, le poème en prose représentait, pour des Essein- 12533
tes, le suc concret, l'Osmazome de la littérature, l'huile
essentielle de l'art. *Ibid., chap. 14.*

— Je ne reproche au naturalisme ni ses termes de pontons, 12534
ni son vocabulaire de latrines et d'hospices, car ce serait
injuste et ce serait absurde; d'abord, certains sujets les hèlent,
puis avec des gravats d'expressions et du brai de mots, l'on

peut exhausser d'énormes et de puissantes œuvres, l'*Assom-moir*, de Zola, le prouve; non, la question est autre; ce que je reproche au naturalisme, ce n'est pas le lourd badigeon de son gros style; c'est l'immondice de ses idées; ce que je lui reproche, c'est d'avoir incarné le matérialisme dans la littérature, d'avoir glorifié la démocratie de l'art!

Là-bas, chap. 1 (Plon).

12535 Il faudrait, se disait-il, garder la véracité du document, la précision du détail, la langue étoffée et nerveuse du réalisme, mais il faudrait aussi se faire puisatier d'âme et ne pas vouloir expliquer le mystère par les maladies des sens; le roman, si cela se pouvait, devrait se diviser de lui-même en deux parts, néanmoins soudées ou plutôt confondues, comme elles le sont dans la vie, celle de l'âme, celle du corps, et s'occuper de leurs réactifs, de leurs conflits, de leur entente. Il faudrait en un mot, suivre la grande voie si profondément creusée par Zola, mais il serait nécessaire aussi de tracer en l'air un chemin parallèle, une autre route, d'atteindre les en deçà et les après, de faire, en un mot, un naturalisme spiritualiste; ce serait autrement fier, autrement complet, autrement fort!   *Ibid.*

12536 Mais où il [l'argent] devient vraiment monstrueux, c'est lorsque, cachant l'éclat de son nom sous le voile noir d'un mot, il s'intitule le capital. Alors son action ne se limite plus à des incitations individuelles, à des conseils de vols et de meurtres, mais elle s'étend à l'humanité tout entière. *Ibid.*

12537 A l'heure actuelle, dans le raclage têtu des vieux cartons, l'histoire ne sert plus qu'à étancher les soifs littéraires des hobereaux qui préparent ces rillettes de tiroirs auxquelles l'Institut décerne, en salivant, ses médailles d'honneur et ses grands prix.   *Ibid., chap. 2.*

12538 On peut l'affirmer : la société n'a fait que déchoir depuis les quatre siècles qui nous séparent du Moyen Age.

Ibid., chap. 8.

12539 L'édition des vertus et des vices est une édition *ne varietur*. L'on ne peut inventer de nouveaux péchés, mais l'on n'en perd pas.   *Ibid., chap. 12.*

12540 Aimer sans espoir, à blanc, ce serait parfait s'il ne fallait pas compter avec les intempéries de sa cervelle!

Ibid., chap. 14.

12541 Le cœur qui est réputé la partie noble de l'homme a la même forme que le pénis qui en est, soi-disant, la partie vile; c'est très symbolique, car tout amour de cœur finit par l'organe qui lui ressemble. L'imagination humaine, lorsqu'elle se mêle d'animer des êtres d'artifice, en est réduite à reproduire les mouvements des animaux qui se propagent. Vois les machines, le jeu des pistons dans les cylindres; ce sont dans des Juliette en fonte des Roméo d'acier [...].

Ibid.

Vraiment, quand j'y songe, la littérature n'a qu'une raison 12542
d'être, sauver celui qui la fait du dégoût de vivre!
Ibid., chap. 16.

Ah! la vraie preuve du catholicisme, c'était cet art qu'il 12543
avait fondé, cet art que nul n'a surpassé encore! c'était, en
peinture et en sculpture les Primitifs; les mystiques dans les
poésies et dans les proses; en musique, c'était le plain-
chant; en architecture, c'était le roman et le gothique.
En route, Première partie, chap. 1 (Plon).

Les ordres contemplatifs sont les paratonnerres de la société. 12544
Ibid., III.

L'ignorance du clergé, son manque d'éducation, son inin- 12545
telligence des milieux, son mépris de la mystique, son
incompréhension de l'art, lui ont enlevé toute influence
sur le patriciat des âmes. Il n'agit plus que sur les cervelles
infantiles des bigotes et des mômiers; et c'est sans doute
providentiel, c'est sans doute mieux ainsi, car s'il devenait
le maître, s'il parvenait à hisser, à vivifier la désolante tribu
qu'il gère, ce serait la trombe de la bêtise cléricale s'abattant
sur un pays, ce serait la fin de toute littérature, de tout art
en France. *Ibid., Deuxième partie, chap. 2.*

L'âme est une sorte d'aérostat qui ne peut monter, atteindre 12546
ses fins dernières dans l'espace, qu'en jetant son lest.
Ibid., chap. 5.

Toute partie d'église, tout objet matériel servant au culte 12547
est la traduction d'une vérité théologique. Dans l'architecture scripturale, tout est souvenir, tout est écho et reflet,
et tout se tient. *Ibid., chap. 6.*

Au moment de la conversion, c'est le printemps; l'âme 12548
est en liesse et le Christ sème en elle ses graines; puis viennent
le froid et l'obscurité; l'âme terrifiée se croit abandonnée
et se plaint, mais sans qu'elle le sente, pendant ces épreuves
de la vie purgative, les graines germent sous la neige; elles
lèvent dans la douceur contemplative des automnes, fleurissent enfin dans la vie unitive des étés. *Ibid., chap. 13.*

[...] Chacun doit être l'aide-jardinier de sa propre âme... 12549
Ibid.

[...] Le démon ne peut rien sur la volonté, très peu sur l'intelli- 12550
gence et tout sur l'imagination.
L'Oblat, chap. V (Plon).

La liturgie est un terrain d'alluvions; chaque siècle y joint 12551
un apport qui change selon l'esprit dont il est lui-même
imbu. *Ibid., chap. 13.*

Le bréviaire est une sorte de géologie ecclésiale. *Ibid.* 12552

OCTAVE MIRBEAU
1848-1917

12553   Voilà de l'argent qui n'est guère propre, si tant est qu'il y
en ait qui le soit... Pour moi, c'est bien simple, je n'ai vu
que du sale argent et que de mauvais riches.
Le Journal d'une femme de chambre, chap. 2 (Fasquelle).

12554   [...] Dans ce milieu, on ne commence à être âme qu'à partir
de cent mille francs de rentes.   *Ibid., chap. 5.*

12555   [...] Moi aussi, bien sûr, je suis pour l'armée, pour la patrie,
pour la religion et contre les juifs... Qui donc, parmi nous, les
gens de maison, [...] ne professe pas ces chouettes doctrines ?...
Ibid., chap. 6.

12556   Si infâmes que soient les canailles, ils ne le sont jamais autant
que les honnêtes gens.   *Ibid., chap. 8.*

12557   Chez moi, tout crime — le meurtre principalement — a des
correspondances secrètes avec l'amour.   *Ibid., chap. 17.*

FERDINAND BRUNETIÈRE
1849-1906

12558   Non seulement dans l'histoire ou dans la critique, cela va
sans dire, mais dans la poésie même, peut-être, mais dans
le roman, et surtout au théâtre, je ne connais pas d'écrivain vraiment digne de ce nom qui ne se soit plus ou moins
proposé de « prouver » quelque chose, et qui n'ait soutenu,
par conséquent, avec une fortune plus ou moins heureuse,
ce que l'on appelle une « thèse ».
*Questions de critique, Le Code civil et le théâtre
(Calmann-Lévy).*

12559   En art, comme en science, et autre part encore, la vérité,
une fois trouvée, devient vite anonyme, et c'est l'erreur,
assez souvent, qui perpétue dans la mémoire des hommes
le renom de ses inventeurs.   *Ibid., Théophile Gautier.*

12560   Ce n'est pas [...] une mauvaise chose qu'il y ait des écrivains,
ou des poètes du moins, qui ne se soucient que de leur poésie,
ou, comme ils disent maintenant, que de leur « écriture ».
Ibid.

12561   Si je ne craignais que le mot n'eût l'air d'une raillerie,
[...] je dirais volontiers que pour faire un grand poète lyrique,
il y faut beaucoup d'autres qualités sans doute, mais qu'il
en est une sans laquelle toutes les autres sont stériles, —
et c'est tout simplement l'égoïsme.
Ibid., La littérature personnelle.

GEORGES DE PORTO-RICHE
1849-1930

[...] Un diplomate qui s'amuse est moins dangereux qu'un   12562
diplomate qui travaille.
Le Passé, acte I, scène 4 (Ollendorf-Albin Michel).

J'aurai peut-être un nom dans l'histoire du cœur.   12563
Bonheur manqué.

JEAN RICHEPIN
1849-1926

Ce livre est non seulement un mauvais livre, mais une mau-   12564
vaise action.
La Chanson des gueux, Préface (Fasquelle).

Venez à moi, claquepatins[1],   12565
Loqueteux, joueurs de musettes,
Clampins[2], loupeurs[3], voyous, catins,
[...]
Je suis du pays dont vous êtes :
Le poète est le *Roi* des Gueux.
Ibid., Ballade du Roi des Gueux.

Qui qu'est gueux?   12566
C'est-il nous
Ou ben ceux
Qu'a de sous?
Ibid,. Gueux des champs, Chansons de mendiants,
Les vrais Gueux.

Ah! la nuit! C'est la nasse   12567
Que la Mort tous les soirs tend par où nous passons,
Et qui tous les matins est pleine de poissons.
Ibid., Tristesse des bêtes.

Voici venir l'Hiver, tueur des pauvres gens.   12568
Ibid., Gueux de Paris, Les quatre saisons, Première gelée.

La rime est un jupon, je m'amuse à la suivre.   12569
Ibid., La fin des Gueux.

1. traînards.
2. fainéants.
3. vagabonds.

PIERRE LOTI
1850-1923

12570 Guerre aux institutrices, aux professeurs transcendants, à
tous ces livres qui élargissent le champ de l'angoisse humaine.
Retour à la paix heureuse des aïeules.
Les Désenchantées, XIII (Calmann-Lévy).

12571 Oh! l'éternelle dérision que ce besoin d'embrasser et d'étreindre qui nous talonne tous, qui parfois nous semblerait presque un appel divin, un élan sublime pour fondre deux âmes
en une seule, mais qui n'est plutôt que le piège grossier de
la matière toujours obstinée à se reproduire.
*Quelques aspects du vertige mondial, Un petit monde
que n'ont pas atteint nos vertiges (Flammarion).*

12572 Le cochon n'est devenu sale que par suite de ses fréquen-
tations avec l'homme. A l'état sauvage, c'est un animal très
propre.   *Ibid., Une demi-douzaine de constatations.*

GUY DE MAUPASSANT
1850-1893

12573 Si la guerre est une chose horrible, le patriotisme ne serait-il
pas l'idée-mère qui l'entretient?
Les Dimanches d'un bourgeois de Paris.

12574 Une œuvre d'art n'est supérieure que si elle est, en même
temps, un symbole et l'expression exacte d'une réalité.
Mont-Oriol, I, 3.

12575 Dieu, [...] c'est un massacreur. Il lui faut tous les jours des
morts [...]. Et il se paie des guerres de temps en temps [...].
Moiron.

12576 Ces profondes et délicates racines qui attachent un homme à
la terre où sont nés et morts ses aïeux, qui l'attachent à ce que
l'on pense et à ce que l'on mange, aux usages comme aux
nourritures, aux locutions locales, aux intonations des paysans, aux odeurs du sol, des villages et de l'air lui-même [...]
Le Horla.

12577 Quels sont [...] les caractères essentiels du critique?
Il faut que, sans parti pris, sans opinions préconçues, sans
idée d'école, sans attaches avec aucune famille d'artistes,
il comprenne, distingue et explique toutes les tendances les
plus opposées, les tempéraments les plus contraires, et
admette les recherches d'art les plus diverses.
Pierre et Jean, Préface.

Le talent provient de l'originalité, qui est une manière spé- 12578
ciale de penser, de voir, de comprendre et de juger. *Ibid.*

Si le Romancier d'hier choisissait et racontait les crises de la 12579
vie, les états aigus de l'âme et du cœur, le Romancier d'aujourd'hui écrit l'histoire du cœur, de l'âme et de l'intelligence
à l'état normal. *Ibid.*

Le réaliste, s'il est un artiste, cherchera, non pas à nous 12580
montrer la photographie banale de la vie, mais à nous en
donner la vision plus complète, plus saisissante, plus pro-
bante que la réalité même. *Ibid.*

Raconter tout serait impossible. *Ibid.* 12581

Faire vrai consiste [...] à donner l'illusion complète du vrai, 12582
suivant la logique ordinaire des faits, et non à les transcrire
servilement dans le pêle-mêle de leur succession.
J'en conclus que les Réalistes de talent devraient s'appeler
plutôt des Illusionnistes. *Ibid.*

Nos yeux, nos oreilles, notre odorat, notre goût diffèrent, 12583
créent autant de vérités qu'il y a d'hommes sur la terre.
Ibid.

Chacun de nous se fait [...] simplement une illusion du monde, 12584
illusion poétique, sentimentale, joyeuse, mélancolique, sale
ou lugubre suivant sa nature. Et l'écrivain n'a d'autre mission
que de reproduire fidèlement cette illusion avec tous les
procédés d'art qu'il a appris et dont il peut disposer. *Ibid.*

Les grands artistes sont ceux qui imposent à l'humanité 12585
leur illusion particulière. *Ibid.*

La moindre chose contient un peu d'inconnu. Trouvons-le. 12586
Ibid.

Quelle que soit la chose qu'on veut dire, il n'y a qu'un mot 12587
pour l'exprimer, qu'un verbe pour l'animer et qu'un adjectif
pour la qualifier. *Ibid.*

La langue française [...] est une eau pure que les écrivains 12588
maniérés n'ont jamais pu et ne pourront jamais troubler.
Ibid.

Le baiser frappe comme la foudre, l'amour passe comme un 12589
orage, puis la vie, de nouveau, se calme comme le ciel, et
recommence ainsi qu'avant. Se souvient-on d'un nuage?
Ibid., chap. 5.

On finirait par devenir fou, ou par mourir, si on ne pouvait 12590
pas pleurer. *Fort comme la mort, II, 1.*

Quand on est jeune, on peut être amoureux de loin, par lettres, 12591
par pensées, par exaltation pure, peut-être parce qu'on sent
la vie devant soi, peut-être aussi parce qu'on a plus de passion
que de besoins du cœur; à mon âge, au contraire, l'amour

est devenu une habitude d'infirme, c'est un pansement de l'âme, qui, ne battant plus que d'une aile, s'envole moins dans l'idéal. *Ibid., II, 2.*

12592 La parole éblouit et trompe, parce qu'elle est mimée par le visage, parce qu'on la voit sortir des lèvres, et que les lèvres plaisent et que les yeux séduisent. Mais, les mots noirs sur le papier blanc, c'est l'âme toute nue. *Notre cœur, II, 5.*

12593 Aimer beaucoup, comme c'est aimer peu! On aime, rien de plus, rien de moins. *Ibid.*

LÉON BOURGEOIS
1851-1925

12594 Les partis sont toujours en retard sur les idées.
Solidarité, I, Solidarité, chap. 1 (Armand Colin).

12595 L'homme naît débiteur de l'association humaine.
Ibid., chap. 4.

12596 Trois faits essentiels nous apparaissent tout d'abord : 1º L'homme vit dans un état de solidarité naturelle et nécessaire avec tous les hommes. C'est la condition de la *vie;*
2º La société humaine ne se développe que par la liberté de l'individu. C'est la condition du *progrès;*
3º L'homme conçoit et veut la justice. C'est la condition de l'*ordre.*
Ibid., II, Solidarité, Justice, Liberté, chap. 1.

12597 La liberté de l'homme commence à la libération de sa dette sociale.
Ibid., III, L'Idée de solidarité et ses conséquences sociales, chap. 2.

12598 Le trust, c'est du collectivisme au profit d'un seul. A ce compte, j'aimerais mieux l'autre, qui serait, dit-on, au profit de tout le monde. *Ibid.*

ARISTIDE BRUANT
1851-1925

12599   L'bon Dieu, du haut du Sacré-Cœur,
Chante, avec tout' sa clique,
Et les cagots reprenn'nt en chœur :
Crève la République!!!
Dans la rue, tome I, V'là l'choléra qu'arrive (Seghers).

12600   Papa c'était un lapin
Qui s'app'lait J.-B. Chopin
Et qu'avait son domicile
A Bell'ville [...]

On l'a mis dans d'la terr' glaise,
Pour un prix exorbitant,
Tout en haut du Pèr'-Lachaise,
    A Ménilmontant :
        Ibid., Belleville-Ménilmontant.

Alle a pas encore eu d'amant,   12601
Alle a qu'son père et sa maman,
C'est ell' qui soutient la famille,
    A la Bastille.
        Ibid., A la Bastille.

C'est d'un' simplicité biblique,   12602
D'abord faut pus d'gouvernement,
Pis faut pus non pus d'République [...]
        Ibid., tome II, Pus d'patrons.

A la Bastille   12603
On aime bien
Nini-Peau-d'chien :
Alle est si bonne et si gentille [...]
        Ibid., Nini-Peau-d'chien.

JULES LAGNEAU
1851-1894

Agir en s'élevant au-dessus de soi, c'est aimer, car il est 12604
impossible d'agir sans but; mais une action qui ne tend
qu'à un but sensible, à un but égoïste, comme le bonheur,
n'est pas une action véritable. Autrement dit, l'acte réel,
véritable, c'est l'acte de l'amour.
        De l'existence de Dieu, I (P.U.F.).

La réalité de Dieu serait purement illusoire si elle ne consis- 12605
tait dans l'excédent de la pensée sur les choses. Dieu, c'est,
non pas l'impossible, mais c'est la raison de l'impossible.
        Ibid.

Démontrer l'existence de Dieu est impossible en un sens, 12606
mais il y a impossibilité, pour la pensée, de se justifier elle-
même à ses propres yeux si elle ne pose Dieu.   *Ibid., IV.*

Nous sommes donc amenés à attribuer à Dieu un mode de 12607
réalité qui n'est ni l'existence, puisque l'existence la présuppose, ni, pour la même raison, l'être. Cette réalité absolue,
de laquelle tout dépend et qui ne dépend de rien, peut, en
un sens, être définie par la liberté.   *Ibid.*

Être ou ne pas être, soi et toutes choses, il faut choisir. 12608
        Ibid., V.

Pour un esprit qui n'agirait pas, tout serait objet de doute; 12609
rien ne serait certain. Mais cet esprit n'existe pas : le frein

du scepticisme est dans la nature, dans l'impulsion qui nous
pousse naturellement à l'action.
*Célèbres leçons de Jules Lagneau, I, Évidence et certitude
(P.U.F.).*

12610 L'action vraie, c'est l'action contre la nature, contre
l'égoïsme.   *Ibid.*

12611 L'étendue est la marque de ma puissance. Le temps est la
marque de mon impuissance.   *Ibid., II.*

12612 Comment la pensée comprendrait-elle le déterminisme si
elle n'y échappait pas? Ce qui pense doit être d'une autre
nature que ce qui est pensé.   *Ibid., III.*

GERMAIN NOUVEAU
1851-1920

12613   Frère, n'est-ce pas là la femme que tu veux :
               Complètement pudique, absolument obscène,
               Des racines des pieds aux pointes de cheveux?
                    Sonnets du Liban, Musulmanes (Gallimard).

12614   La Rochefoucauld dit, Madame,
               Qu'on ne doit pas parler de soi,
        Ni?.. ni?.. de?.. de?.. sa?.. sa?.. sa femme.
                    Valentines, La Maxime.

12615   Toutes les femmes sont des fêtes,
               Toutes les femmes sont parfaites.
                    Ibid., Sphinx.

12616   Or, je ne suis pas pédéraste;
               Que serait-ce si je l'étais!
                    Ibid., Le Refus.

12617   Tout simplement que l'on m'enterre,
               En faisant un trou... dans ma Mère
                    Ibid., Dernier madrigal.

12618   J'ai fait à Dieu d'horribles guerres.
                    Poèmes (1885-1918), Memorare.

PAUL BOURGET
1852-1935

12619 Le suffrage universel, la plus monstrueuse et la plus inique
des tyrannies, — car la force du nombre est la plus brutale
des forces, n'ayant même pas pour elle l'audace et le talent.
                    Le Disciple, A un jeune homme (Plon).

Les natures abstraites sont plus incapables que les autres 12620
de résister à la passion, lorsque cette passion s'éveille, peut-
être parce que le rapport quotidien entre l'action et la pensée
est brisé en elles.
Ibid., IV, Confession d'un jeune homme d'aujourd'hui.

Le langage a été créé par des hommes faits pour exprimer 12621
des idées et des sentiments d'hommes faits. *Ibid.*

Respectons-nous le joueur qui passe dix fois de suite à la 12622
roulette avec la rouge ou la noire? Hé bien! Dans cette
loterie hasardeuse de l'univers, la vertu et le vice, c'est la
rouge et la noire. Une honnête fille et un joueur heureux
ont juste autant de mérite. *Ibid.*

Vérité sociale profonde : il n'y a d'accroissement de la force 12623
d'un pays, que si les efforts des générations s'additionnent,
si les vivants se considèrent comme des usufruitiers entre
leurs morts et leurs descendants.
L'Emigré, chap. 2 (Plon).

Il faut vivre comme on pense, sans quoi l'on finira par penser 12624
comme on a vécu. *Le Démon de midi (Plon).*

Un style de décadence est celui où l'unité du livre se décom- 12625
pose pour laisser place à l'indépendance de la page, où la
page se décompose pour laisser place à l'indépendance de
la phrase, et la phrase pour laisser la place à l'indépendance
du mot.
Essais de psychologie contemporaine, tome I,
Charles Baudelaire (Plon).

Tout système — l'histoire nous le démontre — se rattache 12626
par le plus étroit lien aux autres productions de l'époque
dans laquelle il a paru. *Ibid., M. Taine.*

L'homme, en se civilisant, n'a-t-il fait vraiment que compli- 12627
quer sa barbarie et raffiner sa misère? *Ibid., Stendhal.*

Se découvrir un style, c'est tout simplement avoir le courage 12628
de noter les mouvements de son *moi.*
Ibid., tome II, Edmond et Jules de Goncourt.

JULES LEMAITRE
1853-1914

Le jour où il sera dûment constaté que tous les hommes sont 12629
bons et qu'ils sont égaux en vertus et en lumières, je prie
celui de mes successeurs qui régnera à cette époque d'abdiquer le pouvoir et d'établir dans ce pays le suffrage universel
et la République parlementaire.
En marge des vieux livres. Ire série, 1905 (Contes) (Hatier).

VINCENT VAN GOGH
1853-1890

12630 Loin du pays, j'ai souvent le mal du pays pour le pays des
       tableaux.
       Lettres, à son frère Théo, juillet 1880 (Gallimard | Grasset).

12631 Quelqu'un aurait assisté pour un peu de temps seulement aux
       cours gratuits de la grande université de la misère, et aurait
       fait attention aux choses qu'il voit de ses yeux, et qu'il
       entend de ses oreilles, et aurait réfléchi là-dessus, il finira
       aussi par croire et il en apprendrait peut-être plus long qu'il
       ne saurait dire. Cherchez à comprendre le dernier mot de ce
       que disent dans leurs chefs-d'œuvre les grands artistes, les
       maîtres sérieux, il y aura Dieu là-dedans.   *Ibid.*

12632 Même cette vie artistique, que nous savons ne pas être *la*
       vraie, me paraît si vivante et ce serait ingrat que de ne pas
       s'en contenter.   *Ibid, mai 1888.*

12633 La folie est salutaire pour cela, qu'on devient peut-être
       moins exclusif.   *Ibid., mai 1889.*

12634 Apprendre à souffrir sans se plaindre, apprendre à considérer
       la douleur sans répugnance, c'est justement un peu là qu'on
       risque le vertige [...]   *Ibid., début juillet 1889.*

12635 Mon brave, n'oublions pas que les petites émotions sont
       les grands capitaines de nos vies et qu'à celles-là nous
       y obéissons sans le savoir.   *Ibid., à Théo, été 1889.*

HENRI POINCARÉ
1854-1912

12636 Douter de tout ou tout croire, ce sont deux solutions éga-
       lement commodes, qui l'une et l'autre nous dispensent de
       réfléchir.
       La Science et l'hypothèse, Introduction (Flammarion.)

12637 L'esprit n'use de sa faculté créatrice que quand l'expérience
       lui en impose la nécessité.   *Ibid., chap. 2.*

12638 Les axiomes géométriques ne sont donc ni des jugements
       synthétiques *a priori* ni des faits expérimentaux.
       Ce sont des *conventions*.   *Ibid., chap. 3.*

12639 Une géométrie ne peut pas être plus vraie qu'une autre;
       elle peut seulement être *plus commode*.
       Or la géométrie euclidienne est et restera la plus commode.
                                              Ibid.

Il y a un demi-siècle [...] on proclamait que la nature aime   12640
la simplicité; elle nous a donné depuis trop de démentis.
Aujourd'hui on n'avoue plus cette tendance et on n'en
conserve que ce qui est indispensable pour que la science ne
devienne pas impossible.   *Ibid., chap. 8.*

Le savant doit ordonner; on fait la science avec des faits   12641
comme une maison avec des pierres; mais une accumulation
de faits n'est pas plus une science qu'un tas de pierres n'est
une maison.   *Ibid., chap. 9.*

Il ne peut pas y avoir de morale scientifique; mais il ne peut   12642
pas non plus y avoir de science immorale.
               Dernières pensées, chap. 8 (Flammarion).

La liberté est pour la Science ce que l'air est pour l'animal.   12643
                          Ibid., Appendice III.

ARTHUR RIMBAUD
1854-1891

Par les soirs bleus d'été, j'irai dans les sentiers,   12644
Picoté par les blés, fouler l'herbe menue.
                          Poésies, Sensation.

Et j'irai loin, bien loin, comme un bohémien,   12645
Par la Nature, — heureux comme avec une femme.
                                        Ibid.

Et tout croît, et tout monte!   12646
                    — O Vénus, ô Déesse!
               Ibid., Soleil et Chair, I.

Son double sein versait dans les immensités   12647
Le pur ruissellement de la vie infinie.
                                        Ibid.

— Et pourtant, plus de dieux! plus de dieux! l'Homme est   12648
                                             Roi,
L'Homme est Dieu!
                                        Ibid.

La Femme ne sait plus même être courtisane!   12649
                          Ibid., II.

Si les temps revenaient, les temps qui sont venus!   12650
— Car l'Homme a fini! l'Homme a joué tous les rôles!
                          Ibid., III.

Singes d'hommes tombés de la vulve des mères,   12651
Notre pâle raison nous cache l'infini!
                                        Ibid.

12652   Ciel! Amour! Liberté! Quel rêve, ô pauvre Folle!
Tu te fondais à lui comme une neige au feu.
Ibid., *Ophélie*, *II.*

12653   « Non. Ces saletés-là datent de nos papas!
Oh! Le Peuple n'est plus une putain [...] »
Ibid., *Le Forgeron.*

12654   Nous nous sentions si forts, nous voulions être doux!
Ibid.

12655   Nous sommes Ouvriers, Sire! Ouvriers! Nous sommes
Pour les grands temps nouveaux où l'on voudra savoir,
Où l'Homme forgera du matin jusqu'au soir,
Chasseur des grands effets, chasseur des grandes causes,
Où, lentement vainqueur, il domptera les choses
Et montera sur Tout, comme sur un cheval!
Ibid.

12656   On n'est pas sérieux, quand on a dix-sept ans.
Ibid., *Roman*, *I.*

12657   Nuit de juin! Dix-sept ans! — On se laisse griser.
La sève est du champagne et vous monte à la tête...
Ibid., *II.*

12658   — Pauvres morts! dans l'été, dans l'herbe, dans ta joie,
Nature! ô toi qui fis ces hommes saintement!... —
Ibid., *Le Mal.*

12659   C'est un trou de verdure où chante une rivière [...]
Ibid., *Lè Dormeur du val.*

12660   Nature, berce-le chaudement : il a froid.

Les parfums ne font pas frissonner sa narine;
Il dort dans le soleil, la main sur sa poitrine
Tranquille. Il a deux trous rouges au côté droit.
Ibid.

12661   Mon patelot aussi devenait idéal;
J'allais sous le ciel, Muse! et j'étais ton féal;
Oh! là là! que d'amours splendides j'ai rêvées!
Ibid., *Ma Bohème (Fantaisie).*

12662   Tels que les excréments chauds d'un vieux colombier,
Mille Rêves en moi font de douces brûlures.
Ibid., *Oraison du soir.*

12663   O mes petites amoureuses,
              Que je vous hais!
Ibid., *Mes petites amoureuses.*

12664   C'était bon. Elle avait le bleu regard, — qui ment!
Ibid., *Les poètes de sept ans.*

12665   Des rêves l'oppressaient chaque nuit dans l'alcôve.
Il n'aimait pas Dieu; mais les hommes, qu'au soir fauve,
Noirs, en blouse, il voyait rentrer dans le faubourg [...]
Ibid.

Une prière aux yeux et ne priant jamais [...] 12666
Ibid., *Les Pauvres à l'église.*

O flots abracadabrantesques, 12667
Prenez mon cœur, qu'il soit lavé!
Ithyphalliques et pioupiesques
Leurs quolibets l'ont dépravé!
Ibid., *Le Cœur volé.*

Syphilitiques, fous, rois, pantins, ventriloques, 12668
Qu'est-ce que ça peut faire à la putain Paris,
Vos âmes et vos corps, vos poisons et vos loques?
Elle se secouera de vous, hargneux pourris!
L'Orgie parisienne ou Paris se repeuple.

[...] Quoiqu'on n'ait fait jamais d'une cité 12669
Ulcère plus puant à la Nature verte,
Le Poète te dit : « Splendide est ta Beauté! »

L'orage te sacra suprême poésie.
Ibid.

Elles ont pâli, merveilleuses, 12670
Au grand soleil d'amour chargé,
Sur le bronze des mitrailleuses
A travers Paris insurgé!
Ibid., *Les Mains de Jeanne-Marie.*

Mais, ô Femme, monceau d'entrailles, pitié douce, 12671
Tu n'es jamais la Sœur de charité, jamais,
Ni regard noir, ni ventre où dort une ombre rousse,
Ni doigts légers, ni seins splendidement formés.
Ibid., *Les Sœurs de charité.*

O Mort mystérieuse, ô sœur de charité! 12672
Ibid.

A noir, E blanc, I rouge, U vert, O bleu : voyelles, 12673
Je dirai quelque jour vos naissances latentes.
Ibid., *Voyelles.*

Christ! ô Christ, éternel voleur des énergies, 12674
Dieu qui pour deux mille ans vouas à ta pâleur,
Cloués au sol, de honte et de céphalalgies,
Ou renversés, les fronts des femmes de douleur.
Ibid., *Les Premières Communions, IX.*

[...] Et leurs doigts électriques et doux 12675
Font crépiter parmi ses grises indolences
Sous leurs ongles royaux la mort des petits poux.
Ibid., *Les Chercheuses de poux.*

Comme je descendais des Fleuves impassibles, 12676
Je ne me sentis plus guidé par les haleurs [...]
Ibid., *Le Bateau Ivre.*

Et dès lors, je me suis baigné dans le Poème 12677
De la Mer, infusé d'astres, et lactescent,
Dévorant les azurs verts; où, flottaison blême
Et ravie, un noyé pensif parfois descend.
Ibid.

12678   [...] Je sais le soir,
L'Aube exaltée ainsi qu'un peuple de colombes,
Et j'ai vu quelquefois ce que l'homme a cru voir!

Ibid.

12679 J'ai heurté, savez-vous, d'incroyables Florides
Mêlant aux fleurs des yeux de panthères à peaux
D'hommes! Des arcs-en-ciel tendus comme des brides [...]

Ibid.

12680 [...] Je regrette l'Europe aux anciens parapets!

Ibid.

12681 — Est-ce en ces nuits sans fonds que tu dors et t'exiles,
Million d'oiseaux d'or, ô future Vigueur?

Ibid.

12682 Mais, vrai, j'ai trop pleuré! Les Aubes sont navrantes.
Toute lune est atroce et tout soleil amer [...]

Ibid.

12683 O que ma quille éclate! O que j'aille à la mer!

Ibid.

12684 — Et la gauche? — La gauche!... qu'est-ce que c'est que ça,
la gauche, Voyons, Anatole [...]
*Lettre du Baron de Petdechèvre à son secrétaire au château de
Saint-Magloire.*

12685 Versailles est un faubourg de Paris et pourtant ce n'est plus
Paris. Tout est là. Être et ne pas être à Paris.   *Ibid.*

12686   Mais moi je ne veux rire à rien;
              Et libre soit cette infortune.
Derniers vers, Fêtes de la Patience, [1] Bannières de mai.

12687   Ah! Que le temps vienne
                       Où les cœurs s'éprennent.
              Ibid., [2] Chanson de la plus haute tour.

12688   Elle est retrouvée.
                       Quoi? — L'Éternité.
                       C'est la mer allée
                       Avec le soleil.
                       Ibid., [3] L'Eternité.

12689   Science avec patience,
                       Le supplice est sûr.
                                            Ibid.

12690   Si j'ai du *goût*, ce n'est guères
                       Que pour la terre et les pierres.
                       Ibid., Fêtes de la faim.

12691 Oh! mes amis! — Mon cœur, c'est sûr, ils sont des frères :
Noirs inconnus, si nous allions! Allons! Allons!
              Ibid., « Qu'est-ce pour nous, mon cœur... »

Ce n'est rien : j'y suis, j'y suis toujours.   12692
Ibid.

O saisons, ô châteaux,   12693
Quelle âme est sans défauts?
Ibid., « *O saisons, ô châteaux...* »

N'ayant pas aimé de femmes, — quoique plein de sang! —   12694
il eut son âme et son cœur, toute sa force, élevés en des
erreurs étranges et tristes.
Les Déserts de l'amour, Avertissement.

Un soir, j'ai assis la Beauté sur mes genoux. — Et je l'ai   12695
trouvée amère. — Et je l'ai injuriée.
Une Saison en enfer, « Jadis, si je me souviens bien ».

Le malheur a été mon dieu. Je me suis allongé dans la boue.   12696
Je me suis séché à l'air du crime. Et j'ai joué de bons tours
à la folie.   *Ibid.*

J'ai de mes ancêtres gaulois l'œil bleu blanc, la certitude   12697
étroite, et la maladresse dans la lutte.   *Ibid., Mauvais sang.*

J'ai horreur de tous les métiers. Maîtres et ouvriers, tous   12698
paysans, ignobles. La main à plume vaut la main à charrue.
— Quel siècle à mains! — Je n'aurai jamais ma main.
Ibid.

Je ne me souviens pas plus loin que cette terre-ci et le chris-   12699
tianisme.   *Ibid.*

Me voici sur la plage armoricaine. Que les villes s'allument   12700
dans le soir. Ma journée est faite; je quitte l'Europe.   *Ibid.*

J'aurai de l'or : je serai oisif et brutal. Les femmes soignent   12701
ces féroces infirmes retour des pays chauds.   *Ibid.*

On ne part pas.   *Ibid.*   12702

La vie dure, l'abrutissement simple — soulever, le poing   12703
desséché, le couvercle du cercueil, s'asseoir, s'étouffer.
Ainsi point de vieillesse, ni de dangers : la terreur n'est pas
française.   *Ibid.*

Je n'ai jamais été de ce peuple-ci; je n'ai jamais été chrétien   12704
je suis de la race qui chantait dans le supplice.   *Ibid.*

Je suis une bête, un nègre. Mais je puis être sauvé. Vous êtes   12705
de faux nègres, vous maniaques, féroces, avares. Marchand,
tu es nègre; magistrat, tu es nègre; général, tu es nègre;
empereur, vieille démangeaison, tu es nègre : tu as bu d'une
liqueur non taxée, de la fabrique de Satan.   *Ibid.*

Je me crois en enfer, donc j'y suis.   12706
Ibid., Nuit de l'enfer.

12707   Je suis esclave de mon baptême. Parents, vous avez fait
mon malheur et vous avez fait le vôtre.   *Ibid.*

12708   « Quelle vie! La vraie vie est absente. Nous ne sommes pas
au monde. »   *Ibid., Délires, I, La Vierge folle.*

12709   Il dit : « Je n'aime pas les femmes. L'amour est à réinventer, on le sait ».   *Ibid.*

12710   « Il a peut-être des secrets pour *changer la vie*? »   *Ibid.*

12711   J'aimais les peintures idiotes, dessus de portes, décors, toiles
de saltimbanques, enseignes, enluminures populaires; la
littérature démodée, latin d'église, livres érotiques sans
orthographe, romans de nos aïeules, contes de fées, petits
livres de l'enfance, opéras vieux, refrains niais, rythmes
naïfs.   *Ibid., Délires, II, Alchimie du verbe.*

12712   J'inventai la couleur des voyelles! — *A* noir, *E* blanc, *I*
rouge, *O* bleu, *U* vert. — Je réglai la forme et le mouvement
de chaque consonne, et, avec des rythmes instinctifs, je me
flattai d'inventer un verbe poétique accessible, un jour ou
l'autre, à tous les sens. Je réservais la traduction.   *Ibid.*

12713   J'écrivais des silences, des nuits, je notais l'inexprimable.
Je fixais des vertiges.   *Ibid.*

12714   Je devins un opéra fabuleux : je vis que tous les êtres ont une
fatalité de bonheur : l'action n'est pas la vie, mais une façon
de gâcher quelque force, un énervement. La morale est la
faiblesse de la cervelle.   *Ibid.*

12715   J'étais mûr pour le trépas, et par une route de dangers ma
faiblesse me menait aux confins du monde et de la Cimmérie,
patrie de l'ombre et des tourbillons.   *Ibid.*

12716   Le Bonheur était ma fatalité, mon remords, mon ver : ma
vie serait toujours trop immense pour être dévouée à la
force et à la beauté.   *Ibid.*

12717   Cela s'est passé. Je sais aujourd'hui saluer la beauté.
Ibid.

12718   Ah! cette vie de mon enfance, la grande route par tous les
temps, sobre naturellement, plus désintéressé que le meilleur
des mendiants, fier de n'avoir ni pays, ni amis, quelle sottise
c'était.   *Ibid., L'Impossible.*

12719   La nature pourrait s'ennuyer, peut-être! M. Prudhomme est
né avec le Christ.   *Ibid.*

12720   Philosophes, vous êtes de votre Occident.   *Ibid.*

12721   Esclaves, ne maudissons pas la vie.   *Ibid., Matin.*

Moi! moi qui me suis dit mage ou ange, dispensé de toute 12722
morale, je suis rendu au sol, avec un devoir à chercher, et
la réalité rugueuse à étreindre! Paysan! *Ibid., Adieu.*

Il faut être absolument moderne. *Ibid.* 12723

Aussitôt que l'idée du Déluge se fut rassise, 12724
Un lièvre s'arrêta dans les sainfoins et les clochettes mouvantes
et dit sa prière à l'arc-en-ciel à travers la toile de l'araignée.
Illuminations (Painted plates), Après le Déluge.

Il prévoyait d'étonnantes révolutions de l'amour, et soup- 12725
çonnait ses femmes de pouvoir mieux que cette complaisance
agrémentée de ciel et de luxe. Il voulait voir la vérité, l'heure
du désir et de la satisfaction essentiels. *Ibid., Conte.*

Je suis un inventeur bien autrement méritant que tous ceux 12726
qui m'ont précédé; un musicien même, qui ai trouvé quelque
chose comme la clef de l'amour. *Ibid., Vies, II.*

Je suis réellement d'outre-tombe, et pas de commissions. 12727
Ibid., III.

Un coup de ton doigt sur le tambour décharge tous les sons 12728
et commence la nouvelle harmonie. *Ibid., A une raison.*

O *mon* Bien! O *mon* Beau! Fanfare atroce où je ne trébuche 12729
point! Chevalet féerique! Hourra pour l'œuvre inouïe
et pour le corps merveilleux, pour la première fois! Cela
commença sous les rires des enfants, cela finira par eux.
Ibid., Matinée d'ivresse.

Voici le temps des *ASSASSINS.* *Ibid.* 12730

Je suis un éphémère et point trop mécontent citoyen d'une 12731
métropole crue moderne [...] *Ibid., Ville.*

J'ai embrassé l'aube d'été. *Ibid., Aube.* 12732

Oh! Le pavillon en viande saignante sur la soie des mers 12733
et des fleurs arctiques (elles n'existent pas).
Ibid., Barbare.

A vendre l'anarchie pour les masses; la satisfaction irré- 12734
pressible pour les amateurs supérieurs; la mort atroce
pour les fidèles et les amants! *Ibid.*

— Je songe à une Guerre, de droit ou de force, de logique 12735
bien imprévue.
C'est aussi simple qu'une phrase musicale.
Ibid., Guerre.

« Aux centres nous alimenterons la plus cynique prostitu- 12736
tion. Nous massacrerons les révoltes logiques.

« Aux pays poivrés et détrempés! — au service des plus monstrueuses exploitations industrielles ou militaires.
Ibid., Démocratie.

12737 « Conscrits du bon vouloir nous aurons la philosophie féroce; ignorants pour la science, roués pour le confort; la crevaison pour le monde qui va. C'est la vraie marche. En avant, route! » *Ibid.*

12738 — C'est que j'aime tous les poètes, tous les bons Parnassiens, — puisque le poète est un Parnassien, — épris de la beauté idéale.
Correspondance, A Théodore de Banville, 24 mai 1870. (Gallimard).

12739 — Je jure, cher maître, d'adorer toujours les deux déesses, Muse et Liberté. *Ibid.*

12740 — Je serai un travailleur : c'est l'idée qui me retient quand les colères me poussent vers la bataille de Paris, — où tant de travailleurs meurent pourtant encore tandis que je vous écris! Travailler maintenant, jamais, jamais; je suis en grève.
A Georges Izambard, 13 mai 1871.

12741 On n'a jamais bien jugé le romantisme. Qui l'aurait jugé? Les critiques! Les romantiques? qui prouvent si bien que la chanson est si peu souvent l'œuvre, c'est-à-dire la pensée chantée *et comprise* du chanteur?
Car JE est un autre. Si le cuivre s'éveille clairon, il n'y a rien de sa faute. Cela m'est évident : j'assiste à l'éclosion de ma pensée : je la regarde, je l'écoute : je lance un coup d'archet : la symphonie fait son remuement dans les profondeurs, ou vient d'un bond sur la scène.
Si les vieux imbéciles n'avaient pas trouvé du Moi que la signification fausse nous n'aurions pas à balayer ces millions de squelettes qui, depuis un temps infini, ont accumulé les produits de leur intelligence borgnesse, en s'en clamant les auteurs! *A Paul Demeny, 15 mai 1871.*

12742 Je dis qu'il faut être *voyant*, se faire *voyant.*
Le poète se fait *voyant* par un long, immense et raisonné *dérèglement* de *tous les sens.* Toutes les formes d'amour, de souffrance, de folie; il cherche lui-même, il épuise en lui tous les poisons, pour n'en garder que les quintessences. Ineffable torture où il a besoin de toute la foi, de toute la force surhumaine, où il devient entre tous le grand malade, le grand criminel, le grand maudit, — et le suprême Savant! — Car il arrive à l'*inconnu!* Puisqu'il a cultivé son âme, déjà riche, plus qu'aucun! Il arrive à l'inconnu, et quand, affolé, il finirait par perdre l'intelligence de ses visions, il les a vues! Qu'il crève dans son bondissement par les choses inouïes et innommables : viendront d'autres horribles travailleurs; ils commenceront par les horizons où l'autre s'est affaissé! *Ibid.*

12743 Cette langue sera de l'âme pour l'âme, résumant tout, parfums, sons, couleurs, de la pensée accrochant la pensée

et tirant. Le poète définirait la quantité d'inconnu s'éveillant
en son temps dans l'âme universelle : il donnerait plus —
que la formule de sa pensée, que la notation de *sa marche
au Progrès!* Enormité devenant norme, absorbée par tous,
il serait vraiment *un multiplicateur de progrès!*   *Ibid.*

Cet avenir sera matérialiste, vous le voyez [...]   *Ibid.* 12744

La Poésie ne rythmera plus l'action; elle sera *en avant.*   12745
                                                                     Ibid.

Tout [chez Musset] est français, c'est-à-dire haïssable au 12746
suprême degré; français, pas parisien! Encore une œuvre
de cet odieux génie qui a inspiré Rabelais, Voltaire, Jean La
Fontaine! commenté par M. Taine! Printanier, l'esprit de
Musset!   *Ibid.*

[...] Baudelaire est le premier voyant, roi des poètes, *un vrai* 12747
Dieu. Encore a-t-il vécu dans un milieu trop artiste; et la
forme si vantée en lui est mesquine : les inventions d'inconnu
réclament des formes nouvelles.   *Ibid.*

FRANÇOIS DE CUREL
1854-1928

Le penseur marche sur un chemin jonché de cadavres 12748
auxquels il ajoute souvent le sien. Celui qui écrit une ligne
vraiment neuve peut s'attendre à ce que, dans l'avenir, des
créatures soient tuées à cause d'elle.
              La Nouvelle Idole, acte II, scène 5 (Stock).

Le soleil qui vous attire est la vérité biologique. Le mien, 12749
c'est la vérité psychologique [...]. Autant de soleils que de
sciences!   *Ibid.*

HUBERT LYAUTEY
1854-1934

Aux officiers qu'on y appelle [dans les écoles], qu'il soit 12750
demandé, avant tout, d'être des convaincus et des persuasifs;
osons dire le mot, des apôtres, doués au plus haut point de la
faculté d'allumer le « feu sacré » dans les jeunes âmes...
Le Rôle social de l'officier (La Revue des Deux Mondes) 1891.

Notre vœu, c'est que, dans toute *éducation,* vous introduisiez 12751
le facteur de cette idée nouvelle qu'à l'obligation *légale*
du service militaire correspond l'obligation *morale* de lui
faire produire les conséquences les plus salutaires au point
de vue social.   *Ibid.*

LAURENT TAILHADE
1854-1919

12752   Garde-moi de l'ennui, de la vieillesse immonde ;
Garde-moi, si jamais l'espoir toucha ton cœur,
O reine qui maintiens et gouvernes le monde,
Avant tout, garde-moi de l'infâme laideur !
Ibid., Hymne à Aphrodite (Mercure de France).

12753   Si tu veux, prenons un fiacre
Vert comme un chant de hautbois.
Nous ferons le simulacre
Des gens urf qui vont au Bois.
Poèmes aristophanesques.

ALPHONSE ALLAIS
1855-1905

12754   Avant d'éblouir le peuple en lui promettant de l'eau chaude,
il faut donc lui fournir des récipients pour la recueillir.
*Le Captain Cap, Première partie, Une réunion électorale du
Captain Cap (U.G.E.).*

12755   Après vingt ans passés sur mer, qu'ai-je trouvé, en rentrant
au pays ? Haines, hypocrisie, malversation, népotisme,
nullité...
L'origine de tous ces maux, citoyens, n'allez pas la chercher
plus loin : c'est le microbe de la bureaucratie.
Or, on ne parlemente pas avec les microbes.
ON LES TUE !
Ibid.

12756   Je vous le demande : toutes les fois qu'on a l'occasion de
réaliser une métaphore, doit-on hésiter un seul instant ?
Deux et deux font cinq, Une drôle de lettre.

12757   Les asiles de déments comportent dans leur personnel des
internes et des internés.
J'ai beaucoup fréquenté ces deux classes de gens, et la vérité
me contraint à déclarer qu'entre ceux-ci et ceux-là, ne se
dresse que l'épaisseur d'un accent aigu.
Loufoc-House (Éd. Belleford).

12758   Il faut vous dire qu'à la suite d'une chute de cheval j'ai perdu
tout sens moral.
Silvérie ou Les fonds hollandais (Flammarion).

GEORGES RODENBACH
1855-1898

Inoubliable est la demeure 12759
Qui vit fleurir nos premiers jours!
Maison des mères! C'est toujours
La plus aimée et la meilleure.
La jeunesse blanche, La maison paternelle (Mercure de France).

Nous sommes tous les deux la tristesse d'un port : 12760
Toi, ville! toi ma sœur douloureuse qui n'as
Que du silence et le regret des anciens mâts;
Moi, dont la vie aussi n'est qu'un grand canal mort!
Le règne du silence, Paysages de ville, XV.

ÉMILE VERHAEREN
1855-1916

Oh quels tombeaux creusent les livres 12761
Et que de fronts armés y descendent vaincus!
Les Forces tumultueuses, Un matin (Mercure de France).

Les minuits lourds sonnent là-bas, 12762
A battants lents, comme des glas;
De tour en tour, les minuits sonnent,
Les minuits lourds des nuits d'automne,
Les minuits las.
Les Villages illusoires, Les pêcheurs.

Le monde est fait avec des astres et des hommes. 12763
La Multiple Splendeur, Le Monde.

Mon esprit triste, et las des textes et des gloses, 12764
Souvent s'en va vers ceux qui, dans leur prime ardeur,
Avec des cris d'amour et des mots de ferveur,
Un jour, les tout premiers, ont dénommé les choses.
Ibid., Le Verbe.

Autour de la terre obsédée 12765
Circule, au fond des nuits, au cœur des jours,
Toujours,
L'orage amoncelé des montantes idées.
Ibid., Les penseurs.

Homme, tout affronter vaut mieux que tout comprendre 12766
La vie est à monter, et non pas à descendre.
Ibid., Les rêves.

Les grand'routes tracent des croix 12767
A l'infini, à travers bois.
Les Vignes de ma muraille, Novembre.

CHRISTOPHE
1856-1949

12768 « Madame, je suis assez bien de ma personne, et membre de plusieurs sociétés savantes. Je suis un mobile qui cherche à se fixer. Voulez-vous être le cercle dont je serai le centre, l'hyperbole dont je serai le foyer, le tétraèdre dont je serai le sommet, la strophoïde dont je serai l'asymptote? En un mot, voulez-vous de moi pour époux? »
L'Idée fixe du savant Cosinus (A. Colin).

OCTAVE HAMELIN
1856-1907

12769 Il n'y a pas de savoir qui ne soit systématique.
Essai sur les éléments principaux de la représentation (P.U.F.).

12770 Si donc la connaissance a des limites, cela ne peut avoir qu'un sens : c'est qu'un moment arrive où elle s'achève; mais cela revient précisément à dire qu'elle constitue un système. *Ibid.*

12771 La conscience est à nos yeux le moment le plus haut de la réalité et par là le connaître est au cœur de l'être. *Ibid.*

12772 Exister c'est être voulu. *Ibid.*

12773 Il n'y a pas de remède à la malfaisance de l'inconnaissable; ce qu'il faut, c'est l'anéantir.
Le système de Renouvier (Vrin).

EDMOND HARAUCOURT
1856-1942

12774   Partir, c'est mourir un peu;
C'est mourir à ce qu'on aime :
On laisse un peu de soi-même
En toute heure et dans tout lieu.
Rondel de l'adieu (Lemerre.S.G.L.).

JEAN MORÉAS
1856-1910

12775   Je naquis au bord d'une mer dont la couleur passe
En douceur le saphir oriental.
Le Pèlerin passionné, Le Bocage (Mercure de France).

Ne dites pas : la vie est un joyeux festin;   12776
Ou c'est d'un esprit sot ou c'est d'une âme basse.
Surtout ne dites point : elle est malheur sans fin;
C'est d'un mauvais courage et qui trop tôt se lasse.
Le premier livre des Stances, XI.

Compagne de l'éther, indolente fumée,   12777
   Je te ressemble un peu :
Ta vie est d'un instant, la mienne est consumée,
   Mais nous sortons du feu.
Le quatrième livre des Stances, VII.

La vie est la fumée et la mort est son ombre;   12778
   Intérêts, capitaux,
Tout est dans la balance : il faut chercher le nombre
   Qui règle les plateaux.
Ibid., XVII.

Ne te contente pas, Océan, de jeter   12779
   Sur mon visage un peu d'écume :
D'un coup de lame alors il te faut m'emporter
   Pour dormir dans ton amertume.
Le cinquième livre des Stances, XII.

Il faut au symbolisme un style archétype et complexe :   12780
d'impollués vocables, la période qui s'arc-boute alternant
avec la période aux défaillances ondulées, les pléonasmes
significatifs, les mystérieuses ellipses, l'anacoluthe en suspens,
tout trope hardi et multiforme.
« *Manifeste du symbolisme* », *Le Figaro, 18 septembre 1886.*

ROSNY AÎNÉ
1856-1940

La haute société européenne vit sur un ordre de choses   12781
conventionnel; elle ne peut, elle ne doit absorber la vérité
qu'à petites doses et surtout n'adopter que des vérités de
seconde main.   *Le Bagne (© R. Borel-Rosny).*

Brûler ses vaisseaux peut être un acte admirable chez un   12782
conquérant : ce n'est qu'une folie chez un socialiste.
Les Ames perdues (© R. Borel-Rosny).

GUSTAVE LANSON
1857-1934

Tous les secours de l'érudition et de la critique, toute l'écri-   12783
ture amassée autour des textes, celle des autres comme la
mienne, ont pour fin dernière la lecture personnelle des
textes.
Histoire de la littérature française, Avant-propos (Hachette).

12784 La littérature commence là où commence la notation de la personnalité; au-delà, c'est la science. D'autre part, la personnalité pure, l'émotion pure, ne s'expriment pas avec des mots : les mots sont des signes qui, par fonction, représentent des objets ou des rapports. L'expression de l'émotion pure et de la personnalité pure appartient à la musique. Entre la musique et la science se situe la littérature.

Ibid., Conclusion de 1920.

LUCIEN LÉVY-BRUHL
1857-1939

12785 [...] Dans les représentations collectives de la mentalité primitive, les objets, les êtres, les phénomènes peuvent être, d'une façon incompréhensible pour nous, à la fois eux-mêmes et autre chose qu'eux-mêmes. D'une façon non moins incompréhensible, ils émettent et ils reçoivent des forces, des vertus, des qualités, des actions mystiques, qui se font sentir hors d'eux, sans cesser d'être où elles sont.

Les Fonctions mentales dans les sociétés inférieures (P.U.F.).

12786 Les mythes d'une tribu donnée, sauf exception, ne forment guère un ensemble. On a souvent remarqué qu'ils restent extérieurs, et pour ainsi dire indifférents les uns aux autres. La mythologie d'une tribu peut être d'une richesse inépuisable sans que rien paraisse la coordonner.

La Mythologie primitive (P.U.F.).

12787 Corrigeons expressément ce que je croyais exact en 1910; il n'y a pas une mentalité primitive qui se distingue de l'autre par *deux* caractères qui lui sont propres (mystique et prélogique). Il y a une mentalité mystique plus marquée et plus facilement observable chez les « primitifs » que dans nos sociétés, mais présente dans tout esprit humain.

Les Carnets de Lucien Lévy-Bruhl (P.U.F.).

FERDINAND DE SAUSSURE
1857-1913

12788 On peut donc concevoir *une science qui étudie la vie des signes au sein de la vie sociale;* elle formerait une partie de la psychologie sociale, et par conséquent de la psychologie générale; nous la nommerons *sémiologie.*

Cours de linguistique générale, Introduction, chap. 3, § 3 (Payot).

12789 La langue littéraire accroît encore l'importance imméritée de l'écriture. Elle a ses dictionnaires, ses grammaires; c'est d'après le livre et par le livre qu'on enseigne à l'école.

Ibid., chap. 6, § 2.

Le signe linguistique unit non une chose et un nom, mais 12790
un concept et une image acoustique.
Ibid., Première partie, chap. 1, § 1.

Le lien unissant le signe au signifié est arbitraire, ou encore, 12791
puisque nous entendons par signe le total résultant de l'association d'un signifiant à un signifié, nous pouvons dire plus
simplement : *le signe linguistique est arbitraire. Ibid., § 2.*

Dans la langue il n'y a que des différences. Bien plus : une 12792
différence suppose en général des termes positifs entre
lesquels elle s'établit; mais dans la langue il n'y a que des
différences *sans* termes positifs.
Ibid., Deuxième partie, chap. 4, § 4.

Rien n'entre dans la langue sans avoir été essayé dans la 12793
parole, et tous les phénomènes évolutifs ont leur racine dans
la sphère de l'individu. *Ibid., Troisième partie, chap. 5, § 1.*

Mais je suis bien dégoûté [...] de la difficulté qu'il y a en 12794
général à écrire dix lignes ayant le sens commun en matière
de faits de langage.
*Lettre à Antoine Meillet (4 janvier 1894), Cahiers Ferdinand
de Saussure, no 21, 1964.*

La loi tout à fait finale du langage est, à ce que nous osons 12795
dire, qu'il n'y a jamais rien qui puisse résider dans *un* terme,
par suite directe de ce que les symboles linguistiques sont
sans relation avec ce qu'ils doivent désigner.
Cahiers Ferdinand de Saussure, no 12, 1954.

Que les éléments qui forment un mot *se suivent*, c'est là 12796
une vérité qu'il vaudrait mieux ne pas considérer, en linguistique, comme une chose sans intérêt parce qu'évidente,
mais qui donne d'avance au contraire le principe central
de toute réflexion utile sur les mots.
*Cité par J. Starobinski, « Les anagrammes de Ferdinand de
Saussure », Mercure de France, février 1964.*

Toute théorie claire, plus elle est claire, est inexprimable 12797
en linguistique; parce que je mets en fait qu'il n'existe pas
un seul terme quelconque dans cette science qui ait jamais
reposé sur une idée claire.
*Cité par J. Starobinski, « Le texte dans le texte », Tel Quel 37,
Printemps 1969.*

EUGÈNE BRIEUX
1858-1932

Aujourd'hui, l'instruction ne se fait pas dans le cabinet 12798
du juge, mais sur la place publique ou dans les bureaux de
rédaction. *La Robe rouge, acte I, scène 4 (Stock).*

Il y a dans la vie du vagabond un besoin essentiel qui vient 12799
immédiatement après la faim, c'est celui des chaussures.
Ibid., acte I, scène 6.

12800 C'est un accident qui peut arriver à tout le monde, et c'est
sous une représentation de ce mal, si improprement appelé
mal français, car il n'y en a pas de plus universel, qu'on
pourrait presque, en s'adressant aux professionnels de
l'amour vénal, écrire les vers fameux : *Voilà ton maître...
Il l'est, le fut, ou le doit être.*
                              Les Avariés, acte I, scène 2.

ALFRED CAPUS
1858-1922

12801 — Il y a des hommes qu'on méprise quand on les trompe,
et, d'autres, au contraire, qu'on estime davantage. Édouard
est de ceux-là.
— Oui, il gagne à être trompé.
              Les Maris de Léontine, acte III, scène 2 (Fasquelle).

12802 Ah! on parle des liens du mariage! Mais les liens du divorce
sont encore plus indissolubles!...   *Ibid., acte III, scène 9.*

12803 On est volé à la Bourse, comme on est tué à la guerre, par
des gens qu'on ne voit pas.
                              La Bourse ou la vie, acte II, scène 4.

12804 Un homme capable d'offrir un hôtel à une femme n'est
jamais le premier venu.   *La Veine, acte I, scène 2.*

GEORGES COURTELINE
1858-1929

12805 « Tromper », toute la femme [...] est là. Croyez-en un vieux
philosophe qui sait les choses dont il parle et a fait la rude
expérience des apophtegmes qu'il émet. Les hommes trahissent les femmes dans la proportion modeste d'un sur deux;
les femmes, elles, trahissent les hommes dans la proportion
effroyable de 97 %. Parfaitement! 97!
                              Boubouroche, acte I, scène 3, Flammarion).

12806 Malheureusement, il est, pour l'homme, deux difficultés inso-
lubles : savoir au juste l'heure qu'il est, et obliger son prochain. Dans ces conditions, écœuré d'avoir tout fait au
monde pour être un bon garçon et de n'avoir réussi qu'à
n'être qu'une poire, dupé, trompé, estampé, acculé, finalement, à cette conviction, que le raisonnement de l'humanité tient tout entier dans cette bassesse : « Si je ne te crains
pas, je me fous de toi », j'ai résolu de réfugier désormais
mon égoïsme bien acquis sous l'abri du toit à cochons qui
s'appelle la Légalité.   *L'Article 330.*

12807 [...] Considérant, enfin, que si les juges se mettent à donner
gain de cause à tous les gens qui ont raison, on ne sait plus
où l'on va, si ce n'est à la dislocation d'une société qui tient
debout parce qu'elle en a pris l'habitude [...].   *Ibid.*

La récitante. — Tel, sous l'azur des ciels limpides,   12808
　　　　　　　Que parcourt le vol des ramiers,
　　　　　　　Avril voit les fleurs des pommiers
　　　　　　　S'écrouler en neiges rapides;
Le chœur. — 　Tel nous voyons, émerveillés,
　　　　　　　Couler à torrents des lumières.
La récitante. — Il pleut des vérités premières.
Le chœur. — 　Tendons nos rouges tabliers.

Sigismond.

— Ah, dis-moi; tu parlais du Bon Dieu, tout à l'heure.   12809
Est-ce que tu le connais?
— Oui et non. Je le connais pour avoir entendu parler de
lui; mais notre intimité ne va pas jusqu'à jouer au billard
ensemble.
— C'est regrettable.   *Les Balances.*

ÉMILE DURKHEIM
1858-1917

L'ensemble des croyances et des sentiments communs à la   12810
moyenne des membres d'une même société forme un système
déterminé qui a sa vie propre; on peut l'appeler *la conscience collective* ou *commune.*
　　De la division du travail social, Livre I, chap. 2, 1 (P.U.F.).

Il ne faut pas dire qu'un acte froisse la conscience commune   12811
parce qu'il est criminel, mais qu'il est criminel parce qu'il
froisse la conscience commune. Nous ne le réprouvons pas
parce qu'il est un crime, mais il est un crime parce que nous
le réprouvons.   *Ibid.*

La philosophie est comme la conscience collective de la   12812
science, et, ici comme ailleurs, le rôle de la conscience collective diminue à mesure que le travail se divise.
　　　　　　　　　　　Ibid., Livre III, chap. 1, 3.

La première règle et la plus fondamentale est de *considérer*   12813
les faits sociaux comme des choses.
　　Les Règles de la méthode sociologique, chap. 2 (P.U.F.).

Le devoir de l'homme d'État n'est plus de pousser violem-   12814
ment les sociétés vers un idéal qui lui paraît séduisant, mais
son rôle est celui du médecin : il prévient l'éclosion des
maladies par une bonne hygiène et, quand elles sont déclarées,
il cherche à les guérir.   *Ibid., chap. 3, 3.*

Il y a entre la psychologie et la sociologie la même solution   12815
de continuité qu'entre la biologie et les sciences physico-
chimiques. Par conséquent, toutes les fois qu'un phénomène
social est directement expliqué par un phénomène psychique,
on peut être assuré que l'explication est fausse.
　　　　　　　　　　　　　　Ibid., chap. 5, 2.

12816 Le moment est venu pour la sociologie de renoncer aux succès mondains, pour ainsi parler, et de prendre le caractère ésotérique qui convient à toute science.
Ibid., Conclusion.

12817 C'est la constitution morale de la société qui fixe à chaque instant le contingent des morts volontaires. Il existe donc pour chaque peuple une force collective, d'une énergie déterminée, qui pousse les hommes à se tuer.
Le Suicide. Étude de sociologie, Livre III, chap. 1, 1 (P.U.F.).

CHARLES DE FOUCAULD
1858-1916

12818 L'action de grâce doit tenir une très grande place dans nos prières, car la bonté de Dieu précède tous nos actes [...]
Écrits spirituels, Méditations sur l'Évangile, Première partie, I
Éd. (de Gigord).

12819 C'est une des choses que nous devons absolument à Notre-Seigneur de n'avoir jamais peur...
Ibid., II.

12820 Envelopper tous les hommes, en vue de Dieu, dans un même amour et un même oubli.
Ibid., III.

12821 Vivre comme si tu devais mourir martyr aujourd'hui.
Ibid., IV, Memento.

REMY DE GOURMONT
1858-1915

12822 Villiers cumula pour nous ces deux fonctions : il fut l'exorciste du réel et le portier de l'idéal.
Le Livre des masques, Villiers de l'Isle-Adam
(Mercure de France).

12823 Unique ce livre [*Les Chants de Maldoror*] le demeurera, et dès maintenant il reste acquis à la liste des œuvres qui, à l'exclusion de tout classicisme, forment la brève bibliothèque et la seule littérature admissibles pour ceux dont l'esprit, mal fait, se refuse aux joies, moins rares, du lieu commun et de la morale conventionnelle.
Ibid., Lautréamont.

12824 [...] L'intelligence, consciente ou inconsciente, si elle n'a pas tous les droits, a droit à toutes les absolutions.
Ibid., Arthur Rimbaud.

Nous n'avons plus de principes et il n'y a plus de modèles; 12825
un écrivain crée son esthétique en créant son œuvre : nous
en sommes réduits à faire appel à la sensation bien plus
qu'au jugement.   *Ibid., Deuxième série, Préface.*

Celui qui ne meurt pas une fois par jour ignore la vie. 12826
                        Ibid., Paul Claudel.

Le mâle est un accident; la femelle aurait suffi. 12827
    Physique de l'amour. Essai sur l'instinct sexuel, chap. 7
                        (Mercure de France).

Le citoyen est une variété de l'homme; variété dégénérée 12828
ou primitive, il est à l'homme ce que le chat de gouttière
est au chat sauvage.   *Épilogues, Paradoxe sur le citoyen.*

Contrairement à la consolante croyance, la vérité ne se 12829
fait jamais jour; une erreur entrée dans le domaine public
n'en sort jamais; les opinions se transmettent, héréditaire-
ment, comme des terrains — on y bâtit — cela finit par faire
une ville : cela finit par faire l'histoire.
                    Ibid., Hoche et l'idéalisme historique.

Il ne faut jamais hésiter à faire entrer la science dans la 12830
littérature ou la littérature dans la science; le temps des belles
ignorances est passé.
            Esthétique de la langue française, Préface
                            (Mercure de France).

ALBERT SAMAIN
1858-1900

Mon Ame est une infante en robe de parade. 12831
    Au Jardin de l'Infante, L'Infante (Mercure de France).

HENRI BERGSON
1859-1941

Nous nous exprimons nécessairement par des mots, et nous 12832
pensons le plus souvent dans l'espace.
        Essai sur les données immédiates de la conscience,
                        Avant-propos (P.U.F.).

L'art vise à imprimer en nous des sentiments plutôt qu'à les 12833
exprimer; il nous les suggère, et se passe volontiers de l'imitation de la nature quand il trouve des moyens plus efficaces.
                        Ibid., chap. 1.

Nous tendons instinctivement à solidifier nos impressions, 12834
pour les exprimer par le langage. De là vient que nous confon-

XXᴱ SIÈCLE

dons le sentiment même, qui est dans un perpétuel devenir, avec son objet extérieur permanent, et surtout avec le mot qui exprime cet objet.   *Ibid., chap. 2.*

12835 Les opinions auxquelles nous tenons le plus sont celles dont nous pourrions le plus malaisément rendre compte, et les raisons mêmes par lesquelles nous les justifions sont rarement celles qui nous ont déterminés à les adopter.   *Ibid.*

12836 Considérés en eux-mêmes, les états de conscience profonds n'ont aucun rapport avec la quantité; ils sont qualité pure; ils se mêlent de telle manière qu'on ne saurait dire s'ils sont un ou plusieurs, ni même les examiner à ce point de vue sans les dénaturer aussitôt.   *Ibid.*

12837 Nous sommes libres quand nos actes émanent de notre personnalité entière, quand ils l'expriment, quand ils ont avec elle cette indéfinissable ressemblance qu'on trouve parfois entre l'œuvre et l'artiste.   *Ibid., chap. 3.*

12838 Qu'est-ce que la durée au-dedans de nous? Une multiplicité qualitative, sans ressemblance avec le nombre; un développement organique qui n'est pourtant pas une quantité croissante; une hétérogénéité pure au sein de laquelle il n'y a pas de qualités distinctes. Bref, les moments de la durée interne ne sont pas extérieurs les uns aux autres.
                                        Ibid., Conclusion.

12839 Notre représentation de la matière est la mesure de notre action possible sur les corps; elle résulte de l'élimination de ce qui n'intéresse pas nos besoins et plus généralement nos fonctions.
Matière et mémoire. Essai sur la relation du corps à l'esprit,
                                        chap. 1 (P.U.F.).

12840 Reconnaître un objet usuel consiste surtout à savoir s'en servir.   *Ibid., chap. 2.*

12841 [...] La logique du corps n'admet pas les sous-entendus.
                                                Ibid.

12842 *Imaginer* n'est pas *se souvenir.*   *Ibid., chap. 3.*

12843 Rien n'*est* moins que le moment présent, si vous entendez par là cette limite indivisible qui sépare le passé de l'avenir.
                                                Ibid.

12844 Un être humain qui *rêverait* son existence au lieu de la vivre tiendrait sans doute ainsi sous son regard, à tout moment, la multitude infinie des détails de son histoire passée.   *Ibid.*

12845 Le corps, toujours orienté vers l'action, a pour fonction essentielle de limiter, en vue de l'action, la vie de l'esprit.
                                        Ibid., chap. 4.

12846 L'esprit emprunte à la matière les perceptions d'où il tire sa nourriture, et les lui rend sous forme de mouvement, où il a imprimé sa liberté.   *Ibid., Résumé et Conclusion.*

Il n'y a pas de comique en dehors de ce qui est proprement   12847
humain.
Le Rire, Essai sur la signification du comique, chap. 1, 1
(P.U.F.).

Si donc on voulait définir ici le comique en le rapprochant   12848
de son contraire, il faudrait l'opposer à la grâce plus encore
qu'à la beauté. Il est plutôt raideur que laideur.   *Ibid., 3.*

Du mécanique plaqué sur du vivant.   *Ibid., 5.* 12849

Dès que notre attention se concentre sur la matérialité   12850
d'une métaphore, l'idée exprimée devient comique.
Ibid., chap. 2, 2.

Le rire châtie certains défauts à peu près comme la maladie   12851
châtie certains excès.   *Ibid., chap. 3.*

On serait fort embarrassé pour citer une découverte biolo-   12852
gique due au raisonnement pur.
L'Évolution créatrice, Introduction (P.U.F.).

Un moi qui ne change pas ne dure pas, et un état psycholo-   12853
gique qui reste identique à lui-même tant qu'il n'est pas
remplacé par l'état suivant ne dure pas davantage.
Ibid., chap. 1.

Nous cherchons seulement quel sens précis notre conscience   12854
donne au mot « exister », et nous trouvons que, pour un
être conscient, exister consiste à changer, changer à se
mûrir, se mûrir à se créer indéfiniment soi-même. En
dirait-on autant de l'existence en général?   *Ibid.*

Si je veux me préparer un verre d'eau sucrée, j'ai beau faire,   12855
je dois attendre que le sucre fonde.   *Ibid.*

Partout où quelque chose vit, il y a, ouvert quelque part, un   12856
registre où le temps s'inscrit.   *Ibid.*

Originellement, nous ne pensons que pour agir. C'est dans le   12857
moule de l'action que notre intelligence a été coulée. La
spéculation est un luxe, tandis que l'action est une nécessité.
Ibid.

Le rôle de la vie est d'insérer de l'indétermination dans la   12858
matière.   *Ibid., chap. 2.*

L'instinct achevé est une faculté d'utiliser et même de cons-   12859
truire des instruments organisés; l'intelligence achevée est
la faculté de fabriquer et d'employer des instruments inor-
ganisés.   *Ibid.*

Nous ne sommes à notre aise que dans le discontinu, dans   12860
l'immobile, dans le mort. *L'intelligence est caractérisée*
par une incompréhension naturelle de la vie.   *Ibid.*

L'humanité gémit, à demi écrasée sous le poids des pro-   12861
grès qu'elle a faits. Elle ne sait pas assez que son avenir

dépend d'elle. A elle de voir d'abord si elle veut continuer à vivre. A elle de se demander ensuite si elle veut vivre seulement, ou fournir en outre l'effort nécessaire pour que s'accomplisse, jusque sur notre planète réfractaire, la fonction essentielle de l'univers, qui est une machine à faire des dieux.

Les Deux Sources de la morale et de la religion, chap. 14 (P.U.F.).

12862 Nous devons entendre par esprit une réalité qui est capable de tirer d'elle-même plus qu'elle ne contient.

Introduction à la conférence du pasteur Hollard...,
Écrits et Paroles, tome II (P.U.F.).

MAURICE DONNAY
1859-1945

12863 En sentiments comme en chimie, il y a un principe que je crois vrai : c'est que rien ne se crée, rien ne se perd. De sorte que, lorsque nous avons failli, il arrive toujours un moment où sous forme de souffrances, de ruine, de maladie, de remords... et de mort même, nous payons l'addition.

La Douloureuse, acte I, scène 8 (Ollendorff).

12864 Il y a dans ce mot mariage un étrange pouvoir dissolvant.

Ibid., acte II, scène 2.

12865 On peut, on doit abuser de la confiance d'une femme, mais jamais de sa méfiance... C'est dangereux.

Georgette Lemeunier, acte II, scène 9.

JEAN JAURÈS
1859-1914

12866 Tout ce que la France fera pour ajouter à sa puissance défensive accroîtra les chances de paix dans le monde. Tout ce que la France fera dans le monde pour organiser juridiquement la paix et la fonder immuablement sur l'arbitrage et le droit ajoutera à sa puissance défensive.

L'Armée nouvelle, chap. 1 (Éd. L'Humanité).

12867 Au fond de notre système militaire il y a un préjugé persistant qui en limite la force et en contrarie les effets, et ce préjugé c'est que la nation ne peut guère compter que sur la partie encasernée de l'armée.   *Ibid., chap. 2.*

12868 M. Bersot disait : « En France, on fait sa première communion pour en finir avec la religion; on prend son baccalauréat pour en finir avec les études, et on se marie pour en finir avec l'amour. » Il aurait pu ajouter : « et on fait son service pour en finir avec le devoir militaire ».   *Ibid.*

Donner la liberté au monde par la force est une étrange   12869
entreprise pleine de chances mauvaises. En la donnant, on
la retire.   *Ibid., chap. 4.*

C'est la force de la passion qui crée la force de la règle.   12870
                                                     Ibid.

Il y a donc, dans les choses de l'armée, une conspiration   12871
universelle de silence, de mystère puéril, d'esprit de clan,
de routine et d'intrigue.   *Ibid., chap. 8.*

Il faut que la bourgeoisie ne puisse plus faire un mouvement   12872
sans rencontrer sur son chemin un témoignage de la force
et de la grande ambition prolétarienne.
                                            Ibid., chap. 9.

Parce que le milliardaire n'a pas récolté sans peine, il s'ima-   12873
gine qu'il a semé.   *Ibid., chap. 10.*

Capitalisme et prolétariat, dans l'ordre de la production   12874
aussi et du progrès technique, en se heurtant et se combattant,
ont concouru, à travers les douleurs et les haines, à un
commun progrès, dont les deux classes bénéficient inégalement aujourd'hui, dont bénéficieront un jour également
les individus des deux classes, dans une société où il n'y
aura plus de classes, et où les longs frissons de la guerre
terrible et bienfaisante à la fois ne survivront plus, parmi
les hommes égaux et réconciliés, qu'en une vaste émulation
de travail et de justice.   *Ibid.*

Je veux montrer que la conception matérialiste de l'histoire   12875
n'empêche pas son interprétation idéaliste.
         *L'Esprit du socialisme, Idéalisme et Matérialisme
                       dans la conception de l'histoire (P.U.F.).*

Désormais, le socialisme et le prolétariat sont inséparables :   12876
le socialisme ne réalisera toute son idée que par la victoire
du prolétariat ; et le prolétariat ne réalisera tout son être
que par la victoire du socialisme.
Ibid., Question de méthode : « Le Manifeste communiste ».

Marx et Engels attendent, pour le prolétariat, la faveur d'une   12877
Révolution bourgeoise. Ce que propose le *Manifeste*, ce
n'est pas la méthode de Révolution d'une classe sûre d'elle-
même et dont l'heure est enfin venue : c'est l'expédient de
Révolution d'une classe impatiente et faible, qui veut brus-
quer par artifice la marche des choses.   *Ibid.*

De la Commune victorieuse, c'est tout au plus une Répu-   12878
blique radicale qui serait sortie.   *Ibid.*

Ce n'est pas par l'effondrement de la bourgeoisie capita-   12879
liste, c'est par la croissance du prolétariat que l'ordre
communiste s'installera graduellement dans notre société.
                                                     Ibid.

Le soleil lui-même a été jadis une nouveauté, et la terre fut   12880
une nouveauté, et l'homme fut une nouveauté.
                               Ibid., Discours à la jeunesse.

12881 J'espère que nous aboutirons à des formules d'ensemble, mais il vaudrait mieux, pour l'avenir du Parti, nous diviser sur des formules nettes que nous confondre dans des formules obscures.   *Ibid., Discours de Toulouse.*

12882 On n'enseigne pas ce que l'on veut; je dirai même que l'on n'enseigne pas ce que l'on sait ou ce que l'on croit savoir : on n'enseigne et on ne peut enseigner que ce que l'on est.
                    Ibid., Pour la laïque.

12883 C'est à l'heure où la foi chrétienne était dans les âmes au plus bas que la patrie était au plus haut.   *Ibid.*

12884 Le squelette est toujours plus consistant que le germe.
                    Ibid.

ÉMILE MEYERSON
1859-1933

12885 Ainsi, remonter aux causes, pour un phénomène quel qu'il soit, constitue une tâche impossible. Il faut la limiter, se contenter d'une satisfaction partielle.
                    Identité et réalité, chap. 1 (P.U.F.).

12886 Le monde extérieur, la nature, nous apparaît comme infiniment changeant, se modifiant sans trêve dans le temps. Cependant le principe de causalité postule le contraire : nous avons besoin de comprendre, et nous ne le pouvons qu'en supposant l'identité dans le temps. C'est donc que le changement n'est qu'apparent, qu'il recouvre une identité qui est seule réelle.   *Ibid., chap. 2.*

12887 Le *causalisme* — s'il est permis d'user de ce terme — n'est pas un privilège du savant. Il est le propre de l'homme.
                    Ibid., chap. 9.

12888 « *Primum vivere, deinde philosophari* » semble être un précepte dicté par la sagesse. C'est en réalité une règle chimérique, à peu près aussi inapplicable que si l'on nous conseillait de nous affranchir de la force de gravitation. *Vivere est philosophari.*   *Ibid.*

12889 Nous n'apercevons pas, entre le sens commun et la science, la grande différence qu'on a voulu y voir parfois.   *Ibid.*

JULES LAFORGUE
1860-1887

12890   L'Homme, ce pou rêveur d'un piètre mondicule,
           Quand on y pense bien est par trop ridicule.
                    Le Sanglot de la terre, Farce éphémère.

O convoi solennel des soleils magnifiques,   12891
Nouez et dénouez vos vastes masses d'or,
Doucement, tristement, sur de graves musiques,
Menez le deuil très lent de votre sœur qui dort.
> *Ibid., Marche funèbre pour la mort de la terre.*

Je suis le paria de la famille humaine,   12892
A qui le vent apporte en son sale réduit
La poignante rumeur d'une fête lointaine.
> *Ibid., Noël sceptique.*

Les astres, c'est certain, un jour s'aborderont!   12893
Peut-être alors luira l'Aurore universelle
Que nous chantent ces gueux qui vont, l'Idée au front!
Ce sera contre Dieu la clameur fraternelle!
> *Ibid., L'Impossible.*

L'homme entre deux néants n'est qu'un jour de misère.   12894
> *Ibid., Sonnet pour éventail.*

O femme, mammifère à chignon, ô fétiche [...]   12895
> *Les Complaintes, Complainte des voix sous le figuier*
> *bouddhique (Les Communiantes).*

Vie ou Néant! choisir. Ah! quelle discipline!   12896
Que n'est-il un Éden entre ces deux usines?
> *Ibid.*

Tâchons de vivre monotone.   12897
> *Ibid., Complainte d'un certain dimanche.*

Au clair de la lune,   12898
Mon ami Pierrot,
Filons, en costume,
Présider là-haut!
Ma cervelle est morte.
Que le Christ l'emporte!
Béons à la Lune,
La bouche en zéro.
> *Ibid., Complainte de Lord Pierrot.*

Le couchant de sang est taché   12899
Comme un tablier de boucher;
Oh! qui veut aussi m'écorcher!
> *Ibid., Complainte sur certains temps déplacés.*

Mon cœur, cancer sans cœur, se grignote lui-même.   12900
> *Ibid., Complainte-litanies de mon sacré-cœur.*

Je ne suis qu'un rêveur lunaire   12901
Qui fait des ronds dans les bassins,
Et cela, sans autre dessein
Que devenir un légendaire.
> *L'Imitation de Notre-Dame la Lune, Locutions des Pierrots,*
> *XVI.*

Ah! ce soir, j'ai le cœur mal, le cœur à la Lune.   12902
> *Ibid., États.*

12903
Dans les Jardins
De nos instincts,
Allons cueillir
De quoi guérir.
Moralités légendaires, Hamlet ou les suites de la piété filiale.

12904
Ah! tout est bien qui n'a pas de fin.
Ibid.

12905 La mer! de quelque côté qu'on la surveille, des heures et des heures, à quelque moment qu'on la surprenne : toujours elle-même, jamais en défaut, toujours seule, empire de l'insociable, grande histoire qui se fait, cataclysme mal digéré; — comme si l'état liquide où nous la voyons n'était qu'une déchéance!
Ibid., Persée et Andromède ou le plus heureux des trois.

12906 Autre part, autre part, dans l'espace infini, l'Inconscient est plus avancé. Quelles fêtes!...   *Ibid.*

PAUL MARGUERITTE
1860-1918
et
VICTOR MARGUERITTE
1866-1942

12907 Si la guerre n'était, du souverain au dernier caporal, qu'une somme de convoitises, je ne connaîtrais rien de plus abject. Non! pour quiconque n'a pas un cœur de bouc, elle contient quelque chose de sacré. C'est l'école du sacrifice, du sacrifice le plus grand qu'un homme puisse faire, celui de sa vie.
Une Époque, Le Désastre (Plon).

12908 La haine de race? un enseignement d'école, voilà tout. [...] Rien n'émeut au fond que l'émotion individuelle.
Ibid.

RAYMOND POINCARÉ
1860-1934

12909 L'union sacrée [...] s'est réalisée dans tout le pays comme par enchantement.
Au service de la France, tome 5, L'Invasion, chap. 1 (Plon).

MAURICE BLONDEL
1861-1949

12910 Si je ne suis pas ce que je veux être, ce que je veux, non en désir ou en projet, mais de tout mon cœur, par toutes mes

forces, dans mes actes, je ne suis pas. Au fond de mon être, il y a un vouloir et un amour de l'être, ou bien il n'y a rien.
L'Action, Introduction (P.U.F.).

Le besoin de l'homme, c'est de s'égaler soi-même, en sorte que rien de ce qu'il est ne demeure étranger ou contraire à son vouloir, et rien de ce qu'il veut ne demeure inaccessible ou refusé à son être. *Ibid., Conclusion.* 12911

La charité est l'organe de la parfaite connaissance. *Ibid.* 12912

La pensée ne peut se résigner à n'aller que de la nuit à la nuit; et, après avoir pris conscience d'elle-même, elle ne peut retomber dans un abîme d'obscurité en se contentant d'apercevoir à la surface de cet océan quelques épaves qu'elle décorerait du nom d'êtres. 12913
L'Être et les Êtres, I, 2, 2 (P.U.F.).

Il y a déjà dans toute sensibilité humaine une immanence de la raison. *Ibid., Excursus, 17.* 12914

Du pessimiste ou de l'homme de foi et de caractère qui reste, dans la douleur même, plein de confiance et de générosité, c'est [...] celui-ci qui seul est conséquent, seul dans le vrai, seul dans une joie supérieure à toute adversité. *Ibid.* 12915

Concluons [...] en affirmant l'existence permanente en notre pensée d'une sorte de connaissance indéterminée, d'une lumière que l'on peut appeler, avec les mystiques, obscure, quoique sans elle rien ne pourrait être connu. 12916
Ibid., Excursus, 31.

Oui, l'élément mauvais contenu dans l'Église est, pour ceux qui savent en souffrir, le plus perfectionnant instrument de détachement et de sainteté. 12917
Correspondance philosophique, Lettre à L. Laberthonnière, 10 mars 1921 (Le Seuil).

LUCIEN DESCAVES
1861-1949

La caserne n'est une école de corruption que lorsqu'on parle d'y envoyer les séminaristes. 12918
Sous-offs, cinquième et dernière partie, Sous-offs en Cour d'Assises (Stock).

« A tous ceux dont la *Patrie* prend le sang, non pour le verser, mais pour le soumettre, dans l'obscure paix des chais militaires, aux tares du mouillage et de la sophistication, je dédie ces analyses de laboratoire. » 12919
Ibid., dédicace, citée dans le réquisitoire de l'avocat général, cinquième partie.

ÉDOUARD DUJARDIN
1861-1949

12920 [...] Sous le chaos des apparences, parmi les durées et les sites, dans l'illusion des choses qui s'engendrent et qui s'enfantent, un parmi les autres, un comme les autres, distinct des autres, semblable aux autres, un le même et un de plus, de l'infini des possibles existences, je surgis [...]
Les Lauriers sont coupés, I (Messein).

FÉLIX FÉNÉON
1861-1944

12921 Réservant au peintre la tâche sévère et contrôlable de commencer les tableaux, attribuons au spectateur le rôle avantageux, commode et gentiment comique de les achever par sa méditation ou son rêve.
Œuvres, Sur la peinture moderne (Gallimard).

12922 Que l'État veuille diriger le mouvement artistique, soit! Mais voici qui est moins compréhensible : les artistes souffrent placidement cette ingérence scandaleuse.
Ibid., Exposition nationale des beaux-arts.

CHARLES MORICE
1861-1919

12923 Les grandes époques artistiques disent : l'Art. Les époques médiocres disent : les arts.
La Littérature de tout à l'heure (Librairie Académique Perrin).

SAINT–POL–ROUX
1861-1940

12924 [...] La femme au cœur plus grand qu'un lever de soleil.
Anciennetés, la Magdeleine aux parfums (Le Seuil).

12925 Poésie = création. La grandiose promesse de ce terme n'est pas un mythe, et l'on peut jurer que la *créature* sera saisissable dans un avenir plus ou moins distant.
Les Féeries intérieures, Les Reposoirs de la Procession,
« Idéo-plastie ».

Mon œuvre est un amoindrissement de ma conception, je 12926
ne me livre qu'en réduction, j'ampute mon aigle et je châtre
mon lion, — je m'humilie.
Ibid., « Sur les allées de Meilhan ».

[...] Le goût, critérium officiel contraignant l'étalon à se 12927
conduire en mulet s'il veut être admiré. *Ibid.*

L'art véritable est anticipateur. 12928
Ibid.

La mamelle de cristal, seule, affirme la merveille de son eau 12929
candide. *Ibid., La Carafe d'eau pure.*

Par l'esprit fusant de notre limon nous pénétrons la pensée 12930
terrestre, car la terre pense à sa manière, certaines manifestations sont ses idées visibles, les fleurs et les fruits de ses
végétations sont les caractères avec quoi la terre écrit son
intarissable et savoureux poème, elle pense massivement
mais sa pensée s'affine en approchant de l'homme sous la
forme, par exemple, d'une rose, d'une orange, d'un grain
quelconque. *La Randonnée.*

Nous entrons en couteau dans le fruit des villages. *Ibid.* 12931

La Bretagne est universelle et toutes les races en retour se 12932
retrouvent en elle comme dans un cercle, le cercle du celtisme, lequel est assurément la bague circonférentielle du
monde. *Offrande à Divine.*

Allez bien doucement, Messieurs les Fossoyeurs. 12933
Pour dire aux funérailles des poètes.

MAURICE BARRÈS
1862-1923

Prenez [...] le Moi pour un terrain d'attente sur lequel vous 12934
devez vous tenir jusqu'à ce qu'une personne énergique vous
ait reconstruit une religion. Sur ce terrain d'attente, nous
camperons, [...] tout à la fois religieux et sceptiques.
Sous l'œil des Barbares, 1888 (Plon).

Le sens de l'ironie est une forte garantie de liberté. *Ibid.* 12935

Quelque jour un statisticien dressera la théorie des émo- 12936
tions, afin que l'homme à volonté les crée toutes en lui et
toutes au même moment.
Un Homme libre, 1889 (Perrin).

L'âme qui habite aujourd'hui en moi est faite de parcelles 12937
qui survécurent à des milliers de morts. *Ibid.*

D'une certaine manière, des gens qui renoncent à tout et 12938
des gens qui désirent tout sont bien faits pour s'entendre.
Trois stations de psychothérapie, 1891 (Perrin).

12939 Je m'écarte des êtres triomphants pour aimer [...] les beaux yeux résignés des ânes, les tapisseries fanées, ou encore, [...] les petites malades qui n'ont pas de poupées. C'est qu'il n'est pas de caresse plus tendre que de consoler.
Le Jardin de Bérénice, 1891 (Perrin).

12940 Si vous désignez par égoïsme le désir de contenter ses besoins, en ce sens je suis et chaque parcelle de la nature est égoïste. [...] Tous, du plus touchant des lichens qui s'efforce de percer les neiges du Nord jusqu'à Robinson Crusoé, méritent ce qualificatif.
L'Ennemi des lois, 1892 (Perrin).

12941 La haine n'est pas un bas sentiment, si l'on veut bien réfléchir qu'elle ramasse notre plus grande énergie dans une direction unique, et qu'ainsi, nécessairement, elle nous donne sur d'autres points d'admirables désintéressements.
Du Sang, de la volupté et de la mort, La haine emporte tout, 1894 (Plon).

12942 La grande affaire pour les générations précédentes fut le passage de l'absolu au relatif; il s'agit aujourd'hui de passer des certitudes à la négation sans y perdre toute valeur morale.
Les Déracinés, 1897 (Plon).

12943 Aux sommets de la société comme au fond des provinces, dans l'ordre de la moralité comme dans l'ordre matériel, dans le monde commercial, industriel, agricole, et jusque sur les chantiers où il fait concurrence aux ouvriers français, l'étranger, comme un parasite, nous empoisonne.
Un principe essentiel selon lequel doit être conçue la nouvelle politique française, c'est de protéger tous les nationaux contre cet envahissement, et c'est aussi qu'il faut se garder contre ce socialisme trop cosmopolite ou plutôt trop allemand qui énerverait la défense de la patrie.
Programme électoral de Nancy.

12944 Une poignée d'hommes mettent çà et là de légers points de pourriture sur notre admirable race. Garde à nous, patriotes!
Sciences et Doctrines du Nationalisme, 1902 (Hatier).

12945 Ce qui fait les dessous de ma pensée, ma nappe inépuisable, c'est ma Lorraine.
Amori et Dolori sacrum, 1903, préface (Hatier).

12946 Grandeur d'âme, beauté, passion, sacrifice, l'on vous situe d'abord dans les villes légendaires, car l'on voit trop que vous ne croissez pas aux pavés de notre ville de naissance; mais au retour d'un long voyage à travers les réalités, quand on n'a vu qu'un sable aride, ou pis encore d'irritantes fièvres, si l'on garde assez de ressort pour échapper au désabusement, on n'attend plus rien que de cette musique intérieure transmise avec leur sang par les morts de notre race.
Les Amitiés françaises, 1919 (Hatier).

12947 Il est trop certain que la vie n'a pas de but et que l'homme pourtant a besoin de poursuivre un rêve.
Le Voyage de Sparte, 1906 (Hatier).

J'entends servir les intérêts de notre race. Je continue la 12948
chanson de nos pères. Mais nous sommes au deuxième couplet. Ils ont conquis le sol; à nous de conquérir les fruits
du sol. *Colette Baudoche, 1909 (Hatier).*

Ce coucher de soleil sur Tolède [...] assemble toutes les for- 12949
mes, toutes les couleurs, tous les rêves, pour nous parler
d'une vraie vie à laquelle nous nous croyons prédestinés
et qu'il nous reste à conquérir.
Le Greco ou le Secret de Tolède, 1911 (Émile-Paul).

Il est des lieux où souffle l'esprit. 12950
La Colline inspirée, titre du chap. 1 (Émile-Paul).

Les quatre vents de la Lorraine et le souffle inspirateur 12951
qui s'exhale d'un lieu éternellement consacré au divin,
ravivent en nous une énergie indéfinissable : rien qui relève
de la pensée, mais plutôt une vertu. *Ibid., chap. 1.*

« Je suis, dit la prairie, l'esprit de la terre et des ancêtres les 12952
plus lointains, la liberté, l'inspiration. »
Et la chapelle répond :
« Je suis la règle, l'autorité, le lien, je suis un corps de pensées
fixes et la cité ordonnée des âmes. » *Ibid., chap. 20.*

Il y a tout au fond de nous [...] un domaine obscur, et ces 12953
psychologues scientifiques le reconnaissent comme la nappe
profonde qui alimente nos pensées claires. Les plus grandes
et les plus fortes pensées dont nous prenons conscience sont
comme des pointes d'îlots qui émergent, mais qui ont des
stratifications immenses sous la mer.
La Grande Pitié des églises de France, chap. 5, 1914
(Émile-Paul).

Ce n'est pas la raison qui nous fournit une direction morale, 12954
c'est la sensibilité. *Ibid., chap. 16.*

Où manque la force, le droit disparaît; où apparaît la force, 12955
le droit commence de rayonner. *Ibid., chap. 18.*

Préférer à soi-même une autre qui, elle-même, nous préfère 12956
à soi; désirer de mourir à deux, pour épanouir une seule
vie plus belle; appeler la volupté avec la certitude d'y tuer
nos humanités et d'en surgir créature céleste... premières
minutes sublimes d'un [...] amour comblé.
Un Jardin sur l'Oronte, 1922 (Plon).

Je sens depuis des mois que je glisse du nationalisme au 12957
catholicisme. C'est que le nationalisme manque d'infini.
Mes Cahiers, année 1910, 1922 (Plon).

ARISTIDE BRIAND

1862-1932

La France, dans l'état actuel du monde, ne peut pas 12958
s'abstraire de toute préoccupation d'idéalisme. Il y a une

atmosphère morale en dehors de laquelle un pays qui s'isole
est un pays qui va aux pires déceptions.

Paroles de paix (Figuière).

12959　Pour faire la paix, il faut être deux : soi-même et le voisin
d'en face.　　*Ibid.*

12960　Moi, je dis que la France [...] ne se diminue pas, ne se compromet pas, quand, libre de toutes visées impérialistes et ne
servant que des idées de progrès et d'humanité, elle se
dresse et dit à la face du monde : « Je vous déclare la Paix! »...
Ibid.

GEORGES DARIEN
1862-1921

12961　Bien que je sois Français, je ne suis pas un vaincu.
La Belle France, Avant-propos (Pauvert).

12962　Il y a quelque chose de plus terrible encore à contempler
que l'Ignorance agissante. C'est l'Ignorance qui n'agit pas,
mais qui braille.　　*Ibid., 2.*

12963　La seule politique que veuille la France, c'est une politique
incolore, insipide, flasque; elle est prête à payer n'importe
quoi pour avoir cette politique-là; et elle paye, et elle l'a.
Ibid., 3.

12964　La France ne veut pas d'hommes. Ce qu'il lui faut, c'est
des castrats.　　*Ibid.*

12965　La France est catholique parce que la femme est catholique.
Et la femme est catholique parce qu'elle n'est pas libre.
Ibid., 6.

12966　Il faut être intolérant pour être libre.　　*Ibid.*

12967　Le *système* capitaliste *se laisse vivre;* le *parti* socialiste *se
laisse vivre.* Ils se laissent donc vivre réciproquement; voilà
toute la situation.　　*Ibid., 8.*

12968　La France doit appartenir aux Français, non pas nomi-
nalement, mais effectivement. C'est le Nationalisme réel,
intégral, qui seul peut conduire à l'Internationalisme. Voilà
ce que le Socialisme aurait dû comprendre.　　*Ibid.*

CLAUDE DEBUSSY
1862-1918

12969　Monsieur, je n'aime pas les spécialistes. Pour moi, se spécialiser, c'est rétrécir d'autant son univers [...]
Monsieur Croche antidilettante (Gallimard).

Voir le jour se lever est plus utile que d'entendre la Sym- 12970
phonie pastorale.   *Ibid.*

Tâcher de faire tomber ceux que l'on imite est le premier 12971
principe de la sagesse chez certains artistes [...]   *Ibid.*

[...] On ne commande pas plus aux foules d'aimer la beauté 12972
qu'on ne peut décemment exiger qu'elles marchent sur les
mains.   *Ibid.*

GEORGES FEYDEAU
1862-1921

N'est-elle pas plus morale, l'union libre de deux amants qui 12973
s'aiment, que l'union légitime de deux êtres sans amour?
La Dame de chez Maxim, acte II, scène 9
(© Éd. du Bélier).

Comme il n'y a pas de fumée sans feu... il n'y a pas de feu 12974
sans allumage!   *Ibid., acte III, scène 5.*

Il paraît que quand on aime, eh bien! un garçon qui n'a plus 12975
le sou, c'est encore meilleur!
Un fil à la patte, acte I, scène 3.

Dans n'importe quel ménage, quand il y a deux hommes, 12976
c'est toujours le mari qui est le plus laid.
Ibid., acte II, scène 2.

Les maris des femmes qui nous plaisent sont toujours des 12977
imbéciles.
Le Dindon, acte I, scène 1.

Comment veux-tu que je te comprenne!... Tu me parles à 12978
contrejour, je ne vois pas ce que tu me dis!
Ibid., acte II, scène 15.

Ah! que je suis fatigué! Tout de même, il est midi!... Et 12979
midi, c'est une heure!... Non, midi, ce n'est pas une heure,
c'est midi!... Ah! je ne sais plus ce que je dis!... Je dors à
moitié! Et dire... et dire que si Paris était aux antipodes,
il serait seulement minuit!... Je pourrais dormir encore
sept heures, et je passerais pour un homme matinal!...
Quel est l'idiot contrariant qui a fichu Paris de ce côté-ci
du globe?...
Occupe-toi d'Amélie, acte II, scène 1.

ABEL HERMANT
1862-1950

[...] L'histoire, tant qu'elle dure, n'a que des tournants. 12980
Xavier ou les Entretiens sur la grammaire française, II
(Flammarion).

12981   Les mots participent de la divinité d'une façon illégitime
        puisque notre raison ne l'avoue pas.   *Ibid., IX.*

12982   La sagesse, quand on se trouve en présence d'une difficulté
        de langage, est de s'informer, de s'éclairer, ensuite de prendre
        une décision et de s'y tenir. La fiction de la chose jugée n'est
        pas moins indispensable en ces matières qu'en matière de
        justice pratique.
                    Remarques de Monsieur Lancelot pour la défense
                            de la langue française (Flammarion).

12983   Je ne me mêle point de politique; mais, dans l'ordre de la
        grammaire, l'étatisme, voilà l'ennemi.   *Ibid.*

MAURICE MAETERLINCK
1862-1949

12984   Mon âme en est triste à la fin;
                        Elle est triste enfin d'être lasse,
                        Elle est lasse enfin d'être en vain.
                        Elle est triste et lasse à la fin
                        Et j'attends vos mains sur ma face.
                        Serres chaudes, Ame de nuit (Vanier).

12985   Si j'étais Dieu, j'aurais pitié du cœur des hommes.
                        Pelléas et Mélisande (Fasquelle).

12986   Les années apprennent peu à peu, à tout homme, que la
        vérité seule est merveilleuse.
                        La Vie des termites, Introduction (Fasquelle).

12987   La monographie d'un insecte, surtout d'un insecte aussi
        singulier, n'est en somme que l'histoire d'une peuplade
        inconnue, d'une peuplade qui semble par moments ori-
        ginaire d'une autre planète, et cette histoire demande à être
        traitée de la même façon méthodique et désintéressée que
        l'histoire des hommes.   *Ibid.*

12988   Nous n'avons pas d'exemple, en nos annales, qu'une répu-
        blique réellement démocratique ait duré plus de quelques
        années sans se décomposer et disparaître dans la défaite ou la
        tyrannie, car nos foules ont, en politique, le nez du chien
        qui n'aime que les mauvaises odeurs. Elles ne choisissent
        que les moins bons et leur flair est presque infaillible.
                        Ibid., La puissance occulte, I.

12989   On dirait que ces cités d'insectes qui nous précédèrent dans
        le temps, ont voulu nous offrir une caricature, une parodie
        anticipée des paradis terrestres vers lesquels s'acheminent
        la plupart des peuples civilisés; et l'on dirait surtout que
        la nature ne veut pas le bonheur.   *Ibid., Les destinées, I.*

12990   L'intelligence est la faculté à l'aide de laquelle nous compre-
        nons finalement que tout est incompréhensible.   *Ibid., III.*

Si les astres étaient immobiles, le temps et l'espace n'existe- 12991
raient plus.
La Grande loi, La gravitation universelle et la force centripète
(Fasquelle).

Les mondes tombent ou montent et rencontrent parfois dans 12992
l'immense désert, de millénaire en millénaire, un autre
monde qui les attire. Est-ce là toute la tragédie de l'espace
et de l'éternité? *Ibid.*

Un Dieu qui d'un seul coup voudrait anéantir les mondes, 12993
n'aurait qu'à enlever à la matière sa force d'attraction.
A l'instant tout se dissoudrait dans ce que nous ne pourrions
plus appeler l'espace, puisqu'il n'y aurait plus d'espace,
attendu que seuls les mouvements et les déplacements de la
matière créent son existence. *Ibid.*

Il est assez probable qu'une descente au centre de la terre, 12994
si, grâce à je ne sais quelles découvertes, elle devenait un
jour possible, nous révèlerait sur la gravitation, noyau
de toutes les énigmes, plus de secrets cosmiques qu'un voyage
dans la lune. *Ibid.*

Le mot éther est comme le mot Dieu; il masque et déguise 12995
somptueusement ce que nous ignorons. *Ibid., L'Éther.*

Rien n'ayant été créé, rien ne pourra jamais être créé. 12996
L'Univers ne pourra jamais être augmenté ou diminué.
Ce qu'on lui enlèverait ne le quitterait point, ce qu'on ajou-
terait serait déjà en lui. *Ibid., La dilatation de l'univers.*

ÉMILE MALE
1862-1954

La cathédrale eût mérité d'être appelée de ce nom touchant 12997
qui fut donné par les imprimeurs du XVe siècle à un de leurs
premiers livres : « la Bible des pauvres ». Les simples, les
ignorants, tous ceux qu'on appelait « la sainte plèbe de Dieu »,
apprenaient par les yeux presque tout ce qu'ils savaient de
leur foi.
L'Art religieux du XIIIe siècle en France, Préface
(Armand Colin).

L'art du Moyen Age est d'abord une écriture sacrée dont 12998
tout artiste doit apprendre les éléments.
Ibid., Introduction, chap. 1, 1.

MARCEL PRÉVOST
1862-1941

[La femme] est, dans le sein des nations lasses, un grand 12999
peuple neuf.
Lettres à Françoise, Lettre liminaire (Éditions de France).

PAUL SIGNAC
1863-1935

13000 [...] Un peintre rend-il un plus bel hommage à la nature en s'efforçant, comme font les néo-impressionnistes, de restituer sur la toile son principe essentiel, la lumière, on en la copiant servilement du plus petit brin d'herbe au moindre caillou?
D'Eugène Delacroix au Néo-Impressionnisme (Floury).

FRANCIS VIELÉ–GRIFFIN
1863-1937

13001   Le vers est libre.
Joies, Préface (Mercure de France).

13002   Saluons d'un baiser l'Automne aux yeux pensifs;
La Vie est un sourire aux lèvres de la Mort...
La Clarté de la vie, Octobre (Mercure de France).

GEORGES FOUREST
1864-1945

13003   « Dieu! » soupire à part soi la plaintive Chimène,
« Qu'il est joli garçon l'assassin de Papa! »
La Négresse blonde, Le Cid (Corti).

13004   Comme le champ pierreux qu'en vain le colon bine
Votre cœur est un roc, aimable Colombine!
*Le Géranium ovipare, Épîtres, Épître de Cassandre à Colombine
(Corti).*

13005   [...] Et je lirai (trouvant Hegel et Kant arides)
Ces beaux récits d'amour poivrés de cantharides.
Ibid.

13006   Tout bas-bleu présent ou futur
Sans hésiter je le rature!
Cœtera desiderantur
C'est assez de littérature.
Ibid., Postlude.

HENRI DE RÉGNIER
1864-1936

Un petit roseau m'a suffi   13007
Pour faire frémir l'herbe haute
            Et tout le pré
            Et les doux saules
Et le ruisseau qui chante aussi;
Un petit ruisseau m'a suffi
A faire chanter la forêt.
Les jeux rustiques et divins, Odelette (Mercure de France).

Le Bonheur est un Dieu qui marche les mains vides   13008
Et regarde la Vie avec des yeux baissés.
            Vestigia Flammae, Poèmes divers, Le Bonheur
                    (Mercure de France).

JULES RENARD
1864-1910

Heureux ceux qui peuvent dire simplement d'une belle chose :   13009
« Voilà une chose qui est belle! »
J'y renonce.
                    L'Ecornifleur, XVIII (Gallimard).

La pudeur de la femme est un mur mitoyen. N'allez pas,   13010
imprudent, le dégrader vous-même, car il s'effritera, à la
longue fera brèche, et les voisins entreront chez vous.
                    Ibid., XXXII.

Tout le monde ne peut pas être orphelin.   13011
        Poil de Carotte, Coup de théâtre (Flammarion).

Le plus artiste sera d'écrire, par petits bonds, sur cent   13012
sujets qui surgiront à l'improviste, d'émietter pour ainsi dire
sa pensée. De la sorte, rien n'est forcé. Tout a le charme du
non voulu, du naturel. On ne provoque pas : on attend.
        Journal, 13 septembre 1887 (Gallimard).

Les mots sont la menue monnaie de la pensée. Il y a des   13013
bavards qui nous payent en pièces de dix sous. D'autres,
au contraire, ne donnent que des louis d'or.
                    Ibid., 15 novembre 1888.

Faunes, vous avez eu votre temps : c'est maintenant avec   13014
l'arbre que le poète veut s'entretenir.
                    Ibid., 23 novembre 1888.

Que de gens ont voulu se suicider, et se sont contentés de   13015
déchirer leur photographie!
                    Ibid., 29 décembre 1888.

13016 Par les soleils couchants, il semble qu'au-delà de notre
horizon commencent les pays chimériques, les pays brûlés,
la Terre de Feu, les pays qui nous jettent en plein rêve, dont
l'évocation nous charme, et qui sont pour nous des paradis
accessibles, l'Égypte et ses grands sphinx, l'Asie et ses mystères, tout, excepté notre pauvre petit maigre et triste monde.
Ibid., 22 mai 1889.

13017 Les bourgeois, ce sont les autres.
Ibid., 28 janvier 1890.

13018 J'ai bâti de si beaux châteaux que les ruines m'en suffiraient.
Ibid, 2 juin 1890

13019 La postérité appartiendra aux écrivains secs, aux constipés.
Ibid., 12 août 1890.

13020 Le style, c'est l'oubli de tous les styles.
Ibid., 7 avril 1891.

13021 Ah! les grands jours de petits ennuis! Le tire-bouton n'attrape aucun bouton, mes bretelles font vrille sur mon dos
et ces loques, c'est mes chaussettes. Mes yeux *renvoient les
images,* et tous mes sens ont mal.
Ibid., 25 janvier 1892.

13022 Il faut que l'homme libre prenne quelquefois la liberté
d'être esclave.   *Ibid., 27 janvier 1892.*

13023 L'ironie est la pudeur de l'humanité.
Ibid., 30 avril 1892.

13024 La clarté est la politesse de l'homme de lettres.
Ibid., 7 octobre 1892.

13025 La conversation est un jeu de sécateur, où chacun taille la
voix du voisin aussitôt qu'elle pousse.
Ibid., 29 janvier 1893.

13026 Prononcer vingt-cinq aphorismes par jour et ajouter à chacun
d'eux : « Tout est là. »   *Ibid., 27 janvier 1894.*

13027 Écrire, c'est une façon de parler sans être interrompu.
Ibid., 10 avril 1895.

13028 Le mot est l'excuse de la pensée.
Ibid., 17 avril 1896.

13029 C'est une duperie que de s'efforcer d'être bon. Il faut naître
bon, ou ne s'en mêler jamais.   *Ibid., juillet 1896.*

13030 Les absents ont toujours tort de revenir.
Ibid., 14 juillet 1896.

TRISTAN BERNARD
1866-1947

Le repos éternel, est-ce un bobard de l'homme?   13031
Je crois qu'il est prudent de faire un petit somme,
Afin à tout hasard d'être au moins plus dispos...
Théâtre sans directeur, La Sacoche (Calmann-Lévy).

Ce qu'il y a d'admirable, c'est que ça prend toujours avec   13032
les étrangleurs. Aussitôt qu'on raidit les jambes, ils vous
croient morte, et ils vous lâchent.
Ibid., L'Étrangleuse.

Ah! Que ne suis-je riche, pour venir en aide au pauvre que je   13033
suis!
Théâtre I, Le Fardeau de la liberté, scène 2 (Calmann-Lévy).

Ah! ces braves agents, cognent-ils! Non, ce qu'ils cognent!   13034
Et tout ça pour cent sous par jour! On devrait leur donner
dix francs!   *Ibid., scène 11.*

On ne pense pas à tous les frais que nous avons, nous autres   13035
bigames. Deux mariages, vous savez, ça vaut un incendie.
Ibid., Le Captif, scène 2.

ROMAIN ROLLAND
1866-1944

Où le caractère n'est pas grand, il n'y a pas de grand homme,   13036
il n'y a même pas de grand artiste ni de grand homme
d'action [...]. Peu nous importe le succès. Il s'agit d'être
grand, et non de le paraître.
Vie de Beethoven, Préface (Hachette).

Le chagrin aiguise les sens; il semble que tout se grave mieux   13037
dans les regards, après que les pleurs ont lavé les traces
fanées des souvenirs.
Jean-Christophe, livre I, L'Aube (Albin Michel).

La musique veut être modeste et sincère. Autrement, qu'est-   13038
ce qu'elle est? Une impiété, un blasphème contre le Seigneur,
qui nous a fait présent du beau chant pour dire des choses
vraies et honnêtes.   *Ibid.*

Ces petites saletés morales que tant de gens de la société   13039
ne regardent pas tout à fait comme des fautes.
Ibid., Livre II, Le Matin.

Combien la musique des musiciens est pauvre auprès de cet   13040
océan de musique, où grondent des milliers d'êtres : c'est

la faune sauvage, le libre monde des sons, auprès du monde domestiqué, catalogué, froidement étiqueté par l'intelligence humaine.   *Ibid., Livre III, L'Adolescent.*

13041 La joie délirante et absurde de vivre, que la douleur, la pitié, le désespoir, la blessure déchirante d'une perte irréparable, tous les tourments de la mort, ne font qu'aiguillonner et raviver chez les forts, en labourant leurs flancs d'un éperon furieux.   *Ibid.*

13042 On ne fait pas ce qu'on veut. On veut, et on vit : cela fait deux.
                                                                Ibid.

13043 Tu ne vivrais pas, si tu ne croyais pas. Chacun croit.
                                                                Ibid.

13044 Un héros, c'est celui qui fait ce qu'il peut. Les autres ne le font pas.   *Ibid.*

13045 Certaines âmes à elles seules valent un peuple tout entier; elles pensent pour lui; et, ce qu'elles ont pensé, il faudra qu'il le pense.   *Ibid., Livre IV, La Révolte.*

13046 Ceux qui aiment le mieux doivent se faire violence pour desserrer les dents et pour dire qu'ils aiment.   *Ibid.*

13047 La France, éternel recours de l'Allemagne en désarroi.
                                                                Ibid.

13048 La vie n'est pas raffinée. La vie ne se prend pas avec des gants.   *Ibid., Livre V, La Foire sur la place.*

13049 Tous écrivaient — prétendaient écrire. C'était une névrose, sous la Troisième République. C'était surtout une forme de paresse vaniteuse — le travail intellectuel étant de tous le plus difficile à contrôler, et celui qui prête le plus au « bluff ».
                                                                Ibid.

13050 Ce peuple de France, qui donne l'impression d'une durée éternelle, qui fait corps avec sa terre, qui a vu passer, comme elle, tant de races conquérantes, tant de maîtres d'un jour et qui ne passe pas.   *Ibid.*

13051 Ce ne sont pas les pays les plus beaux, ni ceux où la vie est la plus douce, qui prennent le cœur davantage, mais ceux où la terre est le plus simple, le plus humble, près de l'homme, et lui parle une langue intime et familière.
                                          Ibid., Livre VI, Antoinette.

13052 Notre génie ne s'affirme pas en niant ou détruisant les autres, mais en les absorbant. [...] La Gaule a bon estomac : en vingt siècles, elle a digéré plus d'une civilisation. [...]
                                      Ibid., Livre VII, Dans la maison.

13053 S'il y a des frontières en art, elles sont moins des barrières de races que des barrières de classes. Je ne sais pas s'il y a un art français et un art allemand; mais il y a un art des riches, et un art de ceux qui ne le sont pas.   *Ibid.*

La foule[1] avait flairé le sang. En un instant, elle devint une 13054
meute féroce. On tirait, de tous côtés. Aux fenêtres des
maisons parut le drapeau rouge. Et le vieil atavisme des
révolutions parisiennes fit surgir une barricade.
Ibid., Livre IX, Le Buisson ardent.

Dieu souffre. Dieu combat. Avec ceux qui combattent et 13055
pour tous ceux qui souffrent. Car il est la Vie, la goutte de
lumière qui, tombée dans la nuit, s'étend et boit la nuit.
Mais la nuit est sans bornes, et le combat divin ne s'arrête
jamais; et nul ne peut savoir quelle en sera l'issue. Symphonie
héroïque, où les dissonances même qui se heurtent et se
mêlent forment un concert serein! Comme la forêt de hêtres
qui livre dans le silence des combats furieux, ainsi la Vie
guerroie dans l'éternelle paix. *Ibid.*

La vie passe. Le corps et l'âme s'écoulent comme un flot. 13056
Les ans s'inscrivent sur la chair de l'arbre qui vieillit. Le
monde entier des formes s'use et se renouvelle. Toi seule
ne passes pas, immortelle Musique. Tu es la mer intérieure.
Tu es l'âme profonde.
Ibid., Livre X, La nouvelle Journée.

A mesure que l'on vit, à mesure que l'on crée, à mesure que 13057
l'on aime et qu'on perd ceux qu'on aime, on échappe à la
mort. A chaque nouveau coup qui nous frappe, à chaque
œuvre qu'on frappe, on s'évade de soi, on se sauve dans
l'œuvre qu'on a créée, dans l'âme qu'on aimait et qui nous a
quittés. A la fin, Rome n'est plus dans Rome; le meilleur
de soi est en dehors de soi. *Ibid.*

La fatalité, c'est ce que nous voulons. 13058
Au-dessus de la mêlée, chap. 3 (Albin Michel).

Tout homme qui est un vrai homme doit apprendre à rester 13059
seul au milieu de tous, à penser seul pour tous — et au
besoin contre tous.
Clérambault, histoire d'une conscience libre pendant la guerre,
Introduction (Albin Michel).

La vie est l'arc; et la corde est le rêve. Où est le Sagittaire? 13060
Le Voyage intérieur, 4ᵉ partie, Le Sagittaire (Albin Michel).

ERIK SATIE
1866-1925

Désormais, j'ai confiance en vous, vous vous feriez certaine- 13061
ment tuer pour moi, et sans en jamais parler à personne.
Le Piège de Méduse, acte I, scène 9 (Galerie Simon).

Je suis aussi reconnaissant que reconnaissable. 13062
Éloge des critiques, Action, n° 8, août 1921.

1, A Paris, le 1ᵉʳ mai 1906.

13063 Il y a trois sortes de critiques : ceux qui ont de l'importance;
ceux qui en ont moins; ceux qui n'en ont pas du tout.
Les deux dernières sortes n'existent pas : tous les critiques
ont de l'importance...   *Ibid.*

13064 Celui qui a dit que la critique était aisée n'a pas dit quelque
chose de bien remarquable. C'est même honteux d'avoir dit
cela : on devrait le poursuivre, pendant au moins un kilomètre ou deux.   *Ibid.*

JULIEN BENDA
1867-1956

13065 La condensation des passions politiques en un petit nombre
de haines très simples et qui tiennent aux racines les plus
profondes du cœur humain est une conquête de l'âge moderne.
La Trahison des clercs, chap. 1 (Grasset).

13066 Il me semble assez juste de dire, avec les monarchistes
français que « la démocratie c'est la guerre », à condition
qu'on entende par démocratie l'avènement des masses à la
susceptibilité nationale et qu'on reconnaisse qu'aucun
changement de régime n'enrayera ce phénomène.   *Ibid.*

13067 Notre siècle aura été proprement le siècle de l'*organisation
intellectuelle des haines politiques*. Ce sera un de ses grands
titres dans l'histoire morale de l'humanité.   *Ibid.*

13068 A la fin du xixᵉ siècle, se produit un changement capital :
les clercs se mettent à faire le jeu des passions politiques; ceux
qui formaient un frein au réalisme des peuples s'en font les
stimulants.   *Ibid., chap. 3.*

13069 La valeur de l'artiste, ce qui fait de lui la haute parure du
monde, c'est qu'il *joue* les passions humaines au lieu de les
vivre et trouve dans cette émotion de jeu la même source de
désirs, de joies et de souffrances que le commun des hommes
dans la poursuite des choses réelles.   *Ibid., 2.*

13070 Notre âge aura vu ce fait inconnu jusqu'à ce jour, du moins
au point où nous le voyons : la métaphysique prêchant
l'adoration du contingent et le mépris de l'éternel.   *Ibid., 3.*

13071 Le clerc s'est fait de nos jours ministre de la guerre.   *Ibid.*

13072 Jusqu'à nos jours les hommes n'avaient entendu, en ce qui
touche les rapports de la politique et de la morale, que deux
enseignements : l'un, de Platon, qui disait : « La morale
détermine la politique »; l'autre, de Machiavel, qui disait :
« La politique n'a pas de rapport avec la morale ». Ils en
entendent aujourd'hui un troisième; M. Maurras enseigne :
« La politique détermine la morale ».   *Ibid.*

13073 Le moraliste est par essence un utopiste et [...] le propre de
l'action morale est précisément de créer son objet en l'affirmant.   *Ibid.*

Le clerc moderne aura fait ce travail assurément nouveau : 13074
il aura appris à l'homme à nier sa divinité.   *Ibid.*

Nous ne demandons pas au chrétien de ne point violer la 13075
loi chrétienne; nous lui demandons, s'il la viole, de savoir
qu'il la viole.   *Ibid.*

Ce sera une des grandes responsabilités de l'État moderne 13076
de n'avoir pas maintenu (mais le pouvait-il?) une classe
d'hommes exempts des devoirs civiques, et dont l'unique
fonction eût été d'entretenir le foyer des valeurs non pratiques.
                                                       Ibid.

L'humanité moderne entend avoir dans ceux qui se disent 13077
ses docteurs, non des guides, mais des serviteurs. C'est ce
que la plupart d'entre eux ont admirablement bien compris.
                                                       Ibid.

Orphée ne pouvait cependant pas prétendre que jusqu'à 13078
la fin des âges les fauves se laisseraient prendre à sa musique.
Toutefois on pouvait peut-être espérer qu'Orphée lui-même
ne deviendrait pas un fauve.   *Ibid., chap. 4.*

JEHAN RICTUS
1867-1933

Je m'dis : « Tout d'mêm; si qu'y r'viendrait! »   13079
Qui ça? ... Ben quoi! vous savez bien.
Eul' l'trimardeur galiléen,
L'Rouquin au cœur pus grand qu'la Vie!

Si qu'y r'viendrait! Si qu'y r'viendrait!
           Les Soliloques du pauvre, Le Revenant
                       (Bibliothèque nationale).

T'as tout à fait l'air d'un artiste!   13080
D'un d'ces poireaux qui font des vers
Malgré les conseils les plus sages,
Et qu'les bourgeois guign'nt de travers
Jusqu'à c'qu'y fass'nt un rich' mariage!
                                                       Ibid.

PAUL–JEAN TOULET
1867-1920

Toute allégresse a son défaut   13081
      Et se brise elle-même.
Si vous voulez que je vous aime,
      Ne riez pas trop haut.
           Contrerimes, 63 (Émile-Paul).

13082   La vie est plus vaine une image
                        Que l'ombre sur le mur.
                                                    Ibid., 70.

13083   Dans Arle, où sont les Aliscans,
                        Quand l'ombre est rouge, sous les roses,
                            Et clair le temps,

                        Prends garde à la douceur des choses
                        Lorsque tu sens battre sans cause
                            Ton cœur trop lourd.
                            Ibid., Chansons, Romances sans musique.

13084   Le temps irrévocable a fui. L'heure s'achève.
          Mais toi, quand tu reviens, et traverses mon rêve,
          Tes bras sont plus frais que le jour qui se lève,
                        Tes yeux plus clairs.

          A travers le passé ma mémoire t'embrasse.
                                                    Ibid., II.

13085   Les violettes sont le sourire des morts.
                                                Ibid., Coples.

13086   Deux vrais amis vivaient au Monomotapa
          ... Jusqu'au jour où l'un vint voir l'autre, et le tapa.
                                                    Ibid.

13087   J'ai connu dans Séville, une enfant brune et tendre
          Nous n'eûmes aucun mal, hélas! à nous entendre.
                                                    Ibid.

13088   Si vivre est un devoir, quand je l'aurai bâclé,
          Que mon linceul au moins me serve de mystère.
          Il faut savoir mourir, Faustine, et puis se taire :
          Mourir comme Gilbert en avalant sa clé.

                                                    Ibid.

ALAIN
1868-1951

13089 L'honneur national est comme un fusil chargé.
                        Mars ou la Guerre jugée, XII (Gallimard).

13090 Tout plaisir est vil qui fleurit sur la mort.   *Ibid., XVIII.*

13091 Le Prolétariat tient pour l'Humanité contre les Pouvoirs.
                                                    Ibid., XL.

13092 La psychologie de notre temps ne se relèvera point de son
       erreur principale qui est d'avoir trop cru les fous et les
       malades.   *Système des beaux-arts, I, I (Gallimard).*

13093 Désordre dans le corps, erreur dans l'esprit, l'un nourrissant
       l'autre, voilà le réel de l'imagination.   *Ibid.*

Le corps humain est le tombeau des dieux. *Ibid., IV.* 13094

Aucun possible n'est beau; le réel seul est beau. *Ibid., VI.* 13095

Il y a une forte raison de ne pas dire au premier arrivant ce 13096
qui vient à l'esprit, c'est qu'on ne le pense point.
Éléments de philosophie, VI, 3 (Gallimard)

Le théâtre est comme la messe; pour en bien sentir les effets 13097
il faut y revenir souvent. *Ibid., VII, 7.*

Les hommes aiment tous d'un amour inexplicable cette 13098
nature qui refuse l'idée. Ils voudraient bien mettre leur
espoir en ce qui ne promet rien.
Entretiens au bord de la mer (Recherche de l'entendement),
Septième entretien (Gallimard).

Ce que j'appelle République c'est plutôt une énergique 13099
résistance à l'esprit Monarchique, d'ailleurs nécessaire
partout.
Avec Balzac, Politique (Gallimard).

Un esprit subtil trouve toujours assez de raisons d'être 13100
triste s'il est triste, assez de raisons d'être gai s'il est gai;
la même raison souvent sert à deux fins.
Propos sur le bonheur, IV, Neurasthénie (Gallimard).

Nous n'avons pas toujours assez de force pour supporter 13101
les maux d'autrui. *Ibid., VIII, De l'imagination.*

Toute douleur veut être contemplée, ou bien elle n'est pas 13102
sentie du tout. *Ibid., XIII, Accidents.*

L'ingénieux système de Freud, un moment célèbre, perd 13103
déjà de son crédit par ceci, qu'il est trop facile de faire croire
tout ce que l'on veut à un esprit inquiet et qui, comme dit
Stendhal, a déjà son imagination pour ennemie.
Ibid., XXI, Des caractères.

Nos fautes périssent avant nous; ne les gardons point en 13104
momies. *Ibid., XXIV, Notre avenir.*

Un préfet de police est, pour mon goût, l'homme le plus 13105
heureux. *Ibid., XLIII, Hommes d'action.*

C'est toujours par l'ennui et ses folies que l'ordre social 13106
est rompu. *Ibid., XLVIII, Heureux agriculteurs.*

Les morts ne sont pas morts, c'est assez clair puisque nous 13107
vivons. *Ibid., LXI, Le culte des morts.*

Le pessimisme est d'humeur; l'optimisme est de volonté. 13108
Ibid., XCIII, Il faut jurer.

De l'enfance je dirai peu; car elle ne fut que bêtise. 13109
Histoire de mes pensées, Enfance (Gallimard).

13110 Oui tous les matins n'importe quel homme reconstruit le monde; tel est le réveil, telle est la conscience; et tous les matins le philosophe, par un réveil redoublé, admire ce réveil même, et reconquiert l'âme de l'âme. *Ibid., Lagneau.*

13111 Une idée que j'ai, il faut que je la nie; c'est ma manière de l'essayer. *Ibid., L'École.*

13112 Qu'est-ce que mille ans? Les temps sont courts à celui qui pense, et interminables à celui qui désire. *Ibid., Lorient.*

13113 C'est alors que je commençai à comprendre que les idées, même les plus sublimes, ne sont jamais à inventer, et qu'elles se trouvent inscrites dans le vocabulaire consacré par l'usage. *Ibid., Abstractions.*

13114 J'étais destiné à devenir journaliste, et à relever l'entrefilet au niveau de la métaphysique. *Ibid.*

13115 Si les révolutionnaires pouvaient demeurer gais d'esprit sans cesser d'être fermes d'action, nous aurions vu déjà des merveilles. Un homme libre devrait savoir que la dissidence est l'âme de la révolution. *Ibid., La liberté.*

13116 Je voyais donc l'imagination à sa naissance, l'imagination qui n'est que naissance, car elle n'est que le premier état de toutes nos idées. C'est pourquoi tous les dieux sont au passé. *Ibid., Les Poètes.*

13117 Et remarquez que nos propres pensées sont naturellement assez obscures pour que le Hegel le plus hardi soit encore clair à côté. *Ibid., Encore Hegel.*

13118 Je plains ceux qui ont l'air intelligent; c'est une promesse qu'on ne peut tenir.
Propos sur l'esthétique, Visages (P.U.F.).

13119 Je vois dans les Mémoires de Tolstoï qu'à vingt ans il connaissait déjà les deux choses qui importent pour la formation de l'esprit, c'est-à-dire un emploi du temps et un cahier.
Ibid., Du style.

13120 La religion condamne la religion. Ce n'est pas l'école qui est sans Dieu, c'est l'Église qui est sans dieu.
Propos sur la religion, V, La vraie foi (P.U.F.).

13121 Un peu de catholicisme ne nuit pas.
Ibid., XIX, La peur du diable.

13122 Il faut croire d'abord. Il faut croire avant toute preuve, car il n'y a point de preuve pour qui ne croit rien.
Ibid., XXVI, De la foi.

13123 Je repousse ce mélange sans saveur, où socialisme et christianisme perdent chacun leur vertu propre.
Ibid., XXIX, Christianisme et socialisme.

13124 Le pur esprit dès qu'il se formule, se trouve athée.
Ibid., XXXIII, Cardinaux.

On doit appeler machine, dans le sens le plus étendu, toute   13125
idée sans penseur.   *Ibid., LVII, De la théologie.*

Penser, c'est dire non. Remarquez que le signe du oui est   13126
d'un homme qui s'endort; au contraire le réveil secoue la
tête et dit non.
              Ibid., LXIV, L'homme devant l'apparence.

Rien n'est plus dangereux qu'une idée quand on n'a qu'une   13127
idée.   *Ibid., LXXIV, Le nouveau dieu.*

THÉODORE BOTREL
1868-1925

Le ciel est moins bleu, n'en déplaise   13128
A Saint Yvon notre Patron,
Que les yeux de ma Paimpolaise...
Qui m'attend au pays breton.
  La Paimpolaise, chanson des pêcheurs d'Islande.

PAUL CLAUDEL
1868-1955

Me voici,   13129
Imbécile, ignorant,
Homme nouveau devant les choses inconnues [...]
       Tête d'or (première version), Première partie
                            (Mercure de France).

Oui! quelle chose étonnante c'est que de vivre!   13130
Celui qui vit et pose ses deux pieds sur la terre, qu'envie-t-il
donc aux dieux?   *Ibid., Deuxième partie.*

O ce monde ennuyeux! l'homme, comme un fœtus parmi   13131
les glaires,
Se repaît de son imbécillité.   *Ibid.*

La parole n'est qu'un bruit et les livres ne sont que du papier. 13132
       Ibid., Deuxième version, Première partie.

La femme sans l'homme, que ferait-elle?   13133
Mais de l'homme envers la pauvre femme, dans son cœur,
Il n'y a rien de nécessaire et de durable.
       L'Échange (première version), acte premier
                            (Mercure de France).

Il est honteux à un homme de parler de ces choses quand il   13134
fait jour.   *Ibid.*

Car le commerce tient   13135
Une balance aussi, comme la justice;
Et je suis l'aiguille qui est entre les plateaux.
                                        Ibid.

13136 [...] Quelqu'un qui soit en moi plus moi-même que moi.
                    Vers d'exil, VII (Mercure de France).

13137 L'écriture a ceci de mystérieux qu'elle parle.
                    Connaissance de l'Est, Religion du signe (Mercure de France).

13138 Il est une conception dans la joie, je le veux, il est une vision
       dans le rire.   *Ibid., Tristesse de l'eau*.

13139 Quand je serai mort, on ne me fera plus souffrir.
                    Ibid., Dissolution.

13140 L'homme connaît le monde non point par ce qu'il y dérobe
       mais par ce qu'il y ajoute.
                    *Art poétique, Connaissance du temps, I, De la cause
                    (Mercure de France)*.

13141 Nous ne naissons pas seuls. Naître, pour tout, c'est connaître.
       Toute naissance est une connaissance.
                    Ibid., Traité de la connaissance du monde et de soi-même.

13142 Vraiment le bleu connaît la couleur d'orange, vraiment la
       main son ombre sur le mur [...] Toute chose qui est, de toutes
       parts, désigne cela sans quoi elle n'aurait pu être.
                    Ibid., Article premier.

13143 L'univers n'est qu'une manière totale de ne pas être ce qui
       est.   *Ibid., Article quatrième*.

13144 Le poème n'est point fait de ces lettres que je plante comme
       des clous, mais du blanc qui reste sur le papier.
                    Cinq grandes Odes, Les Muses (Gallimard).

13145 O grammairien dans mes vers! Ne cherche point le chemin,
       cherche le centre!   *Ibid*.

13146 O mon Dieu [...] Je suis libre, délivrez-moi de la liberté!
                    Ibid., L'Esprit et l'Eau.

13147 O credo entier des choses visibles et invisibles, je vous accepte
       avec un cœur catholique!
       Où que je tourne la tête
       J'envisage l'immense octave de la Création!   *Ibid*.

13148 O les longues rues amères autrefois et le temps où j'étais
       seul et un!
       La marche dans Paris, cette longue rue qui descend vers
       Notre-Dame!   *Ibid., Magnificat*.

13149 Soyez béni, mon Dieu, qui m'avez délivré des idoles,
       Et qui faites que je n'adore que Vous seul, et non point
       Isis et Osiris,
       Ou la Justice, ou le Progrès, ou la Vérité, ou la Divinité,
       ou l'Humanité, ou les lois de la Nature, ou l'Art, ou la
       Beauté [...]   *Ibid*.

13150 Qui ne croit plus en Dieu, il ne croit en l'Être, et qui hait
       l'Être, il hait sa propre existence.   *Ibid*.

Les mots que j'emploie,
Ce sont les mots de tous les jours, et ce ne sont point les
mêmes!   *Ibid., La Muse qui est la grâce.*   13151

Mon désir est d'être le rassembleur de la terre de Dieu!   13152
Ibid., La Maison fermée.

Car il faut que le mot passe afin que la phrase existe; il   13153
faut que le son s'éteigne afin que le sens demeure.
La Cantate à trois voix (Gallimard).

Ce n'est point le temps qui manque, c'est nous qui lui   13154
manquons.   *Partage de midi, acte I (Gallimard).*

Que craignez-vous de moi puisque je suis l'impossible?   13155
Ibid.

Heureuse la femme qui trouve à qui se donner! celle-là ne   13156
demande point à se reprendre!   *Ibid.*

Ah! tu n'es pas le bonheur! tu es cela qui est à la place du   13157
bonheur!   *Ibid.*

[...] Moi-même, la forte flamme fulminante, le grand mâle   13158
dans la gloire de Dieu,
L'homme dans la splendeur de l'août, l'esprit vainqueur
dans la transfiguration de Midi!   *Ibid., acte III.*

L'homme n'a rien qu'il n'ait de Dieu seul   13159
L'Otage, acte I, scène 2 (Gallimard).

Celui-là est *sans foi*, qui n'est capable de rien d'éternel.   13160
Ibid., acte II , scène 1.

Et tant qu'il y aura des Français, vous ne leur ôterez pas le   13161
vieil enthousiasme, vous ne leur ôterez pas le vieil esprit
risque-tout d'aventure et d'invention!   *Ibid.*

Tout est facile, ô mon Dieu, à celui qui Vous aime,   13162
Excepté de ne pas faire Votre volonté adorable.
Ibid., scène 2.

O ma fiancée à travers les branches en fleurs, salut!   13163
*L'Annonce faite à Marie (première version), acte II, scène 3
(Gallimard).*

[...] C'est une belle chose aussi et digne de Dieu même, un   13164
cœur d'homme que l'on remplit sans en rien laisser vide.
Ibid.

Puissante est la souffrance quand elle est aussi volontaire   13165
que le péché!   *Ibid., acte III, scène 3.*

De quel prix est le monde auprès de la vie? et de quel prix   13166
la vie, sinon pour la donner?   *Ibid., acte IV, scène 5.*

13167 Je n'ai plus rien à chercher au ciel avec l'hérétique et le fou.
Ce Dieu est assez pour moi qui tient entre quatre clous.
Corona benignitatis anni Dei, Le chemin de la Croix,
Onzième station (Gallimard).

13168 La chose qui a mis Rimbaud en marche et qui l'a chassé
de lieu en lieu toute sa vie [...]
La Messe là-bas, Consécration (Gallimard).

13169 Le malheureux fait des vers pour lesquels Anatole France
n'est pas tendre :
Quand on écrit en français, c'est pour se faire comprendre.
Feuilles de Saints, Verlaine, II (Gallimard).

13170 Le soleil est à la même place. C'est toujours la même Samarie
et le Vicaire de Jésus-Christ n'est pas moins abandonné
que le Fils de l'Homme.
Le Père humilié, acte II, scène 1 (Gallimard).

13171 Tant qu'on aura pas trouvé autre chose que les femmes
pour en être les enfants, jusque-là sur un cœur d'homme
elles conserveront leur droit et leur empire.
Ibid., acte II, scène 2.

13172 [...] Le mariage n'est point le plaisir, c'est le sacrifice du
plaisir, c'est l'étude de deux âmes qui pour toujours désormais
et pour une fin hors d'elles-mêmes
Auront à se contenter l'une de l'autre.   *Ibid.*

13173   LE PIRE N'EST PAS TOUJOURS SÛR.
Le Soulier de satin, titre (Gallimard).

13174 C'est le mal seul à dire vrai qui exige un effort, puisqu'il
est contre la réalité [...]
Ibid., Première journée, scène 1.

13175 [...] Ce n'est pas l'esprit qui est dans le corps, c'est l'esprit
qui contient le corps, et qui l'enveloppe tout entier.
Ibid., scène 6.

13176 Jamais autrement que l'un pour l'autre nous ne réussirons
à nous débarrasser de la mort [...]   *Ibid., scène 7.*

13177 C'est de ne rien espérer qui est beau! c'est de savoir qu'on en
a pour toujours!   *Ibid., Deuxième journée, scène 4.*

13178 Ce paradis que Dieu ne m'a pas ouvert et que tes bras
pour moi ont refait un court moment, ah! femme, tu ne me
le donnes que pour me communiquer que j'en suis exclu.
Ibid., scène 14.

13179 Ah! je ne croirai jamais que cette terre ronde sur laquelle
la croix a été plantée, et ce globe que j'ai mis sous la croix,
soit une chose sans importance.
Le livre de Christophe Colomb, Deuxième partie, 4
(Gallimard).

13180 Il y a l'espérance qui est la plus forte! il y a la joie qui est
la plus forte!
Jeanne d'Arc au bûcher, scène 9 (Gallimard).

Il y a les Saints qui ont résolu la question une fois pour toutes. 13181
Il y a les Saints qui laissent le monde où il est et trouvent plus
simple d'occuper immédiatement l'Éternel.
Ode jubilaire pour le six-centième anniversaire
de la mort de Dante (Gallimard).

On ne pense pas d'une manière continue, pas davantage 13182
qu'on ne sent d'une manière continue ou qu'on ne vit d'une
manière continue. Il y a des coupures, il y a intervention du
néant.
Positions et propositions, Réflexions et propositions
sur le vers français (Gallimard).

Tout ne va pas bien dans le mélange d'Animus et d'Anima, 13183
l'esprit et l'âme. *Ibid.*

L'objet de la poésie, ce n'est donc pas, comme on le dit 13184
souvent, les rêves, les illusions ou les idées. C'est la sainte
réalité, donnée une fois pour toutes, au centre de laquelle
nous sommes placés. C'est l'univers des choses invisibles.
C'est tout cela qui nous regarde et que nous regardons.
Accompagnements, Introduction à un poème sur Dante
(Gallimard).

[...] Il y a une *poesis perennis* qui n'invente pas ses thèmes, 13185
mais qui reprend éternellement ceux que la Création lui
fournit [...] Le but de la poésie n'est pas, comme dit Baudelaire, de plonger « au fond de l'Infini pour trouver du nouveau », mais au fond du défini pour y trouver de l'inépuisable. *Ibid.*

Mallarmé est le premier qui se soit placé devant l'extérieur, 13186
non pas comme devant un spectacle, ou comme un thème
à devoirs français, mais comme devant un texte, avec cette
question : *Qu'est-ce que cela veut dire ?*
Ibid., Mallarmé, La catastrophe d'Igitur.

Le drame de la vie de Mallarmé est celui de toute la poésie 13187
du XIXe siècle qui, séparée de Dieu, ne trouve plus que
l'*absence réelle.* *Ibid., Notes sur Mallarmé.*

Arthur Rimbaud fut un mystique *à l'état sauvage*, une source 13188
perdue qui ressort d'un sol saturé.
Ibid., Arthur Rimbaud.

Où c'est qu'il y a le moins d'union, où le moins d'amour, 13189
où le moins d'église, c'est là qu'il y a le moins de salut.
Conversation dans le Loir-et-Cher, Dimanche (Gallimard).

C'est la guerre qui nous a appris à aimer ce qui n'est pas à 13190
nous et à compter pour rien ce que nous possédons.
Ibid.

[...] Avec le rond d'un simple Oui nous achetons la vie 13191
éternelle. *Ibid., Mardi.*

LÉON DAUDET
1868-1942

13192 L'âme existe, elle est tout autre chose que l'esprit, que le
« noos » avec lequel on la confond souvent. Elle est indépendante de l'instruction, de l'éducation, de la connaissance,
étant elle-même une connaissance appliquée à Dieu. Un
fou peut parfaitement garder son âme intacte.
Paris vécu. Du Marais au Père-Lachaise (Gallimard).

13193 L'invective est indispensable à la polémique. Mais elle doit
être choisie et enchâssée. Rien n'est plus difficile à bien situer
qu'un gros mot.
Le Courrier des Pays-Bas, tome II, Aphorismes
sur la polémique (Grasset).

13194 Atteindre le doute du doute, c'est le commencement de la
certitude, et de la certitude religieuse.
Ibid., tome III, Montaigne et l'ambiance.

13195 La démocratie, c'est la Révolution couchée, et qui fait ses
besoins dans ses draps.
Ibid., Les atmosphères politiques.

13196 La guerre et la fatigue qui suivit ont mis à la mode la servi-
lité et le conformisme. Quelqu'un disait : « Nous avions en
France des médecins, des prêtres et des soldats. Nous avons
maintenant des docteurs, des curés et des militaires. »
Ibid., Remarques sur les modes.

13197 L'homme naît tout prêt pour la douleur, avec un appareil
héréditaire de transformation et de résistance, dont la pièce
majeure est la joie.
Écrivains et Artistes, tome troisième, Rosny aîné
(Éd. Le Capitole).

FRANCIS JAMMES
1868-1938

13198   Le pauvre pion doux si sale m'a dit : j'ai
Bien mal aux yeux et le bras droit paralysé.

Bien sûr que le pauvre diable n'a pas de mère
Pour le consoler doucement de sa misère.
De l'Angélus de l'Aube à l'Angélus du Soir, Le pauvre pion...
(Mercure de France).

13199   Je prendrai mon bâton et sur la grande route
J'irai, et je dirai aux ânes, mes amis :
Je suis Francis Jammes et je vais au Paradis [...]
Le Deuil des primevères, Prière pour aller au paradis avec les
ânes (Mercure de France).

Mon Dieu, faites qu'avec ces ânes je Vous vienne. 13200
Ibid.

Mon Dieu, calmez mon cœur, calmez mon pauvre cœur, 13201
Et faites qu'en ce jour d'été où la torpeur
S'étend comme de l'eau sur les choses égales,
J'aie le courage encor, comme cette cigale.
Dont éclate le cri dans le sommeil du pin,
De vous louer, mon Dieu, modestement et bien.
Ibid., Prière pour louer Dieu.

CHARLES MAURRAS
1868-1952

La Pensée étant ce qu'il y a de plus honorable dans l'homme, 13202
je ne vois pas pourquoi l'on n'y mettrait point quelque risque
de souffrance et même de mort.
Gazette de France, 23 mars 1898.

Les pâles images suggérées par la réflexion ont rarement 13203
la force de conduire un homme à l'action.
Le Soleil, 13 mai 1900.

Aucune origine n'est belle. La beauté véritable est au terme 13204
des choses. *Anthinea (Flammarion).*

Une politique se juge par ses résultats. 13205
L'Action française, 20 juillet 1902.

La politique, art de faire durer les États. 13206
Ibid., 24 août 1902.

Tout désespoir en politique est une sottise absolue. 13207
L'Avenir de l'Intelligence (Flammarion).

Le privilège du succès est, dans l'ordre de l'action, une marque 13208
de vérité. *Enquête sur la Monarchie (Fayard).*

Les faiblesses du cœur ne font tort qu'à l'homme. Celles 13209
de l'intelligence blessent et vicient profondément l'œuvre
même. *L'Action française, 20 janvier 1913.*

Un amour vrai ne varie point, voilà pourquoi le désespoir 13210
sera pardonné à l'amour. *L'Étang de Berre (Flammarion).*

L'égalité ne peut régner qu'en nivelant les libertés, inégales 13211
de leur nature. *Ibid.*

La subordination n'est pas la servitude, pas plus que 13212
l'autorité n'est la tyrannie.
Quand les Français ne s'aimaient pas
(Nouvelle librairie nationale).

13213 Les théories servent à voir et les doctrines à savoir, mais
l'homme d'action qui enfourche le dada système est perdu.
Il n'y a point de recette pour réussir ni de formulaire pour
vaincre.   *L'Action française, 5 janvier 1917.*

13214 Il faut s'attendre à tout en politique, où tout est permis, sauf
de se laisser surprendre.
L'Action française, 22 février 1918.

13215 L'État, quel qu'il soit, est le fonctionnaire de la société.
La Démocratie religieuse (Nouvelle librairie nationale).

13216 Aimer l'amour, c'est s'aimer soi.
Romantisme et Révolution (Nouvelle librairie nationale).

13217 Il n'y a rien de plus oublieux qu'un peuple, il n'y a rien de
plus fidèle.   *L'Allée des philosophes (Flammarion).*

13218 Les imbéciles ont des grâces d'état pour devenir très rapidement des coquins.   *L'Action française, 7 avril 1924.*

13219 La sottise est sans honneur.
Ibid., 26 août 1939.

EDMOND ROSTAND
1868-1918

13220   Voilà ce qu'à peu près, mon cher, vous m'auriez dit
Si vous aviez un peu de lettres et d'esprit :
Mais d'esprit, ô le plus lamentable des êtres,
Vous n'en eûtes jamais un atome, et de lettres,
Vous n'avez que les trois qui forment le mot : sot!
Eussiez-vous eu, d'ailleurs, l'invention qu'il faut
Pour pouvoir là, devant ces nobles galeries,
Me servir toutes ces folles plaisanteries,
Que vous n'en eussiez pas articulé le quart
De la moitié du commencement d'une, car
Je me les sers moi-même, avec assez de verve,
Mais je ne permets pas qu'un autre me les serve.
Cyrano de Bergerac, acte I, scène 4 (Fasquelle).

13221   Moi, c'est moralement que j'ai mes élégances.
Ibid.

13222   Prince, demande à Dieu pardon !
Je quarte du pied, j'escarmouche,
Je coupe, je feinte... Hé là, donc!
A la fin de l'envoi, je touche.
Ibid.

13223   Ce sont les cadets de Gascogne,
De Carbon de Castel-Jaloux;
Bretteurs et menteurs sans vergogne,
Ce sont les cadets de Gascogne!

Parlant blason, lambel, bastogne,
Tous plus nobles que des filous,
Ce sont les cadets de Gascogne,
De Carbon de Castel-Jaloux.
Ibid., acte II, scène 7.

Bref, dédaignant d'être le lierre parasite,   13224
Lors même qu'on n'est pas le chêne ou le tilleul,
Ne pas monter bien haut, peut-être, mais tout seul.
Ibid., acte II, scène 8.

[...] Un baiser, mais à tout prendre, qu'est-ce?   13225
Un serment fait d'un peu plus près, une promesse
Plus précise, un aveu qui veut se confirmer,
Un point rose qu'on met sur l'i du verbe aimer.
Ibid., acte III, scène 9.

Le Bret, je vais monter dans la lune opaline,   13226
Sans qu'il faille inventer aujourd'hui de machine...
Ibid., acte V, scène 6.

... Et nous, les petits, les obscurs, les sans-grades,   13227
Nous qui marchions fourbus, blessés, crottés, malades,
Sans espoir de duchés ni de dotations;
Nous qui marchions toujours et jamais n'avancions;
Trop simples et trop gueux pour que l'espoir nous berne
De ce fameux bâton qu'on a dans sa giberne...
L'Aiglon, acte II, scène 9 (Fasquelle).

Tu vois, vieil aigle noir, n'osant y croire encor,   13228
Sur un de tes aiglons pousser des plumes d'or.
Ibid., acte III, scène 3.

C'est ainsi que, debout, chaque nuit, sur ton seuil,   13229
Se donnant à lui-même un mot d'ordre d'orgueil,
Fier de faire une chose énorme et goguenarde,
Un grenadier français monte, à Schoenbrunn, la garde!
Ibid., acte III, scène 7.

Approchez ce berceau du petit lit de camp   13230
Où mon père a dormi dans cette chambre, quand
La Victoire éventait son sommeil de ses ailes.
Ibid., acte VI, scène 3.

    Oui, j'attendrai la mort   13231
En berçant le passé dans ce grand berceau d'or.   *Ibid.*

    O Soleil! Toi sans qui les choses   13232
    Ne seraient que ce qu'elles sont.
Chantecler, acte I, scène 2 (Fasquelle).

C'est la nuit qu'il est beau de croire à la lumière.   13233
Ibid., acte II, scène 3.

Il n'est de grand amour qu'à l'ombre d'un grand rêve.   13234
Ibid., acte IV, scène 4.

13235   Sache donc cette triste et rassurante chose
          Que nul, Coq du matin ou Rossignol du soir,
          N'a tout à fait le chant qu'il rêverait d'avoir !
                                        Ibid., acte IV, scène 6.

ANDRÉ SUARÈS
1868-1948

13236 Le voyageur est encore ce qui importe le plus dans un voyage
       [...]. Tant vaut l'homme, tant vaut l'objet.
                          Le Voyage du Condottiere. Livre I, vers Venise
                                                (Émile-Paul).

13237 Le monde est plein d'aveugles aux yeux ouverts sous une
       taie.   *Ibid.*

13238 Comme tout ce qui compte dans la vie, un beau voyage
       est une œuvre d'art.   *Ibid.*

13239 Toute l'histoire est sujette au doute. La vérité des historiens
       est une erreur infaillible.   *Ibid.*

13240 La beauté des traits seuls ne me touche point : elle est sotte;
       elle est bête, et souvent même sans bonhomie. C'est le carac-
       tère qui fait la beauté. [...]
                          Ibid., 13, La déroute de la vie.

13241 Le caractère, c'est-à-dire la passion d'être soi, à tout prix.
                          Ibid., 20, Stendhal en Lombardie.

13242 Le dégoût sans borne de la couleur pour la ligne droite
       est un mystère; et ce dégoût n'est pas froid. La froideur seule
       est haïssable.   *Ibid., 31, Lumière au cœur de la gemme.*

13243 Nous sommes tout action. La pensée, source des actions,
       est aussi la reine de toutes.
                          Ibid., Livre II, Fiorenza (Émile-Paul).

13244 Aimer pour être toujours trahi : si tu ne l'es pas par l'objet
       de ton amour, tu l'es par la vie.
                          Ibid., 8, Lys, œillets, narcisses.

13245 Où que ce soit, un parti est un mensonge en armes. La haine
       est le parti des partis.
                     *Ibid., Livre III, Sienne la bien-aimée, 4 : La duchesse
                                                Contadine.*

13246 Sors de l'espèce si tu veux être homme.
                          Ibid., 13, En douce Sienne.

13247 Se surpasser est la seule loi. [...] L'âme ne se surpasse qu'en
       connaissance. La connaissance ne se surpasse qu'en amour.
                          Ibid., 21, Le Condottiere couronne la ville.

Dieu est mort, disent-ils. — Sans doute.   13248
Mais l'homme aussi.
Si Dieu est mort, tout est mort. Je n'appelle pas cette misé-
rable étincelle sur un petit tas de boue, une vie.
Voici l'homme (Albin Michel).

L'imagination est la grande créatrice. Ce qu'elle a conçu,   13249
elle le produit. Quand elle a toute sa puissance, elle est aussi
bien l'action qui embrasse le monde, et la passion qui le
subit.   *Poète tragique (Émile-Paul).*

Un rêve et un rêveur, voilà le terme de la nature et de la   13250
pensée.   *Ibid.*

L'art est le lieu de la liberté parfaite.   *Ibid.*   13251

Shakespeare achève Montaigne : non seulement il voit   13252
l'envers de la toile, il sait qu'il l'a peinte et qu'il l'a tendue
sur son désir.   *Ibid.*

Être soi avec assez de puissance pour enfin se quitter. Toute   13253
liberté ne mène qu'à celle-là.   *Ibid.*

Il n'y a de société sincère qu'entre ceux qui parlent également   13254
mal leur langue. Quant aux autres, chacun ne la parle bien
que pour soi. Il n'est pas de beau style commun à deux
hommes : comme la grandeur même, le style fait la prison.
Trois hommes, Le Portrait d'Ibsen, Morale de l'anarchie, I
(Gallimard).

Dans sa pleine liberté, l'esprit est pareil à cet insecte stupide   13255
qui passe la moitié de son existence à filer un cocon, et l'autre
moitié à le détruire.   *Ibid., IV.*

Je plains ceux pour qui il n'y a pas de mystère : ils n'ont de   13256
mystère pour personne; et aussi peu de vie, à proportion.
Ibid., V.

LÉON BRUNSCHVICG
1869-1944

Tout contribue à faire de la connaissance de Socrate lui-   13257
même un thème d'ironie socratique. La seule chose que nous
sachions sûrement de lui, c'est que nous ne savons rien.
Le Progrès de la conscience dans la philosophie occidentale,
Première partie, Livre I, chap.1, § 8 (P.U.F).

Le nietzschéisme a été soumis à la même épreuve que l'hégé-   13258
lianisme. Et sans doute ici et là les thèmes philosophiques ont
servi surtout de prétextes pour couvrir le retour offensif de
la barbarie.
Ibid., Deuxième partie. Livre V, chap.13.

La caractéristique d'un chef-d'œuvre est qu'il s'arrête à sa   13259
propre affirmation; comme on dit communément, il est une
impasse.   *Ibid., Livre VIII, chap. 22, § 343.*

13260 Dogmatisme et inconscience s'impliquent.
De la vraie et de la fausse conversion, chap. 2 (P.U.F.).

13261 Celui qui, une fois dans son existence, a lu par anticipation le texte banal du faire-part de son décès, qui en a mesuré l'exact effet dans l'ensemble de la statistique démographique, qui, pour emprunter le titre de l'admirable livre de M. Maurice Kellersohn, a *vécu la vie de sa mort*, est seul capable d'aller en toute liberté, par suite en toute vérité, à la rencontre du problème religieux, et d'y relier sérieusement sa conduite. *Ibid., chap. 4.*

13262 Le mot d'Hamlet : *il y a plus de choses sur la terre et dans le ciel que dans toute votre philosophie*, était assurément vrai du temps de Shakespeare. Mais pourquoi voulez-vous qu'il en soit encore de même, depuis que la philosophie a franchi le seuil de l'intelligence, depuis qu'elle a délaissé les généralités logiques, la chimère de l'intelligible en soi, pour concevoir, ou, plus exactement, pour constituer, le ciel et la terre dans leur réalité concrète? *Ibid., La querelle de l'athéisme.*

ANDRÉ GIDE
1869-1951

13263 Il faut être persuadé que les événements sont appropriés aux caractères; c'est ce qui fait les bons romans; rien de ce qui nous arrive n'est fait pour autrui.
Paludes, Hubert, mardi (Gallimard).

13264 Un livre, Hubert, est clos, plein, lisse comme un œuf. On n'y saurait faire entrer rien, pas une épingle, que par force, et sa forme en serait brisée. *Ibid., Le Banquet, jeudi.*

13265 La perception commence au changement de sensation; d'où la nécessité du voyage. *Ibid.*

13266 L'art est de peindre un sujet particulier avec assez de puissance pour que la généralité dont il dépendait s'y comprenne. *Ibid.*

13267 Il semble que chaque idée, dès qu'on la touche, vous châtie; elles ressemblent à ces goules de nuit qui s'installent sur vos épaules, se nourrissent de vous et pèsent d'autant plus qu'elles vous ont rendu plus faible... *Ibid;*

13268 Que l'*importance* soit dans ton regard, non dans la chose regardée.
Les Nourritures terrestres, Livre I, I (Gallimard).

13269 Je te le dis en vérité, Nathanaël, chaque désir m'a plus enrichi que la possession toujours fausse de l'objet même de mon désir. *Ibid.*

13270 Nathanaël, je t'enseignerai la ferveur. *Ibid.*

La mélancolie n'est que de la ferveur retombée.   13271
Ibid.

Ne distingue pas Dieu du bonheur et place tout ton bonheur   13272
dans l'instant.   *Ibid., III.*

Nathanaël! quand aurons-nous brûlé tous les livres!   13273
Ibid.

Si ce que tu manges ne te grise pas, c'est que tu n'avais pas   13274
assez faim.   *Ibid., Livre II.*

Il y en a qui prouvent Dieu par l'amour que l'on sent pour   13275
Lui. Voilà pourquoi, Nathanaël, j'ai nommé Dieu tout ce
que j'aime, et pourquoi j'ai voulu tout aimer.   *Ibid.*

Oh! si tu savais, si tu savais, terre excessivement vieille et   13276
si jeune, le goût amer et doux, le goût délicieux qu'a la vie
si brève de l'homme!   *Ibid., Livre III.*

« Don du poète, m'écriais-je, tu es le don de perpétuelle   13277
rencontre » — et j'accueillais de toutes parts.
Ibid., Livre IV.

Mon âme était l'auberge ouverte au carrefour; ce qui voulait   13278
entrer entrait.   *Ibid.*

Familles, je vous hais! foyers clos; portes refermées; posses-   13279
sions jalouses du bonheur.   *Ibid.*

Chaque instant de notre Vie est essentiellement irrempla-   13280
çable : sache parfois t'y concentrer uniquement.   *Ibid.*

La vue — le plus désolant de nos sens...   13281
Tout ce que nous ne pouvons pas toucher nous désole.
Ibid.

Commandements de Dieu, vous avez rendu malade mon   13282
âme,
Vous avez entouré de murs les seules eaux pour me désal-
térer.   *Ibid., Livre VI.*

Je voudrais être né dans un temps où n'avoir à chanter,   13283
poète, que, simplement en les dénombrant, toutes les choses.
Mon admiration se serait posée successivement sur chacune
et sa louange l'eût démontrée; c'en eût été la raison suffisante.   *Ibid.*

Je ne suis chez moi que partout; et toujours le désir m'en   13284
chasse.   *Ibid., Livre VIII.*

Nathanaël, jette mon livre; ne t'y satisfais point. Ne crois   13285
pas que *ta* vérité puisse être trouvée par quelque autre;
plus que de tout, aie honte de cela.   *Ibid., Envoi.*

Ne t'attache en toi qu'à ce que tu sens qui n'est nulle part   13286
ailleurs qu'en toi-même, et crée de toi, impatiemment ou
patiemment, ah! le plus irremplaçable des êtres.   *Ibid.*

13287 C'est une vaine ambition que de tâcher de ressembler à tout
le monde, puisque tout le monde est composé de chacun et
que chacun ne ressemble à personne.
Le Prométhée mal enchaîné, Chronique de la moralité privée,
II (Gallimard).

13288 Je n'aime pas les hommes; j'aime ce qui les dévore.
Ibid., La détention de Prométhée, III.

13289 Rien de plus tragique, pour qui crut mourir, qu'une lente
convalescence. Après que l'aile de la mort a touché, ce qui
paraissait important ne l'est plus; d'autres choses le sont,
qui ne paraissent pas importantes, ou qu'on ne savait même
pas exister.   *L'Immoraliste, Première partie, VIII*
(Mercure de France).

13290 Rien n'empêche le bonheur comme le souvenir du bonheur.
Ibid.

13291 On ne peut à la fois être sincère et le paraître.
Ibid., Deuxième partie, II.

13292 La tristesse est une complication.
La Porte étroite, Journal d'Alissa, 27 mai
(Mercure de France).

13293 Je voudrais me garder de cet insupportable défaut commun
à tant de femmes : le trop écrire.   *Ibid., 10 juin.*

13294 Ce n'est pas tant des événements que j'ai curiosité, que de
moi-même. Tel se croit capable de tout, qui devant que
d'agir, recule... Qu'il y a loin entre l'imagination et le fait!
Les Caves du Vatican, V, 1 (Gallimard).

13295 Sa raison de commettre le crime, c'est précisément de le
commettre sans raison.   *Ibid., 3.*

13296 Toute chose appartient à qui sait en jouir.
Si le grain ne meurt. Première partie, III (Gallimard).

13297 La joie, en moi, l'emporte toujours; c'est pourquoi mes
arrivées sont plus sincères que mes départs.   *Ibid., VIII.*

13298 Nos actes les plus sincères sont aussi les moins calculés;
l'explication qu'on en cherche après coup reste vaine.
Ibid., Deuxième partie, II.

13299 *Et nunc...* C'est dans l'éternité que, dès à présent, il faut vivre.
Et c'est *dès à présent* qu'il faut vivre dans l'éternité.
Dostoïevsky (Plon).

13300 Le classicisme — et par là j'entends : le classicisme français
— tend tout entier vers la litote. C'est l'art d'exprimer le
plus en disant le moins.   *Incidences (Gallimard).*

13301 L'auteur romantique reste toujours en deçà de ses paroles;
il faut toujours chercher l'auteur classique par-delà.   *Ibid.*

Il est bon de suivre sa pente, pourvu que ce soit en montant. 13302
Les Faux-Monnayeurs (Gallimard).

J'en tiens pour le paradoxe de Wilde en art : la nature 13303
imite l'art; et la règle de l'artiste doit être, non pas de s'en
tenir aux propositions de la nature, mais de ne lui proposer
rien qu'elle ne puisse, qu'elle ne doive imiter.
Journal des Faux-Monnayeurs (Gallimard).

J'admire combien le désir, dès qu'il se fait amoureux, 13304
s'imprécise.   *Nouvelles Nourritures, Livre I (Gallimard).*

Chaque animal n'est qu'un paquet de joie.   *Ibid.* 13305

Que l'homme est né pour le bonheur, certes toute la nature 13306
l'enseigne.   *Ibid.*

La sagesse n'est pas dans la raison, mais dans l'amour. 13307
Ibid.

L'immortelle n'a pas d'odeur.   *Ibid.* 13308

Avenir, que je t'aimerais, infidèle!   *Ibid.* 13309

C'est dans l'abnégation que chaque affirmation s'achève. 13310
Ibid.

C'est en se renonçant que toute vertu se parachève. C'est 13311
à la germination que prétend l'extrême succulence du fruit.
Ibid.

Tous les secrets de la nature gisent à découvert et frappent 13312
nos regards chaque jour sans que nous y fassions attention.
Ibid.

Il y a sur terre de telles immensités de misère, de détresse, 13313
de gêne et d'horreur, que l'homme heureux n'y peut songer
sans prendre honte de son bonheur. Et pourtant ne peut
rien pour le bonheur d'autrui celui qui ne sait être heureux
lui-même.   *Ibid.*

Connais-toi toi-même. Maxime aussi pernicieuse que laide. 13314
Quiconque s'observe arrête son développement. La chenille
qui chercherait à « bien se connaître » ne deviendrait jamais
papillon.   *Ibid., Livre III.*

Le plus précieux de nous-mêmes est ce qui reste informulé. 13315
Ibid.

Ce n'est pas seulement le monde qu'il s'agit de changer; 13316
mais l'homme. D'où surgira-t-il, cet homme neuf? Non
du dehors. Camarade, sache le découvrir en toi-même, et,
comme du minerai l'on extrait un pur métal sans scories,
exige-le de toi, cet homme attendu.   *Ibid., Livre IV.*

13317 Les hommes, lorsqu'ils s'adressent aux dieux, ne savent pas que c'est pour leur malheur, le plus souvent, que les dieux les exaucent. *Thésée, XII (Gallimard)*.

13318 Obscurité, tu seras dorénavant, pour moi, la lumière.
Ibid.

13319 L'homme est plus intéressant que les hommes; c'est lui et non pas eux que Dieu a fait à son image. Chacun est plus précieux que tous.
Journal, Feuilles de route, Littérature et morale (Gallimard).

13320 L'œuvre d'art, c'est une idée qu'on exagère. *Ibid.*

13321 L'œuvre d'art est un équilibre hors du temps, une santé artificielle. *Ibid.*

13322 Je ne suis qu'un petit garçon qui s'amuse — doublé d'un pasteur protestant qui l'ennuie. *Ibid., 1907, 22 juin.*

13323 Certainement l'art hait la nature; s'il la recherche toujours, c'est comme un chasseur en embuscade et comme son rival qui ne l'embrasse que pour l'étrangler.
Ibid., Feuillets, 1911.

13324 Toute théorie n'est bonne qu'à condition de s'en servir pour passer outre. *Ibid., 1918, Feuillets.*

13325 J'ai écrit, et je suis prêt à récrire encore ceci qui me paraît d'une évidente vérité : « C'est avec les beaux sentiments qu'on fait de la mauvaise littérature. »
Ibid., 2 septembre 1940.

13326 Il y a et il y aura toujours en France (sinon sous la pressante menace d'un danger commun) divisions et partis; c'est-à-dire dialogue. Grâce à quoi le bel équilibre de notre culture; équilibre dans la diversité. Toujours, en regard d'un Pascal, un Montaigne; et de nos jours, en face d'un Claudel, un Valéry. Parfois, c'est une des deux voix qui l'emporte, en force et en magnificence. Mais malheur aux temps où l'autre serait réduite au silence! *Ibid., 13 février 1943.*

13327 Le monde ne sera sauvé, s'il peut l'être, que par des *insoumis*.
Ibid., 24 février 1946.

HENRI MATISSE
1869-1954

13328 Une œuvre doit porter en elle-même sa signification entière et l'imposer au spectateur avant même qu'il en connaisse le sujet.
Article de « La Grande Revue », 25 décembre 1908.

Les règles n'ont pas d'existence en dehors des individus, 13329
sinon aucun professeur ne le céderait en génie à Racine.
Ibid.

C'est en rentrant dans l'objet qu'on rentre dans sa propre 13330
peau.
Propos recueillis par André Verdet dans « Prestiges de Matisse »
(Émile-Paul).

HENRY BORDEAUX
1870-1963

A quoi bon transmettre la vie, si ce n'est pour lui fournir 13331
un cadre digne d'elle, l'appui du passé, l'occasion d'un
avenir étayé, — car transmettre la vie, c'est admettre l'immortalité...
Les Roquevillard, III⁰ partie, chap. 8 (Plon).

L'arbre, comme l'homme, s'affine en société. 13332
La Robe de laine, II⁰ partie, Premier cahier (Plon).

ÉDOUARD LE ROY
1870-1954

Le matérialisme [...] reste par nature impuissant à se com- 13333
prendre lui-même, incapable de concilier le phénomène
de sa propre élaboration avec les thèses qu'il affirme [...];
il succombe sous l'obligation qu'il s'impose d'expliquer la
genèse du principe qui l'engendre lui-même [...].
L'Exigence idéaliste et le Fait de l'évolution, Avant-propos
(Hatier).

Résorber la nature et l'histoire dans un éclair de conscience 13334
qui soit indivisiblement une vision et un acte : voilà [...]
le problème immense et un de la Philosophie.
La Pensée intuitive, tome 1, chap. 1 (Hatier).

Ou doit penser sa vie, afin de la vivre toute vraiment, et 13335
vivre sa pensée, afin de parvenir à penser toute sa vie.
Ibid., tome 2, Épilogue.

PIERRE LOUŸS
1870-1925

Le poëte fait comme la nature : il donne la vie à ce qui n'a 13336
pas vécu. L'historien rêve une chimère. Il veut ressusciter
ce qui est mort à jamais. *Pages, poésie (Éd. Montaigne).*

L'Amour est un petit mot, mot si petit qu'il est comble, 13337
même si l'on ne met rien dedans. *Ibid., Amour.*

13338   Les peuples heureux n'ayant point d'histoire, les peuples prospères n'ont pas de géographie.
Les Aventures du Roi Pausole, Livre I, chap. 1 (Albin Michel).

13339   Il ne faut pas déchirer les Formes, car elles ne cachent que l'invisible.
Le Crépuscule des Nymphes, Lêda ou la louange des bien-heureuses ténèbres (Ed. Montaigne).

13340   Le malheur, c'est toujours la même chose. C'est un bonheur ancien qui ne veut pas recommencer.
Ibid., Danaë ou le malheur.

13341   Nous n'avons rien à nous dire, tant nous sommes près de l'un de l'autre.
Les Chansons de Bilitis, La flûte (Albin Michel).

ROSEMONDE GÉRARD
1871-1953

13342   Car, vois-tu, chaque jour je t'aime davantage.
Aujourd'hui plus qu'hier et bien moins que demain.
Les Pipeaux, L'Éternelle Chanson, IX (Lemerre-S.G.L.).

13343   Lorsque tu seras vieux et que je serai vieille,
Lorsque mes cheveux blonds seront des cheveux blancs [...].
Ibid.

MARCEL PROUST
1871-1922

13344   Notre personnalité sociale est une création de la pensée des autres.
A la recherche du temps perdu, Du côté de chez Swann (Gallimard).

13345   Un homme qui dort tient en cercle autour de lui le fil des heures, l'ordre des années et des mondes.   *Ibid.*

13346   Le bonheur est dans l'amour un état anormal.
Ibid., A l'ombre des Jeunes Filles en fleurs.

13347   L'amour le plus exclusif pour une personne est toujours l'amour d'autre chose.   *Ibid.*

13348   Ce qui rapproche, ce n'est pas la communauté des opinions, c'est la consanguinité des esprits.   *Ibid.*

13349   L'adolescence est le seul temps où l'on ait appris quelque chose.   *Ibid.*

On devient moral dès qu'on est malheureux. *Ibid.* 13350

La part des sentiments désintéressés est plus grande qu'on 13351
ne croit dans la vie des hommes. *Ibid.*

La permanence et la durée ne sont promises à rien, pas même 13352
à la douleur. *Ibid.*

On ne reçoit pas la sagesse, il faut la découvrir soi-même, 13353
après un trajet que personne ne peut faire pour nous, ne peut
nous épargner. *Ibid.*

Les contempteurs de l'amitié peuvent sans illusions et non 13354
sans remords être les meilleurs amis du monde.
Ibid., Le côté de Guermantes.

Croire à la médecine serait la suprême folie si n'y pas croire 13355
n'en était pas une plus grande, car de cet amoncellement
d'erreurs se sont dégagées, à la longue, quelques vérités.
Ibid.

Chez le prêtre, comme chez l'aliéniste, il y a toujours quelque 13356
chose du juge d'instruction. *Ibid.*

Il n'y avait pas d'anormaux quand l'homosexualité était la 13357
norme. *Ibid., Sodome et Gomorrhe.*

Dans l'attente on souffre tant de l'absence de ce qu'on désire 13358
qu'on ne peut supporter une autre présence. *Ibid.*

On serait à jamais guéri du romanesque, si l'on voulait, pour 13359
penser à celle qu'on aime, tâcher d'être celui qu'on sera
quand on ne l'aimera plus. *Ibid.*

Il y a toujours moins d'égoïsme dans l'imagination que dans 13360
le souvenir. *Ibid.*

Le sommeil est comme un second appartement que nous 13361
aurions et où, délaissant le nôtre, nous serions allés dormir.
Ibid.

La médecine, faute de guérir, s'occupe à changer le sens des 13362
verbes et des pronoms. *Ibid.*

La médecine a fait quelques petits progrès dans ses connais- 13363
sances depuis Molière, mais aucun dans son vocabulaire.
Ibid.

Les hommes peuvent avoir plusieurs sortes de plaisirs. Le 13364
véritable est celui pour lequel ils quittent l'autre. *Ibid.*

L'amour, c'est l'espace et le temps rendus sensibles au 13365
cœur. *Ibid., La prisonnière.*

13366 Pour posséder il faut avoir désiré. Nous ne possédons une ligne, une surface, un volume que si notre amour l'occupe.
Ibid.

13367 La possession de ce qu'on aime est une joie plus grande encore que l'amour.   *Ibid.*

13368 Sous toute douceur charnelle un peu profonde, il y a la permanence d'un danger.   *Ibid.*

13369 La jalousie n'est souvent qu'un inquiet besoin de tyrannie appliquée aux choses de l'amour.   *Ibid.*

13370 Les maris trompés qui ne savent rien, savent tout tout de même.   *Ibid.*

13371 Ainsi qu'au début il est formé par le désir, l'amour n'est entretenu, plus tard, que par l'anxiété douloureuse. *Ibid.*

13372 L'univers est vrai pour nous tous et dissemblable pour chacun.   *Ibid.*

13373 Le snobisme est une maladie grave de l'âme, mais localisée et qui ne la gâte pas tout entière.   *Ibid.*

13374 Autrui nous est indifférent et l'indifférence n'invite pas à la méchanceté.   *Ibid.*

13375 Les grands littérateurs n'ont jamais fait qu'une seule œuvre ou plutôt n'ont jamais que réfracté à travers des milieux divers une même beauté qu'ils apportent au monde. *Ibid.*

13376 Mort à jamais? Qui peut le dire?   *Ibid.*

13377 La musique est peut-être l'exemple unique de ce qu'aurait pu être — s'il n'y avait pas eu l'invention du langage, la formation des mots, l'analyse des idées — la communication des âmes.   *Ibid.*

13378 L'idée qu'on mourra est plus cruelle que mourir, mais moins que l'idée qu'un autre est mort.   *Ibid.*

13379 Laissons les jolies femmes aux hommes sans imagination.
Ibid., Albertine disparue.

13380 Notre tort n'est pas de priser l'intelligence, la gentillesse d'une femme que nous aimons, si petites que soient celles-ci. Notre tort est de rester indifférents à la gentillesse, à l'intelligence des autres.   *Ibid.*

13381 Les homosexuels seraient les meilleurs maris du monde s'ils ne jouaient pas la comédie d'aimer les femmes. *Ibid.*

13382 On a tort de parler en amour de mauvais choix, puisque dès qu'il y a choix il ne peut être que mauvais.   *Ibid.*

On désire être compris parce qu'on désire être aimé, et on désire être aimé parce qu'on aime. La compréhension des autres est indifférente et leur amour importe peu. *Ibid.* 13383

Dans la souffrance physique, au moins, nous n'avons pas à choisir nous-mêmes notre douleur. Mais dans la jalousie il nous faut essayer en quelque sorte des souffrances de tout genre et de toute grandeur avant de nous arrêter à celle qui nous paraît pouvoir convenir. *Ibid.* 13384

Il est vraiment rare qu'on se quitte bien, car si on était bien, on ne se quitterait pas. *Ibid.* 13385

L'homme est l'être qui ne peut sortir de soi, qui ne connaît les autres qu'en soi, et, en disant le contraire, ment. *Ibid.* 13386

Comme il y a une géométrie dans l'espace, il y a une psychologie dans le temps, où les calculs d'une psychologie plane ne seraient plus exacts parce qu'on n'y tiendrait pas compte du temps, et d'une des formes qu'il revêt, l'oubli. *Ibid.* 13387

Le mensonge est essentiel à l'humanité. Il y joue peut-être un aussi grand rôle que la recherche du plaisir, et d'ailleurs est commandé par cette recherche. 13388

Agir est autre chose que parler, même avec éloquence, et que penser, même avec ingéniosité. *Ibid.* 13389

La Muse qui a recueilli tout ce que les Muses plus hautes de la philosophie et de l'art ont rejeté, tout ce qui n'est pas fondé en vérité, tout ce qui n'est que contingent, mais relève aussi d'autres lois, c'est l'Histoire. *Ibid.* 13390

Plus le désir avance, plus la possession véritable s'éloigne. De sorte que si le bonheur, ou du moins l'absence de souffrance peut être trouvé, ce n'est pas la satisfaction mais la réduction progressive, l'extinction finale du désir qu'il faut chercher. *Ibid.* 13391

Il y a dans ce monde où tout s'use, où tout périt, une chose qui tombe en ruine, qui se détruit encore plus complètement, en laissant encore moins de vestiges que la beauté, c'est le chagrin. *Ibid.* 13392

La réalité des êtres ne survit pour nous que peu de temps après leur mort, et au bout de quelques années ils sont comme ces dieux des religions abolies qu'on offense sans crainte parce qu'on a cessé de croire à leur existence. *Ibid.* 13393

Notre amour de la vie n'est qu'une vieille liaison dont nous ne savons pas nous débarrasser. Sa force est dans sa permanence. Mais la mort qui la rompt nous guérira du désir de l'immortalité. *Ibid.* 13394

Aimer est un mauvais sort, comme ceux qu'il y a dans les contes, contre quoi on ne peut rien jusqu'à ce que l'enchantement ait cessé. *Ibid., Le Temps retrouvé.* 13395

13396   Si nous n'avions pas de rivaux, le plaisir ne se transformerait pas en amour.   *Ibid.*

13397   A l'être que nous avons le plus aimé, nous ne sommes pas si fidèles qu'à nous-mêmes.   *Ibid.*

13398   Si notre vie est vagabonde, notre mémoire est sédentaire [...].   *Ibid.*

13399   Tous les altruismes féconds de la nature se développent selon un mode égoïste. L'altruisme humain qui n'est pas égoïste est stérile.   *Ibid.*

13400   Le bonheur est salutaire pour les corps, mais c'est le chagrin qui développe les forces de l'esprit.   *Ibid.*

13401   Ce ne sont pas les êtres qui existent réellement, mais les idées.   *Ibid.*

13402   C'est avec des adolescents qui durent un assez grand nombre d'années que la vie fait ses vieillards.   *Ibid.*

13403   L'art véritable n'a que faire de proclamations et s'accomplit dans le silence.   *Ibid.*

13404   L'artiste qui renonce à une heure de travail pour une heure de causerie avec un ami sait qu'il sacrifie une réalité pour quelque chose qui n'existe pas.   *Ibid.*

13405   Le style, pour l'écrivain aussi bien que pour le peintre, est une question non de technique mais de vision.   *Ibid.*

13406   Les vrais livres doivent être les enfants non du grand jour et de la causerie, mais de l'obscurité et du silence.   *Ibid.*

13407   Pour écrire ce livre essentiel, le seul livre vrai, un grand écrivain n'a pas, dans le sens courant, à l'inventer puisqu'il existe déjà en chacun de nous, mais à le traduire.   *Ibid.*

13408   Un livre est un grand cimetière où sur la plupart des tombes on ne peut plus lire les noms effacés.   *Ibid.*

13409   Une œuvre où il y a des théories est comme un objet sur lequel on laisse la marque du prix.   *Ibid.*

PAUL VALÉRY
1871-1945

13410   Il reste d'un homme ce que donnent à songer son nom, et les œuvres qui font de ce nom un signe d'admiration, de haine ou d'indifférence.
Introduction à la méthode de Léonard de Vinci (Gallimard).

La bêtise n'est pas mon fort. 13411
      La Soirée avec Monsieur Teste (Gallimard).

Je suis étant, et me voyant; me voyant me voir, et ainsi de 13412
suite... Pensons de tout près. *Ibid.*

Otez toute chose que j'y voie. 13413
      Extraits du Log-book de Monsieur Teste.

Homme toujours debout sur le cap Pensée, à s'écarquiller 13414
les yeux sur les limites ou des choses, ou de la vue... *Ibid.*

L'infini, mon cher, n'est plus grand-chose, — c'est une 13415
affaire d'écriture. *L'univers n'existe que sur le papier.*
      Monsieur Teste, Dialogue.

Le fond de la pensée est pavé de carrefours. 13416
      Quelques pensées de Monsieur Teste.

... Existe!... Sois enfin toi-même, dit l'Aurore, 13417
  O grande âme, il est temps que tu formes un corps!
Poésies, Album de vers anciens, Air de Sémiramis (Gallimard).

Va! Je n'ai plus besoin de ta race naïve, 13418
Cher Serpent... Je m'enlace, être vertigineux!
      Ibid., La Jeune Parque.

Je sais... Ma lassitude est parfois un théâtre. 13419
      Ibid.

Harmonieuse MOI, différente d'un songe... 13420
      Ibid.

Mais moi, Narcisse aimé, je ne suis curieux 13421
  Que de ma seule essence;
Tout autre n'a pour moi qu'un cœur mystérieux,
  Tout autre n'est qu'absence.
      Ibid., Fragments du Narcisse, II.

Toi seul, ô mon corps, mon cher corps, 13422
Je t'aime, unique objet qui me défends des morts!
      Ibid.

Honneur des hommes, Saint LANGAGE [...] 13423
      Ibid., La Pythie.

Soleil, soleil!... Faute éclatante! 13424
Toi qui masques la mort, Soleil [...]
      Ibid., Ébauche d'un serpent.

O Vanité! Cause Première! 13425
[...]
Dieu lui-même a rompu l'obstacle
De sa parfaite éternité [...]
      Ibid.

Génie! O longue impatience! 13426
      Ibid.

13427   O récompense après une pensée
Qu'un long regard sur le calme des dieux!
Ibid., Le Cimetière marin.

13428   Le Temps scintille et le songe est Savoir.
Ibid.

13429   Je hume ici ma future fumée [...]
Ibid.

13430   Ici venu, l'avenir est paresse.
Ibid.

13431   Ils ont fondu dans une absence épaisse,
L'argile rouge a bu la blanche espèce,
Le don de vivre a passé dans les fleurs [...]
Ibid.

13432   Allez! Tout fuit! Ma présence est poreuse,
La sainte impatience meurt aussi.
Ibid.

13433   Tout va sous terre et rentre dans le jeu!
Ibid.

13434   Ah! le soleil... Quelle ombre de tortue
Pour l'âme, Achille immobile à grands pas!
Ibid.

13435   Le vent se lève!... Il faut tenter de vivre!
Ibid.

13436   Patience, patience,
Patience dans l'azur!
Chaque atome de silence
Est la chance d'un fruit mûr!
Ibid., Palme.

13437   Quoi de plus prompt que de fermer un livre?

C'est ainsi que l'on se délivre
De ces écrits si clairs qu'on n'y trouve que soi.
Ibid., Le Philosophe et la Jeune Parque.

13438 Amour — *Aimer* — c'est *imiter.*   *Mélange.*

13439 Les hommes se distinguent par ce qu'ils montrent et se
ressemblent par ce qu'ils cachent.   *Ibid.*

13440 Le talent sans génie est peu de chose. Le génie sans talent
n'est rien.   *Ibid.*

13441 Les vilaines pensées viennent du cœur.   *Ibid.*

13442 [...] La Poésie devrait être le Paradis du Langage [...].
Variété, Cantiques spirituels (Gallimard).

Une phrase bien accordée exclut la renonciation totale. 13443
Ibid., Sur une pensée [de Pascal].

Pascal avait « trouvé », mais sans doute parce qu'il ne cher- 13444
chait plus.   *Ibid.*

La véritable condition d'un véritable poète est ce qu'il y a 13445
de plus distinct de l'état de rêve.
Ibid., Au sujet d'Adonis.

Les exigences d'une stricte prosodie sont l'artifice qui 13446
confère au langage naturel les qualités d'une matière résistante, étrangère à notre âme, et comme sourde à nos désirs.
Ibid.

L'essence du classicisme est de venir après. L'ordre suppose 13447
un certain désordre qu'il vient réduire.
Ibid., Situation de Baudelaire.

Le poète se consacre et se consume [...] à définir et à cons- 13448
truire un langage dans le langage.   *Ibid.*

Un homme qui renonce au monde se met dans la condition 13449
de le comprendre.   *Ibid., Stéphane Mallarmé.*

Il [Mallarmé] a essayé, pensai-je, *d'élever enfin une page à* 13450
la puissance du ciel étoilé!   *Ibid.*

La définition du Beau est facile : *il est ce qui désespère.* 13451
Ibid., Lettre sur Mallarmé.

Tu ne me lirais pas si tu ne m'avais déjà compris. *Ibid.* 13452

Que si je devais écrire, j'aimerais infiniment mieux écrire 13453
en toute conscience et dans une entière lucidité quelque chose
de faible, que d'enfanter à la faveur d'une transe et hors de
moi-même un chef-d'œuvre d'entre les plus beaux. *Ibid.*

[...] Tout système est une entreprise de l'esprit contre soi- 13454
même.   *Ibid., Une vue de Descartes.*

Il semble [...] que l'histoire de l'esprit se puisse résumer en 13455
ces termes : *il est absurde par ce qu'il cherche, il est grand*
par ce qu'il trouve.   *Ibid., Au sujet d'Eurêka.*

Tantôt je pense et tantôt je suis.   13456
Ibid., Discours aux chirurgiens.

Nous autres, civilisations, nous savons maintenant que nous 13457
sommes mortelles.
Ibid., La Crise de l'esprit, Première lettre.

L'Europe deviendra-t-elle *ce qu'elle est en réalité,* c'est- 13458
à-dire : un petit cap du continent asiatique?
Ibid., Deuxième lettre.

13459 Le manque d'un seul mot fait mieux vivre une phrase :
elle s'ouvre plus vaste et propose à l'esprit d'être un peu
plus esprit pour combler la lacune.
Dialogue de l'arbre.

13460 J'ai mal à... *mon temps!...*
L'Idée fixe (Gallimard).

13461 Ce qu'il y a de plus profond dans l'homme c'est la peau.
Ibid.

13462 Un homme seul est toujours en mauvaise compagnie.
Ibid.

13463   MÉPHISTOPHÉLÈS
Quoi, le veau d'or...

FAUST
Vaudra demain moins cher que le veau naturel.
« Mon Faust » (Gallimard).

13464 Ha ha! Érôs énergumène... Prenez garde à l'Amour...
Amour, amour... Hi hi hi! Convulsion grossière... ha ha ha!...
Ibid.

13465 La tête tranchée regarde les choses, telles qu'elles sont, le
Présent pur, sans nulle signification, sans haut ni bas, sans
symétries, sans figures.
Histoires brisées, L'île Xiphos (Gallimard).

13466 La syntaxe est une faculté de l'âme.
Tel Quel, Choses tues (Gallimard).

13467 L'inspiration est l'hypothèse qui réduit l'auteur au rôle
d'observateur.   Ibid.

13468 On ne sait jamais avec qui l'on couche.   Ibid.

13469 L'homme est adossé à sa mort comme le causeur à la cheminée.   Ibid.

13470 Tout crime tient du rêve.   Ibid.

13471 Il faut n'appeler *Science :* que *l'ensemble des recettes qui
réussissent toujours.* Tout le reste est littérature.
Ibid., Moralités.

13472 *Le royaume de N'importe quoi est habité par le peuple de
N'importe qui* — dit l'âme...   Ibid.

13473 Entre deux mots il faut choisir le moindre.
Ibid., Littérature.

13474 Idéal littéraire, finir par savoir ne plus mettre sur sa page
que du « lecteur ».   Ibid., Cahier B, 1910.

Écrire en Moi-naturel. Tels écrivent en Moi-dièse.   13475
Ibid., Rhumbs.

Le réel ne peut s'exprimer que par l'absurde.   13476
Ibid., Analecta.

La nuque est un mystère pour l'œil.   13477
Mauvaises pensées et autres (Gallimard).

L'Histoire justifie ce que l'on veut. Elle n'enseigne rigou-   13478
reusement rien, car elle contient tout, et donne des exemples
de tout.
Regards sur le monde actuel; De l'Histoire (Gallimard).

Tout état social exige des fictions.   13479
Ibid., Des partis.

BÊTISE ET POÉSIE. Il y a des relations subtiles entre ces deux   13480
ordres. L'ordre de la bêtise et celui de la poésie.
Mémoires du poète.

LÉON BLUM
1872-1950

Un écrivain, un penseur ne doit jamais avoir d'influence   13481
personnelle. Sinon il cesse d'être un penseur ou un artiste;
il est un apôtre.
Nouvelles conversations de Goethe avec Eckermann,
8 juillet 1897 (Gallimard).

Les plus beaux romans, dit Goethe, sont ceux qui projettent   13482
brusquement un jour nouveau sur les sentiments les plus
communs, sur les situations les plus triviales. Aussi ce ne sont
pas les philosophes qui les écriront.
Ibid., 21 juillet 1897.

L'abnégation, la charité résultent le plus souvent d'un défaut   13483
de vie personnelle.   *Ibid., 15 février 1898.*

Toute société qui prétend assurer aux hommes la liberté,   13484
doit commencer par leur garantir l'existence.
Ibid., 7 juillet 1898.

Ce qui constitue la persécution, ce n'est pas telle mesure   13485
vexatoire, c'est l'état d'esprit avec lequel elle est reçue et
subie.   *Ibid., 12 avril 1899.*

Les passions humaines, comme les plantes, comme les   13486
êtres, ne se forment pas à la lumière; leur premier développement exige l'obscurité chaude et close des bas-fonds de
la conscience. Jeter sur elles pendant qu'elles germent
dans leur ombre, le rayon cru d'un aveu, c'est presque toujours les frapper d'une atteinte mortelle.
Du Mariage, chap. 4 (Albin Michel).

13487   Dès que nous en avons le pouvoir, nous avons le droit de
transformer la procréation en un acte réfléchi et volontaire,
et il est prodigieux que des créatures pensantes aient pu,
pendant tant de siècles, lier à l'accomplissement d'un instinct l'acte le plus grave qu'il leur soit donné d'accomplir.
Ibid., chap. 6.

13488   Le patronat de droit divin est mort.
Déclarations de Léon Blum devant la cour de Riom
(février-mars 1942).

13489   Une fois détruite la propriété privée capitaliste, le jeu libre
de la démocratie est nécessaire et suffisant pour extirper les
résidus du capitalisme, pour empêcher la constitution d'une
propriété capitaliste collective, pour interdire la constitution
en classe privilégiée des chefs techniques, pour réserver à la
masse des travailleurs sa part légitime dans le contrôle
et la gestion des moyens de production, pour assurer à
l'ensemble du travail collectif son caractère essentiel d'égalité.
Préface à James Burnham, L'ère des organisateurs
(Calmann-Lévy).

13490   La transformation révolutionnaire du régime de propriété
et de la production n'est pas une fin en soi, mais le moyen
nécessaire et la condition indispensable de la libération de la
personne humaine, qui est, elle, une fin en soi et la dernière
du socialisme.   *Ibid.*

ROBERT DE FLERS
1872-1927
et
GASTON ARMAN DE CAILLAVET
1869-1915

13491   — Le plus fort, c'est que je croyais la duchesse une très
honnête femme!
— Mais c'est une très honnête femme. Elle a toujours été
parfaitement fidèle à ses amants...
L'Habit vert, acte I, scène 4 (Éd. Billaudot).

13492   La démocratie est le nom que nous donnons au peuple
toutes les fois que nous avons besoin de lui.
Ibid., acte I, scène 11.

13493   Chamfort s'est plaint fort justement jadis qu'on eût laissé
tomber l'état de cocu. Il regrettait avec bon sens de le voir
désormais accessible aux petites gens. J'ai formé le dessein
de le relever.   *Ibid., acte IV, scène 3.*

PAUL FORT
1872-1960

13494   — J'irai sur la grève te jeter mon baiser.
— Le vent vient de mer, ma mie, il te le rapportera.

— Je te ferai des signes avec mon tablier.
— Le vent vient de mer, ma mie, ça reviendra sur toi.
— Je verserai mes larmes en te voyant partir.
— Le vent vient de mer, ma mie, il te les séchera,
— Eh bien, je penserai seulement à toi.
— Te voici raisonnable, te voici raisonnable.
*Ballades françaises, 5e série, L'Adieu
(Flammarion).*

Si toutes les filles du monde voulaient s'donner la main, 13495
tout autour de la mer elles pourraient faire une ronde [...].
Idem, La Ronde (Flammarion).

Ah! c'est bête qu'on se rappelle de ces choses qui ne sont pas, 13496
qui sont en rêve et sont cruelles, et puis que l'on oublie
déjà!
Ballades françaises, 6e série, Meudon (Flammarion).

ÉDOUARD HERRIOT
1872-1957

La science et la science seule doit créer la France nouvelle. 13497
Créer, Introduction (Payot).

La tradition, c'est le progrès dans le passé; le progrès, dans 13498
l'avenir, ce sera la tradition. *Ibid.*

Créer, c'est d'abord peupler. *Ibid., chap. III.* 13499

La jeunesse française se compose de deux parties : la jeunesse 13500
secondaire à qui le baccalauréat ouvre les portes rouillées
de toutes les carrières; la jeunesse primaire, lancée directement de l'école à l'atelier. *Ibid.*

La culture antique ne convient qu'aux élites de l'esprit. 13501
C'est un luxe, pour les intelligences riches; il devrait être
interdit de le vulgariser. *Ibid.*

Il y a, pour des écrivains français, une qualité plus belle 13502
que la couleur : la lumière. *Ibid., XVII.*

Peut-être finira-t-on par s'apercevoir que, pour un peuple 13503
libre, la question du théâtre est à peine moins importante que
la question de l'école. *Ibid.*

A notre race idéaliste il faut aussi proposer un but autre que 13504
la satisfaction de besoins matériels. La France démocratique
n'accepterait pas, à l'égard de ses colonies, l'impérialisme
brutal qu'on lui a parfois proposé. Elle veut pour elles moins
une domination qu'une direction. *Ibid., XVIII.*

PAUL LANGEVIN
1872-1946

13505 Le concret c'est de l'abstrait rendu familier par l'usage. La notion d'objet, abstraite à l'origine, arbitrairement découpée dans l'univers, nous est devenue familière à tel point que certains d'entre nous pensent que nous ne pouvions pas utiliser autre chose comme base pour construire notre représentation du monde [...] J'ai, pour ma part, plus de confiance dans les possibilités de notre évolution mentale.
    La Pensée et l'Action, La physique nouvelle de l'atome
    (Éditeurs français réunis).

13506 Loin de conduire au fatalisme devant la marche inéluctable de l'Univers-projectile au sens de Laplace, le nouveau déterminisme est une doctrine d'action, bien conforme au rôle que doit jouer la science, à ses origines, à ses buts. [...] L'action devient possible puisque, grâce au halo ondulatoire, le présent ne détermine, ne contient l'avenir qu'avec une précision décroissante à mesure que celui-ci devient plus lointain [...]
    Ibid., Déterminisme mécanique et déterminisme ondulatoire.

13507 L'expérience nous montre [...] que notre raison, et la science qu'elle crée en s'adaptant de plus en plus près à la réalité, sont, comme tous les êtres vivants et l'univers lui-même, soumis à la loi d'évolution, et que celle-ci se fait à travers une série de crises où chaque contradiction ou opposition surmontée se traduit par un enrichissement nouveau.
    Ibid., Matérialisme mécaniste et matérialisme dialectique.

13508 [...] La culture générale, c'est ce qui permet à l'individu de sentir pleinement sa solidarité avec les autres hommes, dans l'espace et dans le temps, avec ceux de sa génération comme avec les générations qui l'ont précédé et avec celles qui le suivront.
    Ibid., Contribution de l'enseignement des sciences physiques
    à la culture générale.

PAUL LÉAUTAUD
1872-1956

13509 Tout ce qui est l'autorité me donne envie d'injurier.
    Journal littéraire, décembre 1895 (Mercure de France).

13510 C'est une force que n'admirer rien.   *Ibid.*

13511 Petites choses dures et serrées, pleines de reflets et insaisissables, à la fin unes et multiples, tantôt frémissantes et

tantôt glacées, petites vies éternelles et sans limites : idées,
tout l'art, peut-être, ne vaut pas votre rigueur.
Ibid., 4 septembre 1898.

Si tous les écrivains avaient ressemblé à M. France, nous en   13512
serions encore à Homère.   *Ibid., 18 mars 1901.*

Homme de lettres : ce n'est pas loin aujourd'hui de homme   13513
de peine.   *Ibid., 5 janvier 1904.*

On me demandait l'autre jour : « Qu'est-ce que vous faites?   13514
— Je m'amuse à vieillir, répondis-je. C'est une occupation
de tous les instants. »   *Ibid., 31 décembre 1907.*

MARCEL MAUSS
1872-1950

On *se* donne en donnant.   13515
Essai sur le don, Deuxième partie, chap. 2, 3 (P.U.F.).

Les historiens sentent et objectent à juste titre que les socio-   13516
logues font trop d'abstractions et séparent trop les divers
éléments des sociétés les uns des autres. Il faut faire comme
eux : observer ce qui est donné. Or, le donné, c'est Rome,
c'est Athènes, c'est le Français moyen, c'est le Mélanésien
de telle ou telle île, et non pas la prière ou le droit en soi.
Ibid., Conclusion, III.

La sociologie serait, certes, bien plus avancée si elle avait   13517
procédé partout à l'imitation des linguistes et si elle n'avait
pas versé dans ces deux défauts : la philosophie de l'histoire
et la philosophie de la société.
*Rapports réels et pratiques de la psychologie et de la sociologie,
chap. 3 (Anthropologie et Sociologie) (P.U.F.).*

HENRI BARBUSSE
1873-1935

L'avenir est dans les mains des esclaves, et on voit bien que   13518
le vieux monde sera changé par l'alliance que bâtiront un
jour entre eux ceux dont le nombre et la misère sont infinis.   *Le Feu, I, La vision (Flammarion).*

La liberté et la fraternité sont des mots, tandis que l'égalité   13519
est une chose.   *Ibid., XXIV, L'aube.*

Mieux vaudrait encore une société où tous seraient privés   13520
de satisfactions qui ne sont peut-être que des habitudes —
que la monstrueuse société actuelle, qui fabrique de la mort
avec du mensonge, et qui est, elle et elle seule, la guerre
civile légalisée.
*La lueur dans l'abîme, II, La révolte de la raison
(© H. Barbusse).*

13521 Un homme bon, un homme sain, un homme raisonnable ne doit pas saluer les drapeaux. *Ibid.*

13522 Il y a d'innombrables drapeaux multicolores comme il y a d'innombrables intérêts d'affaires qui se heurtent; il n'y a qu'un drapeau rouge, comme il n'y a qu'une espèce de sang humain, qu'une justice et qu'une vérité. *Ibid.*

13523 Il ne faut plus commencer par l'au-delà. Ce qui n'a pas commencé en nous, n'est pas. Nous ne tombons pas du ciel, nous qui nous levons. *Jésus, chap. 9, 29 (Flammarion).*

13524 Chacun est trop pour être seul. *Ibid., chap. 10, I.*

13525 Il y a deux mondes : celui du socialisme, et celui du capitalisme. Entre les deux il n'y a que le mirage monstrueux d'un troisième monde démocratique en paroles, féodal en fait.
Staline, VII, Les deux mondes (Flammarion).

13526 Lénine et Staline n'ont pas créé l'histoire — mais ils l'ont rationalisée. Ils ont rapproché l'avenir.
Ibid., VIII, L'homme à la Barre.

ALEXIS CARREL
1873-1944

13527 Le meilleur moyen d'augmenter l'intelligence des savants serait de diminuer leur nombre.
L'Homme, cet inconnu, chap. 2, 4 (Plon).

13528 Peut-être la civilisation moderne nous a-t-elle apporté des formes de vie, d'éducation et d'alimentation qui tendent à donner aux hommes les qualités des animaux domestiques [...]. *Ibid., chap. 4, 3.*

13529 L'intelligence est presque inutile à celui qui ne possède qu'elle. *Ibid., 6.*

13530 [Dans la prière] l'homme s'offre à Dieu, comme la toile au peintre ou le marbre au sculpteur. *Ibid., 8.*

13531 Nous sommes à la fois un fluide qui se solidifie, un trésor qui s'appauvrit, une histoire qui s'écrit, une personnalité qui se crée. *Ibid., chap. 5, 9.*

COLETTE
1873-1954

13532 Les femmes libres ne sont pas des femmes.
Claudine à Paris (Albin Michel).

Le vice, c'est le mal qu'on fait sans plaisir. 13533
Claudine en ménage (Mercure de France).

En somme, j'apprenais à vivre. On apprend donc à vivre? 13534
Oui, si c'est sans bonheur. La béatitude n'enseigne rien.
Vivre sans bonheur et n'en point dépérir, voilà une occupa-
tion, presque une profession.
La Retraite sentimentale (Mercure de France).

Il n'y a pas de peine irrémédiable, sauf la mort. *Ibid.* 13535

Une femme se réclame d'autant de pays natals qu'elle a 13536
eu d'amours heureux.
La Naissance du jour (Flammarion).

On ne fait bien que ce qu'on aime. Ni la science ni la cons- 13537
cience ne modèlent un grand cuisinier. De quoi sert l'application où il faut l'inspiration?
Prisons et paradis (Hachette).

Qu'il s'agisse d'une bête ou d'un enfant, convaincre c'est 13538
affaiblir. *Les Plaisirs (Hachette).*

Il y a toujours un moment dans la vie des êtres jeunes où 13539
mourir leur est tout juste aussi normal et aussi séduisant que
vivre. *Mes Apprentissages (Hachette).*

Qui donc conte volontiers ce qui a trait au véritable amour? 13540
Ibid.

La belle avance que de définir, nommer ou prévoir ce que 13541
l'ignorance me permet de tenir pour merveilleux!
Gigi (Hachette).

Le visage humain fut toujours mon grand paysage. 13542
En pays connu (Hachette).

On n'écrit pas un roman d'amour pendant qu'on fait 13543
l'amour. *Lettres au petit corsaire (Flammarion).*

ÉLIE FAURE
1873-1937

Quand l'individu est si fort qu'il tend à tout absorber, 13544
c'est qu'il a besoin d'être absorbé lui-même, de se fondre et
de disparaître dans la multitude et l'univers.
*Histoire de l'Art, L'Art moderne I, Introduction à la première
édition (Pauvert).*

Un mot d'esprit ébranle un monde, et il s'en fait cent mille 13545
chaque jour. *Ibid., La passion rationaliste, II.*

L'esprit des formes est un. Il circule au-dedans d'elles 13546
comme le feu central qui roule au centre des planètes et

détermine la hauteur et le profil de leurs montagnes selon le
degré de résistance et la constitution du sol.
L'Esprit des formes, tome I, Introduction (Pauvert).

13547 Un dieu ne devient dieu qu'au moment où il devient forme.
C'est vrai. Mais il est vrai, aussi, qu'au moment où il devient
forme, il commence de mourir.   *Ibid.*

13548 Dieu est un enfant qui s'amuse, passe du rire aux larmes
sans motifs et invente chaque jour le monde pour le tourment
des abstracteurs de quintessence, des cuistres et des prédi-
cants qui prétendent lui apprendre son métier de créateur.
Ibid.

13549 La statue émerge du temple dans la mesure presque exacte
où l'homme sort de la foule, et du même pas que lui.
Ibid., Le grand rythme, IV.

13550 Le nom, l'anonymat sont les signes d'une époque. Selon
que l'un ou l'autre règne, on sait par quoi se définissent les
rapports de chacun des hommes avec le corps social ou avec
l'individu : ici par le roman, la psychologie, la peinture; là
par l'architecture, la métaphysique, la loi.   *Ibid., VII.*

13551 Le squelette de la planète est le maître des sculpteurs,
l'atmosphère est celui des peintres.
Ibid., Les empreintes, IV.

13552 Si la race apporte l'esprit, le milieu fournit l'image, et le
drame de l'art tourne autour du point d'équilibre où cet
esprit et cette image se voient contraints de s'accorder.
Ibid., VII.

13553 L'artiste nous apparaît comme la conscience des peuples,
chargé par eux en même temps de réagir contre les désordres
et les excès de leurs instincts et de trouver, dans ces excès
et ces désordres mêmes, les signes de leurs plus constants
et de leurs plus réels désirs.
Ibid., L'acrobate, image de Dieu, IV.

13554 En somme, l'art entier est une représentation symbolique,
dans la vie de l'espèce, du drame d'amour qui transfigure
et bouleverse la vie de l'individu.
Ibid., tome II, Utilisation de la mort, I.

13555 L'homme ne peut choisir qu'entre le suicide et l'effort :
l'utilité supérieure de l'art, c'est de donner à cet effort
un accent d'enthousiasme dont la morale le prive et de repla-
cer sans lassitude un cœur vivant dans la poitrine de la
mort.   *Ibid., IV.*

13556 Si terrible que soit la vie, l'existence de l'activité créatrice
sans autre but qu'elle-même suffit à la justifier. Le jeu, évidemment, paraît, au premier abord, le moins utile de nos
gestes, mais il en devient le plus utile dès que nous cons-
tatons qu'il multiplie notre ferveur à vivre et nous fait
oublier la mort.   *Ibid.*

ALFRED JARRY
1873-1907

J'ai changé le gouvernement et j'ai fait mettre dans le jour- 13557
nal qu'on paierait deux fois tous les impôts et trois fois ceux
qui pourront être désignés ultérieurement. Avec ce système,
j'aurai vite fait fortune, alors je tuerai tout le monde et je
m'en irai.
> *Ubu Roi, acte III, scène 4 (Père Ubu) (Fasquelle)*

Maintenir une tradition même valable est atrophier la pensée 13558
qui se transforme dans la durée; et il est insensé de vouloir
exprimer des sentiments nouveaux dans une forme « conservée ».
> *Douze arguments sur le théâtre, « Dossiers acénonètes du*
> *Collège de « Pataphysique » n° 10.*

Nous ne croyons qu'à l'applaudissement du silence. *Ibid.* 13559

C'est parce que la foule est une masse inerte et incompréhen- 13560
sive et passive qu'il la faut frapper de temps en temps,
pour qu'on connaisse à ses grognements d'ours où elle est
— et où elle en est. Elle est assez inoffensive, malgré qu'elle
soit le nombre, parce qu'elle combat contre l'intelligence.
> *Questions de théâtre, « La Revue blanche », 1er janvier 1897.*

L'indiscipline aveugle et de tous les instants fait la force 13561
principale des hommes libres.
> *Ubu enchaîné, acte I, scène 2 (Fasquelle).*

Vive l'armerdre! · *Ibid., acte I, scène 4.* 13562

> Voyez, voyez la machin' tourner, 13563
> Voyez, voyez la cervell' sauter,
> Voyez, voyez les rentiers trembler;
> Hourra, cornes-au-cul, vive le père Ubu!
> *Ubu cocu (chanson de Memnon) (Fasquelle).*

Quand 'ne sera-t-il plus besoin de rappeler que les anti- 13564
alcooliques sont des malades en proie à ce poison, l'eau,
si dissolvant et corrosif qu'on l'a choisi entre toutes substances pour les ablutions et lessives, et qu'une goutte versée
dans un liquide pur, l'absinthe par exemple, le trouble?
> *La Chandelle verte, Spéculations, « M. Faguet et l'alcoo-*
> *lisme », 1er mars 1901 (Librairie générale française).*

Chaque peuple se répète qu'il est le plus puissant et le plus 13565
courageux de la terre, qu'il est « à la tête » de l'humanité.
Malheureusement, l'humanité est une espèce de bête ronde
avec des têtes tout autour.
> *Ibid., « Essai de définition du courage », 15 mai 1901.*

Il y a ceci de déloyal dans l'attitude de la Justice sur le ter- 13566
rain (les opérations judiciaires sont bien un duel, cf. les

« témoins ») que si elle laisse, en principe, son adversaire tirer le premier, elle sait fort bien que celui-ci, par un échange de courtoisie dont elle abuse, ne la blesse jamais elle-même, mais décharge son arme sur une tierce personne; l'arme de l'adversaire déchargée, la Justice tire à son tour, sans peur.
Ibid., Le journal d'Alfred Jarry, « De la douceur dans la violence », 15 décembre 1902.

13567 L'oubli est la condition indispensable de la mémoire.
Ibid., Le périple de la littérature et de l'art « Toomai des éléphants », 1ᵉʳ janvier 1903.

13568 La durée est chose trop transparente pour être perçue autrement que colorée de quelques divisions.
Ibid., « Livres d'étrennes : le calendrier du facteur », 15 janvier 1903.

13569 La plus noble conquête du cheval, c'est la femme.
Ibid., Dans « Le Canard sauvage », « Pensées hippiques », 28 mars-3 avril 1903.

13570 Les balances de la Justice trébuchent; et pourtant l'on dit : Raide comme la Justice. La Justice serait-elle ivre?
Ibid., « L'affaire est l'Affaire », 18-24 avril 1903.

13571 Suggérer au lieu de dire, faire dans la route des phrases un carrefour de tous les mots.
Les Minutes de sable mémorial, Linteau (Fasquelle).

13572 Qu'on pèse donc les mots, polyèdres d'idées, avec des scrupules comme des diamants à la balance de ses oreilles, sans demander pourquoi telle et telle chose, car il n'y a qu'à regarder, et c'est écrit dessus.   *Ibid.*

13573 Et comme il n'y avait que six corps nus, il n'y avait pas d'attentat public à la pudeur.
Les Jours et les nuits, roman d'un déserteur, Livre I, III (Mercure de France).

13574 « Dieu en vain tu ne jureras » est la seule courtoisie valable; il est ridicule de cracher sur son miroir.   *Ibid., Livre V, I.*

13575 Les femmes montent par le chemin des écoliers.
L'Amour absolu, XII (Mercure de France).

13576 L'amour est un acte sans importance, puisqu'on peut le faire indéfiniment.   *Le Surmâle, I (Fasquelle).*

13577 Il est moins sûr de tuer les êtres plus faibles que soi que de les imiter. Ce ne sont pas les plus forts qui survivent, car *ils sont seuls.*   *Ibid., II.*

13578 DÉFINITION. — La pataphysique est la science des solutions imaginaires.
Gestes et opinions du Docteur Faustroll Pataphysicien, II, VIII (Mercure de France).

« Ha ha », disait-il en français; et il n'ajoutait rien davan- 13579
tage.   *Ibid., X.*

La mort n'est que pour les médiocres.   13580
                                    Ibid., VIII, XXXVII.

Dieu est le point tangent de zéro et de l'infini.   13581
                                              Ibid., XLI.

CHARLES PÉGUY
1873-1914

A toutes celles et à tous ceux qui auront vécu leur vie humaine, 13582
A toutes celles et à tous ceux qui seront morts de leur mort
humaine pour l'établissement de la République socialiste
universelle,
Ce poème est dédié.
        *Jeanne d'Arc, Première pièce : A Domrémy, Dédicace
                                        (Gallimard).*

Oui je sais bien, mon Dieu, que ma plainte est mauvaise,   13583
Que nos blés sont à vous pour faire la moisson...
[...]
Et vous avez raison quand vous sauvez une âme,
Et vous avez raison quand vous la condamnez [...].
            Ibid., Première partie, deuxième acte.

    O maison de mon père où j'ai filé la laine,   13584
    Où, les longs soirs d'hiver, assise au coin du feu,
    J'écoutais les chansons de la vieille Lorraine,
    Le temps est arrivé que je vous dise adieu.
            Ibid., Deuxième partie, troisième acte.

    O Meuse inépuisable et douce à mon enfance,   13585
    Qui passes dans les prés auprès de la maison,
    C'est en ce moment-ci que je m'en vais en France :

    O ma Meuse, à présent je m'en vais pour de bon.
            Ibid., Troisième partie, en un acte.

    Mon âme sait aimer ceux qui ne sont pas là;   13586
    Mon âme sait aimer ceux qui restent loin d'elle.
                                              Ibid.

    Oh j'irais dans l'enfer avec les morts damnés,   13587
    Avec les condamnés et les abandonnés,
    Faut-il que je m'en aille avec les morts damnés [...]?
Ibid., Troisième pièce : Rouen, Première partie, deuxième acte.

Celui qui manque trop du pain quotidien n'a plus aucun goût 13588
au pain éternel.
        Le Mystère de la charité de Jeanne d'Arc (Gallimard).

Heureux ceux qui l'[1] ont vu passer dans son pays; heureux   13589
ceux qui l'ont vu marcher sur cette terre.   *Ibid.*

1. Jésus-Christ.

13590 Tout commence en mystique et finit en politique.

Notre jeunesse (Gallimard).

13591 La Révolution est éminemment une opération de l'ancienne France. *Ibid.*

13592 Tout parti vit de sa mystique et meurt de sa politique. *Ibid.*

13593 La politique se moque de la mystique, mais c'est encore la mystique qui nourrit la politique même. *Ibid.*

13594 [...] Ces profondeurs de bonté douce incroyables qui ne peuvent être qu'à base de désabusement. *Ibid.*

13595 Le monde souffre infiniment plus du sabotage bourgeois et capitaliste que du sabotage ouvrier. *Ibid.*

13596 Il faut tout de même voir qu'il y a des ordres apparents qui recouvrent, qui sont les pires désordres. *Ibid.*

13597 La mystique républicaine, c'était quand on mourait pour la République, la politique républicaine, c'est à présent qu'on en vit. *Ibid.*

13598 La seule force, la seule valeur, la seule dignité de tout; c'est d'être aimé. *Ibid.*

13599 Heureux deux amis qui s'aiment assez pour (savoir) se taire ensemble. *Victor-Marie comte Hugo (Gallimard).*

13600 Il n'y a point de réalité sans « confessions », et [...] une fois qu'on a goûté à la réalité des confessions, toute autre réalité, tout autre essai paraît bien littéraire. *Ibid.*

13601 Quarante ans est un âge terrible. *Ibid.*

13602 [...] C'est que d'être peuple, il n'y a encore que ça qui permette de n'être pas démocrate. *Ibid.*

13603 Nous les gars de la Loire, c'est nous qui parlons le fin langage français. *Ibid.*

13604 Les références qu'on ne vérifie pas sont les bonnes. *Ibid.*

13605 Les blessures que nous recevons, nous les trouvons dans Racine. Les êtres que nous sommes, nous les trouvons dans Corneille. *Ibid.*

13606 Les victimes de Racine sont elles-mêmes plus cruelles que les bourreaux de Corneille. *Ibid.*

13607 Par son impotence même de mal, de cruauté, Corneille va plus profond que Racine. Car la cruauté n'est point, tant s'en faut, ce qu'il y a de plus profond. [...] La charité va infiniment plus profond. *Ibid.*

13608 Le saint est infiniment plus la proie de la charité que le cruel de la cruauté. *Ibid.*

L'ordonnance règne surtout dans le détail. L'ordre règne   13609
dans le corps même.   *Ibid.*

Les tragédies de Racine sont des sœurs séparées alignées   13610
qui se ressemblent. Les quatre tragédies de Corneille sont une
famille liée.   *Ibid.*

Cette Sorbonne, que nous avons tant aimée, [...] est devenue   13611
une maîtresse d'erreur et de barbarie.   *Ibid.*

[...] Une Sorbonne qui fait trop parler d'elle; en dehors de   13612
l'enseignement, en dehors du travail. Une Sorbonne dont le
moins qu'on puisse dire est qu'elle fait trop parler d'elle,
pour une honnête Sorbonne.   *Ibid.*

Peuvent seuls mener une vie chrétienne, c'est-à-dire peuvent   13613
seuls être chrétiens, ceux qui ne sont pas assurés du pain
quotidien.   *Ibid.*

« Le Kantisme a les mains pures[1] », *mais*[2] il n'a pas de   13614
mains.   *Ibid.*

Je fonde le parti des hommes de quarante ans.   *Ibid.*   13615

La vertu que j'aime le mieux, dit Dieu, c'est l'espérance.   13616
    Le Porche du mystère de la deuxième vertu (Gallimard).

    Je n'aime pas celui qui ne dort pas, dit Dieu.   13617
    Le sommeil est l'ami de l'homme.
    Le sommeil est l'ami de Dieu.
                                                       Ibid.

C'est embêtant, dit Dieu. Quand il n'y aura plus ces Français,   13618
Il y a des choses que je fais, il n'y aura plus personne pour
les comprendre.
    Le Mystère des Saints Innocents (Gallimard).

Rien n'est beau comme un enfant qui s'endort en faisant   13619
sa prière, dit Dieu.   *Ibid.*

    Un regret plus mouvant que la vague marine   13620
    A roulé sur ce cœur envahi jusqu'au bord.
                Sonnets, L'Épave (Gallimard).

    Le long du coteau courbe et des nobles vallées   13621
    Les châteaux sont semés comme des reposoirs,
    Et dans la majesté des matins et des soirs
    La Loire et ses vassaux s'en vont par ces allées.
                Châteaux de Loire (Gallimard).

    Comme elle avait gardé les moutons à Nanterre,   13622
    On la mit à garder un bien autre troupeau,
    La plus énorme horde où le loup et l'agneau
    Aient jamais confondu leur commune misère.
La Tapisserie de sainte Geneviève et de Jeanne d'Arc, 1er jour
                                                (Gallimard).

1. Affirmation des partisans de Kant.
2. Souligné par Péguy.

13623   Étoile de la mer [1] voici la lourde nef
           Où nous ramons tout nuds sous vos commandements
           Voici notre détresse et nos désarmements;
           Voici le quai du Louvre, et l'écluse, et le bief.
           La Tapisserie de Notre-Dame. Présentation de Paris à Notre-
                                        Dame (Gallimard).

13624   Étoile de la mer voici la lourde nappe
           Et la profonde houle et l'océan des blés
           Et la mouvante écume et nos greniers comblés
           Voici votre regard sur cette immense chape.
           Ibid., Présentation de la Beauce à Notre-Dame de Chartres.

13625   Nous ne demandons pas que la grappe écrasée
           Soit jamais replacée au fronton de la treille,
           Et que le lourd frelon et que la jeune abeille
           Y reviennent jamais se gorger de rosée.
           Ibid., Les quatre prières dans la cathédrale de Chartres. 2.
                                        Prière de demande.

13626   Nous ne demandons rien, refuge du pécheur [1],
           Que la dernière place en votre Purgatoire,
           Pour pleurer longuement notre tragique histoire
           Et contempler de loin votre jeune splendeur.
                                        Ibid.

13627   Quand les ressuscités s'en iront par les bourgs,
           Encor tout ébaubis et cherchant leur chemin,
           Et les yeux éblouis et se tenant la main,
           Et reconnaissant mal ces tours et ces détours

           Des sentiers qui menaient leur candide jeunesse [...].
                                        Les Tapisseries, Ève (Gallimard).

13628   [...] Quand ils reconnaîtront les jours de leur détresse
           Plus profonds et plus beaux que les jours de bonheur.
                                        Ibid.

13629   Heureux ceux qui sont morts dans une juste guerre.
           Heureux les épis mûrs et les blés moissonnés.
                                        Ibid.

13630   [...] Car le surnaturel est lui-même charnel
           Et l'arbre de la grâce est raciné profond [...].
                                        Ibid.

13631   O cœur îles de joie
                    Sur fond de peine,
                 La joie est une soie
                    Sur fond de laine.
                                        Quatrains (Gallimard).

13632   L'honneur est plus facile
                    O moraliste
                 Que le bonheur mobile
                    O réaliste.
                                        Ibid.

1. Le poète s'adresse à la Vierge.

Cœur tu n'es qu'un théâtre,   13633
    Mais on y joue
Dans les décors de plâtre
    Un drame fou.

Ibid.

Tu[1] avais tout pourvu   13634
    Fors cette fièvre,
Tu avais tout prévu,
    Fors ces deux lèvres.

Ibid.

Le jeune enfant bonheur   13635
    Vint en courant.
Mais le seigneur honneur
    Parut plus grand.

Ibid.

Voici monsieur le corps avec sa jeune dame.   13636
Il veut la présenter parmi la compagnie.
Elle toujours absente et toujours ennemie
Regarde le tison, et la cendre, et la flamme.

Suite d'Ève (Gallimard).

MARC SANGNIER

1873-1950

Que de disputes stériles seraient évitées et quelle magnifique   13637
puissance d'expansion acquerrait notre foi, si les catholiques
arrivaient à se persuader enfin que la vérité de la religion ne
saurait se démontrer comme un théorème, que le christianisme peut bien, sans doute, dans un certain sens, être
prouvé, mais qu'il doit surtout être *expérimenté!*
    L'Esprit démocratique, Première partie, chap. 11 (Perrin).

Nous ne saurions trop répéter que la famille n'est pas un   13638
but mais un moyen. Il n'y a qu'un but : Dieu.
    Ibid., chap. 4.

Ce qui seul importe c'est de vivre notre catholicisme, de   13639
faire porter des fruits à l'arbre dont nous sommes les rameaux,
en un mot d'être *intégralement*, c'est-à-dire par cela même,
socialement catholiques.   *Ibid., chap. 5.*

Nous savons que le catholicisme n'est pas seulement une   13640
religion faite pour sauver les âmes des individus; c'est aussi
une merveilleuse *force sociale.*
    Ibid., Deuxième partie, chap. 11.

Le Christ est pour nous, à la fois, la plus large expression   13641
de l'intérêt général et la plus étroite expression de l'intérêt
particulier.   *Ibid.*

Ce que Dieu demande de nous, c'est un geste seulement,   13642
et c'est lui qui fera le reste.
    Ibid., Troisième partie, chap. 1.

1. Le poète s'adresse à son cœur.

CHARLES-LOUIS PHILIPPE
1874-1909

13643 Nous parcourons le temps présent avec notre bagage, nous allons et nous sommes complets à tous les instants.
Bubu-de-Montparnasse, Première partie, chap. 1 (Fasquelle).

13644 Il y a des soirs où l'amitié ne suffit pas. [...] Nous avons besoin de nous fatiguer aussi.   *Ibid.*

13645 Les travailleurs qui peinent et qui souffrent sont des dupes.
Ibid., chap. 2.

13646 Les mots sont les fantômes des imaginations malades, au-dessus desquels il y a la vie qu'il faut vivre sans penser aux mots.   *Ibid., chap. 4.*

ALBERT THIBAUDET
1874-1936

13647 L'écriture qui ne prend pas de près contact avec la parole se dessèche comme la plante sans eau.
Réflexions sur la critique, Une querelle littéraire sur le style de Flaubert (Gallimard).

13648 La perle est d'ailleurs une maladie de l'huître et le fromage lui-même une maladie du lait. Mallarmé a réalisé le type non seulement d'une littérature sur la littérature, mais d'une littérature pour les littérateurs. Il en faut.
Ibid., Épilogue à la « Poésie de Stéphane Mallarmé ».

13649 [...] La mesure du bonheur d'un grand homme n'est pas donnée par ce qui de sa destinée comblerait un médiocre.
Histoire de la littérature française de 1789 à nos jours, Première partie, chap. 5, Chateaubriand (Stock).

13650 Après tout, les résultats vitaux d'un système original devraient devenir intelligibles à un esprit cultivé en un temps qui va de un à trois quarts d'heure.
Ibid., chap. 7, Madame de Staël.

13651 [...] Le retraité est, comme le bouilleur de cru, un personnage éminemment français.
Ibid., chap. 12, Courier et Béranger.

13652 L'art classique [...] est défendeur [...]. Le romantique est demandeur [...].
Ibid., Deuxième partie, chap. 2, Le romantisme.

13653 Le mythe [...] c'est une idée portée par un récit, une idée qui est une âme, un récit qui est un corps, et l'un de l'autre inséparables.   *Ibid., chap. 3, Lamartine.*

ALBERT SCHWEITZER
1875-1965

La philosophie, celle de l'Europe comme celle de l'Inde, se   13654
trouve en face de deux problèmes fondamentaux : celui de
l'attitude affirmative ou négative vis-à-vis de la vie et du
monde, et celui de l'éthique.
Les grands Penseurs de l'Inde, Préface (Payot).

Nous devons tendre vers une pensée plus profonde et plus   13655
puissante, plus riche en énergies morales et spirituelles,
capable de s'emparer des hommes et des peuples et de
s'imposer à eux.   *Ibid.*

Pourquoi la spiritualité indienne est-elle si pauvre en œuvres?   13656
[...] La pensée indienne [...], durant des siècles, n'a pas daigné
s'intéresser aux choses de ce monde. [...] L'idée de l'amour
actif ne commence à y jouer un rôle qu'à l'époque moderne.
Ibid., chap. 16 : Coup d'œil rétrospectif. Perspectives d'avenir.

L'idéal serait que Jésus eût prêché la vérité religieuse sous   13657
une forme intemporelle et directement accessible à toutes
les générations successives de l'humanité. Mais il ne l'a pas
fait et il y a sans doute une raison à cela.
Ma Vie et ma Pensée, chap. 6. (A. Michel).

En homme qui pense que l'idéalisme exige la clarté de   13658
l'esprit, je savais que toute entreprise dans une voie non
frayée implique un risque et n'a de sens ou de chances de
réussite que dans certains cas.   *Ibid., chap. 9.*

Il n'y a pas de héros de l'action. Il n'y a de héros que dans le   13659
renoncement et la souffrance.   *Ibid.*

La force qui ne connaît que la révolte s'y use.   *Ibid.* 13660

Que chacun s'efforce dans le milieu où il se trouve de témoi-   13661
gner à d'autres une véritable humanité. C'est de cela que
dépend l'avenir du monde.   *Ibid.*

Toute pensée qui pénètre en profondeur s'achève en un   13662
mysticisme moral.   *Ibid., chap. 18.*

La seule possibilité de donner un sens à son existence,   13663
c'est d'élever sa relation naturelle avec le monde à la hauteur
d'une relation spirituelle.   *Ibid., Épilogue.*

L'homme qui pense est plus indépendant à l'égard de la   13664
vérité religieuse traditionnelle que celui qui ne pense pas;
mais il ressent bien plus vivement ce qu'il y a de profond
et d'impérissable en elle.   *Ibid.*

ANDRÉ SIEGFRIED
1875-1959

13665 Quand il s'agit de la France, tout de suite on arrive à parler d'individus.
Tableau des Partis en France, I, Le caractère français (Grasset).

13666 La politique, chez nous, est justement ce qu'il y a de moins adapté aux préoccupations nouvelles qui tendent à dominer le monde. *Ibid.*

13667 Qu'est-ce qu'un bourgeois? Je proposerai cette définition : c'est quelqu'un qui a des réserves. *Ibid.*

13668 La France demeure en somme un pays où l'opinion considère les grandes affaires avec une jalousie mêlée d'hostilité : la banque, l'industrie, le haut commerce y arrivent sans doute, comme partout ailleurs, à leurs fins, mais ne peuvent le faire qu'en se cachant.
Ibid., II, Les facteurs déterminants de la politique intérieure.

JEAN-PIERRE BRISSET
?-?

13669 Le vrai Dieu est l'esprit de l'homme; mais cet Esprit est infiniment plus grand que l'esprit de toute l'humanité. L'homme ne connaît point la force qui l'anime, il ne connaît pas Dieu : nul ne se connaît soi-même.
La Science de Dieu ou la Création de l'homme, Première Partie. (Ed. Chamuel).

13670 [...] Les premiers livres sont les lèvres. *Ibid.*

13671 Les questions : *ai que ce? est que ce?* disaient : *ai* ou *est quoi ici?* et créèrent le mot *exe*, le premier nom du *sexe* [...] On questionna ensuite : *ce exe, sais que ce?* = ce point, sais-tu quoi c'est? ce qui devint : *sexe. — Sais que c'est? ce exe est, sexe est, ce excès. Ce excès,* c'est le sexe. — On voit que le sexe fut le premier *excès.* *Ibid.*

13672 Chaque son est un esprit d'ancêtre qui saisit le penseur et le conduit de tous côtés parmi ses relations, son parentage et lui raconte sa naissance et sa généalogie. *Ibid.*

13673 On peut dire que nous continuons à parler comme si nous étions restés amphibies. Le langage figuré fait à chaque instant allusion à des actes que seuls des êtres aquatiques et rampants, des grenouilles, ont pu exécuter. *Ibid.*

LÉON-PAUL FARGUE
1876-1947

La musique dira ces mots de lumière pour lesquels sont ‑13674
faits tous les autres, qui les coiffent de leurs feuilles sombres.
Poèmes (Gallimard).

Il est des pensées qu'on sent qui se cachent derrière toutes 13675
les autres. *Ibid.*

Sache souffrir. Mais ne dis rien qui puisse troubler la souf- 13676
france des autres. *Ibid.*

Qu'est-ce donc que toute notre tendresse? Rien, — qu'une 13677
petite vague qui racle sur la terre et s'en retourne à la haute
mer... *Ibid.*

[...] La vie m'a tant giflé que la tête m'en tournait comme 13678
la vis d'un tabouret de piano. *Vulturne (Gallimard).*

> Dans mon cœur en ta présence 13679
> Fleurissent des harengs saurs.
> Ma santé, c'est ton absence,
> Et quand tu parais, je sors.
> *Ludions, Merdrigal, en dédicrasse (Gallimard).*

Le génie est une question de muqueuses. L'art est une question 13680
de virgules. *Sous la lampe, Suite familière (Gallimard).*

J'appelle bourgeois quiconque renonce à soi-même, au 13681
combat et à l'amour, pour sa sécurité.
J'appelle bourgeois quiconque met quelque chose au-dessus
du sentiment. *Ibid.*

En art pas de hiérarchie, pas de sujets, pas de genres. 13682
Ibid.

Gare de la douleur j'ai fait toutes tes routes. 13683
Ibid., Banalité.

L'inspiration, dans le royaume obscur de la pensée, c'est 13684
peut-être quelque chose comme un jour de grand marché
dans le canton. Il y a réjouissance en quelque endroit de la
matière grise. [...]
Le Piéton de Paris, Par ailleurs (Gallimard).

Il faut [...] que l'un de nous se décide à écrire ce que l'on 13685
n'écrit pas. Car, en somme, en dehors de certains chefs-
d'œuvre, aussi nécessaires au rythme universel que les sept
merveilles du monde; et qui finissent pas se confondre avec
la nature, avec les arbres, avec les visages, avec les maisons,
l'on n'écrit rien. *Ibid.*

13686   Sensible... s'acharner à être sensible, infiniment sensible, infiniment réceptif. Toujours en état d'osmose. Arriver à n'avoir plus besoin de regarder pour voir. Discerner le murmure des mémoires, le murmure de l'herbe, le murmure des gonds, le murmure des morts. Il s'agit de devenir silencieux pour que le silence nous livre ses mélodies, douleur pour que les douleurs se glissent jusqu'à nous, attente pour que l'attente fasse enfin jouer ses ressorts. Écrire, c'est savoir dérober des secrets qu'il faut encore savoir transformer en diamants.   *Ibid.*

13687   Point n'est besoin d'écrire pour avoir de la poésie dans ses poches.   *Ibid., Mon quartier.*

13688   [...] L'esprit parisien ne s'apprend ni ne s'enseigne.
                        Déjeuners de soleil, le lendemain (Gallimard).

13689   Le slogan est une maladie de la formule...
                                          Ibid., Dialogue.

13690   L'amabilité provient d'une bonne santé, d'une bonne conscience, ou de beaucoup d'épreuves. Quand on a suffisamment souffert, on devient méchant ou excellent.
                      Ibid., Soyons polis pour être honnêtes.

13691   On n'est pas poète parce qu'il y a eu des poètes avant vous. On écrit de la poésie parce qu'on a besoin de mettre de l'ordre dans le désordre sentimental intérieur, parce qu'on a de l'oreille et qu'on sait du français.
                              Lanterne magique (Laffont).

13692   Que le poème soit [...] de l'ordre quintessencié, comme un produit de la nature, un aboutissement.   *Ibid.*

MAX JACOB
1876-1944

13693   Tout ce qui existe est situé.
                  Le Cornet à dés, Préface de 1916 (Gallimard).

13694   Le style est la volonté de s'extérioriser par des moyens choisis.   *Ibid.*

13695   On n'estime que les œuvres longues, or il est difficile d'être longtemps beau.   *Ibid.*

13696   L'art est proprement une « distraction ».   *Ibid.*

13697   Je suis convaincu que l'émotion artistique cesse où l'analyse et la pensée interviennent.   *Ibid.*

13698   Surprendre est peu de chose, il faut « transplanter ».
                                                        Ibid.

Distinguons le style d'une œuvre de sa situation. Le style 13699
ou volonté crée, c'est-à-dire sépare. La situation éloigne,
c'est-à-dire excite à l'émotion artistique [...]. Certaines
œuvres de Flaubert ont du style; aucune n'est située. Le
théâtre de Musset est situé et n'a pas beaucoup de style.
L'œuvre de Mallarmé est le type de l'œuvre située [...].
Ibid.

Le mystère est dans cette vie, la réalité dans l'autre; si vous 13700
m'aimez, si vous m'aimez, je vous ferai voir la réalité.
Ibid., Première partie, Le Coq et la Perle.

Le poète cache sous l'expression de la joie le désespoir de 13701
n'en avoir pas trouvé la réalité.
La Défense de Tartuffe, Première partie, Préface, Antithèse
(Gallimard).

Écoutez bien le ciel, vous entendrez les anges. 13702
Écoutez-moi penser, vous entendrez mon Dieu.
Docteur, auscultez-moi et convertissez-vous.
Ibid., Deuxième partie, Ascension.

L'ÉCHAFAUD, c'est la guillotine, 13703
On n'en veut plus, c'est pour les rois!
Le Laboratoire central, Le Kamichi (Gallimard).

Je ne veux que des hommes tels que, Dieu, vous les faites. 13704
Les Pénitents en maillots roses, Voyages (Gallimard).

Hélas mon cœur n'a pas changé 13705
Il saute quand passe un garçon
et j'ai peur quand il y a du vent.
Œuvres burlesques et mystiques de frère Matorel mort au
couvent, Jeunes filles modernes à Douarnenez
(Ed. Kahnweiler).

Une personne de la Trinité 13706
est ici sur un peu de paille.
Ibid., Encore un Noël.

J'ouvrirai une école de vie intérieure, et j'écrirai sur la 13707
porte : école d'art.
Conseils à un jeune poète (Gallimard).

Le « qu'est-ce que ça veut dire? » est le reproche qu'on fait 13708
au poète qui n'a pas su vous émouvoir. *Ibid.*

Si je crois à l'inspiration? Mais bien sûr! Je crois même 13709
que tous les hommes sont inspirés. Ça s'appelle intuition.
Ibid.

L'érudition c'est la mémoire et la mémoire c'est l'imagina- 13710
tion. *Ibid.*

Le propre du lyrisme est l'inconscience, mais une incons- 13711
cience surveillée. *Ibid.*

La vie est un livre suffisant. 13712
Conseils à un étudiant (Gallimard).

ANNA DE NOAILLES
1876-1933

13713   La douleur et la mort sont moins involontaires
Que le choix du désir.
Le Cœur innombrable, I, Le Baiser (Calmann-Lévy).

13714   Aimez la mort aussi, votre bonne patronne,
Par qui votre désir de toutes choses croît.
Ibid., III, Voix intérieure.

13715   Il n'est rien de réel que le rêve et l'amour.
Ibid., IV, Chanson du Temps opportun.

13716   Retenez, du savoir, ce qu'il faut au bonheur;
On est assez profond pour le jour où l'on meurt.
Ibid.

OSCAR VENCESLAS
DE LUBICZ–MILOSZ
1877-1939

13717 Mais le jour pleut sur le vide de tout.
Les sept Solitudes, Dans un pays d'enfance...
(Ed. André Silvaire).

13718 Les morts, les morts sont au fond moins morts que moi.
Ibid., Tous les morts sont ivres...

13719 Escabeau velouté pour les genoux de la prière [...], Venise
est aussi le lacrymatoire précieux de toute l'amoureuse douleur humaine [...]
L'Amoureuse Initiation (Ed. André Silvaire).

13720 Je ne m'adresse qu'aux esprits qui ont reconnu la prière
comme le premier entre tous les devoirs de l'homme.
La Confession de Lemuel, Cantique de la Connaissance
(Ed. André Silvaire).

13721 Qu'il n'y ait plus ni fini ni infini. Que seul l'amour devenu
lieu demeure.
Les Arcanes, Prière de Hiram (Ed. André Silvaire).

13722   Quarante ans.
Je connais peu ma vie. Je ne l'ai jamais vue
S'éclairer dans les yeux d'un enfant né de moi.
Poésies II, Nihumím (Ed. André Silvaire).

13723   Quarante ans.
Pour apprendre à parler sans mépris de la femme.
Ibid.

Il n'y a que les oiseaux, les enfants et les Saints qui soient 13724
intéressants.
>   *Déclaration à Armand Godoy (Ed. André Silvaire).*

Nous n'apportons, à la vérité, ni l'espace ni le temps dans la 13725
nature, mais bien le mouvement de notre corps et la connaissance, ou, plus exactement, la constatation et l'amour
de ce mouvement, constatation et amour que nous appelons
Pensée et qui sont l'origine de la science première et fondamentale de situer toutes choses, en commençant par nous-
mêmes. *Ars Magna, Épître à Storge (Ed. André Silvaire).*

Où rien n'est situé, il n'y a pas de passage d'un lieu à un 13726
autre, mais seulement d'un état — et d'un état d'amour —
à un autre; et voilà pourquoi l'amour se rit et de la vie et
de la mort. *Ibid.*

Le sang est l'étalon des valeurs métaphysiques. 13727
>   *Ibid., Nombres.*

Le mouvement est antérieur à la chose qui se meut. Le 13728
mouvement, matière-espace-temps, est déjà la chose. Et
cependant, il est antérieur à la chose.
>   *Ibid., Turba magna.*

Ma vérité nocturne se réveille; je suis libre, libre! Je ne 13729
suis plus un lâche créateur d'illusions; je ne me donne plus
la comédie de purifier la chose terrestre que j'aime par
faiblesse. Je suis libre! C'est comme si j'étais mort. Salut,
univers, mon amour! *Ibid.*

RAYMOND ROUSSEL
1877-1933

>   Dans ces pays à sieste où l'on ignore l'âtre, 13730
>   La femme a, blanche ou noire, un rejeton mulâtre.
>   *Nouvelles impressions d'Afrique, III (Pauvert).*

Je me suis toujours proposé d'expliquer de quelle façon 13731
j'avais écrit certains de mes livres.
>   *Comment j'ai écrit certains de mes livres (Pauvert).*

On a fait beaucoup de jeux de mots sur *Locus Solus; Loufocus* 13732
Solus, Cocus Solus, Blocus Solus ou les bâtons dans les Ruhrs,
Locus Salus (à propos du *Lac Salé* de Pierre Benoit), *Locus*
Coolus, Coolus Solus (à propos d'une pièce de Romain
Coolus), *Gugus Solus, Locus Saoulus,* etc. Il y en a un qui
manque et qui, il me semble, méritait d'être fait, c'est *Logicus*
Solus. *Ibid.*

Et je me refugie, faute de mieux, dans l'espoir que j'aurai 13733
peut-être un peu d'épanouissement posthume à l'endroit de
mes livres. *Ibid.*

LUCIEN FEBVRE
1878-1956

13734 Pénétrer de présent la tradition elle-même : premier moyen de lui résister.
Combats pour l'histoire, Examen de conscience (A. Colin).

13735 [...] *Une* civilisation peut mourir. *La* civilisation ne meurt pas.   *Ibid., Face au vent.*

13736 Comprendre, c'est compliquer. C'est enrichir en profondeur. C'est élargir de proche en proche. C'est mêler à la vie.
Ibid., Sur l'esprit politique de la Réforme.

CHARLES-FERDINAND RAMUZ
1878-1947

13737 C'est à cause que tout doit finir que tout est si beau.
Adieu à beaucoup de personnages (Les Cahiers vaudois).

13738 Adieu à tous ceux qui m'ont entouré, que j'ai aimés, que j'ai connus; que je sois dépouillé d'eux, que je sois nu, que je retombe à la solitude; qu'il y ait autour de moi cette privation d'amour qui est l'occasion du désir.   *Ibid.*

13739 [...] Et, parce qu'il lève son verre, il lève dans le jour du jour ressuscité; il lève dans la transparence une transparence plus grande.
Fête des Vignerons, chap. 13 (Horizons de France).

13740 Viens te mettre à côté de moi sur le banc devant la maison, femme, c'est bien ton droit; il va y avoir quarante ans qu'on est ensemble.   *Livret de famille du canton de Vaud.*

13741 Être isolé du reste des hommes, c'est se sentir inutile. Se sentir inutile est pire encore que de se sentir coupable.
Journal, 10 décembre 1896 (Grasset).

13742 La poésie n'est ni dans la pensée, ni dans les choses, ni dans les mots; elle n'est ni philosophie, ni description, ni éloquence : elle est inflexion.   *Ibid., 25 juin 1901.*

13743 Ni l'amitié ni les petits plaisirs ne remplacent ce sentiment qu'on a d'élever enfin son front par-dessus le mur.
Ibid., 3 décembre 1902.

13744 Je ne crois pas à la science. Je ne crois plus qu'à la croyance. Et je ne suis pas croyant.   *Ibid., 14 décembre 1903.*

13745 Il n'y a d'éternellement neuf que l'éternellement vieux. Il n'y a d'inépuisable que les lieux communs. Il n'y a que

deux choses qui intéressent : l'amour et la mort. Tout *sujet* qui sort de l'ordinaire de la vie ne mérite aucune attention.
Ibid., 11 avril 1904.

Les voyages sont amers et vains. Je fixerai ma vie comme on 13746 attache une bête à son pieu.   *Ibid., 4 juin 1904.*

Je déteste un certain socialisme parce qu'il a la haine de 13747 l'argent au lieu d'en avoir le mépris.
Ibid., 28 septembre 1905.

Tout le secret de l'art est peut-être de savoir *ordonner* des 13748 émotions désordonnées, mais de les ordonner de telle façon qu'on en fasse sentir encore mieux le désordre.
Ibid., 7 janvier 1906.

Il faut que mon style ait la démarche de mes personnages. 13749
Ibid., 5 avril 1908.

Je sens que je progresse à ceci que je recommence à ne rien 13750 comprendre à rien.   *Ibid., 10 septembre 1917.*

VICTOR SEGALEN
1878-1919

L'heure était propice à répéter sans trêve, afin de n'en pas 13751 omettre un mot, les beaux parlers originels [...]
Les Immémoriaux, Première partie (Plon).

On sait que les filles se disputent tous les mâles qu'un dieu, 13752 il n'importe lequel, anime et rend puissants.
Ibid., Troisième partie.

L'immuable n'habite pas vos murs, mais en vous, hommes 13753 lents, hommes continuels.
Stèles, Aux dix mille années (Plon).

Point de révolte : honorons les âges dans leurs chutes 13754 successives et le temps dans sa voracité.   *Ibid.*

Ainsi, sans arrêt ni faux pas, sans licol et sans étable, sans 13755 mérites ni peines, tu parviendras, non point, ami, au marais des joies immortelles,
Mais aux remous pleins d'ivresses du grand fleuve Diversité.
Ibid., Conseils au bon voyageur.

Mais fondent les eaux dures, déborde la vie, vienne le 13756 torrent dévastateur plutôt que la Connaissance!
Ibid., Nom caché.

[...] Le Divers dont il s'agit ici est fondamental. L'exotisme 13757 n'est pas celui que le mot a déjà tant de fois prostitué. L'exotisme est tout ce qui est Autre. Jouir de lui est apprendre à déguster le Divers.   *Équipée, 28 (Plon).*

JACQUES BAINVILLE
1879-1936

13758 La guerre est une révolution comme les révolutions sont la guerre.   *Napoléon, La Transfiguration (Fayard).*

13759 La supériorité des Occidentaux tient [...], en dernière analyse, au capitalisme, c'est-à-dire à la longue accumulation de l'épargne. C'est l'absence de capitaux qui rend les peuples sujets.
La Fortune de la France, A quoi tient la supériorité des Blancs (Plon).

13760 Le nationalisme est une attitude de défense, rendue nécessaire par la faiblesse de l'État français.
Journal (1901-1918), 12 novembre 1911 (Plon).

13761 Nous mourons de l'ignorance et de l'inintelligence de notre passé, du sot préjugé démocratique d'après lequel le « temps marche ».   *Ibid., 18 août 1916.*

LÉON JOUHAUX
1879-1954

13762 Le mouvement ouvrier est essentiellement internationaliste et pacifiste. Un syndicalisme — ou un socialisme — national est un mensonge des dictatures fascistes : ce n'est qu'un prétexte à asservir les forces ouvrières et à les utiliser pour les fins d'un nationalisme exaspéré et belliqueux.
La C.G.T., Ce qu'elle est, Ce qu'elle veut, II, Après la guerre (Gallimard).

13763 On ne détruit que ce que l'on remplace.   *Ibid.*

VINCENT MUSELLI
1879-1956

13764   Et vos coups de souliers aux portes impartis,
             Dans leurs lits inquiets font trembler les concierges.
Les Masques, Les Buveurs.

FRANCIS PICABIA
1879-1953

13765 L'art, la science sont objectifs comme les femmes.
Râteliers platoniques, L'Amazone porte-serviettes.

L'avenir n'existe pas quoique j'aille mieux.   13766
Unique eunuque (Au Sans Pareil).

La morale est le contraire du bonheur   13767
depuis que j'existe.
Jésus-Christ Rastaquouère, Bonheur nouveau
(Collection Dada).

L'avenir est un instrument monotone.   13768
Ibid., Colin-Maillard.

La mort est le prolongement horizontal   13769
d'un rêve factice,
la vie n'étant pas vérifiable.
Thalassa dans le désert, De l'autre côté.

Je pense que les femmes   13770
sont les dépositaires de la liberté.
Poèmes de Dingalari (P.A.B.).

HENRI WALLON
1879-1962

La fonction symbolique est le pouvoir de trouver à un objet   13771
sa représentation et à sa représentation un signe.
De l'acte à la pensée, Troisième partie, chap. 1 (Flammarion).

Il n'y a pas de concept, si abstrait soit-il, qui n'implique   13772
quelque image sensorielle, et il n'y a pas d'image, pour si
concrète qu'elle soit, qu'un mot ne sous-tende et qui ne
fasse entrer les limites de l'objet dans celles du mot : c'est
en ce sens que nos expériences les plus individuelles sont
déjà moulées par la société.   *Ibid., Conclusion.*

« Nature » et société, aux antipodes l'une de l'autre, forment   13773
un couple aux termes complémentaires. Cette contradiction
peut être résolue par une interprétation dialectique de l'éducation, qui est action, mouvement, passage d'un état à un
autre, et dont c'est l'office de faire qu'un être devient ce qu'il
n'était pas, ou ce qu'il n'était qu'incomplètement.
Introduction à « l'Émile » (Éd. sociales).

GUILLAUME APOLLINAIRE
1880-1918

La vérité est que l'hérésiarque était pareil à tous les hommes,   13774
car tous sont à la fois pécheurs et saints, quand ils ne sont
pas criminels et martyrs.
L'Hérésiarque et Cⁱᵉ, L'Hérésiarque (Stock).

13775
>   Incertitude, ô mes délices
>   Vous et moi nous nous en allons
>   Comme s'en vont les écrevisses,
>   A reculons, à reculons
>   *Le Bestiaire ou Cortège d'Orphée, L'Écrevisse*
>   *(Éd. de la Sirène).*

13776 Les vertus plastiques : la pureté, l'unité et la vérité maintiennent sous leurs pieds la nature terrassée.
>   *Les Peintres cubistes, Méditations esthétiques.*
>   *Sur la peinture I (Hermann).*

13777 On ne peut pas transporter partout avec soi le cadavre de son père.
>   *Ibid.*

13778 Avant tout, les artistes sont des hommes qui veulent devenir inhumains.
>   *Ibid.*

13779 Si le but de la peinture est toujours comme il fut jadis : le plaisir des yeux, on demande désormais à l'amateur d'y trouver un autre plaisir que celui que peut lui procurer aussi bien le spectacle des choses naturelles. On s'achemine ainsi vers un art entièrement nouveau, qui sera à la peinture, telle qu'on l'avait envisagée jusqu'ici, ce que la musique est à la littérature.
Ce sera de la peinture pure, de même que la musique est de la littérature pure.
>   *Ibid., II.*

13780 Un Picasso étudie un objet comme un chirurgien dissèque un cadavre.
>   *Ibid.*

13781 La géométrie est aux arts plastiques ce que la grammaire est à l'art de l'écrivain.
>   *Ibid., III.*

13782 [Le cubisme] c'est l'art de peindre des ensembles nouveaux avec des éléments empruntés, non à la réalité de vision, mais à la réalité de connaissance.
>   *Ibid., VII.*

13783 J'aime l'art d'aujourd'hui parce que j'aime avant tout la lumière et tous les hommes aiment avant tout la lumière, ils ont inventé le feu.
>   *Ibid.*

13784 C'est par la quantité de travail fournie par l'artiste, que l'on mesure la valeur d'une œuvre d'art.
>   *Ibid., Peintres nouveaux, Picasso.*

13785 Voici donc Georges Braque. Son rôle fut héroïque. Son art paisible est admirable. Il s'efforce gravement. Il exprime une beauté pleine de tendresse et la nacre de ses tableaux irise notre entendement. Ce peintre est angélique.
>   *Ibid., Georges Braque.*

13786 L'Européen le plus moderne c'est vous Pape Pie X.
>   *Alcools, Zone (Gallimard).*

13787 C'est le Christ qui monte au ciel mieux que les aviateurs
>   Il détient le record du monde pour la hauteur
>   *Ibid.*

Adieu Adieu
Soleil cou coupé.

13788

Ibid.

Sous le pont Mirabeau coule la Seine
Et nos amours
Faut-il qu'il m'en souvienne
La joie venait toujours après la peine

13789

Vienne la nuit sonne l'heure
Les jours s'en vont je demeure

Ibid., Le pont Mirabeau.

Comme la vie est lente
Et comme l'Espérance est violente

13790

Ibid.

Mon beau navire ô ma mémoire
Avons-nous assez navigué
Dans une onde mauvaise à boire
Avons-nous assez divagué
De la belle aube au triste soir.

13791

Ibid., La Chanson du Mal-aimé.

Voie lactée ô sœur lumineuse
Des blancs ruisseaux de Chanaan
Et des corps blancs des amoureuses
Nageurs morts suivrons-nous d'ahan
Ton cours vers d'autres nébuleuses

13792

Ibid.

Le pré est vénéneux mais joli en automne
Les vaches y paissant
Lentement s'empoisonnent

13793

Ibid., Les Colchiques.

Ouvrez-moi cette porte où je frappe en pleurant

13794

Ibid., Le Voyageur.

Vous y dansiez petite fille
Y danserez-vous mère-grand
C'est la maclotte qui sautille
Toutes les cloches sonneront
Quand donc reviendrez-vous Marie

13795

Ibid., Marie.

Au-dehors les années
Regardaient la vitrine
Les mannequins victimes
Et passaient enchaînées

13796

Ibid., L'Émigrant de Landor Road.

Le Rhin le Rhin est ivre où les vignes se mirent.

13797

Ibid., Nuit rhénane.

Mon verre s'est brisé comme un éclat de rire.

13798

Ibid.

13799
> Que lentement passent les heures
> Comme passe un enterrement
>
> Tu pleureras l'heure où tu pleures
> Qui passera trop vitement
> Comme passent toutes les heures.
>> *Ibid., A la Santé, V.*

13800
> O ma jeunesse abandonnée
> Comme une guirlande fanée
> Voici que s'en vient la saison
> Des regrets et de la raison.
>> *Vitam impendere Amori (Mercure de France).*

13801 L'on peut prévoir le jour où, le phonographe et le cinéma étant devenus les seules formes d'impression en usage, les poètes auront une liberté inconnue jusqu'à présent.
>> *L'Esprit nouveau et les poètes (Gallimard).*

13802 L'art, de plus en plus, aura une patrie.   *Ibid.*

13803 N'y a-t-il rien de nouveau sous le soleil? Il faudrait voir. Quoi! On a radiographié ma tête. J'ai vu, moi vivant, mon crâne et cela ne serait en rien de la nouveauté? A d'autres!
>> *Ibid.*

13804 Les fables s'étant pour la plupart réalisées et au-delà, c'est au poète d'en imaginer des nouvelles, que les inventeurs puissent à leur tour réaliser.   *Ibid.*

13805 On peut être poète dans tous les domaines : il suffit que l'on soit aventureux et que l'on aille à la découverte.   *Ibid.*

13806 Le moindre fait est pour le poète le postulat, le point de départ d'une immensité inconnue où flambent les feux de joie des significations multiples.   *Ibid.*

13807 Qui oserait dire que, pour ceux qui sont dignes de la joie, ce qui est nouveau ne soit pas beau?   *Ibid.*

13808 L'Honneur tient souvent à l'heure que marque la pendule
>> *Calligrammes, Lundi rue Christine (Gallimard).*

13809
> Il est des loups de toute sorte
> Je connais le plus inhumain
> Mon cœur que le diable l'emporte
> Et qu'il le dépose à sa porte
> N'est plus qu'un jouet dans sa main
>> *Ibid., C'est Lou qu'on la nommait.*

13810
> Le galop bleu des souvenances
> Traverse les lilas des yeux
>
> Et les canons des indolences
>
> Tirent mes songes vers
>>   les
>>   cieux
>> *Ibid., Reconnaissance.*

Ah Dieu! que la guerre est jolie   13811
Avec ses chants ses longs loisirs
          Ibid., L'Adieu du cavalier.

Il est grand temps de rallumer les étoiles.   13812
          Les Mamelles de Tirésias, Prologue (Ed. S.I.C.).

Les charbons du ciel étaient si proches que je craignais   13813
leur ardeur. Ils étaient sur le point de me brûler. Mais j'avais
la conscience des éternités différentes de l'homme et de la
femme.   *Il y a, Onirocritique (Gallimard).*

Si je mourais là-bas sur le front de l'armée   13814
Tu pleurerais un jour ô Lou ma bien-aimée
Et puis mon souvenir s'éteindrait comme meurt
Un obus éclatant sur le front de l'armée
Un bel obus semblable aux mimosas en fleur
Poèmes à Lou, XII, Si je mourais là-bas... (Gallimard).

La nuit descend   13815
On y pressent
Un long un long destin de sang.
                              Ibid.

BERNARD GROETHUYSEN
1880-1946

Toute pensée a le droit d'être « pensée », de se penser elle-   13816
même, si j'ose dire. En tant que pensée originairement donnée,
elle porte sa justification en elle-même.
Introduction à la pensée allemande depuis Nietzsche, II
                              (Stock).

Pourquoi donc ne rangerait-on pas les systèmes des philo-   13817
sophes parmi les œuvres d'art?   *Ibid.*

L'homme raisonnable ne déraisonne jamais. Il en est autre-   13818
ment de l'homme d'esprit.
          Philosophie de la Révolution française, II (Gallimard).

Les hommes valent ce que valent leurs droits. Ce qui fait   13819
d'un homme un homme est en même temps ce qui lui donne
ses droits.   *Ibid., Conclusion.*

Dieu, comme le diable, et comme la belle Hélène, risquera   13820
de se voir finalement emprisonné dans des in-folio, sans
pouvoir sortir des rayons de la bibliothèque, où il n'est
plus qu'un objet d'érudition.
          Mythes et portraits, Bayle (Gallimard).

Chaque biographie est une histoire universelle.   13821
          Ibid., La vie de Goethe.

JEAN-MARC BERNARD
1881-1915

13822   Jetons les livres allemands,
Par les fenêtres, à brassées.
Foin des cuistres et des pédants,
Et vivent les claires pensées!
Sub tegmine fagi (Ed. du Temps présent).

HENRI FOCILLON
1881-1943

13823 Les relations formelles dans une œuvre et entre les œuvres
constituent un ordre, une métaphore de l'univers.
Vie des formes, I, Le monde des formes. (P.U.F.).

13824 Le signe signifie, alors que la forme *se* signifie. *Ibid.*

13825 L'état de liberté indéterminée conduit fatalement à l'imitation. *Ibid.*

13826 L'espace où se meut la vie est une donnée à laquelle elle se
soumet, l'espace de l'art est matière plastique et changeante.
Ibid., II, Les formes dans l'espace.

13827 La vie des formes, sans cesse renouvelée, ne s'élabore pas
selon des données fixes, constamment et universellement
intelligibles, mais [...] elle engendre diverses géométries,
à l'intérieur de la géométrie même, comme elle se crée les
matières dont elle a besoin. *Ibid.*

13828 Le propre de l'esprit, c'est de se décrire constamment lui-
même. C'est un dessin qui se fait et se défait, et son activité,
en ce sens, est une activité artistique.
Ibid., IV, Les formes dans l'esprit.

13829 Dans ces mondes imaginaires, dont l'artiste est le géomètre
et le mécanicien, le physicien et le chimiste, le psychologue
et l'historien, la forme, par le jeu des métamorphoses, va
perpétuellement de sa nécessité à sa liberté.
Ibid., V, Les formes dans le temps.

BERNARD GRASSET
1881-1955

13830 « Fraîcheur » est un mot de peintre. Il n'est pas moins heureux en littérature.
Les Chemins de l'écriture, Première partie (Grasset).

La poursuite chimérique de la perfection est toujours liée   13831
à quelque manque sensible, souvent à l'impuissance d'aimer.
                                                        Ibid.

VALERY LARBAUD
1881-1957

Prête-moi ton grand bruit, ta grande allure si douce,   13832
Ton glissement nocturne à travers l'Europe illuminée,
O train de luxe! [...]
        Les Poésies de A. O. Barnabooth, Ode (Gallimard).

Je veux baiser le mépris à pleines lèvres;   13833
Allez dire à la Honte que je meurs d'amour pour elle.
                                Ibid., L'Eterna volutta.

Assez de mots, assez de phrases! ô vie réelle,   13834
Sans art et sans métaphores, sois à moi.
                                Ibid., Musique après une lecture.

Je suis agi par les lois invincibles du rythme,   13835
Je ne les comprends pas moi-même : elles sont là.
O Diane, Apollon, grands cieux neurasthéniques
Et farouches, est-ce vous qui me dictez ces accents,
Ou n'est-ce qu'une illusion, quelque chose
De moi-même purement — un borborygme?
                                        Ibid., Ma muse.

Et où que j'aille, dans l'univers entier,   13836
Je rencontre toujours,
Hors de moi comme en moi,
L'irremplissable Vide,
L'inconquérable Rien.
                        Ibid., Le don de soi-même.

Pour moi,   13837
L'Europe est comme une seule grande ville
Pleine de provisions et de tous les plaisirs urbains,
Et le reste du monde
M'est la campagne ouverte où, sans chapeau,
Je cours contre le vent en poussant des cris sauvages!
                                Ibid., Europe, III.

[...] Les liaisons commencent dans le champagne et finissent   13838
dans la camomille.   *Ibid., Journal intime.*

Vous connaissez le dicton français : noblesse oblige. Eh   13839
bien, c'est toute la définition de la noblesse : elle oblige et
ne fait pas autre chose.   *Ibid.*

Le peuple, c'est tout ce qui n'est pas médiocre. Nous sommes   13840
des espèces de castrats moralement, eux, ils sont entiers.
                                                    Ibid.

13841 Et vous, ô vérité, pourquoi n'êtes-vous pas évidente? Pauvres idées, il faut être bien jeune pour ne pas s'apercevoir, du premier coup, qu'elles sont moins réelles que la brume d'un soir d'il y a trois mille ans... *Ibid.*

13842 [...] Je n'ai jamais pu voir les épaules d'une jeune femme sans songer à fonder une famille. *Ibid.*

13843 Chaque pays a son ange gardien. C'est lui qui préside au climat, au paysage, au tempérament des habitants, à leur santé, à leur beauté, à leurs bonnes mœurs, à leur bonne administration. C'est l'ange géographique [...] Mais, dans chaque pays un méchant et puissant démon s'oppose à ce bon ange. A lui sont attribuables les disettes, les épidémies, les difformités, les crimes, les guerres, la vie chère, et l'esprit de persécution, de sottise et de haine. C'est le démon politique.
Jaune, bleu, blanc, Le Vain travail de voir divers pays (Gallimard).

13844 J'en arrivais à me demander si, dans la vie comme aux courses de taureaux, les meilleures places ne sont pas celles du côté de l'ombre. *Ibid., 200 chambres, 200 salles de bains.*

13845 Qui sait si notre vie la plus réfléchie, et les ouvrages qu'elle produit, ne doivent pas autant à l'étude attentive du nu qu'à celle des livres et qu'à l'audition de la meilleure musique? Pour moi, il m'arrive de distinguer à peine, quand je compose, les souvenirs et les images de la forme féminine de la matière linguistique que je mets en œuvre. Je crois les pétrir, les caresser, les recréer ensemble.
Ibid., Lettre de Lisbonne.

ROGER MARTIN DU GARD
1881-1958

13846 Tout écrit [...] doit avoir les caractères et les qualités d'une construction. *Souvenirs (Gallimard).*

13847 Pour moi, le fond et la forme sont aussi distincts que le lièvre et sa sauce. Est-ce que le lièvre naît en civet?
Journal, 17 mars 1942.

13848 Ceux qui sont « bien pensants », parce qu'ils ne peuvent pas être « pensants » tout court.
Jean Barois, Deuxième partie, Le Semeur, chap. 2 (Gallimard).

13849 Une conviction qui commence par admettre la légitimité d'une conviction adverse se condamne à n'être pas agissante.
Ibid., chap. 3.

13850 Nous avons tous une faculté particulière — un don, si vous voulez, — par lequel nous resterons toujours absolument distincts des autres êtres. C'est ce don-là qu'il faut arriver à trouver en soi et à exalter, à l'exclusion du reste.
Ibid.

Il n'y aurait pour l'Église qu'une seule chance de salut : 13851
« évoluer », afin de rendre ses formules acceptables aux
consciences modernes.   *Ibid., Le Calme, chap. 2.*

La religion, c'est la science d'autrefois, desséchée, devenue 13852
dogme; ce n'est que l'enveloppe d'une explication scientifique dépassée depuis longtemps.   *Ibid.*

Quand la vérité est libre et l'erreur aussi, ce n'est pas l'erreur 13853
qui triomphe!   *Ibid.*

Je ne crois pas à l'âme humaine, substantielle et immortelle. 13854
Je ne crois pas que la matière s'oppose à l'esprit.
[...]
Je crois au déterminisme universel [...]
Le bien et le mal sont des distinctions arbitraires.
[...]
                              Ibid., chap. 3.

La République porte en elle-même une vertu précieuse : 13855
elle est le seul régime perfectible par nature.
                    Ibid., 3e partie, La Fêlure, chap. 2.

Les vainqueurs prennent immédiatement les vices des 13856
vaincus.   *Ibid.*

— Vous aurez beau dire, c'est un fameux siècle, celui qui 13857
a commencé par la Révolution et qui finit par l'Affaire :
— C'est aussi celui de la fièvre, des utopies et des incertitudes, des échafaudages hâtifs et des malfaçons. Nous ne
savons pas. On l'appellera peut-être : le siècle de la camelote!
                              Ibid.

Si l'on déracine les dogmes, le sentiment religieux persistera. 13858
                    Ibid., L'Age critique, chap. 1.

L'homme n'est peut-être pas capable de profiter, plusieurs 13859
générations de suite, des enseignements de sa raison.
                              Ibid.

Les « comment » m'intéressent assez pour que je renonce 13860
sans regret à la vaine recherche des « pourquoi ». D'ailleurs,
[...] entre ces deux ordres d'explications, il n'y a peut-être
qu'une différence de degré.
         Les Thibault, Deuxième partie, Le Pénitencier, chap. 11
                              (Gallimard).

Liberté complète à condition de voir clair...   13861
         Ibid., Quatrième partie, La consultation, chap. 13.

Tout est permis du moment qu'on n'est pas dupe de soi- 13862
même; du moment qu'on sait ce qu'on fait, et, autant que
possible, pourquoi on le fait.   *Ibid.*

Au fond, la mort seule existe. : elle réfute tout, elle dépasse 13863
tout... absurdement!
         Ibid., Sixième Partie, La Mort du père, chap. 3.

13864 Si l'on ne fait pas le bien par goût naturel, que ce soit par
désespoir; ou du moins pour ne pas faire le mal.
Ibid., chap. 10.

13865 Une faute non commise ne peut-elle pas provoquer dans le
caractère d'un homme autant de déformations et faire dans
sa vie intérieure autant de ravages qu'un crime réel? Rien
n'y manque : pas même les morsures du remords.   *Ibid.*

13866 Pourquoi vouloir imaginer à tout prix un Ordre suprême?
Tentation de nos esprits logiciens. Pourquoi vouloir trouver une direction commune à ces mouvements qui ricochent
les uns sur les autres, à l'infini?   *Ibid., chap. 14.*

13867 Ce ne sont pas les patriotes, ce sont les nationalistes du
XIXe siècle qui, dans chaque pays, ont faussé la notion de
patrie.   *Ibid., Septième partie, L'Eté 14, chap. 2.*

13868 Le problème de la patrie n'est peut-être, au fond, qu'un
problème de langage! Où qu'il soit, où qu'il aille, l'homme
continue à penser avec les mots, avec la syntaxe de son pays.
Ibid.

13869 L'homme peut s'expatrier, mais il ne peut pas se « dépa-
trier ».   *Ibid.*

13870 Les deux types de révolutionnaires : les « apôtres » et les
« techniciens ».   *Ibid., chap. 4.*

13871 Dans chaque Français, il y a un sceptique qui ne dort jamais
que d'un demi-œil.   *Ibid., chap. 5.*

13872 Pour moi, la vraie révolution, la révolution qui mérite qu'on
lui voue toutes ses forces elle ne s'accomplira jamais dans le
déni des valeurs morales!   *Ibid., chap. 8.*

13873 Tout régime social est fatalement condamné à refléter ce
qu'il y a d'irrémédiablement mauvais dans la nature humaine.
Ibid., chap. 17.

13874 Tous les gestes engagent; surtout les gestes généreux.
Ibid., chap. 25.

PABLO PICASSO
1881-1973

13875 Je fus surpris de l'emploi et de l'abus qu'on fait du mot
évolution. Je n'évolue pas, je suis. Il n'y a, en art, ni passé,
ni futur. L'art qui n'est pas dans le présent ne sera jamais.
Conversation avec Marius de Zayas, The Art, 25 mai 1923.

13876 Tout l'intérêt de l'art se trouve dans le commencement.
Après le commencement, c'est déjà la fin.
Conversation avec E. Tériade, L'Intransigeant, 15 juin 1932.

Un tableau était une somme d'additions. Chez moi, un 13877
tableau est une somme de destructions.
Conversations avec Christian Zervos, Cahiers d'Art, 1935.

On doit prendre son bien où on le trouve, sauf dans ses 13878
propres œuvres. *Ibid.*

Je ne cherche pas, je trouve. *Étude de femme.* 13879

ANDRÉ SALMON
1881-1969

Traversons le boulevard en franchissant des haies de vieux 13880
calendriers. *Montparnasse, V (Ed. André Bonne).*

Le nu est toujours chaste. Ce n'est point l'opinion de la 13881
Garde républicaine. *Ibid., VII.*

Les dévots du passé admirent ce qui leur donne à rêver, à 13882
penser, à écrire ou à peindre, mais quant à loger en ces nids
de fièvre, sous ces poutrelles farcies d'antique vermine, pas
si bêtes! Ils laissent cet agrément aux pauvres avec le soin
de la figuration.
L'Entrepreneur d'illuminations, Première partie, chap. 1
(Gallimard).

Quel poète fit de Dieu un marchand? Boutiquier cossu avec 13883
ses balances de corne blonde, transparente, lumineuse et
sonore, et qui, parfois, donne un coup de pouce à ces balances,
par pure bonté. *Ibid.*

Les prolétaires sont des candidats bourgeois qui se gorgent 13884
de vaudeville. *Ibid., chap. 10.*

Je voudrais [...] qu'on rayât « politique », ce sale mot, du 13885
dictionnaire et que jamais plus on n'osât parler d'autre
chose que de Vie publique.
Ibid., Deuxième partie, chap. 2.

PIERRE TEILHARD DE CHARDIN
1881-1955

A ceux qui qualifieront de fantaisiste ou de poétique l'inter- 13886
prétation des faits que je présente, je demande simplement
de me montrer (pour que je m'y range) une perspective qui
intègre plus complètement et plus naturellement que la
mienne, dans les cadres de notre Biologie et de notre Ener-
gétique, l'extraordinaire (et si méconnu!) Phénomène
humain.
L'Apparition de l'Homme, chap. 17, Les singularités de
l'Espèce humaine, Introduction (Le Seuil).

13887 « L'Homme, un animal raisonnable », disait Aristote.
« L'Homme, un animal réfléchi », précisons-nous aujourd'hui, mettant l'accent sur les caractères évolutifs d'une propriété où s'exprime le passage d'une conscience encore diffuse à une conscience assez bien centrée pour pouvoir coïncider avec elle-même. L'Homme non plus seulement « un être qui sait », mais « un être qui sait qu'il sait » [...]
Ibid., 1 : La singularité originelle de l'espèce humaine ou le pas de la réflexion.

13888 Fonctionnellement la Réflexion planétise. *Ibid.*

13889 L'Humanité du XXᵉ siècle, une espèce qui finit?... Non point [...] : mais au contraire, [...] une espèce qui entre dans la plénitude de sa *Genèse particulière;* quelque chose de tout nouveau, en Biologie, qui commence.
Ibid., 2 : la singularité présente de l'espèce humaine; son pouvoir de co-réflexion.

13890 L'homme-individu est essentiellement famille, tribu, nation. Tandis que l'Humanité, elle, n'a pas encore trouvé autour de soi d'autres Humanités pour se pencher sur elle et lui expliquer où elle va. *Ibid.*

13891 [...] L'immense et universel processus biologique de Socialisation. *Ibid.*

13892 En toutes circonstances avancer toujours dans la direction montante, où techniquement, mentalement et affectivement, toutes choses (en nous et autour de nous) le plus rapidement convergent. *Ibid.*

13893 Anatomiquement, c'est vrai, l'homme ne paraît pas avoir appréciablement changé depuis quelque trente mille ans. Mais, psychiquement, est-il certain que nous soyons les mêmes? c'est-à-dire sommes-nous bien sûrs, par exemple, de ne pas naître aujourd'hui avec la faculté de percevoir et d'accepter [...] certaines évidences qui échappaient à nos devanciers. *Ibid.*

13894 Il est, en toute rigueur, illégitime de comparer entre eux deux hommes non contemporains l'un de l'autre. *Ibid.*

13895 Nous ne sommes pas égarés, bien au contraire, dans l'Univers : puisque, si épaisse soit la brume à l'horizon, la loi cosmique de « convergence du Réfléchi » est là pour nous signaler, avec la certitude d'un radar, la présence d'une cime vers l'avant.
Ibid., 3 : La singularité terminale de l'espèce humaine. Un point critique supérieur d'ultra-réflexion?

13896 Rien, d'un point de vue économique, ne nous empêche de continuer à penser que, pour l'Homme, « la vie commence demain ». *Ibid., B : Les réserves matérielles.*

13897 Ce ne sont pas seulement les cerveaux, ce sont les cœurs que, inévitablement, la connaissance cimente.
Ibid., Unanimisation.

Une certaine chaleur affective est sûrement en train de se 13898
développer, sous les sommets glacés de la spéculation, dans
les zones profondes de la Noosphère.   *Ibid.*

Que servirait-il à l'Homme d'accumuler à portée de sa main 13899
des montagnes de blé, de charbon, de pétrole et de tous
métaux s'il venait par malheur à perdre le *goût* [...] d'*agir*,
c'est-à-dire de devenir toujours plus Homme [...]?
                              Ibid., C, Activation.

Par nature [...] toute conscience, plus elle est cérébralisée, 13900
ne s'oriente-t-elle pas invinciblement vers l'*être* plutôt que
vers le *non-être* ?   *Ibid.*

[...] Ce qui, malgré toutes sortes de dénégations, soutient 13901
dans leur effort les savants les plus agnostiques et les plus
sceptiques, est la conviction obscure de collaborer, comme
disait le vieux Thucydide, à une œuvre qui ne finira jamais.
                                                       Ibid.

A quel paroxysme de conscience (trop éblouissant pour que 13902
nous puissions le « fixer ») n'étions-nous pas en droit
d'estimer qu'atteindra la Noosphère lorsque, aux approches
de sa maturation, il n'y aura plus seulement sur Terre une
seule Physique, ni même seulement une seule Ethique, mais
encore (par polarisation des esprits et des cœurs sur un foyer
enfin en vue de convergence évolutive) une seule passion,
c'est-à-dire une seule « Mystique »?   *Ibid.*

Comment pour nous le Monde finira-t-il?   13903
Qu'importe, en somme, pourvu que [...] nous puissions
escompter que la différence tende à s'annuler pour l'Homme
entre la volonté de survivre et l'ardeur à s'évader (fût-ce au
prix d'une mort apparente) hors de la phase spatio-temporelle
de son évolution?   *Ibid.*

L'Univers [...] ne tend aucunement, comme nous pourrions 13904
le craindre, à écraser, mais au contraire à exalter par son
énormité nos valeurs individuelles.
                       Ibid., Conclusion, L'Univers personnel.

Au degré du « Vivant simple », [...] l'Union différencie les 13905
éléments qu'elle rapproche.
Au degré du Réfléchi, [...] elle les personnalise.
A force de co-réflexion, [...] elle les totalise en un « je ne sais
quoi » où toute différence disparaît à la limite entre Univers
et Personne.   *Ibid.*

Explicitée aux dimensions du monde moderne, la Charité 13906
évangélique est en train de s'apercevoir qu'elle n'est pas
autre chose, tout au fond, que l'amour d'une Cosmogenèse
« christifiée » jusque dans ses racines.
[...] Elle re-paraît ainsi, cette Charité rajeunie et universalisée,
comme le type rêvé de l'excitant évolutif dont nous avions
besoin.
Ibid., Appendice, [...] De la Singularité du phénomène chrétien.

Nous découvrons avec émotion que si l'Homme n'est plus 13907
(comme on pouvait le penser jadis) le centre immobile d'un

Monde déjà tout fait, — en revanche il tend désormais à représenter, pour notre expérience, la flèche même d'un Univers en voie, simultanément, de « complexification » matérielle et d'intériorisation psychique toujours accélérées.
La Place de l'homme dans la nature, Avertissement
(Albin Michel).

GEORGES BRAQUE
1882-1963

13908 L'art est fait pour troubler. La science rassure.
Le Jour et la Nuit (Gallimard).

13909 Le progrès en art ne consiste pas à étendre ses limites, mais à les mieux connaître.   *Ibid.*

13910 Il ne faut pas imiter ce qu'on veut créer.   *Ibid.*

13911 Il faut se contenter de découvrir, mais se garder d'expliquer.
Ibid.

13912 Il faut détruire les idées pour parvenir au fatal.   *Ibid.*

CHARLES DU BOS
1882-1939

13913 Avec Degas on aboutit toujours à citer un mot de lui que tout le monde connaît. Si je choisis celui-ci : « De mon temps, Monsieur, on n'avait pas de goût », c'est parce qu'il porte la marque du meilleur ascétisme français.
Approximations (Deuxième série), François Fosca critique d'art et quelques remarques sur Degas (Ed. Crès).

13914 Aussi naturellement que nous émettons des lieux communs, Shakespeare émet des vérités; ces vérités atteignent toutes le fond, mais, parallèles les unes aux autres, elles touchent ce fond en des points inconciliables.
Ibid., Shakespeare.

13915 Si j'avais à définir la civilisation, je dirais que *la civilisation est la révolution même, mais une révolution qui a trahi*, qui s'est trahie elle-même, une révolution incomplète, qui s'est arrêtée en route.
Ibid., Sixième série, L'humanité de Goethe (Buchet-Chastel).

13916 La littérature, c'est la pensée accédant à la beauté dans la lumière.
Ibid., La notion de littérature et la beauté du langage.

Le malentendu fondamental, permanent, inévitable autour 13917
de la souffrance physique, c'est que le bien portant invite
toujours le malade à la *transcender*, et qu'elle est essentiellement ce qui, en deçà de la sainteté, *ne peut pas être transcendé*.
Peut-être faudrait-il dire, en deux mots : la santé *bouge*,
la maladie *ne bouge pas*.
> *Ibid., De la souffrance physique.*

JEAN GIRAUDOUX
1882-1944

Le bonheur est exigeant comme une épouse légitime. 13918
> *L'École des indifférents (© J.-P. Giraudoux).*

Le mot France et le mot Allemagne ne sont à peu près plus, 13919
et n'ont jamais été pour le monde, des expressions géographiques; ce sont des termes moraux.
> *Siegfried et le Limousin, chap. 4 (© J.-P. Giraudoux).*

Le fait d'être homme primait pour toi le fait d'être Bayard 13920
ou Spinoza.
> *Juliette au pays des hommes (© J.-P. Giraudoux).*

Pardonne-moi ô guerre, de t'avoir, — toutes les fois où je 13921
l'ai pu, — caressée...
> *Adorable Clio, en exergue (© J.-P. Giraudoux).*

[...] Vertus de mon enfance qui depuis avez changé de sexe, 13922
« espoir » que je retrouve « attente », « enthousiasme » que
je retrouve « indulgence »... *Ibid., Nuit à Châteauroux.*

Le public ne connaît pas, au théâtre, en entendant un texte, 13923
ce que les demi-lettrés appellent l'ennui. Son fauteuil au
théâtre a l'exterritorialité d'une ambassade dans le royaume
antique ou héroïque, dans le domaine de l'illogisme et de la
fantaisie, et il entend en maintenir le caractère solennel.
> *Littérature, Discours sur le théâtre (© Jean-Pierre Giraudoux).*

L'Allemagne n'est pas une entreprise sociale et humaine, 13924
c'est une conjuration poétique et démoniaque.
> *Siegfried, acte I, scène 2 (© Jean-Pierre Giraudoux).*

Le plagiat est la base de toutes les littératures, excepté de 13925
la première, qui d'ailleurs est inconnue. *Ibid., scène 6.*

Changer un homme d'État que l'on hait en un écrivain 13926
que l'on aime, c'est une chance. *Ibid.*

— Quoi de plus beau qu'un général qui vous parle de la paix 13927
des armes dans la paix de la nuit?
[...]
— Deux généraux.
> *Amphitryon 38, acte I, scène 2 (© Jean-Pierre Giraudoux).*

13928 Il n'y a vraiment que les Juifs pour croire aussi sérieusement à l'éternité. Ils l'ont inventée comme intérêt à une
minute, une seule minute de charité ou d'honnêteté. C'est
leur idéal du placement.

Judith, acte II, scène 2 (© J.-P. Giraudoux).

13929 Dieu se délègue. Il se délègue aux satyres, aux romanciers,
aux généraux en chef.   *Ibid., scène 7.*

13930 Le plafond dans l'enseignement, doit être compris de façon
à faire ressortir la taille de l'adulte vis-à-vis de la taille de
l'enfant. Un maître qui adopte le plein air avoue qu'il est
plus petit que l'arbre, moins corpulent que le bœuf, moins
mobile que l'abeille, et sacrifie la meilleure preuve de sa
dignité.

Intermezzo, acte I, scène 6 (© Jean-Pierre Giraudoux).

13931 L'humanité est... est une entreprise surhumaine.

Ibid., acte III, scène 1.

13932 [Le destin], c'est simplement la forme accélérée du temps.

*La Guerre de Troie n'aura pas lieu, acte I, scène 1
(© Jean-Pierre Giraudoux).*

13933 Il aime les femmes distantes, mais de près.

Ibid., scène 4.

13934 Un seul être vous manque, et tout est repeuplé...   *Ibid.*

13935 Dès que la guerre est déclarée, impossible de tenir les poètes.
La rime, c'est encore le meilleur tambour.

Ibid., acte II, scène 4.

13936 L'anéantissement d'une nation ne modifie en rien l'avantage de sa position morale internationale.

Ibid., scène 5.

13937 [...] Le droit est la plus puissante des écoles de l'imagination. Jamais poète n'a interprété la nature aussi librement
qu'un juriste la réalité.   *Ibid.*

13938 L'eau sur le canard marque mieux que la souillure sur une
femme.   *Ibid., scène 12.*

13939 Zeus, le maître des Dieux, vous fait dire que ceux qui ne
voient que l'amour dans le monde sont aussi bêtes que ceux
qui ne le voient pas.   *Ibid.*

13940 Il n'est pas très prudent d'avoir des dieux et des légumes trop
dorés.   *Ibid., scène 13.*

13941 Les nations, comme les hommes, meurent d'imperceptibles
impolitesses.   *Ibid.*

13942 Rien n'entretient mieux la fixité divine que la même atmosphère égale autour des assassinats et des vols de pain.

Électre, acte I, scène 3 (© Jean-Pierre Giraudoux).

La terre est ronde pour ceux qui s'aiment.   13943
                    Ibid., acte II, scène 3.

Il est des vérités qui peuvent tuer un peuple.   13944
                    Ibid., scène 8.

— Comment cela s'appelle-t-il, quand le jour se lève, comme   13945
aujourd'hui, et que tout est gâché, que tout est saccagé
[...], que les innocents s'entretuent [...]?
[...]
— [...] Cela s'appelle l'aurore.   *Ibid., scène 10.*

C'est le grand avantage du théâtre sur la vie, il ne sent pas   13946
le rance...
        Ondine, acte II, scène 1 (© Jean-Pierre Giraudoux).

C'est la leçon du mariage. Tous les charmes se sont posés   13947
sur celui que vous épousez. Il est un orme surchargé de
pinsons qui vous accueillent. Puis, semaine à semaine, chaque
pinson s'envole sur un autre homme, et, au terme de l'année,
votre vrai mari est disséminé sur tous les autres.
            Sodome et Gomorrhe, acte I, scène 1
            (© Jean-Pierre Giraudoux).

C'est de là que vient tout le mal : Dieu est un homme.   13948
                    Ibid., acte I, scène 2.

Il était un pauvre serpent qui collectionnait toutes ses peaux.   13949
C'était l'homme.   *Ibid., acte I, scène 3.*

Les femmes ont toujours aimé le navire mieux que le pilote...   13950
                    Ibid., acte I, scène 4.

On appelle fin du monde le jour où le monde se montre juste   13951
ce qu'il est : explosible, submersible, combustible, comme
on appelle guerre le jour où l'âme humaine se donne à sa
nature.   *Ibid., acte II, scène 2.*

O Dieu, si tu veux que jamais plus femme n'élève la voix,   13952
crée enfin un homme adulte!   *Ibid., acte II, scène 6.*

Il n'y a jamais eu de créature. Il n'y a jamais eu que le couple.   13953
Dieu n'a pas créé l'homme et la femme l'un après l'autre,
ni l'un de l'autre. Il a créé deux corps jumeaux unis par des
lanières de chair qu'il a tranchées depuis, dans un accès de
confiance, le jour où il a créé la tendresse.
                    Ibid., acte II, scène 7.

[...] Nous ne commettons pas l'erreur des romanciers, qui   13954
se croient tenus, quand ils ont leur titre, d'écrire en supplément le roman lui-même.
    La Folle de Chaillot, acte I (© Jean-Pierre Giraudoux).

Les héros sont ceux qui magnifient une vie qu'ils ne peuvent   13955
plus supporter.
Pour Lucrèce, acte III, scène 6 (© Jean-Pierre Giraudoux).

ROBERT DE JOUVENEL
1882-1924

13956 [...] La République n'est plus qu'une grande camaraderie.
La République des camarades (Grasset).

13957 La démocratie, qui reposait sur le contrôle, s'est endormie
sur la complaisance.   *Ibid.*

13958 Ainsi a pu naître un régime curieux : celui du bon plaisir,
tempéré par les relations.   *Ibid.*

13959 Il y a moins de différence entre deux députés dont l'un est
révolutionnaire et l'autre ne l'est pas, qu'entre deux révolutionnaires, dont l'un est député et l'autre ne l'est pas.
Ibid.

PIERRE MAC ORLAN
1882-1970

13960 [...] La profession d'écrivain devient, à certaines heures, une
des formes les plus nécessaires de l'autorité sociale. Chacun
accepte cette autorité parce qu'elle s'accommode de toutes
les révoltes.
*Le Bal du pont du nord, La nuit de Zeebruge, chap. 2
(Éd. du Bateau ivre).*

13961 Le hasard est une force merveilleuse, une force comparable
à un Dieu voyageur chargé de documents, de fiches et de
dossiers, de portraits aussi.   *Ibid., chap. 10.*

13962 Quand on possède le goût des gens exceptionnels, on finit
toujours par en rencontrer partout.   *Ibid., chap. 13.*

13963 L'honnêteté est pour les filles pauvres un défaut qui peut
devenir mortel.   *Les Dés pipés, chap. 6 (Gallimard).*

13964 Il est nécessaire d'établir comme une loi que l'aventure
n'existe pas. Elle est dans l'esprit de celui qui la poursuit
et, dès qu'il peut la toucher du doigt, elle s'évanouit, pour
renaître bien plus loin, sous une autre forme, aux limites
de l'imagination.
Petit Manuel du parfait aventurier, chap. 2 (Éd. de la Sirène).

13965 Une mauvaise action ne meurt jamais; bien au contraire
elle porte ses fruits, avec une abondance progressive. *Ibid.*

13966 L'aventurier aime la discipline. [...] C'est la seule forme
d'art qu'il puisse comprendre.   *Ibid., chap. 3.*

La boue est un déchet de purification : elle contient, parfois, 13967
des parcelles de lumière précieuse, dans le genre du diamant.
Mais le fait est exceptionnel. Des écrivains sont doués pour
retrouver ces paillettes souvent inestimables. Ils possèdent
les dons des chercheurs d'or et leurs mains peuvent tamiser
la boue sans se souiller.
>   *Chansons pour accordéon, Prélude sentimental, § 2*
>   *(Gallimard).*

Le pétrole me paraît très nettement être l'odeur la plus 13968
parfaite du désespoir humain, si le désespoir humain a une
odeur.
>   *Ibid., Chansons de charme pour situations difficiles, II,*
>   *Le Havre.*

>   Mon Dieu ram'nez-moi dans ma belle enfance   13969
>   Quartier Saint-François, au Bassin du roi.
>   Mon Dieu rendez-moi un peu d'innocence
>   Et l'odeur des quais quand il faisait froid.
>   *Ibid., La Chanson de Margaret.*

>   Un rat est venu dans ma chambre. [...]   13970
>   *Ibid., La Fille de Londres.*

>   C'était un couteau perfide et glacé,   13971
>   Un sal' couteau rouge de vérités,
>   Un sal' couteau roug'... sans spécialités.
>   *Ibid.*

JACQUES MARITAIN
1882-1973

L'angoisse ne vaut rien comme catégorie philosophique. 13972
Elle n'est pas la matière dont on fait la philosophie, non
plus que celle dont on fait les scaphandres.
>   *Court traité de l'existence et de l'existant (Hartmann).*

Si vous voulez faire une œuvre chrétienne, soyez chrétien 13973
et cherchez à faire œuvre belle, où passera votre cœur; ne
cherchez pas à « faire chrétien ».
>   *Art et scolastique, VII (Louis Rouart).*

Dieu est infiniment plus aimable que l'art.   *Ibid., IX.* 13974

Si le diable se repentait, il serait tout de suite pardonné. 13975
>   *Réponse à Jean Cocteau (Stock).*

On n'abaisse pas la poésie en l'abaissant devant Dieu. 13976
>   *Ibid.*

Dans les choses de l'esprit c'est la virginité qui est féconde. 13977
>   *Ibid.*

13978 [...] L'art lui-même va spontanément à Dieu [...] Dès qu'il
atteint dans sa ligne propre un certain niveau de grandeur
et de pureté, il annonce sans les comprendre l'ordre et la
gloire invisibles dont toute beauté n'est qu'un signe; chinois ou égyptien il est déjà chrétien, en espérance et en
figure. (L'art, et non l'artiste.)   *Ibid.*

13979 En fait de comité de salut public, je n'admire que la sainte
Inquisition.   *Ibid.*

13980 On exulte de penser que l'Église, qui comme telle n'est
occupée que du domaine spirituel, ou des choses *quae
sunt Dei,* affirme et bénit la mission temporelle du chrétien.
       Le Paysan de la Garonne, chap. 1 (Desclée de Brouwer).

13981 [...] Aimer c'est donner ce qu'on est, son être même, au
sens le plus absolu, le plus effrontément métaphysique, le
moins phénoménalisable de ce mot.   *Ibid.*

13982 Ce n'est pas le langage qui fait les concepts, ce sont les
concepts qui font le langage. Et le langage qui les exprime
les trahit toujours plus ou moins. Il y a des langues primitives
qui n'ont pas de mot pour l'idée d'être, cela ne signifie nullement que l'homme qui parle cette langue n'a pas cette idée
dans l'esprit.   *Ibid., chap. 2, 1.*

13983 Le christianisme n'a [...] plus à compter sur l'aide et la protection des structures sociales. C'est à lui, au contraire,
d'aider et protéger ces structures en s'appliquant à les
imprégner de son esprit.   *Ibid., chap. 3, 2.*

13984 La charité a affaire aux personnes; la vérité, aux idées et à
la réalité atteinte par elles. Une parfaite charité envers le
prochain et une fidélité parfaite à la vérité ne sont pas seulement compatibles, elles s'appellent l'une l'autre.
                                                    Ibid., chap. 5.

13985 La justice est inhumaine sans l'amour, et l'amour pour les
hommes et pour les peuples, « qui va bien au-delà de ce que
la justice peut apporter », est lui-même fragile sans la charité
théologale. Sans l'amour de charité on aura beau faire, on ne
fera *rien.*   *Ibid., chap. 7, 2.*

LOUIS PERGAUD
1882-1915

13986 Foin des pudeurs (toutes verbales) d'un temps châtré; qui,
sous leur hypocrite manteau, ne fleurent trop souvent que
la névrose et le poison!
       La Guerre des boutons, Préface (Mercure de France).

13987 Nul n'ignore [...], et mon excellent maître Octave Mirbeau
nous l'a plus particulièrement [...] fait savoir, qu'on ne
commence à être une âme du ressort de M. Paul Bourget
qu'à partir de cent mille francs de rente.
                             Ibid., Livre III, De l'argent!, chap. 6.

« Dire que, quand nous serons grands, nous serons peut-   13988
être aussi bêtes qu'eux! »
                    Ibid., Livre III, La Cabane, chap. 10.

IGOR STRAVINSKY
1882-1971

Ce n'est pas de l'art qui nous tombe du ciel avec un chant   13989
d'oiseau; mais la plus simple modulation correctement
conduite est déjà de l'art, sans conteste possible.
        Poétique musicale, II, Du phénomène musical (Plon).

Le phénomène musical n'est autre chose qu'un phénomène de   13990
spéculation.   *Ibid.*

Toute musique n'est qu'une suite d'élans qui convergent   13991
vers un point défini de repos.   *Ibid.*

Plus l'art est contrôlé, limité, travaillé, et plus il est libre.   13992
            Ibid., III, De la composition musicale.

J'ai dit quelque part qu'il ne suffisait pas d'entendre la   13993
musique, mais qu'il fallait encore la voir.
                    Ibid., VI, De l'exécution.

AUGUSTE DETŒUF
1883-1947

On fait tout avec de l'argent, excepté des hommes.   13994
            *Propos de O.-L. Barenton confiseur, L'argent
                            (Éd. du Tambourinaire).*

[...] Un capital investi ne se rend jamais.   *Ibid.* 13995

Il y a de bons métiers; il n'y en a pas de délicieux.   13996
                    Ibid., Le petit La Rochefoucauld.

Il n'existe pas de procédé pratique pour l'exploitation de   13997
l'orgueil.   *Ibid.*

La publicité, c'est la gloire du riche [...].   *Ibid.* 13998

Il n'y a que d'immortels principes, puisque, du jour où un   13999
principe meurt, on s'aperçoit que ce n'était qu'un paradoxe.
                                                    Ibid.

[L'ingénieur des Ponts] introduit dans la maison l'ordre et 14000
la méthode : grâce à cela, il arrête tout.
                    Ibid., Conseils d'administration.

14001   Plus un contrat règle d'éventualités prévues, plus il crée de
        dangers pour le cas où il s'en produit d'imprévues.   *Ibid.*

14002   Personne ne croit pas aux experts, mais tout le monde les
        croit.   *Ibid., Techniciens et ouvriers.*

14003   On disait d'Alcide : c'est un homme intelligent — et il sort
        de Polytechnique.
        Pourquoi, diable, dit Gérard, l'a-t-on laissé sortir?
                                              Ibid., Des écoles.

14004   Ayez de la bonne humeur. L'idée, c'est la semence : le
        travail la fait lever; mais la bonne humeur, c'est le soleil
        qui la fait mûrir.   *Ibid., Le chef.*

14005   Une des erreurs que peut commettre un chef d'entreprise,
        c'est de se croire le seigneur de l'affaire qu'il dirige.   *Ibid.*

14006   La nature ne fait pas de bonds; l'industrie non plus.
                                    Ibid., Conduite d'une entreprise.

14007   Il est heureux que la proportion des gens intelligents soit
        faible; si tous l'étaient, rien ne serait plus possible.   *Ibid.*

LOUIS LAVELLE
1883-1951

14008   La conscience n'est pas une lumière qui éclaire sans la changer
        une réalité   préexistante, mais une activité qui s'interroge
        sur sa décision et qui tient entre ses mains mon propre
        destin.
        L'Erreur de Narcisse, chap. 2, Le Secret de l'intimité, 1,
                            Connais-toi toi-même (Grasset).

14009   La difficulté d'être sincère, c'est la difficulté d'être présent
        à ce que l'on dit, à ce que l'on fait, avec la totalité de soi-
        même, qui toujours se divise et dont on ne montre que
        certains aspects, dont aucun n'est vrai.
        Ibid., chap. 3 : Être soi-même, 1, Polyphonie de la conscience.

14010   Il y a tout l'homme dans chaque homme, avec le meilleur
        et le pire.   *Ibid., 2, Cynisme.*

14011   La sincérité n'est pas la vérité. [...] Et l'on peut dire que, par
        opposition à la vérité qui cherche à conformer l'acte de ma
        conscience au spectacle des choses, la sincérité essaie de
        conformer à l'acte de ma conscience le spectacle que je
        montre.   *Ibid., 10, Vérité et sincérité.*

14012   Chaque homme s'invente lui-même. Mais c'est une invention
        dont il ne connaît pas le terme : dès qu'elle s'arrête, l'homme
        se convertit en chose.
        Ibid., chap. 4, L'Action visible et l'Action invisible, 11,
                                    Notre essence fixée.

Le plus grand bien que nous faisons aux autres hommes 14013
n'est pas de leur communiquer notre richesse, mais de leur
découvrir la leur.
Ibid., chap. 9, Commerce entre les esprits 9, Recevoir et
donner.

Il ne faut pas mépriser la passion qui nous découvre le sens 14014
de notre destinée, qui suscite, exalte, unifie toutes les puissances de notre être et qui, dans chaque événement de notre
vie, introduit la présence de l'absolu et de l'infini. Ceux qui
la méprisent tant sont aussi ceux qui sont incapables de
l'éprouver.
Ibid., chap. 11, La Sagesse et les Passions 7, La passion et
l'absolu.

PIERRE LECOMTE DU NOÜY
1883-1947

Du point de vue de l'homme, *c'est l'échelle d'observation* 14015
qui crée le phénomène.
L'Homme et sa Destinée, Livre I, chap. 1 (Fayard).

Le hasard est en même temps le fondement de nos lois 14016
scientifiques et l'origine de leurs exceptions. *Ibid., chap. 2.*

[...] Du point de vue de l'homme, *l'Ordre est né du Désordre.* 14017
Ibid., chap. 3.

Tout se passe toujours comme s'il y avait un but à attein- 14018
dre et comme si ce but était la raison véritable, le secret de
l'évolution. *Ibid., Livre II, chap. 2.*

Si le téléfinalisme, en postulant l'intervention d'une Idée, 14019
d'un Vouloir, d'une Intelligence suprême, jette un peu de
lumière sur l'ensemble des transformations qui conduisent
par une ligne ininterrompue jusqu'à l'Homme, il semble
impossible de ne pas voir dans les transformations particulières, limitées aux espèces, quelque chose de plus que
le simple jeu des forces physico-chimiques et du hasard.
Ibid,. chap. 3.

LOUIS MASSIGNON
1883-1962

C'est en se haussant, par un effort de compréhension et 14020
d'adaptation, de sympathie, que notre race, fidèle en cela
à sa vocation historique, peut donner toute sa mesure
humaine; pourvu qu'en maintenant intact son héritage
propre, et en rivalisant d'endurance avec eux, elle sache au
moins goûter certaines qualités exquises des musulmans.
Situation de l'Islam, Introduction
(Librairie orientaliste Paul Geuthner).

14021 C'est tout le monde musulman que nous devons comprendre
       pour que la France survive.
                    Ibid., VI, L'évolution du monde musulman.

14022 Le tiers-exclu ne s'applique plus en amour; l'autre n'y
       est plus le non-moi, surtout quand l'amour de l'autre
       devient l'amour de Dieu.
       « *Étude sur une courbe personnelle de vie : Le cas de Hallaj,*
                    martyr mystique de l'Islam », Dieu vivant, n° 4.

14023 Ni l'échec, ni la mort ne flétrissent pour toujours le bon
       vouloir inachevé d'âmes immortelles, et l'avortement pré-
       tendu de leur passé défleuri ne les prive pas de pouvoir
       refleurir et fructifier enfin, chez les autres comme chez
       nous-mêmes.   *Ibid.*

14024 Notre finalité est plus que notre origine.   *Ibid.*

14025 La vraie, la seule histoire d'une personne humaine, c'est
       l'émergence graduelle de son vœu secret à travers sa vie
       publique.
       « *Un vœu et un destin : Marie-Antoinette, reine de France »,*
                    I, Lettres nouvelles n° 30-31.

14026 La vraie, la seule histoire d'un peuple, c'est la montée fol-
       klorique de ses réactions collectives, thèmes archétypiques
       lui servant à classer et à juger les témoins « engendrés »
       par sa masse.   *Ibid.*

MARIE NOËL
1883-1967

14027   Connais-moi si tu peux, ô passant, connais-moi!
           Je suis ce que tu crois et suis tout le contraire.
           [...]
                Les Chansons et les Heures, Connais-moi... (Stock).

14028 Connais-moi! connais-moi! Ce que j'ai dit, le suis-je?
       Ce que j'ai dit est faux — Et pourtant c'était vrai! —
       L'air que j'ai dans le cœur est-il triste ou bien gai?
       Connais-moi si tu peux. Le pourras-tu?... Le puis-je?
       [...]
                                                            Ibid.

14029   Père, ô sagesse profonde
               Et noire, Vous savez bien
               A quoi sert le mal du monde,
               Mais le monde n'en sait rien.
       Les Chants de la Merci, Chant de la divine Merci. (Stock).

14030   J'avais dans mes mains, j'avais un cœur d'homme
           — Je ne savais pas que je l'avais —.
           [...]
       Chants et Psaumes d'automne, Chant au bord de la rivière
                                                          (Stock).

ERNEST PSICHARI
1883-1914

Il y a moins loin de l'ignorance à la Science que de la fausse 14031
science à la vraie science.
Le Voyage du centurion, 1ʳᵉ partie, chap. 1, « Inter mundanas
varietates » (Librairie L'Abbaye).

Tout ici le proclame : une certaine simplicité du corps est en 14032
raison inverse de la simplicité de l'esprit, et, plus rudes
deviennent les mœurs, plus fine et plus ailée se fait l'intelligence, s'efforçant sur les choses difficiles, et sur cela
même qui paraissait simple dans l'armature occidentale.
Ibid., chap. 5 : « A finibus terrae ad te clamavi ».

Malheur à ceux qui n'ont pas connu le silence! Le silence 14033
est un peu de ciel qui descend vers l'homme. Il vient de si
loin qu'on ne sait pas, il vient des grands espaces interstel-
laires, des parages sans remous de la lune froide. Il vient
de derrière les espaces, de par-delà les temps. *Ibid.*

[...] Le riche plaisir de la possession, dans la mesure, par 14034
exemple, où les âmes du Purgatoire possèdent Dieu, par le
désir torride qu'elles en ont.
Ibid., 2ᵉ partie, chap. 3 : « Le Temps des lys ».

GASTON BACHELARD
1884-1962

On ne peut se prévaloir d'un esprit scientifique tant qu'on 14035
n'est pas assuré, à tous les moments de la vie pensive, de
reconstruire tout son savoir.
La Formation de l'esprit scientifique, Discours préliminaire,
I (Vrin).

Une expérience *scientifique* est [...] une expérience qui 14036
contredit l'expérience *commune.* *Ibid.*

Quand il se présente à la culture scientifique, l'esprit n'est 14037
jamais jeune. Il est même très vieux, car il a l'âge de ses
préjugés. *Ibid., chap. 1, 1.*

Rien ne va de soi. Rien n'est donné. Tout est construit. 14038
Ibid.

Nous comprenons la Nature en lui résistant. 14039
Ibid., chap. 2, 1.

Une psychanalyse de la connaissance objective doit résister 14040
à toute valorisation. Elle doit non seulement transmuter
toutes les valeurs; elle doit dévaloriser radicalement la
culture scientifique. *Ibid., chap. 2, 4.*

14041 Au fond, le progrès de la pensée scientifique revient à *diminuer* le nombre des adjectifs qui conviennent à un substantif et non point à les augmenter.   *Ibid., chap. 6, 7.*

14042 Une expérience bien faite est toujours positive.
       Le Nouvel esprit scientifique, Introduction, I (P.U.F.).

14043 Nous venons précisément d'entrer dans le siècle de la *molécule* après de longues années consacrées aux pensées atomistiques.   *Ibid., chap. 6, 4.*

14044 C'est encore en méditant l'objet que le sujet a le plus de chance de s'approfondir. Au lieu de suivre le métaphysicien qui entre dans son poêle, on peut donc être tenté de suivre un mathématicien qui entre au laboratoire.   *Ibid., 5.*

14045 On veut toujours que l'imagination soit la faculté de *former* des images. Or elle est plutôt la faculté de *déformer* les images fournies par la perception, elle est surtout la faculté de nous libérer des images premières, de *changer* les images.
       L'Air et les songes, Introduction, I (José Corti).

14046 Un être privé de la *fonction de l'irréel* est un névrosé aussi bien que l'être privé de la *fonction du réel.*   *Ibid., III.*

14047 L'homme en tant qu'homme ne peut vivre horizontalement. Son repos, son sommeil est le plus souvent une chute.
       Ibid., IV.

14048 Il faut que l'imagination prenne trop pour que la pensée ait assez. Il faut que la volonté imagine trop pour réaliser assez.   *Ibid., Conclusion, 1re partie.*

14049 Nous sommes dans un siècle de l'image. Pour le bien comme pour le mal, nous subissons plus que jamais l'action de l'image.
       La Terre et les rêveries de la volonté, Préface pour deux livres, III (José Corti).

14050 Le poème est une grappe d'images.   *Ibid.*

14051 Les images ne sont pas des concepts. Elles ne s'isolent pas dans leur signification. Précisément elles tendent à dépasser leur signification.
       La Terre et les rêveries du repos, Avant-Propos, II (José Corti).

14052 L'imagination n'est rien autre que le sujet transporté dans les choses.   *Ibid.*

14053 A son apparition le microscope fut le kaléidoscope du minuscule.   *Ibid., Première partie, chap. 1, 3.*

14054 [...] L'imagination [...] trouve plus de réalité à ce qui se cache qu'à ce qui se montre.   *Ibid., 4.*

14055 Toute image matérielle adoptée sincèrement est immédiatement une valeur.   *Ibid., 6.*

La *valeur de la qualité* est en nous verticalement; au contraire   14056
la *signification* de la qualité est dans le contexte des sensations objectives — horizontalement.   *Ibid., chap. 3, 1.*

JACQUES CHARDONNE
1884-1968

Il n'est pas facile de distinguer dans nos réflexions ce qui se   14057
rapporte à nous ou à nos proches. On est habité par ceux
qu'on aime ou qu'on hait.   *Claire, chap. 1 (Grasset).*

Rien de précieux n'est transmissible. Une vie heureuse est un   14058
secret perdu.   *Ibid., chap. 3.*

L'homme n'est pas fait pour vivre longtemps : l'expérience   14059
le corrompt. Le monde n'a besoin que de jeunesse et de
poètes.   *Ibid.*

On ne fait rien d'utile pour le prochain, sauf des livres.   14060
          Vivre à Madère, chap. 3 (Grasset).

Ce sont les critiques qui font la littérature.   14061
          Lettres à Roger Nimier (Grasset).

Quand une science qui touche au vivant a trouvé son voca-   14062
bulaire, elle est finie. Les formules rabâchées tournent
dans le vide.   *Ibid.*

Une philosophie fortement étayée par la science vieillit   14063
vite, comme la science qui se transforme sans cesse.   *Ibid.*

Le mariage est une longue conversation, a dit Nietzsche.   14064
Sur ce point les époux sont bien dotés en France.
          Le Ciel dans la fenêtre, chap. 1 (Albin Michel).

L'U.R.S.S., c'est Louis XIV pour la forme, Louis XI dans   14065
le fond.   *Ibid., chap. 3.*

Le communisme convient aux peuples asiatiques débutant   14066
dans la vie moderne. [...] L'Occident n'a rien de mieux à
leur offrir.   *Ibid., chap. 5.*

Le mariage est une religion; il promet le salut mais il faut   14067
la grâce. Vivre ensemble, c'est se meurtrir l'un l'autre.
          Ibid., chap. 8.

GEORGES DUHAMEL
1884-1966

Miracle n'est pas œuvre.   14068
Chronique des Pasquier, Le Notaire du Havre, Préface
          (Mercure de France).

14069 Nul doute : l'erreur est la règle ; la vérité est l'accident de l'erreur. *Ibid.*

14070 Les morts n'ont pas de voix, heureusement. Si les morts pouvaient se plaindre, quel cri [...]! Quelle clameur! On ne s'entendrait plus vivre.
Ibid., Le Jardin des Bêtes sauvages, chap. 5.

14071 Construire un pont, discerner une loi de la nature, composer un livre, ordonner une symphonie, voilà de grands et difficultueux travaux. Faire une famille, la réchauffer sans cesse, l'étreindre jusqu'aux suprêmes démembrements, c'est une œuvre d'art aussi, la plus fuyante, la plus décevante de toutes. *Ibid., chap. 12.*

14072 Je tiens que le romancier est l'historien du présent, alors que l'historien est le romancier du passé.
Ibid., La Nuit de la Saint-Jean, Préambule.

14073 Le désir d'ordre est le seul ordre du monde.
Ibid., Cécile parmi nous, chap. 3.

14074 Pour être internationaliste, il faut d'abord avoir une patrie.
Ibid., Le Combat contre les ombres, chap. 21.

14075 Il n'y a de repos, dit Goethe, que sur les cimes glacées. Hélas! ce n'est même pas vrai. Il n'y a de rémission que sur les planètes mortes, quand toute vie est abolie depuis des millions de siècles et que les souvenirs même sont endormis pour toujours.
Ibid., La Passion de Joseph Pasquier, chap. 15.

14076 Si [la civilisation] n'est pas dans le cœur de l'homme, eh bien! elle n'est nulle part.
Civilisation (Mercure de France).

14077 La moitié du monde, bientôt, jouera pour l'autre moitié le rôle de garde-chiourme.
Biographie de mes fantômes, chap. 5 (Paul Hartmann-Flammarion).

14078 Ce qui distingue les hommes de leurs frères innocents, les animaux aux mille formes, ce n'est pas le langage articulé, ce n'est pas l'art, ce n'est pas la raison, ce n'est même pas cette civilisation qui ne se grave pas dans notre chair et qui demeure dans nos livres, non, ce qui distingue les hommes, c'est leur grand appétit de souffrance. *Ibid.*

14079 L'expression « faire l'amour » prête à toutes les erreurs. Nos aïeux disaient naïvement « faire la joie », et ce n'était pas moins absurde. L'amour est un don, la volupté une servitude, et, entre cette servitude et la joie, il n'y a certes aucune commune mesure. *Ibid., chap. 6.*

14080 Les hommes de la prochaine saison ne s'enchanteront plus de ce qui faisait nos délices. Le rationnel, jour après jour, étouffera le raisonnable. La joie, la joie sacrée, changera de signe, de sens et de drapeau. Les pôles de la douleur chercheront de nouveaux sièges dans le désert du monde humain. Les mots perdront leur suc et les pensées leur armature.

Le Bestiaire et l'Herbier, La nouvelle Apocalypse (Mercure de France).

ÉTIENNE GILSON
1884-1978

Ce n'est pas pour nous débarrasser d'elle que nous étudions 14081 l'histoire, mais pour sauver du néant tout le passé qui s'y noierait sans elle; c'est pour faire que ce qui, sans elle, ne serait même plus du passé, renaisse à l'existence dans cet unique présent hors duquel rien n'existe.

Héloïse et Abélard, chap. 8 (Vrin).

La psychologie individuelle est une limite infranchissable 14082 de l'histoire. *L'École des Muses, chap. 1 (Vrin).*

Dès qu'il est plus qu'un simple fabricant, l'artiste use 14083 du langage de la religion. *Ibid.*

JEAN PAULHAN
1884-1968

Il se peut bien que la poésie soit l'événement le plus simple 14084 du monde : cette simplicité n'aide guère à parler d'elle, ni même à la penser. *Les Hain-tenys, Introduction (Gallimard).*

C'est le trait essentiel de tout art sans doute, et non pas de 14085 la seule poésie, qu'à la fois il nous ébranle et nous détache de la nature et de la réalité — non pas tant cependant que nous ne formions le sentiment d'accéder, en nous abandonnant à lui, à une vérité plus authentique, et, si je peux dire, plus réelle. *Ibid., Conclusion.*

Il est difficile de parler des mots de façon détachée, comme 14086 un peintre décrit le broyage des couleurs; ils se mêlent de si près à notre souci de les faire servir que l'on ne distingue jamais très bien où le souci commence et où finit le mot.

Jacob Cow le pirate, ou Si les mots sont des signes, 1 (Cercle du Livre précieux).

On a supprimé la vieille rhétorique, par quoi nous sommes 14087 obligés de faire tous métier de rhétoriqueurs. *Ibid., 2.*

Rien ne fait *littéraire*, en lettres, comme l'authentique. 14088
La Rhétorique renaît de ses cendres (Cercle du Livre précieux).

14089 Si les règles et les genres ont jamais été imaginés, c'était pour assurer à l'esprit humain sa pleine liberté, pour lui permettre les cris, et la surprise, et le chant profond.
Ibid., 1.

14090 Qui veut se connaître, qu'il ouvre un livre.
Éléments, I (Cercle du Livre précieux).

14091 Nous ne réfléchissons jamais — la réflexion étant *aussi* pensée — qu'une pensée diminuée de cette réflexion. L'homme ne saisit pas plus son esprit *intact* qu'il ne voit directement sa nuque ou son cou.
La Demoiselle aux miroirs, 2 (Cercle du Livre précieux).

14092 On ne voulait mettre à mort que l'artiste, et c'est l'homme qui a la tête coupée.
Les Fleurs de Tarbes, ou la Terreur dans les Lettres, 1,
Portrait de la Terreur (Gallimard).

14093 On appelle *mots* les idées dont on ne veut pas [...].
Ibid., 3, Invention d'une rhétorique.

14094 [...] La Terreur, pour éviter un cliché qui risque d'être mal entendu, en ruine cent qui le seraient exactement.   *Ibid.*

14095 [...] Toute idée *se paie* d'autant de mots, toute pensée d'autant de langage; comme si la patience à entretenir la matière obtenait sa récompense d'esprit.   *Ibid.*

14096 [...] Toute loi poétique, pour être exacte ou complète, devrait de façon ou d'autre comprendre le mystère.
Clef de la poésie (Gallimard).

14097 D'un mot, le mystère fait autour de lui clarté. (Et peut-être n'est-il pas de clarté que ne suppose quelque mystère.)
Ibid.

14098 [...] Le mystère est en quelque façon nécessaire au jeu régulier et comme à la respiration de notre langage de tous les instants [...].   *Ibid.*

14099 [...] L'œuvre sera poétique, et le poème excellent à proportions que les mots et les idées [...] se trouveront doués, chacun dans son ordre, de la structure la plus complexe.   *Ibid.*

14100 [...] Nous nous piquons à nos opinions avec d'autant plus de violence que nous les sentons plus discutées ou plus douteuses, les tenant ainsi pour certaines à proportion qu'elles ne le sont pas.
Entretien sur des faits divers, 3, La compensation et la perspective mentale (Gallimard).

14101 [...] Un bon syllogisme n'a jamais convaincu personne.
Ibid., 4, L'usage des arguments ou les palais de la raison.

14102 Que le poète obscur persévère dans son obscurité, s'il veut trouver la lumière.
Les Contes de Noël Devaulx (Cercle du Livre précieux).

Qu'y a-t-il de plus surprenant, à tout prendre, que de porter 14103
à bout de bras ces bizarres organes préhensiles, pas mal
rougeâtres et plissés, les mains, et de petites pierres (d'ailleurs
transparentes) aux extrémités divergentes de ces mains.
Parfois, nous nous surprenons à manger, tout occupés à
broyer entre d'autres pierres, dont notre bouche est armée,
des fragments d'animaux morts.
Le Marquis de Sade et sa Complice ou Les revanches de la
pudeur, 3 (Cercle du Livre précieux).

L'exemple est unique [...], dans nos Lettres, de quelques 14104
romans — car il s'agit de romans — qui fondent, cinquante
ans après leur publication, toute une science de l'homme.
Ibid., 4.

Tel est l'esprit humain, même en voyage : il occupe à chaque 14105
instant tout l'espace dont il dispose.
Guide d'un petit voyage en Suisse, 4 (Gallimard).

C'est le langage qui a besoin d'être simple, et les opinions 14106
un peu compliquées.
De la paille et du grain, I (Gallimard).

[...] La littérature aussi est un langage, et (bien qu'il n'y 14107
apparaisse pas toujours) une fête pour tout le monde, où
tout le monde est invité.   *Ibid.*

L'ennui, c'est que j'ai raison. Il faut avouer que ce n'est 14108
pas gai.   *Ibid., III.*

Tout ce que je demande aux Politiques, c'est qu'ils se conten- 14109
tent de changer le monde, sans commencer par changer
la vérité.   *Ibid.*

Qu'est-ce que l'inspiration? C'est d'avoir une seule chose à 14110
dire, que l'on n'est pas fatigué de dire.
Notes, en introduction au tome IV des « Œuvres complètes »
(Cercle du Livre précieux).

Tout a été dit. Sans doute. Si les mots n'avaient changé de 14111
sens; et les sens, de mots.   *Ibid.*

La force a les droits de la force. Elle se dégrade et s'humilie — 14112
et nous humilie tous — dès qu'elle ment, et couvre d'un
manteau légal ses assassinats.
Lettre aux Directeurs de la Résistance (Ed. de Minuit).

Il n'est rien de parfait et de simple — de limité, d'harmo- 14113
nieux — comme un tableau accompli. On dirait une pensée.
Braque le Patron, VI (Gallimard).

Chose étrange, le bonheur dans l'esclavage fait de nos jours 14114
figure d'idée neuve.
Le Bonheur dans l'esclavage (Pauvert).

L'esprit parie à tout instant contre l'esprit. Telle est l'ambi- 14115
guïté essentielle de notre réflexion que toute preuve contre-

prouve et (si je peux dire) toute pensée contre-pense. Former
une opinion, c'est aussitôt la perdre.

> *Le Clair et l'Obscur, 4, La tentation de la pensée*
> *(Cercle du Livre précieux).*

14116 [...] Il n'est pas un objet du monde ni une pensée qui supporte
d'être directement saisie, et de face : pas un qui n'exige
d'être observé suivant mystère — pas un dont la clarté ne
suppose une face obscure [...].

> *Ibid., 6, Le renversement des clartés.*

14117 [...] Toutes les critiques sont justes. Tous les critiques sont
justes. Il ne reste qu'à les comprendre.

> *Fautrier l'Enragé (Gallimard).*

14118 La bonne règle pour juger de la perfection en art est simple,
et chacun la soupçonne ou la sait. Si l'on n'ose guère la
dire, c'est pour ne fâcher personne.   *Ibid., III.*

14119 Où est le temps où les peintres étaient sots? Ils n'arrêtent
pas aujourd'hui de poser des problèmes. Ils vont jusqu'à
les résoudre.   *Ibid.*

14120 Il n'est pas de grammaire, de logique, ni de philosophie
qui ne pose, à son point de départ, sous le nom de principe
d'identité [...], l'affirmation qu'un son est un son, et qu'une
idée est une idée; en bref, que A est A [...]. Cependant, je ne
fais ici qu'une hypothèse de travail : je suppose qu'il soit
donné à certains hommes — et par exemple à Rimbaud —
d'admettre le principe contraire : c'est à savoir que toute
chose est autre qu'elle-même et par exemple, pour préciser,
son contraire.

> *Rimbaud d'un seul trait (Cercle du Livre précieux).*

14121 [...] Il est peu de livres qui ne semblent écrits par des bourreaux : trop heureux, le ramoneur épisodique, la petite
blanchisseuse, le balayeur obscur, qui échappent à la griffe
de l'auteur.

> *Le Don des langues, I, 1 (Cercle du Livre précieux).*

14122 [Le langage] semble parfois, par un étrange renversement,
diriger et commander un esprit qui semble n'avoir dès lors
d'autre fonction que de l'exprimer à son tour.   *Ibid., 3.*

14123 [La littérature] nous offre une machine de langage, où les
données élémentaires de l'expression devraient se trouver
redoubler, plus évidentes, grossies et comme un langage du
langage.   *Ibid.*

14124 Telle est l'étrange condition du langage : il n'existe pas un
mot qui ne porte dans ses articulations la raison de sa ruine,
et comme une machine à renverser sa première acception.

> *Ibid., II, 4.*

14125 Le secret que nous poursuivons se dirait assez bien : il n'y
a dans le monde aucune des différences dont vous faites si
grand cas. Tout est *un*.   *Ibid., 11.*

JULES SUPERVIELLE
1884-1960

Ah! ne me réponds pas qu'il est toujours facile
De plier à son goût une muse docile
Et que le vers sait bien que le poète ment [...].
Poèmes (Gallimard).

14126

Je te parle durement, ma mère,
Je parle durement aux morts parce qu'il faut leur parler
dur [...].
Gravitations, Le Portrait (Gallimard).

14127

Jusqu'aux astres indéfinis
Qu'il fait humain, ô destinée!
L'univers même s'établit
Sur des colonnes étonnées.
Ibid., Une étoile tire de l'arc.

14128

Un jour la Terre ne sera
Qu'un aveugle espace qui tourne,
Confondant la nuit et le jour.
Ibid., Prophétie.

14129

Est-ce donc la mort cela, cette rôdeuse douceur
Qui s'en retourne vers nous par une obscure faveur?
Ibid., Le Survivant.

14130

Rien ne consent à mourir
De ce qui connut le vivre
Et le plus faible soupir
Rêve encore qu'il soupire.
Ibid., Souffle.

14131

Et peut-être que Dieu partage notre faim
Et que tous ces vivants et ces morts sur la terre
Ne sont que des morceaux de sa grande misère,
Dieu toujours appelé, Dieu toujours appelant,
Comme le bruit confus de notre propre sang.
Le forçat innocent, Soleil (Gallimard).

14132

Saisir, saisir le soir, la pomme et la statue,
Saisir l'ombre et le mur et le bout de la rue.

14133

Saisir le pied, le cou de la femme couchée
Et puis ouvrir les mains. Combien d'oiseaux lâchés

Combien d'oiseaux perdus qui deviennent la rue,
L'ombre, le mur, le soir, la pomme et la statue!
Ibid., Saisir.

Je cherche autour de moi plus d'ombre et de douceur
Qu'il n'en faut pour noyer un homme au fond d'un puits [...].
Ibid., La Malade.

14134

14135
[...] Que voulez-vous de moi,
Présences, parlez bas,
On pourrait nous entendre
Et me vendre à la mort,
Cachez-moi la figure
Derrière la ramure
Et que l'on me confonde
Avec l'ombre du monde.

Ibid., Peurs, Le.

14136 Marins qui rêvez en haute mer, les coudes appuyés sur la lisse, craignez de penser longtemps dans le noir de la nuit à un visage aimé. Vous risqueriez de donner naissance, dans des lieux essentiellement désertiques, à un être doué de toute la sensibilité humaine et qui ne peut pas vivre ni mourir, ni aimer, et souffre pourtant comme s'il vivait, aimait et se trouvait toujours sur le point de mourir, un être infiniment déshérité dans les solitudes aquatiques [...].

L'Enfant de la haute mer (Gallimard).

14137
Le monde est plein de voix qui perdirent visage
Et tournent nuit et jour pour en demander un.

Les Amis inconnus, S.T. (Gallimard).

14138
J'entasse dans ma nuit, comme un vaisseau qui sombre,
Pêle-mêle, les passagers et les marins,
Et j'éteins la lumière aux yeux, dans les cabines,
Je me fais des amis des grandes profondeurs.

Ibid., Un poète.

14139 Un homme à la mer lève un bras, crie : « Au secours! »
Et l'écho lui répond : « Qu'entendez-vous par là? »

Ibid., Naufrage.

14140
Silence, Dieu fait l'homme pour toujours,
Il le devine, il en aime le tour.
Place pour l'ordre ou bien pour la folie,
Place pour tous les souffles de la vie.

La Fable du monde, Dieu crée l'homme (Gallimard).

14141
O Dieu très atténué
Des bouts de bois et des feuilles,
Dieu petit et séparé,
On te piétine, on te cueille
Avec les herbes des prés.

Ibid., O Dieu très atténué.

14142
Mais le silence en sait plus sur nous que nous-mêmes,
Il nous plaint à part soi de n'être que vivants,
Toujours près de périr, fragiles il nous aime
Puisque nous finirons par être ses enfants.

Ibid., Bonne garde.

14143
[...] O cœur éponge de détresse
Même lorsque tu fus sans peur
Il n'est de terre sans un cri
Que la terre des cimetières [...]

1939-1945, Souffrir (Gallimard).

[...] Ce qu'il faut d'obscur 14144
Pour que le sang batte,
Ce qu'il faut de pur
Au cœur écarlate,
Ce qu'il faut de jour
Sur la page blanche,
Ce qu'il faut d'amour
Au fond du silence.
Poèmes récents, Vivre encore (Gallimard).

Soyez bon pour le Poète, 14145
Le plus doux des animaux;
Nous prêtant son cœur, sa tête,
Incorporant tous nos maux,
Il se fait notre jumeau;
Au désert de l'épithète,
Il précède les prophètes
Sur son douloureux chameau [...].
Les Poèmes de l'humour triste, L'Escalier (Gallimard).

GASTON BATY
1885-1952

Tout ce qui est, est matière dramatique [...] 14146
[...] Il ne s'agit pas de *parler* de tout cela, mais de rendre
tout cela *sensible*.
Témoignage, « L'Essence du théâtre » de Henri Gouhier (Plon).

HENRI BÉRAUD
1885-1958

C'est dans les administrations qu'on voit le mieux ce qu'il 14147
en coûte de faire envie à ceux qui font pitié.
Le Martyre de l'obèse (Albin Michel).

La vérité, que personne n'avoue, c'est qu'une fois les illu- 14148
sions enfuies, on passe sa vie à souffler sur le miroir aux
regrets. Mais toujours la buée s'efface. *Ibid.*

On juge entièrement un homme sur sa façon de braver la 14149
mort. Rien ne dit mieux ce qu'il vaut. Que ceux qui n'ont
jamais eu de courage en aient une fois, une seule, et ils
verront comme, après, on se sent fort et libre, comme on est
le maître du monde.
Quinze jours avec la mort, Deuxième partie, chap. 8 (Plon).

CHARLES DULLIN
1885-1949

14150 [...] Avant de mâcher les mots je mange les idées.
Souvenirs et notes de travail d'un acteur, chap. 3
(Odette Lieutier).

PAUL GÉRALDY
1885-1983

14151 Si tu m'aimais, et si je t'aimais, comme je t'aimerais!
Toi et moi, Épigraphe (Stock).

14152   En toi ce que je déteste
              C'est le mal que je te fais.
Ibid., 2 : Nerfs.

14153 Baisse un peu l'abat-jour, veux-tu? Nous serons mieux.
C'est dans l'ombre que les cœurs causent,
Et l'on voit beaucoup mieux les yeux
Quand on voit un peu moins les choses.
Ibid., 4 : Abat-jour.

14154   Et puis comme au fond de soi-même
              On s'aime beaucoup,
              Si quelqu'un vous aime, on l'aime
              Par conformité de goût.
Ibid., 21 : Méditation.

SACHA GUITRY
1885-1957

14155 A cette époque, je n'avais pas la foi. Ceux qui me l'ont
donnée, ce sont quelques athées, plus tard, que j'ai connus.
Si j'ai bonne mémoire, Mes Pensions
(Librairie Académique Perrin).

14156 Les classes devraient être passionnantes. Seulèment, pour
cela, [...] il faudrait des professeurs passionnés [...].   *Ibid.*

14157 On parle beaucoup trop aux enfants du passé et pas assez
de l'avenir — c'est-à-dire trop des autres et pas assez d'eux-
mêmes.   *Ibid.*

14158 [...] Il est à noter qu'on met la femme au singulier quand on a
du bien à en dire — et qu'on en parle au pluriel sitôt qu'elle
vous a fait quelque méchanceté.
N'écoutez pas, mesdames! acte I
(Librairie Académique Perrin).

Les vraies menteuses ne savent pas dire la vérité.   *Ibid.* 14159

On n'est jamais trompé par celles qu'on voudrait.   14160
Ibid., Acte II.

Faire des concessions?   14161
Oui, c'est un point de vue — mais sur un cimetière.
Elles et Toi (Solar).

Que s'aimer modérément soit l'apanage des médiocres.   14162
Ibid.

Je vais donc enfin vivre seul! Et, déjà, je me demande avec   14163
qui.   *Ibid.*

Elles ont un redoutable avantage sur nous : elles peuvent   14164
faire semblant — nous, pas.   *Ibid.*

On les a dans ses bras — puis un jour sur les bras — et   14165
bientôt sur le dos.   *Ibid.*

Redouter l'ironie, c'est craindre la raison.   14166
L'Esprit (Librairie Académique Perrin).

ANDRÉ LHOTE
1885-1962

Il y a des génies dont la destinée est d'être compris à rebours,   14167
prisés pour des raisons qu'ils eussent pu avoir de se mépriser.
*La Peinture, Le Cœur et l'Esprit, L'enseignement de Cézanne
(Denoël).*

Au lieu d'être séduit par l'évidence picturale, qui n'est pas   14168
l'évidence du fait divers, [le public] demande sans cesse,
sur l'air des lampions : Ressemblance, ressemblance!
Peinture d'abord, Avant-propos (Denoël).

[...] Peindre n'est pas prendre sur la palette des couleurs   14169
variées, mais les faire naître de rien sur la toile complice [...]
Ibid., Divagation sur les tissus.

FRANÇOIS MAURIAC
1885-1970

Ces blessures qu'un seul être au monde, celui qui les a faites,   14170
pourrait guérir.   *Le Désert de l'amour, chap. 3 (Grasset).*

Le désert qui sépare les classes comme il sépare les êtres.   14171
Ibid., chap. 4.

14172　Qui de nous possède la science de faire tenir dans quelques paroles notre monde intérieur? Comment détacher de ce fleuve mouvant telle sensation et non telle autre? On ne peut rien dire dès qu'on ne peut tout dire.　　*Ibid.*

14173　Rien que cela, le sexe, nous sépare plus que deux planètes.
　　　　Ibid.

14174　N'importe qui sait proférer des paroles menteuses; les mensonges du corps exigent une autre science. Mimer le désir, la joie, la fatigue bienheureuse, cela n'est pas donné à tous.　　*Thérèse Desqueyroux, chap. 4 (Grasset).*

14175　La politique [...] suffisait à mettre hors des gonds ces personnes qui, de droite ou de gauche, n'en demeuraient pas moins d'accord sur ce principe essentiel : la propriété est l'unique bien de ce monde, et rien ne vaut de vivre que de posséder la terre.　　*Ibid., chap. 6.*

14176　Telle est [...] la leçon de Racine : il est donné à tous de se haïr quelquefois, de céder un instant au dégoût de soi-même; le difficile est de persévérer dans cette haine et dans cette horreur.　　*La Vie de Jean Racine, XIV (Plon).*

14177　Le romancier est, de tous les hommes, celui qui ressemble le plus à Dieu : il est le singe de Dieu.
　　　　Le Roman, I (Ed. Artisan du Livre).

14178　Unir l'extrême audace à l'extrême pudeur, c'est une question de style.　　*Ibid., VII.*

14179　Comme le flux de l'Océan émeut les grands fleuves bien en deçà de leur embouchure, la mort se mêle à toute vie chrétienne avant qu'elle en approche.
　　　　Dieu et Mammon, II (Le Capitole).

14180　[Barrès] a mis le Palais-Bourbon entre le néant et lui.
　　　　Ibid., IV.

14181　Un écrivain est essentiellement un homme qui ne se résigne pas à la solitude. Chacun de nous est un désert : une œuvre est toujours un cri dans le désert [...].　　*Ibid., V.*

14182　Il y a souvent un vice jugulé, dominé, à la source de vies admirables.　　*Ibid.*

14183　Le christianisme ne fait pas sa part à la chair; il la supprime.
　　*Souffrances et Bonheur du chrétien, Souffrances du pécheur
(Grasset).*

14184　Si vous aimez votre péché, il ne vous sert de rien d'être crucifié par lui; et toutes vos larmes sont vaines : telle est la loi.　　*Ibid.*

14185　Le vrai concupiscent n'aime la gloire que parce qu'elle prolonge le temps où l'homme peut être encore aimé.　　*Ibid.*

14186　Le péché qui tue l'âme, repétrit le corps à son affreuse ressemblance.　　*Ibid., Bonheur du chrétien.*

La méditation des mystères a commencé là, dans cette ombre 14187
de Nazareth où la Trinité respirait.
Vie de Jésus, I (Flammarion).

[...] S'il est une part du message chrétien que les hommes ont 14188
refusée et rejetée avec une obstination invincible, c'est bien
la foi en la valeur égale de toutes les âmes, de toutes les races,
devant le Père qui est au ciel. *Ibid., VII.*

Quel arbre humain n'est, par quelques-uns de ses fruits, 14189
un mauvais arbre? *Ibid., X.*

Chaque personnage engagé dans le drame de la Rédemption 14190
apparaît comme un prototype dont nous coudoyons encore
dans la vie les répliques multipliées. *Ibid., XII.*

Nous croyons de toute notre âme à la résurrection de la chair; 14191
mais il faut que chaque être humain donne son consentement
à cette vocation de pourrir. *Ibid., XXII.*

Désormais, dans le destin de tout homme, il y aura ce Dieu 14192
à l'affût. *Ibid., XXVI.*

J'ai peine à croire à l'innocence des êtres qui voyagent seuls. 14193
Journal I, Voyage (Grasset).

Quelle jeunesse n'a été meurtrière? Quel homme ne garde, 14194
au fond de soi, le reproche muet d'une bouche à jamais
scellée? *Ibid., Être pardonné.*

Atteindre à tout, non pour en jouir, mais pour n'avoir 14195
plus à y penser, c'est la méthode dont usent certains chrétiens
qui veulent guérir de l'ambition [...]
Ibid., Journal de Gide.

Comme il existe une fausse délicatesse, il existe une fausse 14196
vulgarité. *Ibid., II, Défense de « Carmen ».*

Je salue d'avance ce Proust inconnu qui, peut-être aujour- 14197
d'hui, dans quelque ville perdue de Russie, étudie de l'intérieur cette humanité dont nous ne savons rien, sinon qu'elle
souffre atrocement. *Ibid., Le Proust russe attendu.*

Mort, la seule de mes aventures que je ne commenterai pas... 14198
Ibid., Page d'un carnet.

Une œuvre sincère ne saurait être plus condamnable qu'un 14199
cri. Tout drame inventé reflète un drame qui ne s'invente pas.
Ibid., Solitude au seuil de la guerre.

En vain! Nous serons vaincus 14200
Par le Dégoût, ce complice
Du Dieu qui nous aime plus
Que nous n'aimons nos délices.
Orages, Autre péché (Grasset).

[...] Et ma main, se levant vers l'arbre de science, 14201
A la forme du fruit qu'elle voudrait saisir.
Ibid., David vaincu.

14202   Un jeune pin tendu vers l'essence divine
Fait des signes au ciel avec ses longues mains.
Sa cime cherche un dieu, mais ses lentes racines
Dans mon corps ténébreux creusent de lents chemins.
Ibid., Le Sang d'Atys.

14203   Innombrables Atys! Vous êtes ma poussière,
Ma poussière, c'est vous qui ressusciterez.
Ibid.

14204   La juste condamnation d'un régime ne doit pas devenir
l'injuste condamnation d'une classe.
Le Bâillon dénoué, L'avenir de la bourgeoisie (Grasset).

14205   Le déclin de l'âge nous apporte ce bienfait : c'est que les
êtres, et les nations, ne peuvent plus nous surprendre que
par leurs vertus. La bassesse va de soi [...]
Ibid., L'amour lucide.

14206   Faire, c'est agir. C'est parce que nos actes nous suivent,
que nos écrits nous suivent.   *Ibid., Autour d'un verdict.*

14207   Le christianisme attire la foule de ceux qui croient que
l'Évangile les autorise à se glorifier du néant.
Mes Grands Hommes, Pascal (Ed. du Rocher).

14208   L'homme, la quarantaine passée, se tient au plus épais
d'une bataille finissante, d'un charnier : toutes ces pourri-
tures qui respirent encore!   *Ibid., Molière.*

14209   Comme on dit « faire l'amour », il faudrait pouvoir dire
« faire la haine ». C'est bon de faire la haine, ça repose,
ça détend.   *Le Sagouin, I (Ed. La Palatine).*

14210   Être prêtre, ce serait cela, qu'il n'y eût plus une créature vers
qui il ne pût aller, avec laquelle il ne se trouvât de plain-pied.
L'Agneau, I (Flammarion).

14211   Une œuvre, tant qu'elle survit, c'est une blessure ouverte
par où toute une race continue de saigner.
Mémoires intérieurs, I (Flammarion).

14212   Le poète se saisit de l'ascendance bourgeoise qui le ligote
et il en tire des types. Il se paie sur la bête.   *Ibid., III.*

14213   Je ne puis dire en vérité que j'aime l'Église catholique pour
elle-même. Si je ne croyais pas qu'elle a reçu les paroles de
la vie éternelle, je n'aurais aucune admiration pour ses
structures, ni pour ses méthodes, et je détesterais bien des
chapitres de son histoire. [...] Je suis, sur ce point, aux
antipodes d'un positiviste d'Action française, qui ne croit
pas que l'Église enseigne la vérité, mais qui l'admire en
tant qu'institution.
Ce que je crois, chap. 1, Le point de départ (Grasset).

14214   Le chrétien est essentiellement un homme qui refuse le
mystère, qui ne consent pas à ce mystère que le matérialiste
a accepté, lui, et qu'il fait plus qu'accepter [...]. « Qui sommes-

nous? D'où venons-nous? Où allons-nous? » Ces trois
questions que Gauguin a inscrites au bas d'un fameux trip-
tyque, le chrétien juge qu'elles exigent une réponse.
Ibid., chap. 3, Le mystère accepté et refusé.

Je crois que le Mal existe et je juge de ce qu'il est le Mal   14215
à la lumière du Christ.
Ibid., chap. 4, L'exigence de pureté.

Nous possédons à tout jamais la créature à laquelle nous   14216
avons renoncé.   *Ibid.*

Au-dedans de l'Église, les tenants du dépôt s'opposent aux   14217
tenants du message.   *Ibid., chap. 5, Les frères ennemis.*

Tout parti pris théologique comporte une attitude politique.   14218
Ibid.

L'Occident chrétien a manqué à sa vocation, voilà le vrai.   14219
Ibid.

Ma solitude n'aura connu d'autre remède que l'écriture   14220
en ce monde et que Dieu dans l'autre. Mais d'abord dans
celui-ci où Il s'est incarné et où Il a été et où Il demeure
quelqu'un.   *Ibid., chap. 6, Le petit Poucet.*

Et si la vérité était enfantine [...]?   14221
Ibid., chap. 7, Le Démon.

Le silence n'existe pas : vivre, c'est se tenir au centre d'un   14222
ruissellement que la mort seule arrêtera.
Nouveaux Mémoires intérieurs, chap. 1 (Flammarion).

Un vieil homme est toujours Robinson.   14223
Ibid., chap. 3.

Le renversement nietzschéen de toutes les valeurs marque   14224
la frontière entre deux natures d'esprits, ceux pour qui le
mal reste le mal, leur vie fût-elle criminelle — et c'est l'univers du péché et de la Grâce, l'univers de la Rédemption
— et ceux aux yeux de qui il n'y a pas de faute hors de ce
qui lèse la collectivité, et nos actes n'ont à leurs yeux aucune
portée métaphysique.   *Ibid., chap. 6.*

L'art abstrait témoigne que l'homme n'a rien à dire, rien à   14225
exprimer ni à fixer, s'il se coupe du monde tel que le capte
le regard d'un enfant.   *Ibid., chap. 7.*

Le christianisme n'est pas une philosophie, n'est pas un   14226
système, il n'est rien d'autre qu'une histoire.
Ibid., chap. 13.

ANDRÉ MAUROIS
1885-1967

14227 Le véritable esprit sportif participe toujours de l'esprit religieux.
> *Les Silences du colonel Bramble, chap. 1 (Grasset).*

14228 Les traits de caractère qui permettent à un être d'acquérir une grande fortune sont presque toujours ceux qui l'empêchent aussi d'en tirer des jouissances autres que celles du pouvoir et du travail.
> *Le Cercle de famille, Deuxième partie, chap. 10 (Grasset).*

14229 La vérité, c'est que l'on ne fait pas de grandes choses sans être une brute.
> *Ibid., Troisième partie, chap. 4.*

14230 L'homme d'action est avant tout un poète.   *Ibid., chap. 8.*

14231 La vieillesse n'est pas apaisée... Voyez Chateaubriand lui-même, et Anatole France, et Goethe... Le diable est vieux.
> *Ibid., chap. 9.*

14232 Presque toutes les vies sont ratées [...] et c'est pourquoi, vous autres écrivains, vous formez des destins imaginaires. Vous avez bien raison.
> *Ibid.*

14233 L'écrivain moderne n'atteint pas les profondes masses populaires parce qu'il ne connaît plus assez la misère. La douleur du pauvre, voilà la grande tragédie [...]
> *Ibid.*

14234 Les gouvernements ont l'âge de leurs finances, comme les hommes ont l'âge de leurs artères.
> *Ibid., chap. 17.*

14235 Un patronat dont les droits sont limités par la loi apporte à une société les précieux avantages de l'initiative et de la responsabilité.
> *Les Mondes impossibles, La Machine à lire les pensées,*
> *chap. 16, Surprises (Gallimard).*

14236 Je crois apercevoir dans la nature les traces d'un ordre, d'un plan, et si vous voulez le reflet du divin... Mais le plan lui-même me paraît inintelligible pour un esprit humain.
> *Ibid., Le Peseur d'âmes, chap. 3.*

14237 La seule atmosphère favorable au créateur est celle de la naissance de l'amour. [...] Le mariage ou toute relation permanente avec une femme est la mort d'un grand artiste.
> *Ibid., Voyage au pays des Articoles, chap. 6.*

JULES ROMAINS
1885-1972

Trois copains qui s'avancent sur une ligne n'ont besoin de personne, ni de la nature ni des dieux. 14238
Les Copains, chap. 4 (Gallimard).

Un peu d'embonpoint, un certain avachissement de la chair et de l'esprit, je ne sais quelle descente de la cervelle dans les fesses, ne messiéent pas à un haut fonctionnaire. 14239
Ibid., chap. 5.

Il ne suffit pas qu'une idée soit difficile à exprimer raisonnablement pour qu'elle soit moins bonne qu'une autre. 14240
Lucienne, chap. 1 (Gallimard).

Une erreur n'est souvent qu'une vérité coupée en herbe. 14241
Ibid., chap. 8.

Moi, je suis assez terrorisé par les femmes sportives. [...] Leur sang a une façon de circuler que je trouve un peu voyante. Elles respirent comme si, chaque fois, elles découvraient l'oxygène. 14242
Ibid., XIII.

La circulation d'une forte nourriture rend savoureuse l'obéissance au destin. 14243
Ibid., chap. 14.

Les gens bien portants sont des malades qui s'ignorent. 14244
Knock, acte I (Gallimard).

Malgré toutes les tentations contraires, nous devons travailler à la conservation du malade. 14245
Ibid.

KNOCK 14246
Attention. Ne confondons pas. Est-ce que ça vous chatouille, ou est-ce que ça vous gratouille?

LE TAMBOUR DE LA VILLE
Ça me gratouille. *(Il médite).* Mais ça me chatouille bien un peu aussi.
Ibid., acte II, scène 1.

La santé n'est qu'un mot, qu'il n'y aurait aucun inconvénient à rayer de notre vocabulaire. Pour ma part, je ne connais que des gens plus ou moins atteints de maladies plus ou moins nombreuses à évolution plus ou moins rapide. 14247
Ibid., acte II, scène 3.

Par elle-même la consultation ne m'intéresse qu'à demi : c'est un art un peu rudimentaire, une sorte de pêche au filet. Mais le traitement, c'est de la pisciculture. 14248
Ibid., acte III, scène 6.

Ce qu'il faut pour oser faire le rêve de modifier la Société, ce qu'aucune énergie ne remplace, le vieux mot « d'idéal » le désigne. Mais d'une façon si usée, si convenue, que la 14249

bouche a l'impression de mâcher de la phrase morte pour
bavards.

*Les Hommes de bonne volonté, vol. III, Les Amours enfantines,
chap. 1 (Flammarion).*

14250   L'individu ne peut pas avoir raison indéfiniment contre
l'humanité. Tout ce qu'il peut espérer, c'est d'avoir raison
plus tôt qu'elle.   *Ibid.*

14251   Le temps passe. Et chaque fois qu'il y a du temps qui passe,
il y a quelque chose qui s'efface.   *Ibid., chap. 5.*

14252   Un dîner dans le monde est une sorte d'animal mince et
transparent, qui absorbe de la lumière, un peu de nourriture,
et qui produit continuellement des paroles.   *Ibid., XIV.*

14253   J'oppose l'action individuelle moins encore à l'action de
masse, qu'à l'absence de toute espèce d'action, à ce fatalisme inconscient, qui se déguise en soi-disant profondeur
philosophique.   *Ibid., vol. IV, Eros de Paris, chap. 9.*

14254   La volonté règne moins loin dans le corps qu'on ne croit.
Il y a des répugnances qui la défient, des refus de la chair
que tout notre esprit ne ferait qu'exaspérer en s'acharnant
dessus. Oui, le grand attirail des muscles nous obéit tant bien
que mal. Mais des mécanismes plus intimes se moquent de
nous.   *Ibid., vol. V, Les Superbes, chap. 1.*

14255   La façon dont un homme fait l'amour est un des traits
les plus caractéristiques de son signalement; et ce serait dans
la pratique un des plus précieux à connaître, s'il n'y avait
malheureusement trop peu de personnes aussi bien pour le
recueillir que pour en tirer parti.   *Ibid., chap. 8.*

14256   Le péché n'est pas horrible : il est vide. Tout est vide. Même
le repentir au loin et le pardon ne sont pas désirables.
                                            Ibid., chap. 26.

14257   L'excitation amoureuse et l'approche du plus grand plaisir
s'accordent mieux avec les pensées de bravoure qu'avec le
sang-froid.   *Ibid.*

14258   Le malheur arrive sur vous, d'une seule pièce, comme glisse-
rait un couvercle.   *Ibid., vol. VI; Les Humbles, chap. 11.*

14259   L'amour, même le plus léger, ne peut que parfumer la place
où l'amitié un jour se posera.
                Ibid., vol. VII, Recherche d'une église, chap. 1.

14260   Le vrai patron est quelqu'un qui se mêle passionnément de
votre travail, qui le fait avec vous, par vous.
                                            Ibid., chap. 11.

14261   Une démocratie, c'est d'abord ça : une façon de vivre où les
gens osent se communiquer les choses importantes, toutes

les choses importantes, où ils se sentent le droit de parler
comme des adultes, et non comme des enfants dissimulés...
                    Ibid., vol. VIII, Province, chap. 11.

La concupiscence est une fièvre qui vous met en état d'infé-   14262
riorité. L'œuvre de chair peut être une pratique paisible,
qui vous prémunit contre des troubles plus profonds et des
égarements plus graves.   *Ibid., chap. 27.*

ALAIN-FOURNIER
1886-1914

Notre aventure est finie. L'hiver de cette année est mort   14263
comme la tombe. Peut-être quand nous mourrons, peut-être
la mort seule nous donnera la clé et la suite et la fin de cette
aventure manquée.
*Le Grand Meaulnes, Deuxième partie, chap. 12 : Les trois
                    lettres de Meaulnes (Émile-Paul).*

Un homme qui a fait une fois un bond dans le Paradis,   14264
comment pourrait-il s'accommoder ensuite de la vie de tout
le monde?
        Ibid., Troisième partie, chap. 4 : La grande nouvelle.

Je ne crois qu'au fleuve vie, je ne veux être que les flots   14265
de ce fleuve. Je ne veux pas de formules; rien que des mots
qui suivent pas à pas dans ses moindres détours, retours et
rencontres, la marche complexe de la vie.
            *Lettres d'Alain-Fournier à sa famille, 7 février 1906
                                    (Émile-Paul).*

Il y a là [dans Mallarmé], pour la première fois dans la   14266
langue, une puissance presque surhumaine de précision,
un effort vers les sources du langage qui atteint en même
temps les sources de la pensée — en un mot le principe même
de cette évolution admirable de la langue et de la philosophie,
à laquelle se rattachent tous ceux qui ont écrit quelque chose
de durable depuis trente ans.   *Ibid., 19 décembre 1906.*

Belle et grande et juste guerre. Je ne sais pourquoi je sens   14267
profondément qu'on sera vainqueurs.
                            Ibid., 4 août 1914.

PIERRE BENOIT
1886-1962

[...] On doit laisser en paix les gens chargés de la cuisine.   14268
Ainsi le comprenait Jésus, [...] à qui l'idée ne vint jamais
de détourner Marthe de ses fourneaux pour lui conter des
sornettes.
        *L'Atlantide, chap. 12 : Morhange se lève et disparaît
                                (Albin Michel).*

14269 Je puis le dire hautement, plus hautement que personne :
les grandes passions, cérébrales ou sensuelles, sont affaires
de gens dûment repus, désaltérés et reposés.
Ibid., chap. 19. Le Tanezrouft.

14270 Mon crime [...] fut d'avoir cru qu'un grand amour lave
tout, purifie tout, justifie tout. Et ce crime, quoi qu'il advienne, je maintiendrai qu'il est en puissance dans le cœur
de tout être qui aura véritablement aimé.
Alberte, chap. 1 (Albin Michel).

14271 L'argent ne fait pas le bonheur? Qui le fait donc, je vous le
demande? Qui me donnerait cette démarche assurée, cette
confiance, cette joie?
Kœnigsmark, chap. 1 (Albin Michel).

MARC BLOCH
1886-1944

14272 L'histoire dût-elle être éternellement indifférente à l'*homo
faber* ou *politicus* qu'il lui suffirait, pour sa défense, d'être
reconnue comme nécessaire au plein épanouissement de
l'*homo sapiens.*
*Apologie de l'histoire ou Métier d'historien, Introduction
(A. Colin).*

14273 [...] L'histoire n'est pas seulement une science en marche.
C'est aussi une science dans l'enfance : comme toutes celles
qui, pour objet, ont l'esprit humain, ce tard-venu dans le
champ de la connaissance rationnelle.   *Ibid.*

14274 Mais l'historien n'a rien d'un homme libre. Du passé, il
sait seulement ce que ce passé même veut bien lui confier.
La Société féodale, Introduction. (Albin Michel).

14275 Une histoire plus digne de ce nom que les timides essais
auxquels nous réduisent aujourd'hui nos moyens ferait leur
place aux aventures du corps. C'est une grande naïveté
de prétendre comprendre les hommes sans savoir comment
ils se portaient.
Ibid., Première partie, Livre deuxième, chap. 11, 1.

FRANCIS CARCO
1886-1958

14276 Hélas! la grande tristesse actuelle est que les choses n'ont
plus le temps de vieillir.
Rendez-vous avec moi-même, chap. 4 (Albin Michel).

14277 L'œuvre vaut plus que la formule.
*L'ami des peintres, chap. 4, De Barbizon aux « Deux Magots »
(Gallimard).*

[...] Pour peu qu'on y réfléchisse, on est en droit de se 14278
demander si les artistes ne font pas fausse route en ne jouant
que la difficulté. [...] Tout art s'adresse aux sens, d'abord,
plus qu'à l'esprit. [...] Certaines limites exigent qu'on ne
les franchisse point.
Ibid., chap. 10, Conversation avec Matisse.

Villon que l'on cherchait céans 14279
   N'est plus là, ni Verlaine,
Dans ce caveau sombre et puant.

On y soupire la rengaine,
   On y boit, comme avant,
Entre filous et tire-laine.
Petits Airs (Davis).

ROLAND DORGELÈS
1886-1973

J'trouve que c'est une victoire, parce que j'en suis sorti 14280
vivant.
Les Croix de Bois, chap. 16, Le retour du héros (Albin Michel).

La femme rend lâche, voilà ce que tu ne peux pas com- 14281
prendre [...]. C'est elle qui conseille au gréviste de rentrer à
l'usine, à l'artiste de faire du commerce, au soldat de plier
le dos. Parce qu'elle ne pense qu'à la pâtée, qu'elle a un pot-
au-feu dans le cœur. Faites-en [...] une machine à plaisir,
mais pas un moule à gosses.
*Le château des Brouillards, chap. 12, Un trésor sur le toit
(Albin Michel).*

Pour réformer le monde, il ne suffit pas de tuer le capital, 14282
il faut tuer l'amour. *Ibid.*

La jeunesse, mais on ne la franchit jamais assez rapidement. 14283
Les vieux vous mentent lorsqu'ils vous disent : « Profitez-en ».
C'est un os qu'ils vous jettent à ronger pour qu'on se tienne
tranquille. Vingt ans; le printemps de la vie? Qu'ils aillent
le demander aux dalles de la Morgue!
Ibid., chap. 17, Où l'auteur évoque des ombres.

Il faut déshonorer le mariage!. [...] C'est le viol qui sauvera 14284
l'amour. *Ibid., L'été de Régine.*

HENRI MASSIS
1886-1970

Se définir à propos d'un grand écrivain, si on l'entend d'un 14285
effort vers sa perfection, c'est-à-dire vers la Perfection,
y a-t-il façon plus digne d'honorer la littérature?
*D'André Gide à Marcel Proust, Gide et nous, Introduction
(Ed. Lardanchet).*

14286 Plus encore que de conquêtes, d'annexions de territoires,
c'est d'une colonisation *morale* que nous sommes aujour-
d'hui menacés; c'est l'âme même des peuples soumis que
Russes et Américains entendent transformer.
> *L'Occident et son destin, Introduction (Grasset).*

14287 Par *Occident*, redisons-le une fois encore pour dissiper toute
équivoque, c'est un *esprit* que nous entendons désigner, car
l'Occident est plus une région de l'esprit humain qu'une
partie du monde. Ce qui le caractérise essentiellement, c'est
le trait chrétien et c'est par là que le mot d'Occident échappe
à la délimitation des frontières géographiques.   *Ibid.*

HANS ARP
1887-1966

14288 La raison, cette laide verrue, est tombée de l'homme.
> *Jours effeuillés, Le style éléphant contre le style bidet*
> *(Gallimard).*

14289 Si quelqu'un a des oreilles, qu'il voie, si quelqu'un a des
yeux, qu'il entende!   *Ibid., Kandinsky.*

14290 L'art est un fruit qui pousse dans l'homme, comme un
fruit sur une plante ou l'enfant dans le sein de sa mère. Mais,
tandis que le fruit de la plante, le fruit de l'animal, le fruit
dans le sein de sa mère, prend des formes autonomes et
naturelles, l'art, le fruit spirituel de l'homme, fait preuve
la plupart du temps d'une ressemblance ridicule avec l'aspect
d'autre chose.   *Ibid., On my Way, L'art est un fruit.*

14291
> J'aime les calculs faux
> car ils donnent
> des résultats plus justes.
> *Ibid., Un mouton à quatre tiges.*

BLAISE CENDRARS
1887-1961

14292
> Seigneur, quand vous mourûtes, le rideau se fendit,
> Ce que l'on vit derrière, personne ne l'a dit.
> *Du Monde entier, les Pâques à New York (Denoël).*

14293 Le Kremlin était comme un immense gâteau tartare [...]
> *Ibid., Prose du Transsibérien et de la petite Jehanne de France.*

14294
> Pourtant j'étais fort mauvais poète.
> Je ne savais pas aller jusqu'au bout.
> *Ibid.*

14295 La poésie date d'aujourd'hui.
> *Ibid., Le Panama ou les Aventures de mes sept oncles.*

La critique d'art est aussi imbécile que l'espéranto.   14296
                    Ibid., Dix-neuf poèmes classiques, 11.

Sans l'appui de l'égoïsme, l'animal humain ne se serait   14297
jamais développé. L'égoïsme est la liane après laquelle les
hommes se sont hissés hors des marais croupissants pour
sortir de la jungle. Cette liane est sans dimension. Elle
pousse jusqu'au ciel, permettant d'atteindre Dieu et les
anges [...]
          Hors la loi!..., Troisième partie, New York (Grasset).

Écrire est une vue de l'esprit. C'est un travail ingrat qui   14298
mène à la solitude.
          L'Homme foudroyé, Le Vieux port, IV (Denoël).

Je ne trempe pas ma plume dans un encrier, mais dans la vie.   14299
Écrire, ce n'est pas vivre. C'est peut-être se survivre. Mais
rien n'est moins garanti. En tout cas, dans la vie courante
et neuf fois sur dix, écrire... c'est peut-être abdiquer. J'ai
dit.   *Ibid., Rhapsodies gitanes, Deuxième rhapsodie, 11.*

Que font tous ces artistes, mes contemporains? Ma parole,   14300
on dirait qu'ils n'ont jamais vécu! Et pourtant, il n'y a
qu'une seule chose de sublime au monde pour un créateur;
l'homme et son habitat. Dieu nous en a donné l'exemple
qui s'est mêlé à nous [...]   *Ibid., Quatrième rhapsodie, 25.*

Les sages sont des gens vites. Les saints sont plus vites   14301
encore qui bénéficient de la lévitation. Voyez saint Joseph
de Coupertine, cet as, qui devrait être le véritable patron de
l'aviation.   *Ibid.*

La folie est le propre de l'homme.   41302
                    Bourlinguer, Gênes (Denoël).

Et Dieu jaugera et Dieu jugera.   *Ibid.* 14303

[...] L'on ne peut secouer un vice sans secouer tous les   14304
autres tellement cette broussaille vivace est passionnément
enchevêtrée par les branches, les tiges, les troncs, la ramure
et les racines plus longues et plus noueuses et plus emmêlées
que chiendent.   *Ibid.*

Vivez, ah! vivez donc, et qu'importe la suite! N'ayez pas   14305
de remords, vous n'êtes pas Juge.   *Ibid.*

Personnellement, comme je n'ai pas la foi, je n'assisterai   14306
pas à la parousie.
          Le Lotissement du ciel, Le jugement dernier (Denoël).

Partir!...   14307
Mais le monde entier est sophistiqué, même la Russie, malgré
les purges.   *Ibid., La Tour Eiffel sidérale, XII.*

          L'univers est une digestion.   14308
          Vivre est une action magique.
          Emmène-moi au bout du monde, 2 (Denoël).

MARCEL DUCHAMP
1887-1965

14309 Ce sont les REGARDEURS qui font les tableaux. On découvre aujourd'hui le Greco; le public peint les tableaux trois cents ans après l'auteur en titre.
Marchand du sel, Rrose Sélavy, Jugements et critiques
(Le Terrain vague).

PIERRE JEAN JOUVE
1887-1976

14310 La nudité c'est le charme, l'enfance, ou encore la guerre.
Paulina 1880, 51 (Mercure de France).

14311 Montagne, à toi montagne! tu es la fille de mon cœur, tu es l'objet de ma main. Montagne quand on est sur toi et que l'on écoute ta pensée immobile. On dit oui à Dieu.
Le monde désert, 9 (Mercure de France).

14312 Le sang humain n'a qu'une manière de couler.
Les Noces, Songe (Mercure de France).

14313 L'arbre se sauve en laissant tomber ses feuilles.
Ibid., Humilis.

14314 La poésie c'est la vie même du grand Éros morte et par là survivante.
Sueur de sang, Avant-propos (Mercure de France).

14315 Je ne crois pas à la poésie qui, dans le processus inconscient, choisit le cadavre et reste fixée sur lui; il n'y a, par le cadavre, ni révolution ni action. Dieu est vie; et si la mort doit finalement s'intégrer dans le monde ou dans Dieu, ce ne doit jamais être par le « sens du cadavre » que, chose extraordinaire, l'homme porte en lui dès qu'il naît — comme un pouvoir diabolique engendreur de faute.   *Ibid.*

14316 La révolution comme l'acte religieux a besoin d'amour. La poésie est un véhicule intérieur de l'amour.   *Ibid.*

14317   Les crachats sur l'asphalte m'ont toujours fait penser A la face imprimée au voile des saintes femmes.
Ibid., Crachats.

LOUIS JOUVET
1887-1951

14318 [...] Le théâtre est chose spirituelle; un culte de l'esprit ou des esprits.
Le Comédien désincarné, Interrogations sur le théâtre
(Flammarion).

Le théâtre est une de ces ruches où l'on transforme le miel 14319
du visible pour en faire de l'invisible. · *Ibid.*

Le public trompe le comédien, n'est-il pas vrai, et le comé- 14320
dien trompe le public. C'est un jeu de sincérité, un marché!
C'est ce jeu qu'il importe de considérer, dans son honnêteté,
ses procédés. *Ibid.*

Il y a une hérédité de nous à nous-mêmes. 14321
Ibid., Vocation.

S'appuyer sur son sentiment, pour exécuter ensuite avec 14322
lucidité, sans se laisser troubler.
Ibid., Comportement de l'acteur.

[...] Je rêve parfois que, à l'instar de Cuvier, je pourrai, 14323
quelque jour, étudier l'art théâtral à partir de son architecture, [...] faire jaillir d'une pierre comme d'une vertèbre,
le grand corps vivant d'un mystère passé.
*Témoignage, le théâtre et la scène, l'espace scénique, dans
« L'Essence du Théâtre » de Henri Gouhier (Plon).*

LE CORBUSIER
1887-1965

Paris est devenu un monstre aplati sur une région entière, 14324
un monstre du type de biologie le plus primaire : un protoplasma, une flaque.
La ville radieuse (Éd. de l'Architecture d'aujourd'hui).

L'architecture, c'est une tournure d'esprit et non un métier. 14325
*Lettre adressée par Le Corbusier au groupe des architectes de
Johannesbourg, 23 septembre 1936.*

La mort de la société présente est inscrite dans la dégéné- 14326
rescence du logis.
*Des canons, des munitions? merci, des logis s.v.p.
(Éd. de l'Architecture d'aujourd'hui).*

L'architecture (et dans ce terme, j'englobe la presque totalité 14327
des objets construits), doit être charnelle, substantielle
autant que spirituelle et spéculative.
Le Modulor (Éd. de l'Architecture d'aujourd'hui).

Le logis, c'est le temple de la famille. Il est permis d'y vouer 14328
toute sa ferveur, toutes les ferveurs.
Les Plans Le Corbusier de Paris, 1922 (Éd. de Minuit).

Le rassemblement des foyers réalise les phénomènes d'en- 14329
traide, de défense et de sécurité, d'économie et d'épanouissement.
L'urbanisme des temps modernes apportera dans ces conditions nouvelles la reprise de contact avec les « conditions de
nature ». *Ibid.*

SAINT-JOHN PERSE
1887-1975

14330   « Qu'on m'apporte — je veille et je n'ai point sommeil — qu'on m'apporte ce livre des plus vieilles Chroniques... Sinon l'histoire, j'aime l'odeur de ces grands livres en peau de chèvre (et je n'ai point sommeil). »
La Gloire des rois, Amitié du prince, II (Gallimard).

14331   Terre arable du songe! Qui parle de bâtir?
Anabase, X (Gallimard).

14332   Il n'est d'histoire que de l'âme, il n'est d'aisance que de l'âme.
Exil, V (Gallimard).

14333   « J'habiterai mon nom », fut ta réponse aux questionnaires du port.
Ibid., VI.

14334   Et c'est l'heure, ô Poète, de décliner ton nom, ta naissance et ta race...
Ibid., VII.

14335   Innombrables sont nos voies, et nos demeures incertaines.
Pluies, VII (Gallimard).

14336   « O Pluies! lavez au cœur de l'homme les plus beaux dits de l'homme : les plus belles sentences, les plus belles séquences; les phrases les mieux faites, les pages les mieux nées. »
Ibid.

14337   Notre maxime est la partialité, la sécession notre coutume.
Vents, I, 6 (Gallimard).

14338   On ne fréquente pas sans s'infecter la couche du divin.
Ibid.

14339   Mais c'est de l'homme qu'il s'agit! Et de l'homme lui-même quand donc sera-t-il question? — Quelqu'un au monde élèvera-t-il la voix?
Ibid., III, 4 (Gallimard).

14340   Et nos poèmes encore s'en iront sur la route des hommes, portant semence et fruit dans la lignée des hommes d'un autre âge.
Ibid., IV, 6.

14341   Moi j'ai pris charge de l'écrit, j'honorerai l'écrit. Comme à la fondation d'une grande œuvre votive, celui qui s'est offert à rédiger le texte et la notice; et fut prié par l'Assemblée des Donateurs, y ayant seul vocation.
Amers, Invocation, 5 (Gallimard).

14342   C'est assez d'engranger, il est temps d'éventer et d'honorer notre aire.
Chronique, 8 (Gallimard).

14343   Grand âge, nous voici. Prenez mesure du cœur d'homme.
Ibid.

En fait de doctrine littéraire, je n'ai rien à dire : je n'ai jamais   14344
eu de goût pour la cuisine des chimistes.
Lettre à Archibald Mac Leish, Cahiers de la Pléiade,
été-automne 1950.

Et c'est assez pour le poète d'être la mauvaise conscience   14345
de son temps.   *Poésie, Discours de Stockholm (Gallimard).*

GEORGES BERNANOS
1888-1948

Le doctrinaire en révolte, dont le temps s'amuse avec une   14346
profonde ironie, ne fait souche que de gens paisibles. La
postérité spirituelle de Blanqui a peuplé l'enregistrement,
et les sacristies sont encombrées de celle de Lamennais.
Sous le soleil de Satan, Prologue, Histoire de Mouchette,
chap. 1. (Plon).

Un médecin [...], c'est le curé du républicain.   14347
Ibid., chap. 2.

Hasard, dit-on. Mais le hasard nous ressemble.   *Ibid.*   14348

Si longtemps qu'on en ait goûté la délectation amère et   14349
douce, la mauvaise pensée n'est point capable d'émousser
par avance l'affreuse joie du mal enfin saisi, possédé —
d'une première révolte pareille à une seconde naissance.
Ibid.

J'imagine nos saints ainsi que des géants puissants et doux   14350
dont la force surnaturelle se développe avec harmonie,
dans une mesure et selon un rythme que notre ignorance
ne saurait percevoir, car elle n'est sensible qu'à la hauteur
de l'obstacle, et ne juge point de l'ampleur et de la portée
de l'élan.
Ibid., Première partie. La Tentation du désespoir, chap. 1.

La Sainteté! [...] Vous n'ignorez pas ce qu'elle est : une   14351
vocation, un appel. Là où Dieu vous attend, il vous faudra
monter, monter ou vous perdre. N'attendez aucun secours
humain.   *Ibid., chap. 2.*

Certes, notre propre nature nous est, partiellement, donnée;   14352
nous nous connaissons sans doute un peu plus clairement
qu'autrui, mais chacun doit « descendre » en soi-même et à
mesure qu'il descend les ténèbres s'épaississent jusqu'au
tuf obscur, au moi profond, où s'agitent les ombres des
ancêtres, où mugit l'instinct, ainsi qu'une eau sous la terre.
Ibid., chap. 3.

Nous sommes mauvais juges en notre propre cause, et nous   14353
entretenons souvent l'illusion de certaines fautes, pour
mieux nous dérober la vue de ce qui en nous est tout à fait
pourri et doit être rejeté à peine de mort.   *Ibid.*

14354 La langue humaine ne peut être contrainte assez pour exprimer en termes abstraits la certitude d'une présence réelle, car toutes nos certitudes sont déduites, et l'expérience n'est pour la plupart des hommes, au soir d'une longue vie, que le terme d'un long voyage autour de leur propre néant. Nulle certitude autre que logique ne jaillit de la raison, nul autre univers n'est donné que celui des espèces, et des genres.   *Ibid.*

14355 La charité des grandes âmes, leur surnaturelle compassion, semblent les porter d'un coup au plus intime des êtres. La charité comme la raison, est un des éléments de notre connaissance.   *Ibid.*

14356 Que le péché qui nous dévore laisse à la vie peu de substance!   *Ibid.*

14357 [...] L'enfer aussi a ses cloîtres.   *Ibid.*

14358 Tel prêtre n'ose seulement prononcer le nom du diable. Que font-ils de la vie intérieure? Le morne champ de bataille des instincts. De la morale? Une hygiène des sens : La grâce n'est plus qu'un raisonnement juste qui sollicite l'intelligence [...]   *Ibid., chap. 4.*

14359 Chacun de nous est tour à tour, de quelque manière, un criminel ou un saint.   *Ibid.*

14360 Il donnait à pleines mains cette paix dont il était vide.
       Ibid., Deuxième partie. Le saint de Lumbres, chap. 3.

14361 Le monde n'est pas une mécanique bien montée. Entre Satan et Lui, Dieu nous jette, comme son dernier rempart. C'est à travers nous que depuis des siècles et des siècles la même haine cherche à l'atteindre, c'est dans la pauvre chair humaine que l'ineffable meurtre est consommé [...]
       Ibid., chap. 4.

14362 Certaines formes particulières du renoncement échappent à toute analyse parce que la sainteté tire d'elle-même à tout moment ce que l'artiste emprunte au monde des formes.
       L'Imposture, Première partie (Plon).

14363 [...] Il faut pleurer, parce que c'est la seule réponse efficace à certaines contradictions plus féroces, à certaines incompatibilités essentielles de la vie, simplement enfin parce que l'injustice existe, et qu'il est vain de la nier.
       Ibid., Quatrième partie.

14364 On fait sa part à l'ennui, au vice, au désespoir même; on ne fait pas à l'orgueil sa part.
       Dialogues d'ombres (Gallimard).

14365 [...] Les dures expériences de la vie intérieure [...] la déception fondamentale qui doit tremper, un jour ou l'autre, un cœur à Dieu prédestiné.
       La Joie, Première partie, chap. 21 (Plon).

Qui cherche la vérité de l'homme doit s'emparer de sa 14366
douleur.   *Ibid.*

Ce rien de comique que le malheur lui-même recèle — auquel 14367
n'échappe jamais tout à fait la majesté du malheur.
                                          Ibid., chap. 4.

L'amour, [...] c'est dur, ça n'a pas d'entrailles, ça pourrait 14368
même rire de tout, comme une tête de mort.
                                          Ibid., chap. 5.

J'ai juré de vous émouvoir — d'amitié ou de colère, qu'im- 14369
porte?
La Grande Peur des bien-pensants, Introduction (Grasset).

Une classe, comme un homme, peut être victime de ses 14370
fautes, mais elle n'est réellement déshonorée que par son
cœur.   *Ibid., chap. 4, Le maréchal Gribouille.*

Je n'écris pas pour réjouir les dévots ni les dévotes, je les 14371
connais : ils s'aiment assez.
                          Ibid., chap. 5, La danse devant le buffet.

L'un des principaux responsables, le seul responsable 14372
peut-être, de l'avilissement des âmes [...] est le prêtre médiocre.
                          Ibid., chap. 9, Le bienheureux Léo Taxil.

Comme l'écrivait jadis fort justement Georges Clemenceau, 14373
la Démocratie se doit d'être [...] une création continue.
                              Ibid., chap. 10, Gogo idéaliste.

Les beaux militaires, depuis un siècle, remplissent merveil- 14374
leusement leurs culottes, mais ils ne remplissent pas leurs
destins.   *Ibid., chap. 13, Trois balles à vingt pas.*

La science ne libère qu'un bien petit nombre d'esprits 14375
faits par elle, prédestinés. Elle asservit les autres.
                                        Ibid., Conclusion.

Révolution, démocratie, laïcisme, c'était là pour nous, 14376
sous des noms divers, l'expression de ce même individualisme
anarchique où a risqué de sombrer tant de fois le génie de
notre race, et dont les brusques poussées [...] semblent
marquer chaque grave défaillance du spirituel.   *Ibid.*

La Sainte Église aura beau se donner du mal, elle ne changera 14377
pas ce pauvre monde en reposoir de la Fête-Dieu.
                  Journal d'un curé de campagne, chap. 1 (Plon).

La parole de Dieu! c'est un fer rouge.   *Ibid., chap. 2.* 14378

Dieu nous préserve des saints!   *Ibid.* 14379

Il n'y a pas de vérités moyennes.   *Ibid.* 14380

L'enfer, [...] c'est de ne plus aimer.   *Ibid.* 14381

Le goût du suicide est un don, un sixième sens, je ne sais 14382
quoi, on naît avec.   *Ibid., chap. 3.*

14383 La jeunesse est un don de Dieu, et comme tous les dons de Dieu, il est sans repentance. Ne sont jeunes, vraiment jeunes, que ceux qu'Il a désignés pour ne pas survivre à leur jeunesse. *Ibid.*

14384 Il est plus facile que l'on croit de se haïr. La grâce est de s'oublier. *Ibid.*

14385 Tout est grâce [1]. *Ibid.*

14386 [...] Les classes moyennes sont presque seules à fournir le véritable imbécile, la supérieure s'arrogeant le monopole d'un genre de sottise parfaitement inutilisable, d'une sottise de luxe, et l'inférieure ne réussissant que de grossières et parfois admirables ébauches d'animalité.
Les Grands Cimetières sous la lune (Plon).

14387 Les imbéciles sont travaillés par l'idée de rédemption.
Ibid.

14388 On ne refera pas la France par les élites, on la refera par la base. Cela coûtera plus cher, tant pis ! Cela coûtera ce qu'il faudra. Cela coûtera moins cher que la guerre civile.
Ibid.

14389 Le monde va être jugé par les enfants. L'esprit d'enfance va juger le monde. *Ibid.*

14390 Il n'y a aucun orgueil à être français, mais beaucoup de peine et de travail, un grand labeur.
Nous autres Français, I (Gallimard).

14391 Nous sommes toujours une chrétienté en marche, nous sommes une chrétienté en travail. *Ibid.*

14392 Les raisons de l'honneur ne tiennent pas debout. Mais les peuples ne peuvent pas se passer d'honneur, nous paierons cher d'avoir cru en nous plutôt qu'en lui. *Ibid.*

14393 Je ne me flatte pas de vous faire comprendre la France. J'ignore si je la comprends moi-même. Je n'essaie pas de la comprendre, parce qu'elle ne m'en laisse pas le loisir, elle m'emporte avec elle dans sa grande aventure [...]
Lettre aux Anglais (Gallimard).

14394 Une vraie jeunesse est aussi rare que le génie, ou peut-être ce génie même, un défi à l'ordre du monde, à ses lois, un blasphème. *Monsieur Ouine (Plon).*

14395 On parle toujours du feu de l'enfer, mais personne ne l'a vu [...]. L'enfer, c'est le froid. *Ibid.*

14396 Le diable, voyez-vous, c'est l'ami qui ne reste jamais jusqu'au bout. *Ibid.*

1. Ce sont les dernières paroles du curé de campagne mourant ; il les emprunte à sainte Thérèse de Lisieux.

Le berceau est moins profond que la tombe.   *Ibid.* 14397

Le mot de Révolution n'est pas pour nous, Français, un 14398
mot vague. Nous savons que la Révolution est une rupture,
la Révolution est un absolu. Il n'y a pas de révolution
modérée [...]   *La France contre les robots, I (Laffont).*

Lorsqu'un homme crie : « Vive la Liberté! » il pense évi- 14399
demment à la sienne. Mais il est extrêmement important
de savoir s'il pense à celle des autres. Car un homme peut
servir la liberté par calcul, ainsi qu'une simple garantie de la
sienne.   *Ibid., II.*

[...] Une civilisation disparaît avec l'espèce d'homme, le 14400
type d'humanité, sorti d'elle. L'homme de notre civilisation
[...] a disparu pratiquement de la scène de l'Histoire le jour
où fut décrétée la conscription. Du moins n'a-t-il plus fait
depuis que se survivre.
Cette déclaration surprendra beaucoup d'imbéciles. Mais
je n'écris pas pour les imbéciles.   *Ibid., III.*

Je meurs chaque nuit pour ressusciter chaque matin. [...] 14401
Chaque nuit où l'on entre est celle de la Très Sainte Agonie...
        Dialogues des Carmélites, 1er tableau, scène 2 (Le Seuil).

Il n'est pas d'incident si négligeable où ne s'inscrit la volonté 14402
de Dieu comme toute l'immensité du ciel dans une goutte
d'eau.   *Ibid., scène 4.*

Qui s'aveugle volontairement sur le prochain, sous prétexte 14403
de charité, ne fait souvent rien autre chose que de briser
le miroir afin de ne pas se voir dedans. Car l'infirmité de notre
nature veut que ce soit d'abord en autrui que nous décou-
vrions nos propres misères.   *Ibid., 2e tableau, scène 1.*

Une fois sorti de l'enfance, il faut très longtemps souffrir 14404
pour y rentrer, comme tout au bout de la nuit on retrouve
une nouvelle aurore.   *Ibid.*

Il est très difficile de se mépriser sans offenser Dieu en nous. 14405
        Ibid., scène 8.

On ne meurt pas chacun pour soi, mais les uns pour les 14406
autres, ou même les uns à la place des autres, qui sait?
        Ibid., 3e tableau, scène 1.

Lorsque Adam labourait et qu'Ève filait, où était le gentil- 14407
homme?   *Ibid., scène 6.*

Toute guerre civile tourne en guerre de religion.   14408
        Ibid., scène 9.

On est toujours indigne de ce qu'on reçoit, [...] car on ne 14409
reçoit jamais rien que de Dieu.   *Ibid., scène 12.*

Il n'est d'autre remède à la peur que de se jeter à corps perdu 14410
dans la volonté de Dieu.   *Ibid., 4e ,tableau, scène 8.*

14411 L'avenir est quelque chose qui se surmonte. On ne subit pas l'avenir, on le fait.
La Liberté pour quoi faire? La France devant le monde de demain (Gallimard).

14412 L'optimisme est une fausse espérance à l'usage des lâches et des imbéciles. *Ibid.*

14413 La légende française n'a pas fait qu'enchanter l'imagination des hommes, elle les a défendus, protégés, parfois sauvés. *Ibid.*

11414 Les civilisations sont mortelles, les civilisations meurent comme les hommes, et cependant elles ne meurent pas à la manière des hommes. La décomposition, chez elles, précède leur mort, au lieu qu'elle suit la nôtre.
Ibid., L'esprit européen et le monde des machines.

FERNAND CROMMELYNCK
1888-1970

14415 Comment savoir tout sans vieillir?
Le Cocu magnifique, acte 1 (Ed. de la Sirène).

14416 Si le bonheur ou le malheur va tout nu, il n'est jamais assez visible! Les gens ne le reconnaissent que lorsqu'ils l'ont emplumé à leurs couleurs!
Chaud et Froid, ou L'idée de Monsieur Dom, acte I (Le Seuil).

14417 Divine diversité de la symétrie! Dès qu'il y a symétrie, il y a échange, circulation, — ou inversement.
Une femme qui a le cœur trop petit, acte I (Le Seuil).

14418 Puisque le mal n'est pas dans la chair indemne ni dans l'esprit oublieux et qu'il peut pourtant les détruire, où est le lieu de la douleur qui épargne l'homme endormi?
Ibid., acte II.

14419 Fragments épars d'un jeu de patience pour longues soirées, la jeune fille n'est pas rassemblée. *Ibid.*

JACQUES DORIOT
1888-1945

14420 Or, sans aucun doute, les soviets c'est la guerre.
Or, sans aucun doute, les soviets c'est la misère généralisée.
La France ne sera pas un pays d'esclaves, Introduction (Éd. Les Œuvres françaises).

MARCEL JOUHANDEAU
1888-1979

La seule tendresse qui me toucherait : celle du tigre. 14421
Algèbre des valeurs morales, Premier livre,
Première partie, II (Gallimard).

Les vertus sont sujettes à des vices particuliers qui les ren- 14422
dent inutiles. *Ibid., V.*

Ceux qui nous aiment sont des indiscrets. 14423
Ibid., Deuxième livre, I.

Bien connaître quelqu'un, c'est l'avoir aimé et haï. 14424
Ibid.

Qui sait si ce n'est pas « la Même Chose », à un autre degré, 14425
qui m'attire dans les autres, qui attire Dieu en moi? *Ibid.*

Aimer, c'est n'avoir plus droit au soleil de tout le monde. 14426
On a le sien. *Ibid., VI.*

Savoir aimer, c'est ne pas aimer. Aimer, c'est ne pas savoir. 14427
Ibid., VII.

Il y a un Arbre, le même en toi et en moi. *Ibid.* 14428

La passion et la folie ne sont qu'une autre forme du som- 14429
meil. *Ibid., Troisième livre, I.*

Chaque âme est à elle seule une société secrète. *Ibid.* 14430

Si je dois l'être à Dieu, Dieu me doit la réalité, une certaine 14431
réalité, une réalité certaine parmi toutes les réalités possibles. *Ibid., II, 1.*

Le miracle, ce n'est pas Dieu, c'est nous. *Ibid., 2.* 14432

Le caractère de Dieu ne peut pas être retranché de moi. 14433
Ibid., III, 4.

Tu as l'âge de l'Enfer. 14434
De l'Abjection, A, Première partie (Gallimard).

L'Homme depuis la chute est dans la nature un accident 14435
pathologique, une maladie.
Nécessairement malsain dans ses rapports avec la nature,
avec Dieu, les autres et lui-même, tout homme a droit à sa
maladie. *Ibid., B, Troisième partie.*

Quand on a fait sa part à la Folie, on se croit sage, mais la 14436
Folie, seulement plus forte, se rencoigne.
Ibid., Cinquième partie.

Le vrai blason de chacun, c'est son visage. 14437
Ibid., C, Sixième partie.

14438 La sainteté n'est peut-être que le comble de la politesse.
Ibid., Huitième partie, I.

14439 Toute création est remplie de dangers, si elle en vaut la peine. Dieu a donné l'exemple. Timidité n'engendre que néant.   *Essai sur moi-même, I (Gallimard).*

14440 Tout bon livre est un attentat et appelle au moins le martyre de celui qui le commet.   *Ibid.*

14441 Éternellement, si à Dieu je me refuse et si Dieu m'aime, ce n'est plus Dieu qui me condamne et me damne et me torture, mais moi Dieu; c'est Dieu qui est en enfer.
Ibid., III.

14442 La volupté fait de notre corps une sorte de mausolée incomparable, dont la gloire n'est sensible qu'à nous seul, mais de loin la plus.chère, dût-elle se payer de tout le mépris du monde.
Éloge de la volupté, Considérations sur le plaisir (Gallimard).

14443 La multitude de ceux qui se livrent au plaisir sans respect a plus fait pour le déshonorer que ceux qui le condamnent et s'en abstiennent.   *Ibid., Innocence et plaisir.*

14444 Qui a le pouvoir de résister sans fin à l'Éternel n'a que faire de se révolter dans le temps.
De la Grandeur, Première partie (Grasset).

14445 Le cœur a ses prisons que l'intelligence n'ouvre pas.
Ibid.

14446 La modestie n'est qu'une sorte de pudeur de l'orgueil.
Ibid., Deuxième partie.

14447 On perd en soi toute la place que l'on tient en ce monde.
Ibid.

14448 On s'installe dans l'existence à la faveur d'un désordre et l'on ne s'y maintient que par un semblant d'ordination.
Éléments pour une éthique, Premier cahier, I (Grasset).

14449 L'unique nécessaire, c'est d'improviser sans cesse un chant qui ne laisse rien hors du sublime.   *Ibid., XII.*

14450 Le Mal, c'est ce qu'on ne peut se pardonner.
Ibid., XVIII.

14451 A partir d'un certain degré de veulerie, le vice en est réduit à lui-même, c'est-à-dire à moins que rien.
Ibid., Deuxième cahier, I.

14452 Celui-ci naît, celui-là meurt. Le Tout demeure. Ma place dans le royaume de Dieu est ma part d'éternité.   *Ibid., III.*

14453 Médiocre, on a beau s'exercer à toutes les vertus, on les gâte, on les déshonore à mesure.   *Ibid., IV.*

14454 Le bien est dans le bon usage que l'on fait de n'importe quoi.   *Ibid., V.*

On a son secret, dont on fait d'abord mystère à soi. 14455
Ibid., VIII.

[...] On se doit d'être l'Homme tout entier [...]. 14456
Ibid., Conclusion.

Dieu me préserve d'une lassitude qui me déroberait ma 14457
mort. *Réflexions sur la vieillesse et la mort, 2 (Grasset).*

La mort est un état d'âme. *Ibid., 3.* 14458

La douceur envers soi est la source de toute politesse. 14459
Ibid., 4.

Il me semble que rien n'est plus urgent et essentiel que de 14460
rester dans sa ligne.
Un chef-d'œuvre qui vous en ferait sortir est tout près de
ressembler à une faute.
  Carnets de l'écrivain, Deuxième carnet, IX (Gallimard).

Une phrase heureuse parfois, où affleure le sacré, peut tenir 14461
lieu de ce qu'on a vainement cherché ailleurs [...]. *Ibid.*

PAUL MORAND
1888-1976

La nouvelle opère à chaud, le roman, à froid. La nouvelle 14462
est une nacelle trop exiguë pour embarquer l'Homme :
un révolté, oui, la Révolte, non.
  Ouvert la nuit, Préface à l'édition de 1957 (Gallimard).

Les miroirs sont des glaces qui ne fondent pas; ce qui fond, 14463
c'est qui s'y mire. *Ibid., La nuit écossaise..., I.*

Tout ce que je fais, je le fais vite et mal, de peur de cesser 14464
trop tôt d'en avoir envie. *Ibid., La nuit des Six-Jours.*

L'apéritif, c'est la prière du soir des Français. *Ibid.* 14465

Ce « doux sommeil qui dénoue l'écheveau compliqué des 14466
soucis » comme dit Shakespeare, dans ces immortels sonnets
qui sont l'*Internationale* du prolétariat amer des pédérastes.
  Fermé la nuit, La nuit de Charlottenburg.

Le monde est une vallée de pleurs, mais, somme toute, bien 14467
irriguée. *Ibid., La nuit de Babylone.*

L'amour est aussi une affection de la peau. 14468
Ibid., La nuit de Putney.

L'amitié entre hommes, vous savez ce que les femmes en 14469
pensent : ça fait de l'ombre sur leurs robes.
  Lewis et Irène, Troisième partie, I.

Pour la plupart des gens, l'amour est devenu une chose si 14470
ennuyeuse qu'on se met à plusieurs pour en venir à bout.
  Ibid., V.

14471 Nos pères furent sédentaires. Nos fils le seront davantage car ils n'auront, pour se déplacer, que la terre.
Rien que la terre (Grasset).

14472 Il restera d'entrer à la Trappe, — cette légion étrangère de Dieu, — et de chercher désormais en hauteur un infini que l'étendue ne peut plus nous donner, ou d'aller conquérir d'autres planètes.   *Ibid.*

14473 Les États-Unis d'Europe. Il y avait là une formule lapidaire : les politiciens pouvaient-ils ne pas lui faire un sort? Reste, — pour parler comme eux, — à réaliser la chose.   *Ibid.*

14474 La terre cesse d'être un drapeau aux couleurs violentes : c'est l'âge sale du métis.   *Ibid.*

JEAN WAHL
1888-1974

14475 Une existence de poète est une existence malheureuse. Mais on n'atteint pas encore la profondeur de la véritable douleur : le monde de la vraie douleur est radicalement séparé du monde du bonheur et du malheur.
Études kierkegaardiennes, chap. 3 (Vrin).

14476 Intérioriser le cloître, c'est vivre dans le monde.
Ibid., chap. 8, II.

14477 Il ne faut pas dire que la voie est étroite; c'est l'étroitesse qui est la voie.   *Ibid., III.*

14478 La poésie vient de l'au-delà et va vers l'au-delà. Elle est essentiellement sentiment de transcendance. C'est pour cela qu'elle est existence exaltée et connaissance ambiguë.
Poésie, Pensée, Perception, Première partie, La poésie comme union des contraires, V (Calmann-Lévy).

14479 Il n'y a de philosophie de l'existence que si celle-ci (l'existence) enferme autre chose qu'elle-même, que si la philosophie de l'existence est philosophie d'autre chose que de l'existence; et il n'y a d'existence que si l'existence est autre chose que philosophie.
Ibid., Troisième partie, Note sur la philosophie de l'existence.

LÉON BRILLOUIN
1889-1969

14480 Un système vivant est un système ouvert et pourtant stable. On peut le comparer à une flamme.
Vie, matière et observation, chap. 3, 7 (Albin Michel).

Le principe de Carnot est un décret de mort; il s'applique 14481
brutalement dans le monde inanimé, monde déjà mort par
avance. La vie fait, pour un temps limité, échec à ce décret.
Elle joue sur le fait que le décret de mort est issu sans préciser le délai d'application.   *Ibid., 8.*

Ils [les savants et les philosophes] apportèrent à l'humanité 14482
des informations jusque-là inconnues. D'où la conclusion ‹
la pensée crée de l'entropie négative. La réflexion et le travail
du cerveau vont à l'inverse des lois physiques usuelles.
                                          Ibid., 13.

Une Information infiniment grande exige un prix infini, 14483
qu'aucun savant, aucune société, aucun gouvernement ne
pourrait payer.
L'information infinie est un rêve, et les mathématiciens
purs fondent sur ce rêve illusoire toutes leurs constructions.
                                    Ibid., chap. 5, 2.

JEAN COCTEAU
1889-1963

L'avenir n'appartient à personne. Il n'y a pas de précurseurs, 14484
il n'existe que des retardataires.
              Le Potomak, Après coup (Stock).

Ce que le public te reproche, cultive-le, c'est toi.   *Ibid.* 14485

Prends garde, celui-là n'est pas un révolutionnaire. C'est un 14486
conservateur de vieilles anarchies.   *Ibid.*

L'art c'est la science faite clair.   14487
              Le Coq et l'Arlequin (Stock).

Le tact dans l'audace c'est de savoir *jusqu'où on peut aller* 14488
trop loin.   *Ibid.*

La vérité est trop nue, elle n'excite pas les hommes.   *Ibid.* 14489

Nous abritons un ange que nous choquons sans cesse. Nous 14490
devons être les gardiens de cet ange.   *Ibid.*

Un artiste original ne peut pas copier. Il n'a donc qu'à copier 14491
pour être original.   *Ibid.*

Adieu marins, naïfs adorateurs du vent.   14492
Discours du grand sommeil, L'adieu aux fusiliers marins
                                      (Gallimard).

Quand il releva son visage,   14493
Il n'eut pas la force de crier;
Car les uns étaient en voyage
Et les autres s'étaient mariés.
    Poésies, 1920, Pauvre Jean (Gallimard).

14494
A Palma de Majorque
Tout le monde est heureux.
On mange dans la rue
Des sorbets au citron.
[...]
Racontez-moi encore
Palma des Baléares;
Je ne connais qu'une île
Au milieu de la Marne.

Ibid., Iles.

14495
A force de plaisirs notre bonheur s'abîme.
Vocabulaire, 1922, A force de plaisirs... (Gallimard).

14496
Je n'aime pas dormir quand ta figure habite,
La nuit, contre mon cou;
Car je pense à la mort laquelle vient si vite
Nous endormir beaucoup.
Plain-Chant, 1923, II (Gallimard).

14497
Ah! je voudrais, gardant ton profil sur ma gorge,
Par ta bouche qui dort
Entendre de tes seins la délicate forge
Souffler jusqu'à ma mort.

Ibid.

14498
Notre entrelacs d'amour à des lettres ressemble,
Sur un arbre se mélangeant;
Et, sur ce lit, nos corps s'entortillent ensemble,
Comme à ton nom le nom de Jean.

Ibid.

14499
Muses qui ne songez à plaire ou à déplaire
Je sens que vous partez sans même dire adieu.
Ibid., III.

14500 [Le style] est une façon très simple de dire des choses compliquées.   *Ibid., Le secret professionnel (Stock).*

14501 C'est [...] cette manière d'épauler, de viser, de tirer vite et
juste, que je nomme le style.   *Ibid.*

14502 Écrire, surtout des poèmes, égale transpirer. L'œuvre est une
sueur.   *Ibid.*

14503 Un vrai poète se soucie de poésie. De même un horticulteur
ne parfume pas ses roses.   *Ibid.*

14504 Le poète ne rêve pas : il compte.   *Ibid.*

14505 [...] Le mystère commence après les aveux. L'hypocrisie,
la cachotterie qu'on a coutume de prendre pour le mystère,
ne font pas une belle ombre.
Lettre à Jacques Maritain (Stock).

14506 L'opinion déchire le personnage qu'elle invente. Au lieu de
nous brûler, elle nous brûle en effigie.   *Ibid.*

Jouer cœur est simple. Il faut en avoir, voilà tout. *Ibid.* 14507

L'art d'un pays en révolution, c'est sa révolution. *Ibid.* 14508

Dieu ne saurait être déifié sans ridicule. Il aime être vécu. 14509
Ibid.

L'art pour l'art, l'art pour la foule sont également absurdes. 14510
Je propose l'art pour Dieu. *Ibid.*

Toute ma présence est là : Je décalque 14511
L'invisible (invisible à vous).
Opéra, Par lui-même (Stock).

Les miroirs sont les portes par lesquelles la Mort va et 14512
vient. [...] Du reste, regardez-vous toute votre vie dans une
glace et vous verrez la Mort travailler comme des abeilles
dans une ruche de verre. *Orphée, scène 7 (Stock).*

Que pense le marbre dans lequel un sculpteur taille un chef- 14513
d'œuvre? Il pense : on me frappe, on m'abîme, on m'insulte,
on me brise, je suis perdu. Ce marbre est idiot. La vie me
taille! [...] Elle fait un chef-d'œuvre. *Ibid., scène 9.*

Plus on est avide, plus il est indispensable de reculer coûte 14514
que coûte les bornes du merveilleux. *Opium (Stock).*

Tout ce qui n'est pas cru reste décoratif. *Ibid.* 14515

Le génie est l'extrême pointe du sens pratique. *Ibid.* 14516

Les privilèges de la beauté sont immenses. Elle agit même 14517
sur ceux qui ne la constatent pas.
Les Enfants terribles, Première partie (Grasset).

[...] La poésie est un monde fermé où l'on reçoit très peu 14518
et où il arrive même qu'on ne reçoive personne.
Essai de critique indirecte (Grasset).

Une chose permise ne peut pas être pure. *Ibid.* 14519

On s'apercevra vite que mes calembours n'étaient pas 14520
l'esprit mais le cœur de mon livre. *Ibid.*

L'homme génial, c'est l'homme capable de tout. Quelque- 14521
fois, brutalement, une question se pose : les chefs-d'œuvre
seraient-ils des *alibis*? *Ibid.*

La lune est le soleil des statues. *Ibid.* 14522

Combien d'hommes profondément distraits pénétrèrent 14523
dans des trompe-l'œil et ne sont pas revenus. *Ibid.*

Les miroirs feraient bien de réfléchir un peu plus avant de 14524
renvoyer les images. *Ibid.*

14525 En fin de compte, tout s'arrange, sauf la difficulté d'être,
qui ne s'arrange pas.
La Difficulté d'être, Préface (Éd. du Rocher).

14526 Qu'est-ce que la France, je vous le demande? Un coq
sur un fumier. Otez le fumier, le coq meurt.
Ibid., De la France.

14527 Qui sait écrire? C'est se battre avec l'encre pour se faire
entendre.   *Ibid., De la lecture.*

14528 La frivolité est un crime en cela qu'elle singe la légèreté [...]
Ibid., De la frivolité.

14529 Comme le cœur et comme le sexe, le rire procède par érection
Rien ne l'enfle qui ne l'excite. Il ne se dresse pas à volonté.
Ibid., Du rire.

14530 L'enfance sait ce qu'elle veut. Elle veut sortir de l'enfance.
Ibid., De la jeunesse.

14531 Écrire est un acte d'amour. S'il ne l'est pas il n'est qu'écriture.   *Ibid., Des mœurs.*

14532 La poésie est une religion sans espoir. Le poète s'y épuise
en sachant que le chef-d'œuvre n'est, après tout, qu'un
numéro de chien savant sur une terre peu solide.
Journal d'un inconnu, De l'invisibilité (Grasset).

14533 L'art consacre le meurtre d'une habitude. L'artiste se charge
de lui tordre le cou.   *Ibid.*

14534 Courir plus vite que la beauté.
Ibid., D'une conduite.

14535 Trouver d'abord, chercher après.   *Ibid.*

14536 Qui s'affecte d'une insulte, s'infecte.   *Ibid.*

14537 Être torchon. Ne pas se mélanger avec les serviettes. *Ibid.*

TRISTAN DERÈME
1889-1941

14538   Car c'est vous, *Écho de la Mode*,
Qui faites pâlir l'*Iliade*.
Et qu'on préfère à l'*Énéide*
Comme au *Discours de la Méthode*.
La Verdure dorée (Éd. Émile-Paul).

GABRIEL MARCEL
1889-1973

[...] Les vérités philosophiques sont relatives aux exigences 14539
des pensées qui les constituent. La hiérarchie des vérités se
définit en fonction de celle des exigences.
Journal métaphysique, Première partie (Gallimard).

[...] Le donné commun à ma conscience et aux autres cons- 14540
ciences possibles est mon corps.   *Ibid.*

Penser la foi, c'est [...] penser la foi en Dieu.   *Ibid.* 14541

[...] La religion est l'affirmation perpétuelle du présent, 14542
l'histoire est la négation perpétuelle du présent.   *Ibid.*

La pensée est tournée vers l'Autre, elle est appétence de 14543
l'Autre. Toute la question est de savoir si cet Autre, c'est
l'Être.   *Être et Avoir (Aubier).*

La mystérieuse relation entre la grâce et la foi existe partout 14544
où il y a fidélité; et là où toute relation de ce genre fait
défaut, il n'y a place que pour une ombre de la fidélité,
une contrainte peut-être coupable et mensongère à laquelle
l'âme se soumet.   *Ibid.*

La mort comme tremplin d'une espérance absolue. Un 14545
monde où la mort ferait défaut serait un monde où l'espérance n'existerait qu'à l'état larvé.   *Ibid.*

A l'affirmation proférée par Nietzsche : Dieu est mort, près 14546
de trois quarts de siècle plus tard une autre affirmation,
moins proférée que murmurée dans l'angoisse, vient aujour-
d'hui faire écho : l'homme est en agonie.
*Les Hommes contre l'humain, Première partie, I, Qu'est-ce
qu'un homme libre? (Fayard).*

[...] L'homme dépend, dans une très large mesure, de l'idée 14547
qu'il se fait de lui-même [...]. Cette idée ne peut pas être
dégradée sans être du même coup dégradante.   *Ibid.*

[...] Une civilisation où la technique tend à s'émanciper de 14548
plus en plus de la connaissance spéculative, et finalement
à mettre celle-ci en question, une civilisation où l'on peut
dire que toute possibilité de contemplation est finalement
récusée, s'achemine inévitablement vers une philosophie
qu'il vaudrait mieux qualifier de *misosophie*.
Ibid., III, Les techniques d'avilissement.

PIERRE REVERDY
1889-1960

14549 On peut dire que la nature est chaste — mais l'homme, qui se croit pourtant dans la nature, s'en exclut par la chasteté.
Le Livre de mon bord, Notes 1930-1936 (Mercure de France).

14550 Le plus solide et le plus durable trait d'union entre les êtres, c'est la barrière. *Ibid.*

14551 J'ai tellement besoin de temps pour ne rien faire, qu'il ne m'en reste plus assez pour travailler. *Ibid.*

14552 Je suis armé d'une cuirasse qui n'est faite que de défauts.
Ibid.

14553 La poésie ne mène à rien — à condition de ne pas en sortir.
Ibid.

14554 Ce n'est pas tellement de liberté qu'on a besoin, mais de n'être enchaîné que par ce qu'on aime. *Ibid.*

14555 Le poète pense en pièces détachées, idées séparées, images formées par contiguïté; le prosateur s'exprime en développant une succession d'idées qui sont déjà en lui et qui restent logiquement liées. Il déroule. Le poète juxtapose et rive, dans les meilleurs cas, les différentes parties de l'œuvre dont le principal mérite est précisément de ne pas présenter trop de raison trop évidente d'être ainsi rapprochées.
Ibid.

14556 L'éthique c'est l'esthétique de dedans. *Ibid.*

14557 Un poète ne vit guère que de sensations, aspire aux idées et, en fin de compte, n'exprime que des sentiments. *Ibid.*

14558 Un bon poème sort tout fait. *Ibid.*

CHARLES DE GAULLE
1890-1970

14559 Comme la vue d'un portrait suggère à l'observateur l'impression d'une destinée, ainsi la carte de France révèle notre fortune.
Vers l'armée de métier, Pourquoi? Couverture (Berger-Levrault).

14560 La véritable école du Commandement est [...] la culture générale. *Ibid. Comment?, Commandement, II.*

[...] La gloire se donne seulement à ceux qui l'ont toujours   14561
rêvée.   *Ibid.*

L'épée est l'axe du monde et la grandeur ne se divise pas.   14562
                                                          Ibid., III.

[...] Le Caractère, vertu des temps difficiles.   14563
          Le Fil de l'épée, Du caractère, I (Berger-Levrault).

[...] L'autorité ne va pas sans prestige, ni le prestige sans   14564
l'éloignement.   *Ibid., II.*

[...] Il n'y a pas dans les armes de carrière illustre qui n'ait 14565
servi une vaste politique, ni de grande gloire d'homme
d'État que n'ait dorée l'éclat de la défense nationale.
               Ibid., Le politique et le soldat, IV.

La France fut faite à coups d'épée.   14566
               La France et son armée, Origines, I (Plon).

Les âmes, comme la matière, ont des limites.   14567
                                            Ibid., Napoléon, II.

La Grande Guerre est une révolution.   14568
                                       Ibid., Grande Guerre I.

Toute ma vie je me suis fait une certaine idée de la France.   14569
               Mémoires de guerre, L'Appel, La pente (Plon).

[...] La France ne peut être la France sans la grandeur.   14570
                                                          Ibid.

Le moteur confère aux moyens de destruction modernes   14571
une puissance, une vitesse, un rayon d'action, tels que le
conflit présent sera, tôt ou tard, marqué par des mouvements, des surprises, des irruptions, des poursuites, dont
l'ampleur et la rapidité dépasseront infiniment celles des
plus fulgurants événements du passé.   *Ibid.*

La guerre commence infiniment mal. Il faut donc qu'elle   14572
continue.   *Ibid.*

Face aux grands périls, le salut n'est que dans la grandeur.   14573
                                                          Ibid.

Winston Churchill m'apparut, d'un bout à l'autre du drame,   14574
comme le grand champion d'une grande entreprise et le
grand artiste d'une grande Histoire.   *Ibid., La chute.*

La vieillesse est un naufrage. Pour que rien ne nous fût   14575
épargné, la vieillesse du maréchal Pétain allait s'identifier
avec le naufrage de la France.   *Ibid.*

[...] Toujours, le Chef est seul en face du mauvais destin.   14576
                                                          Ibid.

Vers l'Orient compliqué, je volais avec des idées simples.   14577
                                            Ibid., L'Orient.

14578 Si la règle soviétique revêtait d'un carcan sans fissure la
       personnalité de ses serviteurs, elle ne pouvait empêcher qu'il
       restât un homme dessous.   *Ibid., Les Alliés.*

14579 Dans le mouvement incessant du monde, toutes les doc-
       trines, toutes les écoles, toutes les révoltes, n'ont qu'un
       temps. Le communisme passera. Mais la France ne passera
       pas.   *Ibid., La France Combattante.*

14580 Je parle. Il le faut bien. L'action met les ardeurs en œuvre.
       Mais c'est la parole qui les suscite.   *Ibid.*

14581 Trêve de doutes! Penché sur le gouffre où la patrie a roulé,
       je suis son fils qui l'appelle, lui tient la lumière, lui montre
       la voie du salut. Beaucoup, déjà, m'ont rejoint. D'autres
       viendront, j'en suis sûr! Maintenant, j'entends la France me
       répondre. Au fond de l'abîme, elle se révèle, elle marche,
       elle gravit la pente. Ah! mère, tels que nous sommes, nous
       voici pour vous servir.   *Ibid.*

14582 Une France en révolution préfère toujours gagner la guerre
       avec le général Hoche plutôt que de la perdre avec le maré-
       chal de Soubise.
       *Ibid., Conclusion du discours prononcé à Londres le 1ᵉʳ avril
       1942.*

14583 « Un seul combat, pour une seule patrie! »
               Mémoires de guerre, L'Unité, Tragédie (Plon).

14584 Au total, voyant autour de moi ces compagnons courageux
       et d'une immense bonne volonté, je me sentais rempli d'es-
       time pour tous et d'amitié pour beaucoup. Mais aussi,
       sondant leurs âmes, j'en venais à me demander si, parmi
       tous ceux-là qui parlaient de révolution, je n'étais pas, en
       vérité, le seul révolutionnaire.   *Ibid., Politique.*

14585 « Délibérer est le fait de plusieurs. Agir est le fait d'un
       seul. »   *Ibid.*

14586 Ma nature m'avertit, mon expérience m'a appris, qu'au
       sommet des affaires on ne sauvegarde son temps et sa per-
       sonne qu'en se tenant méthodiquement assez haut et assez
       loin.   *Ibid.*

14587 La libération du pays devait être accompagnée d'une pro-
       fonde transformation sociale. [...] Ou bien il serait procédé
       d'office et rapidement à un changement notable de la condi-
       tion ouvrière et à des coupes sombres dans les privilèges
       de l'argent, ou bien la masse souffrante et amère des travail-
       leurs glisserait à des bouleversements où la France risque-
       rait de perdre ce qui lui restait de substance.
               Mémoires de guerre, Le Salut, La libération (Plon).

14588 Au fond, comme chef de l'État[1], deux choses lui avaient
       manqué : qu'il fût un chef, qu'il y eût un État.   *Ibid.*

---

1. A propos du président Lebrun.

Plus le trouble est grand, plus il faut gouverner. Sortant 14589
d'un immense tumulte, ce qui s'impose, d'abord, c'est de
remettre le pays au travail. Mais la première condition est
que les travailleurs puissent vivre. *Ibid.*

Dès lors qu'au lieu de la révolution les communistes pren- 14590
nent pour but la prépondérance dans un régime parlementaire, la société court moins de risques. *Ibid., L'Ordre.*

Dans les lettres[1], comme en tout, le talent est un titre de 14591
responsabilité. *Ibid.*

Ce n'est point que je sois convaincu par des arguments 14592
théoriques. En économie, non plus qu'en politique ou en
stratégie, il n'existe, à mon sens, de vérité absolue. Mais il
y a les circonstances. *Ibid.*

Quant à moi, qui ne connais que trop mes limites et mon 14593
infirmité et qui sais bien qu'aucun homme ne peut se substituer à un peuple, comme je voudrais faire entrer dans les
âmes la conviction qui m'anime! *Ibid., Discordances.*

Mais quels sont ces cris, péremptoires et contradictoires, 14594
qui s'élèvent bruyamment au-dessus de la nation? Hélas!
Rien autre chose que les clameurs des partisans. *Ibid.*

Quant au pouvoir, je ne saurais, en tout cas, quitter les 14595
choses avant qu'elles ne me quittent. *Ibid., Désunion.*

Dans le tumulte des hommes et des événements, la solitude 14596
était ma tentation. Maintenant, elle est mon amie. De quelle
autre se contenter quand on a rencontré l'Histoire?
Ibid., Départ.

JEAN GUÉHENNO
1890-1978

Nos manques nous servent presque autant que nos biens. 14597
Changer la vie, Actions de grâces (Grasset).

Rien, dans les hommes de religion ou leurs ouailles, ne me 14598
choque davantage que cette prétention qu'ils ont souvent
à être les seuls hommes religieux.
Ibid., Peïné ou le Paradis perdu.

Faut-il si tôt nous persuader que le mal est en nous? On 14599
n'échappe plus à ce mécontentement morose de soi si on
l'a trop tôt connu, et il arrive qu'on n'ose plus vivre. *Ibid.*

Les philosophies ne sont jamais plus belles que quand elles 14600
sont encore poésie, découverte et conquête du monde.
Ibid., Histoires de souliers.

1. A propos de l'exécution de Brasillach.

14601 On défend bien plus férocement sa chance que son droit.
Ibid.

14602 Dans le chant le plus naïf, pour peu qu'il soit chanté d'une voix pure et naturelle, il peut se rencontrer telle note si exacte, si bien placée, si éloquente, qu'elle semble contenir toute la vérité de l'homme et toute l'harmonie de l'univers.
Ibid., Souvenirs du bonheur.

14603 La plus grande et la plus émouvante histoire serait l'histoire des hommes sans histoire, des hommes sans papiers, mais elle est impossible à écrire. *Ibid., Une grève en 1906.*

14604 On ne pourrait pas vivre si on avait tout le cœur qu'il faut. On ne vit que parce qu'on est dur.
Ibid., La Découverte du logos.

14605 Chacun a son dictionnaire.
Ibid., Plongées dans le monde.

MAX ERNST
1891-1978

14606 Si ce sont les plumes qui font le plumage, ce n'est pas la colle qui fait le collage.
« *Au-delà de la peinture* », I, *Cahiers d'art : Max Ernst*
(Éd. Cahiers d'art).

MARTIAL GUÉROULT
1891-1976

14607 Il est possible, en effet, de s'imaginer comprendre sans expliquer, lorsque, croyant comprendre autrui, on ne fait à ce propos que se comprendre soi-même.
Descartes selon l'ordre des raisons, tome I, Avant-propos
(Aubier).

14608 Pour savoir exactement ce que le philosophe a voulu dire, il est nécessaire de savoir exactement comment il a cru pouvoir l'établir. *Leçon inaugurale au Collège de France.*

14609 Chaque philosophie comporte expressément ou implicitement son discours de la méthode. *Ibid.*

LOUIS DE BROGLIE
1892

14610 C'est le microscopique qui est la réalité profonde, car il sous-tend le macroscopique : c'est en lui qu'il faut chercher

les ultimes arcanes de la réalité qui, dans le macroscopique, se dissimulent sous l'imprécision des données sensorielles et dans la masse confuse des moyennes statistiques.
Physique et microphysique, Deuxième partie, chap. 7 (Albin Michel).

La Physique quantique dans le domaine, qui lui est propre, 14611 des phénomènes à très petites échelles, est incapable de maintenir le déterminisme, c'est-à-dire la prévisibilité parfaite, des phénomènes observables. *Ibid.*

On ne s'étonne pas assez de ce fait que quelque science 14612 soit possible, c'est-à-dire que notre raison nous fournisse les moyens de comprendre au moins certains aspects de ce qui se passe autour de nous dans la nature. *Ibid., chap. 11.*

Pour le savant, croire la science achevée est toujours une 14613 illusion aussi complète qui le serait pour l'historien de croire l'histoire terminée. *Ibid., Troisième partie, chap. 13.*

ALEXANDRE KOYRÉ
1892-1964

L'attitude intellectuelle de la science classique pourrait 14614 être caractérisée par ces deux moments, étroitement liés d'ailleurs : géométrisation de l'espace, et dissolution du Cosmos; substitution à l'espace concret de la physique prégaliléenne de l'espace abstrait de la géométrie euclidienne.
Études galiléennes, A l'aube de la science classique, Introduction (Hermann).

Ce n'est que d'une *métaphysique nouvelle* que la nouvelle 14615 physique peut sortir. *Ibid., Galilée et la loi d'inertie.*

La philosophie — peut-être n'est-ce pas celle qui s'enseigne 14616 aujourd'hui dans les facultés, mais il en était de même du temps de Galilée et de Descartes — est redevenue la racine dont la physique est le tronc et la mécanique le fruit.
Études d'histoire de la pensée philosophique, De l'influence des conceptions philosophiques sur l'évolution des théories scientifiques (Armand Colin).

Il est incontestable, du moins *grosso modo*, que la sagesse 14617 antique cherche avant tout et surtout à nous apprendre à renoncer, à nous apprendre à nous passer des choses que nous désirons ou pourrions désirer : des bonnes choses de ce monde; et que la non-sagesse moderne s'applique, au contraire, à satisfaire nos désirs, et même à les provoquer.
Ibid., Les Philosophies de la machine.

Ce n'est pas l'utilisation d'un objet qui en détermine la 14618 nature : c'est la structure; un chronomètre reste un *chronomètre*, même si ce sont des marins qui l'emploient.
Ibid., Du monde de l' « à-peu-près » à l'univers de la précision.

PAUL VAILLANT-COUTURIER
1892-1937

14619 L'intelligence défend la paix. L'intelligence a horreur de la
       guerre [...].
       *Au service de l'esprit, Pour la convocation des États généraux
       de l'intelligence française, Rapport présenté au Comité
       central du P.C.F. le 16 octobre 1936 (Éd. Hier et Aujourd'hui).*

14620 Les communistes [...] sont des missionnaires historiques de
       la liberté.   *Ibid.*

14621 Le communisme ce n'est pas l'inhumain, c'est l'humain.
                                                                 Ibid.

14622 Nous proclamons l'individu.
       *Ibid., Discours au IIe Congrès international des écrivains
       pour la défense de la culture.*

PIERRE DRIEU LA ROCHELLE
1893-1945

14623 « Que soit bénie la foi des hommes qui osent renouveler la
       figure du monde selon l'idéal qu'ils chérissent. »
                                         Interrogation (Gallimard).

14624 « Dans le sport, l'homme reprend ses droits. Il reconquiert
       la discipline, la seule liberté qui soit douce. »
                                              État civil (Gallimard).

14625 « L'art aide à mieux vivre, à mieux mûrir la vie; si d'abord
       on a su vivre, plus tard quand certaines sources se taris-
       sent, alors il est temps de rechercher le temps perdu. »
                                              N.R.F. janvier 1923.

14626 « L'art, en donnant du prix aux sensations, offre aux hommes
       leur seule chance de réaliser la vie. »
                                   Plainte contre Inconnu (Gallimard).

14627 « L'idée de patrie est liée à l'idée de guerre. Étant donné
       ce qu'est devenue la guerre dans le monde actuel, elle fait
       de la Patrie la force la plus immédiatement dangereuse
       qui circule au milieu de nous. »
                                      Genève ou Moscou (Gallimard).

14628 « L'homme n'existe que dans le combat, l'homme ne vit
       que s'il risque la mort. »   *Le Feu follet (Gallimard).*

14629 « La Révolution russe est une révolution nationale comme
       toutes les révolutions. »
                                L'Europe contre les patries (Gallimard).

« Un véritable intellectuel est toujours un partisan, mais 14630
toujours un partisan exilé : toujours un homme de foi, mais
toujours un hérétique. »
Nouvelles Littéraires, 28 janvier 1933.

« La guerre moderne est une révolte maléfique de la matière 14631
asservie par l'homme. »
La Comédie de Charleroi (Gallimard).

« Le snobisme est la seule démarche possible pour des gens 14632
qui ne vivent plus guère qu'en imagination, toute tournée
vers le passé. Le snobisme c'est une retombée sur un passé
quelconque. »   *Ibid.*

« On doute finalement de ce qu'on a pris quand on est visité 14633
par le sentiment qu'on n'a pas tout donné. »
Beloukia (Gallimard).

« La ville, ce n'est pas la solitude parce que la ville anéan- 14634
tit tout ce qui peuple la solitude. La ville c'est le vide. »
Gilles (Gallimard).

« Rien ne se fait que par la gauche. Et la lumière vient de 14635
l'Orient. »   *N.R.F., novembre 1939.*

« Je n'ai jamais vu la dignité de l'homme que dans la sin- 14636
cérité de ses passions. »   *L'Homme à Cheval (Gallimard).*

« Donnez-nous de grands hommes et de grandes actions 14637
pour que nous retrouvions le sens des grandes choses. »
Ibid.

« Jamais je ne pardonnerai aux religions, aux philosophies, 14638
aux politiques d'avoir laissé se perpétrer cette ignominie
du corps des hommes. »   *Histoires déplaisantes (Gallimard).*

« L'extrême civilisation engendre l'extrême barbarie. » 14639
Les Chiens de paille (Gallimard).

LOUIS-FERDINAND CÉLINE
1894-1961

L'amour c'est l'infini à la portée des caniches.   14640
Voyage au bout de la nuit (Gallimard).

On est puceau de l'Horreur comme on l'est de la volupté. 14641
Ibid.

Quand on a pas d'imagination, mourir c'est peu de chose, 14642
quand on en a, mourir c'est trop.   *Ibid.*

La grande défaite, en tout, c'est d'oublier, et surtout ce qui 14643
vous a fait crever, et de crever sans comprendre jamais
jusqu'à quel point les hommes sont vaches.   *Ibid.*

14644 Invoquer la postérité c'est faire un discours aux asticots.
Ibid.

14645 La plupart des gens ne meurent qu'au dernier moment;
d'autres commencent et s'y prennent vingt ans d'avance
et parfois davantage. Ce sont les malheureux de la terre.
Ibid.

14646 Tout est permis en dedans.   *Ibid.*

14647 [...] Des pauvres, c'est-à-dire des gens dont la mort n'intéresse personne.   *Ibid.*

14648 L'âme, c'est la vanité et le plaisir du corps tant qu'il est
bien portant, mais c'est aussi l'envie d'en sortir, du corps,
dès qu'il est malade ou que les choses tournent mal.   *Ibid.*

14649 Je vous le dis, petits bonshommes, couillons de la vie, battus,
rançonnés, transpirants de toujours, je vous préviens, quand
les grands de ce monde se mettent à vous aimer, c'est qu'ils
vont vous tourner en saucissons de bataille...   *Ibid.*

14650 Le mensonge, ce rêve pris sur le fait, et seul amour des
hommes.   *Ibid.*

14651 Il existe pour le pauvre en ce monde deux grandes manières
de crever, soit par l'indifférence absolue de vos semblables
en temps de paix, ou par la passion homicide des mêmes
la guerre venue.   *Ibid.*

14652 Lapin ici, héros là-bas, c'est le même homme, il ne pense pas
plus ici que là-bas. Tout ce qui n'est pas gagner de l'argent
le dépasse décidément infiniment. Tout ce qui est vie ou
mort lui échappe. Même sa propre mort, il la spécule mal
et de travers. Il ne comprend que l'argent et le théâtre.
Ibid.

14653 Quand on a pu s'échapper vivant d'un abattoir international
en folie, c'est tout de même une référence sous le rapport
du tact et de la discrétion.   *Ibid.*

14654 Quand la haine des hommes ne comporte aucun risque,
leur bêtise est vite convaincue, les motifs viennent tout
seuls.   *Ibid.*

14655 Toute possibilité de lâcheté devient une magnifique espérance à qui s'y connaît. C'est mon avis. Il ne faut jamais se
montrer difficile sur le moyen de se sauver de l'étripade,
ni perdre son temps non plus à rechercher les raisons d'une
persécution dont on est l'objet. Y échapper suffit au sage.
Ibid.

14656 Il n'y a pas de vanité intelligente.   *Ibid.*

14657 C'est effrayant ce qu'on en a des choses et des gens qui ne
bougent plus dans son passé. Les vivants qu'on égare dans
les cryptes du temps dorment si bien avec les morts qu'une
même ombre les confond déjà.
On ne sait plus qui réveiller en vieillissant, les vivants ou les
morts.   *Ibid.*

Faire confiance aux hommes c'est déjà se faire tuer un peu.   14658
Ibid.

La vérité, c'est une agonie qui n'en finit pas. La vérité de ce   14659
monde c'est la mort. Il faut choisir, mourir ou mentir. Je
n'ai jamais pu me tuer moi.   *Ibid.*

Presque tous les désirs du pauvre sont punis de prison.   14660
Ibid.

Philosopher n'est qu'une autre façon d'avoir peur et ne   14661
porte guère qu'aux lâches simulacres.   *Ibid.*

La vie des gens sans moyens n'est qu'un long refus dans un   14662
long délire et on ne connaît vraiment bien, on ne se délivre
aussi que de ce qu'on possède.   *Ibid.*

L'égoïsme des êtres qui furent mêlés à notre vie, quand on   14663
pense à eux, vieilli, se démontre indéniable, tel qu'il fut,
c'est-à-dire, en acier, en platine, et bien plus durable encore
que le temps lui-même.   *Ibid.*

Les pauvres sont fadés. La misère est géante, elle se sert   14664
pour essuyer les ordures du monde de votre figure comme
d'une toile à laver. Il en reste.   *Ibid.*

Il n'existe en somme que les misères bien présentées pour   14665
faire recette, celles qui sont bien préparées par l'imagination.
Ibid.

C'est peut-être ça qu'on cherche à travers la vie, rien que   14666
cela, le plus grand chagrin possible pour devenir soi-même
avant de mourir.   *Ibid.*

Tant qu'il faut aimer quelque chose, on risque moins avec   14667
les enfants qu'avec les hommes, on a au moins l'excuse
d'espérer qu'ils seront moins carnes que nous autres plus
tard. On ne savait pas.   *Ibid.*

La médecine, c'est ingrat. Quand on se fait honorer par les   14668
riches, on a l'air d'un larbin, par les pauvres on a tout du
voleur.   *Ibid.*

On n'est jamais très mécontent qu'un adulte s'en aille, ça   14669
fait toujours une vache de moins sur la terre, qu'on se dit,
tandis que pour un enfant, c'est tout de même moins sûr. Il
y a l'avenir.   *Ibid.*

J'étais comme arrivé au moment, à l'âge peut-être, où on   14670
sait bien ce qu'on perd à chaque heure qui passe.
[...] Déjà on est moins fier d'elle, de sa jeunesse, on ose pas
encore l'avouer en public que ce n'est peut-être que cela sa
jeunesse, de l'entrain à vieillir.
On découvre dans tout son passé ridicule tellement de ridicule, de tromperie, de crédulité qu'on voudrait peut-être
s'arrêter tout net d'être jeune, attendre de la jeunesse qu'elle
se détache, attendre qu'elle vous dépasse, la voir s'en aller,
s'éloigner, regarder toute sa vanité, porter la main dans son

vide, la voir repasser encore devant soi, et puis soi partir, être sûr qu'elle s'en est bien allée sa jeunesse et tranquillement alors, de son côté, bien à soi, repasser tout doucement de l'autre côté du Temps pour regarder vraiment comment qu'ils sont les gens et les choses.   *Ibid.*

14671   C'est à cela que ça sert, à ça seulement, un homme, une grimace, qu'il met toute une vie à confectionner, et encore, qu'il arrive même pas toujours à la terminer, tellement qu'elle est lourde et compliquée la grimace qu'il faudrait faire pour exprimer toute sa vraie âme sans rien en perdre.
                Ibid.

14672   Personne ne lui résiste au fond à la musique. On n'a rien à faire avec son cœur, on le donne volontiers. Faut entendre au fond de toutes les musiques l'air sans notes, fait pour nous, l'air de la Mort.   *Ibid.*

14673   ... La zone... cette espèce de village qui n'arrive jamais à se dégager tout à fait de la boue, coincé dans les ordures et bordé de sentiers où les petites filles trop éveillées et morveuses, le long des palissades, fuient l'école pour attraper d'un satyre à l'autre vingt sous, des frites et la blennorragie.
                Ibid.

14674   Quand on n'a pas d'argent à offrir aux pauvres, il vaut mieux se taire. Quand on leur parle d'autre chose que d'argent, on les trompe, on ment, presque toujours. Les riches c'est facile à amuser rien qu'avec des glaces par exemple, pour qu'ils s'y contemplent, puisqu'il n'y a rien de mieux au monde à regarder que les riches. Pour les ravigoter, on les remonte les riches, à chaque dix ans, d'un cran dans la Légion d'Honneur comme un vieux nichon et les voilà occupés pendant dix ans encore.   *Ibid.*

14675   Trahir, qu'on dit, c'est vite dit. Faut encore saisir l'occasion. C'est comme d'ouvrir une fenêtre dans une prison, trahir. Tout le monde en a envie mais c'est rare qu'on puisse.
                Ibid.

14676   Le cinéma ce nouveau petit salarié de nos rêves on peut l'acheter lui, se le procurer pour une heure ou deux, comme un prostitué.   *Ibid.*

14677   C'est la manie des jeunes de mettre toute l'humanité dans un derrière, un seul, le sacré rêve, la rage d'amour.   *Ibid.*

14678   Par exemple c'est facile de nous raconter des choses à propos de Jésus-Christ. Est-ce qu'il allait aux cabinets devant tout le monde Jésus-Christ? J'ai idée que ça n'aurait pas duré longtemps son truc s'il avait fait caca en public. Très peu de présence, tout est là, surtout pour l'amour.   *Ibid.*

14679   Les jeunes c'est toujours si pressés d'aller faire l'amour, ça se dépêche tellement de saisir tout ce qu'on leur donne à croire pour s'amuser qu'ils y regardent pas à deux fois en fait de sensations. C'est un peu comme ces voyageurs qui vont bouffer tout ce qu'on leur passe au buffet entre deux coups de sifflet. *Ibid.*

Être seul c'est s'entraîner à la mort. *Ibid.* 14680

Après tout quand l'égoïsme nous relâche un peu, quand le 14681 temps d'en finir est venu, en fait de souvenir on ne garde au cœur que celui des femmes qui aimaient vraiment un peu les hommes, pas seulement un seul, même si c'était vous, mais tous. *Ibid.*

De nos jours, faire le « La Bruyère » c'est pas commode. 14682 Tout l'inconscient se débine devant vous dès qu'on approche. *Ibid.*

Entre le pénis et les mathématiques [...] il n'existe rien. 14683 Rien! C'est le vide! *Ibid.*

Chacun possède ses raisons pour s'évader de sa misère 14684 intime et chacun de nous pour y parvenir emprunte aux circonstances quelque ingénieux chemin. Heureux ceux auxquels le bordel suffit! *Ibid.*

Avec les mots on ne se méfie jamais suffisamment, ils ont 14685 l'air de rien les mots, pas l'air de dangers bien sûr, plutôt de petits vents, de petits sons de bouche, ni chauds, ni froids et facilement repris dès qu'ils arrivent par l'oreille par l'énorme ennui gris et mou du cerveau. On ne se méfie pas d'eux les mots et le malheur arrive.
Des mots il y en a des cachés parmi les autres comme des cailloux. On ne les reconnaît pas spécialement et puis les voilà qui vous font trembler pourtant toute la vie qu'on possède et tout entière, et dans son faible et dans son fort... C'est la panique alors... Une avalanche... On en reste là comme un pendu au-dessus des émotions... C'est une tempête qui est arrivée, qui est passée, bien trop forte pour vous, si violente qu'on l'aurait jamais crue possible rien qu'avec des sentiments... Donc on ne se méfie jamais assez des mots, c'est ma conclusion. *Ibid.*

Pas de pognon, pas de fifres, pas de grosses caisses, pas 14686 d'émeutes par conséquent.
Pas d'or, pas de révolution! Pas plus de Volga que de beurre en branche, pas plus de bateliers que de caviar! C'est cher les ténors qui vibrent, qui vous soulèvent les foules en transe. *Les Beaux Draps (Nouvelles Éditions françaises).*

C'est un garçon sans importance collective, c'est tout juste 14687 un individu. *L'Église (Gallimard).*

Rien n'est gratuit en ce bas monde. Tout s'expie, le bien 14688 comme le mal, se paie tôt ou tard. Le bien c'est beaucoup plus cher forcément. *Semmelweis (Gallimard).*

La Rue, chez nous? 14689
Que fait-on dans la rue, le plus souvent? On rêve.
On rêve de choses plus ou moins précises, on se laisse porter

par ses ambitions, par ses rancunes, par son passé. C'est
un des lieux les plus méditatifs de notre époque, c'est notre
sanctuaire moderne, la Rue. *Ibid.*

14690 La Musique, la Beauté sont en nous et nulle part ailleurs
dans le monde insensible qui nous entoure.
Les grandes œuvres sont celles qui réveillent notre génie,
les grands hommes sont ceux qui lui donnent une forme.
Ibid.

14691 L'homme est un être sentimental. Point de grandes créations
hors du sentiment, et l'enthousiasme vite s'épuise chez la
plupart d'entre eux à mesure qu'ils s'éloignent de leur rêve.
Ibid.

GEORGES GURVITCH
1894-1965

14692 Certes, je reconnais l'historicité des classes sociales, c'est-
à-dire leur rôle primordial dans la transformation des
sociétés présentes, mais je nie la possibilité d'une philosophie de l'histoire, qui constitue, selon moi, une contradiction dans les termes. Si nous connaissions le sens et la direction de l'histoire, celle-ci de ce fait même prendrait fin...
Études sur les classes sociales, Introduction.
(Éd. du centre de documentation universitaire).

14693 L'absence de psychologie collective des classes représente
donc une lacune très sérieuse dans la théorie marxiste et
une de ses limitations les plus indiscutables.
Ibid., Huitième leçon.

14694 La sociologie est incapable de prophétiser. Elle peut seulement aider à éviter tout dogmatisme en s'efforçant à la
fois d'assouplir et de clarifier ses concepts pour les rendre
aptes à suivre de près les sinuosités mouvantes du réel.
Ibid., Dix-huitième leçon.

JEAN ROSTAND
1894-1977

14695 Ne tenons pas à malchance d'avoir vécu à l'époque
barbare où les parents devaient se contenter des présents
du hasard, car il est douteux que ces fils rectifiés et calculés
inspirent les mêmes sentiments que nous inspirent les nôtres,
tout fortuits, imparfaits et décevants qu'ils sont.
Science et Génération, Avant-propos (Fasquelle).

14696 Qu'on le veuille ou non, l'édifice de l'amour humain, avec
tout ce que ce mot implique de bestialité et de sublima-

tion, de fureur et de sacrifice, avec tout ce qu'il signifie de léger, de touchant ou de terrible, est construit sur les minimes différences moléculaires de quelques dérivés du phénanthrène. *Ibid., IX.*

Des « races humaines » pures ont peut-être existé dans le 14697 passé, peut-être en existera-t-il dans l'avenir; mais, à coup sûr, il n'en existe pas dans le présent.
Les Grands Courants de la biologie, La génétique en 1950 (Gallimard).

Chaque fois que nous entendrons dire : de deux choses 14698 l'une, empressons-nous de penser que, de deux choses, c'est vraisemblablement une troisième.
Esquisse d'une histoire de la biologie, Conclusions (Gallimard).

On peut imaginer une humanité composée exclusivement 14699 de femmes; on n'en saurait imaginer une qui ne comptât que des hommes. *Maternité et Biologie, III (Gallimard).*

Tous les espoirs sont permis à l'homme, même celui de dis- 14700 paraître. *Pensées d'un biologiste (Stock).*

L'homme est un miracle sans intérêt. *Ibid.* 14701

On tue un homme, on est un assassin. On tue des millions 14702 d'hommes, on est un conquérant. On les tue tous, on est un dieu. *Ibid.*

Être adulte, c'est être seul. *Ibid.* 14703

Le masculin est mêlé de féminité, le féminin est pur. 14704
Inquiétudes d'un biologiste, 2 (Stock).

Recherche scientifique : la seule forme de poésie qui soit 14705 rétribuée par l'État. *Ibid.*

Le biologiste passe, la grenouille reste. *Ibid., 3.* 14706

Moins on croit en Dieu, plus on comprend que d'autres y 14707 croient. *Ibid., 5.*

Sortant de certaines bouches, la vérité elle-même a mauvaise 14708 odeur. *Ibid., 6.*

JEAN GIONO
1895-1970

Que je te dise pour le lapin. Ne fais pas de civet, le sang 14709 cuit trop, ça n'a pas de goût : voilà ce que tu fais : tu fais revenir la viande au poêlon avec des oignons et de la tomate, puis, quand c'est cuit, juste avant de servir, tu verses le sang frais là-dedans, juste avant de servir, juste avant. Le sang frais, ça t'a un goût!

Le Grand Troupeau, 1ʳᵉ partie, La mouche à viande (Gallimard).

14710 Belle? Il faut de gros mollets, de grosses cuisses, une grosse poitrine et se bouger assez vite; alors c'est beau. Sinon, on considère que c'est du temps perdu.

Un roi sans divertissement (Gallimard).

14711 On ne peut pas vivre dans un monde où l'on croit que l'élégance exquise du plumage de la pintade est inutile.

Ibid.

14712 Méfiez-vous de la vérité, dit ce procureur (paraît-il), elle est vraie pour tout le monde.

Ibid.

14713 On sent que [les loups] ce sont des bêtes avec lesquelles on peut s'entendre, sinon avec des paroles en tout cas avec des coups de fusil.

Ibid.

14714 Le musicien peut faire entendre simultanément un très grand nombre de timbres. Il y a évidemment une limite qu'il ne peut pas dépasser, mais nous, avec l'écriture, nous serions même bien contents de l'atteindre, cette limite. Car nous sommes obligés de raconter à la queue leu leu; les mots s'écrivent les uns à la suite des autres, et, les histoires, tout ce qu'on peut faire c'est de les faire enchaîner.

Noé (Gallimard).

14715 Quoi qu'on fasse, c'est toujours le portrait de l'artiste par lui-même qu'on fait. Cézanne, c'était une pomme de Cézanne.

Ibid.

14716 Les spectateurs sont indispensables au bonheur des gourmands primaires de la volonté de puissance.

Ibid.

14717 L'incendie est un très beau personnage dramatique. Ce n'est pas, comme la tempête, ou le tremblement de terre, ou la foudre, les manifestations d'un dieu : c'est un dieu en chair et en os.

Ibid.

14718 Les princesses de naissance n'ont jamais l'air princesse en gros; elles ne l'ont qu'en détail.

Ibid.

14719 Imaginer c'est choisir.

Ibid.

14720 Je ne dis pas que Gaston Dominici n'est pas coupable, je dis qu'on ne m'a pas prouvé qu'il l'était.

Notes sur l'affaire Dominici (Gallimard).

14721 Tout accusé disposant d'un vocabulaire de deux mille mots serait sorti à peu près indemne de ce procès. Si, en plus, il avait été doué du don de parole et d'un peu d'art de récit, il serait acquitté. Malgré les aveux.

Ibid.

Il y a des guerriers de l'Arioste dans le soleil. C'est pourquoi 14722
tout ce qui n'est pas épicier essaye de se donner du sérieux
avec des principes sublimes.
                    Le Hussard sur le toit, chap. 1 (Gallimard).

« Je ne déteste pas les marchands de mort subite. » *Ibid.* 14723

Le mystère est toujours résolument italien. 14724
                                    Ibid., chap. 2.

« Les hommes sont bien malheureux, se disait Angélo. Tout 14725
le beau se fait sans eux. »   *Ibid., chap. 6.*

Il était de ces hommes qui ont vingt-cinq ans pendant cin- 14726
quante ans.   *Ibid.*

« La première vertu révolutionnaire, c'est l'art de faire 14727
foutre les autres au garde-à-vous. »   *Ibid.*

L'homme est aussi un microbe têtu. *Ibid., chap. 8.* 14728

« Crois-tu que la générosité soit toujours bonne? Neuf 14729
fois sur dix elle est impolie. Et elle n'est jamais virile. » *Ibid.*

Prends donc l'habitude de considérer que les choses ordi- 14730
naires arrivent aussi.   *Ibid.*

Quand le peuple ne parle pas, ne crie pas ou ne chante pas, 14731
il ferme les yeux. Il a le tort de fermer les yeux.
                                    Ibid., chap. 9.

MARCEL PAGNOL

1895-1974

Moi, il a fallu que j'attende l'âge de trente-deux ans pour 14732
que mon père me donne son dernier coup de pied au derrière.
Voilà ce que c'était que la famille, de mon temps.
          Marius, acte I, scène 3 (© Marcel Pagnol).

Si on ne peut plus tricher avec ses amis, ce n'est plus la 14733
peine de jouer aux cartes.   *Ibid., acte III, scène 2.*

Il se peut que tu aimes la marine française, mais la marine 14734
française te dit m...   *Ibid., scène 5.*

Et puis, quand elles ont commencé, elles n'ont plus rien 14735
à perdre! Marius, l'honneur, c'est comme les allumettes :
ça ne sert qu'une fois...   *Ibid., acte IV, scène 5.*

Allez, on ne meurt pas d'amour, Norine. Quelquefois, on 14736
meurt de l'amour de l'autre, quand il achète un revolver —
mais quand on ne voit pas les gens, on les oublie...
Fanny, acte I, Premier tableau, scène 3 (© Marcel Pagnol).

14737 Au fond, voyez-vous, le chagrin, c'est comme le ver solitaire : le tout, c'est de le faire sortir.   *Ibid., scène 8.*

14738 Les observations d'un ancien cocu et d'un cocu de l'active
n'ont sur moi aucune influence.   *Ibid., scène 11.*

14739 Si vous voulez aller sur la mer, sans aucun risque de chavirer, alors, n'achetez pas un bateau : achetez une île!
          Ibid., acte II, scène 3.

14740 La mort, c'est tellement obligatoire que c'est presque une
formalité.   *César (© Marcel Pagnol).*

14741 De mourir ça ne me fait rien. Mais ça me fait de la peine
de quitter la vie.   *Ibid.*

14742 [...] Un secret, ce n'est pas quelque chose qui ne se raconte
pas. Mais c'est une chose qu'on se raconte à voix basse,
et séparément.   *Ibid.*

14743 Quand le vin est tiré, il faut le boire, même s'il est bon.
          Ibid.

14744 Il y a trois genres littéraires bien différents : la poésie, qui
est chantée, le théâtre, qui est parlé, et la prose, qui est
écrite.
     La Gloire de mon père, Avant-propos (© Marcel Pagnol).

JACQUES VACHÉ
1895-1919

14745 Rien ne vous tue un homme comme d'être obligé de représenter un pays.
          Lettres de guerre de Jacques Vaché,
     A monsieur André Breton, X. 29.4.17 (Au Sans Pareil).

14746 L'umour dérive trop d'une sensation pour ne pas être
très difficilement exprimable — Je crois que c'est une sensation — J'allais presque dire un SENS — aussi — de l'inutilité théâtrale (et sans joie) de tout.   *Ibid.*

14747 Nous avons le Génie — puisque nous savons l'UMOUR —
Et donc tout — vous n'en aviez d'ailleurs jamais douté? —
nous est permis.   *Ibid.*

14748 Je serai ennuyé de mourir si jeuneeeee.
          Ibid., A monsieur T. Fraenkel, 29.4.17.

14749 Nous ne connaissons plus Apollinaire, ni Cocteau — Car —
Nous les soupçonnons de faire de l'art trop sciemment,
de rafistoler du romantisme avec du fil téléphonique et de
ne pas savoir les dynamos.
          Ibid., A monsieur André Breton, 18.8.17.

L'ART EST UNE SOTTISE.   14750
Ibid., A monsieur André Breton, 9.5.18.

ANTONIN ARTAUD
1896-1948

Je suis un homme qui a beaucoup souffert de l'esprit, et à   14751
ce titre j'ai le *droit* de parler. Je sais comment ça se trafique
là-dedans.
Correspondance avec Jacques Rivière, II (Gallimard).

Là où d'autres proposent des œuvres je ne prétends pas   14752
autre chose que de montrer mon esprit.
L'Ombilic des limbes (Gallimard).

Toute l'écriture est de la cochonnerie.   14753
Le Pèse-nerfs (Les cahiers du Sud).

Je ne sens pas l'appétit de la mort, je sens l'appétit *du ne*   14754
pas être, de n'être jamais tombé dans ce déduit d'imbécil-
lités, d'abdications, de renonciations et d'obtuses rencontres qui est le moi d'Antonin Artaud, bien plus faible
que lui.   *Enquête : Le suicide est-il une solution ?*

La peau humaine des choses, le derme de la réalité, voilà   14755
avec quoi le cinéma joue d'abord.
La Coquille et le Clergyman, Cinéma et réalité (Gallimard).

Le cinéma se rapprochera de plus en plus du fantastique,   14756
ce fantastique dont on s'aperçoit toujours plus qu'il est en
réalité tout le réel, ou alors il ne vivra pas.
Sorcellerie et cinéma (Gallimard).

Jamais, quand c'est la vie elle-même qui s'en va, on n'a   14757
autant parlé de civilisation et de culture.
Le Théâtre et son Double, Préface (Gallimard).

Si le théâtre essentiel est comme la peste, ce n'est pas parce   14758
qu'il est contagieux, mais parce que comme la peste il est la
révélation, la mise en avant, la poussée vers l'extérieur d'un
fond de cruauté latente par lequel se localisent sur un individu ou sur un peuple toutes les possibilités perverses de
l'esprit.
Comme la peste il est le temps du mal, le triomphe des forces
noires, qu'une force encore plus profonde alimente jusqu'à
l'extinction.   *Ibid., Le théâtre et la peste.*

Il y a longtemps que l'Éros platonicien, le sens génésique, la   14759
liberté de vie, a disparu sous le revêtement sombre de la
Libido que l'on identifie avec tout ce qu'il y a de sale, d'abject, d'infamant dans le fait de vivre, de se précipiter avec
une vigueur naturelle et impure, avec une force toujours
renouvelée vers la vie.   *Ibid.*

14760   Un théâtre qui soumet la mise en scène et la réalisation,
c'est-à-dire tout ce qu'il y a en lui de spécifiquement théâtral,
au texte, est un théâtre d'idiot, de fou, d'inverti, de grammairien, d'épicier, d'anti-poète et de positiviste, c'est-à-dire
d'Occidental.   *Ibid., La mise en scène et la métaphysique.*

14761   La révélation du théâtre Balinais a été de nous fournir du
théâtre une idée physique et non verbale, où le théâtre est
contenu dans les limites de tout ce qui peut se passer sur
une scène, indépendamment du texte écrit, au lieu que le
théâtre tel que nous le concevons en Occident, a partie
liée avec le texte et se trouve limité par lui. Pour nous, au
théâtre la Parole est tout et il n'y a pas de possibilité en
dehors d'elle.   *Ibid., Théâtre oriental et théâtre occidental.*

14762   Sans un élément de cruauté à la base de tout spectacle, le
théâtre n'est pas possible. Dans l'état de dégénérescence où
nous sommes c'est par la peau qu'on fera rentrer la métaphysique dans les esprits.
          Ibid., Le théâtre de la cruauté (Premier manifeste).

14763   Ce qui distingue les forfaits de la vie de ceux du théâtre,
c'est que dans la vie on fait plus et on dit moins, et qu'au
théâtre on parle beaucoup pour faire une toute petite chose.
Eh bien, moi, je rétablirai l'équilibre, et je le rétablirai
au détriment de la vie.   *Les Cenci, acte I scène 1 (Gallimard).*

14764   La MYSTIQUE n'a jamais été qu'une copulation d'une
tartufferie très savante et très raffinée contre laquelle le
PEYOTL tout entier proteste, car avec lui l'HOMME
est seul, et raclant désespérément la musique de son squelette, sans père, mère, famille, amour, dieu ou société.
          *Les Tarahumaras, Le rite du Peyotl (note)
          (Éd. Marc Barbezat, L'Arbalète).*

14765   Ce n'est pas Jésus-Christ que je suis allé chercher chez les
Tarahumaras mais moi-même, moi, M. Antonin Artaud,
né le 4 septembre 1896 à Marseille, 4, rue du Jardin-des-
Plantes, d'un utérus où je n'avais que faire et dont je n'avais
rien eu à faire même avant, parce que ce n'est pas une façon
de naître, que d'être copulé et masturbé neuf mois par la
membrane, la membrane bâillante qui dévore sans dents
comme disent les UPANISHADS, et je sais que j'étais né
autrement, de mes œuvres et non d'une mère, mais la MÈRE
a voulu me prendre et vous en voyez le résultat dans ma vie.
          *Ibid., Supplément au voyage..., Lettre à Henri Parisot,
          7 septembre 1945.*

14766   Là où ça sent la merde
                       ça sent l'être
          *Pour en finir avec le jugement de Dieu, La recherche de la
                              fécalité (Gallimard).*

GASTON BERGER
1896-1960

Je dirai que les animaux ont un futur, que les individus   14767
ont un destin, que les âmes ont une destinée, mais qu'il
appartient aux hommes, ces esprits incarnés, d'avoir un
avenir, dans la mesure où ils sont capables de le construire.
Phénoménologie du temps et prospective, IV, La prospective, 2.
(P.U.F.).

Demain ne sera pas comme hier. Il sera nouveau et il dépen-   14768
dra de nous. Il est moins à découvrir qu'à inventer. L'avenir
de l'homme antique devait être révélé. Celui du savant
d'hier pouvait être prévu. Le nôtre est à construire — par
l'invention et par le travail.   *Ibid.*

Loin de vieillir, l'humanité devient progressivement de plus 14769
en plus jeune.   *Ibid.*

La phénoménologie n'exclut pas la métaphysique : elle la   14770
prépare. [...] Ainsi une phénoménologie de l'accélération
pourrait-elle s'épanouir en une métaphysique de l'espérance.   *Ibid.*

Regarder un atome le change, regarder un homme le trans-   14771
forme, regarder l'avenir le bouleverse.   *Ibid., 6.*

ANDRÉ BRETON
1896-1966

Tant va la croyance à la vie, à ce que la vie a de plus précaire, 14772
la vie *réelle* s'entend, qu'à la fin cette croyance se perd.
Manifeste du Surréalisme (Pauvert).

Chère imagination, ce que j'aime surtout en toi, c'est que   14773
tu ne pardonnes pas.   *Ibid.*

Le seul mot de liberté est tout ce qui m'exalte encore.   14774
Ibid.

Les confidences des fous, je passerais ma vie à les provoquer. 14775
Ce sont gens d'une honnêteté scrupuleuse, et dont l'innocence n'a d'égale que la mienne.   *Ibid.*

Ce n'est pas la crainte de la folie qui nous forcera à laisser 14776
en berne le drapeau de l'imagination.   *Ibid.*

Si les profondeurs de notre esprit recèlent d'étranges forces 14777
capables d'augmenter celles de la surface, ou de lutter

victorieusement contre elles, il y a tout intérêt à les capter, à les capter d'abord, pour les soumettre ensuite, s'il y a lieu, au contrôle de notre raison.   *Ibid.*

14778   A quand les logiciens, les philosophes dormants?
                                                                    Ibid.

14779   Tranchons-en : le merveilleux est toujours beau, il n'y a même que le merveilleux qui soit beau.   *Ibid.*

14780   Ce qu'il y a d'admirable dans le fantastique, c'est qu'il n'y a plus de fantastique : il n'y a que le réel.   *Ibid., note.*

14781   SURRÉALISME, n. m. Automatisme psychique pur par lequel on se propose d'exprimer, soit verbalement, soit par écrit, soit de toute autre manière, le fonctionnement réel de la pensée. Dictée de la pensée, en l'absence de tout contrôle exercé par la raison, en dehors de toute préoccupation esthétique ou morale.
ENCYCL. *Philos.* Le surréalisme repose sur la croyance à la réalité supérieure de certaines formes d'associations négligées jusqu'à lui, à la toute puissance du rêve, au jeu désintéressé de la pensée. Il tend à ruiner définitivement tous les autres mécaniques psychiques et à se substituer à eux dans la résolution des principaux problèmes de la vie.
                                                                    Ibid.

14782   Dites-vous bien que la littérature est un des plus tristes chemins qui mènent à tout. Écrivez vite sans sujet préconçu, assez vite pour ne pas retenir et ne pas être tenté de vous relire.   *Ibid., Secrets de l'art magique surréaliste.*

14783   Je demande, pour ma part, à être conduit au cimetière dans une voiture de déménagement.   *Ibid., Contre la mort.*

14784   Le surréalisme ne permet pas à ceux qui s'y adonnent de le délaisser quand il leur plaît.   *Ibid.*

14785   L'épingle la fameuse épingle qu'il n'arrive quand même pas à tirer du jeu, ce n'est pas l'homme d'aujourd'hui qui consentirait à en chercher la tête parmi les étoiles.
                                        Lettre aux voyantes (Pauvert).

14786   Nous sommes à la recherche, nous sommes sur la trace d'une vérité morale dont le moins qu'on puisse dire est qu'elle nous interdit d'agir avec circonspection. Il faut que cette vérité soit aveuglante.   *Ibid.*

14787   Je persiste à réclamer les noms, à ne m'intéresser qu'aux livres qu'on laisse battants comme des portes, et desquels on n'a pas à chercher la clé.   *Nadja (Gallimard)*

14788   Autant en emporte le vent du moindre fait qui se produit, s'il est vraiment imprévu.   *Ibid.*

14789   Rien ne sert d'être vivant, s'il faut qu'on travaille.   *Ibid.*

L'événement dont chacun est en droit d'attendre la révéla- 14790
tion du sens de sa propre vie, cet événement que peut-être
je n'ai pas encore trouvé mais sur la voie duquel je me
cherche, *n'est pas au prix du travail.* *Ibid.*

Elle me dit son nom, celui qu'elle s'est choisi : « Nadja, 14791
parce qu'en russe c'est le commencement du mot espérance,
et parce que ce n'en est que le commencement. » *Ibid.*

Je hais, moi, de toutes mes forces, cet asservissement qu'on 14792
veut me faire valoir. Je plains l'homme d'y être condamné,
de ne pouvoir en général s'y soustraire, mais ce n'est pas
la dureté de sa peine qui me dispose en sa faveur, c'est et ce
ne saurait être que la vigueur de sa protestation.
Ibid.

Il peut y avoir de ces fausses annonciations, de ces grâces 14793
d'un jour, véritables casse-cou de l'âme, abîme, abîme où
s'est rejeté l'oiseau splendidement triste de la divination.
Ibid.

Ne pas alourdir ses pensées du poids de ses souliers. 14794
Ibid.

La beauté sera CONVULSIVE ou ne sera pas. *Ibid.* 14795

Ah! il faut bien le dire, nous sommes mal, nous sommes très 14796
mal avec le temps.
Préface à la réimpression du « Manifeste du Surréalisme »
(1929) (Pauvert).

Tout porte à croire qu'il existe un certain point de l'esprit 14797
d'où la vie et la mort, le réel et l'imaginaire, le passé et le
futur, le communicable et l'incommunicable, le haut et
le bas cessent d'être perçus contradictoirement. Or, c'est
en vain qu'on chercherait à l'activité surréaliste un autre
mobile que l'espoir de détermination de ce point.
Second manifeste du surréalisme (Pauvert).

Il est clair, aussi, que le surréalisme n'est pas intéressé à tenir 14798
grand compte de ce qui se produit à côté de lui sous prétexte
d'art, voire d'anti-art, de philosophie ou d'anti-philosophie,
en un mot de tout ce qui n'a pas pour fin l'anéantissement
de l'être en un brillant, intérieur et aveugle, qui ne soit pas
plus l'âme de la glace que celle du feu. *Ibid.*

L'acte surréaliste le plus simple consiste, révolvers aux 14799
poings, à descendre dans la rue et à tirer au hasard, tant
qu'on peut, dans la foule. Qui n'a pas eu, au moins une fois,
envie d'en finir de la sorte avec le petit système d'avilissement et de crétinisation en vigueur a sa place toute marquée
dans cette foule, ventre à hauteur de canon. *Ibid.*

En matière de révolte, aucun de nous ne doit avoir besoin 14800
d'ancêtres. *Ibid.*

Inutile de discuter encore sur Rimbaud : Rimbaud s'est 14801
trompé, Rimbaud a voulu nous tromper. Il est coupable

devant nous d'avoir permis, de ne pas avoir rendu tout à fait impossibles certaines interprétations déshonorantes de sa pensée, genre Claudel.   *Ibid.*

14802 Crachons, en passant, sur Edgar Poe.   *Ibid.*

14803 Nous combattons sous toutes leurs formes l'indifférence poétique, la distraction d'art, la recherche érudite, la spéculation pure, nous ne voulons rien avoir de commun avec les petits ni avec les grands épargnants de l'esprit. *Ibid.*

14804 Le problème de l'action sociale n'est, je tiens à y revenir et j'y insiste, qu'une des formes d'un problème plus général que le surréalisme s'est mis en devoir de soulever et qui est *celui de l'expression humaine sous toutes ses formes.*
     Ibid.

14805 En poésie, en peinture, le surréalisme a fait l'impossible pour multiplier ces courts-circuits.   *Ibid.*

14806 Je demande l'occultation profonde véritable du surréalisme.
     Ibid.

14807 L'art, de par toute son évolution dans les temps modernes, est appelé à savoir que sa qualité réside dans l'imagination seule, indépendamment de l'objet extérieur qui lui a donné naissance. A savoir que tout dépend de la liberté avec laquelle cette imagination parvient à se mettre en scène et à ne mettre en scène qu'elle-même.
     Position politique de l'art d'aujourd'hui (Pauvert).

14808 Il semble que de toutes parts la civilisation bourgeoise se trouve plus inexorablement condamnée du fait de son manque absolu de justification poétique.   *Ibid.*

14809 Aujourd'hui comme hier, c'est au rationalisme positiviste que nous continuons à en avoir. C'est lui qu'intellectuellement nous avons combattu, que nous combattrons encore comme l'ennemi principal, comme *l'ennemi dans notre propre pays.* Nous demeurons fermement opposés à toute revendication par un Français du seul patrimoine culturel de la France, à toute exaltation en France du sentiment français.
     Discours au congrès des écrivains (1935) (Pauvert).

14810 « Transformer le monde », a dit Marx; « changer la vie », a dit Rimbaud : ces deux mots d'ordre pour nous n'en font qu'un.   *Ibid.*

14811 L'œuvre d'art, au même titre d'ailleurs que tel fragment de la vie humaine considérée dans sa signification la plus grave, me paraît dénuée de valeur si elle ne présente pas la dureté, la rigidité, la régularité, le lustre sur toutes ses faces extérieures, intérieures, du cristal.
     L'Amour fou, I (Gallimard).

14812 Il s'agit de *ne pas*, derrière soi, *laisser s'embroussailler les chemins du désir.*   *Ibid., III.*

La trouvaille d'objet remplit ici rigoureusement le même 14813
office que le rêve, en ce sens qu'elle libère l'individu de
scrupules affectifs paralysants, le réconforte et lui fait
comprendre que l'obstacle qu'il pouvait croire insurmontable
est franchi. *Ibid.*

Je ne nie pas que l'amour ait maille à partir avec la vie. 14814
Je dis qu'il doit vaincre et pour cela s'être élevé à une telle
conscience poétique de lui-même que tout ce qu'il rencontre
nécessairement d'hostile se fonde au foyer de sa propre
gloire. *Ibid., VII.*

Je vous souhaite d'être follement aimée. *Ibid.* 14815

JACQUES DUCLOS
1896-1975

Tout prouve qu'une littérature durable ne peut être que 14816
l'expression, ou le reflet, de l'histoire humaine en marche.
Les Droits de l'intelligence (Ed. Sociales internationales).

Non, non, la pornographie n'a jamais été et ne sera jamais 14817
révolutionnaire, pas plus que l'immoralité. *Ibid.*

Si nous le voulons tous, et nous ne pouvons pas ne pas le 14818
vouloir, le pays de Descartes demeurera le pays de la raison
victorieuse. *Ibid.*

CÉLESTIN FREINET
1896-1966

Un bon conseil : ne parlez pas trop de volonté à l'école, 14819
pas plus que dans la vie d'ailleurs. C'est un mot qui s'est
définitivement usé parce qu'il a trahi les espoirs qu'on avait
mis en ses vertus.
L'Éducation du travail, XXII (Delachaux et Niestlé).

C'est une grave erreur de penser qu'il ne saurait y avoir une 14820
éducation puissante de la volonté sans cet inhumain refou-
lement de toutes les tendances euphoriques de l'individu,
comme si le devoir avait partout, et toujours, ce masque
sombre d'obligation violente, de privation et de douleur.
Ibid.

HENRI DE LUBAC
1896

14821 C'est se flatter, que de croire qu'en reniant le progrès de son siècle, on s'assure l'héritage de tous les trésors des siècles anciens.   *Paradoxes, I (Le Seuil)*.

14822 Si l'esprit vient à manquer, le dogme n'est plus qu'un mythe et l'Église n'est plus qu'un parti.   *Ibid.*

14823 La pensée est d'essence si rare que partout où l'on en découvre une manifestation, l'on est tenté, non seulement de la goûter, mais de l'approuver.   *Ibid., 4.*

14824 N'est vivant que ce qui est enraciné. Mais pour s'enraciner vraiment, il faut souvent paraître détaché.   *Ibid.*

14825 Avant d'être une espérance pour l'avenir, la vie éternelle est, pour le présent, une exigence.   *Ibid., 7.*

ANDRÉ MASSON
1896

14826 Paradoxe du peintre : affirmateur du mouvant, de l'éphémère, il se trouve qu'il doit, de toute manière, vouloir *éterniser*. La vague succède à la vague, l'ombre lutte avec la lumière, la vie est une jungle; cependant il lui faudra, après avoir tracé nombre d'entrelacs — comme en sourdine — de conflits naissants, de « repentirs » que jaillisse la ligne décisive : celle qui éternise.
« *Le peintre et le temps* », I, *Les Temps modernes, n° 10 (1946).*

HENRY DE MONTHERLANT
1896-1972

14827 Donnez des passions aux enfants pour qu'ils puissent vivre la passion de la religion *.
La Relève du matin, Le jeudi de Bagatelle (Gallimard)

14828 O collège! horizon suprême de nos âmes *!   *Ibid., VII.*

* Seules les citations marquées d'un astérisque doivent être attribuées personnellement à l'auteur. Les autres sont mises dans la bouche d'un personnage de fiction (N. de l'É.).

O prêtres, dans certaines âmes, pour l'amour de Dieu et 14829
pour l'amour d'elles, systématiquement créez de la crise *.
Ibid., Conclusion.

La volupté est candide comme la mort. Le plaisir et le tra- 14830
gique grand ont le même goût, et il est bon *.
Chant funèbre pour les morts de Verdun, IV (Gallimard).

Les idées nous tombent de l'esprit comme du cœur les bien- 14831
aimées *.   *Ibid., V.*

Il faut faire une paix qui ait la grandeur d'âme de la guerre *. 14832
Ibid.

Hermès, dieu des gymnases. Athéné, déesse de l'intelli- 14833
gence.
Indissolubles *.   *Les Olympiques (Gallimard).*

Être à la fois, ou plutôt faire alterner en soi, la Bête et l'Ange, 14834
la vie corporelle et charnelle et la vie intellectuelle et morale,
que l'homme le veuille ou non, la nature l'y forcera, qui est
toute alternances, qui est toute contractions et détentes *.
Aux fontaines du désir, Syncrétisme et alternance (Gallimard).

La possession des êtres qui me plaisent, dans la paix et dans 14835
la poésie.
Pour le reste; me désolidariser *.   *Ibid., Sans remède.*

Pour moi, l'absolu, ce n'est pas « Dieu », c'est le réel, une 14836
manière de prise immédiate et certaine [...] *.
La Petite Infante de Castille, Seconde partie, II (Gallimard).

En réalisant ses désirs, autrement dit en se réalisant soi- 14837
même, l'homme réalise l'absolu *.   *Ibid.*

Une vie est belle, où l'on commence par se croire quelque 14838
chose, et finit par ne se croire rien *.
Mors et Vita, Explicit mysterium (Gallimard).

Je n'ai que l'idée que je me fais de moi pour me soutenir 14839
sur les murs du néant *.
Service inutile, Chevalerie du néant (Gallimard).

[...] Nous ne croyons pas que la morale de midinette, non 14840
plus que la morale de vieille fille, puisse s'opposer très
longtemps encore [...] à la morale léonine qui a cours dans
plusieurs nations d'Europe *.
*L'Equinoxe de Septembre, La France et la morale de midinette
(Gallimard).*

Les révolutions pénètrent les esprits et ne pénètrent pas les 14841
mœurs *.
*Le Solstice de juin, Les révolutions, les esprits et les mœurs
(Gallimard).*

Le sourire de la pensée la plus profonde *.   14842
Ibid., Le sourire et le silence.

14843 Tout ce qui est naturel est injuste *.
                    Carnets (1930-1944) (Gallimard).

14844 Je méprise qui désire quelque chose. Je ne méprise pas qui
       désire quelqu'un *.   *Ibid.*

14845 Publier un livre, c'est parler à table devant les domestiques *.
                                                        Ibid.

14846 On blesse l'amour-propre; on ne le tue pas *.   *Ibid.*

14847 Si Dieu voulait me donner le ciel, mais qu'il me le différât,
       je préférerais me jeter en enfer, à devoir attendre le bon
       plaisir de Dieu.
                    La Reine morte, acte I, scène 1 (Gallimard).

14848 Je vous reproche de ne pas respirer à la hauteur où je respire *.
                                            Ibid., scène 3.

14849 Allez, allez, en prison! En prison pour médiocrité *.
                                            Ibid., scène 7.

14850 Ce qui est effrayant dans la mort de l'être cher, ce n'est pas
       sa mort, c'est comme on en est consolé *.
                                        Ibid., acte II, scène 1.

14851 [...] Si vous n'êtes pas prêt à tuer ce que vous prétendez
       haïr, ne dites pas que vous haïssez : vous prostituez ce mot.
                    Malatesta, acte I, scène 8 (Gallimard).

14852 Il ne faut jamais mettre un homme d'esprit dans l'obliga-
       tion d'agir comme tel *.   *Ibid., scène 9.*

14853 Si je pouvais changer un peu de contemporains! *
                                        Ibid., acte II, scène 5.

14854 Les pires ennemis d'un homme, ce sont ses compatriotes.
                                        Ibid., acte IV, scène 7.

14855 [...] La jeunesse retarde toujours un peu *.
                    Le Maître de Santiago, acte I, scène 4 (Gallimard).

14856 [...] Je sais quelle gêne un homme qui n'a nulle ambition
       peut causer dans une société *.   *Ibid.*

14857 Les grandes idées ne sont pas charitables.   *Ibid.*

14858 Les colonies sont faites pour être perdues*   *Ibid.*

14859 Malheur aux honnêtes... Malheur aux meilleurs...   *Ibid.*

14860 Le parfait mépris souhaite d'être méprisé par ce qu'il méprise,
       pour s'y trouver justifié.   *Ibid., Acte III, scène 3.*

Il y a dans mon œuvre une veine chrétienne et une veine 14861
« profane » (ou pis que profane), que je nourris alternative-
ment, j'allais dire simultanément, comme il est juste, toute
chose en ce monde méritant à la fois l'assaut et la défense
[...] *   *Ibid., Postface.*

Avoir une affection, c'est cela qui donne le plus l'idée de ce 14862
que doit être le ciel *.
          La Ville dont le prince est un enfant, acte III, Scène 7
                                                  (Gallimard).

Quand on est bien à Dieu, on est solitaire partout *. 14863
                                        Port-Royal (Gallimard).

Rien de tel qu'une affection humaine pour porter de l'ombre 14864
sur le soleil de Dieu *.   *Ibid.*

L'Église a plus maintenu ses vérités par ses souffrances, 14865
que par les vérités mêmes *.   *Ibid.*

En prison pour médiocrité! Libéré pour crétinisme *. 14866
          Va jouer avec cette poussière (Gallimard).

JEAN PIAGET
1896-1980

La tendance la plus profonde de toute activité humaine est 14867
la marche vers l'équilibre, et la raison, qui exprime les formes
supérieures de cet équilibre, réduit en elle l'intelligence et
l'affectivité.
          Six études de psychologie, Le développement mental
                                   de l'enfant, IV, B (Gonthier).

Nous ne connaissons pas en psychologie de commencement 14868
absolu et la genèse se fait toujours à partir d'un état initial
qui comporte lui-même éventuellement une structure.
     Ibid., Genèse et structure en psychologie de l'intelligence.

Équilibre est synonyme d'activité.   *Ibid.* 14869

JACQUES RUEFF
1896-1976

Si la notion d'individu est l'instrument nécessaire de l'expli- 14870
cation dans les domaines les plus divers, c'est qu'il est partout, dans le monde qui nous entoure, des « choses » dont la
réalité n'est pas dans la substance qui les compose, mais
dans la qualité mystérieuse qui fait leur unité et engendre
leur « existence ».
Les Dieux et les Rois, Première partie, chap. 2, Individu et
                                   société, 1 (Hachette).

14871 Le drame de l'ordre est qu'une fois établi, il tend à fondre,
comme neige au soleil. De ce fait, toute « création » est
précaire, puisque, inévitablement, l'ordre qui la constitue
se défera progressivement, par le retour de ses parties à
l'état le plus probable dans lequel elles retrouveront stabilité et durée.
Ibid., chap. 4, A contre-courant : la montée de l'ordre, 1.

14872 La montée de la personne humaine démembre le pouvoir
temporel en l'obligeant à concéder d'abord à quelques personnes privilégiées, ensuite à toutes les personnes physiques
et morales, des facultés de libre décision qui constituent des
« droits ».
Ibid., Quatrième partie, chap. 10, Les rois, 6.

14873 L'esprit qui ne connaîtrait l'homme que par les tables de
mortalité des compagnies d'assurances, ignorerait tout
des jaillissements imprévisibles de sa liberté créatrice.
Ibid., chap. 11, Les dieux, 3.

ELSA TRIOLET
1896-1970

14874 Le vrai rêveur est celui qui rêve de l'impossible.
Mille regrets (Denoël).

14875 Si j'avais devant moi l'éternité ce n'est pas la résignation,
c'est la patience que je prêcherais.   *Ibid.*

14876 On peut tuer le temps ou soi-même, cela revient au même,
strictement.   *Ibid.*

14877 J'ai appris que pour être prophète, il suffisait d'être pessimiste.   *Ibid.*

14878 Le temps a beau cracher le feu, le destin personnel existe et
tous les meurtres ne sont pas des attentats politiques [...]
Le cœur peut battre à l'unisson avec des millions d'hommes
et avoir en même temps des battements secrets qui ne dépassent pas les limites du cœur.   *Ibid.*

14879 « Vous êtes des somnambules... — c'est plein de somnan-
bules dans la littérature et dans les rues. Il me semble toujours
que vous ne prenez pas part au développement de votre
destin. »   *Le Cheval blanc (Denoël).*

14880 Le plus grave est que les autres finissent pas vous dégoûter
de vous-même : on se dit si personne ne vous aime c'est
que vous n'êtes pas aimable.
Personne ne m'aime (Éd. français réunis).

14881 Je ne me fais pas entendre si personne ne me répond.
Les Fantômes armés (Éd. français réunis).

Mes lieux communs sur les hommes sont : vaniteux comme 14882
un homme, intéressé comme un homme, illusioniste comme
un homme, traître comme un homme.
— Qu'est-ce qu'ils vous ont fait?
— A moi, rien. Ils ont fait tout le mal qui est sur terre et
ils s'en vantent.   *Ibid.*

La solitude est une infirmité, voilà ce que c'est, on devient 14883
seule comme on devient impotente.   *Ibid.*

Le ménage du monde est comme celui d'un logement. Il 14884
faut recommencer tous les jours.   *Ibid.*

Il n'y a pas de suicides, il n'y a que des meurtres.   *Ibid.* 14885

Il y a une certaine marge pour les ennemis politiques, sorti 14886
de laquelle on est tout simplement chez les assassins.
                                                                    Ibid.

Le chemin de la création n'est pas toujours le même que celui 14887
de l'intelligence politique.
              L'Écrivain et le livre ou la suite dans les idées
                                              (Éd. sociales).

Si c'est un symptôme d'art nouveau que de ne pas être 14888
compris par tous, l'avant-garde d'aujourd'hui est cet art
qui s'exprime en langage clair, mais qui est incompréhensible
cette fois-ci non pour la foule mais pour les spécialistes.
                                                                    Ibid.

Le silence est comme le vent : il attise les grands malentendus 14889
et n'éteint que les petits.   *Ibid.*

Deux êtres humains. Deux. Une raison pour ne pas penser 14890
qu'à soi.   *Le Cheval roux ou les Intentions humaines*
                                         (Éd. français réunis).

L'homme ne peut rien contre la loi de la pesanteur, mais il 14891
sait utiliser la chute d'eau.   *Ibid.*

Nous sommes mieux avec un rossignol que sans rossignol. 14892
                                                                    Ibid.

Encore plus important que de conserver les vieux serait de 14893
ne pas faire périr les jeunes.   *Ibid.*

Aller au-delà sans fin, parce que nous sommes des hommes. 14894
                                                                    Ibid.

L'avenir n'est pas une amélioration du présent. C'est autre 14895
chose.   *Ibid.*

Elle appartenait au milieu des sans-milieu. C'est un milieu 14896
aussi fermé et sélect que le Jockey-Club. Pour appartenir
aux sans-milieu, il fallait être bien seul, vivre en marge de la

société, n'avoir personne pour authentifier votre nom, votre situation. Pas de témoins dans le procès de votre vie, pas d'alibi. Ni père, ni mère, ni cousins, ni ami d'enfance.
Le Rendez-vous des Étrangers (Gallimard).

14897 Je vous prie d'apprécier cette chanson : les paroles sont d'un Russe, la musique d'un Hongrois, elle est chantée, en français, par un Espagnol qui la chante pour un petit Italien... Vous allez voir ce qu'elle dit. *Ibid.*

14898 Un créateur n'est pas un homme bien élevé, c'est un grossier personnage qui se fout du respect humain.
Le Monument (Gallimard).

14899 Les expressions toutes faites sont les plus intelligentes.
Ibid.

14900 Qui nous? Vous c'est nous, et nous c'est vous. *Ibid.*

14901 Comme la parole elle-même, la chose contée distingue l'homme de la bête, elle distingue aussi l'homme de l'homme puisqu'elle est sa pensée, son imagination, son rêve liés ensemble et qui diffèrent d'un homme à l'autre.
Le métier de Shéhérazade, article dans « Les Lettres françaises ».

14902 Le langage humain va peut-être s'adjoindre pour exprimer nos sentiments et nos pensées des éléments autres que les mots, mais ce ne seront jamais que de nouveaux instruments que s'adjoint un orchestre. *Luna-Park (Gallimard).*

14903 La connaissance de la vie est comme le sable : elle ne salit pas. *Ibid.*

14904 Aujourd'hui Icare est femme. *Ibid.*

14905 On devrait toujours se voir comme des gens qui vont mourir le lendemain. C'est ce temps qu'on croit avoir devant soi qui vous tue. *Ibid.*

14906 La naïveté jointe à la foi... Il y a mieux, le grand savoir-faire et la maîtrise joints à la foi, le pire c'est le demi-chemin, l'homme médiocre, le petit-bourgeois qui a perdu la simplicité du cœur sans atteindre à la sagesse. Quand il y a de la technique sans avoir de la maîtrise, alors nous arrivons à la médiocrité générale des « œuvres d'art ». *Ibid.*

14907 La science elle-même progresse grâce à l'artiste. Les scientifiques sont arrêtés par l'idée de l'absurde, de l'hérésie scientifique, l'artiste rien ne l'arrête, il n'est pas embarrassé par la science... C'est ainsi qu'il pénètre derrière les portes fermées à la science. *Ibid.*

14908 Un automate *ressemble*, il n'est pas... Vous ressemblez à un homme, vous n'en êtes pas un. *L'Ame (Gallimard).*

14909 Ah! Le repos d'écrire totalement en dehors de soi! Même si, dans l'écriture on s'évite difficilement, si c'est encore

votre visage que vous renvoie la structure d'une phrase,
le choix des mots, si on n'arrive pas à se rendre vraiment
méconnaissable, et que moi, petite et blonde — blanche
à l'heure qu'il est — ne me réveillerai jamais un beau matin,
grande et brune...

*Ibid., Postface à « L'Ame », dans l'édition des œuvres
romanesques croisées.*

Il y a des romanciers tout aussi véreux que les historiens. 14910
Ce n'est pas parce qu'ils écrivent sur leurs bouquins le mot
roman, qui équivaut à *prière de ne pas y croire*, qu'ils sont
plus honnêtes... *Le Grand Jamais (Gallimard).*

C'est de l'intérieur que, d'un commun élan, l'Univers attaque 14911
le temps, dévorant le moment suivant. Où que l'on se trouve
et quoi que l'on fasse on en liquide le même tronçon. Hop!
et on passe sur le dos de l'instant jamais vécu, vierge et on le
laisse derrière soi, usé, inutilisable... Le Temps n'a d'autre
fonction que de se consumer : il brûle sans laisser de cendres.
Ibid.

Il n'y a que le temps lui-même qui soit invulnérable... 14912
Il y a des transformations dans l'espace mais que voulez-
vous qui arrive à l'intérieur de cette outre vide, le temps?
[...] Le temps ce n'est qu'une enveloppe, un creux [...]
Le temps ne se transforme pas, n'évolue pas, c'est nous qui
nous transformons, évoluons, et nous en accusons le temps
qui n'en peut mais... Le temps n'est que l'activité de l'espace.
Ibid.

« L'anatomie de l'homme est la clef pour l'anatomie du 14913
singe » disait encore le sculpteur citant de grands auteurs [...]
Pourquoi n'appliquerait-on pas ce système à l'histoire?
Il nous donnerait une possibilité de nous expliquer les évé-
nements à reculons [...] Nous sommes les singes de l'avenir.
Ibid.

L'art qui transforme l'homme, lui donne des possibilités 14914
nouvelles pour la conception de l'univers, est, paradoxalement, lui-même inconcevable. *Ibid.*

Je doute, parce que je crois que l'avenir saura mieux. *Ibid* 14915

Le roman ne se contente pas de courir parallélement aux 14916
événements; c'est un art-fiction, une réalité à venir. *Ibid.*

Le roman ce n'est jamais qu'une maquette d'après laquelle 14917
il nous est proposé d'imaginer la même chose grandeur
nature. *Ibid.*

Le passé a des blancs qui sont noirs, on y place les rêves 14918
qu'on veut, on n'est pas obligé de se conformer aux manuels
d'histoire. *Écoutez voir (Gallimard).*

Les chefs-d'œuvre ne font pas de progrès, ils restent c'est 14919
tout ce qu'ils font. [...] Ils ne passent pas, ça ne se tasse pas,
ne s'arrange pas. Ils peuvent tout au plus devenir illisibles.
Ibid.

14920 Quand on défie la mort on ne gagne qu'en perdant définitivement.   *La Mise en Mots (Skira).*

14921 Si tout se tait, c'est ma faute.   *Ibid.*

14922 Les romans les moins historiques sont sans doute les romans
historiques, mensongers comme l'histoire.   *Ibid.*

14923 L'écriture d'un roman n'est pas fonctionnelle. [...] Le style
n'est pas le vêtement mais la peau d'un roman. Il fait partie
de son anatomie comme ses entrailles.   *Ibid.*

14924 Le lecteur peut être considéré comme le personnage principal
du roman, à égalité avec l'auteur, sans lui, rien ne se fait.
[...] Le lecteur, personnage actant du roman.   *Ibid.*

14925 Dans le roman tout court, le non-fonctionnel, l'inutile est
indispensable, il est utile autrement. Or l'inutile est imprévisible...   *Ibid.*

14926 L'écriture, c'est comme les palpitations du cœur, cela se
produit.   *Ibid.*

14927 C'est quelqu'un que l'homme puisqu'il a trouvé l'écriture.
[...] L'écriture la plus noble conquête de l'homme. Le roman,
intermédiaire entre l'homme et la vie.   *Ibid.*

14928 L'énoncé d'un fait serait : celle que j'aime n'est pas avec moi,
alors je me sens bien seul...
             Un seul être vous manque et tout est dépeuplé
est l'art de dire *immensement.*   *Ibid.*

14929 L'hermétisme, né de l'avance prise par le créateur sur son
époque, est temporaire; l'hermétisme bon teint restera
piste d'envol, copistes et faussaires iront au rebut.   *Ibid.*

14930 Les mots sont ces quelques feuilles qui créent l'illusion d'un
arbre avec *toutes* ses feuilles, l'illusion de tout dire. *Ibid.*

14931 A perpétuité! Pour qui se prennent-ils, les hommes?
                Le rossignol se tait à l'aube (Gallimard).

14932 Qui veille la nuit a pour lui toute la place.   *Ibid.*

14933 Je crois aux surprises de l'histoire. J'espère comprendre si
peu, si mal ce qui se passe, que ça ne m'étonnerait pas si
nous débouchions à notre grande surprise sur le Paradis.
                                                  Ibid.

14934 Les optimistes sont des drôles.   *Ibid.*

TRISTAN TZARA
1896-1963

Dada ne signifie rien.   14935
Sept manifestes Dada, « Manifeste Dada 1918 » (Pauvert).

Liberté : DADA DADA DADA, hurlement de couleurs   14936
crispées, entrelacements des contraires et de toutes les
contradictions, des grotesques, des inconséquences : LA VIE.
Ibid.

La liberté de ses facultés [Lautréamont], que rien ne lie,   14937
qu'il tourne de tous les côtés et surtout envers lui-même, la
force de s'abaisser, de démolir, de s'accrocher à toutes les
tares, avec une sincérité beaucoup trop intime pour nous
intéresser, est la plus haute attitude humaine — parce que
transformée en action, elle devrait aboutir à l'anéantissement
de cet étrange mélange d'os, de farine et de végétation :
l'humanité.
Note sur le comte de Lautréamont et le cri, Littérature, n° 1.

Si dans la société actuelle la poésie constitue un *refuge*,   14938
une *opposition* à la classe dominante, la bourgeoisie, dans la
société future où l'antagonisme économique des classes
disparaîtra, la poésie ne sera plus soumise aux mêmes
conditions.
Essai sur la situation de la poésie, Le Surréalisme au service
de la Révolution, n° 4.

[...] La mort serait un beau long voyage   14939
et les vacances illimitées de la chair des structures et des os.
De nos oiseaux, La mort de Guillaume Apollinaire (Kra).

LOUIS ARAGON
1897-1982

Le monde à bas je le bâtis plus beau.   14940
Feu de joie (Au Sans Pareil).

La parole n'a pas été donnée à l'homme : il l'a prise.   14941
Le Libertinage (Gallimard).

O déments incrédules, vous aussi vous avez alors baissé la   14942
tête devant les mots armés qui soulevaient un long pan de
l'azur.   *Une vague de rêves (Hors commerce).*

Je m'échappe indéfiniment sous le chapeau de l'infini.   14943
Le Mouvement perpétuel (Gallimard).

Le vice appelé surréalisme est l'emploi déréglé et passionnel   14944
du stupéfiant image, ou plutôt de la provocation sans contrôle

de l'image pour elle-même et pour ce qu'elle entraîne dans le domaine de la représentation de perturbations imprévues et de métamorphoses : car chaque image, à chaque coup, vous force à reviser tout l'univers.

Le Paysan de Paris (Gallimard).

14945 C'est à la poésie que tend l'homme.
Il n'y a de connaissance que du particulier.
Il n'y a de poésie que du concret. *Ibid.*

14946 On sait que le propre du génie est de fournir des idées aux crétins une vingtaine d'années plus tard.

Traité du style (Gallimard).

14947 Sais-tu quand cela devient vraiment une histoire
L'amour. *La Grande Gaîté (Gallimard).*

14948 Il y a dans tout ce qui précède plusieurs choses très claires pour toi seule
Pour toi seule j'ai l'impression
que cette expression-là terriblement égoïste m'a beaucoup servi dans ces derniers jours.

Persécuté persécuteur (Éditions surréalistes).

14949 Là commence la nouvelle romance. Ici finit le roman de chevalerie. Ici pour la première fois dans le monde la place est faite au véritable amour. Celui qui n'est pas souillé par la hiérarchie de l'homme et de la femme, par la sordide histoire des robes et des baisers, par la domination d'argent de l'homme sur la femme ou de la femme sur l'homme. La femme des temps modernes est née, et c'est elle que je chante. Et c'est elle que je chanterai. *Les Cloches de Bâle (Denoël).*

14950 Il y a des livres qui ferment un monde. Ils sont un point final ; on les laisse ou on s'en va. Plus loin, ailleurs, n'importe. Il en est d'autres qui sont les portes de notre propre pays.
Ibid.

14951 L'extraordinaire du roman, c'est que pour comprendre le réel objectif, il invente d'inventer. Ce qui est *menti* dans le roman libère l'écrivain, lui permet de montrer le réel dans sa nudité. Ce qui est menti dans le roman est l'ombre sans quoi vous ne verriez pas la lumière. Ce qui est menti dans le roman sert de substratum à la vérité. On ne se passera jamais du roman, pour cette raison que la vérité fera toujours peur, et que le mensonge romanesque est le seul moyen de tourner l'épouvante des ignorantins dans le domaine propre au romancier. Le roman, c'est la clef des chambres interdites de notre maison.
Préface aux « Cloches de Bâle » dans l'édition des « Œuvres romanesques croisées ».

14952 Je dédie Le Monde Réel à Elsa Triolet à qui je dois d'être ce que je suis, à qui je dois d'avoir trouvé, au fond de mes nuages, l'entrée du monde réel où cela vaut la peine de vivre et de mourir.

Les Beaux Quartiers, Dédicace (Denoël).

14953 La sensualité des hommes jeunes est très bornée. Le plaisir les retient à peine. Ils sont trop préoccupés de trop de choses

nouvelles et ils continuent à jouer. Ils sont encore possédés
de chimères et ils quittent la proie pour l'ombre.   *Ibid.*

La vie est un voyageur qui laisse traîner son manteau derrière   14954
lui, pour effacer ses traces.
                    Les Voyageurs de l'impériale (Gallimard).

Je pensais que cette impériale était une bonne image de   14955
l'existence, ou plutôt l'omnibus tout entier, car il y a deux
sortes d'hommes dans le monde, ceux qui, pareils aux gens
de l'impériale, sont emportés sans rien savoir de la machine
qu'ils habitent et les autres qui connaissent le mécanisme
du monstre, qui jouent à y tripoter... Et jamais les premiers
ne peuvent rien comprendre de ce que sont les seconds,
parce que de l'impériale on ne peut que regarder les cafés,
les réverbères et les étoiles.   *Ibid.*

> O mon amour ô mon amour toi seule existe   14956
> A cette heure pour moi du crépuscule triste
> Où je perds à la fois le fil de mon poème
> Et celui de ma vie et la joie et la voix
> Parce que j'ai voulu te redire Je t'aime
> Et que ce mot fait mal quand il est dit sans toi.
> > > *Le Crève-cœur (Gallimard).*

Jamais peut-être faire chanter les choses n'a été plus urgente   14957
et noble mission à l'homme, qu'à cette heure où il est le plus
profondément humilié, plus entièrement dégradé que jamais.
Et nous sommes sans doute plusieurs à en avoir conscience,
qui aurons le courage de maintenir, même dans le fracas
de l'indignité, la véritable parole humaine et son orchestre
à faire pâlir les rossignols.   *Ibid.*

> Et l'on verra tomber du front du Fils de l'Homme   14958
> La couronne de sang symbole du malheur
> Et l'Homme chantera tout haut cette fois comme
> Si la vie était belle et l'aubépine en fleur.
> > > *Ibid.*

Je chante parce que l'orage n'est pas assez fort pour couvrir   14959
mon chant et que quoi que demain l'on fasse, on pourra
m'ôter cette vie, mais on n'éteindra pas mon chant.
                    Les Yeux d'Elsa (Cahiers du Rhône).

> En étrange pays dans mon pays lui-même   14960
> Je sais bien ce que c'est qu'un amour malheureux.
> > > *Ibid.*

Mon amour tu es ma seule famille avouée, et je vois par tes   14961
yeux le monde et c'est toi qui me rends cet univers sensible
et qui donnes sens en moi aux sentiments humains. Tous ceux
qui, d'un même blasphème, nient et l'amour, et ce que j'aime,
fussent-ils puissants à écraser la dernière étincelle de ce feu
de France, j'élève devant eux ce petit livre de papier, cette
misère des mots, ce grimoire perdu; et qu'importe ce qu'il
en adviendra, si, à l'heure de la plus grande haine, j'ai un
instant montré à ce pays déchiré le visage resplendissant
de l'amour.   *Ibid.*

14962   Tu me dis Si tu veux que je t'aime et je t'aime
          Il faut que ce portrait de moi que tu peindras
          Ait comme un ver vivant au fond du chrysanthème
              Un thème caché dans son thème
          Et marie à l'amour le soleil qui viendra.
                                                  Ibid.

14963   Patrie également à la colombe ou l'aigle
          De l'audace et du chant doublement habitée
          Je vous salue ma France où les blés et les seigles
          Mûrissent au soleil de la diversité.
                          Le Musée Grévin (Bibliothèque française et
                                  Éditions de Minuit).

14964   C'est un grand moment de la vie d'un peuple que celui où
          tout le monde, ou presque tout le monde s'applique à
          employer les mots dans leur sens véritable; et c'est un moment
          terrible de cette vie, quand, à nouveau, ceux qui avaient cessé
          de le faire, se remettent à jouer avec ces mots...
          Servitude et Grandeur des Français (Éditeurs Français
                                          réunis).

14965   [...] L'amour de l'homme et de la femme dans le couple trouve
          son harmonie précisément lorsque l'homme et la femme
          s'élèvent simultanément à une même conception du monde
          où leur aventure s'élargit et l'amour au devenir humain
          s'identifie.   *Chronique du Bel-Canto (Skira).*

14966   Il n'y a pas de poésie, si lointaine qu'on la prétende des
          circonstances, qui ne tienne des circonstances sa force, sa
          naissance et son prolongement.   *Ibid.*

14967   Il y a une chose qui est interdite aux critiques, c'est de déposer
          des commentaires le long des images.   *Ibid.*

14968   La poésie ne se borne plus à nier le fait, elle le seconde. Car
          nous avons passé des temps de la divine utopie à ceux de
          l'efficience humaine.   *Ibid.*

14969   C'est par le travail que l'homme se transforme... Je suis un
          homme donné et non un autre. J'ai mon métier, je suis défini
          socialement par là. Et à ceux qui me demandent : « A la fin
          qu'êtes-vous, communiste ou écrivain? je réponds toujours :
          je suis d'abord écrivain et c'est pourquoi je suis communiste.
          Les choses pour moi ont pris ce tour logique. C'est parce
          que dans mon métier, là où je sais mieux qu'un autre, j'ai
          touché les limites imposées, que je suis devenu ce que je
          suis. »   *Article de « L'Humanité ».*

14970   Pardonnez-moi cette amertume
          Mais l'âge d'aimer quand nous l'eûmes
          Comme le regain sous la faux
          Tout y sonnait mortel et faux
          Et qu'opposer sinon nos songes
          Aux pas triomphants du mensonge
          Nous qui n'avions pour horizon
          Qu'hypocrisie et trahison...
                          Le Roman inachevé (Gallimard).

Tu n'as pas eu le choix entre l'âge d'or et l'âge de pierre.   14971
Ibid.

Il n'est plus de chemin privé si l'histoire un jour y chemine.   14972
Ibid.

De la femme vient la lumière Et le soir comme le matin   14973
Autour d'elle tout s'organise.
Ibid.

Le chant ne remue pas les pierres   14974
Il n'y a que de faux Orphées.
Ibid.

L'histoire qui naît de leurs mains ne sait plus le nom des héros.   14975
Ibid.

Moi j'ai tout donné mes illusions   14976
Et ma vie et mes hontes
Pour vous épargner la dérision
De n'être au bout du compte
Que ce qu'à la fin nous aurons été.
Ibid.

La rose naît du mal qu'a le rosier   14977
Mais elle est la rose.
Ibid.

Ce qu'il m'aura fallu de temps pour tout comprendre   14978
Je vois souvent mon ignorance en d'autres yeux
Je reconnais ma nuit Je reconnais ma cendre
Ce qu'à la fin j'ai su comment le faire entendre
Comment ce que je sais le dire de mon mieux.
Ibid.

J'ai déchiré ma vie et mon poème   14979
[...]
J'ai déchiré mon livre et ma mémoire
Il y avait dedans trop d'heures noires
[...]
Déchiré mon cœur déchiré mes rêves
Que de leurs débris une aube se lève

Qui n'ait jamais vu ce que moi j'ai vu.
Ibid.

Nous étions faits pour être libres   14980
Nous étions faits pour être heureux
Le monde l'est lui pour y vivre
Et tout le reste est de l'hébreu.
Elsa (Gallimard).

Je ne suis pas de ceux qui trichent avec l'univers   14981
J'appartiens tout entier à ce troupeau grandiose et triste des
hommes
On ne m'a jamais vu me dérober à la tempête
J'ai battu de mes bras chaque fois l'incendie
J'ai connu la tranchée et les chars
J'ai toujours dit sans prudence au grand jour mes pires
pensées
[...]

Mais il y a sous le cuir de ma face et les lanières tannées de
    mon apparence
Autre chose sans quoi je ne serais que pierre parmi les
    pierres
[...]
Il y a ce qui est ma vie
Il y a toi ma tragédie
Mon grand théâtre intérieur.   *Ibid.*

14982   Quand je me retourne je vois derrière moi cette ombre
de moi-même une longue tapisserie
    usée ici et là mon existence que des doigts maladroi-
tement rapiécèrent
    Je ne sais plus trop dans l'ensemble ce que ces feuillages
signifient ni ce qu'y font les personnages figurés
    mais c'est pourtant la chair de ma vie et je la parcours
et je m'étonne et voici
    qu'à ma stupéfaction je constate avoir donné le plus
clair de mon temps en ce siècle d'aventures
    d'écroulement et de fracas ce siècle de tragédies
    le plus clair de mon temps mental au passage du mot
à l'image et de l'image au mot.
                 Les Poètes (Gallimard).

14983   J'aurais tant voulu vous aider
        [...]
        J'aurais tant aimé cependant
        Gagner pour vous pour moi perdant
        Avoir été peut-être utile

        C'est un rêve modeste et fou
        Il aurait mieux valu le taire
        Vous me mettrez avec en terre
        Comme une étoile au fond d'un trou.
                      Ibid.

14984   L'avenir c'est ce qui dépasse
        La main tendue et c'est l'espace
        Au-delà du chemin battu
        C'est l'homme vainqueur par l'espèce.
               Le Fou d'Elsa (Gallimard).

14985 J'ai réinventé le passé pour voir la beauté de l'avenir.
                      Ibid.

14986   L'avenir de l'homme est la femme
        Elle est la couleur de son âme
        Elle est sa rumeur et son bruit
        Et sans elle il n'est qu'un blasphème
        Il n'est qu'un noyau sans le fruit
        Sa bouche souffle un vent sauvage
        Sa vie appartient aux ravages
        Et sa propre main le détruit
        Je vous dis que l'homme est né pour
        La femme et né pour l'amour
        Tout du monde ancien va changer
        D'abord la vie et puis la mort
        Et toutes choses partagées

Le pain blanc les baisers qui saignent
On verra le couple et son règne
Neiger comme les orangers.

Ibid.

L'Utopie, c'est contre elle, sans aucun doute, que les bolche- 14987
viks se sont pendant tant d'années battus. Elle est nuisible
pour ce qu'elle recèle de possibilité de désillusions, pour ce
qu'elle confronte à chaque pas la réalité à une fausse image,
pour ce qu'elle comporte de découragement du fait de la
disproportion entre la perspective rêvée et la tâche à faire,
elle est, pourrait-on dire, un *terrible briseur de grève*, et plus
encore la débaucheuse perfide des chantiers. Nous n'avons
pas fini de nous étonner de ses ravages. Mais il faut bien
comprendre que, dans le monde où à des catégories immenses
d'hommes et de femmes, la vie et l'univers étaient désespérément donnés comme des choses immuables, l'avenir
bouché par une société fixe à quoi toute correction apportée
était qualifiée crime, dans le monde où le rêve ne peut être
qu'immoral, la disproportion de l'utopie est la première
forme, toute spéculative, d'une libération de l'esprit, et le
jardin de l'avenir pousse dans le malheur de l'homme.

Histoire parallèle (Presses de la Cité).

La beauté du diable... on voudrait bien nous faire prendre 14988
la jeunesse pour le diable, c'est rassurant pour ceux que leurs
miroirs attristent.

J'abats mon jeu (Éditeurs Français réunis).

Si minutieux qu'ait pu être le travail de l'auteur pour, à 14989
chaque étape, restituer l'atmosphère historique des lieux,
il ne suffit pas à y créer la vie, c'est-à-dire le roman. L'histoire
linéaire, superficielle, ne suffit pas à donner la profondeur
à ce qu'on appelle le roman. Il faut ici inventer, créer,
c'est-à-dire mentir. L'art du roman est de savoir mentir.

Ibid.

Tout autant que la négation du réalisme, est dangereux son 14990
apparent accaparement par les faux créateurs, les fabricants
de la peinture ou de la littérature en série, les *illustrateurs
médiocres*... qui se bornent tout simplement à courir du côté
du plus fort et, dans notre camp même, étant sans principes, donneront toujours nos erreurs en exemple, étrangers
à notre combat et parasites de nos malheurs.   *Ibid.*

La critique devrait, en matière de littérature, être une sorte 14991
de pédagogie de l'enthousiasme.   *Ibid.*

La littérature est une affaire sérieuse pour un pays, elle est 14992
au bout du compte, son visage.   *Ibid.*

Il n'y a pas de lumière sans ombre. Un livre sans ombre 14993
est un non-sens, et ne mérite pas d'être ouvert. Rien n'est
dangereux comme les belles images. C'est avec cela qu'on
pervertit les esprits.   *Ibid.*

Le réalisme socialiste est l'aile marchande de la littérature, 14994
mais ceci suppose que cette littérature existe au-delà de cette
aile. Si vous coupez dans la littérature entre vous et le reste

vous amputez simplement le corps de cette aile et l'aile ne
sera plus qu'un membre amputé... Ce n'est pas la littérature
qui disparaîtra, c'est le réalisme socialiste.   *Ibid.*

14995 Un jour elle a si bien chanté, que j'en ai perdu mon image.
Que je suis resté à jamais comme si elle chantait encore,
comme si elle chantait toujours. J'ai vu le monde *objectivement*, c'est-à-dire sans ma couleur. Je ne peux plus le voir
autrement. Est-ce que vous entrez bien dans ce que je dis :
c'est Fougère, c'est la voix de Fougère, son chant, c'est-à-
dire cette création permanente qu'est son chant, cette découverte, cette transmission d'une Amérique intérieure, cette
objectivation du rêve dont elle est tourmentée qui m'ont
appris que je n'étais pas seul au monde [...] Comprenez-
vous que c'est de Fougère, de cette musique d'elle, que je
tiens l'existence des autres, et comment voulez-vous que
de cette donnée étrange, *il existe d'autres que moi-même*,
je n'aie pas été de fond en comble modifié, changé, bouleversé
                        La Mise à mort (Gallimard).

14996 Je crois à l'extension illimitée des connaissances humaines,
mais je sais, je sais que ces connaissances ne feront jamais
qu'accroître le domaine de la souffrance, qu'elles pourront
éclairer celui-ci, mais ne permettront jamais par exemple
à l'homme d'acquérir la certitude d'être aimé.   *Ibid.*

14997 Je crois encore qu'on pense à partir de ce qu'on écrit et pas
le contraire.
            Je n'ai jamais appris à écrire ou Les incipit (Skira).

14998 Je n'ai jamais écrit mes romans, *je les ai lus.* Tout ce qu'on
en dit, en a dit, en dirait, sans cette connaissance préalable
du fait, ne peut être que vue *a priori*, jugement mécanique,
ignorance de l'essentiel. Comprenez-moi bien : *je n'ai
jamais su qui était l'assassin.*   *Ibid.*

14999 Un soir d'aubépines en fleurs aux confins des parfums et de la
        nuit
Un soir profond comme la terre de se taire
Un soir si beau que je vais croire jusqu'au bout
Dormir du sommeil de tes bras
Dans le pays sans nom sans éveil et sans rêves

Le lieu de nous où toute chose se dénoue.
            Les Chambres (Éditeurs français réunis).

GEORGES BATAILLE
1897-1962

15000 J'enseigne l'art de tourner l'angoisse en délice.
            *Somme athéologique, I. L'Expérience intérieure,
            Deuxième partie, I (Gallimard).*

15001 Qui ne « meurt » pas de n'être qu'un homme ne sera jamais
qu'un homme.   *Ibid.*

La vie va se perdre dans la mort, les fleuves dans la mer et le connu dans l'inconnu. La connaissance est l'accès de l'inconnu. Le non-sens est l'aboutissement de chaque sens possible.   *Ibid., Quatrième partie.* 15002

De la poésie, je dirai maintenant qu'elle est, je crois, le sacrifice où les mots sont victimes.   *Ibid, VI.* 15003

Je marche à l'aide de pieds, je philosophe à l'aide des sots. Même à l'aide des philosophes.
                    Id., Méthode de méditation, Première partie. 15004

Je pense comme une fille enlève sa robe.   *Ibid.* 15005

Les êtres sont inachevés l'un par rapport à l'autre, l'animal par rapport à l'homme, ce dernier par rapport à Dieu, qui n'est achevé que pour être imaginaire.
                    Somme athéologique, II. Le Coupable, L'Amitié, III. 15006

Les passions ne favorisent pas la faiblesse. L'ascèse est un repos, comparée aux voies fiévreuses de la chair.
                    Ibid., L'Alléluiah, IV. 15007

Ce qui m'oblige d'écrire, j'imagine, est la crainte de devenir fou.   *Sur Nietzsche, Préface, I (Gallimard).* 15008

Je l'ai dit, l'exercice de la liberté se situe du côté du mal, tandis que la lutte pour la liberté est la conquête d'un *bien*.
                    Ibid., 6. 15009

[...] La « communication », sans laquelle, pour nous, rien ne serait, est assurée par le crime. La « communication » est l'amour et l'amour souille ceux qu'il unit.
                    Ibid., Deuxième partie, I. 15010

Chaque livre est aussi la somme des malentendus dont il est l'occasion.   *Ibid., Appendice IV.* 15011

Qu'il est beau, qu'il est sale de savoir!
                    L'Abbé C., Quatrième partie (Éd. de Minuit). 15012

Mais les mots disent difficilement ce qu'ils ont pour fin de nier.   *Ibid.* 15013

La poésie qui ne s'élève pas au non-sens de la poésie n'est que le vide de la poésie, que la belle poésie.
                    L'Impossible, L'Orestie (Éd. de Minuit). 15014

Je donne à qui veut bien une ignorance de plus.
                    Le Petit, Le Mal (Pauvert). 15015

Écrire est rechercher la chance.   *Ibid., Un peu plus tard.* 15016

L'acte sexuel est dans le temps ce que le tigre est dans l'espace.
                    La Part maudite, Avant-propos (Éd. de Minuit). 15017

15018 De tous les luxes concevables, la mort, sous sa forme fatale et inexorable, est certainement le plus coûteux.
Ibid., Première partie, chap. II, 6.

15019 De l'érotisme, il est possible de dire qu'il est l'approbation de la vie jusque dans la mort.
L'Érotisme, Introduction (Éd. de Minuit).

15020 Si la beauté, dont l'achèvement rejette l'animalité, est passionnément désirée, c'est qu'en elle la possession introduit la souillure animale. *Ibid., Première partie, chap. 13.*

15021 La littérature, je l'ai, lentement, voulu montrer, c'est l'enfance enfin retrouvée.
La Littérature et le mal, Avant-propos (Gallimard).

15022 A la fin la littérature se devait de plaider coupable. *Ibid.*

JOË BOUSQUET
1897-1950

15023 [...] Asservis-toi à l'existence des choses, si tu n'es pas ce qui leur manque tu n'es rien [...]
Le Meneur de lune (Éd. J.-B. Janin).

15024 L'instant qui ne m'apporte pas un enrichissement ouvre en moi une blessure. *Ibid.*

15025   Je vous aimais avec mes yeux
          Mon amour en aimait une autre
          Que me reste-t-il de nous deux?
La Connaissance du soir, Pensefables et dansemuses, Ouverture (Gallimard).

BRICE PARAIN
1897-1971

15026 L'absurde se nomme. Le désespoir se chante. Tout vient se perdre dans les mots et y ressusciter.
Recherches sur la nature et les fonctions du langage, Introduction (Gallimard).

15027 Aussi ne puis-je m'empêcher de craindre, chaque fois que j'ouvre la bouche, d'être engagé dans une opération infinie.
Ibid., chap. 2, La dénomination.

15028 La lumière, la tristesse, le vent existeraient-ils sans les mots de notre langage? N'y aurait-il pas, à leur place, que des vibrations, des chocs d'atomes, des moments indétachables

de ma durée, des nuages fuyant sous le ciel, des arbres gémis-
sants, un souffle de l'air, disparus aussitôt qu'apparus,
n'apparaissant pas même?   *Ibid.*

Ne pas juger c'est secourir. Juger c'est se séparer. Ne pas   15029
juger c'est se taire. Dans le silence, je rêve d'aimer; par
le langage je ne peux que promettre, et que d'autres tiennent.
                                          Ibid., Conclusion.

Le langage est le seuil du silence que je ne puis franchir.   15030
Il est l'épreuve de l'infini.   *Ibid.*

RENÉ CLAIR
1898-1981

> La liberté c'est toute l'existence,   15031
> Mais les humains ont créé les prisons,
> Les règlements, les lois, les convenances
> Et les travaux, les bureaux, les maisons.
>   *A nous la liberté.*

> Partout, si l'on en croit l'histoire,   15032
> Partout, on peut rire et chanter,
> Partout, on peut aimer et boire...
> A nous, à nous la liberté!
>   *Ibid.*

Réclamons pour le cinéma le droit de n'être jugé que sur ses   15033
promesses.
Rythme, les Cahiers du mois, n° 16-17, « Cinéma », octobre
                                                   1925.

EUGÈNE DABIT
1898-1936

Toute vie mérite qu'on s'y attache.   15034
                        Hôtel du Nord, chap. 2 (Denoël).

La vie à deux use le cœur d'un homme.   *Ibid., chap. 10.*   15035

GEORGES DUMÉZIL
1898

Il ne faut pas oublier qu'une religion [...] est un *système*,   15036
un *équilibre*. Elle n'est pas faite de pièces et de morceaux
assemblés au hasard, avec des lacunes, des redondances

et des disproportions scandaleuses. Si nous osions risquer après tant d'autres une définition, toujours extérieure, nous dirions qu'une religion est une explication générale et cohérente de l'univers soutenant et animant la vie de la société et des individus.

Jupiter, Mars, Quirinius, Introduction, V (Gallimard).

15037 Nous vivons dans un âge peu favorable aux grands desseins; au cours de ce qu'on appelait naguère une vie, le travail risque maintes fois d'être interrompu et détruit; les villes, les bibliothèques disparaissent, les professeurs d'université se perdent, comme les mères et les enfants, dans les remous d'une déportation ou dans les cendres d'un four, ou bien se volatilisent, avec les chrysanthèmes et les bonzes, en dangereux corpuscules.

Mitra-Varuna, Préface [de la seconde édition], (Gallimard).

15038 C'est moins chaque figure divine, chaque concept religieux qu'il faut étudier que les rapports qu'ils soutiennent entre eux et les équilibres que révèlent ces rapports. Bref, la plus sûre définition d'un dieu est différencielle, classificatoire.

L'Héritage indo-européen à Rome, chap. 2 (Gallimard).

15039 Les dieux qui rassurent occupent moins les hommes que les dieux qui inquiètent.

Les Dieux des Germains, chap. 2 (P.U.F.).

JEAN GRENIER
1898-1971

15040 Comme tout ce qui existe est beau par la seule force qu'il a d'exister! Il ne faut pas trop choisir puisque nous ne sommes pas nous-mêmes choisis; il ne faut pas désirer uniquement ceci ou cela, puisque nous ne sommes pas l'objet d'un désir unique.

Inspirations méditerranéennes, La villa d'Hadrien (Gallimard).

15041 L'idéal change, la Nature demeure; et le meilleur usage que l'homme puisse faire de la liberté; c'est de n'en faire aucun.

Entretiens sur le bon usage de la liberté, Première partie,
Existence et liberté (Gallimard).

15042 L'existence de l'absolu se cache et bouge derrière la tapisserie du monde. On ne la voit pas, elle se manifeste par une absence qui est plus active que les présences, comme dans une soirée à laquelle manque le maître de maison.

Ibid., Deuxième partie, Existence et destinée.

15043 Mon opinion sur *ce qui sera* est sujette à changement; ma croyance en *ce qui devrait être* ne passera pas.

A propos de l'humain, L'Histoire a-t-elle un sens?
(Gallimard).

Si tout est condamné à mourir, dira l'un, à quoi bon regretter 15044
des arbres et des pierres? Mais l'autre répondra : précisément parce qu'ils doivent partager notre sort, un peu plus
tard. *Ibid., L'attachement aux choses.*

Pourquoi : Pourquoi écrivez-vous? — La grenade finit par 15045
faire éclater l'écorce. *Lexique (Gallimard).*

Vérité : Je n'ai jamais pu faire coïncider ce que je croyais 15046
être la vérité avec ce qui m'aidait à vivre. *Ibid.*

ALFRED SAUVY
1898

C'est le degré de culture et de prévoyance plus que le degré 15047
d'aisance qui paraît régler la restriction des naissances.
La Population, Deuxième partie, chap. 3 (P.U.F.).

La restriction des naissances n'a assuré à la France aucune 15048
supériorité sur les autres pays. La diminution de l'esprit
d'entreprise, l'atrophie de l'esprit de création ont compensé
et au-delà les avantages matériels de la faible descendance.
Ibid., chap. 5.

Tout pays où la diminution du nombre paraîtrait favorable 15049
en soi se trouve donc pris dans le dilemme : *croître ou vieillir.*
Ibid., Troisième partie, chap. 3.

MARCEL ACHARD
1899-1974

Ne disons surtout pas la vérité : [...] la vérité salit les puits. 15050
Nous irons à Valparaiso, acte 1 (La Table Ronde).

Le remède est dans le poison. 15051
Patate, épigraphe (La Table Ronde).

Le plus grand prix qu'on puisse payer pour quoi que ce 15052
soit, c'est de le demander. *Ibid.*

Pour faire un mot drôle, je tuerais père et mère. Heureuse- 15053
ment que je suis orphelin. *Ibid.*

L'amour est à ceux qui y pensent. *Ibid.* 15054

MARCEL ARLAND
1899

15055 Je ne conçois pas de littérature sans éthique. Aucune doctrine ne peut me satisfaire; mais l'absence de doctrine m'est un tourment. Le premier fondement d'une morale, c'est que nous sommes portés à chercher une morale.
La Route obscure (Gallimard).

15056 Le corps est un des noms de l'âme, et non pas le plus indécent.
Où le cœur se partage (Gallimard).

15057 Il faut juger un homme à son enfer.
Carnets de Gilbert (Gallimard).

15058 Suicide de Judas? Par remords? ou parce que trahir Dieu, ce n'était donc que cela?   *Ibid.*

15059 Un art, une langue ne sont pas des constructions fortuites : ils sont à la fois l'aveu et le rêve de tout un peuple, c'est-à-dire son chant.   *Sur une terre menacée (Stock).*

15060 J'aime avant tout dans l'œuvre d'art — sans négliger un plaisir plus candide — l'un des hauts modes où l'homme s'exprime, se délivre et trouve son harmonie, l'un des moyens, le plus pur peut-être, par où il tend à s'accomplir.
La Grâce d'écrire (Gallimard).

15061 J'imagine volontiers la littérature comme un ordre.   *Ibid.*

15062 Que ferait un conteur s'il ne trouvait parfois un peu d'appui dans le silence?   *La Consolation du voyageur (Stock).*

JACQUES AUDIBERTI
1899-1965

15063
Assez de vie! Assez de songes!
Vive la mort et mes amours!
Mes organes sont des éponges,
Les membres des pieux noirs et lourds.
Race des Hommes, Demandez le programme (Gallimard).

15064
Un trésor, c'est pour qu'on y touche.
Ibid., Martyrs.

15065 S'il meurt et s'il ne meurt l'homme triste se plaint.
Des tonnes de semence, Finit l'Angoisse..., Latvia (Gallimard).

15066
La vie, à fond, me touche enfin.
Je dois crever, puisque j'existe.
Ibid., La Fin de l'ère du capital.

Seigneur, donnez-moi la force. 15067
Seigneur, donnez-moi le goût.
Seigneur, levez-moi l'écorce.
Seigneur, que je sache tout!
Ibid., Connaît Dieu, Voûtes.

Un homme ne vit pas dessus, non, ni dessous. 15068
Un homme, c'est du mitoyen.
Rempart, Le citoyen (Gallimard).

Le mariage, c'est l'état, c'est le trône de la femme. 15069
Le Mal court, acte I (Gallimard).

Méfions-nous des mots qui disent d'avance, pour ainsi 15070
dire, ce qu'ils veulent dire, et qui le tuent dans l'œuf, des
mots qui sont une musique, une propagande, une fumée.
Ibid., acte II.

Il faut que le monde soit clair. Si les cœurs étaient clairs, 15071
le monde serait clair. *Ibid., acte III.*

L'effet Glapion, décrit pour la première fois par le professeur 15072
Émile Glapion, consiste dans l'usufruit d'une donnée concrète objective par la logique visionnaire subjective. [...]
Vous vous trouvez devant une personne qui vous frappe par
je ne sais quoi d'inattendu, de curieux. A partir de cette
apparence, vous devinez tout un roman, énorme, instantané,
délirant. Effet Glapion!
L'Effet Glapion, acte I (Gallimard).

Une fille qui vous occupe équivaut à l'immensité. En même 15073
temps il n'y a rien de plus simple, de plus souple, d'aussi
pratique, commode, portatif. *Ibid., acte II.*

LOUIS GUILLOUX
1899-1980

Le talent, c'est le courage, ce qu'il en faut pour se tuer. 15074
Le Sang noir, tome I (Gallimard).

Le monde est absurde, jeune homme, et toute la grandeur 15075
de l'homme consiste à connaître cette absurdité, toute sa
probité aussi. *Ibid.*

La vie, c'est ce dont on s'empare. *Ibid.* 15076

Si l'on avait pu rêver que les bœufs aient jamais vécu en 15077
société à l'image des hommes, et qu'eût germé, dans leur
cervelle de bœufs, l'idée de construire une église à leur image
de bœufs, cette bâtisse opaque eût fourni un merveilleux
exemple d'architecture bovine, sur quoi la sagacité des petits
archéologues bovins eût pu s'exercer. *Ibid., tome II.*

HENRI MICHAUX
1899

15078 Il l'emparouille et l'endosque contre terre;
Il le rague et le roupète jusqu'à son drâle;
Il le pratèle et le libucque et lui barufle les ouillais;
Il le tocarde et le marmine,
Le manage rape à ri et ripe à ra.
Enfin il l'écorcobalisse.
L'autre hésite, s'espudrine, se défaisse, se torse et se ruine.
C'en sera bientôt fini de lui [...].
Qui je fus (Gallimard).

15079 Tout homme qui n'aide pas à mon perfectionnement :
zéro.   *Ecuador (Gallimard).*

15080   Rends-toi, mon cœur.
Nous avons assez lutté.
Et que ma vie s'arrête.
On n'a pas été des lâches,
On a fait ce qu'on a pu.
Ibid.

15081 Autrefois, j'avais trop le respect de la nature. Je me mettais
devant les choses et les paysages et je les laissais faire.
Fini, maintenant J'INTERVIENDRAI.
Mes Propriétés (Gallimard).

15082 Dans ma nuit, j'assiège mon Roi, je me lève progressivement
et je lui tords le cou.
Il reprend des forces, je reviens sur lui, et lui tords le cou une
fois de plus.
[...] Eh bien, il me faut recommencer le lendemain...
Il est revenu; il est là. Il est toujours là. Il ne peut pas déguer-
pir pour de bon. Il doit absolument m'imposer sa maudite
présence royale dans ma chambre déjà si petite.
La Nuit remue (Gallimard).

15083 Je vous construirai une ville avec des loques, moi!   *Ibid.*

15084 La maladie accouche infatigablement d'une création animale inégalable.
Plume, Animaux fantastiques (Gallimard).

15085   Tristesse du réveil!
Il s'agit de redescendre, de s'humilier.
L'homme retrouve sa défaite : le quotidien.
Ibid., L'Insoumis.

15086 Tout est drogue à qui choisit pour y vivre l'autre côté. *Ibid.*

15087   Le Malheur, mon grand laboureur,
Le Malheur, assois-toi,
Repose-toi,
Reposons-nous un peu toi et moi.
Ibid., Repos dans le malheur.

Soirs! Soirs! Que de soirs pour un seul matin!   15088
Ibid., Vieillesse.

Vieillesse, veilleuse, souvenirs : arènes de la mélancolie!   15089
Ibid.

Dans la nuit   15090
Dans la nuit
Je me suis uni à la nuit
A la nuit sans limites
A la nuit

Mienne, belle, mienne.
Ibid., Dans la nuit.

Je cherche un être à envahir   15091
Montagne de fluide, paquet divin,
Où es-tu mon autre pôle? Étrennes toujours remises,
Où es-tu marée montante?
Refouler en toi le bain brisant de mon intolérable tension!
Te pirater.

Présence de soi : outil fou.
Ibid., Comme pierre dans le puits.

Oh! Heureux médiocres   15092
Tettez le vieux et la couenne des siècles
et la civilisation des désirs à bon marché
Allez, c'est pour vous tous ça.

La rage n'a pas fait le monde
mais la rage y doit vivre.
Camarades du « Non » et du crachat mal rentré
Camarades... mais il n'y a pas de camarades du « Non »!
Ibid.

Jamais, Jamais, non JAMAIS, vous aurez beau faire, jamais   15093
ne saurez quelle misérable banlieue c'était que la Terre.
Comme nous étions misérables et affamés de plus Grand.
Ibid., Avenir.

Il cherche la jeunesse à mesure qu'il vieillit. Il l'espérait.   15094
Il l'attend encore. Mais il va bientôt mourir.
Ibid., Difficultés, Le portrait de A.

Les choses sont une façade, une croûte. Dieu seul est. Mais   15095
dans les livres, il y a quelque chose de divin.   *Ibid.*

Si un contemplatif se jette à l'eau, il n'essaiera pas de nager,   15096
il essaiera d'abord de comprendre l'eau. Et il se noiera.
Ibid.

On n'est peut-être pas fait pour un seul moi. On a tort de   15097
s'y tenir. Préjugé de l'unité. (Là comme ailleurs la volonté
appauvrissante et sacrificatrice).   *Ibid., Postface.*

On veut trop être quelqu'un.   *Ibid.* 15098

15099 L'histoire de la Philosophie est l'histoire des fausses positions d'équilibre conscient adoptées successivement. *Ibid.*

15100 Gardons-nous de suivre la pensée d'un auteur (fût-il du
type Aristote), regardons plutôt ce qu'il a derrière la tête,
où il veut en venir, l'empreinte que son désir de domination
et d'influence quoique bien caché essaie de nous imposer.
Ibid.

15101   Toute science crée une nouvelle ignorance.
Tout conscient, un nouvel inconscient.
Tout apport nouveau crée un nouveau néant.
Lecteur, *tu tiens donc ici*, comme il arrive souvent,
un livre que n'a pas fait l'auteur quoiqu'un monde y ait
participé. Et qu'importe?
Signes, symboles, élans, chutes, départs, rapports,
discordances, tout y est pour rebondir, pour chercher, pour
plus loin, pour autre chose.
Entre eux, sans s'y fixer l'auteur poussa sa vie.
Tu pourrais essayer, peut-être, toi aussi?   *Ibid.*

15102 L'exorcisme, réaction en force, en attaque de bélier, est le
véritable poème du prisonnier.
Exorcismes, Préface (Gallimard).

15103 Le phallus en ce siècle devient doctrinaire.
Face aux verrous (Gallimard).

15104 Les drogues nous ennuient avec leur paradis.
Qu'elles nous donnent plutôt un peu de savoir.
Nous ne sommes pas un siècle à paradis.
*Connaissance par les gouffres, I, Comment agissent les drogues
(Gallimard).*

JEAN MOULIN
1899-1943

15105 Je suis de ceux qui pensent que la République ne doit pas
renier ses origines et qu'elle doit, tout au contraire, se pencher,
avec fidélité, avec respect, sur les grandes heures qui ont
marqué sa naissance.
*Premier combat (Journal posthume), Appendices, Extrait
du discours prononcé à Chartres au banquet Marceau.
(Éd. de Minuit).*

15106 Je ne savais pas que c'était si simple de faire son devoir
quand on est en danger.
Ibid., Lettre à sa mère et à sa sœur (15 juin 1940).

BENJAMIN PÉRET
1899-1959

A quoi bon marcher, se coucher, couper des têtes, planter 15107
des choux, être saint, honnête ou puéril, à quoi bon!
Il était une boulangère..., (Éd. du Sagittaire).

Le révolutionnaire de l'An II ou de 1917 créait la société 15108
nouvelle tandis que le patriote ou le stalinien d'aujourd'hui
en profitent.
Le Déshonneur des poètes (Le Terrain vague).

Tant que les fantômes malveillants de la religion et de la 15109
patrie heurteront encore l'aire sociale et intellectuelle sous
quelque déguisement qu'ils empruntent, aucune liberté ne
sera concevable : leur expulsion préalable est une des conditions préalables capitales de l'avènement de la liberté.
Ibid.

FRANCIS PONGE
1899

Le poète ne doit jamais proposer une pensée mais un objet, 15110
c'est-à-dire que même à la pensée il doit faire prendre une
pose d'objet.
Tome Ier, Proêmes, Natare piscem doces (1924) (Gallimard).

Quelconque de ma part la parole me garde mieux que le 15111
silence. Ma tête de mort paraîtra dupe de son expression.
Cela n'arrivait pas à Yorick quand il parlait.
Ibid., Douze Petits Écrits, I (1925).

Le langage ne se refuse qu'à une chose, c'est à faire aussi 15112
peu de bruit que le silence.
Ibid., Notes d'un poème (sur Mallarmé) (1926).

Poésie n'est point caprice si le moindre désir y fait maxime. 15113
[...] Proverbes du gratuit. Folie capable de victoire dans une
discussion pratique.   *Ibid.*

Un esprit en mal de notions doit d'abord s'approvisionner 15114
d'apparences.
Ibid., Le Parti pris des choses, Le Galet (1927).

A bas le mérite intellectuel! Voilà encore un cri de révolte 15115
acceptable.   *Ibid., Proêmes, Pas et le saut (1927).*

Une seule issue : parler contre les paroles. Les entraîner 15116
avec soi dans la honte où elles nous conduisent, de telle sorte
qu'elles s'y défigurent.
Ibid., Des raisons d'écrire (1929-30).

15117 Puisqu'il est de la nature de l'homme d'élever la voix au milieu de la foule des choses silencieuses, qu'il le fasse du moins parfois à leur propos.   *Ibid., Ad litem (1931).*

15118 O ressources infinies de l'épaisseur des choses, rendues par les ressources infinies de l'épaisseur sémantique des mots.
Ibid., Introduction au Galet (1933).

15119 Il faut d'abord se décider en faveur de son propre esprit et de son propre goût.   *Ibid., Memorandum (1935).*

15120 Rien de désespérant. Rien qui flatte le masochisme humain.
Ibid., Réflexions en lisant « L'essai sur l'Absurde » (1943).

15121 [...] La philosophie me paraît ressortir à la littérature comme l'un de ses genres [...] J'en préfère d'autres. Moins volumineux.   *Ibid.*

15122 Comment s'y prendrait un arbre qui voudrait exprimer la nature des arbres? Il ferait des feuilles, et cela ne nous renseignerait pas beaucoup.
Ibid., Notes premières de l'homme (1943-44).

15123 L'homme est à venir. L'homme est l'avenir de l'homme.
Ibid.

15124 Il suffit d'abaisser notre prétention à dominer la nature et d'élever notre prétention à en faire physiquement partie, pour que la réconciliation ait lieu. Quand l'homme sera fier d'être non seulement le lieu où s'élaborent les idées et les sentiments, mais aussi bien le nœud où ils se détruisent et se confondent, il sera près alors d'être sauvé.
Le Grand Recueil, Méthodes, Le monde muet est notre seule patrie, (1952) (Gallimard).

15125 Baignés dans le monde muet, nous en pratiquons la ressource; à chacun selon ses moyens. Pour nous, ce seront ceux de notre langue maternelle, qui nous semblent, en effet, non seulement nos instruments de communication naturels, mais vraiment — hors l'amour — notre unique façon d'être.
Ibid., La Société du génie, 1952.

15126 Une nécessité encore, au bout de la nuit, fait que le jour se fait. Il ne faut cesser de s'enfoncer dans sa nuit. C'est alors que brusquement la lumière se fait. Un pas de plus pour se perdre et l'on se trouve.   *Pour un Malherbe (Gallimard).*

15127 Peut-être la leçon est-elle qu'il faut *abolir les valeurs dans le moment même que nous les découvrons...*
Voilà à mon sens l'importance (et aussi bien l'importance sociale) de la poésie.
Le Grand Recueil, Méthodes, Entretien avec Breton et Reverdy (1952).

15128 Le monde entier n'est que l'orchestration des harmoniques variées de la Parole : les articulations du OUI.
Pour un Malherbe.

[...] Ironique et tonique à la fois, le fonctionnement verbal, 15129
sans aucun coefficient laudatif ou péjoratif : l'objeu.
Le Grand Recueil, Pièces, Le soleil placé en abîme (1954).

C'est la fondation d'une *raison* qui est en but. D'une raison 15130
convaincante, frappante : donc, d'une *réson.*
Pour un Malherbe (1955).

[...] Au point où nous en sommes, ce n'est pas un utopique 15131
retour en arrière mais, seul, un progrès nouveau et décisif
dans l'artifice, qui peut nous rendre notre naturelle liberté.
*Le Grand Recueil, Lyres, Les Illuminations à l'Opéra-Comique
(1956).*

Sans doute suffit-il de *nommer* quoi que ce soit — d'une 15132
certaine manière — pour exprimer tout de l'homme et, du
même coup, glorifier la matière, exemple pour l'écriture et
providence de l'esprit.
Nouveau Recueil, A la rêveuse matière (1963).

L'art ne nous intéresse que dans la mesure où l'ostentation 15133
des mystères conduit infailliblement à une morale.
Ibid., Braque lithographe (1963).

Pas de chef-d'œuvre inconnu [...] Savoir offrir un objet [...] 15134
Sans flatter cependant. Sans laisser d'illusions quant au
sérieux des choses et aux cruautés du destin.
Ibid., Nouvelles notes sur Fautrier (1964).

JACQUES RIGAUT
1899-1929

Chaque Rolls-Royce que je rencontre prolonge ma vie 15135
d'un quart d'heure. Plutôt que de saluer les corbillards,
les gens feraient mieux de saluer les Rolls-Royce.
Écrits, Roman d'un jeune homme pauvre (Gallimard).

ET MAINTENANT, RÉFLÉCHISSEZ, LES MIROIRS. 15136
Ibid., Publications posthumes, Le miroir.

Partez les premiers, Messieurs les idiots.   *Ibid., Pensées.* 15137

Un livre devrait être un geste.   *Ibid.* 15138

Essayez, si vous le pouvez, d'arrêter un homme qui voyage 15139
avec son suicide à la boutonnière.   *Ibid.*

Il n'y a de progrès, de découverte, que vers la mort.   *Ibid.* 15140

Aidez-moi, j'aiderai le ciel.   *Ibid.* 15141

Dieu s'aigrit, il envie à l'homme sa mortalité.   *Ibid.* 15142

ARMAND SALACROU
1899

15143 Les regrets, ce n'est que de la rature : on n'efface pas.
L'homme est sans un seul moment de repos, créateur de
choses définitives.
L'Inconnue d'Arras, acte I (Gallimard).

15144 La vraie grandeur de l'homme est de se savoir médiocre,
et non pas de s'y résigner mais d'y trouver sa loi.
Ibid., acte III.

15145 Un homme sans souvenirs est un homme perdu. *Ibid.*

15146 Les gouvernements se conduisent aujourd'hui comme
n'oserait pas se conduire un homme d'affaires, même
déconsidéré.
La Terre est ronde, acte II, scène 1 (Gallimard).

15147 Le bon sens n'aura donc jamais de héros?
Ibid., acte III, scène 1.

15148 Nous sommes beaucoup plus malheureux dans le malheur
qu'heureux dans le bonheur.
Histoire de rire, acte II (Gallimard).

15149 Le bonheur n'est jamais triste ou gai. Il est le bonheur.
Ibid.

15150 Nous croyons être leurs amants, nous ne sommes que leurs
complices. *Ibid., acte III.*

15151 Comme les hommes aiment la justice quand ils jugent les
crimes d'autrefois!
Boulevard Durand, Prologue (Gallimard).

15152 La vie, c'est une grande réclamation qu'il n'est pas commode
d'apaiser. *Ibid., Première partie, scène 3.*

RENÉ CREVEL
1900-1935

15153 L'acte gratuit dans sa forme idéale serait un pont de l'ambition minuscule à la liberté, du relatif à l'absolu.
L'Esprit contre la raison (Tchou).

15154 Il faut beaucoup de naïveté pour faire de grandes choses.
Ibid.

15155 Toute poésie, toute vie intellectuelle, morale, est une révolution, car toujours il s'agit pour l'être de briser les chaînes
qui le rivent au rocher conventionnel. *Ibid.*

L'imagination est peut-être sur le point de reprendre ses 15156
droits. *Ibid.*

La Sorbonne, ce musée Dupuytren de toutes les sénilités. 15157
Le Clavecin de Diderot, Linguistique (Pauvert).

Une très élémentaire politesse ne tolère ni la crasse des scru- 15158
pules ni les verrues des regrets.
Ibid., Pourquoi ces souvenirs?

Digne confrère de toutes les hargneuses théologies, l'huma- 15159
nisme donne pour une pensée libre sa pensée vague, et ainsi
décide n'importe qui à reconnaître de droit sinon divin,
du moins nouménal, l'exercice de ses facultés et métiers
envers et contre les autres. *Ibid.*

Le monde n'est devenu une telle cochonnerie que parce 15160
qu'il a été si bien, si totalement, empli de Dieu.
Ibid., Dieu et ses murs.

ROBERT DESNOS
1900-1945

— Nous reviendrons chantant des hymnes obsolètes 15161
Et les femmes voudront s'accoupler avec nous.
Corps et Biens, Le fard des Argonautes (Gallimard).

Rrose Selavy demande si les Fleurs du Mal ont modifié 15162
les mœurs du phalle : qu'en pense Omphale?
Ibid., Rrose Selavy.

Plus que poli pour être honnête 15163
Plus que poète pour être honni.
Ibid.

Ils étaient quatre qui n'avaient plus de tête, 15164
Quatre à qui l'on avait coupé le cou,
On les appelait les quatre sans cou.
Les Quatre sans cou (Gallimard).

Si nous ne dormons pas c'est pour guetter l'aurore 15165
Qui prouvera qu'enfin nous vivons au présent.
État de veille, Demain (Gallimard).

Puis-je défendre ma mémoire contre l'oubli. 15166
Comme une seiche qui s'enfuit à perdre sang, à perdre
haleine?
Puis-je défendre ma mémoire contre l'oubli?
Ibid., Le cimetière.

J'ai vécu dans ces temps et depuis mille années 15167
Je suis mort. Je vivais, non déchu mais traqué.
Toute noblesse humaine étant emprisonnée
J'étais libre parmi les esclaves masqués.
Ibid., L'épitaphe.

15168   Le pélican de Jonathan,
               Au matin, pond un œuf tout blanc
               Et il en sort un pélican
               Lui ressemblant étonnamment,
               Et ce deuxième pélican
               [...]
               Cela peut durer pendant très longtemps
               Si l'on ne fait pas d'omelette avant.
        Chantefables et chantefleurs, Le Pélican (Librairie Gründ).

15169   Une fourmi parlant français,
               Parlant latin et javanais,
               Ça n'existe pas, ça n'existe pas.
               Eh! Pourquoi pas?
                                        Ibid., La Fourmi.

PIERRE FRANCASTEL
1900-1969

15170 Les œuvres d'art ne sont pas de purs symboles, mais de véri-
       tables objets nécessaires à la vie des groupes sociaux.
            Peinture et société, Préface (© Pierre Francastel).

15171 Je suis convaincu que les peintres d'aujourd'hui, comme
       ceux du XVe siècle, sont parmi les premiers groupes sociaux
       à compter parmi eux des hommes tournés davantage vers
       l'avenir que vers le passé.   *Ibid., 3.*

15172 Nous n'entendons pas davantage un jour Mozart que nous
       n'entendons les chœurs de la tragédie antique. L'œuvre
       d'art, musique ou peinture, exige des rites secrets et une
       communication collective.   *Ibid.*

JULIEN GREEN
1900

15173 On ne raconte pas le bonheur, on ne raconte pas l'amour.
                      Journal, 15 novembre 1929 (Plon).

15174 Le plaisir tue en nous quelque chose.   *Ibid., 9 juin 1937.*

15175 Dieu est si jaloux de notre liberté qu'il n'y veut point toucher
       que nous ne le lui permettions, et cela jusqu'à la mort, où
       il nous l'ôtera.   *Ibid., 6 février 1939.*

15176 La Bible contient pour chacun de nous un message chiffré.
       Le chiffre, c'est la foi qui nous le donne.
                              Ibid., 4 septembre 1940.

15177 Rien ne nous vieillit comme la mort de ceux que nous avons
       connus depuis notre enfance. Je suis aujourd'hui plus vieux
       d'un mort.   *Ibid., 30 mars 1944.*

On ne peut pas écrire quand on a la crainte perpétuelle de 15178
pécher en écrivant. *Ibid., 26 mai 1945.*

Les fautes charnelles apprennent à certains ce qu'ils n'au- 15179
raient pu savoir autrement, et j'entends cela d'une façon
largement humaine et non pas seulement érotique.
Ibid., 14 juin 1946.

Il faut quelquefois se promener au fond de l'abîme. Même 15180
si je descends jusqu'en enfer, le bras de Dieu est assez long
pour m'en retirer. *Ibid., 31 mars 1950.*

Il me paraît certain que l'aboutissement normal de l'éro- 15181
tisme est l'assassinat. *Journal, 27 octobre 1958.*

La mort perd de sa terreur. Elle est la porte de sortie d'un 15182
monde qui devient plus effrayant que la mort ne le fut
jamais *Ibid., 28 décembre 1958.*

Dieu n'ayant pu faire de nous des humbles fait de nous des 15183
humiliés! *Ibid., 5 février 1959.*

Un critique a dit que dans mon livre se voyait le petit jour 15184
de l'éternité. *Ibid., 16 mai 1960.*

L'âme humaine est comme un gouffre qui attire Dieu, et 15185
Dieu s'y jette. *Ibid., 26 mars 1961.*

GEORGES LIMBOUR
1900-1970

L'homme se déchire à la herse qui le sépare du secret des 15186
choses. *Entretiens avec Georges Charbonnier (Julliard).*

[...] Nature et Surréalisme sont ennemis. *Ibid.* 15187

JACQUES PRÉVERT
1900-1977

La plus noble conquête de l'homme, c'est le cheval, dit le 15188
Président... et s'il n'en reste qu'un, je serai celui-là.
*Paroles, Tentative de description d'un dîner de têtes à
Paris-France (Gallimard).*

ceux qui crèvent d'ennui le dimanche après-midi 15189
    parce qu'ils voient venir le lundi
    et le mardi, et le mercredi, et le jeudi, et le vendredi
    et le samedi
    et le dimanche après-midi.
Ibid.

15190
Restez ensemble hommes pauvres
restez unis
crient les petits de l'hirondelle
restez ensemble hommes pauvres
restez unis
crient les petits
quelques hommes les entendent
saluent du poing
et sourient.

Ibid., Événements.

15191
L'élève Hamlet
Être ou ne pas être dans les nuages!

Ibid., L'accent grave.

15192
Notre Père qui êtes aux cieux
Restez-y
Et nous nous resterons sur la terre
Qui est quelquefois si jolie.

Ibid., Pater noster.

15193
Il dit non avec la tête
mais il dit oui avec le cœur
il dit oui à ce qu'il aime
il dit non au professeur.

Ibid., Le Cancre.

15194
et malgré les menaces du maître
sous les huées des enfants prodiges
avec des craies de toutes les couleurs
sur le tableau noir du malheur
il dessine le visage du bonheur.

Ibid.

15195 Homme
Tu as regardé la plus triste la plus morne de toutes les fleurs
de la terre
Et comme aux autres fleurs tu lui as donné un nom
Tu l'as appelée Pensée

Ibid., Fleurs et couronnes.

15196 Il est terrible
le petit bruit de l'œuf dur cassé sur un compoir d'étain
il est terrible ce bruit
quand il remue dans la mémoire de l'homme qui a faim.

Ibid., La grasse matinée.

15197
Bandit! Voyou! Voleur! Chenapan!

C'est la meute des honnêtes gens
qui fait la chasse à l'enfant.

Ibid., Chasse à l'enfant.

15198
De deux choses lune
L'autre c'est le soleil.

Ibid., Le Paysage changeur.

15199
Si l'oiseau ne chante pas
c'est mauvais signe
signe que le tableau est mauvais

mais s'il chante c'est bon signe
signe que vous pouvez signer
> Ibid., *Pour faire le portrait d'un oiseau.*

Démons et merveilles 15200
Vents et marées
Au loin déjà la mer s'est retirée.
> Ibid., *Sables mouvants.*

Le paon fait la roue 15201
le hasard fait le reste
Dieu s'assoit dedans
et l'homme le pousse.
> Ibid., *La brouette ou les grandes inventions.*

Un certain Blaise Pascal 15202
etc... etc...
> Ibid., *Les paris stupides.*

Une pierre 15203
deux maisons
trois ruines
quatre fossoyeurs
un jardin
des fleurs

un raton laveur
> Ibid., *Inventaire.*

Répétons-le Messsssssieurs 15204
Quand on le laisse seul
Le monde mental
Ment
Monumentalement.
> Ibid., *Il ne faut pas...*

L'amiral Larima 15205
Larima quoi
la rime à rien
l'amiral Larima
l'amiral Rien.
> Ibid., *L'Amiral.*

Il y a des gens qui dansent sans entrer en transe et il y en 15206
a d'autres qui entrent en transe sans danser. Ce phénomène
s'appelle la Transcendance et dans nos régions il est fort
apprécié.   *Spectacle, La transcendance (Gallimard).*

Dieu est un petit bonhomme sans queue qui fume sa pipe 15207
au coin du feu.   Ibid., *Le retour à la maison.*

— Qu'est-ce que cela peut faire que je lutte pour la mauvaise 15208
cause puisque je suis de bonne foi?
— Et qu'est-ce que ça peut faire que je sois de mauvaise foi
puisque c'est pour la bonne cause.
> Ibid., *Représentation.*

Les jeux de la Foi ne sont que cendres auprès des feux de la 15209
Joie.   Ibid., *Intermède.*

15210 Enfants, en Italie, Sacco et Vanzetti rêvaient peut-être à l'électrification des campagnes.   *Ibid.*

15211 Tout est perdu sauf le bonheur.   *Ibid.*

ANTOINE DE SAINT-EXUPÉRY
1900-1944

15212 O femme après l'amour démantelée et découronnée du désir de l'homme. Rejetée parmi les étoiles froides. Les paysages du cœur changent si vite...
        Courrier Sud, Deuxième partie, chap. 13 (Gallimard).

15213 « Si les insomnies d'un musicien lui font créer de belles œuvres, ce sont de belles insomnies. »
                                Vol de nuit, chap. 6 (Gallimard).

15214 « [...] C'est du mystère seul que l'on a peur. Il faut qu'il n'y ait plus de mystère. Il faut que des hommes soient descendus dans ce puits sombre, et en remontent, et disent qu'ils n'ont rien rencontré. »   *Ibid., chap. 11.*

15215 — [...] Si la vie humaine n'a pas de prix, nous agissons toujours comme si quelque chose dépassait, en valeur, la vie humaine... Mais quoi?   *Ibid., chap. 14.*

15216 [...] Il n'y a pas de fatalité extérieure. Mais il y a une fatalité intérieure : vient une minute où l'on se découvre vulnérable; alors les fautes vous attirent comme un vertige.
                                        Ibid., chap. 15.

15217 « [...] Dans la vie, il n'y a pas de solutions. Il y a des forces en marche : il faut les créer et les solutions suivent. »
                                        Ibid., chap. 19.

15218 La terre nous en apprend plus long sur nous que tous les livres. Parce qu'elle nous résiste. L'homme se découvre quand il se mesure avec l'obstacle.
                                Terre des hommes (Gallimard).

15219 [...] Un spectacle n'a point de sens, sinon à travers une culture, une civilisation, un métier.
                                Ibid., chap. 1, La ligne.

15220 « Ce que d'autres ont réussi, on peut toujours le réussir ».
                                                        Ibid.

15221 « Ce que j'[1]ai fait, je te le jure, jamais aucune bête ne l'aurait fait. »   *Ibid., chap. 2, Les camarades, § 2.*

15222 « Ma femme, si elle croit que je vis, croit que je marche. Les camarades croient que je marche. Ils ont tous confiance en moi. Et je suis un salaud si je ne marche pas. »
                                                        Ibid.

1. Guillaumet.

« Ce qui sauve, c'est de faire un pas. Encore un pas. C'est 15223
toujours le même pas que l'on recommence... »   *Ibid.*

[...] Une fois pris dans l'événement, les hommes ne s'en 15224
effraient plus. Seul l'inconnu épouvante les hommes. Mais,
pour quiconque l'affronte, il n'est déjà plus l'inconnu. *Ibid.*

Être homme, c'est précisément être responsable. C'est 15225
connaître la honte en face d'une misère qui ne semblait pas
dépendre de soi. C'est être fier d'une victoire que les camarades ont remportée. C'est sentir, en posant sa pierre, que
l'on contribue à bâtir le monde.   *Ibid.*

[...] La machine n'est pas un but. L'avion n'est pas un but : 15226
c'est un outil. Un outil comme la charrue.
                              Ibid., chap. 3, L'avion.

L'esclave fait son orgueil de la braise du maître. 15227
                        Ibid., chap. 6, Dans le désert, § 6.

On croit que l'homme peut s'en aller droit devant soi. On 15228
croit que l'homme est libre... On ne voit pas la corde qui
le rattache au puits, qui le rattache, comme un cordon
ombilical, au ventre de la terre. S'il fait un pas de plus, il
meurt.   *Ibid., chap. 7, Au centre du désert, § 6.*

Nous avons tous goûté, en retrouvant des camarades, l'en- 15229
chantement des mauvais souvenirs.
                         Ibid., chap. 8, Les hommes, § 1.

La vérité, ce n'est point ce qui se démontre. [...] Si cette 15230
religion, si cette culture, si cette échelle des valeurs, si cette
forme d'activité et non telles autres favorisent dans l'homme
cette plénitude, délivrent en lui un grand seigneur qui
s'ignorait, c'est que cette échelle des valeurs, cette culture,
cette forme d'activité, sont la vérité de l'homme. La logique?
Qu'elle se débrouille pour rendre compte de la vie.   *Ibid.*

[...] La vérité, vous le savez, c'est ce qui simplifie le monde 15231
et non ce qui crée le chaos. La vérité, c'est le langage qui
dégage l'universel. [...] La vérité, ce n'est point ce qui se
démontre, c'est ce qui simplifie.   *Ibid., § 3.*

Ce qui me tourmente, les songes populaires ne le guérissent 15232
point. Ce qui me tourmente, ce ne sont ni ces creux, ni ces
bosses, ni cette laideur. C'est un peu, dans chacun de ces
hommes, Mozart assassiné.   *Ibid.*

Seul l'Esprit, s'il souffle sur la glaise, peut créer l'Homme. 15233
                                                 Ibid., § 4.

[...] L'Esprit ne considère point les objets, il considère le 15234
sens qui les noue entre eux. Le visage qui est lu au travers.
                      Pilote de guerre, chap. 2 (Gallimard).

Être tenté, c'est être tenté, quand l'Esprit dort, de céder 15235
aux raisons de l'Intelligence.   *Ibid., chap. 7.*

15236   Connaître, ce n'est point démonter, ni expliquer. C'est accéder à la vision. Mais, pour voir, il convient d'abord de participer. Cela est dur apprentissage...   *Ibid.*

15237   Vivre, c'est naître lentement. Il serait un peu trop aisé d'emprunter des âmes toutes faites!   *Ibid., chap. 10.*

15238   La guerre n'est pas une aventure. La guerre est une maladie. Comme le typhus.   *Ibid.*

15239   [...] Rien de ce qui concerne l'homme ne se compte, ni ne se mesure. L'étendue véritable n'est point pour l'œil, elle n'est accordée qu'à l'esprit. Elle vaut ce que vaut le langage, car c'est le langage qui noue les choses.   *Ibid., chap. 14.*

15240   Si une civilisation est forte, elle comble l'homme, même si le voilà immobile.   *Ibid.*

15241   La paix est lecture d'un visage qui se montre à travers les choses, quand elles ont reçu leur sens et leur place. Quand elles font partie de plus vaste qu'elles, comme les minéraux disparates de la terre une fois qu'ils sont noués dans l'arbre.   *Ibid., chap. 15.*

15242   Nul ne peut se sentir, à la fois, responsable et désespéré.   *Ibid., chap. 24.*

15243   L'intelligence ne vaut qu'au service de l'amour. [...] Ni l'intelligence, ni le jugement ne sont créateurs. Si le sculpteur n'est que science et intelligence, ses mains manqueront de génie.   *Ibid.*

15244   Chacun est responsable de tous. Chacun est seul responsable. Chacun est seul responsable de tous.   *Ibid.*

15245   On ne fonde en soi l'Être dont on se réclame que par des actes. Un Être n'est pas de l'empire du langage, mais de celui des actes. Notre Humanisme a négligé les actes. Il a échoué dans sa tentative.   *Ibid., chap. 27.*

15246   On meurt pour une cathédrale. Non pour des pierres. On meurt pour un peuple. Non pour une foule. On meurt par amour de l'Homme, s'il est clef de voûte d'une Communauté. On meurt pour cela seul dont on peut vivre.   *Ibid.*

15247   Il faut commencer par le sacrifice, pour fonder l'amour. L'amour, ensuite, peut solliciter d'autres sacrifices, et les employer à toutes les victoires. L'homme doit toujours faire les premiers pas. Il doit naître avant d'exister.   *Ibid.*

15248   Je combattrai pour la primauté de l'Homme sur l'individu — comme de l'universel sur le particulier.
Je crois que le culte de l'Universel exalte et noue les richesses particulières — et fonde le seul ordre véritable, lequel est celui de la vie. Un arbre est en ordre, malgré ses racines qui diffèrent des branches.   *Ibid.*

L'homme est gouverné par l'Esprit. Je vaux, dans le désert, 15249
ce que valent mes divinités.
Lettre à un otage, chap. 2 (Gallimard).

L'ordre pour l'ordre châtre l'homme de son pouvoir essen- 15250
tiel, qui est de transformer et le monde et soi-même. La vie
crée l'ordre, mais l'ordre ne crée pas la vie.
Ibid., chap. 5.

[...] La vérité de demain se nourrit de l'erreur d'hier, et 15251
[...] les contradictions à surmonter sont le terreau même de
notre croissance. *Ibid.*

Une civilisation [...] est d'abord, dans l'homme, désir aveugle 15252
d'une certaine chaleur. L'homme, ensuite, d'erreur en
erreur, trouve le chemin qui conduit au feu. *Ibid.*

Il ne savait pas que, pour les rois, le monde est très simpli- 15253
fié. Tous les hommes sont des sujets.
Le Petit Prince, X (Gallimard).

Je ne suis pour toi qu'un renard semblable à cent mille 15254
renards. Mais, si tu m'apprivoises, nous aurons besoin l'un
de l'autre. Tu seras pour moi unique au monde. Je serai
pour toi unique au monde... *Ibid., XXI.*

On ne connaît que les choses que l'on apprivoise, dit le 15255
renard. Les hommes n'ont plus le temps de rien connaître.
Ils achètent des choses toutes faites chez les marchands.
Mais comme il n'existe point de marchands d'amis, les
hommes n'ont plus d'amis. *Ibid.*

On ne voit bien qu'avec le cœur. *Ibid.* 15256

Tu deviens responsable pour toujours de ce que tu as appri- 15257
voisé. *Ibid.*

Ce qui embellit le désert [...], c'est qu'il cache un puits, 15258
quelque part. *Ibid., XXIV.*

[...] Celui-là que la mort a choisi, occupé de vomir son sang 15259
ou de retenir ses entrailles, découvre seul la vérité — à
savoir qu'il n'est point d'horreur de la mort.
Citadelle, chap. 1 (Gallimard).

Et les rites sont dans le temps ce que la demeure est dans 15260
l'espace. Car il est bon que le temps qui s'écoule ne nous
paraisse point nous user et nous perdre, comme la poignée
de sable, mais nous accomplir. Il est bon que le temps soit
une construction. *Ibid., chap. 3.*

[...] Ce n'est point dans l'objet que réside le sens des choses, 15261
mais dans la démarche. *Ibid., chap. 5.*

[...] N'espère rien de l'homme s'il travaille pour sa propre 15262
vie et non pour son éternité. *Ibid., chap. 6.*

15263 Je n'aime pas les sédentaires du cœur. Ceux-là qui n'échangent
       rien ne deviennent rien.   *Ibid.*

15264 [...] Le bonheur n'est que chaleur des actes et contentement
       de la création.   *Ibid., chap. 7.*

15265 Il n'est de fertile que la grande collaboration de l'un à
       travers l'autre. Et le geste manqué sert le geste qui réussit.
       Et le geste qui réussit montre le but qu'ils poursuivaient
       ensemble à celui qui a manqué le sien.   *Ibid., chap. 9.*

15266 Si je veux bâtir une cité, je prends la pègre et la racaille
       et je l'ennoblis par le pouvoir. Je lui offre d'autres ivresses
       que l'ivresse médiocre de la rapine, de l'usure et du viol.
                                                   Ibid., chap. 16.

15267 Préparer l'avenir, ce n'est que fonder le présent. [...] Il
       n'est jamais que du présent à mettre en ordre. A quoi bon
       discuter cet héritage. L'avenir, tu n'as pas à le prévoir
       mais à le permettre.   *Ibid., chap. 55, 1.*

15268 Et certes il existe l'irréparable. Mais il n'y a rien là qui soit
       triste ou gai. C'est l'essence même de ce qui fut. Est irré-
       parable ma naissance puisque me voici. Le passé est irré-
       parable mais le présent vous est fourni comme matériaux
       en vrac aux pieds du bâtisseur et c'est à vous d'en forger
       l'avenir.   ·   *Ibid., chap. 57.*

15269 « Faut-il nous soumettre ou lutter? » Il faut se soumettre
       pour survivre et lutter pour continuer d'être. Laisse faire
       la vie. Car telle est la misère du jour que la vérité de la vie,
       laquelle est une, prendra pour s'exprimer des formes con-
       traires.   *Ibid., chap. 86.*

15270 La pierre n'a point d'espoir d'être chose que pierre. Mais,
       de collaborer, elle s'assemble et devient temple.
                                                   Ibid., chap. 87.

15271 Unifier c'est nouer mieux les diversités particulières, non
       les effacer pour un ordre vain.   *Ibid., chap. 89.*

15272 Je ne connais qu'une liberté qui est exercice de l'âme. Et
       non l'autre qui n'est que risible, car te voilà contraint quand
       même de chercher la porte pour franchir les murs et tu
       n'es point libre d'être jeune ni d'user du soleil la nuit.
                                                   Ibid., chap. 95.

15273 [...] Le pouvoir s'il est amour de la domination, je le juge
       ambition stupide. Mais s'il est acte de créateur et exercice
       de la création [...] alors le pouvoir je le célèbre.
                                                   Ibid., chap. 97.

15274 Fruits et racines ont même commune mesure qui est l'arbre.
                                                  Ibid., chap. 112.

Si je cherche, j'ai trouvé car l'esprit ne désire que ce qu'il 15275
possède. Trouver, c'est voir. Et comment chercherais-je
ce qui pour moi n'a point de sens encore? [...] Pourquoi
aurais-je marché dans la direction de vérités que je ne pouvais concevoir?   *Ibid., chap. 126.*

Le beau cantique nait des cantiques manqués car si nul 15276
ne s'exerce au cantique, il ne naîtra point de beaux cantiques.
                                                   Ibid., chap. 127.

Tu dis : « Que l'on partage cette perle entre tous. Chacun 15277
des plongeurs l'eût pu trouver. » [...] Mais je te veux te
dépouillant de ta maigre part afin que celui-là qui trouvera
la perle entière revienne chez soi tout rayonnant de son
sourire [...] Et tous sont enrichis. Car il est preuve que la
fouille de la mer est autre chose qu'un simple labeur de
misère.   *Ibid., chap. 193.*

[...] Peu me tente le bonheur, lequel n'a point de forme. 15278
Mais me gouverne la révélation de l'amour.
                                                   Ibid., chap. 199.

Celui-là qui se plaint que le monde lui a manqué, c'est 15279
qu'il a manqué au monde. Celui-là qui se plaint que l'amour
ne l'a point comblé, c'est qu'il se trompe sur l'amour :
l'amour n'est point cadeau à recevoir.   *Ibid., chap. 200.*

MAURICE THOREZ
1900-1964

Le fascisme, c'est la guerre. La lutte contre le fascisme, c'était 15280
la lutte contre la guerre.
Fils du peuple, chap. 3, La lutte pour l'unité (Éd. Sociales).

Nous aimons notre France, terre classique des révolutions, 15281
foyer de l'humanisme et des libertés.   *Ibid.*

Il vaut mieux [...] s'unir pour obtenir le bonheur sur la terre 15282
que de se disputer sur l'existence d'un paradis dans le ciel.
                                          Ibid., chap. 4, Le Front populaire.

La propriété des grands moyens de production est la seule 15283
qui doive être socialisée, si l'on veut jeter les bases d'une
économie rationnelle.   *Ibid.*

S'il est important de bien conduire un mouvement reven- 15284
dicatif, il faut aussi savoir le terminer.   *Ibid.*

Les communistes, qui combattent pour une société d'où 15285
l'inégalité sociale sera bannie, ne sont ni des « partageux »,
ni des « égalitaristes » [...] Se partager les machines, c'est
les détruire.
                    Ibid., chap. 8, Ce que veulent les communistes.

JEAN DUBUFFET
1901

15286 Vive l'invention merveilleuse, les trouvailles qui nous enchantent! Les artistes qui nous ennuient, c'est tout à fait comme
ces inventeurs professionnels qui n'ont jamais rien inventé.
Prospectus aux amateurs de tout genre, Avant-projet d'une
conférence populaire sur la peinture (Gallimard).

15287 La grande peinture, c'est des tableaux très ennuyeux; plus
ils sont ennuyeux et plus ils sont délicats et de bon goût.
Ibid.

15288 Peindre n'est pas teindre.
Ibid., Notes pour les fins-lettrés.

15289 L'homme écrit sur le sable. Moi ça me convient bien ainsi;
l'effacement ne me contrarie pas; à marée descendante, je
recommence.   *Ibid., Correspondance et divers, à J.P.*

ALBERTO GIACOMETTI
1901-1966

15290 Je ne sais pas si je suis un comédien, un filou, un idiot ou
un garçon très scrupuleux. Je sais qu'il faut que j'essaye
de copier un nez d'après nature.
« Notes sur les copies », II, L'Éphémère, n° 1, hiver 1966.

15291 L'écart entre toute œuvre d'art et la réalité immédiate de
n'importe quoi est devenu trop grand et en fait, il n'y a
plus que la réalité qui m'intéresse et je sais que je pourrais
passer le restant de ma vie à copier une chaise.   *Ibid., III.*

JEAN GUITTON
1901

15292 Le jansénisme et le quiétisme ont pu historiquement s'opposer : ils sont tout voisins pour la pensée qui cherche
l'essence; car, si l'on condamne la nature, il est aussi vrai
d'affirmer qu'elle est toute mauvaise que toute bonne.
Essai sur l'amour humain, chap. 1 (Aubier).

15293 La faute moderne s'entoure d'un contexte de justification,
de compensation, de sublimation qui la rend difficilement
discernable au sujet; le conflit de la chair et de l'esprit s'y
dissimule et tend à ne plus apparaître devant la conscience.
Ibid.

Comme toute vérité créée, l'amour se compose de deux 15294
éléments inséparables en fait, souverainement distincts en
droit et dont l'un est subordonné à l'autre, si du moins
l'amour se développe selon l'ordre.   *Ibid., chap. 4.*

[Dans la virginité, l'être] se soustrait à l'histoire et il s'en- 15295
gage dans un état plus proche de l'éternité que du temps,
puisque l'imagination la plus réaliste ne peut admettre que
l'amour sexuel et la génération subsistent dans l'éternité.
Ibid., chap. 6.

MICHEL LEIRIS
1901

Voici enfin L'AFRIQUE, la terre des 50° à l'ombre, des convois 15296
d'esclaves, des festins cannibales, des crânes vides, de toutes
les choses qui sont mangées, corrodées, perdues.
L'Afrique fantôme, 17 avril 1932 (Gallimard).

Ce qui se passe dans le domaine de l'écriture n'est-il pas 15297
dénué de valeur si cela reste « esthétique », anodin, dépourvu
de sanction, s'il n'y a rien, dans le fait d'écrire une œuvre,
qui soit un équivalent (et ici intervient l'une des images les
plus chères à l'auteur) de ce qu'est pour le *torero* la corne
acérée du taureau, qui seule — en raison de la menace matérielle qu'elle recèle — confère une réalité humaine à son
art, l'empêche d'être autre chose que grâces vaines de
ballerine?
*L'Age d'homme, De la littérature considérée comme une
tauromachie (Gallimard).*

Je dois mon premier contact précis avec la notion d'infini 15298
à une boîte de cacao de marque hollandaise, matière première de mes petits déjeuners.   *Ibid., L'infini.*

Rien ne me paraît ressembler autant à un bordel qu'un musée. 15299
Ibid., Lupanars et musées.

[...] Secouer les dés de la parole comme dans un cornet 15300
pour en faire jaillir des idées au lieu de les employer à l'expression de pensées préexistantes [...].
La Règle du jeu I, Biffures, Tambour-trompette (Gallimard).

Liquider l'ethnocentrisme, faire admettre que chaque culture 15301
a sa valeur et qu'il n'en est aucune dont, sur certains points,
une leçon ne puisse être tirée, tel est, en tout cas, le programme
minimum qu'un ethnologue conscient de la portée de sa
discipline se voit poussé, par la nature même de sa recherche,
à mettre en pratique de son mieux.
*Cinq études d'ethnologie, Introduction (Bibliothèque
Médiations, Denoël-Gonthier).*

Une monstrueuse aberration fait croire aux hommes que 15302
le langage est né pour faciliter leurs relations mutuelles.
Brisées, Glossaire : j'y serre mes gloses (Mercure de France).

15303 Toute poésie vraie est inséparable de la Révolution.
Ibid., La vie aventureuse de Jean-Arthur Rimbaud.

LOUIS LEPRINCE-RINGUET
1901

15304 Celui qui trouve ce qu'il cherche fait en général un bon travail d'écolier; pensant à ce qu'il désire, il néglige souvent les signes, parfois minimes, qui apportent autre chose que l'objet de ses prévisions. Le vrai chercheur doit savoir faire attention aux signes qui révéleront l'existence d'un phénomène auquel il ne s'attend pas.
Des atomes et des hommes, II, Psychologie nouvelle du chercheur (Fayard).

ANDRÉ MALRAUX
1901-1976

15305 « Quels livres valent d'être écrits, hormis les *Mémoires*? »
Les Conquérants, Première partie, Les approches (Grasset).

15306 « Les grèves malades, ça se soigne avec des victoires. »
Ibid., Deuxième partie, Les puissances.

15307 La Révolution, [...], tout ce qui n'est pas elle est pire qu'elle, il faut bien le dire, même quand on en est dégoûté... *Ibid.*

15308 Qu'il s'agisse de faire acheter le savon ou d'obtenir le bulletin de vote, il n'y a pas une technique psychologique qui ne soit à base de mépris de l'acheteur ou du votant : sinon, elle serait inutile. *Ibid., Postface.*

15309 Si l'humanité porte en elle une donnée éternelle, c'est bien cette hésitation tragique de l'homme qu'on appellera ensuite, pour des siècles, un artiste — en face de l'œuvre qu'il ressent plus profondément qu'aucun, qu'il admire comme personne, mais que seul au monde il veut en même temps souterrainement détruire. *Ibid.*

15310 « Jusqu'à la quarantaine, on se trompe, on ne sait pas se délivrer de l'amour : un homme qui pense, non à une femme comme au complément d'un sexe, mais au sexe comme au complément d'une femme, est mûr pour l'amour : tant pis pour lui. »
La Voie royale, Première partie, I (Grasset).

15311 La soumission à l'ordre de l'homme sans enfants et sans dieu est la plus profonde des soumissions à la mort.
Ibid., II.

15312 « Les hommes ne sont pas mes semblables, ils sont ceux qui me regardent et me jugent; mes semblables, ce sont ceux qui m'aiment et ne me regardent pas, qui m'aiment contre tout, qui m'aiment contre la déchéance, contre la bassesse, contre la trahison, moi et non ce que j'ai fait ou

ferai, qui m'aimeraient tant que je m'aimerais moi-même — jusqu'au suicide, compris... Avec elle seule, j'ai en commun cet amour déchiré ou non, comme d'autres ont, ensemble, des enfants malades et qui peuvent mourir... »
La Condition humaine, Première partie, 21 mars 1927
(Gallimard).

Dans le meurtre, le difficile n'est pas de tuer. C'est de ne 15313 pas déchoir. D'être plus fort que... ce qui se passe en soi à ce moment-là. *Ibid., Troisième partie, 29 mars.*

« Une civilisation se transforme, lorsque son élément le plus 15314 douloureux — l'humiliation chez l'esclave, le travail chez l'ouvrier moderne — devient tout à coup une valeur, lorsqu'il ne s'agit plus d'échapper à cette humiliation, mais d'en attendre son salut, d'échapper à ce travail, mais d'y trouver sa raison d'être. » *Ibid., Septième partie.*

« Tous souffrent, [...] et chacun souffre parce qu'il pense. 15315 Tout au fond, l'esprit ne pense l'homme que dans l'éternel, et la conscience de la vie ne peut être qu'angoisse. »
Ibid.

[...] On peut aimer que le sens du mot art soit tenter de 15316 donner conscience à des hommes de la grandeur qu'ils ignorent en eux. *Le Temps du mépris, Préface (Gallimard).*

L'individu s'oppose à la collectivité, mais il s'en nourrit. 15317 Et l'important est bien moins de savoir à quoi il s'oppose que ce dont il se nourrit. Comme le génie, l'individu vaut par ce qu'il renferme. *Ibid.*

Comment sont nées les barricades? Pour lutter contre les 15318 cavaleries royales, le peuple n'ayant jamais de cavalerie.
L'Espoir, Première partie, I, L'illusion lyrique, III, 3
(Gallimard).

J'appelle révolution la conséquence d'une insurrection 15319 dirigée par des cadres (politiques, techniques, tout ce que vous voudrez) formés dans la lutte, susceptibles de remplacer rapidement ceux qu'ils détruisent. *Ibid.*

J'ai vu les démocraties intervenir contre à peu près tout, 15320 sauf contre les fascismes. *Ibid.*

[...] Les fascistes, au fond, croient toujours à la race de celui 15321 qui commande. Ce n'est pas parce que les Allemands sont racistes qu'ils sont fascistes, c'est parce qu'ils sont fascistes qu'ils sont racistes. Tout fasciste commande de droit divin.
Ibid., II, Exercice de l'Apocalypse, II, 1.

« D'une façon générale, le courage personnel d'un chef 15322 est d'autant plus grand qu'il a une plus mauvaise conscience de chef. » *Ibid.*

« Le courage est une chose *qui s'organise*, qui vit et qui 15323 meurt, qu'il faut entretenir comme les fusils... » *Ibid.*

15324 [...] Être aimé sans séduire est un des beaux destins de
l'homme.   *Ibid.*

15325 Quand les hommes sortent de prison, neuf fois sur dix
leur regard ne se pose plus. Ils ne regardent plus comme des
hommes. Dans le prolétariat aussi, il y a beaucoup de regards
qui ne se posent plus.   *Ibid.*, 4.

15326 Les hommes ne meurent que pour ce qui n'existe pas.
                                                       Ibid., 5.

15327 « Il y a un espoir terrible et profond en l'homme... [...] La
révolution joue, entre autres rôles, celui que joua jadis la vie
éternelle, ce qui explique beaucoup de ses caractères.
Ibid., *Deuxième partie*, *Le Manzanares*, *1*, *Être et faire*, I, 7.

15328 Le grand intellectuel est l'homme de la nuance, du degré,
de la qualité, de la vérité en soi, de la complexité. Il est par
définition, par essence, antimanichéen. Or, les moyens de
l'action sont manichéens parce que *toute action est mani-
chéenne*. A l'état aigu dès qu'elle touche les masses; mais
même si elle ne les touche pas. Tout vrai révolutionnaire est
un manichéen-né. Et tout politique. »
                     Ibid., II, « *Sang de gauche* », 12.

15329 « Il y a des guerres justes, [...] il n'y a pas d'armées justes.
[...] Il y a une politique de la justice, mais il n'y a pas de
parti juste. »   *Ibid.*

15330 On ne découvre qu'une fois la guerre, mais on découvre
plusieurs fois la vie.
                     Ibid., *Troisième partie*, *L'Espoir*, 6.

15331 Je sais maintenant qu'un intellectuel n'est pas seulement
celui à qui les livres sont nécessaires, mais tout homme dont
une idée, si élémentaire soit-elle, engage et ordonne la vie.
Ceux qui m'entourent, eux, vivent au jour le jour depuis
des millénaires.
Les Noyers de l'Altenburg, *Chartres*, *21 juin 1940* (*Gallimard*).

15332 « L'homme est ce qu'il fait! »
                     Ibid., *Deuxième partie*, *chap. 1*.

15333 Le plus grand mystère n'est pas que nous soyons jetés au
hasard entre la profusion de la matière et celle des astres;
c'est que, dans cette prison, nous tirions de nous-mêmes
des images assez puissantes pour nier notre néant.   *Ibid.*

15334 La culture ne nous enseigne pas l'homme, elle nous enseigne
tout modestement l'homme cultivé, dans la mesure où il
est cultivé; comme l'introspection ne nous enseigne pas
l'homme, mais tout modestement l'homme qui a l'habitude
de se regarder!   *Ibid.*, *chap. 3*.

15335 Le coup d'état du christianisme, c'est d'avoir installé la
fatalité *dans* l'homme. De l'avoir fondée sur notre nature.
Un Grec était concerné par ses héros historiquement — quand
il l'était. Il extériorisait ses démons en mythes, et le chrétien
intériorise ses mythes en démons.   *Ibid.*

« Quand je dis que chaque homme ressent avec force la 15336
présence du destin, j'entends qu'il ressent — et presque
toujours tragiquement, du moins à certains instants —
l'indépendance du monde à son égard. » *Ibid.*

[...] Un musée imaginaire s'est ouvert, qui va pousser à 15337
l'extrême l'incomplète confrontation imposée par les vrais
musées : répondant à l'appel de ceux-ci, les arts plastiques
ont inventé leur imprimerie.
Les Voix du silence, Première partie, Le musée imaginaire
(© André Malraux).

L'œuvre magistrale n'est plus l'œuvre parfaitement accordée 15338
à une tradition [...], mais le point extrême du style, de la
spécificité ou du dépouillement de l'artiste *par rapport à*
lui-même. *Ibid., II.*

Le génie du vitrail finit quand le sourire commence. *Ibid.* 15339

Si Athènes ne fut jamais blanche, ses statues blanchies ont 15340
ordonné la sensibilité artistique de l'Europe. *Ibid., III.*

Que devenait une peinture qui n'imitait plus, n'imaginait 15341
plus et ne transfigurait plus? Peinture. *Ibid., V.*

Il y a des artistes maladroits, il n'y a pas de styles maladroits. 15342
Ibid., Deuxième partie, Les métamorphoses d'Apollon, I.

Il fallut autant de génie pour oublier l'homme à Byzance 15343
qu'il en avait fallu pour le découvrir sur l'Acropole.
Ibid., III.

Le gothique commence aux larmes... Car, depuis la première 15344
composition où avait surgi la Présence médiatrice, tout
sculpteur tendait confusément à ce qu'elle fût exprimée
par chaque ligne sur chaque visage; et, dans l'étendue du
monde chrétien autant que dans sa profondeur, le gothique,
comme le roman à son origine, est une Incarnation.
Ibid., IV.

[...] A : « Qu'est-ce que l'art? » nous sommes portés à 15345
répondre : « Ce par quoi les formes deviennent style. »
Ibid., V.

Un artiste n'est pas nécessairement plus sensible qu'un 15346
amateur, et l'est souvent moins qu'une jeune fille; il l'est
autrement.
Ibid., Troisième partie, La création artistique, I.

Les artistes ne viennent pas de leur enfance, mais de leur 15347
conflit avec des maturités étrangères. *Ibid., II.*

L'artiste naît [...] prisonnier du style, qui lui a permis de ne 15348
plus l'être du monde. *Ibid., III.*

15349   *Un style n'est pas seulement son écriture,* ne se réduit à son écriture lorsqu'il cesse d'être conquête pour devenir convention.   *Ibid.*

15350   [...] La représentation est un moyen du style, non le style un moyen de la représentation.   *Ibid.*

15351   La langue que le génie a conquise ne lui permet nullement de tout dire : elle lui permet de dire tout ce qu'il veut.
                                                              Ibid., VI.

15352   Les grands artistes ne sont pas les transcripteurs du monde, ils en sont les *rivaux.*   *Ibid.*

15353   O monde épars, monde éphémère et éternel qui, pour se survivre au lieu de se répéter, a tellement besoin des hommes!
                                                                   Ibid.

15354   L'agnosticisme n'est pas une nouveauté : le nouveau c'est une civilisation agnostique.
                    Ibid., Quatrième partie, La monnaie de l'absolu, I.

15355   Une civilisation de l'homme seul ne dure pas très longtemps [...]   *Ibid*

15356   *Toute vertu collective naît d'une communion.* Et aucune communion profonde ne se limite au sentiment [...].
                                                              Ibid., II.

15357   Il n'y a pas d'art sans style, et tout style implique une signification de l'homme, son orientation par une valeur suprême [...]   *Ibid.*

15358   Tout ce qui naît du désir d'assouvissement [...] est *ce qui naît là où les valeurs meurent*, et qui ne les remplace pas.
                                                                   Ibid.

15359   Mourant ou non, à coup sûr menacée, l'Europe, toute chargée des résurrections qu'elle embrasse encore, semble se penser moins en mots de liberté qu'en termes de destin.
                                                              Ibid., III.

15360   La force suprême de l'art et de l'amour est de nous contraindre à vouloir épuiser en eux l'inépuisable.
                                                              Ibid., IV.

15361   L'histoire de l'art entière, quand elle est celle du génie, devrait être une histoire de la délivrance : car l'histoire tente de transformer le destin en conscience, et l'art de le transformer en liberté.   *Ibid., VI.*

15362   [...] Le destin n'est pas la mort, il est fait de tout ce qui impose à l'homme la conscience de sa condition; même la joie de Rubens ne l'ignore pas, car le destin est plus profond que le malheur.   *Ibid., VII.*

15363   L'art ne délivre pas l'homme de n'être qu'un accident de l'univers; mais il est l'âme du passé au sens où chaque religion antique fut une âme du monde.   *Ibid.*

L'art est un anti-destin. *Ibid.* 15364

Qu'importe Rembrandt à la dérive des nébuleuses? Mais 15365
c'est l'homme que les astres nient, et c'est à l'homme que
parle Rembrandt. *Ibid.*

L'humanisme, ce n'est pas dire : « Ce que j'ai fait, aucun 15366
animal ne l'aurait fait », c'est dire : « Nous avons refusé
ce que voulait en nous la bête, et nous voulons retrouver
l'homme partout où nous avons trouvé ce qui l'écrase. »
Ibid.

Si l'homme n'avait pas opposé à l'apparence ses successifs 15367
mondes de Vérité, il ne serait pas devenu rationaliste, il
serait devenu singe.
*La Métamorphose des dieux, Première partie, Introduction
(© André Malraux).*

L'œuvre surgit dans son temps et de son temps, mais elle 15368
devient œuvre d'art par ce qui lui échappe. *Ibid.*

Si la cathédrale est miroir du monde, elle est d'abord le 15369
monde reflété dans le miroir divin.
Ibid., Troisième partie, La foi, III.

Presque tous les écrivains que je connais aiment leur enfance, 15370
je déteste la mienne. *Antimémoires 1 (© André Malraux).*

Le démon aime les collectivités, plus encore les assemblées; 15371
la grandeur aussi. *Ibid.*

Connaître un homme aujourd'hui, veut surtout dire connaître 15372
ce qu'il y a en lui d'irrationnel, ce qu'il ne contrôle pas, ce
qu'il effacerait de l'image qu'il se fait de lui.
Ibid., Antimémoires, 3.

La condition humaine, c'est la condition de créature, qui 15373
impose le destin de l'homme comme la maladie mortelle
impose le destin de l'individu. Détruire cette condition,
c'est détruire la vie : tuer.
Ibid., La condition humaine, 2.

La vraie barbarie, c'est Dachau; la vraie civilisation, c'est 15374
d'abord la part de l'homme que les camps ont voulu détruire.
Ibid.

DANIEL-ROPS
1901-1965

L'homme est un animal qui sécrète de la souffrance, pour 15375
lui-même et pour les autres.
Mort, où est ta victoire? (Plon).

15376 Il y a une connaissance de Jésus qui n'appartient à propre-
       ment parler qu'aux saints, aux mystiques, aux âmes privi-
       légiées qui ont réussi une sorte d'identification de leur être
       à celui du Messie.
                         Jésus en son temps, Introduction (Fayard).

15377 L'humble couple des parents [...]; la jeune mère qui lange et
       couche elle-même son petit; l'enfant-Dieu qui repose sur la
       paille de sa crèche, [...], — quel homme d'Occident ne porte
       encore aujourd'hui de telles images dans cette zone secrète
       de la mémoire où survit, à toutes les attaques du scepti-
       cisme, un royaume de tendresse et d'enchantement?
                         Ibid., La Vierge-Mère et l'Enfant-Dieu.

15378 Pour refaire une morale il faut autre chose que la volonté
       d'un souverain.   *Ibid., Un canton dans l'Empire.*

15379 Le fait historique de l'Empire romain a grandement permis
       au grain semé en Palestine de germer et de croître loin et
       vite, mais tout manifeste que ce grain était nécessaire, et que,
       dans le fond de sa conscience, le monde l'attendait.
                                                          Ibid.

15380 Les philosophies grecques de la raison n'excluaient pas le
       divin ni son intervention sur la terre. Le monde païen
       acceptait le surnaturel comme allant de soi (y compris
       jusqu'à la superstition). Et les témoignages de scepticisme
       qu'on relève portent moins contre la puissance divine que
       contre les formes puériles dont la tradition l'affublait.
                         Ibid., Signe de contradiction.

15381 L'histoire du Dieu vivant désormais se prolonge dans celle
       du « corps mystique » [...], cette grande réalité inscrite au
       cœur des siècles : l'Église de Jésus-Christ.
                         Ibid., La victoire sur la mort.

MARCEL AYMÉ
1902-1967

15382 Le mouvement de révolte qui soulève la conscience devant
       l'iniquité est une initiative de luxe, le privilège des gens qui
       ont une vue déjà un peu cavalière de la vie et n'en éprouvent
       pas trop directement le contact.
                         Silhouette du scandale (Éd. du Sagittaire).

15383 Quand Paris se sent morveux, c'est la France tout entière
       qui se mouche.   *Ibid.*

15384 C'est la faiblesse de presque tous les écrivains qu'ils donne-
       raient le meilleur d'eux-mêmes et ce qu'ils ont écrit de plus
       propre pour obtenir un emploi de cireur de bottes dans la
       politique.   *Ibid.*

15385 Les idées scandaleuses sont de vieilles rengaines qui passent
       inaperçues en s'abritant sous des habitudes.   *Ibid.*

L'injustice sociale est une évidence si familière, elle est 15386
d'une constitution si robuste, qu'elle paraît facilement
naturelle à ceux mêmes qui en sont victimes et qu'elle
ne choquerait peut-être personne si quelque événement
significatif n'en imposait parfois le spectacle violent. *Ibid.*

Le surnaturel n'étant pas d'un usage pratique ni régulier, 15387
il [est] sage et décent de n'en pas tenir compte.
La Vouivre (Gallimard).

La nature se ne perd pas. Ce qui se défait d'un côté se refait 15388
d'un autre. *Ibid.*

[...] Un garçon qui étudie jusqu'à vingt ou vingt-cinq ans 15389
est un petit monsieur qui capitalise sa jeunesse au lieu d'en
faire un usage normal, immédiat.
Le Chemin des écoliers (Gallimard).

En temps de guerre, le malheur qui ne doit rien à la guerre, 15390
qui n'a pas de référence nationale, est déjà un peu honteux.
Ibid.

Ma petite fille, souviens-toi que dans la vie, la seule chose 15391
qui compte, c'est l'argent.
Uranus, chap. 1 (Gallimard).

Le mépris distingué, les reparties sèches, s'ils n'imposent 15392
pas à l'adversaire, sont à peine des satisfactions intimes.
Ibid.

On ne s'évade de sa condition [...] qu'en se hissant à une 15393
autre. *Ibid., chap. 6.*

Ah! que j'aime la Terre et tout ce qui est d'elle, la vie et la 15394
mort. Et les hommes. On ne peut rien penser de plus beau,
de plus doux que les hommes. [...] Leurs guerres, leurs camps
de concentration, leurs œuvres de justice, je les vois comme
des espiègleries et des turbulences. *Ibid.*

Une certaine sentimentalité peut, au même titre qu'un certain 15395
romantisme, être considérée comme un excellent matériau
révolutionnaire. *Ibid., chap. 7.*

On vient nous parler de la poésie de la nature. Quelle blague! 15396
Il n'y a que la poésie de l'homme et il est lui-même toute la
poésie. *Ibid., chap. 10.*

Seules, les femmes voient vraiment les choses. Les hommes 15397
n'ont jamais qu'une idée. *Ibid., chap. 12.*

La notion d'équilibre s'oppose formellement, dans le monde 15398
actuel, à celle d'intelligence. *Ibid., chap. 13*

Peut-être le décalage entre les générations est-il beaucoup 15399
plus dans la forme que dans le fond. *Ibid., chap. 15*

15400 Le grand ennemi de la France, c'est la culture générale qui poétise et dramatise l'univers et nous en dérobe la réalité.
Ibid.

15401 Accueillir une révolution dans l'art poétique et en goûter la nouveauté, c'est se familiariser avec l'idée de révolution tout court et, bien souvent, avec les rudiments de son vocabulaire. *Le Confort intellectuel, I (Flammarion).*

15402 En France même, nos écrivains communistes sont depuis longtemps très ouverts à la notion de confort intellectuel. Ils savent que la poésie est un alcool et que moins on en prend, mieux on se porte. *Ibid., II.*

15403 *Homme libre, toujours tu chériras la mer.* Affirmation péremptoire et gratuite. Un homme libre peut très bien détester la mer. *Ibid., III.*

15404 [Baudelaire] : Il réunit en lui, poussées à l'extrême, toutes les caractéristiques du romantisme : le flou, le mou, le ténébreux, le narcissisme, les infinis faciles. Ce qui ne l'empêche pas, soyons juste, d'avoir un petit fumet assez personnel de viande décomposée et de savonnette. *Ibid., V.*

ÉMILE BENVENISTE
1902-1976

15405 Le langage reproduit le monde, mais en le soumettant à son organisation propre.
Problèmes de linguistique générale, I, chap. 2 (Gallimard).

15406 Il n'y a pas de relation naturelle, immédiate et directe entre l'homme et le monde, ni entre l'homme et l'homme.
Ibid.

15407 Nous n'atteignons jamais l'homme séparé du langage et nous ne le voyons jamais l'inventant.
Ibid., V, chap. 21.

15408 C'est dans et par le langage que l'homme se constitue comme sujet. *Ibid.*

HUBERT BEUVE-MÉRY
1902

15409 Le vrai mérite de Gandhi est d'avoir manifesté l'existence des réalités spirituelles, et, si l'on peut dire, d'armements spirituels plus efficaces que les autres.
Réflexions politiques 1932-1952, IV, 2, La leçon de Gandhi (Le Seuil).

Athées qui proclamez la mort de Dieu, matérialistes de 15410
toutes obédiences, agnostiques, mes frères, n'en doutez
plus : ce monde meurt d'avoir perdu la foi et l'amour. Il
compte trop de héros au service de toutes les causes, il lui
manque des saints, quelle que soit leur religion.
Ibid., La condition du salut.

FERNAND BRAUDEL
1902

La science sociale a presque horreur de l'événement. Non 15411
sans raison : le temps court est la plus capricieuse, la plus
trompeuse des durées.
Écrits sur l'histoire, II, La longue durée, 1 (Flammarion).

Pour nous, historiens, une structure est sans doute assem- 15412
blage, architecture, mais plus encore une réalité que le temps
use mal et véhicule très longuement.   *Ibid.*

Le marxisme est un peuple de modèles [...] ... Ajouterai-je 15413
que le marxisme actuel me paraît l'image même du péril
qui guette toute science sociale éprise du modèle à l'état
pur, du modèle pour le modèle.   *Ibid., IV.*

GEORGES FRIEDMANN
1902

L'homme, au fur et à mesure que naissent et vieillissent les 15414
civilisations, se transforme. Rien n'autorise à dire que ces
transformations aient un sens, pas plus que n'en a la séquence
des civilisations — mortelles.
*Sept études sur l'homme et la technique, III, 6 (Bibliothèque
Médiation — Denoël-Gonthier).*

La civilisation technicienne est d'essence universalisatrice. 15415
Ibid., V.

D'une part, la civilisation technicienne offre à l'homme- 15416
d'après-le-travail (et bientôt à l'homme-au-delà-du-travail)
les conditions théoriques permettant un épanouissement
de la culture, de l'art, de la vie spirituelle. De l'autre, elle le
livre au « conditionnement » par le milieu technique et
aux pires dangers de la dégradation.   *Ibid., VII.*

Si l'on met de côté des apports considérables, mais relevant 15417
strictement de la mécanique appliquée et de la métallurgie,
on a eu tort de nommer science ce qui [le taylorisme] n'est
qu'un système perfectionné de moyens pour augmenter
le rendement immédiat de l'outillage et de la main-d'œuvre.
*Problèmes humains du machinisme industriel,
Première partie, I (Gallimard).*

15418   Qu'il s'agisse du dépistage de la fatigue, de la durée du travail, de son ambiance physique, de l'adaptation des machines à l'homme, des accidents, en chaque occasion les savants attachés aux réalités de l'industrie et mêlés à elles, s'écartent de la perspective *techniciste*, selon laquelle vitesse et rendement sont les seuls critères : ils ne perdent jamais de vue la constitution organique et psychique de l'ouvrier et l'exigence fondamentale est pour eux celle de son bien-être physique et mental, dont ils savent l'unité profonde dans le tout indivisible d'une personnalité.

Ibid., VII.

15419   Il n'est pas exact que la machine supprime *par elle-même* toute joie au travail. Ce sont les conditions imposées par une rationalisation étroitement techniciste, au service d'intérêts particuliers, qui approfondissent la scission entre l'ouvrier et son travail mécanisé.   *Ibid., Conclusions.*

ALEXANDRE KOJEVE
1902-1968

15420   Pour qu'il y ait Conscience de soi, il faut donc que le Désir porte sur un objet non-naturel, sur quelque chose qui dépasse la réalité donnée. Or la seule chose qui dépasse ce réel donné est le Désir lui-même.
Introduction à la lecture de Hegel, En guise d'introduction
(Gallimard).

15421   Tous les Désirs de l'animal sont en dernière analyse une fonction du désir qu'il a de conserver la vie. Le Désir humain doit donc l'emporter sur ce désir de conservation. Autrement dit, l'homme ne « s'avère » humain que s'il risque sa vie (animale) en fonction de son Désir humain.   *Ibid.*

15422   Si la Maîtrise oisive est une impasse, la Servitude laborieuse est au contraire la source de tout progrès humain, social, historique. L'Histoire est l'Histoire de l'Esclave travailleur.
Ibid.

15423   Si les Américains font figure de sino-soviétiques enrichis, c'est parce que les Russes et les Chinois ne sont que des Américains encore pauvres, d'ailleurs en voie de rapide enrichissement.
Ibid., VI, Douzième conférence, Note de la seconde édition.

ALFRED MÉTRAUX
1902-1963

15424   La plupart des ethnographes [...] sont [...] des rebelles, des anxieux, des gens qui se sentent mal à l'aise dans leur propre civilisation.
Entretiens avec Alfred Métraux, I, Comment et pourquoi
devient-on ethnologue ? (Mouton).

Cette prise de contact avec les civilisations primitives m'a 15425
fait sentir qu'au fond, la protestation qui m'avait précisément poussé vers des civilisations tellement éloignées de la
nôtre, trouvait son motif dans [...] la nostalgie du néolithique.   *Ibid.*

L'humanité a peut-être eu tort d'aller au-delà du néoli- 15426
thique. [...] Si le néolithique avait connu l'art dentaire,
je m'en serais fort bien contenté.   *Ibid.*

D'autres civilisations que la nôtre ont pu, infiniment mieux 15427
que nous ne l'avons fait, résoudre les problèmes qui se posent
à l'homme.   *Ibid.*

La possession relèverait [...] des processus psychologiques 15428
que l'expérience théâtrale nous permet de comprendre.
                                    Ibid., III, Le Vaudou.

GEORGES POULET
1902

L'homme du Moyen Age ne se sentait pas être et vivre d'une 15429
existence uniquement naturelle. Il se sentait encore exister
surnaturellement.
          Études sur le Temps humain, Introduction (Plon).

Le xviie siècle est l'époque où l'être individuel découvre 15430
son isolement.   *Ibid.*

La grande découverte du xviiie siècle, c'est [...] celle du phéno- 15431
mène de la mémoire.   *Ibid.*

La mort, c'est d'être différent de soi-même. Et la peur de la 15432
mort, ce n'est pas de ne plus sentir et de ne plus se sentir,
c'est la peur de ne plus sentir ce que l'on sent, de ne plus
se sentir tel qu'on se sent.   *Ibid., chap. 18, Proust.*

NATHALIE SARRAUTE
1902

On commence maintenant à comprendre qu'il ne faut pas 15433
confondre sous la même étiquette la vieille analyse des
sentiments, cette étape nécessaire mais dépassée, avec la
mise en mouvement de forces psychiques inconnues et
toujours à découvrir dont aucun roman moderne ne peut se
passer.   *L'Ère du soupçon, Préface (Gallimard).*

[...] Des mouvements indéfinissables, qui glissent très 15434
rapidement aux limites de notre conscience, sont à l'origine
de nos gestes, de nos paroles, des sentiments que nous
manifestons, que nous croyons éprouver et qu'il est possible

de définir... Leur déploiement constitue de véritables drames qui se dissimulent derrière les conversations les plus banales, les gestes les plus quotidiens. Ils débouchent à tout moment sur ces apparences qui à la fois les masquent et les révèlent.

Ibid.

15435 Il est donc permis de rêver — sans se dissimuler tout ce qui sépare ce rêve de sa réalisation — d'une technique qui parviendrait à plonger le lecteur dans le flot de ces drames souterrains que Proust n'a eu le temps que de survoler et dont il n'a observé et reproduit que les grandes lignes immobiles : une technique qui donnerait au lecteur l'illusion de refaire lui-même ces actions avec une conscience plus lucide, avec plus d'ordre, de netteté et de force qu'il ne peut le faire dans la vie, sans qu'elles perdent cette part d'indétermination, cette opacité et ce mystère qu'ont toujours ses actions pour celui qui les vit. *Ibid., Conversation et sous-conversation.*

15436 Le roman que seul l'attachement à des techniques périmées fait passer pour un art mineur... *Ibid., L'ère du soupçon.*

15437 Ainsi, au nom d'impératifs moraux, on aboutit à cette immoralité que constitue en littérature une attitude négligente, conformiste, peu sincère et loyale à l'égard de la réalité. *Ibid., Ce que voient les oiseaux.*

15438 Le lien indissoluble entre la réalité inconnue et la forme neuve qui la crée, fait que toute exploration de cette réalité constitue une exploration du langage.
Tel Quel, Printemps 1962.

15439 Tout romancier qui ne se contente pas de « restituer le visible », mais cherche à « rendre visible », crée forcément une forme neuve. Cette forme, entre les mains de ses imitateurs, se fige en un académisme que toute recherche nouvelle va briser. A cette recherche constamment renouvelée, comment assigner une limite? *Ibid.*

15440 Pour moi, la poésie dans une œuvre, c'est ce qui fait apparaître l'invisible. Plus fort sera l'élan qui permettra de percer les apparences — et parmi ces apparences je compte ce qu'il est convenu de considérer comme « poétique » — plus grande sera dans l'œuvre la part de la poésie. *Ibid.*

VERCORS
1902

15441 Chacun a les gris-gris de son âge [...]. Les peuples aussi, sans doute.
Les Animaux dénaturés, chap. 13 (Albin Michel).

15442 Le langage n'étant qu'un besoin de communication, c'est le besoin de communiquer (et les choses qu'un être veut communiquer) qui sont vraiment spécifiques.
Ibid., chap. 14.

La définition légale de la personne humaine est un problème   15443
d'intérêt national et universel.   *Ibid., chap. 15.*

L'animal fait *un* avec la nature. L'homme fait *deux*. Pour   15444
passer de l'inconscience passive à la conscience interrogative, il a fallu ce schisme, ce divorce, il a fallu cet arrachement. [...] Animal avant l'arrachement, homme après
lui? Des animaux dé-naturés, voilà ce que nous sommes.
                                                Ibid.

L'humanité n'est pas un état à subir. C'est une dignité à   15445
conquérir.   *Ibid., chap. 17.*

JEAN CAVAILLÈS
1903-1944

La mathématique en premier lieu est un devenir autonome,   15446
« plus un acte qu'une doctrine », dont une définition à l'origine est impossible mais dont les moments, dans leur nécessaire solidarité, trahissent une essence originale.
            Sur la logique et la théorie de la science, I (P.U.F.).

Une théorie de la science ne peut être que théorie de l'unité   15447
de la science.   *Ibid.*

La science est un volume riemannien qui peut être à la fois   15448
fermé et sans extérieur à lui.   *Ibid.*

La théorie de la science peut être clarifiée et précisée grâce   15449
aux formalisations, elle n'est pas constituée par elle.
                                        Ibid., II.

JEAN FOLLAIN
1903-1971

L'homme est hanté par la douceur de l'homme.   15450
Usage du temps, Ode au paysan joueur de clairon et à ses payses
                                    (Gallimard).

Il ne s'agit pas de panégyrique, ô poète, mais de voir les   15451
choses telles qu'elles sont. *Ibid., Le carême de Notre-Dame.*

La finesse des choses donne sa noblesse à l'univers.   15452
                Tout instant, Objets (Gallimard).

La poésie orchestre parfois le temps en faisant valoir la   15453
continuité de notre moi et du monde, l'un pris dans l'autre.
        Entretiens sur le temps, Le temps du poème (Mouton).

Dans les champs de son enfance éternelle le poète se promène   15454
qui ne veut rien oublier.
                    Exister, L'histoire (Gallimard).

GEORGES POLITZER
1903-1942

15455 Les psychologues sont scientifiques comme les sauvages
évangélisés sont chrétiens.
Critique des fondements de la psychologie, Introduction, § 5
(P.U.F.).

15456 Un geste que je fais est un fait psychologique, parce qu'il
est un segment du drame que représente ma vie. La manière
dont il s'insère dans ce drame est donnée au psychologue
par le récit que je peux faire au sujet de ce geste. Mais c'est
le geste éclairé par le récit qui est le fait psychologique et non
le geste à part, ni le contenu réalisé du récit.
Ibid., Conclusion, § 11.

15457 La psychologie concrète, tout en ayant le même objet, offre
plus que le théâtre et la littérature : elle offre la *science*.
Ibid., § 25.

RAYMOND QUENEAU
1903-1976

15458   Chêne et chien voilà mes deux noms,
        étymologie délicate :
        comment garder l'anonymat
        devant les dieux et les démons?
Chêne et chien (Gallimard),

15459 — J'ai tant prié Dieu et ses saints, monsieur, que je ne trouve
pas étonnant d'être exaucée.
— Vous croyez que Dieu est comme ça, Clémence? Qu'il
s'occupe de votre dot?
— Pourquoi pas? Il s'occupe bien des petits oiseaux. Mais
monsieur est israélite, monsieur n'a pas lu l'Évangile.
Les Enfants du limon (Gallimard).

15460 Mme Hachamoth soupira.
— Tout de même cela m'aurait fait plaisir de voir ma fille
sauver la France. *Ibid.*

15461 — Monsieur a l'air rêveur, dit le veilleur de nuit.
— C'est pas mon genre, dit Pierrot. Mais ça m'arrive
souvent de ne penser à rien.
— C'est déjà mieux que de ne pas penser du tout, dit le
veilleur de nuit. *Pierrot mon ami (Gallimard).*

15462   Loin du temps, de l'espace, un homme est égaré,
        Mince comme un cheveu, ample comme l'aurore,
        Les naseaux écumants, les deux yeux révulsés,
        Et les mains en avant pour tâter le décor.
Les Ziaux (Gallimard).

Si je parle du temps, c'est qu'il n'est pas encore,   15463
Si je parle d'un lieu, c'est qu'il a disparu,
Si je parle d'un homme, il sera bientôt mort,
Si je parle du temps, c'est qu'il n'est déjà plus.
Les Ziaux, IV, L'Explication des métaphores (Gallimard).

— Qu'est-ce que vous avez? demanda Lulu Doumer à des   15464
Cigales.
— Une ontalgie, répondit Thérèse.
— Une quoi?
— Une ontalgie.
— Qu'est-ce que c'est que ça?
— Une maladie existentielle, répondit Thérèse, ça ressemble
à l'asthme mais c'est plus distingué
Loin de Rueil, I, chap. 1 (Gallimard).

Je crains pas ça tellement la mort de mes entrailles   15465
et la mort de mon nez et celle de mes os
Je crains pas ça tellement moi cette moustiquaille
qu'on baptisa Raymond d'un père dit Queneau.
L'Instant fatal (Gallimard).

Jconnaîtrai jamais le bonheur sur terre   15466
    je suis bien trop con.
Ibid.

Aimable banditrix des hommes volupté   15467
qui donnes à l'être un trou pour éjaculer
aux montagnes le val aux pistons le cylindre
aux éléphants l'infante aux Tigres le Bengale
aux taureaux une vache aux cigaux la cigale [...].
Petite cosmogonie portative, Quatrième chant (Gallimard).

Le singe sans effort le singe devint homme   15468
lequel un peu plus tard désagrégea l'atome [...].
Ibid., Sixième et dernier chant.

Napoléon mon cul, réplique Zazie. Il m'intéresse pas du tout,   15469
cet enflé, avec son chapeau à la con.
Zazie dans le métro, chap. 1 (Gallimard).

Et les houatures? Viennent-elles de Dieu ou du Diable?   15470
Les Fleurs bleues, III (Gallimard).

RAYMOND RADIGUET
1903-1923

Ce que fut la guerre pour tant de très jeunes garçons :   15471
quatre ans de grandes vacances.
Le Diable au corps (Grasset).

Dans l'extrême jeunesse, l'on est trop enclin, comme les   15472
femmes, à croire que les larmes dédommagent de tout.
Ibid.

15473 Ce n'est pas dans la nouveauté, c'est dans l'habitude que nous trouvons les plus grands plaisirs.   *Ibid.*

15474 Envisager la mort avec calme ne compte que si nous l'envisageons seul. La mort à deux n'est plus la mort, même pour les incrédules. Ce qui chagrine, ce n'est pas de quitter la vie, mais de quitter ce qui lui donne un sens. Lorsqu'un amour est notre vie, quelle différence y a-t-il entre vivre ensemble ou mourir ensemble?   *Ibid.*

15475 Croire une femme « au moment où elle ne peut pas mentir », c'est croire à la fausse générosité d'un avare.   *Ibid.*

15476 Il existe en nous des germes de ressemblance que développe l'amour. Un geste, une inflexion de voix, tôt ou tard, trahissent les amants les plus prudents.   *Ibid.*

15477 Souvent les ressemblances les plus profondes sont les plus secrètes.   *Ibid.*

15478 Le malheur ne s'admet point. Seul le bonheur semble dû.   *Ibid.*

15479 L'homme très jeune est un animal rebelle à la douleur.   *Ibid.*

15480 L'ordre, à la longue, se met de lui-même autour des choses.   *Ibid.*

15481 Les manœuvres inconscientes d'une âme pure sont encore plus singulières que les combinaisons du vice.   *Le Bal du comte d'Orgel (Grasset).*

15482 Cette pudeur absurde, essentiellement moderne, qui consiste à ne pas vouloir paraître dupe de certains mots sérieux et de certaines formules de respect. Pour n'en pas prendre la responsabilité, on les prononce comme entre guillemets.   *Ibid.*

15483 Plus que nos manières, dont le public est juge, importe la politesse du cœur et de l'âme, dont chacun de nous a seul le contrôle. Pourquoi ne serait-on pas envers soi de bonne compagnie?   *Ibid.*

GEORGES SIMENON
1903
Le Grand Bob (Presses de la Cité).

15484 Il faut croire que l'homme a voulu vivre en société, puisque la société existe, mais aussi, depuis qu'elle existe, l'homme emploie une bonne part de son énergie et de son astuce à lutter contre elle.

15485 Nous avons bâti un homme type — qui varie selon les époques — et nous nous y raccrochons si bien que nous considérons comme un malade ou comme un monstre tout ce qui ne lui ressemble pas.

Une des causes de nos propres tortures n'est-elle pas la découverte, que nous ne tardons pas à faire, que nous n'y ressemblons pas nous-mêmes?·
Le Fils (Presses de la Cité).

PIERRE-HENRI SIMON
1903 -1972

Il y a une dignité à vieillir comme on a vécu [...].   15486
Ce que je crois, I (Grasset).

Être sûr qu'on est parmi les choses dont on est sûr qu'elles   15487
sont : ce point de départ réaliste n'est pas une expérience
aussi banale qu'on pourrait le croire.   *Ibid., II.*

L'être est, et je suis dans l'être; et l'être qui est inconscience   15488
et fatalité dans les choses, appétit et spontanéité irréfléchie
dans l'animal, étant aussi cela en moi aux niveaux infimes,
y est au sommet conscience, adhésion aux valeurs et liberté.
Ibid.

GUSTAVE THIBON
1903

L'esprit d'économie, au sens le plus haut du mot, se confond   15489
avec l'esprit de fidélité et de sacrifice.
Diagnostics, De l'esprit d'économie (Éd. M.-T. Génin).

[...] La fraternité n'a pas ici-bas de pire ennemi que l'égalité.   15490
Ibid., Sur l'égalité et le problème des classes.

Dieu n'est pas seulement descendu *sur* la terre, il s'est   15491
enfoncé en elle : dans cet enlisement de l'amour réside la
« bassesse » du christianisme. Mais rien, en réalité, n'est plus
haut que cette bassesse, et rien n'est plus opposé au mensonge
révolutionnaire.   *Ibid., Biologie des révolutions.*

MARGUERITE YOURCENAR
1903

Les historiens nous proposent du passé des systèmes trop   15492
complets, des séries de causes et d'effets trop exacts et trop
clairs pour avoir jamais été entièrement vrais; ils réarrangent
cette docile matière morte, et je sais que même à Plutarque
échappera toujours Alexandre.
*Les Mémoires d'Hadrien, Animula Vagula Blandula
(Plon).*

15493   Presque tout ce que nous savons d'autrui est de seconde main.
Si par hasard un homme se confesse, il plaide sa cause [...].
Ibid.

15494   Notre grande erreur est d'essayer d'obtenir de chacun en
particulier les vertus qu'il n'a pas, et de négliger de cultiver
celles qu'il possède.
Ibid., Varius Multiplex Multiformis.

15495   Un homme qui lit, ou qui pense, ou qui calcule, appartient
à l'espèce et non au sexe; dans ses meilleurs moments,
il échappe même à l'humain.
Ibid.

15496   La philosophie épicurienne, ce lit étroit mais propre.   *Ibid.*

15497   Chaque race se limite à certains sujets, à certains modes
parmi les modes possibles, chaque époque opère encore un
tri parmi les possibilités offertes à chaque race.
Ibid., Tellus Stabilita.

15498   Ce dieu qu'est pour ceux qui l'ont aimé tout être mort
à vingt ans.
Ibid.

15499   La passion comblée a son innocence, presque aussi fragile
que toute autre.   *Ibid., Saeculum Aureum.*

15500   Tout bonheur est un chef-d'œuvre : la moindre erreur le
fausse, la moindre hésitation l'altère, la moindre lourdeur
le dépare, la moindre sottise l'abêtit.   *Ibid.*

15501   Il y a plus d'une sagesse, et toutes sont nécessaires au monde;
il n'est pas mauvais qu'elles alternent.
Ibid., Disciplina Augusta.

GEORGES CANGUILHEM
1904

15502   Nous soupçonnons que, pour faire des mathématiques,
il nous suffirait d'être anges, mais pour faire de la biologie,
même avec l'aide de l'intelligence, nous avons besoin parfois
de nous sentir bêtes.
La Connaissance de la vie, Introduction (Hachette).

15503   Les théories ne procèdent jamais des faits. Les théories ne
procèdent que de théories antérieures souvent très anciennes.
Les faits ne sont que la voie, rarement droite, par laquelle
les théories procèdent les unes des autres.
Ibid., II, La théorie cellulaire.

15504   Vivre c'est rayonner, c'est organiser le milieu à partir d'un
centre de référence qui ne peut lui-même être référé sans
perdre sa signification originale.
Ibid., III, Le vivant et son milieu.

L'homme n'est vraiment sain que lorsqu'il est capable 15505
de plusieurs normes, lorsqu'il est plus que normal. [...] Sans
intention de plaisanterie, la santé c'est le luxe de pouvoir
tomber malade et de s'en relever. Toute maladie est au
contraire la réduction du pouvoir d'en surmonter d'autres.
Ibid., Le normal et le pathologique.

SALVADOR DALI
1904

Peintre, si tu veux t'assurer une place prédominante dans 15506
la Société, il faut que, dès ta première jeunesse, tu lui donnes
un terrible coup de pied dans la jambe droite.
Les Cocus du vieil art moderne (Fasquelle).

Le moins que l'on puisse demander à une sculpture, c'est 15507
qu'elle ne bouge pas.   *Ibid.*

Breton a dit : « La beauté sera convulsive ou ne sera pas. » 15508
Le nouvel âge surréaliste du « cannibalisme des objets »
justifie également cette conclusion. « La beauté sera comes-
tible ou ne sera pas. »   *Ibid.*

RENÉ DUMONT
1904

L'Afrique doit apprendre tout à la fois l'écriture et la mon- 15509
naie, la charrue et l'état centralisé, que l'Asie connaît
de longue date; tout en s'efforçant d'aborder efficacement
la Révolution industrielle.
L'Afrique noire est mal partie, Introduction (Le Seuil).

L'homme noir se trouve donc enfermé dans le cercle infernal 15510
d'une agriculture sous-productive, réalisée par des hommes
sous-alimentés, sur une terre non fertilisée. *Ibid., chap. 1.*

Toute politique qui s'intitule glorieusement « sociale », 15511
dans les pays en retard, sacrifie aux satisfactions immédiates
les possibilités d'accroissement de la production : elle est
donc en réalité *antisociale à long terme* [...] Le social devrait
être le bénéfice même du développement, et garder de cette
manière un caractère de récompense. *Ibid., chap. 3.*

La « décolonisation » désormais la plus urgente, *est celle de* 15512
la majorité des dirigeants africains. *Ibid., chap. 5.*

Pour la première fois peut-être dans l'histoire, les nations 15513
riches *ont le plus strict intérêt à se montrer beaucoup plus*
généreuses.   *Ibid.*

LOUIS ARMAND
1905-1971

15514 Ce n'est pas la technique qui représente le vrai danger pour
la civilisation, c'est l'inertie des structures.
Plaidoyer pour l'avenir, L'organisation à l'ère technique
(Calmann-Lévy).

15515 Quand le standard de vie s'élève, le rapport
condition de l'homme
condition de la femme
tend vers 1.
Ibid., La technique, moyen de civilisation.

15516 Une démocratie est d'autant plus solide qu'elle peut supporter
un plus grand volume d'informations de qualité.
Ibid., La formation et l'information qu'impose l'équipement
technique.

15517 La liberté véritable suppose une discipline adaptée à l'équipement.   *Ibid., Conclusion.*

RAYMOND ARON
1905-1983

15518 L'homme n'a vraiment un passé que s'il a conscience d'en
avoir un, car seule cette conscience introduit la possibilité
du dialogue et du choix.
Dimensions de la conscience historique, Première partie,
chap. 1 (Plon).

15519 La sélection historique est dirigée par les questions que
le présent pose au passé. Le renouvellement des images que les
hommes se font des civilisations disparues est lié à ce changement des questions inspiratrices.   *Ibid.*

15520 L'homme qui, par l'action, se veut libre dans l'histoire,
se veut aussi libre par le savoir. Connaître le passé est une
manière de s'en libérer puisque seule la vérité permet de
donner assentiment ou refus en toute lucidité.
Ibid., Deuxième partie, chap. 4.

15521 La connaissance historique ne consiste pas à raconter ce
qui s'est passé d'après les documents écrits qui nous ont
été par accident conservés, mais, sachant ce que nous
voulons découvrir et quels sont les principaux aspects de
toute collectivité, à nous mettre en quête des documents
qui nous ouvriront l'accès au passé.   *Ibid.*

15522 Jamais les hommes n'ont eu autant de motifs de ne plus
s'entre-tuer. Jamais ils n'ont eu autant de motifs de se sentir
associés dans une seule et même entreprise. Je n'en conclus

pas que l'âge de l'histoire universelle sera pacifique. Nous
le savons, l'homme est un être raisonnable mais les hommes
le sont-ils? *Ibid., Troisième partie, chap. 7.*

La prétention du philosophe à détenir, avec la vérité absolue 15523
le secret du régime le meilleur, le rêve de confier à des
« savants » une autorité inconditionnelle est la racine même
de la tyrannie totalitaire. *Ibid., Conclusion.*

Le philosophe est celui qui dialogue avec lui-même et avec 15524
les autres, afin de surmonter en acte cette oscillation. Tel
est son devoir d'état, tel est son devoir à l'égard de la cité.
Ibid.

PIERRE KLOSSOWSKI
1905

Or comme on ne connaît guère les choses fausses, sinon 15525
qu'il est vrai qu'elles sont fausses, parce que le faux n'a pas
d'existence, vouloir connaître des choses obscènes n'est
jamais autre chose que le fait de connaître que ces choses
sont dans le silence. Quant à connaître l'obscène en soi,
c'est ne rien connaître du tout.
Roberte ce soir, III (Éd. de Minuit).

Supprimez-vous le mariage, les notions de fidélité conju- 15526
gale, l'ordre, la décence, la chasteté dans leurs aspects repré-
sentatifs, qui orientent notre vouloir et stimulent nos désirs
— et l'interdit n'est jamais qu'une digue, un réservoir d'énergies — alors tout se disperse, se dégrade, s'anéantit dans une
amorphie totale.
Le Souffleur ou le théâtre de société, XII (Pauvert).

La divinité seule est bien-heureuse de son inutilité. 15527
Le Bain de Diane, Besoins et soins corporels de Diane (Pauvert).

Les dieux ont enseigné aux hommes à se contempler eux- 15528
mêmes dans le spectacle comme les dieux se contemplent
eux-mêmes dans l'imagination des hommes.
Ibid., La curiosité de Diane.

Tel est l'état d'esprit du démon. Il s'ennuie et il est voyeur. 15529
Sa distraction est d'assister à des scènes honteuses et humi-
liantes pour les dieux autant que pour les hommes.
Ibid., Diane et le Démon intermédiaire.

S'il est une leçon que la lecture de Nietzsche procure à tout 15530
lecteur attentif, c'est l'horreur de la futilité : or aujourd'hui
immoralisme et futilité sont synonymes.
Un si funeste désir, I (Gallimard).

La femme *tentée* est un oiseau rare. *Ibid.* 15531

15532 La structure de l'âme humaine est ainsi faite qu'elle ne saurait se passer d'interdit, ni se constituer sans lui : l'adhésion à l'athéisme, pour se soutenir, ressuscite tous les interdits sur lesquels s'appuyait la croyance, dès lors qu'il lui faut se prémunir contre son retour.   *Ibid., IV.*

15533 La pureté appartient au silence et donc à l'absence du dicible.   *Ibid., V.*

15534 La profanation de l'hostie supprime les limites de l'esprit.
                                                           Ibid.

15535 La mort s'introduit dans notre corps par le langage afin d'achever par lui notre unité et notre fermeté.   *Ibid., VI.*

15536 Une civilisation use son corps et recherche toujours d'autres corps pour incarner son âme.   *Ibid.*

15537 Le langage serait le Très-Haut à l'instant même où il nommerait le Plus-Bas.   *Ibid., VII.*

15538 Le rire est [chez Nietzsche] comme la suprême image, la suprême manifestation du divin réabsorbant les dieux prononcés, et prononçant les dieux par un nouvel éclat de rire [...]   *Ibid., VIII.*

15539 La femme qui se prostitue obéit à une *image* comme celui qui recherche le contact avec elle : ceci appartient à l'ordre de la fiction.
Origines cultuelles et mythiques d'un certain comportement des dames romaines, V (Éd. fata morgana).

15540 Nul ne voit que la science est elle-même aphasique. Que si elle prononçait seulement son absence de fondement aucune réalité ne subsisterait — d'où lui vient un pouvoir qui la décide à calculer : c'est sa décision qui invente la réalité. Elle calcule pour ne point parler sous peine de retomber dans le néant.
Nietzsche et le cercle vicieux, Introduction (Mercure de France).

EMMANUEL LEVINAS
1905

15541 La question de l'être : *qu'est-ce que l'être ?* n'a jamais comporté de réponse. L'être est sans réponse [...] La question est la manifestation même de la relation avec l'être.
De l'existence à l'existant, Introduction (Vrin).

15542 Les personnes ne sont pas l'une devant l'autre, simplement, elles sont les unes avec les autres autour de quelque chose. Le prochain, c'est le complice.   *Ibid., Le monde.*

15543 L'espace intersubjectif est initialement asymétrique.
                                            Ibid., L'hypostase.

Mourir, c'est revenir à cet état d'irresponsabilité, c'est être 15544
la secousse enfantine du sanglot.
Le Temps et l'Autre, III (in Le Choix, le monde, l'existence)
(Arthaud).

La mort n'est donc jamais assumée; elle vient. Le suicide 15545
est un concept contradictoire. *Ibid.*

HENRI LEFEBVRE
1905

Le monde est l'avenir de l'homme. 15546
Critique de la vie quotidienne, I (Grasset).

La littérature ne peut nous apporter le salut parce qu'elle 15547
a besoin elle-même d'être sauvée. *Ibid., IV.*

Lorsque la philosophie se proclame totalité définie et ache- 15548
vée, en excluant le non-philosophique, elle réalise sa propre
contradiction et se détruit elle-même.
La Vie quotidienne dans le monde moderne, chap. 1
(Gallimard).

Nous déclarons la vie quotidienne objet de la philosophie, 15549
précisément en tant que non-philosophie. Nous décrétons
même qu'à ce titre elle est l'objet philosophique. *Ibid.*

Notre vie quotidienne se caractérise par la nostalgie du 15550
style, par son absence et sa poursuite obstinée. Elle n'a pas
de style, elle échoue à se donner un style malgré les efforts
pour se servir des styles anciens ou s'installer dans les restes
et ruines et souvenirs de ces styles. *Ibid.*

EMMANUEL MOUNIER
1905-1950

On connaît cette loi, solide encore parmi tant de ruines : 15551
l'identification du spirituel et du réactionnaire. Le réactionnaire est trop heureux de cette faveur, et d'admettre en réciproque que tout ce qui naît à gauche naît contre l'esprit.
Révolution personnaliste et communautaire (Le Seuil).

Nous appelons personnaliste toute doctrine, toute civili- 15552
sation affirmant le primat de la personne humaine sur les
nécessités matérielles et sur les appareils collectifs qui
soutiennent son développement.
Manifeste au service du personnalisme (Éd. Montaigne).

[...] L'optimisme que le marxisme professe, contrairement 15553
au fascisme, sur l'avenir de l'homme, est *un optimisme de*
l'homme collectif recouvrant un pessimisme radical de la
personne. *Ibid., I.*

15554　La paix, comme tout ordre, ne peut jaillir que de la personne spirituelle qui seule apporte aux cités les éléments de l'universalité.　*Ibid., III.*

15555　Rien ne ressemble [...] moins que le christianisme à un système d'explication destiné à colmater les brèches de la métaphysique et à couvrir les dissonances de l'expérience. Il est un principe de vie, et s'il est aussi un principe de vérité, il l'est dans la vie qu'il communique.
　　　　　　　L'Affrontement chrétien (Le Seuil).

15556　Notre destin immédiat, c'est d'avancer dans l'histoire et de faire de l'histoire, même dans une perspective éternelle où tout ce labeur humain aurait sa foi suprême au-delà de lui-même.　*Ibid.*

15557　Les hommes de l'an 2000 attendent leur bonheur ou leur malheur de notre inlassable sang-froid.
　　　　Feu la Chrétienté, De l'usage du mot catholique (Le Seuil).

PAUL NIZAN
1905-1940

15558　J'avais vingt ans. Je ne laisserai personne dire que c'est le plus bel âge de la vie.　*Aden Arabie, I (Maspero).*

15559　Comment deviner que les fondements de notre peur et de notre esclavage sont dans les usines, les banques, les casernes, les commissariats de police, tout ce qui est pays étranger.
　　　　　　　　　　　　　　　　Ibid., II.

15560　Ce sont les maîtres des hommes qu'il faut combattre et mettre à bas. Les belles connaissances viendront après cette guerre.　*Ibid., IX.*

15561　L'Europe n'est pas une morte, c'est une souche qui a laissé tomber un peu partout des racines adventices comme un figuier banyan : attaquons la souche d'abord. Tout le monde meurt à l'ombre de ses feuilles.　*Ibid., XIII.*

15562　La révolution n'est jamais passée.　*Ibid., XV.*

15563　Jamais l'utopie n'a présenté un caractère plus réactionnaire que maintenant.
　　　　Ambition du roman moderne, in Paul Nizan intellectuel communiste, II, 1 (Maspero).

15564　L'histoire est bien plus rusée que les historiens et les réalités plus rusées que les réalistes.　*Ibid.*

15565　Il faut une naïveté considérable pour croire qu'un agrégé de philosophie est nécessairement un terre-neuve, ou même une personne respectable.
　　　　Ibid., Notes-programme sur la philosophie, III, 1.

Parmi les philosophes, les uns sont satisfaits et les autres 15566
non. Épicure n'est pas comblé, Spinoza non plus. Mais
Leibniz juge que le monde va assez bien; M. Brunschvicg
n'est pas mécontent non plus. *Ibid.*

La philosophie française est indifférente; comme les grandes 15567
affaires des hommes la troublent, elle demeure enfoncée
dans ses petites affaires. *Ibid.*

Qui sert la bourgeoisie ne sert pas les hommes. *Ibid.* 15568

La lutte communiste contre l'individualisme ne signifie 15569
pas autre chose que la lutte réelle pour le développement
de l'individu. *Ibid., Les enfants de la lumière, 4.*

L'individu ne s'épanouira que lorsque les conditions de la 15570
solitude capitaliste auront été abolies. *Ibid.*

La Révolution des intellectuels n'aura d'autre contenu 15571
que les caprices du vide.
Ibid., Les conséquences du refus, IV, 1.

La France donne le spectacle d'un abaissement continu 15572
de la culture. *Ibid., 5.*

Tous les écrivains mobilisés passent leur temps à recons- 15573
truire *Bérénice* et à se réciter du Montaigne.
Ibid., V, 17 octobre 1939.

Par le temps qui court je ne reconnais qu'une vertu, ni le 15574
courage, ni la volonté du martyre, ni l'abnégation, ni l'aveuglement, mais seulement la volonté de comprendre. Le
seul honneur qui nous reste est celui de l'entendement.
Ibid., 24 octobre 1939.

L'hivernage, excellent pour les loirs, les marmottes, les 15575
animaux à sang froid, ne vaut rien pour l'homme ni pour
le romancier. *Ibid., 9 janvier 1940.*

Si Pascal avait été militaire comme Descartes, il n'aurait 15576
pas écrit les inepties qu'il a écrites sur l'avantage qu'il y a
à rester dans une chambre. *Ibid., 6 février 1940.*

SAMUEL BECKETT
1906

[...] Je ne fais que me plier aux exigences d'une convention 15577
qui veut qu'on mente ou se taise.
Molloy (Éd. de Minuit).

Je ne supporterai plus d'être un homme, je n'essaierai plus. 15578
Ibid.

Plus la peine de faire le procès aux mots. Ils ne sont pas 15579
plus creux que ce qu'ils charrient.
Malone meurt (Éd. de Minuit).

15580 Le sujet s'éloigne du verbe et... le complément direct vient
       se poser quelque part dans le vide.   *Ibid.*

15581 Voilà l'homme tout entier, s'en prenant à sa chaussure alors
       que c'est son pied le coupable.
                           En attendant Godot, acte I (Éd. de Minuit).

15582 Tu me ferais rire, si cela m'était permis.   *Ibid.*

15583 Ne disons donc pas de mal de notre époque, elle n'est pas
       plus malheureuse que les précédentes. (Silence.) N'en disons
       pas de bien non plus. (Silence.) N'en parlons pas. (Silence.)
       Il est vrai que la population a augmenté.   *Ibid.*

15584 Je suis comme ça. Ou j'oublie tout de suite ou je n'oublie
       jamais.   *Ibid., acte II.*

15585 Alors fous-moi la paix avec tes paysages! Parle-moi du sous-
       sol!   *Ibid.*

15586 En attendant, essayons de converser sans nous exalter,
       puisque nous sommes incapables de nous taire.   *Ibid.*

15587 Nous naissons tous fous. Quelques-uns le demeurent.
                                                               Ibid.

15588 Moi je ne pense... que dépassé un certain degré de terreur.
                                    L'Innommable (Éd. de Minuit).

15589 C'est peut-être ça que je suis, la chose qui divise le monde
       en deux... [...] je suis le tympan, d'un côté c'est le crâne, de
       l'autre le monde, je ne suis ni de l'un ni de l'autre...   *Ibid.*

15590 Je dis je en sachant que ce n'est pas moi.   *Ibid.*

15591 Il faut dire des mots, tant qu'il y en a, il faut les dire, jus-
       qu'à ce qu'ils me trouvent, jusqu'à ce qu'ils me disent,
       étrange peine, étrange faute, il faut continuer...   *Ibid.*

15592 Tout est faux, il n'y a personne... il n'y a rien.
                           Nouvelles et textes pour rien (Éd. de Minuit).

15593 Bien choisir son moment et se taire, serait-ce le seul moyen
       d'avoir être et habitat?   *Ibid.*

15594 Les mots vous lâchent, il est des moments où même eux
       vous lâchent.
                           Oh les beaux jours, acte I (Éd. de Minuit).

15595 Peut-on mieux magnifier le Tout-Puissant qu'en riant avec
       lui de ses petites plaisanteries, surtout quand elles sont
       faibles?   *Ibid.*

DENIS DE ROUGEMONT
1906

Ce qui exalte le lyrisme occidental, ce n'est pas le plaisir 15596
des sens, ni la paix féconde du couple. C'est moins l'amour
comblé que la *passion* d'amour. Et passion signifie souffrance.
*L'Amour et l'Occident, Livre premier, Le mythe de Tristan
(Plon).*

[...] Le caractère le plus profond du mythe, c'est le pouvoir 15597
qu'il prend sur nous, généralement à notre insu.   *Ibid.*

La mort, qui est le but de la passion, la tue.   *Ibid.* 15598

Nos grandes *littératures* sont pour une bonne partie des 15599
laïcisations du mythe [...] : des « profanations » successives
de son contenu et de sa forme.   *Ibid., Livre II.*

LÉOPOLD SÉDAR SENGHOR
1906

J'ai choisi mon peuple noir peinant, mon peuple paysan, 15600
toute la race paysanne par le monde.
*Chants d'ombre, Que m'accompagnent kôra et balafong, III
(Le Seuil).*

Au contraire de l'Européen classique, le Négro-Africain 15601
ne se distingue pas de l'objet, il ne le tient pas à distance,
il ne le regarde pas, il ne l'analyse pas [...] Il le touche, il le
palpe, il le *sent.*
*Au Congrès de l'Union nationale de la Jeunesse du Mali,
Dakar, 1960.*

[...] Danser, c'est découvrir et recréer, surtout lorsque la 15602
danse est danse d'amour. C'est, en tout cas, le meilleur mode
de connaissance.   *Ibid.*

Le mot [dans les langues négro-africaines] est plus qu'image, 15603
il est image analogique sans même le secours de la métaphore ou comparaison. Il suffit de nommer la chose pour
qu'apparaisse le *sens* sous le *signe.* Car tout est signe et
sens en même temps pour les Négro-Africains.
Éthiopiques, Postface (Le Seuil).

Seul le rythme provoque le court-circuit poétique et trans- 15604
mue le cuivre en or, la parole en verbe.   *Ibid.*

MAURICE BLANCHOT
1907

15605 Tant que je vis, je suis un homme mortel, mais, quand je
meurs, cessant d'être un homme, je cesse aussi d'être mortel,
je ne suis plus capable de mourir, et la mort qui s'annonce,
me fait horreur parce que je la vois telle qu'elle est : non
plus mort, mais impossibilité de mourir.
La Part du feu, La littérature et le droit à la mort (Gallimard).

15606 L'immortalité littéraire est le mouvement même par lequel,
jusque dans le monde, un monde miné par l'existence brute,
s'insinue la nausée d'une survie qui n'en est pas une, d'une
mort qui ne met fin à rien. L'écrivain qui écrit une œuvre
se supprime dans cette œuvre, et il s'affirme en elle.
Ibid.

15607 L'œuvre est solitaire : cela ne signifie pas qu'elle reste
incommunicable, que le lecteur lui manque. Mais qui la lit
entre dans cette affirmation de la solitude de l'œuvre, comme
celui qui l'écrit appartient au risque de cette solitude.
L'Espace littéraire, I (Gallimard).

15608 La solitude au niveau du monde est une blessure sur laquelle
il n'y a pas ici à épiloguer.   *Ibid.*

15609 L'écrivain ne lit jamais son œuvre. Elle est, pour lui, l'illi-
sible, un secret, en face de quoi il ne demeure pas.   *Ibid.*

15610 Le poème — la littérature — semble lié à une parole qui ne
peut s'interrompre, car elle ne parle pas, elle est.
Ibid., II.

15611 L'œuvre attire celui qui s'y consacre vers le point où elle est
à l'épreuve de son impossibilité.   *Ibid., IV, 1.*

15612 Le risque de se livrer à l'inessentiel est lui-même essentiel.
Ibid., V, 1.

15613 Pour écrire, il faut déjà écrire.   *Ibid., 2.*

15614 Oui, nous sommes liés au désastre, mais quand l'échec
revient, il faut entendre que l'échec est justement ce retour.
Ibid., VII, 3.

15615 On ne cohabite pas avec les morts sous peine de voir *ici*
s'effondrer dans l'insondable *nulle part.*
Ibid., Annexes, II.

15616 Le récit est mouvement vers un point, non seulement inconnu,
ignoré, étranger, mais tel qu'il ne semble avoir, par avance
et en dehors de ce mouvement, aucune sorte de réalité, si
impérieux cependant que c'est de lui seul que le récit tire
son attrait, de telle manière qu'il ne peut même « commencer » avant de l'avoir atteint, mais cependant c'est seule-

ment le récit et le mouvement imprévisible du récit qui
fournissent l'espace où le point devient réel, puissant et
attirant.
Le Livre à venir, I, Le chant des sirènes, I (Gallimard).

Étranges rapports. Est-ce que l'extrême pensée et l'ex- 15617
trême souffrance ouvriraient le même horizon? Est-ce que
souffrir serait, finalement, penser?
Ibid., II, La question littéraire, II.

Écrire son journal intime, c'est se mettre momentanément 15618
sous la protection des jours communs, mettre l'écriture
sous cette protection, et c'est aussi se protéger de l'écriture
en la soumettant à cette régularité heureuse qu'on s'engage
à ne pas menacer.   *Ibid., VIII.*

Écrire, c'est finalement se refuser à passer le seuil, se refuser 15619
à « écrire ».   *Ibid., IV, Où va la littérature ? II.*

L'expérience qu'est la littérature est une expérience totale, 15620
une question qui ne supporte pas de limites, n'accepte pas
d'être stabilisée ou réduite, par exemple, à une question de
langage (à moins que sous ce seul point de vue tout ne
s'ébranle). Elle est la passion même de sa propre question
et elle force celui qu'elle attire à entrer tout entier dans cette
question.   *Ibid.*

L'attente commence quand il n'y a plus rien à attendre, ni 15621
même la fin de l'attente. L'attente ignore et détruit ce qu'elle
attend. L'attente n'attend rien.
L'Attente, L'Oubli, I (Gallimard).

L'oubli est rapport avec ce qui s'oublie, rapport qui, ren- 15622
dant secret cela avec quoi il y a rapport, détient le pouvoir
et le sens du secret.   *Ibid., II.*

Chaque fois que tu oublies, c'est la mort que tu te rappelles 15623
en oubliant.   *Ibid.*

Lorsque tu affirmes, tu interroges encore.   *Ibid.* 15624

La réponse est le malheur de la question.   15625
L'Entretien infini, I, La parole plurielle, II (Gallimard).

La question attend la réponse, mais la réponse n'apaise 15626
pas la question et, même si elle y met fin, elle ne met pas fin
à l'attente qui est la question de la question.   *Ibid.*

Le langage est le lieu de l'attention.   15627
Ibid., II, L'expérience-limite, IV.

L'homme est l'indestructible, et cela signifie qu'il n'y a 15628
pas de limite à la destruction de l'homme.   *Ibid., V, 2.*

Non, il n'y a pas d'issue pour les morts, ceux qui meurent 15629
après avoir écrit, et je n'ai jamais distingué dans la postérité la plus glorieuse qu'un enfer prétentieux où les critiques
— nous tous — faisons figure d'assez tristes diables.
Ibid., IX, 1.

15630 Il faut tout dire. La première des libertés est la liberté de
       tout dire.   *Ibid., 3.*

15631 L'importance de la « culture de masse », c'est de mettre
       en question l'idée même de culture en la réalisant d'une
       manière qui la met à découvert.   *Ibid., XI (note).*

15632 Quand, pour la première fois, dans l'histoire du monde,
       on détient le pouvoir matériel de mettre fin à cette histoire
       et à ce monde, c'est qu'on est déjà sorti de l'espace histori-
       que. Le changement d'époque a eu lieu. Cela peut s'expri-
       mer simplement : désormais, le monde est une bâtisse que
       l'on peut brûler.   *Ibid., XIII.*

15633 Ainsi, nous savons que compte moins l'œuvre que l'expé-
       rience de sa recherche et qu'un artiste est toujours prêt à
       sacrifier l'accomplissement de son ouvrage à la vérité du
       mouvement qui y conduit.
                            Ibid., III, L'absence du livre, XVI.

RENÉ CHAR
1907

15634 Ceux qui ont vraiment le goût du néant brûlent leurs vête-
       ments avant de mourir.
       *Le Marteau sans maître, Artine, La Manne de Lola Abba
                                              (José Corti).*

15635   Depuis toujours les justes meurent mutilés
                   Pour s'être exposés nus au toucher du bien.
                   *Dehors la nuit est gouvernée..., L'essentiel intelligible
                                                      (G.L.M.).*

15636 Magicien de l'insécurité, le poète n'a que des satisfactions
       adoptives. Cendre toujours inachevée.
                   *Fureur et Mystère, Seuls demeurent, Partage formel, V
                                                   (Gallimard).*

15637 Le poème est l'amour réalisé du désir demeuré désir.
                                                  Ibid., XXX.

15638 A chaque effondrement des preuves le poète répond par une
       salve d'avenir.   *Ibid., XLIX.*

15639 Il existe une sorte d'homme toujours en avance sur ses
       excréments.   *Ibid., Feuillets d'Hypnos, 28.*

15640 Si l'homme parfois ne fermait pas *souverainement* les yeux,
       il finirait par ne plus voir ce qui vaut d'être regardé.
                                                   Ibid., 59.

15641 Comment vivre sans inconnu devant soi?
                         Ibid., Le poème pulvérisé, Argument.

15642 Jadis, terre et ciel se haïssaient mais terre et ciel vivaient.
                         Ibid., Jacquemard et Julia.

Ce qui vient au monde pour ne rien troubler ne mérite 15643
ni égard ni patience.   *Ibid., A la santé du serpent, VII.*

Ne te courbe que pour aimer. Si tu meurs, tu aimes encore. 15644
Ibid., XX.

Si nous habitons un éclair, il est le cœur de l'éternel.   15645
Ibid., XXIV.

L'artiste doit se faire regretter déjà de son vivant!   15646
Art bref, Pierre Charbonnier (G.L.M.).

Ne te plains pas de vivre plus près de la mort que les mortels. 15647
Les Matinaux, Rougeur des matinaux, XIX (Gallimard).

L'obsession de la moisson et l'indifférence à l'Histoire sont 15648
les deux extrémités de mon arc.
A une sérénité crispée (Gallimard).

Tôt dépourvu serait l'ambitieux qui resterait incroyant en 15649
la femme.
La Parole en archipel, Lettera amorosa, Dédicace (Gallimard).

Laide saison où l'on croit regretter, où l'on projette, alors 15650
qu'on s'aveulit.   *Ibid.*

La sagesse aux yeux pleins de larmes.   15651
Ibid., La paroi et la prairie, Lascaux, VI.

O vitre, ô givre, nature conquise, dedans fleurie, dehors 15652
détruite.   *Ibid., Transir.*

Les poèmes sont des bouts d'existence incorruptibles que 15653
nous lançons à la gueule répugnante de la mort, mais assez
haut pour que, ricochant sur elle, ils tombent dans le
monde nominateur de l'unité.
Ibid., Poèmes des deux années, Le rempart de brindilles.

Le sentiment, comme tu sais, est enfant de la matière, il est 15654
son regard admirablement nuancé.   *Ibid.*

La poésie me volera ma mort.   15655
Ibid., La Bibliothèque est en feu.

La terre qui reçoit la graine est triste. La graine qui va 15656
tant risquer est heureuse.   *Ibid.*

xxe siècle, l'homme fut au plus bas.   15657
Ibid., Les compagnons dans le jardin.

Mourir, c'est devenir, mais *nulle part*, vivant?   *Ibid.* 15658

La nuit ne succède qu'à elle.   15659
Ibid., Autres poèmes, Sur une nuit sans ornement.

La réalité sans l'énergie disloquante de la poésie, qu'est-ce? 15660
Ibid., Au-dessus du vent, Pour un Prométhée saxifrage.

15661 Faire un poème, c'est prendre possession d'un au-delà
nuptial qui se trouve bien dans cette vie, très-rattaché à elle,
et cependant à proximité des urnes de la mort.
Ibid., Quitter, Nous avons.

15662 L'homme fut sûrement le vœu le plus fou des ténèbres;
c'est pourquoi nous sommes ténébreux, envieux et fous
sous le puissant soleil.   *Ibid.*

15663 La seule signature au bas de la vie blanche, c'est la poésie
qui la dessine.   *Ibid., Dans la marche.*

15664 Obéissez à vos porcs qui existent. Je me soumets à mes dieux
qui n'existent pas.   *Ibid., Contrevenir.*

15665 La poésie vit d'insomnie perpétuelle.
Ibid., Les dentelles de Montmirail.

15666 Nous n'avons qu'une ressource avec la mort : faire de l'art
avant elle.   *Ibid.*

JEAN FOURASTIÉ
1907

15667 Le retard des sciences économiques et sociales sur les sciences de la matière est l'une des causes des malheurs actuels
de l'humanité. La technique emporte l'homme vers des horizons imprévus.
Le Grand Espoir du XXᵉ siècle, Introduction (Gallimard).

15668 Ainsi, la prospérité est conservatrice, tandis que la dépres-
sion est dans le sens de l'histoire. De là, le danger d'une
lutte inintelligente contre les crises, qui, par des renfloue-
ments d'entreprises périmées, paralyse le progrès économique.   *Ibid., chap. 6, 2.*

15669 La limite idéale vers laquelle tend la nouvelle organisation
du travail est celle où le travail se bornerait à cette seule
forme de l'action : l'initiative.
Ibid., Troisième partie, chap. 8, 2.

15670 Rien ne sera moins industriel que la civilisation née de la
révolution industrielle.   *Ibid., Conclusion générale.*

15671 La machine conduit ainsi l'homme à se spécialiser dans
l'humain.   *Ibid.*

GUILLEVIC
1907

15672   Vivre c'est pour apprendre
A bien poser sa tête
Sur un ventre de femme.
Terraqué, Rites (Gallimard).

Nous construisons le monde   15673
Qui nous le rendra bien.

Car nous sommes au monde
Et le monde est à nous.
Ibid., Ensemble.

Les mots, les mots   15674
Ne se laissent pas faire
Comme des catafalques

Et toute langue
Est étrangère.
Ibid., Art poétique.

Il ne faut pas mentir,   15675
Rien n'est si mort qu'un mort.
Exécutoire, Souvenir (Gallimard).

PIERRE MENDÈS FRANCE
1907-1982

La République doit se construire sans cesse car nous la   15676
concevons éternellement révolutionnaire, à l'encontre de
l'inégalité, de l'oppression, de la misère, de la routine des
préjugés, éternellement inachevée tant qu'il reste un progrès
à accomplir.
Sept mois et dix-sept jours, Nous étions en 1788... (Julliard).

A partir du moment où, dans un pays, s'établit un divorce   15677
entre l'orientation du régime et les aspirations de la jeunesse, alors, oui, la catastrophe est proche — alors, le totalitarisme menace à plus ou moins long terme.
Ibid., Les problèmes de la jeunesse.

Voter communiste, si l'on évoque l'action constructive   15678
nécessaire de chaque jour, la réforme de tout ce qui peut
et doit être amélioré ou transformé, c'est [...] perdre sa
voix, c'est s'abstenir [...].
La Politique et la Vérité, Quatrième partie,
La crise de la démocratie (Julliard).

Le moyen d'éviter la précarité, l'instabilité gouvernemen-   15679
tales sans tomber dans le pouvoir personnel, réside dans
une solution qui associe étroitement l'action, la tâche et la
durée de l'Assemblée à l'action, à la tâche et à la durée du
gouvernement.
La République moderne, IV, Le gouvernement de
législature (Gallimard).

A régime faible, planification faussée.   15680
Ibid., VI, L'État et la planification économique.

Un plébiscite, ça se combat.   15681
Pour préparer l'avenir, VI, Conclusion (Denoël).

ROGER VAILLAND
1907-1965

15682 De toutes les « inventions » surréalistes, la tentation du communisme est bien sûr la plus démoniaque.
Le Surréalisme contre la révolution, III (© E. Vailland).

15683 Les surréalistes furent tentés par le combat communiste, comme les enfants sont tentés par les métiers héroïques (ou qu'ils imaginent tels), par les *combats* du marin, de l'aviateur, du chauffeur de locomotive.   *Ibid.*

15684 Tout le progrès de l'homme, toute l'histoire des sciences est l'histoire de la lutte de la *raison* contre le *sacré*.
Ibid., IV.

15685 Toute pensée libératrice qui n'est pas liée à une volonté de transformer le monde, à une action révolutionnaire, a finalement des conséquences réactionnaires.   *Ibid., V.*

15686 La police pour la police, ultime expression de l'art bourgeois.
Un jeune homme seul, chap. 4 (Buchet-Chastel).

15687 L'histoire n'est pas à quelques dizaines d'années près.
Éloge du cardinal de Bernis (Fasquelle).

15688 Chaque homme a besoin d'être fils de roi. Les fils de roi d'aujourd'hui ne sont que la préfiguration de l'homme futur.   *Ibid.*

15689 Il serait plus plaisant aujourd'hui d'écrire sur les mathématiques : c'est que dans une société sans mœurs, seule l'austérité est aimable.
Laclos par lui-même, Sur les diverses vertus qu'exige le libertinage (Le Seuil).

15690 J'aime la désinvolture des riches. Je n'aime pas le contentement des riches.   *La Fête, chap. 1 (Gallimard).*

15691 J'aime la pudeur, l'absence de pudeur, je n'aime pas l'impudeur, l'impudence.   *Ibid.*

15692 J'aime les grands hommes, Brutus, César; je n'aime pas qu'on vénère les grands hommes...   *Ibid.*

15693 Un roman commence par un coup de dés.   *Ibid.*

15694 Je n'aime pas les spectacles, j'aime les fêtes. *Ibid., chap. 4.*

15695 L'homme riche est nécessairement fou au sens le plus profond; le capitalisme est le « désaccord » c'est-à-dire la folie dans les rapports de l'économie mondiale.
Écrits intimes, 1942 [Sur l'argent] (Gallimard).

Il y a un point commun et singulièrement important entre   15696
les civilisés de toutes les civilisations et les racés de toutes
les races. C'est précisément qu'ils sont civilisés ou racés.
Ibid., 1948.

[...] La vie sous toutes ses formes (biologiques, sociales,   15697
politiques, psychologiques) ne m'apparaît pensable et
exprimable que *dramatiquement.*
Ibid., Lettre à Pierre Berger, novembre 1951, III.

[...] Quand on a pris l'habitude de brûler au feu de la poli-   15698
tique, si le foyer s'éteint, on reste infirme.
Ibid., 1964, Éloge de la politique.

ARTHUR ADAMOV
1908-1970

L'homme ne saurait connaître la loi, mesurer ses limites,   15699
qu'en passant outre. L'homme d'aujourd'hui, plus encore
que l'homme de naguère, s'il veut connaître au péril de
l'esprit, doit transgresser la loi.
L'Aveu, Introduction (Le Sagittaire).

Poète est celui qui se sert des mots moins pour dévoiler   15700
leur sens immédiat que pour les contraindre à livrer ce que
cache leur silence.   *Ibid.*

Le seul courage est de parler à la première personne.   15701
Ibid., Ce qu'il y a.

Les mots, ces gardiens du sens, ne sont pas immortels,   15702
invulnérables. Ils sont revêtus d'une chair saignante et sans
défense. Comme les hommes, les mots souffrent.   *Ibid.*

Je dis que ce seul mot : exister, par l'analyse de sa structure,   15703
suffit à rendre compte du malheur inséparable de l'existence humaine.   *Ibid., L'humiliation sans fin, I.*

La symbolique pansexuelle est vraie. Mais elle est elle-   15704
même signe de réalités qui la dépassent.   *Ibid., II.*

Une pièce de théâtre doit [...] être le lieu où le monde visible   15705
et le monde invisible se touchent et se heurtent, autrement
dit la mise en évidence, la manifestation du contenu caché,
latent, qui recèle les germes du drame.
*Ici et Maintenant, Première partie, Avertissement à « La
Parodie » et à « L'Invasion » (Gallimard).*

Un théâtre vivant, c'est-à-dire un théâtre où les gestes, les   15706
attitudes, la vie propre du corps ont le droit de se libérer
de la convention du langage, de passer outre aux conven-
tions psychologiques, en un mot d'aller jusqu'au bout de
leur signification profonde.   *Ibid.*

SIMONE DE BEAUVOIR
1908

15707 On ne peut pas réaliser que les autres gens sont des consciences qui se sentent du dedans comme on se sent soi-
même [...]. Quand on entrevoit ça, [...] c'est terrifiant : on
a l'impression de ne plus être qu'une image dans la tête
de quelqu'un d'autre.
L'Invitée, Première partie, chap. 1 (Gallimard).

15708 Pour désirer laisser des traces dans le monde, il faut en être
solidaire.   *Ibid., chap. 3.*

15709 [...] Ce sont des gens qui ont le rire austère. Ils me font penser à ce philosophe [...] qui riait en voyant une tangente à
un cercle : parce que ça ressemble à un angle et que ça
n'en est pas un.   *Ibid.*

15710 Quand on respecte profondément quelqu'un, on se refuse
à lui crocheter l'âme sans son aveu.   *Ibid., chap. 4.*

15711 Chacun expérimente sa propre conscience comme un absolu.
Comment plusieurs absolus seraient-ils compatibles? C'est
aussi mystérieux que la naissance ou que la mort. C'est
même un tel problème que toutes les philosophies s'y cas-
sent les dents.   *Ibid., chap. 5.*

15712 Est mien seulement ce en quoi je reconnais mon être, et
je ne peux le reconnaître que là où il est engagé.
*Pyrrhus et Cinéas, Première partie, Le jardin de Candide
(Gallimard).*

15713 On n'« est » le prochain de personne, on « fait » d'autrui
un prochain en se faisant son prochain par un acte. *Ibid.*

15714 Toute jouissance est projet.   *Ibid., L'instant.*

15715 Nous savons que chaque homme est mortel, mais non que
l'humanité doit mourir.   *Ibid., L'humanité.*

15716 L'humanité est une suite discontinue d'hommes libres
qu'isole irrémédiablement leur subjectivité. *Ibid., Dieu.*

15717 Si je prétendais assumer à l'infini les conséquences de mes
actes, je ne pourrais plus rien vouloir.
Ibid., Deuxième partie, Les autres.

15718 L'esclave qui obéit choisit d'obéir. *Ibid., Le dévouement.*

15719 Il faut trahir l'enfant pour l'homme ou l'homme pour
l'enfant.   *Ibid.*

15720 Nous ne créons jamais pour autrui que des points de départ.
Ibid.

Le nom, c'est ma présence totale rassemblée magiquement 15721
dans l'objet. *Ibid., La communication.*

Le respect de la liberté d'autrui n'est pas une règle abs- 15722
traite : il est la condition première du succès de mon effort.
Ibid., L'action.

Autrui ne peut accompagner ma transcendance que s'il 15723
est au même point du chemin que moi. *Ibid.*

Renoncer à la lutte, ce serait renoncer à la transcendance, 15724
renoncer à l'être. Mais cependant aucune résussite n'effacera jamais le scandale absolu de chaque échec singulier.
Ibid.

Sans échec, pas de morale. 15725
Pour une morale de l'ambiguïté, chap. 1 (Gallimard).

Bien loin que l'absence de Dieu autorise toute licence, 15726
c'est au contraire parce que l'homme est délaissé sur la
terre que ses actes sont des engagements définitifs, absolus.
Ibid.

Ma liberté ne doit pas chercher à capter l'être, mais à le 15727
dévoiler. *Ibid.*

C'est parce qu'il y a un vrai danger, de vrais échecs, une 15728
vraie damnation terrestre, que les mots de victoire, de
sagesse ou de joie ont un sens. *Ibid.*

Le refus de l'existence est encore une manière d'exister, 15729
personne ne peut connaître vivant la paix du tombeau.
Ibid., chap. 2.

L'homme sérieux est dangereux; il est naturel qu'il se fasse 15730
tyran. *Ibid.*

En me dérobant le monde, autrui me le donne aussi, puis- 15731
qu'une chose ne m'est donnée que par le mouvement qui
l'arrache de moi. *Ibid.*

Se vouloir libre, c'est aussi vouloir les autres libres. *Ibid.* 15732

Le présent n'est pas un passé en puissance, il est le moment 15733
du choix et de l'action.
Ibid., chap. 3, 1, L'attitude esthétique.

L'homme ne contemple jamais : il fait. *Ibid.* 15734

Il s'agit pour l'homme de poursuivre l'expansion de son 15735
existence et de récupérer comme absolu cet effort même.
Ibid., 2, Liberté et libération.

Une liberté qui ne s'emploie qu'à nier la liberté doit être 15736
niée. *Ibid.*

Affirmer le règne humain, c'est reconnaître l'homme dans 15737
le passé comme dans l'avenir. Les Humanistes de la Renais-

sance sont un exemple du secours que l'enracinement dans
le passé peut apporter à un mouvement de libération.
Ibid.

15738 Ni dans le passé ni dans l'avenir on ne peut préférer une
Chose à l'Homme, qui seul peut constituer la raison de
toutes choses. .   *Ibid.*

15739 Aucune action ne peut se faire pour l'homme sans se faire
aussitôt contre des hommes.
Ibid., 3, Les antinomies de l'action.

15740 C'est au sein du transitoire que l'homme s'accomplit, ou
jamais.   *Ibid.*

15741 S'il advenait que chaque homme fasse ce qu'il doit, en
chacun l'existence serait sauvée sans qu'il y ait lieu de
rêver d'un paradis où tous seraient réconciliés dans la
mort.   *Ibid., Conclusion.*

15742 Nous intéressant aux chances de l'individu, nous ne défi-
nirons pas ces chances en termes de bonheur, mais en
termes de liberté.
*Le Deuxième Sexe, I, Les faits et les mythes, Introduction
(Gallimard).*

15743 Sans doute il est plus confortable de subir un esclavage
aveugle que de travailler à s'affranchir : les morts aussi
sont mieux adaptés à la terre que les vivants.
Ibid., Troisième partie, Mythes, chap. 3.

15744 Les femmes d'aujourd'hui sont en train de détrôner le
mythe de la féminité; elles commencent à affirmer concrè-
tement leur indépendance; mais ce n'est pas sans peine
qu'elles réussissent à vivre intégralement leur condition
d'être humain.
Ibid., II, L'expérience vécue, Introduction.

15745 On ne naît pas femme : on le devient.
Ibid., Première partie, Formation, chap. 1, Enfance.

15746 Ce ne sont pas les individus qui sont responsables de l'échec
du mariage : c'est [...] l'institution elle-même qui est originellement pervertie.
Ibid., Deuxième partie, Situation, chap. 5, La femme mariée.

15747 La femme pèse si lourdement sur l'homme parce qu'on lui
interdit de se reposer sur soi : il se délivrera en la délivrant,
c'est-à-dire en lui donnant quelque chose à « faire » en ce
monde.   *Ibid.*

15748 La femme n'est victime d'aucune mystérieuse fatalité :
[...] il ne [...] faut pas conclure que ses ovaires la condamnent à vivre éternellement à genoux.
Ibid., Quatrième partie, chap. 14, La femme indépendante.

15749 Le privilège de l'enfance pour qui la beauté, le luxe, le
bonheur sont des choses qui se mangent.
*Mémoires d'une jeune fille rangée, Première partie
(Gallimard).*

Il m'était plus facile de penser un monde sans créateur 15750
qu'un créateur chargé de toutes les contradictions du monde.
Ibid., Deuxième partie.

Renoncer à l'amour me paraissait aussi insensé que de se 15751
désintéresser de son salut quand on croit à l'éternité. *Ibid.*

Un enfant, c'est un insurgé. *Ibid., Troisième partie.* 15752

Je trouvais d'autant plus affreux de mourir que je ne voyais 15753
pas de raison de vivre. *Ibid.*

Le volontarisme ne paie pas. *Ibid.* 15754

Samuel Pepys ou Jean-Jacques Rousseau, médiocre ou 15755
exceptionnel, si un individu s'expose avec sincérité, tout
le monde, plus ou moins, se trouve mis en jeu.
La Force de l'âge, Prologue (Gallimard).

Dans toute activité une liberté se découvre, et particulière- 15756
ment dans l'activité intellectuelle parce qu'elle fait peu de
place à la répétition. *Ibid., chap. 1.*

« Entre nous, m'expliquait-il [Sartre] [...], il s'agit d'un 15757
amour nécessaire : il convient que nous connaissions aussi
des amours contingentes. » *Ibid.*

Ce sont les fascistes qui attachent plus d'importance à la 15758
façon de mourir qu'aux actes.
La Force des choses, chap. 1 (Gallimard).

Peindre l'héroïsme, ce n'est pas payant. *Ibid., chap. 2.* 15759

Rien n'aura eu lieu. Je revois la haie de noisetiers que le vent 15760
bousculait et les promesses dont j'affolais mon cœur quand
je contemplais cette mine d'or à mes pieds, toute une vie
à vivre. Elles ont été tenues. Cependant, tournant un regard
incrédule vers cette crédule adolescente, je mesure avec
stupeur à quel point j'ai été flouée. *Ibid., Épilogue.*

On ne meurt pas d'être né, ni d'avoir vécu, ni de vieillesse. 15761
On meurt de *quelque chose.*
Une mort très douce (Gallimard).

Il n'y a pas de mort naturelle : rien de ce qui arrive à l'homme 15762
n'est jamais naturel puisque sa présence met le monde en
question. Tous les hommes sont mortels : mais pour chaque
homme sa mort est un accident et, même s'il la connaît
et y consent, une violence indue. *Ibid.*

La sexualité pour moi n'existe plus. J'appelais sérénité 15763
cette indifférence; soudain je l'ai comprise autrement :
c'est une infirmité, c'est la perte d'un sens; elle me rend
aveugle aux besoins, aux douleurs, aux joies de ceux qui
le possèdent.
La Femme rompue, L'âge de discrétion (Gallimard).

15764 Atroce contradiction de la colère née de l'amour et qui
tue l'amour.   *Ibid.*

15765 Qu'est-ce qu'un adulte? Un enfant gonflé d'âge.   *Ibid.*

15766 Voilà le privilège de la littérature [...]. Les images se
déforment, elles pâlissent. Les mots, on les emporte avec
soi.   *Ibid.*

RENÉ DAUMAL
1908-1944

15767 L'homme qui jure ne coule plus. Le serment gèle, et non
seulement les pensées, mais le visage même et tout le corps.
Chaque fois que l'aube paraît, Le nœud gordien (Gallimard).

15768 La critique devra détruire sans pitié toute œuvre inutile :
ce qui n'est pas nécessaire est mauvais.
Ibid., La poésie et la critique.

15769 La poésie elle aussi a trahi en venant vers l'Ouest, en devenant l'Art.   *Ibid.*

15770 Le vice originel du surréalisme, qui est *le* vice humain
universel, c'est cette recherche de la Machine à Penser. Il
n'y a pas *moyen* de penser : je pense, immédiatement, ou
je dors.   *Ibid., Le surréalisme et le grand jeu.*

15771 Il faut se méfier des livres religieux et philosophiques de
l'Orient comme de la peste. Sauf si vous les lisez dans le
texte.   *Ibid., Le livre des morts tibétain.*

15772 La philosophie discursive est aussi nécessaire à la connaissance que la carte géographique au voyage : la grande
erreur, je le répète, est de croire qu'on voyage en regardant
une carte.   *Ibid., Les limites du langage philosophique.*

15773 Aujourd'hui, l'intéressant et le curieux priment le vrai;
l'étrange et l'émouvant priment le vrai. On s'intéresse à des
doctrines qu'on n'adopte pas; on admire des exemples qu'on
ne suit pas. De fait, il n'est rien dont on fasse meilleur marché
en notre siècle que la vérité. Sans doute, la vérité oblige.
Ibid., La « vie de Marpa, le Traducteur ».

15774 Comme la magie, la poésie est noire ou blanche, selon
qu'elle sert le sous-humain ou le surhumain.
Ibid., Poésie noire et poésie blanche.

15775 Désapprendre à rêvasser, apprendre à penser, désapprendre
à philosopher, apprendre à dire, cela ne se fait pas en un
jour. Et pourtant nous n'avons que peu de jours pour le
faire.
Poésie noire, poésie blanche, Le contre-ciel (Gallimard).

La porte de l'invisible doit être visible. 15776
Le Mont Analogue, I (Gallimard).

Du toc, des tics et des trucs, voilà toute notre vie, entre le 15777
diaphragme et la voûte crânienne. *Ibid.*

Tiens l'œil fixé sur la voie du sommet, mais n'oublie pas 15778
de regarder à tes pieds. Le dernier pas dépend du premier.
Ne te crois pas arrivé parce que tu vois la cime. Veille à tes
pieds, assure ton pas prochain, mais que cela ne te distraie
pas du but *le plus haut*. Le premier pas dépend du dernier.
Ibid., Notes.

EDGAR FAURE
1908

La politique du dialogue, de l'échange, de l'ouverture, 15779
lorsqu'on la choisit, on ne peut pas la fractionner, ou alors
il ne faut pas la choisir.
Philosophie d'une réforme, Introduction (Plon).

La France n'a pas deux jeunesses. Pour une jeunesse, aurons- 15780
nous deux âmes? *Ibid.*

La société précédente connaissait une culture de sécurité; 15781
la société actuelle doit acquérir une culture de promotion.
Ibid., Fondements et objectifs de la réforme.

CLAUDE LÉVI-STRAUSS
1908

Sitôt terminé, le livre devient un corps étranger, un être 15782
mort incapable de fixer mon attention, moins encore mon
intérêt. Ce monde où j'ai si ardemment vécu se referme,
m'excluant de son intimité. C'est à peine si, parfois, j'arrive
à le comprendre.
*Les Structures élémentaires de la parenté, Préface de la
deuxième édition (Mouton).*

La prohibition de l'inceste est moins une règle qui interdit 15783
d'épouser mère, sœur ou fille, qu'une règle qui oblige à
donner mère, sœur ou fille à autrui. C'est la règle du don
par excellence. *Ibid., Conclusion, chap. 29.*

On ne saurait [...] prétendre avoir résolu par la négative 15784
le problème de l'inégalité des *races* humaines, si l'on ne
se penche pas aussi sur celui de l'inégalité — ou de la diversité — des *cultures* humaines qui, en fait sinon en droit,
lui est, dans l'esprit public, étroitement lié.
Race et Histoire (Unesco).

15785   La diversité des cultures humaines est, en fait dans le pré-
        sent, en fait et aussi en droit dans le passé, beaucoup plus
        grande et plus riche que tout ce que nous sommes destinés
        à en connaître jamais.   *Ibid.*

15786   Le barbare, c'est d'abord l'homme qui croit à la barbarie.
                                                                  Ibid.

15787   En vérité, il n'existe pas de peuples enfants; tous sont
        adultes, même ceux qui n'ont pas tenu le journal de leur
        enfance et de leur adolescence.   *Ibid.*

15788   Il n'y a pas, il ne peut y avoir, une civilisation mondiale
        au sens absolu que l'on donne souvent à ce terme, puisque
        la civilisation implique la coexistence de cultures offrant
        entre elles le maximum de diversité, et consiste même en
        cette coexistence. La civilisation mondiale ne saurait être
        autre chose que la coalition, à l'échelle mondiale, de cultures
        préservant chacune son originalité.   *Ibid.*

15789   L'humanité est constamment aux prises avec deux proces-
        sus contradictoires dont l'un tend à instaurer l'unification,
        tandis que l'autre vise à maintenir ou à rétablir la diversi-
        fication.   *Ibid.*

15790   Je hais les voyages et les explorateurs.
                                Tristes Tropiques, Première partie, I (Plon).

15791   Les tropiques sont moins exotiques que démodés.
                                        Ibid., Troisième partie, IX.

15792   [...] La fonction primaire de la communication écrite est
        de faciliter l'asservissement. L'emploi de l'écriture à des
        fins désintéressées, en vue de tirer des satisfactions intellec-
        tuelles et esthétiques, est un résultat secondaire, si même
        il ne se réduit pas le plus souvent à un moyen pour renforcer,
        justifier ou dissimuler l'autre.
                                        Ibid., Septième partie, XXVIII.

15793   J'avais cherché une société réduite à sa plus simple expres-
        sion. Celle des Nambikwara l'était au point que j'y trouvais
        seulement des hommes.   *Ibid., XXIX.*

15794   La vie sociale consiste à détruire ce qui lui donne son arôme.
                                        Ibid., Neuvième partie, XXXVIII.

15795   Aucune société n'est parfaite. Toutes comportent par
        nature une impureté incompatible avec les normes qu'elles
        proclament, et qui se traduit concrètement par une cer-
        taine dose d'injustice, d'insensibilité, de cruauté.   *Ibid.*

15796   Le monde a commencé sans l'homme et il s'achèvera sans
        lui.   *Ibid., XL.*

15797   Les règles de la parenté et du mariage servent à assurer la
        communication des femmes entre les groupes, comme les

règles économiques servent à assurer la communication des biens et des services, et les règles linguistiques, la communication des messages.
Anthropologie structurale, chap. 5 (Plon).

[...] L'ethnologie pourrait se définir comme une technique du dépaysement.   15798
Ibid., chap. 6.

Peut-être découvrirons-nous un jour que la même logique est à l'œuvre dans la pensée mythique et dans la pensée scientifique, et que l'homme a toujours pensé aussi bien.   15799
Ibid., chap. 12.

[...] Cette « pensée sauvage » qui n'est pas, pour nous, la pensée des sauvages, ni celle d'une humanité primitive ou archaïque, mais la pensée à l'état sauvage, distincte de la pensée cultivée ou domestiquée en vue d'obtenir un rendement.   15800
La Pensée sauvage, chap. 8 (Plon).

Le savant n'est pas l'homme qui fournit les vraies réponses; c'est celui qui pose les vraies questions.   15801
Le Cru et le Cuit, Ouverture, I (Plon).

Nous ne prétendons donc pas montrer comment les hommes pensent dans les mythes, mais comment les mythes se pensent dans les hommes, et à leur insu.   15802
Ibid.

Les mythes sont construits sur la base d'une logique des qualités sensibles qui ne fait pas de distinction tranchée entre les états de la subjectivité et les propriétés du cosmos.   15803
Ibid., Quatrième partie, III, a.

La pensée mythique n'est pas pré-scientifique; elle anticipe plutôt sur l'état futur d'une science que son mouvement passé et son orientation actuelle montrent progressant toujours dans le même sens.   15804
Ibid.

La « dormance » de la graine, c'est-à-dire le temps imprévisible qui s'écoulera avant que le mécanisme ne se déclenche, ne relève pas de sa structure, mais d'un ensemble infiniment complexe de conditions qui mettent en cause l'histoire individuelle de chaque graine et toutes sortes d'influences externes. Il en est de même pour les civilisations.   15805
Du Miel aux Cendres, Quatrième partie, II (Plon).

Pour être viable, une recherche tout entière tendue vers les structures commence par s'incliner devant la puissance et l'inanité de l'événement.   15806
Ibid.

Quand ils proclament [...] que « l'enfer, c'est nous-mêmes », les peuples sauvages donnent une leçon de modestie qu'on voudrait croire que nous sommes encore capables d'entendre.   15807
L'Origine des manières de table, VII, 3 (Plon).

Un humanisme bien ordonné ne commence pas par soi-même, mais place le monde avant la vie, la vie avant l'homme, le respect des autres êtres avant l'amour-propre.   15808
Ibid.

MAURICE MERLEAU-PONTY
1908-1961

15809 Tout organisme est une mélodie qui se chante elle-même.
Structure du comportement (P.U.F.).

15810 La vérité n'« habite » pas seulement l'« homme intérieur »,
ou plutôt il n'y a pas d'homme intérieur, l'homme est au
monde, c'est dans le monde qu'il se connaît.
Phénoménologie de la perception, Avant-propos (Gallimard).

15811 Il ne faut donc pas se demander si nous percevons vraiment
un monde, il faut dire au contraire : le monde est cela que
nous percevons.   *Ibid.*

15812 Chaque objet est le miroir de tous les autres.
Ibid., Première partie, Le corps.

15813 Si l'histoire sexuelle d'un homme donne la clef de sa vie,
c'est parce que dans la sexualité de l'homme se projette
sa manière d'être à l'égard du monde, c'est-à-dire à l'égard
du temps et à l'égard des autres hommes.
Ibid., V.

15814 Le sens d'un ouvrage littéraire est moins fait par le sens
commun des mots qu'il ne contribue à le modifier.
Ibid., VI.

15815 La parole est l'excès de notre existence sur l'être naturel.
Ibid.

15816 Mon corps n'est pas seulement un objet parmi tous les
autres objets, un complexe de qualités sensibles parmi
d'autres, il est un objet *sensible* à tous les autres, qui résonne
pour tous les sons, vibre pour toutes les couleurs, et qui
fournit aux mots leur signification primordiale par la manière
dont il les accueille.
Ibid., Deuxième partie, Le monde perçu, I.

15817 L'artiste selon Balzac ou selon Cézanne ne se contente pas
d'être un animal cultivé, il assume la culture depuis son début
et la fo de à nouveau, il parle comme le premier homme a
parlé et peint comme si l'on n'avait jamais peint.
Sens et non-sens, I, Ouvrages, Le doute de Cézanne (Nagel).

15818 Il nous faut retrouver un commerce avec le monde et une
présence au monde plus vieux que l'intelligence.
Ibid., Le cinéma et la nouvelle psychologie.

15819 La pensée communiste ne doit pas donner moins que la
religion mais plus, à savoir la religion ramenée à ses sources

et à sa vérité qui sont les relations concrètes des hommes entre eux et avec la nature.
Ibid., II, Idées, Marxisme et philosophie.

On ne peut être juste tout seul, à l'être tout seul on cesse 15820
de l'être. *Éloge de la philosophie (Gallimard).*

La prescription, qui enveloppe tout, innocente l'injuste et 15821
déboute les victimes. L'histoire n'*avoue* jamais.
Signes, Préface (Gallimard).

En un sens, le plus haut point de la philosophie n'est peut- 15822
être que de retrouver ces truismes : le penser pense, la parole
parle, le regard regarde, — mais entre les deux mots identi-
ques, il y a chaque fois tout l'écart qu'on enjambe pour
penser, pour parler et pour voir. *Ibid.*

La vie personnelle, l'expression, la connaissance et l'histoire 15823
avancent obliquement, et non pas droit vers des fins ou
vers des concepts. Ce qu'on cherche trop délibérément, on
ne l'obtient pas, et les idées, les valeurs ne manquent pas,
au contraire, à celui qui a su dans sa vie méditante en délivrer la source spontanée. *Ibid., I.*

L'homme « sain » n'est pas tant celui qui a éliminé de 15824
lui-même les contradictions : c'est celui qui les utilise et
les entraîne dans son travail. *Ibid., V, I.*

ROBERT BRASILLACH
1909-1945

Il n'y a pas d'erreur romantique plus forte que celle de 15825
l'utilité de la douleur. Rien ne sert à rien.
Le Marchand d'oiseaux, La difficulté de sentiments (Plon).

> [...] Et ceux que l'on mène au poteau 15826
> Dans le petit matin glacé,
> Au front la pâleur des cachots,
> Au cœur le dernier chant d'Orphée,
> Tu leur tends la main sans un mot,
> O mon frère au col dégrafé...
>   *Poèmes de Fresnes, Chant pour André Chénier*
>   *(Les Sept Couleurs).*

> L'an trente-cinq de mes années, 15827
> Ainsi que Villon prisonnier,
> Comme Cervantès enchaîné,
> Condamné comme André Chénier,
> Devant l'heure des destinées,
> Comme d'autres en d'autres temps.
> Sur ces feuilles mal griffonnées
> Je commence mon testament.
>   *Ibid., Le Testament d'un condamné.*

Ma vie est un oiseau aux filets du chasseur. 15828
                Ibid., Psaume VI.

ÉTIEMBLE
1909

15829 Marx n'était pas marxiste, et le disait. Nul ne saurait lui
imputer ni Beria, ni Staline.
Confucius, Préface (Club français du livre).

15830 J'ignore si Confucius fut droitier, centriste ou gauchisant.
Je sais seulement que j'admire Voltaire et que celui-ci
n'avait pas grand tort d'admirer Confucius.   *Ibid.*

15831 L'anglomanie (ou l'« anglofolie » comme l'écrivit un chro-
niqueur), l'anglofolie donc, dont nous payons l'anglo-
philie de nos snobs et snobinettes, se voit déplacée par une
américanolâtrie dont s'inquiètent les plus sages Yanquis.
Parlez-vous franglais? Première partie, chap. 1 (Gallimard).

ANDRÉ PIEYRE DE MANDIARGUES
1909

15832 Il est un degré, dans le vierge et le pur, qui par son excès
peut faire peur. Et nuire (ainsi des plus beaux diamants
l'on a pu dire qu'ils portaient malheur), quand des êtres
vains ont l'imprudence d'y exposer leurs corps amollis,
leurs âmes faiblement trempées.
Feu de braise, Le diamant (Grasset).

15833 Dans le cas du poète [...] l'aventure admirable est d'ins-
crire une émotion dans une forme approchant autant qu'il
se peut le cristal, et l'acte poétique ainsi conçu est plutôt
une opération de clôture en soi-même que d'ouverture vers
autrui, l'apposition d'un sceau magistral plutôt qu'une
offre de main tendue.
L'Age de craie, Introduction (Gallimard).

15834 La poésie, comme l'art, est inséparable de la merveille.
Ibid.

15835 [...] Les climats particuliers aux romantismes du Nord et
du Sud sont à leur paroxysme, le premier à l'heure de
minuit dans une ville ou près de l'eau, le second à celle de
midi dans un petit bois touffu.
Le Belvédère, Germaine Richier (Grasset).

15836 Il n'est sculpteur, en vérité, qui ne fasse penser à la mort
(quoique nombre de sculpteurs, tant pis pour eux, n'y
aient point pensé du tout).   *Ibid.*

15837 Pour ressaisir les valeurs élémentaires qui font si tragiquement défaut à l'homme contemporain, il n'est que de se
mettre à l'écoute des « grands messages isolés », de se rendre

attentif aux voix qui conservent un écho des anciennes
révélations, de se tourner vers l'enseignement des occultistes,
des alchimistes, de certains mystiques et illuminés [...].
Ibid., A cœur ouvert.

[...] Le temps d'un récit, de par le tissu et la continuité, 15838
est toujours une sorte de passé, bon gré mal gré qu'en ait
l'auteur, tandis que le temps de l'amour (physique) est
spécifiquement l'instant.
Ibid., Les fers, le feu, la nuit de l'âme.

Les livres érotiques [...] se ressemblent presque tous; ou 15839
bien ils travaillent à bâtir une morale révolutionnaire, ou
ils sont un écho de celle de leur temps, contre laquelle ils
protestent. *Ibid.*

Il n'est rien d'essentiel à l'homme qui ne soit figuré naturel- 15840
lement, dans le caillou, la plante ou la bête.
Ibid., Préliminaires à un voyage au Mexique.

Il est assez évident que le beau n'existe pas hors de l'esprit 15841
humain. Ce qui est moins évident [...], c'est que la beauté
naît et meurt continuellement dans l'esprit humain, à mesure
que des générations *succèdent à leurs devancières.*
Ibid., Les monstres de Bomarzo.

Oui, la nuit est illuminée et elle est illuminatrice; elle éclaire 15842
comme un miroir; elle est un condensateur de lumière
profonde; elle ouvre à l'homme des yeux intérieurs qui vont
lui permettre de voir ce qui lui était demeuré caché jusqu'alors.
*Deuxième Belvédère, La nuit-Le Mexique, La nuit illuminée
(Grasset).*

Quelle étroite, étriquée, minable communication que celle 15843
qui ne s'étend qu'aux pauvres hommes! Les professeurs
(profiteurs) de philosophie ont-ils jamais regardé la nature?
Ibid., La poésie-La mort, Pourquoi?

Il n'est œuvre digne d'attention qui n'ait un peu de l'éclair 15844
et de la foudre! Dans le monde entier (sauf les pays à régime
pénitentiaire), la poésie moderne et l'art moderne sont les
témoins illuminés de cet effort tendu vers la merveille.
Ibid.

L'écrivain est une sorte de voyant émerveillé. Qu'il émer- 15845
veille (au moins lui-même). Alors le cycle se referme et le
monde s'ouvre comme une fleur énorme. *Ibid.*

Nous n'aurons jamais fini de déplanter, d'arracher, de jeter 15846
au fumier des racines grecques, si nous voulons que notre
prose ne ressemble pas à un jardin de curé janséniste.
Ibid., Le corps du poème.

La vision admirable sera toujours celle qui nous donne 15847
l'impression de l'inconnu en s'imposant à notre mémoire
comme une révélation.
Ibid., Le point de vue, Certains visionnaires.

15848 « L'enfer [...] est peut-être un démon immense, et le ciel est peut-être contenu dans les limites d'un corps humain de grandeur démesurée. »

La Motocyclette (Gallimard).

15849 « Caresser est plus merveilleux que se souvenir. »

La Marge (Gallimard).

15850 Le souffle s'épanouit en baiser; le naturel fruit de la participation au monde extérieur est l'amour.　　　*Ibid.*

15851
　　　La femme monte au ciel
　　　En s'élevant sur soi-même
　　　Comme une corde de fakir,

　　　Je veux être ivre et m'y pendre.
Le Point où j'en suis, Mouton Rothschild (Gallimard).

15852
　　　Mourir m'amusera peut-être,

　　　Je mourrai sans désaimer.
　　　　　　Ibid., Exaltation.

15853　Je jette à vos pieds toutes les lettres
　　　Qui composent le nom de mandiargues,

　　　Beaux piliers dont les seins ont éclairé ma route,

　　　　　Un aveugle au toucher me lira
　　　　　Puis ses doigts iront jusqu'à vos lèvres.
Ruisseau des solitudes, Les lettres à vos pieds (Gallimard)

15854
　　　　　Quand au langage du poète
　　　　　Les couleurs seront retirées,

　　　　　Quand les noms même des fleurs
　　　　　Ne diront rien à sa mémoire,

　　　　　Cependant qu'en lui demeure
　　　　　L'adorable mot *noir*
　　　　　Renvoyé par le miroir blanc
　　　　　De la page où il sut écrire.

　　　　　　　　Ibid., Retrait.

SIMONE WEIL
1909-1943

15855 Il faut que la vie sociale soit corrompue jusqu'en son centre lorsque les ouvriers se sentent chez eux dans l'usine quand ils font grève, étrangers quand ils travaillent. Le contraire devrait être vrai.

La Condition ouvrière, Expérience de la vie d'usine
(Gallimard).

Mille signes montrent que les hommes de notre époque 15856
étaient depuis longtemps affamés d'obéissance. Mais on en
a profité pour leur donner l'esclavage.
L'Enracinement, Première partie, L'obéissance (Gallimard).

Il n'y aura de mouvement ouvrier sain s'il ne trouve à sa 15857
disposition une doctrine assignant une place à la notion de
patrie, et une place déterminée, c'est-à-dire limitée.
Ibid., Deuxième partie, Déracinement et nation.

Toute forme de récompense constitue une dégradation 15858
d'énergie.
La Pesanteur et la grâce, Vide et compensation (Plon).

Si on aime Dieu en pensant qu'il n'existe pas, il manifestera 15859
son existence. *Ibid., Détachement.*

Nous ne possédons rien au monde — car le hasard peut tout 15860
nous ôter — sinon le pouvoir de dire je. C'est cela qu'il faut
donner à Dieu, c'est-à-dire détruire. Il n'y a absolument
aucun autre acte libre qui nous soit permis, sinon la destruction du je. *Ibid., Le moi.*

L'homme voudrait être égoïste et ne peut pas. C'est le 15861
caractère le plus frappant de sa misère et la source de sa
grandeur. *Ibid., Idolâtrie.*

Dieu ne change rien à rien. On a tué le Christ, par colère, 15862
parce qu'il n'était que Dieu.
Ibid., Celui qu'il faut aimer est absent.

La plus belle vie possible m'a toujours paru être celle où 15863
tout est déterminé soit par la contrainte des circonstances
soit par de telles impulsions, et où il n'y a jamais place pour
aucun choix. *L'Attente de Dieu, Lettre IV (Fayard).*

La Création est de la part de Dieu un acte non pas d'expan- 15864
sion de soi, mais de retrait, de renoncement. Dieu et toutes
les créatures, cela est moins que Dieu seul.
*Ibid., Formes de l'amour implicite de Dieu, L'amour du
prochain.*

Le véritable, le premier précurseur d'Hitler depuis l'anti- 15865
quité est sans doute Richelieu. Il a inventé l'État.
*Écrits historiques et politiques, Première partie : Histoire,
Quelques réflexions sur les origines de l'Hitlérisme
(Gallimard).*

Tout peuple qui devient une nation en se soumettant à un 15866
État centralisé, bureaucratique et utilitaire devient aussitôt
et reste longtemps un fléau pour ses voisins et pour le
monde. *Ibid.*

Sauf au prix d'un effort de générosité aussi rare que le 15867
génie, on est toujours barbare envers les faibles.
Ibid., Réflexions sur la barbarie.

15868 Des armes maniées par un appareil d'État souverain ne
peuvent apporter la liberté à personne.
Ibid., Deuxième partie : Politique, I, Guerre et paix, Réflexions
sur la guerre.

JEAN ANOUILH
1910

15869 Nous voulons tous louer à l'année et nous ne pouvons
jamais louer que pour une semaine ou pour un jour. C'est
l'image de la vie.
Pièces roses, Le Rendez-vous de Senlis, acte I
(La Table Ronde).

15870 Faire l'amour avec une femme qui ne vous plaît pas, c'est
aussi triste que de travailler.
Pièces noires, L'Hermine, acte I (La Table Ronde).

15871 Nous avons tous une fois une chance d'amour, il faut
l'accrocher, cette chance, quand elle passe, et construire
son amour humblement, impitoyablement, même si chaque
pierre en est une année ou un crime.   *Ibid.*

15872 Je sais de quelles petitesses meurent les plus grandes amours.
Ibid., acte II.

15873 On ne s'aime jamais comme dans les histoires, tout nus et
pour toujours. S'aimer, c'est lutter constamment contre
des milliers de forces cachées qui viennent de vous ou du
monde. Contre d'autres hommes, contre d'autres femmes.
Ibid.

15874 Chaque volupté, chaque dévouement, chaque enthousiasme
nous abrège.   *Ibid.*

15875 J'aurai beau tricher et fermer les yeux de toutes mes forces...
Il y aura toujours un chien perdu quelque part qui m'empê-
chera d'être heureuse.
Ibid., La Sauvage, acte III.

15876 La mort ne fait jamais mal. La mort est douce... Ce qui fait
souffrir avec certains poisons, certaines blessures mala-
droites, c'est la vie. C'est le reste de vie. Il faut se confier
franchement à la mort comme une amie.
Ibid., Eurydice, acte I.

15877 Il ne faut pas croire exagérément au bonheur. Surtout quand
on est de la bonne race. On ne se ménage que des déceptions.
Ibid., acte II.

15878 Vous êtes tous les mêmes. Vous avez soif d'éternité et dès
le premier baiser vous êtes verts d'épouvante parce que vous
sentez obscurément que cela ne pourra pas durer. Les serments sont vite épuisés. Alors vous vous bâtissez des mai-

sons, parce que les pierres, elles, durent; vous faites un enfant, comme d'autres les égorgeaient autrefois, pour rester aimés. Vous misez allégrement le bonheur de cette petite recrue innocente dans ce combat douteux sur ce qu'il y a de plus fragile au monde, sur votre amour d'homme et de femme... Et cela se dissout, cela s'effrite, cela se brise tout de même comme pour ceux qui n'avaient rien juré.

Ibid., acte III.

Comprendre; toujours comprendre. Moi, je ne veux pas 15879 comprendre.

Nouvelles Pièces noires, Antigone (La Table Ronde).

C'est bon pour les hommes de croire aux idées et de mourir 15880 pour elles.   *Ibid.*

C'est plein de disputes, un bonheur.   *Ibid.* 15881

C'est propre, la tragédie. C'est reposant, c'est sûr... Dans 15882 le drame, avec ces traîtres, avec ces méchants acharnés, cette innocence persécutée, ces vengeurs, ces terre-neuve, ces lueurs d'espoir, cela devient épouvantable de mourir, comme un accident. [...] Dans la tragédie, on est tranquille. D'abord, on est entre soi. On est tous innocents, en somme! [...]   *Ibid.*

Les rois ont autre chose à faire que du pathétique personnel. 15883

Ibid.

Rien n'est vrai que ce qu'on ne dit pas...   *Ibid.* 15884

Chacun de nous a un jour, plus ou moins triste, plus ou 15885 moins lointain, où il doit enfin accepter d'être un homme.

Ibid.

Mourir, ce n'est rien. Commence donc par vivre. C'est 15886 moins drôle et c'est plus long.

Ibid., Roméo et Jeannette, acte III.

JEAN-LOUIS BARRAULT
1910

Le théâtre est aussi vieux que l'homme. Il lui est accroché 15887 comme son double. Tous deux sont inséparables et, plus généralement encore, le jeu du théâtre, dans son essence, est inséparable de tout être vivant.

Nouvelles réflexions sur le théâtre, I, Comment le théâtre naît en nous (Flammarion).

Contentons-nous de dire que le théâtre, comme la Vie, 15888 est un songe, sans trop nous soucier du mensonge.

Ibid.

[Le théâtre] est essentiellement *l'art de la Sensation*. Il est 15889 l'art du Présent, donc de la Réalité [...].   *Ibid.*

15890 [...] Le théâtre est le premier sérum que l'homme ait inventé pour se protéger de la maladie de l'Angoisse.   *Ibid.*

15891 Pour jouer, l'homme dispose avant tout de lui-même. Dès l'origine, il est son propre instrument.   *Ibid.*

JEAN GENET
1910

15892 Jean Cocteau me croit un mauvais voleur. C'est parce qu'auprès de lui je suis d'abord un écrivain. Les voleurs me croient un mauvais écrivain.
Journal du voleur (Gallimard).

15893 L'œuvre d'art, si elle est achevée, ne permet pas, à partir d'elle, les aperçus, les jeux intellectuels. Elle semblerait même brouiller l'intelligence, ou la ligoter.
Œuvres complètes, IV, Ce qui est resté d'un Rembrandt...
(Gallimard).

15894 Tout homme est tout autre et moi comme tous les autres.
Ibid.

15895 Si mon théâtre pue c'est parce que l'autre sent bon.
Ibid., L'étrange mot d'...

15896 Dans les villes actuelles, le seul lieu — hélas encore vers la périphérie — où un théâtre pourrait être construit, c'est le cimetière.   *Ibid.*

15897 Si nous opposons la vie à la scène, c'est que nous pressentons que la scène est un lieu voisin de la mort, où toutes les libertés sont possibles.   *Ibid., Lettres à Roger Blin.*

15898 L'Homme, la Femme, l'attitude ou la parole qui, dans la vie, apparaissent comme abjects, au théâtre doivent émerveiller, toujours, étonner, toujours, par leur élégance et leur force d'évidence.   *Ibid.*

15899 Ce qu'il nous faut, c'est la haine. D'elle naîtront nos idées.
Ibid., Les Nègres (épigraphe).

JULIEN GRACQ
1910

15900 Que j'aimerais qu'on s'accepte tel qu'on est, qu'on serve les fatalités de sa nature avec intelligence : il n'y a pas d'autre génie.
Un beau ténébreux, Journal de Gérard (José Corti).

15901 [...] Cette chose plus compliquée et plus confondante que l'harmonie des sphères : un couple.   *Ibid.*

Toute œuvre est un palimpseste — et si l'œuvre est réussie, 15902
le texte effacé est toujours un texte magique.   *Ibid.*

L'intérêt est sans doute fort peu de chose pour mouvoir 15903
les hommes — mais leur instinct dramatique toujours en
éveil, voilà un ressort auquel on ne fera presque jamais
appel en vain.   *Ibid.*

Toutes choses sont tuées deux fois : une fois dans la fonction 15904
et une fois dans le signe, une fois dans ce à quoi elles servent
et une fois dans ce qu'elles continuent à désirer à travers
nous.
   Le Rivage des Syrtes, Une conversation (José Corti).

Le monde [...] fleurit par ceux qui cèdent à la tentation. 15905
        Ibid., Les instances secrètes de la ville.

Le public français se conçoit à la manière d'un corps élec- 15906
toral où le vote est obligatoire, et où chaque écrivain, chaque
livre un peu voyant, par sa seule apparition remet en route
un perpétuel référendum.
        Préférences, La littérature à l'estomac (José Corti).

[...] En littérature, une œuvre neuve peut être, au sens précis 15907
du mot, réactionnaire.
        Ibid., Pourquoi la littérature respire mal.

Il est certain que le signe *moins* n'est pas moins productif 15908
en art que le signe *plus*.   *Ibid.*

JACQUES MONOD
1910-1976

Il y a des systèmes vivants; il n'y a pas de « matière » vivante. 15909
   Leçon inaugurale, Collège de France, Chaire de biologie
                          moléculaire, 3 novembre 1967.

L'on peut dire que les mêmes événements fortuits qui, dans 15910
un système non-vivant, entraîneraient, par leur accumulation,
la disparition de toute structure, aboutissent, dans la biosphère, à la création de structures nouvelles et de complexité
croissante.   *Ibid.*

L'apparition du langage aurait pu précéder, peut-être 15911
d'assez loin, l'émergence du système nerveux central propre
à l'espèce humaine et contribuer en fait de façon décisive
à la sélection des variants les plus aptes à en utiliser les
ressources. En d'autres termes, c'est le langage qui aurait
créé l'homme, plutôt que l'homme le langage.   *Ibid.*

Mais l'univers existe, il faut bien qu'il s'y produise des évé- 15912
nements, tous également improbables, et l'homme se trouve
être l'un d'eux.   *Ibid.*

15913 Nous nous voulons nécessaires, inévitables, ordonnés, de tout temps. Toutes les religions, presque toutes les philosophies, une partie même de la science témoignent de l'inlassable, héroïque effort de l'humanité niant désespérément sa propre contingence. *Le Hasard et la nécessité (Grasset).*

15914 La valeur de performance d'une idée tient à la modification de comportement qu'elle apporte à l'individu ou au groupe qui l'adopte. *Ibid.*

15915 Armées de tous les pouvoirs, jouissant de toutes les richesses qu'elles doivent à la science, nos sociétés tentent encore de vivre et d'enseigner des systèmes de valeurs déjà ruinés, à la racine, par cette science même. *Ibid.*

15916 La connaissance vraie ignore les valeurs, mais il faut pour la fonder un jugement, ou plutôt un axiome de valeur. *Ibid., p. 191.*

15917 L'homme sait enfin qu'il est seul dans l'immensité indifférente de l'Univers d'où il a émergé par hasard. Non plus que son destin, son devoir n'est écrit nulle part. *Ibid., p. 194-195.*

JEAN VAUTHIER
1910

15918 Dis-moi comment les bonnes grâces de Dieu ne suscitent pas une telle demande, un tel assaut que des bagarres inouïes pour le vrai bonheur n'éclatent? *Capitaine Bada, acte I (L'Arche).*

15919 Ne comprends-tu pas que plus mon œuvre est pure, plus j'ai besoin de me nourrir de saleté? *Ibid., acte III.*

15920 Je veux être compris! je veux la vérité et la vie. Je suis méconnu! C'est odieux, tourne-broche et fiente d'anchois! *Ibid.*

15921 Je m'enfuis loin de la poésie assassinée.
Je vais vers mon destin, aux reposoirs de la démesure... *Ibid.*

JEAN CAYROL
1911

15922 La littérature ne peut-elle esquisser en quelque sorte un Romanesque concentrationnaire, c'est-à-dire, pour prendre un mot à la mode, un réalisme concentrationnaire dans chaque scène de notre vie privée? *Lazare parmi nous (Le Seuil).*

Tout poème est une mise en demeure.   15923
                    Pour tous les temps (Le Seuil).

Écrire c'est aussi inspirer autrui, le pousser vers sa ressem- 15924
blance, vers sa préférence.   *Écrire 1 (Le Seuil)*.

Lier le *plus tard* au *jamais plus* grâce à la texture d'une 15925
inspiration qui ne se veut pas idolâtre mais toujours originelle, capable d'assumer ses paradis intermittents. La
littérature n'est-elle pas au fond la seule manière d'envisager
l'avenir de toute mémoire?   *Tel quel 13 (Le Seuil)*.

Le tout est d'approfondir même un murmure.   .15926
                    Je l'entends encore (Le Seuil).

L'habitude du cinéma nous entretient dans un climat de 15927
découvertes perpétuelles, ne nous évacue pas de notre
époque en nous faisant ses vieux bâtards, mais au contraire
nous remet dans le fantastique d'un art et d'une technique
qui n'ont pas fini de nous parler même de nos mutismes.
                    De l'Espace humain (Le Seuil).

Il n'y a ni regard, ni paysage, ni fait divers qui ne recèle le 15928
reste du monde, en toute propriété.
                    Histoire d'une prairie (Le Seuil).

E.-M. CIORAN
1911

Dans les tourments de l'intellect, il y a une tenue que l'on 15929
chercherait vainement dans ceux du cœur. Le scepticisme
est l'élégance de l'anxiété.
                    Syllogismes de l'amertume (Gallimard).

Être moderne, c'est bricoler dans l'Incurable.   *Ibid.* 15930

Avant d'être une erreur de fond, la vie est une faute de goût 15931
que la mort ni même la poésie ne parviennent à corriger.
                                        Ibid.

Si loin s'étend la mort, tant elle prend de place, que je ne sais 15932
plus *où* mourir.   *Ibid.*

Dans l'édifice de la pensée, je n'ai trouvé aucune catégorie 15933
sur laquelle reposer mon front. En revanche, quel oreiller
que le Chaos!   *Ibid.*

L'instant où nous croyons avoir *tout* compris nous prête 15934
l'apparence d'un assassin.   *Ibid.*

Quelques générations encore, et le rire, réservé aux initiés, 15935
sera aussi impraticable que l'extase.   *Ibid.*

15936   Quand on a compris que rien n'est, que les choses ne méritent
même pas le statut d'apparences, on n'a plus besoin d'être
sauvé, on est sauvé, et malheureux à jamais.
Le Mauvais Démiurge (Gallimard).

15937   L'obsession du suicide est le propre de celui qui ne peut,
ni vivre ni mourir, et dont l'attention ne s'écarte jamais
de cette double impossibilité.   *Ibid.*

15938   Au Moyen Age, on s'astreignait au salut, on croyait avec
énergie : le cadavre était à la mode; la foi y était vigoureuse,
indomptable, elle aimait le livide et le fétide, elle savait le
bénéfice qu'on pouvait tirer de la pourriture et de la laideur.
Aujourd'hui, une religion édulcorée ne s'attache plus qu'à
des fantasmes gentils, à l'Évolution et au Progrès. Ce n'est
pas elle qui nous fournirait l'équivalent moderne de la Danse
macabre.   *Ibid.*

15939   Le tourment chez certains est un besoin, un appétit, et un
accomplissement. Partout ils se sentent diminués, sauf en
enfer.   *Ibid.*

15940   Une pleine expérience métaphysique n'est rien d'autre qu'une
stupeur ininterrompue, qu'une stupeur triomphale.   *Ibid.*

PATRICE DE LA TOUR DU PIN
1911-1975

15941   Voici que l'homme s'est penché sur sa Genèse.
Une somme de poésie, Premier livre, La Genèse (Gallimard).

15942   Un Dieu mélancolique pris à sa création!   *Ibid.*

15943   Le Royaume de l'Homme est une chose immense
Qui tremble doucement entre le monde et Dieu...
Ibid.

15944   Je me méfie de ceux qu'on dit visionnaires : les voyants
vont vers leur plaisir en vision comme tout homme vers ses
amours.
*Ibid., Quatrième livre, La Vie recluse en poésie, La règle de la
vie recluse.*

15945   Tous les pays qui n'ont plus de légende
Seront condamnés à mourir du froid...
Ibid., Cinquième livre, La Quête de joie, Prélude.

15946   Et je me dis : Je suis un enfant de Septembre,
Moi-même, par le cœur, la fièvre et l'esprit [...].
Ibid., Enfants de septembre.

15947   J'ai envie de te dire, à toi, non à n'importe qui : n'aborde
pas le mal de front, mais dévie-le, aie de l'ironie pour com-

battre certaines gravités, de la gravité pour remettre en place certaines voluptés, de la sensualité pour recouvrir l'intellect trop froid.
Ibid., Sixième livre, Correspondance de Laurent de Cayeux,
Lettre à un novice.

Je vous ai demandé d'être pur, — mais m'avez-vous défendu 15948
l'amour?   *Ibid., Psaumes, XI.*

ANDRÉ LEROI-GOURHAN
1911

La préhistoire est une sorte de colosse-à-la-tête-d'argile, 15949
d'autant plus fragile qu'on s'élève de la terre vers le cerveau.
Ses pieds, faits de témoins géologiques, botaniques ou zoolo-
giques, sont assez fermes; ses mains sont déjà plus friables,
car l'étude des techniques préhistoriques est marquée d'une
large auréole conjecturale. La tête, hélas, éclate au moindre
choc et, bien souvent, on s'est contenté de substituer à la
pensée du colosse décapité celle du préhistorien.
Les Religions de la préhistoire, Introduction (P.U.F.).

La principale différence entre les sources du préhistorien et 15950
celle de l'historien, c'est que le premier détruit son document
en le fouillant.   *Ibid.*

[...] Le problème du langage est dans le cerveau et non dans 15951
la mandibule.
Le Geste et la Parole, Technique et langage (Albin Michel).

Constater avec le Zinjanthrope que l'humanisation commence 15952
par les pieds est moins exaltant peut-être que d'imaginer la
pensée fracassant les cloisons anatomiques pour se construire
un cerveau, mais c'est une voie assez sûre.   *Ibid.*

ANDRÉ ROUSSIN
1911

Très vite rien ne ressemble à une femme légitime comme une 15953
femme qui ne l'est pas.
Un amour qui ne finit pas, Prologue (Calmann-Lévy).

L'amour est la fantaisie de Dieu.   *Ibid., acte I, scène 6.* 15954

On épouse une femme... on s'aperçoit un jour qu'on est le 15955
mari d'une autre.   *Ibid., acte II, scène 4.*

15956 La seule chose qui compte pour une femme, c'est de savoir si on la quitte ou si c'est elle qui s'en va.
La Voyante, acte I (Calmann-Lévy).

15957 Le cœur peut souffrir éternellement de la blessure d'un vivant, — il ne saigne plus sur un mort. *Ibid., acte II.*

MICHEL DEBRÉ
1912

15958 [...] Le Parlement ne doit pas gouverner. Une grande nation suppose un gouvernement qui ait sa responsabilité, c'est-à-dire dont la responsabilité ne soit pas chaque jour mise en cause, et qui ait sa durée, c'est-à-dire qui ne sacrifie pas les intérêts de la nation à de pseudo-succès publicitaires.
Ces princes qui nous gouvernent, Redressement sans révolution ?
(Plon).

15959 Les hommes ne manquent pas : les révolutions en découvrent toujours. *Ibid., Où l'on revient à nos princes.*

15960 La légitimité est le mot clef des époques difficiles. *Ibid.*

JEAN GROSJEAN
1912

15961 La lenteur des altérations nous trompe et Dieu sans doute est pour nous plus lent que les lenteurs, mais il n'est pas idée, il est vivant, rien ne le lie à sa perfection.
La Gloire, I (Gallimard).

15962 L'exode est la nature même du dieu, non point le voyage qui suppose retour, non point l'agitation trop brusque pour être sans retour, ni même l'action qui n'est jamais que coup de tête, mais l'invincible usure de soi, le glissement irréversible de l'existence qui dépayse l'être. *Ibid.*

15963 Dieu n'est pas si désert, l'inhabitable n'est pas inhabité, il y a langage chez le dieu. *Ibid.*

15964 [...] La parole honore le dieu en lui montrant les stigmates du dieu, elle qui est la plaie congénitale de Dieu. Car il y a en Dieu du malheur. *Ibid.*

15965 La demi-conscience nous donne cette perfection et cette fixité que, par illusion ou blasphème, les sages attribuent à Dieu. *Ibid., III.*

EUGÈNE IONESCO
1912

Un médecin consciencieux doit mourir avec le malade s'ils. 15966
ne peuvent pas guérir ensemble.
                La Cantatrice chauve, scène 1 (Gallimard).

Comme c'est bizarre, curieux, étrange! alors, Madame, 15967
nous habitons dans la même chambre et nous dormons
dans le même lit, chère Madame. C'est peut-être là que nous
nous sommes rencontrés!   *Ibid., scène 4.*

Il a beau croire qu'il est Donald, elle a beau se croire Éliza- 15968
beth. Il a beau croire qu'elle est Élizabeth. Elle a beau croire
qu'il est Donald : ils se trompent amèrement. [...] Qui donc
a intérêt à faire durer cette confusion?   *Ibid., scène 5.*

L'expérience nous apprend que lorsqu'on entend sonner à la 15969
porte, c'est qu'il n'y a jamais personne.   *Ibid., scène 7.*

Prenez un cercle, caressez-le, il deviendra vicieux!   15970
                                Ibid., scène 11.

Il ne faut pas uniquement intégrer. Il faut aussi désintégrer. 15971
C'est ça la vie. C'est ça la philosophie. C'est ça la science.
C'est ça le progrès, la civilisation.
                        La Leçon (Gallimard).

Seuls, tombent les mots chargés de signification, alourdis 15972
par leur sens, qui finissent toujours par succomber, s'écrouler
... dans les oreilles des sourds.   *Ibid.*

Les racines des mots sont-elles carrées?   *Ibid.* 15973

O paroles, que de crimes on commet en votre nom!   15974
                Jacques ou la Soumission (Gallimard).

Je me sens tout brisé, j'ai mal, ma vocation me fait mal, 15975
elle s'est cassée.   *Les Chaises (Gallimard).*

Toutes les pièces qui ont été écrites, depuis l'Antiquité 15976
jusqu'à nos jours, n'ont jamais été que policières. Le théâtre
n'a jamais été que réaliste et policier. Toute pièce est une
enquête menée à bonne fin. *Victimes du devoir (Gallimard).*

[...] Périphrasez, périphrasons... Ne pas rester immobile, on 15977
devient clou, on devient pointe...
                Amédée, acte III (Gallimard).

Je meurs, que tout meure, non, que tout reste, non, que tout 15978
meure puisque ma mort ne peut remplir les mondes! Que
tout meure. Non que tout reste.
                Le Roi se meurt (Gallimard).

15979   Plutôt que le maître d'école, le critique doit être l'élève de l'œuvre.
Notes et contre-notes, L'auteur et ses problèmes (Gallimard).

15980   Le comique étant l'intuition de l'absurde, il me semble plus désespérant que le tragique.
Ibid., Expérience du théâtre.

15981   Seul le théâtre impopulaire a des chances de devenir populaire. Le « populaire » n'est pas le peuple.
Ibid., Discours sur l'avant-garde.

15982   L'homme d'avant-garde est comme un ennemi à l'intérieur même de la cité qu'il s'acharne à disloquer, contre laquelle il s'insurge, car, tout comme un régime, une forme d'expression établie est aussi une forme d'oppression.   *Ibid.*

15983   Ceux qui n'arrivent pas à bâtir une œuvre d'art ou simplement un pan de mur isolé, rêvent, mentent ou se jouent la comédie à eux-mêmes.   *Ibid., Entretiens.*

15984   Où il n'y a pas d'humour, il n'y a pas d'humanité; où il n'y a pas d'humour (cette liberté prise, ce détachement vis-à-vis de soi-même), il y a le camp de concentration.   *Ibid.*

15985   Tout vrai créateur est classique.   *Ibid.*

15986   Le *petit bourgeois* est celui qui a oublié l'archétype pour se perdre dans le stéréotype.   *Ibid.*

15987   S'il faut absolument que l'art ou le théâtre serve à quelque chose, je dirai qu'il devrait servir à apprendre aux gens qu'il y a des activités qui ne servent à rien et qu'il est indispensable qu'il y en ait.
Ibid., Communication pour une réunion d'écrivains.

15988   [...] Toute œuvre réaliste ou engagée n'est que mélodrame.
*Journal en miettes, Images d'enfance en mille morceaux
(Mercure de France).*

15989   En dehors de l'enfance et de l'oubli, il n'y a que la grâce qui puisse vous consoler d'exister [...].   *Ibid.*

15990   Une conscience inutile et qui ne peut pas ne pas être et qui se manifeste, c'est cela la littérature.   *Ibid.*

15991   La connaissance est impossible. Mais je ne peux pas me résigner à ne connaître que les murs de la prison.
Ibid., La crise du langage.

15992   L'expérience profonde n'a pas de mots.
Plus je m'explique, moins je me comprends.
Tout n'est pas incommunicable par les mots, bien sûr, mais la vérité vivante.   *Ibid., Chocs.*

Le mot ne montre plus. Le mot bavarde. Le mot est littéraire. 15993
Le mot est une fuite. Le mot empêche le silence de parler.
Le mot assourdit. [...] La garantie du mot doit être le silence.
Ibid.

L'univers de chacun est universel.   *Ibid.* 15994

La Raison c'est la folie du plus fort. La raison du moins 15995
fort c'est de la folie.   *Ibid.*

JEAN VILAR
1912-1971

[...] Éliminer tous les moyens d'expression qui sont extérieurs 15996
aux lois pures et spartiates de la scène et réduire le spectacle
à l'expression du corps et de l'âme de l'acteur.
De la tradition théâtrale, chap. 2, XXVI (L'Arche).

N'oubliez pas que le seul *plateau* résout par la réussite ou 15997
l'échec les conceptions et les théories théâtrales.
Ibid., chap. 3.

Il s'agit donc de faire une société, après quoi nous ferons 15998
peut-être du bon théâtre.   *Ibid., chap. 4.*

Il n'est pas d'art qui, plus nécessairement que le théâtre, 15999
ne doive unir illusion et réalité. Cela, à l'insu du public et
en pleine lumière cependant. Complices.   *Ibid., chap. 7.*

CHARLES BETTELHEIM
1913

Un pays est socialiste ou capitaliste, non en raison des idées. 16000
ou des intentions de ceux qui le gouvernent, mais en raison
de la *structure sociale* qui le caractérise et de la *nature des
classes* qui y jouent un rôle effectivement dirigeant.
Planification et Croissance accélérée, 1 (Maspero).

Tant que n'ont pas été mis en place les éléments essentiels 16001
d'une structure socialiste de la société, il ne peut pas non
plus être question d'une planification socialiste.   *Ibid., I.*

La planification socialiste représente le premier effort de 16002
l'humanité pour calculer d'avance le temps de travail que la
société devra consacrer aux différentes productions et ce que
devra être le coût social de chaque unité produite. *Ibid., 2.*

ROGER CAILLOIS
1913-1978

16003   Le sacré est ce qui donne la vie et ce qui la ravit, c'est la source d'où elle coule, l'estuaire où elle se perd.
L'Homme et le Sacré, 5 (Gallimard).

16004   Tout ce qui ne se consume pas, pourrit. Aussi la vérité permanente du sacré réside-t-elle simultanément dans la fascination du brasier et l'horreur de la pourriture.   *Ibid.*

16005   Ce qu'on appelle culture — soit une plus fine sensibilité à l'équité, à la cohérence et à l'harmonie, et qui est pour moi l'essentiel de l'effort humain — demeure superficiel, pour ne pas dire pelliculaire. Il ne faut pas, sur ce point, se faire d'illusion.
Instincts et Société, Préface (Bibliothèque Médiations, Denoël-Gonthier).

16006   Le bourreau et le souverain forment couple. Ils assurent de concert la cohésion de la société.
Ibid., Sociologie du bourreau.

16007   Dans un régime totalitaire, le pouvoir est toujours charismatique à quelque degré.
Ibid., Le pouvoir charismatique.

ALBERT CAMUS
1913-1960

16008   [...] Une œuvre d'homme n'est rien d'autre que ce long cheminement pour retrouver par les détours de l'art les deux ou trois images simples et grandes sur lesquelles le cœur une première fois s'est ouvert.
L'Envers et l'Endroit, Préface (Gallimard).

16009   Pour corriger une indifférence naturelle, je fus placé à mi-distance de la misère et du soleil. La misère m'empêcha de croire que tout est bien sous le soleil et dans l'histoire; le soleil m'apprit que l'histoire n'est pas tout.   *Ibid.*

16010   Il n'y a pas d'amour de vivre sans désespoir de vivre.
Ibid., Amour de vivre.

16011   Je tiens au monde par tous mes gestes, aux hommes par toute ma pitié et ma reconnaissance. Entre cet endroit et cet envers du monde, je ne veux pas choisir, je n'aime pas qu'on choisisse [...].   *Ibid.*

16012   Le grand courage c'est encore de tenir les yeux ouverts sur la lumière comme sur la mort.   *Ibid.*

Qu'on ne nous dise pas du condamné à mort : « Il va payer 16013
sa dette à la société », mais : « On va lui couper le cou. »
Ça n'a l'air de rien. Mais ça fait une petite différence. Et
puis, il y a des gens qui préfèrent regarder leur destin dans
les yeux.   *Ibid., Entre Oui et Non.*

Ce qui compte, c'est d'être vrai et alors tout s'y inscrit, 16014
l'humanité et la simplicité.   *Ibid.*

Je comprends ici ce qu'on appelle gloire : le droit d'aimer 16015
sans mesure.   *Noces, Noces à Tipasa (Gallimard).*

Il n'y a pas de honte à être heureux. Mais aujourd'hui l'im- 16016
bécile est roi, et j'appelle imbécile celui qui a peur de jouir.
                                                          Ibid.

J'aime cette vie avec abandon et veux en parler avec liberté : 16017
elle me donne l'orgueil de ma condition d'homme.   *Ibid.*

Pour moi, devant ce monde, je ne veux pas mentir ni qu'on 16018
me mente. Je veux porter ma lucidité jusqu'au bout et
regarder ma fin avec toute la profusion de ma jalousie et
de mon horreur.   *Ibid., Le vent à Djémila.*

Le monde finit toujours par vaincre l'histoire. Ce grand cri 16019
de pierre que Djémila jette entre les montagnes, le ciel et le
silence, j'en sais bien la poésie : lucidité, indifférence, les
vrais signes du désespoir ou de la beauté.   *Ibid.*

Le monde est beau, et hors de lui, point de salut.   16020
                                        Ibid., Le désert.

[...] S'il y a un péché contre la vie, ce n'est peut-être pas 16021
tant d'en désespérer que d'espérer une autre vie, et se dérober
à l'implacable grandeur de celle-ci.   *Ibid., L'été à Alger.*

[...] L'espoir, au contraire de ce qu'on croit, équivaut à la 16022
résignation. Et vivre, c'est ne pas se résigner.   *Ibid.*

Qu'est-ce que l'homme? Il est cette force qui finit toujours 16023
par balancer les tyrans et les dieux.
                        Lettres à un ami allemand (Gallimard).

Qu'est-ce sauver l'homme? Mais je vous le crie de tout moi- 16024
même, c'est de ne pas le mutiler et c'est donner ses chances
à la justice qu'il est le seul à concevoir.   *Ibid.*

Il n'y a qu'un problème philosophique vraiment sérieux : 16025
c'est le suicide. Juger que la vie vaut ou ne vaut pas la peine
d'être vécue, c'est répondre à la question fondamentale de la
philosophie.
Le Mythe de Sisyphe, L'absurde et le suicide (Gallimard).

16026 L'absurde dépend autant de l'homme que du monde. Il est pour le moment leur seul lien.
Ibid., Les murs absurdes (Gallimard).

16027 Je disais que le monde est absurde et j'allais trop vite. Ce monde en lui-même n'est pas raisonnable, c'est tout ce qu'on en peut dire. Mais ce qui est absurde c'est la confrontation de cet irrationnel et de ce désir éperdu de clarté dont l'appel résonne au plus profond de l'homme.   *Ibid*

16028 L'absurde, c'est la raison lucide qui constate ses limites.
Ibid., Le suicide philosophique.

16029 Vivre, c'est faire vivre l'absurde. Le faire vivre, c'est avant tout le regarder.   *Ibid., La liberté absurde.*

16030 Dans l'attachement d'un homme à sa vie, il y a quelque chose de plus fort que toutes les misères du monde. Le jugement du corps vaut bien celui de l'esprit [...]   *Ibid.*

16031 J'installe ma lucidité au milieu de ce qui la nie. J'exalte l'homme devant ce qui l'écrase et ma liberté, ma révolte et ma passion se rejoignent alors dans cette tension, cette clairvoyance et cette répétition démesurée.   *Ibid.*

16032 Le suicide est une méconnaissance. L'homme absurde ne peut que tout épuiser, et s'épuiser. L'absurde est sa tension la plus extrême, celle qu'il maintient constamment d'un effort solitaire, car il sait que, dans cette conscience et dans cette révolte au jour le jour, il témoigne de sa seule vérité qui est le défi.   *Ibid.*

16033 Tous les héros de Dostoïevsky s'interrogent sur le sens de la vie. C'est en cela qu'ils sont modernes : ils ne craignent pas le ridicule.   *Ibid., Kirilov.*

16034 La lutte elle-même vers les sommets suffit à remplir un cœur d'homme. Il faut imaginer Sisyphe heureux.
Ibid., Le mythe de Sisyphe.

16035 On ne pense que par image. Si tu veux être philosophe, écris des romans.   *Carnets I (Gallimard).*

16036 La justice est à la fois une idée et une chaleur de l'âme. Sachons la prendre dans ce qu'elle a d'humain, sans la transformer en cette terrible passion abstraite qui a mutilé tant d'hommes.   *Actuelles I, Autocritique (Gallimard).*

16037 Sauver ce qui peut encore être sauvé pour rendre l'avenir seulement possible, voilà le grand mobile, la passion et le sacrifice demandés.   *Ibid., Morale et politique.*

Le christianisme dans son essence (et c'est sa paradoxale 16038
grandeur) est une doctrine de l'injustice. Il est fondé sur le
sacrifice de l'innocent et l'acceptation de ce sacrifice. La
justice au contraire [...] ne va pas sans la révolte.   *Ibid.*

[...] Il s'agit de savoir pour nous si l'homme, sans le secours 16039
de l'éternel ou de la pensée rationaliste, peut créer à lui seul
ses propres valeurs.   *Ibid., Pessimisme et tyrannie.*

Ce goût de l'homme sans quoi le monde ne sera jamais 16040
qu'une immense solitude.   *Ibid., Défense de l'intelligence.*

[...] Je n'ai pas appris la liberté dans Marx. Il est vrai : je 16041
l'ai apprise dans la misère.
          Ibid., Deux réponses à Emmanuel d'Astier de La Vigerie.

Il y a l'histoire et il y a autre chose, le simple bonheur, la 16042
passion des êtres, la beauté naturelle. Ce sont là aussi des
racines, que l'histoire ignore, et l'Europe, parce qu'elle les
a perdues, est aujourd'hui un désert.   *Ibid.*

[...] Parce que des gouvernements chrétiens ont la vocation 16043
de la complicité, nous n'oublierons pas que le marxisme
est une doctrine d'accusation dont la dialectique ne triomphe
que dans l'univers des procès. Et nous appellerons concentrationnaire ce qui est concentrationnaire, même le socialisme.   *Ibid., Trois interviews.*

[...] Ce succédané malheureux et déchaîné de l'amour, qui 16044
s'appelle la morale.   *Ibid., Le témoin de la liberté.*

Dans le monde de la condamnation à mort qui est le nôtre, 16045
les artistes témoignent pour ce qui dans l'homme refuse de
mourir [...]   *Ibid.*

[...] Il vient toujours une heure dans l'histoire où celui qui 16046
ose dire que deux et deux font quatre est puni de mort [...]
Et la question n'est pas de savoir quelle est la récompense
ou la punition qui attend ce raisonnement. La question est
de savoir si deux et deux, oui ou non, font quatre.
          La Peste (Gallimard).

Il y a dans les hommes plus de choses à admirer que de choses 16047
à mépriser.   *Ibid.*

La liberté est un bagne aussi longtemps qu'un seul homme 16048
est asservi sur la terre.
          Les Justes, acte I, scène 1 (Gallimard).

Nous acceptons d'être criminels pour que la terre se couvre 16049
enfin d'innocents.   *Ibid.*

Mourir pour l'idée, c'est la seule façon d'être à la hauteur 16050
de l'idée. C'est la justification.   *Ibid.*

DIEGO

16051   Déshabille-toi! Quand les hommes de la force quittent leur uniforme, ils ne sont pas beaux à voir!

LA PESTE

Peut-être. Mais leur force est d'avoir inventé l'uniforme!
L'État de Siège, Troisième partie (Gallimard).

16052   « O vague, ô mer, patrie des insurgés, voici ton peuple qui ne cédera jamais. La grande lame de fond, nourrie dans l'amertume des eaux, emportera vos cités horribles. » *Ibid.*

16053   Qu'est-ce que l'immortalité pour moi? Vivre jusqu'à ce que le dernier homme ait disparu de la terre. Rien de plus.
Carnets II (Gallimard).

16054   Le seul problème moral vraiment sérieux, c'est le meurtre. Le reste vient après. Mais de savoir si je puis tuer cet autre devant moi, ou consentir à ce qu'il soit tué, savoir que je ne sais rien avant de savoir si je puis donner la mort, voilà ce qu'il faut apprendre.   *Ibid.*

16055   L'amour est injustice, mais la justice ne suffit pas.   *Ibid.*

16056   J'ai la plus haute idée, et la plus passionnée, de l'art. Bien trop haute pour consentir à le soumettre à rien. Bien trop passionnée pour vouloir le séparer de rien.   *Ibid.*

16057   L'homme n'est rien en lui-même. Il n'est qu'une chance infinie. Mais il est le responsable infini de cette chance.
Ibid.

16058   Tout accomplissement est une servitude. Il oblige à un accomplissement plus haut.   *Ibid.*

16059   Il s'agit de savoir si l'innocence, à partir du moment où elle agit, ne peut s'empêcher de tuer.
L'Homme révolté, Introduction (Gallimard).

16060   Dans l'épreuve quotidienne qui est la nôtre, la révolte joue le même rôle que le « cogito » dans l'ordre de la pensée : elle est la première évidence. Mais cette évidence tire l'individu de sa solitude. Elle est un lien commun qui fonde sur tous les hommes la première valeur. Je me révolte, donc nous sommes.   *Ibid., L'homme révolté.*

16061   Le fascisme, c'est le mépris [...] Inversement, toute forme de mépris, si elle intervient en politique, prépare ou instaure le fascisme.
Ibid., Le terrorisme d'État et la terreur irrationnelle.

16062   Une révolution qu'on sépare de l'honneur trahit ses origines qui sont du règne de l'honneur. *Ibid., Révolte et révolution.*

L'homme [...] cherche en vain cette forme qui lui donnerait 16063
les limites entre lesquelles il serait roi. Qu'une seule chose
vivante ait sa forme en ce monde et il sera réconcilié!
Ibid., Roman et révolte.

L'action révoltée authentique ne consentira à s'armer que 16064
pour des institutions qui limitent la violence, non pour celles
qui la codifient. *Ibid., Révolte et meurtre.*

L'irrationnel limite le rationnel qui lui donne à son tour sa 16065
mesure. Quelque chose a du sens, enfin, que nous devons
conquérir sur le non-sens. *Ibid., Mesure et démesure.*

[...] L'absolutisme historique, malgré ses triomphes, n'a 16066
jamais cessé de se heurter à une exigence invincible de la
nature humaine, dont la Méditerranée, où l'intelligence
est sœur de la dure lumière, garde le secret. *Ibid.*

La mesure n'est pas le contraire de la révolte. C'est la révolte 16067
qui est la mesure, qui l'ordonne, la défend et la recrée à
travers l'histoire et ses désordres. *Ibid.*

La vraie générosité envers l'avenir consiste à tout donner au 16068
présent. *Ibid., Au-delà du nihilisme.*

Qui répondrait en ce monde à la terrible obstination du crime 16069
si ce n'est l'obstination du témoignage?
Actuelles II, Justice et haine (Gallimard).

[...] Si quelqu'un vous retire votre pain, il supprime en 16070
même temps votre liberté. Mais si quelqu'un vous ravit
votre liberté, soyez tranquille, votre pain est menacé, car il
ne dépend plus de vous et de votre lutte, mais du bon plaisir
d'un maître. *Ibid., Le pain et la liberté.*

[...] Séparer la liberté de la justice revient à séparer la culture 16071
et le travail, ce qui est le péché social par excellence. *Ibid.*

Sans la culture, et la liberté relative qu'elle suppose, la société, 16072
même parfaite, n'est qu'une jungle. C'est pourquoi toute
création authentique est un don à l'avenir.
Ibid., L'artiste et son temps.

Si la seule solution est la mort, nous ne sommes pas sur 16073
la bonne voie. La bonne voie est celle qui mène à la vie,
au soleil. *L'Été, Les amandiers (Gallimard).*

Je ne crois pas assez à la raison pour souscrire au progrès, 16074
ni à aucune philosophie de l'Histoire. Je crois du moins que
les hommes n'ont jamais cessé d'avancer dans la conscience
qu'ils prenaient de leur destin. *Ibid.*

16075 Après tout, la meilleure façon de parler de ce qu'on aime
       est d'en parler légèrement. En ce qui concerne l'Algérie,
       j'ai toujours peur d'appüyer sur cette corde intérieure qui
       lui correspond en moi et dont je connais le chant aveugle
       et grave. Mais je puis bien dire au moins qu'elle est ma vraie
       patrie et qu'en n'importe quel lieu du monde, je reconnais
       ses fils et mes frères à ce rire d'amitié qui me prend devant
       eux.   *Ibid., Petit guide pour des villes sans passé.*

16076 L'ignorance reconnue, le refus du fanatisme, les bornes du
       monde et de l'homme, le visage aimé, la beauté enfin, voici
       le camp où nous rejoindrons les Grecs.
                                         Ibid., L'exil d'Hélène.

16077 Au centre de notre œuvre, fût-elle noire, rayonne un soleil
       inépuisable, le même qui crie aujourd'hui à travers la plaine
       et les collines.   *Ibid., L'énigme.*

16078 Une littérature désespérée est une contradiction dans les
       termes.   *Ibid.*

16079 A l'heure difficile où nous sommes, que puis-je désirer
       d'autre que de ne rien exclure et d'apprendre à tresser de
       fil blanc et de fil noir une même corde tendue à se rompre?
       [...] Oui, il y a la beauté et il y a les humiliés. Quelles que soient
       les difficultés de l'entreprise, je voudrais n'être jamais infi-
       dèle ni à l'une ni aux autres.   *Ibid., Retour à Tipasa.*

16080 Grande mer, toujours labourée, toujours vierge, ma reli-
       gion avec la nuit!   *Ibid., La mer au plus près.*

16081 J'ai toujours eu l'impression de vivre en haute mer, menacé,
       au cœur d'un bonheur royal.   *Ibid.*

16082 « Maintenant encore, les matches du dimanche, dans un
       stade plein à craquer, et le théâtre, que j'ai aimé avec une
       passion sans égale, sont les seuls endroits du monde où je
       me sente innocent. »   *La Chute (Gallimard).*

16083 « Le mensonge [...] est un beau crépuscule, qui met chaque
       objet en valeur. »   *Ibid.*

16084 « Je vais vous dire un grand secret mon cher : "N'attendez
       pas le jugement dernier. Il a lieu tous les jours." »   *Ibid.*

AIMÉ CÉSAIRE
1913

La connaissance poétique est celle où l'homme éclabousse 16085
l'objet de toutes ses richesses mobilisées.
Sur la poésie, Troisième proposition (Seghers).

Le beau poétique n'est pas seulement beauté d'expression 16086
ou euphorie musculaire. Une conception trop apollinienne,
ou trop gymnastique de la beauté risque paradoxalement
d'empailler ou de durcir le beau.
Ibid., Septième et dernière proposition.

La musique de la poésie ne saurait être extérieure. La seule 16087
acceptable vient de plus loin que le son. La recherche de
la musique est le crime contre la musique poétique qui ne
peut être que le battement de la vague mentale contre le
rocher du monde. *Ibid., Corollaire.*

Je vois l'Afrique multiple et une 16088
verticale dans la tumultueuse péripétie
avec ses bourrelets, ses nodules,
un peu à part, mais à portée
du siècle, comme un cœur de réserve.
Ferrements, Pour saluer le Tiers-Monde (Le Seuil).

Ma bouche sera la bouche des malheurs qui n'ont point 16089
de bouche, ma voix, la liberté de celles qui s'affaissent au
cachot du désespoir.
Cahier d'un retour au pays natal (Présence africaine).

PIERRE DANINOS
1913

En France, plus on est cru, plus on est cru. 16090
*Les Carnets du major Thompson, Le cas du comte Renaud de
la Chasselière (Hachette).*

La France? Une nation de bourgeois qui se défendent de 16091
l'être en attaquant les autres parce qu'ils le sont.
Ibid., Le Français tel qu'on le parle.

Chesterton me l'a enseigné : la seule façon sûre de prendre 16092
un train, c'est de manquer le précédent.
Vacances à tout prix, Le supplice de l'heure (Hachette).

On ne naît plus roturier. On le devient. A titre exceptionnel. 16093
N'est pas roturier qui veut.
Snobissimo, De la noblesse du roturier (Hachette).

ROGER GARAUDY
1913

16094 La réalité c'est l'unité des choses et de l'homme dans le travail. Une réalité ouvrière et militante au sein de laquelle l'homme se sent responsable de tout [...]
D'un réalisme sans rivages, Picasso (Plon).

16095 Le réalisme, en art, est la prise de conscience de cette participation à la création continuée de l'homme par l'homme, forme la plus haute de la liberté.
Être réaliste, ce n'est pas imiter l'image du réel, mais imiter son activité [...]   *Ibid., En guise de postface.*

JEAN MARCENAC
1913-1984

16096 Que ceux qui ne veulent pas des fantômes se promènent avec nous parmi les fantômes d'Oradour. Que ceux qui veulent parler justement de l'homme pèsent d'abord dans Oradour ce qui s'oppose à la venue de l'homme.
Le Ciel des Fusillés (Bordas).

16097 Avenir métropolitain aux grandes lignes
Nous étions seul Nous étions deux Nous étions trois
Nous voici dix Nous voici cent Nous voici mille
Et quand nous serons tous je serai de ceux-là.
Le Cavalier de coupe (Gallimard).

16098 Muet j'annonce un chant dont la nuit est absente.
La Marche de l'homme (Seghers).

16099 Les corbeaux ont tous cent ans
Et chaque jour vient de naître.
Les Petits Métiers (Éditeurs Français Réunis.)

16100 Il demeure beaucoup à faire et à refaire
Mais le chant consacré à la juste louange
Reste béni.
L'Amour du plus lointain (Julliard).

PAUL RICŒUR
1913

16101 Je crois à l'efficacité de la réflexion, parce que je crois que la grandeur de l'homme est dans la dialectique du travail et de la parole; le dire et le faire, le signifier et l'agir sont trop mêlés pour qu'une opposition durable et profonde puisse être instituée entre « theoria » et « praxis ».

Histoire et Vérité, Préface (Le Seuil).

Il ne peut y avoir de *totalité* de la communication. Or la 16102 communication serait la vérité si elle était totale.

Ibid., Première partie, I, L'histoire de la philosophie et l'unité du vrai, iv.

Ce qui caractérise la communication, c'est d'être unilatérale; 16103 l'histoire est ce segment de l'inter-subjectivité où la réciprocité est impossible, parce que des hommes du passé je n'ai pas la présence, mais seulement la trace.

Ibid., Histoire de la philosophie et historicité, 2.

Toute philosophie est, d'une certaine façon, la fin de l'his- 16104 toire.   *Ibid., 3.*

Ainsi le chrétien c'est l'homme qui vit dans l'ambiguïté 16105 de l'histoire profane, mais avec le trésor précieux d'une histoire sainte dont il aperçoit le « sens », et aussi avec les suggestions d'une histoire personnelle où il discerne le lien de la culpabilité à la rédemption.

Ibid., Le christianisme et le sens de l'histoire.

Toute civilisation humaine sera à la fois une civilisation 16106 du travail ET une civilisation de la parole.

Ibid., Deuxième partie, II, Travail et parole.

MARGUERITE DURAS
1914

Même les plus grands de tes philosophes sont d'accord sur ce 16107 point qu'il est nécessaire de se retremper de temps en temps dans l'intelligence du monde.

Les Petits Chevaux de Tarquinia, 1953, chap. 2, p. 71 (Gallimard).

Les erreurs de langage sont des crimes.   *Ibid., p. 76.* 16108

Aucun amour au monde ne peut tenir lieu de l'amour.   16109

Ibid., chap. 3, p. 168.

Il n'y a pas de vacances à l'amour [...], ça n'existe pas. 16110 L'amour, il faut le vivre complètement avec son ennui et tout, il n'y a pas de vacances possibles à ça.   *Ibid., p. 219.*

Elle : « C'est comme l'intelligence, la folie, tu sais. On ne peut 16111 pas l'expliquer. Tout comme l'intelligence. Elle vous arrive dessus, elle vous remplit et alors on la comprend. Mais, quand elle vous quitte, on ne peut plus la comprendre du tout. »   *Hiroshima mon amour, 1960 (Gallimard).*

PIERRE JAKEZ HELIAS
1914

16112 Au reste, il me semble que nous respectons la fonction, le rang ou l'état plus que la personne et que nous obéissons pour préserver une subtile hiérarchie dont nous bénéficions par ailleurs plutôt que par passivité, humilité vraie ou feinte, prudence ou calcul.
Le Cheval d'orgueil, 1975, p. 429 (Plon).

16113 [...] Il n'est pas interdit de paraître plus qu'on est dès l'instant qu'on a décidé de faire ce qu'il faut pour devenir effectivement ce qu'on paraît être. *Ibid.*

16114 On ne peut pas toujours résister à la pression d'une société qui, malgré ses inégalités et ses aspirations diverses, a pour première ambition de persister comme elle est. *Ibid.*

16115 Les pauvres ont les coudées plus franches que les riches. Au sens propre. *Ibid.*

16116 Ils étaient placés au bas de l'échelle, la meilleure place pour cracher à l'aise. Leur vrai nom, c'était le *peuple.* *Ibid.*

16117 Le visage du monde se farde de plus en plus. L'artifice l'envahit à mesure que l'homme s'en rend maître. *Ibid.*

ROLAND BARTHES
1915-1980

16118 C'est l'un des traits constants de toute mythologie petite-bourgeoise, que cette impuissance à imaginer l'Autre.
Mythologies, I, Martiens (Le Seuil).

16119 Le toucher est le plus démystificateur de tous les sens, à la différence de la vue, qui est le plus magique.
Ibid., La nouvelle Citroën.

16120 La forme la plus haute de l'expression artistique est du côté de la littéralité, c'est-à-dire en définitive d'une certaine algèbre : il faut que toute forme tende à l'abstraction, ce qui, on le sait, n'est nullement contraire à la sensualité.
Ibid., L'art vocal bourgeois.

16121 La parole de l'opprimé est réelle, comme celle du bûcheron, c'est une parole transitive : elle est quasi-impuissante à mentir, le mensonge est une richesse, il suppose un avoir, des vérités, des formes de rechange.
Ibid., II, Le mythe, aujourd'hui.

16122 Tout refus du langage est une mort. *Ibid.*

16123 L'avant-garde n'a jamais été menacée que par une seule force, et qui n'est pas bourgeoise : la conscience politique.
Essais critiques, A l'avant-garde de quel théâtre ? (Le Seuil).

C'est peut-être cela, le baroque : comme le tourment d'une 16124
finalité dans la profusion.
Ibid., Tacite et le baroque funèbre.

Toute littérature sait bien que, tel Orphée, elle ne peut, 16125
sous peine de mort, se retourner sur ce qu'elle voit : elle est
condamnée à la médiation, c'est-à-dire en un sens au mensonge.   *Ibid., Ouvriers et pasteurs.*

[...] Dans tout homme qui parle l'absence de l'autre, *du* 16126
féminin se déclare : cet homme qui attend et qui en souffre
est miraculeusement féminisé. Un homme n'est pas féminisé
parce qu'il est inverti, mais parce qu'il est amoureux.
Fragments d'un discours amoureux, 1977, p. 20 (Seuil).

L'amoureux qui n'oublie pas *quelquefois* meurt par excès, 16127
fatigue et tension de mémoire (tel Werther).   *Ibid*

Ce que je cache par mon langage, mon corps le dit. [...] Mon 16128
corps est un enfant entêté, mon langage est un adulte très
civilisé...   *Ibid., Cacher. Les Lunettes noires, p. 54.*

Comprendre, n'est-ce pas scinder l'image, défaire le *je,* 16129
organe superbe de la méconnaissance ?
Ibid., Comprendre, p. 72.

Le langage est une peau : je frotte mon langage contre l'autre. 16130
Ibid., Déclaration, p. 87

Parler amoureusement, c'est dépenser sans terme, sans crise; 16131
c'est pratiquer un rapport sans orgasme. Il existe peut-être
une forme littéraire de ce *coitus reservatus :* c'est le mari-
vaudage.   *Ibid.*

Quand j'écris, je dois me rendre à cette évidence [...] il n'y a 16132
aucune bienveillance dans l'écriture, plutôt une terreur : elle
suffoque l'autre, qui, loin d'y percevoir le don, y lit une
affirmation de maîtrise, de puissance, de jouissance, de solitude.   *Ibid., Dédicace, p. 93.*

Renversement historique : ce n'est plus le sexuel qui est 16133
indécent, c'est le *sentimental* — censuré au nom de ce qui
n'est, au fond, qu'une *autre morale.   Ibid., Obscène, p. 209.*

Tout ce qui est anachronique est obscène.   *Ibid.* 16134

Nul ne peut *plaider* contre la structure.   16135
Ibid., Identification, p. 155.

L'image est péremptoire, elle a toujours le dernier mot : 16136
aucune connaissance ne peut la contredire, l'aménager, la
subtiliser.   *Ibid., Image, p. 157.*

16137 La mauvaise foi ordinaire des majuscules devient, en littérature, vérité, puisqu'elle affiche la situation de celui qui
les parle.   *Ibid.*

16138 Pour l'écrivain, la littérature est cette parole qui dit jusqu'à
la mort : je ne commencerai pas à vivre avant de savoir
quel est le sens de la vie.   *Ibid., La réponse de Kafka.*

16139 La littérature est au fond une activité tautologique.
                              Ibid., Écrivains et écrivants.

16140 La littérature : un code qu'il faut accepter de déchiffrer.
                              Ibid., Littérature et Discontinu.

16141 Il n'y a pas de grande œuvre qui soit dogmatique.
                              Ibid., Qu'est-ce que la critique ?

16142 La critique n'est pas un « hommage » à la vérité du passé,
ou à la vérité de l'« autre », elle est construction de l'intelligible de notre temps.   *Ibid.*

16143 La littérature ne permet pas de marcher, mais elle permet de
respirer.   *Ibid.*

GAËTAN PICON
1915-1976

16144 [...] Écrire n'étant rien d'autre qu'avoir le temps de dire :
je meurs.   *Un champ de solitude, VI (Gallimard).*

16145 Justifier les maisons de la culture ou les musées par les
cathédrales, la diffusion du livre de poche par la diffusion
de la Bible, c'est confondre la proximité vraie avec celle d'un
carrefour d'égarement.
          Les Lignes de la main, I, Le sujet de l'art (Gallimard).

16146 L'art doit chercher son langage dans le langage et contre
le langage.   *Ibid.*

PIERRE BOUTANG
1916

16147 [L'État] a tous les prétextes pour ne pas réfléchir, et d'abord
celui de la frivolité, la diversité, l'irresponsabilité de ses
censeurs.   *La Terreur en question (Fasquelle).*

16148 Il est frivole de parler de la musique, avant d'avoir une fois
dans sa vie défini pour soi-même le terme aujourd'hui
proscrit, entre tous, de nos livres et de nos écoles : la transcendance.
     Le Secret de René Dorlinde, Journal sans date (Fasquelle).

Privilège du concept de la mort : il vise une singularité   16149
absolue ; il est collection d'un objet unique et de sa disparition.
Ibid.

PIERRE EMMANUEL
1916

La tentation de l'intelligence moderne est de se croire déta-   16150
chée de son objet, libre de modifier la matière sans tenir
compte de notre incarnation, de notre réciprocité au monde.
Détaché, l'esprit multiplie le divers : il y admire sa fécondité,
et tient l'idée d'unité pour stérile.
Le Goût de l'Un, I, L'amour du mot (Le Seuil).

Nous sommes langage incarné : jusque dans la hauteur   16151
des symboles, nous n'échappons jamais à la présence concrète du mot. Si nous y échappions, nous cesserions d'être.
Ibid.

Croire au mystère c'est croire que tout *est* signe, et que tout   16152
n'est que signe. Toute chose, y compris moi, est une figure
toujours prête à signifier.   *Ibid., Le désert et le puits.*

Il y a *du* réel en toute existence : mais aucune n'épuise *la*   16153
réalité. La réalité donne *du* réel, s'y manifeste en figures :
mais, indivisible, y demeure en même temps infigurée.
Inépuisable, infiguré, l'Être se retire infiniment dans la
surabondance même de ses figures [...].
Ibid., La considération de l'extase.

Durer : devenir sa propre histoire. Autant que nos actes,   16154
nous prenons en charge ce qui nous advient. Tout nous fait
signe : à nous d'en faire sens.   *Ibid.*

L'ordre véritable de l'histoire, c'est la communion des saints.   16155
Ibid., II, L'histoire apocryphe.

FRANÇOIS MITTERRAND
1916

Il existe dans notre pays une solide permanence de bona-   16156
partisme où se rencontrent la vocation de la grandeur
nationale, tradition monarchique, et la passion de l'unité
nationale, tradition jacobine.
Le Coup d'État permanent, Deuxième partie, I (Plon).

L'Europe abstraite, forme géométrique dessinée sur un   16157
papier blanc, c'est la caricature qu'en donnent ses détrac-
teurs. La véritable Europe a besoin des patries comme un
corps vivant de chair et de sang.   *Ibid., II.*

16158 A chaque recul de la souveraineté populaire, à chaque disparition de la République correspond un retour en force, franc ou dissimulé, de la justice régalienne. « Dis-moi par qui tu fais juger et je te dirai qui tu es » [...] Il n'est pas en politique d'axiome plus sûr.   *Ibid., Troisième partie.*

16159 Régime oblige : le pouvoir absolu a des raisons que la République ne connaît pas.   *Ibid.*

LOUIS ALTHUSSER
1918

16160 On ne peut *connaître* quelque chose des hommes qu'à la condition de réduire en cendres le mythe philosophique (théorique) de l'homme. Toute pensée qui se réclamerait alors de Marx pour restaurer d'une manière ou d'une autre une anthropologie ou un humanisme théoriques ne serait *théoriquement* que cendres.
        Pour Marx, Marxisme et humanisme, III (Maspero).

16161 L'idéologie guette la science en chaque point où défaille sa rigueur, mais aussi au point extrême où une recherche actuelle atteint ses *limites.*
        Lire Le Capital, tome II, L'objet du Capital, III (n. 5)
        (Maspero).

16162 Le marxisme n'est pas plus, du point de vue théorique, un historicisme qu'il n'est un humanisme.   *Ibid., V.*

16163 Nous voilà bel et bien voués à ce destin théorique : de ne pouvoir *lire* le discours scientifique de Marx sans écrire en même temps, sous sa propre dictée, le texte d'un autre discours, inséparable du premier, mais distinct de lui : le discours de la *philosophie* de Marx.   *Ibid., VI.*

16164 Tout ce qui touche à la politique peut être mortel à la philosophie, car elle en vit.
        Lénine et la philosophie, II (Maspero).

16165 Le marxisme n'est pas une (nouvelle) philosophie de la praxis, mais une pratique (nouvelle) de la philosophie.
        Ibid., IV.

FRANTZ FANON
1925-1961

16166 Pour le colonisé, la vie ne peut surgir que du cadavre en décomposition du colon.
        Les Damnés de la terre, I (Maspero).

Au niveau des individus, la violence désintoxique. Elle 16167
débarrasse le colonisé de son complexe d'infériorité, de ses
attitudes contemplatives ou désespérées. Elle le rend intré-
pide, le réhabilite à ses propres yeux. *Ibid.*

La culture nationale n'est pas le folklore où un populisme 16168
abstrait a cru découvrir la vérité du peuple. Elle n'est pas
cette masse sédimentée de gestes purs, c'est-à-dire de moins
en moins rattachables à la réalité présente du peuple. La
culture nationale est l'ensemble des efforts faits par un
peuple sur le plan de la pensée pour décrire, justifier et
chanter l'action à travers laquelle le peuple s'est constitué
et s'est maintenu. *Ibid., 4.*

LOUIS-RENÉ DES FORÊTS
1918

Donc je vais me taire. Je me tais parce que je suis épuisé 16169
par tant d'excès : ces mots, ces mots, tous ces mots sans vie
qui semblent perdre jusqu'au sens de leur son éteint. Je me
demande si quelqu'un est encore près de moi à m'écouter?
Le Bavard, chap. 3 (Gallimard).

L'un des buts auxquels je vise — si tant est que je vise à un 16170
but précis — serait de pouvoir exprimer, par une concentration de plus en plus grande des éléments rythmiques, la
pulsation intérieure, la scansion de l'être. Il s'agirait, en
d'autres termes, de traduire la réalité en espace d'harmonie
favorable à l'éclosion de nouveaux rapports, et où s'affir-
merait, avec l'évidence d'un chant, quelque chose comme
une modulation secrète.
« *La littérature, aujourd'hui, III.* » *Tel Quel, n° 10, été 1962.*

Menacé par sa réussite comme par son échec, tout écrivain 16171
est en état d'insécurité permanente. *Ibid.*

De toutes façons, ce que nous cherchons à atteindre se trouve 16172
toujours détourné et modifié par l'acte médiateur qu'il nous
faut accomplir pour l'atteindre. *Ibid.*

L'écrivain cherche à atteindre à travers les mots cette réalité 16173
des choses que précisément les mots abolissent en s'affirmant comme sens, car on ne peut parler de leur absence de
sens, sinon en lui donnant un sens qu'elle n'a pas. *Ibid.*

MAURICE CLAVEL
1920-1979

Mais moi je n'étais pas un homme, mais un enfant. Et Délia 16174
m'emportait par cet élan impossible qui défie Dieu, pousse les

bornes du monde, aime la vie, la mort, les montées, les descentes, le jour, la nuit, l'éveil, le sommeil, le rêve, le bruit et le silence, les gros souliers et le vent, sait tout, ne sait rien, s'en moque, s'en désespère; cette inepte et admirable manière de s'exalter de l'infini qu'on était d'abord et de lui courir après : la Jeunesse...   *Le Temps de Chartres.*

16175   Et la mémoire en moi n'est pas plus au ras de terre que l'existence. Rien ne s'imprime ici-bas, c'est vrai. Je me souviens par la haute entremise d'un Temps, pur et concret, ni vide, ni plein, d'origine, qui est à celui du monde ce qu'est à une œuvre faite l'inspiration.   *Ibid.*

16176   L'homme n'a pas la force de dire ce qu'à vingt ans son cœur n'a pu concevoir.   *Ibid.*

16177   Rufus, nous sommes tous finis et infinis. Platon, je crois, le dit de toutes les choses qui sont. Mais à vivre, pour des personnes, c'est effrayant, impossible, et pourtant on ne peut plus guère s'y dérober.   *La Pourpre de Judée.*

16178   Dieu ne peut pas tout, Rufus, nous sommes terriblement libres. Nous sommes des noyés animés, loin, très loin de la surface, le dos sur le fond des eaux, un souffle, un vent faisant dans le même sens mille vagues, et le cercle idéal du soleil nous est brouillé, cassé dans un chaos infini, tandis que les avances, reculs, soulèvements, retombées de n'importe quelle épave, vus du fond, nous sont la Droite parfaite!   *Ibid.*

16179   Peut-être qu'une attention extrême, une maïeutique existentielle en acte, pourrait aider une nouvelle culture à naître, en évitant trop de mal, en évitant le chaos sinon la cassure.
          Qui est aliéné ? (Gallimard).

16180   Le rêve ne peut se nourrir indéfiniment de lui-même : comme certains rêves proches du réveil, à l'aube et même à l'aurore, rêves qu'on veut poursuivre pour lutter contre le matin, il s'use, il s'effiloche, se désagrège, se rattrape, se recompose de plus en plus mal.   *Ibid.*

16181   *L'homme* est un faux absolu. C'est pour cela qu'il « n'y arrive pas... », qu'il n'y arrivera jamais. Ces deux siècles ont raté...
          Ibid.

JEAN STAROBINSKI
1920

16182   Le *plein* du savoir, survenu trop tard, n'est pas supportable.
          Le Plein et le vide (Fata Morgana).

16183   Perçu rétrospectivement, le vide est hors d'atteinte, irréparable.   *Ibid.*

Toute musique rompt le silence, toute peinture comble le 16184
vide : seulement les vrais musiciens, par la manière dont ils
attaquent le silence, le rendent plus profond ; les peintres qui
nous émeuvent le plus, par les chemins qu'ils ouvrent,
rendent le vide plus frais et plus dangereux.   *Ibid.*

EDGAR MORIN
1921

L'esprit humain et la société humaine, uniques dans la 16185
nature, doivent trouver leur intelligibilité non seulement en
eux-mêmes, mais en antithèse à un univers biologique sans
esprit et sans société.
          Le Paradigme perdu : la nature humaine, 1973, p. 22.

Société et individualité ne sont pas deux réalités séparées 16186
s'ajustant l'une à l'autre, mais il y a ambisystème où complé-
mentairement et contradictoirement individu et société sont
constitutifs l'un de l'autre tout en se parasitant l'un l'autre.
          Ibid., p. 45.

[...] une société s'autoproduit sans cesse parce qu'elle s'auto- 16187
détruit sans cesse.   *Ibid., p. 50.*

Ce qui pour nous est l'essentiel de l'hominisation : un procès 16188
de complexification multidimensionnel, en fonction d'un
principe d'auto-organisation ou autoproduction. *Ibid., p. 66.*

Les déviants heureux transforment en déviants ceux dont ils 16189
étaient les déviants.   *Ibid., p. 67.*

Le double jeu de l'histoire est [...] un jeu à trois, entre l'ambi- 16190
valence du désordre, la basse complexité et l'hypercomplexité.
          Ibid., p. 206.

Toute théorie, y compris scientifique, ne peut épuiser le 16191
réel, et enfermer son objet dans ses paradigmes. *Ibid., p. 231.*

Le grand problème est celui de l'ambiguïté préalable entre 16192
l'erreur féconde et l'erreur fatale.   *Ibid., p. 233.*

Il est tonique de troquer la sécurité mentale pour le risque, 16193
puisqu'on gagne ainsi de la chance.   *Ibid., p. 234.*

Il est tonique de s'arracher à jamais au maître mot qui 16194
explique tout, à la litanie qui prétend tout résoudre. *Ibid.*

L'ouverture, brèche sur l'insondable et le néant, blessure 16195
originaire de notre esprit et de notre vie, est aussi la bouche
assoiffée et affamée par quoi notre esprit et notre vie désirent,
respirent, s'abreuvent, mangent, baisent.   *Ibid., p. 235.*

16196   Je suis quelqu'un qui voudrait que le circuit entre le concret et l'idée, comme entre le sociologique et le biologique par exemple, devienne productif, que ce circuit ne produise pas seulement de la connaissance mais un principe de connaissance.   *Interview.*

16197   Toute science naturelle a une origine culturelle mais toute culture est elle-même issue de la nature. Or nous vivons sous l'empire d'un principe de disjonction qui rend l'homme surnaturel et qui rend les sciences physiques inhumaines.   *Ibid.*

16198   La connaissance progresse en intégrant en elle l'incertitude, non en l'exorcisant.   *Ibid.*

16199   Le désordre est, tout en demeurant potentiellement dispersion et destruction, inséparable de tout ce qui est création.   *Ibid.*

16200   La science est incapable de se concevoir scientifiquement elle-même, incapable de concevoir son pouvoir de manipulation et sa manipulation par les pouvoirs.   *Ibid.*

BORIS VIAN
1921-1960

16201   Ce qui m'intéresse, ce n'est pas le bonheur de tous les hommes c'est celui de chacun.   *L'Écume des jours (Pauvert).*

16202   Vous savez [...], en général, on ne sait rien. Et les gens qui devraient savoir même, c'est-à-dire qui savent manipuler les idées, les triturer et les présenter de telle sorte qu'ils s'imaginent avoir une pensée originale, ne renouvellent jamais leur fond de choses à triturer, de sorte que leur mode d'expression est toujours de vingt ans en avance sur la matière de cette expression. Il résulte de ceci qu'on ne peut rien apprendre avec eux parce qu'ils se contentent de mots.   *L'Automne à Pékin (Éd. de Minuit).*

16203   [...] Cette réaction contre la tendresse, ce souci du jugement d'autrui, c'était un pas vers la solitude. Parce que j'ai eu peur, parce que j'ai eu honte, parce que j'ai été déçu, j'ai voulu jouer les héros indifférents. Quoi de plus seul qu'un héros?   *L'Herbe rouge, chap. 16 (Pauvert).*

16204   Tout ce qui n'est ni une couleur, ni un parfum, ni une musique, c'est de l'enfantillage.   *Ibid., chap. 18.*

16205   [...] Sexuellement, c'est-à-dire avec mon âme [...].   *Ibid., chap. 19.*

16206   Je conteste qu'une chose aussi inutile que la souffrance puisse donner des droits quels qu'ils soient, à qui que ce soit, sur quoi que ce soit.   *L'Arrache-cœur, Deuxième partie, chap. 3 (Pauvert).*

Je me demande si je ne suis pas en train de jouer avec les   16207
mots. Et si les mots étaient faits pour ça?
Les Bâtisseurs d'empire (L'Arche).

[...] Je n'ai pas   16208
Assez de goût pour les livres
Et je songe trop à vivre
Et je pense trop aux gens
Pour être toujours content
De n'écrire que du vent.
Je voudrais pas crever (Pauvert).

S'il s'agit de défendre ceux que j'aime, je veux bien me battre   16209
tout de suite. S'il s'agit de tomber au hasard d'un combat
ignoble sous la gelée de napalm, pion obscur dans une mêlée
guidée par des intérêts politiques, je refuse.
Textes et Chansons, Lettre ouverte à M. Paul Faber (Julliard).

ALAIN ROBBE-GRILLET
1922

[Nouveau Roman :] Il n'y a là qu'une appellation com-   16210
mode englobant tous ceux qui cherchent de nouvelles formes
romanesques, capables d'exprimer (ou de créer) de nouvelles
relations entre l'homme et le monde, tous ceux qui sont
décidés à inventer le roman, c'est-à-dire à inventer l'homme.
Pour un nouveau roman, A quoi servent les théories
(Éd. de Minuit).

L'écrivain doit accepter avec orgueil de porter sa propre   16211
date, sachant qu'il n'y a pas de chef-d'œuvre dans l'éternité,
mais seulement des œuvres dans l'histoire; et qu'elles ne se
survivent que dans la mesure où elles ont laissé derrière
elles le passé, et annoncé l'avenir.   Ibid.

Loin de respecter des formes immuables, chaque nouveau   16212
livre tend à constituer ses lois de fonctionnement en même
temps qu'à produire leur destruction.   Ibid.

La fonction de l'art n'est jamais d'illustrer une vérité —   16213
ou même une interrogation — connue à l'avance, mais de
mettre au monde des interrogations (et aussi peut-être, à
terme, des réponses) qui ne se connaissent pas encore elles-
mêmes.   Ibid.

Autour de nous, défiant la meute de nos adjectifs animistes   16214
ou ménagers, les choses sont là. Leur surface est nette et
lisse, intacte, sans éclat louche ni transparence. Toute
notre littérature n'a pas encore réussi à en entamer le plus
petit coin, à en amollir la moindre courbe.
Ibid., Une voie pour le roman futur.

Une explication, quelle qu'elle soit, ne peut être qu'en   16215
trop face à la présence des choses.
Ibid., Sur quelques notions périmées.

16216 L'œuvre doit s'imposer comme nécessaire, mais nécessaire *pour rien;* son architecture est sans emploi; sa force est une force inutile. *Ibid.*

AHMED SÉKOU TOURÉ
1922-1984

16217 La révolution et son emprise sur le monde n'est pas une affaire de troc, de mercantilisme déguisé. Son raffermissement n'est pas du domaine de l'économie marchande mais de l'économie politique. Car on n'achète ni ne vend l'idéal révolutionnaire : on se sacrifie pour lui, on se donne pour lui pour le faire triompher. La révolution est qualité et en elle le plus petit pays vaut le plus grand.
« *La Guinée, l'Afrique et le socialisme* », *Tri-continental, n⁰ 14, octobre-novembre 1969 (Maspero).*

16218 Le socialisme est sans nationalité et il ne peut pas être la propriété d'un seul pays. *Ibid.*

YVES BONNEFOY
1923

16219 La poésie comme l'amour doit décider que des êtres sont. Elle doit se vouer à cet Ici et ce Maintenant que Hegel orgueilleusement avait révoqués au nom du langage, et faire de ses mots qui, en effet, quittent l'être, un profond et paradoxal retour vers lui.
L'Improbable, Paul Valéry, I (Mercure de France).

16220 Je voudrais réunir, je voudrais identifier presque la poésie et l'espoir. *Ibid., L'acte et le lieu de la poésie, I.*

16221 Le vrai lieu est donné par le hasard, mais au vrai lieu le hasard perdra son caractère d'énigme. *Ibid., IX.*

16222 La poésie se poursuit dans l'espace de la parole, mais chaque pas en est vérifiable dans le monde réaffirmé. *Ibid.*

16223 L'invisible [...], ce n'est pas la disparition, mais la délivrance du visible.
Un rêve fait à Mantoue, II, La poésie française et le principe d'identité, 5 (Mercure de France).

16224 Contre qui luttons-nous jamais sinon contre notre double? Contre cet *autre* en nous qui cherche à nous faire entendre que le monde n'a pas de sens?
Les mots et la parole dans le « Roland », Postface à « La Chanson de Roland » (U.G.E.).

MICHEL TOURNIER
1924

[...] L'homme est semblable à ces blessés au cours d'un tumulte ou d'une émeute qui demeurent debout aussi long-temps que la foule les soutient en les pressant, mais qui glissent à terre dès qu'elle se disperse. 16225
Vendredi ou les limbes du Pacifique, 1972 (Gallimard).

Autrui, pièce maîtresse de mon univers.   *Ibid.* 16226

Le langage relève d'une façon fondamentale de cet univers *peuplé* où les autres sont comme autant de phares créant autour d'eux un îlot lumineux à l'intérieur duquel tout est — sinon connu — du moins connaissable.   *Ibid.* 16227

Le sujet est un objet disqualifié. Mon œil est le cadavre de la lumière, de la couleur. Mon nez est tout ce qui reste des odeurs quand leur irréalité a été démontrée. Ma main réfute la chose tenue.   *Ibid.* 16228

Ce qui complique tout, c'est que ce qui n'existe pas s'acharne à faire croire le contraire.   *Ibid.* 16229

C'est apparemment un plaisir égoïste que poursuivent les amants, alors même qu'ils marchent dans la voie de l'abné-gation la plus folle.   *Ibid.* 16230

Il y a deux sortes de femmes. La femme-bibelot que l'on peut manier, manipuler, embrasser du regard, et qui est l'ornement d'une vie d'homme. Et la femme-paysage. Celle-là, on la visite, on s'y engage, on risque de s'y perdre. La première est verticale, la seconde horizontale... 16231
Le Roi des aulnes, 1970,
Écrits sinistres d'Abel Tiffauges (Gallimard).

Tout est signe. Mais il faut une lumière ou un cri éclatant pour percer notre myopie ou notre surdité.   *Ibid.* 16232

Quant à la paperasserie administrative, elle doit répondre à une exigence du grand nombre, ou plutôt à une peur élémen-taire : *la peur d'être une bête.* Car vivre sans papiers, c'est vivre comme une bête.   *Ibid.* 16233

Il n'y a sans doute rien de plus émouvant dans une vie d'homme que la découverte fortuite de la perversion à laquelle il est voué.   *Ibid.* 16234

Dès l'instant qu'un homme fait la loi, il se place hors la loi et échappe du même coup à sa protection. C'est pourquoi la vie d'un homme exerçant un pouvoir quelconque a moins de valeur que celle d'une blatte ou d'un morpion.   *Ibid.* 16235

16236 *La pureté est opaque* [...], voilà la vérité qu'il faut avoir le courage de regarder en face! *Ibid.*

16237 Je me demande si la guerre n'éclate pas dans le seul but de permettre à l'adulte de *faire l'enfant*, de régresser avec soulagement jusqu'à l'âge des panoplies et des soldats de plomb. *Ibid.*

16238 Si on définit l'intelligence comme la faculté d'apprendre des choses *nouvelles*, de trouver des solutions à des problèmes se présentant pour la première fois, qui donc est plus intelligent que l'enfant ? *Ibid.*

PIERRE BOULEZ
1925

16239 Que nous enseignent-ils [Debussy-Cézanne-Mallarmé]? Peut-être ceci : qu'il faut aussi rêver sa révolution, pas seulement la construire.
Relevés d'apprenti, I, La corruption dans les encensoirs (Le Seuil).

16240 Introduire le hasard dans la composition? N'est-ce pas une folie, ou, au plus, une tentative vaine? Folie, peut-être, mais ce sera une *folie utile.* *Ibid. Aléa.*

16241 Sauvegardons cette liberté inaliénable : le bonheur constamment espéré d'une dimension irrationnelle.
Ibid., II, « Auprès et au loin ».

16242 La pensée tonale classique est fondée sur un univers défini par la gravitation et l'attraction; la pensée sérielle, sur un univers en perpétuelle expansion. *Ibid., IV, Notices.*

GILLES DELEUZE
1925

16243 Le masochiste élabore des contrats, tandis que le sadique abomine et déchire tout contrat. Le sadique a besoin d'institutions, mais le masochiste, de relations contractuelles.
Présentation de Sacher-Masoch, Sade, Masoch et leur langage (Éd. de Minuit).

16244 Le non-sens ne possède aucun sens particulier, mais s'oppose à l'absence de sens, et non pas au sens qu'il produit en excès, sans jamais entretenir avec son produit le rapport simple d'exclusion auquel on voudrait le ramener. Le non-sens est à la fois ce qui n'a pas de sens, mais qui, comme tel, s'oppose à l'absence de sens en opérant la donation de sens.
Logique du sens, Onzième série (Éd. de Minuit).

Il est donc agréable que résonne aujourd'hui la bonne nou- 16245
velle : le sens n'est jamais principe ou origine, il est produit.
Il n'est pas à découvrir, à restaurer ni à re-employer, il
est à produire par de nouvelles machineries.   *Ibid.*

Ou bien la morale n'a aucun sens, ou bien c'est cela qu'elle 16246
veut dire, elle n'a rien d'autre à dire : ne pas être indigne
de ce qui nous arrive.
                          Ibid., Vingt et unième série.

Qu'est-ce que l'inconscient ? Ce n'est pas un théâtre, mais 16247
une usine, un lieu et un agent de production. *Machines
désirantes :* l'inconscient n'est ni figuratif ni structural, mais
machinique.   *L'Anti-Œdipe, 1972,*
          en collaboration avec Félix Guattari (Gallimard).

Si le désir produit, il produit du réel. Si le désir est producteur, 16248
il ne peut l'être qu'en réalité, et de réalité.   *Ibid.*

En vérité, *la production sociale est uniquement la production* 16249
désirante elle-même dans des conditions déterminées. Ibid.

Le schizophrène se tient à la limite du capitalisme : il en est la 16250
tendance développée, le surproduit, le prolétaire et l'ange
exterminateur.   *Ibid.*

Ce n'est pas la sexualité qui est un moyen au service de la géné- 16251
ration, c'est la génération des corps qui est au service de la
sexualité comme autoproduction de l'inconscient.   *Ibid.*

C'est que le désir n'est jamais trompé. L'intérêt peut être 16252
trompé, méconnu ou trahi, mais pas le désir. [...] Il arrive
qu'on désire contre son intérêt : le capitalisme en profite,
mais aussi le socialisme, le parti et la direction du parti. *Ibid.*

JEAN-PIERRE FAYE
1925

[...] Aucun récit n'a pris le Pouvoir, ou fait la Révolution. 16253
Mais à maintenir et poursuivre plus loin le récit, la « littérature » peut de loin amorcer des transformations. Elle
peut aussi *faire* en sorte que, dans le meilleur des cas, la
révolution qui se fait soit celle où l'on communiquera mieux
qu'avant.   *Que peut la littérature ? (U.G.E.).*

La littérature (ou le récit) sans doute ne peut rien — rien, 16254
sinon montrer, justement, comment les signes nous sont
parlés. Et par quels signes s'annonce — à long terme ou dès
cet instant — la réalité où nous sommes, qui est désormais
et de plus en plus, et chaque jour plus dangereusement, une
réalité parlée. La littérature? C'est pouvoir dire par quels
signes notre réalité vient vers nous.   *Ibid.*

ROGER NIMIER
1925-1962

16255 J'appartenais à cette génération heureuse qui aura eu vingt
ans pour la fin du monde civilisé.
Le Hussard bleu, Première partie (Gallimard).

16256 La guerre, ça devient la barbe quand tout est mort, éteint,
embaumé. Il faudrait lui trouver des limites. Par exemple,
le foutebôle, on y joue dans des endroits spéciaux. Il devrait
y avoir des terrains de guerre pour ceux qui aiment bien
mourir en plein air. Ailleurs on danserait et on rirait.   *Ibid.*

16257 Tu n'as jamais connu Shang-Haï, ni Kleist, ni les grands
obliques, ni Hegel, encore moins la Patagonie et pas du tout
Nietzsche, ce grand type hâbleur dont on parle en buvant
du cognac. Mon Dieu, qu'un petit Français est désarmé
dans la vie!   *Ibid., Deuxième partie.*

16258 La philo n'est pas mal non plus. Malheureusement, elle
est comme la Russie : pleine de marécages et souvent envahie
par les Allemands.   *Ibid., Troisième partie.*

ALAIN TOURAINE
1925

16259 Une société qui ne se pense pas ne peut que s'enfoncer dans
la décadence, lentement ou brutalement. Le refus d'analyser
et de prévoir, l'abandon à la pure consommation des idées
comme à celle des produits matériels annoncent la fin d'un
monde.   *La Société invisible (Le Seuil)*.

16260 L'intellectuel ne peut plus être un technicien de l'absolu,
parlant au nom d'un ordre transcendant, celui des dieux, des
idées, de l'histoire. Il est pris dans l'ordre social. Celui-ci lui
demande des connaissances, mais surtout des justifications.
Ibid.

16261 Servir le Prince est s'aveugler, car l'ordre établi cache toujours
le mouvement et les drames des rapports sociaux. Il faut donc
être un intellectuel critique.   *Ibid.*

16262 Il est plus difficile et plus important aujourd'hui de se dégager
des mots qui sonnent faux, des idées creuses et des organi-
sations étouffantes que de composer de nouveaux hymnes.
Ibid.

16263 Le changement du monde n'est pas seulement création,
progrès, il est d'abord et toujours décomposition, crise [...] La
société qui se produit elle-même est à la fois dieu et diable.
Ibid.

Lorsque la loi, la coutume semblent s'imposer, on peut avoir 16264
l'illusion de l'ordre et de la rationalité des moyens. Quand il
faut sauter d'une société à une autre, il faut flotter un instant
sur le gouffre, ange et démon à la fois.   *Ibid.*

Il n'y a jamais à choisir entre la violence et l'ordre, mais entre 16265
la violence et le conflit ou le débat.   *Ibid.*

Les philosophes croient faire leur miel de tout, mais ce n'est 16266
que de la cire.   *Ibid.*

L'action n'est pas surgissement, absolu, liberté. Elle est 16267
toujours rapport social.   *Ibid.*

Il faut quitter le calme rassurant des utopies et des pro- 16268
phéties, fussent-elles catastrophiques, pour descendre dans le
mouvement, déconcertant mais réel, des relations sociales.
                                        Lettres à une étudiante.

Je ne regarde pas l'agitation du monde assis, sur le rocher de 16269
la science ou grimpé dans l'arbre d'une idéologie. J'y suis
plongé, je m'y débats avec effort et souvent en désespérant
de m'y orienter et d'y trouver un point d'appui.   *Ibid.*

MICHEL BUTOR
1926

Le roman tend naturellement et doit tendre à sa propre 16270
élucidation.
Répertoire, « *Le roman comme recherche* » *(Éd. de Minuit)*.

Toute véritable transformation de la forme romanesque, 16271
toute féconde recherche dans ce domaine, ne peut que se
situer à l'intérieur d'une transformation de la notion même
de roman, qui évolue très lentement mais inévitablement
(toutes les grandes œuvres romanesques du XXe siècle sont
là pour l'attester) vers une espèce nouvelle de poésie à la
fois épique et dramatique.   *Ibid.*

Je n'écris pas des romans pour les vendre, mais pour obtenir 16272
une unité dans ma vie; l'écriture est pour moi une colonne
vertébrale.   *Ibid.*, « *Intervention à Royaumont* ».

Le dandysme, forme moderne du stoïcisme, est finalement 16273
une religion dont le seul sacrement est le suicide.
            Histoire extraordinaire, 7 Les Limbes, h (Gallimard).

« Il faut tout dire », s'il y a une tradition française c'est 16274
bien celle-ci.
Répertoire II, Sur la déclaration dite des 121 (Éd. de Minuit).

16275 Il ne peut y avoir de réalisme véritable que si l'on fait sa part à l'imagination, si l'on comprend que l'imaginaire est dans le réel, et que nous voyons le réel par lui.
Ibid., Réponses à « Tel Quel ».

MICHEL FOUCAULT
1926

16276 Jamais la psychologie ne pourra dire sur la folie la vérité, puisque c'est la folie qui détient la vérité de la psychologie.
Maladie mentale et psychologie, chap. 5 (P.U.F.).

16277 Interroger une culture sur ses expériences-limites, c'est la questionner aux confins de l'histoire, sur un déchirement qui est comme la naissance même de son histoire.
Histoire de la folie à l'âge classique, Préface (Plon).

16278 Qu'est-ce donc que la folie, dans sa forme la plus générale, mais la plus concrète, pour qui récuse d'entrée de jeu toutes les prises sur elle du savoir? Rien d'autre, sans doute, que l'*absence d'œuvre*.
Ibid.

16279 N'est-il pas important pour notre culture que la déraison n'ait pu y devenir objet de connaissance que dans la mesure où elle a été au préalable objet d'excommunication?
Ibid., Première partie, chap. 3.

16280 De *l'homme* à *l'homme vrai*, le chemin passe par *l'homme fou*.
Ibid., Troisième partie, chap. 5.

16281 Tout au long du XIXᵉ siècle et jusqu'à nous encore — de Hölderlin à Mallarmé, à Antonin Artaud —, la littérature n'a existé dans son autonomie, elle ne s'est détachée de tout autre langage par une coupure profonde qu'en formant une sorte de « contre-discours », et en remontant ainsi de la fonction représentative ou signifiante du langage à cet être brut oublié depuis le XVIᵉ siècle.
Les Mots et les Choses, I, chap. 2, V (Gallimard).

16282 Tout se passe comme si la dichotomie du normal et du pathologique tendait à s'effacer au profit de la bipolarité de la conscience et de l'inconscient. *Ibid., II, chap. 10, III.*

16283 Par rapport aux « sciences humaines », la psychanalyse et l'ethnologie sont plutôt des « contre-sciences »; ce qui ne veut pas dire qu'elles sont moins « rationnelles » ou « objectives » que les autres, mais qu'elles les prennent à contre-courant, les ramènent à leur socle épistémologique, et qu'elles ne cessent de « défaire » cet homme qui dans les sciences humaines fait et refait sa positivité. *Ibid., V.*

16284 Une chose en tout cas est certaine : c'est que l'homme n'est pas le plus vieux problème ni le plus constant qui se soit posé au savoir humain. *Ibid., VI.*

L'homme est une invention dont l'archéologie de notre 16285
pensée montre aisément la date récente. Et peut-être la fin
prochaine. *Ibid.*

Il n'y a pas une seule culture au monde où il soit permis de 16286
tout faire. Et on sait bien depuis longtemps que l'homme ne
commence pas avec la liberté mais avec la limite et la ligne
de l'infranchissable.
Appendice à l'Histoire de la folie (Gallimard).

L'homme dont on nous parle et qu'on invite à libérer est 16287
déjà en lui-même l'effet d'un assujettissement bien plus
profond que lui. Une « âme » l'habite et le porte à l'existence,
qui est elle-même une pièce dans la maîtrise que le pouvoir
exerce sur le corps. L'âme, effet et instrument d'une anatomie politique; l'âme, prison du corps.
Surveiller et punir, 1975 (Gallimard).

Le châtiment est passé d'un art des sensations insupportables 16288
à une économie des droits suspendus. *Ibid.*

Dans la torture, pour faire avouer, il y a de l'enquête, mais il 16289
y a du duel. *Ibid.*

Le rôle du criminel dans la punition, c'est de réintroduire, en 16290
face du code et des crimes, la présence réelle du signifié
— c'est-à-dire de cette peine qui selon les termes du code doit
être infailliblement associée à l'infraction. *Ibid.*

Dans le droit monarchique, la punition est un cérémonial de 16291
souveraineté [...] Dans le projet des juristes réformateurs,
la punition est une procédure pour requalifier les individus
comme sujets de droit. *Ibid.*

L'examen combine les techniques de la hiérarchie qui 16292
surveille et celles de la sanction qui normalise [...] En lui
viennent se rejoindre la cérémonie du pouvoir et la forme de
l'expérience, le déploiement de la force et l'établissement de la
vérité. *Ibid.*

La naissance des sciences humaines ? Elle est vraisemblable- 16293
ment à chercher dans ces archives de peu de gloire où s'est
élaboré le jeu moderne des coercitions sur les corps, les
gestes, les comportements. *Ibid.*

On dit souvent que nous n'avons pas été capables d'imaginer 16294
des plaisirs nouveaux. Nous avons au moins inventé un
plaisir autre : plaisir à la vérité du plaisir, plaisir à la savoir, à
l'exposer, à la découvrir, à se fasciner de la voir, à la dire, à
captiver et capturer les autres par elle, à la confier dans le
secret, à la débusquer par la ruse; plaisir spécifique au discours
vrai sur le plaisir. *La Volonté de savoir, 1976 (Gallimard).*

Nous sommes, après tout, la seule civilisation où des préposés 16295
reçoivent rétribution pour écouter chacun faire confidence
de son sexe... *Ibid.*

ÉDOUARD GLISSANT
1928

16296 L'Occident, qui avait dominé le monde, ne s'y était pas, hormis le gain palpable et l'avantage de l'esprit, *intéressé;* contestant l'Occident, le reste du monde prend le relais agissant et constitue un des éléments, non pas prédominant, d'une possible civilisation planétaire.

L'Intention poétique (Le Seuil).

16297 L'ère des langues orgueilleuses dans leur pureté doit finir pour l'homme : l'aventure des langages (des poétiques du monde diffracté mais recomposé) commence.   *Ibid.*

16298 Le langage poétique doit garantir une vocation d'unité que la poésie opposerait au discernement de toutes choses.

Ibid.

16299 Là où les histoires se joignent, finit l'Histoire.   *Ibid.*

EMMANUEL LE ROY-LADURIE
1929

16300 Le grand danger de l'ordinateur, c'est sa gigantesque productivité. Plus il accumule les données, plus la part consacrée à la réflexion doit être grande.

Interview à l'Express, sept. 1973.

16301 Le danger, c'est de faire une Histoire où la pensée serait la plus courte distance entre deux citations de Lénine ou de Gramsci.   *Ibid.*

16302 L'historien est comme un mineur de fond. Il va chercher les données au fond du sol et les ramène à la surface pour qu'un autre spécialiste — économiste, climatologiste, sociologue — les exploite.   *Ibid.*

16303 Ce sont les masses qui font l'Histoire quand il ne se passe rien. Si l'on veut comprendre les masses, il faut étudier l'homme moyen. Plutôt un berger pyrénéen du XVe siècle que Jeanne d'Arc.   *Ibid.*

16304 L'historien est bien obligé d'avoir recours à l'écrit, aux archives, mais l'écrit est trompeur. Il ne reflète pas la réalité. L'Histoire est un cône qui repose sur sa base, alors que les archives sont un cône qui repose sur sa pointe.   *Ibid.*

16305 L'historien se borne à dresser des constats. Le reste est affaire de choix politiques qui dépassent la compétence de Clio.

Ibid.

MICHEL DEGUY
1930

Chaque chose est proche d'une autre, et dans cette proximité 16306
est enfouie sa propre essence, sa manière d'être en relation.
Cette disposition de soi du monde dans la diversité du spec-
tacle, il appartient à la métaphysique d'en saisir l'ordre.
Fragment du cadastre, Quatrième partie, A Marcel Proust
(Gallimard).

La vérité que cherche l'œuvre d'art, c'est la vérité universelle 16307
de ce qui est singulier.   *Ibid.*

Le *phénomène*, ça n'est pas si simple; avant le poème, il 16308
n'y a pas encore de phénomène.
Poèmes de la presqu'île, 4, Poésie quotidienne (Gallimard).

Pour un poète, ce sont les *figures* de *sa* langue (et en droit 16309
de toutes *les* langues) qui constituent la logique la plus originale de l'être. La *mesure* de l'être est enfouie au plus profond de chaque langue comme son *mètre*. L'être est son
propre figurant; le langage est figuré. Les figures du langage
sont la trame du linge de Véronique sur les traits de l'être.
Actes, II, Réponse à un journaliste qui questionnait sur Dante
(Gallimard).

Comment appellerons-nous ce qui donne le ton?   16310
La poésie comme l'aurore risque tout sur des signes.
Ouï dire, Épigrammes, Les jours ne sont pas comptés
(Gallimard).

Ré-indiquant que le vide qui soutient la figure en ses méta- 16311
morphoses manque (à tomber sous nos prises) et, joint
indéfectible en son absence, se dérobe (à la violence), le
faire tacite de la poésie, sans « réagir », sans raison comme
la rose d'Angelus Silésius, laisse l'aile virer à l'éventail et
l'éventail à l'aile en suspension dans le milieu de leur différence — qui (n') est *rien*.
Figurations, 3, Utopiques, Le voyage (Gallimard).

JACQUES DERRIDA
1930

L'avenir ne peut s'anticiper que sous la forme du danger 16312
absolu. Il est ce qui rompt absolument avec la normalité
constituée et ne peut donc s'annoncer, se *présenter*, que sous
l'espèce de la monstruosité.
De la Grammatologie, Première partie, exergue
(Éd. de Minuit).

16313 Ou bien l'écriture n'a jamais été un simple « supplément »,
ou bien il est urgent de construire une nouvelle logique du
« supplément ».   *Ibid., chap. 1.*

16314 L'idée du livre, qui renvoie toujours à une totalité naturelle,
est profondément étrangère au sens de l'écriture. Elle est
la protection encyclopédique de la théologie et du logo-
centrisme contre la disruption de l'écriture, contre son
énergie aphoristique et [...] contre la différence en général.
                                    Ibid., Le signifiant et la vérité.

16315 Il faut qu'il y ait un signifié transcendantal pour que la
différence entre signifié et signifiant soit quelque part absolue et irréductible.   *Ibid., L'être écrit.*

16316 L'espacement comme écriture est le devenir-absent et le
devenir-inconscient du sujet [...] Comme rapport du sujet
à sa mort, ce devenir est la constitution même de la subjectivité. [...] Tout graphème est d'essence testamentaire.
                                    Ibid., chap. 2, La brisure.

16317 Le fait du langage est sans doute le seul qui résiste finalement
à toute mise entre parenthèses.
L'Écriture et la Différence, Cogito et histoire de la folie
                                    (Éd. du Seuil).

16318 C'est le retard qui est originaire. Différer ne peut donc
signifier retarder un possible présent, ajourner un acte,
surseoir à perception déjà et maintenant possibles. Ce possible n'est possible que par la différence qu'il faut donc
concevoir autrement que comme un calcul ou une mécanique
de la décision.   *Ibid., Freud et la scène de l'écriture.*

16319 La différence est l'articulation de l'espace et du temps.
                                                        Ibid.

16320 Une trace ineffaçable n'est pas une trace.
            Ibid., De l'économie restreinte à l'économie générale.

YVES BERGER
1931

16321 Deux choses me sont également intolérables : savoir que
les enfants meurent de faim, l'une ; et l'autre, que l'on puisse
conseiller à un écrivain de renoncer à écrire.
                                    Que peut la littérature ? (U.G.E.).

16322 Qu'il choisisse l'imaginaire ou que l'imaginaire le choisisse,
c'est toujours contre le réel que l'écrivain travaille et de
façon à l'oublier.   *Ibid.*

La littérature est quelque chose qui n'empêche pas de dor- 16323
mir parce que, d'une certaine façon, on la fait en dormant.
C'est un masque, et si parfait le masque (qu'on le porte
ou qu'on en pressente l'efficacité) que la grande tentation
des écrivains c'est de rester dans les livres et, follement, de
se faire livres eux-mêmes. *Ibid.*

[...] L'idée que je me fais de la littérature comme *activité* 16324
de mort me semble bien plus juste que l'idée de la littérature
implicite dans ce jugement rebattu, que l'on entend formuler
à propos d'un livre qui plaît : « C'est la vie même. » Et non,
ce n'est pas la vie — mais la mort. *Ibid.*

FRANÇOISE SAGAN
1935

Quel mur s'impose donc toujours entre les êtres humains 16325
et leur désir le plus intime, leur effroyable volonté de
bonheur? [...] Est-ce une nostalgie cultivée depuis l'enfance?
La Garde du cœur, chap. 9 (Julliard).

Je n'ai rien [...] contre les drogues : simplement, l'alcool 16326
me suffit et le reste me fait peur. J'ai peur aussi des avions,
de la pêche sous-marine et de la psychiatrie. La terre seule
me rassure, quelle que soit la part de boue qu'elle contient.
Ibid.

PHILIPPE SOLLERS
1936

Il nous faut donc réaliser la possibilité du texte comme 16327
théâtre en même temps que celle du théâtre et de la vie comme
texte si nous voulons occuper notre situation dans l'écriture
qui nous définit. *Logiques, Littérature et totalité (Le Seuil).*

Espace singulier, évident et insaisissable, qui attend celui 16328
dont le corps est devenu un voyage sans fin, sous la protection de l'inconscience commune, corps qui a refusé d'être
agi (d'être un *tiers*), pour venir occuper jusqu'à sa propre
surface. C'est alors, sans doute, que la pensée devient une
scène visible et vraie, et demande à être jouée.
Ibid., La pensée émet ses signes.

Autrement dit, il faut qu'à un système de relations formelles, 16329
à un PROCÈS, corresponde, selon une logique « mourante »,
un EXCÈS qui, quelle que soit la logique en cours, ne cesse
pas de la mettre à mort. Le procès constitue et produit un
excès qui consume le procès et le fonde.
Celui qui écrit et copie ces lignes laissera à son tour derrière
lui un squelette et une suite de mots. *Ibid., Le toit.*

16330   Le langage est notre corps et notre air, notre monde et notre pensée, notre perception et notre inconscient même.
Ibid., La poésie oui ou non.

16331   Les hommes demanderont de plus en plus aux machines de leur faire oublier les machines et peut-être l'apothéose de l'individu civilisé sera-t-elle de vivre un jour de manière entièrement romancée [...].
Ibid., Le roman et l'expérience des limites.

16332   De même que j'étais devenu un mot pour un autre mot dans le décollement des mots en surface, elle ne pouvait être autre chose qu'un sexe pour un autre sexe dans la disparition partagée du sexe qui l'obligeait à penser qu'un des deux sexes était mort...   *Nombres (Le Seuil).*

16333   Toute écriture, qu'elle le veuille ou non, est politique. L'écriture est la continuation de la politique par d'autres moyens.
Théorie d'ensemble, Écriture et révolution (Le Seuil).

HÉLÈNE CIXOUS
1937

16334   Je découvre où va l'enfance quand on la repousse dans un temps mort.   *Dedans (Grasset).*

16335   [...] Je me souvenais de la fin des nuits, et je découvris la profondeur et l'extensibilité de la seconde vécue pour qui veut la remplir.   *Ibid.*

16336   [...] Il m'arrive de penser que tout n'est pas fini parce qu'il n'y a pas eu de commencement, il m'arrive, quand tout est épuisé, de perdre aussi le passé, et cette pensée me précipite du haut du balcon dans la baie où toutes les significations se noient.   *Ibid.*

16337   Le temps et le monde et la personne ne se rencontrent qu'une seule fois.   *Ibid.*

16338   Tout obéit à l'ordre du silence : il y a beaucoup de curieux, d'ennemis, d'indifférents, d'animaux.   *Ibid.*

16339   Dehors le mystère des choses s'asséchera, les générations reflueront morts sur morts sous le soleil, mais dedans nous aurons cessé de mourir.   *Ibid.*

16340   Pas de passage qui s'écoule sans sa poignante révélation.   *Ibid.*

16341   Chaque fois qu'une vision annonce qu'elle va être réveillée, elle s'éloigne encore un peu plus.   *Ibid.*

Écris! En plus net, plus visible, plus sonore, c'est la clé de 16342
l'autre musique! Prends des notes destinées à toi seule. Écris.
Comme à une autre personne, pour qui tu n'existes pas. Pour
qui tu vis. Pour ne pas mourir.   *Ibid.*

[...] Infiniment corps, étendu partout, j'ai reçu sans fuir les 16343
messages de toutes les forces, j'ai pris l'air, ses nœuds, ses
puits, ses tours, sa folie, j'ai pris les mille manières de l'eau.
                                                                  Ibid.

[...] La force de la féminité, ses quatre pouvoirs :   16344
— le pouvoir d'être l'Hier et l'Aujourd'hui;
— le pouvoir d'être les autres qu'on est;
— le pouvoir d'entrer et sortir à son gré de ses quatre
inconscients :
« Personne ne peut me saisir
Moi je peux vous saisir »;
— le pouvoir de garder autour d'elle ses lumières, ses
musiques, ses dons d'harmonie, et de s'envelopper de toutes
ses époques.   *Ibid.*

[La femme] Elle ignore le non, le nom, la négativité.   *Ibid.* 16345

[...] Elle est faite pour cette souffrance entre toutes les souf- 16346
frances : l'incarcération de tous ses désirs dans une geôle
beaucoup trop petite pour elle.   *Ibid.*

Se vouloir délivrée! Sentir tous ses cris qui ne sont pas 16347
poussés. Ses sanglots étranglés.   *Ibid.*

ANDRÉ GLUCKSMANN
1937

Nous n'avons pas à ventriloquer, à prêter notre voix au 16348
silence des camps; venu d'au-delà de l'espoir et de la peur, il
introduit dans le fracas savant du siècle une pudeur qui lui
manque cruellement.
          La Cuisinière et le mangeur d'homme, 1975 (Grasset).

Il n'est de parole sérieuse que « parole de maître ».   *Ibid.* 16349

C'est toute une culture qui se dévoile ainsi comme *horizon indé-* 16350
passable du marxisme, et chaque fois cette culture se révèle
celle, centenaire ou millénaire, d'une élite qui monopolise la
parole et d'un État qui s'arroge le monopole de la violence.
                                                                  Ibid.

On ausculte une société par son haut ou par son bas.   *Ibid.* 16351

Comme on gouverne sa société, on théorise celle des autres : 16352
ce savoir va du haut vers le bas, comme le commandement.
                                                                  Ibid.

16353 La théorie travaille dans l'éternel depuis Platon; depuis ce temps-là l'élite s'emploie à planifier son règne millénaire en éliminant les scories : plèbes ignorantes des grands desseins, temps rebelles, mauvais esprits. *Ibid.*

16354 L'élite habite une forteresse, l'État. Autour : la plèbe et les désordres du temps. Au-delà : l'éternité. Entre la forteresse et l'éternité, un pont : la théorie. *Ibid.*

16355 Couronne de la Raison nouvelle, l'Hôpital général préfigure le camp de concentration. *Ibid.*

16356 La légitimité du pouvoir est celle de la *raison*, « discours sans contradiction » qui s'appuie, tout en s'en distinguant, sur la « pratique sans commentaire » de la police qui enferme. *Ibid.*

16357 Tenir le langage est, pour le gouvernement, nécessité. *Ibid.*

16358 Les maîtres aiment à se donner un air de rigueur définitive, ils se mireraient volontiers dans la nécessité déductive attribuée aux mathématiques, leur fidélité est « inébranlable » et leur discipline « monolithique » — miroir aux alouettes. *Ibid.*

16359 [...] Le détenu dévisage son geôlier, à l'occasion lui crache à la gueule — cette salive est plus concentrée que bien des chapitres de la *Phénoménologie de l'esprit* consacrés à la reconnaissance réciproque du Maître et de l'Esclave, et plus spirituelle. Ne pas tendre au maître le mouchoir de la théorie, ne pas attendre qu'il se soit refait une beauté, tenter de le voir avec l'œil du détenu. *Ibid.*

16360 L'art suscite une communication sauvage de peau à peau, de plaie à plaie, qui dans la plèbe ne cesse jamais. *Ibid.*

16361 L'économie qui fait du travail la mesure de toute richesse tend à enfermer les pauvres, le jacobin tourne au nazi, le pédagogue devient flic. *Ibid.*

16362 Demain tu seras un homme, et libre, à condition que tu ne retournes pas d'où l'éducation te détourne... *Les Maîtres penseurs (Grasset).*

16363 Les manières changent, la prétention demeure de coïncider avec le centre du monde, de couler dans le bronze de l'histoire un je pense qui soit l'absolu et inébranlable fondement de la vérité. *Ibid.*

16364 Qu'est-ce qui conteste [...] moins le pouvoir de l'État moderne qu'une conception religieuse de la politique doublée d'une conception politique de la religion. *Ibid.*

Le bourgeois exploiteur évacué depuis longtemps reste 16365
l'homme officiel qui règle l'organisation et la distribution du
travail social, et l'homme privé qui la subit.   *Ibid.*

Un homme agence, sur une scène, la grande machinerie du 16366
pouvoir moderne : il met en marche les discours, creuse les
imbroglios, actionne les phantasmes. Ça fonctionne. [...] Il
nous éclate. De rire. Au nez.   *Ibid.*

J. M. G. LE CLÉZIO
1940

A mon sens, écrire et communiquer, c'est être capable de 16367
faire croire n'importe quoi à n'importe qui.
                Le Procès-verbal, Avant-propos (Gallimard).

L'important, c'est de toujours parler de façon à être écrit ; 16368
comme ça, on sent qu'on n'est pas libre. On n'est pas libre
de parler comme si on était soi.   *Ibid., C.*

Des poèmes, des récits, pour quoi faire? L'écriture, il ne 16369
reste plus que l'écriture, l'écriture seule, qui tâtonne avec
ses mots, qui cherche et décrit, avec minutie, avec profondeur, qui s'agrippe, qui travaille la réalité sans complaisance.
                La Fièvre, Avant-propos (Gallimard).

Comment échapper au roman?   16370
Comment échapper au langage?
Comment échapper, ne fût-ce qu'une fois, ne fût-ce qu'au
mot COUTEAU?   *Le Livre des fuites (Gallimard).*

La littérature, en fin de compte, ça doit être quelque chose 16371
comme l'ultime possibilité de jeu offerte, la dernière chance
de fuite.   *Ibid.*

Ce qui me tue, dans l'écriture, c'est qu'elle est trop courte. 16372
Quand la phrase s'achève, que de choses sont restées au-
dehors!   *Ibid.*

RÉGIS DEBRAY
1941

Lutter pour un maximum d'efficacité, c'est lutter en toute 16373
occasion *pour* la réunion de la théorie et de la pratique, et
non *contre* la théorie au nom de la pratique à tout prix.
Révolution dans la révolution?, Avertissement (Maspero).

Entre une pratique sans tête et une théorie sans jambes, 16374
il n'y aura jamais à choisir.   *Ibid.*

16375 Nous ne sommes jamais tout à fait contemporains de notre présent. L'histoire s'avance masquée : elle rentre en scène avec le masque de la scène précédente, et nous ne reconnaissons plus rien à la pièce.   *Ibid., I.*

16376 La perversion d'une idée juste est l'hommage des pervers à sa vertu.   *Les Rendez-vous manqués.*

16377 Qui pourrait nous éduquer, sinon la pâle éducation des images et des mots ?   *Ibid.*

16378 Cinéphiles faute de mieux, le cinéma, prothèse des inactifs, nous a permis de vivre à peu près comme des hommes normaux, et nous a quelquefois caché à nous-mêmes notre infirmité.   *Ibid.*

16379 Les idées dominantes d'une époque sont comme le mobilier ou les tableaux des appartements de la classe dominante : ils datent de l'époque précédente.   *Ibid.*

JULIA KRISTEVA
1941

16380 Les trois grands maux du XXᵉ siècle ne sont-ils pas la misogynie, l'antisémitisme et l'anti-intellectualisme ? *Interview.*

16381 Tout se passe [...] comme s'il y avait un fonctionnement conscient et un fonctionnement inconscient des signes. *Ibid.*

16382 Dès qu'une entente sociale s'instaure, même si elle exprime une volonté de mieux-être pour le plus grand nombre, elle représente par sa massivité un germe de totalité et, à terme, une promesse de totalitarisme. L'intellectuel, par son travail de critique minutieuse, peut essayer de déverrouiller ces systèmes de certitudes.   *Ibid.*

16383 Dissidente éternelle par rapport au consensus social et politique, en exil par rapport au pouvoir, une femme est toujours singulière, pis même, morcelée, démoniaque, sorcière. *Ibid.*

PASCAL LAINÉ
1942

16384 Il n'y avait qu'un seul infime défaut dans cette pleine horreur des choses brutes, et j'étais ce défaut : exister ainsi, n'être qu'une écharde de vie sous les tonnes de glaise, dérober l'instant de mon existence à l'éternité stupide du flux et du reflux me semblait une bien plus grande merveille que d'avoir un Dieu, que d'être Dieu.   *B. comme Barabbas (Gallimard).*

Je me sens comme « de passage » dans l'existence, à la manière 16385
d'un voyageur de commerce, également étranger à tous les
pays que je traverse.   *Ibid.*

Les hommes, en mourant, sombrent dans l'imparfait. Le 16386
temps, où tout finit par se perdre, les engloutit, et l'existence
se referme derrière eux.   *Ibid.*

Le réel n'avait pas plus d'épaisseur qu'une image, une image 16387
qui s'étirait à l'infini, mais sans rien faire d'autre que se
recommencer sans cesse, comme par jeu, ou par la crainte de
s'anéantir tout à fait.   *Ibid.*

Le monde [...] n'est plus seulement le milieu abstrait de nos 16388
transformations, mais l'objet changeant de notre désir. Le
langage moderne reflète et détermine à la fois cette évolution,
en multipliant dans les *mass media* les signes de ce désir.
                    La Femme et ses images, 1974 (Gallimard).

L'objet vaut comme signe, mais inversement le signe nous 16389
renvoie presque toujours à quelque objet.   *Ibid.*

Le processus économique moderne suscite son discours 16390
nécessaire, mais inversement notre langage comporte une
fonction, une finalité économique.   *Ibid.*

Réduite à n'être que son « image », la femme trouve sa véri- 16391
table importance au lieu même de son aliénation. Car c'est au
prix de sa liberté, de son identité, qu'elle se « réalise » dans
sa fonction d'objet ou de *médiateur* du désir.   *Ibid.*

Tenant à leur discrétion les *mass media*, dont la capacité de 16392
suggestion et d'incitation ne cesse de croître, les publicitaires
et les firmes sont en mesure de gérer, en permanence et selon
leurs intérêts propres, tout le fonds de l'imaginaire dans les
cultures occidentales modernes.   *Ibid.*

On peut croire [...] que la révolte féministe, encore minori- 16393
taire, mal connue, réduite si possible par les *media* à n'être
qu'une nouvelle fantaisie de la mode, trouvera pourtant un
terrain propice dans la masse anonyme des femmes, impa-
tientes précisément d'échapper à cet anonymat et de résoudre
le problème chaque jour plus aigu de leur identité.   *Ibid.*

La philosophie, en moi, c'est quelque chose comme le voisin 16394
du dessus qui ferait les cent pas dans sa chambre, avec des
chaussures cloutées sur son parquet, et qui vous piétinerait les
pensées. C'est ça : un bruit étranger à la pièce, mais dans la
pièce, et jusque dans mon sommeil, comme un écho, s'éteignant interminablement.   *L'Irrévolution (Gallimard).*

C'est rassurant qu'on trouve l'ignorance et l'intelligence où 16395
l'on veut qu'elles se trouvent. Ou bien le monde ne serait
pas ce qu'il est.   *Ibid.*

16396   Pourquoi prétendre que je doive choisir ? C'est mon existence qui me choisit, petit à petit. Mon personnage s'enfonce en moi, doucement, et m'investit.   *Ibid.*

16397   L'érotisme est tout d'ambiguïté, [...] et se nourrit de son jeûne apparent. [...] C'est un jeu, un simple jeu, gratuit, d'une perverse pureté.   *Ibid.*

16398   Les mots, ça fait du bruit; on écoute les mots; on écoute ceux qui les disent; pas les autres, ceux qui n'osent pas faire tant de bruit. [...] ils n'osent pas à cause du cambouis sur leurs mains, par exemple, et parce qu'on leur a dit qu'il faut parler les mains blanches.   *Ibid.*

TONY DUVERT
1946

16399   Les puritains jurent que la pornographie est lassante, qu'elle montre toujours la même chose. J'ai peur qu'ils surestiment la variété du reste.
    Journal d'un innocent, 1976 (Éd. de Minuit).

16400   [...] Nul ne sait lire le corps; les moins aveugles de nous découvrent seulement que, sur ses parois que des mètres de boue ont si longtemps enfouies, une langue inconnue est tracée.   *Ibid.*

16401   [...] Presque tous les livres ont des centres mous, des conca- vités de hamac. C'est sans doute le creux qu'on voit dans les lits, les fauteuils qui ont servi trop longtemps. Ressorts à changer.   *Ibid.*

16402   La demande d'ordre et d'éducation, de normes, de boucherie vient des enfants mêmes, d'où qu'ils sortent. Car ils veulent devenir aussi humains que nous, les monstres.   *Ibid.*

16403   Or le bonheur, quant à lui, est un sommeil éternel. Rien de plus légitime que de le protéger contre les malades atteints d'insomnie.   *Ibid.*

16404   Je n'en finis pas de m'émerveiller que la nature soit si vulné- rable, et l'antinature si résistante. Que l'on construise si difficilement ce qui est construit d'avance, et qu'on échoue à détruire ce qui n'est que petite œuvre d'infirme.   *Ibid.*

16405   Seuls parlent au nom des hommes ceux qui pourraient pointer un fusil sur eux.   *Ibid.*

16406   Je n'oublie pas que la charité est une vertu désuète : c'est la justice sociale qu'il faut. Heureusement, si l'une appartient au passé l'autre est pour l'avenir : ce qui nous dispense des deux.   *Ibid.*

PATRICK GRAINVILLE
1947

Il lui aurait fallu quelque limon! quelque volcan! quelque 16407
fauve traqué : un baobab! un baboin! pour exprimer son
bonheur. Ah! bondir! voler aux cimes d'un arbre géant et
entonner un hymne de reconnaissance à la terre... ou bien
empoigner un grand singe et rouler au sol avec lui et mordre!
se faire mordre et saigner la bête et l'homme!
                                    Les Flamboyants, 1976 (Seuil).

C'était surchargé, boursouflé, sordide. Un tel délire de réalité 16408
écœurait, rendait idiot.   *Ibid.*

Hannibal eût-il franchi les Alpes à dos de girafes, il serait 16409
entré dans Rome chevauchant de grandes portions de planètes vives, hermaphrodites!   *Ibid.*

La clarté de la lune et son parfum de cuivre.   *Ibid.* 16410

La nuit laissait glisser ses voiles ténébreux pour resplendir 16411
nue, blonde. La clarté n'était donc qu'une nuit nue et les
ténèbres son simple affublement.   *Ibid.*

Des hyènes crient et mangent des bouts de ténèbres. [...] Ces 16412
fripouilles nocturnes sorties de la terre et nécrophages dont
les aboiements saccagent les ténèbres.   *Ibid.*

Ah! vos éducations judéo-chrétiennes vous ont crétinisés, 16413
rationalisés. Moi je suis resté un grand métaphorique, un
Grand Analogique!   *Ibid.*

Laissons nos morts à la nature, qu'ils servent à quelque chose 16414
au moins.   *Ibid.*

ÉMILE AJAR
(pseudonyme de **Romain Gary,** 1914-1980)

Les gens tiennent à la vie plus qu'à n'importe quoi, c'est 16415
même marrant quand on pense à toutes les belles choses qu'il
y a dans le monde.
                    La Vie devant soi, 1975 (Mercure de France).

[...] Il faut maigrir pour manger moins, mais c'est très dur 16416
pour une vieille femme qui est seule au monde. Elle a besoin
de plus d'elle-même que les autres. Lorsqu'il n'y a personne
pour vous aimer autour, ça devient de la graisse. *Ibid.*

16417 Quand on est môme, pour être quelqu'un il faut être plusieurs.
Ibid.

16418 La vie, c'est pas un truc pour tout le monde. *Ibid.*

16419 Il n'y a pas de commencement. J'ai été engendré, chacun son
tour, et depuis, c'est l'appartenance.
J'ai tout essayé pour me soustraire, mais personne n'y est
arrivé, on est tous des additionnés.
Pseudo (Mercure de France).

16420 Je suis un linguiste-né. J'entends et je comprends même le
silence. C'est une langue particulièrement effrayante, et la
plus facile à comprendre. Les langues vivantes qui sont
tombées dans l'oubli et l'indifférence et que personne n'entend
sont celles qui hurlent avec le plus d'éloquence. *Ibid.*

16421 Enlevez aux mots leur sérieux, leur creux et leur pseudo-
pseudo, et ils sont menacés de santé. *Ibid.*

16422 S'il y a une chose dont j'ai horreur, c'est les mensonges. Ils
sont beaucoup trop honnêtes. *Ibid.*

16423 Méfiez-vous. Les mots ennemis vous écoutent.
Tout fait semblant, rien n'est authentique et ne le sera jamais
tant que nous ne sommes pas, ne serons pas nos propres
auteurs, notre propre œuvre. *Ibid.*

16424 [...] Je voyais la réalité, qui est le plus puissant des halluci-
nogènes. *Ibid.*

16425 Les mots ont partie liée, ils sont tous devenus historiques [...].
L'amour est seulement un mot qui chante mieux que les
autres. *Ibid.*

16426 Les types irréprochables, c'est des types qui s'ignorent.
Ibid.

16427 Le besoin d'affabulation, c'est toujours un enfant qui refuse
de grandir. *Ibid.*

16428 Il ne s'agit pas d'être « récupéré » par la société, ce n'est pas la
question. Ce qui existe, c'est la récupération de soi-même à
son propre profit. Non seulement ça existe, mais c'est même
le véritable triomphe d'exister. *Ibid.*

16429 L'humanité m'a donné sa souffrance, et je lui ai donné en
échange un livre. On était quittes. *Ibid.*

16430 De nouvelles routes bien tracées, pour aller toujours plus
loin nulle part. *Ibid.*

[...] L'ironie est toujours une bonne garantie d'hygiène 16431
mentale. *Ibid.*

Mais le génial scrutateur [...] savait que la plupart des gens 16432
dits « normaux » sont seulement de bons simulateurs. *Ibid.*

Ici demeure et demeurera toujours pour moi la caricature 16433
déchue d'un *ailleurs*. *Ibid.*

BERNARD HENRI LÉVY
1949

[...] Il n'y a pas de révoltés en cette histoire qui ne soient 16434
d'abord des *fuyards*. *La Barbarie à visage humain (Grasset)*.

Le pouvoir n'est pas l'allogène de la société : il fait corps 16435
avec elle, il est l'instituteur de ses états. *Ibid.*

Le Maître a toujours raison parce qu'il est l'autre nom du 16436
Monde... *Ibid.*

[...] Si le pouvoir mobilise du désir et en gère l'économie, c'est 16437
aussi que ce désir, il en est d'abord l'ingénieur et en a forgé
les figures. *Ibid.*

Parler, c'est, inévitablement, dire et articuler la loi. Il n'y a 16438
pas de parole pleine qui ne soit pleine d'interdit. *Ibid.*

[...] Il n'y a pas d'autre définition du Pouvoir, de la prise et 16439
de la conquête du Pouvoir, que la prise et la conquête du
Temps, la proclamation par quelques-uns du discours historien qu'une Société tient sur elle-même. *Ibid.*

Il faut [...] dire de l'individu ce que Nietzsche dit de la 16440
conscience, qu'il est nécessairement tard venu, pur et plastique effet de ce qui advient avant lui. *Ibid.*

Le bonheur n'est pas, ne sera jamais plus une idée neuve, 16441
sauf à rompre avec tout ce qui, depuis que les sociétés
existent, les a rendues possibles. *Ibid.*

L'homme, même révolté, n'est jamais qu'un Dieu manqué et 16442
une espèce ratée. *Ibid.*

L'idéologie du désir est une figure de barbarie [...] : partant 16443
d'une adoration sans réserve de l'ordre du monde comme il
va, elle ne fait rien d'autre que le faire aller, le faire tourner,
plus vite et plus fort encore. *Ibid.*

La technique, le désir et le socialisme : voilà bien les trois 16444
figures matricielles de la tragédie contemporaine. *Ibid.*

16445 Non, le monde n'erre ni ne se perd dans le méandre du possible, il va tout droit vers l'uniforme, l'étiage et la moyenne;
et c'est pour cela qu'il faut, aujourd'hui pour la première
fois, se proclamer antiprogressiste.   *Ibid.*

16446 [...] L'État totalitaire [...] ce n'est pas la force déchaînée,
c'est la vérité enchaînée.   *Ibid.*

16447 [...] Il y a menace de totalitarisme chaque fois qu'une société
nous fait devoir de *tout dire*.   *Ibid.*

16448 La barbarie de demain a pour elle toute la ressource de
l'avenir et du progrès.   *Ibid.*

16449 Le pessimisme ne vaut que s'il dégage au bout du compte
une mince mais dure plage de *certitude* et de *refus*. *Ibid.*

16450 [...] Je crois aux vertus [de] [...] quelque chose comme un
libertinage austère pour temps de catastrophe.   *Ibid.*

JACQUES ATTALI
1943

16451 Bien plus que les couleurs et les formes, les sons et leurs
agencements façonnent les sociétés. Avec le bruit est né le
désordre et son contraire : le monde. Avec la musique est né
le pouvoir et son contraire : la subversion.
                                    Bruits (Flammarion).

16452 Science et message et temps, la musique est tout cela à la fois,
car elle est, par sa présence, mode de communication entre
l'homme et son environnement, mode d'expression sociale et
durée.   *Ibid.*

16453 Miroir, car, production immatérielle, elle renvoie à la struc-
turation des paradigmes théoriques, très en avance sur la
production concrète.   *Ibid.*

16454 [...] Avant tout échange marchand, la musique est créatrice
d'ordre politique parce que forme mineure de sacrifice. Dans
l'espace des bruits, elle signifie symboliquement la canalisation
de la violence et de l'imaginaire, la ritualisation d'un meurtre
substitué à la violence générale, l'affirmation qu'une société
est possible, sublimant les imaginaires individuels.   *Ibid.*

16455 La musique est vécue dans le travail de tous. Elle est sélection collective dans la fête, accumulation et stockage de code
collectif.   *Ibid.*

16456 Une dynamique des codes, annonciatrice des crises de l'économie politique, est en œuvre dans la musique.   *Ibid.*

16457 Traversée au départ par deux conceptions de l'harmonie,
l'une liée à la nature, l'autre à la science, la musique est le

premier champ où la détermination scientifique du concept va l'emporter, et dont l'économie politique achèvera la victoire.   *Ibid.*

[...] La première sans doute des productions de signes, elle a 16458 cessé d'être miroir, mise en scène, rapport direct, souvenir de la violence sacrificielle passée, pour devenir écoute solitaire, stockage de socialité.   *Ibid.*

A la différence de la représentation, le mode de pouvoir 16459 qu'implique la répétition échappe à une localisation précise, va se diluer, se masquer, s'anonymiser, tout en exacerbant cependant la fiction du spectacle comme mode de gouvernement.   *Ibid.*

La composition est une perpétuelle remise en cause de la 16460 stabilité, c'est-à-dire des différences. Elle n'inscrit pas sur un mode répétitif mais sur la fragilité permanente du sens, après disparition de l'usage et de l'échange.   *Ibid.*

INDEX

A

A 7697, 12673, 12712
Abailard 6960
Abaissement 4072
Abandonnée *(Femme)* 9893
Abat-jour *(Baisse un peu l')* 14153
Abattoir *(international)* 14653
Abbaye 324, 4428; *(de Thélème)* 339
Abbé 777
Abdiquer 10206, 10711, 14299
Abeille 2609, 5275, 6619, 9916, 10121, 11283, 11896
Aberration 15302
Abêtir 903
Abêtissement 3134
Abhorrer 4111
Abîme 9539, 10373, 10838
Abject 11724
Abnégation 9845, 13310, 13483
Abolition *(de l'esclavage)* 10381
Abominable 11601
Abondance 4983, 8586; *(stérile)* 3718
Abracadabrantesque *(Flot)* 12667
Abraham 1205
Abréger 15874
Absence 404, 446, 1223, 1232, 1335, 1439, 1931, 1958, 2042, 2276, 2277 /La Fontaine 2592, 2621/ /Molière 2953/ /Pascal 3098/ 3216, 4822, 6766, 6920, 7393 /Hugo 10378/ /Valéry 13421/ 13679; *(L'Enfer c'est l')* 12392; *(réelle)* 13187
Absent (e) 9308, 13030; *(de moi-même)* 10024
Absinthe 640, 7966, 13564
Absolu 12151, 12942, 14836, 14837, 15042, 15711, 15735 *(Rien n'est)* 12348

Absolutisme *(historique)* 16066
Absolution 9894, 12824
Abstenir (s') 15678
Abstraction 11591, 16104
Abstrait (e) 13505; *(Force)* 9386; *(Nature)* 12620
Absurde 9159, 11749, 12513, 13476, 15026 /Camus 16031, 16033, 16034;/ *(Homme)* 12139; *(le monde est)* 16032; *(l'homme)* 16037
Absurdité 16021; *(du monde)* 15075
Abus 5642, 6917, 7953
Abuser *(du pouvoir)* 5852
Abyme 10815
Académicien *(Discours d'un)* 10971; *(Pas même)* 5282
Académie 1483, 2401, 4811; *(de Saturne)* 5486; *(Française)* 4642, 5067, 5641, 5984, 5985, 6305, 6808
Accablement 10327
Accabler 4123
Accent 3625, 4733; *(aigu)* 12757
Accident 11907, 12827, 15363
Accommodant 2531
Accommodements 2870
Accomplissement 16063
Accouchement 9591
Accoucher 6348, 6362
Accoutumance 1064
Accueillir 13277
Accusateur 11976
Accusé 11969
Accuser 1111
Achéron 4109, 10805
Acheter 120, 5305
Achille, 1623, 5672, 6646, 8197, 8696
Acquis *(Mal)* 191
Acropole 11846, 15343
Acrostiche 11690, 13815
Acte 8344, 15245; *(de l'amour)* 12604; (libre)

12419; *(médiateur)* 16240, *(surréaliste)* 14799

Acteon 1275

Acteur 7429, 8016, 9467

Actif *(Être)* 7015

Action (s) 1455 /Voltaire 5345/ /Rousseau 6192/6707 /Stendhal 8785/ /Balzac 9853/ /Hugo 10246/ 11210 /Baudelaire 11452/ 12609, 12610, 12714, 12857, 12910, 13203, 13208, 13243, 13249, 14480; *(Belles)* 2081; *(d'éclat)* 8107; *(des hommes)* 3618; *(génitale)* 1026; *(Grandes)* 7178; *(individuelle)* 14253; *(Mauvaise)* 5257, 6023, 12564, 13965; *(sociale)* 14804; *(universelle)* 7385; *(Vilaine)* 6232

Activité 7883, 14869; *(intellectuelle)* 15756

Actrice 9749, 10790, 10794, 10825

Actualité 9661

Adam 258, 457, 459, 5603, 7697, 8668, 10255, 14407

Adapter 1011

Addison 5705

Addition 11697; *(Payer l')* 12863

Adepte 11111

Adieu 1083, 1138, 1256, 1289, 1619, 8275, 13738; *(conquêtes)* 9114; *(Soupir d')* 9318; *(veau, vache, cochon, couvée)* 2536

Administration (s) 6071, 8478, 14147

Administrer 10704

Admirables *(Vies)* 14182

Admiration 952, 1043, 2046, 5264, 6708, 9610, 9826, 12229

Admiré 4743

Admirer 2294, 4237, 6850, 7036, 9022, 10009, 10522, 16042; *(rien)* 13510

Adolescence 13349

Adolescent (e, s) 13402, 15760

Adoration *(d'une jeune fille)* 9612

Adorer 3985, 3993, 11335

Adoucir 1852

Adroit 7669

Adulte 14669, 14703, 15765; *(Homme)* 13952

Adultère 64, 7134, 10399, 10860, 11633

Adultérins 4796

Adversaire 6416

Adversité 458, 2111, 3492, 3553, 8266

Aelia Laelia 10831

Aérostat 12546

Affaiblir 13538

Affaire (s) 1271 1404, 1405, 2204, 2161, 2182, 2187, 2220, 3600, 6891, 6897, 6984, 7703, 7952 11880; *(d'amour)* 5879; *(de cœur)* 5905; *(du monde)* 5636; *(Les affaires sont les)* 11802; *(Le temps ne fait rien à l')* 2895; *(Homme d')* 15146; *(Sommet des)* 14586.

Affectation (s) 2900, 3445, 5893, 6474

Affection (s) 819, 3498, 6203, 10214, 10851, 14862; *(humaines)* 14864; *(profonde)* 11641

Affiche 9713

Affirmation 13310

Affirmer 11230, 15624; *(s')* 9175

Affliction (s) 3578, 4658, 5000

Affliger 5046, 5390; *(s')* 8117

Affranchir (s') 15743

Affreux 11748

Affront 1698, 1713, 4155

Affronter 12766

Africains *(Dirigeants)* 15512

Afrique 7474, 15296, 15509, 15511, 16088

Age (s) 606, 702, 1001, 1348, 2911, 5594, 11040, 13754; *(Déclin de l')* 14205; *(décrépit)* 5959; *(de pierre* 14971; *(d'or)* 14971; *(Grand)* 14343; *(Moyen)* 9516, 9522, 9524; *(Océan*

Alarme (s) 2389, 4441, 4447

Albatros 11393

Albe 1725

Alcibiade 6433

Alchimiste 12267

Alcool 7641

Alcyons *(Pleurez, doux)* 7821

Alembert (d') 8782, 11086

Alexandre *(le Grand)* 996, 2387, 3100, 4621, 4737, 5363, 8294, 8595

Alexandrin 10155; *(vers)* 8745

Algèbre 12472

Algébriste 8752, 9428

Alger 11970

Algérie 16075 *(française)* 10772

Alibi 14521

Aliboron *(Maître)* 2420

Aliénation 12041

Aliéniste 13356

Aliscans 13083

Alizés *(Vents)* 8893

Allée *(C'est la mer)* 12688

Allégresse 1717, 13081

Allemagne 5980, 5981, 8009, 8742, 9513, 10446, 13047, 13919, 13924

Allemand (s) 1086, 5531, 7049, 7999, 8000, 8005, 8008, 8415, 9763, 11922, 15321, 16258 *(Livres)*, 13822

Aller *(plus loin)* 10639

Alliance (s) 1146, 7957; *(anglaise)* 12048; *(politiques)* 6438

Allumette (s) 11658, 14735

Allure *(poétique)* 1059

Alouette 652, 2356, 9566, 11394

Alphabet *(de la nuit)* 12237

Altérations *(Lenteur des)* 15961

Altesse 5418

Altruisme 13399

Amabilité 13690

Amalécyte 10809

Amant (s) 22, 40, 72 /Villon 175/ 214 /Marot 418/ 1860, 1941 /La Rochefoucauld

2079, 2095/ 2323, 2324, 2325, 2327 /La Fontaine 2708/ /Molière 2908, 2976, 2997/ 3496, 3587, 3601, 3604, 3641, /Racine 4102/ 4597, 4652, 4824, 4846, 4851, 5285, 5286, 5300, 5853, 5854 /Diderot 6315, 6316/ 6824, 6995, 7324 /Chateaubriand 8158/ /Stendhal 8705/ /Balzac 9682, 9753, 9865/ /Hugo 10376/ 10425, 10439, 10735 11337, 11752, 15150; *(de profession)* 5770; *(parfaits)* 267; *(Premier)* 12389

Ambassadeur 3237, 6473

Ambitieux (se) 4368, 6417, 8767, 15649

Ambition 211 /Montaigne 970/ /Corneille 1747, 1770/ 1883, 2244 /La Fontaine 2619/ /Pascal 3018/ 3584 /La Bruyère 4272, 4330, 4331, 4352/ /Montesquieu 5128, 5151, 5183, 5249/ 7740, 8607 /Lamartine 9078/ 10418, 10896 /Musset 11089/ 11872, 14195, 14856; *(prolétarienne)* 12872

Ame (s) /Villon 177/ 603 /Montaigne 1005, 1006, 1009, 1013/ 1398, 1621 /Corneille 1749/ 2354 /Pascal 3019, 3193/ 3500, 4953, 4964 /Montesquieu 5222 5224, 5226, 5227/ 5829, 5830, 5831, 7140, 7549, 7552, 7873 /Chateaubriand 8363, 8417//Stendhal 8883/ /Lamartine 9004, 9013, 9033/ 9462 /Balzac 9886/ /Hugo 10057, 10107, 10186 10192/ 10870, 10930 /Musset 11010/ /Baudelaire 11416, 11458/ /Flaubert 11703/ 12546, 12554, 12937 /Claudel 13183/ 13192 /Gide 13278/ 13586, 14430, 14332, 14567 /Céline, 14648/ 15056; *(Avilissement des)* 14372; *(basses)*

6107; *(communes)* 8756; *(-cyprès)* 11694; *(d'élite)* 13045; *(du vin)* 11447; *(Grandes)* 4402; *(honnêtes)* 6256; *(humaine)* 7391, 11943, 13854, 13951, 15532; *(immortelles)* 14023; *(Nid d')* 10359; *(noble)* 8763; *(sensible)* 6022, 6629, 6970; *(Triste était mon)* 12355; *(Vendre son)* 11382; *(vivante)* 10838

Amelette *(ronsardelette)* 684

Amen *(dit un tambour)* 12166

Amende 555, 790

Américain (s) 8300, 10654, 11842, 15423

Américanolâtrie 15831

Amérique 6813, 7362, 7474, 8813, 8819

Amertume 10877, 14970

Ami(e, s) 36, 85, 86 /Ronsard 682/ 1870 /La Rochefoucauld 2105/ /La Fontaine 2486, 2565, 2566/ /Molière 2885/ /Racine 3905, 3906/ La Bruyère 4262, 4325, 4362/ /Saint-Simon 4751/ /Montesquieu 5065/ /Voltaire 5468, 5498/ /Rousseau 6277/ /Diderot 6442/ 6659, 6895, 6966, 7115, 7278, 7656, 7825, 7940, 8151 /Stendhal 8705, 8855/ /Balzac 9765, 9770/ /Hugo 10201/ 10419, 10441 10629, 10747 /Musset 10975/ /Rimbaud 12691/ 13086, 14396, 15255; *(donné par la nature)* 7910; *(du genre humain)* 2887; *(Faux)* 35; *(Moitié d'un)* 10315; *(Tendre)* 3556; *(vendus)* 3967; *(unique)* 254

Amiral 5510

Amitié 233, 732 /Montaigne 859, 886, 1017, 1028/ 1318, 1868, 1869, 1871, 1876, 1908 /La Rochefoucauld 1985, 2032, 2089, 2096,

2112/ 2315 /Molière 2894, 3016/ 3281, 3302, 3320, 3487, 3491, 3492, 3494, 3540, 3541, 3584, 3864 /La Bruyère 4292, 4304, 4305, 4306, 4307, 4308, 4313, 4314, 4342/ /Voltaire 5360/ 5832, 5833 /Rousseau 6262/ /Diderot 6355/ 6887, 7042, 7070, 7232, 7335, 7355, 7939 /Chateaubriand 8234/ 8648 /Lamartine, 9032/ /Balzac 9687, 9758/ 10499, 10678, 11240, 11928, 13644, 14259; *(animales et domestiques)* 6353; *(entre femmes)* 9737; *(entre hommes)* 14469; *(Contempteurs de l')* 13354; *(Paisible)* 9496

Amoindrissement 12926

Amorphie 15526

Amour (s) 30, 37, 38, 57, 58, 68, 73, 79, 80, 100, 101, 102, 115, 228, 242, 249, 253, 255, 257, 259, 263, 266, 278, 280 /Rabelais 372/ /Marot 401, 417, 422, 423, 425, 427, 428, 429, 431, 432, 433/ 439, 446, 452, 454, 547, 549, 598, 599, 601 /Ronsard 630, 673, 674/ 689, 697, 699, 735, 738, 740, 745, 759, 776, 809, 815 / Montaigne 970, 1018, 1027, 1028 1037/ 1121, 1122, 1125, 1127, 1165, 1169, 1172, 1204, 1218, 1220, 1229, 1231, 1233, 1234, 1266, 1277, 1279, 1314, 1318, 1319, 1324, 1325, 1352, 1367, 1368, 1369, 1400, 1436, 1437, 1451, 1456, 1463, 1475 /Descartes 1587/ 1639 /Corneille 1667, 1678, 1736, 1790, 1822, 1823, 1824, 1826, 1828, 1831/ 1855, 1856, 1863, 1865, 1868, 1869, 1871, 1894, 1902, 1919, 1923, 1938, 1939 /La Rochefoucauld 1985,

1987, 2083, 2089, 2093, 2095, 2096, 2117/ 2125, 2238, 2244, 2264, 2307, 2308, 2309, 2384 /La Fontaine 2473, 2475, 2619, 2627, 2642, 2659, 2660, 2684, 2692, 2702, 2710/ /Molière 2742, 2791, 2831, 2892/ /Pascal 3018, 3023, 3024, 3025, 3113, 3173, 3174/ 3215, 3219, 3221, 3222, 3261, 3295, 3476, 3484, 3487, 3490, 3493, 3495, 3496, 3566, 3570, 3575, 3582, 3596, 3597, 3600, 3607, 3609, 3794, 3860, 3866, 3867, 3877 /Racine 3910 3919 3920 4001, 4003, 4006, 4009, 4014, 4015, 4026, 4029, 4039, 4043, 4048, 4053, 4164/ 4214 /La Bruyère 4292, 4305, 4306, 4307, 4308, 4309, 4310, 4311, 4312, 4313, 4314, 4315, 4316, 4317, 4318, 4319, 4320, 4321, 4331/ 4438, 4440, 4443, 4454, 4569, 4588, 4589, 4590, 4593, 4594, 4602, 4603, 4604, 4708, 4741, 4742, 4759, 4838, 4841, 4847, 4849, 4866, 4907, 4911, 4920, 4941, 4950 /Montesquieu 5210, 5221, 5251/ /Voltaire 5391, 5519, 5535, 5599, 5624, 5690/ 5727, 5731, 5734, 5735, 5736, 5927, 5929, 5967 /Rousseau 6020, 6165, 6172, 6174, 6219/ /Diderot 6359/ 6567, 6762, 6853, 6856, 6887, 6906, 6950, 6963, 6988, 6990, 6991, 6997, 7016, 7085, 7110, 7111, 7143, 7234, 7242, 7250, 7297, 7298, 7302, 7306, 7307, 7310, 7322, 7324, 7343, 7344, 7347, 7350, 7351, 7425, 7523, 7828, 7829, 7840, 7872, 7893, 7939, 8056 /Constant 8090/ /Chateaubriand 8234,

8252, 8279, 9313/ /Stendhal 8725, 8727, 8753, 8758, 8766, 8768, 8825, 8836, 8843, 8851, 8867, 8892/ 8900, 8902, 8906 /Lamartine 8950, 8992, 9008, 9013, 9017/ 9104 /Vigny 9234, 9335/ 9402, 9478, 9568, 9569, 9573, 9575, /Balzac 9625, 9631, 9639, 9668, 9821, 9844, 9846, 9851, 9892, 9894/ /Hugo 10067, 10078, 10301, 10324, 10339, 10342/ 10420, 10497, 10678, 10732 /Nerval 10823/ /Musset 10962, 11050/ 11161, 11255, 11288, 11293 /Baudelaire 11612/ /Flaubert 11628, 11629, 11683/ 11745, 11875, 11992 /Mallarmé 12204/ 12300, 12302, 12499, 12557 /Maupassant 12591/ 13210, 13216, 13247, /Gide 13275, 13302,/ 13337 /Proust 13346, 13365, 13367, 13371, 13382, 13383/ /Valéry 13464/ 13540, 13576, 13715, 13721, 13725, 13939, 13985, 14259, 14282, 14316, 14368, 14468, 14470 /Céline 14640/ 14814 /Aragon 14947, 14961/ 15054, 15243, 15247, 15294 /Malraux 15360/ 15410, 15764, 15872, 15878 Camus 16015; *(Chance d')* 15871; *(Chanson des)* 10157; *(charnel)* 24, 3587; *(Clef de l')* 12726; *(Code d')* 7839; *(comblé)* 12956; *(conjugal)* 4302; *(contingentes)* 15757; *(courtois)* 32, 72, 121, 187, 194, 564, 605, 608, 631, 635, 654, 1108, 1109, 1528, 1530, 1538, 1599, 1649, 1651, 2740, 4753; *(Dangers de l')* 5785; *(de Dieu)* 3367, 3386, 4185, 5342; *(des hommes)* 3270; *(de soi-*

même) 1326; *(de vieillard)* 31; *(d'une jeune fille)* 9613, 9843; *(est injustice)* 16055; *(Faire l')* 5704, 6933, 7009, 14079, 14255, 15879; *(fidèle)* 1401; *(Folles)* 174; *(Grand)* 13234, 14270; *(héroïque)* 1858; *(heureux)* 95, 2986; *(humain)* 14696; *(Lettre d')* 10046; *(Livre d')* 11712; *(malheureux)* 86, 1161, 1167, 1402, 1453, 3220, 3246, 3521, 3602, 6043; *(maternel)* 3291; *(nécessaire)* 15757; *(On ne badine pas avec l')* 11054; *(On ne meurt pas d')* 14736; *(ordinaire)* 6654; *(Parler d')* 7320; *(partagé)* 3568; *(passion)* 3447, 3448, 3450, 3451, 3453, 3458, 3470, 3472, 3523, 4110, 8715; *(paternel)* 6513, 7756; *(physique)* 11871, 15295; *(Premières)* 7314, 10240; *(Privation d')* 13738; *(qui meurt)* 8251; *(qui se tait)* 11021; *(Rage d')* 14677; *(A réinventer)* 12709; *(Renoncer à l')* 15751; *(Révélation de l')* 15278, 15279; *(Roman d')* 13543; *(satisfait)* 5458; *(splendide)* 12661; *(Temps de l')* 15838; *(Ton de l')* 5877; *(vénal)* 11740; *(Véritable)* 9731, 9786, 10223; *(Vive l')* 11080; *(de vivre)* 16005

Amourettes 4910

Amoureuse (s) 10777; *(Mes petites)* 12663

Amoureux 275, 379, 648, 773, 3022, 3737, 5017, 6358, 7240, 8814, 9726; *(naïf)* 10789; *(vieillard)* 4410

Amour-goût 8715

Amour-propre 1849 /La Rochefoucauld 1965, 2030, 2113/ 3267 /Bossuet 3424/

3619, 3862, 4565, 4618, 4938, 5013 /Voltaire 5341, 5453, 5690/ /Rousseau 6270/ 6771, 6967, 7070, 7875 /Balzac 9596, 9666, 9693/ 10550, 10555, 14846; *(des autres)* 9222; *(du peuple)* 8123

Amphibie 13673; *(Homme)* 2370

Amphitryon 2958

Amsterdam 1593

Amusement 6340, 8109; *(de princesses)* 4195

Amuser (s') 9902, 11607

Anachorète 5250

Anacoluthe 12780

Anagramme 653

Analyse 7414

Anarchie 8366, 10022, 10882, 10887, 12734; *(intellectuelle)* 9390; *(occidentale)* 9413

Anarchique 12447

Anarchiste 11221

Anatomie 6780

Ancêtre(s) 8527, 14800; *(Esprit d')* 13672

Ancien 2989, 3462, 8097, 8098

Ancre *(Jeter l')* 8958

Androgame 1192

Andromaque 4740

Ane(s) 482, 802, 1351, 2457, 5819, 9901, 12939, 13199, 13200

Anéantissement *(de l'être)* 14798; *(de l'humanité)* 14199; *(d'une nation)* 13936

Ange (s) 261, 1390, 3155, 5350, 6178, 9433, 10347, 11369, 12722, 14490, 14834; *(géographique)* 13843; *(purs)* 11326; *(radieux)* 11326

Anglais 6032, 6839, 6934, 8871, 9474, 11926, 11930, 11936

Anglaise (s) 7512, 9892; *(oligarchie)* 8512

Aquilon 2431; *(Vautour)* 10171

Araignée 5222, 5351, 10602

Arbitraire 6475, 8075, 8082, 11967

Arbitre (Libre-) 3433, 3434, 3435, 3436

Arbre (s) 2296, 2297, 6787, 10140, 12475, 13014, 13332, 14313, 14428, 15241, 15248; *(de science)* 14201; *(humain)* 14189; *(Nature des)* 15122; *(séché)* 4163; *(taillé)* 8859

Arc 13060

Arc-en-ciel 12679

Arc *(Jeanne d')* 10392

Arche *(simple)* 9542

Archéologue (s) *(bovins)* 15077

Archet 8840, 8846; *(vainqueur)* 11732

Archevêque 2156; *(de Grenade)* 9766

Archimède 4635

Archipiade 169

Architecte 6869, 9480; *(Eternel)* 9450

Architecture 6870, 8177, 10037, 14325, 14327

Ardents *(Cœurs)* 4986

Ardeur (s) 4000, 4053, 4101, 5908

Argent 203, 468, 1147, 2287, 2320 /La Fontaine 2490, 2682, 2722/ /Molière 2827, 2967, 2978/ /Boileau 3695/ 3779 /Racine 3943/ 4197 /La Bruyère 4289, 4349/ /Rousseau 5994, 6109, 6225, 6273/ /Stendhal 8811/ /Vigny 9285/ 10689, 11223, 11239, 11863, 11879, 12536, 13994, 14271; /Céline 14674/ 15391; *(des autres)* 11880; *(Haine de l')* 13747; *(Manque d')* 12435; *(métal)* 5109; *(monnaie)* 6886; *(Sale)* 12553; *(Sens de l')* 2371

Argile 13431

Argonne 7118

Argot 5643, 9734, 10227

Ariane 4097

Arioste (L') 8066, 14722

Aristocrate 8827, 9622, 12039, 12230

Aristocratie 5131, 10682

Aristocratique *(Nation)* 10658

Aristophane 6534

Aristote 943, 1508, 3147, 3832, 5482, 5492, 12008

Arithmétique 12472

Arles 13083

Armes 313, 2326, 3255, 5532, 15868

Armée (s) 3283, 3546, 4544, 4782, 5213, 5218, 5219, 8471, 9291, 9292, 9297, 9299, 9302, 10774, 12871, 15329; *(d'Espagne)* 3355; *(Licenciement de l')* 7804

Armerdre *(Vive l')* 13562

Armuriers 515

Arnauld 5621

Arôme 15794

Arrangeur 10573

Arrêt 3652

Arrêter (s') 9981

Arrière-saison 1492

Arriver *(arrivisme)* 6937

Art (s) 585 /Montaigne 1013/ 1107, 1140, 1173, 1252, 1475, 1656, 2206 /Bossuet 3394/ 4487, 4639, 4814 /Montesquieu 5098/ /Voltaire 5343, 5349, 5355, 5589/ 5850 /Rousseau 5986, 5989, 5992, 6051, 6170/ /Diderot 6526/ 6577, 6635, 6662, 6781, 6790, 6877, 7085, 7434, 7704, 7833 /Chateaubriand 8224/ /Stendhal 8728, 8729, 8735, 8736, 8740, 8762, 8854/ /Vigny 9266, 9358/ 9395, 9634, 9822, 9844 /Hugo 9990, 9991, 10012, 10317/ 10413, 10415, 10417, 10492, 10493, 10529, 10568, 10574, 10717, 10940, 11165, 11180, 11238, 11304 /Baudelaire 11500, 11546,

11556, 11573/ /Flaubert 11692, 11699/ 11910, 11918, 12089, 12096, 12401, 12432, 12833, 13251 /Gide 13266, 13303, 13323/ 13403, 13552, 13554, 13680, 13682, 13696, 13748, 13765 /Apollinaire 13802/ 13875, 13876, 13908, 13974, 13978, 13989, 13992 /Paulhan 14085/ 14290, 14487, 14508, 14533, 14625, 14626, 14750, 14807, 14914, 15059 /Malraux 15316, 15345, 15357, 15360, 15363, 15364/ 15666, 15769 /Camus 16056/ 16213; *(abstrait)* 14225; *(antique)* 11150; *(bourgeois)* 15686; *(chrétien)* 12543; *(d'aujourd'hui)* 13783; *(de la main)* 5561; *(d'être court)* 9095; *(du cœur)* 6643; *(français)* 10714; *(histoire de l')* 15361; *(Les)* 12923; *(militaire)* 4378; *(moderne)* 9517; *(Morale de l')* 11695; *(œuvre d')* 12574, 13320, 13321, 13784, 15060, 15902; *(pour l'art)* 14510; *(Rayons de l')* 10272; *(Règles de l')* 9988; *(robuste)* 11156; *(véritable)* 12928.

Artichaut 12320

Artifice 3822, 13446, 15131

Artillerie 11836

Artisan (s) 901, 2428

Artiste (s) 7850 /Chateaubriand 8393/ 9473, 9567 /Balzac 9782, 9788, 9831/ 10565, 10570, 10573 /Musset 10964/ /Baudelaire 11480, 11506, 11514, 11518, 11519/ /Flaubert 11680, 11710, 11727/ /Zola 12092, 12095, 12122/ 12301, 12447 /Maupassant 12585/ 12922, 12971, 13069, 13080

/Proust 13404/ 13553 /Apollinaire 13778, 13784/ 14083 /Paulhan 14092/ 14278, 14300, 14907 /Malraux 15309, 15346, 15347, 15348, 15352/ 15633, 15646, 15817 /Camus 16045 *(bourgeois)* 11498; *(Grand)* 11060; *(inutile)* 10383; *(original)* 14491; *(Portrait de l')* 14715; *(qui nous ennuie)* 15286

Artistique *(Émotion)* 13697; *(Mouvement)* 12922

Ascèse 15007

Aser *(Bois d')* 10375

Asiatiques 5022; *(Peuples)* 14066

Asie 5216, 6218, 7024, 7474, 13016

Asile 4072, 7852; *(d'aliénés)* 12757; *(de mort)* 10018

Aspasie 10421

Aspect 4069

Asphalte 14317

Asphodèle 10308

Aspiration (s) 9213; *(de la jeunesse)* 15677

Assassin (s) 6090, 9301, 10744, 14702, 14886, 15929; *(Voici le temps des)* 12730

Assassinat(s) 8812, 9735, 10422, 10880, 12408, 13942, 14112, 15181

Assassiner 3937, 4767, 9959; *(judiciairement)* 8655

Assemblée (s) 5106, 6111, 15371; *(nationale)* 7489, 7807, 15679; *(du peuple)* 8136

Asseoir (s') 3501

Asservissement 14796, 15792

Assis 4869

Assister *(à sa vie)* 11339

Assouvissement 10234; *(Désir d')* 15358

Assumer 15717

Astarot 3519

Asticots 14644

Astre (s) 4084, 9009, 10345, 12763, 12893, 12991

Astrée 4621

Astronomie 5989

Atala 8162, 8163, 8322

Athée (s) 3117, 3129, 3130, 4461, 5208, 6588, 6816, 13124, 14155

Athéisme 6585, 7162, 15532; *(officiel)* 12155; *(politique)* 8386

Athéné 14833

Athènes 11844, 15340

Athlète (s) 5987, 7076

Atlantide 12421

Atmosphère 13551

Atome (s) 5448, 10345, 10846, 15468

Atomique *(Substance)* 11935

Atrabilaire 6765

Atrocité 7738

Attachée *(à sa proie)* 4101

Attachement (s) 1637, 1769, 4280, 5831, 5833

Attacher (s') 5857

Attaquer *(les lois)* 6413

Atteindre *(à tout)* 14195; *(Ce que nous cherchons à)* 16172

Attendre 377, 1911, 10052; *(patienter)* 427; *(une femme)* 11986

Attendrissement 2278, 8804, 8860

Attentat 14440

Attente 1682, 13358, 13686, 15621

Attentif 8725

Attention (s) 5809, 5810, 6610, 7779, 15627

Attila 4737; *(holà!)* 3773

Attirer 14425

Attitude 13654

Attraction *(Force d')* 12993; *(matérielle)* 8576; *(passionnée)* 8576

Atys 14203

Aube *(d'été)* 12732; *(exaltée)* 12678; *(mourante)* 12682

Aubépin 622

Aubépine (s) 8257, 14999; *(en fleurs)* 14958

Auberge 13278; *(Dernière)* 11438

Audace 4035, 4769, 4770, 7732, 8792, 10485; *(extrême)* 14178

Au-delà 10780, 10856, 13523; *(aller)* 14894; *(nuptial)* 15661

Auguste 1622, 3462, 3643, 3688, 3960, 5608

Aujourd'hui 13342, 14295; *(Le vierge, le vivace et le bel)* 12214

Aumône 537, 3041, 9014

Auras *(Tu l')* 2497

Aurélia 10835

Aurore 3463, 4147, 5743, 8434, 10164, 11446, 13417; *(Ample comme l')* 15462; *(boréale)* 11492; *(Cela s'appelle l')* 13945; *(Guetter l')* 15165; *(Nouvelle)* 11788; *(Terrible)* 11455; *(universelle)* 12893

Auscultez-moi 13702

Austère 5552

Austérité 3277, 15689

Autel 4083, 7460

Auteur (s) 1384 /La Fontaine 2624, 2664/ /Pascal 3063/ 4204 /La Bruyère 4227, 4237/ 4581, 4725, 4745, 4825 /Voltaire 5439, 5513/ /Rousseau 6249, 6277/ /Diderot 6330/ 6542, 6558, 6559, 7774 /Hugo 9998/ 10640, 15100; *(Téméraire)* 3713.

Authentique 14088

Automate 6539, 14908

Automne 3697, 8694, 9910, 11479, 12337; *(aux yeux pensifs)* 13002

Autorité /Ronsard 665/ 1412, 1504, 1510, 2183, 2301 /Bossuet 3418/ /Voltaire 5640/ /Rousseau 6155/ /Diderot 6390/ /Constant 8088/ 8599, 9123, 12020, 12027, 13509, 14564; *(des femmes)* 7308; *(des rois)* 7515; *(paternelle)* 5117; *(publique)* 11948; *(souveraine)* 5529

Autre (s) 14543; *(imaginer l')* 16129; *(L')* 14022; *(Les)* 13017; *(Mon amour en aimait une)* 15025; *(que moi-même)* 14995; *(Tout homme est tout)* 15894

Autrefois 11437

Autriche 10064, 10784

Autruche 6351

Autrui 557, 1968, 2260, 2629, 15713, 15720, 15723

Auvergnat 9771

Avances 7332; *(d'argent)* 5304

Avant *(En)* 12454

Avantage 11296

Avant-dernier *(des hommes)* 7284

Avant-garde 14888, 15982, 16123

Avare 6064, 6560, 11028; *(Lèvre)* 11072

Avarice 1114, 2380, 2502, 3659, 3681, 4218, 4516, 4584, 5188, 9685; *(spirituelle)* 4567

Avenir /Montaigne 963/ 1416 /Pascal 3115/ /Racine 3941, 4152/ 7892, 7917 /Constant 8084/ /Chateaubriand 8414/ 8456, 8896 /Lamartine 9060/ /Balzac 9802/ 9913, 9931 /Hugo 10062, 10251, 10348/ 10578 /Nerval 10839, 10843, 10851/ 11330 /Rimbaud 12744/ /Gide 13309/ 13430, 13518, 13766, 13768, 14157, 14411, 14484, 14767, 14768, 14895, 14915 /Aragon 14984, 14985, 14986/ 15267/ Camus 16037 16068/ 16312; *(de l'homme)* 15546; *(métropolitain)* 16097; *(Salve d')* 15638

Aventure (s) 7316, 10386, 13964; *(amoureuses)* 5861; *(Bonne)* 12378; *(manquée)* 14263

Aventurier (s) 6040, 9301, 9739, 13966

Averse 11152, 12402

Aveu 3932

Aveugle (s) 926, 1650, 3907, 5559, 6615, 7194, 8060, 11466, 13237, 15853; *(-né)* 11807

Aveuglement 2218, 2257, 12404

Aveugler (s') 14403

Aviateurs 13787

Aviation 14301

Avide 14514

Avilissement *(des âmes)* 14372

Avion 15226

Avis 895, 3760, 7658; *(d'autrui)* 999; *(intérieurs)* 3874

Avocat (s) 2370, 3091, 3949, 6327, 6940, 7429, 9797

Avoine 12349

Avoir 104, 426, 9307, 13159

Avouer 9880

Axiome 12638

Aymery 10314

Azur 12192, 12195

B

Babel 8359

Babil 4994

Bacbue 394

Bacchus 2468, 5568, 5569

Bach 10414

Bacon 7710, 9398

Badaud 10211

Badinage 3722

Bagage *(littéraire)* 12500

Bagatelles 6709

Bagne (s) 10021, 10138, 10920

Bague *(au doigt)* 11325

Bailler 2906

Bâiller 9944, 11629
Baïonnette (s) 6432, 8516,
9138; (Puissance des) 7417
Baiser (s) 607, 692, 1603,
1643, 1646, 2390, 5281,
6994, 7405 /Musset 10986/
/Baudelaire 11417, 11463/
12164 /Maupassant 12589/
13225, 15850; (double)
12165; (Premier) 12170;
(Un) 10997, 11023
Baiser (la main) 4643
Bal 5418, 10020
Balance 909, 13135
Balcon (du ciel) 11470
Baleine 5479
Balivernes 352
Balle 10017
Ballet 11228
Balzac (Honoré de) 11510,
11550, 11553, 11555
Banc (devant la maison)
13740
Bandeau 7378
Bander (l'arc) 544
Banditrix 15467
Banlieue (misérable) 15093
Banqueroute 5310, 7422
Banqueroutier 7227
Banquet 2552; (de la vie)
7437, 7860
Baptême 12707
Barbares 408, 5490, 8255,
10023, 12379, 12383,
15867
Barbarie 1938, 3987, 5694,
5698, 8395, 9300, 9324,
10737, 11169, 12627;
(extrême) 14639; (vraie)
15374
Barbe (Faire la) 6903;
(fleurie) 18, 21
Barbier 4206
Barbons 1924
Barde 10862
Barère 8473
Baronne 10631
Baroque 16124
Barque (de la mort) 8432;
(Mener sa) 11334
Barre (Chevalier de La)
5694
Barrès (Maurice) 14218

Barrette 2961
Barricades 13054; (Journée
des) 5534
Barrière 3687, 14550
Bas-Bleu 13006
Bas-Lieu (Gens de) 1418
Basse-cour 11295
Bassesse 7005, 11643, 11755,
12476, 14205; (des courti-
sans) 7924; (du christia-
nisme) 15491; (du cœur)
3763
Bastille 7131, 12601, 12603;
(Chute de la) 9982; (Prise
de la) 7511
Bataille (s) 7462, 7619; (au
soleil) 1203
Bataillon (s) (sacré) 11788;
(serrés) 9149
Bateau (à vapeur) 8395
Bateleur 305, 6041
Batifoler (dans une prairie)
3299
Bâtiment 8472, 11268
Bâton 784, 8654; (Coups
de) 4860, 5174; (de maré-
chal) 7694
Battre (se) 12174, 16209
Battu (e, s) 555, 5549; (Il
me plaît d'être) 2935
Baudelaire 12532, 12747,
13185, 15403, 15404
Baudet 2524
Bauge (libre) 10411
Baume 11087
Bavard 4925
Bavardage 3823, 6238, 6260,
9654; (des femmes) 5409
Bayard 236, 237, 13920
Bayle 5447
Béatitude 376, 11373, 11774
Beau /La Fontaine 2513/
/Rousseau 6014/ 6570,
6628, 7570/ Constant 8087/
/Stendhal 8739/ 9187, 9188,
9195, 9196, 9197 /Vigny
9239/ 9447, 9489, 9897
/Hugo 9983/ /Musset
11036/ /Baudelaire 11511,
11520, 11525, 11527,
11547, 11557/ 11748,
11813, 11903, 12286,
13095 /Valéry 13451/

/Apollinaire 13807/ 14725, 15841; *(Science du)* 12095

Beaumarchais 9986, 10368

Beau-père *(Cinq fois)* 3639

Beauté (s) 114, 248, 249, 437 /Ronsard 639/ 805 /Montaigne 943, 985/ 1263, 1274, 1322, 1338, 1492, 1498 /Corneille 1750/ 1880, 1944, 2386 /Bossuet 3413/ 4213, 4216, 4217 /La Bruyère 4294/ 4513, 4952, 4974 /Voltaire 5355/ /Diderot 6522/ 6871, 6981, 7061, 8532, /Stendhal 8881/ /Lamartine 8944/ /Balzac 9680/ /Baudelaire 11412, 11530, 11586, 11595/ 12088 /Rimbaud 12695, 12717/ 12972, 13204, 13240 /Céline 14690/ 14710, 15020 /Camus 16079/; *(admirable)* 3572; *(artistique)* 4581, 4582; *(de la mort)* 12509, 12511; *(de la vie)* 12509, 12511; *(de style)* 8319; *(du diable)* 14988; *(fatale)* 11996; *(féminine)* 6170; *(humaine)* 10500; *(Privilèges de la)* 14517; *(signes de la)* 16019

Beaux-arts 9380

Bec *(Bon)* 186; *(du perroquet)* 3149

Bécarre 2944

Bêches 7519

Bée 209

Bègues 4261, 6383

Bégueule *(Pas)* 1128

Bel *(homme)* 10476

Belge 9892

Belgique 9512

Bellay *(Du)* 1342

Belle (s) '5120, 8614, 8708, 10385; *(Cesser d'être)* 10542; *(Être)* 10473; *(Femme)* 10431

Belleville 11951, 12600

Bellone 6833

Belzébuth 11420

Bémol 413

Bénarès 10820

Bénéfice 1342, 1343

Bengale *(Roses du)* 11042

Béquilles 5415

Berceau 1899, 7872, 8259, 8989, 13230, 13231, 14397

Berger 475, 2460

Bergère *(Il pleut)* 7428

Berry *(Duc de)* 4793, 9091

Bérulle *(cardinal de)* 1393

Besançon 10042

Besogne 3112

Besoin (s) 2668, 3065, 4535, 4665, 5906, 6445, 7707 8925, 11137, 12839; *(d'autrui)* 6725; *(d'un autre)* 6352; *(Faire ses)* 13195

Bête (s) 3155, 4559, 5266, 7873, 11425, 14834; *(idiot)* 6306; *(Les gens sont)* 6792; *(Les hommes sont)* 6474; *(Vieille)* 7017

Bêtise 7180, 9903, 11292, 11488, 11586, 11685, 11728, 11769, 13109, 13411, 13480, 14654; *(cléricale)* 12545; *(du bourgeois)* 11726

Bible 3686, 8794, 10176, 15176; *(des pauvres)* 12997

Bibliothèque (s) 7056; *(de l'Univers)* 6801

Biche 3666; *(aux abois)* 9246

Bien (s) 460, 560 /La Rochefoucauld 2033, 2048/ 2151 /La Fontaine 2615/ /Bossuet 3440/ 3828, 3871, 4863 /Voltaire 5466/ 5848 /Rousseau 6224/ /Diderot 6384, 6463, 6464, 6502/ 6716, 6900, 7677, 7933 /Lamartine 8979/ /Musset 11030/ 11225 /Baudelaire 11534/ 13854, 14454, 14597, /Céline 14688; *(de la terre)* 8172; *(Dire du)* 3067, 6920; *(excessif)* 7672; *(Faire du)* 5456, 5611; *(Faire le)* 5211, 9646, 13864, 14013; *(Figure du)* 10130; *(général)* 5507, 8150; *(Gens* de) 6529, 12223; *(Homme de)* 6559, 7431; *(mondains)* 236; *(Prendre son)* 13878; *(public)* 979, 2750; *(que l'on fait)* 7236, 7301, 7303; *(toucher du)* 15635; *(Tout est)* 5500, 5505, 5507, 5511, 5516

Bien-aimées 14831

Bien-être *(universel)* 10236

Bienfaisance 7618, 9636

Bienfaisant 6056

Bienfait (s) 336, 1744, 1751, 1757, 1795, 2661, 4029, 4937, 5781, 6346, 6376, 7127, 7231; *(de Dieu)* 3365, 3366; *(des dieux)* 5360; *(du Ciel)* 3468

Bienvenue 7859

Bière *(cercueil)* 1899

Bière *(boisson)* 9903

Bigame 13035

Bigote 12545

Bigoterie 4679

Bijou (x) 3218, 11324; *(d'un sou)* 12377; *(indiscrets)* 6303, 6305

Bilboquet 6239

Bile 2890, 5464

Billard *(jouer au)* 12809

Biographie 13821

Biologie 15502

Biologiste 14706

Biosphère 15910

Bise 3326, 3333

Bissac 2604

Bistouri 11179, 11626

Bizarre 7482

Blâme (s) 260, 2009

Blâmer 2459, 5543, 9131

Blanc 9977, 13144; *(Cheveux)* 13343; *(Homme)* 10381

Blanc-bec 12393

Blanche *(Race)* 9041

Blanchir *(un nègre)* 11719

Blanchisseuse *(Comptes de)* 11999

Blanqui 14346

Blason 14437

Blasphème 7153, 10181

Blasphémer 2349, 8683

Blé 5846, 9590, 12057; *(de Dieu)*, 12057

Blessé *(d'amour)* 12363

Blessée *(De quel amour)* 4097

Blessure (s) 7355, 7356, 12473, 13605, 14170, 14211 15024, 15608, 15957, *(d'amour)* 9572; *(du cœur)* 10956

Bleu 12158, 13142

Bloc *(Calme)* 12220

Bluff 13049

Bobinette 3478

Bœuf (s) 551, 787, 1092, 2411, 10174, 11481, 15077; *(Mes)* 11620

Bohème *(L'amour est enfant de)* 11993

Bohémien 12645

Boire 296, 297, 298, 302, 308, 647, 1207, 1268, 1930, 6933, 9103, 9948; *(Donne-lui tout de même à)* 10353; *(un coup)* 6367

Bois 8694, 9317, 11327

Bois *(pour oublier!)* 12385

Boisseau 9837

Boisson 11372

Boîte 10878; *(aux lettres)* 10869

Boiter 5021

Boiteux 306, 3087, 6383; *(Redresser un)* 6598

Bolcheviks 14987

Bon 2114, 4898, 6014, 8669, 9239, 10770, 10856, 10865, 12460; *(A quoi)* 15107; *(à rien)* 5426; *(Ce qui est)* 3159; *(Naître)* 13029

Bonald 11753

Bonaparte 7712, 8023, 8025, 8028, 8029 /Chateaubriand 8288, 8337, 8338, 8350, 8356, 8370, 8371, 8375/ /Stendhal 8800, 8801, 8817, 8826, 8828, 8829/ 9394, 11302, 12020

Bonapartisme 16129

Bonheur 782 /Montaigne 1049/ 1312, 1978, 2246, 2316 /Molière 2832/ 3448, 3627, 3636, 3826 /Racine

3897, 3902, 4052, 4059, 4060/ 4200 /La Bruyère 4388/ 4625, 4656 /Montesquieu 5084/ /Voltaire 5444, 5449/ 5733 /Rousseau 6063, 6168, 6187, 6202, 6217, 6259, 6269/ /Diderot 6516/ 6987, 7007, 7008, 7042, 7074, 7083, 7086, 7166, 7547, 7687, 7744, 7998, 8131 /Chateaubriand 8264, 8266, 8284/ 8499, 8662, 8675 /Stendhal 8844/ /Balzac 9643, 9823/ /Hugo 10033, 10396/ 10475, 10490, 10566 /Musset 11020/ 11225, 11253 /Baudelaire 11375, 11379/ 11796, 11891 /Zola 12116, 12117, 12119/ 13008 /Claudel 13157/ /Gide 13272, 13290, 13313/ /Proust 13346, 13391, 13400/ 13635, 13649, 13716, 13767, 13918, 14271, 14416, 14495, 15148, 15149, 15173, 15211, 15264, 15278, 15478, 15500, 15877, 15881, /Camus 16042, 16081/ 16201; (ancien) 13240; Banquet (du) 10054; (champêtre) 1168; (d'amour) 8714; (dans l'esclavage) 14114; (Désir de) 8274; (des peuples) 9819; (Fatalité de) 12714, 12716; (fou) 8868; (mobile) 13632; (parfait) 8863; (public) 7367; (sur la terre) 15282; (Un mois de) 7144

Bonhomme (Ce petit) 12278; (Petits bonshommes) 14873

Bonnes (à tout faire) 7339

Bonnet(s) 2961; (carrés) 5640; (rouge) 10022, 10144; (Tête près du) 4991

Bonnetades 941

Bonnetier 10440

Bonté 826, 4881, 4965, 6722, 12497, 13594; (divine) 4175

Booz 10303, 10304

Borborygme 13835

Bordeau 188

Bordeaulx 411

Bordel 1025, 14684

Borgia (César) 5976

Borgnes (Quand mes amis sont) 7586

Borne(s) (de l'entendement) 6618; (du chemin) 10103

Borner (se) 3719

Bossu 1493, 9617, 9672

Bossuet 8214, 10821

Botanique 9611

Bottes 1396; (Cireurs de) 15384

Botté 10610

Bouc 2463

Bouche 1864, 2372, 2498, 4677, 7849, 10432, 14708; (taciturne) 12183

Boucher 12899, 14687

Bouchon 9713

Bouddha 9367

Boudoir 6938

Boue 1775, 5030, 12441, 12696, 12967

Bouilleur (de cru) 13651

Bouilli 2399

Bouillir (de colère) 11931

Bouillon 3305

Boulet 10765; (de canon) 6310

Boulevard (de Paris) 9204

Bouleversement (de la nature) 10795

Bouquet 5941, 12246

Bourbier 8787

Bourbons 8506

Bourgeois /Voltaire 5692/ 7126, 7222, 10637 /Baudelaire 11498/ /Flaubert 11635, 11704, 11707, 11710, 11726, 11731/ 11763, 13017, 13667, 13681, 14212, 16091; (de Calais) 109, 110; (Habillé en) 2982; (Petit) 15981

Bourgeoise (Race) 11955

Bourgeoisettes 407

Bourgeoisie 10218, 10447,
10448, 10638, 11717,
12411, 12527, 12872,
12879, 14938; *(Servir la)*
15568

Bourget *(Paul)* 13987

Bourgogne *(Vin de)* 5934

Bourrasque 10361

Bourreau (x) 3561, 7053,
7736, 7810, 7867, 9172,
10013, 10296, 10594,
10863, 11167, 11436,
13606, 14121, 16006;
(de la Création) 11144;
(de la Nature) 7168

Bourse 558, 3957, 8588,
12803; *(de Londres)* 5310

Bousier 11808

Boussole 5099

Bouteille (s) 9713, 11447;
(de savon) 5681

Boutique 11795

Boutiquier 8813

Bouton *(sur le nez)* 6330

Bout-rimé 11690

Bouvard *(et Pécuchet)* 11728

Bovary *(Madame)* 11551

Bovine *(Architecture)* 15077

Boyau 7275

Braconnier 5929

Braguette 370

Brailleurs 2902

Braise *(du maître)* 15227

Branche 12357

Brandebourg *(Maison de)*
7415

Branler 1056

Branloire 987

Braque 13785

Braquemart 329

Bras 1732, 1797, 1946;
(Sur les) 14165; *(des
autres)* 6137; *(Deux)*
7426; *(gauche)* 7512;
(Quatre cent mille) 6479

Brasier 1604, 16004

Brave 9136

Bravoure 8835; *(aveugle)*
7018; *(féminine)* 10281;

Brebis 769

Brelan 1345

Brescia 8817

Bretagne 12932

Bretelle 13021

Breton 15508

Breuvage 11320, 11500

Bréviaire 12552; *(des
rois)* 7805

Brigadier *(vous avez raison)* 11345

Brigand 1190

Brigandage 7718

Brigue 1912, 3950

Briller *(en société)* 4713

Brinvilliers *(Marquise de)*
3319

Brisé *(N'y touchez pas, il
est)* 12071

Briser *(le cœur)* 7270

Brissac *(M. de)* 7272

Britannique *(Foyer du peuple)* 8509

Bronze *(Le cœur se)* 9606

Bronzer *(le cœur)* 7270

Bruit 5751, 5938

Brûle *(Ma chemise)* 12384

Brûler 1224, 4099, 7771;
(la maison d'un autre)
7283; *(ses vaisseaux)*
12782

Brune *(aux yeux bleus)*
11025

Brisquerie 9806

Brutalité 11627

Brute 14229

Bûcher (s) 512, 5524, 9563

Bûcheron 676, 2422

Budget 10693

Buée 14148

Buenos-Ayres 12468

Buffet *(de la gare)* 14679

Buffon 7713, 7742, 7743,
9782

Bureaucratie 12755

Burlesque 3722

Bustes 2483

But 7493; *(de la vie)*
12947; *(Grand)* 7744;
(imaginaire) 5813

Butiner 11283

Byzance 7841, 15343

C

Captivité 1392 ·
Caquet 4994
Caquetage 8245
Carabas *(Marquis de)* 8620
Carabins *(Mort aux)* 10604
Carabinier 11990
Caractère (s) 2238 /Pascal 3068/ /La Bruyère 4334/ 4826 /Voltaire 5537, 5538/ 5790, 6568, 7205 /Stendhal 8724, 8858/ 13036, 13240, 13241 /Gide 13263/ 14228, 14563; *(de Dieu)* 14433; *(de parade)* 6264; *(Energie de)* 7228, 7230; *(Grand)* 9357
Caractéristique 9992
Caraïbes 10859
Caramari-Caramara 207
Caravelle 12180
Carcan 14578
Cardinaux 5666
Carême 390
Caresse(s) 6246, 7779, 9335, 10428, 10499; *(chirurgicale)* 11626
Caresser 15849
Caricature 3298
Carme *(prêcheur)* 9975
Carnot *(Principe de)* 14481
Caron 6982, 12038
Carpe 11629
Carré 1566
Carrefour(s) 13416; *(De tous les)* 13571
Carrière 5415, 7786, 7900; *(des armes)* 14565
Carrosse 4856
Carte 11086; *(de visite)* 12269
Carthage 2231, 7114
Cartouche *(citoyenne)* 9137
Cartouche *(le bandit)* 7006
Cas *(Mauvais)* 1103
Caserne 9377, 12918, 12919
Cassandre 630, 651
Caste 10218
Castor 9916
Castrat (s) 12964, 13840
Castries *(Duc de)* 8782
Catafalques 15674;
Catéchisme 9180 11136;

(positiviste) 9416; *(Vrai)* 8155
Catégories *(d'Aristote)* 5482
Cathédrale 9516, 12997, 15246, 15369
Catherine *(de Médicis)* 479
Catholicisme 7388, 10601, 12543, 12957, 13121, 13639, 13640; *(Néo-)* 11720
Catholique 7464, 9178, 10933, 10934, 10935, 12965; *(Cœur)* 13147; *(France)* 10600; *(Vandalisme)* 10590
Catilina 7422
Caton 3838
Cauchemar 11401, 11619
Causalisme 12887
Causalité *(Principe de)* 12886
Cause(s) 9434; *(Bonne)* 15208; *(Mauvaise)* 15208; *(Remonter aux)* 12885
Causeur 13469
Cautériser *(une plaie)* 9825
Caution 1136
Cavalerie (s) *(Régiment de)* 5384; *(royales)* 15318
Cavatine 12462
Caveau 14279
Caverne *(d'Algérie)* 12430
Céder 3243; *(aux caresses)* 6246
Cèdre 11655
Ceinture 8905; *(de Vénus)* 3753
Céladon 4621
Célébration *(officielle)* 12254
Célèbre *(Homme)* 10531
Célébrité 7214
Céleste *(Corps)* 11925
Célibat 7249 10356
Célibataires 7100
Celtisme 12932
Celui-là *(Je serai)* 15188
Cendre (s) 511, 689, 7824, 9255, 10807, 14978; *(de Napoléon)* 8513; *(de ses pères)* 10822; *(des morts)* 9029
Censeur (s) 3709, 3964, 6543, 6947, 16120

Chapelle 12952
Char 48, 8990, 10103
Charbon (s) 11935; *(du ciel)* 13813
Charbonnier 467
Chardon (s) 1351, 1467, 10173
Charge (s) 4258; *(de courtisans)* 5634; *(Le clairon sonne la)* 12449
Charismatique *(Pouvoir)* 16007
Charitable (s) 2515, 14861
Charité 144, 1295, 1308, 1382, 2299, 2300 /Pascal 3037, 3161, 3187, 3194, 3195, 3200/ 3212 /Bossuet 3367, 3424/ 4938 /Vigny 9364/ 10698 /Baudelaire 11566/ 12912, 13483, 13607, 13608, 13984, 13985, 14355, 14403; *(chrétienne)* 2285; *(divine)* 3531; *(évangélique)* 13906; *(Sœur de)* 12671
Charlatan (s) 4433, 11751
Charlemagne 3, 6, 9, 15, 18, 21, 7540, 8474, 9251, 10032
Charles *(X)* 9230; *(Quint)* 10091
Charme (s) 1680, 1762, 2382, 2596, 4025, 4106, 5292, 6658
Charmer 7470
Charmeur 11822
Charnel 13630
Charnier (s) 193, 14208
Charogne 11417; *(ambulante)* 12420
Charpie 7262
Charrue 2340, 3522, 4635, 9803, 15226
Charte 8599
Chartreuse *(de Parme)* 8815; *(Un verre de)* 10630
Chartreux 5078
Chasse 398, 700, 3106, 5978
Chassepot 10443, 10927
Chasser *(de race)* 6400
Chasseur 12655, 13323
Chaste 6797, 9712, 10245, 10407, 11475, 14549; *(homme)* 9655

Chasteté 1306, 1964, 2838, 3100, 10736, 11714
Chat (s) 113, 794, 1387, 2548, 5819, 5836, 8072, 8572; *(de gouttière)* 12828; *(Petit)* 2829; *(voluptueux)* 11411
Château (x) 12693, 13018; *(de la Loire)* 13621; *(en Espagne)* 81, 2537, 3321, 4786
Chateaubriand 8847, 9091, 11553, 11577, 11578
Châtiment 217, 6612
Chatouiller 14246
Chaudron 768, 11631
Chaume 8629
Chaumière 8584, 9110
Chaussée *(Pièces de la)* 5938
Chausses 370
Chaussette 13021
Chaussure 4275, 5269, 12799, 15581
Chauve-souris 10215, 10400
Chavirer 14739
Chef (s) 2209, 2216, 6075, 6285, 12028, 14576, 14588, 15322
Chef-d'œuvre 6784 /Chateaubriand 8242/ Stendhal 8748, 8751/ /Balzac 9761/ 10512, 10576, 10577 /Baudelaire 11499/ 11758, 13259 /Valéry 13453/ 14460, 14919, 15500; *(inconnu)* 15134
Chemin 2746, 2862; *(de fer)* 8395; *(glissant)* 2374; *(privé)* 14972
Cheminée 588, 754, 2356, 13469
Chemise 6377, 7216
Chêne 2430, 12498, 15458
Chenille 13314
Cher *(aux dieux)* 7684
Chercher 10141, 13455, 14535, 15275, 15304; *(au sens philosophique)* 3166, 3181; *(se)* 10995; *(trop délibérément)* 15823
Chercheur (s) 7371, 12488
Cheval (aux) 507, 556, 803, 4201, 5834, 7765, 15188;

Christianisme /Bossuet 3421/ 4464, 4627, 4682 /Voltaire 5578, 5639/ 6822, 7388, 7443, 7458 /Chateaubriand 8170, 8174, 8212, 8328/ /Lamartine 9083/ 9223 /Vigny 9377/ 9565, 10540, 10544, 10923, 10936, 11201/ Flaubert 11725/ 11946, 12300, 12326, 12517, /Rimbaud 12699/ 13123, 13637, 13983, 14183, 14207, 14226 /Malraux 15335/ 15555 /Camus 16038; *(inflexible)* 8214

Chronologie 5841

Chronomètre 14618

Chrysalide 6800

Chrysanthème 14962

Churchill *(Winston)* 14574

Chute 8071, 12061; *(de cheval)* 12758; *(des rois)* 4166; *(d'Icare)* 1156; *(sans fin)* 10364

Cicatrice 11006

Cid 3676, 3700

Ciel 213, 3468, 3790 /Racine 4078, 4172/ /Diderot 6386/ 9224 /Musset 11015/ /Verlaine 12370/ 13523, 14847, 14862, 15642 15848; *(Aidez-moi, j'aiderai le)* 15141; *(Chemin du)* 3525; *(Voix du)* 6319

Cieux 1479, 9000, 10101; *(L'homme est un dieu tombé qui se souvient des)* 8940

Cigale 13201; *(de La Fontaine)* 12273

Cime 9950

Cimetière 1534, 10869, 10985, 11433, 12013, 14143, 14161, 14783, 15896

Cimier 9350

Cimmerie 12715

Cinéma 13801, 14676, 14755, 14756, 15033, 15927

Cinna 1501, 3700

Circonstances 14592, 14966

Cire 1572, 1573, 1574

Citadelle (s) 7025, 7465

Citadin 5302

Cité *(de brume)* 12122; *(de demain)* 12123; *(de l'avenir)* 10843

Citer 1626

Citoyen (s) 4748 /Voltaire 5582/ 5956, 5970 /Rousseau 6117, 6120/ 8132, 8148, 10886, 10887 /Rimbaud 12731/ 12828; *(Bon)* 12142; *(de l'univers)* 10857; *(Mauvais)* 12142; *(Roi-)* 5972

Citoyenne *(Ame)* 7621

Citron *(amer)* 10811

Civet 11803, 13847, 14709

Civilisation (s) /Chateaubriand 8173, 8342, 8345, 8395/ /Stendhal 8768/ 9380, 9914, 9935 /Hugo 10113/ 10445, 10737, 11133, 12627 /Valéry 13457/ 13735, 13915, 14076, 14400, 14414, 14757, 15252 /Malraux 15374/ 15414, 15427, 15514, 15536, 15670, 15696; *(bourgeoise)* 14808, *(Chute des)* 11273; *(contemporaine)* 14548; *(de l'homme seul)* 15355; *(extrême)* 14639; *(forte)* 15240; *(humaine)* 16106; *(moderne)* 13528; *(mondiale)* 15788; *(primitives)* 15425; *(technicienne)* 15415, 15416

Civiliser 5845

Civilité 3263

Civique *(Devoir)* 13076

Clair (e) 15071; *(Ce qui n'est pas)* 7479; *(Etre)* 8816; *(Idée)* 12797; *(Théorie)* 12797

Clairette 11127

Clairon *(de la pensée)* 10132

Clairon *(Mademoiselle)* 6512

Clairvaux 8248

Clameur (s) 9263; *(des partisans)* 14594

Claque *(des théâtres)* 12051

Clarté (s) 2795, 2996, 6683, 6734, 10179, 13024, 14097, 14116; *(blanche)* 12308; *(divines)* 3185; *(obscure)* 1720

Classe (s) 12411, 14156, 14370; *(moyennes)* 14386; *(ouvrière)* 10766; *(sociales)* 10666, 11117, 11904, 14692

Classer 12152

Classicisme 8204, 8223, 8743, 13447; *(francais)* 13300

Classique 10534, 13301, 15980; *(Art)* 13652; *(Vrai)* 10524

Claudel 14801

Claudine 5925

Clavecin 4835, 7032

Clé 13088

Clémence 1153, 3801, 7768, 7789

Cléopâtre 3114; *(Morale de)* 12501

Clerc 13068, 13071, 13074; *(de procureur)* 6791

Clergé 6412; *(Ignorance du)* 12545

Cléricalisme 11170

Clers 1347

Cliché 14094

Cloaque 10252

Cloche (s) 338, 3770, 11431

Clochette 10618

Cloître (s) 6326, 10365, 14357, 14476

Clôture 15833

Clou 8671, 10965, 11226, 15977

Clown 11793

Co *(Barde de)* 11270

Cocagne *(Mât de)* 11974

Cocarde 12451

Cochenille 5503

Cocher 4946

Cochon (s) 4557, 5500, 11747, 12288, 12572; *(Vivre comme un)* 12440

Cochonnerie 14753, 15160

Cocon 13255

Cocodette 12393

Cocteau 14749

Cocu (s) 31, 359, 364, 367, 1115, 1375, 1951, 2288, /La Fontaine 2697, 2700/ /Molière 2784, 2833, 2837/ 4479 /Voltaire 5483/ /Stendhal 6888/ 13493; *(de l'active)* 14738

Cocuage 1035, 2679, 2699, 2700, 2701, 2704, 2834, 5613

Cocyte 10809

Code 16140; *(civil)* 8815 10459

Cœur (s) 68, 121, 122, 123, 129, 244, 247, 284, 287, /Marot 401/ 580 /Ronsard 643/ /La Rochefoucauld 1994, 1995, 1997/ 2165, 2304, 2374 /La Fontaine 2724/ /Pascal 3139, 3140/ 3307 /Bossuet 3363/ /Racine 4002, 4006, 4064, 4065/ 4523, 4630, 4638, 4876, 4889, 4909 /Montesquieu 5237/ 5782, 6018, 6657, 6848, 6906, 6964, 7407, 7833, 7834, 7965, 8051 /Chateaubriand 8166, 8274, 8318, 8381/ 8903 /Vigny 9305/ /Hugo 10165, 10341/ 10870 /Musset 10996, 11103/ /Baudelaire 11421, 11425, 11426/ 11869 /Verlaine 12353/ 12541, 13633, 13634, 13705 /Apollinaire 13809/ 15212, 15256, 16005; *(à la lune)* 12902; *(Bon)* 5949; *(Cri du)* 8749; *(de l'homme)* 3109, 6156; *(d'homme)* 13164, 13171, 14030; *(de père)* 5738; *(des femmes)* 11649; *(d'une mère)* 9641; *(d'un prince)* 3824; *(du roi Louis XIV)* 3626; *(Frappe-toi le)* 10954; *(Homme de)* 4259, 6307; *(humain)* 5383, 5726, 10972, 12465; *(Jouer)* 14507; *(léger)* 11885; *(Mal au)* 8841; *(Mémoire du)* 8093; *(Paix du)* 8605; *(Quelque chose sur le)* 10041; *(Repos du)*

Communiquer 16367

Communisme 10400, 10621, 10622, 11243, 11245, 11247, 12011, 14066, 14579, 14621; *(Tentation du)* 15682

Communiste (s) 8930, 10916, 14590, 14620, 14969, 15285; *(Écrivains)* 15402; *(Lutte)* 15569; *(Pensée)* 15819; *(Voter)* 15678

Compagnie 6364; *(Bonne)* 5874, 5893, 5897, 6992; *(Mauvaise)* 5245, 6341, 13462

Compagnons *(gaullistes)* 14584

Comparaison 4244, 6158

Comparer 5224, 5227; *(des hommes)* 13894

Compassion 6953, 4402

Compatir 6850, 6972

Compatriotes 14854

Compensation 8758, 9949

Complaintes *(amoureuses)* 7315

Complaisance 3338, 12725, 13957

Complément *(direct)* 15580

Complet *(Homme)* 9071

Complication *(de l'esprit)* 8117

Complice (s) 4375, 5368, 11612, 15150, 15542

Compliment 3503

Compliqué 10591

Composition *(littéraire)* 8843

Compréhension 13383

Comprendre 2258, 5713, 7173, 7992, 12062, 12766, 13449, 13452, 13736, 14607, 14978, 15879; *(Ne rien)* 13750; *(Se)* 6749; *(Volonté de)* 15574

Comprends *(Plus je m'explique, moins je me)* 15992

Compris *(Avoir tout)* 15934; *(Je veux être)* 15920

Compromis 9495

Comptabilité 8609

Compte (s) *(fantastiques)* 12001

Compter 14504; *(sur moi)* 2492, 2493; *(sur soi)* 2629

Comptoir *(d'étain)* 15196

Comte *(A moi)* 1705

Con *(Je suis bien trop)* 15466

Concentration *(Camps de)* 11979

Concentrationnaire 16043

Concept (s) 13772, 13982, 14051

Conception 9409, 13138; *(artistique)* 9747; *(du monde)* 14965

Concessions 14161

Concevoir *(bien)* 3730; *(sans pécher)* 12324

Concierges 13764

Concision 9654

Conclure *(Vouloir)* 11685

Conclusion 3953

Concorde 538

Concret 13505

Concupiscence 3408, 3423, 3528, 3842, 3861, 14262

Concupiscent 14185

Concurrence 11120; *(Libre)* 10740

Concurrents 6158

Condamnation *(d'un régime)* 14204

Condamné 9723, 11976; *(à mort)* 16013

Condamner 9762

Condition 871; *(élevée)* 3442; *(d'homme)* 16017; *(humaine)* 880, 989, 5448, 15373; *(Mal de)* 6938; *(ouvrière)* 14587; *(S'évader de sa)* 15393

Conditionnement 15416

Condorcet 7129

Conducteur *(d'hommes)* 12131

Conduite 947; *(Bonne)* 2160

Confesser 282, 6620; *(Se)* 15493

Confesseur (s) 3033, 7510, 7757

Confession (s) 2291, 13600

Confiance 2141, 2195, 5715, 5730, 13061, 15222; *(Abuser de la)* 12865; *(insultante)* 7336; *(Faire)* 14658

Confidence (s) 2251, 7405, 8715, 10425
Confiteor 11479
Conformisme 13196
Confort *(intellectuel)* 15402
Confucius 15830
Congé 4600
Congestion 10759
Conjecture (s) 3443, 7780
Conjugale *(Vie)* 12444; *(Union)* 7642
Conjuration 7959
Connais *(-moi)* 14027, 14028
Connaissance (s) 694, 1162 /Bossuet 3397/ 5832, 8039, 8040, 10572, 12070, 12333, 12770, 12912 /Claudel 13141/ 13247, 13756, 13877, 14355, 14548, 15002, 15560, 15602, 15991; *(de la vie)* 14903; *(de l'homme)* 5752; *(des hommes)* 3812, 5752; *(de soi-même)* 491, 497, 893; *(humaine)* 14996; *(indéterminée)* 12916; *(intuitive)* 8056; *(objective)* 14040; *(Objet de)* 16279; *(Réalité de la)* 7885, 13782
Connaître 540 /La Fontaine 2668/ 3789, 5827 /Hugo 10395/ 11358, 15236, 15699; *(le monde)* 13140; *(les hommes)* 6189; *(quelqu'un)* 14424; *(Qui veut se)* 14090; *(Se)* 152, 664, 884, 2585, 2669, 3590, 4221, 13314; *(un homme)* 15372
Connu 9456
Conquérant (s) 3799, 4543, 4739, 5130, 5168, 5177, 5214, 5579, 10114, 12782, 14702
Conquérir 314, 4754, 5975, 9488, 9956
Conquête (s) 1431, 1613, 5088, 5126, 5865, 8036, 9154, 9956, 15349; *(amoureuse)* 3569, 5298
Conquis *(Peuple)* 8518

Conrart 3687
Consanguinité *(des esprits)* 13348
Conscience /Rabelais 345/ 500, 558 /Montaigne 991, 1025/ 1469, 3525, 4951, 7606, 8420 /Stendhal 8772/ /Lamartine 9085/ /Vigny 9279/ /Hugo 10204/ 10559, 11363 /Flaubert 11642/ 12090, 12150, 12771, 12836, 13900, 14008, 14540 /Malraux 15362/ 15382, 15420, 15488, 15518, 15707, 15711; *(Bonne)* 8645; *(collective)* 12810, 12811, 12812; *(des peuples)* 13553; *(exaltée)* 9314; *(interrogative)* 15444; *(inutile)* 15990; *(Mauvaise)* 14345; *(politique)* 16123
Conscient 15101
Conscription 14441
Conscrit 11737, 12737
Conseil (s) 1998, 2075, 2877, 3816, 4114, 11236; *(divin)* 3404
Conseiller (s) 2436, 3734; *(des grâces)* 3511
Conséquence (s) 7951, 15717
Conservateur 8083, 10760, 10891, 10913, 12416; *(de vieilles anarchies)* 14486
Conservation *(Désir de)* 15421
Conservatoire 8730
Conserver 1546
Considération 8653
Considérée 6929
Consolateur 11238
Consolation 886, 2404, 7193, 9770, 9848, 10848, 11087
Consolatrice *(Vertu)* 6234
Consoler 2237, 3103, 5481, 7358, 8716; *(Se)* 4298, 4452, 8889, 14850
Consomption 6329
Conspirateur 7959, 11131
Conspiration 8406; *(universelle)* 12871
Conspirer 578

Constance 1969, 2247, 2276, 5771, 5788, 5838, 6031, 6738, 6991, 7354, 7424

Constant (e) 1922, 4008

Constantinople 5524

Constatation 13725

Constaté 10397

Constipé 13019

Constitution 7721, 7807, 8061, 8073, 8504, 10709, 10756, 11134, 11975; *(de 1795)* 7444, 7445

Construction 13846, 15260

Consultation *(médicale)* 14248

Consulter *(la nation)* 9228

Contagion 9790

Conte 2508

Contée *(Chose)* 14901

Contemplateur 6212

Contemplatif (ve) 15096; *(Ame)* 9278

Contempler 15734; *(Se)* 15528

Contemporains 4748, 5530, 14853

Content 3694, 4327, 7932

Contentement (s) 260, 286, 556, 2870, 4043, 6204; *(de la création)* 15254

Contenter 4412

Contenter *(tout le monde et son père)* 2458

Contester 10397

Conteur 2280, 12108, 15062; *(Art du)* 10552; *(Grand)* 12515

Contingent 13070

Continence 8543, 10549

Continue *(Manière)* 13182

Continuer 9218, 9219

Continuité 15453

Contorsion *(contingente)* 12492

Contradicteur 11111

Contradiction (s) 3158, 3165, 3167, 5041, 10909, 15824

Contrainte 1640, 1947, 2805, 5658

Contrariété 9653

Contraste 9673

Contrat (s) 2721, 14001; *(social)* 7463, 7535

Contre-discours 16281

Contredire *(Se)* 12276

Contrefaçon 9634

Contrefaire 9294

Contrepèterie 349, 15209; *(involontaire)* 4918

Contre-révolution 9531

Contre-sciences 16283

Contresens 10160, 10167

Convaincre 7915, 13538

Convaincu 12024

Convalescence 13289

Convenance 8114

Convenir 11365

Convention 10186, 10461, 10462, 11945, 15349, 15577; *(du langage)* 15706; *(en mathématiques)* 12638

Conventionnel 8303, 10466

Convergent *(Où toutes choses)* 13892

Conversation (s) 1545, 1854, 2251, 3311, 4337, 13025, 14064

Converser 15586

Conversion 12548

Convertir 1310, 4757, 5652; *(Se)* 3534

Convertissez *(-vous)* 13702

Conviction 10214, 10558, 11330, 13849, 14593; *(religieuse)* 8426

Convive (s) 3322, 3466

Convoiter 118

Convoitise 10285

Convulsion 7068; *(grossière)* 13464

Convulsionnaire 5592

Convulsive *(Beauté)* 14599

Copains 14238

Copier 9740, 14491; *(une chaise)* 15291; *(un nez d'après nature)* 15290

Copulation *(des pôles)* 8592

Coq (s) 150, 562, 2543, 3839, 13235, 14526

Coqueluche 220

Coquette (s) 1780, 1957, 2288, 2327, 2403, 2624, 4280, 4286, 4720, 7004

Coquetterie (s) 232, 2066, 2118, 3523, 4474, 4852,

4948, 4965, 5019, 6653, 7317, 10730
Coquillage 10111
Coquille 8613; *(de la plage)* 11693
Coquin (s) 2738, 5501, 6288, 7469, 10224, 13218
Cor 9248, 9251; *(de Roland)* 9; *(Son du)* 9246, 9247
Coran 3840
Corbeau (x) 44, 197, 16099
Corbillard 11434
Corde 2338
Cordeliers 5329
Cordon *(ombilical)* 15228
Cordonnier 12306
Corinne 7994
Corneille *(Pierre)* 2250, 3310 /Bossuet 3407/ 3442 /Racine 4189/ /La Bruyère 4241/ /Voltaire 5356, 5397, 5691/ 6549, 6663, 6756, 7589, 12453, 13605, 13606, 13607, 13610
Cornélien 12453
Cornes 251, 2686; *(au cul)* 13563
Cornet 15300; *(à dés)* 11086
Cornichon 11985
Corps /Villon 178/ 1621 /Pascal 3194, 3195/ 5830 /Rousseau 6126/ /Chateaubriand 8409, 8417/ 10870, 12845, 13094 /Claudel 13175/ /Céline 14648/ 15056, 15816, 16328; *(Aventures du)* 14275; *(de l'homme)* 7386; *(des dames)* 1014; *(Formes du)* 5825; *(Jugement du)* 16030 *(Mon cher)* 13422; *(mystique)* 15381; *(vivants)* 7398
Corriger 1041, 1050, 9490, 9998; *(le monde)* 2890; *(les hommes)* 6918
Corrompre 6998, 7291, 9889; *(Se)* 8135
Corrompu (s) 333, 7282
Corrupteur (s) 7198; *(Regard)* 11002
Corruption 7013, 8035, 9813; *(agréable)* 10517; *(École de)* 12918

Corsaires 1355
Corse 6100, 7905, 8519, 9849; *(aux cheveux plats)* 10609; *(La)* 8446
Corset 4848
Corvées 6110
Corydon 651
Cosaque 8511, 11860
Cosmogenèse *(christifiée)* 13906
Cosmopolites 6118
Côté 10166; *(Autre)* 15086; *(De)* 10865
Côtelette 12015
Cothurne 11155
Cotillon 2535
Cotin 3677, 5591
Cou 12376; *(Les quatre sans)* 15164
Couardise 961
Couchant 8676, 9910, 12899
Couche *(On ne sait jamais avec qui l'on)* 13468
Couché 420; *(Mal)* 6151
Coucher 9904; *(avec des femmes)* 6366; *(avec une fille)* 7309
Coude *(du voisin)* 10688
Coudrier 60
Couilles 358
Couillons 387
Couleur (s) 11395, 11504, 12374, 13242; *(de la peau)* 9042; *(Écharpe aux trois)* 10607; *(Hommes de)* 6957; *(locale)* 10785
Coup *(de foudre)* 11654; *(de pied)* 12438; *(de pistolet)* 8788; *(d'essai)* 1706; *(d'état)* 11743; *(mortel)* 1918
Coupable (s) /Racine 4096, 4128/ /La Bruyère 4430/ /Rousseau 6166/ 6941, 7737 /Constant 8110/ /Chateaubriand 8307, 8377/ /Stendhal 8792/ 13741, 14720 *(Plaider)* 15022
Coupe 8897; *(du plaisir)* 9757
Coupé (e) *(Soleil cou)* 13788; *(Tête)* 14092

Couper *(les têtes)* 11978

Couple 12205, 13953, 14965, 15901

Coupures 13182

Cour (s) 698 /Montaigne 993/ 1179, 1504, 2159, 2203 /La Fontaine 2678/ /Racine 3962/ /La Bruyère 4358, 4359, 4360, 4361, 4365/ /Voltaire 5365, 5644 /Stendhal 8813/ /Hugo 10080/; *(galante)* 11870; *(royales)* 7610

Courage 1209 /La Fontaine 2509/ /Molière 2804/ 3230, 3284 /Bossuet 3438/ /Racine 3901, 4102/ 4549 /Montesquieu 5122, 5129/ /Voltaire 5683/ 6646, 7119, 7928 /Constant 8103/ /Stendhal 8809/ 10934, 12485, 14149, 15074, 15701, 16012 *(actif)* 7753; *(d'un chef)* 15322, 15323; *(guerrier)* 4548; *(militaire)* 237; *(passif)* 7753; *(philosophique)* 5957

Courber (se) 7610, 15644

Courir 2514, 10626, 14534; *(le monde)* 5942

Couronne 1636, 2346, 7714; *(de sang)* 14958; *(effeuillée)* 8909

Couronné (e) 3474; *(Tête)* 3561

Courroux 748, 751, 3978

Course 413

Coursiers 4138

Court 7581

Courts-circuits 14805

Courtier 8588

Courtisan (s) 1244, 1647, 1882, 2370 /La Fontaine 2533, 2557/ /Racine 3980, 3986/ /La Bruyère 4346, 4358, 4360/ 4472, 4591 /Saint-Simon 4785/ /Montesquieu 5154/ /Voltaire 5366 5538/ 6931, 7225, 9953 /Flaubert 10681/

Courtisane (s) 2377, 6301, 9854, 9868, 12649; *(amoureuse)* 9688

Courtisanerie 9769

Courtoisie 80, 766

Couteau (x) 6880, 10106, 11436, 12931; *(Le mot)* 16370; *(perfide et glacé)* 13971

Coûter 9657

Coutume (s) 731, 1101, 5573, 5588

Couvent 9965

Couvercle 14258

Couvreur 4259

Crachat (s) 1529, 14317

Cracher *(le feu)* 14878; *(sur son miroir)* 13574

Craindre 885, 1163, 1862, 2633, 3240, 3244, 3959, 3961, 3983, 3991, 4861 6186, 8060

Crainte (s) /Rabelais 372/ /Marot 417/ /Montaigne 864/ 1668 /Corneille 1823/ /La Rochefoucauld 1975/ 2194 /La Fontaine 2416, 2450/ /Molière 2799/ /Racine 4013/ 4499 /Voltaire 5389/ 6680, 6821, 7912, 7935 /Stendhal 8722/; *(de Dieu)* 3533; *(de la mort)* 3303

Crayon 12403

Créancier (s) 4872

Créateur 1240, 3078, 3079, 3360, 5823, 6115, 7145, 12469, 13548, 14898, 15750 15985, *(artiste)* 14237

Création 2364 /Lamartine 9028/ /Hugo 10057, 10321/ 11186 /Zola 12093/ 12531, 12925, 12996, 14439, 14871, 14887, 15864, 15915 /Camus 16072/; *(animale)* 15084; *(continue)* 14373; *(divine)* 10350; *(du monde)* 5293; *(humaine)* 5801; *(Immense octave de la)* 13147; *(sainte)* 10187

Créatrice *(Activité)* 13556; *(Faculté)* 12637

Créature (s) 3360, 3390, 5708, 11284; *(d'un jour)* 11010

Crèche 15377

Crédence 12217

Crédit 2647, 10680

Credo 13147

Crédule 5855, 7501

Crédulité 5362, 7782, 8639, 12334; *(des peuples)* 7924; *(scientifique)* 12284

Créer 8966, 9991, 11389, 11833, 12062, 12456, 13499 13910, 16029; *(Se)* 10924

Crépuscule 9053; *(des cœurs)* 9032; *(triste)* 14956

Crésus 8647

Crétins 14946

Crétinisme 11847, 14866, 14869; *(scientifique)* 12429

Crevaison 12737

Crevasse 12473

Crever 14651, 15066

Cri (s) 3925, 7588, 9580, 14199; *(du sentiment)* 11570; *(lugubres)* 3662

Criaillerie 968

Crier 602, 2628; *(La force de)* 14493

Crime (s) 1410, 1459 /Corneille 1754/ /Pascal 3040/ 3241, 3252 /Racine 3988, 4086, 4116, 4124, 4136/ /La Bruyère 4330/ ./Voltaire 5368, 5371, 5387, 5389, 5470/ /Diderot 6424/ 6755, 7156, 7159, 7166, 7171, 7176, 7177, 7181, 7188, 7520, 7594, 7595, 7723, 7766, 7855, 8140 /Chateaubriand 8281, 8306, 8339/ 8442, 8684 /Stendhal 8827/ /Lamartine 9064/ /Vigny 9240, 9241/ /Balzac 9737, 9755/ /Nerval 10816/ 11938, 12322 /Gide 13295/ /Valéry 13470/ 14270, 15010, 15151, 15974; *(adouci)* 3637; *(L'air du)* 12696; *(Obstination du)* 16069; *(Règne du)* 6842

Criminel (s) 3559, 4095, 6345, 7904, 14359, 16049; *(Acte)* 12811

Crise 10203, 14829; *(Moments de)* 8289

Cristal 61, 14811; *(Ame de)* 10044; *(Mamelle de)* 12929;

Cristallisation 8702; *(amoureuse)* 8700

Critique (s) /Molière 2839, 2843/ /La Bruyère 4235, 4248/ 6580, 6915 /Chateaubriand 8206/ 9097 /Hugo 9997/ 10525, 10533, 10538, 10543, 10547 /Musset 10559/ /Baudelaire 11502, 11559/ /Flaubert 11690/ 11894, 11895, 11912 /Zola 12092/ 12280, 12281, 12317 12464, 12494 /Maupassant 12577/ 12783, 13063, 13064, 14061 /Paulhan 14117/ /Aragon 14967, 14991/ 15768, 15979, 16142; *(d'art)* 14296; *(de théâtre)* 6557, 6558, 6559; *(est aisée, et l'art...)* 4825

Critiquer 5515, 6556

Crocheter *(l'âme)* 15710

Croire 72 /Montaigne 904, 1067/ 1215, 2330 /Molière 2875/ /Pascal 3088/ /Bossuet 3391/ /Racine 3978, 4022/ /Voltaire 5338/ /Rousseau 6208/ 6595 /Chateaubriand 8169, 8315/ 8658, 8663 /Hugo 10068, 10183/, 13043, 13122; *(à la vie)* 12113, 12114, 12123; *(au ciel)* 12031; *(aux idées)* 15880; *(en Dieu)* 5719, 14707; *(en soi)* 10669; *(Finir par)* 12631; *(Mal de)* 11308; *(Ne pas)* 6006; *(Se)* 14838; *(Tout)* 12636; *(une femme)* 15475

Croisade (s) 33, 69, 70, 88, 12429

Croisée 12186

Croisement 11276

Croître 12646, 15049

Croix 3361, 8213, 9303,

D

Désabusé 8173

Désabusement 12946, 13594

Désabuser 2302

Désaccord 10852

Désaimer 15861

Désapprendre 15775

Désarmé 16257

Désastre 15614; *(obscur)* 12220

Descartes 2610, 3086, 5322, 5620, 6098, 6664, 7565, 7880, 9398, 15576

Descendre *(en soi-même)* 14352

Désenchantement 9697

Désert 8158, 8165, 11937, 14171, 14181, 15249, 15258, 15963

Désespérance 140

Désespère *(Ce qui)* 13451

Désespéré (e, s) 4080, 15242; *(Les plus)* 10989

Désespérer 6322, 10266

Désespoir /Rabelais 328/ 448, 453, 3452 /Racine 4006, 4021/ 4054 /Montesquieu 5089, 5183/ /Voltaire 5410/ Diderot 6325/ 7862 /Chateaubriand 8162/ /Stendhal 8755/ /Vigny 9271/ /Hugo 10205/ 10487 /Nerval 10844/ 10861, 13207, 13210, 13701, 15026, 16089; *(de vivre)* 16010; *(humain)* 13968; *(Ô)* 1699; *(signe du)* 16019

Désheurer (se) 2155

Déshonoré 14411

Déshonorer 4115, 6291; *(Se)* 6338

Désinfectant 11220

Désintégrer 15971

Désintéressé (s) 4923; *(Hommes)* 6731; *(Sentiments)* 13351

Désintéressement 4270, 12941

Désinvolture *(des riches)* 15690

Désir (s) 444, 451 /Montaigne 937/ 1165, 1205, 1225, 1348, 1900, 1948 /La Rochefoucauld 2087/ /La Fontaine 2542/ 3487, 3488 /Racine 4051/ /Voltaire 5431/ 5786, 5900 /Rousseau 6062, 6154/ 6981, 7346, 7347, 7348, 7808, 7947 /Lamartine 8980/ 9595 /Balzac 9883/ /Hugo 10050/ 10507 /Flaubert 11638/ 12178 /Mallarmé 12211/ /Gide 13269, 13304/ /Proust 13371, 13391/ 13713, 13714, 15212, 15420, 15421, 15637; *(Chemins du)* 14812; *(du pauvre)* 14660; *(russe)* 7465; *(satisfait)* 5854; *(torride)* 14034; *(vains)* 4219

Désirer 2633, 5374, 6057, 9499, 13366, 15040; *(quelqu'un)* 14844

Désœuvré *(remuant)* 9278

Désolation 5843

Désolidariser (se) 14835

Désordre (s) 4040, 7093, 13093, 13596, 14017, 14448; *(Beau)* 12518

Despote (s) 5977, 6476, 6872, 8733, 8794, 9221, 10243

Despotisme /Montesquieu, 5165, 5167, 5173, 5196/ /Voltaire 5407, 5528/ 6270, 6283, 6865, 7179, 7372, 7374 /Chateaubriand 8366/ 9148, 9153 /Balzac 9703/ /Hugo 10221/ 10455, 11122, 11243 /Mallarmé 12226

Dessaisir (se) 2224

Desseins *(de Dieu)* 3256; *(Grands)* 15037

Dessin 12086

Dessinateur 11505

Dessus *(du panier)* 3318

Destin (s) /Ronsard 685/ 1459, 1467 /La Fontaine 2544/ /Racine 3979/ /Voltaire 5388, 5420/ 7811, 8494 /Balzac 9843/ 11354, 13932, 14192, 14374 /Malraux 15336, 15359, 15361, 15362, /Camus 16013, 16014, 16373/;

3531, 3791, 3830, 3839, 3843, 3844, 3845, 3846, 3847, 3848, 3849, 3853, 3856 /Racine 4077, 4184/ /La Bruyère 4436/ 4437, 4458, 4462, 4471, 4525, 4568, 4659, 4661, 4663, 4672, 4674, 4735, 4770, 5001, 5002 /Montesquieu 5066, 5247/ 5289, 5294 /Voltaire 5325, 5326, 5339, 5342, 5378, 5416, 5429, 5441, 5442, 5493, 5522, 5562, 5575, 5604, 5605, 5621, 5649, 5669, 5714/ 6242, 6255 /Diderot 6318/ 6589, 6824, 6837, 6978, 7106, 7113, 7117, 7146, 7183, 7192, 7194, 7302, 7389, 7391, 7530, 7553, 7571, 7764, 7788, 7789, 8050, 8051 /Chateaubriand 8174, 8263/ 8500, 8529, 8622, 8681, 8682, 8683, 8692 /Stendhal 8794/ /Lamartine 8932, 8941, 8973, 8991, 9026, 9034, 9053, 9067/ 9122 /Vigny 9253, 9334, 9368/ 9445, 9535, 9543, 9554, 9943, 9964, 9973, 10025 /Hugo 10086, 10158, 10244, 10296, 10321, 10338, 10371/ /Musset 10980/ 11200, 11207, 11213, 11232 /Baudelaire 11460, 11587, 11588, 11608/ /Flaubert 11653, 11704, 11730/ 11839, 11845, 11956, 11963, 12291, 12292, 12293, 12309 /Verlaine 12363, 12365/ 12513 /Maupassant 12575/ 12607, 12631, 12820, 12985, 12995, 13055, 13116 /Claudel 13149, 13150, 13159/ /Gide 13272, 13275, 13317, 13319/ 13530, 13547, 13548, 13581, 13583, 13618, 13638, 13642, 13820, 13883, 13940, 13974, 13976, 13978, 14132,

14220, 14361, 14431, 14441, 14509, 14702, 15006, 15160, 15207, 15459, 15498, 15862, 15864; *(Absence de)* 15726; *(Aimer)* 15808; *(à l'affût)* 14192; *(ancien)* 10812; *(Bon)* 12809; *(Bras de)* 15180; *(caché)* 10818; *(Commandements de)* 13282; *(Craindre)* 6584; *(Croire en)* 14707; *(Définition d'un)* 15038; *(de la fortune)* 8466; *(de la guerre)* 8466; *(de l'innocence)* 7436; *(des armées)* 11836; *(des chrétiens)* 6603; *(des idées)* 9347; *(est-il mort?)* 11206; *(est mort)* 13248, 14546; *(est un homme)* 13948; *(Être à)* 14863; *(Existence de)* 1578, 1581, 1584, 1585, 12606; *(Fantaisie de)* 15954 *(Idée de)* 7172; *(Je serai)* 12386; *(Le bon plaisir de)* 14847; *(Les bonnes grâces de)* 15918; *(Main de)* 9082; *(mélancolique)* 15942; *(n'est plus)* 10815; *(Nom de)* 7153; *(Plus de)* 12648; *(Protection de)* 19; *(qui rassurent)* 15039; *(Réalité de)* 12605; *(Royaume de)* 3372, 14115; *(se délègue)* 13929; *(Soldat de)* 11132; *(Soleil de)* 14864; *(Spéculer sur)* 9533; *(très atténué)* 14141; *(Volonté de)* 14402, 14410.

Différé 1099, 11102

Différence (s) 872, 2614, 16218; *(entre les hommes)* 5254

Différent 2004

Différer 10051, 16217

Difficulté (s) 1907, 14278; *(d'être)* 14525

Difforme 11595

Digestion 9486, 9852, 14308

Digne 1714; *(de)* 3613; *(d'être aimée)* 7344

Dignité 2212, 10456; *(de l'homme)* 14636
Dimanche 3941
Dîme 5308
Diminuer *(les adjectifs)* 14041
Dîner 2984, 5271, 7220, 7969, 9949; *(dans le monde)* 14252, *(réchauffé)* 3767
Diogène 7228
Diphtongue 9973
Diplomate 12562
Dire 222, 416, 1046, 2271, 10984, 11107; *(Il faut tout)* 15630, 16274; *(Plus rien à)* 4226; *(que l'on aime)* 13046; *(Rien)* 14172; *(Tout)* 14172, 15351
Diriger *(les masses)* 8473
Disais *(Si je vous le)* 11025
Discernement 4420, 4488,
Disciple 10149
Discipline 2863, 12025, 13966, 14624; *(militaire)* 328, 347
Discontinu 12860
Discorde 538, 7906; *(civile)* 9098
Discourir 3563
Discours 911, 2199, 2350, 2893, 3918, 4157, 7132, 9929, 12245; *(d'un académicien)* 10971
Discrétion 982, 4924, 8427, 14653
Discussion 9853; *(métaphysique)* 8041, 8044
Disette *(d'idées)* 4973
Disgrâce (s) 1844, 2136, 2137, 9953
Disparaître 7197, 10075
Disparu 11367
Dispense 6427
Dispute (s) 2603, 15881
Disputer 5712, 6913
Dissemblance 873
Disséquer 7514
Dissertations 6897
Disserter 5287
Dissidence 13115
Dissimulation 5554, 9793

Dissimuler 1407, 5657
Dissolution 11248; *(du cosmos)* 14614
Dissolvant *(Pouvoir)* 12864
Dissout *(Tout se)* 11146
Distance 9970
Distinction 11211, 11756
Distingué (s) *(Etre)* 7089; *(Gens)* 11762
Distinguer 2887, 8784
Distinguo 870
Distique *(Sur un)* 7117
Distraction 13696
Distraits 14523
Dit (s) *(Ce qui a été)* 9465; *(Chimène, qui l'eût)* 1716; *(de l'homme)* 14336; *(Rien n'est)* 12510
Divan 11454
Dive *(bouteille)* 391, 394, 396
Divers 13757, 16150
Diversification 15789
Diversité (s) 1537, 2122, 2602, 2680, 2716, 4750; *(Le grand fleuve)* 13755; *(particulières)* 15271
Divertir 1019
Divertissement 4500
Divin 12286, 12951, 15538; *(Esprit)* 8055; *(La couche du)* 14338
Divination *(Oiseau de la)* 14793
Divine *(Force)* 7451
Diviniser 9936
Divinité (s) 6591, 7195, 7379, 13074 15527
Diviser 1551; *(pour administrer)* 10704; *(pour régner)* 10423
Divisions 13326
Divorce 5107, 5191, 7062; *(Liens du)* 12802
Divulguer 1414
Dix *(contre un)* 9961
Dix-huitième *(siècle)* 8464, 15431
Dix-neuvième *(siècle)* 10247, 13857
Dix-septième *(siècle)* 15430

Docteur (s) 1347, 3032, 6400, 7896, 13077

Doctrinaire 14346

Doctrine (s) 572, 2259, 3032, 11111, 11823, 13213, 15055; *(Chouette)* 12555

Document 15945

Doge 5512, 5627

Dogmatique 16141

Dogmatisme 4343, 13260

Dogme (s) 5658, 9858, 10365, 11200, 11730, 11817, 13858, 14822

Doigt (s) 1521; *(de Dieu)* 11662

Doit *(Ce qu'on)* 15741

Dollar 8819

Domaine *(obscur)* 12953

Domestique (s) 994, 2694, 4915, 6793, 6901, 9805, 10418, 11762, 14845

Dom Juan 8821 *(Voir aussi Don Juan)*

Domination 4482, 6136, 7606, 7617, 9845; *(Désir de)* 15100

Dominicain 4790

Domitien 7967

Don 99, 525, 6206; *(de vivre)* 13431; *(du poète)* 13277; *(naturel)* 3483; *(particulier)* 13850

Donald 15963

Donc 3259

Don Juan 8721, 8822, 8850, 10729 *(Voir aussi Dom Juan)*

Donné 13516, 14540

Donner 767, 1060, 1095, 1781, 2965, 4322, 4323, 4692, 5932, 6741, 7689, 8910, 13515, 13981; *(Dieu)* 10355; *(Se)* 6079, 13156

Dormance *(de la graine)* 15805

Dormir 2555, 2706, 4058, 8064, 9882, 10379, 11476, 14496, 16323

Dors *(Où tu)* 12467

Dort *(Un homme qui)* 13345

Dorure 11634

Dostoievsky 16033

Dot 3389, 4901, 15459; *(Sans)* 2963, 2964

Double *(Notre)* 16170

Douceur (s) 449, 635, 1859, 2229, 2510, 6988, 10553, 14134; *(angevine)* 588; *(charnelle)* 13368; *(contemplative)* 12548; *(d'amour)* 32; *(de la vie)* 1618; *(des choses)* 13083; *(envers soi)* 14122; *(rôdeuse)* 14130

Douleur (s) /Villon 173/ 285, 286, 520, 566, 739, 742, 768, 824, 825, 1452, 1889, 1920, 2239, 2246, 2272, 2728 /Boileau 3756/ 3852 /Racine 3923, 3965, 3966, 4004, 4025, 4042, 4128/ 4460, 4999 /Rousseau 5944 6021/ /Diderot 6362/ 6959, 7074, 7104 /Constant 8103/ 8895, 9378 /Balzac 9627/ /Musset 10988, 11004/ /Baudelaire 11404, 11470/ /Mallarmé 12192/ 12634, 13102, 13197, 13713, 14366, 14475; *(Description de la)* 12489; *(éternelle)* 8954; *(Fille de la)* 10955; *(Gare de la)* 13683, 13686; *(Lieu de la)* 14418; *(muette)* 9633; *(oubliée)* 9519; *(que l'on cause)* 8096; *(Rebelle à la)* 15479; *(Utilité de la)* 15825

Doute 227, 1547, 4620, 8104, 9835, 9840, 11205, 11228, 11832, 13194, 13239; *(partiel)* 8574

Douter 906, 2589, 3789, 4492, 7037, 9640, 9798, 10962, 14633, 14915; *(de tout)* 12636

Doux 6690, 10944, 12654; *(Qu'il est)* 9245

Dragons *(de vertu)* 2834

Dramatique 9984; *(Matière)* 14146

Dramatiquement *(Exprimable)* 15697

Drame 6544, 9259, 9939, 9994, 10073, 15882
Drap 483
Drapeau (x) 9036, 9162, 9164, 11721, 13521, 13522; *(rouge)* 9088, 13522; *(tricolore)* 9088, 11647
Drogue (s) 15086, 15104, 16326
Droit (s) 6455, 8400, 8447, 9087, 9434, 10004, 10235, 10771, 11114, 12059, 14601, 14872, 16206; *(Bon)* 399; *(de l'homme)* 8557, 13819; *(des gens)* 5147, 6488; *(des hommes)* 9084; *(des lois)* 11942; *(des juristes)* 13937; *(des vivants)* 10672; *(naturel)* 6393; *(politique)* 6184, 8920
Droite 16068; *(Ligne)* 8556
Dromadaire 6788

Druides 5703
Dû 6195
Duc 8527
Duègne 10334
Duel (s) 6381, 11480
Du Guesclin 111
Dumolet 8573
Du Parc *(Mademoiselle)* 1841
Dupe (s) 2812, 2869, 4631, 6408, 6692, 7253, 7599, 11286, 13645; *(de soi-même)* 13862
Duperie 8888
Duplicité 8081
Dupont *(Ah!)* 11019
Dupuytren *(Musée)* 15175
Dur *(Être)* 14604
Durandal 14
Durée 12838, 13568
Durer 1251, 6645, 16154
Dureté 5168
Dynastie 9800

E

E 12673, 12712
Eau (x) 6655, 13282, 13564; *(Boire de l')* 11371; *(Buveurs d')* 7518; *(chaude)* 12754; *(froide)* 12199; *(sucrée)* 12855; *(trouble)* 1132; *(Voie d')* 9923
Eau-de-vie 12385
Ébauche 5355
Éblouir 903
Écart 15822; *(absolu)* 8575
Écarté *(Endroit)* 2917
Ecclésiastique 12235, 12441
Échafaud 1110, 3252, 7184, 8144, 9064, 10138, 11663; *(Au pied de l')* 7865
Échafauder 10763
Échappé *(belle)* 3011
Échasse 7926
Échec (s) 6895, 14023, 15614, 15725; *(Jeu d')* 1363, 7263
Écheveau *(du temps)* 11418
Écho 169, 585, 4832, 14538; *(intelligent)* 10715; *(Rimes en)* 5299; *(vide)* 12405

Éclabousser 16085
Éclair 15645, 15844
Éclairé *(Homme)* 7975
Éclat 1512; *(emprunté)* 4169
Éclatant *(Homme)* 8247
Éclectique 11509
Éclipse 4619
Écolage 962
École 163, 7973, 11855, 13503, 14819; *(artistique)* 12096; *(d'art)* 13707; *(en poésie)* 9272; *(Maître d')* 10976
Écolier (s) 194, 2597, 7339, 11855
Économie 2013, 8651; *(Esprit d')* 15489
Économise *(L'amour qui)* 9832
Écorce 641, 6787, 12068, 15067
Écouter 801, 5014, 6536, 6910, 8476
Écouteuse *(Belle)* 12347
Écrevisse (s) 2652, 13775

Écrire /Marot 408 416/ 438 508 591 /Montaigne 976/ 1157, 1364, 1629 /Molière 2898/ /Boileau 3645, 3671, 3719, 3759/ /La Bruyère 4245, 4247/ 4580, 5263, 5798 /Diderot 6368/ 6644, 6727, 6728, 7306, 7307, 7504, 7962 /Chateaubriand 8197, 8224/ 8570, 8642, 10491, 10539, 10579, 10864 /Musset 11103/ 11878 /Mallarmé 12260/ 12443, 13027, 13049 /Valéry 13453/ 13685, 13686, 14206, 14298, 14299, 14502, 14527, 14531, /Aragon 14997/ 15008, 15178, 15613, 15619, 15924, 16144, 16367; *(Bien)* 5805; *(en dehors de soi)* 14909; *(pour soi)* 11706; *(Renoncer à)* 16321; *(trop)* 13293

Écrit (s) 2793, 5437, 9354, 11073, 13846, 14341; *(C'était)* 9316; *(Être)* 16368; *(là-haut)* 6357; *(maudits)* 7150

Écriture (s) 143, 494, 503 /Pascal 3185/ 7543, 7579, 12560 /Claudel 13137/ 13647, 14220, 14531, 14753, 14926, 14927, 15297 /Malraux 15349/ 15618, 15792, 16272, 16313, 16314, 16333, 16369, 16372; *(comptable)* 10918

Écrivain (s) /Montaigne 1048/ /Montesquieu 5233/ 5277 /Diderot 6399/ 6614, 7483, 7778 /Chateaubriand 8429/ /Stendhal 8744, 8746/ 8763, 9143, 9448 /Balzac 9598, 9601/ /Hugo 10398/ 10655, 10668, 10713, 11218, /Baudelaire 11553/ 11969 /Zola 12105, 12111, 12121/ /Mallarmé 12248/ 12289, 12558, 12560 /Maupassant 12584/

12825 /Proust 13407/ 13481, 13502, 14181, 14232, 14233 /Aragon 14969/ /Malraux 15370/ 15384, 15606, 15609, 15845, 15892, 16171, 16173, 16322; *(des nerfs)* 11765; *(Grand)* 10512; *(maniéré)* 12588; *(médiocre)* 6753; *(mobilisés)* 15573; *(pervers)* 7150; *(Préjugé d')* 12244; *(Profession d')* 13960, 13967; *(sec)* 13019

Écrou 8671, 10342

Écu 9739

Écueil *(Sombre)* 10016

Écumeur *(taciturne)* 12038

Éden 5603, 8313, 10324, 12896

Édition *(des vertus et des vices)* 12539

Éducateur 9551

Éducation /Montaigne 854, 882/ 3599, 3630, 3875, 5020 /Montesquieu 5155, 5156, 5159, 5228/ 5812 /Rousseau 5995, 6117, 6125, 6129, 6139, 6175/ 6776, 7000, 7497, 7540 /Stendhal 8852/ 9392 /Balzac 9670, 9768/ 11254, 11356, 13773, 14820; *(des femmes)* 2824, 2826; *(des filles)* 4489

Effacement 15289

Effaroucher 6299

Effet (s) 6181, 6214; *(de commerce)* 5777

Effort (s) 1612, 13555

Effrayer 9778

Effronté 8773

Effusion 9408; *(de sang)* 315

Égal (aux) 11493, 8141; *(Les hommes sont)* 10634

Égaler (s') 12911

Égalitaristes 15285

Égalité 220 /Montesquieu 5161, 5172/ /Voltaire 5582/ /Rousseau 6101/ 6712, 7434, 7716 /Chateaubriand 8328, 8369/ 8920, 8928 /Lamartine 9083/ 9210

/Hugo 10220, 10400/ 10581, 10734, 11216, 11247, 11296, 11493, 12002, 13211, 13519, 14188, 15490; *(de l'homme et de la femme)* 10899; *(devant la mort)* 1290; *(devant le malheur)* 5393; *(intellectuelle)* 8100; *(passagère)* 9614

Égaré (s) *(Homme)* 125; *(Voyageurs)* 1555

Égarement 3024; *(Carrefour d')* 16145

Égayeur 12018

Églantier 10827

Église 1198, 1376, 1392, 1506 /Pascal 3201, 3202/ /Bossuet 3335, 3381, 3402/ /Boileau 3668/ /Stendhal 8776/ 9535 /Hugo 10328/ 10403, 10567, 11209, 11614, 12044, 12547, 12917, 13120 /Claudel 13189/ 13851, 13980, 14217, 14865, 15381; *(catholique)* 7452, 14213; *(Gens d')* 806; *(fiscale)* 9754; *(Hors de l')* 6114; *(Sainte)* 14377

Égoïsme 35, 263, 8848, 9430, 10251, 12561, 12610, 12940, 13350, 14297, 14663, 14681; *(américain)* 10687

Égoïste (s) 7420, 7981, 9430, 15861

Égorger (s') 7971; *(son père)* 12438

Égout 10119

Égrillard 9712

Égypte 9957, 11148, 13016

Égyptien 8175

Électeur 8624

Élection 9799, 11829

Électricité *(sociale)* 8397

Électrification *(des campagnes)* 15210

Élégance (s) 9676, 13221

Élégie *(animée)* 9615

Éléphant (s) 2666, 4623

Élévation 2080, 3344

Élever (s') 4353; *(au-dessus de soi-même)* 12010

Élite (s) 9909, 14429

Élizabeth 15968

Éloigner (s') 7337

Éloquence 53 /Montaigne 856/ /La Fontaine 2597/ /Pascal 3050, 3055, 3061, 3154/ 3476 /La Bruyère 4242, 4243/ 4648, 4677, 5796 /Rousseau 5989/ 7223, 9975 /Musset 11061/; *(despotique)* 9633; *(officielle)* 11971; *(Prends l')* 12376

Éloquent (s) 6720; *(Homme)* 11200

Élus *(Petit nombre des)* 5709

Élucidation 16270

Émanciper *(la femme)* 12098

Embellir 5886, 7317

Embêtant 10641

Embonpoint 14239

Embrasement (s) 1427, 11120

Embrassades 5035

Embrassements 2886, 4120, 4122

Embrasser 12571; *(S')* 6398; *(son fils)* 3911; *(son rival)* 3981

Émersion 9213

Émerveiller 15907

Émeute (s) 6435, 9200, 10242, 10942, 12418

Émietter *(sa pensée)* 13012

Émile 8852

Éminence 5418

Emmailloter 6479

Émotion (s) 8016, 8068, 9772, 10556, 10853, 12784, 12936; *(amoureuses)* 1631; *(Petite)* 12635; *(populaires)* 2129, 2155

Émouvoir 1181, 3746, 6847, 13708, 14369

Emparer (s') 15076

Empereur 2731, 3982, 4012, 4014, 8351, 9349, 10123, 10752; *(de Chine)* 5953

Emphase 4344

Empire (s) 3997, 5112, 5398, 6441, 6469, 7907, 8375, 10003, 11972, 12383; *(des femmes)* 1740; *(des morts)* 2433; *(des mots)* 10554; *(d'une femme)* 5775; *(napoléonien)* 9759; *(romain)* 15379

Empirisme 11194

Emplette 7407

Emploi (s) 2133, 2994, 3947, 4257, 4258; *(de temps)* 13119

Employé 9782

Empoisonneur 3653; *(public)* 3271

Empressement 4701

Emprunt (s) 1068, 6469, 11972

Emprunter 3555

Émulation 5598, 10550

Encapuciner 3498

Encendrer 3498

Encens 7661, 10101, 10294

Encensoir 9318, 10294

Enchanté *(Pays)* 8239

Enchérir 2590

Enclume 5664

Encor 1774, 12397

Encre 1480; *(Cuver son)* 7558

Encyclopédie 9528; *(de Diderot)* 7445

Endormir (s') 9875

Endroit *(du monde)* 16011

Énéide 5708

Énergie 8450, 10430

Enfance 1021, 6144, 8989, 10721, 11386, 11764, 12718, 13109, 14404, 14530, 15021, 15347, 15370; *(Dans ma belle)* 13969; *(éternelle)* 15454; *(Privilège de l')* 15749

Enfançon *(Langage)* 1266

Enfant (s) /Montaigne 854, 883/ 1148, 1151, 1201, 1327, 1387, 2293 /La Fontaine 2558, 2594/ /Molière 2756/ /Pascal 3095/ 3473 3630 /La Bruyère 4386 4395, 4396, 4397, 4398/ 4489 à 4507, 5681, 5682,

5812, 5958 /Rousseau 5995 6116, 6123, 6124, 6130 6131, 6132, 6134, 6138, 6141, 6142, 6146, 6152 6153, 6157, 6158, 6223, 6378/ 7032, 7373, 7756, 7764, 8046 /Lamartine 9006, 9019/ /Vigny 9242/ /Balzac 9607/ /Hugo 10047, 10048, 10179, 10208, 10359, 10363, 10369/ /Musset 10970, 11100/, 11227, 11329, /Baudelaire 11528/ /Flaubert 11707/ 12432, 13548, 13619, 14389 /Céline 14667/ 14669, 14695, 14827 15683, 15719, 15752, 15878; *(Chasse à l')* 15197; *(-dieu)* 15377; *(du siècle)* 11088, 11089; *(Faire des)* 6363; *(gâté)* 11518; *(gonflé d'âge)* 15765; *(Il n'y a plus d')* 2990; *(insensé)* 11058; *(Maison sans)* 10049; *(Mon)* 11424; *(petit, petit, petit)* 12171

Enfantement 9378

Enfantillage 16150

Enfantin (es) *(Age)* 10163; *(Vert paradis des amours)* 11427

Enfer (s) 1203, 1257 /Corneille 1687/ 6604, 7174, 7498 /Hugo 10138, 10278, 10364, 10374, 10378/ 10741 /Baudelaire 11390, 11610/ /Verlaine 12392/ /Rimbaud 12706/ 14357, 14381, 14395, 14847, 15057, 15180, 15807, 15848, 15939; *(de Dante)* 9203; *(intelligent)* 10289; *(L'âge de l')* 14434; *(polaire)* 11426; *(prétentieux)* 15629

Enfroqués *(Prolétaires)* 8309

Enfumer 12430

Engels 12877

Engendrer 7151

Enghien *(Sang d')* 8027; *(Duc d')* 8338

Engrais 11682

Engranger 14342

Énigme 5337, 16077; *(du monde)* 5587

Enivrer 11443, **(s')** 11489

Ennemi (s) 465 /Corneille 1793/ 2231, 2334 /La Fontaine 2444, 2565/ /Racine 3888, 3889, 3912, 4056, 4073/ 4765, 4771 /Voltaire 5548/ /Diderot 6442/ 14809, 14854; *(Autant de pris sur l')* 8615

Ennemie *(Puissance)* 8387

Ennoblir (s') 5926

Ennui (s) 132, 133, 469, 586, 1255 /La Rochefoucauld/ 2052, 2104/ 4750, 5724, 5851 /Rousseau 6260/ /Diderot 6365, 6490, 6514/ 6540, 6959, 6991, 7068, 7876 /Constant 8107, 8109/ /Chateaubriand 8199/ 8298, 8404/ /Stendhal 8834/ 9118, 9481 /Hugo 10205/ 10504, 10726, 11147, 11341 /Baudelaire 11461, 11462/ 11774 /Mallarmé 12193/ 12532, 12752, 13106, 13923; *(Ceux qui crèvent d')* 15189; *(Les grands jours de petits)* 13021; *(superbe)* 7830

Ennuyé *(Air)* 8789

Ennuyer 5425; **(s')** 7210

Ennuyeux 6983, 7027, 15287; *(Genre)* 5372

Énoncer *(clairement)* 3730

Énormité 12743

Enquête 15976

Enraciné 14824

Enrhumer (s') 1890

Enrichir 4351; *(les pauvres)* 10644

Enrichissement 15024

Enseigne 2546, 3064

Enseignement 9395, 13930, 14157

Enseigner 5239, 6157, 12882

Ensevelir 2744

Entéléchie 389

Entendement 848, 862, 6280, 7103, 15574

Entendre 2794, 6910, 7930; **(s')** 5712, 7337, 13087; *(Se faire)* 14881

Entends *(la douce nuit qui marche)* 11470

Entendu *(Être)* 6373, 6374

Enterre *(Que l'on m')* 12617

Enterrement 2745, 4611, 10210, 10434, 13799

Enthousiasme 7018, 8022, 8803, 9323, 11591, 13161, 13922, 14691; *(Pédagogie de l')* 14991

Enthousiasmer **(s')** 9661

Entier *(Chacun en a sa part et tous l'ont tout)* 10043

Entité 12318

Entonnoir *(Lugubre)* 11314

Entraider (s') 2574

Entraille (s) 10107, 14368, 15259; *(déchirée)* 11687; *(La mort de mes)* 15465

Entraver 1034

Entrebailleur *(de fonds)* 10478

Entrefilet 13114

Entrelacs *(d'amour)* 14498

Entreprise (s) 215, 3808; *(Chef d')* 14005; *(qui n'eut jamais d')* 6220; *(téméraire)* 5997

Entretiens 2609

Entretuer *(Ne plus s')* 15522

Envahir *(Je cherche un être à)* 15901

Envers *(du monde)* 16011

Envie 54, 1936, 2060, 2087, 2213, 2495, 4388, 5598; *(Faire)* 7689; *(Impossible)* 11308

Envieux 10264

Épaisseur *(des choses)* 15118

Épanouissement *(du genre humain)* 10298

Épargnants *(de l'esprit)* 14803

Épargne 10616, 10698

Épargner 1659, 1751

Éparpiller *(son âme)* 12345

Ésope 4680

Espace (s) 7561, 7562, 7563, 7583, 9847, 12209, 12212, 12213, 12991, 12993, 14033; (aveugle) 14129; (Chevaux de l') 10180; (de l'art) 13826; (de la vie) 13826; (social) 12275

Espagne 1253, 2244, 5243, 8137, 8227, 9881, 10091; (Châteaux en) 3321

Espagnol (s) 5073, 5074, 5075, 11988

Espèce (s) 7395, 8321, 15495; (animales) 5824, 5826; (humaine) 14984; (Vie de l') 13554

Espérance (s) 82, 119, 140, 443, 686 /Montaigne 935, 1016/ 1524 /Corneille 1696/ /La Rochefoucauld 1975/ 2283, 2317, 3597 /Racine 3939, 4021/ 7096, 7759, 7782, 7912, 7925, 7935, 7950 /Chateaubriand 8362/ 8515, 8895 /Lamartine 8947/ /Vigny 9356, 9364/ 9928, 10507 /Musset 11015, 11105/ 12474 /Claudel 13180/ 13616 /Apollinaire 13790/ 14791; (absolue) 14545; (Fausse·) 14412; (Magnifique) 14655; (vaines) 3439, 3549

Espéranto 14296

Espère 2897

Espérer 1163, 4831, 6186, 7813, 8946, 9499, 9736; (Rien) 13177

Espiègleries 15394

Espion (s) 6439, 9723, 9724, 9809

Espionnage · 5181

Espoir (s) 243, 1225 /La Fontaine 2639, 2674/ /Racine 4013/ /Voltaire 5382/ /Hugo 10126/ /Baudelaire 11434/ /Flaubert 11650/ 12065 /Voltaire 12366/ 13922, 14700 /Camus 16022/ 16220; (terrible et profond) 15327; (Un siècle sans) 10979

Esprit (s) 241, 244 /Montaigne 912, 1007, 1010/ 1397 /Descartes 1543/ /La Rochefoucauld 1994, 1995, 1997, 2063, 2082, 2091, 2092/ 2165 /Molière 2440, 2949, 3008/ /Pascal 3022/ 3194, 3195 /Bossuet 3423/ 3633, 3842, 3846, 3858, 3859 /La Bruyère 4254, 4333, 4406/ 4648, 4651, 4948 /Montesquieu 5060, 5064, 5236, 5237, 5259/ /Voltaire 5334, 5400, 5499/ 5874, 5883, 5940, 5951 /Rousseau 6170, 6244/ /Diderot 6446, 6499, 6509/ 6548, 6567, 6700, 6717, 6771, 6792, 6848, 6906, 6945, 7057, 7147, 7221, 7430, 7563, 7758, 7762, 7916, 7920, 8144 /Chateaubriand 8220, 8270, 8274/ /Stendhal 8783, 8803, 8857, 8861/ /Balzac 9784/ 9966, 9967 /Hugo 10100/ 10720 /Nerval 10837/ /Flaubert 11659, 11666/ 11787, 12845, 12846, 12862, 12930 /Claudel 13175, 13183/ 13192, 13220, 13255 /Valéry 13455/ 13828 /Paulhan 14115, 14122, 14254, 15233, 15234, 15249, 15293; (Avoir souffert de l') 14751, 14752; (Beaux) 5679, 5760; (Bel) 5494, 5495, 5996, 7108; (Bon) 4234; (cruel) 12375; (Défaut d') 4385; (de l'homme) 13669; (Dépravation de l') 8225; (des femmes) 4968; (des formes) 13546; (divin) 4180; (de corps) 5054; (du monde) 3384; (Erreurs de l') 5901; (Étendue de l') 3475; (faible) 8290; (fort) 8290; (Gens d') 6928, 9689; (Grand) 5258; (Grandeur de l') 7266; (Homme d') 5118, 5229, 5230, 5894,

6332, 6632, 7224, 7228, 7258, 8874, 14852; *(humain)* 8042, 9381, 14105; *(Il est des lieux où souffle l')* 12950; *(jugement de l')* 16030; *(médiocre)* 4234; *(Mot d')* 13545; *(Petits)* 5536; *(pur)* 9353, 13124; *(Son propre)* 15119; *(synthétique)* 8596; *(Travail de l')* 7949

Esprit-principe 8282

Esprit-saint 1197, 9023, 9075

Esquiver 2478

Essaim *(dévorant)* 8560

Essais *(Premiers)* 5471

Essence 13421; *(des choses)* 11100

Essentiel 15840

Est *(Ce qui)* 7609; *(Rien n')* 15931

Estampe 11456

Esthétique 11727, 12825, 15297; *(du dedans)* 14556

Estime 2310, 2887, 3218, 5252, 5255, 5872, 5917, 6313, 7322, 8653

Estimer 1832, 3027, 4421, 5876, 6688, 8475, 12801; *(les femmes)* 7287

Estomac 2270, 9139; *(de nos pères)* 7968; *(du roi de Prusse)* 5595

Étable 12366; *(J'ai deux grands bœufs dans mon)* 11620

Étagère 11454

Étalon 12927

Étang *(léthéen)* 12193

Étant *(Je suis)* 13412

État /Montaigne 841/ 2147, 2148, 2149 /Voltaire 5317, 5404, 5571, 5617/ 7092, 7796, 7953, 7957, 10589, 10886, 10908, 11275, 12044, 12294, 13076, 13215, 14588, 15865, 16147; *(Affaiblir l')* 12320; *(centralisé)* 15866; *(Char de l')* 10636; *(Coup d')* 11743; *(Hommes d')* 5537, 5538, 5539, 12814; *(popu-*

laire) 1748; *(Servir l')* 12290; *(social)* 10649

État *(= profession)* 4664, 7047

Étatisme 12983

États-Unis *(d'Amérique)* 10646, 10648, 10651, 10680, 10683, 10686, 10692; *(d'Europe)* 14473

Été 29, 130, 12352

Étendue 12611; *(véritable)* 15239

Éternel 4142, 5293, 6624, 13070, 13160, 13181, 16024, 16034; *(Dieu)* 14444; *(L')* 8152; *(Oui, je viens dans son temple adorer l')* 4159

Éterniser 5924, 14826

Éternité /Corneille 1830/ 2256 /Pascal 3122, 3123, 3124/ 3264, 3327 /Bossuet 3334, 3348, 3376, 3386, 3421/ 3532, 3543, 4478, 7789 /Constant 8118/ 8434, 8539 /Lamartine 8955/ 10402 /Musset 11049/ 11231 /Zola 12118/ /Mallarmé 12218, 12257/ /Rimbaud 12688/ 12992 /Gide 13299/ 13928, 15184, 15262, 15295; *(Soif d')* 15878

Éternuement 3112, 11704

Éther 12995; *(Compagne de l')* 12777

Éthique 13654, 13902, 14556, 15055

Ethnique *(Formule)* 11847

Ethnocentrisme 15301

Ethnigraphes 15424

Ethnologie 15798, 16283

Ethnologue 15301

Étincelle 9926, 10137, 10679, 13248

Étiquette 9713, 10022

Étoffes *(Fabricant d')* 5997

Étoile (s) 5290, 9574, 10340, 10804, 10836, 10845, 11435, 12149, 14983; *(Belle)* 12078; *(Champ des)* 10310; *(de la mer)* 13623, 13624; *(nouvelle)* 12180; *(Rallumer les)*

F

11705; *(Homme)* 7097; *(Plus)* 8302

Faiblesse (s) 726 /Montaigne 828/ /Corneille 1739/ /La Rochefoucauld 2003/ 2205, 3257, 3265, 3266 /Bossuet 3428/ /Racine 4014, 4062, 4068, 4086, 4132, 4133/ /La Bruyère 4318/ 5284, 5853 /Rousseau 6132, 6199, 6210, 6211/ /Diderot 6428/ 7318, 7597, 7928, 9537, 10427, 12407, 12486; *(de l'homme)* 6154, 6167, 9108; *(de l'intelligence)* 13209; *(des femmes)* 7937; *(du cerveau des femmes)* 8491; *(du cœur)* 13209; *(en amour)* 7342; *(Tout le reste est)* 9341

Faillite 9631

Faim 178, 4846, 5000, 5731, 7817, 11315, 12266, 12799, 13274; *(Mourir de)* 8419, 16321

Fainéants *(illustres)* 6414

Faire 222, 246, 10984, 11107, 15734; *(Ah! qu'il est doux de ne rien)* 11319; *(Bien)* 871, 1518, 6268; *(Ne rien)* 14551; *(Trop bien)* 2494

Faire-part *(décès)* 13261

Fais *(Tout ce que je)* 14464

Fait (s) 820, 8215, 9860, 11181, 11496, 13294, 15503; *(Ce que j'ai)* 15221; *(Le moindre)* 14788; *(social)* 12813; *(Voie de)* 10253

Fait divers 15923

Faites *(ce que je dis)* 9130

Fakir 15851

Fameux 5408

Familiarité 2814

Famille (s) 2361 /La Fontaine 2653/ /Racine 4120/ /La Bruyère 4382/ /Chateaubriand 8316/ /Lamartine 9027, 9058/ 9220 /Balzac 9793/ /Musset 11017/ /Baudelaire 11440/ 11872,

11942, 13638, 14071, 14328, 14732; *(Cercle de)* 10047; *(Fonder une)* 13842; *(humaine)* 10743; *(Je vous hais!)* 13279; *(Récit de)* 9296

Fanfan *(la Tulipe)* 9165

Fanfare *(atroce)* 12729

Fanfaron 9836

Fange 9710; *(Cité de)* 11442

Faner 3299

Fantaisie (s) 964, 974, 5473, 5862; *(Deux)* 7242

Fantassin 10117

Fantastique 14756, 14780; *(Conte)* 8640; *(Histoire)* 8637

Fantôme (s) 8181, 11151, 11422, 12122, 12215, 16096

Fard 1957, 2305, 3778, 11537

Fardeau 8899, 8972

Farouche 4085, 4659

Fascination 10910

Fascisme (s) 15280, 15230, 16056

Fascistes 15321, 15758

Faste 6045

Fat 4405, 4419, 6733, 6913

Fatal (e) 11538, 12372, 13912

Fatalité 9360, 12236, 13058, 15216, 15335, 15748; *(de sa nature)* 15900; *(singulière)* 10495

Fatuité 9628, 9702

Faubourg 11439, 11668, 12665

Fauchure 5281

Faucille *(d'or)* 10310

Fauconniers 2657

Faune 13014

Fausseté 96, 1561, 2757, 6199, 7247, 8735

Faust 10958

Faute (s) /Montaigne 829/ 1210 /La Rochefoucauld 2119/ 2173 /La Fontaine 2687/ /Rousseau 6141/ /Diderot 6496, 6498/ 7953, 8033, 8036, 9109 /Hugo 10190/ 11938, 13039, 13104, 14224, 14370,

3401; *(Le meilleur f. du monde)* 411

Fin 316, 393, 513, 642, 2465, 7616, 9018, 10558, 16065; *(du monde)* 3180; *(Qui n'a pas de)* 12904; *(regarder sa)* 16018; *(Tout a une)* 12077

Finalité 14024

Finance (s) 1146, 6109, 6431, 7692

Financer 14234

Financier 2555, 4346

Finesse (s) 1423, 2078, 4490, 4494, 4510, 4511, 4929, 5715, 5817, 5937, 6315, 6636, 8765, 8848; *(des choses)* 15452; *(Esprit de)* 3020, 3046, 3047, 3049, 3050

Fini 11496, 13721; *(L'homme a)* 12650

Finir 7343, 10915; *(Tout doit)* 13747

Firmament 7877, 8068, 10309

Fisc 6445, 7412

Fixe 9498

Fixité *(divine)* 13942

Flacon 11423; *(Qu'importe le)* 10963

Flair 12988

Fambeau 5433, 11422

Flamme 441, 1278, 1280, 1686, 4074, 7556, 13158, 14480; *(profane)* 7525

Flandre 3284

Flaneur *(parisien)* 9709

Flaque 14324

Flatter 2569, 2736, 2796, 5891, 6124, 6640, 7650, 7701; *(Se)* 3714

Flatterie 120, 1503, 2012, 2153, 2203, 2737, 2888, 4415, 4669, 4802, 4803, 5401

Flatteur (s) 628, 2410, 2797, 3814, 3896, 3980, 4133, 4179, 4423

Fléaux 5842, 16030

Flegme 2890

Flétrie *(Demain)* 10966

Fleur (s) 639, 1249, 4147, 4182, 5923, 8898, 10156,

10847, 11327, 11405, 11445, 12246, 12357; *(arctique)* 12733; *(pucelage)* 2698

Fleuve (s) 5173, 7475, 8431, 14179; *(impassible)* 12676

Flora 169

Flot 4139, 9011

Flouée *(A quel point j'ai été)* 15760

Fluide 13531

Flûte (s) 527, 1954

Flux 6201, 6203

Fœtus 8548, 13131

Fo-Hi-Can 8555

Foi 486, 493, 502 /Montaigne 899/ 1488 /La Fontaine 2723/ /Pascal 3035, 3134, 3135, 3137, 3140/ 3303 /Bossuet 3383/ 3537, 3538 /Racine 4161/ /Montesquieu 5069/ 5288, 5719, 6602 /Chateaubriand 8278/ /Lamartine 9044/ /Vigny 9364/ 9556 /Balzac 9840/ 11161, 11824, 11843, 11848, 11965, 12057 /Zola 12119/ 12334, 12883 /Claudel 13160/ 14155, 14306, 14541, 14544, 14623, 14906, 15410, 15938; *(Homme de)* 8741, 15208; *(Homme de)* 12915; *(Mauvaise)* 15208; *(politique)* 10750

Foie 2941

Fol (s) 97, 149, 275, 432, 1305 *(Voir aussi : Fou)*

Folie 215, 226 /Rabelais 384/ /La Rochefoucauld 2023, 2031, 2055/ /La Fontaine 2660/ /Pascal 3163, 3188/ /Voltaire 5480, 5702/ 7203, 7215, 7708, 7791 /Constant 8108/ /Chateaubriand 8251/ /Stendhal 8736/ /Vigny 9281, 9356/ 11917, 12055, 12181 12437, 12633 /Rimbaud 12696/ 14429, 14302, 14436, 14776, 15695, 15995, 16276, 16278; *(utile)* 16240

Folklore 16168

Folleville *(Embrassons-nous)* 11257

Fonction 6818, 12294, 12839

Fonctionnaire (s) 1426, 8148; *(Haut)* 14239

Fond (s) 733, 7492, 13847; *(Mauvais)* 5875; *(public)* 11973; *(secret)* 11973

Fontaine (s) 128, 156, 1505, 6651, 9821; *(Bellerie)* 615; *(de sang)* 11449

Fontaines *(Maréchal de)* 3356

Fontanarosa 9107

Fontenelle 6810, 7276

Forçat (s) 5434, 9349

Force (s) 726, 821, 1428, 3144, 6076, 6154, 8065, 8916, 9537, 10004, 11737, 12955, 14215; *(brutale)* 10896; *(centrifuge)* 6098; *(commune)* 10720; *(D'é-tranges)* 14777; *(en mar-che)* 15217; *(individua-liste)* 12528; *(surnaturelle)* 14350

Forêt (s) 677, 1399, 6326, 8177, 8203, 9815, 11898; *(Fond des)* 4105; *(Ombre des)* 4494

Forfait (s) 8219, 14763

Forfanterie 1688, 1689, 1690

Forge *(délicate)* 14497

Formalisations 15449

Forme (s) /Ronsard 678//La Fontaine 2643/ 3500, 6939, 7492, 7842, 10492, 10930 /Baudelaire 11617/ /Flau-bert 11652/ 13339, 13547, 13824, 13829, 13847; *(Vie des)* 13827

Formule (s) 14277; *(d'en-semble)* 12881

Fornication 1929

Fort (s) 4843, 8534, 8680, 9856, 12654, 13577; *(Homme)* 9663; *(Plus)* 8302

Fortuits *(Événements)* 15910

Fortune (s) 210 /Marot 434/ 584, 747, 774, /Montaigne 830, 892/ 1219, 1445, 1466,

1470, 1514, 1886, /La Ro-chefoucauld 1970/ 2208, 2386 /La Fontaine 2623, 2671/ 3306 /Bossuet 3405, 3431/ 3576, 3581, 3803 /Racine 3905, 3992/ /La Bruyère 4265, 4294/ 4736, 4739 /Voltaire 5661, 5665, 5701/ 5880 /Rousseau 6057/ /Diderot 6357/ 6754, 7083, 7427, 7499, 7934, 8650 /Stendhal 8772/ 8915, 9113, 9116 /Balzac 9683/ 11253 /Baudelaire 11539/ 14228; *(Bonnes)* 321, 1357, 1888, 7289, 7937; *(Faire)* 4350, 4354, 4355, 4361, 4363, 7210; *(Humble)* 4059; *(Revers de la)* 4449

Fosse 7197

Fossoyeur 12933

Fou (folle, s) 4, 1093 /La Ro-chefoucauld 2050/ /Boi-leau 3657/ 3839 /Montes-quieu 5076/ /Diderot 6301, 6343, 6382/ 6749, 8641, 9134, 10626 /Musset 11106/ /Baudelaire 11490/ 12053 /Verlaine 12380/ 13092 /Claudel 13167/ 14775, 15587, 16280; *(Bonheur)* 8868; *(Devenir)* 15008; *(Pauvre)* 12652

Fouché 8473

Foudre 1283, 6547, 9884, 12177, 12589, 15844; *(Coup de)* 11654

Fouet 12100, 12110

Foule (s) 9038, 9049, 9810, 11163, 11589, 11613, 11659, 11953, 12972, 12988, 13054, 13549, 13560, 15246; *(Fureurs des)* 12032; *(furieuse)* 9205

Fouquet 5553

Fourbe (s) 2461, 2466, 2755, 4935

Fourberie (s) 2748, 2933, 4546, 4694, 12331

Fourmi (s) 2409, 4917, 7105, 10628, 15169

Fournaise 10127

Fourreau 6240

Fourrer *(S'en)* 11987

Foutaise 12156

Foutebôle 16256

Foutre 7151

Foyer (s) 10797, 11318, 13279, 14329; *(d'une âme)* 9059

Frac 11671

Fraîcheur 13830

Fraction 10242

Fragilité 1499; *(humaine)* 2768

Framboisier 10827

Franc-Arbitre 340

Français (e) /Rabelais 335, 385/ /Ronsard 667/ /Molière 8813/ /La Bruyère 4249, 4379/ 4883 /Montesquieu 5022, 5032, 5076, 5077, 5078, 5081, 5094/ /Voltaire 5531, 5535, 5607, 5631, 5677, 5688/ 5757, 5922 /Rousseau 6042, 6272/ 6638, 6662, 6663, 6897, 6921, 7049, 7373, 7446, 7447, 7453, 7479, 7619, 7620, 8000, 8005, 8008, 8026 /Chateaubriand 8179, 8369, 8415/ 8457, 8462 /Stendhal 8761, 8762/ 9163, 9165, 9203, 9546, 9573 /Balzac 9834/ /Hugo 10263/ 10459, 10667 10669, 10688, 11285, 11286 /Baudelaire 11508/ 11929, 12448, 12961 /Claudel 13161/ 13618, 14398, 14465, 16257; *(Ame)* 10392; *(Cela n'est pas)* 8502; *(c'est-à-dire haïssable)* 12746; *(Esprit)* 12518; *(Estomac)* 11557; *(Être)* 14390; *(Fier d'être)* 9161; *(Génie)* 5673; *(Langage)* 8554, 9978; *(Langue)* 9891, 9996; *(Mort d'un)* 11860; *(Nation)* 10912; *(né malin)* 3742; *(Peuple)* 7048, 7054

France 126 /Rabelais 378, 389/ 585, 772 /Montaigne 1052/ 1143, 1186, 1187, 1431, 1850 /La Rochefoucauld 1962, 2148/ /Voltaire 5602, 5664, 5675/ 5764, 5972 /Rousseau 6038/ 6859, 7261, 7262, 7274, 7476, 7644, 7788, 7800, 8009, 8029, 8053, /Chateaubriand 8201, 8208, 8288/ 8470, 8499, 8503, 8504, 8508, 8611, 8618, 8913, 8917 /Lamartine 9077/ 9099, 9125, 9150, 9151, 9227 /Vigny 9346/ 9437, 9502, 9506, 9513, 9541, 9545, 9546, 9551, 9553, 9554, 9555, 9561 /Balzac 9679, 9796/ 9912 /Hugo 10357/ 10554, 10675, 10685, 10690, 10699, 10703, 10771, 10918, 10932 /Baudelaire 11611/ 11826, 11827, 11832, 12147, 12963, 12964, 12965, 12968, 13047 /Gide 13326/ 13665, 13666, 13668, 13919, 14388, 14393, 14526, 14566, 14570, 14579, 14581, 14587, 14809, 15281, 15383, 15400, 15572, 15780, 16090, 16091; *(Carte de la)* 14559; *(du XVII*e *siècle)* 5936; *(en révolution)* 14582; *(Je vous salue, ma)* 14963; *(Sauvez la)* 15460; *(Une certaine idée de la)* 14569

France *(Anatole)* 13169, 13512

Franchise 212, 699

Francois I*er* 5243

Franklin 6813

Frappé 5225

Frapper 4524, 6421, 6422; *(dans le cœur)* 7356

Fraternité 9036, 9083, 10272 11216, 13519, 15490; *(universelle)* 12125

Frayeur (s) 2162, 4171

G

14376; *(destructeur)* 8010; *(du vers)* 12240; *(français)* 5673; *(Homme de)* 10715, 11389; *(Je donne mon)* 10997; *(littéraire de la France)* 11135; *(Singe de)* 10099

Génisse 148

Genoux 12965; *(tremblants)* 4091

Genre (s) 995, 14089; *(littéraires)* 5372, 6532

Gens *(Bonnes)* 4865; *(de bien)* 6276; *(de guerre)* 3255; *(de lettres)* 5394, 6277, 6892; *(de maison)* 12555; *(de qualité)* 2777, 3295; *(du commun)* 3053; *(Honnêtes)* 2273, 5347; *(Jeunes)* 10531; *(sans bruit)* 2578

Gent *(menue)* 189

Gentilhomme 552, 2931, 6028, 9961, 14407; *(d'en haut)* 7272

Gentillesse 13380

Géographie 9515, 13338

Géomètre 5997, 6034, 6633

Géométrie 5496, 5989, 6153, 12472, 12493, 13781, 13827; *(Esprit de)* 3020, 3046, 3048, 3049, 3050; *(euclidienne)* 12639

Géométrisation *(de l'espace)* 14614

Gerbe 522

Gerfauts *(Vol de)* 12179

Germe 12884

Germination 12112, 13311

Geste (s) 879, 13874, 15138, 15265, 15456

Gesticuler 6309

Gestion *(de l'entreprise)* 12274

Gibelin 1069

Gibet (s) 409, 11110

Gifle 12030

Giflé *(La vie m'a tant)* 13678

Gilbert 13088

Gilet *(rouge)* 11164

Girouettes 5654

Gîte 2449

Givre 15652

Glace 4829; *(à la crème)* 8823; *(miroir)* 7875

Gladiateur 11710

Glaires 13131

Glaise *(On l'a mis dans d'la terr')* 12600

Glaive 7854, 11451; *(de la justice)* 7455

Gland (s) 4557, 7197

Glapion *(Effet)* 15072

Glas 10598

Glèbe 8262

Glissez *(mortels, n'appuyez pas)* 4829

Globe 13179; *(terrestre)* 12330

Gloire 23, 97, 139, 581 /Montaigne 939/ 1233, 1461, 1665 /Corneille 1741, 1742, 1776, 1821/ 1848, 1898, 1959, 2157, 2398 /La Fontaine 2622/ 3233, 3586, 3815 /Racine 3902, 4016, 4061, 4063/ /La Bruyère 4228/ 4438, 4527, 4547, 4670, 4887, 5794, 5795, 5849, 6703, 7018, 7259, 7408, 7894, 7897, 8047 /Chateaubriand 8191 8197, 8221/ 8463, 8550, 8553, 8662, 8673 /Lamartine, 8973, 8982, 8986/ /Vigny 9234/ /Balzac 9841/ /Hugo 10094, 10391/ /Nerval 10776/ /Musset 11089/ 11735, 14185, 14561, 16016; *(d'autrui)* 7730; *(de la France)* 11884; *(Travailler pour la)* 3564

Glorieux 1772; *(Éclat)* 10501

Glouton 1333

Glu *(des rois)* 8632

Goddam 6934

Goethe 8010, 9550, 13482

Gondoliers 5512

Gorge 76

Gorgeret 235

Gothique 11249, 15344

Gouffre 7419, 12208, 15185; *(de l'esprit)* 10185; *(intérieur)* 10107

Goujat (s) 2469, 2731

Goules 13267

Gourmands 765

Gourmandise 7633, 7642

Goût (s) /La Bruyère 4229/ /Voltaire 5349, 5497, 5551/ 5906 /Rousseau 6016/ /Diderot 6495, 6500, 6506, 6507, 6511/ 6576, 6670, 6717, 6854 /Chateaubriand 8222/ 10517 /Nerval 10776/ /Flaubert 11699/ 12463, 12480, 12927, 13913; *(bizarres)* 7148; *(Bon)* 2037, 4518, 6756, 8015, 9096; *(Conformité de)* 14154; *(d'après)* 13899; *(des femmes)* 11387; *(du siècle)* 4250; *(Gens de)* 6051; *(Manque de)* 9621; *(Mauvais)* 9096

Goutte (s) 5668; *(à goutte)* 3640; *(d'eau)* 14402

Gouttière 534, 9056, 11628

Gouvernail 11334

Gouvernant (e, s) 4722, 5636

Gouverné *(Être)* 4328

Gouvernement (s) 1406, 1424, 1510 /Pascal 3146/ /Bossuet 3431/ /Montesquieu 5134, 5158/ /Voltaire 5314, 5315/ 5761 /Rousseau 6017/ 6534, 7055, 7451, 7637 / Constant 8073, 8078 8111/ /Stendhal 8884/ 9146, 9201, 10532, 10567, 10583, 10662, 10694, 10712, 11334 /Flaubert 11698/ 12000 /Zola 12107/ /Mallarmé 12264/ 12602 13557, 14234, 15146, 15958; *(absolu)* 8413; *(chrétiens)* 16043 *(démocratique)* 7449; *(Meilleur)* 5847; *(monarchique)* 5242, 6106; *(populaire)* 2333, 7960; *(qu'on mérite)* 7468; *(républicain)* 6106, 7156

Gouverner /Rabelais 337/ 474, 1237 /La Bruyère 4329/ 4530, 5537, 7263, 7739, 7955, 7961, 8126, 8132, 8475, 9125, 9147, 9230 /Balzac 9881/ 10412; *(c'est prévoir)* 10702; *(des cœurs)* 4857; *(les femmes)* 4287

Goya 11401, 11516

Grâce (s) 811, 1486 /Corneille 1836/ /La Fontaine 2720/ /Molière 2891/ 3861 /Racine 4153/ 4514 /Saint-Simon 4853/ /Voltaire 5597, 5601/ 6658, 7812 /Lamartine 9046/ 12848 14358, 14385, 14544, 15989; *(Action de)* 3209, 12818; *(Bonne)* 1982; *(de Dieu)* 498, 1390, 3273; *(efficace)* 5522; *(Faire)* 10275; *(féminines)* 5921; *(Ordre de)* 10519

Grade 12027

Grain 12402; *(de sable)* 3116

Graine 7390, 15656, 15805

Grammaire 1036, 1615,1616, 2999, 6671, 7546, 10008, 11381, 11569, 11575, 12983, 13781

Grammairien 12003, 13145

Grand (e, s) 2135, 2437 /Molière 2952/ 3837 /La Bruyère 4372, 4373, 4374, 4375, 4376, 4380/ 4707, 4734, 4960, 5536 /Diderot 6446/ 6900, 6968, 7077; *(chose)* 9669; *(d'Espagne)* 10081; *(du monde)* 8562; *(homme)* 13036; *(Plus)* 8493; *(Quand nous serons)* 13988; *(Rien ne nous rend si)* 10988; *(seigneurs)* 688

Grandeur (s) 1, 594 /Montaigne 943/ /La Fontaine 2670/ /Pascal 3019/ 3273, 3622, 3628 /Boileau 3685/ 3793 /Racine 3880, 3893, 3999, 4015/ 4550, 4700, 4716 /Montesquieu 5175/ /Voltaire 5498, 5554/ Chateaubriand 8293/ 8463 /Balzac 9888/ 14570, 14573 /Malraux 15316/ *(d'âme)* 12946; *(Dehors de la)*

9814; *(de l'homme)* 3160, 3161, 3164; *(Fausse)* 4271;

Grand-mère 3285, 3286, 3473, 8630

Grand'route 12767

Grandsiécliser *(sa parole)* 12017

Grappe *(d'images)* 14050

Gratouiller 14246

Gratter 2985

Gratuit *(Acte)* 15153

Gravier 7079

Gravitation 9217, 12994

Gravité 2036, 5253; *(des sots)* 7895

Gravure 8864

Grec (que) 3009, 5231, 7841, 7977, 8175, 12097; *(Enfant)* 10016 10017; *(Langage)* 8554, 8555, 10656, 16071; *(Marchands de)* 10152; *(Parler)* 3834

Grèce 462, 5321, 8192, 10013

Greffe 10199; *(spirituelle)* 7451

Grégeois *(Feu)* 8028

Grenade *(fruit)* 15045

Grenadier (s) 5489; *(français)* 13229

Grenier 8627, 8628

Grenoble 8841

Grenouille (s) 2411, 11188, 13673, 14706

Greuze 6333

Grève (s) 103, 11312, 12273, 15855; *(Droit de)* 12141; *(générale)* 12524, 12525, 12528; *(malades)* 15306

Griffes 7671

Grimace 8159, 14671

Gris *(Nous étions)* 11346

Grisette 9925

Gris-gris 15441

Groin 12424

Gros 8839

Gros-Jean 2539

Grossesse 11369

Grossier (ière, iers) 2002; *(Choses fort)* 4941; *(Esprit)* 9454; *(Hommes)* 6867

Grossièreté 5401

Grotesque 9883; *(douloureux)* 11908; *(Sens du)* 11714

Grotte 1641

Guadeloupe 10381

Guano 11682

Gué *(Au)* 2901

Guelphe 1069

Guenille 3002

Guêpe 2454

Guère 2593

Guérilla 10287

Guérir 2883, 2972, 7781, 10508, 15966

Guérison 1499

Guerre (s) /Rabelais 312/ 466, 471 /Montaigne 981/ 1120, 1248, 1670 /La Fontaine 2456/ 3283 /Racine 4045, 4047/ /La Bruyère 4378, 4434/ 4538, 4553 /Montesquieu 5127, 5146, 5176/ /Rousseau 6081, 6082, 6099/ /Diderot 6415, 6433, 6455/ 7110, 7111, 7458, 7461, 7725, 7893, /Chateaubriand 8301/ /Vigny 9291, 9292, 9302, 9313, 9354/ 9501, 9512 /Hugo 10257 10282 10283/ 10483, 11125, 12148, 12506 /Maupassant 12573, 12735/ 12803, 12907 /Claudel 13190/ 13520, 13758 /Apollinaire 13811/ 13921, 13935, 13951, 14571, 14572, 14627, 14832, 15238, 15280, 15394, 15471, 16256; *(Art de la)* 8486; *(civiles)* 531, 772, 957, 1171, 2170, 2171, 2176, 5038, 5142, 5534, 7628, 8398, 12046, 14408; *(coloniale)* 12327; *(de Dieu)* 3175; *(de religion)* 14408; *(des sexes)* 7243; *(étrangère)* 957; *(féminine)* 406; *(Grande)* 14568; *(Horrible)* 12618; *(Je fais la)* 12146; *(justes)* 11735, 13629, 14267,

15329, 15330; *(moderne)*
14631; *(Rêves de)* 10011;
(Salut à la) 10901; *(Temps de)* 15390
Guerrier 5969, 6416, 8744, 11609
Gueuloir 11729
Gueuse *(parfumée)* 5930
Gueuserie 2363
Gueux 5692, 6335, 6363, 11738, 12014, 12566; *(Roi des)* 12565

Guide (s) 863, 13077
Guillemets 15482
Guillotine 10194
Guillotinassiez *(Je voudrais que vous me)* 10863
Guillotiner 8793
Guindé 2907
Guise *(Duc de)* 5650
Guitare 6875
Gutenberg 10039
Guyon *(Madame)* 4777
Gymnase 7711

H

Habile 6692, 6746
Habileté 2034, 2650
Habiller 3509
Habit 281, 293, 2927, 3145, 3481, 5238, 6785, 6786, 8617, 9293, 9298, 11261; *(flottant)* 7748; *(neuf)* 4945, 8855; *(noir)* 11671
Habitat 15593
Habiter *(son nom)* 14333
Habitude 5432, 5790, 6130, 8079, 9874, 10981, 15473; *(d'infirme)* 12591; *(Meurtre d'une)* 14533
Hache 1139
Ha-ha 13579
Haillon 10181
Haine (s) /Descartes 1587, 1588/ /Corneille 1726, 1779/ /La Rochefoucauld 1979, 1985, 2063/ /Molière 2889/ 3455, 3456 /Racine 3882, 3883, 3887, 3889, 3891, 3903, 4033, 4039, 4104/ /La Bruyère 4409/ 4762 /Voltaire 5508/ /Diderot 6418, 6437, 6438/ 7335, 7889, 8459 /Stendhal 8702, 8747/ 8902 /Balzac 9668, 9711, 9809, 9830/ /Hugo 10277/ /Baudelaire 11540/ /Flaubert 11648, 12076, 12459 12941, 13065, 13245 /Aragon 14961/ 15908; *(des hommes)* 14654; *(Faire la)* 14209; *(politique)* 1611, 13067

Haïr /Corneille 1715, 1810/ /1942 /Molière 2946, 2956/ /Pascal 3170, 3172/ 3222 /Racine 3915, 3917, 3919, 4088/ /Rousseau 6207, 6252/ 6688, 7904 /Hugo 10200 10256 /14851; *(le monde)* 8168; *(Se)* 14384
Haire 2863
Hais *(Que je vous)* 12663
Haleine 9047, 10876
Haleur 12676
Hallucination 11718, 11921
Halte 12096; *(-là!)* 12029
Hamilcar 11636
Hamlet 5385, 13262
Hannibal 12176 *(Voir aussi : Annibal)*
Harangue 2427, 4871
Haranguer 6412
Harengs *(saurs)* 13679
Hardi (e) 1408; *(Femme)* 9939
Hardiesse 2623, 7608, 10223
Harengère 744
Haricot 9977, 11811
Harmonie 9611, 9921, 10955; *(de l'univers)* 14602; *(des idées)* 5242; *(native)* 11507
Haro 2524, 3792
Hasard (s) /Rabelais 321/ 1159, 1905 /Bossuet 3405/ /Voltaire 5467, 5701/ 7206, 8481 /Balzac 9597, 9686/ 9933 /Hugo 10003, 10096/ 11819 /Mallarmé 12228, 12259/ 12309, 12436,

13961, 14016, 14835, 16221, 16240; *(Je parle au)* 11053; *(Pierre de)* 11384

Hasarder 3025, 4605

Hasardeux 2185, 11378

Haussmann 12001

Hautbois 10014, 11396

Hâter 2389; *(lentement)* 3732; *(Se)* 2344

Haut-de-chausses 3005

Hébreu 14980

Hector 3926

Hegel 10521, 13117

Hégélianisme 13258

Hélène *(de Troie)* 672

Hélicon 11037

Helvetius 6573

Hémisphère 5615

Henri *(de Lorraine)* 9951; *(IV)* 3623, 6114

Henriade 10745

Henriette *(d'Angleterre)* 4212

Herbe 522; *(Brin d')* 11234; *(menue)* 12644; *(tendre)* 2523

Hercule 5696

Hérédité 14321

Hérésiarque 13774

Hérésie 3422, 5524, 10399

Hérétique (s) 3417, 5039, 13167, 14630

Héritage 426, 5205, 14821; *(des Français)* 7905

Hériter 4767

Héritier (ière, iers) 4446, 4792, 5059

Hermaphrodite 3510, 11368, 12482

Hermès 14833

Hermétisme 14929

Hermine 9112

Hernani 11164; *(Bataille d')* 11162

Hérode 3541

Héroïnes *(de roman)* 6272

Héroïsme 15759

Héron 2530

Héros /Corneille 1834/ /La Rochefoucauld 2017/ /Bossuet 4266/ 4738, 5902, 6841 /Stendhal 8808, 8877, 8880/ /Hugo 10312, 10330/ /Flaubert 11646/ 12081, 12138, 13044, 13659, 13955 /Céline 14652/ /Aragon 14975/ 15147, 15410; *(au sourire si doux)* 10352; *(effarouché)* 12225; *(Quoi de plus seul qu'un)* 16203

Herse 15186

Hésiter 4178

Heure (s) 327, 7884, 11142, 11438, 13799; *(crépusculaire)* 9055; *(fugitive)* 8961; *(Oublier l')* 12380; *(qu'il est)* 12806; *(qui passe)* 14670

Heureux 250 /Voltaire 5459/ 5847 /Rousseau 6275/ /Diderot 6486, 6489/ 7607, 7648, 7670 /Vigny 9283/ /Hugo 10230/ 10731, 11240 /Verlaine 12356/ 13105, 15875; *(ceux qui sont morts)* 13629; *(Être)* 11291; *(Homme)* 6516; *(Se croire)* 11581

Heurter (se) 11687

Hiatus 7398

Hideux 11604; *(Monde)* 11724

Hier 10316, 12360, 13342

Hiérarchie 6922

Hiérarchique *(Organisation)* 8921

Hiéroglyphe (s) 7370, 8670, 11571

Hippocrate 2938, 3275, 8343, 11197

Hirondelle *(Les petits de l')* 15190

Histoire 4207, 4463, 4676 /Saint-Simon 4775/ /Voltaire 5495, 5541, 5586/ 5841, 5952 /Diderot 6459/ 7805 /Chateaubriand 8209, 8210, 8365, 8430/ 8464, 8470, 9412, 9501, 9508, 9510, 9515, 9521, 9525, 9543, 9552 /Hugo 10110, 10119, 10252, 10297/ 10663 /Flaubert 11697/ 11742, 11771, 11818, 11823, 11824, 11902, 11920, 11943, 12084, 12287,

12297, 12310, 12427, 12537, 12875, 12980, 13239 /Proust 13334, 13338, 13390/ /Valéry 13478/ 13531, 14081, 14082, 14272, 14273, 14275, 14542 /Aragon 14975, 14989/ 15422, 15520, 15564, 15632, 15687, 16299, 16375; *(Abstractions de l')* 16034; *(de France)* 9152; *(de l'homme moderne)* 11684; *(des hommes sans histoire)* 14603; *(du cœur)* 12563; *(d'une personne humaine)* 14025;*(d'un peuple)* 14026; *(du temps passé)* 9245; *(en marche)* 14816; *(Indifférence à l')* 15648; *(morale)* 11712; *(naturelle)* 5814; *(n'est pas tout)* 16009; *(Rencontrer l')* 14596; *(simple, simple, simple)* 12171; *(Surprises de l')* 14933; *(terminée)* 14613; *(tragique)* 13626; *(Voilà comme on écrit l')* 5402

Historien (s) 6017, 7772, 8205, 9155, 9157, 11816, 11817, 11821, 11947, 13516, 14072, 14274, 14910, 15492

Historique *(Connaissance)* 15521; *(Dissertation)* 9156; *(Peuple)* 9126; *(Sélection)* 15519; *(Vie)* 9505

Histrion (s) 10106; *(spirituel)* 12248

Hitler 15865

Hiver (s) 134, 564, 1403, 8095, 10782, 11928, 12568; *(lucide)* 12187; *(Quatre-vingt)* 7411

Hivernage 15575

Hobereau 12537

Hochet 8312

Hollandaise 9892; *(Tempérament à la)* 8760

Hollande 9937, 9967

Holocauste 11389

Homais *(Monsieur)* 11849

Homère 651, 2734, 3753, 4551, 5333, 6633, 7897, 8197, 8210, 8696, 12012

Homicide 3041, 3042

Hominal *(Règne)* 8440

Hommage *(à la nature)* 13000

Homme (s) 68, 279, 456, 528, 565, 716 /Montaigne 818, 914, 934, 955, 986, 1032, 1053, 1076/ 1092, 1502 /Descartes 1573/ /Corneille 1814/ 1901, 2274, 2296, 2366 /Molière 2919/ /Pascal 3076, 3077, 3155, 3160, 3161, 3163, 3164, 3166, 3167, 3168, 3169, 3176, 3178, 3184, 3190/ /Bossuet 3393, 3413, 3414/ 4551, 4558, 4571 /Saint-Simon 4774/ /Montesquieu 5061, 5248, 5249/ /Voltaire 5337, 5344, 5345, 5460, 5473, 5526, 5570, 5573, 5587, 5638, 5655, 5694, 5701/ 5747, 5783, 5823, 5833, 5834, 5847, 5848, 5849, 5964, 5965 /Rousseau 5988, 6001, 6958, 6071, 6115, 6116, 6117, 6171, 6283/ /Diderot 6467, 6521/ 6563, 6606, 6767, 6786, 6788, 6806, 6817, 6962, 7012, 7013, 7014, 7059, 7060, 7116, 7380, 7381, 7387, 7389, 7399, 7454, 7459, 7502, 7534, 7536, 7684, 7750, 7765, 7874, 7952 /Chateaubriand 8340, 8361, 8384/ 8439, 8440, 8445, 8530, 8541, 8542, 8693 /Lamartine 9002, 9026/ 9122, 9123, 9216, 9225 /Vigny 9264, 9337/ 9401, 9483/ 9578 /Balzac 9599/ 9899 /Hugo 10256, 10296/ 10884, 10910, 10926 /Musset 11056/ 11118, 11353, 11896, 12003, 12312, 12428, 12469, 12470, 12890, 13059 /Claudel 13133/ 13246 /Gide 13288,

13316, 13317, 13319/ 13332 /Proust 13386/ 13530, 13704 /Apollinaire 13774/ 13819, 13887, 13899, 13920, 13949, 14010, 14047, 14059, 14435 /Paulhan 14092/ 14140, 14208, 14339, 14547, 14628 /Céline 14671/ 14699, 15225, 15228, 15233, 15248 /Malraux 15332/ 15397, 15406, 15407, 15408, 15444, 15719, 15738, 15762, 15796, 16285; *(Accepter d'être un)* 15885; *(Bonheur de l')* 7704; *(Bonté de l')* 9334; *(centre du monde)* 13907; *(charnel)* 8052; *(Cœur de l')* 14076, 14078; *(Comme un)* 14882; *(Commun des)* 12335; *(Connaissance de l')* 12099; *(cultivé)* 15334, 15336; *(d'action)* 14230; *(de bien)* 4266, 4366, 5987, 6818; *(de guerre)* 6926; *(de loi)* 6626; *(d'épée)* 2683; *(de robe)* 5047; *(de science)* 2683; *(d'esprit)* 2007, 4267, 4268, 13818; *(d'état)* 10668, 12814; *(de lettres)* 1205, 13513; *(d'honneur)* 9304; *(Douceur de l')* 15450; *(excellents)* 6209; *(fait)* 12621; *(Grands)* 2018, 4266, 4561, 5638, 5998, 6711, 6750, 6773, 7076, 9304, 9671, 9748, 10045, 11606, 13649, 15692; *(Honnête)* 1061, 2022, 2068, 2311, 2913, 3072, 3798, 4561, 4904, 7271, 7303, 7469, 7649, 10224, 12118; *(individu)* 13850; *(Jeune)* 10304, 10305, 14953; *(La route des)* 14340; *(Le pauvre)* 2852; *(L'homme est l'avenir de l')* 15123; *(libre)* 11360; *(limites de l')* 16058; *(N'être qu'un)* 15001; *(noir)* 10864; *(Petit)* 8374; ·

(Petitesse de l') 3084, 3085; *(Pour l')* 15739; *(Premier)* 3854; *(qu'est-ce que l')* 16018; *(raisonnable)* 13818; *(Royaume de l')* 15943; *(sages)* 240; *(sauver l')* 16024; *(Science de l')* 3825, 7705; *(spirituel)* 8052; *(tout entier)* 14456; *(Vieil)* 14223 *(voir aussi : Honnête)*

Homéopathie 11333

Homo *(sapiens)* 14272

Homosexualité 1194, 13357

Honnête (s) 2825, 10557, 11964; *(femme)* 5612, 9864, 12426 *(voir aussi : Femme); (fille)* 12622; *(gens)* 6059, 12556 *(voir aussi : Gens); (homme)* 5614, 5751, 6288, 6518 *(voir aussi : Homme); (Malheur aux)* 14859

Honnêteté 985, 1851, 6020, 13963

Honneur 96 /Villon 188/ 271, 287, 290, 291 /Rabelais 340/ 566 /Montaigne 864/ 1085, 1159, 1217, 1346, 1356, 1425, 1440, 1450 /Corneille 1704, 1709, 1718, 1724/ 2386 /Molière 2786, 2787, 2789, 2929, 3017/ /Boileau 3680, 3687/ /Racine 3943, 4009, 4060, 4063/ 4944, 4956, 4988 /Montesquieu 5155/ 5904 /Rousseau 6112/ 6689, 6842, 7944 /Chateaubriand 8376/ 8498 /Vigny 9314, 9315/ /Hugo 10074/ /Zola 12137/ 13632, 13635 /Apollinaire 13808/ 14402, 14735; *(conjugal)* 4450; *(du monde)* 3373; *(Excès d')* 3974; *(féminin)* 7137; *(Hommes d')* 6375; *(national)* 13089

Honni 15163

Honorer 4858, 6005, 8797

Honte (s) 96, 97 /Villon 159/ 800 /Corneille 1713/ /La Rochefoucauld 1984/ 2215, 3252, 3616 /La

Bruyère 4403/ 5732, 7330
/Hugo 10122/ /Gide 13313/
13833; *(Mauvaise)* 4512
Honteux 1953, 13134
Hôpital 4988, 11191, 11208,
11399, 11491
Horace 1661, 2734, 5678,
6369
Horde 13622; *(septentrio-
nale)* 8444
Horizon 8068, 9045, 11269,
11698
Horizontalement *(Vivre)*
14047
Horloge 11639; *(implaca-
ble)* 12165
Horloger 5622
Horreur 448, 4071, 4120,
4169, 11443, 11461, 11597;
(de la mort) 15259; *(de
soi-même)* 3385; *(d'être
un homme)* 11316; *(d'être
vierge)* 12201
Horticulteur 14503
Hosanna 8313
Hospitalité 6218; *(du lit)*
11998
Hostie *(Profanation de l')*
15534
Hostilités 11672
Hôtesse 485
Houatures 15470
Houle 11413
Housard 10352
Huguenots 1350, 1955, 3623
Hugo 11332, 11553, 11563,
11564, 11565, 11567;
(Monsieur) 10948
Huile 295, 816; *(d'homme)*
12022
Huître 2429, 3689, 6799,
11672
Humain (e, s) 1731, 5470,
6686, 7853; *(Bétail)* 9485;
(Comédie) 9327; *(Déve-
loppement)* 11856; *(Es-
pèce)* 5842, 8073, 8076;
(Être) 7754; *(Frères)* 196;
(Genre) 4546, 5246, 5563,
5671, 7475; *(Machine)*
5234; *(qu'il fait)* 14128;
(Race) 5621; *(Règne)*
15737; *(Sciences)* 9886

Humanisation 15952
Humanisme 15159, 15245,
15281, 15366; *(bien
ordonné)* 15808
Humanitairerie 11018
Humanitarisme 12522
Humanité 459 /Montaigne
934/ 4547, 4552, 5912,
5973 /Rousseau 6047,
6218/ 7360, 7903 /Cha-
teaubriand 8340/ /Lamar-
tine 9016/ 9223, 9225,
9401, 9414, 9416, 9439,
10409, 11133, 11212, 11276
/Baudelaire 11444, 11460/
/Flaubert 11696/ 11867,
11961, 12147, 12861,
13565, 13661, 13931,
14250, 14769, 15445,
15715, 15716; *(du XXᵉ siè-
cle)* 13889, 13890;
(Malheurs de l') 7454;
(Religion de l') 9402
Humble (s) 15183; *(beso-
gne)* 11826
Hume 9420
Humeur(s) 1383, 2802, 3101;
(Bonne) 5479, 14004;
(noire) 2888
Humiliation 2378, 6300,
6714, 15314
Humilier 6935, 16074
Humilité 486, 2229, 3539
Humour 15979; *(noir)* 11908
Hurler 3942
Huronne *(Langue)* 5519
Hutte 7591
Hydre 3461; *(de la calom-
nie)* 5687
Hydrogène 11658
Hymen (s) 1674, 1758, 2456,
2528, 2681, 2726, 3477,
4135, 6951, 6990, 9104,
10348
Hyménée 1692, 1760
Hymne 10161
Hyperbole 12768
Hypocrisie 221, 237, 2027,
4427, 4721, 5865, 6299,
7599, 8835, 8842, 9087,
10274, 12416, 14505
Hypocrite 8798; *(lecteur)*
11391

8401; *(Principe)* 8413; *(Régime)* 10741; *(Révolution)* 15509, 15670

Industrieux 6297

Inégalité 7359, 7366; *(sociale)* 11948

Inépuisable 13185, 15360

Inertie 7145

Inessentiel 15612

Inexprimable 12713

Infaillibilité 10405

Infâme 1702, 7863, 12556; *(Vie)* 9729

Infamie 1719, 5077, 8085

Infante 12831

Inférieur (e) 9438, 9814; *(Classe)* 9746; *(Homme)* 12006

Infernale *(Rive)* 4760

Infertiles *(Esprits)* 907

Infidèle (s) 3933, 5310, 8462, 8608, 8910, 9115, 13309

Infidélité (s) 983, 2085, 2110, 2315, 3214, 3223, 3449, 3605, 5005, 5043, 5788, 7352, 9244

Infini /Descartes 1578, 1579, 1583/ /Pascal 3076, 3077, 3078, 3079, 3080, 3121, 3125, 3131/ 3845 /Voltaire 5448/ /Rousseau 6267/ 7921, 7986, 8020, 8037 /Hugo 10332/ 10408 /Musset 11014/ 12009, 12302, 12517 /Valéry 13415/ 13721, 15298; *(Chapeau de l')* 14943; *(Épreuve de l')* 15030; *(S'élever vers l')* 11374; *(Tourment de l')* 12520

Infirme 15698; *(Féroce)* 12701

Infirmité (s) 55, 3275, 3356, 8305, 15763; *(des beaux-arts)* 8731

Inflexion 13742

Information (s) 3819, 15516; *(infinie)* 14483; *(Source d')* 12127

Informulé 13315

Infortune (s) 1859, 3916, 4401, 7078, 7698, 7782, 7923, 9276, 12686; *(sanglante)* 10501

Infortuné (s) 5449, 8157

Infusoire 11367

Ingénieur 9391, 14000

Ingénieux 7350

Ingrat (s) /La Rochefoucauld 2049/ 2252, 2253, 2254 /La Fontaine 2515, 2611, 2612/ /Racine 3928/ 5979 /Diderot 6346, 6425, 6512/ 6844, 9142, 12632; *(naturel)* 4502

Ingratitude 1336, 1806, 2029, 2315, 3296, 4196, 4970, 4984, 9650, 9879

Ingres 8839

Inhabitable 15958

Inhumain (e, s) 5545, 9114; *(Devenir)* 13778

Inimitiés 2221

Iniquité 15382

Initiative 15669

Initiés 5709

Injure (s) 706, 1913, 3881, 4187, 6376, 9776; *(du temps)* 7212

Injuste 6197, 15838; *(Homme)* 10160

Injustice (s) 881, 1896, 3269, 4922, 6009, 7592, 12137, 12321, 14363, 15795, 16038; *(de la création)* 9362; *(des hommes)* 7212; *(sociale)* 15386

Innocence 1361, 1490 /Corneille 1794/ 2351 /Molière 2798/ /Pascal 3040/ /Racine 3922, 4078, 4124, 4136, 4173, 4174, 4188/ 5780, 5880 /Rousseau 6024, 6166, 6219 6233, 6287, 6289/ /Diderot 6341/ 7052 /Vigny 9241/ /Balzac 9660/ 10481, 10595 /Musset 10958/ 12322, 14193, 14775, 15499 /Camus 16059/; *(Droit à l')* 10271

Innocent (e, s) 1448, 2353 /La Fontaine 2733/ /Racine 4095/ /La Bruyère 4430/ /Rousseau 6197, 6215/ 7854 /Constant

13641; *(publics)* 1430, 6169
Intérieur *(Foyer)* 10496; *(Homme d')* 15810
Intermédiaire 11644
Internationale *(ouvrière)* 11962, 12273
Internationalisme 12141, 12968
Internationaliste 14074
Interne 12757
Interné 12757
Interprète 3975
Interrègne 12269
Interrogation (s) 16213; *(Point d')* 9829
Interroger 6067, 6227, 15624
Inter-subjectif *(Espace)* 15543
Inter-subjectivité 16103
Interviendrai *(J')* 15081
Intime 10006; *(Pensée)* 8807
Intolérance 3141, 6270
Intolérant 12966
Intrépidité 5739
Intrigant (s) 5557, 9667
Intrigue (s) 2204, 3950, 5540, 5774, 6312, 8454, 8813, 10089; *(Nerf de l')* 6907
Intriguer 9102
Intuition 13709
Inutile 977, 5991, 11474, 13741, 14925; *(Homme)* 6725
Inutilement *(Parler)* 3783; *(Vivre)* 3776
Inutilité (s) 7280, 9971, 15527
Invasion (s) 5843, 6459
Invective (s) 6587, 13193
Inventer 9740
Inventeur 9930, 12725
Invention (s) 5319, 5320, 7080 14012; *(merveilleuse)* 15286

Inversion 11800
Investigation 6619
Invisible (s) 9193, 9325, 13339, 14319, 15440, 16169; *(Choses)* 1395; *(Décalquer l')* 14511; *(Porte de l')* 15776
Involontaire *(Sentiment)* 7312
Invulnérabilité 4624
Ira *(Ah! ça)* 8154
Irai *(Je m'en)* 10056
Ire 115
Iris *(Echarpe d')* 10808
Ironie 10367, 10546, 12019, 12935, 13023, 14166; *(socratique)* 13257
Irrationnel (le) 15372, 16027, 16065; *(Dimension)* 16241
Irréel *(Fonction de l')* 14046
Irreligion 7533
Irréparable 15268
Irrésolus 2179
Irrésolution 868, 2130
Irrespect 8496
Irresponsabilité 15544
Isaure *(Clémence)* 5970
Iseut 37, 38, 39
Isis 13149
Isolé *(Homme)* 6160
Israël 4146, 10627, 10819
Italie 8810, 8999, 12156; *(Soldats d')* 8455
Italien (nes) 5764, 11922, 14724; *(Cœur)* 8804; *(Langage)* 7995
Ithyphallique 12667
Ivoire *(Tour d')* 10823
Ivre 5608, 10341, 11528
Ivresse 4417, 6313, 7310, 10963, 11095
Ivrogne (s) 275, 756, 11459, 11475; *(Paroles d'un)* 10244
Ivrognerie 3100

J

Jacobin (e, s) 9557; *(Invention)* 11282; *(Journaux)* 8769
Jagarnaut 8555

Jalousie 1372, 1872, 1873, 1876, 2058 /La Rochefoucauld 2070/ 2324 /La Fontaine 2673/ 3455, 3579,

3580, 3592, 3595, 3610,
3615, 3780 /Racine 4001/
4503, 4604/ Saint-Simon
4801/ 4928, 4949 /Mon-
tesquieu 5221 /Voltaire
5409/ 5912 /Rousseau
6158/ /Diderot 6380/
/Proust 13369, 13384/
Jaloux 1320, 1477, 1589,
1875, 2760, 3897, 4447,
4450, 5506, 9135, 9698;
(Lecteur) 8882
Jamais 4010, 11441, 12398,
15093; *(Ce qui ne fut)*
12087
Jambes 5500
Jambon (s) 382, 4787
Jammes *(Je suis Francis)*
13199
Janissaires 3093
Jansénisme 4186, 15292
Jansénistes 2233, 7453
Jansenius 3323
Janvier 11044
Jardin 5603, 7092, 9785;
(de curé janséniste) 15846;
(de la paresse) 11397;
(de mon père) 8909; *(de
nos instincts)* 12903; *(Il
faut cultiver notre)* 5518
Jardinage 4851
Jardinier 4285, 4622
Jargon 5413, 6312
Jaugera 14303
Javelots 4119
Je 5723, 15590; *(est un
autre)* 12741; *(Le pouvoir
de dire)* 15860
Jean *(des Entommeures)*
310; *(Le nom de)* 14498;
(qui pleure) 8571; *(qui rit)*
8571; *(XXII)* 5584
Jeanne *(d'Arc)* 9562, 9563,
9564; *(était au pain sec)*
10291; *(ma femme)* 11621
Jean-Paul 11048
Jérimadeth 10309
Jérusalem 8186
Jésuite (s) 1446 /Pascal 3043,
3200/ 3323 /Saint-Simon
4788, 4790/ /Voltaire 5525,
5592, 5635/ /Chateau-
briand 8383/ 9531, 9532,

9536 /Balzac 9795/ 10682
Jésuitisme 9530
Jésus *(-Christ)* 142, 143
/Pascal 3177, 3179, 3180,
3183, 3190, 3191, 3192,
3196/ 3275 /Bossuet 3368,
3409/ 3541, 3861, 4654,
4657, 6605, 8927, 8930
/Vigny 9344/ /Hugo 10270,
10328/ 10408, 10521 /Bau-
delaire 11409/ 11822,
13589, 13657, 14268
/Céline 14678; *(Connais-
sance de)* 15376; *(Épouse
de)* 3389; *(sans-culotte)*
7770
Jeter 3171
Jeu (x) 948, 1186, 2819,
3224, 4215, 4217, 5619,
6294, 6295, 7467, 13433,
13556, 16237; *(d'amour)*
1116; *(d'enfants)* 4496;
(innocents) 7339; *(Mettre
en)* 15755; *(suprême)*
12224
Jeun *(A)* 7777
Jeune (s) 14677, 14679
14893, 15479, 16040;
(homme) 6733
Jeûne 2970, 4793
Jeûner 5250
Jeunesse 129, 138 /Rabelais
344/ /Marot 415, 419/
470 /Ronsard 613, 679,
680/ 750, 770, 1195 /La
Rochefoucauld 2041/ 2361
/La Fontaine 2645/ 3508
/La Bruyère 4369/ 4519
/Voltaire 5599/ /Diderot
6434/ 6776, 6980, 7497
/Chateaubriand 8346/ 9111
/Vigny 9260/ /Balzac 9778/
11256, 11303, 11776,
11777 /Zola 12132/ 14059,
14283, 14383, 14394
/Céline 14670/ 14859,
15094, 15472, 15780;
(abandonnée) 13800;
(Folle) 162, 163; *(française)* 13500; *(littéraire)*
11574; *(malheureuse)*
8865; *(meurtrière)* 14194;
(perdue) 12016; *(sou-*

cieuse) 11088; *(Spectre de ma)* 10992; *(Qu'as-tu fait de ta)* 12371

Jézabel 4169

Jocrisse 8894

John *(Bull)* 8806

Joie (s) 49, 1452, 2272 /Pascal 3026/ 3796 /Racine 3992, 4031/ 4460, 4999, 6822, 9524 /Balzac 9619, 9828/ /Hugo 10209/ /Flaubert 11718/ /Claudel 13138, 13180/ 13197 /Gide 13297/ 13701, 15728; *(de vivre)* 13041; *(Faire la)* 14079; *(Festins de)* 10489; *(Fille de)* 10087; *(immonde)* 11700; *(Paquet de)* 13305

Joli (e) 5858, 9704, 10260, 15163; *(Ah! Dieu que la guerre est)* 13811

Jonglerie 8390

Jongleur 12309

Joubert 8323, 9324

Joue 6375

Jouer 15891; *(la comédie)* 6568

Jouet 9242, 12209, 13809

Joueur 4593, 4596, 6404, 7044, 12622

Joug 3985, 4041, 9105; *(amoureux)* 4103

Jouir 7007, 7345, 7668, 7836, 7851, 8441, 11833, 13296; *(de la vie)* 10540; *(peur de)* 16011

Jouissance (s) 881, 937, 1124, 3524, 3869, 5344, 5934, 7104, 7925, 9374, 10234, 11271, 15714; *(de l'imagination)* 9604; *(que promet le démon)* 9833

Jour (s) 360, 4011, 6804, 8899, 9117, 9319, 10372, 10867, 15126; *(Absence du)* 8185; *(Attenter à ses)* 8276; *(de misère)* 12894; *(Faux beau)* 12359; *(Homme du)* 5297; *(n'est pas plus pur que le fond de mon cœur)* 4125; *(Ordre du)* 10875

Jourdain 4143

Journal (aux) 9180, 10711, 11618, 12798; *(Être propriétaire d'un)* 9787; *(intime)* 15618

Journaliste (s) 5104, 11932, 11975, 13114,

Journée 1842; *(J'ai fini ma)* 7826

Jouvence 655

Joyeux 355

Juan *(Don)* *(Voir Don Juan)*

Judas 10270, 10943, 15058

Juge (s) 4429, 4644, 5750, 6902, 8691, 7728, 10021, 10705, 12798; *(des arts)* 7850; *(Mauvais)* 14353

Jugée *(Chose)* 12982

Jugement (s) 226 /Rabelais 368/ /Montaigne 842, 851, 891, 915/ /La Rochefoucauld 1992, 2092/ 2127, 2168, 2230, 2405 /Pascal 3050/ 4882 /Voltaire 5499/ 6016 /Rousseau 6160, 6213/ 6597, 6626; *(à gauche)* 2749; *(dernier)* 3374, 9368, 16084, *(de cour)* 2526; *(des hommes)* 6208; *(du corps)* 14012; *(esthétique)* 9187; *(sur la poésie)* 12505

Juger /Montaigne 890, 897/ 1516 /Descartes 1557/ 2332 /La Fontaine 2511/ /Molière 2839/ /Boileau 3672, 3761/ /Rousseau 6290/ /Diderot 6374/ 6893, 7448, 7911 /Balzac 9605, 9812/ 10541, 15029,

Jugera *(Et Dieu)* 14303

Juif (s) 5062, 5977, 9024, 9744, 9771, 13928; *(errant)* 10598, 12519; *(Peuple)* 10409

Juliette *(en fonte)* 12541; *(L'âge de)* 10982

Jupin 2617

Jupiter 7685

Jupon 12569

Juré 10705

Jurer 283, 325, 4000, 13574, 15767; *(de rien)* 11074

Jurisprudence *(des femmes)* 9684

Juriste 13937

Jus *(de la treille)* 5300; *(des passions)* 11691; *(d'octobre)* 1934

Juste (s) 3178, 5435, 6198, 6245, 6686, 7216, 8141, 9372, 15635; *(Ame des)* 7996; *(Guerres)* 6415; *(tout seul)* 15820

Justesse 11801

Justice 201, 471, 476 /Montaigne 1041/ 1153, 1184, 1896, 1909 /La Rochefoucauld 1988/ /Pascal 3091, 3094, 3144/ /Boileau 3685/ /Racine 3909, 4173/ /La Bruyère 4429/ 4684, 4685, 4686, 4689, 4969 /Montesquieu 5027, 5086/ 5852 /Rousseau 6215/ /Diderot 6486, 6487, 6488/ 6722, 7360, 7597, 7618, 7724, 7868 /Chateaubriand 8355/ 8692, 8916 /Lamartine 9026/ 9210 /Hugo 10318/ 10581, 10893, 10900 /Baudelaire 11566/ /Zola 12129, 12136/ 12317, 12321, 12596, 12807 /Claudel 13135/ 13566, 13570, 13985, 15151 /Camus 16036, 16038, 16071/; *(Demander)* 8149; *(divine)* 3131; *(Glaive de la)* 7455; *(militaire)* 9649 ; *ne suffit pas)*; 16055 *(Officier de)* 8654; *(régalienne)* 16158; *(révolutionnaire)* 10898; *(théologale)* 10898

Justification 16050

Justifier 12835, 13478; *(Se)* 5361

Justinien *(empereur)* 5524

Juvénal 12100

K

Kaaba 9068

Kaléidoscope 14053

Kant 8018, 9127, 10479, 13614

Kremlin 14293

L

Là *(Quelque chose)* 7869

Labeur 119, 1183; *(de la tête)* 9277

Laboratoire 4717

Labourage 1288

Laboureur(s) 516, 901, 10570, 11227, 12074, 15087

Labours 787

La Bruyère 14682

Labyrinthe 10786

Lac 8863, 8962, 11005; *(de sang)* 11431

Lacédémone 347, 5125

Lacet 2718

Lâche (s) 119, 3936, 9342, 15080

Lâcheté 828, 2608, 2861, 6076, 6340, 7604, 14655

Lacrymatoire *(précieux)* 13719

Lactée *(Voie)* 13792

Lacune 13459

Lafargue 9763

La Fontaine 6146, 6586, 7590, 8933, 11024, 11897,

Lagardère *(ira à toi)* 11300

Laïcisme 14376

Laid (e) 4319, 4873, 7265, 9983, 11137, 11139, 11530, 12089, 12976; *(Amours du)* 8225

Laideur 1945, 1946, 3312,

3668, 5057, 5261, 10597, 12752

Laine *(Filer la)* 11233

Laisser-aller 8768

Lamartine 10390, 10625, 11005

Lambeau 12234

Lame *(océanique)* 12779

Lamennais 8243, 14346

La Mettrie 5983

Lamiel 8836

Laminoir 11632

Lampe 916

Landais *(Napoléon)* 9973

Lande 11145

Landerneau 8119

Langage (s) /Rabelais 363/ /Montaigne 856, 909/ 1852 /La Fontaine 2641/ 4675 /Rousseau 6145/ 7368, 7477, 7542, 7545, 7546, 7845, 8558, 9191, 9192 /Musset 11023/ /Mallarmé 12210/ 12621, 12794, 12795, 12834 /Valéry 13448/ 13673, 13982 /Paulhan 14106, 14107, 14122, 14124/ 14266, 15028, 15030, 15112, 15239, 15302, 15405, 15407, 15408, 15442, 15535, 15537, 15627, 15911, 16146, 16297, 16317, 16330; *(des dieux)* 6877; *(Difficulté de)* 12982; *(du langage)* 14123; *(Exploration du)* 15438; *(humain)* 14902; *(incarné)* 16151; *(nouveau)* 7827; *(poétique)* 16298; *(Problème du)* 15951; *(Refus du)* 16122; *(saint)* 13423; *(universel)* 8423

Lange 9800, 10647

Langue (s) 481, 568, 571 /Ronsard 667/ 761, 762 /Boileau 3731/ /Rousseau 6131/ 6614, 6666, 6670, 6672, 6673, 6868, 7478, 7482, 7483 /Chateaubriand 8345/ 8436, 8655 /Stendhal 8750/ /Hugo 10143, 10228/ 11799, 11864 /Zola 12109/

12275, 12285 /Rimbaud 12743/ 12792, 12793, 13254, 15059 /Malraux 15351/; *(du XVIIe siècle)* 8250; *(du peuple)* 9588; *(étrangères)* 570, 5494, 6774; *(française)* 1539, 1540, 4573, 7446, 7481, 10716, 12588; *(Hiérarchie des)* 11277; *(Histoire de la)* 9942; *(littéraire)* 12789; *(maternelle)* 15125; *(morte)* 12097; *(nouvelle)* 9594; *(orgueilleuses)* 16297; *(populaire)* 6851; *(primitive)* 8437; *(universelle)* 8437, 8438; *(vulgaires)* 385, 710, 713

Langue *(Remuer la)* 6133; *(Tenir sa)* 12082

Langueur 182, 1602, 12353; *(sereine)* 9054

Languir 202, 1943, 4112

Lanterne *(Éclairer sa)* 7667; *(magique)* 11784

Lapin 9979, 14652; *(Papa, c'était un)* 12600

Lapons 5745, 14709

Laquais 4709, 5090, 7463

Larbin 14668

Larcin 348

Lard 12172

Laridons 2579

Larima *(L'amiral)* 15205

Larme (s) 1726, 2236, 3217, 3970, 6563, 6564, 8713, 8906, 8907, 11096, 11865, 12455, 15472; *(Ce monde de)* 9092; *(des peuples)* 11064; *(Don des)* 9509

La Rochefoucauld 12614

Larron (s) 142, 7432; *(Troisième)* 2420

Lasse 12984

Lassitude 13419, 14457; *(publique)* 10484

Latin 385, 3740, 5494, 12097; *(de cuisine)* 9891; *(Marchands de)* 10152

Lauréat 9760

Laurier (s) 616, 810, 1619, 10827; *(coupé)* 11789

Lautréamont 12823, 14937

Lauzun *(Duc de)* 5558
Lave 9820
Laver 5031
Law 4808
Lazzaroni 8730
Lebrun *(Président)* 14588
Leçon *(des rois)* 7418
Lecteur (s) 3762, 6245, 7962, 8875, 10491, 13474, 14924; *(Adresse au)* 6890; *(adulte)* 7155; *(Hypocrite)* 11391; *(Je n'écris que pour cent)* 8698
Lecture (s) 2292, 3831, 4236, 4947, 12259, 12783
Légalité 10771, 11673, 12512, 12806
Légende (s) 6595, 8235, 10297, 15945; *(française)* 14413
Légion (s) *(d'Honneur)* 14674; *(en marche)* 12176
Législateur 6072, 6626, 7958, 9379, 9720, 11942
Législation 6113, 6676; *(Système de)* 6101
Législative *(Puissance)* 6395
Légitime 6389; *(Femme)* 9896; *(Gouvernement)* 6092
Légitimité 15960
Légumes 13940
Leibniz 4628, 4629, 5516, 6664, 8576
Lendemain 10477; *(épique)* 12180
Lénine 13526
Lenteur *(du temps)* 4007
Léonidas 8190
Lépreux 90; *(moral)* 9724
Lèse-million *(Crime de)* 9609
Lésine 6045
Lespinasse *(Mademoiselle de)* 8763
Lessius 3041
Lessive 482
Lest 12546
Léthargie 7068; *(politique)* 2148, 2149
Lettre *(correspondance)* 3294; *(de créance)* 7983

Lettres *(littérature)* 5672, 7033, 8332, 10022, 10040, 13220; *(Belles)* 9310; *(Gens de)* 5394, 5590, 5663, 5760, 7259, 11204; *(Hommes de)* 6504, 8483, 9776; *(Traduction à la)* 5334
Lettré 10040
Levain 8314
Lève *(Le vent se)* 13435
Lever *(Voir le jour se)* 12870
Leviers *(Théorie des)* 5565
Lèvres 13670
Lézard 3778
Lézarde 11628
Liaison (s) 8542; *(Age des)* 8311; *(amoureuses)* 7246, 8091, 13838
Liane 14297
Liard 10313
Libelles 6923
Libéralité 1114, 2038, 4323, 8651
Libération *(du pays)* 14587
Liberté 439, 592, 727, 741 /Montaigne 832, 1070/ 1366 /Descartes 1593/ /Corneille 1815/ 2253, 2367 /La Fontaine 2481/ /Bossuet 3340/ 3829, 3859, 4536, 4636 /Montesquieu 5178, 5268/ /Voltaire 5631/ 5939 /Rousseau 5999, 6074, 6075, 6080, 6085, 6097, 6100, 6101, 6137, 6278/ /Diderot 6387, 6391, 6470, 6477/ 6627, 6755, 7121, 7374, 7547, 7604, 7605, 7721, 7724, 7870, 7974, 8024 /Constant 8074/ 8124, 8133, 8135, 8139 /Chateaubriand 8228, 8281, 8286, 8292, 8355, 8369, 8399, 8421/ 8443, 8460, 8684, 8685 /Stendhal 8748, 8817/ 8913, 8918 /Lamartine 8992, 9083, 9085/ 9146, 9171 /Vigny 9333/ 9371, 9506, 9534 9538, 9547 /Balzac 9819/ /Hugo 10367/ 10453, 10607, 10670, 10701,

Lis 1311, 9318
Lisbonne 5440, 5505
Lisette 9924; *(Caressons-nous)* 9166
Lit (s) 1595, 7872; *(à part)* 5689; *(Changer de)* 11491; *(Mauvais)* 6151; *(Nous dormons dans le même)* 15967; *(pleins d'odeurs légères)* 11454
Litote 13300
Littéraire 14088; *(Doctrine)* 14344; *(Histoire naturelle)* 10545; *(Monde)* 9623; *(Ouvrage)* 8747, 15814; *(Propriété)* 12128; *(Réputation)* 9359; *(Théorie)* 9272
Littéralité 16131
Littérateur (s) 7701, 11542, 13375; *(qui se respecte)* 11853
Littérature 7532, 7778 /Constant 8066/ 8642 /Stendhal 8788/ 9470, 10534, 10537, 10575, 11165 /Baudelaire 11542, 11547/ /Zola 12102, 12107/ /Mallarmé 12223, 12242, 12265, 12266/ 12542, 12784, 12830 /Valéry 13471/ 13646 /Apollinaire 13779/ 13916, 13925, 14061 /Paulhan 14107, 14123/ 14285, 14782 /Aragon 14992, 14994/ 15021, 15022, 15055, 15061, 15121, 15547, 15599, 15610, 15620, 15835, 15922, 15925, 15990, 16125, 16138, 16139, 16140, 16143, 16253, 16254, 16281, 16323, 16324, 16371; *(contemporaine = 1900)* 12422; *(démodée)* 12711; *(désespérée)* 16073; *(durable)* 14816; *(française)* 10714; *(lyrique)* 12518; *(Mauvaise)* 13325; *(Privilège de la)* 15766; *(Souffrir par la)* 11699; *(Tout le reste est)* 12378

Littré 11852
Liturgie 12551
Livre (s) 714 /Montaigne 817, 833, 844, 893, 990, 1015/ 1181 /Descartes 1545/ 1628, 2230 /Boileau 3667, 3670, 3709/ 4744 /Montesquieu 5064/ /Voltaire 5359, 5427/ /Rousseau 6150, 6159/ 6761, 6783, 6798, 6826, 6831, 6995, 7095, 7115, 7198, 7255, 7962, 8000, 8001 /Constant 8062/ 8584 /Lamartine 9000 9002/ 9495, 9540, 9911 /Hugo 10141, 10201, 10341/ 10643 /Musset 10975/ 11190 /Baudelaire 11471, 11473, 11474, 11580/ /Flaubert 11707/ 11758 /Mallarmé 12241, 12250, 12251, 12272/ 12282, 12484, 12570, 12761, 12789 /Claudel 13132/ /Gide 13264, 13273/ /Proust 13408/ /Valéry 13437/ 13670, 14060, 14103 /Paulhan 14090, 14121/ /Aragon 14950/ 15011, 15095, 15138, 15218, 15782, 16212, 16314; *(battant comme des portes)* 14787; *(Comment j'ai écrit certains de mes)* 13731; *(défendu)* 5646; *(en peau de chèvre)* 14330; *(J'ai lu tous les)* 12196; *(Jette mon)* 13285; *(Le)* 12267; *(Mauvais)* 2899, 12564; *(Peuples du)* 9586; *(populaire)* 9587; *(Publier un)* 14845; *(Sot)* 11501; *(vrais)* 13406, 13407.
Livrée 9805
Locke 6664
Locomotive 12531
Locus *(solus)* 13732
Logique 4242, 6268, 6868, 7569, 12109, 12508, 15230, 15799, 16329; *(des qualités sensibles)* 15803; *(du corps)* 12841
Logis 2613, 14326, 14328

Lutte 16029; *(communiste)* 15569
Lutter 15269, 15873
Luxe (s) 5169, 5170, 5614, 5617, 5992, 6103, 6480, 6828, 7328, 7359, 15018, 15382
Luxure 5188

Lycanthropie 10858
Lycée 7711
Lynx 2413
Lyon 10600
Lyre 6872, 7865, 8347
Lyrique 9915, 9984
Lyrisme 13711; *(occidental)* 15596

M

M 7699
Macadam 11675
Machiavel 5973, 6105, 13072
Machiaveliser 707, 5976
Machine (s) 7626, 10742, 13125, 15419, 15671, 16331; *(Hommes)* 5965; *(humaine)* 6250; *(souffrante)* 8069
Machinisme 9548
Machiniste *(de l'Opéra)* 9943
Maclotte 13795
Mac-Mahon 11980
Maçon 3758, 4285
Macroscopique 14610
Madame *(se meurt)* 3346
Madrid 10090, 10439
Magasin *(des revendeuses)* 9648
Mage 5472, 12722
Magie 15774
Magister 11826
Magistrat (s) 2503, 4685, 4794, 5703, 7720, 8149, 9739
Magistrature 5150
Magnanimité 2035
Magnétisme 12052
Magnificence 4443; *(Tout l'Univers est plein de sa)* 4167
Mahomet 3190, 7028, 9811
Mahométans 2343, 6237
Mahométisme 5639
Mai 29, 74, 423, 4650, 11044; *(Le spectre de)* 12418
Maigreur 1932
Maille *(bourse)* 786

Main (s) 8904, 12008, 13142, 14103, 14200; *(d'autrui)* 6133; *(froides)* 224; *(Lever la)* 6421; *(Lier les)* 5629; *(Seconde)* 15493; *(Siècle à)* 12698
Maintenant 11437, 16219
Maison 9057, 10494; *(carrée)* 1515; *(d'arrêt)* 7974; *(de ville)* 4855; *(de campagne)* 4855; *(des champs)* 6108; *(des mères)* 12759; *(Gens de)* 9718
Maistre *(Joseph de)* 9302
Maitre (s) 541, 725, 764 /Montaigne 902/ /La Fontaine 2688/ /Molière 2872/ /Bossuet 3427/ /Racine 3895, 3995, 4002/ /Montesquieu 5227/ /Rousseau 6000/ 6792, 6793, 6901 /Stendhal 8786/ /Vigny 9272/ /Balzac 9836/ 10435, 11791; *(Allez dire à votre)* 7417; *(d'armes)* 11047; *(d'école)* 2427; *(des hommes)* 15560; *(de soi)* 1756, 3565; *(du monde)* 5399; *(d'un pays)* 5974; *(mauvais)* 863
Maitresse (s) 634, 5762, 6655, 6656, 7427, 7940, 8719, 9626, 9753, 9865, 11748; *(d'un roi)* 5661
Maitrise 15422
Majesté 2655, 9329, 11415
Majorité 7899, 10712, 11501
Majuscules 16137
Mal (maux) 84 /Marot 414/ 510, 959, 1457 /Corneille 1792/ /La Rochefoucauld

1972, 2020, 2033, 2040/ 2134, 2151 /La Fontaine 2414, 2567, 2615, 2654/ 3258, 3871, 4458, 4862, 4863 /Voltaire 5466/ 5848 /Rousseau 6248/ /Diderot 6384, 6463, 6464, 6502/ 6716, 6795, 6900, 6908, 7096, 7303, 7933 /Lamartine 8979/ 9212 /Hugo 10130, 10188, 10377, 10394/ /Musset 10999/ /Baudelaire 11534/ /Gide 13174/ 13854, 14450, 14215, 14224, 14418 /Céline 14688/ 15947; *(avec le temps)* 14796; *(d'autrui)* 13101; *(d'enfant)* 341; *(de vivre)* 5747, 12424; *(Dire du)* 2006; *(du monde)* 14029; *(du pays)* 126; *(Faire du)* 5456, 6055; *(Faire le)* 11488, 11590; *(français)* 12800; *(Joie du)* 14349; *(que je te fais)* 14152; *(que l'on dit)* 5762; *(sur mal)* 5689

Malade (s) 2742, 3276, 6911, 10442, 12939, 13092, 14245; *(Ames)* 3030; *(qui s'ignore)* 14244

Maladie (s) 101, 233 /Rabelais 390/ 473 /Montaigne 958, 1002/ 1296 /Molière 2991/ 5982, 9500, 10486, 11197, 13917, 14435, 14247, 15084; *(épidémiques)* 6677, 7539

Maladresse 4937

Maladroit (s) 15342; *(Ce grand)* 11026

Malais 10410

Malaise 10534

Maldoror 12460, 12474

Mâle (s) 12827, 13158, 13752

Malebranche 5521, 5672, 6664, 10521

Malentendus 15011

Malherbe 2398, 4577, 4746; *(Enfin)* 3728

Malesherbes 7621, 7627

Malfaiteurs 217

Malheur (s) /Rabelais 296, 361/ 554, 1523, 1529 /Corneille 1727, 1817/ 1888 /La Rochefoucauld 1978/ /La Fontaine 2512/ /Pascal 3104/ /Racine 3938, 3939, 3966, 3993, 4023, 4030, 4038, 4065, 4066, 4075, 4156/ 4537, 4655, 4761, 4976, 4979 /Voltaire 5444/ 5721 /Rousseau 6259/ 6754, 6987, 7355, 7358, 7656, 7950, 7997 /Chateaubriand 8331, 8339/ /Stendhal 8885/ /Balzac 9823, 9828, 9848/ 10562 /Flaubert 11700/ /Verlaine 12358/ /Rimbaud 12696/ 12776, 13340, 14258, 14416, 15087, 15148, 15478; *(Ame de)* 10029; *(d'amour)* 3574, 3577, 3581, 3589; *(de Dieu)* 15964; *(de l'État)* 7625; *(de naître)* 8267; *(est bon à quelque chose)* 5527; *(Faire le)* 6070; *(Majesté du)* 14367; *(Noble)* 11876; *(particuliers)* 5507; *(Porter)* 10028; *(Tableau noir du)* 15194; *(Vin du)* 9728

Malheureux 250, 268 /Ronsard 648/ 2313, 2733, 3621 /Voltaire 5680/ 5847 /Rousseau 6178/ 7022, 7652, 7777, 7879, 8926 /Balzac 9705/ 12491 /Proust 13350/; *(vêtu de noir)* 10991

Malhonnête (s) 7269; *(Gens)* 5520; *(Homme)* 2267

Malice 2328

Malin 12368

Mallarmé 13186, 13187, 13540, 13648, 14266

Malsains *(Gens)* 8038

Malveillance 8315

Mamelle 68; *(de cristal)* 12929

Manant 9961

Manche 793

Mancini *(Marie)* 7999

Mandibule 15946

Marion 95

Marionnettes 3467

Marius *(le Romain)* 7114

Marivaux 6811, 7286

Marmite *(Grande)* 11468

Marmots 2992

Marot 3722

Marquis (e) 5316, 6037; *(Belle)* 2981

Marraines 3483

Marrons 795, 2606

Mars 7439; *(Lauriers de)* 8826; *(qui rit)* 11152

Marseillaise *(La)* 10458, 12023

Marseille 8451

Marteau 5664

Marthe 14268

Martyr (s) 7162, 9726, 9838, 10013, 11111, 11749; *(Mourir)* 12821

Martyre 1487

Marx 12877, 14810, 15829, 16041, 16160, 16163

Marxisme 15413, 15553, 16043, 16162, 16165

Marxiste 15829; *(Langage)* 12521; *(Théorie)* 14693

Masculin 14704

Masochisme 15120

Masochiste 16243

Masque 9477, 10106, 11022, 16323

Masquée *(L'histoire s'avance)* 16375

Massacre 5490

Masse 9452; *(des hommes)* 11824; *(populaire)* 12231

Mat 1372

Matamore 11159

Matches 16082

Matelot (s) 2652, 10361; *(Chant des)* 12197

Matérialisme 5976, 9183, 9857, 10411, 12875, 13333

Matérialiste 9427, 11610, 14214

Maternité 9591

Mathématicien 14044

Mathématique (s) 7803, 8842, 10387, 14683, 15446, 15502, 15689; *(sévère)* 12471

Matière (s) 678, 2772, 3264, 5493, 5829, 7147, 7383, 9451, 10188, 10930, 11617, 11651, 12839, 12846; *(brutes)* 7398; *(vivante)* 15909

Matin 1259, 8996, 15088; *(de la vie)* 8164; *(Feux du)* 7861; *(O mon dernier)* 11320; *(suprême)* 10366

Matinées 1254

Matines 326

Matrice 5961, 5964

Matrimonio segreto 8850, 8866

Maturité 11645

Maudire 11002, 11467, 12721

Maudit *(Grand)* 12742

Maurras 13072

Mausolée 10319

Maux *(voir : Mal)*

Maxime (s) 3157, 3357, 6023, 7360

Mazarin 2139, 2146, 2150, 4194, 4196, 5553, 5633

Mécanique 9313, 12849; *(Instinct)* 5320

Méchanceté 5894, 6132, 6356, 7180, 9784, 11292

Méchant (e, s) /La Rochefoucauld 2043, 2114/ /La Fontaine 2441, 2470, 2534/ 3302 /Racine 4176/ 4559, 4862, 4966 /Montesquieu 5029, 5200/ /Voltaire 5459, 5466/ /Rousseau 6009, 6209, 6243, 6263/ /Diderot 6332, 6515/ 6625, 7079, 7081, 7201 /Stendhal 8885/ 8926 /Hugo 10326/ 10770, 10856 /Baudelaire 11488/ 12460; *(Gens)* 9900; *(Règne des)* 7602

Méconnu 15920

Mécontent (s) 6429

Mécontentement *(morose)* 14599

Mecque (La) 9068

Médecin (s) /Rabelais 342, 369/ /Montaigne 840, 972/ 1421, 1950 /La Fontaine

Mental *(Monde)* 15204
Mentalité *(primitive)* 12785, 12787
Menteries 1783
Menteur (ses) 704, 1787, 12461; *(Paroles)* 14174; *(Vraies)* 14159
Menti *(Ce qui est)* 14951
Mentir 822, 953, 4530, 6932, 7891, 8884, 9905, 10437, 10509, 10528, 11057, 11915, 13575, 14989, 15577, 15675, 16018
Menton *(Double)* 3766
Mépris 1196, 2147, 2318, 2766, 7200, 7284, 8023, 13838, 14860, 15308, 16061; *(de la femme)* 13723; *(de la vie)* 8112; *(distingué)* 15392
Mépriser 2196, 2294, 6252, 6745, 6750, 12801, 16042; *(les choses)* 3437; *(les femmes)* 7287; *(Se)* 14405
Mer 589, 7986, 7987, 8068, 8330, 8716, 9511, 10339, 11407, 11416, 12775, 12905, 16052, 16080, 16081; *(à boire)* 2582; *(de glace)* 11262; *(Détester la)* 15403; *(Empire de la)* 5195; *(humaine)* 9049; *(Mal de)* 8064
Merci 438
Merde 14766; *(La marine française te dit)* 14734
Mère 166, 4062, 4072, 7331, 9006, 9407, 9574, 9847, 9879, 11933, 12456; *(Amour d'une)* 10043; *(Ce sexe à qui tu dois ta)* 7908; *(de famille)* 11136
Mère-grand 13795
Mérite /La Rochefoucauld 2014, 2080/ 2137, 2251, 2379 /La Fontaine 2676/ /Molière 2760/ /La Bruyère 4260, 4270, 4273, 4357, 4364/ 4592, 5716, 5755, 5882, 5889, 5898 /Diderot 6380/ 7290, 9978, 11296; *(de la France)* 5675; *(intellectuel)* 15115; *(personnel)* 4253

Mérité 811
Mériter 4398
Merveille 15843
Merveilleux 8661, 12516, 13541, 14514, 14779
Mésalliance *(du cœur)* 7252
Mésestimer 3228, 5377
Message *(chiffré)* 15176; *(chrétien)* 14188
Messager *(de mort)* 7866
Messe 326, 4194, 13097; *(de l'amour)* 11766
Messie 5623, 8193, 10752
Mesure 3056, 16062; *(esthétique)* 11212; *(scientifique)* 11212
Métamorphose (s) 6800, 10547, 11851; *(Demi-)* 10525
Métaphore (s) 4244, 12238, 12756, 12850, 13834, 15463; *(de l'univers)* 13823; *(vide)* 11631
Métaphysicien 5960, 9388, 12307, 14044
Métaphysique (s) 4626, 5561, 5710, 6613, 6799, 7569, 8041, 8096, 11227, 12069, 12153, 13070, 13114, 14770, 15940, 16306; *(Dame)* 8633; *(État)* 9384, 9386; *(Nouvelle)* 14615; *(Valeurs)* 13727
Météore (s) 7449, 8449, 12262
Météorologie 11920
Méthode 5814, 11192; *(Discours de la)* 14609
Métier (s) 3097, 5343, 10415, 12968, 13996; *(de peindre)* 12530; *(Vingt fois sur le)* 3732
Meunier 3481
Meure *(Que tout)* 15973
Meurs *(sans parler)* 9342
Meurtre 3609, 7163, 12557, 15313, 16054; *(en commun)* 10605; *(légitime)* 11315
Meuse 13585
Michel *(Colonel)* 8531
Michel-Ange 11400

Microbe *(de la démocratie)* 12755; *(têtu)* 14728

Microscope (s) 5746, 14053

Microscopique 14610

Midas 3675

Midi 7989, 8004, 11306, 12979

Miel 468, 640, 1572, 2609, 7858; *(Lune de)* 10855

Mien 15712

Mieux 12387; *(Tout est au)* 5500, 5511

Mignon *(homosexuel)* 5482

Migraine 11820

Milan 8737, 8800, 8801

Mil huit cent onze 10061

Milieu 11185, 11906, 13552

Militaire (s) 11724; *(Beaux)* 14374; *(Chais)* 12919; *(Force)* 11803; *(Service)* 12868; *(Système)* 7415, 12867

Mille et une *(nuits)* 5710

Milliardaire 12873

Mil sept cent quatre-vingt-neuf 10664, 10674

Mil neuf cent trente-cinq *(Être lu en)* 8847

Mimi *(Pinson)* 11038

Mimosas *(en fleur)* 13814

Mine 4918

Mine (s) *(apparence)* 2511, 3481, 5015

Minerai 13316

Minéraux 11658, 15241

Minerve 7189

Ministère 2192, 5545, 5630, 5676, 7612, 9160, 12279

Ministre (s) 1416, 2138, 2143, 2145, 2159, 2232, 3811 /La Bruyère 4367/ /Saint-Simon 4780/ /Montesquieu 5116, 5184, 5267/ /Voltaire 5539, 5627, 5632, 5633, 5666/ /Diderot 6439, 6440/ /Stendhal 8830/ /Flaubert 11676/; *(de la guerre)* 13071; *(du culte)* 6599

Minuit *(lourd)* 12762

Mirabeau 7440, 7490, 7505, 8288, 9081

Mirabeau *(Sous le pont)* 13789

Miracle (s) 763, 1509, 3190, 3198, 3200, 3331, 4162, 7116, 8076, 8711, 9070, 11852, 14068, 14432; *(public)* 10787; *(sans intérêt)* 14701

Mirage 11459

Miroir (s) 2419, 3511, 8787, 8873, 10872, 12064, 12199, 14463, 14512, 14524; *(aux regrets)* 14148; *(de la divinité)* 8014; *(Réfléchissez les)* 15136

Misanthrope 3756, 7279, 8760; *(Le)* 6533; *(sublime)* 5336

Misanthropie 7438

Mise *(en demeure)* 15923

Misérable (s) 2506, 3160, 3164

Misère (s) /Rabelais 307/ 1128 /La Bruyère 4403/ /Rousseau 6135/ 6778, 6814, 7066 /Chateaubriand 8277/ 8927 /Balzac 9768/ /Hugo 10226, 10244, 10276/ 10698 /Baudelaire 11453/ 12627/ Gide 13313/ /Céline 14664, 14665, 14684/ /Camus 16009, 16041; *(de l'homme)* 3177; *(du peuple)* 3564

Miséricorde 2295

Misogyne 1597

Misosophie 14548

Missionnaire 1381

Mithridate 4681

Mitoyen 15068

Mitrailleuse 12670

Mobile 8901

Mode (s) 2806, 3557, 4425, 5093, 6301, 6638, 6648, 7217, 10250; *(Femme à la)* 8699; *(Gens à la)* 6143; *(Homme à la)* 5778

Modèle (s) 5850, 9988; *(de peintre)* 7392

Modération 1049, 6691, 7477

Modérément *(S'aimer)* 14162

Moderne 5471; *(Histoire de l'Homme)* 11684; *(Il faut être absolument)* 12723; *(Monde)* 12421

Modernité 11531

Modeste (s) 5722

Modestie /Montaigne 1049/ 2318 /La Bruyère 4260/ 4476, 4492, 4636, 4700 /Montesquieu 5051/ 5887, 5888, 5892, 5896 /Balzac 9596/ 14446, 15807

Modification 8070

Moelle *(de notre cœur)* 11691; *(Substantifique)* 294

Mœurs /Bossuet 3370/ /Racine 4104/ /Montesquieu 5133, 5163/ /Voltaire 5452 / /Rousseau 6112 6113/ 6846, 6919, 7291, 7630, 8147, 8176 /Chateaubriand 8349/ 8626 /Balzac 9804/ /Musset 11027/ 12326, 14032, 14841; *(atroces)* 8138; *(Mauvaises)* 5581; *(poétiques)* 6551

Mohican 9877

Moi /Corneille 1684/ /Pascal 3170/ 3231, 3263, 3330, 3332, 5723 /Rousseau 6119, 6220/ 8050, 8054, 11180, 12628 /Rimbaud 12741/ 12853, 12934 /Valéry 13420/ 14441, 15590; *(Un seul)* 15097; *(Plus moi-même que)* 13136; *(C'est pour)* 12200; *(Pourquoi suis-je)* 8790; *(Napoléon)* 8503; *(Je parle éternellement de)* 8188

Moi-diese 13475

Moi-même 11339

Moine (s) 281, 293, 310, 323, 326, 777, 5160, 5168, 5590

Moineau 10400

Moins 15908

Mois *(Dans un)* 4011

Moïse 5569, 7028, 9023, 9236, 9976

Moisson 1916; *(Obsession de la)* 15648

Moitiés 1952

Molécule 14043

Molière /Bossuet 3406/ /Boileau 3648, 3651, 3699/ /La Bruyère 4238/ 4584. 4585, 5794, 5936 /Rousseau 6037/ /Diderot 6368/ 6535, 6547, 8764 /Stendhal 8821/ /Hugo 9986/ 10519; *(Ce n'était que)* 11026

Molle *(Grande tête)* 12493

Mollusque 10111

Moment 2640, 11906; *(céleste)* 9031; *(décisif)* 2160, 2172; *(Dernier)* 12293

Momie *(Ame)* 11598

Mômier 12545

Monachisme 10206

Monarchie (s) 5098, 5151, 5156, 5166, 5170, 5173, 7274, 6922, 7626, 8146, 8399, 9600, 10753; *(de l'Europe)* 6162

Monarchique *(Esprit)* 13099

Monarchiste 13066

Monarque (s) 1818, 2144, 3647, 8351; *(indolent)* 3769

Monastère 9377

Mondains 4435

Monde (s) *(univers)* /Montaigne 851/ 1285, 1447, 2630 /Boileau 3684/ /Voltaire 5449/ 6639, 8047 /Constant 8072/ 8631 /Lamartine 8939, 9022, 9074/ 9191 /Vigny 9319/ /Balzac 9855/ 9964 /Hugo 10162/ 10757 /Nerval 10841/ 11056, 11208, 11293, 11347 /Baudelaire 11599/ 12992 /Claudel 13166/ /Gide 13316/ 15071, 15279, 15405, 15406, 15632, 15750, 15796, 16019, 16020; *(A bas)* 14940; *(Absurde)* 16027 *(Autre)* 2781, 7384, *(Changer le)* 14109; *(Cho-*

gieuse) 12332; (révolutionnaire) 15839; (Ruine)
10551; (Sciences) 7363;
(scientifique) 12642; (Supériorité) 12075; (Unité)
11962

Moraliste 7702, 8540, 13073

Moralité 11471; (de littérature) 12477

Mordre 1956, 2504

Morellet (Abbé) 6398

Morne (Homme) 79

Morphine (Acétate de) 8569

Mort (s) 36, 115, 146 /Villon
166, 167, 168, 176, 182,
183/ 200, 214, 233, 277
/Rabelais 343 //Marot 424/
437, 440, 451, 510, 511,
545, 606 /Ronsard 659,
660, 682, 683/ /Montaigne
831, 832, 835, 836, 838,
875, 876, 896, 898, 935,
936, 1071, 1072/ 1083,
1128, 1172, 1206, 1246,
1260, 1281, 1282, 1284,
1291, 1292, 1293, 1294,
1370, 1398, 1409, 1474,
1478, 1596, 1605, 1639,
/Corneille 1809, 1819/ 1936
1960 /La Rochefoucauld
1971/ 2227, 2306, 2314,
2316, 2321, 2354, /La Fontaine 2540, 2551/ /Molière
2747/ /Pascal 3123, 3124,
3127/ 3210, 3308, 3309
/Bossuet 3336, 3343, 3349,
3352, 3377, 3378, 3414/
3547, 3784, 3786, 3864,
3865 /Racine 4054, 4141/
/La Bruyère 4390, 4392,
4393, 4394/ 4456, 4475,
4667, 4668, 4672, 4747,
4766 /Montesquieu, 5044,
5045/ /Voltaire 5354, 5382,
5443/ 5944, 5967 /Rous-
seau 6027/ /Diderot 6371/
6697, 6699, 6803, 7073,
7098, 7184, 7185, 7186,
7375, 7376, 7403, 7604,
7629, 7823, 7825, 7862,
7874, 8048 /Constant 8063/
/Chateaubriand 8260,
8261, 8263, 8432/ 8498,

8528 /Lamartine 8945,
8954, 8982, 8983/ /Vigny
9255, 9281, 9289/ 9400,
9569 /Balzac 9854, 9861/
9946 /Hugo 10105, 10275,
10280, 10319, 10384/
/Nerval 10814/ /Musset
10967/ 11199, 11235,
11310 /Baudelaire 11444,
11462/ /Flaubert 11723/
11770, 11781, 11782,
11900, 11937, 11941,
12049, 12061, 12068,
12173, 12178 /Mallarmé
12221/ 12277 /Verlaine
12382/ /Rimbaud 12672,
12734/ 13057, 13090,
13107 /Claudel 13139,
13176/ /Proust 13376,
13394/ /Valéry 13469/
13535, 13580, 13714,
13718, 13769, 13863,
14070, 14127, 14130,
14179, 14198, 14414,
14457, 14458, 14496,
14512, 14545 /Céline
14680, 14740, 14939,
15018, 15140, 15177,
15182, 15259, 15535,
15598, 15605, 15666,
15836, 15876, 15897,
15932, 16013, 16324; (à
demi) 10307; (Aimer la)
11582; (à vingt ans) 15498;
(Braver la) 14149; (Con-
cept de la) 16149; (Con-
damnation à) 8784, 16012;
(d'amour) 37, 38, 39;
(Défier la) 14920; (de
l'être cher) 14850; (Don-
ner la) 16054; (d'un petit
enfant) 12432; (Écrire pour
les) 11376; (égalisatrice)
47, 105; (Envisager la)
15474; (Je voudrais être)
6517; (libre et joyeux)
11430; (Lit de) 9979,
11861; (Mauvais) 12422;
(Messieurs les) 9504;
(Millions de) 12937; (naturelle) 15762; (Pauvre)
12658; (Peine de) 6090,
7054, 10194, 10744; (Pe-

tite) 3524; *(Peur de la)* 15432; *(pour la patrie)* 10264; *(prochaine)* 6292; *(sans surprise)* 11455; *(Soldat)* 8354; *(Tête de)* 12161, 14368; *(Vertu de la)* 9520; *(Vivre la vie de sa)* 13261; *(Volonté des)* 10672

Moralité 15412; *(Tables de)* 14873

Mortel (le, s) 2103, 4132, 5487, 10830, 15647, 15715; *(Civilisations)* 13457

Mortification 3352

Morveux 2962

Moscou 7769, 8353

Mot (s) /Rousseau 6134/ 6578, 6579, 6852 7387, 7575, /Stendhal 8752/ /Vigny 9274/ 9942 /Hugo 10143, 10148, 10149, 10150, 10151/ /Musset 10969, 11073/ Mallarmé 12243, 12259/ 12289, 12764, 12796, 12832, 12981, 13013 /Claudel 13151, 13153/ 13646 /Paulhan 14093, 14095, 14111, 14124/ 14265 /Céline 14685/ 14714, 14930, 15013, 15070, 15579, 15594, 15603, 15674, 15700, 15702, 15993, 16169; *(A demi-)* 2795; *(Bons)* 2561, 3068, 3642, 6143; *(chargés de signification)* 15972; *(de la tribu)* 12219; *(dorés)* 2717; *(drôle)* 15053; *(écrit)* 12592; *(Entre deux)* 13473; *(étrangers)* 4573; *(Grand)* 12453; *(Gros)* 13193; *(Jeux de)* 13732; *(Jouer avec les)* 14964, 16170; *(Le manque d'un seul)* 13459; *(longs d'une toise)* 3952; *(Mâcher les)* 14150; *(nouveau)* 9779; *(Parler des)* 14086; *(Racines des)* 15973

Mouchard 9724

Mouche (s) 803, 2666, 5491, 10432, 10959, 16040

Moucheron 2443, 2454

Moue 354

Moule 7842, 11241; *(à gosses)* 14281

Moulin 7726, 7729, 11209; *(à vent)* 12077

Mourants 898

Mourir /Montaigne 833, 932/ 2298, 2336, 2345, 2348, 2553 /La Fontaine 2631/ /Molière 2769/ /Racine 3899, 3924, 4117/ /Montesquieu 5270/ /Voltaire 5450, 5488, 5593/ /Diderot 6531/ 6698, 6969, 7856, 7867, 7979 /Chateaubriand 8162, 8308//Lamartine 9877, 9878, 9881/ 9105, 9147 /Hugo 10124, 10183, 10354, 10366, 10379/ 10488 /Musset 11008/ 12290, 12311, 13088 /Gide 13289/ /Proust 13378/ 13539 14131, /Céline 14642/ 14741, 15044, 15544, 15605, 15658, 15753, 15761, 15886; *(à deux)* 12956; *(As-tu peur de)* 1710; *(au dernier moment)* 14645; *(chacun pour soi)* 14406; *(de bonheur)* 11984 *(de chagrin)* 5666; *(de faim)* 5653; *(de plaisir)* 1738; *(ensemble)* 15474; *(Façon de)* 15758; *(Frère il faut)* 8182; *(Il est beau de)* 11951; *(Je ne sais plus où)* 15932; *(le lendemain)* 14905; *(pour)* 15326; *(poúr des idées)* 15880; *(Pour elle, un Français doit)* 7901; *(pour la patrie)* 1145, 1160, 1729; *(pour l'idée)* 16045; *(proprement)* 12514; *(refus de)* 16045; *(Savoir)* 6291; *(si jeuneeee!)* 14748; *(seule solution)* 16073; *(une fois par jour)* 12826

Mourût *(Qu'il)* 1737

Mousquet 12295

Mousqueterie 5501

Mousse *(végétal)* 5102, 11856, 12362

Mousseline 11533

Moustache 10483

Moustiquaille 15465

Moutarde 1061

Mouton (s) 208, 2649, 11624, 11910, 13622; *(de la mer)* 10175; *(de Panurge)* 373

Moutonnaille 2711

Mouvement 5742, 10285, 11410, 13728; *(littéraire)* 11282; *(ouvrier)* 15857; *(Premier)* 7615

Mouvoir (se) 8039

Moyen (s) 821, 7946, 10588

Moyen Age 8216, 10567, 11828; *(Art du)* 12998; *(Homme du)* 15429

Mozart 8732; *(assassiné)* 15232

Muet (tes) 2940, 7074, 16093; *(Choses)* 1513; *(Monde)* 15125; *(Pays)* 9330; *(Sourd et)* 9674

Muflisme 11725

Mugissement 10174

Mulâtre 10381; *(Rejeton)* 13730

Mule *(du pape)* 12079

Mulet 5963, 10394, 11980, 12927

Muletier 2689

Multiplicité 4564

Multiplier (se) 7399

Multitude 3203, 3340, 10605, 13544

Muqueuses 13680

Mur (s) 3976, 9056, 9343, 11466, 13282, 16325; *(des villes)* 6108; *(mitoyen)* 13010

Mûr (e, s) 138, 789; *(Age)* 9260

Muraille (s) 347, 10133

Mûrir *(le crime)* 8122

Murmure 7620, 15926

Murmurer 7699

Muscade 3654

Muscle 11909

Muse (s) 583, 584 /Ronsard 656/ 1213, 1250 /Boileau 3644, 3674/ /Voltaire 5601/ 6881, 7124, 7829 /Chateaubriand 8159/ /Vigny 9287/ /Hugo 10059/ /Nerval 10800/ /Rimbaud 12739/ 14499 : *(docile)* 14126

Musée 11769, 12156, 15299; *(imaginaire)* 15337

Musicale *(Phrase)* 12735

Musicien 5960, 6524, 14714

Musique 463 /Rousseau 6042/ 6770, 7375, 7579, 8057 /Chateaubriand 8254/ /Stendhal 8730, 8733, 8734, 8738/ /Lamartine 9089/ /Hugo 10161/ /Baudelaire 11485, 11593/ 11766 /Mallarmé 12252, 12254/ 12784, 13038, 13040, 13056 /Proust 13377/ 13674 /Apollinaire 13779/ 13991 /Céline 14672, 14690/ 16148; *(avant toute chose),* 12373; *(de la poésie)* 16087; *(Voir la)* 13993

Musset 12746

Musulman (e, s) 5375, 5578, 12613, 14020, 14021

Mutismes 15927

Myopie 10530

Myosotis 10847

Myrtho 10806

Myrto *(Elle a vécu)* 7821

Mystère (s) 2307 /Racine 4185/ /Lamartine 9058/ /Flaubert 11656/ 11941, 13256 /Valéry 13477/ 13700 /Paulhan 14096, 14097, 14098, 14116/ 14214, 14323, 14505, 14728, 15214 /Malraux 15333/ 16152; *(chrétiens)* 8327; *(divins)* 6820; *(Ma vie a son)* 10676

Mysticisme 13662

Mystique (s) 5733, 9524, 12400, 13590, 13592, 13593, 13597, 13902, 14764; *(à état sauvage)* 13188

Mythe (s) 13653, 14822, 15597, 15802, 15803; *(de l'homme)* 16160

Mythologie 8174, 11571, 12786; *(petite-bourgeoise)* 16129

N

N 7699

Nadja 14791

Nage 7683

Nager 4479, 15096

Nageurs 752

Naïf (ve) 5258; *(Ame)* 10854

Naissance (s) 835, 3242, 4264 4747, 5132, 5369, 6129, 6221, 9306, 9580, 11829, 13141; *(Humble)* 165; *(noble)* 10733; *(obscure)* 4897; *(Restriction des)* 15047, 15048

Naître 932, 8551, 8953, 9052, 10183, 10395, 11143, 14765; *(lentement)* 15237

Naïveté 14906, 15154, 15565

Nambikwara 15793

Nanine *(n'honore)* 5392

Napalm 16209

Naples 8487

Napoléon Ier 7030, 7031, 7905, 7906, 7907, 7984, 7985 /Chateaubriand 8373, 8374/ 8567, 8595 / Stendhal 8763, 8772, 8806, 8831, 8832, 8833/ Lamartine 8983/ /Balzac 9811 / /Hugo 9985, 10391/ 10751 /Baudelaire 11577/ 11755, 12314, 15469

Napoléon II 11968

Napoléon III 10121

Narbonne 3278

Narcisse (s) 6835, 13421

Narcissisme 4513

Narcotique 7778

Narine 12660

Narration 8320

Nasse 12567

Nathanaël 13269, 13270, 13273

Natif *(État)* 7529

Nation (s) 139, 1422 /Montesquieu 5192, 5193, 5194/ /Voltaire 5676/ 5954, 7262, 7412 /Lamartine 9036/ 9220, 10647, 10662, 10758, 11117 /Baudelaire 11606/ 11904, 13941; 15866; *(européenne)* 8032; *(française)* 10912; *(lasse)* 12999

Nation-phénix 9099

Nationalisme 8616, 12957, 12968, 13760

Nationalistes 13867

Nationalité(s) 10112, 16218;

Naturalisme 12103, 12534; *(spiritualiste)* 12535

Nature /Rabelais 309/ /Ronsard 611, 617, 668/ 687, 694 /Montaigne 900, 977, 1079/ 1265, 2360 /Pascal 3073, 3074, 3079, 3186/ /Bossuet 3347, 3378/ 4491 Voltaire 5446, 5588, 5713/ 5738, 5800, 5818, 5823, 5825, 5837, 5838, 5955 /Rousseau 6144, 6155, 6165, 6173, 6287/ /Diderot 6310, 6344, 6397, 6530/ 6555, 6565, 6618, 6621, 6694, 6829, 6869, 7078, 7083, 7101, 7102, 7103, 7148, 7149, 7164, 7165, 7168, 7171, 7175, 7176, 7177, 7179, 7181, 7183, 7188, 7207, 7229, 7298, 7395, 7396, 7397, 7870, 7964, 8139 /Chateaubriand 8161, 8178/ 8522, 8525, 8526, 8533, 8594 /Lamartine 8951, 9070, 9080, 9089/ /Vigny 9327/ 9492, 9586 /Hugo 10010, 10034, 10071, 10294/ 10529, 10540, 10569, 10573, 10574, 11201, 11311, 11317, 12157, 12640, 12886, 13098 /Gide

13303, 13323/ 13334, 13336, 13773, 14549, 15187, 15292, 15388; *(Cœur de la)* 9058; *(Comprendre la)* 14039; *(Dominer la)* 15124; *(État de la)* 8445; *(Étude de la)* 5809; *(humaine)* 932, 4383, 13873; *(Pure)* 8160; *(Seconde)* 10516; *(Secrets de la)* 13312

Naturel 572, 2086, 3096, 4826, 5803, 6634, 7773, 8672, 14843; *(État)* 7064, 7065; *(Ordre)* 10713; *(Style)* 8815

Naufrage (s) 1601, 14575

Nautonier 9530

Navets 7473

Navire 289, 11416, 11594, 13950; *(Mon beau)* 13791

Nazareth 14187

Né (s) *(Être)* 5721; *(Gens bien)* 10509

Néant /Descartes 1582/ /La Fontaine 2675/ /Pascal 3078, 3080/ /Bossuet 3345, 3346, 3395/ 3860 /Racine 4145/ /Chateaubriand 8375/ 9539, 11241 /Mallarmé 12258/ 12896 /Claudel 13182/ 14207, 14839 /Malraux 15333/; *(agité)* 8537; *(Goût du)* 15634

Nébuleuses 15365

Nécessaire (s) 2185, 7280, 7665, 10260, 14449; *(Choses)* 5713; *(pour rien)* 16162

Nécessité 161, 514, 866, 1484, 2577, 7080, 12328

Nécessiteux 6350

Nécropole 11701

Nectar 7966

Négatif *(photographique)* 11980

Négation 12942

Négligence 7773

Négociant 5317

Nègre (s) 5185, 5186, 5560, 7361, 10381, 10410, 10592, 11831, 12705; *(fou)* 12377

Négro-africain (s) 15601, 15603

Neige (s) 61, 506, 929, 5509; *(Cœur de)* 11410; *(d'antan)* 169, 171

Neigeait *(Il)* 10123

Nenni *(et Nenny)* 431, 814

Néo-impressionniste 13000

Néolithique 15426; *(Nostalgie du)* 15425

Népotisme 12755

Neptune 4056, 6836

Nerf *(de la guerre)* 4601

Néron 1192, 3962, 3973, 7448, 7628, 8205, 9015, 11187

Nestor 6646

Netteté 6735

Neuf 7482; *(Éternellement)* 13745

Neurasthéniques *(Dieux)* 13835

Neutralité 9268

Neutre 6443

Névrosé 14046

Newton 5652, 6633, 7117, 8576, 8595

Nez 1945, 3474, 5500, 6296; *(de Cléopâtre)* 3114, 12501

Niagara 8171

Niaiserie 9716, 11971

Nicole *(Pierre)* 3304, 3305, 3306, 3330

Nid 34

Nier 7699, 8663, 13111; *(Dieu)* 8683; *(l'amour)* 11078

Nietzsche 14064, 15530

Nietzschéisme 13258

N'importe *(quoi et qui)* 13472

Nini *(Peau d'chien)* 12603

Ninon 10966; *(de Lenclos)* 6607, 8232

Noailles *(Duc de)* 4798

Noble (s) 806, 10734; *(Caractère)* 5732

Noblesse 106, 216, 536, 3522, 3551, 3703, 4864, 4992, 7260, 7944, 9256, 9680, 12411; *(d'Espagne)* 5073; *(Lettre de)* 11355; *(oblige)* 7943, 13839

Noce (s) 245, 1299, 1940
Nodier 10433
Noé 1930, 12160
Noël 151, 11153
Nœud (s) 5387, 6616; *(indis-solubles)* 7062
Noir (e) 12158; *(adorable mot)* 15863; *(animal)* 8354; *(Homme)* 9040, 10651, 15510; *(Race)* 9041
Noises 407
Noix 7681
Nom (s) 3489, 4251, 4256, 10128, 13410, 13550, 14334, 15721; *(caractéristique)* 10536; *(Grands)* 1993, 2225, 5943, 6028; *(propre)* 11719
Nombre 11469, 11589
Nommé *(C'est toi qui l'as)* 4098
Nommer 12271; *(quoi que ce soit)* 15132
Non 6452; *(avec la tête)* 15193; *(Dire)* 13126
Nonchalance 5873
Non-être 3411, 13900
Non-moi 8054
Non-philosophie 15549
Non-philosophique 15548
Non-sagesse *(moderne)* 14617
Non-sens 15002, 15014, 16065, 16244
Nonnes 4428
Noosphère 13898, 13902
Nord 5609; *(Peuples du)* 5220
Normal (e) 16282; *(École)* 9395; *(Plus que)* 15505
Normand 9771
Normandie 8834; *(J'aime à revoir ma)* 9928
Norme 12743
Nostalgie 126, 16325; *(de l'Être)* 12446
Notaire 11635
Notions 15114
Notre-Dame 142, 143, 179, 180, 181, 11332, 13148

Nourrice 4231, 5960, 9897
Nourrir 9578; *(la femme)* 9424
Nourriture 5008, 10950, 14243
Nous 9185, 11180, 14432; *(c'est vous)* 14900
Nouveau 2705, 13807; *(-né)* 10376 *(Voir aussi : Nouvelle)*
Nouveauté (s) 666, 919, 1350, 2810, 3833, 5104, 7623, 9466, 12880, 15473
Nouvelle (s) 1785, 1845; *(Bonne)* 4441; *(Dire des choses)* 6682; *(littérature)* 14462
Novateur 5552
Novation *(des mots)* 529
Noyé *(pensif)* 12677
Noyer *(Se)* 15096
Nu 13845, 13881
Nuages 15191; *(Les merveilleux)* 11478
Nuance 12374
Nudité 10736, 14310; *(hideuse)* 7046
Nuées *(Chapeau des)* 10175; *(Prince des)* 11393; *(Toison des)* 10171
Nuire 4092, 6164, 7891
Nuit (s) 461, 574, 1254, 5743, 6804 /Chateaubriand 8171, 8185/ /Stendhal 8799/ /Lamartine 8942, 9030/ 9117 /Hugo 10179, 10372/ 10875, 11299 /Baudelaire 11435, 11470/ 12078 /Mallarmé 12257/ 12567, 12913, 13233, 15090, 15126, 15659 /Camus 16080; *(d'orage)* 8957; *(Enfant de la)* 8676; *(Oiseau de)* 11213; *(porte conseil)* 11108; *(Veiller la)* 14932;
Nulle *(part)* 15615
Nuptiale *(L'ombre était)* 10308
Nuque 13477
Nymphe 12202

O

O 12673, 12712

Ô 3388

Oarystis 12339

Obéir 1933, 4076, 6074, 6077, 6082, 6084, 6704, 8490, 15718; *(Impossibilité d')* 8271

Obéissance 819, 1386, 11960; *(Affamés d')* 15856; *(de l'amour)* 25

Objectifs *(comme les femmes)* 13765

Objections 5439

Objectivement *(J'ai vu le monde)* 14995

Objet 13330, 15110, 15261, 15601, 15721, 15812; *(d'érudition)* 13820; *(inanimé)* 9004; *(tu)* 12255; *(usuel)* 12840; *(Utilisation de l')* 14618

Objeu 15129

Obligation 2029, 14820

Obliger 2054, 2446, 6050, 10482, 11264; *(son prochain)* 12806

Oblique *(Route)* 10269

Obliquement *(Avancer)* 15823

Obscène (s) *(Absolument)* 12613; *(Choses)* 15525

Obscur (s) 7975, 13227; *(Ce qu'il faut d')* 14144; *(Mourir)* 6354

Obscurité 7005, 13318; *(Naître dans l')* 3995

Observateur 11529, 11911

Observation (s) 5821, 7881, 11174, 11175, 11176, 14015

Observer 2258

Obsolètes *(Hymnes)* 15161

Obstacle (s) 2820, 5786, 7809, 11474, 15218; *(à la connaissance)* 6222

Obstination 7354; *(du crime)* 16069

Obus *(éclatant)* 13814

Occasion (s) 273, 322, 940, 1149, 2064, 7432, 9717; *(Grandes)* 5998; *(manquée)* 7304

Occident 12720, 14287, 16296

Occidentaux *(Supériorité des)* 13759

Occire 431

Occupant *(Droit de premier)* 6086

Océan 8330, 10360, 12406, 12465, 12779; *(humain)* 11953; *(Vieil)* 12464, 12466

Octogénaire (s) 2638; *(Èves)* 11440

Odalisque 8771

Ode 2397, 3738, 8153

Odeur 13308; *(de rose)* 6668; *(du désespoir)* 13968

Odieux 8747, 10428

Odorat 7631

Œil 68, 609, 637, 3471, 10302; *(du maître)* 2491; *(noir)* 11994; *(Voir aussi : Yeux)*

Œuf (s) 7283, 8613, 13264; *(à la coque)* 8777; *(dur)* 15196; *(Tondre un)* 400

Œuvre (s) 1185 /Vigny 9348/ /Balzac 9748/ Hugo 10197/ 11154, 11248 /Baudelaire 11495/ 12926, 13057, 13328 /Proust 13375, 13409/ /Valéry 13410/ 13695, 14211, 14277 /Céline 14690/ 14752, 15213 /Malraux 15309/ 15607, 15611, 15902, 16211, 16216; *(Absence d')* 16193; *(Concevoir de belles)* 9747; *(d'art)* 11250, 11551, 12093, 14811, 15170, 15172, 15291, 15368, 15983, 16307; *(engagée)* 15988; *(Fils de ses)* 10926; *(inutile)* 15768; *(magistrales)* 15338; *(moderne)* 12228; *(pure)* 12243; *(sincère)* 14199

Offense 1904, 4081, 4384, 4448

Offensé 6271

Offenser 4032, 4340

Oradour 16096

Orage (s) 589, 1601, 9821, 14959; *(de pensées)* 10849; *(désirés)* 8167

Oraison 10371; *(funèbre)* 2709, 5044

Orange 5662, 13142

Oranger 11328

Orateur (s) 4484, 4485, 5808, 6573, 7810

Ordinaire (s) 2223; *(Choses)* 14730

Ordination 14448

Ordonnance (s) 2142, 2143, 13609; *(de médecin)* 2939

Ordonner 1552, 1840, 6428, 12641, 13748

Ordre (s) 3325, 3857 /Rousseau 6054, 6071/ 7093 /Constant 8074/ 8609, 8913, 9171, 9402, 10532, 11115 /Valéry 13447/ 13596, 13609, 14017, 14871, 15061, 15480; *(contemplatif)* 12544; *(de la création)* 11203; *(de l'esprit)* 4576; *(Désir d')* 14073; *(européen)* 8418; *(L'ordre pour l')* 15250; *(social)* 6030, 6074, 6161, 13106; *(suprême)* 13866

Ordure (s) 188; *(du monde)* 14664; *(originelle)* 11549

Oreille (s) 2371, 2607, 2686, 3725, 14289; *(d'âne)* 3675; *(d'une femme)* 4878

Organisation 8478; *(physiologique)* 11805

Organisé (Être) 8524

Organisme 11185, 15809; *(vivant)* 11182

Orgueil 749, 1307 /Corneille 1728/ /La Rochefoucauld 1974, 2030/ 2357/ /Pascal 3162/ /Bossuet 3341, 3359/ 3872 /Racine 4079, 4103, 4142/ 4218, 4746, 4955, 4985 /Montesquieu 5051, 5153/ /Voltaire 5346/ /Rousseau 6215/ /Balzac 9839/ 11361 /Flaubert 11730/ 14364;

(de l'homme) 7160 *(Exploitation de l')* 13997

Orgueilleux 3771, 12232

Oriani 8457

Orient, 8342, 8676, 10781 10782, 10783, 10785, 10789, 10836, 11147; *(compliqué)* 14577; *(La lumière vient de l')* 14635; *(Livres de l')* 15771

Orientation *(du régime)* 15677

Original *(Homme)* 9093

Originalité 9442, 10722, 12578

Origine 13204, 14024; *(des hommes)* 3343

Orléans *(Duc d')* 4807

Orner 8739

Ornière *(sociale)* 9476

Orphée 1597, 13078; *(Lyre d')* 10805

Orphées *(Faux)* 14974

Orphelin 15053; *(Calme)* 12368; *(Tout le monde ne peut pas être)* 13011

Orthographe 8867, 11167

Os 11900, 12384, 14283; *(décomposé)* 12170; *(des héros)* 10312

Oser 1226, 6705, 8128

Osiris 13149

Osmazome 12533

Ossement 12064

Ostentation *(des mystères)* 15133

Oter *(toute chose)* 13413

Otrante 10336

Ouaille (s) 2715, 14598

Oubli /La Bruyère 4279, 4316/ 7500, 7894 /Lamartine 8949, 9012/ /Balzac 9756, 9867/ /Hugo 10067, 10239/ /Musset 11003, 11055/ 11138 /Mallarmé 12194/ 13567, 15166, 15622

Oublier 3446, 3457, 4089, 4108, 10102, 10994, 11008, 13496, 14643, 15584, 15623

Oui 814, 10076, 10178, 13126, 13191, 14311, 16090; *(Articulations du)*

15128; *(avec le cœur)* 15193; *(Premier)* 12338

Ouillais *(Barufler les)* 15078

Ouragan 6530

Ours 2507, 2636, 11631

Outil 4255, 15226; *(fou)* 15091

Outrage (s) 1701, 2800; *(Honorable)* 7889; *(Irréparable)* 4169

Outrager 6640, 7165, 7171, 10850

Outrance 11561

Outre *(Passer)* 15699

Outrer 2707, 2855

Outre-tombe 12727

Ouvrage (s) 456 /Ronsard 621/ /Corneille 1804/ /La Fontaine 2625, 2676/ /Pascal 3059/ 4731, 4732 /Montesquieu 5273/ 5280, 7057, 7257, 7578 /Baudelaire 11619/; *(de la nature)* 5800; *(libre)* 7550;*(Longs)* 2520

Ouvrier (ière, ières) 4255, 5647, 6807, 10892, 12655, 15418; *(Classe)* 10776; *(d'œuvre)* 11497; *(Peine des)* 26; *(vertueux)* 12087

Ouvrir *(les intelligences)* 11978

Ovaire (s) 11809, 15748

P

Pactes 6458

Paganisme 8184, 10511, 11725

Page *(sombre)* 12457

Païen 7991, 10434; *(Monde)* 15380

Paillard 188

Paille 12366, 13706

Paimpolaise 13128

Pain 26, 779, 5846, 7132, 7605, 8647, 10135, 10276, 16070; *(à cacheter)* 9972; *(des moines)* 2393; *(du méchant)* 7079; *(Fais ton)* 12074; *(Hommes sans)* 7420; *(qu'on dérobe)* 2513; *(quotidien)* 13588, 13613; *(Vols de)* 13942

Pairs 9605; *(de Charlemagne)* 7

Paisible *(amitié)* 9446

Paix 127 /Rabelais 372/ 480 /Ronsard 627/ 718, 1458 /La Fontaine 2470/ /Molière 2853/ 4538 /Montesquieu 5218/ /Voltaire 5436/ /Rousseau 6204/ 7831, 7852 /Chateaubriand 8301/ 9098, 9198, 12148, 12866, 12959, 13927, 14360, 14619, 14832, 15241, 15554; *(de l'âme)* 3211, 6287; *(des sereines*

hauteurs) 11168; *(du cœur)* 5435; *(glorieuse)* 8480; *(Je vous déclare la)* 12960; *(Marcher en)* 7664

Palais 6065, 10628; *(de Justice)* 3689

Palais-Bourbon 14180

Palais-Royal 5920; *(Belles du)* 7017

Palefrenier 8660

Palefroi 10322

Palestine 15379

Paletot 12661

Palimpseste 15902

Pâlir 4099

Palma *(de Majorque)* 14494

Palme 12370

Palos *(de Moguer)* 12179

Pamphlet 8569

Pampre 7856

Pan 375, 10333

Pandora ou Pandore 10831, 11345; *(Boîte de)*, 2466

Pangloss 5505, 5516

Panégyrique 15451

Panier (s) 311; *(Dessus du)* 3318

Pansement *(de l'âme)* 12591

Pansexuelle *(Symbolique)* 15704

Pantagruélisme 371

Pantagruélistes 353

7196, 7494, 7496, 7548, 7555, 7781, 8045 /Constant 8109/ /Chateaubriand 8164, 8165, 8273, 8278, 8314, 8411/ 8523, 8582, 8590, 8591 /Stendhal 8779, 8786, 8791, 8811, 8833, 8857, 8867/ /Balzac 9602, 9699, 9701, 9820/ 9915, 9934 /Hugo 10077, 10106, 10239, 10340/ 10427, 10580, 10726 /Flaubert 11630, 11640, 11688/ /Zola 12135/ 12402, 12620, 12870, 13249, 14014, 14092, 14636, 14831, 15007, 15596, 15598; *(comblée)* 15499; *(d'être soi)* 13241; *(du Christ)* 7406; *(Durée de la)* 9878; *(Grandes)* 14269; *(humaine)* 13069, 13486; *(Inspirer des)* 5860; *(naissante)* 5458; *(physique)* 10596; *(politique)* 13065, 13068

Passionné *(Cœur)* 9257

Passionner (se) 7600

Pasteur (s) *(amoureux)* 7654; *(protestant)* 13322

Pataphysique 13578

Pâté 12384

Pater *(noster)* 15192

Paternité 9406

Pathétique *(personnel)* 15883

Pathologie 12477

Pathologique 16282; *(État)* 11172

Patience 377, 2228, 2448, 6715, 7742, 11104, 12689, 13436, 14875; *(Jeu de)* 14419

Pâtissiers 4727

Pâtre 6474, 10175

Patrie 1138, 1316 /Corneille 1816/ 3546 /Racine 3887, 3901, 4144/ /Montesquieu 5246/ /Voltaire 5379, 5396, 5555/ 5934 /Rousseau 6120/ /Diderot 6391/ 6843, 6860, 6861, 7019, 7624, 7735, 7785,

8120 /Lamartine 9003, 9037/ 9162, 9556, 9561, ·9562 /Hugo 10060, 10135, 10263/ 10749 /Flaubert 11679/ 12883, 12919 /Apollinaire 13802/ 13867, 13868, 14074, 14581, 14583, 14627, 15109, 15857; *(Allons, enfants de la)* 7783; *(Amour de la)* 8501; *(du poète)* 10113 *(en deuil)* 12033; *(Mourir pour la)* 6505; *(sociale)* 12026

Patriote 7767, 8452, 12944

Patriotisme 7489, 8352, 10650, 12573

Patron *(Vrai)* 14260

Patronat 13488, 14235

Patte (s) *(blanche)* 2484; *(Marcher à quatre)* 5671

Pâturage 1288, 11344

Pâture 4175

Paupérisme 10768, 11667

Pause 319, 2614

Pauvre (s) 26, 1360 /Bossuet 3372/ 3526, 4665 /Rousseau 6262/ /Constant 8099/ 8587, 8682, 9549 /Balzac 9766/ 9908, 10410, 10936 /Musset 11091/ 11223, 12056, 13033 /Céline 14647, 14651, 14660, 14674/; *(Deuil du)* 11484; *(Filles)* 13963; *(Gens)* 198

Pauvreté /Villon 158, 165/ 454, 1391, 3274 /Boileau 3668/ /La Bruyère 4385/ /Montesquieu 5202/ /Voltaire 5618/ 8125, 8586, 8657 /Balzac 9685/ /Hugo 10233/ 10767

Pavé 9202, 9962

Pavillon 12733

Payeur 1098

Payer 10328

Pays 1733, 5844, 13051; *(à sieste)* 13730; *(des tableaux)* 12630; *(Étrange)* 14960; *(Mal du)* 12630; *(natal)* 13536; *(où fleurit l'oranger)* 11328

Paysage (s) 8840, 11525, 13542, 15585, 15928; *(choisi)* 12346

Paysan (ne, s) 4411, 5303, 5565, 5653, 6134, 7122, 12722; *(Race)* 15600

Peau 1959, 13330, 13461; *(Affections de la)* 14468; *(d'âne)* 2558; *(de l'ours)* 2507; *(Fleur de)* 11343; *(Sortir de sa)* 11045

Peccadille 2525

Péché (s) /Villon 180/ 270, 1106, 1158, 1358, 2255, 4995 /Voltaire 5522/ 8523, /Stendhal 8770, 8823/ 12300, 12305, 12539, 14184, 14186, 14256, 14356; *(de chair)* 147; *(mortel)* 90, 91; *(originel)* 6607

Pécher 282, 1897, 2807, 3032, 3516, 7650, 15178; *(sans concevoir)* 12324

Pécheur (s) 160, 3178, 3338, 4661

Pêcheur *(à la ligne)* 5969

Pédagogue 6238, 10152

Pédant (s) 1664, 2402, 2597, 3013, 3014

Pédanterie 1497

Pédantisme 4232

Pédéraste (s) 11592, 12616; *(incompréhensible)* 12481; *(Prolétariat des)* 14466

Pégase 10259

Pègre 15266

Peigne 3513

Peindre 7392, 8956, 11342, 14169, 15288

Peine (s) 49, 94, 567, 644, 734, 737, 1420, 1600, 3878, 3977, 7913, 10861, 11140; *(Ce n'est pas la)* 11129; *(Pire)* 12354

Peintre (s) 1656, 6017, 6574, 6575, 9192, 9455, 9467, 11909, 12087, 12921, 13000, 14119, 15506; *(d'aujourd'hui)* 15171; *(espagnol)* 11141; *(Paradoxe du)* 14826

Peinture 1517 /Pascal 3102/ 3634 /Voltaire 5359/ 7410, 9453, 9459, 9468, 9472, 9487, 11343, 12157 /Apollinaire 13779/ /Malraux 15341/; *(Grande)* 15287; *(idiote)* 12711; *(lâche)* 9457

Pèlerin 8193

Pélican 10990; *(de Jonathan)* 15168

Pellegrin *(abbé)* 5417

Pelliculaire 16005

Pellisson 3312, 8246

Pelouse 11445

Pelures *(d'orange)* 5662

Pénalité 10021

Penchant (s) *(amoureux)* 4129; *(Faux)* 7376

Pencher 8922

Pendard 758

Pendre 2957, 2975

Pendu (s) 196, 197, 2338, 5403

Pénélope 4468

Pénétration 6743

Pénis 12541, 14683

Pénitence 5295, 5296, 8236

Pénitent 7436, 7757

Pensant *(Bien)* 13848; *(Roseau)* 3152

Pensée (s) 2234 /Pascal 3151, 3152, 3156/ 3259 /Voltaire 5357, 5358, 5493, 5645/ 6145, 6581, 6736, 6737, 6742, 7138, 7199, 7526, 7527, 7549, 7560, 7566, 7986 /Chateaubriand 8344/ /Stendhal 8759/ /Lamartine 8932/ /Balzac 9665/ 9920, 9886 /Nerval 10853/ /Musset 11048/ 11363, 11754, 11899, 11900, 11944, 12289, 12296, 12333, 12405, 12913, 12953, 13013, 13117, 13202, 13243, 13250 /Valéry 13416/ 13655, 13675, 13725, 13816 /Paulhan 14091/ 14543, 14794, 14823, 15195, 16328; *(Bonnes)* 3031; *(Cap)* 13414; *(Cho-*

ses) 5893; *(dans le vide)* 12007; *(de derrière)* 3148; *(de tout un peuple)* 9086; *(Énergie de la)* 7931; *(Grande)* 12496; *(hautaine)* 12462; *(libératrice)* 15685; *(Mauvaises)* 6318, 14349; *(mythique)* 15799, 15804; *(philosophique)* 9235; *(scientifique)* 15799; *(sauvage)* 15800; *(terrestre)* 12930; *(Vilaines)* 13441

Penser /Descartes 1559, 1571, 1580/ /Pascal 3110/ /Boileau 3729/ /Racine 4027/ /La Bruyère 4336/ /Montesquieu 5241/ /Voltaire 5414/ 5828, 5831, 5895 /Rousseau 6033, 6175, 6201, 6222, 6230, 6249, 6253/ /Diderot 6308/ 6539, 7541, 8495 /Hugo 10216/ 10468, 11859, 12008, 12067, 12832, 13126, 13335 /Valéry 13412, 13456/ 13664 /Aragon 14997/ I5005 /Malraux 15315/ 15617, 15770; *(à autre chose)* 10388; *(à rien)* 15461; *(à sa femme)* 11335; *(bassement)* 11731; *(Façon de)* 7193

Penser (s) *(nouveaux)* 7846; *(plaisant)* 121

Penseur 10243, 12748; *(Libre)* 10817

Pente *(Il est bon de suivre sa)* 13302

Perçantes *(Ames)* 4939

Perception 11921, 13265, 14045, 15811

Perdican *(Adieu)* 11058

Perdre 1276, 1345, 1695, 2947, 4517, 7688

Perdu 6267, 11102; *(Temps)* 14625

Père (s) 63 /Villon 166/ 1191, 1327 /Corneille 1703/ /La Fontaine 2695/ /Molière 2836/ /Racine 4072, 4073, 4118/ /La

Bruyère 4386/ /Montesquieu 5117/ /Voltaire 5451, 5477/ /Rousseau 6123/ /Diderot 6348/ 7034 /Stendhal 8853/ /Hugo 10330, 10352, 10353/ 11329; *(du peuple)* 3799, 4381

Pérennité 933

Perfection 1496, 3807, 4637, 6020, 8324, 10239, 11094, 12053, 14285; *(en art)* 14118; *(évangélique)* 8385; *(Poursuite chimérique de la)* 13831

Perfectionnement 7365; *(des sociétés)* 9258; *(Mon)* 15079

Perfide 7296

Perfidie (s) 1723, 4116, 4283, 8081

Périclès 6433, 10421

Périer *(Du)* 1259

Péril (s) 1162, 1745, 1764, 2445, 4528; *(blanc)* 12328; *(jaune)* 12328; *(sans)* 1708

Périnde *(ac cadaver)* 9536

Période *(artistique)* 12263

Péripétie *(tumultueuse)* 16083

Périr 8551

Périssable 9211

Perle (s) 1258, 13648, 15277; *(de la pensée)* 9322

Permanence 13352

Permis (e) *(Chose)* 14519; *(en dedans)* 14646

Pernicieux 11545

Pérou 4918

Perpétuel *(Mouvement)* 9896

Perpétuité *(A)* 14931

Perrin Dandin 2600

Perroquet 3149

Perruque 6284

Perruquier 10282

Persan *(Comment peut-on être)* 5040

Persécuté 6215

Persécuter 7261

Persécuteurs 5700

Persécution 3204, - 3205, 13485

11887; *(universels)* 5741, 5742; *(vital)* 11173, 11183, 11196.

Phénoménologie 14770

Philanthrope 9379

Philanthropie 11923

Philis 2897

Philistins 2335

Philo 16258

Philosophale *(pierre)* 4632, 5462

Philosophe (s) /Rabelais 331/ /Montaigne 927/ 2331, 2332, 2402 /Pascal 3090/ /Bossuet 3350, 3371/ 4485, 4560, 4614, 4621, 4623 /Voltaire 5327, 5329, 5346, 5491, 5516, 5660, 5700, 5711/ 5956, 5981, 5982 /Rousseau 6047, 6118/ /Diderot 6491/ 6661, 6665, 6724, 6812, 6962, 7129, 7130, 7503 /Chateaubriand 8309/ 8574, 8581, 9151, 9379, 9981, 11780 /Zola 12095/ 12276, 12504 /Rimbaud 12720/ 14608, 15524 /Camus 16035; *(dormants)* 14778; *(Prétention du)* 15523; *(pyrrhoniens)* 909; *(satisfaits)* 15566; *(Vain)* 10383

Philosopher 3051, 14661, 15004; *(tristement)* 6036

Philosophie (s) 717 /Montaigne 960, 1022, 1038/ 1365, 4469, 4613, 4627, 4660 /Voltaire 5320, 5326, 5328, 5330/ /Rousseau, 6029/ /Diderot 6403, 6519, 6523/ 6546, 6615, 6622, 6623, 7085, 7200, 7256, 7627, 7775, 7791, 7880, 7881, 7885, 9181, 9184 /Vigny 9313/ 9383, 9938, 9971, 10520, 10940, 11357, 11744, 11779, 12279, 12505, 12508, 12812, 13262, 13334, 13654, 13972, 14063, 14600, 14609, 14616, 15099, 15121, 15548, 15549, 15822, 16025, 16104,

16165; *(Agrégé de)* 15565; *(de l'existence)* 14479; *(de l'histoire)* 14692; *(des femmes)* 6304; *(discursive)* 15772; *(française)* 15567; *(grecque)* 15380; *(Premiers maîtres de)* 6150; *(raisonnable)* 8041

Philosophique 11538; *(Action)* 9443; *(Courage)* 5957; *(Pensée)* 9932; *(problème sérieux)* 16025; *(Régime)* 9442

Phonographe 13801

Phosphore 11658

Photographie 12037, 12580, 13015

Phrase (s) 9825, 11702, 13153, 15459; *(Belles)* 6579; *(bien accordée)* 13443; *(heureuse)* 14461; *(Jolies)* 6669

Phtisie 1418

Physicien 9388

Physico-mathématique 6613

Physiologie *(État)* 11172

Physiologiste 11183, 11187

Physique 5189, 5989, 9389, 13902; *(Accompagnement)* 9920; *(quantique)* 14611; *(Science)* 11888; *(sociale)* 9389

Picasso 13780

Pie X 13786

Pièce (s) *(de théâtre)* 1671, 1672, 2844, 6535

Pied (s) 2442, 3514, 9091, 15581; *(Aller à)* 6180; *(au derrière)* 14732; *(Baiser les)* 5584, 5629

Piège (s) 4267, 6189, 7787

Pierre (s) 430, 9010, 10818, 12475, 12690, 14103, 15246, 15270; *(Homme de)* 11408; *(philosophale)* 4632; *(Poser sa)* 15225; *(vivantes)* 3254; *(vives)* 356

Pierre *(Saint)* 8623

Pierrot *(mon ami)* 12898

Piété 492, 2124, 3354, 4194, 8769

Pieux (ses) 5208, 15063;

(Personnes) 4497; *(solitaires)* 7674

Pigeons 2591

Pilate 3541

Piliers *(Beaux)* 15853

Piller 10090

Pilori 9284

Pilote 1372, 13950

Pilule *(Dorer la)* 2960, 3248

Pin 14202

Pinceaux 7909

Pindare 10533

Pinde 7713

Pinéale *(Glande)* 6303

Pinsons 13947

Pintade *(Plumage de la)* 14711

Pioche *(voltairienne)* 11109

Pion 12500, 13198

Pioupiesque 12667

Pique 141; *(du peuple)* 7734

Pire 4199, 7933, 12387, 13173

Pistolet *(Coup de)* 8788, 8894

Pitancher *(du pivois)* 5643

Pitié 1936, 4082, 4137, 6205, 8103, 9582, 9830, 12985; *(Cet âge est sans)* 2594

Place (s) 6058, 14447, 14452; *(Être à sa)* 6265; *(publique)* 12798

Placement 13928

Plafond 13930; *(Bas de)* 10387

Plage *(armoricaine)* 12700

Plagiaire 10960

Plagiat 12503, 13925

Plaider 2123, 2600

Plaiderie 412

Plaideur (s) 2429, 6940

Plaie 4730, 7386, 11142, 11436; *(ouverte)* 12035

Plaindre 1222, 2237, 11467, 11582; *(Se)* 1209, 2190, 4052, 4372, 5686, 6361, 15065

Plaine 9047, 10115; *(Morne)* 10125

Plainte (s) 71, 115, 547, 2728, 5751, 6370, 7588, 7620, 13583

Plaire 78 /La Rochefoucauld 2115/ /La Fontaine 2685/ /Molière 2344/ 3227, 3588 /Racine 3990, 3996, 4017/ /La Bruyère 4224/ 4742, 4926, 4961, 5004, 5005 /Montesquieu 5210/ /Voltaire 5514/ 5858, 5876, 6581, 6645, 6726, 6739, 7210, 7346, 8006, 10556, 12479

Plaisance 126

Plaisanterie 6545, 7224, 7993, 8742, 9614, 9796, 15595

Plaisir (s) 94 /Villon 173/ 259, 271, 548, 739, 1082, 1169, 1264, 1464, 1472, 1598 /Corneille 1679/ 1948, 2125, 2240, 2246 /La Fontaine 2416, 2691, 2706/ /Pascal 3021, 3023/ 3446, 3457, 3788, 3830, 3841, 3852, 3878 /Racine 3996, 4051/ /La Bruyère 4338, 4374/ 4658, 4662, 5011 /Montequieu 5251/ /Voltaire 5422, 5423, 5465, 5515, 5600, 5648, 5734, 5784, 5837/ 5907, 5910, 5918 /Rousseau 6064, 6206/ 6580, 6650, 6654, 6660, 6661, 6706, 6837, 6846, 6950, 7069, 7152, 7153, 7301, 7330, 7347, 7348, 7349, 7677, 7681, 7700, 7835, 7919 /Chateaubriand 8310/ 8652 /Stendhal 8728/ /Lamartine 9014/ 9109 /Vigny 9337/ /Balzac 9873/ /Hugo 10033/ 10921 /Baudelaire 11383/ 13090 /Claudel 13172/ /Proust 13364/ 14443, 14495, 15174, 15473; *(Bon)* 13958; *(Car tel est notre)* 7763; *(Chaque âge a ses)* 3754; *(d'amour)* 7690; *(de l'amour)* 1632, 8722; *(de la vie)* 6200; *(d'enfants)* 4501; *(du mariage)* 9877; *(du paradis)* 5115; *(Ins-*

trument de) 9870; *(Machines à)* 7333; *(Menus)* 5946; *(Partie de)* 11043; *(Vrais)* 4542

Plan *(de la nature)* 14236; *(d'un roman)* 8837

Plancher *(des vaches)* 374

Planète (s) 300, 8592, 10578; *(mortes)* 14075

Planétiser 13888

Planification *(faussée)* 15680

Plante (s) 2638, 11814, 11898

Plata 12468

Plateau *(de théâtre)* 15992

Platitude 9806

Platon 3147, 3462, 5447, 10404, 13072

Plébiscite 11952, 15681

Pléonasme 8820, 12780

Pleur (s) 1526, 3748, 3969, 4003, 4044, 4075, 9132, 10951, 11010, 13037; *(des vieillards)* 9656; *(éternels)* 3913; *(Vallée des)* 14467

Pleurard 10961

Pleuré *(J'ai trop)* 12682

Pleurer 107, 1133 /La Rochefoucauld 2071/ /Racine, 3911, 4012, 4115, 4146/ /La Bruyère 4240/ 4962, 6904, 6953, 7818, 7819 /Chateaubriand 8169/ /Vigny 9342/ /Hugo 10158/ /Musset 11009, 11030, 11033/ 11759 /Maupassant 12590/ 14363; *(en public)* 12490; *(par la bouche)* 12478; *(Se)* 12083

Pleureuse 12051

Pleut *(Il)* 7428

Plier 2432

Plomb 1605; *(vil)* 4181

Plongeur 11048

Pluie (s) 299, 3278, 9265 14336

Plumage 14606

Plume (s) 523, 710, 984, 1339, 9409, 14606; *(de fer)* 9350

Pluralité *(des dieux)* 4471; *(des voix)* 1549

Plus 15098; *(bas)* 15537

Plutarque 10433, 15492

Pluton *(Souper chez)* 6982

Poche (s) 11261, 13687

Poe *(Edgar)* 14802

Poème (s) 2284, 7969, 12240, 12252, 12259, 13144, 13692, 14050, 14099, 15637, 15653, 15661, 15923; *(Bon)* 14558; *(de la mer)* 12677; *(en prose)* 7888, 12533

Poésie /Ronsard 623/ /Montaigne 887, 942/ 1140, 1434, 1521, 2242 /Boileau 3750/ 4613 /Voltaire 5606/ 6546, 6552, 7573, 8011, 8014, 8153 /Chateaubriand 8253/ /Lamartine 9065, 9066, 9089 / 9181 /Vigny 9259, 9286 9322/ 9579 /Balzac 9713/ /Hugo 10006, 10012, 10143/ 10571, 10587, 10721 /Nerval 10781, 10823/ /Musset 11098/ 11357, 11359 /Baudelaire 11521, 11538, 11541/ 11840, /Zola 12091/ /Mallarmé 12229, 12231/ 12287, 12432, 12469, 12487, 12493, 12502, 12508 /Rimbaud 12745/ 12925 /Claudel 13184/ 13442, /Valéry 13480/ 13687, 13691, 13742, 13976 /Paulhan 14084, 14085/ 14295, 14314, 14315, 14478, 14518, 14532, 14553, 14744, 14938 /Aragon 14945, 14966, 14968/ 15003, 15014, 15155, 15303, 15396, 15440, 15453, 15655, 15660, 15663, 15665, 15769, 15774, 15834, 16219, 16220, 16222; *(assassinée)* 15921; *(des femmes)* 9643; *(doit être faite par tous)* 12507; *(du quotidien)* 9831; *(lyrique)* 6523, 12227; *(perennis)* 13185; *(personnelle)* 12492

Poète (s) 529 /Ronsard 620, 624, 636, 669/ 709, 1107, 1173, 1340, 1341, 1500, 1511 /Boileau 3691, 3713/ 3867 /Racine 4190/ 4577 4727 /Montesquieu 5048/ /Voltaire 5709/ 5808, 5969, 6543, 6573, 6575, 6632, 6751, 8012 /Chateaubriand 8347/ /Stendhal 8849/ /Lamartine 8985/ 9192, 9209 /Vigny 9269 9288/ 9493 /Balzac 9396/ 9962 /Hugo 9992, 10007, 10010, 10011, 10098, 10140, 10184, 10338, 10349, 10350/ 10513, 10571, 10629, 10717 /Nerval 10801/ /Musset 10996, 11099, 11100/ 11145 /Baudelaire 11393, 11483, 11543, 11559, 11568, 11609/ 11897, 12163, /Mallarmé 12218, 12232 12269/ 12404, 12504, 12565 /Rimbaud 12738, 12742, 12743/ 13014; /Gide 13283/ 13336 /Proust 13448/ 13701 /Apollinaire 13804, 13805, 13806/ 13935, 14212, 14230, 14334, 14503, 14504, 14555, 14557, 15110, 15454, 15636, 15700, 15833; *(comique)* 6537; *(Dame)* 6878; *(Existence de)* 14475; *(Fut mauvais)* 14294; *(impuissant)* 12192; *(lyrique)* 6524, 12561; *(obscur)* 14102; *(Roi des)* 12747; *(Soyez bons pour le)* 14145; *(véritable)* 13445

Poétique 5412, 14099; *(Art)* 15401; *(Beau)* 16086; *(Connaissance)* 16085; *(Court-circuit)* 15604; *(Expression)* 7989; *(Indifférence)* 14803; *(Pensée)* 9932; *(Prose)* 11477; *(Vision)* 11718

Poignard 1478, 9951

Poignarder *(Se)* 8147

Point *(d'honneur)* 2945

Pointe *(assassine)* 12375

Pointu 2329

Pois 8892; *(Petit)* 11970

Poison 11219, 11540, 12457, 15051

Poisson 2496, 5203, 8523

Poitrinaires 7009

Poitrine *(Mal à votre)* 3326; *(plate)* 11734

Pôle 11492

Polémique 13193

Police 7040, 7959, 8110, 8468, 8497, 9530, 9795, 9809, 13105, 15686; *(russe)* 11927

Polichinelle 5706

Polissez *(-le sans cesse)* 3732

Polisson (s) 6148, 11472

Politesse 5153, 5597, 7944, 11756, 13024; *(Comble de la)* 14438; *(des rois)* 7693; *(du cœur)* 15483

Politique (s) /Corneille 1811, 1825/ /Molière 2740/ /La Bruyère 4422/ /Voltaire 5532, 5626, 5653/ 5955 /Rousseau 5991/ 6676, 6681, 6827, 6955, 7361, 7692 /Stendhal 8747, 8788, 8818/ 9145, 9379, 9382 /Balzac 9692, 9817/ 10412, 10453, 10587, 10755, 11722, 11858, 11938, 12983, 12988, 13072, 13205, 13206, 13207, 13214, 13590, 13592, 13593, 13597, 13666, 13885 /Paulhan 14109/ 14175, 14565 /Malraux 15329/ 16158, 16164, 16333; *(Action)* 9443; *(Conception)* 9258; *(Économie)* 10454, 10612, 10907, 16217; *(Ennemis)* 14886; *(Feu de la)* 15698; *(flasque)* 12963; *(Grand)* 9721; *(Hommes)* 5579, 12131; *(Illusion)* 8272; *(Immobilité)* 8295; *(Intelligence)* 14887; *(Lutte)* 7801; *(nouvelle)* 10645;

(Passion) 13065, 13068; *(Travail)* 9440; *(Vertu)* 9999

Pologne 5608, 8689

Polonais 9138

Poltron 2452

Polyèdres *(d'idées)* 13572

Polyeucte 5373

Polygame *(Dieu est)* 12332

Polytechnique *(École)* 14003

Pomme (s) 6603; *(de Cézanne)* 14715; *(de terre)* 11282

Pommier 8439, 12808

Pomone 3697

Pompe (s) 8529, 10391; *(funèbres)* 5045

Pomper 10624

Pompeuse *(Manière)* 5803

Pomponace 5963

Ponce *(pierre)* 2381, 9827

Ponsard 11350

Pontifes 5977

Pont *(sans garde-fous)* 5651

Pontoise 3952

Populace 5572, 5693, 7509, 10606; *(égoïste)* 11495; *(Règne de la)* 7960

Popularité 7038, 10094, 10608

Population 9426, 9436

Porc (s) 2343, 12442, 15664

Pornographie 14817

Port 12760

Port-Royal 3313

Portants *(Bien)* 14244

Porte (s) 13279; *(cochère)* 9777; *(ouverte ou fermée)* 11081; *(Ouvrez-moi cette)* 13794

Porte-respect 2753

Portier *(de l'idéal)* 12822

Portrait (s) 2842, 4728, 7383, 8667

Positif 9396; *(État)* 9384, 9387

Positions 6350

Positive *(École)* 9397; *(Philosophie)* 9383, 9421; *(Religion)* 9429

Positivisme 9411, 9425, 9435, 12123

Positiviste 9402; *(Catéchisme)* 9416

Positivité *(rationnelle)* 9398

Posséder 8441, 8636, 13366, 14254, 14662

Possession 944, 13269, 13367, 14034, 14835, 15428

Possible 969, 7882, 13095; *(Ce n'est pas)* 8502

Postérité 573 /Racine 4190/ /La Bruyère 4250/ 4886 /Voltaire 5530, 5544, 5670/ 5806, 7033, 8142 /Chateaubriand 8358/ 8492 /Vigny 9355/ 9467, 10526, /Flaubert 11691/ 12283, 13019 /Céline 14644/ 15629

Posthume *(Épanouissement)* 13733

Postulat 13806

Pot 93; *(à deux anses)* 923; *(de chambre)* 4783, 10621, 11686

Pot-au-feu 11542, 14281

Potage 2828

Poteau *(Ceux que l'on mène au)* 15826

Potiron *(Grand)* 11018

Pou (x) 12675; *(rêveur)* 12890

Poucette 11950

Poudre 10017; *(à canon)* 5097; *(de riz)* 11536

Poule 562, 2425, 2543

Pouls *(Tâter le)* 7504

Pouponne 1266

Pourceau 6351

Pourceaugnac 6533

Pourlécher (se) 12420

Pourpoint 1935, 3005

Pourpre 10181; *(Lambeaux de)* 9941

Pourquoi 9829, 13860, 15045; *(des phénomènes)* 7746

Pourrir *(Vocation de)* 14191

Pourriture 695, 12944, 16004

Poussière 444, 9173, 11318, 14203; *(humaine)* 8143

Poussin 8229, 9449

Pouvoir /Molière 2881/ /Racine 4149/ /Montesquieu 5095, 5139, 5143/ /Diderot 6396/ 7797 /Chateaubriand 8286/ /Vigny 9266/ /Balzac 9824, 9853/ 9969, 11114, 11761, 11989, 14595, 15266, 15273; *(absolu)* 16159; *(collectif)* 8097, 8098; *(personnel)* 15679; *(temporel)* 14872

Prairie 12952

Pratique 16373, 16374

Pratiquer 6035

Praxis 16101, 16165

Praxitèle 8555

Pré *(vénéneux)* 13793

Précaution (s) 5520, 6053, 8113

Précepteur 8766

Prêche 4967

Prêchements 412

Prêcher 6542

Prêcheur 305, 7406

Précieuse (s) 2264, 2265, 2403, 2823, 3445, 3517, 3518, 3682; *(Langue des)* 3498 à 3515

Précieux 13315

Précipice 3090

Préface 6730, 6783, 9198

Préfecture 9141

Préférer *(une autre)* 12956

Préfet *(de police)* 13105

Préhistoire

Préhistoriens

Préjugé (s) 3835, 4614, 4702, 4711 /Montesquieu 5144/ /Voltaire 5380, 5521/ 5907 /Rousseau 6122, 6136, 6140, 6160, 6280/ /Diderot 6341, 6519/ 6609, 6976, 7929, 14037; *(démocratique)* 13761

Premier (ières) *(arrivant)* 13096; *(il pleut des vérités)* 12808

Prendre 5932; *(Tel est pris qui croyait)* 2562

Près 1057; *(l'un de l'autre)* 13341

Présage 1893, 3972

Préscientifique 15804

Prescription 15821

Présence(s) 446, 14176, 15818; *(des choses)* 16215; *(d'esprit)* 2177

Présent 1330, 3115, 5344, 6758, 7917, 10251, 11231, 12843, 15733, 16068; *(Conscience du)* 10939; *(dès à)* 13299; *(pur)* 13465

Président 11979

Présomption 5896, 7911

Presse 8397, 9076, 9361, 9542; *(Liberté de la)* 8428

Pressentiment 383, 8113

Prêt 1722

Prétendant 2325

Prêter 1060, 1096, 1337, 1530, 2965; *(serment)* 8403; *(sur gages)* 4598

Prétention *(de la femme)* 11226

Prêteur 10613

Prétexte 12094

Prêtre(s) 218 /Voltaire 5362, 5604, 5703/ /Diderot 6449, 6451, 6491/ 6825, 7010, 7275 /Stendhal 8770, 8780/ 9174 /Balzac 9732/ /Hugo 10184, 10284/ 10590 /Musset 11091/ /Baudelaire 11609/ /Flaubert 11704/ /Proust 13356/ 14210, 14358, 14833; *(anglican)* 5309; *(Faites-vous)* 11089; *(Guerre aux)* 12441; *(médiocre)* 14372

Prêtresse 11537

Preuve (s) 5338, 6587, 12124, 13122, 15638

Preux 9250

Prévenir 7820

Prévision 8304

Prévoir 1418, 6973, 11874

Prévoyance 514

Priée 265

Prier 5018, 8988, 9342, 9428, 11331

Prière 1887, 9408, 10344, 10371, 12818, 13619, 13720; *(aux yeux)* 12666;

Promettre 229, 4943, 6741, 13098

Pronostiquer 925

Prophète (s) 994, 2584, 3194, 4681, 9209, 14877

Prophéties 3101

Propices *(Heures)* 8959

Propos *(Mal à)* 11082

Proposition 12250

Propre *(Nom)* 8024

Propriété 6085, 6086, 6194, 6478, 7121, 7761, 8419, 9220, 10881, 10909, 14175; *(civile)* 7537, 7538; *(collective)* 16063; *(individuelle)* 8424; *(littéraire)* 10746, 12128; *(privée)* 13489; *(Qu'est-ce que la)* 10880

Prosateur 11099, 11100, 14555

Prose 1349, 2980, 4579, 4616, 4755, 7435, 7480, 9502, 14744; *(Chiens noirs de la)* 10147; *(française)* 10515; *(poétique)* 11477

Prosodie 12264, 13446

Prospérité 8157, 15668

Prostitue *(La femme qui se)* 15539

Prostitué (e) 11740, 11741, 12426, 14676

Prostitution 8563, 11442, 12736

Protecteur *(Esprit)* 8061

Protection 11126

Protéger *(des courtisans)* 3631

Protestant (s) 3416, 3686

Protestantisme 7450, 8378

Protestation 14792

Protester 10246

Protoplasma 14324

Proust *(russe)* 14235

Prouver 12558; *(Trop)* 12439

Provence 5930, 9849

Proverbe (s) 10981, 11068, 11101, 11102; *(du gratuit)* 1513

Providence 496, 3325, 5061, 5914, 7206, 8013, 8116, 9360, 10772; *(des imbé-*

ciles) 12436; *(divine)* 11202

Province 3292, 5774, 7729; *(Yeux de)* 5950

Provincial 8775

Proximité 16306

Prude (s) 2851, 2910, 7295, 8885, 10087, 11078

Prudence 2362, 4549, 6782, 7604; *(Adieu)* 2475

Prudent (e, s) *(Amants)* 15476; *(Ames)* 4998

Pruderie 4288, 4474, 6958, 10213, 10730

Prudhomme 12719

Prusse 7726, 9199; *(Roi de)* 5595, 7488

Prussien 7415

Prussique *(Acide)* 8757

Psychanalyse 16283

Psychiatrie 16326

Psychologie 8046, 12815, 13092, 14082, 16276; *(collective)* 14693; *(concrète)* 15457; *(dans le temps)* 13387

Psychologique *(Fait)* 15456; *(Technique)* 15308

Psychologue (s) 12108, 15455

Ptyse 12217

Public 2203, 3287, 3297 /Racine 3958/ /La Bruyère 4223/ 4631 /Montesquieu 5273/ 5769, 5912 /Rousseau 6011/ 6554, 6558, 6752, 7262 /Chateaubriand 8249, 8382/ 9100, 9410 /Balzac 9718/ /Hugo 10295/ /Baudelaire 11519/ 11895 /Zola 12111/ 13923, 14320, 14485; *(Effet)* 7321; *(enfantin)* 11854; *(français)* 15906; *(Homme)* 9295

Publicité 8075, 9284, 13998

Publier 1671

Puce 2854, 4828; *(de l'horreur)* 14641

Pucelage 1033, 12332

Puceron 11814

Pudeur (s) /Molière 2764/ /Bossuet 3407/ /Racine 4157/ /Voltaire 5452/

/Stendhal 8709, 8712, 8843/ 9094 /Balzac 9786, 9835, 9885/ 10992, 13010, 13023, 14582, 15691; *(Attentat à la)* 13573; *(extrême)* 14178; *(Foin des)* 13986; *(virile)* 9315

Pudique *(Complètement)* 12613

Pue *(Si mon théâtre)* 15895

Puissance (s) 2487, 3803, 6210, 6388, 6389, 12611; *(défensive)* 12866; *(du vice)* 9743; *(invisibles)* 6814; *(publique)* 6461; *(souveraine)* 6478; *(Volonté de)* 14716

Puissant (s) 5508, 10557

Puits 14134, 15050, 15214, 15258

Pulsation *(intérieure)* 16170

Punir 663, 4118, 7956, 8717

Punissable 9559

Punition 9898

Pur (e) 9261, 15832, 15914, 15943; *(Ame)* 15481

Pureté 5030, 12258, 15533

Purgation 973

Purgatoire 2393, 13626

Pusillanimité 874

Putain 1190, 12653

Pygmalion 11775

Pyramide (s) 5567, 8517, 11707; *(de la science)* 11888

Pyrénées 3142

Pythie 4615, 10800

Q

Quadrature *(du cercle)* 6283

Quadrupède (s) 5838, 10877

Qualité (s) 880, 978, 2094, 8803, 9812; *(Gens de)* 5316, 5497; *(Homme de)* 4716; *(Personnes de)* 3873; *(Signification de la)* 14056; *(Valeur de la)* 14056

Quarante 3792

Quartier Latin *(Le lion du)* 11351

Quatre *(Deux et deux font)* 6768, 8556, 16046

Quatrième État 12413

Quelque *(chose)* 10389; *(On meurt de)* 15761

Quelqu'un 15098

Querelle (s) 2100, 2979, 10509; *(d'amoureux)* 3226

Quereller 6702

Querelleur *(Peuple)* 10257

Qu'est-ce *(que ça veut dire?)* 13708

Question (s) 7916, 15626; *(Malheur de la)* 15625; *(Poser les vraies)* 15801

Quête 1068

Queue *(du renard)* 6419

Quichotte *(Don)* 2249, 9909

Quiétisme 15292

Quille (s) 12683; *(Abatteur de)* 1353

Quinault 3649, 3656

Quinte *(essence)* 389

Quinze *(ans)* 10420

Quinze-Vingts 12012

Quitté *(Être)* 6989

Quitter 4867; *(la vie)* 14741; *(Se)* 7731, 13385; *(une femme)* 15951

Quotidien (ne) 15085; *(Vie)* 15549, 15550

R

Rabelais 645, 5678, 6078, 6331, 10185, 10437; *(Le secret de)* 12515

Racaille 15266

Race (s) 5559, 8109, 9506,

11906, 12948, 13552, 15497, 15696; *(Admirable)* 12944; *(blanche)* 11278, 11280; *(Haine de)* 12908; *(Hiérarchie des)*

11277; *(humaines pures)* 14697; *(Inégalité des)* 15784; *(Notre)* 14020

Racine *(Jean)* 3310 /Bossuet 3407/ /Boileau 3698/ 4210 /La Bruyère 4241/ /Saint-Simon 4779/ 6547, 6549, 7589 /Chateaubriand 8224/ 8601 /Hugo 10145, 10390/ /Musset 10952/ 12493, 13329, 13605, 13606, 13607, 13610; *(Leçon de)* 14176

Racine (s) *(grecques)* 15855; *(plantes)* 7381, 12576, 14202, 15274

Racisme 11831, 11838, 11860

Racistes 15321

Raconter 8869, 12581; *(fidèlement)* 8189

Radical (aux) 12416; *(Signes)* 8436

Radicalisme 11677

Radiographie 13803

Radoterie 3294

Raffinements 6276

Raffiner *(l'âme)* 5012

Rage 2803, 2998, 4013, 15092; *(ô)* 1699

Ragot 3791

Raideur 12848

Raillerie 12561

Raîlway 10442

Raison (s) 57, 100, 101, 102, 201 /Montaigne 882, 899, 916, 923/ /Descartes 1562/ /Corneille 1678, 1762/ 2240, 2260, 2261 /La Fontaine 2550, 2563/ /Molière 2892, 3010/ /Pascal 3021, 3136, 3138, 3139, 3140, 3150/ /Bossuet 3380, 3392/ 3472 /Boileau 3717/ 3795, 3827, 3858, 3868 /Racine 4189/ /La Bruyère 4329/ 4468, 4470, 4588, 4602, 4759, 4841 /Montesquieu 5179/ 5288 /Voltaire 5324, 5428, 5433, 5521, 5562, 5702/ /Rousseau 6006, 6008, 6029, 6052, 6145, 6155, 6268, 6280, 6282/

6600, 6602, 6611, 6694, 6723, 6767, 6829, 6927, 7021, 7358, 7433, 8045, 9573 /Balzac 9638/ 9931, 11835, 11837, 11869, 12039, 12070, 12496, 12954 /Gide 13295, 13307/ 13859, 14166, 14288, 14867, 15684, 15995; *(Age de)* 4932; *(Avoir)* 14250; *(Belles)* 6420; *(Bonnes)* 7305; *(de l'impossible)* 12605; *(de l'univers)* 12306; *(d'État)* 1428, 4442; *(d'être)* 12304; *(d'être triste ou gai)* 13100; *(de toutes choses)* 15738; *(de vivre et de mourir)* 7507; *Dieu a toujours)* 13583; *(directe)* 10393; *(douteuse)* 8116; *(du plus fort)* 2417; *(éternelle)* 4534; *(L'ennui, c'est que j'ai)* 14108; *(contraire de la folie)* 11907; *(publique)* 9411; *(universelle)* 5566; *(Vaisseau de la)* 11893; *(victorieuse)* 14818

Raisonnable 4905, 5042, 7024, 12175

Raisonnement (s) 12852; *(Mauvais)* 6593

Raisonner 890, 3006, 5517, 5693, 8782

Raisonneur (s) 4567, 9458, 11091

Ramage *(Sans mentir, si votre)* 2410

Rameau 6349

Ramée 12350

Ramier 12808

Rampe 10107

Ramper 3894, 6937, 7853, 9952

Ramure 12347

Rance 13946

Rancé 8236, 8243, 8249, 8257

Rançon 35

Rancune 2312, 9965

Rancunier 12079

Regardent *(Soldats, quarante siècles vous)* 8517
Regarder 10565, 14771; *(S')* 10222
Regardeurs 14309
Régent 4809, 8754
Régicide 4562
Régime 7668, 13958; *(social)* 13873, 15680
Régiment *(de cavalerie)* 5384
Région *(chaude)* 11158
Régionalisation 9437
Règle (s) 9462, 9988, 9997, 12870, 13329, 14089; *(chimérique)* 12888; *(de l'art dramatique)* 3990; *(de poésie)* 6845; *(littéraires)* 6753; *(monastique)* 5160
Règne 3797, 6472
Régner 1914, 3804, 3805, 3892, 3971, 4079, 4801, 9230, 10206
Regret (s) 162, 163, 164, 169, 578, 591, 2554, 6043, 8311, 11470, 13620, 15143, 15158
Regretter 15044; *(Se faire)* 15646
Réhabilitation 8427
Reine 1821, 2137, 9955, 10083, 10084; *(d'Angleterre)* 11975
Réinventer *(l'amour)* 12709
Réjouir 1228, 5046
Réjouissance 852, 13684
Relatif 12942; *(Tout est)* 7921
Relation (s) *(formelles)* 13823; *(spirituelle)* 13663
Religieuse (s) 2394; *(Bonne)* 6322; *(Décadence)* 9441; *(Résurrection)* 9179
Religieux 8309, 10407, 12934; *(Esprit)* 14227; *(Frein)* 8593; *(Sentiments)* 8049, 8101, 13858
Religion (s) 708/ Montaigne 834/ 1139, 2282 /Pascal 3035, 3036, 3188/ 3331, 3420 /Racine 4020/ /Montesquieu 5063, 5068, 5115, 5206, 5207, 5208, 5209/

/Voltaire 5306, 5311, 5324, 5348, 5577, 5578, 5650, 5656/ 5856 /Rousseau 6226/ /Diderot 6292/ 6599, 6605, 6814, 6819, 6820, 6823, 7065 /Constant 8066/ /Chateaubriand 8178, 8278, 8279, 8297, 8315, 8355, 8419/ 8469, 8491, 8558 /Stendhal 8822/ 9176, 9399, 9439 /Balzac 9600, 9720/ /Hugo 10207, 10215/ 10562, 10650, 10897, 10940 /Musset 11050/ 11204, 11214 /Baudelaire 11587, 11615/ /Flaubert 11698, 11704/ 11764, 11773, 11824, 11861, 11892, 11945, 11946, 13120, 13852, 14542, 14827, 15036, 15109, 15819, 15938; *(abolies)* 13393; *(ancienne)* 4486; *(chrétienne)* 4459, 5037, 5038, 8162, 8170, 8184; *(de l'avenir)* 10045; *(démontrée)* 9419; *(Entrer en)* 6325; *(Excès de)* 5502; *(Hommes de)* 14598; *(juive)* 5639; *(raisonnable)* 5572, 10925; *(tolérées)* 5079; *(Vérité de la)* 13637
Reliques 6812
Relire 7886
Reliure 6784
Rembrandt 11399, 15365
Remède (s) 510, 1154, 1612, 2174, 2765, 2973, 2991, 7199, 9946, 11392, 15051
Remembrance 336
Remerciement 1482
Remercier 10429
Réminiscence 2626
Rémission 14075
Remontrances 6432
Remords 521, 1668, 3890, 3987, 4140, 5395, 5428, 6228, 9863, 10116, 10172, 11448, 12716, 13865, 14305
Remplacer 13763
Renaître 2345, 5450; *(vertueuse et pudique)* 9851

Respecter 4861, 15710

Respiration 12243

Respirer 14848

Responsabilité 14591; *(de l'État)* 13076

Responsable 9559, 15225, 15242, 15244, 15257, 16094

Ressemblance (s) 14168, 15476, 15477; *(affreuse)* 14186

Ressembler 2802, 2995

Ressentiment *(Unique objet de mon)* 1738

Ressort (s) 2665, 5388, 5398, 5540, 7447

Ressource *(des jeunes gens)* 4284

Ressuscité (s) 638, 13627

Ressusciter 9991, 11229; *(chaque matin)* 14401

Restauration 12409

Reste 13642

Rester 4972, 13410; *(soi-même)* 12010

Résultat (s) 7951, 8304, 13205

Résurrection 1202; *(de la chair)* 14229

Retard 16318

Retenir 1095

Retour *(d'âge)* 12532

Retraite *(chrétienne)* 5007

Retraité 13651

Retrouver (se) 10995

Retz *(Cardinal de)* 5534, 8241

Réunion *(politique)* 12005

Réunir 2259

Réussir 5215, 7669, 8477, 9644, 15220

Revanche 12030, 12450

Rêve (s) /Rousseau 6266/ 7557 /Lamartine 9017/ /Vigny 9366/ 10104 /Hugo 10322/ /Nerval 10783, 10833, 10840, 10849/ 10874 /Musset 10999/ 11312 /Baudelaire 11452, 11515/ 11584, 11786, 11921 /Rimbaud 12662, 12665/ 13084, 13250 /Valéry 13445, 13470/

13715, 14813; *(d'amour)* 81; *(étoilé)* 10092; *(étrange et pénétrant)* 12340; *(éveillé)* 10781; *(Grand)* 13234

Réveil 13110; *(Tristesse du)* 15085

Réveiller (se) 9875, 10104

Révélation (s) 14790, 15856; *(anciennes)* 15846

Revendicatif *(Mouvement)* 15284

Revenir 13030

Revenu 1359

Rêver 10052, 10216, 10498, 11635, 12844, 14689; *(d'être mort)* 12083

Réverbère 11658

Révérence (s) 1493

Rêverie (s) 1783, 6200, 6201, 6212, 10053, 11385, 11477; *(gothique)* 12292

Rêveur 10140, 11384, 13250, 14874, 15461; *(à nacelles)* 10961; *(lunaire)* 12901; *(Naturel)* 10794

Revivre 1003

Révolte 2303, 8487, 12014, 12195, 13660, 14800, 15382, 16031, 16032 16038, 16067; *(Rôle de la)* 16060

Révolté 12018

Révolution (s) 2128, 2186 /Bossuet 3403/ /Voltaire 5688/ /Rousseau 6096, 6161/ /Diderot 6417, 6485/ 7129, 7515, 7531, 7535, 7593, 7600, 7608, 7691, 7719, 7795, 7801, 7958, 8130 /Chateaubriand 8208, 8217, 8219, 8283, 8342, 8406, 8433/ /Stendhal 8827/ 8914, 8929, 9227, 9545 /Balzac 9803, 9884/ 9947 9962 /Hugo 10168, 10219/ 10471, 10472, 10622, 10661, 10669, 10671, 10888, 10889, 10906, 11169, 11958, 11959, 12030, 12033, 12155, 12412, 12415, 12512, 12526 /Rimbaud

12725/ 13591, 13758, 13872, 13915, 14316, 14376, 14398, 14508, 14590 /Céline 14686/ 14836, 15155, 15303 /Malraux 15307, 15319/ 15401, 15562, 15959, 16217, 16253; *(bourgeoise)* 12877; *(de 1789)* 7043, 7044, 7046, 7053, 7440, 7441, 7442, 7511, 7523, 7528, 7721, 7741, 8007, 8128, 8195, 8196, 8237, 8281, 8287, 8306, 8505, 8519, 8852, 10196, 10673, 11242, 11548, 11603, 11828, 11850, 16062; *(de 1830)* 9968; *(des intellectuels)* 15571; *(Esprit de)* 8919; *(féminine)* 9423; *(future)* 12522; *(parisienne)* 13054; *(Rêver sa)* 16239; *(russe)* 14629

Révolutionnaire (s) 7768, 8083, 8305, 10891, 10913, 11883, 13115, 13870, 13959, 14584, 15108, 15328; *(Disposition)* 8919; *(Esprit)* 10937; *(État)* 8452; *(Chocs)* 7703; *(Sens)* 10231; *(Vertu)* 14727

Rhétoricien 11911

Rhétorique 2739, 3263, 10008, 10146, 12017, 14087, 16035

Rhin 3617, 9035, 13797; *(allemand)* 11031

Rhodes *(Colosse de)* 10625

Rhumatisme 12036; *(antique)* 10169

Ri *(Râpe à)* 15078

Ribaudes 103

Richard *(Cœur de Lion)* 6794

Riche (s) 231, 355, 1360, 6262 /Diderot 6338, 6484/ 7524, 7673 /Constant 8099/ 8587 /Balzac 9766, 9826/ 10586, 10633, 11116, 13033 /Céline 14674/ 15690; *(Gens)* 6128, 7814; *(Mariage)*

4913; *(Mauvais)* 12553; *(Nations)* 15513

Richelieu 2145, 5630, 5633, 15865

Richesse (s) 719, 720, 721 /Bossuet 3375/ /La Bruyère 4348, 4357/ 5003 /Montesquieu 5091/ 5735, 5737 /Rousseau 6273/ /Diderot 6481, 6482/ 9404 /Hugo 10233/ 12420, 14013; *(Origine des)* 3527

Ride (s) 1694, 10241, 11586; *(de l'âme)* 7878

Rideau 14292

Ridicule (s) /La Rochefoucauld 2051/ 2208 /La Bruyère 4238/ 4833 /Montesquieu 5053/ /Voltaire 5485/ 5769, 5866, 5881, 5899, 7221, 7353, 7879, 8026 /Stendhal 8814/ /Hugo 9985/ /Verlaine 12336/ /Céline 14670/ /Camus 16033/; *(Se trouver)* 11681

Riemannien *(Volume)* 15448

Rien 2471, 2480, 2955, 6759, 9919, 11364, 13836, 16084, 16311; *(à se dire)* 13341; *(fait)* 7485; *(ne va de soi)* 14038; *(On ne sait)* 16202; *(Tout ou)* 10871

Rigoriste 7334

Rigueur 599; *(acharnée)* 10501

Rimailleurs 1519

Rimbaud 12262, 12399, 13168, 13188, 14161, 14801, 14810

Rime (s) 1349, 3715, 3716, 4578, 4579, 5357, 5358, 12256, 12569; *(et raison)* 3650; *(Torts de la)* 12377

Rimer 405, 3673

Rimeur (s) 6838, 9464, 11797

Rire 107 /Rabelais 292/ 1112, 1344, 2320 /La Fontaine 2656/ /Molière 2822/ /La Bruyère 4240, 4326/ 4854, 5935 /Rousseau 6168/ 6904, 7208, 7698 /Chateaubriand 8408/

9132 /Balzac 9834/ /Hugo 9986, 10369/ /Verlaine 12336/ /Rimbaud 12686/ 12851 /Claudel 13138/ 14529, 15538, 15582, 15935; *(austère)* 15709; *(Éclat de)* 10185, 13798; *(Faire)* 2842; *(impur)* 12375; *(mélancolique)* 12478

Ris 1526, 2642

Risque 15612

Risque-tout 13161

Rites 15260

Rivage 8958, 11698; *(des morts)* 4109

Rival (es, aux) 1231, 3552, 4229, 5776, 5779, 6158, 7294, 8695, 13396, 15352; *(J'embrasse mon)* 3981

Rivalités *(de femme)* 9664

Rive 10339

Rivières 3057

Robe 5767, 15005; *(Gens de)* 5240, 5766; *(Homme de)* 5047; *(spéciale)* 12235

Robespierre 7487, 7598, 7787, 8288, 9632, 11383, 11605, 12020

Robin 95, 527

Robinson 14223

Rocher *(conventionnel)* 15155

Rocroi 8244

Rodeur 8906

Roi (s) 2, 47, 139 /Rabelais 331/ 471, 806 /Montaigne 1040/ 1131, 1170, 1173, 1236, 1244, 1247 /Corneille 1696, 1808/ 1906, 2142, 2322 /Molière 2818/ /Pascal 3105, 3146/ 3562, 3807, 3810, 3811, 3820, 3839 /Racine 3883, 3884, 3895, 3896, 3897, 3998, 4066, 4183, 4184/ 4537, 4538, 4551, 4562, 4672, 4673, 4754 /Saint-Simon 4784, 4797, 4799, 4800/ 4844 /Montesquieu 5094, 5096, 5102/ /Voltaire 5381, 5468, 5543, 5557, 5627, 5634, 5657, 5659, 5660/ 5840 · /Rousseau 6078/

/Diderot 6309, 6347, 6451, 6461, 6487/ 7077, 7120, 7275, 7564, 7727, 7766 /Constant 8074/ 8121 /Chateaubriand 8207, 8272, 8410/ /Hugo 10027/ 10681, 11827, 15253, 15883; *(citoyen)* 5972; *(d'Angleterre)* 6809; *(de France)* 5033, 5034, 10025; *(de la halle)* 7440; *(de Prusse)* 5662; *(des animaux)* 2447; *(des gueux)* 12565; *(d'Espagne)* 4791; *(des rois)* 10819; *(émigré et vagabond)* 8485; *(faible)* 5630, 5632; *(Fils de)* 15688; *(Grand)* 3701; *(Mon)* 15082; *(sans divertissement)* 3108; *(sans religion)* 7574; *(secret)* 9238

Roitelet 2430

Roland *(Chevalier)* 5, 6, 9, 11, 16, 8120, 9249, 9251

Roland *(Madame)* 8763

Rôle 1062, 9293

Rolet 3646

Rolls-Royce 15135

Romain (e, s) 5269, 5970, 7977, 7988, 8255; *(Langue)* 10656; *(Ombre)* 8994; *(Saint-Empire)* 5585

Roman (s) 1533, 3271 /Racine 4186, 4191/ 4676 /Voltaire 5328/ /Rousseau 6010/ 7056, 7775 /Chateaubriand 8235/ /Stendhal 8766, 8787, 8837, 8846, 8873/ 9585, 9939, 10424, 10544 /Nerval 10798, 10799, 10852/ /Flaubert 11719/ 11751, 11771, 11912, 12084, 12535, 13482 /Paulhan 14104/ 14462, 14916, 14917, 14923, 14924, 14925, 14927 /Aragon 14951, 14989, 14998/ 15436 /Camus 16035, 16270, 16271; *(Bons)* 13263; *(de la Rose)* 73; *(expérimental)* 12102; *(his-*

torique) 14922; *(moderne)* 15433; *(naturaliste)* 12104; *(Nouveau)* 16210

Romance 12223; *(nouvelle)* 14949

Romancier (s) 7772, 9597, 11715, 11909, 12101, 12106, 12579, 13954, 14072, 14177, 14910, 15439

Romanesque 13359

Romantique 8746, 10535, 11162, 12372, 12493, 13301; *(Art)* 13652

Romanticisme 8743

Romantisme (s) 8068, 8204, 11503, 12741; *(du Nord et du Sud)* 15835

Rome 595 /Corneille 1725, 1738, 1813/ 2231 /La Fontaine 2667, 2700/ /Racine 4045, 4046/ 4768 /Montesquieu 5125/ /Voltaire 5313/ 7988 /Chateaubriand 8412/ 8484 /Stendhal 8845/ /Lamartine 9015/ 9555 /Hugo 10042/ 10510; *(chrétienne)* 8333; *(païenne)* 8333

Roméo *(acier)* 12541

Rompre 2067; *(une affaire sentimentale)* 5262

Rompu 755; *(Tout est)* 11258

Roncevaux 9249

Rond *(de fumée)* 12222

Ronde *(de Paul Fort)* 13495

Ronsard 1212, 1342, 3727, 10485

Rose (s) 61, 108 /Villon 190/ 518, 519 /Ronsard 612, 638, 657, 671/ 1259, 1311, 1377, 1467 /Corneille 1691/ 4622, 6668, 6975, 7094, 7232, 8905, 8908 /Hugo 10034/ /Nerval 10827/ 11792 /Aragon 14977/; *(d'automne)* 1199; *(de septembre)* 12367; *(pliée)* 7400

Rrose *(Selavy)* 15162

Roseau 2430, 4150, 8963, 13007; *(pensant)* 3152

Rosier 8439, 14977

Rossignol 66, 562, 1500, 7992, 9566, 13235, 14882, 14957

Rothschild 10624

Rôti 2399

Rôtisseur 7643

Rotrou 8795

Roturier (s) 3551, 6028; 16088

Roue 48

Rouen 9563

Rouer 5686; *(cent innocents)* 5685

Rouet *(d'arquebuse)* 1435

Rouge (s) 9706, 9977; *(Deux trous)* 12660

Rougir 4070, 4077, 4099, 4116, 4178, 6166, 6372, 8268, 11084; *(d'aimer)* 5791; *(de honte)* 9816

Rouille 7918; *(de l'âme)* 9050

Roulette 12622

Roulier 11754

Roulis *(des foules)* 9049

Rousse *(Femme)* 11077

Rousseau 5671, 5672, 8782, 9415, 9420, 9804, 10828, 11709

Route 11869, 12467; *(large)* 12449

Routier 12179

Routine 10707, 11163, 11659

Royaliste 8207, 8407

Royaume (s) 218, 2547, 3126, 4382, 7122; *(de Dieu);* 33, 87, 3401; *(de n'importe quoi)* 13472; *(flegmatique)* 12466

Royauté 4359, 10169; *(Meule de la)* 12313

Rubens 11397

Rudes *(Ces choses-là sont)* 10362

Rudesse 1857, 4113

Rudiment 8594

Rue 14689; *(de Paris)* 9694

Ruffian 11063

Rugir 6426

Ruine (s) 2532, 8180, 8999, 9824, 11815, 12156, 13018;

S

Saint-Siège 3382

Saint-Simon 8345, 8862

Saint-simonisme 11124

Saint Sylvestre 8688

Sainte-Hélène 8871

Sainteté 4188, 12917, 14101, 14351, 14362; *(Votre)* 8484

Saisir 14193

Saison 8997, 12356, 12693; *(des regrets)* 13800; *(laide)* 15650; *(prochaine)* 14080

Salaire 10686, 10740

Salarié 7423, 8424

Salarier *(le plaisir)* 9902

Salaud 15222

Sale 8845

Saleté 15919; *(morale)* 13039

Salique *(Loi)* 8410

Salomon 174

Salon 8771, 8876, 9205

Salope 11616

Saloperie 11584

Saltimbanque 11576

Saluer 3027; *(Se)* 5669

Salut 3313, 9116, 11799, 13189, 14573, 15547, 16015; *(de l'âme)* 3537; *(de l'Empire)* 10413; *(demeure chaste et pure)* 11322; *(Faire son)* 5599; *(Hors de l'église pas de)* 10601; *(La voie du)* 14581; *(ô mon dernier matin)* 11320; *(public)* 13979

Salzbourg *(Mine de)* 8706

Samarie 13170

Samson 174, 2335

Sanctuaire 6591

Sang 199, 1196, 2347, 2350, /Racine 4078, 4083, 4108, 4119/ 4763 /Voltaire 5411/ /Rousseau 6278/ 7457, 7460 /Constant 8057/ /Chateaubriand 8356, 8396/ /Stendhal 8802/ /Lamartine 9091/ 9231, 9582 /Balzac 9838/ /Musset 10951/ 13727; *(des vaincus)* 7854; *(frais)* 14709; *(Goûter de son)* 12463; *(humain)* 14312;

(noble) 4875; *(odieux)* 4056; *(Piscine de)* 8237; *(royal)* 6450; *(Voix du)* 7908

Sang-froid 6497, 8802

Sanglant 4165

Sanglot 10360, 11305, 11403, 11449; *(Blanc)* 12184; *(long)* 12342; *(Pur)* 10989

Sangloter 3469

Sans-culotte 7717, 7770

Sans-Gêne *(Madame)* 11997

Sans-grades 13227

Sans-milieu *(Milieu de)* 14896

Santé 55, 421, 1002, 2306, 3870, 3876, 5223, 5462, 7651, 11907, 13917, 14247; *(artificielle)* 13321, *(de l'âme)* 3028

Saphir 12775

Sapin *(de l'enterrement)* 12169

Sarragosse 8021

Satan 489, 8677, 9240, 10373, 10380, 11453, 11608, 14361; *(conduit le bal)* 11321

Satiété 938, 8535

Satin 12352

Satire 3741, 4205, 4220, 4249, 5602, 6437

Satisfaction (s) 2219, 8643, 9365, 10542, 12734; *(adoptives)* 15636; *(essentielle)* 12725

Saturne 5351, 5486, 10764

Saturnien 12395

Satyre 6351, 14673

Saucissons *(de bataille)* 14649

Saule *(Plantez un)* 10985

Saut *(périlleux)* 11744

Saute *(Marquis)* 4595, 4901

Sauvage (s) 5520, 5564, 5842, 6557, 8101; *(État)* 9370, 9476; *(évangélisés)* 15455; *(Pensée)* 15800; *(Peuples)* 15807

Sauve *(qui peut!)* 5700

Sauvé 12014; *(On est)* 15936

Sauver 4062, 10079, 16024, 16037

Sauveur *(Christ)* 1110

Savant (e, s) /Molière 2821, 2845/ 4712 /Voltaire 5492/ 5988 /Rousseau 6011/ 7378, 7802 /Stendhal 8849/ 9391, 9458, 9954, 10620, 12641, 13527, 13901, 15801; *(Sot)* 3012; *(savante)* 2996, 3004, 5276; *(Génération)* 11303

Savoir /Rabelais 381/ /Montaigne 906/ /Corneille 1846/ /La Fontaine 2575/ /Pascal 3066/ /Racine 4121/ /Diderot 6401/ 6617, 6710, 6949, 7074, 7237, 9980, 10506, 12769, 13428, 13716, 14427, 14415, 15012, 15104; *(Amer)* 11461; *(humain)* 16284; *(par cœur)* 850

Savoir-faire 6949

Savonarole 9523

Savonnette 15404

Savoyard 9771

Scandale 270, 712, 2871, 7890

Scandaleuses *(Idées)* 15385

Scansion *(de l'être)* 16170

Scaphandres 13972

Scapin 3755

Scaramouche 2943

Scarron 3518

Scélérat (s) 4126, 6059, 6289, 7303, 7318, 9721, 10595

Scéleratesse 6434, 7601

Scène 6008, 10005, 15897; *(d'amour)* 8882

Scepticisme 12609, 15929

Sceptique 10436, 12934, 13871

Sceptre 662; *(des rois)* 7734

Schelling 8018

Science (s) 53 /Rabelais 345/ 539 /Ronsard 675/ 717 /Montaigne 842, 843, 844, 845, 846, 848, 889, 893, 929/ 1193 /La Bruyère 4406/ 4814, 5849 /Rous-

seau 5986, 5989, 5992/ 6642, 6666, 6673, 7067, 7085, 7106, 7368, 7378, 7466, 7704, 8042, 8043, 8526, 9144 /Vigny 9321/ 9380, 9393, 9932, 9938 /Nerval 10843/ /Musset 11055/ 11178 11180, 11304, 11358, 11359, 11778, 11890, 11892, 11919, 12063 /Mallarmé 12270/ 12284, 12527, 12641, 12643 /Rimbaud 12689/ 12784, 12830, 12889, 13479, 13497, 13744, 13765, 13908, 14031, 14062, 14063, 14375, 14612, 14907, 15101, 15448, 15540, 16161; *(achevée)* 14613; *(exacte)* 10382; *(faite chair)* 14487; *(humaines)* 9886; *(immorale)* 12642; *(morales)* 7363, 11902; *(naturelle)* 11902; *(Théorie de la)* 15447, 15449

Scientifique *(Culture)* 14037, 14040; *(Esprit)* 14035; *(État)* 9384; *(Expérience)* 14036; *(Pensée)* 14041; *(Recherche)* 14705; *(Travail)* 9440

Scribe 12238

Scrupule (s) 1307, 2197, 4570 7313, 15158

Scudéry *(Mademoiselle de)* 8246

Sculpteur 14513, 15243, 15836

Sculpture 15507

Sec 8704; *(Esprit)* 9918; *(Jeanne était au pain)* 10291

Sécante 10393

Sécateur 13025

Sécession 14337

Secourir 2516, 15029

Secours 5377; *(Au)* 14139; *(célestes)* 5728; *(divins)* 6782

Secret (e, s) /La Fontaine 2559/ /Molière 2904/ /Racine 3984/ /La Bruyère

4293   4345/   /Voltaire
5367/ 7071, 7325, 7401
/Constant   8092/   9120
/Hugo 10208/ 10495 /Baudelaire   11406/   /Flaubert
11723/ /Rimbaud 12710/
14455   /Paulhan   14125/
14742;   (de la nature)
13312; (Meuble à) 11649;
(Mon âme a son) 10676;
(perdu) 14058; (Société)
8406

Secte (s) (nouvelle) 5080;
(religieuses) 5307, 5327

Sécurité 7336

Sédentaires   14471;   (du
cœur) 15263

Séditions 5535

Séducteur 9174; (Ton) 6272

Séduction 4884

Séduire 1676, 3548, 3904,
4723, 6328, 15324

Seiche 15166

Seigneur 71, 724, 1094,
5317, 8557; (Grand) 4752,
5082, 5756, 6944; (Méchant) 2919

Sein (s) 605, 2864, 7576,
9592, 11428, 14497; (Double) 12647; (d'une mère)
7663; (inaltérable) 11305

Seine 1200, 7031, 8513,
11446, 13789

Séjour 12398

Semblables 15312

Semblant (Faire) 14164

Semelle (de ses souliers)
7735

Semence 464, 9838

Semer 12873

Semeur (Geste auguste du)
10258

Séminaire 8777

Séminariste (s) 1384, 12918

Sémiologie 12788

Sénat 5164, 7967, 12043

Sénateurs 5164

Sens 357, 930, 951, 2281,
2366, 3724, 3829, 14152,
16146, 16176, 16177; (Bon)
303, 1542, 2065, 2242,
2620, 3715, 3810, 3851,
4515, 11026, 15147; (Cinq)

5419, 5732, 5746, 6526,
6619; (des mots) 3060;
(enseveli) 12249; (moral)
12758;   (naturel)   9446;
(plus pur) 12219; (trop
précis) 12223; (sensuels)
5789, 6257, 10497

Sensation (s) 6018, 8381,
9214,   10572,   14557,
14626, 14679; (Art de la)
15889

Sensibilité 6229, 6562, 6564,
6631, 7045, 7152, 7706,
8303,   8536,   11552,
12954

Sensible (s) 5042, 5697, 6972,
8901,   13686,   15346;
(Choses) 3847; (Cœur)
6261

Sensualité 1378, 3529, 14953

Sensuelles (Femmes) 7075

Sentence (de mort) 11041

Senti 9456

Sentiment (s) 2234 /Pascal
3052/ 4890, 4933, 5908
/Rousseau   6230,   6244,
6250/ 6849, 7238, 7560,
/Chateaubriand   8326/
/Stendhal 8869/ /Balzac
9608, 9638/ 10572, 12833,
12863,   14322,   14557,
15654;   (Analyse   des)
15433;   (Beaux)   9645,
9842, 11539, 13325; (Bons)
3289, 6223; (Femmes à)
7324; (nuisible) 11909

Sentimental 14691

Sentimentalité 15395

Sentir   (= flairer)   6015;
(pas bon) 11646

Sentir (= ressentir) 5006,
5025, 6222, 7541, 7545,
8948, 13286

Séparation 3291, 4298

Séparer 4005, 4011

Septembre (Je suis un enfant
de) 15946

Septième (fois) 10133

Sépulcre 2300, 7872, 8360,
10032; (de l'utérus au)
12445; (du Sauveur) 12429

Sépultures 1625

racher au) 3968; *(de la terre)* 9237; *(Je n'ai point)* 14330; *(Perdre le)* 10082; *(sans songe)* 12188; *(stupide)* 11418

Somnambules 14879

Somnolence *(Demi-)* 10824

Son 11395, 13672

Songe (s) 565 /Ronsard 649/ /Montaigne 1020/ 1120, 1284, 1332 /Descartes 1569/ /La Fontaine 2449, 2538, 2588/ /Chateaubriand 8402/ /Lamartine 9007/ /Hugo 10379/ /Nerval 10824/ /Mallarmé 12204/ /Valéry 13428/ 14331, 15888; *(Céphise)* 3925; *(d'Athalie)* 4169; *(enchanteur)* 5945

Songer 10014

Sonner *(à la porte)* 15969

Sonnet (s) 3739, 10802; *(de Shakespeare)* 14466

Sopha 5902

Sophie 6629

Sophisme 6256, 8085, 11642

Sophiste 8144, 8170

Sophistiqué 14307

Sorbets *(au citron)* 14494

Sorbonne 542, 7896, 13611, 13612, 15157

Sorcellerie 11381, 11554

Sorcière 9583

Sorrente 9010

Sort 1633, 1755, 3229, 8002, 8013, 8528; *(Coups du)* 11085

Sortir 10379; *(de soi)* 13386

Sot (te, s) 262 /Montaigne 942/ 1180, 1377 /La Rochefoucauld 2076, 2091/ 2181 /Molière 2848/ /Boileau 3665, 3735, 3736/ /La Bruyère 4268, 4419/ 5894, 5946 /Rousseau 6066/ /Diderot 6332, 6335/ 6954, 6973, 7201, 7202, 7204, 7285, 7673, 7844, 9100, 9135 /Balzac 9794/ /Hugo 10295/ /Baudelaire 11616/ 13220, 15004; *(en vers)* 1839

Sottise (s) 42, 1304, 1338 /La Rochefoucauld 2055, 2082/ 3317 /La Bruyère 4399/ /Saint-Simon 4781/ /Diderot 6331/ 6923, 7202, 7203, 7204, 7205, 11760 /Rimbaud 12778/ 13219, 14750; *(des grands et des riches)* 5729; *(imprimées)* 6946; *(pieuse)* 6468

Sou 9273; *(Sans le)* 12975

Soubrettes 4693

Souche 15561

Souci 135, 427; *(mon beau)* 1263

Souffle 15850; *(aride)* 12405; *(de vie)* 11736; *(passionné)* 9571

Soufflet 7843, 8385

Souffrance 8341, 9255, 9329, 10277, 11392, 11657, 13165, 13202, 15596, 16206; *(Appétit de)* 14078; *(Éternelle)* 10850; *(physique)* 13384, 13917; *(Sécréter de la)* 15375

Souffrir 17, 455, 644 /La Fontaine 2423/ 3465, 3593, 4545, 4982 /Rousseau 6055, 6290/ 6705, 7060, 7838, 8664, 8931, 9189, 9211 /Musset 10998, 11012, 11033/ 12303, 12431, 12486, 12634 /Malraux 15315/ 15617, 15876, 15957; *(pour une femme)* 11868; *(Sache)* 13676; *(Voir)* 3956

Souhait (s) 3869, 12203

Souillure (s) 10965, 13938; *(animale)* 15020

Soulas 419

Soulier (s) 14794; *(Coups de)* 13764; *(Sans)* 10117; *(Semelle de ses)* 10822

Soumettre (se) 12045, 15269

Soumission 15311

Soupçon (s) 3965, 5409, 5469, 10241

Soupçonner 3453, 4127

Soupçonneux 5376

Soupe 3001

Souper 5271, 9966
Soupir (s) 1677, 1850, 4064, 5731, 6779, 8166, 8704, 9571, 14131
Soupirant 2912
Soupirer 1761, 9033
Sources 2792
Sourcils 1926
Sourd 791, 2549; *(-muet)* 9674, 10719
Sourire 7471, 7472, 7818, 8372, 10048, 12455, 15339; *(de la pensée)* 14842; *(Extrême)* 8713; *(Hideux)* 10983
Souris 794, 2439, 12396
Sous-sol 15585
Soutane 12441; *(Homme à)* 5725
Souterrains *(Drames)* 15435
Souvenance 8201
Souvenir (s) 51, 3234 /Rousseau 6231, 6232/ /Constant 8090/ /Chateaubriand 8238/ 8695, 8896 /Lamartine 8962, 9005/ 9934 /Hugo 10108, 10164, 10172/ /Nerval 10824/ 10939 /Musset 11033, 11105/ /Baudelaire 11432, 11486/ /Flaubert 11693, 11701/ 11777, 12015, 13037; *(Aux yeux du)* 11456; *(du bonheur)* 13290; *(du bonheur passé)* 7878; *(heureux)* 11034; *(L'enchantement des mauvais)* 15229; *(que me veux-tu?)* 12337; *(Un homme sans)* 15145
Souvenir (Se) 8666, 12842, 15854
Souverain (e, s) 1411, 1445, 2314, 4555, 6397, 6457, 6458, 6466, 6469, 7624, 10758, 15378, 16006; *(idéal)* 11968
Souveraineté 6087, 7486
Souviens-toi 8967
Soviétique *(Règle)* 14578
Soviets 14420
Spadassin 4202
Spartacus 9043, 10401
Sparte 8190, 10042

Spécialiste 12969
Spectacle 6007, 6010, 9080, 9700, 15219, 15528, 15694, 15996; *(du firmament)* 7877; *(pompeux)* 9252
Spectateur (s) 9080, 9453, 9944, 12110, 12921, 14716
Spectre 11299; *(de ma jeunesse)* 10992; *(rouge)* 10232
Spéculation (s) 4808, 6402, 9785, 12857, 13898
Sperme 5962
Sphère (s) *(Harmonie des)* 15901; *(infinie)* 3075
Spinoza 5620, 12314, 13920
Spiritualisme 9183, 9857
Spiritualiste 10729
Spirituel (s) 15551; *(Arements)* 15409
Spleen 8408, 9265, 10949, 11147
Spoliateur 12058
Spontanéité 12007
Sport 14624
Sportif (ves) *(Esprit)* 14227; *(Femmes)* 14242
Squelette 9987, 11149, 11150, 12884; *(Embrasser le)* 9500; *(de la planète)* 13551
Stade 16077
Staël *(Madame de)* 9153
Staline 13526
Stalinien 15108
Statisticien 12936
Statistique 11189, 11750
Statuaire 2598
Statue (s) 9449, 11536, 13549; *(blanchies)* 15340; *(Soleil des)* 14522
Stature *(Petite)* 6503
Steamer 10290
Stendhal 11911
Stéréotype 15981
Stérile 12298; *(Femme)* 11415
Stimuler *(l'ouvrier)* 12274
Stoïcisme 9769
Stoïque 7857
Stratonice *(Mᵐᵉ Scarron)* 3518
Strophoïde 12768

Structure (s) 14618, 15412, 15806; *(sociales)* 13983
Stupéfaction *(remarquable)* 12484
Stupeur *(triomphale)* 15940
Stupidité 6031, 6970
Style 1533 /Boileau 3720/ 4649, 4811 à 4820, 5797, 5804, 5806, 5807, 6925, 7743 /Chateaubriand 8187, 8317/ /Stendhal 8820/ 9917 /Hugo 10008/ 10514, 11250, 11251, 11252 /Flaubert 11711/ /Maupassant 12587/ 12628, 13020, 13254 /Proust 13405/ 13694, 13699, 13749, 14500, 14501 /Malraux 15345, 15348 à 15350, 15357/ 15550; *(continu)* 7582; *(de décadence)* 12625; *(naturel)* 3063; *(Recoins du)* 10398; *(Sexe du)* 7286; *(simple)* 12308
Styx 3863, 12217
Subdivision 2210
Subite *(Marchands de mort)* 14723
Subjectivité 16215
Sublime 4404, 5356, 5697, 6345, 8033, 9194, 9195, 9196, 9197, 9790, 9883, 9985, 10406, 11508, 14449
Sublimité 6565
Subordination 6712, 13212
Subsister 6944
Substance 1578, 11652
Succédané *(malheureux)* 16033
Succès 2311, 6249, 7257, 7290, 7408, 8718, 9691, 9775, 11894, 11934, 13208; *(amoureux)* 7323; *(Condamné au)* 10706; *(Mauvais)* 3341
Successeurs 5278
Succession 2380
Sucre 1610, 5185, 11905, 12855
Sueur 9025, 14502; *(de sang)* 10116
Suffire 5016
Suffrage (s) 6528; *(universel)* 10585, 10693, 10759, 11721, 12041, 12619, 12629
Suggérer 12271, 13571
Suicide (s) /Montesquieu 5071/ /Voltaire 5702/ /Vigny 9270, 9282/ 9375 /Balzac 9715/ /Hugo 10253, 10356/ /Nerval 10844/ 11827, 12817, 13555, 14885, 15545, 15937 /Camus 16025, 16032, 16273; *(à la boutonnière)* 15139; *(Beau)* 12216; *(Goût du)* 14382
Suicidé 9376
Suicider (se) 13015
Suis *(Je pense, donc je)* 1559; *(J'y)* 12692; *(On m'attaque, donc je)* 12124
Suisse 9618
Suite 10026
Suivre 863
Sujet (s) 724, 2322, 3983, 5114, 6078, 13328, 15253, 15408, 15580; *(de discours)* 5799; *(de mécontentement)* 11966; *(Grands)* 4249; *(Mauvais)* 9707
Sully 4780
Sultans 4019
Superflu (s) 4535, 5247, 5615; *(Trésors)* 7665
Supérieur 9438, 9814; *(Homme)* 8168
Supériorité 8648; *(intellectuelle)* 11121; *(légale)* 9850; *(physique)* 11121; *(sociale)* 10632
Supernaturaliste *(Rêverie)* 10802
Superstitieux 5323
Superstition 874, 6585, 6744, 11820
Supplément 16212
Supplice (s) 4133, 4173, 6091, 6826, 10832, 11699, 12689, 12704; *(d'un roi)* 6450
Supplique 410
Supporter *(d'être un homme)* 15578
Sûr 156; *(Être)* 15487
Surdité *(spirituelle)* 3432

T

Tangente 10393, 15709

Tapinois 2776

Tapis 9326

Tapisserie 9682, 14982; *(du monde)* 15042

Tarascon 12080

Tard *(Je suis venu trop)* 10979

Tarentine *(La jeune)* 7821, 7822

Tartares 6118

Tartine 11136

Tartuffe *(Vive)* 11583

Tâter 3232

Tâtonnement 11175

Taupe (s) 430, 2413

Taureau (x) 7429; *(Courses de)* 13844

Tautologique *(Activité)* 16139

Tavannes *(Maréchal de)* 5411

Tavernes 192

Taxes 6110

Taylorisme 15417

Technique 12087, 15514, 15667

Te Deum 8769

Teindre 15288

Teint 1925, 2289, 4691; *(d'une femme)* 8887

Tel *(qu'en lui-même)* 12218

Téléfinalisme 14019

Télégraphe 12040

Télémaque 4552, 6242

Témérité 2152

Témoignage 11403, 16069

Témoin (s) 3189, 4066, 7379, 7603, 10262, 12319

Tempérament 2573, 5550, 12093

Tempérance 2560

Tempes 633

Tempête 7858, 9280; *(de la vie)* 9752

Temple (s) 1188, 10384, 10811, 11845, 13549, 15270; *(muet)* 10978

Temps 75, 117, 131, 137, 248 /Rabelais 336, 338, 368, 382/ /Marot 404, 415/ 445 /Ronsard 625, 654/ 760 /Montaigne 998/ 1417

/Corneille 1812, 1841/ 1935 /La Fontaine 2693/ /Pascal 3101/ 3329 /Bossuet 3430/ 3543 /Boileau 3690/ /Racine 4050/ /La Bruyère 4305/ /Voltaire 5424, 5481/ 6758, 6805, 6977, 7421, 7495, 7551, 7561, 7562, 7577 /Constant 8094/ /Chateaubriand 8221, 8233, 8291/ 8489, 8600 /Lamartine 8960, 8986, 9061/ 9970, 11404, 12611, 12856, 12991, 13084, 13112 /Claudel 13154/ /Valéry 13428/ 13754, 14251, 14911, 14912, 15463; *(à perdre)* 7416; *(Brièveté du)* 4424; *(C'était le bon)* 7022; *(J'ai mal à mon)* 13460; *(Perdre du)* 11311; *(perdu)* 3802; *(présent)* 13643; *(Prix du)* 5647; *(suspends ton vol)* 6980, 8959; *(très anciens)* 10306; *(Tuer le)* 14876; *(Voix du)* 9243

Tencin *(Marquise de)* 6474

Tendre *(substantif)* 3499

Tendresse /Corneille 1837/ 1861, 2236, 3300, 3629 /Racine 4122/ 4975, 7109, 7319, 7775, 9594 /Balzac 9879/ 13677, 13953, 14421

Ténèbre (s) 11390, 11492, 15662; *(rafraîchissante)* 11487

Ténébreux 10803; *(Monde)* 11385

Tentation 3208, 4285, 15837

Tenté (s) *(Être)* 15235; *(Femme)* 15531

Térence 2734

Terme 13204

Terme *(Dieu)* 9324

Terre (s) 719, 1144, 1479, 5301 /Rousseau 6004/ 7377, 7563 /Lamartine 8964/ 12303 /Rimbaud 12690/ 13051 /Gide 13276/ 13943, 14471, 14474, 15093, 15218, 15642, 15656; *(Centre de la)*

Tolède 12949

Tolérance 4466, 7167, 12125

Tolstoï 13119

Tombe 8259, 8364, 8993, 10122, 10179, 10419, 10868, 10878, 11033, 12261, 14397; *(Une femme qui)* 10066; *(Vive la)* 12454

Tombeau (x) 214, 695, 697, 1245, 1624, 1635 /Bossuet 3337/ /Saint-Simon 4799/ 6864, 7824, 7836, 8002, 8130 /Chateaubriand 8194/ 9205 /Nerval 10777/ /Musset 11007/ 11429, 11454 /Flaubert 11701/ 12072, 12761; *(des dieux)* 13094; *(du peuple)* 7787; *(Majestés du)* 8181; *(Nuit du)* 8969; *(Paix du)* 15729

Tomber 8922, 10075; *(Laisser)* 10403

Ton 3723; *(Bon)* 5274, 5874, 5893, 5895, 5897; *(Ce qui donne le)* 16310; *(du monde)* 6637; *(Mauvais)* 9788

Tonale *(Pensée)* 16242

Tonnerre 2396, 3894; *(Coup de)* 8124

Torchon 14537

Toréador *(en garde!)* 11994

Torero 15297

Torrent 596; *(dévastateur)* 13756

Tort 399, 2312, 6925

Tortue 2882, 9497, 9974; *(Ombre de)* 13433

Torture 12431; *(Ineffable)* 12742

Totalitaire *(Régime)* 16007

Totalitarisme 15677, 16069

Touchant *(Sentiment)* 9491

Touche *(A la fin de l'envoi, je)* 13222

Toucher *(sens)* 16130; *(émouvoir)* 4731, 4732, 6328

Toujours 12398

Toupie 11061

Tour (s) 3083; *(de Notre-Dame)* 927; *(d'ivoire)* 10823

Touraine 346

Tourbillon 6191

Tourment 546, 601, 738, 1216, 15934

Tourmente *(Ce qui)* 15232

Tournant 12980

Tourner *(sa langue dans sa bouche)* 10792

Tourterelle (s) 2522, 9927

Tous 8924, 13319; *(et quand nous serons)* 16097; *(pour un)* 9963

Tout 6759, 8556, 9919, 10333, 10389, 11364, 16084; *(de même!)* 12315; *(Désirer)* 12938; *(ou rien)* 10871; *(Renoncer à)* 12938

Tout-puissant 7101, 15595

Tracasseries 6315

Trace (s) 14954, 15708; *(ineffable)* 16320

Tradition (s) 5233, 9534, 13498, 13558, 13734

Traducteurs 569

Traduction 5334, 6508

Traduire 6311, 10479

Trafic 6689

Tragédie (s) /Corneille 1799/ 2235, 2236 /Bossuet 3407/ /Racine 3989/ /Voltaire 5386, 5397, 5699/ 6538, 6550, 8016 /Hugo 10073/ /Nerval 10799/ /Baudelaire 11512/ 14233, 15882; *(antique)* 9206; *(moderne)* 9206.

Tragique (s) 1536, 2250, 11911, 14830, 15980

Trahi *(Être)* 13244

Trahir 1746, 1915, 2886, 4031, 4043, 7401, 14675, 15719, 15769

Trahison (s) 1190, 2000, 12407; *(d'amour)* 3245

Train *(de luxe)* 13832; *(Prendre un)* 16092

Traîner *(tous les cœurs après soi)* 4110

Trait 12090; *(d'union)* 14550

Traité *(de paix)* 4480

Traitement *(médical)* 14248

Traître (s) 20, 1478, 6983,

10000, 10076, 10315, 15882

Tranchant 11967
Tranquille *(Homme)* 5912
Tranquillité 4934
Transcendance 14478, 15206, 15723, 16148
Transcripteurs 15352
Transe 13453
Transfiguration 13158
Transformation *(sociale)* 8285, 14587
Transfuge 8085
Transir 4099
Transitoire 15740
Translation 12445
Transmissible 14058
Transparent 10225
Transpirer 14502
Transplanter 13698
Transport (s) *(amoureux)* 2846, 2868, 3907, 3915, 3935; *(au cerveau)* 12452
Trappe *(des Trappistes)* 14472
Travail (aux) 1655 /La Fontaine 2499, 2500/ 3809 /Voltaire 5422/ /Diderot 6490, 6528/ 6650, 7495, 7681, 7919 /Chateaubriand 8280/ 8563, 8681, 8919 /Lamartine 9025/ 9179 /Hugo 10235, 10346/ 10593 /Musset 11000/ 11123 /Baudelaire 11598/ 12182 /Proust 13404/ /Apollinaire 13784/ 14589, 14790 /Aragon 14969/ /Malraux 15314/ 15669, 16066; *(Amour du)* 12181, 12182; *(détruit)* 15037; *(du corps)* 9277; *(ennuyeux et facile)* 12361; *(mécanisé)* 15419; *(personnel)* 12268; *(volé)* 10617
Travailler 94, 5517, 7675, 7847, 8729, 11224, 11607, 14551, 14789, 15870
Travailleur (s) 10895, 10917, 11962, 12740, 13645; *(Grand)* 7954
Travers 5882, 5899
Traversée 10370

Travesti 4213
Treille 5300, 13625
Treizième 10813
Trembler 3991
Trépas 5445, 12715; *(Beau)* 8625
Trépied 11733
Très-Haut 15537
Trésor (s) 6467, 8681, 13531, 15064
Tresse 11413, 11486
Triangle (s) 5061; *(symbolique)* 10725
Tribu 12786
Tribulations 1302
Tribunaux 8149; *(espagnols)* 7464; *(Journal des)* 10798
Tribune 10762; *(politique)* 7489
Tricher 5619; *(avec ses amis)* 14737
Trier 14501
Trimardeur *(galiléen)* 13079
Trinch 395
Trinité 177, 5339, 12472, 13706, 14187
Triomphant (e) 4080, 12939
Triomphe 5869, 9835, 11215
Tripière 744
Tristan 37, 38, 39
Triste 7027, 10230, 12355, 12984, 13100; *(Air)* 8789; *(Homme)* 15065
Tristesse 124, 629, 4662, 6021, 9090, 9092, 9451, 11834, 12433, 12760, 13292, 15028
Trochu 10261
Troie *(Cheval de)* 9528
Trois-mâts 11458
Trompe-l'œil 14523
Trompé (s) 14160; *(Maris)* 13370
Tromper 2207, 3497, 4297, 4533, 5919, 6128, 6726, 7139, 7779, 12801, 12805; *(le peuple)* 6088; *(Se)* 3806, 5638, 6613, 11193, 11794
Tromperie 2463, 5452
Trompette 6875

Trompeur (s) 561, 2426, 2453, 7678

Trône (s) 1666 /Corneille 1685/ 1903, 3562, 3804, 3805, 3807 /Racine 3886, 3890, 3895, 4035/ /Rousseau 5986/ 6704 /Chateaubriand 8198/ /Balzac 9876/ 9952, 10773

Trop 11767; (Chacun est) 13524

Trope (s) 4815, 1816, 12780

Tropique (s) 11226, 12180, 15791

Trou (au cul) 6296; (bleu) 12193; (de bise) 323

Troubadour 71

Trouble 4148, 4151, 11272

Troubler 13908, 15643

Troupe (enthousiaste et passionnée) 6510

Troupeau 12023, 12110, 13622

Trouvaille (d'objet) 14813

Trouve (Je ne cherche pas, je) 13879

Trouver 4107, 10141, 13455, 14535, 15275, 15304

Troyens 5970

Truffe 11747

Truismes 15822

Trust 12598

Tuées (Deux fois) 15904

Tuer 6612, 7459, 8227, 8308, 14702, 16059; (les morts) 10248

Tueur (des pauvres gens) 12568

Tuez (Les gens que vous) 1788

Tuf (obscur) 14352

Tuile 6214

Tulipe 8062, 11682; (Fanfan la) 9165

Tumulte 14589, 14596

Turbot 7967

Turc 5077, 5231, 7023, 10016, 10438, 10599, 11068; (Grand) 2966

Turenne 3316, 3545, 5542, 5628, 8350

Turgot 7622, 7623

Turold 21

Turquie 8395

Tutoyer 2814

Tympan 15589

Type (Homme-) 15485

Typhus 15238

Typographie 6831

Tyran (s) 718, 1638, 1669, 3988, 4168, 5087, 5840, 6337, 7976, 8134, 8205, 8684, 8831, 10296, 15730

Tyrannie /Montaigne 1047/ 2406 /Montesquieu 5123, 5180, 5193/ 6816, 6831, 7090, 7091, 7603, 8140 /Chateaubriand 8421/ 8912, 9522, 9529, 11110, 15523

U

U 12673, 12712

Ulcère 12669

Ulysse 4526; (Compagnons d') 6076; (Heureux qui comme) 587

Umour 14746, 14747

Un 6628, 10919; (An) 10463; (Et s'il en reste qu') 10136; (pour tous) 9963; (Tout est) 14125

Une (De deux choses l') 14698

Unicité 933

Unification 15789

Unifier 15271

Uniforme 9298, 16051

Uniformité 10933; (L'ennui naquit un jour de l') 4750

Union 11056, 13189; (indéfectible) 60; (légitime) 12973; (Libre) 12973; (politique) 5137; (sacrée) 12909

Unique 9328; (au monde) 15254

Unitaire (Doctrine) 8506

Unité (s) 3203, 4564, 8043, 9190, 9450, 10685, 10743, 11536; *(Cage des)* 9987; *(d'un ouvrage)* 4575; *(Préjugé de l')* 15097; *(Régle des trois)* 3744

Univers 715, 2352, 2355, 2364 /La Fontaine 2585/ /Pascal 3076/ 3850, 3854 /Racine 4002, 4145/ 4663 /Voltaire 5433, 5441, 5622/ 5741, 6769, 6871, 8529 /Lamartine 8964, 8965, 9090/ /Balzac 9855/ /Hugo 10159/ /Nerval 10846/ /Baudelaire 11456/ 12299, 12861, 12996 /Claudel 13143/ /Proust 13372/ /Valéry 13415/ 13904, 13905, 13907, 14349, 15912; *(de chacun)* 15994; *(des choses invisibles)* 13184; *(Domination de l')* 10684; *(Embrasser tout l')* 7414; *(Tricher avec l')* 14981

Universel 15248

Université (s) 1784, 5641, 10933; *(de 'la misère)* 12631; *(de Paris)* 5105

Univers-projectile 13506

Ur 10309

Urbanisme 14329

Uretère *(de Cromwell)* 3116

Urf 12753

Uriner 12478

Urne *(populaire)* 10897

U.R.S.S. 14065

Ursule 12384

Usage (s) 1036, 1055, 1540, 1541, 5432, 5931, 6462, 6852, 9734

Usé 8331

Usez *(-vous)* 10708

Usufruitier 12623

Usure 10612, 10614; *(invisible)* 15962

Usurier (s) 4697, 6863, 9618

Usurpateur 8121

Usurpation 3143; *(sociale)* 7537

Utile 1564, 2513, 6645, 8739, 9188, 11137, 11604, 11813, 11903, 14060; *(Être)* 14983; *(Se rendre)* 5919; *(Théâtre)* 11881

Utilitaire 11724

Utilité 6194, 6195, 7554

Utopie 10622, 14987, 15563; *(divine)* 14968

Utopiste 13073

V

Va *(carme!)* 9975; *(Quand le bâtiment)* 11268

Vacances *(Grandes)* 15471; *(illimitées)* 14939

Vacations 1062

Vache (s) 65, 148, 563, 7659, 13793; *(enragée)* 9783; *(les hommes sont)* 14643

Vagabond 12799

Vagabondage 12417

Vagin 5961

Vague *(de la mer)* 7822, 7987, 13677

Vague *(indéterminé)* 8842

Vaillance 1075, 2126

Vaillant *(Cœur)* 136

Vain (s) 5722, 7673

Vaincre 1219, 1565, 3701, 12144, 12226; *(Se)* 1556, 1817

Vaincu (s) 1454, 10938, 12961; *(Fier)* 12450; *(Malheur au)* 5792; *(par l'amour)* 3914

Vainqueur (s) 7970, 10938, 12138, 13856; *(Revenir)* 11982

Vaisseau 14138; *(percé)* 690

Valet (s) 388, 411, 764, 2924, 4195, 5475, 6935, 10077

Valeur *(humaine)* 785, 1534, 1706, 1800, 1964, 2025, 2026, 3664, 4549; *(élémentaire)* 15837; *(de l'homme)* 16039; *(militaire)* 335

Valeur (s) *(prix)* 5204; *(Abolir les)* 15127; *(solide)* 9742

Valoir *(Faire)* 5674
Vampire (s) 9565; *(littérai-res)* 6834
Vanité (s) /Montaigne 887/ 1241, 1303, 1304, 1309, 1652 /La Rochefoucauld 2005, 2012, 2021, 2077, 2102/ 2201, 2212, 2400 /La Fontaine 2412, 2495, 2571/ /Molière 2841, 2907/ /Pascal 3111, 3113, 3119/ /Bossuet 3342, 3348/ 3782, 3790, 3834 /La Bruyère 4330, 4404/ 4699, 4860, 4883, 4947, 4954 /Montesquieu 5052, 5254/ 5866, 5887, 5890, 5898 /Rousseau 6065, 6066, 6158/ 7041, 7259, 7288, 7686 /Chateaubriand 8368/ 8639, 8649 /Stendhal 8719, 8751, 8761, 8804, 8825/ /Balzac 9679/ 11283 /Flaubert 11627/ /Valéry 13425/ /Céline 14656/; *(de la gloire)* 1461; *(des Français)* 5033
Vanter 2310
Vapeur (s) 6302, 6938, 12040; *(corruptrice)* 11482; *(Machine à)* 8754
Variation 1018
Varier 11859
Variété 873, 1055, 5667
Varsovie 8597
Vase (s) 1505, 1609
Vasquez 3041
Vassal 1094
Vaste *(Femme)* 6797
Vatel 11336
Vaudeville (s) 2024, 3742, 5922
Vaudevilliste 11508, 12100
Vautour 10263, 10832
Veau *(d'or)* 13463; *(d'or est encore debout)* 11321; *(Mangeons du)* 10749
Vécu *(Avoir bien)* 6531; *(J'ai)* 4057
Vedette 9692
Végétale *(Couche)* 9945
Végétation *(de la pensée)* 12532

Veille 928
Veiller 15165
Veilleur 10170
Veine *(Fertile)* 3648
Vénal *(Amour)* 12800
Vendange (s) 311, 1086, 11421
Vendée 8518
Vendôme *(Duc de)* 5547
Vendômois 617
Vendre 5305, 8910; *(Dieu)* 10355; *(la France)* 11643; *(Se)* 9158
Vendredi *(Tel qui rit)* 3941
Vengeance 706, 2482, 2761, 3818, 3938, 4034, 4451, 4978, 6205, 9241, 9711, 10841
Venger 1702, 1707, 1743, 2352; *(Se)* 3927, 3929, 8810, 9887
Vengeurs *(Bras)* 7785
Venin 449
Venise 10946, 13719
Vent (s) 86 /Villon 172/ /Rabelais 299/ 597, 1118, 5962 /Lamartine 8963, 8997, 9011/ 11209, 11309, 12168 /Valéry 13435/ 14889, 15028; *(de feu)* 11158; *(de mer)* 13494; *(irascible)* 12208; *(mauvais)* 12343; *(N'écrire que du)* 16208
Ventre 487, 488, 2607, 9583, 9592; *(Taper sur le)* 11579
Ventriloque 12668
Venu *(Premier)* 11600, 12804
Vénus 3753, 4101, 7189, 7439, 10977, 11572, 12646; *(de Milo)* 12345
Vêpres 326
Ver (s) *(animal)* 5443, 10321, 10866, 11419, 11430, 11433, 14962; *(à soie)* 11896; *(de terre)* 10085; *(solitaire)* 14727
Verbe 10151, 11554, 15580; *(divin)* 3400
Verdure *(C'est un trou de)* 12659; *(Reste de)* 8974

Vérité (s) 46 /Villon 157/ /Rabelais 396/ 703 /Montaigne 922, 954, 1042, 1045, 1065/ 1182, 1279, 1308, 1328 /Descartes 1561, 1565/ 1617 /La Rochefoucauld 1981/ 2132, 2189, 2395 /La Fontaine 2474, 2599/ 2737 /Pascal 3038, 3094, 3142/ 3535, 3560, 3620 /Boileau 3696, 3707/ 3822, 3827, 3833, 3836, 3853 /La Bruyère 4370, 4418/ 4465, 4467 /Saint-Simon 4810/ /Montesquieu 5070/ /Voltaire 5318, 5421, 5523, 5524, 5568, 5569, 5684/ 5718, 5719, 5720, 5807, 5820, 5913 /Rousseau 5990, 6220, 6368, 6407, 6408, 6409, 6410, 6411, 6522/ 6546, 6571, 6678, 6687, 6718, 6748, 6829, 6830, 6831, 6858, 6942, 6996, 7063, 7380, 7382, 7554, 7848, 7875, 7892, 7914 /Constant 8086/ /Chateaubriand 8213, 8402/ 8538, 8659 /Lamartine 8943/ 9182, 9228, 9452 /Balzac 9750, 9767/ /Hugo 10010, 10318/ 10527, 10584 /Flaubert 11659/ 11854, 12088 /Zola 12117, 12129, 12133, 12136/ 12298, 12559 /Maupassant 12583/ 12749, 12986, 13208 /Gide 13285/ 13841, 13853, 13944, 13984, 14011, 14069, 14366, 14489 /Céline 14659/ 14708, 14712, 15046, 15050 /Malraux 15367/ 15773, 15810; *(absolue)* 14592; *(aveuglante)* 14786; *(chrétienne)* 1441, 1442, 1481, 3039, 3187, 3199, 3205, 3206, 3379, 3396; *(coupée en herbe)* 14241; *(Créée)* 15294; *(de demain)* 15251; *(de l'art)* 9989; *(de la vie)* 15269; *(de l'homme)* 15230, 15231; *(de seconde main)* 12781; *(Deux)* 9215 *(enfantine)* 14221; *(en marche)* 12130; *(générale)* 6193; *(idéale)* 10568; *(moyennes)* 14380; *(particulière)* 6193; *(philosophiques)* 14539; *(pratique)* 12502; *(première)* 12808; *(Relativité de la)* 6590; *(religieuse)* 13664; *(théologique)* 12547; *(Trahir la)* 7844

Verlaine 13169

Vermine 11417, 12469

Vérole 5503; *(de la théologie)* 5592; *(Petite)* 4776

Vérolés 5504

Verre 1665, 1769, 2372, 11873, 13798; *(Je bois dans mon)* 10960; *(Lever son)* 13739; *(plein)* 10731

Verrue 14288

Vers *(poésie)* 581 /Ronsard 628, 661/ 1084, 1141, 1286, 1313, 1396, 1473, 1660 /Corneille 1838/ 2243 /Boileau 3650, 3705, 3721, 3724, 3725/ 4755 /Voltaire 5384, 5519, 5714/ 6879, 7126, 7411, 7435, 7736 /Vigny 9365/ /Hugo 9993, 9995/ /Musset 10974, 11097/ 11136 /Baudelaire 11482, 11558/ /Flaubert 11688/ /Mallarmé 12247, 12256/ /Claudel 13145/; *(antiques)* 7846; *(français)* 4192; *(Mauvais)* 7292; *(libres)* 9994, 13001; *(Premiers)* 10945; *(souverain)* 11157

Versaillais 10630, 11956

Versailles 12685; *(Assemblée de)* 11352

Versatilité 869, 1921

Versificateur 5997

Vert (e, s) 138, 2469

Vertige 12212, 12634, 12713

Vertigineux 13418

Vertu (s) 139, 213 /Rabelais 340, 344/ /Marot 428/ 505, 580 /Ronsard 658, 662/

717 /Montaigne 842, 939, 1075/ 1193, 1214, 1300 /Descartes 1544/ 1608, 1634 /Corneille 1729, 1731, 1739/ /La Rochefoucauld 1963, 2015, 2016, 2021/ 2231, 2247, 2388 /La Fontaine 2580/ /Molière 2811, 2873/ /Pascal 3153/ /Bossuet 3357, 3362/ 3454 /Boileau 3710/ 3838, 3857 /Racine 4125, 4134, 4136/ 4208 /La Bruyère 4163/ 4515, 4565, 4585, 4845, 4931, 4940, 4955 /Montesquieu 5028, 5057, 5124/ 5279 /Voltaire 5348, 5361, 5369, 5386, 5395, 5470, 5618/ 5869 /Rousseau 5996 6053, 6269/ /Diderot 6317, 6324, 6339, 6394, 6456, 6484, 6501, 6514/ 6723, 6829, 7029, 7119, 7159, 7166, 7176, 7191, 7342, 7404, 7496, 7687, 7812, 7868, 7894, 7927, 7941, 7948, 8125 /Chateaubriand 8191, 8252/ 9094, 9133 /Balzac 9660, 9764/ 9923, 10580, 11237, 11291, 11746, 11905, 12951 /Gide 13311/ 14205, 14422, 15494, 15574; *(chrétiennes)* 1495; *(collective)* 15356; *(Défauts de la)* 9677; *(des femmes)* 5171; *(farouche)* 8138; *(inexpugnable)* 5878; *(Langue de la)* 6520; *(plastiques)* 13776; *(politique)* 5157, 9063, 9999; *(possible)* 9547; *(Un quart d'heure de)* 7264

Vertueux (se) 5901, 5902, 6681, 12325; *(Ame)* 4842; *(Femme)* 9850; *(Homme)* 7520; *(par bêtise)* 9866

Verve 6506, 7998

Verveine *(Le vase où meurt cette)* 12071

Vestales 4261

Vêtement *(noir)* 11090

Veuf (ve, s) 2424, 2727, 2729,

4354, 4589, 6765, 9056, 9119, 10803, 10920

Veuvage 6796

Viande *(décomposée)* 15404; *(La chair, c'est d'la)* 12172; *(saignante)* 12733

Vicaire *(de Jésus-Christ)* 13170

Vice (s) /Rabelais 340/ 1184, 1193, 1201 /Descartes 1544/ 1608, 1634 /La Rochefoucauld, 1963, 2016 2019/ 2388 /La Fontaine 2580/ /Molière 2933, 2951/ /Pascal 3099/ /Boileau 3708/ /Racine 4086/ 4222 /La Bruyère 4224/ 4585 /Montesquieu 5049, 5252/ /Voltaire 5400, 5440/ 5780 /Diderot 6317, 6342, 6344/ 6691, 6917, 7190, 7191, 7496, 7941 /Constant 8114/ 9133 /Balzac 9653, 9660, 9743, 9745/ 10527 /Musset 11063/ /Baudelaire 11544/ 11876, 11905 /Zola 12100/ 13533, 13856, 14182, 14304, 14422, 14451; *(Combinaisons du)* 15481; *(Qualités du)* 9677

Vicieux (se) 262; *(Cercle)* 15970; *(Individualité)* 9431

Victime (s) 4041, 9816, 10594, 10605, 11436, 11839, 13606; *(Glorieuse)* 7594

Victoire 867, 3879, 3909, 4016, 14280; *(en chantant)* 7900; *(galante)* 3251, 5859

Victor 11350

Victorieux 5549

Vide 8535, 8538, 9794, 13717, 13836, 14634

Vie (s) /Villon 183/ /Rabelais 376/ 437, 451, 456, 575 /Ronsard 649/ 812 /Montaigne 836, 837, 839, 896, 1020, 1071, 1076, 1078, 1081/ 1168, 1255, 1409, 1425, 1476, 1606 /Corneille 1752/ 2245 /Pascal 3119, 3128/ 3308, 3309

/Bossuet 3362, 3369, 3414/ 3558 /Racine 3886, 3887, 4076, 4147/ /La Bruyère 4387, 4389, 4393, 4394, 4408/ 4834, 4959 /Voltaire 5682/ /Rousseau 6089, 6121, 6179, 6190/ /Diderot 6517/ 6629, 6697, 6986, 7058, 7098, 7186, 7425 /Constant 8089/ 8143 /Chateaubriand 8260, 8261, 8269, 8277, 8312, 8405/ 8547, 8897 /Lamartine 9001, 9006, 9080/ /Vigny 9280, 9294, 9366/ 9460, 9510, 9943 /Hugo 10100/ /Nerval 10852/ 10909, 10929 /Musset 10967, 11062/ 11185, 11186, 11196, 11199, 11241, 11329, 11354 /Flaubert 11697/ 11768, 11782, 11873, 12161, 12277, 12301 /Verlaine 12381/ 12445, 12896, 12947, 13048, 13055, 13056, 13060 /Claudel 13166/ /Gide 13276, 13280/ 13556, 13712, 14232, 14265, 14814 /Malraux 15034, 15262/ 15697, 15931 /Camus 16073/ 16324; *(à deux)* 15035; *(Amour de la)* 13394, 16017 *(artistique)* 12632; *(Autre)* 13700, 16021; *(Banquet de la)* 7860; *(blanche)* 15663; *(Changer la)* 12710; *(chrétienne)* 13613; *(conjugale)* 11916; *(Définition de la)* 8546; *(de l'homme)* 7054, 7084; *(Des morceaux de ma)* 12015; *(de tout le monde)* 14264; *(Éponger la)* 7218; *(éternelle)* 12335, 13191, 14825; *(fugitive)* 5966; *(heureuse)* 14058; *(humaine)* 11891, 15215; *(humble)* 12361; *(intérieure)* 7611, 14365; *(J'ai perdu ma)* 12395; *(Jouer avec la)* 5681; *(Magnifier sa)* 13955; *(Mépriser la)*

6486; *(Péché contre la)* 16021; *(réelle)* 13834; *(retirées)* 995; *(Sens de la)* 16033, 16138; *(Soir de la)* 6976; *(S'ôter la)* 6321; *(Souffle de la)* 14140; *(Standard de)* 15515; *(Transmettre la)* 13331; *(Vraie)* 12708

Vieillard (s) 6124, 6190, 9678, 10304, 10305, 13402

Vieille (s) *(Voir : Vieux)*

Vieillesse /Villon 162/ /Ronsard 617, 619, 633, 650, 670, 681/ 702, 750, 770 /Montaigne 1004, 1005, 1021/ 1105, 1195, 1465 /Corneille 1712/ 1937 /La Rochefoucauld 2084, 2107/ 2268, 2269, 2361, 2362 /La Fontaine 2645/ 3327 /Bossuet 3358/ 3868 /La Bruyère 4391, 4392, 4393, 4410/ 4457, 4683, 4877 /Voltaire 5599/ 5959 /Rousseau 6048/ 7072 /Chateaubriand 8230/ /Stendhal 8886/ 9910, 10597, 12752, 14230, 14575, 15089

Vieillir /Marot 433/ 696 /La Bruyère 4295/ 4653, 7506 /Balzac 9846/ /Hugo 10267, 10327/ 13514, 14276, 14415, 14769, 15049, 15177, 15486

Vielle 175

Vierge (s) 1306, 10343, 10920, 12201, 12214, 15832

Vieux (vieilles) 10385, 13343, 14893; *(Éternellement)* 13745; *(Gens)* 1227

Vigne (s) 645, 1057, 11623

Vigueur 470, 12680

Vil 8376

Vilain (s) 77, 234, 318, 553, 780, 8557

Vilenie 77

Village 588, 10662

Villageois 10632

Villars *(Maréchal de)* 5548

Ville (s) 6674, 9317, 11613,

14634, 15083; *(Comme il pleut sur la)* 12353; *(Grandes)* 6297

Villemain 11578

Villeroy *(Maréchal de)* 4783

Villiers de L'isle-Adam 12822

Villon 435, 3726

Vilotières 387

Vin (s) /Villon 184/ /Rabelais 295, 396/ 483, 701, 804, 1178, 1269, 1464 /Molière 2783/ 3867, 7640, 8614, 10533 /Musset 11095/ /Baudelaire 11370, 11372, 11447, 11448/ 11623; *(de malheur)* 9728; *(généreux)* 5999; *(Verre de)* 9163;

Vincent de Paul 11722

Vinci *(Léonard de)* 11398

Viol 9871, 14284

Viole *(mourante)* 12184

Violence 882, 2510, 3038, 3039, 5318, 6388, 7091, 7374, 8035, 12529, 15762, 16064, 16167; *(prolétarienne)* 12522

Violent 9630

Violer *(la loi)* 13075

Violet 1371, 12452

Violettes *(fleur)* 13085

Violon *(instrument)* 8564, 12342; *(instrumentiste)* 6347

Vipère 4847

Virgile 3643, 3649, 3688, 5333, 8665, 9916, 10070, 10259; *(Soufflet à)* 7843

Virginité 1119, 2340, 13977, 15295

Virgules 13680

Visage 1654, 4276, 4455, 7585, 14137, 14437, 15234; *(Changer de)* 3972, 4049; *(d'un homme)* 9727; *(d'un pays)* 14992; *(humain)* 13542; *(Joli)* 4952

Visible (s) *(Choses)* 1395; *(Délivrance du)* 1616; *(Rendre)* 15439

Vision 10426, 13138, 15847

Visionnaires 15944

Vital *(Phénomène)* 11173, 11183, 11196

Vite 14301

Vitrail *(Génie du)* 15339

Vitre 15652

Vitrine 13796

Vitriol 11905

Vivace 12214

Vivacité 6152

Vivant (s) 4475, 5354, 6372, 8380, 9400, 12849; *(Bon)* 10354; *(Monde)* 11376; *(Simple)* 13905

Vivent *(Ceux qui)* 10120

Vivez *(Vous qui)* 10105

Vivisection 5748

Vivre 590, 593 /Montaigne 833, 853, 877/ 3785 /La Bruyère 4356/ 6698, 6699, 7211, 7682, 7696, 7837, 8931, 9212, 9218 /Hugo 10354/ 11224, 11235 /Flaubert 11696/ 12054, 12066, 12856, 13042, 13088 /Claudel 13130/ 13335 /Valéry 13435/ 13539, 14300, 14305, 14604, 15504, 15886 /Camus 16022/; *(Amour de)* 16010; *(Bien)* 5637; *(comme on pense)* 12624; *(désespoir de)* 16010; *(Droit de)* 7864; *(ensemble)* 11424; *(Libre)* 7979; *(Plaisir de)* 7614; *(qu'une fois)* 7851; *(Raisons de)* 15753; *(Recommencer à)* 7169; *(sans bonheur)* 13534; *(sans inconnu)* 15641

Vizir 4019, 5457

Vocabulaire 6134, 14062

Vocation 330, 15970

Vœu (x) 3979, 3982, 4007, 5420; *(régulier)* 2529

Voie (s) 14335; *(étroite)* 14477

Voile (s) 1947, 2732, 8984

Voilette 12164

Voir 4177, 6015, 7568, 8470, 14289, 15236, 15256; *(amoureusement)* 3998,

3999; *(clair la nuit)* 7979; *(Le verbe)* 9807

Voisin (s) 4483, 7725

Voix 4276, 7587, 7849, 14137, 16084; *(chères qui se sont tues)* 12341; *(de vote)* 3282; *(du cœur)* 11011; *(du soir)* 8990; *(Élever la)* 15117; *(J'entends des)* 10290; *(plaintive)* 4137; *(sinistre des vivants)* 11313; *(souveraine)* 12045

Vol 10880; *(O temps, suspends ton)* 6980, 8959

Volage (s) 2730, 4282; *(Femmes)* 5870; *(Infirmité)* 8336

Volcan 5505, 8465, 9820, 10636, 10807

Voler *(comme un oiseau)* 3669, 7466

Voler *(comme un voleur)* 6247, 6879, 7799

Voleur (s) 409, 2776, 6394, 7423, 10027, 10114, 11678, 11866, 14668, 15892; *(des énergies)* 12674

Volga 14665

Volontaire 10118

Volontarisme 15754

Volonté (s) 781, 1102 /Rousseau 6003, 6080, 6087, 6137, 6149, 6211/ 7883, 7947 /Constant 8059, 8115/ 8488, 9369 /Balzac 9645, 9859/ 14048, 14254, 14819, 14820; *(de Dieu)* 13162; *(générale)* 6084, 6093, 6111, 6392, 6394, 6395; *(particulières)* 6393, 6395

Voltaire /Saint-Simon 4806/ 4821, 5718, 5940, 5984, 5985 /Rousseau 6255, 6274/ /Diderot 6333/ 7125, 7456, 7613 /Lamartine 9039/ 9173, 9415, 9420, 9957 /Hugo, 10099, 10392/ 10449 10450, 10745 /Baudelaire 11611/ /Flaubert 11709/ 12492, 15830; *(Dors-tu content)* 10983; *(C'est la faute à)* 10249

Voltairien (ne) 11709; *(Pioche)* 11109

Volumes 6784

Volupté (s) 807, 3798 /Voltaire 5422/ 5968 /Rousseau 6233/ 7061, 7297 /Lamartine 9046/ 10930 /Musset 11020/ /Baudelaire 11406, 11424, 11950/ 12956, 14079, 14442, 14830, 15467, 15874; *(céleste)* 9833; *(immatérielle)* 10238; *(naturelles)* 1038; *(physique)* 7182, 7184

Voluptueux 3531, 11548

Vomis 8446

Vomitif 11375

Voracité *(du temps)* 13754

Vosges 12004

Votive *(Œuvre)* 14341

Vouloir 1413, 3244, 7946, 8065, 11364, 12910, 12911, 13042

Voulu *(Être)* 12772

Voulzie 10944

Vous 3231, 6876; *(c'est nous)* 14900

Voûte *(des cieux)* 5291

Voyage (s) 597 /Montaigne 861, 1051/ 1331 /Descartes 1546/ 1610 /La Fontaine 2595, 2704/ 4587 /Montesquieu 5235/ 5933 /Vigny 9320/ /Balzac 9624/ /Nerval 10797/ 13236, 13238 /Gide 13265/ 13646, 15790; *(La vie est un)* 7112

Voyager 1058, 5642, 7871, 8422, 9071, 9072; *(seul)* 14193, 15772

Voyageur (s) 1555, 6444, 8187, 8189, 8299, 11913, 13236, 14954

Voyant 12742, 15845

Voyelle 12673, 12712

Voyeur 15529

Vrai (s) /Montaigne 905/ /Descartes 1550, 1558, 1563/ /Boileau 3704, 3745/ /Rousseau 6198, 6245/ /Diderot 6527/ 6554, 7657 /Vigny 9373/ 10591 /Mus-

set 11036/ /Baudelaire 11523/ 11903, 15884 /Camus 16014; *(dans les arts)* 8638; *(Faire)* 12582; *(Hardiesse du)* 9733; *(Hommes)* 6038, 16280
Vraisemblable 3745, 6532
Vraisemblance 7326
Vu 2874
Vue 3047, 3048, 13281, 16130

Vulcain 7439
Vulgaire 2583, 6031, 6094, 9357, 11341
Vulgaire(s) *(Hommes)* 6125; *(Passage)* 7583
Vulgarité *(américaine)* 11842; *(Fausse)* 14196
Vulnérable 15126
Vulve 5961

W

Wagner 11560, 11562
Walpole *(Thomas)* 7994
Washington 8878

Waterloo 8367, 9811; *(morne plaine)* 10125
Wilde 13303

X

X 10387

Y

Y 10387
Yankees 11922
Yeux 1864, 1944, 2740, 3441, 3994, 4112, 4322, 6597, 7140, 7849, 12072; *(de province)* 5950; *(Fer-*

mer les) 7568, 15640; *(infortunés)* 3913; *(séduisants)* 4212
Yorick 15111
Yvetot *(Roi d')* 8612

Z

Zéphyr (s) 1470, 2431, 2732
Zéro (s) 1952, 3081, 11362, 15079
Zeus 13939
Zinjanthrope 15952

Zola 12534, 12535
Zone *(banlieue)* 14673
Zoroastre 5453, 5456, 5463, 5469

TABLE

TABLE 1607

TABLE 1609

TABLE 1611

TABLE 1613

TABLE 1615

TABLE 1617

TABLE 1619

TABLE 1623

TABLE   1625

L'impression de ce livre
a été réalisée sur les presses
des Imprimeries Aubin
à Poitiers/Ligugé

N° d'impression, L 16761
Dépôt légal, juillet 1984

Reliure par la S.I.R.C.
à Marigny-le-Châtel

Imprimé en France

Dictionnaires édités par LE ROBERT
107, avenue Parmentier - 75011 PARIS (France)

Dictionnaires de langue :

— *Grand Robert de la langue française.*
   Dictionnaire alphabétique et analogique de la langue française (7 vol.).
   Une étude en profondeur de la langue française.
   Une anthologie littéraire de Villon à Queneau et à nos contemporains.
— *Petit Robert 1 [P.R.1].*
   Dictionnaire alphabétique et analogique de la langue française
   (1 vol., 2 174 pages, 59 000 articles).
   Le classique pour la langue française : 8 dictionnaires en 1.
— *Robert méthodique [R.M.].*
   Dictionnaire méthodique du français actuel
   (1 vol., 1 700 pages, 34 300 mots et 1 730 éléments).
   Le seul dictionnaire alphabétique de la langue française
   qui groupe les mots par familles.
— *Micro Robert.*
   Dictionnaire du français primordial
   (1 vol., 1 232 pages, 30 000 articles).
   Un dictionnaire d'apprentissage du français.
— *Dictionnaire universel* d'Ántoine Furetière
   (éd. de 1690, préfacée par Bayle).
   Réédition anastatique (3 vol.), avec illustrations du XVIIe siècle
   et index thématiques.
   Précédé d'une étude par A. Rey :
   « Antoine Furetière, imagier de la culture classique. »
   Le premier grand dictionnaire français.
— *Le Robert des sports.*
   Dictionnaire de la langue des sports
   (1 vol., 586 pages, 2 780 articles, 78 illustrations et plans cotés),
   par Georges PETIOT.

Dictionnaires de noms propres :
   (Histoire, Géographie, Arts, Littératures, Sciences...)

— *Grand Robert des noms propres.*
   Dictionnaire universel des noms propres
   (5 vol., 3 500 pages, 42 000 articles, 4 500 illustrations couleurs et noir, 210 cartes).
   Le complément culturel indispensable du *Grand Robert de la langue française.*
— *Petit Robert 2 [P.R.2].*
   Dictionnaire des noms propres
   (1 vol., 2 106 pages, 36 000 articles, 2 200 illustrations couleurs et noir, 200 cartes).
   Le complément, pour les noms propres, du *Petit Robert 1.*
— *Dictionnaire universel de la peinture.*
   (6 vol., 3 022 pages, 3 500 articles, 2 700 illustrations couleurs.)

Dictionnaires bilingues :

— *Le Robert et Collins.*
   Dictionnaire français-anglais/english-french
   (1 vol., 1 536 pages, 225 000 « unités de traduction »).
— *Le « Junior » Robert et Collins.*
   Dictionnaire français-anglais/english-french
   (1 vol., 960 pages, 105 000 « unités de traduction »).
— *Le « Cadet » Robert et Collins.*
   Dictionnaire français-anglais/english-french
   (1 vol., 624 pages, 60 000 « unités de traduction »).
— *Le Robert et Signorelli.*
   Dictionnaire français-italien/italiano-francese
   (1 vol., 3 008 pages, 339 000 « unités de traduction »).